KLAUS FITTSCHEN
GRIECHISCHE PORTRÄTS

GRIECHISCHE PORTRÄTS

Herausgegeben von
KLAUS FITTSCHEN

WISSENSCHAFTLICHE BUCHGESELLSCHAFT
DARMSTADT

CIP-Kurztitelaufnahme der Deutschen Bibliothek

Griechische Porträts / hrsg. von Klaus
Fittschen. – Darmstadt: Wiss. Buchges., 1988
    ISBN 3-534-09068-3
NE: Fittschen, Klaus [Hrsg.]

1 2 3 4 5

Bestellnummer 09068-3

© 1988 by Wissenschaftliche Buchgesellschaft, Darmstadt
Satz: Maschinensetzerei Janß, Pfungstadt
Druck und Einband: Wissenschaftliche Buchgesellschaft, Darmstadt
Schrift: Linotype Times, 10/12
Printed in Germany

ISBN 3-534-09068-3

Inhalt

Tafelteil

Vorwort

Griechische Porträts waren über viele Jahrzehnte eines der zentralen Themen gerade der deutschen archäologischen Forschung. Allerdings ist das Interesse daran in den letzten Jahren stark zurückgegangen. Zur Zeit sind es die Römischen Porträts, auf die aller Anstrengungen gerichtet sind.

Der vorliegende Band hat sich zum Ziel gesetzt, diesem modischen Trend etwas entgegenzuwirken. Eine Auswahl älterer erfolgreicher Arbeiten über Griechische Porträts soll wieder ins Bewußtsein rufen, auf welchen Wegen unser gegenwärtiger Wissensstand erarbeitet wurde, mit welchen erprobten Methoden eine Erweiterung dieser Kenntnisse möglich ist und vor allem, wieviel es auf diesem so wichtigen Gebiet noch zu tun gibt.

Die Auswahl der Texte, über die ich im einleitenden Kapitel noch einige begründende Hinweise gebe, hat sich vor allem an drei Kriterien orientiert: zum einen sollten die Texte einen gewissen Umfang nicht überschreiten, um den Rahmen eines Sammelbandes nicht zu sprengen. Deshalb mußte sich die Auswahl auf Zeitschriftenaufsätze und kleinere Monographien beschränken. Ich habe gänzlich darauf verzichtet, Texte in Auszügen aufzunehmen, da es m. E. unbedingt erforderlich ist, daß jede Beweisführung in der vom Autor vorgesehenen Form vollständig wiedergegeben wird. Die einzige Kürzung, die ich vorgenommen habe, betrifft den epigraphischen Anhang des Beitrages von Christian Huelsen (S. 117 ff.), was mir vertretbar erschien.

Zum anderen habe ich mich bemüht, vor allem solche Texte zu berücksichtigen, die für die folgende Forschung grundlegend geworden sind und deren Ergebnisse sich bewährt haben. Kenner der Materie wird es kaum überraschen, daß dabei vor allem Arbeiten aus den beiden Jahrzehnten vor und nach der Jahrhundertwende zusammengekommen sind. Auf Texte, die eine Zeitlang zwar große Wirkung ausgeübt, sich aber schließlich doch als unzutreffend erwiesen haben, habe ich möglichst verzichtet. Denn ich teile nicht die optimistische Meinung über den „fruchtbaren Irrtum", jedenfalls nicht in einem Fach wie der Klassischen Archäologie, das prädestiniert dafür scheint, auch dem offenkundigsten Irrtum den Anspruch auf Dauer zu gewähren. Ich will damit nicht sagen, daß die ausgewählten Texte frei von Fehlern wären und auch heute noch so geschrieben werden könnten. Aber diese Einschränkung gilt ja für jede wissenschaftliche Arbeit.

Schließlich sollten die Texte möglichst alle Perioden der griechischen Porträtgeschichte abdecken. Daß sich dieser Vorsatz nur unzureichend verwirklichen ließ, hängt mit der Überlieferungssituation und der Bevorzugung der klassischen Periode sowohl durch die kaiserzeitlichen Kopisten als auch die ältere Forschung zusammen.

Die ausgewählten Texte wurden in der originalen Fassung übernommen, nur Orthographie und Zeichensetzung wurden den heute geltenden Regeln angepaßt. In der ursprünglichen Form belassen wurden auch die Literaturzitate; diese wurden allerdings in den übersetzten Texten soweit als möglich der in der deutschen Archäologie üblichen Zitierweise angeglichen. (Zur Zitierweise s. S. 27.) Die Anmerkungen wurden wegen des abweichenden Satzspiegels durchnumeriert. Um dem Leser das Auffinden jüngerer Literatur sowie der weiteren archäologischen Überlieferung zu erleichtern, habe ich Nachträge in den Anmerkungen angefügt, die – wie alle sonstigen Zufügungen (etwa bei den Tafelverweisen) – durch [ ] gekennzeichnet sind. Ich habe dabei besonders das dreibändige Werk von Gisela M. A. Richter, Portraits of the Greeks (1965) berücksichtigt, das das z. Zt. umfassendste Quellenwerk zum Thema darstellt.

Um den des Griechischen nicht oder nur wenig kundigen Lesern die Lektüre zu erleichtern, habe ich den griechischen Zitaten im fortlaufenden Text Übersetzungen beigefügt, seien es eigene, seien es – wenn es solche gab – bereits vorliegende. Ich brauche das gerade in der heutigen Zeit nicht weiter zu rechtfertigen; es wäre auch schon in früherer Zeit angemessen gewesen, denn daß auch schon zu Beginn dieses Jahrhunderts Archäologen nicht mehr des gesamten Wortschatzes des Griechischen mächtig waren, das hat Studniczka mit spitzer Feder festgehalten (S. 175 Anm. 94). Bei den Übersetzungen hat mich Wolfram Ax beraten, wofür ich ihm herzlich danke.

Die Bebilderung entspricht weitgehend der ursprünglichen in den einzelnen Beiträgen, nur in ganz wenigen Fällen habe ich auf Abbildung von Stücken verzichtet, deren Bedeutung mir für den Beweisgang der Autoren heute unerheblich schien. Ich habe mich jedoch bemüht, dem Tafelteil möglichst neue Photographien zugrunde zu legen. Ich konnte mich dabei glücklicherweise auf eine Photosammlung im Nachlaß von Rudolf Horn stützen, die dieser für eine großangelegte, aber leider nie wirklich begonnene Untersuchung zu den unbenannten griechischen Porträts zusammengetragen hatte (s. Richter I S. IX). Für besondere Ansichten habe ich die reiche Gipsabgußsammlung des Göttinger Instituts herangezogen, ein Verfahren, dessen sich schon die ältere Forschung mit Gewinn bedient hatte, das freilich während der beiden letzten Generationen leider stark vernachlässigt worden ist. In einzelnen Fällen konnte freilich auch auf Reproduktionen aus den älteren Arbeiten nicht verzichtet werden.

Ich habe die Texte in der Reihenfolge ihres Erscheinens geordnet, da sich so die Entwicklung dieses Forschungsgebietes klarer verfolgen läßt. Es wäre aber auch eine Gliederung nach Themenbereichen möglich gewesen, da sich einige Arbeiten deutlich auf andere beziehen und z. T. deren Fortsetzung sind (vgl. etwa die beiden Beiträge zum Bildnis des Demosthenes [S. 78 ff. 141 ff.] und des Menander [S. 185 ff. 375 f.]) oder dieselbe Fragestellung verfolgen (vgl. die Beiträge zum Problem der Anfänge der Griechischen Bildniskunst, S. 224 ff.).

Dagegen habe ich die Bebilderung weitgehend aus dem ursprünglichen Kontext der einzelnen Beiträge gelöst und zu einer selbständigen Einheit zusammengefügt.

Das war schon deswegen unvermeidbar, weil viele Denkmäler in mehreren Arbeiten behandelt werden. Ich habe den Tafelteil ebenfalls chronologisch geordnet, in diesem Fall nach der Entstehungszeit der Bildwerke bzw. deren originaler Vorbilder. Ich bin mir bewußt, daß das nicht ganz ohne Brüche abgegangen ist, einmal, weil das zeitliche Nebeneinander notwendigerweise zum Nacheinander im Buche wird; zum anderen, und das ist viel schwerer wiegend, weil die Chronologie vieler Denkmäler eben noch keineswegs gesichert ist. Umstellung einzelner Stücke oder ganzer Gruppen sind daher durchaus denkbar oder sogar notwendig. Doch hoffe ich, daß die Abfolge in den Grundzügen der der Denkmäler entspricht. Denn es war mein Ziel, schon durch die Anordnung der Tafeln die Stilentwicklung des Griechischen Porträts anschaulich zu machen. Ich habe deshalb bewußt darauf verzichtet, der Reihenfolge der Bildwerke z. B. die Lebensdaten der Dargestellten zugrunde zu legen, wie es in vielen anderen einschlägigen Werken, z. B. auch in dem Kompendium von G. M. A. Richter, gemacht worden ist. (Zur Problematik der Datierung von Bildnissen nach Lebensdaten siehe im einleitenden Kapitel.)
Um eine gewisse Vollständigkeit in der Stilabfolge zu gewährleisten, habe ich mehr Bildnisse berücksichtigt, als in den aufgenommenen Texten behandelt werden. Das gilt besonders für Neufunde und für die in der Forschung seit je vernachlässigten Bildnisse der hellenistischen Zeit. Auf sie wird im einleitenden Kapitel eigens hingewiesen.
Ich habe mich bemüht, jedes Bildnis in wenigstens zwei Ansichtsseiten abzubilden; mehr war mit Rücksicht auf die Herstellungskosten und den Verkaufspreis des Buches nicht möglich. Es sei aber deutlich darauf hingewiesen, daß plastische Werke im Grunde nur beurteilen kann, wer alle Seiten einer Skulptur kennt und für Vergleiche zur Verfügung hat. Einer der Gründe für viele ungelöste Probleme in der Erforschung Griechischer Porträts ist ganz unbestreitbar die unzureichende Erschließung auch dieser Denkmäler. Das vorliegende Buch konnte *diese* Aufgabe naturgemäß nicht übernehmen, aber es wäre schon viel erreicht, wenn es dazu beitrüge, daß solche Erschließungsarbeiten wieder in Angriff genommen werden.
Der Tafelteil kann also auch als Bilderbuch, getrennt vom Textteil, benutzt werden. Um die Auffindung der Stellen, an denen über das jeweilige Bildwerk gehandelt wird, zu erleichtern, habe ich zu jeder Abbildung Seitenhinweise hinzugefügt.
Ich bin der Wissenschaftlichen Buchgesellschaft, insbesondere Reinhardt Hootz, sehr dankbar, daß sie sich meinen Vorstellungen über Umfang und Gliederung dieses Buches, das den Rahmen der anderen Bände dieser Reihe sprengt, bereitwillig angeschlossen haben.
Danken möchte ich hier auch all denen, die mir bei der Beschaffung der Bildvorlagen geholfen haben:
J. Ch. Balty (Brüssel), F. Baratte (Paris), A. Bernhard-Walcher (Wien), Chr. Boehringer (Göttingen), H. Cahn (Basel), U. Cain (DAI Rom), Fleming Johansen (Kopenhagen), G. Grimm (Trier), F.-W. Hamdorf (München), H. Heres (Berlin),

D. Johannes (DAI Kairo), H. Jung (DAI Rom), H.-J. Kruse (Plön), L. Mildenberg (Zürich), H. Oehler (Forschungsarchiv Köln), G. Platz-Horster (Berlin), Th. Schäfer (DAI Athen), H. Schubert (Frankfurt), J. Szilágy (Budapest), S. Walker (London),C. Weber-Lehmann (Freiburg) und U. Westermark (Stockholm).

F. J. Jolly (Holkham Hall) erteilte in liberaler Weise die Erlaubnis zur Abbildung der beiden unter seiner Verwaltung stehenden griechischen Büsten.

Stephan Eckardt hat die Aufnahmen nach den Göttinger Abgüssen und die Reproduktionsarbeiten, Monika Gardemann in gewohnter Weise die Schreibarbeiten durchgeführt; Marion Mathea hat mich bei der Erstellung der Bibliographie unterstützt, Petra Ranke hat die Korrekturen mitgelesen; ihnen sei ebenfalls herzlich gedankt.

Göttingen, im Herbst 1986   Klaus Fittschen

Griechische Porträts –
Zum Stand der Forschung

Von Klaus Fittschen

1. Zur Definition des Gegenstandes

Griechische Porträts, das sind nach dem Sprachgebrauch der Archäologen Porträts, die von griechischen Künstlern seit den Anfängen dieser Kunstgattung in Griechenland bis zum Jahre 30 v. Chr. geschaffen worden sind, als Ägypten als der letzte der noch selbständigen Griechenstaaten dem Römischen Reich einverleibt wurde. Natürlich haben griechische Künstler auch noch nach diesem Datum Bildnisse hergestellt, ja, es ist sogar ziemlich sicher, daß sie an der Produktion von Werken dieser Art im Römerreiche in besonders starkem Maße beteiligt waren; doch werden diese der römischen Kaiserzeit entstammenden Denkmäler üblicherweise als „Römische Porträts" bezeichnet, eine Klassifizierung, die sicher mißverständlich ist und auch zu mancherlei Mißverständnissen geführt hat, aber das haben nun einmal alle Bezeichnungen, die mit dem vom Namen der Stadt Rom abgeleiteten Adjektiv „römisch" verbunden werden, so an sich [1].

Bei dem Jahr 30 v. Chr. handelt es sich – wie bei allen Periodisierungen, besonders auf kulturhistorischem Gebiet – zunächst um eine ganz äußerliche Zäsur, allerdings läßt sich nicht übersehen, daß mit Beginn der Kaiserzeit der Einfluß des lateinischen Westens auf den griechischen Osten auch in der Porträtkunst zunimmt, ablesbar etwa an den durch das Kaiserhaus geprägten Modefrisuren. Die übliche Periodisierung kann also beibehalten werden, auch wenn sich eine gewisse Gewaltsamkeit nicht leugnen läßt; denn natürlich lebten alte Vorstellungen, gerade auf dem Gebiet der Porträtkunst, weiter oder wurden – in deutlicher Absetzung vom Westen – wiederbelebt, so daß die kaiserzeitliche Porträtkunst im griechischen Osten durchaus ein eigenes Gepräge bewahrt hat [2]. Dieser von der Forschung noch nicht hinreichend dokumentierte Teil der griechischen Porträtgeschichte wird in diesem Band aber ganz ausgeklammert.

In der Regel sind es Angehörige des griechischen Volkes, die im Griechischen Porträt dargestellt sind. Doch werden – m. E. zu Recht – auch die Porträts von Nicht-Griechen dazu gerechnet, dann nämlich, wenn sich aus dem griechischen Stil solcher Bildwerke ersehen läßt, daß griechische oder wenigstens griechisch geprägte Künstler am Werke gewesen sind. Nichtgriechische Auftraggeber spielen ja in der griechischen Kunstgeschichte schon seit der archaischen Zeit eine große Rolle, der persische Satrap karischen Geblüts *Maussollos* (Taf. 54,1) ist das bekannteste Beispiel; ihre Zahl hat während des Hellenismus stark zugenommen. Natürlich gehören zu solchen nichtgriechischen Auftraggebern auch Etrusker, Römer und andere Italiker aus den vorkaiserzeitlichen Perioden [3], doch werden diese Werke traditionsgemäß wiederum der „Römischen Kunst" zugerechnet und bleiben deshalb hier ebenfalls außer Betracht.

Somit bietet die Bestimmung dessen, was ein Griechisches Porträt ist, weder in zeitlicher noch kunstgeographischer Hinsicht unüberwindbare Schwierigkeiten. Anders steht es dagegen mit der Frage, was denn unter einem Porträt (oder Bildnis) zu verstehen sei. Diese zunächst so einfach anmutende Frage ist gleichwohl die Ursache vieler Mißverständnisse und Kontroversen in der Forschung bis in die Gegenwart. Nach der weithin akzeptierten Definition von Bernhard Schweitzer [4] sind es drei Dinge, die ein Porträt ausmachen: (1) es muß eine bestimmte lebende oder gelebt habende Person dargestellt sein; (2) diese muß in ihren äußeren Zügen unverwechselbar wiedergegeben sein; (3) es muß ihre Personalität, ihr inneres individuelles Wesen in ihrem Äußeren sichtbar gemacht sein.

Diese letztgenannte Forderung gilt vielen als entscheidend, weil sie ein Porträt erst zum Kunstwerk erhebe und von der mechanischen Reproduktion (etwa in Form der Photographie) unterscheide; gerade diese Forderung ist aber besonders problematisch, da sie dem weitverbreiteten Mißverständnis Vorschub leistet, als sei der Künstler gegenüber dem Auftraggeber in der Wesensdeutung autonom. Man weiß, zu welch grotesken Porträtdeutungen diese Auffassung in der Forschung gerade auch der antiken Porträts geführt hat [5].

Natürlich legt der Auftraggeber eines Porträts Wert darauf, daß nur ihm positiv erscheinende Züge zur Darstellung kommen; das war in der Antike so und dürfte auch heute noch die Regel sein. Der Künstler als autonomer Charakterinterpret ist eine moderne Fiktion, geboren aus dem Geniekult des vorigen Jahrhunderts. Die besonderen Bindungen der Kunstgattung Porträt an den Auftraggeber machen es vielmehr verständlich, warum gerade die Porträtkunst bei vielen Künstlern nicht sonderlich geschätzt war [6].

Es ist nicht die Wahrhaftigkeit, die den Kunstcharakter eines Porträts ausmacht, sondern die Glaubhaftigkeit. Es ist deshalb durchaus möglich, ja sogar das Übliche, daß ein Porträt unwahr ist; das tut seinem Kunstcharakter aber keinen Abbruch, denn schon Hesiod wußte, daß die Musen, die Schutzpatroninnen der Künste, auch lügen können (Theog. 27–28). Und nichts anderes bedeutet die gern zitierte Bemerkung des Plinius, n. h. 34, 74, an der Kunst des Kresilas sei besonders zu bewundern, *quod nobiles viros nobiliores fecit*. Nur mit dieser Einschränkung ist der dritte Teil von Schweitzers Definition annehmbar.

Nicht unproblematisch ist aber auch der zweite Teil dieser Definition. Angesprochen ist hier das Problem der Bildnisähnlichkeit, zweifellos derjenige Aspekt, der für unser heutiges Verständnis von Porträts entscheidend ist. Zu wissen, wie eine Person, für die man sich interessiert, aussieht, ist offenbar ein weitverbreitetes und schon recht altes Bedürfnis (vgl. Plinius, n. h. 35, 10), auch wenn einem dieses Wis-

sen in der Regel keine besonderen Einsichten vermittelt[7]. Die Neugier nach dem
tatsächlichen Aussehen der *viri illustres* des Altertums steht denn auch am Anfang
der Porträtforschung und bildet bei den meisten noch heute deren einzigen Zweck.
Dabei ist diese Neugier keineswegs eine ursprüngliche Erscheinung, und es gab sie
auch nicht zu allen Zeiten. Die Griechen, bei denen sich das Aufkommen dieser Art
von Neugier gut beobachten läßt, haben kein Wort entwickelt für das, was wir heute
unter Porträt oder Bildnis verstehen. Der übliche Ausdruck dafür, εἰκών (pl. εἰκόνες), läßt nicht erkennen, ob das betreffende Bildwerk dem Dargestellten tatsächlich ähnlich war oder nicht, ob es sich also um ein Porträt im modernen Sinne oder
um ein Idealbildnis handelt. Bildnisähnlichkeit mußte in jedem Fall durch zusätzliche Bezeichnungen kenntlich gemacht werden[8]. Für die Griechen war Bildnisähnlichkeit offenbar kein elementares Kriterium für die Kunstgattung „Porträt". Das
läßt sich z. B. leicht auch daran zeigen, daß zahlreiche Porträts erst viele Jahre, oft
Jahrhunderte nach dem Tod der Dargestellten geschaffen wurden, als sichere
Kunde von der äußeren Erscheinung während ihrer Erdentage nicht mehr verfüg-
bar war (Plinius, n. h. 35, 10: *non traditi vultus*). Ein solcher Fall ist das berühmte
hellenistische *Homerporträt* (Taf. 140); niemand könnte bestreiten, daß es sich um
ein individuelles Porträt handelt, aber keiner würde behaupten, daß Homer so ausgesehen hat. Es handelt sich um das, was die Archäologen ein Phantasie- oder
Rekonstruktionsporträt nennen, eine Erscheinung, die übrigens nicht auf das Altertum beschränkt ist (man denke etwa an das berühmte Rembrandtgemälde ›Aristoteles mit der Büste Homers‹, oder die gesamte Heiligenikonographie). Die Bezeichnung solcher Rekonstruktionsporträts als „Idealporträts", wie es sich durchweg in
der älteren Forschung findet, ist unsinnig, da es dem realistischen oder individuellen
Aussehen dieser Porträts nicht gerecht wird. Von einem „Blinden-Ideal" z. B. wird
man ernsthaft doch wohl nicht sprechen können.
Wir Heutigen sind nun schon überhaupt nicht mehr in der Lage zu beurteilen, ob
eine Person der Vergangenheit in ihrem Porträt tatsächlich ähnlich dargestellt worden ist; das gilt nicht nur für das Altertum, sondern natürlich ebenso für die Neuzeit,
jedenfalls bis zur Erfindung der Photographie[9]. Die erhaltenen literarischen Nachrichten über das Aussehen solcher Personen sind zudem für die Antike viel zu spärlich, als daß damit eine Kontrolle möglich wäre, und wer könnte schon in jedem Fall
beweisen, daß diese Nachrichten tatsächlich dem lebenden Vorbild und nicht erst
seinem Bildnis abgeschaut worden sind?[10]
Hinzu kommt die Unsicherheit darüber, was denn alles dazugehört, um den Eindruck von Ähnlichkeit beim Betrachten hervorzurufen. Die Karikatur, die mit dem
Porträt eng verwandt ist, lehrt, daß dafür schon wenige Kennzeichen ausreichen.
Wie will man festlegen, wann sich die Griechen in den verschiedenen Phasen ihrer
Entwicklung in den Stand gesetzt sahen, ein Bildnis ähnlich zu finden?
Ich will keineswegs bestreiten, daß es für die Geistesgeschichte interessant wäre zu
wissen, wann die Griechen angefangen haben, wirklich „ähnliche" Porträts herzu-

stellen. Wir sind zwar überzeugt, daß es die Griechen waren, die damit angefangen haben [11], und es ist sehr wahrscheinlich, daß diese Anfänge mit der individualisierenden Darstellungsweise zusammenfallen (s. u. S. 18 ff.), wirklich beweisen können wir aber weder das eine noch das andere.

Das einzige, was wir aufzeigen und verfolgen können, ist die Tatsache, daß und in welcher Weise die Griechen Porträts *individuell* gestaltet haben. Die Individualität eines Bildnisses läßt sich dabei am leichtesten aus den Abweichungen gegenüber anderen Bildnissen und vor allem gegenüber der Idealkunst der jeweiligen Zeit ablesen [12] oder ist, positiv gewendet, durch die leichte physiognomische Einprägsamkeit der äußeren Erscheinung erfahrbar [13]. Bei der Diskussion um die „Anfänge der Griechischen Bildniskunst" (s. u. S. 224 ff. und S. 253 ff.) kann es deshalb nur um das Aufkommen individueller Porträts gehen, nicht um das „ähnlicher".

Wenn sich die Porträtforschung mit dieser Frage (und den vielen sich daraus ergebenden interessanten Fragestellungen, s. S. 15 ff.) begnügt hätte und nicht immer wieder sich abmühte, Dinge wissen zu wollen, die wir nicht wissen können, stünde es besser um sie. Im übrigen verlieren Porträts ja auch gar nicht an Aussagekraft, wenn sie nicht-ähnliche, d. h. Ideal- oder Phantasieporträts sind, im Gegenteil.

Für nahezu die gesamte Antike ist das Nebeneinander einer individualisierenden und einer idealisierenden Porträtauffassung typisch. Und natürlich gab es auch die Vermischung beider Strömungen in allen nur denkbaren Abstufungen. Eine Geschichte des Griechischen Porträts kann deshalb nicht allein eine Geschichte derjenigen Porträts sein, die wir als solche gelten lassen würden, sondern muß alles, was die Griechen darunter verstanden haben, berücksichtigen.

Somit bleibt für das Griechische Porträt nur der erste Teil von Schweitzers Definition gültig, den Ernst Buschor in die poetischere Formulierung gekleidet hat: „Mit dem Wort ‚Bildnis' (‚Porträt') bezeichnen wir Darstellungen bestimmter Personen, die ein Erdenleben geführt haben, Darstellungen, die bestrebt sind, ihrem Gegenstand eine gewisse Dauer zu verleihen" [14]. Aber auch hierzu ist noch eine Anmerkung nötig. Dem Satz „die ein Erdenleben geführt haben" wird man nämlich in bezug auf die Griechischen Porträts den Zusatz hinzufügen müssen: „nach Ansicht der Griechen". Denn natürlich war *Homer*, an dessen individueller Existenz die moderne Kritik starken Zweifel hegt, für die Griechen eine reale Person und damit selbstverständlich porträtfähig (Taf. 13 und 140; vgl. dazu auch Plinius, n. h. 35, 9). Daß die beiden Zwillinge *Kleobis und Biton* der frommen Legende wirklich gelebt haben, dürfte ebenfalls keinem Griechen fraglich gewesen sein, so daß Herodot ganz folgerichtig ihre Standbilder in Delphi (Taf. 1) [15] als Porträts (εἰκόνες) bezeichnete (I 31).

Und dann gibt es da noch die Heroen des Mythos, die selbst schon relativ aufgeklärten Männern wie Herodot und Thukydides selbstverständlich noch als reale Gestalten der geschichtlichen Vergangenheit galten [16]. Es ist deshalb nicht verwunderlich, daß noch Pausanias die Statuen der attischen Phylenheroen auf der Agora in Athen

(I 8,2) oder die Statuen der mythischen Könige von Argos in Delphi (X 10,4) als Porträts (εἰκόνες) bezeichnet.

Man muß sich klarmachen, daß für griechische Augen der Unterschied zwischen der Statue eines Heroen vom Typus *Riace B*[17] und der (nicht erhaltenen, aber wohl ähnlich vorzustellenden) des *Perikles* (vgl. hier S. 377. 383) nicht der einer unterschiedlichen Historizität der Dargestellten gewesen ist. (Was den Unterschied wirklich ausgemacht hat, können Archäologen, wenn sie ehrlich sind, bis heute nicht klar definieren[18].) Die bis zur Porträthaftigkeit getriebene Individualisierung in der Darstellung von Gestalten des Mythos schon seit dem Strengen Stil (Taf. 12,2; 21,1; 25), besonders aber im Hellenismus (Taf. 138,2), zeigt die grundsätzliche Nähe der beiden uns so gegensätzlich scheinenden Bereiche. Der Kopf des greisen *Sehers* im Ostgiebel des Zeustempels von Olympia (Taf. 12,2) ist nicht weniger ein „Rekonstruktionsporträt" als die Bildnisse des *Blinden Homer* (Taf. 13 und 140)[19].

Die Gattung „Porträtkunst" war also bei den Griechen viel stärker mit der übrigen Kunst verbunden, als es unsere Klassifizierungen vermuten lassen. In diesem Buch wird aber – traditionsgemäß – nur von solchen Gestalten die Rede sein, die auch nach unserem Verständnis als historische gelten können.

2. Zur archäologischen Überlieferung der Griechischen Porträts

Die äußerst trümmerhafte Überlieferung der Griechischen Porträts stellt das entscheidende Hemmnis bei der Erforschung dieser Denkmälergruppe dar. Die Zahl der erhaltenen Porträts liegt weit unter der der Bildnisse aus der Römischen Kaiserzeit. Das wenige, was wir heute besitzen, läßt sich – vereinfacht – in zwei Gruppen aufteilen: Die Bildnisse der *viri illustres*, also diejenigen Werke, die immer besonderes Interesse erregt haben und die in der Tat ja eine ganz einzigartige Leistung der griechischen Kultur darstellen, sind uns nur in römischen Kopien überliefert; in Originalen dagegen kennen wir die Porträts meist namenloser griechischer Bürger. Da die für die Nachwelt interessantesten Geistesgrößen vor allem der klassischen Zeit angehören, die erhaltenen Originale aber zumeist aus der griechischen Spätzeit stammen, ist die Überlieferung in doppelter Weise unausgeglichen.

Daß wir von den Bildnissen der griechischen *viri illustres* überhaupt eine Vorstellung gewinnen können, verdanken wir allein den Bürgern des Römischen Reiches, denn sie haben zur Ausstattung ihrer Häuser und Villen oder der öffentlichen Gebäude Kopien dieser Bildwerke in Marmor oder Bronze anfertigen lassen. Es ist bis heute kein einziges Original eines dieser Denkmäler gefunden worden; nur von einem – allerdings einem der berühmtesten – ist wenigstens die ursprüngliche Basis erhalten geblieben: von der Sitzstatue des Dichters *Menander* im Dionysostheater von Athen (s. u. S. 187 Abb. 8)[20]. Die Motive der Auftraggeber solcher Kopien sind nur selten genau bekannt; oft mag Bildungsprotzerei dabei im Spiel gewesen sein, in vielen Fällen lag aber – wie in der Neuzeit – eine echte Bewunderung für die griechische Kultur zugrunde. Das bezeugen Männer wie Cicero[21] oder jener immer noch nicht sicher identifizierte Besitzer einer Villa bei Herculaneum, die ein wahres Museum von *opera nobilia* und *imagines illustrium* gewesen ist (Taf. 72. 81. 84–85. 89. 109. 124. 127–128. 138–139)[22]. Wie weit verbreitet das Bedürfnis nach Identifikation mit griechischer Bildung gewesen ist, belegen etwa die Büste des *Xenophon* (Taf. 71), die irgendwo in Ägypten gestanden hat, das Bildnis des *Sokrates* in Sfax in Tunesien (Taf. 60), das Bildnis des *Demosthenes* aus Eskişehir in Phrygien (Taf. 112) oder die aus Caesarea in Palästina stammende Büste des *Olympiodoros* (Taf. 106–107), von dessen Bildnis vor diesem Fund wohl niemand überhaupt Kopien erwartet hätte, schon gar nicht in dieser fernen Weltgegend. Diese vier Beispiele, die sich leicht vermehren ließen, zeigen zugleich auch, daß der damalige Kunsthandel offenbar in der Lage war, jeden auch noch so ausgefallenen Liebhaberwunsch zu erfüllen und die Kopien in alle Teile des Reiches zu versenden. Die Arbeit der Kopierwerkstätten hatte zur Voraussetzung, daß die Plätze, an denen die Bildnisse der begehrten Geistesgrößen standen, bekannt waren (dazu vgl. Plinius d. J., ep. IV 28) und daß Gipsabgüsse davon existierten. Wie die antiken Bildhauerbetriebe mit diesen Problemen fertig geworden sind, verdient auch noch heute unsere Bewunderung. Wer selber Gipsabgüsse von antiken Skulpturen in Auftrag gibt, weiß, wovon ich rede. Denn nicht alle Bildwerke standen an einem auch damals schon relativ leicht erreichbaren Ort wie Athen (zum Problem vgl. die Bildnisse des *Themistokles*, hier S. 286 Taf. 9–12, des *Xenophon*, hier S. 272 Taf. 71 und des *Archidamos*, hier S. 112 Taf. 72).

Die verlorenen Originale dieser Bildnisse bestanden, soweit wir wissen, immer aus einer ganzen Statue. Die kaiserzeitlichen Kopien geben davon in der Regel jedoch nur den Kopf wieder, der von Büsten unterschiedlicher Gestalt getragen wird. Zwar war den Griechen das Kopfbild in der Kleinkunst, etwa auf Vasen oder auf Münzen, durchaus seit langem vertraut, in der Großplastik ist die Beschränkung auf den Kopf als den wichtigsten Teil des menschlichen Körpers eine relativ späte Erscheinung. Es ist noch nicht endgültig geklärt, wo und wann die unterschiedlichen Büstenformen entwickelt wurden. Die Büste im Schildrund (εἰκών ἐν ὅπλῳ, *imago clipeata*, vgl. Taf. 40. 90–91. 108) ist seit etwa 100 v. Chr. im hellenistischen Griechenland nachweisbar[23], dürfte also wohl eine griechische Erfindung sein[24]. Die freistehende Büste in Form eines kleinen Brustausschnittes kam erst im Laufe des 1. Jh. v. Chr. auf (vgl. Taf. 158). Auch hier scheint mir eine griechische Erfindung am wahrscheinlichsten[25]. Die Hermenbüste, die verbreitetste Form, in der Kopien griechischer Bildnisse überliefert sind, ist erst seit der frühen Kaiserzeit belegt (Taf. 89. 127)[26]; sie kann mit dem Hermenschaft aus einem Stück bestehen (s. u. S. 189f. Abb. 10–11 Taf. 47. 160) oder getrennt gearbeitet sein. Wegen der Herkunft des Denkmal-typs aus Griechenland dürfte die Erfindung auch dieser Neuerung von Griechen stammen, die dabei vielleicht besonders den römischen Absatzmarkt im Auge hatten[27]. Die religiöse Funktion der altgriechischen Herme besaßen die Bildnishermen wohl nicht mehr, die religiöse Aura, die ihnen aber dennoch anhaftete, dürfte an ihrer Beliebtheit wesentlichen Anteil gehabt haben[28]. Eine besondere Variante der Bildnisherme ist die Doppelherme, die erst seit der mittleren Kaiserzeit nachzuweisen ist[29]: hier sind zwei Bildnisköpfe janushaft am Hinterkopf zusammengefügt (Taf. 39. 41. 151). Häufig sind so Geistesgrößen gleicher oder verwandter Berufe miteinander verbunden worden (Taf. 39. 41), doch scheint es eine feste Regel für derartige Koppelungen nicht gegeben zu haben (vgl. Taf. 80; vgl. auch S. 176ff. mit Taf. 82–83)[30].

Ganze Statuen sind offenbar seltener kopiert worden. Diejenige des *Sophokles* im Lateran (vgl. Taf. 57), des *Aischines* in Neapel (vgl. Taf. 81) und die in mehreren Kopien überlieferte des *Demosthenes* (Taf. 114–115) gehören zu den bisher seltenen Ausnahmen. Auch im kleineren und deswegen billigeren Format sind Statuenkopien nicht häufiger, wie die bisher alleinstehende *Sokrates*statuette in London zeigt (Taf. 64, 1–2). Von den meisten erhaltenen *imagines illustrium* wissen wir daher nicht, wie die Statuen aussahen, mit denen sie ehemals verbunden waren. Es ist dies eine der am schwersten wiegenden Lücken der Überlieferung, denn von den übrigen statuarischen Denkmälern wissen wir, wie wesentlich die Körpersprache in der griechischen Kunst gewesen ist.

Natürlich sind alle diese Kopien zu unterschiedlichen Zeiten und von unterschiedlichen Werkstätten hergestellt worden; sie können deshalb recht verschieden aussehen. Um herauszufinden, welche Kopie das verlorene Original am getreuesten wiedergibt, müssen alle Kopien wie die verschiedenen Handschriften eines Textes einer *recensio* unterzogen werden[31]; dieses recht mühsame Verfahren ist bisher erst auf ganz wenige griechische Bildnisse angewendet worden (s. u. S. 12 und 351ff.).

Die Namen der Dargestellten sind häufig auch auf den Kopien verzeichnet, auf den Hermenschäften (vgl. etwa Taf. 47. 50. 123) oder auf dem unteren Rand der Hermen- oder Gewandbüsten (vgl. etwa Taf. 12. 41. 44. 73); bei den wenigen Statuenkopien standen sie vermutlich – wie bei den Vorbildern – auf den (durchweg verlorenen) Basen. Allein mit Hilfe solcher Inschriften können wir heute die Dargestellten identifizieren. Oft genug aber fehlen derartige Inschriften, z. B. weil sie nur aufgemalt waren, die Farben aber längst verblichen sind (vgl. S. 101ff. Taf. 72) oder weil sie schon vor den Ausgrabungen zerstört waren. Es gibt mehrere in zahlreichen Kopien überlieferte, also offensichtlich hochberühmte *imagines illustrium*, deren richtigen Namen herauszufinden bis heute nicht gelungen ist. Das bekannteste Beispiel ist der sog. *Ps.-Seneca* (Taf. 138–139)[32]. Andererseits gibt es auch nicht wenige Hermenschäfte mit Inschriften ohne Kopf (s. S. 117ff. und S. 189f. Abb. 10–11). Häufig wurden solche Hermen von den Restauratoren des 16. bis 18. Jh. mit anderen (antiken oder modernen) Köpfen ergänzt, weil die zugehörigen Köpfe nicht oder nicht zur rechten Zeit gefunden wurden. Vermutlich sitzen jetzt manche Köpfe, deren zugehörige Hermenschäfte sich erhalten haben, unerkannt und nun auch nicht mehr erkennbar auf anderen Hermen oder Statuen. Auf diese Weise hat sich die ohnehin schon ungünstige Überlieferungslage noch zusätzlich verschlechtert.

Hin und wieder sind Versuche unternommen worden, unter den erhaltenen Denkmälern ehemals zusammengehörige herauszufinden und in Rekonstruktionen wieder zu vereinen; solche Versuche waren z. T. durchaus erfolgreich[33], sind aber seit längerem völlig zum Erliegen gekommen (vgl. dazu u. S. 11)[34].

Originale Griechischer Porträts wurden erst durch die Ausgrabungen der letzten 120 Jahre zutage gefördert. Es handelt sich fast durchweg um Bildnisse von Bürgern, deren Namen wir nicht kennen und die nicht dem Kreis der *viri illustres* angehörten (vgl. Taf. 130. 133. 148. 149. 152. 154–158). Die meisten stammen aus der Zeit des Hellenismus, und zwar aus seiner letzten Phase, in der die bürgerliche Bildnisstatue offenbar in besonderer Blüte stand. Aus dem 5. und 4. Jh. v. Chr. gibt es dagegen nur ganz wenige Beispiele (Taf. 53. 54, 1). Ein Neufund der letzten Jahre hat uns ein Bildnis von höchster Qualität aus dem 5. Jh. beschert, über das noch zu reden sein wird (u. S. 14. 19 mit Taf. 34–35).

Diese Originale sind wegen ihrer Namenlosigkeit historisch noch schwerer einzuordnen als die in dieser Hinsicht auch nicht gerade einfachen *imagines illustrium* (zu den Datierungsproblemen dieser Bildnisse s. u. S. 21 ff.). Ihre Bedeutung besteht vor allem darin, daß sie uns einerseits eine Vorstellung von der künstlerischen Qualität der verlorenen Originale geben können und andererseits die durch Kopien nicht oder nicht ausreichend abgedeckten Perioden der griechischen Porträtgeschichte illustrieren helfen.

Günstiger als in der monumentalen Skulptur ist die Überlieferungssituation in einigen Bereichen der Kleinkunst. Zu nennen sind besonders die Herrscherporträts auf Münzen, die seit den Anfängen dieses Phänomens im späten 5. Jh. v. Chr. sporadisch (s. u. S. 279 ff. 337 Taf. 28–33), seit den Diadochen in nahezu lückenloser Reihe auf uns gekommen sind. Dazu gehören auch Gemmen und Kameen[35] sowie – neuerdings in zunehmendem Maße – Siegelabdrücke mit Porträts[36]. Für das Herrscherporträt sind diese Denkmäler unsere fast einzige aussagekräftige Quelle, denn die monumentale Überlieferung ist auf diesem Felde besonders desolat[37] (was z. B. das Verständnis der Genese des römischen Kaiserporträts sehr erschwert).

Die Bedeutung dieser zuletzt genannten Denkmäler für die Geschichte des Griechischen Porträts ist erst in den letzten Jahren recht erkannt worden (s. u. S. 14. 20 f.).

3. Zur Geschichte der Forschung

Die Beschäftigung mit den Bildnissen berühmter Männer ist – wie so vieles – eine Erfindung der Griechen. Die erste planvoll angelegte Bildnisgalerie, die archäologisch nachgewiesen werden kann, stand in der Bibliothek Eumenes' II. von Pergamon (reg. 197–159 v. Chr.): hier sind u. a. die Basen von Statuen des Historikers *Herodot* und der Lyriker *Alkaios* und *Timotheos* gefunden worden[38]. Wir dürfen aber getrost annehmen, daß eine ähnliche, vermutlich sehr viel umfangreichere Sammlung auch in der berühmteren Bibliothek von Alexandria gestanden hat; ein Reflex davon könnte z. B. das Statuenhalbrund im Serapeion von Memphis nahe bei der Stufenpyramide von Sakkara sein, das die Bildnisse von mindestens elf berühmten Dichtern und Denkern enthält, darunter *Homer* und *Pindar* sowie *Protagoras* und *Platon*[39].

Solche Galerien wurden auch von den Römern angelegt. Eine stand z. B. im Atrium der ersten öffentlichen Bibliothek in Rom, die C. Asinius Pollio auf dem Gebiet des späteren Trajansforum errichtet hatte (Isidor, origines VI 5, 1)[40]. Zur selben Zeit, d. h. gegen Ende der Römischen Republik, gab M. Terentius Varro eine mehrbändige „Ikonographie" mit dem Titel ›Hebdomades vel de imaginibus‹ heraus, die die Abbildungen von 700 berühmten Männern mit kurzem erläuterndem Text enthielt (Plinius, n. h. XXXV 10; Gellius III 10, 1)[41], ein Werk, von dem außer einigen Hinweisen leider nichts auf uns gekommen ist. Wir können also nicht prüfen, ob es sich um Phantasiebildnisse gehandelt hat oder um exakte Wiedergabe älterer, authentischer Bildwerke.

Es sind diese antiken Vorbilder gewesen, die seit der Renaissance zur Nachahmung angeregt haben. Berühmt war die Galerie von *uomini famosi* aus Antike und Mittelalter, die der Maler Justus von Gent in den Jahren um 1475 für das *studiolo* des Palazzo Ducale in Urbino geschaffen hatte[42]. Raffaels 1511 vollendete ›Schule von Athen‹ enthält in einem Bilde die Häupter aller großen attischen philosophischen Systeme[43]. Bei diesen Darstellungen handelt es sich freilich noch durchweg um Phantasieporträts ohne Bezugnahme auf bestimmte antike Vorlagen. Aber schon zur selben Zeit ist die Kenntnis echter griechischer Bildnisse an Hand von Nachahmungen nachweisbar[44].

Das systematische Sammeln und Kommentieren der erhaltenen Denkmäler setzt dagegen erst in der 2. Hälfte des 16. Jh. ein, nachdem entsprechende Sammelarbeiten zur römischen Ikonographie vorausgegangen waren[45]. (Zum Studium griechischer Porträts im 16. Jh. vgl. den grundlegenden Beitrag von Ch. Huelsen, hier S. 117 ff.) Unter den gelehrten Antiquaren ist besonders Fulvius Ursinus (Fulvio Orsini, 1528–1600) zu nennen, der selber einige wichtige, z. T. leider wieder verschollene griechische Bildnisse besaß (Doppelherme *Herodot–Thukydides*, Taf. 41; Tondi des *Menander* und des *Sophokles*, Typus Farnese, Taf. 40. 90; Büste des *Aristoteles*, Taf. 76, 2; vgl. dazu ausführlicher hier S. 40. 124 ff. und 191 ff.)[46]. Sein ikonographisches Werk von 1570 ist in veränderter und erweiterter Form mehrfach nachgedruckt worden und bis zum Beginn des 19. Jh. für ähnliche Arbeiten vorbildlich geblieben. Erst 1811 wurde es durch die ›Iconographie grecque‹ des E. Q. Visconti ersetzt, das wiederum für zwei Generationen maßgebend blieb[47]. Auch dieses Werk war von einer kritischen Bestandsaufnahme noch weit entfernt (vgl. hier S. 194 f.).

Eine Porträtforschung mit wissenschaftlichen Ansprüchen setzt erst in der zweiten Hälfte des 19. Jh. ein. Adolf Michaelis steht am Anfang und kann als Begründer auch dieser Teildisziplin der modernen Archäologie gelten. Ziel der in jenen Jahren entstandenen Arbeiten ist, den damals zugänglichen Bestand an Denkmälern kritisch zu sichten und durch die Vorlage neuen Materiales zu erweitern. Die dafür zur Verfügung stehenden technischen Mittel sind, gemessen an heutigen Möglichkeiten, sehr bescheiden, Photographien und Gipsabgüsse noch Seltenheiten. Die Forscher müssen sich weitgehend auf ihr optisches Gedächtnis verlassen; dabei ist Erstaunliches geleistet worden. Die Abhandlung von Michaelis über ›Die Bildnisse des Demosthenes‹ (u. S. 78 ff.), die in der Anlage des Kataloges und in seiner Auswertung bis in die Gegenwart vorbildlich geblieben ist, besaß in der ursprünglichen Fassung keine Abbildungen!

In jenen Jahren gelingen einem kleinen Kreis von Gelehrten wichtige Identifizierungen von griechischen Bildnissen, die sich bis heute bewährt haben und die Grundlage unseres Wissens über diese Denkmälergruppe bilden (s. u. S. 58 ff.). Die schon in der Renaissance zusammengetragenen Dokumente werden mit den gerade entwickelten Methoden der Text- und Quellenkritik durchgeforstet und von falschen oder gefälschten Identifizierungen gereinigt (s. u. S. 117 ff.).

Den Höhepunkt und zugleich auch vorläufigen Abschluß dieser Epoche bilden die Arbeiten von Franz Studniczka, von dessen zahlreichen Untersuchungen zum Griechischen Porträt hier die beiden mit den spektakulärsten Identifizierungen wieder abgedruckt werden (›Das Bildnis des Aristoteles‹ von 1908, u. S. 147 ff. und ›Das Bildnis Menanders‹ von 1918, u. S. 185 ff.). Es handelt sich um Vorarbeiten für ein großes Unternehmen, das die Tradition des Varro und des Ursinus fortsetzen sollte, die *imagines illustrium*. Studniczka hat es nicht mehr vollenden können[48]. Erst eine Generation später ist von G. M. A. Richter ein vergleichbares Werk vorgelegt worden (s. u. S. 12).

In meiner Auswahl sind Arbeiten aus dieser Periode besonders stark vertreten, in voller Absicht, denn es schien mir angemessen, die Leistung dieser Generation dadurch ins rechte Licht zu setzen. Die Bildung eines solchen Schwerpunktes war aber auch deshalb möglich, weil die folgende Zeit in der kritischen Rückschau keine so positive Beurteilung verdient.

Sie hat sich, wie Ludwig Curtius im Nachruf auf Studniczka mit einer gewissen Genugtuung anmerkt, mehr für die „geschichtsphilosophischen und ästhetischen Voraussetzungen unserer Wissenschaft" interessiert[49]. Sie reicht in dieser Ausrichtung bis fast an unsere Gegenwart. Dabei ist erstaunlich, daß die große Krise in den 30er

und 40er Jahren dieses Jahrhunderts keinen wirklichen Einschnitt bedeutet, keine
Veränderung der Interessen und Fragestellungen bewirkt hat.

Aus der Sicht unserer Zeit fällt zunächst vor allem auf, was alles nicht mehr getan
worden ist. Die Erschließung der Denkmäler kommt weitgehend zum Erliegen (das
Lieferungswerk Arndt – Bruckmann wird 1942 eingestellt, nachdem in den 22 Jahren
davor auch nur noch 200 Tafeln vorgelegt worden waren); Monographien mit reicher
Bebilderung bleiben vereinzelte Ausnahmen und ohne Nachfolge [50]. Die stürmische
Entwicklung der Photographie geht an den meisten Museen vorbei, ohne Spuren zu
hinterlassen, so daß die Beschaffung angemessener Abbildungsvorlagen noch heute
ähnliche Schwierigkeiten bereitet wie vor 100 Jahren. Die Abgußsammlungen werden
nicht weiter ausgebaut und fristen, besonders nach den Zerstörungen des Krieges, ein
kümmerliches Dasein; Rekonstruktionen verlorener Denkmäler werden kaum mehr
unternommen. Die um die Jahrhundertwende in besonderer Blüte stehende Erforschung der Geschichte der Antikensammlungen und des Antikenstudiums der
Renaissance stirbt gänzlich ab, mit der Folge, daß wichtigste Dokumente bis heute
unpubliziert geblieben sind (ich nenne hier nur den von Studniczka mehrfach mit
Gewinn herangezogenen Codex Capponianus 228 im Vatikan, s. u. S. 148 Taf. 40, 2;
76, 2; 94, 2; 151, 1; die Beispiele ließen sich beliebig vermehren [51]).

Man meint offenbar, daß das Material, das publiziert ist, und daß die Form, in der
das geschehen ist, ausreichen, um darauf weitreichende Gedankengebäude zu errichten. So kommt es, daß für unterschiedliche Beweisführungen immer wieder dieselben Denkmäler in denselben Ansichten herangezogen werden (vgl. dazu hier
S. 313). Das ist übrigens nicht nur auf dem Gebiet der Porträtforschung so, sondern
gilt mindestens im selben Maße auch für andere Zweige der Archäologie, besonders
für die Idealplastik, die seit je ein Lieblingsthema gerade der deutschen Forschung
gewesen ist.

Neue Identifizierungen, die die Chronologie der anderen Denkmäler festigen oder
verbessern könnten, gelingen kaum noch (vgl. hier S. 267 ff. und 272 ff.) [52]. Im
Gegenteil, gut begründete Benennungen, die feste Daten oder doch wenigstens Anhaltspunkte dafür geliefert hatten, werden angezweifelt und in endlosen Diskussionen zerredet. Ich nenne hier nur die Kontroverse um das *Menander*porträt, die bis
in die jüngste Gegenwart anhält [53], obwohl die schon von Studniczka beigebrachten,
ausreichenden (!) Argumente danach noch Verstärkung erhalten haben (s. u.
S. 375 f.) [54], und den Streit um das *Aristoteles*porträt, der allerdings relativ schnell
wieder beigelegt werden konnte [55].

Für die Ordnung der Denkmäler wurde so allein der Stil maßgebend, von dem jeder
Forscher eine hinreichende Vorstellung zu haben meinte. Da konnte es nicht aus-
bleiben, daß es jetzt kaum mehr ein griechisches Bildnis gibt, über dessen Datierung
Einigkeit besteht. So ist z. B. bis heute offen, welcher der beiden Bildnistypen des
Sokrates, der *Typus A* (Taf. 46) oder der *Typus B* (Taf. 58–63), der frühere ist und
wann sie zu datieren sind [56], oder ob der *Euripides Farnese* (Taf. 73–75) vor oder

nach dem *Euripides Rieti* (Taf. 118–119) anzusetzen und welcher von beiden mit der Statuenstiftung des Lykurgos (s. u. S. 21) zu verbinden ist[57]. Wenn man bei einzelnen Datierungen gar nicht mehr weiter wußte, bot sich der – auch bei der Idealplastik gern beschrittene – Weg, die Denkmäler einfach der Phase des Klassizismus zu überweisen, die den ungemeinen Vorzug besitzt, in ihren künstlerischen und chronologischen Dimensionen nicht näher definiert zu sein. Auf diese Weise gerieten so bedeutende und oft kopierte, also berühmte Schöpfungen wie der *Sophokles Farnese* (Taf. 36–39) vom Anfang an das Ende der Geschichte des Griechischen Porträts[58].

Eine wohltuende Ausnahme in dieser langwährenden Stagnation bildet das Werk ›Portraits of the Greeks‹ von Gisela M. A. Richter, der in drei 1965 erschienenen Bänden und einem Supplement von 1972 eine Materialvorlage gelungen ist, die das, wozu das Lieferungswerk von Arndt–Bruckmann 50 Jahre gebraucht hatte, auf einen Schlag verdoppelt. Gewiß, es fehlt in diesem Werk die nicht unbeträchtliche Masse an Kopien unbenannter Bildnisse, für die man weiterhin auf Arndt–Bruckmann (und das fast ganz daraus schöpfende Buch von A. Hekler ›Bildniskunst der Griechen und Römer‹ von 1913) angewiesen bleibt, und es ist keine „Geschichte des Griechischen Porträts", da es – ganz der Idee der *imagines illustrium* verpflichtet – die Denkmäler nach den Lebenszeiten der Dargestellten geordnet darbietet (dazu s. u. S. 22), im ganzen ist es jedoch eine bewunderungswürdige Leistung, auf die die Verfasserin zu Recht stolz sein durfte[59].

Obwohl hier große Mengen von Denkmälern neu erschlossen und eine neue Grundlage für weitere Forschungen gelegt worden war, ist das Werk zunächst ohne nachhaltige Wirkung geblieben. Die zu erwartende Belebung der Beschäftigung mit dem Griechischen Porträt ist jedenfalls ausgeblieben. Es liegt der Verdacht nahe, daß eine solche Resonanz gerade deshalb ausblieb, weil die Materialvorlage so umfassend war. Denn es war nun unübersehbar geworden, daß sich über Griechische Porträts nur mehr äußern konnte, wer bereit war, sich den Problemen der Kopienüberlieferung zu stellen. Kopienkritische Arbeiten sind aber erst in den letzten 10 Jahren ernsthaft in Angriff genommen worden (vgl. hier S. 351 ff.)[60]. Hier hat die Forschung noch eine große und – erfahrungsgemäß – mühsame Aufgabe vor sich.

Wie unergiebig die Bemühungen der Forschung auf dem Gebiet der „ästhetischen Voraussetzungen unserer Wissenschaft" in den beiden mittleren Vierteln dieses Jahrhunderts im Grunde waren, wird gleich noch einmal zur Sprache kommen. Aber auch bei den „geschichtsphilosophischen" Bemühungen sieht die Bilanz nicht viel besser aus.

Zentrales Anliegen dieser Zeit auf dem Felde der Porträtforschung war nämlich die Frage nach den „Anfängen der griechischen Bildniskunst". Diese ebenfalls bis in die Gegenwart reichende Diskussion wurde mit einer Schrift dieses Titels von Ernst Pfuhl im Jahre 1927 eröffnet, in der er die Ansicht vertrat, daß sich eine Porträtkunst, die diesen Namen verdient, bei den Griechen erst im Laufe des 4. Jh. entwickelt habe (s. u. S. 224 ff.). Schon ein Jahr später erschien die Entgegnung von

Franz Studniczka, wiederum unter demselben Titel, in der die gegenteilige Position bezogen wurde: Porträts gebe es schon im 5. Jh., Vorstufen sogar schon in archaischer Zeit (s. u. S. 253 ff.). Beide Arbeiten weisen zwar erhebliche Mängel auf, besonders in begrifflicher Hinsicht (so wird etwa mit der Bezeichnung „Charakterporträt" bald die überindividuelle-typisierende Gestaltungsweise, bald das Gegenteil davon, die betont individualisierende verstanden); ich habe sie aber gleichwohl in meine Auswahl aufgenommen, weil sie sich wegen ihrer Kürze für einen Nachdruck eignen und weil sie die bis in die Gegenwart vertretenen Positionen als erste in exemplarischer Weise vorführen.

Sehr viel umfassender und tiefergreifend ist das Thema von Bernhard Schweitzer behandelt worden, und mancher Leser wird sich fragen, warum gerade seine Arbeiten in diesem Band nicht vertreten sind. Zwei Gründe waren dafür maßgebend: zum einen sind die drei Arbeiten zum Thema in den ›Ausgewählten Schriften‹ von Schweitzer schon einmal nachgedruckt worden[61]; zum anderen meine ich, daß die Ansichten von Schweitzer bei allem Scharfsinn und bei aller Gelehrsamkeit vor den Denkmälern in weiten Teilen nicht mehr bestehen können. Das können die beiden anderen Arbeiten zwar auch nicht, ihre Mängel sind aber leichter zu durchschauen, während das Schweitzersche Gedankengebäude seine Suggestionskraft schon einmal bewiesen hat. Es schien mir daher wenig sinnvoll, durch einen abermaligen Nachdruck der Tendenz Vorschub zu leisten, die alten Kontroversen bis in das nächste Jahrtausend fortzusetzen.

Schweitzer vertritt eine ähnliche Position wie Pfuhl, er leugnet die Existenz von Porträts im 5. Jh., setzt die Anfänge aber schon in den Beginn des 4. Jh. (1939)[62] oder das Ende des 5. Jh. (1954)[63]. Wichtig sind für Schweitzers Überlegungen die Vorformen des Porträts im 5. Jh., die er in den abnormen Gesichtsbildungen der Kentauren und Satyrn und der Theatermasken erkennt. Schweitzer hat mit seiner Sicht der Dinge großen Erfolg gehabt, sie wurde weithin zur herrschenden Lehre.

Der Zufall wollte es, daß im selben Jahr, in dem Schweitzers erste Abhandlung zum Griechischen Porträt erschien, in Ostia im Caseggiato del Temistocle die Hermenbüste des *Themistokles* gefunden wurde (Taf. 9–12)[64]. An diesem Denkmal mußte sich nun erweisen, ob Theorie und archäologischer Befund zusammenpaßten und ob die archäologische Forschung in der Lage wäre, aus der neuen Situation die richtigen Konsequenzen zu ziehen. Die Archäologie hat die Probe *nicht* bestanden. Statt sofort zuzugeben, daß hier ein Werk des Strengen Stils in einer vorzüglichen Kopie[65] erhalten ist, wurden Ausflüchte in andere Datierungen gesucht. Schweitzer hatte mit seiner Beurteilung des *Homer, Epimenides-Typus* (Taf. 13) dafür den Weg gewiesen[66]. Bei diesen Datierungsvorschlägen wurden groteske Verrenkungen unternommen und alle erlernten Regeln über die wissenschaftliche Befunderhebung über Bord geworfen; eine der schlimmsten Entgleisungen war zweifellos der Versuch, die Herme als eine Erfindung des 3. Jh. nach Chr. zu erweisen[67]. Hellmut Sichtermann hat die Geschichte der wissenschaftlichen Rezeption dieses Fundes

minutiös aufgezeichnet. Ich war der Meinung, daß dieser Beitrag in diesem Band
auf gar keinen Fall fehlen durfte (u. S. 302 ff.), obwohl das darin zutage tretende Bild
der Porträtforschung und ihrer Methoden nicht gerade zu weiterer Beschäftigung
mit dem Gegenstand ermutigt.

Inzwischen scheinen die Kämpfer des Streites müde zu sein, der Sinn für das Naheliegende, Wahrscheinliche hat sich – z. Zt. jedenfalls und diesmal – durchgesetzt.
Das *Themistokles*bildnis wird jetzt durchweg für eine Schöpfung des Strengen Stils
aus den Jahren um 470 angesehen; ja, es kann – ironischerweise – im Augenblick als
eines der am besten datierten Griechischen Porträts überhaupt gelten [68].

Allerdings hat die Forschung aus diesem Fall die nötigen Konsequenzen bisher
nicht gezogen. Statt einzugestehen, daß unsere gegenwärtigen Kenntnisse der
künstlerischen Möglichkeiten der Griechen noch längst nicht ausreichen, um ver-
bindliche Entwicklungsgesetze aufzustellen und Neufunde allein danach zu beurteilen, daß wir vielmehr immer noch auf objektivierbare, äußere Anhaltspunkte angewiesen bleiben, beherrschen subjektives Stilgefühl und vorgefaßte Meinungen auch
weiterhin die Diskussion. So ist denn der nächste Streit schon im Gange. Diesmal
geht es um mehr, um ein griechisches Original, einen der bedeutendsten Funde auf
dem Gebiet der griechischen Porträtkunst in diesem Jahrhundert: Ich rede vom
Bronzebildnis in Reggio Calabria, das 1969 aus einem antiken Schiffswrack vor der
Küste bei Porticello geborgen wurde (Taf. 34–35). Wegen seiner realistischen, por-
träthaften Physiognomie wurde es als eine Arbeit des Hellenismus publiziert [69], obwohl die Beifunde den Untergang des Schiffes in das letzte Drittel des 5. oder den
Anfang des 4. Jh. v. Chr. datieren [70]. Stilgefühl wird hier ganz unverblümt über die
Aussage des Befundes gestellt, statt, wie es wissenschaftlich einzig zulässig wäre,
die Reihenfolge zu vertauschen.

*Themistokles*herme und *Porticello*bronze stehen inzwischen nicht mehr allein. Untersuchungen der letzten Jahre haben gezeigt, daß auch unter den in Kopien
überlieferten Bildnissen mehr Werke des 5. Jh. erhalten geblieben sind, als es die
vorausgehende Forschung wahrhaben wollte [71].

Es waren aber nicht nur spektakuläre Neufunde antiker Porträtplastik, die die ver-
härteten Positionen aufgebrochen haben, einen entscheidenden Anteil haben daran
auch neue Entdeckungen in der griechischen Numismatik. Ich habe zwei Arbeiten
aus diesem Gebiet von Willy Schwabacher aufgenommen, der sich mit besonderer
Energie um die Erschließung der frühen Porträtmünzen bemüht hat (s. u. S. 279 ff.
und 337 ff.) [72]. Inzwischen sind neue Funde dazugekommen, die ich wenigstens im
Abbildungsteil noch berücksichtigen konnte [73].

Wenn die künftige Forschung aus dem ermüdenden Kreislauf der immer wiederkeh-
renden gleichbleibenden Argumente und Gegenargumente ausbrechen will, wird
sie sich von manchen Lieblingsbeschäftigungen der vorausgehenden Forschung
ganz lösen müssen. Die *imagines illustrium* können m. E. heute kein Leitthema
mehr sein; es muß vielmehr die Gesamtheit der Überlieferung in gleicher Weise

berücksichtigt werden; dazu gehören neben den noch nicht identifizierten *imagines illustrium* auch die Bildnisse der weniger berühmten oder für uns namenlosen Bürger. An die Stelle der unergiebigen Suche nach dem wahren Aussehen der Dargestellten muß die Analyse der Bildwerke selbst treten.

Vor allem muß die Erschließung und Auswertung der Denkmäler verbessert werden. Um von der ständig wiederholten, aber falschen Ansicht wegzukommen, die Griechen hätten nur von bedeutenden Menschen Bildnisse aufgestellt, wird es nötig sein, alle in der antiken Literatur genannten und durch Inschriften bezeugten Bildnisse zu sammeln und sie in die Betrachtung einzubeziehen[74]. Dabei könnte die Erforschung des Griechischen Porträts von den bei der Erforschung der Römischen Porträts in den letzten Jahren gewonnenen Erkenntnissen profitieren.

Arbeiten aus jüngster Zeit zeigen, daß derartige neue Ansätze fruchtbar sein können. Als ein Beispiel dafür habe ich den Aufsatz von Tonio Hölscher über das *Perikles*-Porträt aufgenommen, der mir in dieser Hinsicht paradigmatisch zu sein scheint[75].

4. Zur Geschichte des Griechischen Porträts

Das Porträt bei den Griechen hat seinen Ursprung im religiösen Bereich. Die frühesten Bildnisse von Menschen, „die ein Erdenleben geführt haben", sind in Heiligtümern (Taf. 1. 2, 2) und auf Gräbern (Taf. 2, 1; 3. 4, 1) gefunden worden. Die Sitte, eine Porträtstatue in ein Heiligtum zu weihen, ist seit der Mitte des 7. Jh. bezeugt[76]. Porträtstatuen auf Gräbern kennen wir erst aus der Zeit um 600 v. Chr. (Taf. 2, 2)[77], doch mag diese Zeitdifferenz am Zufall der Erhaltung liegen[78]. Bei den Grabdenkmälern ist die Absicht, an den Verstorbenen auch noch nach seinem Tod zu erinnern, ganz offenkundig. Dieselbe Aufgabe sollen aber wohl auch die Weihgeschenke in den Heiligtümern erfüllen, denn es wäre sonst schwer erklärbar, warum den Göttern gerade Bildnisstatuen geschenkt worden sind. Es geht in beiden Fällen also darum, den Dargestellten davor zu bewahren, dem völligen Vergessen anheimzufallen; die Bildnisse sind Denkmäler gegen die Vergänglichkeit. Das gilt für die gesamte Antike. Mit Heroisierung hat das Phänomen unmittelbar wohl nichts zu tun[79].

Die öffentliche Ehrenstatue, mit der sich die Forschung am ausgiebigsten befaßt hat, steht nicht am Anfang der griechischen Porträtkunst, wie manchmal suggeriert wird[80]. Es handelt sich um eine besondere Gattung mit einer eigenen Geschichte, die mit der Geschichte des Porträts zwar eng zusammenhängt, aber eben nur ein Teil von ihr ist.

Natürlich haben auch die privaten Anatheme in den Heiligtümern und auf den Gräbern eine öffentliche Dimension, da sie ja allgemein sichtbar waren, und bei den Bildnissen hochgestellter Personen dürfte diese Tatsache eine wichtige Rolle gespielt haben (s. u. S. 377 ff.). Man sollte die beiden Bereiche aber nicht leichtfertig

Abb. 1   Rekonstruktion der Geneleos-Gruppe in Samos

miteinander vermengen, wie es immer wieder geschieht: durch die unterschiedlichen Auftraggeber war jedermann ersichtlich, was eine öffentliche, von den Orga-
nen des Staates beschlossene Ehrenstatue und was eine private Stiftung war. Der
Aufstellungsort spielte dabei keine ausschlaggebende Rolle: öffentliche Ehrenstatuen konnten überall stehen, auf öffentlichen Plätzen, in öffentlichen Gebäuden, in
Heiligtümern, selbst auf Gräbern[81]. Private Bildnisse konnten auf öffentlichem
Grund nur mit Erlaubnis des Staates aufgestellt werden, für die Heiligtümer galten
die jeweiligen Satzungen (vgl. dazu z. B. hier S. 359ff.), für die Gräber die jeweiligen
staatlichen gesetzlichen Bestimmungen. Nur für Bildnisaufstellungen im Hause
dürfte es keine Regeln gegeben haben, doch ist diese Sitte nicht vor dem 2. Jh.
v. Chr. nachzuweisen[82].
Die immer wieder anzutreffende Behauptung, die Griechen hätten durch Porträtstatuen nur bedeutende Menschen geehrt[83], gilt allein für die öffentlichen Ehrenstatuen (und das auch nicht immer, denn spätestens seit dem Hellenismus sind häufig
genug auch ephemere Gestalten zu derartigen Ehrungen gelangt). Im Bereich der
privaten Initiative war grundsätzlich jedermann bildnisfähig, unabhängig von dem,
was er geleistet hatte. Das hing vom Selbstverständnis des einzelnen und seinem
Geldbeutel ab.
Der Drang, sich durch Bildnisstatuen zu verewigen, muß bei den Griechen schon
früh sehr ausgeprägt gewesen sein. Schon die archaischen Heiligtümer waren voll
davon[84]. Ganze Familien sind in Bildnisgalerien dargestellt worden, wie die
Gruppe von der Hand des Bildhauers Geneleos in Samos aus dem 2. Viertel des
6. Jh. zeigt (Abb. 1)[85].
Es ist nicht ganz ausgeschlossen, daß die Bildnismanie schon der frühen Griechen,
die sich auf die ganze Antike weitervererbt hat, von Ägypten angeregt worden ist,
wo bereits seit dem Alten Reich ähnliches zu beobachten ist[86].

Wie selbstverständlich in bürgerlichen Familien spätklassischer Zeit Bildnisstatuen von Familienangehörigen waren, wird besonders schön durch das Testament des *Aristoteles* belegt (Diog. Laert. V 15–16): er spricht darin von fünf Bildnisstatuen, die offenbar alle bei dem Bildhauer Gryllion [87] bestellt waren; solche Statuen sollten erhalten *Arimneste*, die Schwester des Aristoteles, ihr Mann *Proxenos*, beider Sohn *Nikanor* (der als Mann für die unmündige Tochter des Aristoteles vorgesehen war), *Arimnestos*, der kinderlos verstorbene Bruder des Aristoteles, und *Phaistis*, die Mutter des Philosophen; bis auf das Bildnis des *Nikanor* waren alle postum; das der Mutter sollte in das Heiligtum der Demeter in Nemea geweiht werden.

Wie diese Beispiele zeigen, gelten für Männer- und Frauenporträts dieselben Regeln. Das Frauenporträt unterscheidet sich vom Männerporträt nur dadurch, daß es seltener war und daß es in stärkerem Maße an Idealvorstellungen gebunden blieb. Individuelle Merkmale traten hier erst in der Mitte des 4. Jh. auf, und zwar zunächst nur bei den Frisuren [88], in den Physiognomien dagegen erst im Verlauf des Hellenismus [89]. Ich kann darauf aus Raumgründen hier nicht weiter eingehen und mußte auch darauf verzichten, Frauenporträts im Bildteil zu berücksichtigen.

Die Köpfe der archaischen Bildnisstatuen und Bildnisreliefs zeigen keine Elemente einer Individualisierung, entsprechen vielmehr dem jeweils vorherrschenden Ideal jugendlicher Schönheit (Taf. 1. 2, 1; 3) [90]. Abweichungen davon betreffen entweder das Alter, das durch einen Bart (Taf. 2, 2; 4, 1–2) [91] und in manchen, dem Orient benachbarten griechischen Gebieten auch durch üppige Körperformen angedeutet werden kann (Abb. 1 sowie S. 261 und Taf. 4, 3), oder eine charakteristische Tätigkeit (so wird ein Pankratiast durch eine krumme Nase und verknorpelte Ohren gekennzeichnet [92]) oder die soziale Stellung, die aus der statuarischen Form oder sonstigem Aufwand abgelesen werden kann. Das gilt z. B. für den sog. *Rampinschen Reiter* von der Athener Akropolis (Taf. 2, 2) [93], der durch seine gepflegte und komplizierte Haar- und Barttracht und einen Efeukranz von allen sonst bekannten archaischen Skulpturen abweicht; die ungewöhnliche Drehung setzt ein Gegenstück voraus, von dem auch Reste gefunden worden sind; die Vermutung, daß die beiden Reiter *Hippias und Hipparch*, die Söhne des Tyrannen Peisistratos, darstellen, erscheint immerhin möglich [94].

Die Gruppe der *Tyrannenmörder*, die uns in Kopien nach der zweiten Fassung von 477 überliefert ist (Taf. 7) [95], war die erste öffentliche Ehrenstatue in Athen, von der wir wissen (Demosthenes XX 70). Die Bildnisse von *Harmodios* und *Aritogeiton* (Taf. 9, 1) sind ebenfalls ganz ideal, zeigen aber den Altersunterschied zwischen den beiden Freunden in der Haar- und Barttracht sowie im Körperbau und in der Körpersprache in besonders exemplarischer Weise [96].

Ideal sind auch die Strategenbildnisse des 5. und 4. Jh. [97], von denen wenigstens einige mit großer Wahrscheinlichkeit auf öffentliche Ehrenstatuen zurückgehen. Die idealisierende Darstellungsweise war bei öffentlichen Ehrenstatuen demnach

besonders verbreitet, was ja auch gar nicht verwundert, da auf diese Weise Tüchtig-
keit und Vorbildlichkeit am besten dargestellt werden konnten.

Das individualisierende Porträt dürfte dagegen zunächst im Bereich der privaten
Aufträge entwickelt worden sein[98].

Das erste uns erhaltene Beispiel ist das vieldiskutierte Bildnis des *Themistokles in
Ostia* (s. hier Anm. 68 und u. S. 286 ff. und 302 ff. Taf. 9–12). Es ist natürlich kein
Porträt im modernen Sinn, und ob es überhaupt etwas von der äußeren Erscheinung
des Themistokles enthält, entzieht sich unserer Beurteilungsmöglichkeit. Es ist auch
nicht ganz einfach, das Individuelle dieses Bildnisses zu bestimmen, denn daß auch
diesem Kopf eine Idealvorstellung zugrunde liegt und daß es sich dabei um das He-
raklesideal handelt, ist an der Kopfform, dem Haarschnitt und den Athletenohren
leicht zu erkennen (s. u. S. 289. 321 Taf. 11, 1). Allerdings weichen die hoch-
gewölbten Brauen, die Muskelwülste auf der Stirn und das vorgeschobene Kinn, d. h.
der Gesichtsausdruck, davon ab; daß es sich dabei um Formen handelt, die als individuell gelten können, zeigen andere Köpfe derselben Zeit, die zwar ähnliche, in
Einzelheiten aber auch wieder ganz eigenständige Züge besitzen (Taf. 8, 2; 12, 2)[99].
Vielleicht enthielt die zugehörige Statue, von deren Aussehen wir vorerst noch
keine Vorstellung haben, durch die aber die auffällige Kopfhaltung bedingt sein
dürfte, zusätzliche Hinweise. Schließlich kann zum Bereich des Individuellen auch
die Wahl gerade dieses Idealtypus gerechnet werden. Jedenfalls ist nicht einzu-
sehen, warum für die Beurteilung der Bildnishaftigkeit dieser Skulptur andere Maß-
stäbe gelten sollen als für das 450 Jahre jüngere Augustus-Porträt.

Das *Themistokles*bildnis ist nach unserer derzeitigen Kenntnis das erste rundplastische Beispiel für den Versuch, einen bestimmten Menschen in einer von der herrschenden Idealnorm stark abweichenden Weise wiederzugeben, aber es ist durchaus
nicht das einzige im 5. Jh.

Das Bildnis des *Homer, Epimenides-Typus* (Taf. 13) aus der Zeit um 460 v. Chr.[100]
folgt in Haar- und Barttracht ebenfalls idealen Mustern; die sich abzeichnenden
Wangenknochen, das bewegte Karnat und die Stirnfalten stehen dazu in deutlichem
Gegensatz und deuten das Alter, freilich ein würdevolles, an; die Augen sind geschlossen, in der damaligen Zeit das künstlerische Mittel, Blindheit wiederzugeben[101]. Es handelt sich also um ein Merkmal, an dem der Dargestellte erkannt werden kann und das genau deshalb ein Individualmerkmal ist. Eine Verwechslung mit
anderen Schicksalsgenossen, theoretisch denkbar, ist wohl auch für griechische Betrachter ausgeschlossen, da die übrigen physiognomischen Elemente, die ideale Gesamtform, die kunstvolle Haarfrisur, der Ausdruck des abgeklärten Alters und der
Reif im Haar, deutlich zeigen, welcher Welt der Dargestellte angehört.

Ähnlich verhält es sich bei einem noch namenlosen *Bildnis im Capitol*, das seines
kahlen Schädels wegen gern auf *Aischylos* bezogen wird (Taf. 14)[102]. Hier sind der
konzentrierte Blick und das Ausmaß der Kahlheit als individuelles Merkmal anzusehen.

Von besonderer Bedeutung für die Entwicklung des griechischen Individualporträts im 5. Jh. ist das Porträt *Pindars*, das bisher auf den Spartanerkönig Pausanias bezogen wurde und das Gegenstand vielfältiger Spekulationen gewesen ist[103]. Fast die ganze ältere Literatur ist durch ein vor kurzem in *Aphrodisias* gefundenes Clipeus-Porträt mit dem Namen des Dichters[104] zu Makulatur gemacht worden. Das Bildnis (auf Taf. 15 die getreueste der drei Repliken im *Capitol*, die zusammen mit einer Replik in *Oslo* den Typus am genauesten wiedergibt) enthält zwar noch manche Elemente des Strengen Stils (zu den ungeordneten Stirnhaaren vgl. etwa den Kopf eines *Kentauren* in Olympia, Taf. 21, 1), die Schichtung der Haarlocken entspricht aber schon der an Werken Polyklets, so daß es in den Jahren 450–440 v. Chr. entstanden sein wird. Da Pindar um 445 v. Chr. gestorben ist, könnte es sich um ein Bildnis handeln, das bald nach seinem Tod in Auftrag gegeben worden ist. Es weicht von der idealen Norm klassischer Zeit besonders in der Gestalt der Nase und in der geknickten Profillinie ab; die Brauen sind ähnlich wie beim „*Aischylos*" (Taf. 14) zusammengezogen. Ganz individuelle Formen besitzt diesmal auch der Bart; einzigartig ist der (noch unerklärte) Schnitt auf dem Kinn (eine Narbe?) und der Haarknoten unter dem Kinn, der ebenfalls noch keine befriedigende Erklärung gefunden hat[105]. Er wurde bisher als Bestandteil einer persischen Bartmode gedeutet, eine ganz dubiose Erklärung, denn die beigebrachten Parallelen stammen erst aus sassanidischer Zeit[106]. Dieser Bartknoten ist dasjenige Merkmal, an dem das Bildnis des *Pindar* sofort erkannt werden kann, er ist also – wie die geschlossenen Augen *Homers* – ein individuelles Merkmal. Natürlich hat ein solches Detail mit dem Wesen des Dargestellten, seinem Charakter nicht viel zu tun, aber darum ging es dem Auftraggeber dieses Bildnisses auch gar nicht, vielmehr offenkundig vor allem darum, das Porträt als die Darstellung eines bestimmten Individuums erkennbar und von anderen unterscheidbar zu machen. Haar- und Barttracht eignen sich dazu am besten, wie unzählige Bildnisse aus der gesamten Antike belegen können, aber auch die Physiognomie zeigt hier ein ganz eigenes Gepräge.

Der Anteil porträthafter Züge ist an dem neugefundenen Bronzekopf aus dem Meer bei *Porticello* (s. o. S. 14, Taf. 34–35) noch weiter gesteigert worden. Individuell sind die Nase, die hohe, weit ausladende Stirn und der aufmerksame Blick unter den hochgezogenen Brauen; die Falten auf der Stirn könnten als Zeichen des Alters oder aber als Mienenspiel verstanden werden. Vom Ideal weicht auch die Art ab, wie einzelne Strähnen die Kahlheit des Schädels zu verdecken suchen[107] und wie der Schnurrbart den Mund zugewachsen hat. Die genaue Datierung des Kopfes steht zwar noch nicht fest (s. o. S. 14), die Stilisierung von Kopf- und Barthaar und die große Ruhe, die der Kopf ausstrahlt, lassen einen Vergleich mit frühhellenistischen Porträts m. E. nicht zu (vgl. etwa die beiden physiognomisch nicht unähnlichen Köpfe Taf. 130–131) und bestätigen den aus den Beifunden abgeleiteten zeitlichen Ansatz. Für die lang diskutierte Einordnung des *Sophokles Farnese* (Taf. 36 bis 40) liefert der Bronzekopf den Beweis, daß er wohl doch in das frühe 4. Jh.

gehört[108] und dann vermutlich auf die Bildnisstatue zurückgeht, die Jophon, der
Neffe des Dichters, nach dessen Tod (406 v. Chr.) aufgestellt hatte[109].
Im Vergleich zu diesen teils älteren, teils gleichzeitigen, teils wenig jüngeren realistischen und individuellen Porträts gewinnt die vollkommene Idealität des *Perikles*porträts (Taf. 19. 20, 1) erst ihre eigentliche Bedeutung: es handelt sich offensichtlich
um eine bewußte Auswahl aus mehreren, der damaligen Zeit schon zu Gebote stehenden Möglichkeiten (s. u. S. 383 ff.).
Die zahlreichen realistischen und individualisierenden Darstellungen in der attischen Vasenmalerei (Taf. 26) und in der Großplastik des 5. Jh. (Taf. 21–23. 25)[110]
bilden demnach nicht die Vorstufe zum individuellen Porträt, sondern stellen eine
parallele Erscheinung dar.
Diese Sicht der Dinge wird von Münzbildnissen bestätigt, die z. T. erst im Laufe der
letzten 30 Jahre bekannt geworden sind. Wichtig ist zunächst, daß dieses Phänomen, das Bildnis eines Menschen, „der ein Erdenleben geführt hat", auf Münzen
schon im 5. Jh. auftritt. Es ist noch offen, welches das bisher früheste Stück ist. Eine
Elektronhekte aus Phokaia mit dem Kopf eines unbenannten Satrapen (Taf. 29,
3)[111] ist in das Jahr 453/2 v. Chr. datiert worden, doch scheint dieses Datum noch
nicht allgemein akzeptiert zu sein[112].
Das nächste Stück in der Reihe ist eine in der Zeit zwischen 440 und 410 datierte
Tetradrachme aus Abdera mit dem Namen (des Münzbeamten?) Pythagoras und
einem Bildniskopf, der vielleicht auf den berühmten Philosophen dieses Namens zu
beziehen ist (Taf. 29, 4)[113]. Der Kopf besitzt langes, zotteliges Haar, wie es an
gleichzeitigen Heroenköpfen zu beobachten ist (Taf. 74, 3)[114], und eine ganz individuell geformte, knollige Nase, die sich am ehesten mit der des Wandernden Dichters (Taf. 17) vergleichen läßt. Das individuelle Aussehen dieses Münzporträts fällt
besonders im Vergleich mit einer idealen Version derselben Emission auf[115].
Im Jahre 411 v. Chr. setzen die Münzbildnisse des persischen Satrapen *Tissaphernes*
ein. Das inzwischen berühmt gewordene Exemplar aus dem Münzfund von Karaman (Taf. 28, 1) scheint mir entgegen der euphorischen Beurteilung durch Schwabacher (s. u. S. 281) noch kaum wirklich individuelle Merkmale aufzuweisen; das
gekräuselte Schläfenhaar erinnert an das Periklesbildnis (Taf. 19. 20, 1) und kommt
ganz ähnlich auch an dem Kopf eines Mannes mit persischer Kyrbasia am etwa
gleichzeitigen Lykischen Sarkophag aus Sidon vor (Taf. 28, 4)[116]; die gebogene
Nase dürfte eher das persische Schönheitsideal wiedergeben – fast alle Figuren auf
den Friesen von Persepolis haben diese Nase[117] – als ein individuelles Merkmal des
Tissaphernes sein (diese Einschränkung gilt auch für die phokäische Münze Taf.
29, 3).
Auf den Prägungen der folgenden Jahre (Taf. 28, 2–3) werden die Nase und der
Gesichtsausdruck zusehends individueller, und zwar so sehr, daß man daran gezwei-
felt hat, daß jeweils dieselbe Person gemeint sein könne. Übertroffen werden diese
Münzbildnisse noch durch Münzen der Stadt Astyra, die erst jüngst publiziert wor-

den sind und ebenfalls den Porträtkopf des *Tissaphernes* (doch wohl des berühmten Satrapen dieses Namens?), allerdings ohne persische Kopfbedeckung wiedergeben (Taf. 29, 1)[118]; sie müssen vor seiner Hinrichtung im Jahre 395 geprägt worden sein. Die fliehende, hohe Stirn, die stark gebogene Nase, die Stellung der Lippen und der gestutzte Kinnbart geben diesem Bildnis ein außerordentlich individuelles Aussehen. Die – gewiß zufällige – physiognomische Ähnlichkeit mit dem Bildnis des *Thukydides* (Taf. 42–43) beweist übrigens, daß das Bildnis des Historikers durchaus früher entstanden sein könnte als bisher angenommen.

Ganz individuell, geradezu häßlich, sind auch die noch nicht identifizierten Glatzköpfe auf Elektronstateren aus Kyzikos (Taf. 29, 5–8)[119], deren Datierung bis jetzt ebenfalls noch ganz ungeklärt ist. Eine Datierung ins 5. Jh., die auch schon verfochten wurde[120], scheint mir nicht möglich, da die emphatisch hochgezogenen Brauen und der Realismus der Gesichtsbildung über das aus dem 5. Jh. bisher Bekannte weit hinausgehen.

Unter den Münzbildnissen lykischer Dynasten[121] sind die meisten deutlich Idealbildnisse, einige Prägungen dagegen weichen in der Form der Nase und im Gesichtsausdruck davon auffällig ab (Taf. 30, 2. 5). Dasselbe Nebeneinander von individuellen und idealen Versionen zeigen die Statere mit den Profil- und En-face-Bildnissen der beiden Dynasten *Mitrapata* und *Päriklä* aus dem 1. Drittel des 4. Jh.[122].

Ich bin auf die Bildnisse des 5. Jh. ausführlicher eingegangen, weil mir das wegen des oben (S. 12 ff.) geschilderten Grundsatzstreites erforderlich schien. Ich muß mich im folgenden auf einige zentrale Probleme der Erforschung des Griechischen Porträts beschränken. Von vorrangiger Bedeutung scheint mir die Klärung der Chronologie der Denkmäler zu sein[123].

Während sich die Porträts des 5. Jh. mit Hilfe des Stils – ähnlich wie die Idealplastik dieser Epoche – noch relativ gut datieren lassen, beginnt mit dem 4. Jh. die Zeit, in der gesicherte Fixpunkte immer seltener werden und die chronologische Ordnung der Denkmäler deshalb immer schwieriger wird. Auf dem Gebiet der Porträtkunst kann im 4. Jh. nur das Bildnis des *Maussollos* als gut datiert gelten (Mitte 4. Jh., Taf. 54, 1)[124]. Die neuerdings für die Statuen der drei Tragiker im Dionysostheater von Athen angeführten Daten (110. Olympiade = 340–336 v. Chr.)[125] sind so nicht überliefert (vgl. Ps.-Plutarch, vita X orat. 841 F); es ist allerdings wahrscheinlich, daß Lykurgos, auf dessen Antrag die Aufstellung der Statuen beschlossen worden war, diese Maßnahme während seiner Tätigkeit als Aufseher über die öffentlichen Finanzen (338/7–327/6) durchgeführt hat[126].

Im Hellenismus sind es vor allem die Herrscherbildnisse (Taf. 84–89. 127–128. 141 bis 145), die gewisse Anhaltspunkte bieten, doch sind diese Köpfe wegen ihrer eigentümlichen Form der Idealisierung für die chronologische Bestimmung anderer Porträts meist wenig hilfreich. Im frühen 3. Jh. ist nur die Statue des *Demosthenes* genau datiert (42 Jahre nach seinem Tod = 280 v. Chr., vgl. u. S. 95 Taf. 108–116), überhaupt ein Glücksfall in der gesamten Überlieferung des Griechischen Porträts.

Ungefähre Anhaltspunkte gibt es auch für die Bildnisse des *Menander* (s. u. S. 188 Taf. 90–105)[127] und des *Olympiodoros* (s. u. S. 220 ff. Taf. 106–107).

Im 2. Jh. besitzt das Bildnis des *Karneades* (Taf. 135) auf Grund des Todesdatums des einen der beiden mutmaßlichen Stifter, des Königs Attalos II. von Pergamon, wenigstens einen *terminus ante quem* (138 v. Chr.)[128]. Das schlecht erhaltene Reliefbildnis des *Polybios* (Taf. 146–147) wird wohl vor dem Tod des Politikers (120 v. Chr.), vermutlich um 145 v. Chr., entstanden sein.

Danach sind es nur die Bildnisse von der Insel Delos (Taf. 143, 2; 148. 152), für die die zweimalige Plünderung des Ortes im Verlaufe des Mithridatischen Krieges (88 und 69 v. Chr.) *termini ante quos* liefern[129]. Das einzige aufs Jahr datierte Bildnis, die *imago clipeata* des *Diophantos* aus dem Jahre 102/101 (Taf. 149, 2)[130], ist im Gesicht so zerstört, daß es für die Porträtforschung fast wertlos ist (immerhin macht es das erhaltene Kopfhaar m. E. möglich, das Original des in mehreren Kopien überlieferten sog. *Poulsenschen Vergil* [Taf. 149, 1][131] als ein Werk dieser Zeit zu erweisen[132]).

Diese wenigen Fixpunkte reichen für eine Rekonstruktion des Entwicklungsablaufes natürlich nicht aus. Es ist deshalb kein Wunder, daß die Forschung häufig zu anderen Hilfsmitteln Zuflucht genommen hat.

Besonders verbreitet ist die Datierung nach dem geschätzten Lebensalter des Dargestellten. Das ergibt zwangsläufig eine Entstehung des jeweiligen Bildnisses noch zu dessen Lebzeiten, was natürlich mit dem Wunsch zusammengeht, authentische Züge wiederzufinden. In den Fällen, in denen sich diese „Methode" überprüfen läßt, erweist sie sich immer als unzuverlässig. Ich will das an dem Porträt des *Platon* und des *Aristoteles* kurz vorführen.

Nach Diogenes Laertios III 25–26 hat ein Perser namens Mithridates, Sohn eines Rhodobates, eine Bildnisstatue des *Platon* von der Hand des Bildhauers Silanion in das Museion der platonischen Akademie geweiht. Es wird allgemein angenommen, daß die uns erhaltenen römischen Kopien (Taf. 47–49) auf dieses Werk zurückgehen. Wir kennen den Stifter nicht. Die ältere Forschung nahm an, daß der Name des Vaters falsch überliefert sei und daß es sich bei Mithridates selbstverständlich um ein Mitglied der späteren pontischen Herrscherfamilie handeln müsse, und zwar um den Dynasten von Kios, den Sohn eines Ariobazanes[133]; als Todesdatum dieses Mithridates wurde das Jahr 363 v. Chr. errechnet, das dann den *terminus ante quem* für das *Platon*bildnis abgab. Diese abenteuerliche Konstruktion hat bis in jüngste Zeit Anhänger gefunden[134]. Ein Rhodobates ist als Herrscher in Karien vor der Eroberung durch Alexander aus literarischen Quellen und von Münzen gut bezeugt[135], so daß ein Zweifel an der Textüberlieferung durch nichts gerechtfertigt wird. Wenn unser Mithridates mit *diesem* Dynasten von Karien zusammenhängt, ist es aus chronologischen Gründen ziemlich wahrscheinlich, daß das Bildnis *Platons* erst nach seinem Tode († 347) entstanden ist. Da dieser Zusammenhang aber bisher nicht sicher zu erweisen ist, kann das Entstehungsdatum des Porträts auf diesem Wege vorerst nicht gewonnen werden.

Auch das Bildnis des *Aristoteles* gilt seit Studniczka (s. u. S. 166) als ein Werk noch aus der Lebzeit des Philosophen († 322). Ursache für diese Auffassung ist eine kopflose Herme aus der mittleren Kaiserzeit in Athen, die nach der Inschrift von einem Alexander dem Aristoteles gewidmet ist[136]. Es wird nun von der gesamten Forschung wie selbstverständlich unterstellt, daß es sich bei diesem Alexander um Alexander den Großen handle und daß die Hermeninschrift eine Statuenstiftung des Schülers an den Lehrer wiedergebe (s. u. S. 155 Anm. 46)[137]. Aber das ist gar nicht zu beweisen, und eine derartige Textkopie auf einer Herme wäre ganz ungewöhnlich. Wenn es sich wirklich um Alexander den Großen handelt, müßte man die Statue noch vor 336 ansetzen, da der Königstitel fehlt. Von einer solchen Dedikation ist in der antiken Literatur aber nirgends die Rede.

Zuverlässiger ist die Nachricht, die eine zeitgenössische Quelle über eine *Aristoteles*-statue bietet: Theophrast verfügt in seinem Testament (Diog. Laert. V 51), daß im Musenheiligtum der peripatetischen Schule ein Standbild des Schulgründers aufgestellt werden soll. Es geht aus dem Text nicht klar hervor, ob es sich dabei um eine neuangefertigte Statue handelt oder ob eine schon vorhandene, ältere im Rahmen von Umbaumaßnahmen nur neu aufgestellt werden soll. Es ist durch nichts gesichert, daß diese Statue schon zu Lebzeiten des Aristoteles existiert hat.

Wer eine solche Statue fordert, sollte sich lieber auf eine Nachricht in den Viten des Aristoteles berufen[138], in denen mitgeteilt wird, Philipp II. von Makedonien und Olympias hätten dem Erzieher ihres Sohnes eine Porträtstatue aufgestellt, also vor 336, und zwar zusammen mit ihren eigenen Bildnissen. Es scheint mir allerdings fraglich, ob diese Nachricht wirklich zuverlässig ist.

Wir wissen nicht, auf welche antike Vorlage die uns erhaltenen Bildniskopien (Taf. 76–80) zurückgehen; es sind in der antiken Überlieferung noch drei andere erwähnt[139]. Nach Analogie zur Statue *Platons* könnte man vermuten, daß es diejenige war, die in der Schule des *Aristoteles* stand. Aber das ist eben auch nur eine Vermutung.

Eine allgemeine Regel über den Zeitpunkt der Herstellung von Bildnissen der *viri illustres* der Griechen läßt sich nicht aufstellen, jeder Fall muß vielmehr einzeln behandelt werden. Eine Entscheidung muß in den meisten Fällen wegen der schlechten Überlieferungslage offenbleiben oder mit Hilfe anderer Kriterien herbeigeführt werden.

Die überlieferten Namen der Künstler solcher Bildnisse sind dabei meist von geringem Nutzen, da sie selbst zeitlich oft nicht genau eingeordnet werden können und ja für gewöhnlich auch einen großen Datierungsspielraum zulassen. (Für Silanion, den Schöpfer des *Platon*bildes, gilt beides!) Immerhin hat der zufällige Fund einer Inschrift in Ostia, die zu einer *Antisthenes*statue gehört hat und den Namen des Künstlers Phyromachos trägt[140], ermöglicht, das in Kopien überlieferte Bildnis dieses Philosophen (Taf. 132), das bisher fast durchweg in das 4. Jh. datiert worden war, im Hellenismus, und zwar wohl in der 1. Hälfte des 2. Jh. v. Chr. unterzubringen[141].

Natürlich könnte man versuchen, den Umfang realistischer oder individueller Elemente als Gradmesser für den jeweiligen Entwicklungsstand zu benutzen. Im 5. Jh. läßt sich ja eine kontinuierliche Zunahme solcher Motive beobachten. Für das 4. Jh. gilt das aber offenbar nicht mehr, wenn auch die Zahl realistischer und individueller Bildnisse erheblich zugenommen hat. Das Bildnis des *Platon* (Taf. 49), für viele der Anfang des wirklichen Porträts bei den Griechen, wirkt jedenfalls nicht unbedingt individueller als etwa das Bildnis des *Pindar* (Taf. 15) oder des *„Aischylos"* (Taf. 14). Der konzentrierte, „finstere" Blick unterscheidet es zwar deutlich von reinen Idealbildnissen in der Art des *Miltiades*-Porträts (Taf. 50, 1), das etwa zur selben Zeit entstanden sein dürfte [142], doch ist dieser vermutlich individuell gemeinte Zug ähnlich auch an anderen Bildnissen zu finden (Taf. 52. 54, 2. 55. 57), ja sogar an Grabreliefs (Taf. 50, 2) [143]; wenn in diesen Fällen nicht eine bewußte Imitation vorliegt (eine „Bildnisangleichung", wie man bei kaiserzeitlichen Porträts sagen würde), beweisen sie, daß sich inzwischen ein Ideal herausgebildet hat, das auch der Erscheinung des gereiften Bürgers mit geistigen Interessen den Rang von Vorbildhaftigkeit einräumt.

Wie heikel Datierungen mit Hilfe des Stils sein können, dafür ist das *Euripides*-Bildnis im *Typus Farnese* (Taf. 73–75) ein Lehrbeispiel. Es ist in der Forschung ganz unterschiedlich datiert und beurteilt worden (s. o. S. 11, u. S. 226f. 246. 263ff.). Die plastische Modellierung der Partie oberhalb der Brauen und das Motiv der dünnen Haarsträhnen auf der hohen Stirn lassen eine andere Datierung als die in die 2. Hälfte des 4. Jh. wohl in der Tat nicht zu; andererseits zeigen die langen Haare über den Ohren und im Nacken und deren differenzierte räumliche Schichtung, daß es auch unbestreitbare Beziehungen zur Kunst des 5. Jh. gibt (s. u. S. 263f. Taf. 74, 3–4) [144], auf die sich die Verfechter einer Frühdatierung berufen haben. Demnach muß der Bildhauer mit Stilformen und Motiven dieser Zeit gut vertraut gewesen sein (damit ist natürlich nicht gemeint, daß er über Kenntnisse vom tatsächlichen Aussehen des Dichters verfügte). Es handelt sich offenbar um ein Rekonstruktionsporträt, das sich auch um historische Glaubwürdigkeit bemühte, ein bisher einzigartiger Fall [145]. Es ist dieser Zug, der das *Euripides*-Porträt so deutlich von den beiden anderen der lykurgischen Statuenstiftung zugeschriebenen Dichterbildnissen (Taf. 56–57) unterscheidet, die in etwas biederer Weise ganz im Stil ihrer Entstehungszeit gestaltet worden sind [146]. Daß der Euripides trotzdem zur selben Gruppe gehört haben könnte, ist nach seiner zeitlichen Stellung möglich.

Die im ganzen retrospektiv gestimmte Spätklassik endet mit einem Höhepunkt der idealisierenden Porträtkunst: dem Bildnis *Alexanders des Großen*. Die Überlieferung seiner verschiedenen Bildnisse ist außerordentlich vielgestaltig und von der Forschung trotz zahlreicher Versuche noch keineswegs befriedigend geklärt [147]. So ist z. B. die lange Zeit anerkannte Identifizierung der berühmtesten Bildnisstatue, des *„Alexander mit der Lanze"* von der Hand des Lysipp (s. S. 116 und Taf. 64, 3; 65), vor kurzem wieder in Frage gestellt worden; neuere Vorschläge verbinden den

Kopf der Slg. Schwarzenberg (Taf. 66) mit dieser Statue[148]; er wirkt noch jugendlicher, und seine schlichte Frisur läßt ihn nicht so göttergleich erscheinen wie der
Kopftypus der *Herme Azara* (Taf. 65).

Das ideale Aussehen fast aller *Alexander*bildnisse hat natürlich die Frage nach
ihrem Verhältnis zur Wirklichkeit und nach der Bedeutung der Idealität aufgeworfen[149]. Ähnlich wie später bei *Augustus* müssen äußere jugendliche Erscheinung
und Anspruch auf Vorbildhaftigkeit einander sehr nahegekommen sein. Anders läßt
sich die enorme Wirkung des *Alexander*porträts kaum erklären. Diese Wirkung ist
sowohl in der Idealplastik wie im Porträt[150] zu finden, bisher aber nie umfassend
untersucht worden.

Eine der auffälligsten Auswirkungen des *Alexander*-Ideals ist die Rasur des Bartes,
die seitdem für etwa 400 Jahre das Erscheinungsbild der Männer im Osten wie im
Westen prägt. Von den hellenistischen Herrschern wurde die Rasur sofort übernommen (Taf. 84–89) und fast durchgängig beibehalten (Taf. 127–128. 141–145); bei den
Bürgern hat diese neue Mode zunächst nur wenige Anhänger gefunden (Taf. 90–
105)[151], erst seit dem Ende des 2. Jh. scheint sie sich weitgehend durchgesetzt zu
haben. Viele Griechen wurden allerdings weiter mit Bart, sei es mit langem (Taf. 118–
121. 124–126. 129–132. 135), sei es mit kurzgeschnittenem (Taf. 106–112. 117. 123.
134. 136–139) dargestellt; das gilt besonders für Philosophen (Taf. 124–126. 132.
135), so daß deren Bart geradezu als Kennzeichen dieses Berufsstandes gilt, was in
dieser Ausschließlichkeit sicher nicht berechtigt ist. Man konnte auf diese Weise
Traditionsbewußtsein demonstrieren[152].

Das Nebeneinander von Bärtigkeit und Unbärtigkeit hat die Differenzierungsmög-
lichkeiten der Künstler natürlich ungemein erhöht. Das rasierte Gesicht bot zusätzliche Flächen zur Anbringung realistischer Motive und individueller Merkmale.
Davon ist alsbald reger Gebrauch gemacht worden (Taf. 96–99).

So sind denn gerade die Porträts des Hellenismus durch eine wesentliche Zunahme
an Porträthaftigkeit im modernen Sinn gekennzeichnet. Wer sich weiterhin standhaft weigert, den Porträts des 5. Jh. Individualität zuzubilligen, müßte den Anfang
des Individualporträts konsequenterweise in die Zeit um 300 v. Chr. setzen. Das Interesse an wirklichkeitsnaher Gestaltung wird so mächtig, daß selbst Bildwerke, die
gar keine Porträts sein wollen, gleichwohl porträthaft wirken (vgl. Taf. 138, 2)[153].
Treibende Kraft dieser neuen Entwicklung sind die Bürger. An den Königshöfen
werden die alten Ideale weiter gepflegt, und zwar in einem Maße, daß es oft schwerfällt, die verschiedenen Herrscher voneinander zu unterscheiden, auf den Münzen
ebenso wie in der Freiplastik. Eine Ausnahme bilden nur die Herrscher einiger klei-
nerer Dynastien, die sich wie die Bürger wirklichkeitsnah darstellen lassen.[154]

Wie in den beiden vorausgehenden Jahrhunderten vollzieht sich die Entwicklung
nicht kontinuierlich und einheitlich. Die alten Datierungsprobleme bleiben bestehen.
Erste Höhepunkte der Entwicklung sind die Bildnisse des *Menander* (Taf. 90–105)
und des *Demosthenes* (Taf. 108–116), dieser in der Tradition der bärtigen Altmän-

nerköpfe der Spätklassik, jener in der neuen, von den ersten Diadochen begründeten neuen Bildniskonzeption (vgl. das Porträt des *Seleukos Nikator* Taf. 84–85).
In der 2. Hälfte des 3. und der 1. Hälfte des 2. Jh. begegnen Bildnisse mit pathetisch
verzogener Miene (Taf. 129–140) und reichbewegtem Kopfhaar. Hierher gehört
m. E. ein schöner *Männerkopf in Athen* (Taf. 133), der bisher meist in das 1. Jh. v. Chr.
gesetzt wird[155], wo solche Frisuren jedoch fehlen.
Eine Gruppe von Bildnissen ist durch eine besonders naturnahe Darstellung des
Gesichts charakterisiert: unter dünner Haut zeichnen sich die Wangenknochen ab,
die Brauenbögen werden von zahlreichen Dellen und Falten unterbrochen
(Taf. 134. 136–140). Der wohl berühmteste Vertreter dieser Richtung ist das Bildnis
Homers im sog. *Blindentypus* (Taf. 140)[156], das in der Wiedergabe der Blindheit, in
der Physiognomie und in der Frisur in größtem Gegensatz zum Homerporträt des
5. Jh. steht und das veränderte Interesse an der Wirklichkeit im 2. Jh. besonders gut
illustrieren kann. Auch das sonst gewöhnlich früher datierte Bildnis des *Chrysipp*
gehört hierher, wenn die Kopienüberlieferung nicht täuscht (Taf. 134)[157]. Es ist
noch unklar, ob alle diese Werke aus der 1. Hälfte des 2. Jh. stammen oder z. T. auch
schon in den Anfang der klassizistischen Phase des Hellenismus zu setzen sind.
Dieser letzte Abschnitt des Hellenismus ist durch eine größere Nüchternheit und
Schlichtheit in der Wiedergabe von Haar und Karnat gekennzeichnet (Taf. 146–
158). Die Physiognomien zeigen dagegen eine erstaunliche Vielfalt der Ausdrucksformen, die durch nuancierte Darstellung der wichtigsten Ausdrucksträger, Mund
und Brauen, bestimmt werden (vgl. besonders Taf. 152–158)[158].
Es ist dies die Zeit, in der die griechische Porträtkunst sich endgültig[159] in Italien
und Rom ausbreitet. Ich kann auf den schon lange währenden Streit um die Frage,
wie stark der griechische Anteil an der Entwicklung der republikanischen Porträtkunst gewesen ist, hier nicht eingehen, daß es einen starken Einfluß gegeben hat,
kann nicht bestritten werden[160].
Prüfstein in dieser Frage könnten z. B. die Porträts von *Delos* sein (Taf. 143, 2; 148.
149, 2; 152)[161]. Daß es darunter auch Porträts von Römern oder Italikern gibt, ist
ziemlich wahrscheinlich. Es ist bisher aber nicht gelungen, sie herauszufinden, und
der Ansicht mancher Archäologen, man könne am Gesichtsausdruck oder den Frisuren erkennen, wer Grieche und wer Römer sei[162], muß man mit Skepsis begegnen. Grundsätzliche Unterschiede, die auf unterschiedliche Porträtvorstellungen
der verschiedenen Auftraggebergruppen schließen ließen, sind nicht erkennbar[163].
Und auch die epigraphische Überlieferung hilft nicht weiter. So kann man etwa bei
einem *Bildnis in Thera* (Taf. 158), das ganz am Ende des hier behandelten Zeitraumes entstanden ist und das eine gewisse Ähnlichkeit mit den Bildnissen Caesars aufweist, so daß es sogar schon auf diesen Römer bezogen wurde[164], nicht sagen, ob
ein Grieche dargestellt ist, der das Bildnis Caesars nachahmt, oder ob die Beziehungen daher rühren, daß auch das *Caesar*porträt selbst eine Schöpfung der helleni-
stisch-griechischen Kunstkoine ist.

Noch in einer anderen Kunstlandschaft hat das griechisch-hellenistische Porträt ent-
scheidene Impulse gegeben: im ptolemäischen Ägypten. Im Gegensatz zu Italien
war Ägypten ein Land mit einer langen und bedeutenden Bildnistradition (s. u.
Anm. 11. 86). Es konnte den Griechen daher nicht gelingen, diese Tradition völlig
zu verdrängen; es kam vielmehr zu einer Verschmelzung beider Traditionen, die
z. T. faszinierende Schöpfungen hervorgebracht hat (Taf. 155–156, vgl. aber auch
Taf. 144–145). Manche Forscher nehmen allerdings bis in die Gegenwart an, daß es
sich bei diesen Werken um genuin ägyptische Schöpfungen aus vorptolemäischer
Zeit handle [165], und folgern daraus, daß die gesamte Entwicklung des griechischen
Individualporträts in Ägypten ihren Ausgang genommen habe [166]. Das ist aber,
nach allem, was wir den griechischen Denkmälern entnehmen können, gänzlich
ausgeschlossen. Die strittigen ägyptisierenden Bildnisse weisen Züge auf, die nur
durch die Berührung mit hellenistisch-griechischer Kunst zu erklären sind: das gilt
besonders für den Ausdruck des Gesichts (vgl. Taf. 155 mit 154. 157) [167].

Anmerkungen

Neben den im Archäologischen Anzeiger 1985 und in der Archäologischen Bibliographie angeführten Abkürzungen und Sigeln werden hier noch die folgenden verwendet:

Fittschen, Kat. Erbach = K. Fittschen, Katalog der antiken Skulpturen im Schloß Erbach
(1977)

Hölscher = T. Hölscher, Ideal und Wirklichkeit in den Bildnissen Alexanders
des Großen, Abh. Heidelberg 1971 Nr. 2

Lorenz = T. Lorenz, Galerien von griechischen Philosophen und Dichterbildnissen bei den Römern (1965)

Metzler = D. Metzler, Porträt und Gesellschaft. Über die Entstehung des
griechischen Porträts in der Klassik (1971)

Richter = G. M. A. Richter, The Portraits of the Greeks I–III (1965) Suppl.
(1972)

Schweitzer = B. Schweitzer, Zur Kunst der Antike. Ausgewählte Schriften II
(1963)

Voutiras = E. Voutiras, Studien zu Interpretation und Stil griechischer Porträts des 5. und frühen 4. Jahrhunderts, Diss. Bonn 1980

[1] Vgl. dazu meine Bemerkungen in: Hellenismus in Mittelitalien, hrsg. von P. Zanker (1976)
542 Anm. 22; vgl. auch K. Schefold, in: Festschr. H. Jucker (1980) 164 Anm. 29.
[2] Vgl. etwa die Gruppe der Kosmeten-Porträts: E. Lattanzi, I ritratti dei cosmeti (1968). –
Zur Eigenart kaiserzeitlicher Porträts im griechischen Raum vgl. E. Harrison, Roman
Portraits (The Athenian Agora I 1953) 82 ff.; M. Bergmann, Studien zum römischen Porträt
des 3. Jh. n. Chr. (1977) 78 ff. 156 ff.
[3] Griechischer Einfluß ist z. B. bei den Porträts etruskischer Sarkophage nachweisbar: das

berühmte Bronzebildnis des sog. Brutus im Capitol ist nur mit Hilfe seiner griechischen Stilmerkmale datierbar. Griechische Porträtbildhauer sind für Römer seit dem 2. Jh. v. Chr. tätig, vgl. O. Vossberg, Studien zur Kunstgeschichte der röm. Republik (1941) 43 Nr. 165; 44 Nr. 170.

[4] Schweitzer 169.

[5] Vgl. besonders L. Curtius, Physiognomik der römischen Porträts, in: Antike 7, 1931, 226 ff., wiederabgedruckt in: Römische Porträts, hrsg. v. H. v. Heintze (1974) 175 ff. Derartige Deutungen finden sich in fast allen Arbeiten zur griechischen und römischen Porträtkunst. Eine besondere Variante ist die Ausdeutung von Merkmalen, die als rassisch bedingt angesehen werden (Belege dafür im Beitrag von H. Sichtermann über das Themistokles-Porträt Ostia, hier S. 302 ff.).

[6] Vgl. Hölscher 15 Anm. 32 mit Belegen.

[7] Das hat schon Michelangelo festgestellt, vgl. Voutiras 22.

[8] Zum Problem zuletzt Voutiras 33 ff.

[9] Davor boten die Wachs- und Tonabformung des lebenden oder toten Gesichts, die schon im Alten Ägypten bekannt war und von den Griechen spätestens seit dem 4. Jh. v. Chr. angewendet wurde, einen gewissen Ersatz, doch konnten derartige Abformungen die Augenpartie nie in ihrem authentischen Aussehen wiedergeben.

[10] Ausdrücklich gesagt wird das z. B. bei der Beschreibung des Äußeren des Chrysipp, Diog. Laert. VII 181. Auch gegenüber den Nachrichten über das Äußere Alexanders d. Gr. ist diese Vermutung angebracht, vgl. Fittschen, Kat. Erbach 24 Anm. 17.

[11] Entgegen der Ansicht vieler Ägyptologen scheint es mir unbestreitbar, daß das individuelle Porträt auch schon bei den Ägyptern vorkommt, und zwar schon seit dem Alten Reich. Es gibt allerdings keine Kontinuität und deshalb auch keinen Einfluß auf das Porträt bei den Griechen, wie von manchen behauptet wird (s. o. S. 16 Anm. 86; S. 27 Anm. 167). Ich bereite über diese Frage eine Untersuchung vor.

[12] Vgl. Hölscher 12 ff.

[13] Solche Erfahrungen sind sicher subjektiv, helfen aber gleichwohl, die Erwartungen, die man gewöhnlich gegenüber einem Individualporträt hegt, zu relativieren: Wer hätte nicht Mühe, die vielen Altmännerporträts des 1. Jh. v. Chr. oder der Gegenreformationszeit auseinanderzuhalten, obwohl doch unzweifelhaft Individualporträts beabsichtigt sind. Denn offenbar ist die Vielfalt der physiognomischen Möglichkeiten in der Kunst der verschiedenen Epochen nicht unbegrenzt, vielmehr macht sich immer wieder eine Tendenz bemerkbar, die Physiognomien im Geschmack des jeweiligen Zeitstils zu normieren. Das Phänomen des „Zeitgesichts" ist nicht auf die Antike beschränkt.

[14] E. Buschor, Das Porträt (1966) 7.

[15] G. M. A. Richter, Kouroi (1960) 49 Nr. 12 Abb. 78–83. Der Versuch von C. Vatin, BCH 106, 1982, 509 ff., die Gruppe auf die beiden Dioskuren zu beziehen, überzeugt nicht, da entsprechende Inschriften nicht zu erkennen sind.

[16] Die Abtrennung des Mythos von der Geschichte ist erst in der neuzeitlichen Geschichtsschreibung zur Selbstverständlichkeit geworden; dabei ist noch immer nicht entschieden, ob sie damit völlig im Recht ist.

[17] Due bronzi da Riace, BdA serie speziale II (1984) Taf. B 1–53. Vgl. besonders die Fotomontage mit dem Helm des Periklesporträts: A. Busignani, Die Heroen von Riace (1982) 108 Abb. 33.

[18] Zum Problem vgl. Hölscher 12 ff.

[19] Zum Problem vgl. Metzler 106; ablehnend, mit dem üblichen Argument, Voutiras 223 Anm. 55.

[20] Richter II 225 Abb. 1518.

[21] Vgl. Cicero, Brutus (Statue des *Platon*); ad Att. IV 10 *(Aristoteles)*; Or. 110 *(Demosthenes)*.

[22] D. Comparetti – G. De Petra, La villa ercolanese dei Pisoni (1883); zuletzt: D. Pandermalis, AM 86, 1971, 173 ff.

[23] Vgl. E. Dyggve – F. Poulsen – K. Rhomaios, Das Heroon von Kalydon (1934) 73 ff.; Expl. Délos XVI (1935) 12 ff. (Mithridates-Monument von 102/1 v. Chr., vgl. hier Anm. 130 mit Taf. 149, 2).

[24] Vgl. R. Winkes, Clipeata imago (1969) 10 ff. mit nicht überzeugender Lokalisierung der Erfindung in Rom.

[25] Vgl. G. M. A. Richter, in: Festschr. A. Orlandos I (1965) 59 ff. Eine umfassende Untersuchung fehlt; zum Problem vgl. auch W. Trillmich, Das Torlonia-Mädchen, Abh. Göttingen 99 (1976) 66 ff. Die freistehende Büste könnte von der Schildbüste abgeleitet sein, vgl. z. B. H. Kyrieleis, Bildnisse der Ptolemäer (1975) Taf. 7, 1–2; 68, 6–7.

[26] Vgl. H. Wrede, Die antike Herme (1985) 60 ff.

[27] Es wird nicht klar, ob Wrede die Herme nun für eine Neuerung des „attischen Kunstmarktes" (S. 60) oder für eine römische Schöpfung hält (S. 74); vgl. dagegen R. Wünsche, MüJb 31, 1980, 17 mit Anm. 23.

[28] Vgl. etwa die Ausstattung des Gartens der Casa degli amorini dorati in Pompeji: P. Zanker, in: Pompei 79 (1979) 204.

[29] Wrede a. O. 53 f.

[30] Wrede a. O.; ganz selten sind offenbar Koppelungen von Griechen und Römern gewesen; bisher ist erst ein sicheres Beispiel bekannt (Sokrates-Seneca in Berlin aus dem 3. Jh. n. Chr.: C. Blümel, Röm. Bildnisse [1933] 44 R 106 Taf. 71). Zur Doppelherme mit dem angeblichen Bildnis des Vergil vgl. o. S. 22 Anm. 131.

[31] Das Verfahren ist dasselbe wie in der Idealplastik. Es ist schwer verständlich, warum Schweitzer 159 das bestritten hat.

[32] Richter I 58 Abb. 131–230; zur Replik aus der Pisonenvilla 59 Nr. 12 Abb. 165–167.

[33] Vgl. etwa die Rekonstruktion der Statuen des Metrodor (Richter II 202 Abb. 1258), des Chrysipp (Richter II 193 Abb. 1144) oder des Menander (J. F. Crome, Mantuaner Studien [1962] Taf. 6–7, nur in Fotomontage).

[34] Solche Rekonstruktionen sollen in der Göttinger Abgußsammlung jetzt wiederaufgenommen werden; vorgesehen sind zunächst Menander, Epikur und Metrodor. Zur Statue des Menander vgl. den ersten Versuch in: 250 Jahre Georg-August-Universität, Ausstellung im Auditorium (1987) 148 ff.

[35] Vgl. P. Zazoff, Die antiken Gemmen (1983) 194 ff.

[36] Vgl. etwa die großen Funde aus Kallipolis (P. Pantos, Τὰ σφραγίσματα τῆς Αἰτολικῆς Καλλιπόλεως [1985]) oder Seleukeia am Tigris (La terra tra i due fiumi, Ausst. Florenz 1986, 124 ff. Taf. 175–176).

[37] Relativ umfangreich ist die Überlieferung für die Ptolemäer, doch ist die Qualität vieler Bildnisse äußerst dürftig, vgl. H. Kyrieleis, Bildnisse der Ptolemäer (1975). Besonders schmerzlich ist das fast völlige Fehlen von Bildnissen der Antigoniden und Seleukiden (vgl. aber u. Anm. 52).

[38] AvP VIII 1, 117 f. Nr. 198–200; Lorenz 3 f.

[39] J. P. Lauer – Ch. Picard, Les statues ptolemaiques du Serapieion de Memphis (1955); Lorenz 4 ff. Die Gruppe ist schlecht erhalten – es fehlen fast durchweg die Köpfe – und hat in den letzten Jahren noch zusätzlich gelitten; auch ihre Veröffentlichung ist unzureichend, vgl. F. Matz, Gnomon 29, 1957, 84 ff.; zur Datierung in die 1. H. des 2. Jh. v. Chr. vgl. auch W. Hornbostel, Sarapis (1973) 416.

[40] Lorenz 38 mit weiteren Beispielen.

[41] RE Suppl. VI (1935) 1227 ff. (H. Dahlmann).

[42] J. Lavalleye, Justus de Gand (1936); vgl. auch E. Bielefeld, AA 1964, 121 ff. (mit nicht überzeugenden Ansichten in bezug auf die Vorbildfragen).

[43] Vgl. K. Oberhuber, Polarität und Synthese in Raphaels Schule von Athen (1983).

[44] K. Fittschen, in: Memorie dell'antico nell'arte italiana, a cura di S. Settis, II (1985) 391.393.402 mit Abb. 332–333. 336–339.

[45] Vor allem die Illustrium imagines des Andreas Fulvius von 1517, vgl. B. Stark, Systematik und Geschichte der Archäologie der Kunst (1880) 88.

[46] Vgl. ferner: J. H. Jongkees, Fulvius Orsini's Imagines and the Portrait of Aristoteles (1960). Im Zusammenhang mit der Diskussion über die Porträts des Menander und des Aristoteles ist das Werk des F. Ursinus öfter behandelt worden, s. u. Anm. 53 und 55.

[47] Die Wirkung dieses Buches läßt sich z. B. sehr schön an der um 1840 erfolgten Ausmalung der Aula der Universität Athen beobachten.

[48] Vgl. Studniczka, JdI 38/39, 1923/24, 57. Es ist mir nicht bekannt, ob sich in seinem Nachlaß über das schon vorher Publizierte hinaus noch weitere Vorarbeiten befunden haben. Leider existiert auch keine abschließende Bibliographie dieses Gelehrten. – So blieben bis zum Erscheinen des Werkes von G. M. A. Richter die beiden 1901 erschienenen Bände der ›Griechischen Ikonographie‹ von J. J. Bernoulli die maßgebliche Publikation.

[49] RM 44, 1929 S. III; daß Studniczka kein Verständnis mehr für die neuen Fragen aufgebracht habe, wird ausdrücklich betont. Unverhohlen nimmt die neue Generation das bessere Auge für sich in Anspruch (R. Herbig, RM 59, 1944, 79 f.).

[50] Ich denke vor allem an die beiden Bände über die Bildnisse des Platon (1935) und des Homer (1939) von Robert und Erich Boehringer.

[51] Das Warburg-Institut in London hat diese Tradition nach dem 2. Weltkrieg wiederaufgenommen, doch gehen die Publikationsarbeiten nur sehr langsam voran. Zum Publikationsstand vgl. Ph. Pray Bober – R. Rubinstein, Renaissance Artists and Antique Sculpture (1986) Appendix I, 451 ff.

[52] In den letzten Jahren sind einige Identifizierungen von Herrscherbildnissen gelungen, z. B. *Antiochos IV.* (H. Kyrieleis, 127. BWPr 1980); *Antiochos IX.* (E. La Rocca, BullCom 90, 1985, 26 ff.); *Kleopatra VII.* (K. Fittschen, in: Alessandria e il mondo ellenistico-romano. Studi in onore di A. Adriani I [1983] 168 ff. mit der weiteren Lit.). Vgl. ferner: D. Salzmann, RM 92, 1985, 245 ff. *(Theophanes).*

[53] Die gegensätzlichen Meinungen zusammengestellt bei Fittschen, Kat. Erbach 28 Anm. 2. Unter dem Titel ›Neues zum Bildnis Vergils‹ hat G. Hafner, RdA 7, 1983, 37 ff. das Thema in der gewohnten Form wiederaufgegriffen, indem er die Inschriften auf dem Clipeus Marbury Hall (Taf. 90, 3) und der Bronzebüste Malibu (Taf. 102, 1–2) schlicht als Fälschungen erklärt. So einfach geht das. Zur Inschrift Malibu vgl. J. Frel, Greek Portraits (1981) 82 Nr. 34; 115. Zu Hafners Art, Porträt-„Forschung" zu betreiben, vgl. Fittschen a. O. 43 Anm. 9.

[54] Dazu gehört auch das Menander-Mosaik in Mytilene (S. Charitonides – L. Kahil – R. Ginouvès, Les mosaiques de la maison du Ménandre a Mytilène [1970] 27ff. Taf. 2, 1; 15, 1), dem ich allerdings nicht dieselbe Beweiskraft zubilligen würde wie den beiden anderen inschriftlich benannten Bildnissen des Dichters (s. vorige Anm.), da die Frisur stark schematisiert ist.

[55] T. Hölscher, AA 1964, 869ff. mit der weiteren Lit.

[56] Vgl. dazu zuletzt Voutiras 172ff. und die berechtigte Kritik von L. Giuliani, Gnomon 54, 1982, 55f.

[57] Vgl. etwa W. Gauer, JdI 83, 1968, 134f. und T. Lorenz, in: Perspektiven der Philosophie, Neues Jahrbuch 2, 1976, 264.

[58] So zuerst J. Sieveking, Gnomon 16, 1940, 478 und K. Schefold, Die Bildnisse der antiken Dichter, Redner und Denker (1943) 158 (ebenso bei einer Reihe weiterer Werke, die gut im 4. Jh. v. Chr. unterzubringen sind, wie z. B. der *Homer, Apollonius-Typus*). Zum selben Mittel hat jüngst auch noch Voutiras 194ff. beim sog. *Schreitenden Dichter* (vgl. Taf. 17) gegriffen, weil das Bewegungsmotiv im 5. Jh. undenkbar sei. Aber wie soll man denn Schreiten anders wiedergeben, wenn es dem Künstler darauf ankam, Schreiten darzustellen. Man sollte sich immer vor Augen halten, daß wir auf Grund der Überlieferungslage immer nur sagen können, was es in der Antike gegeben hat, kaum, was es nicht gegeben hat! Vgl. im übrigen die von L. Giuliani, Gnomon 54, 1982, 56 genannten Beispiele.

[59] Vgl. auch Voutiras 18 mit Anm. 44. Es ist ja nicht die einzige Publikation, mit der sie der durch Corpus-Editionen berühmt gewordenen deutschen Forschung die Schau gestohlen hat.

[60] Vgl. H.-J. Kruse, AA 1966, 386ff. *(Zenon)*; V. Kruse-Berdolt, Kopienkritische Untersuchungen zu den Porträts des Epikur, Metrodor und Hermarch, Diss. Göttingen 1975. Problematisch scheint mir die von Voutiras angewandte Methode, die sich allein um die Datierung der Kopien, nicht aber um den formalen Befund bemüht.

[61] Es sind die folgenden: 1. Studien zur Entstehung des Porträts bei den Griechen, in: Abh. Leipzig 91, 1939, Heft 4; 2. Griechische Porträtkunst. Probleme und Forschungsstand, in: Acta Congressus Madvigiani III (1957) 7ff.; 3. Bedeutung und Geburt des Porträts bei den Griechen [Vortrag auf dem Congressus Madvigiani in Kopenhagen 1954], in: Acta III (1957) 27ff. – Alle drei Arbeiten sind nachgedruckt in B. Schweitzer, Zur Kunst der Antike. Ausgewählte Schriften III (1963) 115ff. 168ff. 189ff.

[62] Vgl. Zur Kunst der Antike II 156: „Vielleicht ist es nicht einmal ein Zufall, daß das erste griechische Bildnis, das wir besitzen, ein postumes des Sokrates ist."

[63] Schweitzer 197: „Damals (sc. in der Krise des letzten Drittels des 5. Jh.) wird das Porträt geboren, in der Zeit des bedeutendsten Umbruchs der griechischen Geschichte, da die göttliche Welt sich in eine Menschenwelt zu verwandeln begann."

[64] Zum Gebäude zuletzt: G. Hermansen, Ostia. Aspects of Roman City Life (1982) 96ff.

[65] Zwar läßt sich die Qualität der Kopie noch nicht an einer weiteren Replik überprüfen, daß es sich aber um eine sorgfältige und getreue Arbeit handelt, ergibt sich aus einer Kopiermarke auf dem Kinn, die bisher noch nicht bemerkt wurde (sie ist zwar weggemeißelt, an der kreisrunden Umrißlinie aber noch gut zu erkennen). Über das Datum der Kopie herrscht in der Forschung eine merkwürdige Unsicherheit. Es kann sich nur um eine Arbeit der mittleren Kaiserzeit handeln, am ehesten der hadrianischen Zeit, wie z. B. der auf Taf. 8, 2; 11, 2 abgebildete Kopf in Athen zeigen kann.

[66] Schweitzer 159f.: die von der Münchner Kopie vertretene Überlieferung gehe auf ein Ori-

ginal des frühen 4. Jh. zurück, das wiederum von einem Archetypus des 5. Jh. abhänge. Schweitzer hat sich nie klar geäußert, wie man sich einen solchen Archetypus vorzustellen habe, einer der entscheidenden Mängel seiner ganzen Konstruktion.

[67] H. Weber, Gnomon 27, 1955, 445 f.

[68] Vgl. zuletzt Voutiras 46 ff. und Anm. 212 mit weiterer Lit.

[69] E. Paribeni, BdA 24, 1984, 1 ff. Abb. 1–6 Taf. 1.

[70] C. J. Eiseman, The Porticello Shipwreck, a Mediterranean Merchant Vessel of 415–385 B. C.; vgl. B. Sismondo Ridgway, in: Archaische und klassische griechische Plastik, Akten des intern. Kolloquiums Athen 1985 II (1986) 59 ff. Taf. 100–101. Zum Kopf vgl. ferner Voutiras 121 f. mit Abb. 67–69; C. Rolley, Die griechischen Bronzen (1984) 40 mit Farbtaf. 21 (seitenverkehrt); J. Frel, Hefte A Bern 10, 1984, 20 Taf. 7, 1–3. Für die Datierung ins 5. Jh. können auch die Gewandreste angeführt werden, falls sie zugehörig sind: Paribeni a. O. Abb. 7a–b; Ridgway a. O. Taf. 101.

[71] Vgl. besonders G. M. A. Richter, RendPontAcc 34, 1961/62, 37 ff.; W. Gauer, JdI 83, 1968, 118 ff. bes. 139 ff.; D. Metzler, Porträt und Gesellschaft (1971) mit Rez. von L. Schneider, Gnomon 46, 1974, 397 ff.; E. Voutiras, Studien zu Interpretation und Stil griechischer Porträts des 5. und 4. Jh. Diss. Bonn 1980 mit Rez. von L. Giuliani, Gnomon 54, 1982, 51 ff.

[72] Vgl. ferner W. Schwabacher, Pythagoras auf griechischen Münzbildnissen, in: Festschr. K. Kerenyi (1968) 59 ff.

[73] Vgl. besonders F. Bodenstedt, Die Elektronmünzen von Phokaia und Mytilene (1981) 48 Taf. 7, 1; ders., SchwMbll 26, 1976, 69 ff. (Satrapenbildnis auf phokäischer Hekte); ders., in: Actes du 9ème congr. intern. de numismatique, Bern 1979 I (1982) 95 ff. Taf. 10–15. – H. Cahn, AA 1985, 587 ff.; ders., in: Numismatics – Witness to History. Articles by Members of the IAPN to Commemorate its 35th Anniversary (1986) 11 ff. Taf. 3 (zu den Münzen von Astyra).

[74] Über Statuenstiftungen des Hellenismus bereitet M. Kreeb eine Untersuchung vor; vgl. auch H. Siedentopf, Das hellenistische Reiterdenkmal (1968).

[75] Vgl. auch T. Hölscher, Ideal und Wirklichkeit in den Bildnissen Alexanders des Großen, AbhHeidelberg 1971 Nr. 2 sowie die jüngeren der in Anm. 71 genannten Arbeiten.

[76] Vgl. z. B. die Statue der Nikandre aus dem Artemis-Heiligtum von Delos: G. M. A. Richter, Korai (1968) 26 Nr. 1 Abb. 25–28. Zwar ist, wie bei vielen dieser Weihungen, nicht sicher, ob nicht die Göttin selbst dargestellt ist, da aber eindeutige Attribute fehlen und da das Selbstlob der Stifterin so ausgeprägt ist, steht einer Deutung als Porträtstatue nichts im Wege. Zum Problem vgl. L. Schneider, Zur sozialen Bedeutung der archaischen Korenstatuen (1975) 2 f.

[77] Vgl. hier den Kopf vom Dipylon (G. M. A. Richter, Kouroi [1960] 46 Nr. 6 Abb. 50–53. 65–67), der nach dem Fundplatz zu einer Grabstatue gehört haben muß; zur etwa gleichzeitigen Gruppe von Dermys und Kitylos: Richter a. O. 49 Nr. 11 Abb. 76–77.

[78] Grabstelen sind aus dem 7. Jh. jedenfalls bekannt, vgl. A. Lembesi, Οἱ στῆλες τοῦ Πρινιᾶ (1976).

[79] Vgl. etwa Schweitzer 176. Zum Problem vgl. ausführlich Hölscher 12 ff.

[80] Z. B. schon dadurch, daß mit der ersten öffentlichen Ehrenstatue, der Gruppe der Tyrannenmörder, viele Behandlungen der Porträtgeschichte einsetzen, vgl. z. B. A. Hekler, Bildnisse berühmter Griechen ³(1962) Taf. 1; W. Gauer, JdI 83, 1968, 118 ff.

[81] Vgl. z. B. den bei Diog. Laert. VIII 11 überlieferten Volksbeschluß über ein Grabdenkmal des Zenon, des Stoikers.

[82] Vgl. M. Kreeb, BCH 108, 1984, 320 ff.

83 Vgl. etwa Schweitzer 174. 188 und passim oder, zuletzt, Voutiras 28. Gewöhnlich beruft man sich dabei auf Plinius, n. h. XXXIV 16, doch handelt es sich hier um eine der zahlreichen Vereinfachungen dieses Autors, die von der Forschung nicht unbesehen hätten übernommen werden sollen (ein anderes Beispiel ist die ebenfalls gern zitierte Mitteilung, wonach griechische Porträtstatuen nackt, römische dagegen bekleidet seien, ebenda XXXIV 18: beides, wie die Denkmäler zeigen, in dieser Verkürzung unrichtig).

84 Zu den epigraphischen Belegen vgl. Schweitzer 121 ff.

85 Vgl. B. Freyer-Schauenburg, Die Bildwerke der archaischen Zeit und des Strengen Stils (Samos XI 1974) 106 ff. Taf. 44–53. Auch die „Hera" des Cheramyes dürfte eine Porträtstatue sein, nachdem jetzt ein Gegenstück und eine gemeinsame Basis gefunden wurden. Vgl. H. Kyrieleis, in: Archaische und klassische griechische Plastik, Akten des intern. Kolloquiums Athen 1985 I (1986) 42 Taf. 18, 2.

86 Vgl. das o. Anm. 11 Gesagte. Ein ägyptischer Einfluß auf Griechenland ist ja gerade in archaischer Zeit nachweisbar (Kuros-Schema, Sitzfiguren). Allerdings hat sich die Entwicklung des griechischen Porträts seit klassischer Zeit ganz ohne äußere Einwirkung vollzogen, s. o. S. 27 mit Anm. 167.

87 Sonst nicht weiter bekannt, vgl. RE VII 1898. Nach dem Wortlaut des Textes könnte es sich auch um gemalte Porträts gehandelt haben; da aber Theophrast in seinem Testament (Diog. Laert. V 52) verfügt, daß eine lebensgroße Statue des Nikomachos, des früh verstorbenen Sohnes des Aristoteles, von dem Bildhauer Praxiteles d. J. geschaffen werden solle, steht fest, daß rundplastische Porträts in den damaligen Familien nichts Ungewöhnliches waren. Vgl. auch das Testament der Epikteta aus der Zeit um 200 v. Chr.: T. Ritti, Iscrizioni e rilievi greci nel Museo Maffeiano di Verona (1981) 72 ff. Nr. 31; IG XII 3, 330.

88 Vgl. z. B. die Bildnisse der Artemisia und ihrer Schwester Ada: Richter II 161 f. Abb. 901; J. C. Carter, The Sculpture of the Sanctuary of Athena Polias at Priene (1983) 271 ff. Nr. 85 Taf. 39–40 und Frontispiz; G. Waywell, The Free-Standing Sculptures of the Mausoleum at Halicarnassus in the British Museum (1978) 107 Nr. 30 Taf. 30.

89 Vgl. etwa die Bildnisse der Ptolemäerinnen (H. Kyrieleis, Bildnisse der Ptolemäer [1975] 78 ff. Taf. 70 ff.), darunter vor allem die der Kleopatra VII (s. o. Anm. 52) und einige Privatporträts dieser Zeit (K. Michalowski, in: Expl. Délos XIII [1932] 46 ff. Taf. 33–35; W. Trillmich, Das Torlonia-Mädchen, Abh. Göttingen 99 [1976] 60 Anm. 203 Taf. 19, 3–4).

90 Zu den abgebildeten Denkmälern s. Richter, Kouroi (1960) 48 Nr. 11 Abb. 76–77; 49 Nr. 12 Abb. 78–83; 139 Nr. 165 Abb. 489. 492–493; dies., The Archaic Gravestones of Attica (1961) 21 Nr. 25 Abb. 77–78.

91 Zur Grabstele des Aristion vgl. Richter, Gravestones 47 Nr. 67 Abb. 156–158.

92 Vgl. Richter, Gravestones 23 Nr. 31 Abb. 92.

93 H. Schrader, Die archaischen Marmorbildwerke der Akropolis (1939) 212 ff. Nr. 312 Taf. 134–137 und Abb. 224–242. Vgl. jetzt auch den Bildniskopf eines Persers mit Tiara aus Herakleia Pontica: E. Akurgal, in: Archaische und klassische griechische Plastik, Akten des intern. Kolloquiums Athen 1985 I (1986) 9 ff. Taf. 4–5.

94 Schrader a. O. 225.

95 Vgl. S. Brunnsåker, The Tyrant-Slayers of Kritios and Nesiotes (1971); B. Fehr, Die Tyrannentöter (1984); Ch. Landwehr, Die antiken Gipsabgüsse aus Baiae (1985) 27 ff.; W.-H. Schuchardt – Chr. Landwehr, JdI 101, 1986, 85 ff.

96 Vgl. Fehr a. O. 16 ff.

[97] Vgl. D. Pandermalis, Untersuchungen zu den klassischen Strategenköpfen, Diss. Freiburg 1968; G. Dontas, in: Festschr. F. Brommer (1977) 79 ff.; Voutiras 41 ff. 112 ff. 147 ff.

[98] Vgl. auch Voutiras 33.

[99] Zum Kopf im Akropolis-Museum: G. Dontas, in: Due bronzi da Riace, BdA serie speciale II (1984) 287 Anm. 47 Abb. 15–16; Voutiras 241 Anm. 217. Ob es sich dabei um einen Götterkopf handelt, wie zumeist angenommen, wird durch die Stirnfalten in Frage gestellt. Zum Kopf des Sehers aus dem Ostgiebel des Zeustempels in Olympia s. B. Ashmole – N. Yalouris, Olympia. The Sculptures of the Temple of Zeus (1967) Abb. 31–38.

[100] Vgl. Richter I 47 ff. Abb. 1–17; zur Replik München 47 Nr. 5 Abb. 1. 8. 9; L. Giuliani, in: Bilder vom Menschen in der Kunst des Altertums, Ausst. Berlin 1980, 60 Nr. 15; B. Vierneisel-Schlörb, Klass. Skulpturen des 5. und 4. Jh. v. Chr. (Kat. München II 1979) 37 ff. Nr. 5 Abb. 19–23; Voutiras 54 ff.

[101] So zuerst F. Winter, JdI 5, 1890, 163 f. Vgl. etwa die Darstellungen des Phineus: E. Langlotz, Griech. Vasen in Würzburg (1932) II Taf. 27; H. Sichtermann, Griech. Vasen in Unteritalien aus der Sammlung Jatta in Ruvo (1966) Taf. 62.

[102] Richter I 123 Abb. 604–605; W. Gauer, JdI 83, 1968, 155 ff. Abb. 25–26. Die Zeitstellung ließe sich mit einem postumen Bildnis des Aischylos († 456) wohl verbinden.

[103] Richter I 100 Abb. 412–425; zuletzt Voutiras 62 ff. mit der neueren Lit. Zweifel an der gängigen Deutung hat noch vor dem Neufund aus Aphrodisias mit guten Gründen angemeldet L. Giuliani, in: Bilder vom Menschen, Ausst. Berlin 1980, 61 Nr. 16; ders., Gnomon 54, 1982, 53 f.

[104] Vgl. The Anatolian Civilisations II. Greek–Roman–Byzantine, Ausst. Istanbul 1983, 118 Nr. B 317; K. Erim, Aphrodisias, City of Venus Aphrodite (1986) 148 mit Abb. Der Tondo wurde bisher meist in das 3. oder 4. Jh. n. Chr. datiert; F. Rumscheid macht mich darauf aufmerksam, daß eher eine Datierung in das 5. Jh. erwogen werden muß, vgl. dazu etwa die Magistratsporträts von Aphrodisias: J. Inan – E. Rosenbaum, Roman and Early Byzantine Portrait Sculpture (1966) Taf. 176–177.

[105] Vgl. eine von Voutiras 68 Abb. 25 herangezogene Darstellung eines Satyrs vom Kleophrades-Maler mit ähnlichem Bartknoten.

[106] Vgl. auch L. Giuliani, Gnomon 54, 1982, 53.

[107] Vgl. die Oberansicht bei E. Paribeni, BdA 24, 1984, 1 ff. Abb. 5.

[108] Vgl. Voutiras 141 ff.

[109] Vita Soph. 11; die Textstelle, an der vermutlich das Wort „Statue" gestanden hat, ist freilich zerstört. Ob die Statue im Heiligtum des Asklepios stand, wie allgemein angenommen wird, ist nicht überliefert.

[110] Ausführlich Metzler 81 ff. 129 ff. Abb. 1–14. Vgl. jetzt auch die Gigantenköpfe des Tempelgiebels von Mazi in Patras: J. Triandi, in: Archaische und klassische griechische Plastik, Akten des intern. Kolloquiums Athen 1985 II (1986) 155 ff. Taf. 138.

[111] S. o. Anm. 73.

[112] H. Cahn, brieflich. Bei den von Metzler 242 ff. genannten Beispielen aus dem 6. und frühen 5. Jh. ist nicht gesichert, daß es sich um historische Personen handelt.

[113] M. May, The Coinage of Abdera (1966) 167 Nr. 218 Taf. 13; Richter I 79 Abb. 305. Schweitzer 196 Taf. 45, 3.

[114] T. Hölscher, AA 1969, 410 ff. Abb. 1–6; Voutiras 164 ff. 168 ff. Abb. 114–117. 119–120; A. Giuliano, in: Due bronzi da Riace, BdA serie speciale II (1984) 297 ff. Abb. 1–2.

[115] Vgl. o. Anm. 72; May a. O. 176 Addendum.

[116] B. Schmidt-Dounas, Der lykische Sarkophag aus Sidon (1985) 134 ff. Taf. 5, 1.

[117] G. Walser, Die Völkerschaften auf den Reliefs von Persepolis (1966).

[118] S. o. Anm. 73.

[119] H. v. Fritz, Die Elektronprägung von Kyzikos, in: Nomisma VII (1912) 14 Nr. 197–199 Taf. 6, 9–11; M. Franke – M. Hirmer, Griech. Münzen (1964) Taf. 200; zuletzt M. R. Kaiser-Raiss, SchwNR 63, 1984, 27 ff. (Philipp II.).

[120] Metzler 318 ff. Abb. 32.

[121] Zur Frage, ob es sich um lykische Dynasten oder ihre „Vorgesetzten", die persischen Satrapen, handelt, vgl. J. Zahle, in: Actes du 9ème congr. intern. de numismatique, Bern 1979 I (1982) 101 ff. Taf. 16–17; H. Cahn, AA 1985, 587 ff.

[122] Vgl. auch R. Franke – M. Hirmer, Griech. Münzen Taf. 191.

[123] Schweitzer 187 hat noch im Jahr 1954 gemeint: „Die Frage nach den Datierungsmöglichkeiten griechischer Porträts scheint keine Probleme zu stellen. Trotzdem muß zugestanden werden, daß sie noch sehr im Argen liegt." Nur dem letzten Satz kann man, selbst heute noch, ohne Zögern zustimmen.

[124] Das Datum ergibt sich aus der Nachricht bei Plinius (n. h. XXXVI 30), wonach Artemisia (reg. 353–351) das Mausoleum für ihren Mann errichtet habe. Die Forschung geht davon aus, daß der Dargestellte wirklich Mausoleum ist und die Statue zu dem Teil des Bauwerks gehört, der damals fertiggestellt wurde.

[125] Richter I 121. 125. 134; E. Schwarzenberg, JbKSWien 68, 1972, 32; Ch. Schwingenstein, Die Figurenausstattung des griechischen Theatergebäudes (1977) 64 mit Anm. 7.

[126] RE XIII 2448 f. (Kunst); zur Gruppe vgl. auch H. v. Prott, AM 27, 1902, 294 ff.

[127] Zur Datierung vgl. Fittschen, Kat. Erbach 27.

[128] Bei dieser Datierung wird stillschweigend vorausgesetzt, daß die erhaltenen Kopien auf eine Statue zurückgehen, deren Basis auf der Athener Agora gefunden wurde: Richter II 250 Nr. 8 Abb. 1681 und Textabb. Siehe auch Nachtrag S. 38.

[129] Ph. Bruneau – J. Ducat, Guide de Délos ³(1983) 27 mit weiterer Lit.; die Reparaturspuren an einigen Bildnissen beweisen, daß sie vor 88 v. Chr. entstanden sind. Vgl. ausführlich A. Stewart, Attika (1979) 65 ff.

[130] C. Michalowski, in: Expl. Délos XIII (1932) 9 f. Abb. 4–5 Taf. 8; R. Winkes, Clipeata imago (1969) 154 Nr. d.

[131] Vgl. V. Poulsen, Vergil (Opus Nobile XII 1959), nachgedruckt in: Röm. Porträts, hrsg. von H. v. Heintze (1974) 425 ff.

[132] An dieser Identifizierung von Poulsen ist schon oft Kritik geübt worden, weil leicht erkennbar ist, daß das den Kopien zugrundeliegende Original jedenfalls nicht frühaugusteisch ist. Die neuen Vorschläge für Datierung und Benennung sind sehr unterschiedlich und haben noch zu keinem Konsens geführt; vgl. U. Hausmann, in: Stele, Gedenkschrift N. Kontoleon (1979) 516 ff.; R. Wünsche, MüJb 31, 1980, 27 mit Anm. 91; zuletzt L. Giuliani, Bildnis und Botschaft (1986) 163 ff. Abb. 40–42 mit nicht überzeugender Einordnung.

[133] A. Michaelis, in: Festschrift E. Curtius (1884) 111 f. mit Anm. 2; die ausführliche Kritik von E. Preuner, AM 28, 1903, 348 ff. hat an dieser Namensänderung merkwürdigerweise keinen Anstoß genommen.

[134] So K. Schefold, Die Bildnisse der antiken Dichter, Redner und Denker (1943) 74 und 205; zuletzt noch K. Braun, Untersuchungen zur Stilgeschichte bärtiger Köpfe auf attischen Grabreliefs und Folgerungen für einige Bildnisköpfe, Diss. Basel 1966, 84.

[135] Vgl. RE XVIII 1167 s. v. Orontopates; zur Namensform Rhoontopates s. E. Babelon, Traité des monnaies grecques et romaines II 2, 158 f. Taf. 91, 4–5.

[136] Richter II 171 Nr. 1 Abb. 1014.

[137] Vgl. ferner etwa Richter II 171; J. Düring, Aristotle in the Ancient Biographical Tradition (1957) 349.

[138] Vita Marciana 15 = Vita Latina 15, abgedruckt und kommentiert bei Düring a. O. 99 und 153.

[139] Eine Statue auf der Akropolis, von den Athenern gestiftet (Vita Marciana 20, Düring a. O. 100); eine Statue im Zeuxippos von Konstantinopel (Ant. Pal. II 16 ff.; Richter II 171 Nr. 5) sowie eine allerdings namenlose in Olympia (Paus. VI 4, 8; Richter II 171 Nr. 3).

[140] F. Zevi, RendPontAcc 42, 1969/70, 95 ff. Abb. 20; ders., in: Hellenismus in Mittelitalien, Coll. Göttingen 1974 (1976) I 60 Abb. 19.

[141] Ausführlich B. Andreae, in: Festschr. H. Jucker (1980) 40 ff. Taf. 13. Anders A. Stewart, Attika (1979) 25 ff. (2. Hälfte 3. Jh.); K. Schefold, in: Festschr. U. Hausmann (1982) 88 Anm. 56.

[142] Vgl. Richter I 96 Abb. 381–397; W. Gauer, JdI 83, 1968, 128 ff. mit der richtigen Datierung. Es handelt sich um ein „Rekonstruktions"-Porträt, das mit einem der beiden Bildnisse identisch sein könnte, die im 4. Jh. v. Chr. im Prytaneion und im Dionysos-Theater aufgestellt worden sind.

[143] Ny Carlsberg Glyptotek Nr. 212: Billedtavler Taf. 16; vgl. auch Richter I Abb. XXXII. Die Zahl der Beispiele ließe sich leicht vermehren, doch sind leider auch die Grabreliefs in Detailaufnahmen völlig unzureichend erschlossen.

[144] Vgl. auch die in Anm. 114 genannten Köpfe.

[145] Vgl. auch das Haar des sog. Apollodoros in Neapel (Taf. 52) und des Boxers aus Olympia (Taf. 53), dessen motivische Beziehungen zur Kunst des 5. Jh. immer gesehen wurden, vgl. zuletzt Voutiras 161 ff. 167 ff. Diese Köpfe könnten beweisen, daß derartiges Haar auch im 4. Jh. getragen wurde; da wir die Dargestellten aber nicht kennen, könnte es sich auch in diesem Fall um Rekonstruktions-Porträts handeln.

[146] Mir scheint, daß das Porträt der Lateranischen Statue im Zustand vor der Restaurierung von der Forschung zu hoch und die Restaurierung selbst zu schlecht bewertet wird. Was den modernen Betrachter beeindruckt, wird fast ausschließlich durch die Korrosion der Oberfläche bewirkt. Der Fall liegt ähnlich wie beim Steinhäuserschen Kopf, der gefeierten Replik des Apollon im Belvedere: der schlechte Erhaltungszustand und die schlechte Qualität erlauben, in den Kopf hineinzusehen, was man gern herausliest.
Zum Bildnis des Aischylos, dessen Identifizierung bisher allein auf einer Fundgruppe aus dem Meer bei Livorno beruht, vgl. Richter I 122 Abb. 577–592; zu weiteren Repliken vgl. H. Jucker, Boreas 5, 1982, 143 ff. Taf. 12, 1–2; N. Cambi, Radovi 1978/79, 127 ff. Taf. 1–2.

[147] Vgl. Th. Schreiber, Studien über das Bildnis Alexanders d. Gr. (1903); J. J. Bernoulli, Die erhaltenen Darstellungen Alexanders des Großen (1905); K. Gebauer, AM 63/64, 1938/39, 1 ff.; M. Bieber, Alexander the Great in Greek and Roman Art (1964); eine umfassende, kritische Dokumentation der erhaltenen Denkmäler ist ein dringendes Desiderat.

[148] Vgl. E. Schwarzenberg, BJb 167, 1967, 58 ff.; zustimmend Hölscher 54 ff.

[149] Vgl. grundlegend Hölscher 9 ff.; vgl. ferner H. Protzmann, JdI 92, 1977, 169 ff. bes. 194 ff.

[150] Vgl. D. Michel, Alexander als Vorbild für Pompejus, Caesar und Marcus Antonius (1967). Eine Untersuchung über die Rezeption bei den Griechen liegt noch nicht vor, obwohl sie nicht minder interessant wäre.

[151] Zu nennen wäre hier das Bildnis des Poseidipp (Richter II 238 Abb. 1647–1650), das jedoch in der frühen Kaiserzeit in das eines Römers umgearbeitet worden zu sein scheint (H. v. Heintze, RM 68, 1961, 80ff.). Vgl. ferner die Anm. 36 genannten Siegelabdrücke. In Etrurien ist die neue Mode schon bald nach 300 v. Chr. nachweisbar: M. Sprenger – G. Bartoloni, Die Etrusker (1977) Taf. 208 (Sargdeckel Boston) und Taf. 227 (Tomba François).

[152] Vgl. etwa die Diskussion um die neue Bartmode im 2. Jh. n. Chr.: M. Bergmann, Marc Aurel (1978) 31; K. Fittschen, MM 25, 1984, 199. Der Bart bedeutet mehr „Grieche" als „Philosoph".

[153] Zum Schleifer aus der Apollon-Marsyas-Gruppe s. Lippold, Griech. Plastik (1950) 322 Taf. 112, 3. Vgl. auch die Darstellung von Fischern und Landleuten: H. P. Laubscher, Fischer und Landleute (1982); E. Bayer, Fischerbilder in der hellenistischen Plastik (1983).

[154] Vgl. etwa Richter III Abb. 1921–1922. 1925–1927. 1935. 1945. 1975–1978. 1982–1988.

[155] E. Buschor, Das hellenistische Bildnis [2](1971) Nr. 218 Abb. 60; Richter I 38 Abb. XLI–XLII; zuletzt A. Stewart, Attika (1979) 82ff. Taf. 26a. Ähnlich ist das auch von Stewart verglichene Bildnis im Louvre, dessen Identifizierung mit Antiochos III. mir noch immer am meisten einleuchtet. Zum *Kynikerporträt* im Capitol (Taf. 129) vgl. Richter II 185 Abb. 1071.1074; zum Kopf aus dem Meer bei Antikythera (Taf. 130) vgl. C. B. Bol, Die Skulpturen des Schiffsfundes von Antikythera (1972) 24f. Taf. 10–11; S. Karusu, in: Festschr. H. Kenner II (1985) 207ff. Taf. 8; zum Kopf im Thermen-Mus. (Taf. 131) vgl. B. M. Felletti Maj, I ritratti (1953) Nr. 19; Karusu a. O.

[156] Richter I 50ff. Abb. 58–106; die Replik in Schwerin 51 Nr. 17 Abb. 91–93.

[157] Richter II 191ff. Abb. 1111–1146; das zugrundeliegende Original stammt vermutlich vom Bildhauer Eubulides, der nicht sicher datiert ist. Es gibt keine zwingenden Gründe, das Werk in die Lebzeit des Philosophen (281/77-208/4) zu datieren.

[158] Vgl. den noch nicht sicher benannten Einsatzkopf in Pergamon: G. Hübner, in: AvP XV 1 (1986) 127ff. Taf. 44–46 (mit reichlich verschlungener Beweisführung).

[159] Erste Beispiele für einen griechischen Einfluß auf das italische Porträt lassen sich seit dem frühen 3. Jh. nachweisen, s. o. Anm. 3 und 151.

[160] Vgl. P. Zanker, in: Hellenismus in Mittelitalien, Coll. Göttingen 1974 (1976) II 581 ff.; ders., in: Les bourgeoisies municipales italiennes aux IIe et Ier siècle av. J.-C., in: Coll. intern., Centre Jean Bérard, Neapel 1981 (1983) 251 ff.

[161] Vgl. K. Michalowski, Les portraits hellénistiques et romains, Expl. Délos XIII (1932); zuletzt A. Stewart, Attika (1979) 65 ff. Die Gruppe verdiente eine verbesserte Dokumentation, die auch die erhaltenen Statuen stärker zu berücksichtigen hätte.

[162] G. Kleiner, MüJb 1, 1950, 9 ff.; R. R. R. Smith, JRS 71, 1981, 24 ff.

[163] Vgl. P. Zanker a. O. (o. Anm. 160) 256 Anm. 26, dessen eigener Vorschlag, die Italiker am kurz geschnittenen Haar zu erkennen, allerdings auch nicht überzeugt, vgl. die in Anm. 154 genannten Münzbildnisse und einige Siegel aus dem Fund von Kallipolis (o. Anm. 36); ergiebiger könnten hingegen Zankers Beobachtungen zu den gewählten Statuentypen sein (Italiker nackt in Herrscherpose, Griechen im Mantel; vgl. dazu Anm. 83).

[164] T. Lorenz, AM 83, 1968, 242 ff.

[165] Vgl. z. B. W. Kaiser, JbBerlMus 8, 1966, 5 ff. mit der älteren Lit.

[166] Vgl. z. B. K. Bosse, Die menschliche Figur in der Rundplastik der ägyptischen Spätzeit von der XXII. bis zur XXX. Dynastie (1936) 76; B. v. Bothmer, in: Egyptian Sculpture of the Late Period 700 B. C. to A. D. 100, Ausst. Brooklyn 1960 ([2]1968) 78 und passim.

[167] Zum Problem vgl. auch G. M. A. Richter, JRS 45, 1955, 39 ff.; A. Adriani, RM 77, 1970, 72 ff.

Die Frage nach dem Verhältnis zwischen griechischem und altägyptischem Porträt wird oft mit der nach dem Verhältnis zwischen ägyptisch-ptolemäischem und römisch-republikanischem verquickt, eine Folge der ungeklärten chronologischen Probleme. Ich werde an anderer Stelle darauf eingehen.

Nachtrag zu Anm. 43: Besonders eindrucksvoll ist die Galerie berühmter Personen des Altertums im Stadtpalast von Landshut: Kunstdenkmäler Bayerns Bd. XVI Stadt Landshut (1927) 405 ff.

Nachtrag zu Anm. 128: A. Stähli, Berlin, weist mich freundlicherweise auf die Arbeit von J. Hopp, Untersuchungen zur Geschichte der letzten Attaliden (1977) hin, der S. 62 ff. gezeigt hat, daß es sich bei den beiden Stiftern nicht um die Könige Attalos II. und Ariarathes V. handelt, sondern um gleichnamige attische Bürger. Daraus ergibt sich, daß das Bildnis des Karneades, wenn es denn tatsächlich zu dieser Basis gehört hat, auch postum, d. h. nach 129/8 v. Chr. entstanden sein könnte. Stilgeschichtlich wäre das sogar sehr viel plausibler.

Nachtrag zu Anm. 148: Vgl. die Imitation dieses Bildnisses an einem Grab in Myra: Ch. Bruns-Özgan, Lykische Grabreliefs des 5. und 4. Jhs. v. Chr. (1987) 132 ff. bes. 134 Taf. 26.

Die Bildnisse des Thukydides
Ein Beitrag zur griechischen Ikonographie

Von Adolf Michaelis

Im Nationalmuseum zu *Neapel* befindet sich eine Doppelherme von griechischem, anscheinend pentelischem Marmor, welche durch die Inschriften am Beginn des Hermenschaftes als das vereinigte Bildnis der beiden größten Historiker Griechenlands bezeichnet wird [Taf. 41, 2; 42] [1]. Von *Herodot* enthält das Neapler Museum selbst noch eine zweite Hermenbüste mit der Inschrift ΗΡΟΔΟΤΟΣ, welche vor jener die wohlerhaltene Nase voraus hat, dagegen von recht unbedeutender Arbeit ist [2]. Trotz einiger Verschiedenheit im Bart und in den Gesichtszügen haben doch beide Köpfe so viel Gemeinsames, daß ihre Originale füglich das gleiche Individuum in etwas abweichender Auffassung darstellen konnten. Ein drittes Bild mit Namensbeischrift, auf einer unter Antoninus Pius geschlagenen Münze von Halikarnass, stellt den Greis *Herodot* dar, anscheinend ein Phantasieportrait [3]. Von *Thukydides* ist bisher nur jenes eine inschriftlich gesicherte Bildnis bekannt.
Freilich ist diese Sicherheit in Frage gestellt worden. Visconti hegte so wenig wie Winckelmann Zweifel an der Echtheit der beiden Inschriften, Gerhard dagegen wies solche Bedenken nicht unbedingt zurück [4]. Einen scheinbaren Anhalt gewinnt der Zweifel daran, daß im Namen des Herodotos ein doppeltes Versehen vorliegt: das erste O hat durch einen ungehörigen senkrechten Strich die Form Φ erhalten, und der folgende Buchstabe ist ein Λ statt eines Δ [5]. Allein diese Versehen des Steinmetzen fallen weniger ins Gewicht, da es sich bei der künstlerisch unbedeutenden, sogar ziemlich derben Arbeit ohne Frage um das Werk eines römischen Copisten handelt [6]. Was viel mehr besagen will, ist der gute Schriftcharakter im Ganzen, welcher den Verdacht einer Fälschung entfernt. Im Einzelnen darf auf das K im Namen des Thukydides hingewiesen werden mit seinen beiden kurzen schrägen Strichen, welche weder oben noch unten bis an den Rand reichen. Diese paläographische Eigentümlichkeit griechischer Inschriften würde kaum von einem Fälscher der Renaissancezeit beachtet worden sein, am wenigsten von einem, der sich im Namen des Herodot so arg versah. An eine spätere Fälschung zu denken ist aber unmöglich, da sich unser Monument mit den Inschriften bis zur Mitte des sechzehnten Jahrhunderts zurück nachweisen läßt.

Adolf Michaelis, Die Bildnisse des Thukydides. Ein Beitrag zur griechischen Ikonographie. Festgruß an die Königlich Württembergische Eberhard-Karls-Universität Tübingen zu ihrer vierten Säcularfeier am 9. August 1877, gesandt von der Kaiser-Wilhelm-Universität Straßburg, Straßburg 1877, 1–19.

Beide Büsten des Herodot standen, ehe sie im Jahre 1787 mit den übrigen Antiken des Hauses Farnese nach Neapel gebracht wurden, in der Farnesina. Dort kannte sie Winckelmann[7]. In der durch Raphaels Fresken geweihten Prachthalle hatte auch noch Visconti die Hermenköpfe des *Herodot* und des *Thukydides* gesehen[8]. Vermutlich um sie besser zur Wanddekoration verwenden zu können, hatte man nämlich den Doppelkopf in seine beiden Hälften zersägt; die Spuren davon sind an dem erst in Neapel wieder zusammengesetzten Marmor deutlich erkennbar. In den Besitz der Farneses, welche jenes reizende Landhaus im Trastevere im Jahre 1580 von den Chigis gekauft hatten, scheint die Herme aus den Händen Fulvio Orsinis gelangt zu sein, welcher bekanntlich zum Haus Farnese, namentlich zum Cardinal Alessandro, in sehr nahen Beziehungen stand, selbst im Palast Farnese wohnte und bei seinem Tode (1600) dieser Familie seine Antikensammlung hinterließ. Wenigstens bezeugt der belgische Kupferstecher Theodor Galle, welcher in Orsinis letzten Lebensjahren[9] unter dessen Aufsicht und großenteils nach den von jenem gesammelten Originalen die Zeichnungen für seine 1598 gestochene Sammlung antiker Portraits anfertigte, daß er die marmorne Doppelherme *apud Fuluium Vrsinum*, d. h. in dessen Besitz[10], gefunden habe. So bildet er sie auf Tafel 144 seines Werkes ab. Damit stimmt der Erklärer dieser Kupfer, der Arzt Joh. Faber aus Bamberg, überein, welcher mit Orsini und seinen antiquarischen Neigungen nahe vertraut gewesen war[11]. Aber der Marmor war noch nicht in Orsinis Besitz, als dieser selbst ihn 1570 in seinen ›Imagines ex bibliotheca Fuluii Vrsini‹ herausgab; damals befand er sich vielmehr noch im Museum Cesi[12]. Ebendort hatte ihn der in Rom ansässige französische Kupferstecher Ant. Lafrérie gekannt, welcher im Jahre vorher die erste antike Ikonographie, eine Sammlung von Hermen mit wirklichen oder vermeintlichen Portraitköpfen, herausgab [Taf. 41, 1][13]. Bekanntlich umschlossen damals das Haus und der anstoßende Garten des Kardinals Cesi, bei Santo Spirito im Borgo, nahe der heutigen Porta Cavaleggieri[14], eine der bedeutendsten Antikensammlungen Roms, welcher es auch an Hermen nicht fehlte: gleich beim Eintritt in den Garten waren nicht weniger als zweiundzwanzig aufgestellt[15]. Wir müssen also annehmen, daß zwischen 1570 und 1598 Orsini jene Doppelherme vom Kardinal Cesi erworben oder zum Geschenk erhalten hatte. Wissen wir doch, daß der Kardinal eben in jenen Jahren andere Kunstwerke an Francesco de' Medici abtrat[16]; und ebenso, daß auch aus andern Sammlungen an Fulvio Orsini als den ersten Portraitkenner jener Zeit Bildnisse gelangten[17].

Die Geschichte unseres Marmors läßt sich aber auch noch über das Museum Cesi hinaus verfolgen. Die Cesis hatten nämlich einen Teil jener Villa erworben, welche der letzte Vertreter der antiquarisch-künstlerischen Neigungen der Renaissance auf dem päpstlichen Stuhle, Julius III., draußen vor der Porta del Popolo angelegt hatte. Ein bescheidenes Besitztum, von seinem Oheim, dem Kardinal Antonio del Monte, ererbt, hatte der Papst nicht lange nach seiner Thronbesteigung (1550) durch Ankauf fast aller Gärten und Weinberge östlich von der Via Flaminia, von der Stadt bis zum Ponte Molle, mit Einschluß der Anhöhen des Monte Parioli, zu einer prachtvollen Anlage erweitert, die selbst in Rom, neben den Gärten des Belvedere und des Hauses Cesi sowie neben der Villa Carpi auf dem Quirinal, ihresgleichen suchte und in den fünfziger Jahren des sechzehnten Jahrhunderts zu den größten Sehenswürdigkeiten der ewigen Stadt zählte[18]. Antiken schmückten nicht bloß die jetzt öden Nischen des Casino, dessen halbverfallene Pracht der Reisende noch heute bewundert, sondern waren auch über die schattigen Spaziergänge der Villa ausgestreut. Die Abhänge des Berges bedeckten weitläufige Weinpflanzungen. Ihnen diente als besonderer Schmuck ein hoher Laubengang, dessen gewölbte Rebdecke von achtzehn marmornen Hermen getragen ward. Die Namen berühmter Griechen schauten von ihren Schäften auf den Besucher herab[19]. Schade nur, daß den meisten die zugehörigen Köpfe fehlten, für deren Verlust weder die erhaltenen echten Teile der Hermen noch die neu daraufgesetzten anderweitigen Köpfe ausreichenden Ersatz bieten konnten. Eine der wenigen Ausnahmen bildete unser Doppelkopf[20]. Als nicht lange nach Julius' Tode (23. März 1555) die Villa von der päpstlichen Kammer eingezogen, zerstückelt und großenteils verkauft ward, blieben nur die Kunstwerke, welche zur Ausstattung des Casino selbst dienten, dort zurück[21]. Von jenen Hermen kam ein Teil, vermutlich mit dem Grundstück, auf dem sie standen, an den Kardinal Ferd. de' Medici[22], unsere Doppelherme mit dem der Straße zunächst belegenen [!] Teile der Villa an den Kardinal Cesi[23].

Elf jener achtzehn Hermen des Laubenganges stammten aus der Villa Hadrians unterhalb Tivolis, der wie es scheint unerschöpflichen Fundgrube von Antiken, welcher die gleichzeitig entstehende Prachtvilla des Kardinals Ippolito d'Este in Tivoli fast ihren ganzen kostbaren Antikenschmuck verdankte. Der junge niederrheinische Gelehrte Stephan Vinand Pighius, der von 1547 bis 1555 in Italien seinen Studien oblag, hatte in Baulichkeiten, welche der hadrianischen Ruinenstätte nahe lagen, jene Hermen entdeckt und diesen Fund seinem Gönner, dem gelehrten Kardinal Marcello Cervini, nachmaligem Papst Marcellus II., mitgeteilt. Dieser machte den Papst Julius, der eben mit dem Bau seiner Villa beschäftigt war, darauf aufmerksam: sofort ließ er die Hermen von Tivoli herüberholen und in der bezeichneten Weise bei der Anlage seiner Villa verwenden[24]. Unsere Doppelherme gehört nicht zu jenen elf, daher ihre Herkunft ungewiß ist. Jedoch ist es wenigstens nicht unwahrscheinlich, daß auch sie aus der Umgegend von Tivoli stammt. Denn weitaus die meisten der erhaltenen Portraithermen mit griechischen Aufschriften, soweit ihre Herkunft bekannt ist, rühren aus den alten Villen bei Tivoli her; nicht bloß solche mit quadratem Schriftcharakter, wie jene von Pighius gefundenen[25], sondern auch Hermen mit rundlicher Schrift, gleich derjenigen auf unserer Doppelherme[26]. Dieser gleichen vor allen die Hermen des *Zenon*, welche aus Hadrians Villa, und die des *Antisthenes*, welche aus der benachbarten sog. Villa des Cassius stammt[27]. Sollte aber auch meine Vermutung unrichtig sein: jedenfalls enthält die Umgebung sicher echter Inschrifthermen, in welcher das Bildnis des *Herodot* und *Thukydides*

uns zuerst entgegentritt, ebenso wenig wie der Schriftcharakter irgend etwas, das
den Verdacht gegen die Echtheit der Inschriften begründen könnte. –
Der Kopf des *Thukydides* ist gut erhalten; nur die Nasenspitze ist ergänzt. Aber mit
Recht beklagt Visconti, daß die Dürftigkeit der Ausführung den einfachen Stil und
die Größe der Auffassung des zu Grunde liegenden griechischen Originals nur
schwach durchschimmern lasse. Das Profil zeigt am meisten edlen Charakter. In der
Vorderansicht haben die ziemlich derben Züge etwas Gedrücktes. Der sinnende
Ernst ist nicht ohne einen Zusatz von Verdrießlichkeit. Das schmale Auge erscheint
zu klein, namentlich unter der durchfurchten und breitgewölbten Stirn, welche mit
den gerunzelten Brauen schwer auf den Augen zu lasten scheint. Wir vermissen den
freien Blick, ohne welchen wir uns einen Mann von der tiefen Einsicht und der klaren Übersicht eines Thukydides schwer denken können. Anstatt eines kritischen,
über den Dingen stehenden Geistes glauben wir einen kleinlichen, unliebenswürdi-
gen Mäkler vor uns zu sehen. Der verdrossene Mißmut des aus dem Vaterlande Verbannten mag aus diesen Zügen sprechen, aber nimmermehr jener hohe staatsmännische Sinn und jene wenn auch nicht parteilose, so doch unparteiliche Betrachtung
historischer Erscheinungen, welche Thukydides als das unerreichte Muster eines
Geschichtsschreibers hinstellen.
Je weniger also diese Büste des *Thukydides* geeignet ist, uns von den Zügen und
dem Wesen des Mannes ein wirklich genügendes Bild zu gewähren, desto wün-
schenswerter mußte es sein, eine würdigere Darstellung desselben aufzufinden. Visconti glaubte später in einem Hermenkopfe des Musée Napoléon von pentelischem
Marmor, welcher sich noch im *Louvre* befindet[28], eine gewisse Ähnlichkeit mit den
nachdenklichen Zügen des Neapler Kopfes zu bemerken. Allein was die dürftigen
Umrisse bei Clarac und die etwas ausgeführtere Abbildung bei Bouillon[29] bereits
vermuten ließen, wird durch zwei Photographien zur Gewißheit, deren Anfertigung
ich der freundlichen Vermittlung des Herrn Ant. Héron de Villefosse, Conservators
am Louvre, verdanke. Jener Krauskopf hat mit dem Sohne des Oloros nichts gemein. Beide Photographien, von vorn und von der Seite aufgenommen, weichen
fast in jedem einzelnen Zuge von der farnesischen Büste ab und machen es, wie
auch Herr de Villefosse bemerkt, unzweifelhaft, daß Viscontis Eindruck trügerisch
war. Somit wären wir wieder auf die meschine Neapler Herme beschränkt.
Einer glücklichen Fügung verdanke ich es, ein vollkommneres Bild des großen
Historikers nachweisen und vorlegen zu können. An dem einen Ende der prächtigen Statuengallerie, welche mit zwei kleineren Kuppelsälen die ganze Westseite des
Schlosses zu *Holkham* in der Grafschaft Norfolk einnimmt, befinden sich zwei
schöne Büsten, welche die Namen Sullas und Metrodors führen[30]. Durch die
Freundlichkeit des Geistlichen von Holkham, Herrn Alexander Napier, erhielt ich
Photographien der beiden Köpfe, denen die Bitte beigefügt war, mich über die etwa
dargestellten Persönlichkeiten auszusprechen. Den angeblichen Sulla lasse ich hier
beiseite. Daß der andere, bärtige Kopf nicht Metrodoros sei, war ohne weiteres

klar, aber erst allmählich kam mir die *Neapler Thukydides*herme in den Sinn. Eine genaue Vergleichung des Abgusses dieser Herme mit der übersandten Photographie, sowie mit einer zweiten, welche Herr Prof. Bernoulli in Basel die Güte hatte mir mitzuteilen, ließ ebenso wenig einen Zweifel über die Identität der dargestellten Person, wie über den weit höheren künstlerischen Wert des neuen Exemplars. Mit dankenswertester Liberalität ist sodann der hohe Besitzer, der Earl of Leicester, meiner Bitte nachgekommen, die Büste formen zu lassen. Er hat dem Kunstmuseum unserer Universität einen Abguß geschenkt und mir freundlichst gestattet, diesen Schatz bei dem gegenwärtigen festlichen Anlaß zu veröffentlichen. Möge ihm auch an dieser Stelle der warme Dank dafür ausgesprochen sein!

Die Büste [Taf. 43, nach dem Original] gehört zu jenen Antiken, welche der Architekt Matthew Brettingham bald nach der Mitte des vorigen Jahrhunderts in Italien für Thomas Coke Earl of Leicester zu dem Zwecke sammelte, das nach den Plänen Will. Kents damals im Bau begriffene und von Brettingham selbst vollendete Schloß Holkham Hall damit zu schmücken. Leider ist über den Ort und die Art der Erwerbung nichts Genaueres bekannt. Gradezu wunderbar ist die Erhaltung der Büste. Mit Ausnahme von einigen abgestoßenen Stellen an der Brust und dem untern Rande, von ein paar unbedeutenden Schrammen an der linken Backe und dem linken Auge, und dem abgebrochenen Rande des linken Ohres ist alles, Kopf und Bruststück, bis an den modernen Fuß, völlig unverletzt; selbst die Nase ist von der sonst fast unvermeidlichen Verstümmelung verschont geblieben. Die Art des Marmors ist unbekannt. Die Ausführung der Büste ist, nach dem Abguß zu schließen, gut, aber doch nicht allzu fein; namentlich leiden die Falten der Stirn und mehr noch die Locken des Bartes an einiger Härte der Meißelführung. In den Tiefen der Haarlocken sind hie und da die einzelnen Ansätze des Bohrers noch sichtbar. Dagegen ist der Ausdruck vortrefflich gelungen, das Ganze von kräftiger harmonischer Wirkung.

Angesichts der genauen Wiedergabe beider Büsten, der *Neapler* und der von *Holkham*, wie sie in unseren Abbildungen vorliegt[31], scheint es unnötig, die Vergleichung beider durchzuführen und so die Übereinstimmung in allen Hauptsachen nachzuweisen. Daß die Nasenspitze in der englischen Büste noch derber erscheint, ist in der Tat keine Abweichung, da grade dieser Teil an der Neapler Herme ergänzt ist; und wenn die Glatze an letzterer minder umfänglich ist, so kommt dafür die Nachbarschaft des mit reichlicherem Haarwuchs versehenen *Herodot*kopfes in Betracht[32]. Die Größe der beiden Köpfe ist genau die gleiche; auch im Einzelnen stimmen die Maße überein und beweisen, daß ein und dasselbe Original beiden Kopien zugrunde liegt. Man vergleiche ferner nur die einzelnen Partien, in welche das lokkige Haar zerfällt, oder die Schichten und Einteilungen des knapp geschorenen Bartes: überall herrscht völlige Übereinstimmung, nur daß der Neapler Kopf sich mit einer fast schematischen Andeutung begnügt, wo der von Holkham den freieren Fall einzelner Haarpartien wiedergibt und auch dadurch einen lebendigeren, individuelleren Eindruck erzielt. Das ist aber durchweg das Verhältnis der beiden Exemplare zueinander: einer befangenen, derben, handwerksmäßigen Kopie steht eine Arbeit gegenüber, welche das Original mit feinem Sinn für das Wesentliche und mit sicherer künstlerischer Hand reproduziert. Daher der so ganz verschiedene Eindruck beider Köpfe. Freilich wirken hierbei noch zwei andere Umstände mit. Die seitliche Wendung der Holkhamer Büste verstärkt außerordentlich jenen Eindruck freien Bewegens und unmittelbarer Lebendigkeit [33]; der Neapler Kopf war durch die Hermenform [34], vollends durch die Form der Doppelherme, an eine starrere symmetrische Haltung gebunden. Eben daher mag auch die leise Senkung des Hauptes rühren, indem sonst für die Profilansicht der Hinterkopf allzu fest mit dem des siamesischen Genossen zusammengewachsen wäre. Und nun vergleiche man die adlige, aufrechte, freie Haltung des Kopfes in der Holkhamer Büste!

Die Vorzüge des neuen Bildnisses offenbaren sich recht deutlich darin, daß ihm gegenüber alle jene Anstöße schwinden, welche sich dem Genuß des Neapler Kopfes als eines Portraits des Thukydides in den Weg stellten. Hier ist nichts von dem Gedrückten, Verdrießlichen, Engen, dessen Anblick uns dort enttäuschte. Hoher Ernst ist der Grundcharakter dieser Mienen. Auf sie paßt nicht jener schöne Vers *laeta uiro grauitas et mentis amabile pondus:* kaum können wir uns vorstellen, daß je ein Lächeln das strenge Antlitz erheitern konnte. Schwere Erlebnisse und innere Kämpfe haben ihren Stempel auf diese Züge gedrückt und die Stirn gefurcht. Das Schicksal des Vaterlandes, welches in langjährigem Kampfe gegen äußere Feinde und in heftigen Wirren der Parteiung sich hoffnungslos verblutet hat, lastet mit schwerem Druck auf dem Geiste und den Zügen dieses Mannes. Aber es ist kein kraftloses Brüten, kein mißmutiges Mäkeln. Fest und klar schaut das Auge darein. Um den Mund prägt sich ein Zug von Energie aus, welcher durch die kräftigen Runzeln der Stirn noch verstärkt wird. Die vornehm freie Haltung des Kopfes beweist, daß auch die herbsten Erfahrungen diesen Nacken nicht zu beugen vermocht haben. So gewinnen wir ein ungemein lebendiges Bild jenes Mannes, dessen unbestechlichen Wahrheitssinn, dessen angeborenes Bedürfnis, vor allem die Tatsachen klar zu erkennen und ihre Gründe zu erforschen, dessen Unfähigkeit, sich mit Vorspiegelungen lebhaft gaukelnder Phantasie über den Ernst der Gegenwart und die Gefahren der Zukunft hinwegzutäuschen, wir so warm und mit so inniger Teilnahme bewundern. Dabei sind es keineswegs besonders schöne Züge, welche uns der Kopf vorführt. Der breite Bau der Stirn und die Schwere ihres unteren Randes, die derbe Gestalt der Nase, der etwas dicke aufgeworfene Mund könnten uns wohl daran erinnern, daß in Thukydides Adern mit dem attischen Blute barbarisches Thrakerblut sich mischte. Wie verschieden ist der Eindruck der Züge eines Perikles [Taf. 19. 20, 1], eines Sophokles [Taf. 57]! Und doch wirkt der kraftvolle Ernst unseres Kopfes kaum minder sympathisch; er ist sicherlich nicht minder bezeichnend für ihren Inhaber, dem es ja auch in seinem Geschichtswerk nur selten gelungen ist, dem schweren Ringen des Gedankens und der rein sachlichen Auffassung der Begebenheiten eine fließende, gefällige Form des sprachlichen Ausdrucks zu leihen.

Über das Aussehen unseres Historikers weiß sein Biograph Marcellinus zu berichten: „Man sagt von seiner äußeren Erscheinung, daß seine Gesichtszüge gedankenvoll, sein Kopf und die Haare von spitzer Bildung gewesen seien; der übrige Habitus habe seinem Geschichtswerke entsprochen"[35]. Es fragt sich, wie weit dieses „Man sagt" auf begründeter Überlieferung beruht. Der Schlußsatz enthält jedenfalls ein wohlfeiles und herzlich naives Impromptu, und auch der gedankenvolle Ernst der Züge, so gut er auch mit unserer Büste übereinstimmt, war für einen Leser des thukydideischen Werkes, der sich ein Bild des Verfassers zu machen wünschte, notwendig das nächste Ergebnis des gesamten Eindruckes. Vollends aber weiß ich mir die Worte τὴν κεφαλὴν καὶ τὰς τρίχας εἰς ὀξὺ πεφυκυίας schwer zu deuten. Soll damit die hohe Form des Schädels, soweit er von den Haaren bedeckt ist, also etwa des Hinterkopfes im Gegensatz gegen das vorher genannte Gesicht (πρόσωπον), bezeichnet werden? Oder ist eine besondere Beschaffenheit des Haares gemeint? Oder soll gar die spitze oder scharfe Bildung, das εἰς ὀξὺ πεφυκέναι, des Kopfes auf die Verstandesschärfe, ὀξύτης τοῦ νοῦ, hinweisen? Der Ausdruck ist ebenso ungewöhnlich[36] wie unklar, und wenig geeignet, Vertrauen zu jenem ganzen Gerede einzuflößen. Bedenkt man weiter, wie dürftig die Quellen waren, aus denen Marcellinus oder vielmehr sein Gewährsmann Didymos schöpfte[37], so ist an eine echte Tradition bei jenen Worten sicher nicht zu denken. Höchstens lag dabei ein Portrait zu Grunde. Auf keinen Fall aber läßt sich aus jenen unverständlichen Worten ein ernsthaftes Bedenken gegen die richtige Benennung unserer Büste entnehmen, deren hoher Kopf, ringsum von gelocktem, wenn auch nicht mehr überreichlichem Haare umkränzt, oben nicht spitz zuläuft, sondern eine große, kahle, schwachgewölbte Platte zeigt.

Welches Recht haben wir aber überhaupt anzunehmen, daß das vorliegende Portrait uns die wirklichen Züge des Thukydides bewahrt habe, daß es nicht ein Phantasiebildnis sei, ein Beispiel jener „nicht überlieferten Züge", deren oft so geistvolle Erfindung aus den literarischen Bedürfnissen der alexandrinischen Zeit entsprang[38]? Solche Bedenken können durch die äußere Form des Bildnisses bestärkt werden. Die oben angestellte Vergleichung der beiden erhaltenen Exemplare hat ergeben, daß der freiere und bedeutendere Ausdruck des *Holkhamer* Marmors zu großem Teil auf der Büstenform anstatt der Hermenform beruht. Das beiden Exemplaren zugrunde liegende Original kann also nicht füglich eine Herme gewesen sein, sondern eher eine Büste, ähnlich der von Holkham. Diese Brust und Schultern einschließende Form der προτομή, welche bei den Römern besonders beliebt war, läßt sich aber vor der alexandrinischen Epoche nicht nachweisen[39]; daher es unzulässig scheinen kann, das Original höher hinauf zu versetzen, als – annähernd – etwa erst ein Jahrhundert nach Thukydides Tode. Allein dieser Schluß gilt nur für den Fall, daß die Büste von Holkham in letzter Linie wiederum auf eine Büste zurückgeht

und daß diese das Originalwerk selbst war. Wie aber ganz im Allgemeinen die προτομή – im Gegensatz gegen die Herme, welche sich grundsätzlich auf Kopf und Hals
beschränkt und diese durch den viereckigen Schaft architektonisch verwendbar
macht – nichts ist als der „vordere Abschnitt" oder das „Vorderstück" einer vollständigen Menschengestalt, auf die ja sogar das Gewandstück noch deutlich zurückweist, so steht auch für den einzelnen Fall nichts im Wege, von dem Büstenabschnitt
zu einer vollständigen Statue als Original emporzusteigen und damit über die alexandrinische Epoche zurückzugehen.

In der Tat hören wir von einem Standbilde des *Thukydides*. Freilich fällt die Erwähnung desjenigen ehernen Exemplars, welches neben anderen Statuen von Sehern
und Sängern, von Staatsmännern und Rednern, von Historikern und Philosophen
den Zeuxippos zu Konstantinopel schmückte, erst in den Anfang des sechsten Jahrhunderts unserer Zeitrechnung. Damals beschrieb Christodor die Statue in folgenden klingelnden Versen, welche einen ziemlich prosaischen Inhalt mit schwülstigem
Ausdruck umhüllen [40]:

> Tiefe Gedanken durchbebten Thukydides Brust. Wie er dastand,
> Wob er mit Rednergewalt das ergreifende Bild der Geschichte.
> Denn er erhob die Rechte. So hatt' er vor Zeiten gesungen
> Spartas bitteren Kampf mit der eignen kekropischen Heimat,
> Welcher geschnitten die Saaten der kindergesegneten Hellas.

Daß es sich hier um eine ältere, nach Konstantinopel verschleppte Statue handelt,
ist von vornherein wahrscheinlich [41]. Überdies scheint die von dem Künstler be-
folgte Auffassung des Geschichtschreibers als eines öffentlichen Redners weniger zu
den späteren Zeiten vorwiegender Gelehrsamkeit zu passen, wo man die Gattun-
gen der Prosa strenger und zünftiger zu scheiden pflegte, als zu einer älteren Anschauung, welcher – ganz abgesehen von den in das Geschichtswerk eingelegten
Reden – zeitgenössische Geschichtschreibung und staatsmännische Beredtsamkeit
durch den beiden gemeinsamen politischen Grundcharakter enger verbunden erscheinen mochten. Eine solche Anschauung war in der Tat bei Thukydides um so
passender, als er ja auch selbst dem politischen Leben nicht fern geblieben war.
Hiernach läßt sich vielleicht vermuten, daß das im Zeuxippos befindliche Standbild
oder dessen Original einer verhältnismäßig frühen, d. h. voralexandrinischen Zeit
angehörte. Der Grundzug jener Statue, die schwere Gedankenarbeit (ἐλέλιζεν ἑὸν
νόον), spiegelt sich nun auch in den Zügen unserer Büste wider, welcher, wie sich
noch zeigen wird, ein Bronzeoriginal zu Grunde liegt. Der rechtshin gewandte Blick
derselben würde vortrefflich mit der erhobenen Rechten übereinstimmen, und selbst
die rechte Schulter, welche um ein Geringes höher steht als die linke, würde sich einer
mäßigen Erhebung des Unterarmes und der Hand, die nicht einmal so stark zu sein
brauchte wie bei dem sog. Germanicus im Louvre [42], gut fügen. Ein Zusammenhang
zwischen der erhaltenen Büste und jener Statue ist also immerhin möglich.

Es entgeht mir nicht, aus wie dünnen Fäden diese Argumentation gewoben ist. Zum Glück enthält die Büste selbst Merkmale, welche ihrem Original eine ziemlich frühe Entstehungszeit sichern. Jene phantasiereichen Portraitschöpfungen der hellenistischen Epoche, von denen uns in den *Homer*köpfen und in dem *Aesop* der Villa Albani so ausgezeichnete Beispiele erhalten sind[43], weisen in ihrer Formgebung, wie es nur natürlich ist, durchaus den Charakter der nachlysippischen Kunst auf. Mit scharfer und geistvoller Charakteristik verbindet sich ein Hang zu malerischem Effekt und ein naturalistischer Sinn für die täuschende Darstellung alles Äußerlichen, der Haare, der Haut usw. Die gleiche Richtung herrscht in allen Portraits, welche sicher der Zeit nach Alexander angehören[44]. Sehr bezeichnend sind dafür die Köpfe des *Demosthenes*, welche ohne Zweifel auf Polyeuktos Statue (um 280) zurückgehen [Taf. 108–116][45]. Die ganze Haut ist verschrumpft und runzelig, wie die welke Haut eines Stubengelehrten. Die Brauen sind als ein rundlicher faltiger Wulst gebildet, ohne Andeutung der Haare selbst, aber so daß wir die Rauheit dieser Stelle deutlich empfinden. Die Stirn zeigt keine großen Flächen, sondern eine Menge leiser allmählicher Übergänge, wie in einem welligen Terrain. Ähnlich verhält es sich mit den vatikanischen Statuen des *Menandros* (gest. 291) und des *Poseidippos* (erste Hälfte des 3. Jh.), mit dem *Neapler Aeschines* (gest. um 315) [Taf. 81], mit dem *Aristoteles Spada* (gest. 322)[46]: ein Mehr oder Minder jener Natürlichkeiten läßt sich wohl auffinden, aber die Art und die hauptsächlichen Mittel der formalen Charakteristik sind ihnen allen gemeinsam. Auch die schöne borghesische Statue, die mit großer Wahrscheinlichkeit auf *Anakreon* gedeutet wird[47], gehört, wenn die Abbildung und meine Erinnerung mich nicht ganz täuschen, in diese Reihe und weist schon dadurch die Vermutung zurück, welche sie auf Kresilas zurückführen wollte; gewiß bietet sie uns eines jener später erfundenen Bildnisse dar. Ja sogar das lockige Haupt des lateranischen *Sophokles* [Taf. 57][48] zeigt in der Behandlung der Haut, der Bildung der Stirn, der Wiedergabe des Brauenrandes, wenn auch in gemildertem Maße, so große Verwandtschaft mit den besprochenen Portraits, daß wir für das Original unserer Statue schwerlich über das auf Lykurgos Betrieb im Dionysostheater gesetzte Standbild (um 330) hinaufgehen dürfen; womit ja die Benutzung eines älteren authentischen Portraits bei der Anfertigung jenes Standbildes ganz wohl vereinbar ist[49].

Anders steht es mit den Bildnissen *Alexanders des Großen* (gest. 323). Fünf wie ich glaube sichere Exemplare, die ich vergleichen kann, darunter drei von schöner Art[50], sehen ganz oder fast ganz von jenen Zufälligkeiten der wirklichen Erscheinung ab und befolgen, bei sonst voller Freiheit der Behandlung, die strengeren Regeln stilvoller Kunst, wie sie für Idealbilder auch noch in der hellenistischen Periode herrschend blieben oder wenigstens nicht ganz verschwanden. Spielte bei den späteren Portraits die Wiedergabe der Haut eine hervorragende Rolle, so beschränken sich diejenigen Alexanders sozusagen auf das Fleisch; an die Stelle zerstückter Behandlung treten breite ruhige Flächen; der untere Stirnrand ist in scharfer Bogen-

linie begrenzt, so daß man den Knochen durchzufühlen glaubt. Vielleicht hat grade
bei Alexander der Wunsch, den jugendlichen Weltbezwinger, den Zeussohn, möglichst ideal darzustellen mitgewirkt. Aber auch im Kolossalkopfe des *Mausolos*
(gest. 351)[51] tritt uns, obschon minder deutlich, eine ähnliche Formbehandlung entgegen. Hie und da an das spätere realistischere Prinzip leise erinnernd, gehört er
doch im wesentlichen noch der älteren Weise an, wobei freilich der mehr andeu-
tende Charakter dieser dekorativen Skulptur nicht übersehen werden darf.

Jene ältere stilvolle Behandlung ist am besten – ich sehe dabei von ein paar vereinzelten Portraitköpfen hochaltertümlichen Stils ab[52] – durch eine Reihe behelmter
Köpfe vertreten, unter welchen man mit höchst zweifelhaftem Recht auch die Sieger von Marathon und Salamis hat entdecken wollen[53]. Um so sicherer kennen wir
die Züge des *Perikles* (gest. 429)[54]. Namentlich die Herme des Britischen Museums
[Taf. 19], so weit sie auch noch vom Original entfernt bleiben mag, ist ein treffliches
Beispiel dieses Portraitstiles, in ihrer Grundlage ganz der Zeit des Dargestellten
und eines Meisters wie Kresilas würdig, wohl wert des diesem gespendeten Lobes,
daß durch solche Kunst berühmte Männer noch berühmter geworden seien[55]. Hier
ist mit einer leisen Herbigkeit des Vortrags alles auf das Wesentliche und Notwendige beschränkt, alles Vergängliche und Zufällige abgestreift. Ohne daß im mindesten der Eindruck des Geistigen Schaden litte, weisen die scharfe Begrenzung des
unteren Stirnrandes und der Nase, die einfach große Behandlung der Wangen, die
knappe Wiedergabe des kurzgelockten Haares und des krausen gestutzten Bartes,
welcher die Form des Kinns und der Kinnbacken nirgend verhüllt, überall auf das
Knochengerüste als auf das Wesentliche hin. Das Fleisch dient nur zur Hülle desselben, die den starren Kern mit weichem Leben umgibt. Aber so wenig wir irgendwo
etwas vermissen, so bezeichnend z. B. für den gedankenreichen Ernst des großen
Staatsmannes die leichten Falten über der Nasenwurzel sind: von jenen Natürlichkeiten und dem rein äußerlichen Schein der Hautbildung erscheint keine Spur. Kresilas war eben kein ἀνθρωποποιός gleich dem Demetrios, sondern ein ἀνδριαντοποιός. Indessen auch dieser hohe ideale Stil hat seine Schattierungen. Der sog.
Pastoretsche Kopf[56] weist eine bedeutend größere Weichheit auf und wird deshalb
wohl mit Recht einer etwas späteren Zeit zugewiesen; vielleicht kommt freilich auch
ein Unterschied des Materials, Marmor und Bronze, mit in Betracht. Ähnliches
gilt, obschon in etwas verschiedener Richtung, von den teilweise vortrefflichen Bildnissen des *Euripides* (gest. 406), die auf uns gekommen sind [Taf. 73–75][57]. Mit seiner breiten, durchfurchten Stirn, den tiefliegenden Augen, den etwas eingesunkenen
Wangen neben der großen, edel geformten Nase, dem lang herabfallenden Haar,
welches auf dem Scheitel spärlich zu werden beginnt, lud der tragische Philosoph zu
einer etwas mehr ins Einzelne gehenden Darstellung ein. Aber trotzdem verliert
sich diese Einzelcharakteristik nie in Äußerlichkeiten, nie betont sie Unwesent-
liches zum Nachteil der Hauptsache. Die Grundsätze der Portraitbehandlung im
Ganzen sind vielmehr auch hier noch die der perikleischen Epoche, nur leise nach

den Bedürfnissen der jüngeren Zeit gemodelt, in welcher die Malerei ganz neue Darstellungsmittel erschlossen hatte und dadurch auf die Schwesterkunst mächtig einwirkte.

An diese Stelle der Entwicklung gehört nun auch unsere *Thukydides*büste. Nur darf man nicht das Neapler Exemplar zu Grunde legen, sondern muß sich an das englische halten. Zu den oben geschilderten Verschiedenheiten des Ausdrucks gesellt sich nämlich eine Verschiedenheit der Formgebung, die darauf beruht, daß in der Holkhamer Büste der Charakter des bronzenen Originals treuer bewahrt ist, in der farnesischen eine Umsetzung in die weicheren, rundlicheren, sozusagen vertriebeneren Formen eines Marmorwerks stattgefunden hat. Dies tritt namentlich in der Bildung der Stirn und des Brauenrandes hervor. Letzterer bewahrt an dem Holkhamer Exemplar seine volle Schärfe; mit gleicher, fast allzu harter Bestimmtheit sind die darüber liegenden Protuberanzen der Stirn da, wo sie einander sich nähern, durch einen scharfen Einschnitt begrenzt, welcher neben die hell beleuchtete und im Metall widerspiegelnde Fläche eine kräftige Schattenlinie setzt [58]. An der Neapler Herme ist die Brauenlinie weich und unbestimmt geworden, sogar von den Härchen erscheint eine leichte Andeutung, und anstatt jener scharfen Linien finden wir rundliche unbedeutende Runzeln, welche zu der bewegteren Oberfläche der beiden Protuberanzen nur einen schwachen Gegensatz bilden. Auch in der Behandlung der strengen Falte, welche sich von jedem der beiden Nasenflügel herabzieht, der Augenlider, der Haare spricht sich ein ähnlicher Unterschied aus. Natürlich hat der Holkhamer Kopf das Ursprüngliche bewahrt. Eben dies aber weist das Original der Büste einer Art der Portraitbehandlung zu, welche wesentlich den letztbesprochenen Bildnissen verwandt ist und in ihren Prinzipien auf das 5. Jh. zurückgeht. Die Abweichungen sind, wie beim *Euripides* (mit dem auch die Einzelbehandlung des Bartes auffallend große Ähnlichkeit zeigt), durch den Charakter der dargestellten Persönlichkeit bedingt [59].

Es leuchtet ein, wie günstig die so ermittelte verhältnismäßig frühe Entstehungszeit des Originals unserer Büsten der Annahme ist, daß wir die wirklichen Züge des großen Historikers im Abbilde vor uns erblicken. Und in der Tat, wer hätte diesen Kopf erfinden sollen? Wie wäre man auf diese kräftigen, fast etwas derben Formen verfallen? auf diesen starken Knochenbau, der namentlich den Backenknochen nur spärlich mit Fleisch überdeckt zeigt? Auf diese eigentümliche Schädelform, welche unmittelbar von der übermächtigen Stirn in fast rechtem Winkel zurückweicht, dann aber eine sehr schön flach gerundete Decke und einen höchst wohlgebildeten Hinterkopf aufweist? Wer hätte überhaupt dem Thukydides einen Kahlkopf anerfunden, vollends neben dem reichen Haarschmuck des älteren halikarnassischen Genossen? Mein Freund und Kollege Gerland macht mich noch auf eine Besonderheit aufmerksam, die Zweiteiligkeit des Bärtchens an der Unterlippe, welche so stark in der Natur äußerst selten zu finden sein dürfte und hier um so mehr Anspruch erheben darf, dem lebenden Original nachgebildet zu sein, als nicht einmal, wie beim

Herodot, die Zweiteiligkeit des Kinnes in der Bildung des Bartes zum Ausdruck kommt. Eine andere Eigentümlichkeit, die beim *Aeschines* wiederkehrt, bietet die oberste Schicht des Backenbartes dar, indem sie mit den Enden des Schnurrbartes in gleichartigem Wuchse sich vereinigt, anstatt in abweichender Richtung zu streichen. Überhaupt fällt die bunte Mannigfaltigkeit auf, mit der die einzelnen Locken des Bartes sich wild übereinanderschieben. Endlich ist die Bildung des Mundes recht absonderlich. Die Oberlippe, nur durch einen kurzen Zwischenraum von der Nase geschieden, springt ziemlich stark vor. Nichtsdestoweniger ist die zurücktretende Unterlippe so dick, daß die Form des Mundes dadurch auffällig und ziemlich unschön wird. Dies tritt im Abguß stärker als in der Photographie hervor.

Kann nach alle diesem ein Zweifel an der Authentizität des Bildnisses, ja an seiner Treue bis ins Einzelne hinein nicht füglich bestehen, so weist die ganze Erscheinung und namentlich die Glatze in die späteren Lebensjahre des Schriftstellers. Als Thukydides nach zwanzigjährigem Exil die Heimkehr wieder gestattet war, scheint er ein Fünfziger gewesen zu sein; auch ist sein Tod wohl nicht so gar viel später erfolgt[60]. Dies Alter stimmt zu dem Äußern unseres Kopfes. Auch der schwere Ernst der Mienen paßt vortrefflich zu dem Druck jener Jahre, in welchen Thukydides mit dem Niederschreiben seines Werkes vollauf beschäftigt war. Mußte ihm doch jede Zeile die Erinnerungen an die siegessichern Hoffnungen wachrufen, mit denen einst Athen den Kampf aufgenommen hatte, und an das gänzliche Scheitern all dieser stolzen Pläne. Solche Gedanken konnten nur um so schwerer auf dem Geist eines Mannes lasten, der überall auf die Gründe der Dinge zurückzugehen bestrebt war und in der Entwicklung der Ereignisse das Resultat einer unerbittlichen Logik der Tatsachen erkannte. Es läßt sich aber auch durchaus kein Grund finden, warum damals nicht ein Bildnis des *Thukydides* gefertigt sein sollte, dessen vornehme Abkunft und dessen ungewöhnliche geistige Bedeutung füglich den Anlaß dazu geben konnten; so gut wie es, von Staatsmännern und Feldherren abgesehen, Bilder des *Sophokles* und des *Euripides,* des *Sokrates* und doch wohl auch des *Herodot* gab. Nur braucht man nicht gleich an ein öffentliches Standbild zu denken: der Sohn Timotheos oder ein Freund des Thukydides kann ja ein Bildnis besessen haben, welches demnächst bei einem Ehrendenkmal des großen Mannes benutzt ward. Hierzu konnte sich gar bald ein Anlaß bieten, da schon wenige Jahrzehnte nach des Schriftstellers Tode die Berühmtheit seines Werkes durch Fortsetzer, Benutzer, Nachahmer bezeugt ward. Aber auf diesem Gebiete ist über bloße Möglichkeiten nicht hinauszukommen; sicher bleibt der Gewinn eines echten und zuverlässigen Bildnisses des *Thukydides,* dessen Erkennung uns die *Neapler Herme* vermittelt, dessen vollen Genuß wir aber erst der *Büste von Holkham Hall* verdanken.

Anmerkungen

¹ Gerhard, Neapels ant. Bildw. S. 110 No. 372. Finati, Reg. Mus. Borb. (1842) S. 310 No. 443. Abgebildet bei Visconti, iconogr. Gr. I Taf. 27. Clarac VI, 1025, 2917 A. [...] Höhe des Kopfes 0.58 m, Gesichtslänge ungefähr 0.25 m [Richter I 146. 148 Abb. 810–812, 825–827.]

² Neap. ant. Bildw. S. 103 No. 352. Finati S. 305 No. 423. Das Gesicht ist länglicher, der ziemlich lange Bart ein wenig zweigeteilt. Die Nase ist gebogen und doch sehr platt. Die Züge haben etwas Gekniffenes. Der Ausdruck ist klar und wohlwollend. Die Augensterne sind angegeben. Die einzige, ganz ungenügende Abbildung findet sich bei Galläus, illustr. imag. Taf. 67, wiederholt bei Gronovius, thes. Græc. antiq. II, 71. Durch den Schriftcharakter wie durch das Gewandstück auf der linken Schulter ist diese Herme von der andern deutlich unterschieden, was zum Überfluß Faber im Text zu Galläus S. 43 bestätigt; Visconti irrt, wenn er (iconogr. Gr. I S. 316 Anm.) beide Herodotbüsten für identisch hält. [Richter I Abb. 797–799.]

³ Visconti, iconogr. Gr. I Taf. 27 a, 6. Clarac VI, 1025, 2917. [Richter I Abb. 821–824.]

⁴ A. a. O. S. 110. Für die Echtheit der Inschriften hat sich kürzlich auf Grund eigener Prüfung auch Wilamowitz ausgesprochen (Hermes XII, 352 Anm. 38). Ebenso weist ein so erfahrener Kenner griechischer Inschriften wie mein Kollege Rud. Schöll dem Abguß gegenüber alle Bedenken als unberechtigt zurück. [...]

⁵ Der letzte Fehler, den ich mir vor dem Original angemerkt habe, ist in den Beschreibungen und Abbildungen, auch bei Visconti, übergangen. Die wunderliche Form des C bei Visconti ist dem Originale fremd.

⁶ Man kann die Inschrift AH | MO | CΘE | NHC an einem Medaillon im Kasino der Villa Pamfili vergleichen (Visconti, iconogr. Gr. I Taf. 29 a, 2 [hier Taf. 108]), oder den Fehler ΤΑΛΑΡΗΙΑ statt TACAPHIA in der doppelsprachigen Unterschrift einer verschollenen Miltiadesherme (cod. Pigh. fol. 143. Ursinus, imag. S. 11 *apud Hippol. Card. Estensem.* CIGr. 6088 [jetzt Ravenna: Richter I 95 Abb. 381–383; hier Taf. 50, 1]). Bei Galläus Taf. 92 erscheint letztere Herme *apud Fuluium Vrsinum* ohne die metrischen Beischriften; bei Lafrérie sind diese einer anderen Miltiadesherme *in hortis Cardinalis de Medicis prope uillam Iulii III Pont. Max.* beigefügt, welche im cod. Pigh. fol. 142 (ohne Kopf) und bei Ursinus S. 12 *apud Ferdinandum Cardin. Medic.* (mit Kopf) ohne jene Inschrift auftritt.

⁷ Gesch. d. Kunst 9, 1, 34. Die Ausleger zu dieser Stelle (Werke VI, 2, 44 Anm. 180) haben sich der zweiten Herodotherme nicht erinnert, wenn sie Winckelmann den „fast unbegreiflichen Irrtum" beimaßen, den Thukydides ebenfalls für Herodot gehalten zu haben.

⁸ Iconogr. Gr. I S. 316 Mail.

⁹ Vgl. Faber, in imag. ill. comm., praef. S. 2 *paullo ante obitum.*

¹⁰ ›Illustrium imagines, ex antiquis marmoribus nomismatibus et gemmis expressæ, quæ extant Romæ, maior pars apud Fuluium Vrsinum. Theodorus Gallæus *delineabat Romæ ex archetypis, incidebat Antuerpiæ* 1598. (Eine *editio altera, aliquot imaginibus* [Taf. A–R] *et I. Fabri ad singulas commentario auctior atque illustrior,* erschien *Antuerpiæ ex officina Plantiniana,* 1606.) Galle unterscheidet überall zwischen den Stücken, welche er *apud Fuluium Vrsinum in schedis ex marmore,* d. h. in Zeichnungen, und denen, welche er dort im Original (*in marmore* usw.) vorfand. Letztere sind zum weitaus größten Teil Münzen und Gemmen; dazu von Hermen außer unserem Doppelkopf (Taf. 144) der zweite Herodotos (Taf. 67,

s. oben Anm. 2), ein „Diogenes" (Taf. 56), der Miltiades mit echtem Kopf (Taf. 92, s. oben
Anm. 6); ferner die Büste des „L. Cornelius Lentulus" (Taf. 48), die Marmormedaillons des
Menandros und des Sophokles (Taf. 90. 136 [hier Taf. 90, 1–2; 94, 2 und 40]), die Statuetten
Moschions und Pindars (Taf. 96. 110). Die meisten dieser Stücke sind verschollen; der
Moschion befindet sich in Neapel (Neap. AB. S. 123 No. 452. Finati S. 280 No. 312).

[11] Ioa. Fabri, in imagines illustrium . . . commentarius, Antw. 1606, S. 43 No. 67: *Alia similis
[Herodoti imago] in marmore penes Fuluium exstat, quæ et in pectore idem nomen habet; sed
pone affixa est Thucydidis effigies, ex uno eodemque marmore.*

[12] ›Imagines et elogia uirorum illustrium et eruditor. ex antiquis lapidibus et nomismatib. expressa cum annotationib. ex bibliotheca Fvlvi Vrsini‹. 1570. *Romæ Ant. Lafrerii formeis.* Herodot ist auf S. 87, Thukydides auf S. 88 abgebildet, ohne Angabe des Besitzers. Dieser ergibt
sich aber *(in ædibus Cæsiis)* aus der Tabelle S. 107 f., welche Visconti gänzlich übersehen zu
haben scheint, wenn er glaubt, von sämtlichen hier *ex bibliotheca F. Vrsini* herausgegebenen
Bildnissen seien die Originale im Besitz dieses Gelehrten gewesen; ein Irrtum, den er speziell
für unsere Doppelherme S. 316 Anm. begeht, indem er Lafréries ganz richtige Angabe
(s. Anm. 13) für einen nachträglich von Ursinus verbesserten Fehler erklärt. Orsini scheint
vielmehr damals noch keine einzige Herme besessen zu haben; seine Hauptstücke waren die
clupei des Sophokles und des Menandros, und die kopflose Statuette Pindars (S. 25. 33. 37),
s. oben Anm. 10.

[13] ›Inlustrium uiror. ut exstant in urbe expressi uultus cælo Augustini Veneti‹, Rom 1569, Antonii Lafrerii *formis,* mit Widmung von Ach. Statius an Card. Granvella vom Jahre 1568. (Die
Platten kamen später in den Besitz des Paduaners Matteo Bolzetta de' Cadorini, der sie 1648
von neuem herausgab, ohne Statius Vorrede, mit einer Widmung an Joh. Cottunius und dem
Vorsatzblatt *icones Græcorum sapientium.*) Es sind lauter Hermen. Tafel 3 enthält das Bildnis Herodots mit der Beischrift *Apud Cardinalem Cæsium. Saxi indiuidui pars altera Herodo-
tum, altera Thucydidem refert, quæ proxima uoluitur.* In der Tat folgt auf Bl. 4 Thukydides,
ohne Beischrift.

[14] Vgl. den Plan Leon. Bufalinis bei Reumont, Gesch. d. Stadt Rom III b Taf. 1.

[15] Aldroandi, le statue di Roma S. 122 ff., besonders S. 124 (123): *Entrando nel giardino si
veggono d' ogni-intorno bellissime statue, fra le quali sono XXII. termini antichi* usw. Die Beschreibung stammt aus dem Jahre 1550 (s. Arch. Zeit. 1876 S. 151 f.), wo unsere Doppelherme noch nicht in Cesis Besitz war; daher auch Aldroandi Herodot und Thukydides nicht
nennt. Vgl. auch Boissard, topogr. urbis Romæ I, 7, der wie gewöhnlich Aldroandi aus-
schreibt und nur weniges Eigene hinzufügt.

[16] Reumont, Gesch. d. Stadt Rom III b, 761.

[17] Die Miltiadesherme (Anm. 6) kam an Orsini vom Kardinal Este, die Statuette Moschions
(Anm. 10, Ursinus S. 30) von Girolamo Garimberti, einem Freunde Orsinis (vgl. imag.
S. 56). Diesen kennen wir auch durch Aldroandi S. 195 (188) ff. als einen eifrigen Sammler,
welcher beim Kardinal Gaddi (vgl. Boissard I, 107) als Hausgelehrter eine ähnliche Stellung
eingenommen zu haben scheint wie Orsini beim Kardinal Farnese. Zahlreiche Stücke *ex
musæo Garimberti* finden sich bei J. B. de Cavalleriis abgebildet in dem 1593 erschienenen
›antiquarum statuarum urbis Romæ liber tertius et quartus‹.

[18] Aldroandi (1550) kennt die Villa noch nicht; ebensowenig der Bericht des venezianischen
Gesandten Matteo Dandolo vom 20. Juni 1551 (Albèri, relaz. degli ambasc. Veneti, ser. II,
III, 337 ff.). Auch Bufalini (1551) bezeichnet nur eine von der Straße abgelegene Talsenkung

als *V. SS. Dñi Nri Papæ Julij III.* Der spätere Umfang erhellt aus der Beschreibung Boissards, welcher von 1555 an mehrere Jahre in Italien war, topogr. urb. Romæ I, 97: *Ad hanc uiam [Flaminiam] Iulius III de monte P. M. uineam extruxit, cuius ornamenta sumptu et magnificentia superant ea omnia quæ Romæ conspiciuntur: incipit enim ab iis fontibus, qui secus uiam fluunt, . . . occupatque fere omnes colles, qui ab urbe ad pontem Miluium (qui nunc Ponte mole uocatur) protenduntur.*

[19] Boissard I, 102 über den *hortus terminorum:* . . . *alter hortus superiore [horto inscriptionum] paulo amplior, qui uineas pro maiori parte continet: uitium concamerationes altissimæ fulciuntur et sustentantur terminis marmoreis antiquis octodecim, qui uice columnarum seruiunt: ex Græcia Romam adportati sunt fere omnes, signati capitibus insignium uirorum et principum Atheniensium, et nominum singulorum antiquis characteribus.*

[20] Boissard VI, 47 kennt ihn *in hortis Iulii III Pont. max.;* ebenso die fünf später an den Kardinal Medici gelangten Hermen (s. Anm. 22; Boissard VI, 41–43); ferner von Griechen noch einen Platon, der aber die zweite Beischrift hat *in domo Card. Zenonis* (VI, 48. Lafrérie 18. Ursinus 53).

[21] Laur. Vaccarius, antiq. stat. urbis R. icones (1584, die Tafeln sind aber teilweise schon früher gestochen) hat zwei Statuen *in uilla Iulii III Pont. Max.,* de Cavalleriis in seiner ersten Sammlung (ant. stat. I et II liber, 1585) sieben mit der gleichen Bezeichnung (Taf. 61–67). In der 1593 erschienenen Fortsetzung dieses Werkes (s. Anm. 17) sind keine weiteren Kunstwerke aus der Villa Giulia abgebildet.

[22] *In hortis Cardinalis de Medicis prope uillam Iulii III Pont. Max.* steht unter einer Anzahl von Hermen bei Lafrérie (1569, s. Anm. 13): Miltiades (Taf. 2, s. oben Anm. 6), Herakleitos, Aristophanes, Isokrates (Taf. 8–10), Karneades (Taf. 14) – diese fünf Stücke kennt auch Orsini *apud Ferdinandum Cardin. Medic.* –, ferner zwei Anonymi (Taf. 29. 34), vier bacchische Doppelhermen (Taf. 43. 49. 51. 52). S. unten Anm. 24. – Eine der zugehörigen Hermen, die des Aristogeiton, kam an Card. Carpi s. u. Anm. 24 No. 3.

[23] Vgl. Platner, Beschr. d. Stadt Rom III, 3, 259. Daß die Cesi in den Besitz grade der einst von Jac. Sansovino für den alten Kardinal del Monte aufgeführten (Vasari XIII, 79 Lem.), noch heute erhaltenen Baulichkeiten gelangten, teilt mir Herr A. von Reumont mit.

[24] Pighius, Themis dea (1568) S. 97 f. *plurimas eius generis statuas e Græcia in uillam suam Tiburtinam transtulisse Hadrianum imperatorem colligo ex fragmentis, quæ nuper ibidem uidi cum titulis adhuc suis, utpote Themistoclis, Cimonis* [wohl irrtümlich statt Miltiades genannt], *Alcibiadis, Heracliti, Andocidis, Isocratis, Aeschinis, Aristotelis, Carneadis, Aristogitonis et Aristophanis: sed capita (quod dolendum) fere omnia temporis iniuria perierunt: tituli Græci quadratis litteris elegantissime insculpti permanent.* Das weitere Schicksal dieser Hermenschafte erhellt aus Pighius 1584 geschriebener Reisebeschreibung ›Hercules Prodicius‹ (1587) p. 540 (397), wo er bei Gelegenheit eines Besuches in der Hadriansvilla im Jahre 1575 bemerkt: *Equidem memini, cum olim iuuenis agrum Tiburtinum hæcce indagandi studio percitus sæpe percurrerem atque etiam diligenter perscrutarer . . . me quoque tum e latebris protulisse hermiarum truncos plures e uillæ dictæ locis a Spartiano nominatis (ut certo colligimus) sublatos et in ædificia uicina translatos: in quibus legebantur adhuc illustrium Græcorum nomina, quorum uultus expresserant, characteribus Græcis insculpta, scilicet Themistoclis, Miltiadis, Isocratis, Heracliti, Carneadis, Aristogitonis et aliorum: quos truncos indicio meo non diu post Iulius tertius Pontifex Max. colligi transuehique Romam curauit ad exornandos hortos suos, quos ad Flaminiam uiam citra pontem Muluium magnis impensis tunc excolebat, a Mæcenate*

meo Marcello Ceruino Cardinale S. Crucis certior de his factus, cui ego horum argumenta quæ-dam penna deliniaram. (Beide Stellen sind von Jahn, Sächs. Berichte 1868 S. 179 f. beige-bracht; einen Bericht des Pater Andreas Scotus bei Volpi, uet. Latium X, 2, 404 kann ich nicht einsehen.) Pighius Originalzeichnungen der elf kopflosen Hermenschafte finden sich noch im Berliner cod. Pighianus auf Bl. 142 f. – nicht im Coburgensis –, und zwar nach einer Mitteilung M. Fränkels in folgender Ordnung, wobei ich die Nummern des ›Corpus Inscr. Græc.‹ sowie die Seitenzahl aus Orsinis ›imagines‹ hinzufüge und durch einen Stern diejeni-gen Stücke hervorhebe, welche auch bei Boissard (Anm. 20) und mit fremden Köpfen bei Lafrérie als Eigentum des Card. d' Medici (Anm. 22) abgebildet sind. Bl. 142 Vorders.: 1*) Iso-krates (CIGr. 6066. Urs. S. 77. 109). 2) Aeschines (6017. Urs. 79 mit fremdem Kopf). 3) Ari-stogeiton (6027. Urs. 9, Lafr. 17 bei Card Carpi). 4*) Karneades (6069. Urs. 66. 109). – Bl. 142 Rücks.: 5) Themistokles (6062. Urs. 13. 109). 6*) Miltiades (6087. Urs. 12 mit frem-dem Kopf). 7) Aristoteles (6028 B. Urs. 57, 3). 8*) Herakleitos (6056. Urs. 63. 109). – Bl. 143 Vorders.: 9) Andokides (6024. Urs. 73. 109). 10) Alkibiades (6021. Urs. 15. 109). 11*) Aristo-phanes (6030. Urs. 29. Dies ist die Herme in Florenz, Uffizien No. 280; vermittelst eines zwi-schengesetzten Halses ist auf den Schaft von pentelischem Marmor ein viel zu kleiner Kopf von ganz verschiedenem, graugestreiftem Marmor aufgesetzt. Wilamowitz, Hermes XII, 352 Anm. 38 irrt, wenn er den Kopf für zugehörig hält; das Richtige gibt auch Welcker an, Alte Denkm. V, 52). – Außerdem enthält Bl. 143 Rücks. die zweite Miltiadesherme mit Kopf und metrischer Inschrift (s. Anm. 6), und den kopflosen Hermenschaft des P. Valesius Volesi f. Poblicola in *termini fragmento in œdib. Maphœorum* (Lafrérie 18. Urs. 17); Boissard VI, 48 kannte letzteren noch *in horto Iulii III Pont. Max.*, fügt aber hinzu *translatum ad domum Achillis Maphœi.* [Zum Ganzen vgl. Huelsen, hier S. 118 f.]

[25] Die Inschriften der von Pighius gefundenen Hermen sind sämtlich dreizeilig und haben die eckigen Formen des O und verwandter Buchstaben. Die gleichen Merkmale zeigt die durch Azára in den Louvre gekommene Herme Alexanders (Visconti, iconogr. Gr. I, 39), welche aus der rechts an der Straße von der Hadriansvilla nach Tivoli belegenen sog. Villa der Pisonen stammt; das Fragment einer Herme des Stesichoros aus Tivoli (CIGr. 6113 b); die Kimonherme (CIGr. 6072), bei welcher man sich der Angabe des Pighius (Themis s. Anm. 24) erinnert. Sehr ähnlich sind auch die Hermen des Anakreon, des Perikles und des Chabrias (CIGr. 6023. 6097. 6123), welche aus der *pianella di Cassio* stammen, einer oberhalb der Hadriansvilla am Wege von Tivoli nach Gericomio sich herabziehenden Ruinenstätte. Ohne bestimmtes Ursprungszeugnis sind folgende ähnliche Hermen: Hesiodos CIGr. 6058, Theo-phrastos 6064, Kratippos 6074, Lykurgos 6077, Lysias 6080, Phokion 6120. Endlich kommen noch die nur wenig abweichenden Hermen von sechs Weisen aus der sog. Cassiusvilla (CIGr. 6035. 6059. 6073. 6095. 6101. 6109. Visconti, Mus. PCl. VI S. 129 ff. Mail.) und die nahe ver-wandte Platonherme (6103 *prope Tibur rep.*) in Betracht. – Etwas anderer Art sind die Her-men des Aeschines und des Perikles aus der Cassiusvilla mit einzeiliger Inschrift von gewöhn-lichem Schriftcharakter (CIGr. 6018. 6096. Iconogr. Gr. I, 29. Anc. Marbl. II, 32).

[26] So die vaticanischen Hermen aus der Cassiusvilla mit den einzeiligen Namensunterschrif-ten am Fuße (CIGr. 6031. 6034. 6040. 6046. 6076. 6094. 6100. 6119), vgl. Visconti, Mus. PCl. I S. 51 f. Mail. Die capitolinische Doppelherme des Epikuros und Metrodoros (Mus. Capit. I, osserv. Taf. 5), von sehr ähnlichem Schriftcharakter, ist in Rom selbst bei S. Maria Maggiore gefunden; von der borgiaschen Doppelherme des Solon und Euripides (CIGr. 6052) ist die Herkunft unbekannt.

²⁷ Zenon: Ursinus S. 65. Penna, viaggio pittor. d. Villa Adriana III, 42. – Antisthenes: Visconti, M. PCl. VI, 35.

²⁸ Visconti, not. du mus. Napoléon No. 273 = Opere varie IV, 427. Clarac, descr. du mus. du Louvre No. 592. Höhe des Kopfes 0.24 m. Außer Hals und Bruststück sind die Nasenspitze, der äußere Rand des linken Ohres und einige Haarlocken im Nacken modern. Die Augensterne sind angegeben.

²⁹ Clarac, mus. de sculpt. VI, 1025, 2918. 1103, 2918. Bouillon, mus. des antiques III bustes Taf. 4.

³⁰ In der Notiz über Holkham Hall (Arch. Zeit. 1874 S. 18f.) habe ich beide Büsten übergangen, weil keiner meiner Gewährsmänner – ich selbst bin bisher nicht in Holkham gewesen – sie erwähnt hatte. Erst Prof. Bernoulli ward bei einem Besuche in Holkham, welcher vorwiegend ikonologische Zwecke verfolgte, auf dieselben aufmerksam und veranlaßte behufs näherer Studien die Aufnahme von Photographien. Eine kurze Notiz findet sich in ›The Holkham Guide‹, Norwich 1861, S. 30, entlehnt aus Brettinghams Werk ›Plans, Elevations and Sections of Holkham‹, London 1761 (1773), wo es so heißt: *Metrodorus. The Philosopher and Scholar of Epicurus: this is a rare Busto and distinguishable as well from its fine sculpture as from its extraordinary beauty of preservation. M. B.* (d. h. erworben durch M. Brettingham). In meinem größtenteils bereits vollendeten Katalog der zerstreuten Skulpturen Englands wird der Thukydides bei Holkham unter No. 35 aufgeführt werden. [Richter I 148 Abb. 828–830.]

³¹ Für die Vorderansicht schien es rätlich, jedesmal die von dem Künstler selbst gewählte Fronte beizubehalten, obschon die Vergleichung dadurch ein wenig erschwert wird. Ich bemerke daher ausdrücklich, daß die Übereinstimmung auf der rechten Seite des Kopfes ebenso groß ist und sich ebenso sehr auf alle Einzelheiten erstreckt, wie auf der linken.

³² Vgl. Welcker, Alte Denkm. V, 60.

³³ Vgl. im ersten Bande von Viscontis iconogr. Grecque den Theon von Smyrna, den Poseidonios, den M. Modius Asiaticus (Taf. 19 a. 24. 33).

³⁴ Die seitliche Kopfneigung an der Periklesherme des Britischen Museums (Anc. Marbles II, 32) scheint auf eine besondere Gewohnheit des Perikles zurückgeführt werden zu müssen; auch die vaticanische Herme (Visconti, iconogr. Gr. I, 15) zeigt dieselbe Eigentümlichkeit, wenn auch in etwas abweichender Form und in geringerem Grade [vgl. hier S. 383 mit Taf. 19]. Ähnlich ist es mit dem Pariser Alexander (Visconti II, 2. Bouillon II bustes 4), wo indessen die Hermenform unverkennbar mäßigend eingewirkt hat, mit dem „Zenon" (Visconti II, 23) und noch einigen andern Hermen.

³⁵ Marcell. uit. Thuc. 34 λέγεται δ᾽ αὐτὸν τὸ εἶδος γεγονέναι σύννουν μὲν τὸ πρόσωπον, τὴν δὲ κεφαλὴν καὶ τὰς τρίχας εἰς ὀξὺ πεφυκυίας, τήν τε λοιπὴν ἕξιν προσπεφυκέναι τῇ συγγραφῇ.

³⁶ Die Physiognomiker kennen das Wort ὀξὺς in ähnlichen Verbindungen gar nicht. Von emporstehenden Haaren gebrauchen sie die Ausdrücke εὐθεῖαι τρίχες, εὐθύθριξ, τρίχες ὀρθαί. Unseren Kopf würden sie etwa als οὐ πάνυ οὖλον οὐδὲ εὐθύτριχον bezeichnen und dies als Merkmal eines ἀνὴρ εὐφυῆς hinstellen (Polemon 2, 3 p. 285 Fr.). Der Kopf selbst dürfte zu den πάνυ ὑψηλαὶ κεφαλαὶ gehören, welche als Beweis von αὐθάδεια gelten (Polemon I, 2 p. 179). Zum Gesichtsausdruck vgl. Aristot. p. 50 Fr. = p. 808a, 5 Bk. σύννουν, zur Form der Stirn Adamantios 2, 19 p. 403 μέτωπον τετράγωνον, μεγέθους εὖ ἔχον καὶ κατὰ λόγον τοῦ ἄλλου εἴδους, ἄριστον εἴς τε ἀνδρείαν καὶ σύνεσιν καὶ μεγαλόνοιαν κέκριται, vgl. Polemon I, 4 p. 188. Aristot. p. 134 Fr. = p. 811 b, 33 Bk. (μεγαλόψυχοι).

³⁷ Thukydides eigene Angaben, und Polemons Ausführung über das Grab und das Pse-
phisma des Oinobios, an dem ich trotz Wilamowitz (Hermes XII, 344 ff.) festhalte. Vgl. auch
E. Petersen, de uita Thucyd. Dorpat 1873.
³⁸ Plin. 35, 9 *etiam quæ non sunt finguntur, pariuntque desideria non traditos uoltus, sicut in
Homero euenit.* Roscher (Leben, Werk und Zeitalter des Thukydides S. 108), welcher die Neapler Herme ohne Frage überschätzt, meint, diese bedenkliche, bei allen älteren griechischen
Schriftstellern von neuem auftauchende Frage lasse sich „auch im vorliegenden Falle a u f
k e i n e W e i s e beantworten".
³⁹ Vgl. Helbig, Unters. über die campan. Wandmalerei S. 39 ff. Seine Bemerkung: „Copien
von Portraits, deren Gestaltung vor Alexander fällt, haben fast durchweg Hermenform. Dagegen macht sich bei Portraits, welche der jüngeren Epoche angehören, die Büstenform in
weiterem Umfange geltend" (S. 41) bin ich zur Zeit außer Stande nachzuprüfen.
⁴⁰ Anthol. Palat. 2, 372 Θουκυδίδης δ' ἐλέλιζεν ἑὸν νόον. ἦν δὲ νοῆσαι Οἷά περ ἱστορίης
δημηγόρον ἦθος ὑφαίνων. Δεξιτερὴν γὰρ ἀνέσχε μετάρσιον, ὡς πρὶν ἀείδων Σπάρτης
πικρὸν ἄρηα καὶ αὐτῶν Κεκροπιδάων, Ἑλλάδος ἀμητῆρα πολυθρέπτοιο τιθήνης.
⁴¹ Cedrenus I p. 422 Bk. erwähnt der εἰκόνων διὰ χαλκοῦ πεποιημένων, τῶν ἀπ' αἰῶνος
ἀνδρῶν ἔργα κ. τ. λ.
⁴² Bouillon II, 37. Denkm. d. a. K. I, 50, 225. An dem ludovisischen Hermes (Perrier
Taf. 43. Braun, Vorsch. Taf. 97) ist der rechte Arm ergänzt, die nur wenig gehobene Schulter
aber, wie ich meine, antik.
⁴³ Homer in Neapel und im Capitol (Visconti, iconogr. Gr. I, 1. Tischbein, Homer Taf. 1
[Neapel]. Bouillon, mus. des ant. II bustes 3 [Capitol]), im Britischen Museum (Anc. Marbles II, 25) und in Sanssouci; von Bronze in den Uffizien. – Aesop: Visconti I, 12. Monum.
dell' Inst. III, 14. [Vgl. hier Taf. 140.]
⁴⁴ Ich habe mich im Folgenden fast ganz auf solche Bildnisse beschränkt, welche ich in Abgüssen oder Photographien vor Augen habe. Stiche und Lithographien sind für dergleichen
Fragen nur mit Vorsicht zu benutzen. Leider versagen die stumpfen oder überschmierten
Abgüsse auch oft eine präzise Antwort.
⁴⁵ Mit der vatikanischen Statue (Mus. Chiaram. II, 24. Pistolesi Vatic. IV, 19, 2) und dem
Bronzekopf von Herculaneum (Antich. di Erc. V, 11. 12. Visconti I, 29 a) stimmen alle übrigen authentischen Bildnisse überein.
⁴⁶ Menandros und Poseidippos: Visconti I, 6. Mus. PCl. III, 16. 15. Pistolesi, Vatic. V, 45,
1. 2. – Aeschines: Mus. Borb. I, 50. Gargiulo, Raccolta. – Aristoteles: Maffei, Statue 128.
Visconti I, 20 [dazu hier S. 147 ff.].
⁴⁷ Mon. dell' Inst. VI, 25 mit Brunns Erklärung, ann. 1859 S. 155 ff. Vgl. O. Jahn, Abh. der
sächs. GdW. VIII, 726 ff. Friederichs, Bausteine S. 298 f. [Richter I 67 Abb. 231/2. 234. 237].
⁴⁸ Mon. dell' Inst. IV, 27. Mus. Lateran. 4. Benndorf und Schöne, lateran. Mus. Taf. 24.
⁴⁹ Vitæ X orat. p. 841 E. Harpokr. θεωρικά. Paus. 1, 21, 1. Wegen eines älteren, auf Iophon
zurückgehenden Bildnisses s. Jahns Vermutung zur uita Soph. § 11. [Vgl. hier S. 34 Anm.
109.]
⁵⁰ Die ärmlichen Hermen aus Tivoli im Louvre (Visconti II, 2. Bouillon II bustes 4) und aus
Alexandrien in Berlin (No. 58, mit anscheinend falscher Inschrift); dazu die schönen Köpfe
im Britischen Museum aus Alexandrien (Murray, Archæology in der Encyclop. Britan.,
9. Aufl., S. 362), in Erbach (ein Abguß befindet sich als Geschenk des erlauchten Besitzers
im Straßburger Museum) und an der Münchener Statue (Clarac V, 838, 2108, vgl. Guattani,

Mon. ant. ined. 1787, Sett. Taf. 1). Die Köpfe in Florenz und im Capitol lasse ich unberücksichtigt; ebenso den in der Arch. Zeit. 1874 Taf. 4 abgebildeten Kopf in Ince Blundell Hall, dessen Vergleichung mit der völlig verschiedenen Erbacher Büste (vgl. Stark in: Bursians Jahresb. 1873/74 S. 1595) mich nur in der Ansicht bestätigt hat, daß Alexander nicht gemeint sein könne. [Eine der Hermen aus Tivoli hier Taf. 65.]

[51] Newton, Trav. in the Levant II Taf. 6. [Richter II 161 Abb. 899–902; hier Taf. 54, 1.]

[52] „Pherekydes": Guattani, Mon. ant. ined. 1784, Maggio Taf. 2. Fea, Storia III, 416. Overbeck, Plastik I², 165 Fig. 34. Unediert ist die späte Nachbildung eines hochaltertümlichen Bildnisses im Halbrund der Villa Albani, in welchem Braun (Ruinen u. Mus. Roms S. 707 No. 110) – wie ich glaube mit Unrecht – eine Verwandtschaft mit den Zügen des Perikles fand und Brunn geneigt war, Peisistratos zu vermuten.

[53] „Miltiades" und „Themistokles": Visconti I, 13. 14; Berlin No. 59. Vgl. Conze, Arch. Zeit. 1868 S. 1.

[54] Brit. Museum (Anc. Marbles II, 32. Arch. Zeit. 1868 Taf. 2, 1); Vatikan (Visconti I, 15. Mus. PCl. VI, 29. Arch. Zeit. a. a. O. 2. 2). Irre ich nicht, so steht diesen Büsten in der Behandlung am nächsten der edle Kopf des vaticanischen „Phokion" (Mus. PCl. II, 43), von dem mir leider kein genügendes Abbild vorliegt.

[55] Plin. 34, 74 *Cresilas . . . Olympium Periclen [fecit] dignum cognomine, mirumque in hac arte est quod nobiles uiros nobiliores fecit.* Die gewöhnliche Deutung der letzten Worte auf Idealportraits (*nobilis* „edel") ist schwerlich berechtigt, da *nobilis* in diesen Abschnitten des Plinius immer „berühmt" heißt: die Bildnisse haben den Ruhm ruhmwürdiger Männer verewigt und verbreitet (vgl. 35, 11). [Vgl. hierzu T. Hölscher, hier S. 382 ff.]

[56] Arch. Zeitung 1868 Taf. 1 (ganz ungenügend).

[57] Visconti I, 5. Besonders gepriesen wird der schöne Mantuaner Kopf (Mus. di Mantova I, 2. Bouillon II bustes 3 [hier Taf. 74, 1; 75]). In den Hauptsachen stimmen wohl alle Exemplare überein und weisen auf ein gemeinsames Original zurück. Vgl. Wilamowitz, anal. Eurip. S. 162.

[58] Letzteres findet sich ähnlich an der trefflichen Büste Julius Cäsars in Berlin (No. 291. Berlins ant. Bildw. 169; abg. Rüstow, Heerwesen Cäsars, Titelk.), welche in dem harten grünen Basalt die Vortragsweise der Bronze nachahmt. Auch an den Euripidesköpfen (Anm. 57) sind diese Stirnfalten ziemlich scharf.

[59] Von ähnlicher Art, vielleicht noch ein wenig strenger, namentlich in Schnitt und Behandlung des Bartes, ist wie ich meine der sog. Aeschylos des capitolinischen Museums (Mon. dell' Inst. V, 4 [Richter I 123 Abb. 604–605; hier Taf. 14]).

[60] Daß die überlieferten Zahlen nur auf Kombination beruhen, ist, abgesehen von früheren Untersuchungen, durch Diels eindringende Forschung (n. rhein. Mus. XXXI, 48 ff.) erwiesen. Den einzigen Anhalt bietet, außer der allgemeinen Äußerung des Thukydides selbst (5, 26), sein Strategenamt im Jahre 424/3, dem kein anderes öffentliches Amt vorhergegangen zu sein scheint. Die Zeit des Todes hat Poppo genauer zu ermitteln gesucht.

Polybios

Von Arthur Milchhöfer

Pausanias erwähnt in seiner Reisebeschreibung fünf Denkmäler des *Polybios*, und zwar sämtliche aus Städten und Ortschaften Arkadiens[1]. Davon sind nicht weniger als vier Reliefstelen, deren sonst seltene monumentale Verwendung für Arkadien charakteristisch zu sein scheint.

Diesen gesellt sich, wie ich nachzuweisen hoffe, ein seit kurzem bekannt gewordenes fünftes Relief, wiederum aus Arkadien, dem Vaterlande des Polybios, im Originale zu [Taf. 146–147]. Ich fand dasselbe im Frühjahr 1880 mit meinen Freunden Wilhelm und Ludwig Gurlitt auf dem Boden des alten Kleitor vor. Eine seit Monaten aufgehobene griechische Zeitungsnachricht hatte als Wegweiser gedient.

Das Relief ist bereits für das Berliner Museum geformt[2] und soeben von L. Gurlitt in den ›Mittheilungen des arch. Institutes‹ VI Taf. 5 veröffentlicht worden [hier Taf. 146, 1 nach dem Original, Taf. 146, 2 nach Gipsabguß Freiburg][3]. Es stellt im Profil nach links einen kurzgelockten, bartlosen Mann über Lebensgröße, nicht unter Mitte der vierziger Jahre dar. Er ist mit gegürtetem, die rechte Brust freilassendem Chiton und weitem, hinten herabhängendem Kriegsgewande bekleidet, dessen Falten die Linke berührt. Die Rechte ist mit auswärts gewandter Fläche bis zur Höhe des Hauptes erhoben. Ein runder Schild und der mit großer Crista geschmückte Helm stehen vor ihm am Boden. Ein starker und langer Speer lehnt ihm im linken Arm. Aus Tracht, Bewaffnung und aus dem Stil des Reliefs hat bereits Gurlitt die Entstehung desselben in hellenistischer Zeit erwiesen[4]. Auf Polybios machten mich zunächst die vier bei Pausanias erwähnten arkadischen Reliefbilder aufmerksam, deren Ursprung einen besonderen und vielleicht einheitlichen Anlaß gehabt haben mag. Polybios' Einfluß und patriotischer Eifer hatte nach der Zerstörung Korinths durch Mummius (146 v. Chr.) vielfach Gelegenheit, sich den Dank des Vaterlandes zu erwerben, namentlich als er im Auftrag der Römer die Städte bereiste, um alle inneren Streitigkeiten zu schlichten, bis man sich an die Neuordnung der Dinge gewöhnt hätte. Er erzählt selber (XL 10): Διὸ καὶ καθόλου μὲν ἐξ ἀρχῆς ἀποδεχόμενοι καὶ τιμῶντες τὸν ἄνδρα – – – κατὰ πάντα τρόπον, ταῖς μεγίσταις τιμαῖς ἐτίμησαν αὐτὸν κατὰ πόλεις [Da sie den Mann überhaupt schon seit jeher geschätzt und verehrt hatten . . . in jeder Weise, zeichneten ihn alle Städte durch die höchsten Ehren aus (Drexler)]. Es wäre ganz im Geiste jener Zeit begründet gewesen, ihn durch eine Reihe gleichartiger Monumente auszuzeichnen, wie ja die Athener ihrem Demetrios Phalereus über dreihundert Ehrenstatuen in Stadt und Land errichtet haben sollen.

Archäologische Zeitung 39, 1881, 154–158.

Die erhobene Hand ist von Gurlitt als Gestus des Gebetes gedeutet worden. Da sich aus den Anführungen bei Pausanias ergibt, daß alle vier Bildwerke des *Polybios* im Inneren von Heiligtümern oder in naher Beziehung zu solchen standen, so würde der zu Grunde liegende Anathembegriff, die Beziehung des Geweihten zur Gottheit, jene Stellung allenfalls motiviert erscheinen lassen. Indes erweckt die ganze Darstellung weit eher den Eindruck, als ob wir es mit dem ältesten Beispiel der aus römischen Imperatorenbildern bekannten Allocution des Feldherrn an sein Heer zu tun hätten: Polybios hatte die Würde eines Hipparchen bekleidet (Pol. XXVIII 6). Damit stimmt auch auffallend und gewiß nicht zufällig das einzige dekorative Beizeichen, welches ich (der starken Verwitterung wegen nicht ohne Mühe) am Schwertgriff erkannte: das Bild eines nach links gewandten Reiters mit flatternder Chlamys. Auch die Bewaffnung und der faltenreiche Mantel ist auf Reiterbildern nachweisbar.

Auf diese Gründe ließ sich indes vorläufig nicht mehr als eine bloße Vermutung bauen, die ich bereits in engerem Kreise ausgesprochen hatte, als sich vor wenig Tagen in einem vom 15. Juni aus Olympia datierten Schreiben meines Freundes Purgold eine unerwartete, weit positivere Bestätigung fand. Purgold erkannte nämlich, daß die wenigen lesbaren Worte, welche den Anfang des Pentameters in dem [auf der Abschlußleiste des oberen Profils] übergeschriebenen Distichon bildeten: ἀντὶ καλῶν[5] ἔργων in einer der zu Olympia gefundenen Polybiosinschriften wiederkehren (Archäol. Zeitg. 1877 S. 193 No. 101, Widmung der Messenier):

τοῦτο Λυκόρτα παιδὶ πόλις περικαλλὲς ἄγαλμα
ἀντὶ καλῶν ἔργων εἵσατο Πουλυβίῳ.
[Dieses sehr schöne Standbild hat die Stadt dem Kind des Lykortas,
Polybios, für schöne Taten aufgestellt.]

Dieser Polybios ist freilich, wie auch die in den anderen Inschriften (ebenda S. 82, Nr. 102) erwähnten, ein Nachkomme des berühmten Patrioten aus der späteren Kaiserzeit, und wenn auch das Distichon sehr wohl von dem Ahnen auf den Epigonen übertragen sein konnte, so paßte die gleichlautende metrische Wendung natürlich noch zu vielen anderen Namen; offenbar deshalb enthält sich auch Purgold jeder weiteren Vermutung. Nun hatte ich, wie meine Abschrift ausweist, bereits in Kleitor von dem vierten Worte εἵσατο die drei ersten Buchstaben richtig gelesen. Dann folgen nach einem durch Bruch zerstörten Raume für etwa drei Buchstaben noch einige stark ausgewitterte Zeichen, welche meine in Kleitor gemachte Abschrift so darstellt: ΠΟΓΛ. Jetzt glaube ich am Gips auch das auf Λ folgende Υ zu erkennen, so daß mir die Lesung Πουλυ(βίῳ) zweifellos erscheint.

Unser Relief tritt somit nicht bloß als lokalgriechisches, datierbares[6] Monument in eine große Lücke ein, es ist nicht bloß lehrreich durch Motive, Tracht und Bewaffnung, sondern liefert uns auch zum ersten Male das unzweifelhaft vortrefflich charakterisierte Portrait des großen Staatsmannes, Kriegers und Geschichtschreibers.

Zum Glück ist die rechte, dem Reliefgrunde zugewandte Gesichtshälfte ziemlich gut erhalten, während sich die Außenseite stark verscheuert und verwittert zeigt. Bei einer Neuzeichnung des Kopfes würde das sehr hohe Relief gestatten, das Gesicht in Vorderansicht zu nehmen [hier Taf. 147, 1]. Die ausdrucksvollen bartlosen Züge erinnern bereits an römische Typen.

Anmerkungen

[1] VIII 9, 1: ἐνταῦθα (im Tempel des Asklepios, der Leto und ihrer Kinder zu Mantinea) ἀνὴρ ἐπείργασται στήλῃ, Πολύβιος ὁ Λυκόρτα. – VIII 30, 8: Μεγαλοπολίταις δὲ ἐπὶ τῆς ἀγορᾶς ἐστιν ὄπισθεν τοῦ περιβόλου τοῦ ἀνειμένου τῷ Λυκαίῳ Διὶ ἀνὴρ ἐπειργασμένος ἐπὶ στήλῃ, Πολύβιος Λυκόρτα. Mit metrischer Inschrift. – VIII 37, 1 (im heiligen Peribolos der Despoina bei Akakesion): ἰόντων δὲ ἐπὶ τὸν ναὸν στοά τέ ἐστιν ἐν δεξιᾷ καὶ ἐν τῷ τοίχῳ λίθου λευκοῦ τύποι πεποιημένοι (Zeus und die Moiren, Dreifußraub, Nymphen und Pane), ἐπὶ δὲ τῷ τετάρτῳ Πολύβιος ὁ Λυκόρτα. Mit metrischer Inschrift. – VIII 44, 5 in Pallantion: καὶ οὐ πολὺ ἀπωτέρω (vom Tempel der Demeter und Kore) Πολυβίου σφίσιν ἀνδριάς ἐστι. – VIII 48, 8 ἔχεται δὲ τοῦ βωμοῦ (der Ge in Tegea) λίθου λευκοῦ στήλη· ἐπὶ δὲ αὐτῆς Πολύβιος ὁ Λυκόρτα καὶ ἐπὶ ἑτέρᾳ στήλῃ τῶν παίδων τῶν Ἀρκάδος Ἔλατός ἐστιν εἰργασμένος.
[2] Aufgestellt im Treppenhause des neuen Museums.
[3] Das betreffende Heft der ›Mittheilungen‹ ist mir erst nach Abfassung dieses kurzen Artikels zugegangen; ich muß deshalb verzichten, auf Gurlitts Bemerkungen an dieser Stelle ausführlicher einzugehen. [Vgl. auch F. Studniczka, Polybios und Damophon, SB Leipzig 63, 1911, Heft 1; zuletzt P. C. Bol–F. Eckstein, in: Antike Plastik XV (1975) 83 ff. Abb. 1–7 Taf. 40–41.]
[4] S. Mitth. VI 163: zwischen 206 und 146, und zwar trifft er mit der unteren Grenze seiner Berechnung fast genau die Entstehungszeit des Bildes.
[5] Ich und alle Übrigen lasen bisher ἄλλων.
[6] Es muß den obigen Ausführungen zufolge bald nach 146 v. Chr. entstanden sein; in diesem Falle aber kann Polybios nicht, wie man annimmt, bereits im 3. Jh. v. Chr. geboren sein, dafür ist seine Erscheinung im Relief relativ zu jugendlich.

Über die Bildnisse des Platon

Von Wolfgang Helbig

Die auf Tafel 47 wiedergegebene Porträtherme befand sich vormals in der Sammlung des Herrn Alessandro Castellani und wurde bei der Versteigerung derselben von dem Grafen Michael Tyskiewicz erworben und später dem Berliner Museum zum Geschenk gemacht[1]. Sie scheint nach der Ausführung wie nach den Buchstabenformen der auf dem Schafte angebrachten Inschrift ΠΛΑΤωΝ zur Zeit der Antonine gearbeitet. Die Behandlung des Fleisches ist, obwohl sie noch den Reflex eines guten Originals erkennen läßt, trocken und gefühllos; die Augensterne sind in harter Weise mit dem Meißel eingearbeitet. Künstlerisch ohne Bedeutung, hat diese Herme einen hervorragenden wissenschaftlichen Wert wegen ihrer Inschrift, deren Authentizität keinen Zweifel zuläßt. Sie bietet uns das erste sicher beglaubigte Bildnis des *Plato*[2] und setzt uns in den Stand, eine Reihe von entsprechenden Porträts, die sich in verschiedenen Sammlungen befinden, auf dieselbe Persönlichkeit zu beziehen. Es gilt dies für folgende Exemplare:

1) Kopf im *Büstenzimmer des capitolinischen Museums* n. 58, sehr schlecht publiziert bei Bottari, Museum capitolinum I 67. [Richter II 165 Nr. 5 Abb. 918–920.] Ergänzt: der größte Teil der Nase, der Hermenschaft und die darauf liegende Spitze des Bartes. Die Ausführung ist etwas besser als an dem Berliner Exemplare; doch sind auch hier die Augensterne hart mit dem Meißel eingearbeitet.

2) Kopf in dem unter der *Villa Borghese* befindlichen Magazin (in der *stanza dei busti* unmittelbar unter dem Fenster). Die Ausführung erscheint dem des Berliner Exemplares nahe verwandt. Bull. dell' Inst. 1884 p. 176. [Z. Z. verschollen: Richter II 166 Nr. 7.]

3) Kopf im Erdgeschosse des *Casino di Pirro Ligorio*, publiziert auf unserer Tafel 48. Er bildete mit einem Porträt des *Sokrates* eine Doppelherme, deren Köpfe auseinandergesägt worden sind. Der Kopf des *Sokrates* ist gegenwärtig als Gegenstück zu dem des *Plato* an der gegenüberliegenden Wand aufgestellt (Beschreibung Roms II, 1 p. 391 [Richter II 165 Nr. 2 Abb. 909–911; Sokrates: I 112 Nr. 1 Abb. 508–510]). Da die antike Oberfläche infolge der Reinigung durch eine scharfe Säure stark angegriffen ist, so läßt sich der Charakter der Ausführung schwer beurteilen; doch weisen auch hier die hart eingearbeiteten Augensterne frühestens auf die Epoche der Antonine hin. Das Gleiche gilt für n. 4 und 5.

4) Kopf im *Museo Torlonia* alla Lungara n. 160, gefunden bei Casalrotondo an der Via Appia: P. E. Visconti, Catalogo del Museo Torlonia (Roma 1883) n. 160. I Monumenti del Museo Torlonia riprodotti con la fototipia (Roma 1884) T. XL.

Jahrbuch des Deutschen Archäologischen Instituts 1, 1886, S. 71–78.

[Richter II 166 Nr. 6 Abb. 934–935.] Ergänzt: die Nase, die Ohren, die Herme. Die Oberfläche erscheint allenthalben von Wasser zersetzt.

5) Kopf in der *Galleria geografica des Vatikan* n. 140. Ergänzt: der Nacken, der Hals und der untere Teil des Bartes. Da neuerdings in dieser Galerie Umstellungen stattgefunden haben, läßt sich der Kopf in der Beschreibung Roms II 2 p. 278–283 nicht mehr identifizieren. [Richter II 165 Nr. 3 Abb. 912–914.]

6) Herme im *vatikanischen Museum*: Visconti, Museo Pio-Clem. VI 33; Schuster, Über die erhaltenen Porträts der griechischen Philosophen T. IV 7 p. 24 n. 17; auf unserer Tafel 49. [Richter II 165 Nr. 1 Abb. 915–917.] Ergänzt: die Nasenspitze. Die auf der Brust nicht so sehr eingemeißelte wie eingeritzte Inschrift ZHNΩN ist durch die unsicheren Züge der Buchstaben deutlich als eine moderne Fälschung erkennbar. Diese Herme ist unter den mir bekannten Porträts des *Plato* das älteste Exemplar. Sie scheint nach der zwar etwas trockenen, dabei aber sorgfältigen Ausführung bis in das 1. Jh. n. Chr. hinaufzureichen.

Dies sind die mir bekannten Porträts, die wegen ihrer Übereinstimmung mit der *Berliner Herme* dem *Plato* zugesprochen werden müssen. Doch sehe ich voraus, daß sich das von mir gegebene Verzeichnis keineswegs als vollständig erweisen, sondern vermöge einer systematischen Durchmusterung der Sammlungen beträchtlich vermehren lassen wird. Abgesehen von ganz geringfügigen Abweichungen, die sich aus der verschiedenen Individualität der ausführenden Bildhauer erklären, stimmen alle jene Exemplare derartig überein, daß wir sie mit Sicherheit auf ein gemeinsames Original zurückführen dürfen.

Außerdem scheint hierher noch eine kleine, im *Polytechnikon zu Athen* befindliche Doppelherme zu gehören [Richter II 168 Nr. 2* Abb. 967–970; zur Deutung zuletzt: E. Minakaran-Hiesgen, JdI 85, 1970, 141 ff.: Isokrates?]. Sie stellt zwei bärtige Porträtköpfe zusammen, von denen der eine den gleichen Schädelbau, ein ähnliches breites Gesicht und einen ähnlichen finsteren Ausdruck zeigt wie die in dem obigen Verzeichnis angeführten Exemplare und sich von diesen im wesentlichen nur durch die geringere Länge des Bartes unterscheidet. Ich halte es demnach zwar nicht für sicher, aber doch in hohem Grade wahrscheinlich, daß auch dieser Kopf *Plato* darstellt. Wenn er bei flüchtiger Betrachtung einen verschiedenen Eindruck macht, so erklärt sich dies hinlänglich aus der Roheit, mit der die attische Herme ausgeführt ist und die uns dazu nötigt, dieses Denkmal nicht vor der zweiten Hälfte des 3. Jh. anzusetzen. Über das andere zu derselben Herme gehörige Porträt wird am Ende dieses Aufsatzes die Rede sein.

Mancher moderne Betrachter wird sich schwer dazu entschließen, in der *Berliner* Herme und den ihr entsprechenden Köpfen *Plato* zu erkennen. Er wird erwarten, daß die olympische Heiterkeit, welche in den Schriften des großen Philosophen herrscht, auch in dessen Antlitz zum Ausdruck komme. Statt dessen zeigen alle diese Porträts, namentlich in den Augenbrauen, die in der Mitte hoch emporreichen und nach der Nase zu herabgezogen sind, und in der etwas vorgeschobenen Unterlippe einen verdrießlichen oder gar finsteren Zug. Doch wird sich jeder unbefangene Beurteiler vor einem Zeugnis beugen, dessen Glaubwürdigkeit über allem Zweifel erhaben ist. Aus einer Komödie des Amphis, eines Zeitgenossen des Plato, sind folgende Verse erhalten:

᾽Ὦ Πλάτων,
ὡς οὐδὲν οἶσθα πλὴν σκυθρωπάζειν μόνον,
ὥσπερ κοχλίας σεμνῶς ἐπηρκὼς τὰς ὀφρῦς[3].

[O Platon, daß du nichts weißt außer finster zu blicken,
wie die Schnecke würdig die Augenbrauen hochgezogen.]

Sie beweisen auf das schlagendste, daß der Ausdruck des Plato keineswegs heiter war, sondern finster wie derjenige der *Berliner* Herme und der anderen Exemplare, die ich wegen ihrer Übereinstimmung mit derselben auf die gleiche Persönlichkeit gedeutet. Auch findet dieser Ausdruck in den Schicksalen und in der geistigen Entwicklung des Plato eine ganz naturgemäße Erklärung. Das tragische Ende des geliebten Lehrers mußte in dem Geist des Jünglings einen nachhaltigen schmerzlichen Eindruck hinterlassen. Wenn sich ferner Plato nach dem Tode des Sokrates genötigt sah, Athen zu verlassen, so wird ihn die Entfernung von dem Kulturmittelpunkt Griechenlands gewiß auf das peinlichste berührt haben. Dazu standen seine philosophischen Theorien in dem entschiedensten Gegensatz zu der Wirklichkeit. Die Versuche, seine politischen Ideen durch den älteren und jüngeren Dionysios zu realisieren, scheiterten in der kläglichsten Weise. Auch in seiner Tätigkeit als Haupt der Akademie blieben ihm unangenehme Erfahrungen nicht erspart. Wir wissen, wie heftig Plato zürnte, als Aristoteles, nachdem er im Schatten der Akademie reif geworden, ein eigenes Auditorium gründete und seinem bisherigen Lehrer Opposition zu machen anfing[4]. Es leuchtet ein, daß ein Mann, der solche Erfahrungen gemacht hatte, nicht mit heiterer Ruhe, sondern mit düsterem Ernst in die Welt blickte.

Ist aber einmal das Befremden beseitigt, welches der finstere Ausdruck dieser Porträts bei oberflächlicher Betrachtung erregen könnte, so lassen sich dieselben mit dem Bilde, welches wir uns von Plato zu machen gewohnt sind, auf das beste in Einklang bringen. Die hohe und breite Stirn bezeichnet deutlich den großen Denker. Besonders charakteristisch ist der abstrakte Blick, der deutlich eine Individualität bekundet, die sich mit theoretischen Spekulationen beschäftigt und von der Außenwelt Abstand nimmt[5]. Endlich stimmen diese Porträts auch mit dem einzigen gleichzeitigen Zeugnis, welches uns außer dem bereits angeführten des Amphis über das Aussehen des Plato und seiner Schüler erhalten ist, nämlich mit einem Fragmente des Komödiendichters Ephippos[6]. Es wird daselbst den Akademikern eine allzu gesuchte Eleganz in ihrer Toilette vorgeworfen und einer von ihnen geschildert:

εὖ μὲν μαχαίρᾳ ξύστ᾽ ἔχων τριχώματα,
εὖ δ᾽ ὑποκαθιεὶς ἄτομα πώγωνος βάθη.

[schön geschnitten zwar mit dem Messer trägt er das Haupthaar, schön lang aber
läßt er herabwachsen die ungeschnittene Länge des Bartes].

Die Porträts des *Plato* zeigen eine entsprechende Haar- und Barttracht – eine
Tracht, welche, wie sich aus attischen Grabreliefs[7] ergibt, gegen die Mitte des
4. Jh., also gerade zur Zeit des Plato, in Athen Mode war. In derselben Zeit scheint
auch das Original entstanden zu sein, auf welches die erhaltenen Repliken dieses
Typus zurückgehen. Allerdings läßt die Ausführung aller Exemplare zu wünschen
übrig, und an einzelnen ist sogar ein Ausdrucksmittel spätesten Ursprunges, nämlich die mechanische Einarbeitung der Pupillen, zur Anwendung gekommen. Man
hat demnach keine vollständig stilgetreue Wiedergabe des Originals zu gewärtigen.
Nichtsdestoweniger aber lassen die besser ausgeführten Wiederholungen und namentlich die *vatikanische* Herme (Taf. 49 S. 62 n. 6) eine schlichte Behandlung der Haut
erkennen, welche an diejenige der zweiten attischen Schule erinnert[8] und keine
Spur aufweist von der naturalistischen Richtung, die seit der Zeit Alexanders des
Großen in der ikonischen Porträtkunst maßgebend wurde. Ebenso findet die faden-
artige Behandlung der Haare in Bronzetypen aus der zweiten attischen Schule Ana-
logien[9]. Nach alledem dürfen wir annehmen, daß das Original aller jener Exemplare ein bronzenes Porträt des *Plato* war, welches zu Athen und bei Lebzeiten des
großen Philosophen gearbeitet wurde[10].
Bevor die inschriftlich bezeichnete Herme zutage kam, diente der Ikonographie des
Plato als Grundlage eine kleine im *Florentiner Museum* befindliche Büste, auf deren
Titulus der Name ΠΛΑΤΩΝ angebracht ist[11]. Wenn mehrere Archäologen[12] die
Ansicht geäußert haben, der Titulus sei aus einem anderen Stück Marmor gearbeitet als die Büste und an die letztere angefügt, so datiert diese Beurteilung aus einer
Zeit, wo der Marmor noch mit einer künstlichen Kruste überzogen war, wie sie den
mediceischen Skulpturen gegeben zu werden pflegte, um die Restaurationen unkenntlich zu machen. Diese Kruste ist neuerdings entfernt worden, und ich konnte
mich demnach bei wiederholter Untersuchung davon überzeugen, daß die Büste
und der Titulus aus *einem* Stück Marmor bestehen[13]. Doch reicht diese Tatsache
nicht aus, um die Büste für ein authentisches Porträt des Plato zu erklären, da die
auf dem Titulus angebrachte Inschrift verdächtig scheint. Während nämlich die Ausführung der Büste deutlich auf das erste Jahrhundert der Kaiserzeit hinweist, findet
das Π der Inschrift mit der kurzen rechten Hasta in dem damals gebräuchlichen
Alphabet keine Analogie. Außerdem ist die Florentiner Büste sowohl hinsichtlich
der Formen wie hinsichtlich des Ausdrucks vollständig verschieden von den sicher
beglaubigten Porträts des *Plato*. Hiernach scheint es geboten, dieselbe aus der Ikonographie des großen Philosophen auszuschließen.
Hingegen dürfen wir einen Kopf, den eine kleine, bei *Chiusi* gefundene Doppelherme mit dem des *Sokrates* vereinigt[14], in den Kreis unserer Untersuchung ziehen.
Nach allem, was wir von den Grundsätzen wissen, welche bei der Zusammenstel-

lung solcher Doppelhermen befolgt zu werden pflegten, spricht von Haus aus alle Wahrscheinlichkeit dafür, daß die mit *Sokrates* vereinigte Persönlichkeit *Plato* ist. Außerdem stimmt jener Kopf in den Hauptformen mit dem Typus überein, der uns bisher beschäftigt hat. Hier wie dort begegnen wir derselben hohen und breiten Stirn und einer ähnlichen starken Entwicklung der oberen Kinnlade. Beide Typen zeigen in der Bewegung der Augenbrauen wie in der etwas vorgeschobenen Unterlippe den gleichen finsteren Ausdruck. Der Unterschied zwischen ihnen beruht im wesentlichen auf zweierlei: erstens bekundet der Kopf der Chiusiner Herme mit der kahlen Stirn und dem welken Fleisch ein vorgerückteres Alter als das bisher besprochene Bildnis; zweitens erscheint der Stil verschieden. Wiewohl die Herme nur mittelmäßig ausgeführt und ihre Oberfläche durch die Feuchtigkeit stark angegriffen ist, zeigt sie doch namentlich in der weichen Behandlung der Haut eine entschieden naturalistische Richtung, wie sie in der griechischen Kunst erst seit dem Ende des 4. Jh. v. Chr. maßgebend wurde. Während die besseren Exemplare des bisher besprochenen Typus auf die zweite attische Schule zurückweisen, erinnert die Herme an Porträts aus der Periode nach Alexander dem Großen [15]. Hiernach scheint es, daß das Original des Hermenkopfes aus einer späteren Zeit stammt als dasjenige, auf welches die Exemplare der anderen Serie zurückgehen und erst gegen Ende des 4. oder während des 3. Jh. v. Chr. geschaffen ist. Wird diese Auffassung als richtig anerkannt, so erklärt es sich leicht, warum der Künstler, der jenes Original erfand, von dem überlieferten ikonischen Typus abwich und *Plato* als Greis darstellte. Einerseits war es ganz natürlich, daß Plato in dem Andenken der unmittelbar folgenden Generationen unter der Gestalt fortlebte, welche er in den letzten Jahren seines Lebens gezeigt hatte. Andererseits scheint aber auch die damalige Kunst eine besondere Vorliebe für eine derartige Darstellungsweise gehabt zu haben. Soweit das gegenwärtig bekannte Material ein Urteil gestattet, pflegten die Künstler in der Zeit vor Alexander dem Großen, wenn ihnen die Wahl der Altersstufe freistand, berühmte Männer in reifem Alter aufzufassen, in welchem die Individualität derselben zur vollsten Entwicklung gediehen war. Hingegen kennen wir aus der folgenden Periode eine ansehnliche Reihe von Bildnissen, welche in höchst charaktervoller Weise verfallene Organismen veranschaulichen [16]. Ein bezeichnendes Beispiel für diese Richtung ist ein Porträt des greisen *Sophokles*, von dem sich mehrere Wiederholungen erhalten haben [17]. Die griechischen Gelehrten beschäftigten sich während der Diadochenperiode eifrig mit Literaturgeschichte, und das damalige gebildete Publikum interessierte sich lebhaft für Anekdoten, welche aus dem Leben berühmter Dichter berichtet wurden. Besonders beliebt war eine auf Sophokles bezügliche Anekdote [18]: sein Sohn Iophon habe ihn, nachdem er das achtzigste Jahr überschritten, als unzurechnungsfähig belangt; da habe der greise Dichter den Richtern den von ihm soeben vollendeten Ödipus auf Kolonos vorgelesen und sei freigesprochen worden, weil die Richter in dieser poetischen Leistung eine schlagende Widerlegung der Anklage erkannt hätten. Unter dem Eindruck dieser Geschichte unternahm es ein Künstler des 3. Jh., *Sophokles* als Greis darzustellen. Er arbeitete in diesem Sinne den am besten durch die lateranische Statue vertretenen Typus um, der den Dichter als Mann in den fünfziger Jahren wiedergibt. Der Hauptreiz seiner Schöpfung beruhte auf dem Gegensatz zwischen dem greisenhaften Antlitz und dem geistvollen Ausdruck der Augen, die an den erhaltenen Repliken dieses Typus, um ihr Feuer hervorzuheben, aus buntem Email gearbeitet waren. Auch von Plato berichtet die Überlieferung, daß er bis zu seinem Tode, der im 81. Lebensjahr erfolgte, seine geistige und körperliche Frische bewahrte [19]. Unter solchen Umständen konnte ein späterer Künstler recht wohl darauf verfallen, den großen Philosophen in vorgerückterem Alter darzustellen, als es in dem überlieferten ikonischen Porträt der Fall war.

Endlich kann ich nicht umhin, noch auf ein Relief hinzuweisen, das in der *Galleria delle statue* (n. 263) in das Postament der Matteischen Amazone eingelassen ist [20]. Die Ausführung ist sorgfältig und fein; leider hat jedoch der Marmor, namentlich an dem oberen Teile des Reliefs, eine starke Korrosion erlitten. Dargestellt ist ein auf einem Schemel sitzender, ältlicher Mann, welcher abwärts blickt und den rechten Arm etwas nach vorn zu bewegt. Nur der Oberarm ist antik. Doch scheint der Ergänzer nach der Weise, in der die Figur den Kopf abwärts hält, das Richtige getroffen zu haben, indem er ihr eine geöffnete Schriftrolle in die Linke gab. Hiernach würde das Relief einen Gelehrten darstellen, der im Begriff ist zu lesen, zu schreiben oder über den Inhalt eines Manuskriptes nachzudenken. Jedermann wird zugeben, daß der Kopf der Relieffigur mit den im Bisherigen nachgewiesenen Porträts des Plato in dem Schädelbau, den Zügen und dem Ausdruck eine nahe Verwandtschaft verrät. Dazu kommt noch die krumme Haltung des Oberkörpers, welche von der Überlieferung ausdrücklich als dem Plato eigentümlich hervorgehoben wird [21]. Hiernach scheint mir die Frage berechtigt, ob nicht auch die Figur des *vatikanischen Reliefs* auf die gleiche Person zu deuten ist. Allerdings erscheint der Bart in etwas anderer Weise behandelt; die von den Backen und dem Kinn herabreichenden Haarmassen zeigen eine geringere Fülle als an den sicher beglaubigten Porträts des *Plato*; der Schnurrbart fällt nicht wie an den letzteren schlicht herab, sondern ist an den Enden etwas nach oben gedreht. Aber diese Abweichungen sind doch von sehr nebensächlicher Bedeutung, und der Kopf der *Chiusiner Doppelherme* würde, wenn ich ihn richtig auf *Plato* gedeutet, einen schlagenden Beweis liefern, wie frei die späteren Künstler mit den überlieferten Formen verfuhren.

Es bleibt nur noch übrig, einige Bemerkungen über die attische, im Obigen erwähnte Doppelherme beizufügen. Wenn der eine der beiden Köpfe, aus denen diese Herme zusammengesetzt ist, wie es den Anschein hat, *Plato* darstellt, so liegt es am nächsten, den anderen Kopf auf *Sokrates* zu deuten. Jedoch wird diese Deutung durch den erhaltenen Ansatz der Nase ausgeschlossen, der nicht auf eine aufgeworfene, sondern auf eine Adlernase schließen läßt. Fragen wir nunmehr, welcher andere Philosoph in solcher Weise mit Plato zusammengestellt werden konnte, so bleibt nur die Möglichkeit, an *Pythagoras* zu denken*. Die athenische Herme ist, wie bereits bemerkt wurde, im 3. Jh. n. Chr. gearbeitet. Die geistige Richtung der damaligen Generationen wurde aber vorwiegend durch zwei philosophische Systeme bestimmt, die beide auf einem eigentümlichen Synkretismus platonischer und pythagoreischer Elemente beruhten, durch den Neuplatonismus, der verschiedene pythagoreische Theorien und im besonderen diejenige des Dualismus angenommen hatte[22], und den Neupythagoreismus, der in seinem dogmatischen Teil von der platonischen Philosophie beeinflußt war[23]. Unter solchen Umständen scheint es ganz natürlich, daß damals die Porträts des *Plato* und des *Pythagoras* zu einer Doppelherme vereinigt wurden. *Pythagoras* ist in ganzer Figur auf einer unter Kaiser Decius zu Samos geschlagenen Münze[24] und auf einem Contorniaten[25] abgebildet. Doch geben beide Stempel den Kopf in zu kleinen Verhältnissen wieder, als daß er sich zu einer ikonographischen Bestimmung verwenden ließe. Allerdings scheinen sie in einer Hinsicht von dem Kopf der attischen Herme abzuweichen, nämlich darin, daß sie die Stirn nicht kahl, sondern von herabfallendem Haar bedeckt darstellen. Indes schließt dieser Unterschied die von mir vorgeschlagene Deutung keineswegs aus. Alle Wahrscheinlichkeit spricht dafür, daß von Pythagoras kein ikonisches Porträt vorhanden war. Wenn demnach die Künstler dasselbe in späterer Zeit aus ihrer Phantasie heraus gestalten durften, so kann es nicht befremden, daß sich mehrere Künstler an dieser Aufgabe versuchten und die von ihnen erfundenen Typen verschieden ausfielen. Die beiden angeführten Münzstempel beweisen, daß Pythagoras im Altertum zum mindesten unter zwei verschiedenen Typen dargestellt wurde. Auf der Münze von Samos zeigt er einen runden Kopf und kurzen Bart, während der Kopf auf dem Contorniaten auffällig lang erscheint und ein spitzer Vollbart von dem Kinn auf die Brust herabhängt[26].

Anmerkungen

[1] Catalogue Al. Castellani (Paris 1884) p. 132 n. 1086; Verzeichnis der antiken Skulpturen des Berliner Museums (Berlin 1885) p. 61 n. 300.

[2] Die bisherigen Versuche, Porträts des Plato nachzuweisen, sind von Heydemann in der Jenaer Literaturzeitung III (1876) p. 477–479 widerlegt. Die im Jahre 1846 in der sogenannten Villa des Cassius bei Tivoli gefundene Herme, auf deren Schaft der Name des Plato und zwei platonische Sentenzen angebracht sind (C. I. G. 6103; Jenaer Literaturzeitung III p. 479), habe ich in den Magazinen des Vatikans vergeblich gesucht. [Richter II 166 Nr. 8 Abb. 906.]

[3] Diog. Laert. III 28 (Fragm. comicor. ed. Meineke III p. 305). Das Wort κοχλίας ist offenbar verdorben, da die Schnecke keine Augenbrauen hat und somit außer Stande ist, dieselben emporzuziehen. Übrigens stimmten mit der Charakteristik des Amphis auch einige spätere Zeugnisse. Herakleides bei Diog. Laert. III 26 erzählt, der junge Plato habe es stets vermieden überlaut zu lachen, Aelian var. hist. III 35, das Lachen sei in der Akademie verboten gewesen. Vgl. auch Seneca, de ira II 21, 10.

[4] Diog. Laert. V 1, 2.

[5] Man vergleiche die berühmte Stelle im Theaetet XXIV p. 173 c.

[6] Bei Athen. XI 509 c (Fragm. com. ed. Meineke III p. 332).

[7] Z. B. Furtwängler, Die Sammlung Sabouroff T. XVIII (Berliner Skulpturen n. 738), T. XX (Berl. Skulpt. n. 756).

[8] Die vatikanische Platoherme erinnert in der Behandlung des Fleisches an die Porträts des Sophokles, welche den am besten durch die lateranische Statue vertretenen Typus darstellen (Benndorf und Schöne, Die antiken Bildwerke des lateranischen Museums n. 237 [hier Taf. 57]). Alle Wahrscheinlichkeit spricht dafür, daß dieser Typus auf die Statue zurückgeht, die auf Vorschlag des Lykurgos zwischen Ol. 107, 3 (350) und Ol. 112, 3 (330) im athenischen Dionysostheater aufgestellt wurde und jedenfalls von einem Künstler der zweiten attischen Schule herrührte. Jene Verwandtschaft springt besonders in die Augen, wenn wir die vatikanische Herme mit zwei im capitolinischen Museum befindlichen Sophoklesköpfen vergleichen, nämlich mit n. 33 (Bottari, Mus. cap. I 38) und n. 34. [Richter I 129 Nr. 3–4 Abb. 681, 683.]

[9] Man vergleiche z. B. die erhaltenen Repliken des Apollon Sauroktonos.

[10] Hiernach scheint es keineswegs unmöglich, daß dieses Original die von Silanion gearbeitete Statue des Plato war (Diog. Laert. III 25. Vgl. Ann. dell' Inst. 1839 p. 213); denn Michaelis hat in den Historischen und philol. Aufsätzen, Ernst Curtius gewidmet, p. 107–114 den Beweis geliefert, daß die Tätigkeit des Silanion in die erste Hälfte des 4. Jh. hinaufreicht.

[11] Visconti, Iconografia greca I T. XVIII a 3, 4 p. 219–221. Schuster, Über die erhaltenen Porträts griechischer Philosophen T. II 1 p. 12–13. Dütschke, Die antiken Marmorbildwerke der Uffizien p. 190 n. 393. Vgl. Heydemann in der Jenaer Literaturzeitung III (1876) p. 477. [Richter II 168 Abb. 966.] Ergänzt: die Nase, das benachbarte Stück der linken Wange, die Oberlippe – abgesehen von dem rechten Ende –, Stücke an den Superciliarknochen und an der Stirn. Hals und Brust sind von moderner Hand leicht überarbeitet.

[12] Vgl. Schuster a. a. O. p. 12–13; Heydemann a. a. O. p. 477; Dütschke a. a. O. p. 190 n. 393.

[13] Übrigens ist diese Tatsache auch von Bernoulli, Bull. dell' Inst. 1879 p. 232–233 not. 2 richtig erkannt worden.

[14] Bull. dell' Inst. 1879 p. 232–233. [Richter II 168 Nr. 3* Abb. 973–975.] Wenn ich damals schrieb, daß dieser Kopf eine gewisse Ähnlichkeit mit der Florentiner Büste darböte, so gründete sich dieses Urteil auf die ungenügende Publikation der letzteren in der ›Iconografia greca‹, und ich ziehe es hiermit zurück.

[15] Sie steht z. B. den Porträts des Demosthenes, welche auf eine von Polyeuktos gearbeitete und i. J. 280 v. Chr. auf der athenischen Agora aufgestellte Statue des großen Redners zurückgehen (Michaelis, Ancient marbles in Great Britain p. 417–419 [hier S. 78 ff. Taf. 108–116]), und demjenigen, welches die hellenistische Kunst von Homer erfand (Michaelis, Die Bildnisse des Thukydides, Straßburg 1877, p. 9. p. 18 Anm. 43 [hier S. 47 Taf. 140]), näher als dem durch die lateranische Statue vertretenen Porträt des Sophokles (oben Anm. 8).

[16] An der Spitze dieser Reihe steht der auf Münzen wiedergegebene charaktervolle Kopf des Seleukos I. Nikator: Imhoof-Blumer, Porträtköpfe auf antiken Münzen hellenischer Völker T. I 3, T. III 3 p. 28. [Vgl. hier S. 106 ff. und Taf. 84.]

[17] Ein Bronzekopf im British Museum: A description of the coll. of anc. marbles in the British Museum II pl. 29; Mon. dell' Inst. III T. 32, Ann. 1841 p. 309–310 [hier S. 245. 264 Taf.

136–137]. Ein Marmorkopf im vatikanischen Museum: Pistolesi, Il Vaticano illustrato V T. LXXXIV 1; Braun, Ruinen und Museen p. 392 n. 120 [Richter I 126 Nr. 2 Abb. 617]. Eine Marmorherme in den vatikanischen Gärten mit der Inschrift ΣΟΦΟΚΛΗΣ auf dem Schafte: Bull. dell' Inst. 1867 p. 144–145 [Richter I 125 Nr. 1 Abb. 611–613]. Vermutlich gehört hierher auch ein zu Paris im Cabinet des médailles befindliches Relief, welches einen Greis, dessen Gesicht einen verwandten Typus zeigt, lesend oder rezitierend darstellt: Ann. dell' Inst. 1841 Tav. d'agg. L p. 310–311. Vgl. Welcker, Alte Denkmäler I p. 480–482 [Richter I 131 Nr. 2 Abb. 713].

[18] Die Literatur darüber bei Bernhardy, Grundriß der griech. Literatur II³ 2 p. 316–317.

[19] Zeller, Die Philosophie der Griechen II² p. 312.

[20] Breite 0,35, Höhe 0,63. [Richter I 137 Nr. c Abb. 758–759: Euripides?]

[21] Plutarch, De audiendis poetis 8; De adulatoris et amici discrimine 9.

* [Es handelt sich in Wahrheit, wie neuere Forschungen gezeigt haben, um ein Bildnis des *Xenophon*, vgl. hier S. 273 mit Taf. 70–71 und Nachtrag Anm. 3.]

[22] Zeller, Die Philosophie der Griechen III 2 p. 685 ff.

[23] Zeller a. a. O. III 2 p. 511 ff.

[24] Visconti, Iconografia greca I T. XVII 1 p. 160; Schuster, Die erhaltenen Porträts der griech. Philosophen T. I 1 p. 4.

[25] Visconti a. a. O. I T. XVII 3 p. 197–198; Sabatier, Description des médaillons contorniates pl. XV 1 p. 96.

[26] Mit einem ähnlichen langen Barte dachte sich Martial ep. IX 48 den Pythagoras:

Sic quasi Pythagorae loqueris successor et heres,
Propendet mento nec tibi barba minor.

Ein Porträt des Ptolemaios VI. Philometor

Von Jan Six

Einige Zeit vor dem Jahre 1842 wurde im Meere, beim Hafen von Aegina, ein nur etwas überlebensgroßer Kopf gefunden [Taf. 144] [1], der ohne weiteres schon durch die dunkele Farbe des Granits, aus dem er besteht, unter den anderen Skulpturen in Athen als fremdartig auffällt und durch die Tracht genauer als der eines Ägypters gekennzeichnet wird. Allerdings unterscheidet sich der Kopf durch freiere Behandlung der Gesichtszüge von dem späteren kanonischen Typus und verrät starken griechischen Einfluß, ja er bietet eines der besten Beispiele jener hellenisierenden ägyptischen Kunst, von der Maspero in seiner ›Archéologie Égyptienne‹ S. 229 ff. einige seltene Beispiele abbildet und würdigt.

Es trägt dieser unbärtige männliche Kopf zunächst ein loses, gestreiftes Tuch, wie es sich bei ägyptischen Königen und Göttern nicht selten findet, und darüber einen Aufsatz von der Form eines Modius; über demselben erhob sich ehemals noch ein anderer, im Grundriß ebenfalls runder, im Durchmesser etwas hinter dem Maße der obersten horizontalen Begrenzungsfläche des Modius zurückbleibender Aufsatz. Vorn in der Mitte scheint eine aufgerichtete Uräusschlange abgebrochen zu sein. Das Ganze kann kaum etwas anderes gewesen sein als die doppelte Krone von Unter- und Oberägypten; die letztere, die weiße Krone ist abgebrochen und hat nur die kreisrunde Bruchfläche zurückgelassen [2]. Das Haar fällt in Locken auf die Stirn herab. Daß der Kopf einer Statue angehörte, geht aus dem Pfeiler hervor, dessen oberer Teil erhalten ist, und an den er angelehnt erscheint; dieser Pfeiler trägt auf der Rückseite eine hieroglyphische Inschrift.

Obgleich arg verletzt und teilweise von kalkartigen Niederschlägen und Muschelresten überzogen, blieb das Fragment nicht ganz unbeachtet. In der Ἐφημερὶς ἀρχαιολογικὴ I 1842 S. 559, 956 wurde es von Pittakis kurz besprochen und unter N. 955 abgebildet, dann bei Le Bas Taf. 111, 2 wiederholt, aber beide Abbildungen waren nicht ausreichend, um den Charakter des Porträts erkennen zu lassen. Auch war die Inschrift nicht zuverlässig ediert, ja, an letzterer Stelle fehlt sie trotz besonderer Darstellung der Rückseite überhaupt.

In den genannten Werken nicht weiter berücksichtigt, in Athen selbst infolge der Aufstellung meist unsichtbar, scheint die Inschrift der Aufmerksamkeit der Ägyptologen entgangen zu sein, sonst wäre wohl schon früher etwas über den Kopf bekannt geworden; denn unlesbar ist sie nicht, und sie verleiht auch in ihrem fragmentarischen Zustand dem Porträt ein ganz besonderes Interesse.

Mitteilungen des Deutschen Archäologischen Instituts, Athenische Abteilung 12, 1887, S. 212–222.

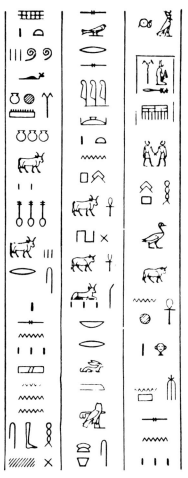

Abb. 2   Hieroglypheninschrift auf der Rückseite des Bildnisses
des Ptolemaios VI. in Athen (Taf. 144)

Als ich mich im Anfang dieses Jahres in Athen aufhielt, hatte ich Gelegenheit, einen
Abklatsch der Inschrift herzustellen, der allerdings, da auch die Hieroglyphen mit
Kalk gefüllt waren, nicht besonders geriet. Herr Dr. W. Pleyte in Leiden, dem ich
diesen Abklatsch sandte, bestätigte mir mit gewohnter Liebenswürdigkeit umge-
hend, daß wir es in der Tat mit einem wichtigen Stück zu tun hätten, forderte mich
aber auf, ihm ein neues Exemplar des Abklatsches zu schicken, da das erste bei der
Versendung gelitten. Äußere Umstände verhinderten mich, dies noch vor meiner
Abreise auszuführen, und auch die Reinigung des Kopfes von dem ihn bedeckenden
Kalksinter, welche der Herr Generalephoros Kavvadias mit bekannter Zuvorkommenheit auf unsere Bitte ausführen ließ, habe ich nicht abwarten können. Ihm ver-

danken wir, daß die Inschrift entziffert, die Frage im wesentlichen gelöst und der gereinigte Kopf in getreuer Abbildung auf Tafel 144 vorgelegt werden kann.

Nach Empfang eines neuen Abklatsches, welcher von der jetzt gereinigten Inschrift genommen ist, schreibt mir Herr Pleyte ungefähr folgendes: „Die Inschrift bietet oben das Zeichen des Himmelsgewölbes (umgekehrt), darunter die Sonnenscheibe mit den beiden Uräusschlangen, rechts mit der weißen, links mit der roten Krone, dem Symbol der göttlichen Gewalt über Süden und Norden, daran zwei Lebenskreuze. Darunter folgt der Text in drei Zeilen, von denen nur der Anfang erhalten ist[3].

Die erste Zeile hebt an mit einem fürstlichen Panier, worüber sich ein Sperber mit der Krone von Ober- und Unterägypten befindet, hinter diesem ein undeutliches Zeichen, eine strahlende Sonne oder eine Sonne mit Uräus. Auch der Name in dem Panier ist nicht deutlich, muß aber: *Tanen m χet* (= Tanen ist im Bauch) sein, das heißt: Tanen beherrscht sein Inneres. Es ist das Panier des Philometor. Die Varianten sehe man bei Lepsius[4]. Weiter folgt:

sensen	*hapi*[5]	*anχ*	*her*	*mesχen-sen*
vereinigt	Hapi	der lebende	mit	Wiege ihre.

Das heißt: Der Fürst und der lebende Apis sind vereinigt in brüderlicher Gemeinschaft von der Wiege ab. – Die weiteren Ehrentitel sowie der Königsring sind verlorengegangen.

Die zweite Zeile hebt mitten im Satze an:

s. ures	*seχet*	*aat*	*n hapi*
sie die ausdehnt	das Feld	des Aufenthaltes	des Apis
anχ	*merur*	*anχ*	*aut-u*
des lebenden,	Meruer	des lebenden,	Tieren
neb	*r-un*	*m bah*	*s. ešau*
allen	um zu sein	in Gegenwart	der Feste.

Das heißt: . . . sie dehnt aus, vergrößert, das Feld, worin der Apis, der Mnevis und alle die heiligen Tiere sind, damit sie voran seien bei den (Krönungs?)festen[6]. – Hier hört der Text wieder auf, und es ist nicht zu entscheiden, wer mit dem s i e gemeint ist. Man könnte an die Gattin und Schwester des Königs, Kleopatra, denken.

Auch die dritte Zeile fängt mitten in einem Satze an:

hesp	*203*	*s*	*mχen*	*mennu*	*nofr-u*
Äcker	203	sind	worin	die Herde	junges Vieh
sar-sen	*še*	*hebes*			
sie zeichnen ab	einen Teich	um zu umgeben.			

Das ist: (Der Fürst schenkt, oder: die Fürsten schenken) einige [die Zahl ist nicht ganz sicher] Äcker mit jungem Vieh; sie zeichnen ab einen Teich um zu umgeben . . . Alles übrige ist verlorengegangen.

Die heiligen Tiere wurden öfters von den Ptolemäern beschenkt. Ein Beispiel Lepsius 26 (Dekret von Kanopus 1886): ‚Für die Dinge (Opfer) des Apis und des Mnevis nebst den Tieren, den heiligen allen, berühmt im Reiche'. Ein Teich wie der erwähnte befand sich bei jedem Tempel für Wasserbedarf und um bei festlicher Gelegenheit darauf zu fahren.

Über den Aufstellungsort der Statue lehrt die Inschrift nichts.

Wenn man annehmen dürfte, daß auch Kleopatra genannt war, würde sich die Mehrzahl im letzten Satz am einfachsten erklären."

Wir haben also hier ein Porträt des *Ptolemaios VI. Philometor* vor uns. Und dazu stimmt, was wir anderswoher wissen.

Die Münzen freilich der ägyptischen Könige führen bekanntlich mit wenigen Ausnahmen statt des Bildes des jedesmaligen Regenten den Kopf des *Soter,* der nur ab und zu den Zügen des regierenden Fürsten etwas ähnlich gemacht zu werden scheint, und lassen sich für die Ikonographie nur selten verwerten. Auch in diesem Fall wird man höchstens mit Beihilfe dieses Kopfes unter den dem Philometor gehörenden Stücken einige auswählen können, die ihm mehr ähnlich sehen als die übrigen, wie etwa der Stater im Katalog des Britischen Museums Tafel 19, 8 aus dem Jahre 149. Aber es gibt zum Glück ein vorzügliches Bild des *Philometor* aus seinem letzten, dreiundvierzigsten Lebensjahr, dem Jahr 145[7], auf einem Tetradrachmon, das er als König von Syrien geprägt hat, und dessen einziges Exemplar im Pariser Münzkabinett befindlich ist [Taf. 142, 1][8]. Ein Vergleich dieser Münze mit der Dreiviertelansicht des Kopfes auf Tafel 144 [hier durch Profilansicht ersetzt] ist lehrreich und, wie mir scheint, überzeugend, wenngleich der Unterschied im Alter auf den ersten Blick klar wird.

Am sprechendsten ist das kleine, hervorspringende Kinn und die ganze Partie um den Mund mit den schmalen zusammengepreßten Lippen, dann besonders die Anordnung der Locken auf der Stirn. Auch die niedrige Stirn selbst mit den starken Augenbrauen stimmt. Über die Form der Nase gestattet unser Kopf leider kein Urteil mehr, und auch das Auge ist in der Dreiviertelansicht schwer mit der Profilansicht der Münze zu vergleichen; die geschwollenen Augenlider zeigt unser Fragment noch nicht. Wenn hier die Backen und überhaupt die ganzen Formen voller sind, so erklärt sich das vollständig, da die Statue, wie ich wahrscheinlich zu machen hoffe, den König etwa achtzehnjährig darstellte. Aus der Vorderansicht spricht die Jugend wohl am deutlichsten.

Das Porträt ist kein so ausgeprägter Charakterkopf, wie wir sie von römischen Kaisern besitzen, aber eine, besonders mit Rücksicht auf die Härte des Stoffes, in jeder Beziehung vorzüglich zu nennende Arbeit, die vielleicht in Einzelheiten, besonders in Augen und Stirn, von den Gewohnheiten der Schule beeinflußt sein mag, im großen und ganzen aber ein naturwahres Bild geben muß.

Man hüte sich, bei einer Charakteristik des *Philometor* von dem Bild, das Justin[9] uns gibt, ausgehen zu wollen, da es sich mit dem Zeugnis des Polybios[10] und der

Syrischen Münze nicht verträgt und seine Entstehung offenbar einer Verwechslung des Königs mit seinem Bruder, Euergetes II., verdankt[11].

Die Stelle des Polybios aber ist nicht sehr ausgiebig: Πτολεμαῖος ὁ τῆς Συρίας [καὶ Αἰγύπτου] βασιλεὺς κατὰ τὸν πόλεμον πληγεὶς ἐτελεύτησε τὸν βίον· κατὰ μέν τινας μεγάλων ἐπαίνων καὶ μνήμης ὢν ἄξιος, κατὰ δέ τινας τοὐναντίον. Πρᾷος μὲν γὰρ ἦν καὶ χρηστός, εἰ καί τις ἄλλος τῶν προγεγονότων βασιλέων· σημεῖον δὲ τούτων μέγιστον· ὃς πρῶτον μὲν οὐδένα τῶν ἑαυτοῦ φίλων ἐπ’ οὐδενὶ τῶν ἐγκλη-μάτων ἐπανείλετο· δοκῶ δὲ μηδὲ τῶν ἄλλων Ἀλεξανδρέων μηδένα δι’ ἐκεῖνον ἀποθανεῖν· ἔπειτα δόξας ἐκπεσεῖν ἀπὸ τῆς ἀρχῆς ὑπὸ τἀδελφοῦ, τὸ μὲν πρῶτον ἐν Ἀλεξανδρείᾳ λαβὼν μετ’ αὐτοῦ καιρὸν ὁμολογούμενον ἀμνησικάκητον ἐποι-ήσατο τὴν ἁμαρτίαν· μετὰ δὲ ταῦτα πάλιν ἐπιβουλεύσαντος τῇ Κύπρῳ κύριος γε-νόμενος ἐν Λαπήθῳ τοῦ σώματος ἅμα καὶ τῆς ψυχῆς αὐτοῦ, τοσοῦτον ἀπέσχε τοῦ κολάζειν ὡς ἐχθρόν, ὥστε καὶ δωρεὰς προσέθηκε παρὰ τὰς πρότερον ὑπαρχού-σας αὐτῷ κατὰ συνθήκας καὶ τὴν θυγατέρα δώσειν ὑπέσχετο. Κατὰ μέντοι γε τὰς ἐπιτυχίας καὶ κατορθώσεις ἐξελύετο τῇ ψυχῇ, καί τις οἷον ἀσωτία καὶ ῥαθυμία περὶ αὐτὸν Αἰγυπτιακὴ συνέβαινε· καὶ κατὰ τὰς τοιαύτας διαθέσεις εἰς περιπε-τείας ἐνέπιπτεν. [Ptolemaios ⟨Philometor⟩, der König von Syrien, starb (145) an den Wunden, die er in der Schlacht erhalten hatte, nach einigen ein Mann, der hohes Lob und ein ehrendes Angedenken verdient, nach anderen das Gegenteil. Er war mild und gutherzig wie nur je einer seiner Vorfahren. Der größte Beweis dafür ist, daß er erstens keinen seiner Freunde auf Grund irgendeiner Beschuldigung um-gebracht hat; ich glaube aber, daß auch von den übrigen Alexandrinern keiner durch ihn den Tod gefunden hat. Sodann, als er von seinem Bruder aus dem Reich vertrieben wurde, hat er erstens, obwohl er in Alexandreia eine zugestandenerma-ßen ausgezeichnete Gelegenheit hatte, an ihm Rache zu nehmen, ihm doch seine Verfehlung nicht nachgetragen. Als jener später einen neuen Versuch machte, sich Kyperns zu bemächtigen, und er in Lapethos (auf Kypern) Leib und Leben des Bru-ders in seiner Hand hatte, war er so weit entfernt, ihn als Feind zu bestrafen, daß er zu den Geschenken, die jener schon vorher auf Grund der Verträge besaß, noch weitere hinzufügte und ihm seine Tochter zur Ehe versprach. Im Glück und Erfolg jedoch erschlaffte er und verfiel dem echt ägyptischen Leichtsinn mit seinen Aus-schweifungen und Exzessen. Wenn er sich in diesem Zustand befand, geriet er auch ⟨immer wieder⟩ in schwere Gefahren (H. Drexler).]

Daß der König sanftmütig und gut war, wird man auch dem offenen, freien Blick, den die Vorderansicht am besten erkennen läßt, wohl glauben dürfen, und die Sorglosigkeit in glücklichen Stunden fordert keinen Zug, der dazu im Gegensatz stünde. Das ungebundene Leben aber hat diesem Antlitz seinen Stempel noch nicht aufgeprägt, doch mag vielleicht das hervorspringende Untergesicht von einer star-ken Sinnlichkeit zeugen.

Die Worte des Polybios schließen keine Tatkraft und Ausdauer in ernsten Zeiten aus, und wenn Diodor[12] diese Eigenschaften für die Natur des Fürsten in Anspruch nimmt, bei dem sonst, einem kaum erwachsenen Jüngling gegenüber, so harten Urteil: Ἡμεῖς δέ τοῦ Πτολεμαίου τὴν οὕτως ἀγεννῆ φύσιν οὐκ ἂν προηγουμένως ἀνεπισήμαντον ἐάσαιμεν· τὸ γὰρ ἐκτὸς γενόμενον τῶν δεινῶν καὶ τοσαῦτα ἀφεστηκότα τῶν πολεμίων αὐτόθεν καθάπερ ἀκονιτὶ παραχωρῆσαι βασιλείας μεγίστης καὶ μακαριωτάτης, πῶς οὐκ ἄν τις ἡγήσαιτο ψυχῆς τελείως ἐκτεθηλυμένης εἶναι; ἣν εἰ μὲν συνέβαινε φυσικῶς ὑπάρχειν Πτολεμαίῳ τοιαύτην, ἴσως ἄν τις ἐκείνην καταμέμψαιτο· ὅτε δὲ διὰ τῶν ὕστερον πράξεων ἡ φύσις ἱκανῶς ὑπὲρ αὐτῆς ἀπελογήθη, δείξασα τὸν βασιλέα καὶ στάσιμον ὄντα καὶ δραστικὸν οὐδενὸς ἧττον ἀναγκαῖόν ἐστι τὰς αἰτίας ἀνατιθέναι τῆς τότε δειλίας καὶ ἀγεννείας εἰς τὸν σπάδωνα καὶ τὴν ἐκείνου συντροφίαν· ὃς ἐκ παιδὸς τὸ μειράκιον ἐν τρυφῇ καὶ γυναικείοις ἐπιτηδεύμασι συνέχων διέφθειρεν αὐτοῦ τὴν ψυχήν· [Wir aber sollten das so unmännliche Wesen des Ptolemaios nicht unbeachtet übergehen. Denn, außerhalb von Gefahren und entfernt von den Feinden sogleich ohne Kampf das größte und glücklichste Königreich aufzugeben, wie könnte einer das nicht für das Zeichen eines vollständig verweichlichten Sinnes halten? Wenn es nun zuträfe, daß dem Ptolemaios von Natur aus eine solche Sinnesart eigen gewesen wäre, würde man sie vielleicht bedauern; weil aber seine Natur durch spätere Taten hinreichend gerechtfertigt wurde, indem sie zeigte, daß der König standhaft war und im Tatendrang niemandem nachstand, ist es nötig, die Gründe für die damalige Feigheit und Unmännlichkeit dem Eunuchen und dem Zusammenleben mit ihm zuzuschreiben, der den jungen Mann von Kindheit an in Luxus und weibischer Lebensführung hielt und seinen Sinn zerstörte], so scheinen die Statue so gut wie die Münze ihm darin beizustimmen.

Im allgemeinen scheinen, und das ist nicht zu verwundern, in dem Bilde die edelen Züge, die dem König hohes Lob einbrachten, mehr zur Geltung zu kommen als die entgegengesetzten. Gerne aber will ich gestehen, daß man schwer aus einem so beschädigten Bild sichere Schlüsse über den Charakter des Dargestellten ziehen kann. Hoffen wir, daß mit Hilfe dieses Kopfes unter den namenlosen Porträts sich ein besser erhaltenes erkennen läßt. [S. u. S. 267 ff.]

Wir sprachen schon oben von Schule; als solche wird wohl nur die rhodische in Betracht kommen, denn wenn auch die Statue sicher in dem herkömmlichen ägyptischen Schema angelegt war, und die Ausführung wahrscheinlich ägyptischen Arbeitern, die mit dem harten Material vertraut waren, überlassen blieb, die Bildung des Kopfes ist eine rein griechische. Weiter fragen zu wollen, hätte keinen Sinn. Wohl ist die einzige bis jetzt in Ägypten (Alexandrien) gefundene Künstlerinschrift (Löwy 187) eben aus dieser Zeit [13] und nennt die zwei rhodischen Künstler Theon von Antiochien und Demetrios, des Demetrios Sohn von Rhodos, aber wir vermögen Art und Ausdehnung des fremden Einflusses nicht einmal zu ahnen, wenn auch die Münzen nicht eben auf eifrige Pflege der Plastik schließen lassen [14]. Höchstens dürfte man die Behauptung aufstellen, daß, wenn Theon und Demetrios ein Porträt des *Philometor* aufgetragen worden wäre, es ungefähr diesem Kopf entsprochen haben würde.

Jetzt nur noch eine Bemerkung über Herkunft und Zeit. Bei Philometors Regierungsantritt gehörte Aegina längst dem König von Pergamon, und es ist kaum anzunehmen, daß dorthin ein ägyptischer König seine Statue gestiftet habe. Daß dieselbe andrerseits nicht von den Aegineten selbst geweiht worden ist, geht aus der hieroglyphischen Inschrift hervor. Da der Kopf aber im Meere, und zwar beim Hafen gefunden wurde, ist die Herkunft von der Insel Aegina nicht einmal das nächstliegende, sondern viel wahrscheinlicher, daß er als Ballast irgendeines Segelbootes von anderswoher hierhin gebracht worden ist.

Ägypten kann nicht unbedingt ausgeschlossen werden, kommt aber der weiten Entfernung wegen schwerlich in Betracht. An die Statue, die nach Pausanias I. 8. 6 beim Odeon in Athen stand, ist auf keinen Fall zu denken; denn wenn uns auch die verfehlte historische Notiz nicht daran irre machen darf, daß der Name richtig überliefert ist, so sieht man doch nicht ein, wie der Kopf bis zum Meer gekommen wäre, und obendrein errichteten die Athener auch sicher dem Griechen keine ägyptische Statue, sondern eine griechische nach Form und Tracht.

Ist eine Vermutung erlaubt, so könnte man zunächst an das Isisheiligtum in Methana[15] denken, das Aegina dicht gegenüber an der Küste von Argolis lag. Dodwell sah dort eine Inschrift[16], auch im Meer liegend, die des Philometor gedenkt, und es erklärt sich leicht, daß dorthin, in das Heiligtum einer ägyptischen Gottheit, der König eine ägyptische Statue weihte.

Die Zeit dieser Inschrift ist kaum mit Sicherheit zu ermitteln. Ist Letronnes Ergänzung richtig: ὑπὲρ βασιλέως Πτολεμαίου καὶ βασιλίσσης Κλεοπάτρας θεῶν φιλομητόρων καὶ τ[ῶν τέκνων αὐτῶν] κτλ., so kann sie, da schon Kinder erwähnt werden, nicht aber Euergetes II. mit erwähnt wird, erst nach 163 fallen, muß dann aber unser Befremden erregen, da der Achäische Bund, dem Argolis seit 195 wieder angehörte[17], schon 167 von Rom gedemütigt worden war, und Philometor nicht eben zu Roms Freunden zählte. Sie wäre dann nur aus Widerwillen gegen die Römer zu erklären, wie es Hertzberg[18] in einem analogen Fall aus gleicher Zeit tut. Steht aber wirklich, wie Dodwell las, TO, nicht TΩ auf dem Stein, so ist, da für Euergetes auf keinen Fall Raum zu sein scheint, bei den ganz auf Vermutung beruhenden Angaben über die Zeit der Heirat des Philometor nicht möglich zu entscheiden, ob etwa το[ῦ τέκνου] zu ergänzen und das Ehrendekret ins Jahr 169 zu setzen wäre, in welchem Jahr die erste Gesandtschaft des Achäischen Bundes an ihn bezeugt ist[19]. Er müßte dann aber schon einige Zeit vor seiner Krönung verheiratet gewesen sein.

Wie dem auch sei, die Beziehungen zwischen dem Bunde und dem ägyptischen König haben nach 167 nicht mehr die frühere Bedeutung gehabt, und da die ägyptische Inschrift unseres Kopfes in der Schreibung des Namens am meisten zu der Form stimmt, die Lepsius für die Zeit der Gesamtherrschaft der Geschwister, 168–163, angibt, und möglicherweise sogar der Krönungsfeste gedenkt, so ist es vielleicht erlaubt, sie eben mit der Krönung in Verbindung zu bringen. Die Inschrift wäre so zu ergänzen, daß sie außer den größeren Geschenken an Apis, Mnevis und ägyptische

Tempel auch der kleineren, vielleicht nur in Statuen bestehenden, an auswärtige Tempel gedächte. Ein Geschenk an den Isistempel von Methana wäre dadurch zu erklären, daß die Freundschaft des Achäischen Bundes wertvoll für Ägypten war, besonders mit Rücksicht auf die Werbung von Hilfstruppen, deren Ptolemaios gegen Antiochos bedurfte. Ob dann die achäische Gesandtschaft die Statue mit heimführte oder die Gesandten des Philometor und Euergetes sie im Anfang des folgenden Jahres überreichten, muß dahingestellt bleiben. Aber selbst wenn die ganze Vermutung der Stiftung nach Methana sich als irrig herausstellen sollte, dürfte die Datierung doch ungefähr die richtige sein, da sie sich teilweise auf die hieroglyphische Inschrift stützt.

Anmerkungen

[1] Heydemann, Marmorbildwerke zu Athen. N. 420. Sybel, Skulpturen zu Athen N. 40. Milchhöfer, Museen Athens S. 5, 21. [Zuletzt: H. Kyrieleis, Bildnisse der Ptolemäer, Archäologische Forschungen 2 (1975) 59 ff. F1 Taf. 47.]

[2] Der rückwärtige obere Rand der roten Krone ist etwas bestoßen, und es scheint, wenn auch nicht sicher so doch möglich, daß derselbe sich, wie üblich, höher erhob als der vordere.

[3] Wir verdanken der Firma E. J. Brill in Leiden, daß wir beistehend eine Umschrift dieses Textes in Typen geben können.

[4] Königsbuch Tafel 54 und 55.

[5] Die Gans, die in den Beispielen bei Lepsius fehlt, ist ein überflüssiges Determinativ.

[6] Das Determinativ fehlt, und es ist bei der allgemeinen Bedeutung des Wortes auch möglich, daß nur ein jährlich wiederkehrender Festzug gemeint sei.

[7] Nach Droysen, De Lagidarum regno, Ptolemaeo VI Philometore rege, dessen Daten ich auch weiter folge.

[8] Poole im Katalog des Britischen Museums Taf. 32, 8. Das Exemplar im Haag, aus der Sammlung d'Ennery, scheint nur ein sehr guter Abguß; abgebildet bei Imhoof, Porträtköpfe Taf. 8, 13. [Zuletzt Kyrieleis a. O. 58 Taf. 46, 1.]

[9] XXXIV. 2.

[10] XL. 12. (XXXIX. 18. Hultsch).

[11] Justin XXXVIII. 8.

[12] Excerpta de virt. et vit. p. 579. [Diodor XXX frag. 17.]

[13] Vgl. Löwy zu N. 185 [und Schreiber, Athen. Mitteilungen X S. 387 ff.].

[14] So werden auch bei Athenäus IV p. 184c unter den Griechen, die Euergetes nach dem Tode seines Bruders vertrieb, die Maler besonders genannt, nicht aber die Bildhauer.

[15] Pausanias II. 34. 1.

[16] II S. 282 = C. I. G. I, 1191.

[17] Livius XXXIV. 41.

[18] Geschichte Griechenlands I. 229.

[19] Polybios XXVIII. 10. 8.

Die Bildnisse des Demosthenes

Von Adolf Michaelis

Allgemeine Literatur

E. Q. Visconti, Iconogr. Grecque I 133 ff. (346 ff. Mail.). Herausgeber von Winckelmanns Werken VI 2, 225 f. F. M. Avellino, Notizia di un busto di Demostene con greca epigrafe. [Gelesen 1834.] Neapel 1841 (vgl. G. Minervini, Bull. arch. napolet. I 87 ff. E. Braun, Bull. dell' Inst. 1843, 66). F. G. Welcker, Akadem. Kunstmuseum, 2. Ausg., Bonn 1841, S. 94 f. H. Schroeder, Über die Abbildungen des Demosthenes. Braunschw. 1842 (vgl. O. Jahn ZfdAW. 1844, 237 ff.). G. G. Pappadopulos, Λόγος περὶ τοῦ Δημοσθένους καὶ τῆς εἰκονογραφίας αὐτοῦ. Athen 1853. G. Scharf, On the ancient portraits of Menander and Demosthenes, in den Trans. R. Soc. Lit., 2. ser., IV, London 1853, S. 381 ff. – Außerdem hatte ich mich schriftlicher Mitteilungen der Herren Benndorf, Bernoulli, Collignon, Kieseritzky, Wolters zu erfreuen. [Richter II 215 ff.; J. Ch. Balty, Bull Mus Art 50, 1978, 49 ff.]

Erhaltene Bildwerke *

I. Statuen

A   *Knole 1,* im Besitz des Lord Sackville. [Jetzt Kopenhagen, NCG 436a; hier Taf. 110. 115, 1–2 mit ergänzten Händen im Zustand von 1954 und davor.] Abg. Fea Storia II Taf. 6. Schröder a. a. O. Tafel 2, 10. Schäfer, Demosthenes II^2 Titelkupfer; Scharf a. a. O. Fig. 5. Vgl. Michaelis, Anc. Marbles in Gr. Brit. S. 417 ff. und die dort angeführte Literatur. [Richter II 219 Nr. 32 Abb. 1398–1402.] – Die Statue ward in der zweiten Hälfte des vorigen Jahrhunderts (a giorni nostri: Visconti, Mus. PCl. III 63) in Campanien gefunden und gelangte nach Neapel in den Palast Colobrano (früher Caraffa, später Santangelo), ward mit anderen Antiken desselben von Jenkins gekauft und um 1770 an den Herzog von Dorset verkauft, der ihr in der stattlichen Halle seines altertümlichen Schlosses Knole einen Ehrenplatz anwies. Ein Abguß blieb in Rom bei Jenkins zurück; nach ihm ist die Abbildung bei Fea gemacht. Das Original, anscheinend von pentelischem Marmor, ist vortrefflich erhalten und ziemlich frei von Überarbeitung; der Oberkörper hat von Regen gelitten. Neu: Nase, alle Zehen des l. und die beiden ersten des r. Fußes, endlich der hintere Teil der unregelmäßig gestalteten Basis. Der Kopf war nie gebrochen; die Hände nebst einem Stück des 1. Unterarms waren abgebrochen, sind aber wieder angesetzt und bei

Adolf Michaelis, Die Bildnisse des Demosthenes, in: Arnold Schaefer, Demosthenes und seine Zeit III (1887) S. 401–430.

diesem Anlaß an der unteren Fläche etwas überarbeitet; sie sind sicher ursprünglich zugehörig [nach neuerer Auffassung nicht, s. u. S. 141 f.]. Neben dem l. Fuß befindet sich
eine bescheidene Marmorstütze. H. 1,95 m, mit der Basis 2,08.

B   *Vatikan, Braccio nuovo 62* [Taf. 111. 114, 1]. Abg. Mus. Chiaram. II Taf. 24; Pistolesi,
    Vaticano IV Taf. 19; Clarac V 842, 2099 C; Baumeister, Denkm. des klass. Alt. I 425; Cice-
    ronis Orator ed. Sandys zu S. XXVIII. Vgl. M. Wagner, Ann. d. Inst. 1836, 159 ff. Frie-
    derichs–Wolters, Bausteine no. 1312. [Richter II 216 Nr. 1 Abb. 1397. 1404–1406.] – Nach
    Nibby (Mus. Chiar. II 57) soll die Statue 1687 von Morosini aus Athen mitgebracht und
    dem damaligen Dogen Marcantonio Giustiniani geschenkt worden sein. Ein Beleg für
    diese Kunde (è noto che) wird nicht gegeben. Die Nachricht ist sehr unwahrscheinlich,
    da die Statue bereits zwanzig Jahre später in dem 1709 aufgenommenen Inventar der
    Villa Aldobrandini (Belvedere) in Frascati als no. 37 der Statue del Teatro aufgeführt
    wird (Docum. ined. per serv. alla storia dei Musei d' Italia III 185: „Un Filosofo vestito
    con il braccio e petto nudo, che tiene una carta in mano, alto palmi otto e mezo"). Der
    Antikenschmuck dieser Villa stammte wohl durchweg von der ersten Anlage durch Kar-
    dinal Pietro Aldobrandini um 1600. Ohne Gewähr ist auch die anscheinend aus einer
    Andeutung E. Brauns (Ruinen u. Museen Roms S. 238) hergeleitete Angabe Stahrs
    (Torso I 523), die Statue sei bei Tusculum gefunden; daher auch die daran geknüpfte Ver-
    mutung, sie möge einst die Villa Ciceros geschmückt haben, in der Luft schwebt. Zu An-
    fang unseres Jahrhunderts wurden die Antiken der Villa Aldobrandini größtenteils ver-
    kauft; der Demosthenes kam durch Camuccini an Pius VII. und fand im Braccio Nuovo
    einen würdigen Platz. Nach einer genauen Prüfung Benndorfs waren der Hals, der
    r. Oberarm, die r. Achsel, beide Füße, sowie die neben dem l. Fuß befindliche Bücher-
    kapsel oben quer und rechts senkrecht gebrochen, außerdem das Gewand mehrfach; die
    ganze Figur scheint von der Mitte herab gebrochen zu sein. Neu: die halbe Nase und
    Kleinigkeiten am Kopf, beide Unterarme mit Händen und Rolle [jetzt abgenommen],
    ein Stück am r. Oberarm und r. am Halse, vier lange Faltenhöhen am unteren Teil des
    Mantels und kleinere Gewandflicken, der ganze hintere Teil und ein Stück vorn am
    r. Fuß, die ganze Plinthe mit Ausnahme des Stückes, auf dem der l. Fuß und die Kapsel ste-
    hen. Es ist hiernach begreiflich, daß Fea, der die Statue in Frascati kannte, sie als weni-
    ger gut erhalten als *A* bezeichnet (Storia II 255); andrerseits ist es beachtenswert, daß
    die Ergänzung der Hände mit der Rolle bereits im Inventar von 1709 erwähnt wird, also
    nicht etwa erst nach dem Vorbild der viel später gefundenen Statue A vorgenommen
    sein kann. Die runde Bücherkapsel ist mit einem Schloß und zwei als Henkel dienenden
    Riemen versehen (fehlen in der Abbildung des Mus. Chiar.). Pentel. Marmor. H.
    1,98 m, mit der Basis 2,11.

C   M. Wagner, ann. 1836, 159 Anm. spricht von Fragmenten oder Torsen in verschiedenen
    anderen Sammlungen, die durch Übereinstimmung in Formen und Haltung sich als
    Reste ähnlicher Statuen des Redners zu erkennen gäben. Leider fehlen genauere Angaben
    und mir sind keine sicheren Beispiele bekannt; nicht hierher gehört die allerdings sehr
    ähnliche kleine Statue in Newby Hall no. 7 (Clarac V 844, 2128), s. Michaelis, Anc. M.
    in Gr. Brit. S. 525. [Richter II 219 Nr. 31.]

D   *Athen,* im Invalidenhäuschen am Eingang der Akropolis. Sybel, Katal. 4752. [Richter II
    220 Nr. 44 Abb. 1498.] – Rest einer Marmorstatuette des Demosthenes. Nach einer Mit-
    teilung von Wolters ist nur das größere Stück einer unregelmäßig gestalteten, anschei-

nend ursprünglich fünfeckigen Basis, 0,22 m lang, 0,17 tief, erhalten; sie ist an der geraden Vorderseite und einem etwa 0,06 m langen Stück der linken Seite (die rechte fehlt)
profiliert; in der Hohlkehle vorn ΔΗΜΟΣΘΕΝΗΣ. Auf der Oberfläche sind die Spuren
der beiden Füße (etwa 0,10 m lang) erhalten; ihre Stellung stimmt mit derjenigen in den
Statuen *AB* so weit überein, daß die Statuette als eine Kopie derselben (in etwa ⅓
Lebensgröße) angesehen werden kann.

E   Tonstatuette der ehemaligen Sammlung *Campana,* weder in deren Katalog aufgeführt
noch, wie Herr M. Collignon mir mitteilt, im Louvre nachweisbar, aber von mir in Rom
im Winter 1860/61 bei Campana gesehen, vgl. Anc. M. in Gr. Brit. S. 418. [Z. Z. verschollen, Richter II 222.] Die Figur wiederholt genau das Motiv der Statuen *AB,* jedoch
halten die Hände keine Rolle, sondern sind gefaltet, wie dies M. Wagner auch für *AB*
als ursprünglich voraussetzte. Die notorische Unzuverlässigkeit Campanascher Terra-
cotten gebietet große Vorsicht hinsichtlich dieser Figur.

F   *Louvre 92.* Abg. Visconti, Mus. PCl. III Taf. 14. Schröder a. a. O. Taf. 1, 8; Piroli und
Petit Radel, Musée Napoléon II Taf. 77; Bouillon, Mus. des ant. II Taf. 22 (107); Clarac III
283, 2099 A. Vgl. Visconti, Iconogr. Gr. I 356. Opere var. IV 311 no. 72. Clarac, Descr.
du Musée, 1830, S. 46f. Mus. de sculpt. V 81f. Friederichs–Wolters, Bausteine no. 1315.
[Richter II 218 Nr. 21 Abb. 1435.] – Die Statue wird im Inventar der von Sixtus V. gegründeten Villa Montalto-Peretti (später Savelli, dann Negroni, seit 1789 Massimi) v. J. 1655
als „una statua di uno filosofo à sedere" aufgeführt (Documenti ined. IV 9); nach Visconti (Mus. PCl. III 62) hatte sie dort keinen Kopf. Nachdem Jenkins 1786 die Antiken
der Villa angekauft hatte, erwarb Pius VI. die Statue, durch einen Demostheneskopf
nicht übel ergänzt, für den Vatikan; nach dem Vertrage von Tolentino nach Paris ent-
führt, ward sie bei der Rückgabe der Antiken 1815 wie so manche andere zurückbehalten. Dem gut gearbeiteten Körper eines sitzenden ältlichen, keineswegs mageren Mannes, vermutlich eines Philosophen, (neu: die r. Hand und Teil des Unterarms, der
l. Arm, beide Füße und Teil des r. Beines) ist vermittelst eines teilweise neuen Halses ein
Kopf des Demosthenes aufgesetzt worden (s. unten II q). Pentel. Marmor. H. 1,38 m,
mit der Basis 1,46.

G   *St. Petersburg, Ermitage 197.* Abg. D'Escamps, Musée Campana Taf. 49; vgl. Cataloghi
Campana Cl. VII no. 100. Guédéonow, Ermit. Imp., Musée de sculpt. ant., 2. Aufl.,
S. 54. [Richter II 220 Nr. 39 Abb. 1473–1475.] – Die Statue soll in Tusculum, in der angeblichen Villa Ciceros, gefunden sein, doch finde ich weder in Caninas, Descriz. dell'
ant. Tusculo noch anderswo den Fund erwähnt; vgl. oben zu *B.* Der Marchese Campana
ließ die Statue durch den geschickten, aber rücksichtslosen Restaurator Gnaccherini ergänzen; mit seinen übrigen Skulpturen ward sie 1861 für St. Petersburg erworben. Sie
stellt einen sitzenden Mann dar, halb vom Mantel bedeckt, der sich mit der Rechten auf
seinen kissenbedeckten Sitz stützt. Neu sind nach einer genauen Untersuchung Kiese-
ritzkys der r. Unterarm, der halbe l. Unterarm nebst Hand und Rolle, der Gewand-
bausch unter letzterer und einige Gewandfalten, die Vorderseite der Basis mit dem
l. Fuß und den Zehen des r. Entgegen der Angabe Guédéonows und in Übereinstimmung
mit meinen eigenen römischen Aufzeichnungen erklärt Kieseritzky den Kopf für nicht
zugehörig; außer Kopf und Hals seien an der Statue auch die nächstliegenden Teile von
Brust und Schultern ausgebrochen; um diese Lücken auszufüllen, habe der Ergänzer
den Hals der zu Hilfe genommenen Demosthenesbüste nach unten hin kegelförmig

übermäßig verlängert und dann aus dem übrigbleibenden Marmor den Anschluß an die Bruchflächen hergestellt. Über den Kopf s. unten II t. Carrarischer (nicht pentelischer) Marmor. Gute römische Arbeit. H. 1,63 m.

H *Petworth 19,* im Besitz Lord Leconfields. Abg. Spec. of ancient sculpt. II Taf. 7. 8. Clarac V 840 C, 2143. Vgl. Conze, Arch. Zeit. 1864, 238*. Michaelis, Anc. M. in Gr. Brit. S. 607f. [M. Wyndham, Cat. of the Collection . . . of Lord Leconfield (1915) 36 Nr. 19 Taf. 19.] – Die Statue stammt aus dem Palast Barberini in Rom, in dessen Inventar vom J. 1738 sie als „una statua a sedere, più grande del naturale, con una spalla ed un braccio nudo, senza testa e braccio manco, alta pal. 5 on. 8" beschrieben wird (Docum. ined. IV 57, no. 65 des Magazins). Durch den englischen Architekten Matthew Brettingham ward die Statue um 1760, vermutlich durch Vermittlung Gavin Hamiltons, für den Earl of Egremont erworben und kam so in die Skulpturengalerie des Schlosses zu Petworth, und zwar an den schadhaften Stellen ergänzt und besonders durch einen Kopf bereichert, der zu dem ältlichen Körper des sitzenden Mannes gut paßt und von Conze und Bernoulli für einen Demostheneskopf gehalten wird, während Dallaway (Anecdotes S. 278), der Text der Specimens und Clarac sich mit Feststellung des Portraitcharakters begnügen. In der Tat stimmt der Kopf nur in einigen allgemeinen Zügen mit denen des Demosthenes überein, während alle charakteristischen Einzelheiten abweichen (s. Anc. M. a. a. O.). Pentelischer Marmor. H. 1,48 m.

J *Mantua 637.* Abg. Labus, Mus. di Mant. III Taf. 49, 1; Clarac V 840 A, 2099 B. Vgl. Dütschke, Ant. Bildw. in Oberitalien IV 281. Die sitzende Statue mit anscheinend nicht zugehörigem Kopf ist ohne jeglichen Grund für einen Demosthenes erklärt worden, s. Conze, Arch. Zeit. 1867, 107*. Dütschke a. a. O.

K *Köln,* bei Herrn *de Noel.* Eine Statue des Demosthenes in diesem Besitz erwähnt Welcker, Akad. Kunstmus.[2] S. 95 ohne nähere Angabe. Es ist nicht gelungen, näheres darüber zu ermitteln; sollte nicht ein Mißverständnis zu Grunde liegen? etwa eine Verwechslung mit einer Nachbildung?

II. Büsten und Köpfe

a' *Aranjuez, Casa del Labrador no. 8.* Abg. Middleton, Historia de la vida de Ciceron trad. por Azara II Taf. 1; vgl. Fea, Storia II 254 Anm. E. Hübner, Ant. Bildw. in Madrid S. 20f. (undeutlich durch Vermischung von *a'* und *k*). 102 no. 152. [Richter II 221 Nr. 9*; D. Hertel, MM 26, 1985, 241 Nr. 16 Taf. 58b.] – Die Büste, von sehr mittelmäßiger Arbeit, stammt aus Azáras Sammlung, also aus Italien. Neu: ein Stück hinten am Schädel, die Nasenspitze, das Bruststück mit der Inschrift ΔΕΜΟΣΘΕΜΗΣ. Die Echtheit des Kopfes erschien Bernoulli zweifelhaft. Grober grauer Marmor. H. 0,48 m.

a *Arolsen 5.* Vgl. Gädechens, Antiken des Mus. zu Arolsen S. 23. [Z. Z. verschollen; Richter II 220 Nr. 38.] – Kopf aus grobkörnigem graulichem Marmor, aus Italien, angeblich aus Pompeii (Wieseler, Rheinl. Jahrb. V 350). Neu: Nase und Büste. H. 0,54 m.

b *Athen, Centralmuseum* (früher im Schloßgarten). Abg. Pappadópulos a. a. O., Tafel; L. Mitchell, Hist. of anc. sculpture S. 548. Vgl. Pappadópulos S. 17ff. Michaelis, Arch. Zeit. 1861, 177* no. 7. [Richter II 220 Nr. 41 Abb. 1489–1490.] – Der Kopf ward zusammen mit anderen Marmoren 1849 im östlichen Teile des Schloßgartens gefunden. Er ist am Halse gebrochen, an der l. Backe verstoßen, die Nase fehlt. Der Hinterkopf ist wenig ausgearbeitet, im Gesicht sind die Runzeln stark betont. Die Arbeit wird von Pappadópulos, der den Kopf für den besten aller erhaltenen erklärt, stark überschätzt. Pentelischer Marmor. H. 0,28 m.

c　*Berlin 302.* Abg. Krüger, Antiq. dans la coll. du roi de Prusse I Taf. 5. Vgl. Gerhard, Berlins ant. Bildw., 1836, S. 134 no. 401. Verz. der Bildhauerwerke, 1861, S. 26 no. 98. Conze, Verz. der ant. Skulpt., 1885, S. 61 no. 302. [Richter II 219 Nr. 34; A Br. 138.] – Aus der in Italien gebildeten Sammlung Natali (nicht Polignac oder Borgia). Neu: Nase, Hinterkopf, Hermenbruststück. Gewöhnliche römische Arbeit. Griechischer Marmor. H. 0,44 m.

d　*Berlin 303.* Vgl. Gerhard, Berlins ant. Bildw. S. 128 no. 368. Verz. S. 178 no. 765 ('Philosoph'). Conze S. 61 no. 303. [Richter II 220 Nr. 35 Abb. 1478.] – Aus der 1750 in Italien gebildeten Baireuther Sammlung. Neu: Nase, Unterteil des Bartes, Büste. Geringe Arbeit. Marmor. H. 0,49 m.

e　*Brocklesby 18,* in der Sammlung Lord Yarboroughs. Vgl. Conze, Arch. Zeit. 1864, 215 * f. Michaelis, Anc. M. in Gr. Brit. S. 230. [Richter II 219 Nr. 28 Abb. 1458–1460.] – Aus der Sammlung Worsley, vermutlich aus Italien. Neu: Nase, Stück der Oberlippe und des r. Ohres; das l. Ohr verletzt. Marmor. Natürl. Größe.

f　*Canosa?* Vgl. Avellino a. a. O. Minervini a. a. O. E. Braun a. a. O. [Z. Z. verschollen; Richter II 218 Nr. 16.] – Die Büste, in Canosa gefunden, war im Besitz des 1837 verstorbenen Erzbischofs Rossi. Die Nase, die schon in alter Zeit einmal ergänzt worden war, fehlt. Die l. Schulter ist mit dem Mantel bedeckt. Auf der Brust steht der verunglückte Trimeter ΘΕωΙ. ΑΘΑΝΑ | ΔΥΝΑΜΙΟC | ΔΑΜΟCΘΕΝΗΝ (CIGr. 5875, vgl. Welcker, NRhein. Mus. III 274 f.; nicht bei Kaibel). 'Assai buon lavoro.' Marmor? Natürl. Größe.

f'　*Florenz, Uffizien 20* (Treppenhaus). Vgl. Dütschke, Ant. Bildw. in Oberit. III 5. [Richter II 218 Nr. 19 Abb. 1434.] – Kopf mit abgebrochener Nasenspitze und ergänzter Büste. In dem finsteren Blick und den etwas zusammengezogenen Brauen findet Dütschke eine entfernte Ähnlichkeit mit Demosthenes; nach Bernoulli 'vielleicht ein verfehlter Demosthenes'. Feinkörniger Marmor. Natürl. Größe (Gesichtslänge 0,21 m).

g　*Florenz, Uffizien 306* (Saal der Inschriften). Vgl. Dütschke III 101 no. 306. [Richter II 218 Nr. 17 Abb. 1432.] – Kopf, hie und da bestoßen. Neu: Nase, fast die ganze Oberlippe mit dem Schnurrbart, Ohren, Brauen und Pupillen angegeben. Pentelischer Marmor. Natürl. Größe.

h　*Florenz, Uffizien 394* (Saal der Inschriften). Vgl. Dütschke III 190 no. 394. Wieseler, Gött. Nachr. 1874 S. 563 ('nicht eben bedeutend'). [Richter II 218 Nr. 18 Abb. 1433.] – Erhalten ist nur die r. Seite des Gesichts nebst dem Halse. Neu: Nase, Augenknochen, Kinn, Teil des r. Ohres, Rand der Büste. In ein Reliefmedaillon eingelassen. Gute Arbeit. Marmor. Natürl. Größe.

h'　*London, Brit. Museum, Roman Gallery 55* (im Guide to the Graeco-Rom. Sculpt. mit no. 56 verwechselt). Abg. Anc. Marbles XI Taf. 20. Ellis, Townley Gallery II 12. Vaux, Handbook to the Brit. Mus. S. 202. Vgl. Friederichs–Wolters, Bausteine no. 1314. [Richter II 221 Nr. 2*.] – Im Jahre 1818 für das Museum erworben. Büste mit ungebrochenem Bruststück. Neu: Nase mit der Nasenwurzel und einem Stückchen Schnurrbart, Flicken am r. Ohr. Gute Arbeit. Parischer Marmor. H. 0,50 m. (Nach Mitteilungen von Wolters.)

j   *London, Brit. Museum, Roman Gallery 56* (im Guide mit no. 55 verwechselt). [Richter II 219 Nr. 26 Abb. 1453–1455.] – Kopf, nach Wolters anscheinend zwiefach ergänzt. Neu: die Hermenbüste bis zur Halsgrube, ein Stück hinten am Halse, an dessen oberem Ende der Kopf nochmals gebrochen ist, Nase (Spitze besonders ergänzt), Rand des r. Ohres, fast das ganze l. Ohr; ein eingesetztes Stück der l. Backe kann antik sein. Streifiger Marmor. H. 0,45 m.

k   *Madrid 153.* Vgl. Hübner, Ant. Bildw. in Madrid S. 102. [Richter II 220 Nr. 40 Abb. 1482–1484.] – Vielleicht aus Azáras Besitz (Hübner S. 20 f., vgl. oben zu a′). Kopf, nach Hübner gut ausgeführt, nach Bernoulli verwaschen. Neu: Nase, Oberlippe, Ohren, Hermenbüste. Grauer Marmor. H. 0,59 m.

l   *München, Glyptothek 149* (Heroensaal). Abg. Baumeister, Denkm. des klass. Alt. I 426. Vgl. Brunn, Glyptothek[4] S. 200. Friederichs–Wolters, Bausteine no. 1313. [Richter II 220 Nr. 36 Abb. 1476–1477. 1481.] – Der Kopf mit gebrochenem, aber vollständig erhaltenem Hermenschaft ward 1825 im Circus des Maxentius am westlichen Ende der Carceres gefunden (Nibby, Del circo volgarmente detto di Caracalla, Rom 1825, S. 45 f.) und 1828 vom Veranstalter jener Ausgrabung, Torlonia, durch M. Wagners Vermittlung für König Ludwig erworben (Urlichs, Glyptothek S. 100). Neu: die Nase, die nach Nibby schon im Altertum einmal ergänzt worden war, und ein Teil der Unterlippe. Nicht sehr feine, aber tüchtige Arbeit (so Brunn; Nibby: buonissimo stile, Wagner: Arbeit mittelmäßig). Pentelischer Marmor. H. 1,89 m.

m   *Neapel* [Taf. 109]. Abg. Winckelmann, Sendschr. S. 96 (Werke II Taf. 2); Antich. di Ercol. V Taf. 11. 12. Piroli, Antiq. d'Herculanum IV Taf. 13. Demosthenis or. adv. Leptinem ed. F. A. Wolf, Halle 1789, Titelkupfer. Roux und Barré, Hercul. et Pompéi VII Taf. 6, 2. Schröder a. a. O. Taf. 2, 1; Visconti, Iconogr. Gr. I Taf. 30 (29ª), 3; Comparetti und de Petra, La Villa Ercolanese Taf. 12, 4. Vgl. Winckelmann a. a. O. S. 37 (II 55), und an Bianconi bei Fea, Storia III 227 (Werke II 275). Antichità V 51 f. Visconti a. a. O. S. 139 (358) f. De Petra a. a. O. S. 262 no. 11. [Richter II 217 Nr. 12 Abb. 1438–1440.] – Die kleine Büste, auf einer runden schachtelförmigen Basis, mit Brustabschnitt und Mantelstück über der l. Schulter, ward am 3. November 1753 in der durch die Papyri berühmten Villa zu Herculaneum gefunden. Sie ist vollkommen erhalten. Auf der Brust die anfangs übersehene Inschrift ΔΗΜΟCΘΕΝΗC (CIGr. 6036). Erz. H. 0,20 m ohne die Basis.

n   *Neapel.* Abg. Antich. di Ercol. V Taf. 13. 14. Piroli IV Taf. 14. Roux und Barré VII Taf. 6, 1. Schröder a. a. O. Taf. 2, 2; Comparetti und de Petra Taf. 12, 1. Vgl. Winckelmann, Sendschr. S. 37 (Werke II 55). Antich. V. 57 f. De Petra S. 257 ff. 262 no. 12. [Richter II 218 Nr. 13 Abb. 1441–1443.] – Die Büste, vollkommen erhalten, ward im September 1752 in derselben herculanensischen Villa wie *m* gefunden; sie ist größer und besser ausgeführt als diese. Erz. H. 0,285 ohne die Basis.

n′   *Neapel* (Zimmer des Atlas). Abg. Comparetti und de Petra Taf. 22, 2. Vgl. Gerhard, Neapels ant. Bildw. S. 101 no. 345. Finati, R. Mus. Borbon.[2] S. 304 no. 418. De Petra S. 275 no. 70. [Richter II 221 Nr. 6*.] – Hermenbüste, am 9. Nov. 1757 in Herculaneum in der gleichen Villa wie *m* und *n* gefunden (s. Weber bei de Petra S. 196; nach Gerhard angeblich im herculanensischen Theater). Schöner Kopf, an der Oberfläche stark vom Feuer beschädigt. Griechischer Marmor. H. 0,51 m.

o   *Neapel.* Vgl. Minervini, Bull. archeol. Napolet. I 95. [Z. Z. verschollen; Richter II 218 Nr. 14.] – Büste, 1842 in Pompeii gefunden, nicht näher bekannt. In den Ausgrabungs-berichten wird sie nicht erwähnt. Nicht üble Arbeit. Marmor. Natürl. Größe.

p   *Neapel.* Abg. Comparetti und de Petra, Villa Ercol. Taf. 3, 2. Vgl. Mau, Bull. d. Inst. 1879, 95. Comparetti S. 34. [Richter II 218 Nr. 15 Abb. 1428.] – Kleine Hermenbüste ohne Hinterkopf, hinten abgeplattet, im Juli 1878 in einem pompeianischen Hause (IX 5, 6) gefunden. Sehr geringe Arbeit. Marmor.

q   *Paris, Louvre 92* (Salle de la Paix). Abg. Clarac VI 1079, 2099 A. [Richter II 218 Nr. 21 Abb. 1435.] – Kopf der Statue *F.* Neu: Nase, l. Ohr. Von gewöhnlicher, nicht sorgfältiger Arbeit, jedoch nicht ohne lebendigen Ausdruck.

r   *Paris, Louvre 201* (Salle de Diane). Abg. Visconti, Iconogr. Gr. I Taf. 29, 1. 2. Schröder a. a. O. Taf. 2, 9. Schäfer, Demosthenes I[2] Titelkupfer; Piroli, Mus. Napoléon II Taf. 76; Bouillon II Taf. 71, 2; Clarac VI 1026, 2930*. 1078, 2930*. Vgl. Visconti, Op. var. IV 381 no. 181. [Richter II 218 Nr. 22 Abb. 1444–1446.] – Die Büste, früher in Villa Albani (Morcelli, Indic. antiq., Rom 1785, no. 621), kam mit der übrigen Kriegsbeute nach Paris. Vortrefflicher Kopf, der in den Einzelformen hie und da etwas gelitten hat. Neu: Nasen-spitze. Pentelischer Marmor. H. 0,44 m.

s   *Paris, Louvre 690* (Salle des Caryatides). Abg. Bouillon III, bustes Taf. 4, 5; Clarac VI 1078, 2930 A. [Richter II 219 Nr. 24 Abb. 1450–1452.] – Kopf auf moderner Hermen-büste. Neu: Nase, Mund, l. Ohr. Trockene Arbeit. Parischer Marmor. H. 0,45 m.

t   *St. Petersburg, Ermitage 197.* Kopf der Statue *G,* nach Kieseritzky aus dem Rest einer Statue oder einer Büste für die Ergänzung jener Statue hergerichtet. Neu: untere Hälfte der Nase, r. Braue; der Rand der Ohren ist abgestoßen. Leidliche römische Arbeit. Car-rarischer Marmor. [Richter II 220 Nr. 39 Abb. 1473–1475.]

t′   *Rokeby Hall 16?* Vgl. Michaelis, Anc. M. in Gr. Brit. S. 648. Die nur bei Volkmann, Neueste Reisen durch England IV 101 erwähnte Büste ist weder von Matz noch von mir bemerkt worden. Man kann zweifeln, ob in Volkmanns Quelle der betreffenden Büste der Name mit Recht gegeben war.

t″   *Rom, Villa Albani 739* (Halbrund vor dem Kaffeehause). Der Hermenkopf, der in Mor-cellis, Indic. antiq., 1785, unter no. 493 als Demosthenes aufgeführt wird, hat in Feas, Indic. antiq., 1803, no. 465 nur noch „qualche somiglianza di Demostene" behalten und ist bei P. E. Visconti, Villa Albani, 1869, no. 739 vollends zu einem „Incognito" herab-gesunken. [Richter II 221 Nr. 4*.] Carrarischer Marmor. Natürl. Größe.

u   *Rom, Kapitol, Stanza dei filosofi 31.* Abg. Mus. Capitol. I Taf. 36. Schröder a. a. O. Taf. 2, 6; Righetti, Campidoglio I Taf. 39. Vgl. Visconti, Mus. PCl. VI 176 Anm. Platner, Beschr. d. St. Rom III 1, 218. Nuova descr. del Mus. Capitol., 1882, S. 209. [Richter II 217 Nr. 4 Abb. 1416–1418.] – Hermenkopf, vermutlich aus der berühmten Büstensamm-lung Al. Albanis stammend. Neu: Teil des Hinterkopfes, r. Braue, ein Stück der Nase, das Hermenbruststück. Carrarischer Marmor. H. 0,51 m.

u′   *Rom, Kapitol, Stanza dei filosofi 32.* Abg. Mus. Capitol. I Taf. 37; Righetti, Campid. I Taf. 71. Vgl. Visconti, Platner und die Nuova descr. a. a. O. [Richter II 221 Nr. 3*.] – Her-menkopf mit Gewand auf der l. Schulter, von Visconti (Mus. PCl. VI 176) für Demosthe-nes erklärt. Nach Bernoulli, wenn überhaupt ein Demosthenes, gänzlich verfehlt; nach der Nuova descr. sicher kein Demosthenes, da alles verschieden sei. Ihr stimmt auch Benndorf bei, wie schon früher Schröder a. a. O. S. 15 sich gegen Visconti ausgesprochen hatte. Neu: Teil der Nase, Bruststück und großer Teil des Halses. Carrarischer Marmor. H. 0,49 m.

u″   *Rom, Farnesina?* Im Inventar von 1775 (Docum. ined. III 195) wird ein Kopf des Demosthenes, 3 Palmen hoch, angeführt, über dessen Verbleib nichts bekannt ist; in Neapel scheint er, sofern die Bezeichnung richtig war (was allerdings für jene Zeit keineswegs mit Sicherheit anzunehmen ist), nicht zu sein.

v   *Rom, Villa Ludovisi 5.* Vgl. Schreiber, Bildw. der Villa Lud. S. 45. [Richter II 217 Nr. 5 Abb. 1431.] – Kopf, in eine fremde Panzerbüste eingelassen und stark überarbeitet. Neu: Nase; Ohren und Haarlocken bestoßen. Nach Bernoulli ist der Oberteil des Gesichtes wenig demosthenisch, doch sei der Redner gemeint. Italischer Marmor. H. 0,65 m.

v′   *Rom, Museum Torlonia 29.* Abg. in einer photolithogr. Publikation über das Museum (nicht im Buchhandel), mit Text von C. L. Visconti S. 19. Vgl. P. E. Visconti, Mus. Torl., 1883, S. 14 no. 29. Benndorf, Röm. Mitt. 1886, 113. [Richter II 221 Nr. 5*.] – Kopf, an der Via Appia gefunden, von strengem Ausdruck, nach Benndorf im Untergesicht stark an Demosthenes erinnernd, so daß er den Kopf für eine späte verballhornte Kopie hält. Neu: Nase, l. Ohr, Hermenbüste. Leidliche Arbeit. Carrarischer Marmor. H. 0,33 m.

w   *Rom, Vatikan, Mus. Chiaramonti 422.* Abg. Pistolesi, Vaticano IV Taf. 44. [Richter II 217 Nr. 3 Abb. 1410–1412.] – Büste aus der Sammlung Barberini, auf ungebrochenem Bruststück samt ovaler Basis; ein Stück Mantel auf der l. Schulter. Nach Benndorf in allem genau mit *B* übereinstimmend. Neu: Nasenspitze. Weißer geglätteter Marmor. H. 0,52 m einschließlich der Basis.

x   *Rom, Vatikan, Mus. Pio Clementino 505 (Sala delle Muse).* Abg. Visconti, Mus. PClem. VI Taf. 37. Schröder Taf. 2, 7. Vgl. Visconti a. a. O. S. 176. [Richter II 217 Nr. 2 Abb. 1430.] – Hermenbüste, durch Pius VI. erworben. Neu: Nase und Büste; das r. Ohrläppchen fehlt. Gute Arbeit. Griechischer Marmor. Kopfhöhe einschließlich Bart 0,27 m.

y   *Rom, Vatikan, Galleria geografica.* Abg. Pistolesi, Vatic. VI Taf. 104, 1 (Namen verwechselt). Vgl. Gerhard, Beschr. d. Stadt Rom II 2, 281 no. 39. [Richter II 221 Nr. 1*.] – Der Kopf ist auf eine Hermenbüste von Gips gesetzt. Pupillen vertieft. Nach Benndorf und Bernoulli ist an der Deutung nicht zu zweifeln, doch erscheint infolge schlechter Ausführung alles verändert und vergröbert. Geringer grauer Marmor. Kopfhöhe 0,22 m.

z   *Turin, Museo di antichità 157.* Vgl. Heydemann, Mitteil. aus den Antikens. in Italien S. 40 no. 17. Dütschke, Ant. Bildw. in Oberit. IV 87 f. [Richter II 218 Nr. 20 Abb. 1429.] – Büste; neu: Nase, l. Schulter. Schlecht erhalten. Nach Heydemann von mäßiger Arbeit, nach Bernoulli gut und von sicherer Deutung. Griechischer Marmor. H. 0,32 m.

III. Reliefs

α   *England?* Marmorrelief. Abg. Fea, Storia II 256. Schröder a. a. O. Taf. 1. 3. Schäfer, Demosthenes III[2] Titelkupfer. Vgl. Winckelmann, KG. 10, 1, 34 f. (Werke VI 1, 118 ff. mit Fernows Anmerkung VI 2, 226 Anm. 654). Visconti, Mus. PCl. III 64 f. Iconogr. Gr. I 355. [Jetzt Dublin, Trinity College; Richter II 222 Abb. 1513.] – In Franc. Ficoronis Aufzeichnungen bei Venuti, Roma antica, 1741, I 281 heißt es: „Nel 1747 fu trovato [in der

Villa Hadrians s. u.] un bassorilievo rappresentante Demostene, con una greca iscrizione, in marmo, che viddi appresso il Signor Francesco Palazzi Antiquario di nostro
Signore, amatore delle cose antiche" (vgl. Ficoroni, Gemmae ant. litter. ed. Galeottus,
1757, S. 129. Fea, Miscell. I, CXXXXVIII no. 60). Dies ist ohne Zweifel, trotz Fea, dasjenige Relief, das an den berühmten Dr. Mead in London verkauft ward und von dem
es in dessen Auktionskatalog, Museum Meadianum, London 1755, II 226 heißt: *Demosthenes, modice extans in tabula ex marmore albo, quae aliquot abhinc annis Romae inter
villae Hadriani rudera reperta est . . . Alt. pedem minus uncia, lat. bessem.* (Diese Maße
0,28 bez. 0,20 m, stimmen so ziemlich mit den von Fernow angegebenen, 1⅓ bez. 1
Palm, überein; Winckelmann gibt die Höhe auf ungefähr 2 Palmen an.) Auf der Auktion
Mead, März 1755, ward das Relief für 14 Guineas an einen Herrn White verkauft
(hdschr. Notiz in dem Exemplar des Mus. Mead. im Brit. Mus. 821. g. 1) und ist seitdem
verschollen; da derselbe Käufer aber damals auch einige antike Gemälde erwarb, die
neuerdings aus dem Besitz eines Nachkommen, Sir M. White Ridley, ins Britische
Museum gelangt sind, so ist die Möglichkeit nicht ausgeschlossen, daß auch das Relief noch
einmal aus dem Dunkel wieder auftaucht, obschon eine Anfrage bei dem genannten
Herrn einstweilen zu keinem Ergebnis geführt hat. Ein in Rom zurückgebliebener Abguß, der im Januar 1768 zum Vorschein kam (Winckelmanns Brief an Heyne 13. Jan.
1768), ward von Winckelmann für die neue Bearbeitung seiner Kunstgeschichte (Wien
1776, II 709 ff.) verwertet und von Fea a. a. O. abgebildet; sie hielten das Original
fälschlich für ein Tonrelief, was seitdem oft wiederholt worden ist (richtig Birch, Anc.
Marbles XI S. 36). Die von Winckelmann richtig gelesene Inschrift ΔΗΜΟΣΘΕΝΗΣ |
ΕΠΙΒΩΜΙΟΣ ist in Feas Kupfer falsch als ΔΗΜΩΣΘΕΝΗΣ usw. wiedergegeben
(CIGr. 6038).

β   *Rom, Villa Pamfili* [Taf. 108]. Abg. Visconti, Iconogr. Gr. I Taf. 30 (29ᵃ), 2. Schröder
a. a. O. Taf. 2, 5. Vgl. Visconti, Mus. PClem. VI 176f. Herausgeber von Winckelmanns
Werken VI 2, 226. Matz–Duhn, Ant. Bildw. in Rom III 80 no. 3610. [Richter II 217 Nr. 9
Abb. 1403–1404.] – Das Marmormedaillon wird bereits im Inventar der Kunstwerke der
Familie Pamfili-Aldobrandini vom J. 1709 als in der Gärtnerwohnung der Villa di Belre-
spiro befindlich erwähnt: »Due busti di marmo antico, ciascheduno di basso rilievo in un
tondo . . ., largo di diametro ogni tondo del marmo due palmi et un quarto" (Docum.
ined. III 180). Eingerahmtes Rund, darin die Büste von vorn in Hautrelief, mit dem
Mantel über der l. Schulter; über dieser im Felde eine Rolle mit dem leicht verschriebe-
nen Namen AH | MO | CΘE | NHC (CIGr. 6037). Neu: Nase. Arbeit gewöhnlich.
Durchm. ungef. 0,55 m.

γ   *Tarragona?* Abg. Th. Galläus, Illustrium imagines, Antw. 1598 (1606), Taf. 55. Demosth.
et Aeschinis opera ed. H. Wolf, Frankfurt 1604, vor der vita Demosth. Gronovius, Thes.
antiq. Gr. II Taf. 93. Bellori, Ill. philos. imag. Taf. 79. Schröder Taf. 1, a. Vgl. Winckelmann, Werke II 275. VI 1, 119. [Richter II 217 Nr. 10.] – Marmormedaillon. Nach J. Fabers
Text zu Galle S. 37 war es einige Jahre zuvor (abhinc annis aliquot) in Tarragona gefunden; Ant. Agustin (gest. 1586) hatte eine Zeichnung an Fulvio Orsini geschickt. Diese
liegt Galles Stich zu Grunde; er führt die Unterschrift „Marmor Tarracone, in praedio
suburbano". Seitdem ist der Marmor verschollen, bei Hübner (der S. 102 das Relief für
eine Büste hält) wird er nicht aufgeführt. Der Mantel auf der rechten Schulter beweist,
daß Galle diesen Stich ebenso wie die meisten seiner Sammlung ohne Spiegel, also im

Gegensinne gemacht hat; auf dem Original befand sich also die Schriftrolle über der linken, die Inschrift ΔΗΜΟ | CΘE | ΝΗC (CIGr. 6802) über der rechten Schulter.

IV. Geschnittene Steine

δ   *Rom, beim Fürsten von Piombino* (ludovisische Sammlung). Abg. Winckelmann, Mon. ined. S. 108; Bracci, Mem. d. ant. incisori II Taf. 69; Visconti, Iconogr. Gr. I 30 (29ª), 1. Schröder a. a. O. Taf. 2, 4; Abguß bei Cades, Impr. gemm. IV, B, 32. Vgl. Winckelmann a. a. O. S. XCI (Werke VII 219 f.). Fea, Storia II 332 Anm. 1 (hier wird zuerst die Deutung auf Demosthenes ausgesprochen, die aber Visconti, Mus. PCl. III 62 Anm. 2 für sich in Anspruch nimmt). Visconti a. a. O. S. 357. Op. var. II 124. 292 no. 419. 359 no. 52. Köhler, Ges. Schr. III 147. Brunn, Gesch. d. griech. Künstler II 486. 488. [Richter II 222 Nr. c Abb. 1504. 1506.] – Amethyst (nicht Karneol) mit sehr tief geschnittenem Brustbild des Demosthenes in Vorderansicht, mit dem Mantel auf der r. (im Abguß l.) Schulter. Im Felde steht in sehr kleinen, halbverloschenen Buchstaben die Künstlerinschrift ΔΙΟCΚΟΥΡΙΔΟΥ. Die Echtheit ist durch Brunn festgestellt. Die Arbeit ist vortrefflich, wenn auch ein wenig härter als an einigen anderen Steinen desselben Meisters. Größe 0,020 × 0,014 m.

ε   *St. Petersburg.* Vgl. Köhler, Ges. Schr. III 147. [Richter II 223 Abb. 1508.] – Karneol aus der Sammlung Crozat, ohne Inschrift, von vortrefflicher Arbeit; die Züge stimmen mit denen der besten Marmorköpfe überein.

ζ   ? Abguß bei Cades, Impr. gemm. IV, B, 31. – Intaglio. Kopf des Demosthenes im Profil rechtshin, im Nacken eine Spur des Mantels. Größe 0,013 × 0,011 m.

η   ? Abguß bei Cades, Impr. gemm. IV, B, 33. – Intaglio. Ähnlicher Kopf, mit ungeschicktem Halse. Die Ähnlichkeit ist minder scharf ausgeprägt. Gr. 0,012 × 0,009 m.

ϑ   *Köln, Sammlung P. Leven.* Vgl. Fiedler, Rheinl. Jahrb., XIV 1849, S. 23 no. 48. [Richter II 223.] – Cammeo aus gefleckem Karneol. Kopf des Demosthenes mit ausdrucksvollen Zügen, hoher, etwas gefurchter Stirn und gebogener Nase; Augäpfel durch Linien angedeutet, weshalb Urlichs den sehr schön geschnittenen Stein für nicht antik hielt. Größe ungefähr 0,038 × 0,025 m.

Die älteste Erwähnung eines Bildnisses des *Demosthenes* findet sich bei Ulisse Aldrovandi[1], der im Jahre 1550 unter den 22 Hermenbüsten im Garten der Casa Cesi im Borgo auch einen *Demosthenes* zu verzeichnen fand. Ohne Zweifel war dies nur eine willkürliche Bezeichnung, denn weder der in Rom ansässige französische Kupferstecher und Kunstverleger Ant. Lafrérie, der 1569 eine Ikonographie herausgab[2] und dabei auch Büsten der Sammlung Cesi publizierte, noch Fulvio Orsini, der im folgenden Jahr bei demselben Verleger seine ›Imagines et elogia virorum illustrium‹ veröffentlichte, haben auf jenes angebliche Bildnis Rücksicht genommen, obschon keiner von beiden einen Ersatz dafür aufzuweisen hatte. Erst später erhielt Orsini, der die ikonographischen Studien bis an sein Lebensende eifrig fortsetzte, von seinem alten römischen Freunde, dem nunmehrigen Erzbischof von Tarragona Ant. Agustin, die Zeichnung eines in Tarragona zum Vorschein gekommenen Portrait-medaillons *(clipeus)* mit dem beigeschriebenen Namen des Demosthenes *(γ)*. Dieses Blatt ward demnächst mit den übrigen Schätzen der orsinischen Sammlung von dem Antwerpener Kupferstecher Th. Galle gestochen. Man war damals im Zweifel, ob der Feldherr oder der Redner Demosthenes gemeint sei; als Abbild des letzteren ward der Kopf vielfach nachgestochen, obschon dies unbärtige Gesicht mit einem der beiden Demosthenes so wenig gemein hat wie beispielsweise der Militär außer Dienst des Kölner Mosaiks mit Sophokles. Seltsam genug, daß ein echtes, ebenfalls mit Namensbeischrift versehenes Medaillon *(β)*, das etwa in der zweiten Hälfte des 17. Jh. entdeckt worden sein mag und seinen Weg in die vom Fürsten Camillo Pamfili damals erbaute Villa di Belrespiro gefunden hatte, in der Gärtnerwohnung jener Villa völlig unbeachtet blieb. Ja noch einmal wiederholte sich das gleiche Schicksal, als im Jahre 1737 in der Villa Hadrians ein höchst interessantes kleines Relief mit der inschriftlich beglaubigten Darstellung eines Δημοσθένης ἐπιβώμιος *(α)* zum Vorschein kam, aber alsbald auf dem Wege des Kunsthandels nach London in die Sammlung des königlichen Leibarztes Dr. Rich. Mead verschlagen ward, um nach dessen Tode (1753) völlig außer Sicht zu geraten.

Die Reliefdarstellungen schienen also nicht bestimmt zu sein, die Züge des Redners der Nachwelt bleibend zu überliefern. Ein günstigerer Stern leuchtete über der kleinen, ziemlich dürftigen Erzbüste *(m)*, die am 3. November 1753 in der durch die Papyri wie durch ihren außerordentlichen Reichtum an Statuen und Büsten berühmt gewordenen Villa in Herculaneum gefunden ward. Die Inschrift auf der Brust, die anfangs übersehen war, ward bald entdeckt, und damit war die richtige Deutung nicht bloß für eine im Jahr zuvor in derselben Villa entdeckte weit bessere Erzbüste *(n)*, sondern auch für verschiedene andere Köpfe gefunden, die bisher andere Namen, bald des Pythagoras, bald des Terenz, geführt hatten. Winckelmann, der in seinem Sendschreiben an den Reichsgrafen von Brühl (1762) den ersten Bericht über die Entdeckung gab, zog daraus sofort den Schluß, daß das Medaillon von Tarragona nicht denselben Mann darstellen könne. Die von ihm mitgeteilte mangelhafte Skizze ward fünf Jahre später durch die besseren Stiche beider Erzbüsten im ersten Bande der ›Bronzi di Ercolano‹ ersetzt. Eine Bestätigung der Benennung konnte Winckelmann noch kurz vor seinem Tode (1768) durch einen Abguß des Meadschen Reliefs gewinnen und für die neue Bearbeitung seiner Kunstgeschichte vormerken. Auf dieser Grundlage erkannte sodann der denkmälerkundige Fea (1783) den Redner nicht bloß in einigen weiteren Büsten *(a' x)*, sondern auch in den beiden Statuen *A B*. Morcelli (1785) wandte die Bezeichnung auf zwei Köpfe der Villa Albani an *(q t″)*. Schon früher hatte Visconti die gleichen Züge in einem schönen Amethyst des Dioskurides *(δ)*, den Winckelmann nicht erkannt hatte, wiedergefunden und machte später (1792) auf das pamfilische Medaillon *(β)* als neue Bestätigung aufmerksam. Fortan war es unmöglich, in altbekannten wie in neu auftauchenden Bildnissen die scharfgeschnittenen Züge des Redners zu verkennen, auch wenn keine Namensbeischrift, wie in der Büste von Canosa *(f)*, der Deutung zu Hilfe kam.

Nichtsdestoweniger gibt es eine Anzahl von Bildnissen, denen entweder der Name mit Unrecht beigelegt worden ist *(H J n' t" u' u"?)* oder bei denen die Deutung Zweifeln unterworfen ist *(f' h' η)*. Andrerseits sind auch Köpfe des *Demosthenes* zur Ergänzung kopfloser Statuen verwandt und dadurch einige Pseudodemosthenes geschaffen worden *(F G)*.

Weitaus die meisten der erhaltenen Skulpturen stammen aus Italien. Von manchen läßt sich der genauere Fundort innerhalb der Halbinsel nicht nachweisen *(c d e? f' g h k t z)*, doch wird man zumeist an Rom und Umgegend denken, wohin sich andere Exemplare mit Sicherheit oder Wahrscheinlichkeit zurückführen lassen *(Ba' l q r u u' v v' w x y β)*; das interessante Relief α ward unterhalb Tivoli in der Villa Hadrians gefunden. Besonders reich ist sonst Unteritalien vertreten. Campanien hat die Statue A, Herculaneum zwei *(mn)* und Pompeii zwei oder drei Büsten *(a? o p)* geliefert; auch Apulien hat die Büste *f* beigesteuert. Endlich ist sowohl im Westen Spanien durch das Relief von Tarraco *(γ)* wie im Osten Demosthenes' Heimat Athen durch einen guten Kopf *(b)* und den Rest einer Statuette *(D)*, schwerlich auch durch eine Statue *(B)*, vertreten. Es mag hier noch erwähnt werden, daß der smyrnaeische Sophist Polemon in dem berühmten Asklepieion zu Pergamon ein ehernes Bildnis des Demosthenes weihte[3]. Schon diese äußerliche Übersicht zeugt für das hohe Ansehen, das Demosthenes in der antiken Welt und namentlich in der späteren Zeit, der fast alle erhaltenen Exemplare angehören, in Italien genoß. Leider sind nur von sehr wenigen unter diesen genauere Fundnachrichten bekannt. Der vornehmsten Herkunft kann sich das Marmorrelief α rühmen, da es aus Hadrians Villa stammt. Die beiden herculanensischen Erzbüsten gehören verschiedenen Räumen jener prachtvollen Villa an, deren Besitzer – nach Comparetti bekanntlich L. Calpurnius Piso – durch seine Bibliothek als Freund epikureischer Philosophie bekannt ist. So stand denn auch die schöne Büste *n* im Tablinum zusammen mit einem Bildnis *Epikurs* und einer Anzahl idealer und Portraitbüsten[4], und die kleinere Büste mit der Inschrift *m* hatte in einem Nebenzimmer ähnliche Büsten *Epikurs, Hermarchs* und *Zenons* zur Gesellschaft[5]. Eine Marmorherme *(n')*, im Garten jener Villa gefunden, stellt dagegen schwerlich *Demosthenes* dar. Immerhin beweisen jene beiden Büsten, in Verbindung mit der stattlichen Statue des *Aeschines*, daß der reiche Besitzer der Villa auch ein Verehrer attischer Beredsamkeit war. Wiederum mit *Epikur* und mit dem unter *Senecas* Namen gehenden griechischen Dichter zusammen bildete die kleine Marmorherme *p* den bescheidenen Schmuck eines pompeianischen Hauses[6]. Hier sind also ein Redner, ein Philosoph und ein Dichter miteinander verbunden. Brutus hatte, wie uns Cicero[7] erzählt, in seiner tusculanischen Villa einer Bronzebüste des *Demosthenes* einen Ehrenplatz unter den Bildern seiner eigenen Ahnen eingeräumt. Aus einer Villa, unmittelbar vor den Mauern Athens, stammt wahrscheinlich auch der Kopf *b*, vielleicht der Überrest einer Statue[8]. In ganz andere Regionen aber führt die Hermenbüste *l*. Wenn sie am Ausgang der Schranken eines Circus Gefahr lief, unter die Füße der Rennpferde zu geraten, so

war vermutlich in der Hauptstadt die Bedeutung dieses Kopfes völlig in Vergessenheit geraten, während andrerseits im fernen Tarraco das alte Wort *pariunt desideria
et non traditos voltus* eine neue Anwendung fand und ein beliebiger Kopf zu der
Ehre kam, auf den berühmten Namen des alten Redners getauft zu werden.
Es läßt sich von vielen der erhaltenen Köpfe *(a' a b c d f' g h j k q s t v x)* wegen ihrer
mangelhaften Erhaltung nicht mehr sagen, ob sie Bruchstücke von Statuen oder
von Büsten sind, doch darf man wohl annehmen, daß von den meisten das letztere
gilt. In mehreren Exemplaren ist noch die ältere Form der Hermenbüste erhalten
(l n' p v'), während eine größere Zahl die spätere Form eines Statuenausschnittes,
einer προτομή, aufweist *(e? f h' m n o r w z)*. Besonders bemerkenswert ist die Tatsache, daß nicht allein den beiden Statuen *A B*, sondern auch nicht weniger als 22
Köpfen *(b c d e f g h j k l m n p q r s t u v w x z)*, zwei Reliefs *(α β)* und sämtlichen
Gemmen *(δ ε ζ η ϑ)* das gleiche Original zu Grunde liegt, wenn es auch durch die
verschiedene Geschicklichkeit oder durch Willkür der Kopisten in Nebendingen allerlei Abwandlungen erfahren hat. Von drei Köpfen *(a' a o)* ist Genaueres nicht bekannt;
zwei *(t' u'')* sind völlig verschollen, wenn sie überhaupt je existiert haben; bei einem *(v)*
ist das Obergesicht verunglückt, ohne daß doch der Charakter des Ganzen unkenntlich geworden wäre; zwei andre Köpfe *(v' y)* rühren von ungeschickten, alles entstellenden und vergröbernden Händen her, aber die Grundlage ist auch hier die gleiche.
Der Florentiner Kopf *f'* ist, wenn überhaupt ein Demosthenes, ein verfehltes Bildnis;
in noch höherem Grade gilt dies von der kapitolinischen Büste *u'*; bei der albanischen
Büste *t''* ist die Beziehung auf Demosthenes längst aufgegeben. Bei dem schönen
Neapler Kopf *n'* hat nur eine leise Ähnlichkeit im Munde die Benennung veranlaßt,
deren Unsicherheit denn auch von Gerhard nachdrücklich hervorgehoben wird,
indem er sagt, der Kopf 'stimme mit den sonst so unverkennbaren und wenig abweichenden Demosthenesköpfen keineswegs überein'; ein Blick auf den Lichtdruck bei
de Petra genügt, um die Grundlosigkeit der Benennung darzutun. Da auch der Kopf
der Petworther Statue *H* nur um einer entfernten Ähnlichkeit willen für Demosthenes gehalten worden ist, in Wirklichkeit aber nichts mit ihm zu tun hat, so bleibt nur
die eine Londoner Büste *h'* übrig, die von den sämtlichen übrigen Bildnissen in Haltung und Ausdruck abweicht. Der Kopf ist mehr gehoben, der Mund geöffnet, das
Ganze erregt, als ob ein kräftig zürnender Ausruf über die Lippen käme. Der Eindruck ist von dem der übrigen Köpfe so verschieden, daß Bernoulli geneigt ist, auch
diese Büste dem Redner abzusprechen. Doch sind die Grundzüge des Kopfes die
gleichen, und Wolters, der das Original auf meine Bitte eigens daraufhin von neuem
untersucht hat, hält die Identität durch die eigentümliche Stirnbildung, die Falten in
den Wangen, den Bart, die hohe Stirn, die Falten an den Augen und dem Halse für
gesichert. Somit scheint es, daß der Erfinder dieser Büste den durch die übrigen Exemplare überlieferten Typus zu Grunde gelegt, aber in eigentümlicher Weise umgewandelt und mit lebhaftem Pathos erfüllt hat. Die Ausnahme dient auch ihrerseits
dazu, den anderen Typus als Norm und Regel festzustellen.

Nur in einem Punkt herrscht eine erhebliche Verschiedenheit unter den erhaltenen Köpfen: die Nase ist bald derber und etwas gebogen, bald mehr lang und spitz. An weitaus den meisten Exemplaren ist freilich die Nase ganz oder zum größten Teil ergänzt; an *f l* war sogar schon in antiker Zeit eine Ergänzung der Nase notwendig geworden. Von *o* ist auch hierüber nichts bekannt; in *B a' f' t u w* ist nur ein Teil erhalten. Die beiden herculanensischen Erzbüsten *(m n)* zeigen den gebogenen Umriß, und namentlich hat die Form der Nase in der größeren und besser ausgeführten Büste *n*, die sich überhaupt durch kräftigere und breitere Formgebung unterscheidet, etwas Derbes. Das gebogene Profil kehrt auch, wenn auf die Abbildung Verlaß ist, auf dem Relief des Δημοσθένης ἐπιβώμιος *(a)* wieder, desgleichen in den Gemmen η ϑ. Dagegen ist die mehr gerade und lange Nase am bestimmtesten in der schönen albanischen Büste zu Paris *(r)* ausgeprägt, mit der die Gemme ζ am meisten übereinstimmt. Der geringe Kopf *p* hat eine noch spitzere Form mit stärker zurückgezogenen Nasenflügeln, und letzter Umstand ist auch an der schönen Gemme des Dioskurides (δ) bemerkbar, während die Profillinie hier wegen der starken Vertiefung und der gewählten Vorderansicht nicht deutlich zu verfolgen ist. Die Ergänzungen der verstümmelten Köpfe folgen meist der Pariser Büste, und in der Tat stimmt deren Nase vortrefflich mit den langen, schmalen, nach unten sich stark zuspitzenden Formen des ganzen Gesichtes überein. Ist nun aber auch in der Bildung der Nase eine Verschiedenheit unleugbar, so ist doch die Ähnlichkeit in allem übrigen so groß, daß wir an dem einen zu Grunde liegenden Original nicht zweifeln können. Die hohe, ziemlich breite, durchfurchte Stirn mit der starken Zusammenziehung über der Nase; das sehr tief liegende, schmale, von den deutlich charakterisierten Brauen beschattete Auge; die starken von den Nasenflügeln ausgehenden Falten; der für den Naturfehler des Demosthenes so charakteristische Mund mit der zurückgezogenen Unterlippe, die sich den Oberzähnen anschmiegt[9]; die runzelige Haut; das krause Haar, das die Form des Schädels nirgends verdeckt oder entstellt und über der hohen Stirn sich bereits gelichtet hat; der gleichfalls krause, kurz geschorene Bart, der das schmale Oval des Untergesichtes deutlich hervortreten läßt – dies alles sind Züge, welche bei sämtlichen Köpfen, auch dem im Ausdruck so abweichenden der Londoner Büste *h'*, wiederkehren und also nur dem gemeinsamen Original entstammen können.

Nicht wenige der erhaltenen Büsten *(f m n w)*, ferner das Marmorrelief *β*, die Gemme des Dioskurides (δ) und noch ein geschnittener Stein (ζ) zeigen die linke Schulter von einem Reste des Mantels bedeckt: ein deutlicher Beweis, daß es sich in der Tat um Nachbildungen eines statuarischen Vorbildes handelt. Dies aber ist uns ohne Zweifel noch erhalten in den Statuen *A B*, die sowohl im Kopftypus wie im Wurf des Gewandes ganz mit jenen Büsten übereinstimmen. Und nicht bloß das, sondern der eigentümlich herbe Ernst und die fast asketische Strenge der Züge finden ihre rechte Erklärung und Ergänzung erst in dem Gesamtcharakter dieses Standbildes. Es ist bezeichnend, daß sich jener Eindruck vermindert, wenn der

Kopf emporgerichtet erscheint (z. B. in *m n*), daß er bestimmter auftritt, wenn der Kopf, wie z. B. in *r* und *w*, die ihm gebührende, durch jene Statuen gesicherte Neigung aufweist.

Die Komposition des Standbildes ist die denkbar einfachste. Der Körper ruht auf dem linken Fuß, der rechte ist ziemlich weit seitwärts und ein wenig nach vorn gestellt. Die Fußstellung an sich kann an lysippische Motive, an die weite Beinstellung des *Apoxyomenos* erinnern, aber keine Spur ist vorhanden von jener elastischen Beweglichkeit, auf der die vielgerühmte Eleganz der lysippischen Statuen so wesentlich beruht, hier ist vielmehr alles geradlinig und steif. Die bei der gewählten Stellung notwendige Ausladung der linken Hüfte ist natürlich vorhanden, aber sie ist versteckt unter dem Mantelzipfel, der lang und schmal mit geraden Falten von der linken Schulter herabhängt; in *B* endigt er spitz, in *A* etwas breiter. Die gleiche Schmucklosigkeit herrscht in dem Mantel, der Leib und Beine verdeckt. Ein nicht eben schöner Bausch des gewundenen Mantelrandes zieht sich dicht unter der Brust als oberer Abschluß quer über den Leib; sonst ist alles auf das geringste Maß dessen beschränkt, was ein weicher Stoff an Falten zu leisten nicht umhin kann: ein paar steile Faltenzüge neben dem Standbein, eine bescheidene Zahl leicht geschwungener Falten ohne große Tiefen und ohne scharfe Höhen, von dem vorgesetzten Bein zur linken Hüfte sich emporziehend, wo jener ärmliche, von der Schulter herabfallende Mantelzipfel das Zusammentreffen der schrägen und der steilen Falten überdeckt. Alles ist möglichst einfach angeordnet, selbst der Stoff scheint knapp zugemessen. Es wäre unbillig, den lateranischen *Sophokles* zu vergleichen mit seiner vornehm freien Haltung, die in dem weiten Himation, dessen Falten allzumal in freiem reichen Zuge ausklingen, ihre wunderbar harmonische Ergänzung findet. Aber man blicke nur auf den *Aeschines* in Neapel, dessen Beinstellung der des *Demosthenes* sehr ähnlich ist. Während beim Sophokles, abgesehen von der Fülle des Stoffes, die lockere Rundung der Falten besonders dadurch bewirkt wird, daß diese sich vom Fuße des Standbeines zur Hüfte des vorgestellten Beines, also in der möglichst kurzen Entfernung emporziehen, haben beim Aeschines wie beim Demosthenes die Falten des Mantels die größtmögliche Entfernung vom vorgestellten Fuß bis zur zurücktretenden Hüfte zu durchmessen und strecken sich demgemäß zu geraden, straffen Zügen. Aber beim *Aeschines* ist alles im einzelnen schmuckvoller gestaltet. Der am linken Bein herabfallende Mantelrand endigt in gefälligem Zickzack; am Leibe wird das straffe Gefüge des Faltenwurfes durch ein paar losere Motive gelockert, und der Chiton schimmert in leichten Andeutungen durch den Mantel hindurch; der eingestützte linke Arm ruft ein reicheres Spiel mannigfaltiger Linien hervor, wenn auch weit zurückstehend hinter der freien Fülle der gleichen Partie am *Sophokles*; der rechte gebogene Arm im Mantel endlich und der über die linke Schulter zurückgeworfene Überschlag, in Verbindung mit der selbstbewußten Haltung des wohlgepflegten Hauptes, stehen in scharfem Gegensatz zu dem Oberkörper der Statue des Demosthenes. Kein Chiton verhüllt denselben, sondern in

dem rechten Winkel, den die beiden Hauptteile des Mantels bilden, tritt die nackte
Brust in der wenig erquicklichen Bildung des ältlichen Männerkörpers uns entgegen, ergänzt durch die mageren Arme, die in symmetrischer Haltung herabhängen,
um sich vor dem Leibe zu begegnen [vgl. besonders die neue Replik in Brüssel,
Taf. 114, 2]. Es ist nicht wohl möglich, die Einfachheit und Schmucklosigkeit, um
nicht zu sagen die Dürftigkeit äußerer Erscheinung schärfer zu charakterisieren, als
es hier geschehen ist.

Dieser Grundzug des Standbildes steht in vollkommenem Einklang mit dem Ausdruck des Gesichtes. Schon Visconti bemerkte, daß die Züge desselben wohl einen
starken Geist verrieten, aber wenig anziehend seien und nicht eben einen liebens-
würdigen Charakter versprächen. Wie dürfen wir das aber auch bei dem Manne erwarten, der nach Aeschines Ausspruch leichter weinte als andere lachen? Alles ist
ernst bis zum Finstern, alles herbe, voll Anspannung des Denkens und voll Energie
des Willens; keine Spur leichteren Wesens, flüssiger Gewandtheit mischt sich dazwi-
schen; eckig und hart wie die Züge erscheint auch der Charakter des Mannes. Die
Kämpfe, die Demosthenes sein ganzes Leben lang zu bestehen gehabt hat, gegen
die Unvollkommenheiten seiner eigenen Anlagen, gegen ungetreue Vormünder, gegen politische Gegner, gegen äußere Feinde, haben sich mit scharfen Zügen seinem
Gesichte aufgeprägt. Wir glauben in den trockenen, alles freien Schwunges baren
Zügen den verspotteten 'Wassertrinker', in dem mißgestalteten Mund den Mann,
der nur mühsam der Natur seine Redegewalt abgewann, in der gesenkten Kopfhaltung den Redner, der nie frei aus dem Stegreif, stets erst nach gründlicher Vorbereitung sprach, dann aber auch sich ganz in die Sache vertiefte, wiederzuerkennen; in
der ganzen unbeholfenen Stellung und in der steifen Haltung der Arme vermeinen
wir noch einen Anflug jener Schwierigkeiten zu erblicken, die einst der Jüngling hinsichtlich seines äußeren Auftretens zu überwinden hatte [10]. Vor allem aber ist in
dieser stahlharten Erscheinung jene niederschmetternde Gewalt patriotischer Überzeugung, jener unerbittliche Kampf gegen alle inneren und äußeren Feinde des
Vaterlandes ausgeprägt, die den Lebensinhalt des Demosthenes bilden. Vollkommen
passen auf diesen mageren gebrechlichen Körper und diese geistige Energie die
Worte des Epigramms, das die Athener unter sein Bildnis setzten [11]:

εἴπερ ἴσην ῥώμην γνώμῃ, Δημόσθενες, εἶχες,
    οὔποτ' ἂν Ἑλλήνων ἦρξεν Ἄρης Μακεδών.
[Wenn gleiche Macht wie Einsicht, Demosthenes, du besessen hättest,
    niemals beherrschte die Griechen der makedonische Ares.]

Den einzigen störenden oder wenigstens nicht ganz dazu passenden Zug in diesem
sonst so geschlossenen Bilde bildet die Rolle in den Händen, obschon E. Braun [12]
entschieden zu weit geht, wenn er diese Zutat für im höchsten Grade unpassend
und sinnlos erklärt. An sich ist eine Rolle in der Hand eines Redners schwerlich zu
verwerfen, es fragt sich nur, ob sie für unsere Statue paßt. Fea [13] erblickte in dieser

den Moment des Redens, ohne sich über die Rolle besonders auszusprechen, und bezog – unglücklich genug – die Haltung der Arme außerhalb des Mantels auf die von Aeschines bezeugte Gewohnheit der damaligen Redner [14]. Aber schon Nibby [15] erkannte, daß hier kein Reden dargestellt sei. Er glaubte Demosthenes vor sich zu sehen, wie er, ungeduldig das Ende von Aeschines langer Rede erwartend, mit finsterem Blick sich rüste, auf den Gegner loszustürzen, das Manuskript der Kranz-rede in der Hand. Für einen solchen Moment ist die Haltung zu ruhig, der Charak-ter zu allgemein. Mit mehr Schein dachten Visconti und Friederichs [16] an den Mo-ment des Meditierens, als einer für Demosthenes besonders charakteristischen Handlung. Bei einem Mann der rednerischen Tat, wie es Demosthenes in so hervor-ragender Weise war, will es mir jedoch nicht glücklich erscheinen, die mühsame Vor-bereitung (die doch nicht bloß eine Stärke, sondern auch eine Schwäche des Red-ners in sich schloß) und das Memorieren der bereits aufgeschriebenen Rede zum Ausgangspunkt der künstlerischen Auffassung zu machen. Ebenso ist mit dieser An-nahme der finstere Ernst der Züge und die ganze Geschlossenheit der Haltung nicht genügend erklärt. Schon die große Verschiedenheit der Deutungsversuche beweist, daß hier eine Unklarheit der Charakteristik liegt, daß die Rolle einen fremden Zug in die sonst so sprechende Gestalt hineinträgt.

Von einer anderen Seite her nahm der als feiner Kritiker wohlbewährte Künstler Martin Wagner [17] an den Händen mit der Rolle Anstoß. Er empfand gegenüber der vatikanischen Statue *B* etwas Verkehrtes und Gezwungenes in der Haltung der Hände, die im Verhältnis zur Richtung der Arme zu weit auseinandergezerrt seien, und schob dies darauf, daß der Ergänzer dem Redner die Rolle in die Hände gege-ben habe, die im Original nicht vorhanden gewesen sei. Wagner ging bei dieser An-nahme, in der ihm viele mit größerer oder geringerer Entschiedenheit gefolgt sind [18], von der Voraussetzung aus, daß auch in der Statue *A* die gleichen Teile er-gänzt seien. Dies ist aber nicht der Fall; der Schluß ist daher unabweislich, daß in der ganz übereinstimmenden Statue *B* der Ergänzer mit der Rolle das Rechte getroffen hat [19]. Die Rolle war hier schon im Jahre 1709, also lange vor der Entdek-kung von *A*, vorhanden, und es ist durchaus wahrscheinlich, daß die heutige Ergän-zung dieser Teile noch die alte aus der Villa Aldobrandini ist. Denn stammte sie erst aus neuerer Zeit, so würde sie sich enger an das Exemplar *A* angeschlossen haben. Statt dessen ist der von Wagner bei *B* genommene Anstoß bei *A* gar nicht vorhan-den: die Unterarme nähern sich einander mehr, die linke Hand setzt die Richtung des Armes einfach fort, und die rechte ist im Handgelenk nicht weiter nach außen gebogen, als es für das dort deutliche Motiv des Aufrollens des Blattes natürlich ist. Wagners Bemerkung war also wohl berechtigt, aber nur für das ergänzte Exemplar *B*, nicht für das diesem zu Grunde liegende Original, wie es treuer in *A* wiederge-geben ist. Diesem gegenüber bleibt nicht der einzelne formale Anstoß, wohl aber das oben dargelegte allgemeinere Bedenken bestehen, daß die Rolle sich in das Gesamtmotiv des Standbildes nicht fügt.

Dennoch hat Wagner den richtigen Weg zur Lösung der Schwierigkeit angedeutet, indem er von neuem auf die Statue des *Demosthenes* von Polyeuktos hinwies. Unter dem Archon Gorgias (Ol. 125,1 = 280/79) errichteten die Athener dem Demosthenes auf Antrag seines Neffen Demochares eine eherne Statue auf dem Markt, nahe dem Perischoinisma und dem Altar der zwölf Götter. Sie war ein Werk des Polyeuktos[20]. Plutarch erklärt anläßlich einer kürzlich vorgefallenen Begebenheit, daß die Statue die Finger so durcheinander geschlungen gehabt habe, daß ein Soldat eine kleine Summe Geldes in den gefalteten Händen habe verstecken können[21]. Dies Motiv zeigt in der Tat die kleine campanasche Tonstatuette *E*, doch ist ihre Echtheit so zweifelhaft, daß es geratener ist, sie ganz aus dem Spiel zu lassen, zumal da Wagners Aufsatz gar zu leicht dem Marchese Campana, der bekanntlich selbst eine bedeutende Terracottenfabrik besaß, den Anlaß zu einer Fälschung bieten konnte. Aber soviel ist offenbar, daß das Motiv der Polyeuktosstatue ohne jede sonstige Änderung an die Stelle der Rolle in *AB* gesetzt werden kann. So hatte denn auch Visconti anfänglich diese Statuen für Kopien nach Polyeuktos gehalten, war aber nachträglich durch die Rolle daran irre geworden[22]. Nach Wagners Aufsatz war man ziemlich allgemein dazu zurückgekehrt, bis die Erkenntnis der Echtheit der Rolle in dem Exemplar *A* neue Bedenken weckte. Mir erscheint es mehr als wahrscheinlich, daß Polyeuktos' Original in der Tat zu Grunde liegt, aber in den Kopien eine Umbildung erfahren hat[23]. Die gefalteten Hände, die O. Jahn[24] sehr glücklich unter Hinweis auf einen Ausdruck Christodors[25] als 'Boten heimlicher Pein' deutet, bezeichnen scharf die Grundstimmung des ganzen Bildes und bilden sozusagen den Schlußstein des festen Gefüges von Charakterzügen, die in der Statue Gestalt gewonnen haben. 'Am Grabe der griechischen Freiheit steht er da'; nicht sowohl 'seiner letzten Ehrenpflicht genügend, indem er die Leichenrede für die Gefallenen von Chäroneia hält'[26], als vielmehr versunken in finster brütendem Schmerz über den Untergang des Vaterlandes. Diese Auffassung lag nahe, als es 42 Jahre nach Demosthenes Tod galt, dem letzten unerschrockenen und unbeirrten Vertreter griechischer Freiheit ein öffentliches Denkmal zu setzen; sie war noch insbesondere vorgezeichnet durch Demochares Antrag, der nicht dem großen Redner, sondern ganz dem bis ans Ende standhaft ausharrenden Patrioten galt[27]. Auch jenes Epigramm, das die Athener auf die Basis des Standbildes setzten, preist nur den einsichtigen und energischen, wenn auch machtlosen Gegner Alexanders. Diese politische Seite des Demosthenes ist ja auch später niemals ganz vergessen worden, aber sie trat allmählich zurück hinter der literarischen Bedeutung des Mannes, namentlich für die gelehrten und rednerischen Kreise Roms, die in Demosthenes vor allem den ersten Redner aller Zeiten verehrten. Zu solcher Auffassung paßten die gefalteten Hände nicht mehr; an ihre Stelle trat das unmittelbar verständliche, von Philosophen und anderen Literaturgrößen her geläufige Attribut der Schriftrolle, die nur ganz im allgemeinen den Schriftsteller bezeichnen soll. Derselbe Gedanke findet in der Statue *B* eine weitere Ausführung durch die Bücherkapsel, die in der andern Statue *A*

durch eine formlose Marmorstütze ersetzt wird; hieraus ergibt sich vollends mit
Sicherheit, daß jenes Attribut in der ehernen Originalstatue fehlte und daher zur
genaueren Erklärung des Motivs nicht verwendbar ist.

Mit der Annahme, daß unsere Statuen eine nur geringe Variation des Standbildes
von Polyeuktos sind, stimmt auch der stilistische Charakter vollkommen überein.
Im Laufe des 4. Jh. hat das Porträt in der griechischen Kunst seine frühere ideale
Haltung aufgegeben. Bedeutende Meister wie Demetrios und Silanion haben naturalistische Wege eingeschlagen, begünstigt durch die aufkommende Sitte, Lebenden
Statuen zu errichten[28]; Lysippos Bruder Lysistratos zieht die Konsequenzen dieser
Richtung. So legen denn alle Porträts aus der Frühzeit der Diadochen und der Epigonen, wie die bekannten Statuen des *Aristoteles* und des *Aeschines,* des *Menandros*
und des *Posidippos,* die Bildnisse des *Epikuros* und des *Antiochos Soter,* in der Auffassung der äußeren Formen und der Wiedergabe derselben bis in zufällige Einzelheiten hinein von einem lebendigen Naturalismus Zeugnis ab. In diese Gruppe gehört auch unser *Demosthenes.* In der Liebe, mit der die Furchen der Stirn, die gerunzelten Brauen, die scharfen Züge um Nase und Mund, die welke Haut der Brust,
die mageren Arme wiedergegeben sind, spricht sich ein durch und durch moderner
Sinn aus, wie er eben jener Zeit eigen ist; ja der Künstler unserer Statue ist hierin
noch einen Schritt weiter gegangen als seine Genossen in den andern genannten
Werken. Aber es ist doch nicht allein die Freude an solchem naturalistischen Einzel-
werk, die Polyeuktos zu dieser Darstellungsweise gebracht hat. Ihm dienen alle
diese *argutiae operum* wesentlich mit dazu, um den Charakter seines Helden zu
lebendigem Ausdruck zu bringen; dieser durchgearbeitete, wetterzerfressene Kopf,
dieser magere Körper ist die passende Hülle für den harten strengen Geist, der
darin wohnt[29]. So natürlich uns für *Perikles* eine idealere, von allen Zufälligkeiten
des Äußeren absehende, nur das Grundwesen des Mannes betonende Darstellung
erscheint, ebenso angemessen ist für ein Charakterbild des *Demosthenes* jener realistische detailliertere Stil. Eine mehr im allgemeinen sich haltende Charakteristik
würde als Ergänzung einen minder dürftigen Körper, eine reichere Gewandung verlangen; damit wäre es aber nicht mehr der von Natur schwächliche, aber in Sturm
und Kampf gestählte und erprobte Patriot. Wir verstehen es völlig, daß dies Bild
auch den kommenden Geschlechtern zu 'dem Demosthenes' ward und kein anderer
Typus daneben aufkam; daß *Dioskurides* um Augustus Zeit eben diesen Kopf zur
Vorlage seiner Darstellung nahm; daß die griechischen Bildgießer der gleichen
Zeit, deren Werke die herculanensische Villa barg, wesentlich demselben Muster
folgen; daß man auch in den späteren römischen Zeiten, denen die erhaltenen Statuen und wohl alle erhaltenen Büsten entstammen, ebenfalls auf Polyeuktos Schöpfung zurückging, bis zu jenem späten Medaillon der Villa Pamfili. Nur in das ferne
Spanien war das Bild nicht gedrungen, und der Steinmetz, der in Tarraco für irgendeinen Freund literarischer Bildung den Rednerfürsten meißeln sollte, war auf seine
eigene Phantasie angewiesen.

Es ist eine müßige Frage, ob auch jene Statue zu den Kopien nach Polyeuktos gehörte, die uns Christodor im Anfang des 6. Jh. unter dem Bilderschmuck des Zeuxippos in Konstantinopel beschreibt[30]. Aus den Phrasen des rhetorischen Verseschmiedes läßt sich nicht entnehmen, wie die Statue aufgefaßt war; nur daß der Mann nicht in ruhiger Heiterkeit, sondern in erregbarem Sinn dargestellt war, geht daraus hervor. Dies genügt nicht zum Beweis der mehrfach ausgesprochenen Vermutung, Polyeuktos' Statue sei später vom athenischen Markt in die byzantinischen Thermen versetzt worden. Ja es ist überhaupt zweifelhaft, ob Christodoros irgend bestimmten Grund hatte, diese Statue für Demosthenes zu erklären, oder anders gewandt, ob die in Konstantinopel hergebrachte Benennung dieses Standbildes besser begründet war als die so vieler anderen Genossen im Zeuxippos[31].

Wie sehr der von Polyeuktos glücklich festgestellte Typus der Züge unseres Redners für normal galt, zeigt recht deutlich das Marmorrelief aus der Villa Hadrians *(a)*. In Formen und Ausdruck ist der Kopf wesentlich der gleiche, und auch die Magerkeit des Körpers ist beibehalten, obschon im übrigen alles verändert ist. *Demosthenes* ist hier sitzend dargestellt. Sitzbilder sind auch die Statuen *F G H J*, aber von diesen sind die beiden ersten nur durch den nicht zugehörigen Kopf zu *Demosthenes*-bildern gemacht, die beiden letzten ohne ausreichenden Grund für *Demosthenes* erklärt worden. In der Tat ist auch das Sitzen eine für einen Redner wenig angemessene, weil für seinen Beruf nicht charakteristische Darstellungsweise. Im Relief hat das Sitzen denn auch seinen besonderen Grund. *Demosthenes* sitzt auf einem Altar, den linken Arm auf dessen Rand gestützt, die rechte Hand auf das linke Knie gelegt. Der Mantel ist herabgeglitten und läßt den ganzen Oberkörper frei, nur am linken Oberarm klebt noch der Zipfel, der einst von der Schulter herabhing. Der linke Fuß ist vorgestellt, der rechte gegen die Stufe des Altars zurückgezogen. Gebeugten Hauptes sitzt der Greis da, in trübes Sinnen versunken; in der Linken hält er eine Rolle. Auch ohne die Inschrift Δημοσθένης ἐπιβώμιος würde es klar sein, daß wir hier die letzten Augenblicke des Redners vor uns haben. Der Geächtete ist zum Altar Poseidons in Kalaureia geflohen, nachdem die letzte Hoffnung auf ein Wiederaufleben griechischer Freiheit geschwunden ist; auch jetzt gehört sein düsteres Brüten ganz dem Schicksal des Vaterlandes[32]. Es ist dieselbe Grundstimmung wie in der Statue des Polyeuktos, nur spezieller motiviert. Dort erhalten wir das allgemeine Charakterbild des finster blickenden, aber noch immer gerade und fest dastehenden Patrioten, hier ist ein einzelner Moment aus dessen Leben zur Darstellung gewählt. Dort handelt es sich um eine öffentliche Ehrenstatue, von dem dankbaren Vaterlande gesetzt, hier um ein Relief geringen Umfanges und privaten Charakters, das vermutlich zum Schmucke einer Bibliothek oder eines sonstigen Zimmers bestimmt war. Das Relief hat gewissermaßen den Charakter einer Illustration; es ist daher auch wohl denkbar, daß mit der Rolle auf jene Erzählungen hingewiesen werden soll, nach denen Demosthenes in seinen letzten Augenblicken sei es ein Abschiedswort an die Seinigen, sei es einen Brief an den Sieger Antipatros, sei es gar jenes

Epigramm auf sich selbst niedergeschrieben haben soll[33]. Ein Schriftstück ist mit den anekdotenhaften Berichten von Demosthenes' Tod so eng verknüpft, daß es begreiflich erscheint, wenn der Erfinder unseres Reliefs auf diese Zutat nicht verzichten wollte. Die Annahme, das Relief möchte einer Statue in Kalaureia nachgebildet sein, schwebt ganz in der Luft, da wir wohl von dem dortigen Grabmal, nicht aber von einer Statue des Demosthenes in Kalaureia hören[34].

Nachträglich erhalte ich Kunde von folgender Bemerkung Schaefers in seinem Handexemplare der ersten Auflage:

η   'Ein Stein mit dem (jugendlichen) Kopf des *Demosthenes,* von welchem Rhusopulos mir einen Abdruck gab, trägt die Aufschrift ΔΕΞΑΜΕΝΟΣ ΕΠΟΙΕΙ.' Leider hat sich der Abdruck nicht vorgefunden. Von demselben Steinschneider sind drei vortreffliche Steine bekannt, zwei in St. Petersburg mit je einem Kranich (Compterendu de la comm. arch. 1861 Taf. 6, 10 ΔΕΞΑΜΕΝΟΣ | ΕΓΟΙΕΧΙΟΣ. 1865 Taf. 3, 40 ΔΕΞΑΜΕΝΟΣ) und einer im Besitz des Admirals Soteriades in Athen mit einem bärtigen nach links gewandten Porträtkopf (C.-R. 1868 Taf. 1, 12 ΔΕΞΑΜΕΝΟΣ | ΕΓΟΙΕ, vgl. Wieseler, arch. Bericht, Abh. d. Gött. Ges. XIX, 42 [hier S. 242. 257 Taf. 27, 1]). Danach gehört Dexamenos von Chios dem 4. Jh. an. Ein Bildnis des *Demosthenes* von einem Zeitgenossen, noch dazu aus der Jugendzeit des Redners, also von allen übrigen Bildnissen desselben völlig abweichend, hat etwas so Überraschendes, daß man die Nachricht nicht ohne Bedenken hinnehmen kann. Der Zweifel wächst dadurch, daß von diesem Stein meines Wissens niemals eine Kunde in die Öffentlichkeit gedrungen ist. Wenn es sich nicht um eine Fälschung handelt (die sicher echten Steine haben ΕΓΟΙΕ, nicht ΕΠΟΙΕΙ), so dürfte wenigstens die Beziehung des Porträts auf den jugendlichen, also noch kaum berühmten Demosthenes sehr zweifelhaft sein.

Der Vollständigkeit halber erwähne ich noch:

γ'   *Stockholm 189.* Vgl. Förtekning[3], 1848, no. 144. Wieseler, Philol. XXVII 231. [Richter II 221 Nr. 8*]. – Hermenstück mit der verdächtigen Inschrift ΔΗΜΟΣΘΕΝΗΣ; aufgesetzt ein bärtiger Kopf, der mit Demosthenes nichts zu tun hat.

Anmerkungen

* [Einige Versehen bei den Nummerverweisen wurden vom Herausgeber stillschweigend korrigiert.]
[1] Bei L. Mauro, Antich. di Roma, Ven. 1556, S. 124. Schreiber, Villa Ludovisi S. 45 vermutet Identität mit *v,* was aus dem im Text angeführten Grunde wenig wahrscheinlich ist.
[2] Inlustrium virorum expressi vultus, Rom 1569, mit einer Vorrede von Ach. Statius.
[3] Phrynichos S. 421 Lob. κατ' ὄναρ. Πολέμων ὁ Ἰωνικὸς σοφιστὴς Δημοσθένους τοῦ ῥήτορος εἰκόνα χαλκὴν ἐν Ἀσκληπιοῦ τοῦ ἐν Περγάμῳ τῇ Μυσίᾳ ἀναθεὶς ἐπέγραψεν ἐπίγραμμα τοιόνδε· Δημοσθένη Παιανιέα Πολέμων κατ' ὄναρ.

⁴ S. de Petra, Villa ercol. S. 293. Taf. 7, 3. 11, 1–4. 12, 3. 5.

⁵ S. ebd. S. 292. Taf. 12, 7–9.

⁶ S. Comparetti ebd. S. 34 f. Taf. 3, 2–4.

⁷ Or. 110 *Demosthenes quidem, cuius nuper inter imagines tuas ac tuorum, quod eum credo amares, cum ad te in Tusculanum venissem, imaginem ex aere vidi* usw.

⁸ Darauf führt der Umstand, daß an gleicher Stelle, dicht neben den Resten der Stadtmauer, zusammen mit dem Kopfe ein paar Grabdenkmäler gefunden wurden, s. Pappadópulos a. O. S. 18 Anm. 2.

⁹ Die von den Neapler Akademikern (V 57) zuerst bemerkte und seitdem oft wieder hervorgehobene Ähnlichkeit der Mundbildung mit derjenigen, durch die Michelangelo die 'schwere Sprache und die schwere Zunge' (2 Mos. 4, 10) an seinem Moses ausgedrückt hat, ist wohl im ganzen richtig, doch ist bei Moses die Oberlippe den unteren Zähnen angeschmiegt, so daß die Unterlippe vorspringt und das Profil des ganzen Untergesichts sehr geradlinig wird. Hierdurch entsteht ein gänzlich verschiedener Eindruck.

¹⁰ Vgl. A. Schäfer, Demosthenes und seine Zeit I S. 329 ff. 342.

¹¹ Plut. Dem. 30. LdXR. S. 347ᵃ u. ö. Vgl. Bergk, Poetae lyr. II⁴ 331 (³643). Benndorf, Bull. d. comm. arch. di Roma 1886, 21.

¹² Ruinen u. Museen Roms S. 238.

¹³ Storia III 458.

¹⁴ 1, 25 S. 52.

¹⁵ Mus. Chiaram. II S. 56.

¹⁶ Visconti, Mus. PCLem. III S. 63. Friederichs, Bausteine no. 513 (²1312).

¹⁷ Ann. d. Inst. 1836, 161.

¹⁸ O. Jahn, ZfdAW. 1844, 239. E. Braun, Ruin. u. Mus. S. 237 f. Brunn, Gesch. d. gr. Künstler I 399. Stahr, Torso I 522. J. Braun, Gesch. d. Kunst II 622. Bernoulli, Erh. Bildn. ber. Griechen, Basel 1877, S. 17.

¹⁹ Michaelis, Arch. Ztg. 1862, 239 f. Friederichs, Bausteine a. a. O. [Vgl. dagegen hier S. 141 ff.]

²⁰ LdXR. S. 847ᵃ [= Ps.-Plut., vit. X orat. Dem. 44] τὸ ἐπὶ τῆς εἰκόνος αὐτοῦ ἐλεγεῖον ἐπιγεγραμμένον ὑπὸ τῶν Ἀθηναίων ὕστερον, Εἴπερ – Μακεδών. κεῖται δ' ἡ εἰκὼν πλησίον τοῦ περισχοινίσματος καὶ τοῦ βωμοῦ τῶν ιβ' θεῶν, ὑπὸ Πολυεύκτου πεποιημένη. S. 847ᵈ χρόνῳ δ' ὕστερον Ἀθηναῖοι . . . αὐτῷ τετελευτηκότι τὴν εἰκόνα ἀνέθεσαν ἐν ἀγορᾷ ἐπὶ Γοργίου ἄρχοντος, αἰτησαμένου αὐτῷ τὰς δωρεὰς τοῦ ἀδελφιδοῦ Δημοχάρους. Phot. Bibl. 259 S. 494 f. Bk. Zosimos L. d. Dem. S. 140 R. εἰκόνα δ' αὐτοῦ ἔστησαν οἱ Ἀθηναῖοι ἐν τῷ Κεραμεικῷ χαλκῆν κτλ. Suid. Δημοσθένης: ψηφίζονται καὶ χαλκοῦν στῆσαι αὐτὸν ἐν ἀγορᾷ κτλ. Paus. 1, 8, 2 μετὰ δὲ τὰς εἰκόνας τῶν ἐπωνύμων ἐστὶν ἀγάλματα θεῶν . . . ἐνταῦθα Λυκοῦργός τε κεῖται . . . καὶ Καλλίας . . . ἔστι δὲ καὶ Δημοσθένης . . . τῆς δὲ τοῦ Δημοσθένους εἰκόνος πλησίον Ἄρεώς ἐστιν ἱερόν. Die ältere Meinung, daß im Leben der zehn Redner von zwei verschiedenen Statuen die Rede sei, und die auf einem Mißverständnis des Photios beruhende Annahme eines mit dem Schwert umgürteten Standbildes des Demosthenes im Prytaneion sind längst widerlegt, s. Schröder a. a. O. S. 5 ff.

²¹ Plut. Dem. 31 μικρὸν δὲ πρόσθεν ἢ παραβαλεῖν ἡμᾶς Ἀθήναζε λέγεταί τι τοιοῦτον συμβῆναι. στρατιώτης ἐπὶ κρίσιν τινὰ καλούμενος ὑφ' ἡγεμόνος ὅσον εἶχε χρυσίδιον εἰς τὰς χεῖρας ἀνέθηκε τοῦ ἀνδριάντος. ἕστηκε δὲ τοὺς δακτύλους συνέχων δι' ἀλλήλων, καὶ παραπέφυκεν οὐ μεγάλη πλάτανος κτλ.

[22] Iconogr. Gr. I 356.

[23] Vgl. Michaelis, Anc. Marbles in Gr. Brit. S. 418 f.

[24] ZfdAW. 1844, 238.

[25] Anth. Pal. 2, 253 εἱστήκει Κλυτίος μὲν ἀμήχανος ·εἶχε δὲ δοιὰς Χεῖρας ὁμοπλεκέας, κρυφίης κήρυκας ἀνίης. Über verwandte Motive vgl. E. Petersen, Kunst d. Pheidias S. 252 ff.

[26] Bernoulli a. a. O. [S. o. Anm. 19] S. 17.

[27] LdXR. S. 851[e]. Schäfer a. a. O. 396.

[28] Vgl. Michaelis in den Histor. u. philol. Aufsätzen E. Curtius gewidmet S. 112 ff. Zum Folgenden vgl. desselben Bildnisse des Thukydides S. 9 ff. [= hier S. 39 ff.].

[29] Vgl. C. Wachsmuth, Arch. Ztg. 1861, 210 über die Aristotelesstatue im Palast Spada.

[30] Anth. Pal. 2, 23 καὶ Παιανιέων δημηγόρος ἔπρεπε σάλπιγξ, Ῥήτρης εὐκελάδοιο πατὴρ σοφός, ὁ πρὶν Ἀθήναις Πειθοῦς θελξινόοιο νοήμονα πυρσὸν ἀνάψας. Ἀλλ' οὐκ ἠρεμέων διεφαίνετο, πυκνὰ δὲ βουλὴν Ἐστρώφα, πυκινὴν γὰρ ἐείδετο μῆτιν ἑλίσσειν, Οἷα κατ' εὐόπλων τεθοωμένος Ἠμαθιήων. Ἦ τάχα κεν κοτέων τροχαλὴν ἐφθέγγετο φωνήν, Ἄπνοον αὐδήεντα τιθεὶς τύπον· ἀλλά ἑ τέχνη Χαλκείης ἐπέδησεν ὑπὸ σφραγίδα σιωπῆς.

[31] Vgl. K. Lange, NRhein. Mus. 35, 110 ff. Fast könnte man versucht sein, eine Vertauschung anzunehmen und den Nachbar des angeblichen Demosthenes, der unter Aristoteles Namen geht, für Demosthenes zu halten, der dann neben Aeschines zu stehen käme: ἱστάμενος δὲ Χεῖρε περιπλέγδην συνεέργαθεν, οὐδ' ἐνὶ χαλκῷ Ἀφθόγγῳ φρένας εἶχεν ἀεργέας, ἀλλ' ἔτι βουλὴν Σκεπτομένῳ μὲν ἔικτο (V. 17 ff.). Aber das ganze Terrain, auf dem sich alle diese Nomenklaturen bewegen, ist allzu schlüpfrig.

[32] Der Verfasser des ›Museum Meadianum‹ dachte an den Augenblick des Todes nach genommenem Gift, richtiger Winckelmann an die dem letzten Entschluß vorhergehenden Erwägungen; ebenso Visconti, Mus. PClem. III 65. Auch der Ausdruck ἐπιβώμιος ist der letzteren Deutung günstiger.

[33] Plut. Dem. 29 f. LdXR. S. 847[a].

[34] Paus. 2, 33, 3 τοῦ περιβόλου δὲ ἐντὸς καὶ τὸ Δημοσθένους μνῆμά ἐστι. Vgl. Schröder a. a. O. S. 4. 12 f.

Archidamos

Von Paul Wolters

Unter den Kunstschätzen der großen Herculanischen Villa, welche Comparetti und De Petra in ihrem trefflichen Werke (›La villa Ercolanese‹) bequem und übersichtlich zusammengestellt haben, nehmen einen besonders breiten Raum die Porträts aus Marmor und Erz ein. Keiner, der die unvergleichlichen Galerien des Neapeler Museums mit einiger Aufmerksamkeit durchmustert, wird sich dem Eindruck verschließen können, daß der Anhänger des Epikur, welcher sich gegen Ende der römischen Republik[1] diese Villa einrichtete, eine erlauchte Gesellschaft von Schriftstellern, Heerführern und Königen in diesen Bildnissen um sich vereinigt hatte. Aber die berechtigte Neugier nach den Namen der Dargestellten wird nur in wenigen Fällen gestillt; nur die kleinen Bronzebüsten des *Epikur, Hermarch, Zenon, Demosthenes* sind inschriftlich bezeichnet. Das ist auffällig genug. Man sollte doch meinen, daß eine solche Porträtsammlung ohne erläuternde Unterschriften wenig Interesse geboten und daß der Besitzer selbst sich schwerlich auf sein gutes Gedächtnis allein verlassen habe. Daß die Bronzebüsten heute keine Inschriften mehr tragen, läßt sich leicht begreifen, auch wenn wir dieselben nicht an den Postamenten, sondern an den Büsten selbst voraussetzen, da die Bruststücke fast ausnahmslos moderne Ergänzung sind; schwieriger scheint es bei den Marmorbüsten, da bei diesen der Teil, welcher die Inschrift getragen haben müßte, durchgängig gut erhalten ist. Die Vermutung, zu welcher wir so gedrängt werden, diese vorausgesetzten Inschriften seien nicht eingegraben, sondern nur mit Farbe aufgemalt gewesen und so für uns verlorengegangen, ist glücklicherweise mehr als Vermutung[2]. Winckelmann (Sendschreiben von den Herculanischen Entdeckungen S. 35 = Werke, Dresdener Ausgabe II S. 53) berichtet: „Die merkwürdigsten (Brustbilder) sind ein Archimedes, mit einem krausen kurzen Barte, welcher den Namen schon vor alters mit schwarzer Farbe oder Dinte angeschrieben hatte: vor fünf Jahren las man noch die ersten fünf Buchstaben APXIM, itzo aber sind dieselben durch das öftere Begreifen fast gänzlich verloschen. Ein anderes männliches Brustbild hatte auch den Namen angeschrieben; es waren aber kaum noch drey Buchstaben AΘH sichtbar, die es itzo auch nicht mehr sind." Dieses letztgenannte Porträt habe ich im Neapeler Museum vergeblich gesucht; die geringen Reste, welche wohl zu Ἀθηναῖος gehört haben, scheinen in der Tat heute völlig verschwunden. Dagegen ist die erste Inschrift, welcher die auf Taf. 72 neu abgebildete Büste ihre Benennung verdankt[3], durchaus

Mitteilungen des Deutschen Archäologischen Instituts, Römische Abteilung 3, 1888, S. 113–119.

nicht so unkenntlich geworden, als man nach Winckelmanns Worten annehmen sollte; vgl. Villa Ercolanese S. 276, 77.

Es scheint Camillo Paderni gewesen zu sein, der zuerst die Deutung der Büste als *Archimedes* aussprach (Villa Ercolanese S. 250), wenngleich er sie bei seiner berüchtigten Ignoranz, die Justi (Winckelmann II, 1 S. 181) so ergötzlich schildert, schwerlich selbst gefunden hat. Winckelmann, wie schon erwähnt, schloß sich derselben an, und seitdem blieb sie in Geltung, obschon vereinzelt Widerspruch dagegen erhoben wurde, so von Gerhard (Neapels antike Bildwerke S. 104, 362) und von Finati (Museo Borbonico VI Taf. 26). Beide betonen mit Recht, daß Harnisch und Schwertgehenk die hergebrachte Benennung unmöglich machen, sie berühren aber mit keinem Wort weder die Inschrift noch deren Bedeutung. So hatten die neuesten Herausgeber durchaus recht, wenn sie für die Deutung der Büste auf diese Inschrift zurückgriffen, welche sie erst der langen und unverdienten Nichtachtung entrissen haben. Aber läßt dieselbe sich mit dem Charakter des Porträts in Einklang bringen?

Winckelmann hatte APXIM zu erkennen geglaubt, und fast ebenso (APXIMI) lesen die neuesten Herausgeber (Villa Ercolanese S. 276, 77); wenn Paderni (dort S. 250) APXIMEΔ gelesen haben will, so zeigt er damit nur seine Unkenntnis des Griechischen. Wir dürfen also behaupten, daß wesentliche Teile der Inschrift seit ihrer Entdeckung nicht verschwunden sind. Dieselbe sieht nun heute so aus:

Abb. 3   Inschrift auf der Hermenbüste des Archidamos, Neapel (Taf. 72)

bietet also abgesehn von dem letzten halbrunden Zeichen nur die Elemente, welche die Herausgeber bereits erkannt haben. Nur über die Deutung dieser Elemente kann man streiten; mir scheint die bisherige Deutung nicht haltbar.

Die zweite Hälfte des angeblichen M steht so weit von der ersten entfernt, daß beide sich nicht berühren können, und sie hat nicht die einfache gleichschenkelige Form, die man erwarten sollte, sondern der linke Schenkel nähert sich mehr der senkrechten als der andere; dieser ist ein wenig gekrümmt nach rechts herübergezogen, ganz wie bei dem ersten A. Und ein solches wird der Buchstabe gewesen sein, höchstens könnte man an Λ oder Δ denken. Bei dem Zeichen unmittelbar davor, das sich zunächst als gleichschenkeligen Winkel darstellt, bemerkt man unten links einen stärkeren Ansatz eines waagerechten Striches, der darin ein Δ mit Wahrscheinlichkeit erkennen läßt. Das alles ebenso wie der halbrunde Buchstabe ganz rechts, der sich der Ergänzung APXIMHΔHC in keiner Weise fügt, zwingt uns, eine neue Deutung zu suchen. Es ist meines Erachtens, alle Möglichkeiten erwogen, keine andere Ergänzung denkbar als APXIΔAMOC[4].

Damit ist die Benennung des Porträts gegeben.

Die Kriegertracht, welche schon in Verbindung mit der Haarbinde[5] Finati auf die Vermutung brachte, es sei ein Herrscher dargestellt, erklärt sich ungezwungen nur, wenn wir in dem Dargestellten einen der Träger dieses Namens aus dem Hause der Eurypontiden erkennen.

Darauf führt auch noch ein anderer äußerlicher Umstand, die Tracht von Haar und Bart. Es ist genügend bekannt, daß die Lakedämonier im Gegensatz zu den meisten übrigen Griechen das Haar als Kinder kurz trugen, später lang wachsen ließen (vgl. Blümner in Hermanns Lehrbuch der Antiquitäten ^{3}IV S. 206. Iwan Müllers Handbuch IV, 1 S. 429), und wie oft diese Sitte von den Athenern verspottet worden ist (Plutarch, Nikias 19); besonders die Komiker witzeln gern über die ὑπήνη der Lakonen (Aristophanes, Wespen 476. Lysistrate 1073: πρέσβεις ἕλκοντας ὑπήνας. Platon Fr. 124 Kock). Bei unserer Herme scheint das lange, aber wenig gepflegte Haar und der ungeordnete, wirre Bart recht geflissentlich hervorgehoben zu sein, wie wir es sonst nur bei einem Philosophen erwarten würden, und es läßt sich wörtlich auf sie die Schilderung anwenden, welche Plutarch zu Anfang der Lebensbeschreibung des Lysander von der Bildsäule desselben macht: (ἀνδριὰς) εἰκονικὸς εὖ μάλα κομῶντος ἔθει τῷ παλαιῷ καὶ πώγωνα καθειμένου γενναῖον [(es ist aber) eine Porträtstatue (des Lysander), nach alter Sitte lang behaart und mit einem würdigen Vollbart (K. Ziegler)].

Aber welchen von den vier spartanischen Königen des Namens *Archidamos* sollen wir in unserer Herme erkennen? Daß der Erste nicht in Frage kommt, wird jeder zugeben, und auch den Vierten, den Sohn des Eudamidas (Plutarch, Agis 3) und Gegner des Poliorketes, wird man weder nach seiner nicht eben hervorragenden Bedeutung noch nach dem Stil des Bildwerkes hier vermuten. Es bleiben meines Erachtens nur der Zweite und der Dritte übrig. Manches könnte für ersteren zu sprechen scheinen. Der traurige Ruhm, der seinen Namen mit dem Beginn des Peloponnesischen Krieges verknüpft, sichert ihm wenigstens eine geschichtliche Bedeutung, welche die Aufstellung seines Bildes in den Räumen eines Privathauses erklären könnte. Aber auch gegen ihn spricht der Stil des Porträts. Als er im Anfang des Peloponnesischen Krieges starb, hatte er eine Regierung von 42 Jahren hinter sich (Diodor XI, 48. XII, 35), er ist also ein nicht unbedeutend älterer Zeitgenosse des Perikles. Wir dürfen deshalb erwarten, daß ein Bild, welches ihn in der Fülle der Kraft zeigt, sich stilistisch nicht wesentlich von dem des Perikles unterscheidet, ja eher noch ein wenig altertümlicher erscheint. Aber ein Blick auf die Bildnisse des Perikles genügt, um unsere Herme als die nicht unbedeutend jüngere zu erweisen. Es bleibt also nur Archidamos III. übrig, der Sohn des Agesilaos, der kriegerisch zum erstenmal nach der Schlacht bei Leuktra tätig war und endlich, nach dreiundzwanzigjähriger wechselvoller Regierung im Dienst von Tarent, bei Mandyrion in Kalabrien fiel, angeblich an demselben Tage, an dem die griechische Freiheit bei Chäronea verlorenging (Diodor XVI, 88. Plutarch, Camillus 19).

Pausanias (VI, 4, 9) berichtet nun bei der Aufzählung der Denkmäler in Olympia:

Παρὰ δὲ Σωδάμαν Ἀρχίδαμος ἕστηκεν ὁ Ἀγησιλάου, Λακεδαιμονίων βασιλεύς. Πρὸ δὲ τοῦ Ἀρχιδάμου τούτου βασιλέως εἰκόνα οὐδενὸς ἕν γε τῇ ὑπερορίᾳ Λακεδαιμονίους ἀναθέντας εὕρισκον. Ἀρχιδάμου δὲ ἄλλων τε καὶ τῆς τελευτῆς, ἐμοὶ δοκεῖν, εἵνεκα ἀνδριάντα ἐς Ὀλυμπίαν ἀπέστειλαν, ὅτι ἐν βαρβάρῳ τε ἐπέλαβεν αὐτὸν τὸ χρεών, καὶ βασιλέων μόνος τῶν ἐν Σπάρτῃ δῆλός ἐστιν ἁμαρτὼν τάφου. [Neben Sodamas steht Archida'mos, des Agesilaos Sohn, der König der Lakedämonier. Vor diesem Archidamos fand ich keine Bildsäule eines Königs, welche die Lakedämonier im Auslande aufgestellt hätten. Von Archidamos aber stifteten sie, nach meiner Meinung, aus mehreren Gründen, besonders aber um seines Todes willen ein Standbild nach Olympia, weil ihn sein Geschick im Barbarenlande erreichte und er offenkundig der einzige König in Sparta ist, dem keine Bestattung zu teil geworden (J. Schubart).] Dies Standbild war also von den Lakedämoniern selbst geweiht; wer das zweite, ebenfalls in Olympia befindliche gestiftet (VI, 15, 7), wird nicht überliefert. Man könnte vermuten, daß die Tarentiner dadurch den Zoll der Dankbarkeit abgetragen hätten, nachdem ihr Versuch, wenigstens den Leichnam des gefallenen Heerführers auszulösen, fehlgeschlagen war (Athenäus XII S. 536 D). Einer dieser beiden Statuen wird unsere Herme nachgebildet sein.

Aber wenn wir uns des neuen Besitzes freuen und uns gerne in die ansprechenden Züge dieses antiken Condottiere versenken, die trotz der martialischen äußeren Tracht einen nachdenklichen, schwermütigen, lebhaft an die Bilder des *Euripides* erinnernden Eindruck machen, und uns ahnen lassen, daß Archidamos wohl das Nahen der Zeit gespürt habe, in der aller Mannesmut nicht imstande sein werde, Sparta zu retten (vgl. Plutarch, Ἀποφθ. βασιλέων, S. 191 D.), so drängt sich uns noch eine quälende Frage auf, die wir zu beantworten leider nicht imstande sind. Welches besondere Interesse hatte der Besitzer der Herculanischen Villa grade für *Archidamos III.?*

Die Lösung, welche die Bemerkung des Pausanias zu bieten scheint, daß diesen König zuerst die Lakedämonier durch eine Statue außerhalb ihres Gebietes geehrt hätten, befriedigt nicht. Der beschränkende Zusatz ἕν γε τῇ ὑπερορίᾳ scheint allerdings zunächst nur durch die Statue des *Polydoros* (III, 11, 10) veranlaßt, da die Bilder des Königs *Pausanias* (III, 17, 7) ja einen ganz anderen Sinn haben; aber wenn auch offizielle Ehrenstatuen spartanischer Könige vielleicht selten waren, Bildnisse derselben haben existiert. Wenigstens motiviert Plutarch (Agesilaos 2) den Mangel eines Bildnisses des Vaters des Archidamos mit dessen ausdrücklichem Verbot[6]: μήτε πλαστὰν μήτε μιμηλάν τινα ποιήσασθαι τοῦ σώματος εἰκόνα [daß weder ein plastisches noch ein irgendwie nachgeahmtes (= gemaltes?) Bildnis seines Leibes gefertigt würde]. Immerhin waren vielleicht die olympischen Statuen des *Archidamos* die leichtest zugänglichen Bildnisse spartanischer Könige, und auf sie griff man deshalb bei der Ausstattung der Villa zurück, um unter anderen Herrschern die von Sparta nicht ganz fehlen zu lassen. Ich gestehe, daß diese Lösung der Schwierigkeit etwas Unbefriedigendes hat; die Möglichkeit, eine andere zu versuchen, würde uns aber nur erwachsen, wenn wir über die Mehrzahl der Porträts der Villa im klaren wären. Doch von diesem Ziele sind wir noch weit entfernt[7].

Anmerkungen

[1] Villa Ercolanese, S. 279.

[2] An dem kleinen Zwischenstück, welches Fuß und Brust der Londoner Büste Ancient marbles X Taf. 16 (Roman gallery, 22) verbindet, befinden sich Reste einer aufgemalten Inschrift, von der ich nur FORMA IVVENEM lesen konnte; dieselbe wird modern sein, da die Büste anfangs für ein Bildnis des Marcellus galt und die erhaltenen Worte offenbar dem Vers Vergils (VI, 861): *Egregium forma iuvenem et fulgentibus armis* angehören.

[3] Dies ist zweifellos der Kopf des Archimedes, den D'Hancarville in Portici sah, und über den Visconti keine genauere Kunde hatte erlangen können (Iconografia Greca I S. 287). [Richter II 160 Abb. 888–889; J. Sgobbo, Rend Acc Napoli 46, 1971, 126 ff. Taf. 11–12.]

[4] Es ist vielleicht nicht überflüssig zu bemerken, daß eine Kopie der Inschrift, die Studniczka auf meine Bitte unabhängig anfertigte, in allem Wesentlichen mit der meinigen übereinstimmte, ja meiner Lesung vielleicht noch günstiger war. Ich habe absichtlich auf eine Wiedergabe aller der Reste verzichtet, bei denen eine Selbsttäuschung nicht völlig ausgeschlossen schien. Auch Mau, der die Freundlichkeit hatte, die Inschrift mit mir nachzuprüfen, hielt meine Lesung für gesichert.

[5] Es ist dies allerdings kein Diadem und deshalb kaum als Abzeichen königlicher Würde aufzufassen.

[6] Vgl. Plutarch, Ἀποφθέγματα βασιλέων S. 191 E. Ἀποφθ. Λακωνικὰ S. 215 B, und die Anmerkung Wyttenbachs zu ersterer Stelle. O. Müller (Dorier[2] II S. 95) bezieht dies irrig auf die εἴδωλα, welche beim Begräbnis der im Felde gefallenen Könige den Leichnam vertraten.

[7] [Vgl. jetzt etwa D. Pandermalis, Zum Programm der Statuenausstattung in der Villa dei Papiri, in: AM. 86, 1971, 173 ff.]

Seleukos Nikator – Ptolemaios Soter

Von Paul Wolters

Derselben reichen Herculanischen Villa, welcher die S. 101 ff. auf Archidamos gedeu-
tete Marmorherme entstammt, verdanken wir auch die auf Tafel 84–85 abgebildete
Erzbüste. Die ältere Literatur und eine gute Vorderansicht bietet das schon genannte Werk von Comparetti und De Petra, La Villa Ercolanese Taf. 10, 1 S. 264,
19. [Richter III 270 Abb. 1867–1868.]
Daß wir in diesem Bildnis einen König zu erkennen haben, ist allgemein zugestanden und nicht wohl zu bezweifeln. Die breite Binde, welche das Haupt umgibt, ist
ein genügender Beweis für die Richtigkeit jener Annahme. Zwar fehlen jetzt die
langen, lose herabfallenden Enden, welche für die Königsbinde charakteristisch
sind; wir werden aber annehmen dürfen, daß dieselben einst vorhanden waren,
wenn wir auch ihre Bruchstellen nicht mehr sicher erkennen können [1]. Denn so wie
die Binde heute ohne irgendeine Verknüpfung zusammengelegt erscheint, so daß
das vom linken Ohr herkommende Ende das andere bedeckt und weiterhin unter
dasselbe gesteckt ist und in Folge davon beide Enden in lange Spitzen auszulaufen
scheinen, die nebeneinander liegend die Breite des übrigen Bandes ausfüllen, kann
sie doch ursprünglich nicht dargestellt gewesen sein. Das Fehlen der langen Enden
müssen wir also auf die Beschädigungen und zum Teil recht starken Ausbesserungen
schieben, welche diese Erzwerke erfahren haben.
Die Herculanischen Akademiker hatten die Büste für *Ptolemaios VI. Philometor* erklärt; E. Q. Visconti (Iconografia greca III S. 289 der Mailänder Ausgabe) glaubte
vielmehr den ersten Lagiden *Ptolemaios Soter* zu erkennen, und diese Ansicht ist
die herrschende geblieben.
Beide Deutungen scheinen mir unhaltbar. Leicht läßt sich die erstere zurückweisen,
seit J. Six ein authentisches Bildnis des *Philometor* nachgewiesen hat [hier S. 70 ff.,
Taf. 141–145]. Aber auch die zweite ist nicht haltbar. Recht wechselnd zwar tritt uns
das Bildnis dieses Königs auf der langen Reihe der Ägyptischen Münzen entgegen,
oft mit einer fast karikierten Übertreibung der charakteristischen Züge; aber diese
eben kehren immer wieder [2]. Die Stirn ist im unteren Teil stark vorgewölbt, und
auch die Nase ladet stark aus, während der verhältnismäßig kleine und etwas einge-
fallene Mund dieser gegenüber ganz besonders tief liegt und das Kinn, an und für
sich nicht klein, doch gegen Stirn und Nase zurücktritt. Charakteristisch sind auch
die weit aufgerissenen Augen. Von alle dem finden wir nichts in dem Bronzekopf
der Herculanischen Villa, während andererseits die starken Falten, welche seinen

Mitteilungen des Deutschen Archäologischen Instituts, Römische Abteilung, 4, 1889,
S. 32–40.

Mund umgeben, sich auf Münzen des Ptolemaios nie zeigen. Noch deutlicher wird
der Unterschied durch den Vergleich mit dem auf Tafel 86 abgebildeten Kopfe, meiner Meinung nach dem ersten sicheren Bildnis des Ptolemaios Soter. Die Büste, an
welcher Hals, Hinterkopf, die Ohren und die Nasenspitze ergänzt sind, von der also
nur das eigentliche Gesicht und ein Stück Haar mit der Binde über der rechten
Schläfe alt ist, stammt nach ihrer jetzigen Aufschrift[3] aus Griechenland und kam
aus dem Besitz des Bildhauers Pajou in den Louvre, wo sie in der Salle du gladiateur
steht. Als Material wird Parischer Marmor angegeben. Der Kopf gilt jetzt für *Demetrios Poliorketes*, früher für *Otho*. Die letztere Benennung ist mit Recht aufgegeben, wie ein Vergleich mit dem steilen Profil, das uns die Münzen dieses Kaisers zeigen, ohne weiteres dartut. Aber auch mit den Münzen des *Poliorketes* (Imhoof-Blumer, Porträtköpfe Taf. 1, 4. 2, 7. 8) hat er nur eine oberflächliche Ähnlichkeit; grade
der so charakteristische tief liegende Mund kehrt dort nicht wieder. Dagegen finde
ich alle die bezeichnenden Eigentümlichkeiten in diesem Antlitz, welche ich soeben
an den Münzbildern des Ptolemaios Soter hervorhob; die Wiederholung des dem
Monarchen gleichzeitigen Goldstaters (Imhoof-Blumer, Porträtköpfe Taf. 1, 2) auf
unserer Tafel 86, 1 wird das anschaulich machen. Nur in den Haaren scheint eine
kleine Verschiedenheit obzuwalten: die des Marmors scheinen dichter, gleichmäßig-
er, die der Münzen lockerer und freier behandelt. Einen Zweifel an der Identität
der Person wird auf diese Äußerlichkeit niemand begründen.
Die beiden bisherigen Deutungen des Herculanischen Bronzekopfes haben sich als
unrichtig herausgestellt; ich möchte an ihrer Stelle eine neue vorschlagen. Wie die
Überschrift dieser Zeilen andeutet, glaube ich in ihm *Seleukos Nikator* zu erkennen.
Soviel ich weiß, ist bisher nur einmal der Versuch gemacht worden, ein Bildnis des
Seleukos nachzuweisen. Die Herculanischen Akademiker haben ihn in einer Bronzestatuette erkennen wollen [Taf. 88][4], welche einen jungen Mann darstellt, der
den rechten Fuß auf einen ziemlich hohen Felsblock setzt, den rechten Arm auf das
rechte Knie legt und in der Rechten einen Gegenstand gehalten zu haben scheint.
Eine dicke Chlamys ist auf der rechten Schulter zusammengesteckt und verhüllt den
Rücken und den in die Seite gesetzten linken Arm; die Füße sind mit Stiefeln bekleidet. Die äußere Erscheinung könnte zuerst an Hermes denken lassen, für welchen
diese Stellung ja nicht ungewöhnlich ist[5]; in der Rechten würde man alsdann ein
Kerykeion voraussetzen. Aber gegen diese Annahme sprechen außer dem Mangel der
Fußflügel die kleinen Stierhörner über der Stirn; diese führen zunächst auf ein Dia-
dochenporträt[6]. Lange gibt der Statuette Jagdspeere in die Hand: ihr Motiv würde
dann ganz mit dem Münzbild von Segesta (Poole, Sicily S. 133. Gardner, Types
Taf. 6, 4. Head, Historia numorum S. 145) übereinstimmen, das uns einen jungen
rastenden Jäger zeigt. In einer solchen Gestalt das Bild eines Diadochen wiederzufinden, hat nichts Befremdliches: aber bei der Deutung auf *Seleukos Nikator*
haben sich die Akademiker offenbar zu sehr von der Nachricht leiten lassen, daß die
Statue dieses Königs Stierhörner getragen habe[7]. Auch wenn diese Nachricht ver-

ständiger motiviert wäre, würden wir weder folgern, daß alle Statuen des *Seleukos* gehörnt gewesen seien, noch daß alle gehörnten Porträts diesen Herrscher darstellen. E. Q. Visconti ist deshalb von dieser Deutung abgewichen, da er keine genügende Ähnlichkeit mit den auf Münzen überlieferten Zügen fand. Wie recht er darin hatte, läßt sich durch eine weitere Vergleichung zeigen. Tafel 89 ist eine Marmorherme [8] abgebildet, die ebenfalls der Herculanischen Villa entstammt und, wie der Vergleich mit dem gegenüber wiederholten Kopf der Bronzestatuette zeigt, mit dieser auf dasselbe Original zurückgeht. Die Herme, welche die Züge deutlicher erkennen läßt, zeigt aber klar, daß an Seleukos hier nicht gedacht werden darf. Die Herme gilt ohne genügenden Grund für *Alexander,* die Statuette hat Visconti für *Demetrios Poliorketes* erklärt (Iconografia greca II S. 86). Für unmöglich halte ich auch jetzt noch diese Beziehung nicht, obwohl zugestanden werden muß, daß die Ähnlichkeit der Herme mit den Münzen (Imhoof-Blumer, Porträtköpfe Taf. 1, 4. 2, 7. 8. Gardner, Types Taf. 12, 19) nicht grade schlagend ist [9] und man auch andere Porträts zum Vergleich heranziehen dürfte, etwa das des *Antiochos II. Theos,* allerdings weniger das treuere, dem Vater so offenbar ähnelnde (Imhoof-Blumer Taf. 3, 11. Poole, Seleucid kings Taf. 5) als das zum Hermes idealisierte (Poole Taf. 5, 2. Gardner, Types Taf. 14, 28) [10].

Wir kehren zurück zu der Bronzebüste aus Herculaneum. Der Deutung auf *Seleukos Nikator* steht nach den obigen Erörterungen nichts im Wege; es handelt sich also nun darum, aufzusuchen, was für dieselbe spricht.

Wir kennen die Züge des Seleukos [11] von den Münzen, seinen eigenen, denen des *Antiochos Soter* und des *Philetairos* [12]. Das beste Bild des Fürsten bieten uns ohne Zweifel die Tetradrachmen seines Sohnes (Imhoof, Monnaies grecques S. 424); auf unserer Tafel 84 ist links von der Büste eine derselben abgebildet [13], darunter zum Vergleich eine der Pergamenischen Münzen. Leider ist die Stellung des Kopfes auf den Münzen nicht ganz in Übereinstimmung mit der Büste, doch tritt die Verwandtschaft aller wesentlichen Züge, wie ich meine, auch so hervor. Eigentümlich bestimmend wirkt bei diesem Bildnis nächst der klaren Zeichnung des schön gewölbten Hinterkopfs die in ihrem größeren unteren Teil so stark gewölbte Stirn, von welcher sich die feine, wenig gebogene Nase deutlich absetzt, die dann aber nicht, wie etwa bei dem *Ptolemaios Soter,* noch weiter ausladet, sondern an der Wurzel gegen die Stirn zurückweichend im ganzen dieselbe Richtung zeigt wie die Stirne. Auch das Kinn ist fein gezeichnet und hebt sich sehr klar gegen die weicheren Massen des Untergesichts ab; starke Falten umgeben den Mund, eine besonders starke bildet sich bei der genannten Absonderung des Kinnes. Trotzdem zeigt sich in diesem Gesicht keine Schlaffheit; nichts ist matt an ihm, vielmehr läßt besonders das durchgearbeitete Untergesicht eine angespannte geistige Kraft sichtbar werden, welche keine träge Ruhe kennt noch kennen will.

Ich habe früher den Versuch gemacht, eine Büste in München als Bild des *Antiochos Soter* nachzuweisen [14]; ich glaube auch jetzt noch an dieser Deutung festhalten zu dürfen, trotz des Widerspruches, den Brunn[15] dagegen erhoben hat, und finde in der nicht geringen Ähnlichkeit der Münchener und der Neapeler Büste eine gegenseitige Stütze meiner Auffassung derselben.

Wir haben Nachricht von einer ganzen Zahl von Bildnissen des *Seleukos*. Bryaxis (Plinius 43, 73), Aristodemos (43, 87) und Lysipp (Löwy I. G. B. 487) hatten ihn dargestellt; außerdem werden Statuen von ihm in Athen (Pausanias I, 16, 1), Olympia (VI, 11, 1), Antiochien (Libanios I. S. 301 Reiske und Malalas S. 276 der Bonner Ausgabe) und in Konstantinopel (Kodinos, Παρεκβολαὶ S. 27 Bonn) erwähnt. Letztere könnte mit einer der anderen identisch sein, auch die nach Künstlern und die nach Orten bekannten brauchen nicht durchaus verschieden zu sein. Bei diesem Stande der Überlieferung bleibt es natürlich ganz unsicher, wenn wir das erhaltene mit einem der erwähnten Werke in Beziehung setzen. Immerhin ist eins zu beachten. Die Nachricht über die *Seleukos*statue des Bryaxis sowohl als des Lysippos hat den Forschern Bedenken erregt wegen des späten Datums, das sie für diese Künstler anzunehmen zwingt. Aber die Überlieferung scheint in diesem Punkte wirklich recht zu haben[16] (vgl. Brunn, G. G. K. 1. S. 251. 383; Löwy I. G. B. 94. 487. 492; Athen. Mitteilungen X S. 149); sicher ist es für Bryaxis, bei dem äußerlich die Bedenken am ersten begründet wären. Aber da er noch bei der Gründung Antiochiens die *Apollo*statue für das neu errichtete Heiligtum in Daphne[17] ausführte, liegt kein Grund vor, ihn nicht auch die Erhebung des Seleukos zum König erleben zu lassen. Unsere Büste stellt *Seleukos* in einem Alter von mindestens vierzig Jahren dar; die Kopfbinde beweist, daß er schon König war, als dies Bildnis gemacht wurde. Die Möglichkeit, dasselbe Bryaxis zuzuschreiben, wäre also da, doch sehe ich nichts, was besonders für diesen spräche. Dagegen kann ich nicht umhin, eine große Verwandtschaft der Büste mit dem *Apoxyomenos* [Taf. 68,1] hervorzuheben. Es ist ja allerdings schwer, ein Porträt mit einer Idealfigur, einen gealterten Mann mit einem blühenden Jüngling zu vergleichen, aber trotzdem finde ich in der eigentümlichen Haltung des Kopfes, der Bildung der Augen, vor allem in derjenigen der Haare eine so große Ähnlichkeit, daß ich die Frage aufzuwerfen wage, ob wir nicht in dieser Büste eine Wiederholung desselben Werkes des Lysipp besitzen, dessen einst in Rom befindliche zweite Kopie uns durch die erhaltene Inschrift bekannt ist. Wie man aber auch hierüber und die versuchte Benennung urteilt, eines zeigt der Vergleich mit dem Lysippischen Werke klar: die Herculanische Büste ist in der Tat ein Königsbildnis aus der ersten Diadochenzeit.

Anmerkungen

[1] Über diesen Punkt verdanke ich E. Petersen und K. Wernicke einige Notizen.

[2] Vgl. Poole, The Ptolemies. Head, Historia numorum S. 711 ff.

[3] Nach Conzes freundlicher Mitteilung, der auch die an gleicher Stelle angebrachten Angaben über die Ergänzungen, übereinstimmend mit meinen früheren Notizen, bestätigte und die Aufnahme der Photographie vermittelte. Die Büste trägt die alte Museumsnummer 457. [H. Kyrieleis, Bildnisse der Ptolemäer (1975) 11 ff. A 1 Taf. 1.]

[4] Bronzi II Taf. 60. Clarac V Taf. 840, 2113. E. Q. Visconti, Iconografia greca II Taf. 3 S. 80 der Mailänder Ausgabe. Müller-Wieseler I Taf. 50, 221 a. Im Neapeler Museum N. 5026. [Richter III 256 Abb. 1743; H. P. Laubscher, AM 100, 1985, 337 f. Taf. 68, 1; 69, 1: wegen der Bockshörner eher Antigonos Gonatas.]

[5] K. Lange. Das Motiv des aufgestützten Fußes S. 20.

[6] Athen. Mitteilungen III S. 294, 1 erwähnt Furtwängler eine dieser Statuette im Typus verwandte und eine zweite, sitzende, welche er auf Grund der Stierhörner für Diadochenbildnisse hält. Vgl. auch K. Lange, Motiv des aufgestützten Fußes S. 30.

[7] E. Q. Visconti, Iconografia greca II S. 371 der Mailänder Ausgabe. Eckhel D. N. III S. 211. Appian, Συριακὴ 57. Suidas u. Σέλευκος. Georgios Kodinos, Παρεκβολαὶ S. 27 der Bonner Ausgabe = Banduri, Imperium orientale (1729) S. 110. Libanios, Ἀντιοχικός I S. 301 Reiske.

[8] Villa Ercolanese Taf. 20, 3. S. 275, 73. [Richter III 256 Abb. 1741–1742; Laubscher a. O. Taf. 68, 2; 69, 2.]

[9] Von dem Fragment einer Büste des Demetrios, das O. Müller, Handbuch § 158, 3 erwähnt, ist mir nichts Genaueres bekannt.

[10] Ich halte daran fest, daß uns in der Herme und der Statuette Kopien einer Porträtstatue erhalten sind, besonders wegen der vielen gleichartigen Hermen der Herculanischen Villa, in deren Gesellschaft diese gefunden wurde. Sonst könnte die oben berührte Übereinstimmung mit den Segestaner Münzen zu einer ganz anderen Deutung führen; der jugendliche Jäger auf diesen ist für den Flußgott Krimisos erklärt worden (Head, Historia numorum S. 144. 145. Gardner, Types S. 125. Servius zu Vergil V. 30). Diese Deutung des Jünglings ist höchst wahrscheinlich, obwohl er nur mitunter kleine Hörner zeigt (Salinas, Tetradrammi di Segesta, Periodico di Numismatica III S. 14 ff.): gegenüber dem ausdrücklichen Zeugnis des Aelian (Bunte Geschichte II, 33) und vor allem der Münzen wie etwa Poole, Italy S. 356, 111. 112 (Aisaros); S. 370, 1 (Krathis); Gardner, Types Taf. 2, 16 (Hypsas); 6, 1 (Selinus) fällt das nicht ins Gewicht, wie auch die sonst naheliegende Deutung auf den von Hunden umgebenen (Aelian, Tiergeschichte XI 20), mit der Lanze bewaffneten (Plutarch, Timoleon 12 zu Ende) Adranos, dessen Verehrung in ganz Sizilien Plutarch, in Messana eine Münze, in Haläsa eine Inschrift (CIG. III 5594, I Z. 54. 62; vgl. Kaibel, De inscriptione Halaesina, Rostock 1882 S. 17) bezeugt, durch den Umstand widerlegt wird, daß Adranos auf der genannten Münze der Mamertiner behelmt und bärtig erscheint (Poole, Sicily S. 109. Vgl. E. Q. Visconti, Opere varie II S. 197. Roschers Lexikon S. 77). Ist also die Deutung der Segestaner Münze auf den Flußgott Krimisos richtig, so könnte man versucht sein, auch die Herculanische Statuette auf einen solchen zu deuten, wozu die kleinen Hörnchen trefflich stimmen würden. Dagegen sprechen aber wie bemerkt die Fundumstände der Herme sowie die Ungewöhnlichkeit des Gegenstandes.

[11] Die im Catalogue of engraved gems in the British Museum S. 171, 1526 verzeichnete Gemme, welche nach der Inschrift ΣΕΛΕ. doch wohl Seleukos darstellen soll, schien mir von zweifelhafter Echtheit; über den Künstlernamen ΚΑΡΠΟΥ, den sie trägt, vgl. Brunn, G. G. K. II S. 615.

[12] Vgl. Imhoof-Blumer, Porträtköpfe S. 28. Dynastie von Pergamon S. 22. Monnaies grecques S. 422. Gardner, The Seleucid kings of Syria. Daß ich neben diesen Veröffentlichungen eine ganze Reihe von Münzabdrücken benutzen konnte, verdanke ich der unermüdlichen Zuvorkommenheit Imhoofs. Ich bemerke nebenbei, daß ich in dem behelmten Kopf auf Münzen des Seleukos (Gardner, Seleucid kings Taf. 1, 11–13. Types Taf. 14, 8. 9) Imhoof folgend (Monnaies S. 424. Porträtköpfe S. 5) kein Bild dieses Fürsten, sondern des Alexander erkenne; das jugendlichste Bild des Seleukos auf dem Goldstater (Seleucid kings Taf. 1, 6) stimmt mit diesem jugendlichen Kopf nicht genügend überein.

[13] [Vgl. E. T. Newell, The Coinage of the Western Seleucid Mints (1941) 247 Nr. 1366 (Exemplar Auktion Hess–Leu 16. 4. 1964 Nr. 233) und E. T. Newell, The Pergamene Mint under Philetairos (1936) 26 Nr. 14–XV b–33 β (Exemplar London, Brit.Mus.).]

[14] Arch. Ztg. 1884 S. 157. [Sog. Sulla; dazu zuletzt R. Wünsche, MüJb 33, 1982, 7 ff.]

[15] Glyptothek[5] S. 226, 172.

[16] Aus dem Umstand allerdings, daß die Tyche von Antiochien nicht Lysipp selbst, sondern seinem Schüler übertragen wurde, könnte man schließen, daß der Künstler die Gründung Antiochiens nicht mehr, oder nicht mehr in voller Schaffenskraft erlebt habe.

[17] Der Ausweg, den Brunn vorschlägt, diese Statue schon aus Antigonia stammen zu lassen, scheint mir wegen des persönlichen Verhältnisses des Seleukos zum Apollokult im allgemeinen wie zu diesem Heiligtum im besonderen (O. Müller, Kunstarchäologische Werke V S. 43. Libanios I S. 302 Reiske) nicht möglich; aber auch wenn wir ihn einschlagen, müssen wir die Lebenszeit des Bryaxis bis nahe an die Seleukidenära ausdehnen. Kleins Leugnung der ganzen Nachricht (Mitteilungen aus Österreich V S. 96, 30) scheint mir nicht berechtigt.

Eine Marmorbüste der herculanischen Villa

Von Alfred Gercke

Das um die Mitte des vorigen [18.] Jahrhunderts ausgegrabene Landhaus des Freundes epikureischer Philosophie in Herculaneum, Villa dei Pisoni neuerdings benannt,
ist nur mangelhaft bekannt geworden, weil die unterirdischen Stollen einer nach
dem anderen wieder zugeschüttet wurden. Nur von der Bibliothek und der Garten-
anlage hat Winckelmann in seinem Sendschreiben an den Reichsgrafen von Brühl
(1762) eine anschauliche Schilderung gegeben, sie wird, außer durch die den Ausgrabungen fast gleichzeitigen Veröffentlichungen in den ›Philosophical Transactions‹, ergänzt und berichtigt durch die Karte und die Ausgrabungsberichte des ge-
wissenhaften leitenden Ingenieurs, Major Weber, die neuerdings aufgefunden und
von de Petra herausgegeben sind[1]. Danach sind wir imstande, uns ein lebendiges
Bild wenigstens von dem Garten zu entwerfen, wie dies sogar für die ganze Villa in
dem Werke Comparettis und de Petras versucht ist. An Größe konnten sich die Anlagen mit den prächtigsten pompejanischen Wohnhäusern messen: 66 Säulen trugen
die rings um den Garten laufenden Hallen, während man selbst in der Villa des
Diomedes zu Pompeji nur 64 zählt; aber die Form war nicht wie hier quadratisch,
sondern oblong [95 : 32 m], so daß 25 Säulen in der Länge und 10 in der Breite standen[2]. Die Wände der Gartenhallen waren mit den einfachen Architekturlandschaf-
ten des zweiten Stiles geschmückt, wozu die überreiche Ausstattung des ganzen
Raumes mit Bildwerken und Geräten aller Art wenig stimmte.
Am Ostende des langen, schmalen Wasserbassins, welches sich in der Mitte des
Gartens von Osten nach Westen hinzog, vor dem Tablinum, ruhte in einer Apsis auf
erhöhtem Sockel der jugendliche, sich reckende *Satyr*; dahinter sah man auf dem
Erdboden drei Rehe, ein laufendes Schwein und eine Statue, welche verschollen ist,
aus Bronze; sodann auf Marmorpfeilern die vier Bronzebüsten des archaischen
Apollon, der reizenden Frau, welche mit dem Münzbilde *Berenikes,* der Tochter des
Magas, nur in der Haartracht nicht übereinstimmt, des „*Ptolemaios Philadelphos*"
genannten Faustkämpfers und eines träumerisch dreinschauenden Jünglings; endlich standen unmittelbar an den farbigen Säulen rechts vom Eingang zum Tablinum
die Marmorstatuen des *Aischines* [Taf. 81] und des unbestimmten, in den Mantel
gehüllten Mannes, links die *Homers* und eine vierte, von welcher nur Bruchstücke
zum Vorschein gekommen sind. Gegenüber an der westlichen Schmalseite, von wo
ein Weg hinausführte zu einer Terrasse am Meer, erblickte man am Rande des
Bassins die herrlichen Gestalten des *trunkenen Silens* und des *ruhenden Hermes,* zu

Bonner Studien. Aufsätze aus der Altertumswissenschaft. Reinhard Kekulé zur Erinnerung
an seine Lehrtätigkeit in Bonn gewidmet von seinen Schülern (1890) S. 139–142.

beiden Seiten dahinter die *Ringer*, welche aufeinander loszustürzen scheinen, und in den Ecken des Peristyls auf Hermenpfeilern die Büsten des sog. *Kallimachos* („*Seneka*" [Taf. 138–139]), des *Seleukos I. Nikator* [Taf. 84–85] und der sog. *Sappho.* In oder an der südlichen Säulenhalle, unregelmäßig verteilt, standen ferner die sog. *Tänzerinnen* und an der Nordwestecke des Gartens das „*betende Mädchen*". Alle diese Kunstwerke bestanden aus Bronze. Nahe der Südostecke des Bassins befand sich sodann aus Marmor gebildet die lüsterne Gruppe des *Pan mit der Ziege.* Und endlich waren an den beiden Langseiten des Bassins Hermenbüsten aus Marmor gruppiert, vier Paare auf der Nord- und vier auf der Südseite. Für die letztere sind freilich die Fundberichte zum Teil sehr ungenau und lückenhaft [3], so daß man nicht einmal alle acht Büsten dieser Seite bestimmen kann (sieben haben Comparetti und de Petra ihr zuweisen zu können geglaubt), während wir von denen der Nordseite die Aufstellung bis ins einzelne kennen. Der vom Tablinum sich links Wendende erblickte dort einen bärtigen Alten [4], einen Kopf, über dessen Alter man schwanken konnte [5], den vielleicht *Antiochos II. Theos* darstellenden Kopf mit Hörnern [Taf. 89] [6], einen Philosophen [7]; weiterhin einen *jugendlichen Kopf mit Binde im Haar* (a. a. O. Taf. 21, 4 oder 21, 3) und den *jugendlichen Krieger* (a. a. O. Taf. 20, 4), dazu zwei weitere Büsten, vielleicht die von Winckelmann in Portici gesehene des sog. *Julianus Apostata* und eine andere aus dem Dutzend gleichgeformter, in Neapel nicht mehr auszuscheidende Herme. Längs der Nordseite des Bassins sah der vom Tablinum sich rechts Wendende zunächst den sog. *Attilius Regulus* und den bis vor kurzem so bezeichneten *Archimedes* [Taf. 72]; dann folgten die niedrige Büste eines *bärtigen Griechen* mit einem Gewandstück auf der Schulter (vermutlich der sog. *Lysias* a. a. O. Taf. 21, 1) und ein an Alexander den Großen erinnernder *Krieger* mit eichenbekränztem makedonischen Helm [8]; dann *Athena* und ein zarter *Frauenkopf mit dem Schleier* (Kore oder Demeter?), endlich der *reichgelockte Kopf,* welchen von Steinbüchel als den Jubas I. von Mauretanien treffend erkannt hat [9], und der ganz zur Seite gewendete *Staatsmann,* welcher an Demosthenes erinnert (a. a. O. Taf. 22, 2). Sogar nach welcher Seite diese Büsten gewendet gewesen, können wir noch mit Sicherheit schließen: nicht nach dem Bassin, wie man vielleicht anzunehmen geneigt wäre, sondern nach der Säulenhalle hin; denn nur so kehrten sich die beiden Köpfe einer Gruppe niemals voneinander ab, und nur so ist es verständlich, daß die letzte Büste den vom Tablinum aus ihren Stollen nach Westen vortreibenden Arbeitern völlig entgegengewendet war. Die Besucher des Gartens spazierten also, wenn nicht in der Säulenhalle, zwischen dieser und dem Wasserbassin, welches gewiß von grünen Sträuchern und bunten Blumen eingefaßt war. Keine dieser Marmorbüsten war römischen Ursprungs. Auf jeder war, wie mit Recht geschlossen werden muß [10], der Name des Dargestellten in schwarzen Buchstaben aufgemalt, wiewohl schon Winckelmann nur noch auf zweien die Reste der Inschriften (ΑΡΧΙΛΛ und ΑΘΗ) gefunden. Der römische Besitzer konnte also, wenn er auch nebenbei durch Äußerlichkeiten sich öfter leiten lassen mochte, nicht gut Persönlichkeiten zusammen gruppieren, welche gar nicht zueinander paßten, und wir werden daher wenigstens in den Männern der Nordseite hervorragende Herrscher, Staatsmänner oder Feldherren der Zeit von Alexander bis auf Cäsar sehen. Freilich galt bisher das Paar nächst dem Tablinum für *Archimedes* und *Attilius Regulus*: aber für erstere Büste [Taf. 72] hat Wolters kürzlich den Nachweis erbracht[11], daß sie den Spartaner *Archidamos* darstellt (ich möchte am liebsten an den vierten des Namens, den tapferen Gegner des Demetrios Poliorketes, denken); und von letzterer Büste [Taf. 127–128][12], deren Benennung auf reinem Spiel ungezügelter Phantasie beruht, läßt sich unschwer nachweisen, daß sie den Gründer der pergamenischen Dynastie, *Philetairos von Tieion* in Bithynien (343–263), darstellt. Das Bildnis desselben nämlich auf den Silbermünzen seiner dankbaren Nachfolger[13], wovon drei Exemplare mit der Seitenansicht der Marmorbüste auf Tafel 127 abgebildet sind, zeigt dieselben Züge, so daß an der Identität des Dargestellten kein Zweifel sein kann. Es ist das gleiche, wohlgenährte Gesicht mit fast weiblich erscheinendem starken Hals und Kinn, etwas vortretendem Munde, großem Ohr und kleinem Auge; energisch setzen die Nasenflügel an und wölben sich die Augenbrauen. Der Augensack ist auf den Münzen etwas stärker betont; die Stirn erscheint etwas niedriger, woran aber wohl der Bruch der Haare am Marmor die Hauptschuld trägt. Der wesentlichste Unterschied ist, daß das sonst gleichgeordnete Haar der Büste nicht Lorbeerkranz oder Tänie, das Zeichen der Göttlichkeit, schmückt: allein auch *Juba I. von Numidien* und der Charakterkopf des Diadochen in München, von Wolters für *Antiochos I. Soter* von Syrien erklärt[14], sind ohne ein solches Abzeichen, welches ihre Münzen zeigen, in Marmor dargestellt; und bei *Philetairos* kommt weiter in Betracht, daß er erst nach seinem Tode vergöttert und so auf den Münzen seiner Nachfolger abgebildet wurde. Dagegen lassen die Züge der Büste auf Verfertigung zu Beginn des 3. Jh. schließen. *Philetairos* ist dargestellt als Mann in den besten Jahren, Ende der Vierziger oder Anfang der Fünfziger, also zu einer Zeit, wo er zwar schon Pergamon und den Schatz des Lysimachos[15] in Händen hatte, aber noch bevor er sich von dem greisen König und seiner dämonischen Gemahlin losgesagt hatte, bevor ihm also auch besondere Ehren angetan werden konnten.

Allerdings ist die Hermenbüste von Herculaneum selbst schwerlich damals angefertigt, sondern das Original, von welchem sie eine, stilistisch möglicherweise nicht ganz getreue Kopie zu sein scheint, so daß daher Gerhards strenges Urteil sich erklären würde: „ein mittelmäßiger Kopf von unbedeutenden Gesichtszügen"[16]. In der Tat wird man die Ausführung, insbesondere die Haarbehandlung dieser Kopie eher mit Werken der Sullanischen Zeit, z. B. dem Kopf des Epikureers *Zenon*, als mit solchen der Diadochenzeit vergleichen; vielleicht hatte also der Besitzer des herculanischen Landhauses sie eigens für seinen Garten anfertigen lassen. Dem bildlichen Schmuck desselben verleiht es eine eigene Bedeutung, daß *Philetairos* dort die Reihe am Wasserbassin eröffnete.

Anmerkungen

¹ Comparetti e de Petra, La Villa Ercolanese dei Pisoni. Torino 1883. Gegen die Zuteilung an die Pisonen Mommsen, Arch. Ztg. 1880 S. 32 ff. [Vgl. jetzt D. Pandermalis, Zum Programm der Statuenausstattung in der Villa dei Papiri, in: AM 86, 1971, 173 ff.]

² Daß der Plan Webers an der Westseite nur neun Säulen zeigt, muß auf einem Versehen beruhen.

³ Für das Jahr 1752 fehlen die Ausgrabungsberichte fast ganz, als Ersatz dient nur die kurze Beschreibung, welche Weber seinem Plan beigab.

⁴ 10. Febr. 1757; de Petra: „Aeschines" Taf. 22, 4.

⁵ Weber hielt ihn erst für jugendlich, er war also unbärtig; 16. Jan. 1757. De Petra: „Anakreon" Taf. 22, 5.

⁶ „con huesos" März oder April 1752. Taf. 20, 3. Vgl. Wolters, Röm. Mitteil. IV 35–37 [hier S. 108].

⁷ 25. April 1752.

⁸ A. a. O. Taf. 20, 5, vgl. damit z. B. den Alexanderkopf auf Münzen des Sophytes von Indien (Imhoof-Blumer, Porträtköpfe hellen. Völker. Leipzig 1885. Taf. VI 25).

⁹ Vgl. Gerhard und Panofka, Neapels antike Bildwerke 1828 Nr. 384. Diese Beobachtung ist unverdienterweise nicht zu ihrem Rechte gekommen. [Hier Taf. 52.]

¹⁰ Vgl. Wolters, Röm. Mitteil. III 114 [= hier S. 101].

¹¹ Röm. Mitteil. III 113 ff. [= hier S. 101 ff.].

¹² N. 78 bei Comparetti S. 276, vgl. S. 194; abgeb. Taf. 21, 2. Gefunden am 16. Sept. 1757. [Richter III 273 Abb. 1910–1912.]

¹³ Vgl. über die Deutung dieses einzigen Porträts auf den Münzen der Könige Eumenes und Attalos Imhoof-Blumer, Die Münzen der Dynastie von Pergamon, Abhd. d. Berl. Akad. 1884. V 23 ff.

¹⁴ Arch. Ztg. 1884, 157 f. Taf. 12. [Dazu s. o. S. 111 Nachtrag zu Anm. 14.]

¹⁵ Das Porträt des Lysimachos ist uns unbekannt, da er den jugendlichen Alexanderkopf auf seine zahlreichen Münzen setzte; auch das Tetradrachmon von Ephesos (Imhoof, hell. Porträtköpfe II 14, vgl. S. 17) erscheint mir nicht wesentlich abweichend. Lysimachos müßte alt dargestellt sein, da Porträts der regierenden Herrscher auf Münzen erst in der letzten Lebenszeit des mit 80 Jahren Gestorbenen aufkamen, und ohne Hörner, da er nicht vergöttert wurde, außerdem von herculischer Gestalt.

¹⁶ Gerhard und Panofka, Neapels antike Bildwerke Nr. 408.

Der Alexander mit der Lanze

Von Franz Winter

Im Anschluß an den neu erschienenen Bronzenkatalog des Cabinet des Médailles (Fondation Piot, Catalogue des bronzes antiques de la Bibliothèque nationale, par Babelon et Blanchet) besprach der Vortragende sodann unter Vorzeigung von Photographien die im Louvre befindliche, auf Taf. 64, 3 [1] abgebildete Bronzestatuette aus Ägypten und suchte die Meinung zu begründen, daß in dieser bei Longpérier, Notice des bronzes antiques du Louvre I n. 632 unter dem Namen *Alexander* verzeichneten Figur eine kleine Nachbildung der berühmten Statue des *Alexander mit der Lanze* von Lysipp erkannt werden dürfe. Der Lysippische Charakter ist in der Bewegung und Körperbildung, für die der *Apoxyomenos* die nächsten Analogien bietet, ausgeprägt. Auch die Behandlung der Kopfformen weist auf Lysippischen Ursprung durch die trotz der mangelhaften Erhaltung dennoch unverkennbare Ähnlichkeit mit der Alexanderherme des Louvre, die nach den einleuchtenden Darlegungen von Koepp im 52. Winckelmannsprogramm auf ein Werk des Lysipp zurückgeht [Taf. 65] [2]. Die verwandte Gesichtsbildung – auch die charakteristische Haaranordnung ist gleichartig – läßt vermuten, daß für die Herme und die Bronzestatuette ein und dasselbe Werk als Vorbild gedient hat, daß wir die Bronzefigur benutzen dürfen, um uns von der für die Herme vorauszusetzenden Statue eine Vorstellung zu bilden. Daß diese Statue der *Alexander mit der Lanze* war, liegt bei der Berühmtheit dieses Werkes von vornherein nahe und ist durch das Motiv der Statuette gegeben, die den Fürsten in heroischer Nacktheit, mit der (abgebrochenen) Linken einen langen stabartigen Gegenstand, also eine Lanze – denn an ein Szepter ist kaum zu denken – hoch aufstützend darstellte, das Ganze in prachtvoll freier Entfaltung des Motivs mächtig und schwungvoll durchgeführt. Am rechten Oberarm ist eine um die ganze Fläche herumgehende Einarbeitung. Der Arm scheint eingesetzt zu sein. Vielleicht hat er dadurch eine etwas andere gezwungenere Haltung bekommen, als er sie ursprünglich hatte.

Anmerkungen

[1] [Hölscher 10. 54 11. Taf. 5.]
[2] [Richter III 255 Nr. 1a Abb. 1733–1735; Hölscher Taf. 4–5.]

Sitzung der Archäologischen Gesellschaft im Juni 1895, in: Archäologischer Anzeiger 1895, S. 162–163.

Die Hermeninschriften berühmter Griechen und die ikonographischen Sammlungen des 16. Jahrhunderts

Von Christian Huelsen

Die Untersuchung, welcher die folgenden Blätter gewidmet sind, bewegt sich auf einem Gebiet, welches der Kunstarchäologe und der Epigraphiker in gemeinsamer Arbeit durchforschen müßten: denn um die Fragen nach der Glaubwürdigkeit der ikonographischen Sammlungen aus der Renaissancezeit, der gedruckten wie der handschriftlichen, nach der Abhängigkeit der einzelnen Autoren voneinander, nach der Tätigkeit der Fälschung auf diesem Gebiet zu entscheiden, dazu gehörte eine gleich umfassende Beherrschung des monumentalen wie des inschriftlichen Materials, welches im 16. Jahrhundert namentlich in Rom vorhanden war. Von archäologischer Seite haben in neuerer Zeit besonders Michaelis und Robert[1] diese Probleme mit Erfolg behandelt; das inschriftliche Material liegt seit dem Erscheinen von Kaibels ›Inscriptiones Graecae Siciliae et Italiae‹ sehr bereichert und kritisch gesichtet vor. Aber wie es unbillig wäre, von dem Redaktor eines Inschriftenkorpus zu verlangen, daß er schon die Resultate monographischer Untersuchungen vorlege, für die das Material erst durch seine Sammelarbeit zugänglich wird, so kann der Archäologe nicht um eines ihn interessierenden Stückes willen ganze epigraphische Sammlungen kritisch untersuchen. Mancherlei Irrtümer bedeutender Forscher noch in Arbeiten neueren Datums[2] lassen es mir rätlich erscheinen, mit meiner, wie man sehen wird, überwiegend vom epigraphischen Standpunkt ausgehenden Untersuchung hervorzutreten, obwohl der Archäologe vieles daran vermissen wird. Für manche meine Arbeit fördernden Mitteilungen bin ich Fr. Studniczka zu Dank verpflichtet.

Es ist mir zweckmäßig erschienen, die Untersuchung einfach chronologisch aufzureihen, und von den ältesten bekannten Inschriftsammlungen schrittweise bis zu den lange Zeit gewissermaßen kanonisch gewordenen Publikationen aus dem Ende des 16. Jh. hinabzugehen.

I.

Unter dem Vorrat antiker Bildwerke, welche den römischen Gelehrten um die Wende des fünfzehnten Jahrhunderts vor Augen waren, fehlen inschriftlich bezeugte

Mitteilungen des Deutschen Archaeologischen Instituts, Römische Abteilung 16, 1901, S. 123–154.

Porträts berühmter Griechen und Römer fast ganz: das schon damals rege ikonographische Interesse mußte an Münz- und Gemmenbildern sein Genüge finden. In der Stadt selbst befand sich um 1490 nur eine einzige inschriftlich bezeugte griechische Herme, die des *Theophrast* im Palazzo Massimi bei S. Pantaleo (unten n. 17 [hier Taf. 123])[3]. Über ihre Herkunft fehlen ausdrückliche Angaben, aber es ist nicht unmöglich, daß sie aus der Nähe des Palastes selbst stammt und daß sie, wie die unten (S. 123) zu besprechenden aus Casa Zeno, im Altertum im nahen Pompejustheater oder einer der damit verbundenen Hallen gestanden hat. – Eine Basis mit dem Namen des Königs *Seleukos* und der Künstlerinschrift des Lysippus (n. 39) besaßen zu derselben Zeit die Mellini in ihrem Palast an Piazza Navona, aber das zugehörige Porträt fehlte. Nehmen wir dazu die im zweiten Dezennium des 16. Jh. von einem zuverlässigen Gewährsmanne, dem Bellunesen Pierio Valeriano[4] gesehene, inschriftlich bezeichnete Statuette des *Philemon* (n. 42), so haben wir alles erschöpft, was bis ca. 1540 von den uns interessierenden Monumenten in Rom vorhanden war.

Allerdings waren nahe vor den Toren der Stadt bereits um dieselbe Zeit zahlreiche analoge Monumente aufgefunden und von den Epigraphikern in ihren handschriftlichen Sammlungen notiert. Schon vor 1488 hatte Fra Giocondo, im J. 1503 der Deutsche Martin Sieder unterhalb Tivolis, bei der kleinen vor Porta S. Croce gelegenen Kirche S. Maria della Strada, die von der „contrada li Pisoni", in der sie lag, auch S. Maria in Pisoni (Empesone) genannt wurde[5], sieben Steine mit griechischen Inschriften kopiert, die offenbar aus einer und derselben antiken Villa stammten: lauter kopflose viereckige Hermenschäfte, mit Buchstaben von zum Teil auffallender Form (quadratischem O und Θ), welche die Namen des *Andokides* (n. 3), *Aristogeiton* (n. 4), *Aristoteles* (n. 6), *Herakleitos* (n. 13), *Isokrates* (n. 19), *Karneades* (n. 20), *Miltiades* (n. 30) trugen[6]. Aber allgemeinere Beachtung erfuhren sie erst um die Mitte des 16. Jh., als die Originale von Tivoli in eine der glänzendsten Villen Roms versetzt wurden.

II.

Das Verdienst, die bis dahin kaum beachteten Hermen dem antiquarischen Interesse nahegebracht zu haben, gebührt dem rheinischen Altertumsforscher Stephan Wynand Pighius, der während seines römischen Aufenthaltes (1547–1555) die Steine an einem wenig zugänglichen Ort *(latebrae)* bei Tivoli sah; durch ihn ward Papst Julius III. auf sie aufmerksam gemacht, der sie dann bald zum Schmuck seiner neuerbauten Villa vor Porta del Popolo herbeiholen ließ[7]. Ohne Zweifel ist unter den *latebrae,* in denen Pighius die Steine fand, nichts anderes als die Kirche S. Maria Empisone zu verstehen. Es ist Pighius nicht zu verargen, wenn er bei der unvollkommenen Kenntnis, die man damals von den Hadriansbauten bei Tivoli hatte, die Contrada Pisoni noch mit zur Villa des Hadrian rechnet: aber man wird sein Zeugnis nicht als Stütze für die Herkunft der Hermen aus der wahren Villa Hadrians verwenden dürfen[8]. Auch die für die Datierung der Inschriften und Porträts aus der Fundangabe gezogenen Folgerungen sind, wie man sieht, hinfällig[9]. Pighius, der in seinen gedruckten Büchern über den Fund nur summarisch referiert, hat in seinem jetzt in der Kgl. Bibliothek zu Berlin befindlichen Zeichnungscodex[10] genaue Abbildungen der von ihm in Villa Giulia gesehenen Hermen gegeben; es sind, außer den sieben oben genannten, noch *Aeschines* (n. 1), *Alkibiades* (n. 2), *Aristophanes* (n. 7), *Themistokles* (n. 15); sämtliche erscheinen, wie sie gefunden waren, kopflos. Den Dekoratoren einer römischen Renaissancevilla war dieser Mangel natürlich ein Anstoß, und sie beeilten sich, den Schäften antike, nicht zugehörige Köpfe aufzusetzen.

III.

Wo und wie in der großartigen Schöpfung Julius III. die Tivoleser Hermenschäfte verwendet wurden, erfahren wir nicht von Pighius, wohl aber von einem wenig später (1555–1561) in Rom anwesenden Gelehrten, dem Burgunder Jean Jacques Boissard. Dieser hat gerade die Villa Julius III. fleißig besucht und Kunstwerke wie Inschriften derselben kopiert: sein Originalskizzenbuch, heut in der Kgl. Bibliothek zu Stockholm[11], enthält auf f. 78 und 78′ die fünf Hermen des *Isokrates, Karneades, Herakleitos, Miltiades, Aristophanes,* und dazu eine lateinische mit dem Namen des *M. Epidius Eros*[12]. Diesen schreibt Boissard bei: *his terminis utuntur pro vitium fulcris.* Also in einer Pergola, das Rebendach derselben tragend, haben wir uns die Hermen mit ihren aufgesetzten Köpfen zu denken; das Gebäude lag, wie wir aus dem gedruckten Buche Boissards entnehmen können, auf der Höhe der Monti Parioli (s. u. S. 126f.). Die übrigen Hermen scheinen in den weitläufigen Anlagen der Villa zerstreut aufgestellt gewesen zu sein: so kommt es, daß, während jene sechs in der Pergola bis Ende des 16. Jh. an ihrem Platz geblieben sind[13], von den anderen einige, als Julius III. großartige Schöpfung nach seinem Tode in Verfall geriet[14], aus der Villa in andere römische Privatsammlungen übergegangen sind. Der *Aristogeiton* kam schon vor 1569 in die Sammlung Carpi; was aus den Hermen des *Alkibiades, Aristoteles, Andokides, Themistokles* geworden ist, wissen wir nicht[15].

IV.

Die Aufstellung der Hermen in der Villa Giulia verfehlte nicht, die Aufmerksamkeit der Antiquare auf diese Monumentengattung zu lenken: wir finden bei dem nächsten Autor, Pirro Ligorio, das Material beträchtlich vermehrt. Aber leider fangen wir auch an, uns auf einem weniger sicheren Boden zu bewegen als bisher: die Fälschung, auf Papier und auf Stein, beginnt ihre unsaubere Tätigkeit.

Uns hat hier zunächst die ältere und an echtem Inhalt reichere Redaktion des unendlichen Ligorianischen Werkes ›Delle Antichità romane‹ zu beschäftigen, welche durch die zehn Foliobände der Biblioteca Nazionale in Neapel repräsentiert wird[16]. Das ikonographische Material findet sich dort hauptsächlich[17] im siebenten Band, wo auf p. 412. 413 einundzwanzig Stücke, also fast die Hälfte mehr als die früheren haben, gezeichnet sind (der zugehörige Text steht auf den vorhergehenden und folgenden Blättern, 408–414). Sehen wir, wie es mit der Beglaubigung im einzelnen steht.

Sicher von den Steinen kopiert hat Ligorio – und wie er das zu tun pflegt, nicht schlecht – die zehn in Villa Papa Giulio aufgestellten Hermen[18] des *Aeschines* (n. 1), *Alkibiades* (2), *Andokides* (3), *Aristogiton* (4), *Aristoteles* (6), *Aristophanes* (7), *Heraclitus* (13), *Isocrates* (19), *Karneades* (21) und *Miltiades* (30). Die übrigen elf zerfallen in zwei Gruppen: wir finden da sieben, die bei Ligorio zuerst auftauchen und die vor und nach ihm niemand gesehen hat, nämlich: *Euripides* (64*), *Hesiod* (70*), *Kimon* (90*), *Kratippos* (100*), *Lysias* (105*), *Phokion* (159*) und *Platon* (124*) bezeichneten. Abgesehen von dieser ungenügenden Beglaubigung lassen die groben sachlichen und sprachlichen Versehen[19] keinen Zweifel daran, daß wir es mit Fälschungen Ligorios auf dem Papier zu tun haben.

Unter den vier übrigbleibenden ist zunächst zu betrachten der Σωκράτης Σωφρονίσ(κου) Ἀθηναῖος (n. 146*). Man wird Kaibel leicht darin beistimmen, die Inschrift für gefälscht zu erklären; aber sie ist nicht nur auf dem Papier verbrochen, sondern – was Kaibel übersehen hat – ein Hermenkopf mit derselben Inschrift (wenn auch in etwas verschiedenen Buchstabenformen) befindet sich noch heute im Conservatorenpalast (Salone; früher im Sitzungszimmer des Conservatoren, s. Beschr. Roms 3, 1, 123 [hier S. 353 Taf. 59]). Über ihren früheren Aufbewahrungsort belehrt uns Achilles Statius, der sie Tafel 6 mit der Unterschrift gibt: *in amphitheatro Vaticano.* Diese Ortsangabe führt uns zu einer inhaltlich zusammengehörigen Gruppe von Steinfälschungen, die es angemessen sein wird, hier zusammen zu erörtern, obwohl wir dadurch gezwungen werden, über den Kreis der im Neapolitaner Ligorius überlieferten hinauszugehen.

Jenes Amphitheatrum oder Theatrum gehörte zu den großartigen Bauten, durch die der prachtliebende Pius IV. (Medici) anfangs der sechziger Jahre den großen vatikanischen Hof Bramantes seiner Vollendung nahebrachte[20]. Es war eine große Exedra, am Südende des Hofes, deren flachbogiger Grundriß die verschiedene Achsenrichtung der langen Korridore Bramantes und der älteren Borgia-Bauten (sie stoßen in einem Winkel von fast 60° mit jenen zusammen) in geschickter Weise verbarg. Die Rückwand des Teatro ist noch heute sichtbar unterhalb der Borgia-Gemächer; aber verschwunden sind die Sitzstufen, die das Rund ausfüllten, verschwunden auch die Kunstwerke, welche einst die Wände und die Nischen schmückten. Von der Anordnung geben einige seltene Stiche aus der Zeit Pius IV. eine Vorstellung[21], die freilich bei der Kleinheit des Maßstabes zur Ermittlung der einzelnen Bildwerke nicht genügen würden: aber hier tritt ein schriftliches Dokument ergänzend ein, das Verzeichnis der Statuen, welche Papst Pius V., der Nachfolger Pius IV., aus dem Vatikan entfernen ließ und großenteils dem römischen Volk für die kapitolinischen Sammlungen zum Geschenk machte[22].

Der Künstler, welcher im Auftrag Pius IV. die Dekoration des Teatro leitete, war nun kein anderer als Pirro Ligorio: und wenn wir unter den von ihm dort aufgestellten Antiken eine ganze Anzahl finden, deren Wertschätzung durch Hinzufügung von falschen Inschriften, besonders von berühmten Namen zu steigern versucht war, so werden wir keine Bedenken tragen, dies Verfahren auf seine Rechnung zu setzen[23]. Ligorio selbst gibt eine Übersicht seiner Tätigkeit im Text zu der angeblichen *Philemon*-Herme (n. 155*), zu der er (cod. Taurin. 23 p. 76) erzählt: „fu portato in Roma nella villa di papa Julio terzo, et dindi è stata tolto come molti altri ritratti, et posto nel palazzo Vaticano da papa Pio quarto, et parte egli ne donò et parte ne dedicò nell' hemicyclo dell' atrio di Belvedere, dove erano queste effigie di (1) Platone, (2) Isocrate, di (3) Aristide Smyrneo, di (4) Diogene, di (5) Socrate, di (6) Ierone, di (7) Alcibiade, due teste (8. 9) della celeste Vergine, due di (10. 11) Ariadne, l' effigie di (12) Sappho Eresia, et una testa di (13) Serapide; delle quali nella sedia vacante alcune ne furono tolte, altre portate in Capitolio, et quel ritratto che fu più raro fu di Minicio Cippo tolto dalla villa di Horatio" (s. u. n. 39*). Von den hier genannten dreizehn Stücken lassen sich, außer der bekannten sitzenden Statue des *Aristides Smyrnaeus* (3) – deren Inschrift ohne Zweifel eine Steinfälschung des 16. Jh. ist[24] –, sieben mit solchen, die im Inventar von 1566 (bei Michaelis, Jahrb. 1890 S. 61. C) aufgeführt werden, identifizieren, nämlich die beiden „Vergini coronate di fiori" (8. 9 = Inv. 24. 25), der „Ierone" (6 = Inv. 26), die eine *Ariadne* (10 = Inv. 27), der „Platone" (1 = Inv. 28), „Alcibiade" (7 = Inv. 30), „Diogene" (4 = 31). Diese sieben standen (zusammen mit dem Gabriele Faerno, Inv. 29) „sopra le figure (in den Nischen) e sopra i modelli" (= Consolen), und von ihnen befinden sich die vier männlichen Hermen mit Inschrift noch heute im kapitolinischen Besitz[25]. Auch von den die [!] übrigen fünf Stücken – *Sokrates* (5), *Sappho Eresia* (12), *Isocrates* (2), die zweite *Ariadne* (11) und *Serapis* (13) – sind zwei noch im Conservatorenpalast vorhanden: der *Sokrates*, von dem wir ausgingen, und die *Sappho Eresia*, die gleichfalls zuerst im Neapolitanus erscheint. Es bleibt also unter den von Ligorius a. a. O. aufgezählten ungewiß nur der *Isocrates* (2): wohl möglich, daß ebenso wie von der echten Alkibiades-Inschrift aus Villa Giulia auch von der des *Isokrates* eine Kopie auf Stein sich im „Teatro di Belvedere" befunden hat.

Diese sämtlichen Inschriften haben – wie die unten gegebenen Faksimiles zeigen – einen gleichartigen Schriftcharakter: große, schöne, tiefgeschnittene Buchstaben, die im allgemeinen den antiken Ductus nicht schlecht nachahmen. Der Fälscher verrät sich besonders durch das Σ, welches die Form eines auf der Seite stehenden lateinischen M hat[26].

Es bleiben noch zwei zuerst in Ligorius' Neapolitaner Büchern vorkommende, in enger Verbindung miteinander stehende Stücke, die beiden Büsten aus schwarzem Marmor, von denen die eine (jetzt in den Uffizien in Florenz) den Namen des *Homer,* die andere (jetzt in der Pinacoteca Estense zu Modena) den des *Euripides* trägt. Daß die Inschrift des „Euripides" eine moderne Fälschung sein muß, ist augenscheinlich (s. u. n. 65*); und auch die des „Homeros" möchte ich, obwohl die Buchstabenformen viel besser sind [27], für Fälschung aus dem Cinquecento halten; denn die Gesichtszüge lassen es als unmöglich erscheinen, daß man sich in irgendeiner Periode des Altertums Homer oder Euripides so vorgestellt haben sollte. Roberts Vermutung (Hermes 17, 134 ff.), bei der Fälschung beider habe Ligorio die Hand im Spiele gehabt, erhält durch das eben Auseinandergesetzte eine neue Stütze. Daß die beiden gleichzeitig auftauchenden, auch im Material so merkwürdig übereinstimmenden Büsten aus demselben Funde herkommen, ist an sich sehr glaublich: und es sähe Ligorio ganz ähnlich, wenn er, um beide Stücke besser an den Mann zu bringen, das eine auf Homer, das andere auf Euripides getauft hätte. Eine von diesen Taufen mußte er später natürlich verleugnen, und er hat das mit dem Exemplar getan, welches sein Gönner, der Herzog Alfons von Ferrara, nicht gekauft hatte. Da die Modeneser Büste, an Arbeit und Erhaltung [28] die schönste des Typus, bisher noch nicht photographisch vervielfältigt war, bilden wir sie auf Taf. 159 ab.

                                          V.

Fünf Jahre, nachdem Pirro Ligorio das „teatro Vaticano" mit seinen echten und falschen Porträtköpfen geschmückt hatte, trat die erste Publikation über antike Ikonographie an das Licht, besorgt von dem Portugiesen Achilles Statius (Estaço) [29]. Sie besteht im wesentlichen aus 52 in Kupfer gestochenen Tafeln, von denen die ersten neunzehn die inschriftlich bezeugten Porträts, die weiteren 33 die inschriftlosen enthalten. Den einzelnen Stücken ist der Aufbewahrungsort beigeschrieben, zu den historisch bekannten meist ein (antikes oder modernes) Epigramm hinzugesetzt; auf einen Kommentar hat Statius verzichtet und nur in der kurzen Vorrede (2 unpaginierte Blätter) allerlei Nachrichten über Hermen und andere Bildnisse bei Griechen und Römern zusammengestellt. Er weist auf die gleichzeitig bei demselben Verleger Lafrérie in Vorbereitung befindliche Sammlung des Ursinus ausdrücklich hin [30]: diese sollte auch sämtliche in Metall oder anderen Stoffen (gemeint sind namentlich Münzen und Gemmen) ausgeführten Porträts enthalten, während Statius sich ausdrücklich auf die Marmorwerke beschränkt. Er versichert, nach Erwähnung der Schwierigkeiten, die dem Herausgeber durch falsche Zusammensetzungen erwachsen, daß er *summa fide quod extat atque ut extat* publiziere. Da trotzdem neuerdings gegen Statius der Vorwurf erhoben ist, sein Werk enthalte Ligorianische und andere Buchfälschungen, die er wie nach Originalabschriften publiziert habe, so ist es nötig, die Sammlung, wenigstens was die mit Inschriften versehenen Stücke betrifft, auf ihre Glaubwürdigkeit zu prüfen.

Unter den zweiundzwanzig mit Inschriften bezeichneten Hermen und Büsten finden wir zunächst die fünf griechischen der Pergola in Villa Papa Giulio, sämtlich mit den falsch aufgesetzten Köpfen, wieder; der von Pighius gleichfalls in der Villa Giulia gesehene Aristogeiton ist in die Sammlung Carpi übergegangen, die übrigen von Pighius (und Ligorius?) dort gesehenen fehlen [31]. Aus anderen römischen Privatsammlungen hat Statius von den uns bereits bekannten den *Theophrast Massimi* [hier Taf. 122, 1; 123].

Weiter enthält Statius' Sammlung drei uns schon bekannte Steinfälschungen: den *Diogenes* und den *Sokrates* aus dem Teatro Vaticano und den *Euripides* aus der Sammlung Carpi; bei letzterem ist die Inschrift ungenau angegeben.

Unter den zuerst bei Statius vorkommenden sind zweifellos echt die Doppelherme des *Herodot* und *Thukydides* (n. 15 [hier Taf. 41]); die beiden kopflosen Hermen des Homer (n. 35) und *Menander* (n. 27) mit den Epigrammen aus der Sammlung Soderini [s. u. S. 189 Abb. 10]; ferner die beiden Hermenschäfte mit den lateinischen Inschriften des M. Porcius Cato (CIL. VI 1320) und Valerius Poblicola (VI 1327), welche, wie es scheint, zwischen 1550 und 1560 in der Stadt aufgetaucht waren, und die, aus zahlreichen andern Abschriften bekannt, uns hier nicht weiter zu beschäftigen brauchen; endlich ist auch kein Grund abzusehen für eine Fälschung der fragmentierten Herme mit [Λεω?]δαμας in der Sammlung Cesi (n. 21). Dagegen sind die beiden Inschriften auf den angeblichen Köpfen des *Thales* (n. 71*) und *Diogenes* (n. 49*) in der Sammlung Achille Maffeis nach Fulvius Ursinus' sachkundigem Urteil modern gewesen: die erste Inschrift bezeichnet auch Ligorius als moderne Fälschung.

Es bleiben vier Stücke übrig, von denen drei, der *Platon* (n. 37), *Xenokrates* (n. 33) und Μάξιμος Σεουήρου (n. 26) sich in der Sammlung des Ottaviano Zeno bei Campo di Fiore befanden. Die Existenz auf Stein ist wenigstens für die dritte sicher bezeugt durch die Abschrift des sog. Anonymus Hispanus Chisianus [32]. Keine von ihnen hat etwas inhaltlich Verdächtiges: die korrekten dorischen Formen Ἀγαθά-νορος und Καλχαδόνιος gehen über die Fähigkeiten römischer Fälscher des 16. Jh. hinaus; daß der Römer Maximus sonst unbekannt ist, spricht entschieden viel mehr für Echtheit als für Fälschung. Alle drei sind in Abfassung und Zeilenzahl so konform, daß ich glauben möchte, sie entstammten einem gemeinsamen Funde. Und es ist gewiß nicht zufällig, daß das Haus des Ottaviano Zeno in der Nähe des Pompejustheaters liegt, gerade so wie der Palazzo Massimi alle Colonne, in dem seit Ende des 15. Jh. die *Theophrast*-Herme sich befand: wohl möglich, daß alle vier in antiker Zeit zum Schmucke des Theaters oder der umgebenden Hallen gehört haben.

Endlich die *Lysias*-Büste (mit zugehörigem Kopf) aus der Sammlung Vittori ist ohne Zweifel identisch mit der jetzt im Museo Capitolino befindlichen *stanza dei filosofi* n. 15: der rechteckige Rahmen um die Inschrift wie der Steinmetzfehler

AYCIAC (den freilich nicht Statius selbst, sondern der sorgfältige Knibbe an der
Vittorischen Büste bemerkt hat) sind Beweis genug dafür[33]. Auch der Schriftcharakter spricht, wie mir scheint[34], eher für antiken Ursprung als für eine Fälschung
der Renaissance.

Wir kommen also zu dem Resultat, daß in Statius' Sammlung unter den inschriftlich
bezeichneten Porträts kein einziges ist, welches nicht wirklich in Stein existiert
hätte: auch die Fälschungen, durch die er sich hat täuschen lassen, stammen nicht
aus Büchern oder fremden von ihm benützten Papieren, sondern haben, in Stein
eingegraben, um 1569 in römischen Sammlungen existiert. Das gleiche werden wir
erst recht von den anepigraphen voraussetzen dürfen; noch viel weniger als bei
denen mit Unterschriften ist bei diesen das Vorhandensein zahlreicher Buchfälschungen um Mitte des 16. Jh. vorauszusetzen.

VI.

Die in der Vorrede des Statius bereits angekündigte Publikation des Ursinus
erschien, in Lafréries Verlag, im folgenden Jahr 1570 unter dem Titel: ›Imagines et
elogia virorum illustrium et eruditorum ex antiquis lapidibus et numismatibus
expressa, cum annotationibus ex bibliotheca Fulvi Ursini‹. Das namentlich durch
Zuziehung der Gemmen und Münzbilder erweiterte Programm hat zu einer sehr
bedeutenden Vermehrung des Stoffes geführt; das Register am Schluß enthält weit
über hundert Namen. Und dabei hebt Ursinus noch ausdrücklich hervor, daß er kritischer gewesen sei als sein Vorgänger, indem er nicht allein die nicht zugehörigen
Porträtköpfe weggelassen, sondern auch mehrere von moderner Hand auf antike
Köpfe gesetzte Namen (den Thales und die beiden Diogenes-Inschriften) absichtlich ignoriert habe. – Nach Abzug der Münz- und Gemmenbilder, der nur inschriftlich überlieferten Namen und der anepigraphen Bildwerke bleiben für die uns inter-
essierende Gruppe fünfunddreißig Stücke, nach deren Beglaubigung im einzelnen
nunmehr zu fragen ist.

Die im eigenen Besitz des Ursinus befindlichen Porträts erscheinen hier sämtlich
zum erstenmal und natürlich nach Originalzeichnungen. Es sind die Statuetten des
Euripides (n. 10) und *Pindar* (n. 36), die *clipei* des *Sophokles* (n. 40 [Taf. 40]) und
Menander (n. 29 [Taf. 90, vgl. u. S. 191ff.]), endlich das Relief mit der bärtigen
Maske und dem Namen des *Kallisthenes,* welcher allem Anschein nach auf Stein gefälscht war (n. 86*). Autopsie ist ohne Zweifel auch vorauszusetzen für die im Farnesischen Besitz befindliche *Lysias*-Büste (n. 24: hier zum erstenmal [Taf. 44, vgl. u.
S. 192]) und die *Cato*-Herme (CIL. VI 1320: der Stich verschieden von Statius' Publikation).

Was das Verhältnis des Ursinus zu seinem Vorgänger Statius betrifft, so hat er aus
dessen Publikation mehrere Blätter nachstechen lassen, nämlich außer einem

inschriftlosen *Sokrates*kopf (p. 51 = Stat. 40): die *Miltiades*-Herme (unten n. 30 = Stat. 2 [vgl. Taf. 50, 1]), die Doppelherme des *Herodot* und *Thukydides* (n. 14 = Stat. 6 [Taf. 41]) und den Kopf des *[Leo]damas* (n. 21 = Stat. 15), doch auch diese nicht ohne Nachprüfung, wie die Weglassung der falschen Inschrift auf dem *Miltiades* und *Sokrates* zeigt. So möchte ich denn glauben, daß auch die drei bei Ottaviano Zeno befindlichen[35] *(Xenokrates, Plato, Maximus Severi)* nach Autopsie gegeben sind: casa Zeno lag wenige Schritte vom Palazzo Farnese.

Für die Kritik der übrigen Masse ist von Wichtigkeit, daß sich ein Teil der Collectaneen des Ursinus erhalten hat im cod. Vat. 3439 und daß dieser Teil genauere Aufklärung gibt über das Verhältnis des Ursinischen Buches zu Ligorius, der im gedruckten Text nur einmal als Gewährsmann genannt wird (p. 34 zu n. 42: *Pyrrhus Ligorius Neapolitanus, a quo multa accepimus, quae ad huius libri institutum pertinent)*. Denn die 23 teils mit Porträtköpfen versehenen, teils kopflosen Hermen und Büsten[36], welche auf f. 123–124 dieser Handschrift gezeichnet sind, erweisen sich als Kopien aus dem Neapolitaner Ligorius (Bd. 7 p. 413ff.), und daß sie zum Behuf des gedruckten Buches gemacht sind, erhellt aus der Anordnung. Die ersten drei Seiten (f. 123, 123′, 124) nämlich enthalten die Stücke, welche Ursinus in sein Buch aufgenommen hat, während er den sechs auf f. 124′ [hier Taf. 160] zusammengestellten die Aufnahme verweigert hat[37]. Unter den fünfzehn auf f. 123. 123′. 124 stehenden sind nun nicht weniger als sechs, die wir oben als Fälschungen des Ligorius auf dem Papier kennengelernt haben: *Euripides* (n. 64*), *Lysias* (n. 105*) und *Phokion* (n. 159*). Diese hat Ursinus sämtlich aufgenommen, ja indem er die groben grammatischen Schnitzer herauskorrigierte[38], ihnen eine scheinbare Beglaubigung gegeben[39]: was um so leichter Verwirrung stiften mußte, als die Anlage seines Buches nie unterscheiden läßt, was der Verfasser selbst gesehen und was er aus abgeleiteten Quellen entnommen hat. – Vollständig in der Zeichnung stimmen auch die falsche *Sokrates*herme des Vat. f. 123 und der Stich bei Ursinus p. 51, ferner der *Aeschines* (Vat. 123) mit Ursinus ed. 79. Über die verbleibenden sechs[40] Stücke *(Aristogeiton, Aristophanes, Karneades, Andokides, Herakleitos, Isokrates)* ist schwer zu urteilen, da es sämtlich kopflose Hermen sind, die in Villa Papa Giulio standen und Ursinus im Original kaum unbekannt gewesen sein können: freilich schreibt er nur vieren *(Aristophanes, Karneades, Herakleitos, Isokrates)* die Ortsangabe bei *apud Ferdinandum card. Mediceum*, während *Aristogeiton* und *Isokrates sine loco* stehen.

Für den übrigen Inhalt der Ausgabe von 1570 läßt uns Ursinus' handschriftlicher Nachlaß im Stich, und wir sind auf innere Kriterien angewiesen. Sicher echt und nach Originalzeichnungen gegeben sind[41]: der *Theophrast Massimi* (n. 17 [Taf. 122–123]), die kopflosen Hermen des *Homer* (n. 35) und *Menander* (n. 27 [u. S. 189 Abb. 10]) bei den Soderini, welche wir bereits kennen; ferner zwei zuerst bei Ursinus publizierte: die *Moschion*statuette der Sammlung Garimberti (n. 32) und der *Hercules Prodicius* der Sammlung Astalli (p. 61; unten nicht wiederholt). – Steinfälschungen sind die Büste der Εὔχαρις Λικιν in der Sammlung Delfini (n. 66*) und das

Bellaysche Aristoteles-Relief (n. 26*). Endlich ist der kopflose Hermenschaft des *Themistokles* aus Villa Giulia, dessen ungenaue Abschrift p. 13 auf p. 109 *ad lapidis fidem* verbessert wird, wohl auch von Ursinus selbst gesehen.

Es bleiben drei Stücke übrig: die *Zenon*-Herme p. 65 (unten n. 12), die höchst verdächtige Inschrift eines kopflosen Hermenschaftes mit ᾽Αριστοτέλης ὁ ἄριστος τῶν φιλοσόφων (p. 57, unten n. 27*) und die nur im Typendruck gegebene des *Speusippos* (p. 54, unten n. 143*).

Was die *Zeno*-Herme betrifft, so findet sich von ihr eine Zeichnung im Ligorius Taurinensis, die so genau mit dem Stich bei Ursinus übereinstimmt, daß eine von beiden notwendig die Vorlage der andern gewesen sein muß. Ich bin in diesem Falle geneigt zu glauben, daß die Zeichnung der Herme von Ligorius dem Ursinus mitgeteilt ist[42]. Die Herme selbst kann gut und echt gewesen sein: Studniczka macht mich namentlich auf die charakteristischen Stirnfalten aufmerksam, die dem des Neapolitaner Kopfes (n. 11) ganz entsprechen. – Der *Speusippos*, dessen Zeilenteilung und Buchstabenform auf S. 109 verbessert wird, könnte echt sein; aber da er *sine loco* steht, und jede andere Beglaubigung fehlt[43], halte ich es einstweilen für richtiger, ihn unter den *suspecti* zu belassen.

Wenn also die Publikation des Ursinus gegenüber der des Statius das Verdienst hat, einige falsche Zusammensetzungen von Köpfen und Inschriften, ebenso einige moderne gefälschte *tituli* beseitigt zu haben, so muß ihm andrerseits zur Last gelegt werden, daß er versäumt hat, kenntlich zu machen, wann er direkt vom Stein und wann er aus fremden Papieren schöpft: er hat dadurch einer Anzahl von Ligorianischen Buchfälschungen für lange Zeit die Autorität seines Namens geliehen. Auch von modernen Fälschungen auf Stein sich freizuhalten ist ihm keineswegs gelungen.

VII.

Die beiden römischen Publikationen des Statius und Ursinus gewannen bald große Verbreitung und Autorität: namentlich verdunkelte Ursinus durch größere Reichhaltigkeit und Gelehrsamkeit seinen Vorgänger. Recht deutlich ist dies zu erkennen an den späteren Zutaten, mit denen J. J. Boissard sein ursprüngliches Skizzenbuch, den Holmiensis, bereichert hat. Er hat in demselben auf den letzten Blättern (f. 169–172) nachgetragen: die Soderinischen Hermen des *Homer* und *Menander* [u. S. 189 Abb. 10], den *Aristogeiton*, die drei Hermen des Ottaviano Zeno *(Platon, Xenokrates, Maximus Severi)*, endlich die beiden lateinischen des *Cato* und *Valerius Poblicola*: alle sieben bei Statius vorkommend. Die beiden Soderinischen Hermen sind 1567, nachdem Boissard längst wieder jenseits der Alpen war, gefunden: daß sie aus Statius einfach abgeschrieben sind, erhellt z. B. aus dem gegen Sinn und Metrik fehlenden ΣΕ im letzten Verse des Homer-Epigrammes. – Im cod. Parisinus des Boissard und in seinem publizierten Kupferwerk sind endlich noch sechs hinzugekommen, der *Theophrast Massimi*, die Doppelbüste des *Herodot* und *Thukydides*, und die drei ligorianischen Buchfälschungen Ἡσίοδος Δίου, Εἰρειπίδης Μνησάρχου, *Iunius Rusticus*; alle aus dem Buch des Ursinus herübergenommen, nur daß sich Boissard noch das Vergnügen gemacht hat, zu allen dreien Ortsangaben hinzuzuerfinden. – Charakteristisch aber für Boissards Arbeitsweise ist, daß er (I, 51) angibt, daß *in horto superiore* [der Villa Giulia] *vitium concamerationes altissimae fulciuntur et sustentantur terminis marmoreis antiquis octodecim, qui vice columnarum serviunt: ex Graecia Romam adportati sunt fere omnes, signati capitibus insignium virorum et principum Atheniensium et nominum singulorum antiquis characteribus.* So ist die Zahl der wirklich in der Pergola des oberen Gartens aufgestellten Hermen verdreifacht: Boissard hat kurzerhand sämtliche ihm bekannt gewesenen Hermen (s. die Tafeln 4, 41–49) in die Villa versetzt – darunter auch die oben genannten Ligorianischen Buchfälschungen! Eigene Erfindungen Boissards sind endlich die Herme des *Epikur* (n. 57*), die angebliche Inschrift des *Metrodor* (n. 109*) und des Phokion (n. 160*): nur bei der letzten könnte man zweifelhaft sein [!], ob es sich um eine Steinfälschung handelt.

VIII.

Wir kommen zu der ikonographischen Sammlung, welche alle vorhergehenden an Umfang – leider nicht an Inhalt – weit übertrifft, zu der zweiten Redaktion von Ligorios Werk ›delle antichità‹. – Als die beiden Bücher des Statius und Ursinus erschienen, war Ligorio nicht mehr in Rom: am ersten Dezember 1568 trat er in die Dienste des Herzogs von Ferrara, Alfonso d'Este, und hat die letzten fünfzehn Jahre seines Lebens fern von der Ewigen Stadt zugebracht. Ligorio war schon im höheren Alter, als er nach Ferrara ging: eine umfangreichere Tätigkeit als Architekt oder Ingenieur scheint er dort nicht entfaltet zu haben, sondern überhaupt mehr als Gelehrter an jenen die Künste und Wissenschaften von jeher pflegenden Hof berufen zu sein [44]. Und so hat er denn hier die zweite, ebensowenig wie die erste vollendete Redaktion seines Werkes ›delle antichità‹ zustande gebracht, welche die dreißig Folianten des Kgl. Archivs zu Turin füllt.

Als Ligorio sich der Ausarbeitung dieses Werkes widmete, war ihm die erste Redaktion, die damals farnesischen, jetzt neapolitanischen Bände, nicht mehr zugänglich: ebensowenig scheint er viel von den Originalpapieren, aus denen er die erste Redaktion zusammengearbeitet hatte, zurückbehalten zu haben. Wie sollte er es anfangen, die fünfzig Bücher zu füllen, die er seinem neuen Herren Alfonso von Ferrara widmete und in denen er die angebliche Summe der antiquarischen Studien seines langen Lebens niederlegen wollte?

Wir sehen da ab von den im Taurinensis einen breiten Raum einnehmenden historischen und geographischen Partien, die massenhafte Excerpte aus Strabo, Plinius, Stephanus von Byzanz usw. bringen; nicht minder von den numismatischen, wofür ihm auch in Ferrara echtes Material vorlag, welches er dann freilich durch zahlreiche Erfindungen vermehrte. Seine Arbeitsweise ist besonders klar zu durchschauen auf epigraphischem Gebiet. Hier legt er hauptsächlich die 1565 erschienene Orthographia des Manutius zu Grunde, gibt die dort publizierten Abschriften, manchmal sogar mit den Druckfehlern, als seine eigenen, erfindet aber Angaben über Auffindung und Schicksale der Steine, oft ganz ausführlich, hinzu. Es ist nicht selten, daß ein Text, der im Neapolitanus von Ligorio nach guter Originalabschrift gegeben war, im Taurinensis weniger korrekt nach dem Druck des Manutius, aber mit der Prätention, eigene Kopie zu sein, wiederkehrt. Selten sind unter den lateinischen Inschriften des Taurinensis echte, die nicht schon in der früheren Rezension stehen, und gar solche, die (wie CIL. VI, 1377) auf der späteren allein beruhen und doch sicher echt sein müssen. Ungeheuer dagegen ist die Zahl der interpolierten, aus mehreren echten kombinierten oder ganz erfundenen Inschriften, von denen der Autor mit unglaublicher Dreistigkeit versichert, sie mit eigenen Augen gesehen und durch seine Abschrift vor dem Untergang bewahrt zu haben.

Diese für Ligorios' Arbeitsweise charakteristischen Züge, welche über den Kreis der lateinischen Epigraphiker hinaus nicht immer hinlänglich bekannt zu sein scheinen, finden wir nun in ganz analoger Weise in seinem ikonographischen Teil wieder, der den 23. Band des Turiner Werkes füllt. Dem Ligorio haben offenbar die 1569 und 1570 erschienenen Werke des Statius und Ursinus vorgelegen, und er hat sie ausgiebig benutzt. Aus Statius sind z. B. mehrere inschriftlose Köpfe sehr sorgfältig kopiert[45]; ferner pflegt er die aus antiken Schriftstellern entnommenen Epigramme, die bei Statius unter den einzelnen Stichen stehen, in seinen Kommentar aufzunehmen. Weit mehr aber borgt er dem Ursinus ab; die Angaben über Lebensumstände und Werke der Dargestellten sind zum größten Teil aus des Ursinus lateinischem Kommentar, und zwar oft recht liederlich, ins Italienische übersetzt.

Nun hat aber Ligorio bei Benutzung fremder Arbeiten eine eigentümliche Methode. Daß er seine Quellen selten zitiert, ist eine Untugend, die er mit vielen Zeitgenossen teilt: aber was gravierender ist, er betrachtet jeden, der über ein auch von ihm bearbeitetes oder zu bearbeitendes Thema schrieb – und sein Arbeitsfeld umfaßte so ziemlich die ganze damalige Altertumswissenschaft – als seinen natürlichen Feind, über den er bei jeder Gelegenheit herfällt, um ihm Mißdeutungen, Lügen, Diebstahl an fremder Arbeit und ähnliche Dinge vorzuwerfen. So hat er für die Topographie den Bartolomeo Marliani, für die Epigraphik den Onuphrius Panvinius be- oder mißhandelt; und ähnlich, wenn auch nicht ganz so arg, macht er es für die Ikonographie mit seinen Vorgängern Ursinus und Statius. – Schon in der Vorrede[46] schilt er über seine Nebenbuhler, die ihm die Früchte seiner Arbeit hätten vorwegnehmen wollen, und deren Ignoranz und Bosheit nun hier bloßgestellt werden solle; ähnliche Ausfälle kehren im Verlauf des Werkes häufig wieder. An einer Stelle, wo er den Ursinus anfangs mit Lob erwähnt hatte, ist der Name später ausradiert und durch ein gleichgültiges Appellativum ersetzt[47], und während er sonst fast alle von

Ursinus publizierten Stücke herübernimmt[48], hat er gerade die Hauptstücke aus Ursinus' eigener Sammlung[49], wie aus Rancüne gegen den Besitzer, mit Stillschweigen übergangen.

Von echten Stücken tritt im Turiner Ligorius ein einziges zum ersten Male und nach Originalabschrift auf, der *Posidonius* der Sammlung Farnese (jetzt in Neapel; s. u. n. 34 [hier Taf. 153]). Originalabschrift wird auch für den (falschen) *Xenokrates* im Pal. Massimi (n. 103*), den die früheren nicht kennen, und für die gleichfalls auf Stein gefälschten aus dem Teatro Vaticano zu Grunde liegen: bei den letzteren war ja Ligorius, wie wir gesehen haben, nahe beteiligt.

Was nach Abzug dieser wenigen Stücke übrigbleibt, sind Erzeugnisse der ungezügelten Fälscherphantasie Ligorios. Ihre Masse ist so groß, und die Fabrikationsweise so durchsichtig, daß man manchmal daran zweifeln möchte, ob der Autor überhaupt geglaubt hat, mit diesen Ungeheuerlichkeiten jemand täuschen zu können, und ob die ganzen angeblichen Antiken nicht nur als harmlose Illustrationen zum Text figurieren[50]. Aber das hat Ligorio selbst sicher nicht gewollt: hat er sich doch die Mühe nicht verdrießen lassen, zu den meisten die Angaben, und manchmal recht ausführliche, über Fund und Schicksale der Originale hinzuzuerfinden. Häufig schafft er sich unbequeme Fragen nach dem Verbleib der Steine dadurch vom Halse, daß er erzählt, diese seien „per l' ingordiggia degli scavatori" oder von „scellerati scoltoruzzi" und „sciocchi antiquari" zerstört oder entstellt[51]. Das Material zu seinen Fälschungen geben ihm hauptsächlich Suidas und Diogenes Laertius, die er – natürlich in lateinischer Übersetzung – ausgiebig benutzt. Er scheint die Absicht gehabt zu haben, für jeden berühmten Dichter, Gelehrten, Staatsmann des griechischen Altertums mindestens ein – denn das Schaffen von Dubletten ist einer seiner Hauptkunstgriffe – inschriftlich bezeichnetes Porträt zu schaffen. Glücklicherweise ist er damit nicht zu Ende gekommen: noch finden sich im Taurinensis Fundberichte mit langen Reihen von inschriftlich bezeichneten Büsten, von denen er nur im allgemeinen die Namen der Dargestellten angibt, während ein ausgearbeiteter griechischer Text und die Zeichnung der Porträts fehlt (einige Proben u. n. 153*). – Diese Ligorianischen Erfindungen sind zum größten Teil bis auf Kaibels Publikation unediert geblieben: sie haben für die Ikonographie ebenso geringen Wert wie für die Epigraphik, denn Ligorio hat nicht einmal an Inschriftlichem oder unbezeichneten Porträts sonst unbekannte Dinge zu seinen Fälschungen genutzt[52]: nur für das Arbeitsverfahren des Fälschers und die Psychologie der Fälschung überhaupt bieten sie ein gewisses Interesse. Die für Kaibels Sammlung gemachten Exzerpte aus dem Taurinensis sind nun weder vollständig noch genau, insbesondere sind gewöhnlich die Orts- und Fundangaben – die bei Ligorio einen gewissen Wert zu haben pflegen – weggelassen. Ich habe lange geschwankt, ob ich das Fehlende nachtragen oder einer an sich nur zu verdienten Vergessenheit überlassen solle. Wenn ich mich doch entschlossen habe, im Anhang das gesamte Material aus Ligorios zweiter Redaktion, sowohl was bei Kaibel steht, als die ziemlich zahlreichen Inedita zu geben, so hat mich dabei der Gedanke geleitet, daß die Scheidung zwischen Echtem und Falschem am meisten dadurch erleichtert wird, wenn man sieht, was der Fälscher zu leisten im Stande war, und was nicht[53]. Vor dem Verdacht z. B., mit Benutzung unedierter griechischer Handschriften die *Menander*-Inschrift n. 28 gefälscht zu haben (Droysen, Gesch. des Hellenismus 2, 2, 398; hier S. 188 Abb. 9), dürfte Ligorio nunmehr gesichert sein.

IX.

Am Schlusse der uns beschäftigenden Reihe von Werken steht die zweite ikonographische Publikation des Fulvius Ursinus, die kurz vor seinem Tode (1598) erschienenen ›illustrium imagines ex antiquis marmoribus numismatibus et gemmis expressae‹. Es sind 151 nach Zeichnungen von Theodor Galle (Gallaeus) gestochene Kupfertafeln ohne Text: den begleitenden Kommentar, zu dem er sein Leben lang gesammelt hatte, den er jedoch nicht mehr selbst vollenden konnte, ließ er in seinen letzten Lebensjahren unter seinen Augen von dem jungen Philologen Gaspar Scioppius schreiben. Aber auch Scioppius kam nicht mit der Publikation zu Ende: als sechs Jahre nach Ursinus' Tod (1606) eine zweite, mit siebzehn Tafeln (A–R) aus seinem Nachlaß vermehrte Auflage erschien, nannte sich als Herausgeber der Arzt Johann Faber aus Bamberg, dem Scioppius seine Arbeit überlassen hatte. Da über diese und ihre noch erhaltenen handschriftlichen Grundlagen[54] demnächst eine erschöpfende Untersuchung von Studniczka zu erwarten ist [vgl. hier S. 148 ff. 191 ff.], begnüge ich mich, ohne Eingehen auf Details, das Buch namentlich in seinen Unterschieden von den ›Imagines et elogia‹ von 1570 kurz zu charakterisieren.
Die Publikation von 1598 resp. 1606 ist, wie schon der Titel zeigt, ein von dem älteren ganz verschiedenes, nach anderen Gesichtspunkten angelegtes Werk. Fortgefallen sind die *elogia*, d. h. alles rein Epigraphische, namentlich die zahlreichen Grabschriften am Ende der Ausgabe von 1570; die kopflosen Hermen werden meistens nur im Kommentar erwähnt, ihren Platz behalten haben nur einige wenige, zu denen Ursinus aus anderen Quellen kein Porträt beizubringen wußte. Aber das Material ist gewaltig vermehrt; einschließlich der Appendix enthält das Werk auf 168 Tafeln fast ebenso viele (denn die eben erwähnten kopflosen Hermen Taf. 13. 33. 43. 89. 109. 137. 147. 149. J; s. u. Anm. 58 sind abzuziehen) Porträts. Allerdings kommt die Vermehrung überwiegend von der reicheren Heranziehung des numismatischen und glyptischen Materials: nicht weniger als 93 Münz- und 33 Gemmenabbildungen werden gegeben. Nach Abzug dieser und einiger anderer hier nicht zu erörternder Denkmäler[55] bleiben vierzig Marmorwerke, über welche eine kurze Übersicht zu geben ist.
Die Kritik des zweiten Ursinischen Werkes wird dadurch erleichtert, daß im Kommentar sowohl die Orts- als namentlich die Quellenangaben weit zahlreicher und sorgfältiger sind. Das irreführende Nebeneinanderstellen mehrerer Denkmäler auf

Miscellantafeln ist vermieden, und einige Unklarheiten, die sich trotzdem finden, wären wahrscheinlich beseitigt worden, wenn Ursinus selbst sich der Herausgabe hätte annehmen können[56].

Die fünfzehn Bildwerke, welche die neue Publikation zum ersten Male enthält, sind ohne Zweifel alle nach den Originalen gezeichnet: es ist dies um so selbstverständlicher, als sie sich überwiegend bei Ursinus selbst oder bei den Farnese befanden[57]. Sie tragen regelmäßig die Überschriften *apud . . . in marmore.*

Mit der früheren Publikation hat die spätere fünfundzwanzig Stücke gemeinsam. Von diesen sind nur sechs verkleinerte Wiederholungen der Stiche des älteren Buches[58], drei aus Statius entnommen[59]. Neue Zeichnungen sind gemacht für die Hauptstücke der Sammlung des Ursinus: die *clipei* des *Menander* (Taf. 90 [hier Taf. 90, 2]) und des *Sophokles* (Tf. 136 [hier Taf. 40, 3]), die Doppelhermen des *Herodot* und *Thukydides* (Tf. 144), das (falsche) *Kallisthenesrelief* (Tf. 41); ferner für die farnesische *Lysias*-Büste (Tf. 85 [hier Taf. 44, 2]) und den *Theophrast Massimi* (Tf. 143 [hier Taf. 122, 3]).

Was ferner diejenigen Inschriften – es sind sämtlich kopflose Hermenschäfte – betrifft, welche mit der Inschrift *apud Fulvium Ursinum in schedis ex marmore* scheinen[60], so läßt der Ausdruck es zweifelhaft, ob damit gesagt werden soll, daß die Abschriften in Ursinus' Scheden von ihm vor den Originalen genommen seien, oder nicht. Aber daß das *ex marmore* keine Gewähr dafür gibt, Ursinus habe die Steine selbst gesehen, ergibt sich daraus, daß auch mehrere Ligorianische Buchfälschungen (Phokion, Kratippus, Kimon) ihn haben.

Der kritische Fortschritt zeigt sich aber auch in dem, was die neue Ausgabe gegenüber der von 1570 weniger bietet. Sieben Stücke sind ganz weggelassen: der *Aristoteles Bellay,* den Ursinus als Steinfälschung erkannt hatte; auch gegen die beiden kopflosen *Aristoteles*-Hermen, den *Sokrates* (n. 147*) und *Junius Rusticus* – die er alle vier den Mitteilungen des Ligorius verdankte – scheint er mißtrauisch geworden zu sein. Dagegen ist die Εὔχασις Λικιν. vielleicht nur weggelassen, weil sie nicht *'illustris'* genug war; endlich hat der sicher echte Hermenschaft mit dem Namen des *Alkibiades* (in Villa Giulia) wohl nur durch ein Versehen weder unter den Abbildungen noch im Kommentar Aufnahme gefunden. In letzterem finden sich siebzehn Stücke[61] teils vollständig abgedruckt, teils zitiert, welche in der ersten abgebildet waren: es handelt sich meistens um kopflose Hermenschäfte, denen Ursinus jetzt ein anderes beglaubigtes Porträt an die Seite zu setzen imstande war.

Aus Ursinus' beiden Werken hat 1685[62] Gian Pietro Bellori ein neues mit einigen Zusätzen vermehrtes ikonographisches Corpus zusammengestellt; die zweite Auflage wurde wenig später von Baudelot de Dairval ins Französische übersetzt (Paris 1710). So haben Ursinus' Arbeiten zwei Jahrhunderte lang den ikonographischen Studien als Fundament gedient, bis am Ende des 18. Jh. Ennio Quirino Visconti mit dem ungeheuer erweiterten Denkmälerschatz und der durch Winckelmann begründeten kritischen Methode ihr Erneuerer wurde.

Anmerkungen

[1] Michaelis, Die Bildnisse des Thukydides (Festgruß an die Universität Tübingen, Straßburg 1877 [hier S. 39 ff.]); Robert, Die angebliche Pyrrhos-Büste der Uffizien und die ikonographischen Publikationen des 16. Jahrhunderts, Hermes 17 (1882) p. 134–147.

[2] So bildet J. J. Bernoulli in seiner soeben erschienenen griechischen Ikonographie S. 92 eine „Miltiadesherme des Fulvius Ursinus" (unten n. 30) ab, deren Kopf sicher nicht zugehört; Michaelis (Jahrb. d. Inst. 1891, 234) sucht in der Sammlung della Valle zwei Hermen nachzuweisen, die Buchfälschungen Ligorios sind, usf.

[3] Die Nummern verweisen auf den epigraphischen Anhang [der hier wegen seiner Länge weggelassen werden mußte; die mit * versehenen Nummern betreffen dabei die als neuzeitlich erwiesenen Inschriften].

[4] Über Giovanni Pierio (Bolzani) Valeriano (1476–1558) vgl. Tiraboschi, Storia della letteratura italiana VII 849 ff. V p. XXIII; und VI p. XLVII. Sein großes Werk Hieroglyphica, in dem er die Philemonstatue erwähnt, ist zwar erst in seinen letzten Lebensjahren 1556 in Basel gedruckt, geht aber auf weit ältere Collectaneen zurück. In Rom speziell war Valerianus unter Leo X. und Clemens VII. gewesen, aber seit 1530 nicht wieder dahin zurückgekehrt. Für die Abfassungszeit der früheren Bücher ist bemerkenswert die Stelle l. II c. 21, wo die Rede ist von dem *rhinocerus qui nuper allatus est ex India inferiore ad Lusitaniae regem, cuius imaginem ad Leonem X p. m. trasmissam vidimus.* Dies Wundertier aber kam am 1. Mai 1513 nach Lissabon, wie die Beischrift zu Albrecht Dürers (dem ohne Zweifel eine Kopie der an Leo X. gesandten Zeichnung in die Hand gekommen ist) Holzschnitt 'Rhinocerus' besagt. Vgl. Friedländer S. G.[6] 394 – Wo Valerianus die Philemon-Statuette gesehen hat, sagt er nicht; wenn Pirro Ligorio (bei Ursinus imag. 34) behauptet, sie *in bibliotheca Nicolai cardinalis Rodulphi* (N. Ridolfi, Nepot Leo X., Cardinal seit 1517, † 1550) gesehen zu haben, so ist diese Nachricht selbstverständlich mit großer Vorsicht aufzunehmen.

[5] Über die „contrada li Pisoni", deren Name zuerst in einer Urkunde von 945 vorkommt, vgl. Cabral und del Re, delle ville di Tivoli (1779) p. 137 f. (danach Nibby, dintorni di Roma 3, 225). Der Name „li Pisoni" fehlt sowohl auf der italienischen Generalstabskarte, wie auf Caninas Übersichtsblatt des Gebiets unterhalb Tivoli (Edifizj di Roma 6, 120); die Karte von Cabral und del Re ergibt, daß er östlich von Casal Leonina, im unteren Teil des großen Ölwaldes, durch die moderne Landstraße (und Dampfbahn) nach Porta S. Croce hinaufsteigt, anzusetzen ist (etwa da, wo auf der Karte zu Baedekers Mittelitalien[12] 413 die letzte Silbe des Namens Leonina steht). Die Contrada liegt also unterhalb der Contrada Carciano (deren Name man von einem *Cassianum* ableitet), wo Azara und De Angelis 1774 und 1780 die Porträthermen von sechs der sieben Weisen (Kaibel 1145. 1163. 1174. 1190. 1195. 1208; Cheilon fehlt), ferner die Hermen des Aeschines (K. 1129), Alexander (K. 1130), Antisthenes (K. 1135) und Perikles sowie die Phidias-Basis (K. 1220) (K. 1192) ausgruben, dagegen etwas oberhalb des Fundorts der 1846 ausgegraben Plato-Herme (K. 1196; vgl. Viola, Tivoli nel decennio dalla deviazione dell' Aniene p. 288). Von der wahren Villa Hadriana ist sie mehr als 1 km in der Luftlinie entfernt und durch das tief eingeschnittene Tempe-Tal getrennt. – Das Kirchlein selbst lag, wie die Ortsangaben zu dem im 15/16. Jh. dort oft abgeschriebenen Stein C. I. L. XIV 3826 zeigen, eine halbe Miglie von Porta S. Croce, ist also ohne Zweifel identisch mit der von Cabral p. 134 erwähnten Kapelle der „Madonna delle piaggie" oder „delle quattro faccie": heutzutage existiert es nicht mehr. – Fast auf dasselbe heraus kommt die

Ortsangabe Sieders zu n. 13 und 19 „in S. Marci"; die „strada di S. Marco", welche Cabral p. 136 beschreibt, und die nach einer schon Ende der 18. Jh. zerstörten Kapelle des Heiligen hieß, begrenzt die „Villa dei Pisoni" südwestlich. [Vgl. jetzt R. Neudecker, Die Skulpturenausstattung römischer Villen in Italien (1987) Kat. Nr. 64.]

[6] Dazu kommen noch die zwei wenig später von Accursius in Tivoli abgeschriebenen Hermen des Aeschines (n. 1) und Alkibiades (n. 2), sowie zwei nur durch einzelne Abschriften bekannte und früh wieder verschwundene Stücke: die Philemon-Herme (n. 43) und das auf den Ibykus bezügliche Fragment (n. 18), von denen das zweite „in la villa di Pisoni a Tivoli", das erste in Tivoli „in domo Morontis" abgeschrieben ist.

[7] Pighius berichtet darüber selbst in seiner 1568 geschriebenen ›Themis dea‹ (wieder abgedruckt in Gronovs Thesaurus IX) p. 97 (p. 1164 bei Gronov.); *plurimas ejus generis statuas a Graecia in villam suam Tiburtinam transtulisse Hadrianum imperatorem colligo ex fragmentis, quae nuper ibidem vidi cum titulis adhuc suis, utpote Themistoclis, Cimonis* [Irrtum statt *Miltiadis,* wie Michaelis p. 16 Anm. 24 richtig bemerkt], *Alcibiadis, Heracliti, Andocidis, Isocratis, Aeschinis, Aristotelis, Carneadis, Aristogitonis et Aristophanis.* Und noch ausführlicher im *Herculis Prodicius* (1587) p. 540: *equidem memini, cum olim iuvenis agrum Tiburtinum . . . diligenter perscrutarer . . . me quoque tum e latebris protulisse hermarum truncos plures e villae dictae locis a Spartiano nominatis (ut certo colligimus) sublatos et in aedificia vicina translatos: in quibus legebantur adhuc illustrium Graecorum nomina, quorum vultus expresserant, characteribus Graecis insculpta, scilicet Themistoclis Miltiadis Isocratis Heracliti Carneadis Aristogitonis et aliorum: quos truncos indicio meo non diu post Iulius tertius Pontifex Maximus colligi transvehique Romam curavit ad exornandos hortos suos, quos ad Flaminiam viam citra pontem Mulvium magnis impensis tunc excolebat.* – Abhängig von Pighius ist der wertlose Bericht der Andreas Scotus bei Vulpi, vet. Latium X 2, 404 (vgl. Michaelis, Bildn. des Thuk. p. 16 [hier S. 53 Anm. 24]).

[8] Die Herkunft der Hermenschäfte aus der wahren Hadriansvilla ist, auf Pighius Zeugnis hin, von allen Neueren (Michaelis, Bildnisse des Thukydides; Kaibel I. Gr. I. p. 305 u. A.) als sicher angenommen worden. Winnefeld (Villa des Hadrian S. 143. 164), der die von älteren Autoren viel zu weit ausgedehnten Grenzen der hadrianischen Anlage mit Recht eingeschränkt hat, nimmt gleichfalls die Provenienz der Pighianischen Hermen aus Villa Hadriani als beglaubigt hin und zieht aus dem Umstand, daß die Azaraschen Ausgrabungen 1780 an der gegenüberliegenden (östlichen) Talwand ganz ähnliche Stücke zutage gefördert haben, scharfsinnige, aber nunmehr schwerlich haltbare Folgerungen über die Geschichte der kaiserlichen Villa und ihre schon im späteren Altertum erfolgte Beraubung.

[9] Eine genaue Datierung der Inschriften wird allerdings durch den künstlichen Archaismus derselben – der sich vor allem in dem Gebrauch der quadratischen Formen Θ und O zeigt – erschwert. Möchte man einerseits, wegen dieser Altertümlei, unsere Serie gern der Epoche des Herodes Atticus nahe rücken, so scheint es mir andrerseits auch nicht unmöglich, bis ins erste Jahrhundert nach Chr. hinaufzugehen. Und wenn man den ja schon im frühen Mittelalter (s. o. S. 132 Anm. 5) bezeugten Namen „li Pisoni" als Zeugnis für eine Villa der Calpurnii Pisones gelten läßt, so wird man, da diese vornehme Familie besonders unter dem Julisch-Claudischen Kaiserhause blühte, der älteren Datierung günstiger sein. Eine vollständige Erörterung der chronologischen Frage, für die auch Heranziehung der im 18. und 19. Jh. gefundenen Stücke notwendig wäre, kann an dieser Stelle nicht gegeben werden.

[10] Cod. Berol. A, 61 f. 142. 142′. 143 die elf Hermenschäfte aus Tivoli, mit der Beischrift

in hortis Iulii III pont. max. Dazu auf f. 143 die Herme des Miltiades mit griechischem und lateinischem Epigramm (n. 31), sowie die Maffeische kopflose Herme des P. Valerius Valesi f. Poblicola (C. I. L. VI 1327). Vgl. Michaelis, Bildnisse des Thukydides S. 16 Anm. 23 [hier S. 39; E. Mandowsky – Ch. Mitchell, Pirro Ligorio's Roman Antiquities (1963) 88 ff. Taf. 39].

[11] Es ist ein Octavband von handlichem Format, offenbar dazu bestimmt in der Tasche mitgeführt zu werden, auf dem Titel das Datum Romae 1559 [vgl. C. Callmer, OpRom 4, 1962, 47 ff.]; ich habe ihn i. J. 1880 auf der Kgl. Bibliothek zu Berlin vollständig excerpiert. Der ursprüngliche Teil desselben ist von Fälschungen des Autors frei (denn daß er einige Steinfälschungen der Renaissance aufgenommen hat, gehört nicht hierher). Die Fälschertätigkeit Boissards, welche er später auf den Canonicus Giulio Rossi abzuwälzen verstanden hat, der ihm angeblich seine verlorenen Papiere aus früher genommenen Abschriften ergänzt habe (s. C. I. L. VI praef. p. LV), beginnt jedoch schon in den Nachträgen zum Holmiensis, welche teils auf den ersten und letzten Blättern des Codex, teils auf den Rändern der ursprünglichen Blätter sich finden, aber durch Ductus und Tinte fast immer deutlich abheben. Stark erweitert und vermehrt finden sich die Fälschungen dann im Codex Paris. 12509 (*olim Sangermanensis* 1078) und in den sechs publizierten Bänden Boissards: vgl. Mommsen, C. I. L. X praef. p. XXX f. und oben S. 126 f. [Vgl. auch Mandowsky – Mitchell a. O. Taf. 42.]

[12] C. I. L. VI 29799: sonst nur noch im Ciacconius cod. Raffaeli (in der Biblioteca Olivieri in Pesaro) und im Cod. Paris. 5825 F (cr. 1600). Die Herme trägt einen Ammonskopf – vielleicht die einzige, die ihren wirklich zugehörigen hatte: ob Epidius Eros als Künstler oder als Dedicant aufzufassen sei, bleibt zweifelhaft.

[13] Drei von den Hermen der Pergola (Aristophanes Heraklitus Isokrates) wurden im 17. Jh. (und zwar nach 1640, da Th. Bartholinus die erste noch *in horto Mediceo* abgeschrieben hat, s. u. n. 7) zusammen mit der des Aeschines nach Florenz transportiert, wo sich der Aristophanes (mit anderem, gleichfalls nicht zugehörigem Kopfe) noch befindet, während die übrigen, wie sich aus Gori I. E. 1, 79, 229 ergibt, schon i. J. 1727 nicht mehr zu finden waren.

[14] Der Papst hatte die Vigna am 7. Nov. 1553 seinem Bruder Balduino geschenkt, dieser († 1556) sie testamentarisch seinem jungen Sohne Fabiano vermacht, aber letzterem gelang es nicht, die Erbschaft anzutreten, die vielmehr von der Camera apostolica sequestriert wurde. Pius IV. schenkte sie am 28. September 1561 dem Cardinal Giovanni de' Medici, zweitem Sohne Cosimos II, und gab 1562 dem Cardinal Borromeo die lebenslängliche Nutznießung. Dem Cardinal Giovanni de' Medici († 12. Dez. 1562) folgte im Besitz bald sein jüngerer Bruder Ferdinando: zwar wurde i. J. 1568 das Besitzrecht Fabianos dei Monti von Pius V. bestätigt, aber die Maßregel scheint auf dem Papier geblieben zu sein. Vgl. O. Tesorone, Il Palazzo di Firenze e la eredità di Balduino del Monte (R. 1889) S. 39 ff. 55 ff. – Ende des 16. Jh. hatten einen Teil der Villa die Aldobrandini inne (s. u. n. 1; C. I. L. VI 20939); daß die Cesi einen Teil derselben erworben hätten, wie Reumont bei Michaelis, Bildn. d. Thukydides S. 16 Anm. 23 [hier S. 53] behauptet, muß ein Irrtum sein: die Doppelherme des Herodot und Thukydides ist überhaupt nie in Villa Giulia gewesen, s. u. n. 15.

[15] Von der Andokides-Herme existierte wahrscheinlich ein Fragment Ende des 18. Jh. in Rom, freilich wird nicht angegeben wo. Die bei Ligorio häufig wiederkehrende Angabe, diese oder jene Herme sei *nella villa di Papa Giulio terzo* aufbewahrt gewesen, aber nach dem Tode des Erbauers verschwunden, ist natürlich Schwindel.

[16] Über Ligorios Schriftstellerei vgl. außer den Einleitungen zu den Bänden des C. I. L. namentlich den vortrefflichen Aufsatz Dessaus (Römische Reliefs beschrieben von Pirro Ligo-

rio, Sitzungsberichte der Berliner Akademie 1883, 1077 ff.), der freilich in manchen Einzelheiten zu berichtigen ist. So stammen die Neapolitaner Bände keineswegs ausschließlich aus den Jahren 1550–53, sondern enthalten zahlreiche Nachträge bis in die Mitte der 60er Jahre (s. C. I. L. X p. XLVIII). Die mit dem Neapolitanus gleichaltrigen und gleichwertigen Bände, welche jetzt in der Bibliothèque Nationale in Paris (ms. Ital. 1159) und in der Bodleiana zu Oxford (ms. Canonic. 86) sind, enthalten nichts für Ikonographie. [Vgl. E. Mandowsky–Ch. Mitchell, Pirro Ligorio's Roman Antiquities. The Drawings in the Ms. XIII, B. 7 in the National Library in Naples (1963) 81 ff. Taf. 37 ff.]

[17] Es kommen dazu: Neap. 7 p. 422 Καρνέας (Kaibel 214*), wenn man diese angeblich *sub imagine pitheci, quem cynocephalum dicunt* stehende Inschrift überhaupt dieser Gruppe zurechnen will; Neap. III p. 1 ᾿Αγατοστένης Καινίου (unten n. 1*), sonst nirgends wieder vorkommend; endlich die beiden lateinischen des M. Porcius Cato (C. I. L. VI 1320) im 20. und die des P. Valerius Poplicola (C. I. L. VI 1327) im 34. Buche.

[18] Nur bei den fünf in der Pergola aufgestellten (den Epidius Eros hat Ligorio nicht) wird ausdrücklich die Villa Giulia genannt, die übrigen sind ohne Ortsangabe.

[19] So ist, wie Kaibel bemerkt, in der Inschrift des Kratippos der Vatersname dem Thebaner Κράτης abgeborgt; ein Beispiel von L.s Kenntnis des Griechischen gibt die aus dem italienischen *Focione* abgeleitete Form Φωκιώνης, die freilich Ursinus und Spätere ihm gefällig in Φωκίων korrigiert haben, usf. – Eigentümlich steht es mit dem Πλατώνης ᾿Αριστόνου ᾿Αθηναῖος: die im Neapolitanus gezeichnete Herme (s. die Kopie im Ursinianus f. 124′ u. Taf. 160) ist nicht, wie man zunächst denken möchte, identisch mit der jetzt im kapitolinischen Museum befindlichen Büste, welche jene griechische Inschrift und dazu die lateinische Übersetzung *Platon Aristonis filius Athaeniensis* trägt (Bottari Mus. Cap. I. Tf. 22). Der Kopf der letzteren ist vielmehr derselbe bärtige Bacchus, den Statius i. J. 1570 inschriftlos *apud card. Caesium* sah (a. O. Tf. 21). Später hat man dann den Kopf mit jenem neuen Untersatz und der doppelsprachigen Inschrift versehen: wie mir nach der Arbeit und der Schriftform scheint, im 17. oder vielleicht erst Anfang des 18. Jh. Durch Bellori, der die falschen Zeichnungen des Vat. 3439 kannte (s. u. n. 135*), scheinen um diese Zeit manche der Ligorianischen Erfindungen verbreitet zu sein: vgl., was Kaibel über die moderne Inschrift der Venus von Medici bemerkt (I. Gr. I. 143*).

[20] Vgl. Michaelis, Jb. des Instituts 1890, 40 ff. und Röm. Mitth. 1891, 36 ff.

[21] Es sind die Abbildungen des Turniers, welches im Carneval 1565 zur Feier der Hochzeit des Grafen Hannibal Altems (Neffen des Papstes) mit Ortensia Borromea veranstaltet wurde: der eine Stich, von Etienne Dupérac, gibt den Blick nach Norden (dem Giardino della Pigna zu); der andere, für die Antiken wichtigere, bezeichnet H[enricus] C[livensis] B[elga], ist kopiert bei Letarouilly, Le Vatican, cour du Belvedere Tf. 7; beide neuerdings (schlecht) faksimiliert von Clementi, il Carnevale Romano (R. 1900) S. 232. 240. Vgl. F. Hermanin, Catalogo delle incisioni con vedute romane (Le Gallerie Nazionali vol. III) p. LVI n. 18. 19. Das Halbrund über den Sitzstufen war dekoriert mit 23 Nischen, von denen die mittlere eine Eingangstür zum Palast war, während in jeder der übrigen eine Statue, sitzende (wie der Bischof Hippolyt und der Aelius Aristides) oder stehende, Platz fand. Über den Nischen standen auf 23 Konsolen ebenso viele Porträtköpfe, meist antike, aber zwischen ihnen auch die Büste des vor kurzem verstorbenen Gabriele Faerno. – Vgl. auch die Ansicht des Vatikanischen Hofes nach Bramantes Anlage im Bilderheft zur Beschreibung der Stadt Rom I Tf. 9 (die freilich für das Detail des Teatro ungenügend ist).

²² Aus M. U. Bicci, Notizia della famiglia Boccapaduli (Rom 1762), wieder abgedruckt und erläutert von Michaelis, Jahrbuch des Instituts 1890 S. 60 ff.

²³ Vgl. auch die auf die Statue des Bischofs Hippolytus bezügliche Stelle im neunten Band des Turiner Werkes (Ficker, Lateran p. 168): „la qual statua essendo malamente trattata, io Pyrrho Ligori havvendo la cura di fabbricare et curare l' atrio palatino apostolico sotto 'l santissimo pontificato di papa Pio quarto, l' ho fatto ristaurare". Auch das Borghesische Orpheus-Relief (im Inventar von 1566 n. 34) dürfte damals seine falschen Inschriften ZETVS ANTIOPA AMPHION (Clarac 2, 116) erhalten haben.

²⁴ Die Aristides-Statue hatte ihren Platz in der zweiten Nische links vom Eingang, so daß sie das Pendant zu der in der zweiten Nische rechts aufgestellten Hippolyt-Statue bildete. Auch die modernen Inschriften unter den Postamenten (Aristides: Forcella I n. 52; Hippolytus: Ficker, Lateran p. 168) sind durchaus entsprechend abgefaßt. Das moderne Postament des Aristides kam (wohl auch unter Pius V.) ins Kapitol, während die Statue, ebenso wie der Hippolytus, für den Vatikan zurückbehalten wurden. Hiernach ist die Angabe bei Michaelis, Röm. Mitt. 1891, 34 zu berichtigen. [Zur Statue zuletzt: A. Giuliano, DdA 1, 1967, 72 ff. Abb. 36–41.]

²⁵ Der Alkibiades und Diogenes im Conservatorenpalast, der Hieron und Platon im kapitolinischen Museum. Daß der Platon (unten n. 123*) zu identifizieren ist mit dem im Hofe des Museums aufgestellten Exemplar, nicht mit dem in der Galleria befindlichen Πλατώνης Ἀριστόνου (n. 124*), ergibt sich aus der Übereinstimmung in Größe und Charakter der Buchstaben mit dem Ἱέρων. S. o. Anm. 19. Auch die Büste des Faerno ist seit dem 18. Jh. im Capitol (Conservatorenpalast, Protomoteca): s. Gaddi, Roma nobilitata (1736) p. 171; Righetti, il Campidoglio Tf. 197.

²⁶ Mit n. 104 im Inventar Pius V.: „Socrate in un termine" kann der kapitolinische nicht identisch sein, weil jener nachweislich nach Florenz gekommen ist.

²⁷ Wenn Amelung (Antiken in Florenz S. 87 n. 133) unter Ignorierung von Mommsens und Kaibels Auseinandersetzungen die Homer-Inschrift für „eine Reihe vollkommen bedeutungsloser Buchstaben" erklärt, so zeigt dies, daß Mommsens Mahnwort an die Verfasser von Museumskatalogen (Arch. Ztg. 1880, 36) doch immer noch nicht genug beherzigt wird: der Anfang, O und der Schluß POC sind ganz deutlich, auch das H so gut wie sicher, zweifelhaft bleibt nur der zweite Buchstabe, durch den gerade der Riß durchgeht. Ich habe eine Zeitlang an Mommsens Lesung gezweifelt, und Οὔηρος zu lesen geglaubt. Aber nach wiederholter Prüfung bin ich doch auf seine Lesung zurückgekommen.

²⁸ Es sind nur einige Löckchen am Bart unter dem rechten Mundwinkel sowie l. unten, einige Löckchen l. unter der Stirn und ein Stück des linken Büstenrandes abgesprungen. – Die Angabe von Förster und Hölck (b. Amelung, Antiken in Florenz S. 87), das Modeneser Exemplar sei von weißem Marmor, ist ein Irrtum, der sich dadurch erklärt, daß allerdings im Museum selbst die Meinung herrschte, der Kopf sei, gleich einigen anderen im selben Raum aufgestellten, mit einer bronzeähnlichen Patina übermalt. Aber eine eingehende Untersuchung, bei welcher dieselben Reinigungsmittel angewandt wurden, durch die jene anderen Stücke ihre weiße Farbe wieder erhalten hatten, erwies jene Ansicht als irrig. Der Marmor ist von grauschwarzer Farbe mit einigen weißen Flecken resp. Adern. – Hrn. Cav. A. G. Spinelli und Hrn. Director Bariola in Modena, welche die Güte hatten, jene genaue Untersuchung zu gestatten und die photographischen Aufnahmen zu vermitteln, sage ich dafür verbindlichsten Dank. [Vgl. neuerdings E. Berti Toesca, BdA 38, 1953, 307 ff. Abb. 1–5; Mandowsky–Mitchell a. O. (o. Anm. 16) 98 f. Taf. 53–54.]

[29] Der Titel lautet: *Inlustrium viror(um) ut extant in urbe expressi vultus. Romae MDLXIX. Formis Antonii Lafrerii.* – Bl. 2v. ist in der Originalausgabe leer geblieben; es gibt spätere Drucke mit genau demselben Titel, in welchen sich hier die Bemerkung (vgl. Robert S. 144) findet: *Illud iterum mihi monendum es, lector optime, ut cum tibi forte collibitum fuerit adire ad ea loca, in quibus esse haec signa tamquam digito demonstravimus nec ea tamen apparebunt, neque propterea sit admiratio, neve tibi nos dedisse verba existimes: haec sunt enim rerum vices humanarum, ut ab aliis ad alios facile transferantur.* – Es gibt auch einen Neudruck, Patavii 1648. – Der hdschr. Nachlaß des Achilles Statius in der Vallicellana enthält nichts von ikonographischen Collectaneen (die Bibliothek besitzt merkwürdigerweise nicht einmal das Buch von 1570); nur fünf Inschriften (unten n. 17. 23. 27. 31. 34) finden sich in Statius' orthographischer Sammlung (cod. B. 102).

[30] *Tu vero* (der *lector* ist angeredet) *similium signorum magnam vim etiam veteribus artificibus aere marmore aut alia quavis materia varie ductam atque expressam isdem typis edendam propediem expecta.*

[31] Auf die Herme des Miltiades ist fälschlicherweise das Doppelepigramm gesetzt, welches zu der in Vigna Strozzi auf dem Caelius gefundenen gehört. S. u. n. 30. 31.

[32] Cod. J, V, 167: vgl. über denselben CIL. VI p. LIV. Daß er aus den gedruckten Statius' geschöpft habe, wie Kaibel annimmt, ist ganz unwahrscheinlich.

[33] Kaibel identifiziert die ehemals Vittorische Büste mit der jetzt in Holkham Hall befindlichen: ich zweifle nicht, daß Michaelis mit größerem Recht behauptet, dieselbe sei gefälscht nach Statius, dessen Stichfehler ΛΥϹΙΛϹ sie, freilich mit geänderten Buchstabenformen, wiederholt.

[34] An dem Versehen des Steinmetzen, der statt des ersten Λ ein Α eingehauen hat, darf man keinen Anstoß nehmen: mit Recht hat schon Michaelis (Bildn. des Thukydides S. 14 Anm. 6 [hier S. 51]) darauf hingewiesen, wie auffallend häufig die römischen Kopisten Fehler in den griechischen Namen dieser Porträts begangen haben (ΗΡΦΛΟΤΟϹ n. 15; dazu ΦΘΙΔΙΑϹ Kaib. 1220, und in dem Miltiadesepigramm n. 31 ΤΑΛΑΡΗΙΑ [Taf. 50, 1]).

[35] Daß von der ersten in den Nachträgen (p. 109) die falsche Zeilenteilung *ad vetusti lapidis fidem* korrigiert wird, ist freilich kein sicherer Beweis: s. u. Anm. 39.

[36] Es sind außer den zwanzig griechischen: der M. Porcius Cato (CIL. VI, 1320), C. Valerius Poplicola (CIL. VI 1327) und die falsche des *L. Junius Fufficius philosophus stoicus* (CIL. VI 2135*): der Kopf des letzteren stimmt mit dem Stich p. 69.

[37] Die Sappho Eresia (unten n. 135*) und den Πλατώνης Ἀριστόνου. (n. 124*) hat Ursinus überhaupt weggelassen; die Carpische Euripides-Büste nach Statius gegeben; von den beiden Hermen des Alkibiades und Aristoteles sind in der Publikation nur die (echten) Inschriften gegeben, die modern aufgesetzten Köpfe weggelassen. – Diese für das Verhältnis von Ursinus zu Ligorius besonders interessante Seite ist auf Taf. 160 wiedergegeben. Die Abhängigkeit ergibt sich ganz schlagend daraus, daß zu der unten links stehenden Inschrift ϑ. κ. Ἰουνίᾳ Φιλουμεν. (Kaibel 315*) sogar die Seitenzahl 488 aus Ligorius Neap. Bd. 7 zitiert ist. – Über die Skizze des Hippolytus (o. rechts) s. Ficker, Lateran s. 166 und oben Anm. 23: sie entspricht dem Neap. p. 424.

[38] So hat er, abgesehen von dem schon erwähnten Φωκιώνης, aus dem Λισίας Κεσάλου (der Fälscher muß eine lateinische oder italienische Vorlage mit dem verschriebenen Namen „Cefalo" gehabt haben) einen Λυσίας Κεφάλου gemacht, aus dem Κίμονος einen Κίμων usf.

[39] Nicht einmal durch die Versicherung auf dem Supplementblatt p. 109, wo es heißt: *nomina*

quae operarum vitio, ut in antiquis marmoribus leguntur, non sunt expressa, ita ad vetustorum lapidem fidem corrigito, darf man sich dahin täuschen lassen, als habe Ursinus diese Steine selbst gesehen: denn unter ihnen figuriert auch der Κράτιππος Ἀσκιόνδου Μυτιληναῖος (n. 100*).

⁴⁰ Die Miltiades-Herme hat Ursinus, wie erwähnt, unter Benutzung der Zeichnung des Statius, aber nach Revision des Originals gegeben.

⁴¹ Von den inschriftlosen Stücken (s. Robert S. 145 Anm.) nenne ich: die Büsten des Hesiod (23), Menander (33), Sophokles (25), das Persius-Relief (46) und die Homerstatuette; letztere in farnesischem Besitz, der Hesiod bei Garimberti, die übrigen bei Ursinus selbst.

⁴² Dafür zu sprechen scheint mir auch der Umstand, daß Ursinus nur die Fundnotiz *(in villa Hadriani Tiburtina),* nicht aber den Aufbewahrungsort des Originals angibt. Die Bemerkung Fabers in der zweiten Auflage (p. 88): *herma (quem) Fulvius Ursinus olim vidit, quamvis hodie nusquam appareat,* ist kein Beweis dagegen.

⁴³ Die Abschrift im Taurinensis des Ligorius ist, wie die falsche Zeilenteilung zeigt, aus Ursinus gedrucktem Buch (p. 54, ohne Beachtung der Korrektur p. 109) entnommen.

⁴⁴ Ligorios Geburtsjahr ist nicht genau festzustellen; es muß aber eher vor als nach 1510 sein, da er gewiß die fünfzig überschritten hatte, als er 1564 Michelangelos Nachfolger in der Leitung des Baues von St. Peter wurde. Dazu stimmt, daß er in der Vorrede zu B. I des Taurinensis von fünfunddreißig Jahren spricht, die er in Rom auf die Vorstudien zu seinem großen Werk verwendet habe (s. CIL. X p. XLVIII). Sein Tod fällt in den Oktober 1583, nicht 1593, wie Borsetti (hist. Gymn. Ferrariensis 2, 193) angibt (s. Röm. Mitth. 1891, 77). – Ein Permesso zur Ausfuhr von Marmorwerken *(tria capita marmorea, unum scilicet ad imitationem Scipionis, aliud Augusti Romanorum imperatoris cum suo pectore marmoris mixti, et aliud Antinoi; nec non quandam parvulam tabulam, tres imagines et unum avellum, omnes marmoreos recentioris formae),* der ihm am 10. Juli 1568 ausgestellt ist (abgedruckt aus Archiv. Vatic. Arm. XXIX t. 232 p. 185 bei Marini, Arvali I, 115), hängt ohne Zweifel mit der Übersiedlung nach Ferrara zusammen. – Ligorios Enthebung von der Leitung des Baus von St. Peter erfolgte unter Pius V. (1566–1572), wie Vasari (Vita di Michelangelo), der selbst an der Sache beteiligt war, berichtet. Wenn Fea (Notizie intorno a Raff. Sanzio p. 38; danach Beschr. Roms II, 1, 145) behauptet, Ligorio sei noch 1571 Architekt der Peterskirche gewesen, so geht das nicht auf gleichzeitige Dokumente zurück, sondern auf eine Randbemerkung Papst Alexanders VII. (im cod. Chis. H, II, 22: „estratti dai libri della fabbrica di S. Pietro") und kann nicht richtig sein: Ligorio hat es also nicht (wie Michaelis, Jahrb. 1890, 44 annimmt) selbst mit ansehen müssen, wie sein Meisterwerk (die Villa Pia) im J. 1569 ihres Schmuckes an antiken Statuen beraubt wurde. – Ligorio erhielt vom Herzog den Titel antiquario und bezog ein Monatsgehalt von 25 Goldscudi; trotzdem starb er, wie es scheint, in bedrängten Verhältnissen (s. die Röm. Mitth. 1891, 77 zitierte Depesche des toskanischen Agenten Orazio Urbani, der ihm auch den Titel antiquario gibt).

⁴⁵ So ist der bärtige Bakchoskopf Statius Tf. 21 kopiert Taur. p. 339 (Asclepio); Statius Tf. 24. = Taur. p. 368 (mit falscher lateinischer Inschrift *M. Cornutus L. f. Deives*).

⁴⁶ Taur. 23 praef., nach Erwähnung der Schwierigkeiten, welche die richtige Zusammensetzung der Stücke und Ermittlung der Namen mache: „ne habbiamo fatto una diligente inquisitione acciocchè coloro i quali emulando ogni mia opera sono corsi a stampare e porre le cose in altro modo che elleno non sono si trovano secondo la loro invidia, buggiardi e degni di quel premio che meritano i frutti acerbi del caprifico, et il merito di quelli che stampano false

novelle per carpire denari, et havranno quel medesimo lode che hanno quelli che sono falsari di monete et di antiche medaglie.“

[47] Im Kommentar zu der angeblichen 'Philemon'-Herme (unten n. 146*): „fanno menzione di questa oppure di un altra simile effiggie ch' era in Roma il dottissimo [Fulvio Orsini ist ausradiert, dafür geschrieben Bibliotecario] nelle cose ch' egli scrive più eccellenti.“

[48] Es fehlen nur Aristogiton, das Cesische Fragment mit . . . ΔΑΜΑΣ und die drei Hermen in casa Zeno. Charakteristisch ist, daß Ligorio die falschen Zeilenteilungen, welche Ursinus p. 109 korrigiert, gewöhnlich beibehält. S. u. n. 2. 3. 16 usf.

[49] Die *tondi* des Menander und Sophocles, die Statuetten des Euripides und Pindar: allerdings benutzt er sie (wie auch die wahrscheinlich auf Stein gefälschte Καλλισθένης Λυσιμ . . .), um neue Fälschungen daran zu knüpfen.

[50] In dieser Ansicht könnte man bestärkt werden durch Fälle wie Taur. p. 354, wo Ligorio seinem Freunde, dem Modeneser Dichter Giacomo Molza, seiner Vortrefflichkeit wegen mitten unter den Antiken eine Herme stiftet, oder p. 126, wo er erklärt, er habe nicht umhin gekonnt, der Dichterin Telesilla „per essere fortissima et dottissima“ auf Grund einer inschriftlich bezeichneten Gemme eine Herme zu stiften (s. u. n. 139*). Aber Ligorio bekennt sich offenbar nur in einem Anfall von Vergeßlichkeit zur Autorschaft seiner angeblichen Antiken.

[51] Ein charakteristisches Beispiel dieser Sorte von ligorianischer Schriftstellerei bietet der Passus über die Euripidesbüste (Taur. 23 p. 78), den Robert (Hermes 20, 146f.) in extenso abgedruckt hat.

[52] Die Köpfe sind großenteils ganz freie Erfindungen, denen man ansieht, daß nicht einmal ein antikes statuarisches Original zu Grunde liegt. Von unfreiwilliger Komik sind Fälschungen wie die Doppelherme p. 54, wo Ligorio, der von den goldenen τέττιγες der alten Athener gehört hatte, dem Sokrates eine große geflügelte Heuschrecke auf die Stirn setzt.

[53] Durch das Entgegenkommen der Vorstände des Turiner und des Römischen Staatsarchivs ist es mir ermöglicht worden, den 23. Band Ligorios längere Zeit hier in Rom zu benutzen, wofür ich den zuständigen Behörden, namentlich auch Hrn. Comm. de Paoli, Direktor des hiesigen Archivio di Stato, besten Dank ausspreche.

[54] Die Zeichnungen des Gallaeus sind erhalten im cod. Capponianus 228 der vatikanischen Bibliothek, die Vorarbeiten zu Scioppius' und Fabers Commentar im cod. Neap. V, E, 17. Vgl. de Nolhac, la Bibliothèque de Fulvio Orsini (1887) p. 270.

[55] Des *orbis argenteus* mit dem angeblichen Pyrrhusbilde (Tf. 123) und des (schon in der ersten Auflage vorkommenden) Terentius aus dem alten vatikanischen Codex (Tf. 140).

[56] Den merkwürdigsten Fall solcher Confusion, der die kleine Aristoteles-Büste des Ursinus mit der echten Unterschrift (unten n. 5) betrifft, wird Studniczka beleuchten [s. hier S. 147ff.].

[57] Es sind aus Farnesischem Besitz Karneades (Tf. 42 [hier Taf. 135, 1]), Euripides (Tf. 60), Posidonius (Tf. 117), Zenon (Tf. 151) – diese alle mit Inschriften, obwohl die des Karneades nur im Kommentar nachgeholt wird; ferner die anepigraphen des Seneca (Tf. 131) und Socrates (Tf. 134). Aus Ursinus' Sammlung die einfache Herme des Herodot (Tf. 67) und die inschriftlosen Bilder des Aristoteles (Tf. 43), Cornelius Lentulus (Tf. 48), Diogenes (Tf. 56), Hesiodus (Tf. 68), Theocritus (Tf. 142), die Cicero-Büste bei den Mattei (Tf. 146), und der Cesi-Acquaspartasche Scipiokopf (Tf. 49) ohne Inschrift; endlich der nach einer von Antonius Augustinus gesandten Zeichnung gestochene Clipeus des Demosthenes aus Tarragona (Tf. 55).

[58] Es sind Aeschines (Tf. 2), Miltiades (Tf. 92, vgl. Fabers Kommentar p. 57), Moschion

(Tf. 96, revidiert), Pindar (Tf. 110), und der inschriftlose Persius (Tf. 103). Auch das Leodamas-Fragment (Tf. 84) ist wohl eher nach dem Buche von 1570 als nach Statius Tf. 15 wiedergegeben.

[59] Aus Statius stammen Aristophanes (Tf. 34), Herakleitos (Tf. 65), Isokrates (Tf. 76): dies sind die aus der Pergola der Villa Giulia, mit den falsch aufgesetzten Köpfen wie bei Statius; die mit ihnen zusammenstehenden des Miltiades und Karneades hat Ursinus weggelassen, weil er das richtige Porträt für beide zu haben glaubte. In dem ersten Werke war er kritischer gewesen und hatte von allen nur die Schäfte mit Inschrift gegeben.

[60] Es sind: Andokides (Tf. 13), Aristogiton (Tf. 33), Kimon (Tf. 43), Maximus Severi (Tf. 89), Phokion (Tf. 109), Speusippos (Tf. 137), Valerius Poplicola (Tf. 147), Xenokrates (Tf. 149), Kratippus (app. Tf. J). Auch die schematische Art, wie die gänzlich übereinstimmenden Hermenschäfte gezeichnet sind, beweist, daß die Zeichnungen nicht von den Originalen gemacht sind.

[61] Die Texte werden vollständig gegeben von den drei Euripides (p. 39), dem Hercules Prodicius (p. 43), Hesiod (p. 44), den beiden Lysias (p. 52), dem Menander von Bocchignano (p. 56), dem Miltiades mit dem Epigramm (p. 58), Plato (p. 65), Porcius Cato (p. 69), Themistocles (p. 78), Zenon (p. 88); nur zitiert werden der Homer und Menander Soderini (p. 46. 57) mit den langen Epigrammen.

[62] Es gibt Neudrucke, Romae apud Jo. A. de Rubeis, 1735.

Zur Statue des Demosthenes [1]

Von Paul Hartwig

Wir besitzen zwei in den Maßen und in allen wesentlichen Teilen übereinstimmende, etwas überlebensgroße Marmorstatuen des *Demosthenes*, denen ein gemeinsames Original zugrunde liegt. Die eine [Taf. 114, 1 im früheren Zustand], aus
der *Villa Aldobrandini* in Frascati stammend, wurde 1823 vom Vatikan erworben
und steht im *Braccio nuovo* am rechten Ende der Galerie (nr. 62). Die andere Figur
wurde in der zweiten Hälfte des vorigen [18.] Jh. in Campanien gefunden, im Jahre
1770 von einem in Rom lebenden Engländer Jenkins an den Herzog von Dorset
nach England verkauft und befindet sich gegenwärtig in *Knole Park* (Kent), einem
Besitztume des Lord Sackville [jetzt in Kopenhagen, Taf. 115, 1–2 im Zustand von
1954 und davor]. Ein Abguß der Statue ist in Rom zurückgeblieben und steht in
einer Nische im Hofe des Hauses nr. 41 in Via del Babuino [2].
Man nimmt an, daß das Original unserer *Demosthenes*statuen ein schon im Alter-
tume berühmtes Werk war, über welches wir eine ziemlich eingehende schriftliche
Überlieferung besitzen. Es war eine Erzstatue auf dem Marktplatze von *Athen*, welche auf Antrag des Schwestersohnes des Demosthenes von der Bürgerschaft im
Jahre 280 v. Chr., 42 Jahre nach dem Tode des großen Redners, errichtet wurde. Der
Verfertiger der Statue hieß Polyeuktos. Stil und Charakter unserer *Demosthenes*statuen entsprechen in der Tat genau jener Epoche, nur in einer, allerdings sehr signi-
fikanten Einzelheit weichen die Statuen im *Braccio nuovo* und in *Knole Park* von
dem Bilde ab, das in der pseudo-plutarchischen Vita des Demosthenes [2a] von dem
Werke des Polyeuktos entworfen wird. Es heißt nämlich (cap. XXXI), der Redner
sei mit ineinander gefalteten Fingern dagestanden: τοὺς δακτύλους συνέχων δι᾽
ἀλλήλων. Statt dessen sehen wir aber bei beiden Statuen des Redners in den Händen eine halbentfaltete Schriftrolle. Bei der vatikanischen Statue löst sich die
Schwierigkeit leicht, denn die Hände und Teile der Unterarme sind eine moderne
Ergänzung. Bei der Statue in *Knole Park* ist über die Echtheit der Hände viel hin
und her debattiert worden. Die Verteidiger derselben sahen sich gezwungen anzunehmen, daß die englische Statue eine Umarbeitung des Werkes des Polyeuktos sei,
so schwer es auch begreiflich ist, daß ein Kopist an Stelle einer offenbar sehr charakteristischen Haltung der Hände eine allgemeinere, weniger sagende gesetzt hätte [3].
Aber auch hier ist die Schwierigkeit jetzt behoben. Eine neuerliche, genaue Untersuchung des Originals durch Mrs. Strong-Sellers hat ergeben, daß auch an der Figur
in Knole die Hände gebrochen und verloren waren und daß später mit scharfem
Schnitt neue Hände mit einer ähnlichen Rolle, wie an der vatikanischen Statue, hin-

Jahrbuch des Deutschen Archäologischen Instituts 18, 1903, S. 25–33.

zugefügt worden sind[4]. Daß an beiden Exemplaren der *Demosthenes*-Statue die Hände zugrunde gegangen sind, ist deshalb nicht besonders auffällig, weil sie der am weitesten hervorragende Teil der Statue sind. Da der Lauf der Arme an den Demosthenes-Statuen die Möglichkeit, daß sich die Hände verschlungen haben können, nicht ausschließt, steht es unserer Phantasie frei, sie so zu ergänzen, wie es uns die pseudo-plutarchische Beschreibung an die Hand gibt.

Ich habe in einer der Sitzungen des archäologischen Instituts zu Rom im vorigen Winter eine Anzahl Marmorfragmente vorlegen dürfen, welche im Laufe des letzten Jahres im Garten des *Palazzo Barberini* an dem Abhange nach der Piazza del Tritone zu gefunden wurden. Unter diesen Bruchstücken befinden sich zwei fest ineinander geschlossene, herabhängende Hände, die in der Tat den Gedanken an diejenigen der polyeuktischen Statue des *Demosthenes* wachrufen mußten[5]. Die Hände sind sicher männliche Hände, ja man kann noch mehr sagen, es sind die Hände eines älteren Mannes, wie die scharfen Falten an den Gelenken beweisen, und die relativ spitzen Finger lassen nicht sowohl auf einen schwere Handarbeit verrichtenden, sondern auf einen geistig arbeitenden Menschen schließen (Taf. 113, 1–2 nach dem Originale). Das Stück Marmor, aus welchem die Hände gemeißelt sind, ist nicht von einer Figur weggebrochen, sondern es war separat gearbeitet und an dieselbe angesetzt. Oberhalb der Handgelenke befinden sich etwas angerauhte Schnittflächen, wo die Unterarme der Figur anpaßten. Hinten sind die Hände sehr stark gerauht und zeigen zwei tiefe Löcher für Zapfen, welche zur Befestigung an der Statue dienten. Die Hände haben an derselben ganz dicht angelegen, so dicht, daß der Bildhauer die Wiedergabe der kleinen Finger unterlassen hat; dieselben sind als fest in den Körper, beziehentlich in ein denselben verhüllendes Gewand eingedrückt zu denken. In der Höhlung der Hände ist der Marmor stehengelassen, da er zum Anschlusse des Stückes an den Körper gebraucht wurde. Jedoch hat der Bildhauer durch mehrere unregelmäßige und ziemlich tiefe Bohrlöcher zwischen den überkreuzten Daumen und den Zeigefingern den Eindruck zu erwecken gesucht, daß die Hände hohl seien.

Eine Höhlung bildeten die Hände unzweifelhaft auf dem Bronzewerke des Polyeuktos. An der oben zitierten pseudo-plutarchischen Stelle wird nämlich von den Händen des Demosthenes eine kleine, äußerst individuelle Anekdote erzählt, vielleicht die erste Denkmal-Anekdote, die wir besitzen. Ein athenischer Soldat habe, in den Krieg gerufen, ein Beutelchen voll Gold in die Hände der Statue des Rhetors verborgen, und diese habe treulich den kleinen Schatz bewahrt. Deutlich geht zugleich aus dieser Geschichte hervor, daß die hohlen Hände der Demosthenes-Statue dicht an dem Körper angelegen haben müssen, denn andernfalls hätte ja der Beutel des Soldaten leicht herausfallen können.

Wächst somit die Wahrscheinlichkeit, daß die barberinischen Hände zu einer Replik des polyeuktischen *Demosthenes* gehört haben, so werden wir doch vorsichtigerweise zunächst fragen, ob derartige gefaltete Hände nicht auch von einer beliebigen anderen Statue stammen können. Es ist mir jedoch nicht gelungen, eine antike Statue zu finden, welche derartige gefaltete Hände hat. An einer kleinen Statuette im Museo Chiaramonti des Vatikans, welche man *Aristoteles* getauft hat, sehen wir zwar ähnlich gefaltete Hände, aber dieselben sind das Werk eines modernen Restaurators (Bernoulli, Griech. Ikonographie II, S. 94). Man könnte denken, daß sich bei den vielen resigniert dastehenden Statuen gefangener Barbaren, trauernder Provinzen oder dergleichen einmal solche gefaltete Hände fänden, aber das ist nicht der Fall. Ebensowenig finden wir diesen Gestus dort, wo wir auch vermuten könnten ihn anzutreffen, auf attischen Grabstelen. Die Hände werden dort immer in etwas anderer Weise ineinander oder übereinander gelegt. Hände mit durcheinander gesteckten Fingern, welche mit dem barberinischen Marmor ziemlich genau übereinstimmen, finden sich nur auf zwei antiken Monumenten, die keine Statuen sind, zweimal bei den *trauernden Frauen* auf dem Sarkophage der „Pleureuses" aus der Nekropole von Sidon (Hamdy-Bey, pl. VI, IX [hier Taf. 116,2] und auf dem herkulanensischen Gemälde, welches die *Medea* in innerem Seelenkampfe vor dem Morde ihrer Kinder darstellt (Mus. Borb. X, 21; Baumeister, Denkmäler II Fig. 948). Daß der Gestus der gefalteten Hände bei antiken Statuen kein ganz gewöhnlicher war, scheint mir doch auch *a priori* daraus hervorzugehen, daß sich die oben erwähnte Anekdote gerade an die Statue des *Demosthenes* auf dem Marktplatze zu Athen knüpfte. Nur sie mußte dem Soldaten zur Aufbewahrung seiner Börse tauglich erscheinen [6].

Zu diesen theoretischen Erwägungen haben wir jedoch auch praktische Versuche hinzugefügt. Herr Bildhauer Stanislaus Cauer hatte die Güte, den Versuch zu machen, einen Abguß der *barberinischen Hände* mit dem Abgusse der *Statue des Braccio nuovo* zu vereinigen. Es kam ihm nur darauf an, die Möglichkeit dieser Verbindung zu zeigen, nicht versuchte er, die Hände stilistisch mit der vatikanischen Statue zu verschmelzen. Das Resultat des Cauerschen Versuches zeigt unsere Taf. 116,1. Die rechte Hand fügt sich zwanglos dem Laufe des rechten Armes der Statue ein, bei dem linken ist allerdings eine kleine Differenz von einigen Millimetern geblieben. Der linke Unterarm muß bei der von uns vorausgesetzten dritten Replik des *Demosthenes* ein wenig steiler herabgefallen sein. Aber auch zwischen der englischen und der vatikanischen Statue bestehen in bezug hierauf kleine Abweichungen. Der Unterarm der ersteren lag etwas dichter am Körper an als derjenige der letzteren. Solche Differenzen bei den einzelnen Kopien sind um so erklärlicher, als das Originalwerk des Polyeuktos selbst wohl kaum je nach Rom gekommen ist. Auch nicht ganz so eng, wie bei unserer vermuteten dritten Statue des Demosthenes, waren die Hände der vatikanischen Statue an den Körper angepreßt. Aber deutlich sieht man am Originale, daß an der Stelle, wo die barberinischen Hände jetzt anliegen, Abarbeitungen stattgefunden haben. Dem Restaurator waren offenbar hier stehengebliebene Reste der Finger im Wege [7].

Hatten unsere Versuche auch die Zugehörigkeit der barberinischen Hände zu einer dritten Kopie der Demosthenes-Statue als sehr wahrscheinlich erwiesen, so konnte man sich ihnen gegenüber doch noch immer skeptisch verhalten. Aber zum Glück wurde von W. Amelung ein weiteres Stück aus den Ausgrabungen im barberinischen Garten hinzugefunden, welches wiederum, und zwar dieses Mal sicher, ein integrierender Teil der *Demosthenes*-Statue ist.

Es ist die linke vordere Ecke der Basis mit dem darauf stehenden rechten, mit einer Sandale bekleideten *Fuße der Figur* (Taf. 113, 3–4). Der Fuß entspricht in den Maßen ganz genau demjenigen der vatikanischen Statue. Er steht auch in demselben spitzen Winkel zur Achse der Basis und reicht ebenso mit der Sohle hart an den Rand der Basis heran, mit den Zehen zum Teil ein wenig über denselben herüberragend. Die Sandale hat ebenso wie an der vatikanischen und auch an der englischen Statue mehr die Form eines Halbschuhes mit einer beträchtlich dicken, doppelten Sohle. Ganz ähnlich dicht sind auch die sehr breiten Bänder der Sandale verschnürt. Nur in einigen Einzelheiten weicht sie von derjenigen der beiden anderen *Demosthenes*-Statuen ab. So läuft zum Beispiel hier eine auch sonst häufig vorkommende Zunge über die Riemen längs des Ristes des Fußes herab. Diese kleinen Unterschiede sind jedoch irrelevant. Die römischen Kopisten hielten sich ja, wie wir wissen, durchaus nicht immer in allen Einzelheiten sklavisch an ihr Vorbild.

Der Marmor, aus welchem das Fragment der Basis mit dem Fuße besteht, scheint mir der gleiche oder wenigstens ein ganz ähnlicher wie derjenige der gefalteten Hände. Es ist beide Male ein feinkörniger, etwas zuckriger, hellgelb patinierter und sicher italischer, nicht griechischer Marmor[8].

Die Arbeit des Fußes ist zweifellos besser als diejenige der Hände. Ein Detail an der Sandale, das halbkreisförmig endende Lederstück, welches vorn unter den Riemen liegt, ist bei dem barberinischen Fuße sogar richtiger verstanden als bei der vatikanischen Statue. Dort ist es am rechten Fuße wie eine Ader behandelt, am linken ganz weggelassen. Die Verschiedenheit im Werte der Arbeit zwischen den Händen und dem Fuße aus den barberinischen Ausgrabungen könnte zu einer schon vor der Auffindung des Fußes geäußerten Annahme führen, nämlich, daß die geschlossenen, separat gearbeiteten Hände möglicherweise nicht gleichzeitig mit der Statue entstanden, sondern daß sie eine antike Restauration sind. Solche sind nicht ohne Beispiele. Es kann ja allerdings nicht geleugnet werden, daß die schlechte Arbeit der Hände, eines so wesentlichen Teiles der Statue, etwas Anstößiges behält. Weniger störend scheint mir, daß die Hände recht groß und etwas plump sind. Das fügt sich vielleicht ganz gut in das Gesamtbild der Erscheinung des Demosthenes ein. Ein Blick auf unsere Abbildungen lehrt ja, daß der Redner alles andere als ein schöner Grieche war. Die Formen seines Körpers haben etwas Unausgeglichenes, fast Ungeschlachtes, auch seine Haltung ist merkwürdig unbeholfen. Bei einem solchen Manne werden wir feine, wohlgepflegte Hände kaum erwarten dürfen.

Doch wie dem auch sei, mögen diese Hände ursprünglich zur Statue gehört haben oder eine spätere Zutat sein, das Wesentliche geben sie uns doch zurück, nämlich

den Eindruck, welchen die Statue mit dieser geschlossenen Haltung der Hände
macht. Unruhig und den Fluß der Falten des Gewandes in unharmonischer Weise
unterbrechend, sind die Hände mit der Rolle an der vatikanischen wie auch an der
englischen Statue immer als eine störende Zutat empfunden worden. Klar und har-
monisch läuft jetzt der Zipfel des über die linke Schulter des Redners herabhängenden Himation unter den gefalteten Händen hindurch. Auch in der Profilansicht gewinnt die Figur, wie unsere Taf. 115, 2 zeigt, ganz bedeutend. Aber mehr ist es noch,
was die Statue an innerem Gehalte, an ἦϑος, gewinnt. Noch kürzlich hat Petersen
in seinem Buche ›Vom alten Rom‹ (S. 128) bei der Erwähnung der *Statue im Braccio nuovo* folgende Worte gebraucht: „Es ist kaum zu sagen, wie sehr durch die moderne Ergänzung der Hände mit der Rolle die Idee des Werkes geschädigt ist. Das
athenische Original zeigte den Redner mit verschränkten Händen, dem Ausdrucke
inneren Kampfes und Kummers, ganz mit sich und seinen Gedanken beschäftigt,
und daß es bittere Gedanken sind, zeigt das gefurchte Antlitz und die zusammengezogenen Brauen." Es klingt durch diese Worte förmlich wie eine Sehnsucht nach
der Wiederherstellung des ursprünglichen Bildes hindurch. Diese ist nun durch die
Auffindung der *barberinischen Fragmente* erfüllt. Der Rapport zwischen dem Ausdruck des Kopfes und den Händen ist hergestellt. Wie jene *trauernden Frauen* auf
dem Sarkophag der Nekropole von Sidon und wie jene *Medea* auf dem herkulanensischen Wandbilde kündet der Gestus der Hände eine tiefe innere Bewegung. „Sie
bilden", wie sich Michaelis ausdrückt [hier S. 95], „den Schlußstein des festen Gefüges von Charakterzügen, die in der Statue Gestalt gewonnen haben." Das ist der
Mann, der zunächst hart mit sich selbst kämpfte und der ein opferreiches Leben
einer Aufgabe weihte, deren Mißlingen ihn schließlich in einen freiwilligen Tod
hineintrieb. Wie ein „Memento" muß das Werk des Polyeuktos auf die Epigonen
gewirkt haben. Aber der Meister hat damit nicht nur dem großen Patrioten, sondern
auch sich selbst ein Denkmal errichtet, und es ist bezeichnend, daß die künstlerische
Idee, den inneren Sturm einer bewegten Seele durch fest geschlossene, jeden Kon-
takt mit der Außenwelt ausschließende Hände zu dämpfen, neuerdings in einem der
größten Monumentalwerke unserer Zeit wiederum einen ähnlichen Ausdruck
gefunden hat: in Klingers Beethoven.

Anmerkungen

[1] Vgl. Sitzungsberichte des Kaiserlich deutschen archäologischen Instituts zu Rom, Winckelmannsfeier 1902.
[2] Für die zahlreichen älteren Abbildungen dieser und der vatikanischen Statue, sowie für die
ausgebreitete Literatur zu den Demosthenesstatuen verweise ich im voraus auf den in näch-
ster Zeit erscheinenden Katalog des Vatikanischen Museums von W. Amelung, Bd. I, S. 80 ff.
[2a] [Es handelt sich um eine Verwechselung, gemeint ist die echte plutarchische Vita, ebenso
S. 142.]

[3] Michaelis in der Archäologischen Zeitung 1862, S. 240; Bernoulli, Griech. Ikonographie II, S. 80; Helbig, Führer durch die öffentl. Sammlungen Roms², S. 17. [Michaelis, hier S. 95 f.]

[4] Vgl. Amelung, Katalog der Vatikan. Sammlungen S. 81, Anm.

[5] Römische Mitteilungen 1901, S. 370, Anm.; Amelung, Katalog der Vatikan. Sammlungen S. 82, Anm. [Richter II 216 Abb. 1407 mit der richtigen Feststellung, daß die Hände über-lebensgroß sind; das sind jedoch auch die erhaltenen Statuenkopien!]

[6] Bei den Römern galt das Händefalten als ein böses Omen. Es war deshalb bei Opfern, Ge-lübden und dergleichen untersagt. Das uns geläufige Falten der Hände beim Gebet ist erst vom 11. Jh. an nachweislich. Vgl. Sittl, Die Gebärden der Griechen und Römer, S. 126, 176. [T. Dohrn, Gefaltete und verschränkte Hände, in: JdI 70, 1955, 50ff.]

[7] Der Puntello, welcher an der vatikanischen Statue die Hände mit dem Körper der Figur verbindet, ist eine moderne Zutat. Er kann beseitigt werden, wenn man den Abguß der bar-berinischen Hände mit demjenigen der vatikanischen Statue verbinden will. Der Abguß der Hände und des Fußes mit der Basis, von welchem unten die Rede ist, sind durch den Gips-former Giuseppe Cheli in Rom, Via Margutta nr. 51, zu beziehen.

[8] Bei einem nochmaligen Durchsuchen der Marmorfragmente im Garten des Palazzo Barbe-rini fand ich noch verschiedene Brocken von dem gleichen Marmor wie das Fragment mit dem Fuße. Meist sind es formlose Stücke. Eines mit geradem Faltenzuge könnte der rechten Seite der Demosthenesfigur angehört haben. Aber auch dieses Fragment ist zu sehr zerstört, um eine Abbildung zu lohnen. Für die große Liberalität, mit welcher die Fürstlich Barberini-sche Hausverwaltung mir die Durchsicht der Fragmente sowie Aufnahmen und Abgüsse der-selben gestattete, sei hier mein bester Dank ausgesprochen. [Zum Fuße vgl. auch Richter II 216 Abb. 1408.]

Das Bildnis des Aristoteles

Von Franz Studniczka

Um die Pflicht der Abfassung dieses Programms nicht auf Kosten der Vollendung größerer Arbeiten, worauf die interessierten Fachgenossen seit Jahren warten müssen, zu erfüllen, löse ich einen Abschnitt aus dem zweiten Teil meiner ›Imagines Illustrium‹. Es geschieht mit freundlicher Erlaubnis der Verlagsbuchhandlung B. G. Teubner, die ich jedoch mißbrauchen würde, wenn dieser Vorabdruck ebenso reich und gut illustriert erschiene, wie dereinst, ich hoffe recht bald, das Kapitel im Zusammenhange des ganzen Buches erscheinen soll*. Doch wird auch das Gebotene zureichen, um dem Sachkundigen ein Urteil zu gestatten. Die letzte mir bekannte Vorarbeit ist der einschlägige Abschnitt der Griechischen Ikonographie von J. J. Bernoulli. Für die hier besonders wichtigen Anfänge der ikonographischen Forschung, deren eingehende Darstellung der erste Teil meiner Imagines bringen wird, ist inzwischen auf Christian Hülsens Aufsatz ›Die Hermeninschriften berühmter Griechen und die ikonographischen Sammlungen des XVI. Jahrhunderts‹ in den Mitteilungen des K. deutschen archäologischen Instituts Römische Abteilung XVI 1901** hinzuweisen. Beide zum Teil mit Kenntnis meines Materials abgefaßte Arbeiten werden fortan mit dem bloßen Verfassernamen zitiert. Wieviel Dank für mannigfache Beihilfe ich Freunden und Fachgenossen schulde, wird auf Schritt und Tritt zu bekennen sein.

I. Irrwege

Der große Lehrer der Wissenden im Mittelalter hat unter den Kinderkrankheiten der Ikonographie besonders schwer und dauernd zu leiden gehabt, wovon im ersten Teil der ›Imagines Illustrium‹ ausführlicher die Rede sein wird. Die im Quattrocento geschaffene Bronzeplakette Ἀριστοτέλης ὁ ἄριστος τῶν φιλοσόφων mit der Zipfelmütze [1], als deren Vorbild sich ein griechischer Aristoteliker jener Zeit, wahrscheinlich Johannes Argyropulos erweisen wird [2], behauptete merkwürdig lang, im Kunsthandel sogar bis in unsere Zeit herein, den Rang eines echten Porträts. Nicht allein Pirro Ligorio hat damit gewuchert (Hülsen Nr. 27*), auch Fulvius Ursinus gab in seinem ersten ikonographischen Buche, den ›Imagines et elogia virorum illustrium‹ von 1570, auf S. 57 eines von den Marmorreliefs dieses Typus mit einfacher Namenbeischrift (Hülsen Nr. 26*) als antik heraus, worin ihm noch Bellori, Gronov und andere blind folgten, trotz dem ausdrücklichen Widerruf in seinem Kommentar zur zweiten Bearbeitung des Werkes.

Franz Studniczka, Das Bildnis des Aristoteles (1908) S. 1–35.

Diese zweiten orsinischen ›Illustrium Imagines‹, von dem Vlamen Theodor Galle (Gallaeus), dem Sprößling einer bekannten Künstlerfamilie, gestochen, erschien zuerst 1598 bei Plantin in Antwerpen. Es ist nur eine knappe, alphabetisch geordnete Auswahl aus der langen Reihe gleichartiger Zeichnungen, die Gaile für Orsini hergestellt hatte. Letztere ist, vermehrt um einige Nachträge von anderen Händen, vollständig erhalten in dem Codex Capponianus 228 der Vaticanischen Bibliothek, auf den Pierre Nolhac in seinem schönen Buch ›La Bibliothèque de Fulvio Orsini‹ (1878) S. 270 ganz kurz hingewiesen hat. Dieses ganze Material gedachte Fulvio in der zweiten Auflage der Galleschen ›Imagines‹ doch noch herauszugeben und verfaßte dazu, nicht lange vor seinem Tode, den erwähnten Kommentar. Eine Reinschrift von Schreiberhand, die ausdrücklich auf alle Abbildungen des Capponianus 228 Bezug nimmt, fand Nolhac in dem Codex Neapolitanus V E 17 vom Jahre 1599. Obgleich sie eine Randkorrektur von der Hand des wirklichen Verfassers enthält, tritt in der Widmung als Herausgeber schon Kaspar Schoppius auf, der bekannte deutsche Konvertit und *canis grammaticus,* der sich besonders durch Schmähschriften wider den großen hugenottischen Philologen Scaliger seine Sporen zu verdienen suchte. Diesen jungen deutschen Streber wollte der alte Kanonikus durch die Zession jener gelehrten Schrift fördern und zugleich für sich das ungenierte Lob seiner ikonographischen Verdienste im Vorwort ermöglichen. Allein er starb vor dem Erscheinen des Buches (1600). Nun gab Schoppe das Geschenk des Verstorbenen weiter an seinen Landsmann, Gesinnungs- und Kampfgenossen Johann Faber aus Bamberg, einen jungen in Rom wirkenden Arzt, unter dessen Namen denn auch Ursins erläuternder Text endlich 1606 mit der zweiten Auflage des Stichwerkes herauskam. Dieses erschien freilich nicht entfernt so bereichert, wie es der Verstorbene geplant hatte, nur mit einem kleinen Anhang neuer Porträts. Auf solche Kürzung nahm indes Fabers Redaktion des Kommentars nur insofern Rücksicht, als sie zumeist den ausdrücklichen Hinweis auf die fortgelassenen Abbildungen, nicht aber auch die Erwähnung und Würdigung der betreffenden Antiken tilgte.

So ist für *Aristoteles* bloß derselbe einzige Stich gegeben, wie in der ersten Auflage, während der Kommentar nicht weniger als vier Bildnisse aufzählt, deren Zeichnungen sämtlich im Capponianus erhalten sind. Um diese sehr verschiedenen Köpfe unter einen Hut zu bringen, hat sich der vielgerühmte „Vater der Ikonographie" zu einer Kette folgenschwerer Irrtümer verleiten lassen. Zwar bezog der tüchtige Gräcist die unten zu besprechenden Schriftstellen jetzt richtig nicht auf rasierten, nur auf kurz gehaltenen Bart, den er an seinem eigenen echten Inschriftbüstchen des *Aristoteles* wiederfand (siehe S. 156). Aber trotzdem nahm er an, der Stagirit habe, etwa wie Pietro Bembo, im höhern Alter doch noch den Bart ganz abgelegt. Denn die Eitelkeit des Besitzers und Kenners sträubte sich zuzugeben, er habe vor dem späten Auftauchen jener Büste drei bartlose Köpfe der eigenen Sammlung – deren Inventar wir gleichfalls dem Spürsinn Nolhacs verdanken [3] – zu Unrecht auf den berühmten Namen getauft. Alle drei Bildwerke sind im Original verschollen.

Abb. 4–5   Inschrift auf der Statue des Aristippos im Pal. Spada, nach Richter II Abb. 1020
und Studniczka

Die schmale urkundliche Grundlage der Benennung lieferte der Buchstabe A auf
dem Bruststück eines feinen römischen Gemmenporträts[4]. Denselben Mann fand
dann Orsini, trotz sehr verschiedenem Profil mit gerader Nase, auf einer Gemme
des Mykon[5], um danach weiter die Seitenansicht einer Herme auf dem (von Galle
allein herausgegebenen) Rundrelief aus Marmor ebenso zu nennen [Taf. 104,3][6].
Wenn diese Tafel, gleich ihrer nächsten Analogie, dem *Aischines* der Ermitage[7],
einen berühmten Mann darstellte, dann war es am ehesten *Menander,* wie ich ihn
erkannt zu haben glaube. Ein Exemplar seines Kopfes, jetzt in Madrid, hat denn
auch Azará mit dem Namen *Aristoteles* versehen (Bernoulli II S. 112,12). Andere
gleich begründete Benennungen dürfen der Vergessenheit überlassen werden.
Nicht so diejenige, womit E. Q. Visconti dem orsinischen Kartenhause den Giebel
aufsetzte: die Heranziehung der Statue im *Palazzo Spada,* über die schon viel
frühere Gelehrte richtiger geurteilt hatten als er. Dennoch gelang es mir erst vor
bald zwanzig Jahren, den schwindelhaften Aufbau endgültig umzustürzen[8], wie es
zuletzt Bernoulli dargelegt hat (II S. 10). Doch bedarf das von ihm Gesagte noch
einiger Ergänzungen, die am besten in nochmaliger Erörterung der ganzen Frage
gegeben werden.
Die hellenistische Inschrift vorn auf der vom Dargestellten aus rechten Seite der
grob gespitzten Statuenplinthe, die ich früher gezeichnet herausgab, erscheint auf
Abb. 4–5 nach einem Abguß photographiert, oben in möglichst scharfer Beleuchtung, unten die Buchstabenreste mit roter Farbe gefüllt. Das, was oben in der großen Lücke zwei Kopfenden senkrechter Hasten gleicht, sind nur so gerichtete
Hiebe des Spitzeisens, wie sie links besonders zwischen Σ und T wiederkehren. Das
kaum fragliche Iota hinter dem Tau verbietet die früher oft erwogene Ergänzung zu

Ἀριστ[είδη]ς, wie denn diese echte Philosophengestalt nach Motiv und Stil unmöglich den alten attischen Staatsmann, nach letzterem und der sicher voraugusteischen Schrift auch nicht den smyrnäischen Rhetor darstellen kann. So bleibt nur die Ergänzung Ἀρίστι[ππο]ς und mit ihr die Deutung auf einen der beiden kyrenäischen Philosophen. Der für beide sicher vorauszusetzende Bart, der aber nicht lang gewesen zu sein braucht, würde durch den sehr niedrigen Halsstumpf der Statue auch dann kaum ausgeschlossen (Bernoulli S. 12), wenn dieser nicht überarbeitet wäre, wovon später. Die Frage, ob der Großvater oder der Enkel *Aristipp* gemeint sei, darf bei dem vereinzelten, wohl originalen Bildwerk [9] nicht einfach nach der äußern Wahrscheinlichkeit zugunsten des berühmtern von beiden entschieden werden. Für den Sohn der Arete, der auch kein unerheblicher Denker gewesen zu sein scheint [10], möchte die Komposition der Sitzfigur und der auch von Bernoulli in diesem Sinn angeführte Naturalismus der Körperformen, besonders der fast schon an *Demosthenes* erinnernden Brust, sprechen.

Der Versuch Winters, für den Großvater zu entscheiden, indem er dessen Kopf in einem öfter wiederholten schönen Bildnis zeitgemäßen Stiles, das einem Philosophen gehören kann, aber nicht muß, erraten wollte [11], entbehrt einer festen Grundlage. Denn die jenen Köpfen nur wenig ähnliche Glaspaste des British Museum mit dem Namen [12], die Furtwängler weislich aus seinem Gemmenwerke ließ, gilt zu Unrecht für antik, schon weil eine Philosophenbüste mit Chlamysknopf auf der Schulter doch wohl vor der Renaissance nicht vorkommt. Es ist nichts als eine Nachbildung des orsinischen Carneols (Illustrium Imagines von Galle Taf. 32), nur in der Nasenform verschönert und um die im allgemeinen wie im einzelnen höchst seltsamen vier Beizeichen bereichert. Die Deutung dieser inschriftlosen Gemme auf *Aristipp* begründet der Kommentar etwas schüchtern damit, daß Pirro Ligori einen ähnlichen Kopf *ex marmore, ut aiebat, designatum ac descriptum habuit, cum eiusdem nomine.* Das entsprechende Stück seiner *procul ab urbe* zu Ferrara angefertigten Schwindelikonographie (Ligorius Taurinensis XXIII S. 92), worauf Hülsen (Nr. 24*) dieses Zitat bezieht, fehlt leider unter meinen daraus genommenen Pausen und Skizzen, so daß ich die Übereinstimmung nicht nachzuprüfen vermag. Es wäre ein Wunder, falls eine so zustande gekommene Taufe nachträglich ihre urkundliche Bestätigung gefunden hätte.

In der Inschrift der Spadastatue, die wir sicher auf *Aristipp* beziehen, erkannte die Renaissance lieber den ihr geläufigern, berühmtern Namen *Aristides.* Am ausführlichsten handelt darüber Ligori im Neapolitanus (VII S. 408, für dessen ikonographischen Inhalt vorerst auf Hülsen S. 130ff. [hier S. 119ff.] hingewiesen sei): „Il terzo *Aristide* Smyrneo (dies Wort nachgetragen) fu l'oratore il quale scrisse le lodi di Romani et per suo honore fu fatta una statua la quale come mostrano le lettere si crede che sia quella che hor vedemo nella vigna del illustrissimo Cardinal di Carpi che è un vecchio assedere, con la mano verso la barba havendo il gomito appoggiato sul ginocchio havendo il braccio e la spalla gnida (so für ignuda) et altro col resto del corpo tiene coperto colla toga, et ha le scarpe fatte con corregiuoli artificiosamente, che si gode il nudo del piede, et è senza testa." Diese klare Beschreibung kann sich, obgleich Hülsen die Stelle zu seiner Nr. 23*, der Statue der Vaticana mit der falschen Inschrift Ἀριστίδης Σμυρνεος anführt [13], nur auf die Spadafigur beziehen, die also damals noch kopflos war. Da Ligori ausdrücklich vom Barte redet, dürfte er die jetzt fehlende Spur davon an dem damals noch nicht überarbeiteten Halsansatze bemerkt haben (oben S. 150). Wohl vor Ligorius verzeichnete die Statue im Jahre 1550 Ulisse Aldrovandi noch bei einem andern Besitzer „in casa di M. Francesco d'Aspra (Schatzmeister Julius III.), presso à S. Macuto: vi è un *Aristide* assiso, ma non ha testa. Fu *Aristide* Atheniese, e giustissimo huomo" [14]. Minder gelehrte Männer als Messer Pirro dachten also an den berühmtesten Träger des Namens. Dieser behauptete sich bis in den Anfang des 19. Jh., wo ihn Guattani, trotz Visconti, öffentlich wieder aufnahm [15].

Aber schon Cassiano dal Pozzo (gestorben 1667), der die Statue bereits im Palazzo Spada und mit ihrem jetzigen bartlosen Kopfe sah, bemerkte in einer Anweisung für seinen Zeichner: „si crede possa essere statua d'*Aristippo* filosofo", mit ausdrücklicher Berufung auf die Inschrift [16]. Und sein Zeitgenosse Claude Varin aus Lüttich, ein Münzmeister Ludwigs XIII. und XIV. [17], gibt in einer großen Medaille des British Museum unverkennbar ihren Römerkopf, nur etwas ins Massige und Energische gesteigert, als den des kyrenäischen Weisen. Dann freilich geriet die Inschrift dermaßen in Vergessenheit, daß die Statue, mit richtigem Gefühl für den Typus des ihr aufgesetzten Kopfes und vielleicht mit Kenntnis einer verschollenen echten Überlieferung, worauf eine Cinquecentomedaille des *Seneca* im British Museum zurückgehen dürfte [18], auf diesen Namen getauft wurde [19].

Also konnte der große Visconti die Inschrift wieder „entdecken". Indem er den Rest des Schlußsigmas übersah und die Haste nach T gegen den Schriftcharakter einem quadraten Omikron zuschrieb, ergänzte er über den verfügbaren Raum hinaus den Namen Ἀριστ[οτέλης]. Denn ihm schien der Kopf, dessen Unzugehörigkeit ein Mann von seiner Erfahrung auch damals hätte bemerken können, identisch mit dem so ganz verschiedenen des orsinischen Rundreliefs (unten Anm. 6). Die fehlende Beglaubigung des letztern als *Aristoteles* entnahm er nicht etwa der vorhin wiederholten leichtfertigen Schlußfolge des Faberschen Kommentars. Er setzte vielmehr an ihre Stelle die ganz anders wirksame Behauptung, das Tondo habe genau der (längst verschwundenen) Inschriftbüste Ursins geglichen, trotzdem letzterer im Kommentar etwas ganz anderes, unten zu Berichtendes aussagt [20]. So kam das Bildnis des Stagiriten zustande, das im Laufe des 19. Jh. an ungezählten Bauten bis herab zu der 1896 vollendeten Wandelhalle unserer Leipziger Universität und noch später wiederholt, ja gegen die auftauchenden Zweifel von den namhaftesten Gelehrten epigraphisch wie archäologisch mit Eifer verteidigt worden ist [21].

Es hat mehr als eines Anlaufs bedurft [22], um durch einfaches, scharfes Hinsehen das dünngesponnene Blendwerk zu zerstören, die Inschrift so zu lesen, wie sie erhalten

ist (o. Abb. 4–5); den Römerkopf, von dem es keine Wiederholung gibt, als fremd
zu erkennen, da seine rechte Wange keine Spur der schon von Ligori (S. 7) mit
Recht vorausgesetzten stützenden Hand zeigt, sein Hals Schnitt auf Schnitt aufsitzt
und zudem hinten mehr als einen halben Zentimeter dünner ist als der der Statue[23].
Erst damit wurde die Bahn frei für die echte Überlieferung.

II. Nachrichten über die Erscheinung des Aristoteles

Wer an den *Aristoteles Spada* glaubte, der mußte zunächst alle Nachrichten über das
Äußere des Mannes weg- oder umdeuten. Erst als jener beseitigt war, konnten diese
wieder zur Geltung kommen, wofür namentlich Alfred Gercke tätig gewesen ist[24].
Einige charakteristische Züge entnahm Diogenes, hier wie bei anderen Philosophen, aus des Atheners Timotheos Schrift περὶ βίων. Danach war Aristoteles τραυ-
λὸς τὴν φωνήν – ἰσχνοσκελής – μικρόμματος· ἐσθῆτί τε ἐπισήμῳ χρώμενος καὶ
δακτυλίοις καὶ κουρᾷ [er lispelte – war dünnbeinig – kleinäugig; und er trieb Aufwand mit stattlicher Kleidung und Fingerringen und Haarschnitt][25]. Letzteren
besonders wichtigen Punkt beleuchtet, offenbar aus gleicher Quelle schöpfend, des
näheren Aelians varia historia 3,19: Λέγεται τὴν διαφορὰν Ἀριστοτέλους πρὸς
Πλάτωνα τὴν πρώτην ἐκ τούτων γενέσθαι. οὐκ ἠρέσκετο τῷ βίῳ αὐτοῦ ὁ Πλάτων
οὐδὲ τῇ κατασκευῇ τῇ περὶ τὸ σῶμα. καὶ γὰρ ἐσθῆτι ἐχρῆτο περιέργῳ ὁ Ἀριστοτέλης καὶ ὑποδέσει, καὶ κουρὰν δὲ ἐκείρετο καὶ ταύτην ἀήθη Πλάτωνι, καὶ δακ-
τυλίους δὲ πολλοὺς φορῶν ἐκαλλύνετο ἐπὶ τούτῳ. καὶ μωκία δέ τις ἦν αὐτοῦ περὶ
τὸ πρόσωπον, καὶ ἄκαιρος στωμυλία λαλοῦντος κατηγόρει καὶ αὕτη τὸν τρόπον
αὐτοῦ. [Zur Entfremdung zwischen Aristoteles und Platon soll es zuerst aus folgenden Gründen gekommen sein: Platon fand keinen Gefallen an dessen Lebensweise
und an der Aufmachung seines Körpers. Denn auf die Kleidung verwandte Aristoteles übermäßige Sorgfalt und auf das Schuhwerk, und er schor sich die Haare, was
für Platon ebenfalls ungewohnt war, und er prunkte überdies mit dem Tragen vieler
Ringe. Auch lag ein gewisser Spott in seiner Miene und, wenn er redete, verriet eine
unzeitige Geschwätzigkeit ebenfalls seinen Charakter.]
Von unmittelbarer ikonographischer Bedeutung ist die bei Diogenes wie Aelian
erwähnte κουρά. Selbst nach der treffenden Darlegung von Gercke urteilte darüber
Bernoulli (II S. 86): „Ob er sich völlig rasierte, wie am makedonischen Hof seit Alexander üblich wurde, oder ob er den Bart nur kürzer trug als sonst die Philosophen,
geht aus den betreffenden Stellen nicht klar hervor." Das heißt die Vorsicht zu weit
treiben. Als κουρὰ ἀήθης Πλάτωνι kann unmöglich eine Sitte gelten, die für ihn
und seine ganze Umgebung wie Nachfolge undenkbar ist: das völlige Rasieren des
Bartes, das Aristophanes nur einem γύννις [Weichling] wie Agathon zuschreibt[26]
und dessen erstes Aufkommen unter den makedonischen Hetairoi Philipps noch der
Polterer Theopomp als ein Anzeichen ihres hetärenmäßigen Treibens aufführt[27].

Dabei sagt er, wohlgemerkt, nicht etwa κειϱόμενοι, sondern ξυϱούμενοι, wie auch Chrysipp in der bekannten Hauptstelle die seit Alexander aufgekommene Tracht τὸ ζύϱεσϑαι τὸν πώγωνα [das Scheren des Bartes] nennt[28]. Die dem Platon ungewohnte Schur kann also gar nichts anderes sein als der für einen Philosophen in Athen allein denkbare Gegensatz zu dem langen Lakonizontenbart, wie ihn mit dem Meister auch sein getreuer Schüler trug, εὖ δ' ὑποϰαϑιεὶς ἄτομα πώγωνος βάϑη [schön aber ließ er herabhängen die ungeschnittene Länge des Bartes][29]. Das ist der kürzer gehaltene Bart des Weltmanns, als der Aristoteles hier überhaupt geschildert wird, nicht etwa das ἐν χϱῷ ϰείϱεσϑαι [glatt rasieren] des μιϰϱολόγος, sondern die μέσῃ ϰουϱά des Oligarchen[30] unter den Charakteren Theophrasts, der sich ja nach Ausweis der albanischen Büste [Taf. 123][31] seinem Lehrer ähnlich trug. *Aristoteles* hat also dem ehrwürdigen Philosophenbarte des *Sokrates, Platon, Antisthenes, Diogenes* und anderer entsagt und sich nicht gescheut, hierin den übrigen wohlgepflegten Hellenen jener Tage zu gleichen, wie es seiner ganzen Sinnesart entspricht. Sich der neuen Mode der makedonischen Offiziere anzuschließen, fiel ihm sicher noch weniger ein, als in der Politik auf ihren Staat Rücksicht zu nehmen.

Einige weitere Punkte von ikonographischem Werte bieten die am Ende der Vita Menagiana mitgeteilten Spottverse[32]:

Σμιϰϱὸς φαλαϰϱὸς τϱαυλὸς ὁ Σταγειϱίτης
λάγνος πϱογάστωϱ ϰαλλαϰαῖς συνημμένος
[Klein, kahl, lispelnd der Mann aus Stageira,
geil, mit hängendem Bauch, Kebsweibern verbunden]

Das wird, nach dem Rechte der Gattung, stark übertrieben sein. Aber so gewiß die letzte Schmähung für den Übelwollenden in dem Verhältnis zur Herpyllis eine tatsächliche Grundlage hatte, so sicher lichtete sich das Haar des *Aristoteles* in reiferen Jahren und bildete sich ein Ränzlein an seiner nicht hohen Gestalt. Mit letzterem vertragen sich gar wohl die dünnen Beine, von denen Diogenes spricht (S. 152). Der ältere Professor, der gleich dem Stagiriten viel arbeitet und gern gut ißt[33], aber nicht ebenso gut verdaut[34], überdies meist auch keine Zeit zu tüchtiger körperlicher Anstrengung findet, pflegt heute nicht anders auszusehen; nur sind wir, infolge unserer geringeren Ansprüche an Wohlgestalt und unserer die Mißgestalt besser verhüllenden Tracht, in diesem Punkte weniger empfindlich. Die Glaubwürdigkeit des Epigramms bewährt auch sein Zusammentreffen mit Diogenes und noch anderen ernsten Zeugen in der Nachricht über einen Sprachmangel, die τϱαυλότης[35].

Eine Bestätigung des für uns wichtigsten Zuges dieser Karikatur liefern die arabischen Lebensbeschreibungen des Philosophen. In der des Mubaššir (aus dem 11. Jh.) wird seine Erscheinung so beschrieben[36]: „*Aristoteles* war weiß, ein wenig kahlköpfig, schön von Statur, starkknochig, hatte kleine Augen, einen dichten Bart, blauschwarze Augen, eine Adlernase, einen kleinen Mund, eine breite Brust." Da haben wir das μιϰϱόμματος des Laërtios, das φαλαϰϱός der Iamben wieder, aber über die Statur das gerade Gegenteil jener beiden glaubwürdigen Angaben. Somit kann das, was hier neu ist, der helle Teint, der kleine Mund, die Adlernase, die Augenfarbe, kein Vertrauen beanspruchen. Zumal da die beiden letztern Züge dem arabischen Schönheitsideal, darum auch Schilderungen des Propheten und des Mahdi angehören[37].

Die Quellen dieser Mischung von Wahrem, Falschem und Unsicherem werden nicht bloß literarische gewesen sein. Die Beschreibung der Persönlichkeit endigt ja mit den Worten: „In seiner Hand hielt er ein Instrument für Sterne und Stunden", ein Astrolabium. Das kann doch nur dem Miniaturbildnis entnommen sein, worauf der Anfangssatz der ganzen Vita, „das ist *Aristoteles*", deutlich hinweist, obgleich es in den Handschriften fehlt[38]. Wie weit sich solche mittelalterlichen Umbildungen von den ursprünglichen antiken Porträts entfernen, wird am Anfang der Imagines Illustrium im allgemeinen darzulegen sein.

Ein Beispiel für den Stagiriten liefert die ›Wiener Handschrift der Physik‹ aus dem Jahre 1457, von der ein recht genauer Stich im Werke Lambecks vorliegt[39]. Die Gestalt entspricht etwa den arabischen Angaben. Die Kahlheit des Scheitels geht sogar weiter, als sie fordern. Der nicht bloß „dichte", auch lange, jedoch blonde Bart ist viel länger, als die antiken Zeugen überliefern. So steht es auch um diese Miniatur nicht besser als um die meisten anderen Porträts der Gattung.

Aber gerade das, was die Araber des 11. Jh. irreführen half, das setzte die verhörten griechischen Autoren in den Stand, über das Äußere des Philosophen authentisch zu berichten, selbst wenn es seine Zeitgenossen nicht getan haben sollten: sie sagen uns fast nichts, was nicht aus einer guten Bildnisstatue zu entnehmen war. Erst vor einem richtigen Porträt werden auch die feinern Züge ihrer Schilderungen wieder Leben gewinnen. Und ein solches läßt sich wirklich nachweisen.

III. Die bezeugten Aristotelesporträts

Über den beglaubigten Bildnissen des Stagiriten waltet ein böser Stern.

Von den bei Schriftstellern erwähnten Porträts (Bernoulli II S. 86f.) wird nur eines so genau beschrieben, daß es, wenn erhalten, leicht wiederzuerkennen wäre, die Statue im Zeuxippos, einer glänzenden Thermenanlage zu Konstantinopel, der Chistodor folgende Verse seiner Ekphrasis widmet (16ff.):

Ἄγχι δ' ἐκείνου (des Aischines)
ἦεν Ἀριστοτέλης, σοφίης πρόμος. ἱστάμενος δὲ
χεῖρε περιπλέγδην συνεέργαθεν, οὐδ' ἐνὶ χαλκῷ
ἀφθόγγῳ φρένας εἶχεν ἀεργέας, ἀλλ' ἔτι βουλὴν
σκεπτομένῳ μὲν ἔικτο. συνιστάμεναι δὲ παρειαὶ
ἀνέρος ἀμφιέλισσαν ἐμαντεύοντο μενοινήν,
καὶ τροχαλαὶ σήμαινον ἀολλέα μῆτιν ὀπωπαί.

[Daneben hob Aristoteles sich, der Fürst der Weisheit; er stand da mit zusammenvereinten, verschlungenen Händen; im stummen Erz noch ruhte mitnichten sein Geist; er glich einem Manne, der eine Frage erwägt; die zusammengezogenen Wangen sprachen vom Denken des Mannes, das hierhin eilte und dorthin, und die beweglichen Augen verrieten die Flut der Gedanken (H. Beckby).]

Aber ein stehender Philosoph ist von vornherein schwer glaublich. Und wie schlecht taugte für einen solchen die Gebärde, die der Dichter bekanntlich später einmal (Vers 255), beim sogenannten Klytios, treffend als χεῖρας ὁμοπλεκέας, κρυφίης κήρυκας ἀνίης [die Hände verschränkt, die Künder heimlichen Kummers] bezeichnet. Dagegen paßt sie und die ganze Schilderung Zug um Zug auf den polyeuktischen *Demosthenes,* wie wir ihn jetzt, dank Hartwigs glücklichem Funde, sicher kennen[40]. Ich zweifle gar nicht an der Richtigkeit des schon von Michaelis ausgesprochenen Gedankens[41], daß er es war, der in Original oder Nachbildung im Zeuxippos neben seinem alten Feinde stand, von Christodor oder vielmehr schon bei der Anbringung von Inschriften[42] verwechselt mit dem im allgemeinen Typus ähnlichen philosophischen Zeitgenossen, den in Wahrheit das nachfolgende, als *Demosthenes* beschriebene Stück dargestellt haben mag. Auch andere Namen der Ekphrasis sind, obgleich zum Teil auf Unterschriften beruhend, nachweislich falsch, ja mitunter noch durch richtige zu ersetzen[43]. So läßt sich in dem angeblichen Telamonier Aias, der πλοκάμους ἐσφίγγετο μίτρῃ [der dabei ist, die Locken mit einer Binde zu umwinden], wenn man dem Imperfekt gerecht wird, ein *Diadumenos,* doch wohl der gliederstarke polykletische erkennen[44].

Die Gewandanordnung „brachio exserto", woran nach des Apollinaris Sidonius rhetorisch pointierter, aber darum nicht wertloser Aufzählung charakteristischer Züge der gemalten Philosophenbilder in den Gymnasien seiner Zeit *Aristoteles* kenntlich war[45], wird in einer besonders ausgeprägten Fassung dieses Motivs zu suchen sein, ist aber nicht greifbar genug, um uns als Leitstern zu dienen, auch abgesehen von der Kopflosigkeit der meisten in Frage kommenden Statuen.

Die Herme in Athen, die laut dem erst unter Hadrian oder später eingehauenen Epigramm[46]

[Υἱ]ὸν Νικομάχου σοφίης ἐπιίστορα πάσης
στῆσεν Ἀλέξανδρος θεῖον Ἀριστοτέλην

[Den Sohn des Nikomachos, den aller Weisheit Kundigen,
den göttlichen Aristoteles hat Alexander aufgestellt]

von Alexander selbst geweiht war, fehlt der Kopf ebenso wie einst der verschollenen aus Tibur, der Ligori zum Ersatz das eingangs erwähnte Quattrocentobildnis mit der Zipfelmütze aufmalte (Hülsen Nr. 4 [vgl. hier Taf. 160]). Ja noch im Jahre 1881 konnte zu Rom eine Inschriftherme mit „leichtbärtigem", also vielleicht echtem

Abb. 6 Unterlebensgroße Büste des
Aristoteles, einst im Besitz des F. Ursi-
nus, jetzt verschollen, Zeichnung des
Gallaeus im Codex Capponianus 228 im
Vatikan

Abb. 7 Unterlebensgroße Büste des Aristoteles, Zeichnung des P. P. Rubens

Kopf auftauchen, in den Besitz eines Mannes wie Alessandro Castellani gelangen
und doch alsbald wieder spurlos verschwinden[47]. Ob nur darum, weil sie irgendwie
gefälscht war?

Nicht ganz so schlimm erging es dem sicher echten *Aristoteles Orsini*, der schon
oben im Zusammenhang der falschen Taufen dieses Gelehrten kurz zu erwähnen
war (S. 148). Vor ihnen, an der Spitze des betreffenden Absatzes im Kommentar zu
Galles Illustrium Imagines S. 20, steht nichts Geringeres als eine bei Ursinus befindliche imago *Aristotelis* in marmore sculpta, deren „basis" den vollen Namen trug.
Das klingt zunächst, wie wenn von einer ganzen Figur die Rede wäre[48]. Doch werden keine statuarischen Motive erwähnt, und Ursins Inventar gibt uns die Sicherheit, daß es nur eine Hermenbüste war: testa in forma di termine[49]. Gegen die
Gleichsetzung ließe sich zur Not anführen, daß das Inventar die Namensinschrift
mit C, der gedruckte Kommentar mit Σ schreibt; aber in des letztern oben S. 148
angeführter Reinschrift zu Neapel steht auch die Rundform.

Dieses wichtige Denkmal nun ist leider, mit einigen anderen Schätzen des orsinischen Nachlasses, gründlich verschollen; allen meinen Bemühungen, den Flüchtlingen auf die Spur zu kommen, war bisher der Erfolg versagt. Aber zum Glück steht im ›Capponianus‹ (oben S. 148) auch von ihm eine Bleistiftzeichnung (Taf. 76,2; Abb. 6, nach etwas flauer Photographie; eine bessere später[50]). Und zwar ist sie viel besser, namentlich kräftiger modelliert als der aus Theodor Galles schwächlicher Hand hervorgegangene Hauptinhalt des Kodex, wie sie denn allein auf der Rückseite eines Blattes (7) – als Gegenstück zum *Theophrast* (oben Anm. 31) – nachgetragen wurde. Dazu kommt der weitere Glücksfall, daß der junge Rubens, dessen zwei hierhergehörige große Blätter im Louvre sonst nur Kopien aus dem Capponianus tragen, diesen *Aristoteles* in wesentlich verschiedener Ansicht, leider in keiner sehr normalen, nach dem Original zeichnete[51] (Taf. 77,2; Abb. 7). Dabei floß allerdings von seinem persönlichen Stil viel mehr ein als in der erwähnten Wiedergabe durch einen mir unbekannten, doch wohl römischen Meister. Obgleich der große Vlame zum Teil mit größerer Treue im Äußerlichen gearbeitet hat, gebührt in bezug auf die Gesichtszüge dem unter Orsinis Augen für dessen Publikationen hergestellten vortrefflichen Bilde sicher der Vorzug.

Für die Echtheit dieses verlorenen Zeugnisses bürgt schon die Verlegenheit, in die es den gelehrten Eigentümer setzte. Trat doch dieser bärtige *Aristoteles* in elfter Stunde neben jene drei bartlosen, die sich Ursin, wie berichtet (S. 148), zum Ersatz des als modern erkannten Reliefkopfes mit der Zipfelmütze zusammengeklügelt hatte. Die Konkordanz durch Annahme eines Trachtwechsels herzustellen war für ihn um so mißlicher, als er den kurzen Bart für *Aristoteles* auch durch die richtig verstandenen Angaben der Schriftsteller (oben S. 152f.), für die peripatetische Schule durch die Inschriftherme des *Theophrast* [Taf. 122–123] bezeugt sah.

Allerdings gleicht unserer Inschriftbüste im allgemeinen schon das schöne Haupt des *Aristoteles* in der Schule von Athen. Aber es ist, genau betrachtet, doch nur ein echt raffaelischer Typus, der uns, mit dem langbärtigen *Platon* daneben verglichen, nur soviel lehrt, daß jene Zeugnisse der Alten über das Äußere des Lehrers und des Schülers schon von den Beratern Raffaels richtig verstanden wurden.

Über Herkunft und Erwerbung der orsinischen Büste verlautet durchaus Beruhigendes. Das Inventar, wo sie, gemäß ihrem späten Auftauchen, die vorletzte Stelle unter den Marmorsachen einnimmt, nennt als Kaufpreis 50 Goldscudi, soviel wie bei der Doppelherme des *Herodot* und *Thukydides* [Taf. 41], freilich auch bei dem bloß nach einem Amethyst benannten *Pompeius*kopf[52]. Gleich diesem war sie erworben von dem mit Ursin befreundeten, antiquarisch interessierten Juristen Orazio della Valle[53]. Das erwähnt auch ein Turiner Inventar aus dem Jahre 1615 anläßlich eines nach unserem Marmor kopierten oder nur benannten *Aristoteles*: „testa d'*Aristotele* filosofo antico secondo quella piccola che hebbe Farnese [der Erbe Ursins] dal Sig.ʳ Horatio della Valle"[54].

Es war ein ganz neuer Fund, nach dem gedruckten Kommentar geschehen abhinc annos quattuordecim, was von dem Datum der Faberschen Widmung, 1606, aus gerechnet auf 1592 führt. Aber die von Schoppius 1599 datierte Reinschrift des Kommentars (oben S. 148) gibt an derselben Stelle nur zehn Jahre, also 1589 als Zeit des Fundes. Der Ort lag in radicibus montis Quirinalis. Auch hieran wird nicht zu zweifeln sein, obgleich es dem Ursin für seinen Kommentar eine gar zu schöne Vermutung eingab: *hanc esse illam ipsam [imaginem], quam T. Pomponius Atticus domi suae habuit, de qua in epist. ad eum [4, 10] Cicero sic scribit: Malo sedere in illa tua sedecula, quam habes sub imagine Aristotelis*, etc. *Atticus autem, ut Cornelius Nepos et ipse Cicero scribunt, in Quirinali Domum habuit*[55] *et, ut verosimile est, theca quapiam imaginem illam inclusit, sub eaque sedeculam posuit.* Diese Vorstellung verkörperte sich der alte Sammler wenigstens dadurch, daß er die Büste, laut seinem Inventar, aufbewahrte „posta in un cassettino di raso rosso", in einem mit rotem Atlas ausgeschlagenen Schreinchen.

Als Ausgangspunkt dieser Vermutung bezeichnet der Kommentar die beim „Diogenes" und „Pittakos" wiederholte Annahme, kleine Büsten seien eher zum Schmuck von Bibliotheken oder Studierzimmern als von „Villen", das heißt deren Gärten, bestimmt gewesen. Die Größe des *Aristoteles* war *paulo minor media statuarum magnitudine*, was ungefähr ebensoviel besagt als *caput paullo minus quam naturale* bei Pittakos. Doch wird damit kein unbeträchtliches Zurückbleiben hinter der Lebensgröße gemeint sein, da Ursins Inventar von der „picciolezza" des *Aristoteles* und seinem „cassettino" redet, auch das erwähnte Turiner ihn „testa piccola" nennt, während die nur leicht unterlebensgroße *Herodot*büste (Bernoulli I Taf. 19 S. 160) ohne solche Beiwörter bleibt.

Die verschiedenen Angaben führen am ehesten auf halbe natürliche Größe, wie sie z. B. die albanische Büste des *Isokrates* zeigt[56]. Ganz so erbärmlich braucht darum der kleine *Aristoteles* nicht gewesen zu sein. Aber auch besser geratene Reduktionen in dem billigen Marmor pflegen von ihren Urbildern nicht mehr als ziemlich freie, nur oberflächlich ähnliche Exzerpte zu geben. Als Beispiel diene auf Taf. 39 die Zusammenstellung des greisen *Sophokles* und des *Euripides* der kleinen Doppelherme zu Dresden[57] mit großen, guten Exemplaren beider Typen, dem Londoner des ersteren[58], dem besten Neapeler des letzteren[59]. Auch das vatikanische Büstchen des *Sophokles*[60] bietet sich zu bequemem Vergleiche mit dem Kopf der lateranischen Statue. Für den verlorenen *Aristoteles* höhere Erwartungen zu erregen, ist die Versicherung des glücklichen Besitzers (im Kommentar): *sculpta est manu artificis faberrima*, sicher nicht geeignet. In welchem Tone redeten doch Welcker und Friederichs von der dem ersteren gehörigen kleinen Bonner Doppelherme des *Sophokles* und *Euripides*[61], die zwar etwas flotter gearbeitet ist als die Dresdener, aber vielleicht noch weniger Ähnlichkeit bewahrt hat, so daß ihrem alten *Sophokles* die Ehre widerfuhr, für den schmerzlich vermißten *Aischylos* erklärt zu werden.

Das Lob guter Arbeit hätte noch weniger Vertrauen zu beanspruchen, wenn der Zeichner Ursins dem *Aristoteles* mit Fug Augensterne und Pupillen gegeben haben

sollte. Denn sie wären Anzeichen frühestens späthadrianischer Zeit, wo die Genauigkeit des Kopierens im allgemeinen rasch nachläßt. Allein Rubens setzt statt
dessen bloß einen seiner schwarzen Drucker, der nur auf den ersten Blick für die
Pupille genommen werden kann, in Wahrheit kaum etwas anderes will, als den Blick
entschiedener nach oben richten. Dagegen können die Augensterne im Cappon-
nus sehr wohl eine Zutat sein, gerade wie in der dem *Aristoteles* gegenüberstehen-
den Zeichnung Th. Galles von dem erhaltenen *Theophrast* (Anm. 31).

Gegen späten Ansatz spricht, wenn ich nichts übersehe, die Büstenform. Diese hat
der Vlame sichtlich treuer wiedergegeben. Der andere Zeichner skizzierte die runde
Plinthe nachträglich, zu hoch und mit unverschobener, zu großer Inschrift hinzu,
nachdem er schon begonnen hatte, sie mit einem weiteren Motiv des im Kommentar
hervorgehobenen Philosophenmantels zu verkleiden; so scheint sich mir am ehesten
der irrationale, bei Rubens fehlende Faltenbausch zu erklären.

Der Brustabschnitt hat, wenigstens in der Vorderansicht, noch reine Hermengestalt
und sitzt auf breiter kreisförmiger Plinthe mit Rundstäben oben und unten, zwischen denen die Inschrift steht. Das alles finde ich am ähnlichsten an den Bronzebüstchen des *Demosthenes* [Taf. 109], *Epikur* [Taf. 124], *Hermarch* und *Zenon* aus
der herkulanischen Villa [62], nur daß ihre Standplatten etwas höher und dem Material gemäß zierlicher profiliert, ihre Bruststücke nach unten stärker verengt sind als
bei Steinhermen üblich. Und diese nächsten Analogien sind nicht bloß vor dem
Untergang von Herculaneum datiert, sondern dürften, gemäß dem ganzen Fund-
bestande der Papyrusvilla, spätestens dem Anfang der Kaiserzeit angehören. Unter
den Bildnissen von Menschen dieser Epoche sind denn auch die frühesten auf ähnliche Rundplinthen gesetzten die Bronzebüstchen des alten *Augustus* und der *Livia
Augusta* aus Aquitanien im Louvre [63]. Doch sie haben statt der von Natur unmittelbar standfähigen Hermenbrust den zu ihrer Zeit üblichen Büstenabschnitt, der
besondere Ständer fordert. Dasselbe gilt von den zahlreichen Belegen für den weiteren
Gebrauch ähnlicher Plinthen bis tief herab ins 3. Jh., deren einige in meinem Buche
zur Sprache kommen werden. Es gilt auch von den hierhergehörigen griechischen
Literatenporträts der Kaiserzeit. Selbst am *Demosthenes* Chiaramonti [64], dessen
Bruststück links, wo das Gewand aufliegt, dem des *Aristoteles* gleicht, ist die nackte
rechte Hälfte nach Büstenart abgerundet. In voller Hermenform sitzt nur der
Neapeler *Chrysipp* (Bernoulli II. S. 149,2 [Richter 192 Nr. 8 Abb. 1115–1117; hier
Taf. 134]) auf seiner großen unprofilierten Rundscheibe, die hinten gerade abge-
schnitten ist; er wird aber auch nicht später, eher älter sein als die herkulanischen
Bronzebüstchen. Man setzte eben den neu aufgekommenen Büstenfuß nur anfangs
unter die altherkömmliche, ihrem Sinne nach damit unverträgliche Gestalt des
Brustabschnitts. So entstand Ursins *Aristoteles* doch wohl unfern der guten frühen
Zeit, der ihn sein glücklicher Besitzer mittels jener kühnen Vermutung über den alt-
römischen Vorgänger zuwies (S. 158).

Auch von dem Erhaltungszustand ist im allgemeinen Günstiges anzunehmen. Dies

fordert schon der hohe Preis (S. 157). Ja, wider das gewöhnliche Schicksal antiker
Marmorköpfe, von dem in der Sammlung Orsini sonst nicht eine Ausnahme nachzuweisen ist, nimmt der Kommentar sogar die Nase als echt in Anspruch. Und sie fügt
sich, *quasi aquilinus*, in feiner Biegung energisch vorspringend, leidlich zu jener
allerdings fragwürdigen arabischen Nachricht (S. 153 f.). Allein Fulvio selbst erregt
Verdacht, indem er gerade sie als einen Zug der Übereinstimmung des zuletzt aufgetauchten echten mit den vorher willkürlich benannten *aliae eiusdem imagines*
betont (oben S. 148 f.). Diese Behauptung paßt zwar gar nicht auf das Marmorrelief
und die Gemme des Mykon mit ihren geraden Nasen. Dafür hat aber die für ihre
Taufe maßgebende Gemme mit dem fatalen A in der Zeichnung des Capponianus
eine mit der Büste so genau übereinstimmende Nase, daß der Verdacht, diese sei
nach jener ergänzt gewesen, kaum abzuweisen ist.

Die Übereinstimmung dieses richtigen Philosophenkopfes mit den dazumal bekannten Schriftstellerzeugnissen über das Äußere des *Aristoteles* bemerkte, wie gesagt,
schon der gelehrte Besitzer. Nur μικρόμματος (S. 152) scheint die Büste nicht gewesen zu sein. Die neuerdings aus den Iamben und den arabischen Viten bekannt
gewordene, durch die Wiener Miniatur bestätigte Neigung zum Haarschwund
(S. 153 f.) ist freilich höchstens in den Geheimratsecken der Zeichnung im Capponianus (Taf. 76,2; Abb. 6) leise angedeutet zu finden. Aber beide Unstimmigkeiten
können gut und gern zu den Entstellungen gehören, wie sie im Laufe der Kopisten-
tätigkeit, zumal der verkleinernden (S. 158 Taf. 39), antiken und modernen Porträts
fast unfehlbar zustoßen. Diese Erklärung verdient auch für den zu vollen Haarwuchs den Vorzug vor der Annahme, das Original des Büstchens habe den Mann in
früheren Jahren dargestellt, als die Urheber jener Nachrichten im Auge hatten.
Und dies bestätigen denn auch die erhaltenen *Aristoteles*köpfe, welche die bessere
von den beiden Zeichnungen der orsinischen Büste noch zu erkennen gestattet.

IV. Die erhaltenen Aristotelesköpfe

Den fraglichen Porträtkopf besitzen wir in elf sichern Kopien, denen sich ein paar
zweifelhafte anschließen. Sechs von jenen und die ähnlichste von diesen fanden
schon Robert von Schneider und Arndt (zu unseren Exemplaren *L* und *M*) zusammen. Beide erkannten als Urbild einen Philosophen des 4. Jh. Arndt erklärte mir
brieflich, die Vermutung, es sei *Aristoteles,* nur aus Vorsicht unterdrückt zu haben.
Mit Kenntnis meiner Deutung wiederholt die Liste Bernoulli II S. 96. Hier zunächst
nach dem Alphabet der Aufbewahrungsorte geordnet

Die sicheren Exemplare

A B (Taf. 80, 1–3) *Athen,* Nationalmuseum, Doppelkopf, zum Einsetzen in eine Herme bestimmt, gefunden bei den Ausgrabungen nach der Enneakrunos. Es ist beidemale, trotz kleiner Abweichungen, dasselbe Gesicht. Dies begegnet von jeher in idealen Zwillingsbildungen [65], so schon in der ältesten erhaltenen Doppelherme, der kleinen hocharchaischen Bronze der Pariser Nationalbibliothek [66], dann in späteren Kopien reifarchaischer Werke [67] sowie bedeutender Schöpfungen der ersten Blütezeit in der Sammlung Barracco und in Madrid [68]. Eine von den hierhergehörigen Kopfvasen der reifarchaischen Keramik, im Museum zu Boston, verbindet zwei genaue Wiederholungen desselben Mohrentypus [69]. Aber unter den Porträts kenne ich keinen zweiten sichern Fall. Denn nicht ganz fraglos ist doch die Deutung auf *Sappho* bei dem Kopf Albani, von dem eine entzweigeschnittene Doppelherme im Bigliardo derselben Villa steht [70], sehr ähnlich der ungetrennten ebendort im Portico, die zwei Wiederholungen vom Hygieiakopfe des Thermenmuseums vereinigt [71]. In einem unterlebensgroßen Doppelkopf des British Museum aus Ephesos scheint zwar auch beidemal dasselbe Gesicht und eher das eines bestimmten Menschen, etwa eines Claudiers, als einer Idealgestalt gemeint, aber die Arbeit ist nicht gut genug, um ein ganz sicheres Urteil zu gestatten [72]. So bleibt bis auf weiteres unser zweifacher *Aristoteles* vereinzelt, wohl als ein Zeugnis ausschließlicher Verehrung eines späten Anhängers etwa antoninischer Zeit. Er gehört zu den an derselben Fundstelle häufigen, unvollendeten Arbeiten, die das Vorhandensein von Bildhauerwerkstätten verraten [73]. Beide Köpfe zeigen Meßpunkte, im Abguß am deutlichsten je einen am Stirnhaar links. Die Ohrmuscheln sind noch unausgehöhlt. Das Maß der Ausführung sowie der Erhaltungszustand ist an beiden Seiten verschieden.

A (Taf. 80, 1) ist gut erhalten, zerstört nur die Nase, bis auf die Wurzel. Das Haar steht der Vollendung etwas näher als die Haut, die, mit dichten Schlägen des abgerundeten feinen Meißels facettiert, wie pockennarbig aussieht. Die Pupillen sind vertieft, ein Zeichen der Entstehungszeit.

B [Taf. 80, 3] zeigt umgekehrt das Haar minder ausgeführt als die fast geglättete Haut, aber die Arbeit ist geringer und die Zerstörung stärker, die Nase fehlt ganz, Augen und Stirn weisen erhebliche Verletzungen auf.

Die Doppelherme ist zuerst herangezogen von R. von Schneider zu *L*; bei Bernoulli Nr. 6; abgebildet bisher nur in den wenig deutlichen Photographien des Athenischen Instituts A. V. 153, 154, 220, 221; die Anfertigung der beiden letzteren verdanke ich, nebst einigen Angaben, dem verstorbenen H. v. Prolt, Watzinger und Dörpfeld. Einen Abguß hat dem Leipziger Archäologischen Institut der Generalephoros Kavvadias gütig zur Verfügung gestellt. [Richter II 173 Nr. 16. 17 Abb. 1004 bis 1005. 1009–1010.]

C Florenz, Uffizien Nr. 1986, jetzt am Eingang bei der Billettausgabe, früher auf dem ersten Absatz der Treppe, die zu dem Verbindungsgang nach dem Palazzo Pitti

hinabführt. Der fast bis zur Unkenntlichkeit ergänzte und überarbeitete Kopf sitzt
auf barocker Panzerbüste aus braungestreiftem Marmor mit weißem Paludamen-
tum, genau derselben Arbeit wie an dem *L. Verus* des zweiten Ganges der Uffizien-
galerie[74], als dessen Gegenstück er wohl restauriert wurde. Erst der Hals ist antik,
und zwar vorne bloß der obere Streifen, links auch der Schulteransatz. Am Kopfe
selbst ist ergänzt die ganze Nase mit der rechten Brauenecke, das linke Auge (ausge-
nommen den innern Winkel) mit der Braue und der angrenzenden größern Hälfte
der Stirn bis in die linke Schläfe und hinauf zum Scheitel. Die antiken Teile sind nur
hinten in starker Verwitterung unberührt, vorne arg geputzt. Das rechte Auge samt
Wange und beide Ohren bestoßen. Der modernen Herrichtung scheint auch die tief
sichelförmig eingeschnittene rechte Pupille anzugehören, um die der übliche Kreis
des Augensterns fehlt. Trotz alledem bleibt unser Porträt erkennbar an dem Munde,
der Bartform, dem Schläfenhaar rechts und dem Reste der vorgewölbten rechten
Stirnecke mit Haarfransen. – Der Kopf scheint bei Dütschke zu fehlen. [Richter II
173 Nr. 5 Abb. 989–990.]
D (Tafel 77,1; 79,1) *Kopenhagen,* Ny Carlsberg Glyptothek Nr. 415 a, kürzlich aus
Rom erworben, mir zuerst durch Arndts unermüdliche Hilfsbereitschaft in guten
Photographien, deren eine ich wiedergebe, dann auch im Original bekannt gewor-
den. Nur der Kopf mit wenig vom Hals im Nacken. Ergänzt die Nase, das übrige
verwittert und etwas bestoßen. – C. Jacobsen, Ny Carlsberg Glyptothek, Billed-
taveler over antike Kunstvaerker Taf. 29, 415 a. [Richter II 173 Nr. 8 Abb. 986–988.]
E New York, bei Mr. Alden Sampson, 1905 aus Rom erworben. Nur die vordere
Hälfte des Kopfes ohne die Ohren, wovon die Nase, bis auf die Wurzel, und ein
Stück links am Kinn abgebrochen, einiges andere bestoßen. Jedoch von feiner, *L*
nahestehender, vielleicht nur etwas übertreibender Ausführung. Diese Angaben
gründen sich bloß auf eine mäßige, Friedrich Hauser verdankte Photographie.
[Richter II 174 Nr. 18 Abb. 984, z. Zt. verschollen.]
F (Taf. 76,1) *Palermo,* Nationalmuseum, aus Rom, wie mir Arndt schreibt. Mir
nur durch Photographien in sechs verschiedenen Ansichten bekannt. Ich verdanke
sie Arndt, L. Pollak, A. Salinas, G. Treu, die auf Taf. 76,1 wiedergegebene, eigens
für mein Buch aufgenommene, Walter Müller. Der Hals rund umschnitten zum Einsetzen wohl in einen Hermenschaft. Die Oberfläche gleichmäßig verwittert, „als
hätte er im Wasser gelegen" (Arndt). Ergänzt die Nase mit Ausnahme eines Restes
vom rechten Flügel, oben bis an die Brauen, links mitsamt dem angrenzenden Wan-
genteil und der halben Oberlippe bis an die Mundspalte. – Zuerst herangezogen
von Arndt zum Exemplar *M;* Bernoulli Nr. 4. [Richter II 173 Nr. 6 Abb. 1002–1003.]
G Paris, Louvre Nr. 80, fälschlich auf die zu kleine Statue des sogenannten *Poseidonios,* wahrscheinlich *Chrysipp* gesetzt, schon im 17. Jh. in der Sammlung Borghese, als die Figur zu dem bettelnden, blinden *Belisarios* ergänzt wurde, wie sie
zuerst Sandrart, Teutsche Akademie IV Taf. g. gibt. Vorher war der ganze Kopf so
verscheuert und verwittert, wie jetzt großen Teils Haar und Bart, woran er als

Replik unseres Typus kenntlich bleibt. Das Gesicht samt den Stirnlocken wurde gründlich überarbeitet; in welchem Maße, verrät die Stufe am Saum des Backenbartes, die tief eingehauene Mundöffnung – die wohl den Bettler kennzeichnen sollte – und die übertriebene Schmalheit des Bodens der ergänzten Nase. Einigen Wert hat nur der bloß geputzte Hals mit dem Ansatz eines recht symmetrisch aufliegenden Mantels hinten und den dichten Querfalten rechts, beides Züge, die an den übrigen Repliken fehlen und doch wohl auf das statuarische Original zurückgehen. – Die ganze Figur photographisch bei Bernoulli II S. 159; vgl. S. 96 Nr. 1. Ältere Literatur bei Friederichs und Wolters, Gipsabgüsse Nr. 1322; dazu Milchhöfer (und Pottier) in den Archäologischen Studien H. Brunn dargebracht S. 41. Abguß des Kopfes auch in Leipzig. [Richter II 173 Nr. 11 Abb. 991. 998.]

H (Taf. 77,3; 78,1–2) *Rom*, Museo *Ludovisi*-Buoncompagni im Thermenmuseum, Nr. 10. Auf neuer Paludamentumbüste aus braungestreiftem Stein. Der Kopf aus griechischem Marmor. Der Hals mit dem breiten Bruststück vorn antik. Ergänzt nur die Nase mit Ausnahme der größern Hälfte des rechten Flügels, der kleinern des linken und des obern Drittels vom Rücken. Letzterer wie überhaupt das Gesicht ziemlich stark geputzt, während die Haare mehrfach graubraune Patina bewahrt haben. Auch die leicht bestoßenen Ohrsäume sind etwas zurechtgeschabt. – Schreiber, Ant. Bildwerke der Villa Ludovisi Nr. 93; Arndt, Porträts Nr. 365/6; Bernoulli Nr. 2. Einen Abguß danke ich der gütigen Vermittelung von G. E. Rizzo. [Richter II 172 Nr. 2 Abb. 979–981.]

I Rom, in der Werkstatt des Bildhauers *Apollonj* (Via Margutta), mir von Emanuel Löwy gefällig nachgewiesen. Der Eigentümer erlaubte mir liberal, den im Kunsthandel durch Überschmierung verdunkelten Erhaltungszustand mit allen Mitteln festzustellen. Neu aus bläulichem, vielleicht hymettischem Marmor (nach Apollonj „marmo greco fasciato"), die ganze Rückseite bis zu einem senkrecht vom Scheitel durch beide Ohren hinabgehenden Schnitt. An dem etwas verwitterten Vorderteil, dessen Marmor mir pentelisch schien, ergänzt die ganze Nase mit dem (etwas mehr nach links reichenden) Mittelstück des Mundes und dem Kinn sowie der Hals. [Richter II 172 Nr. 1 Abb. 982–983.]

K Rom, im April 1907 aus der Sammlung Enrichetta *Castellani*, bei den Kunsthändlern Jandolo & Tavazzi [jetzt Oslo, Nationalgalerie], mir außer durch den unten zitierten Verkaufskatalog noch durch größere Photographien von Ludwig Pollak sowie durch seine und Hausers freundliche Mitteilungen bekannt. Der Hals zugeschnitten wie bei *F*, vorn abgespalten. Ergänzt kleine Teile der Ohren, von der rechten Braue die größere innere Hälfte, die ganze Nase. „Die Oberlippe durch Überarbeitung aus dem offenbar gebrochenen Marmor herausgeholt" (Hauser), ebenso wohl auch die obere Hälfte der Unterlippe. Die antiken Teile des Gesichtes stark geputzt, nach Pollak schon im Cinquecento. – Catalogo della raccolta Enrichetta Castellani, Nr. 199 Taf. 24. [Richter II 173 Nr. 9 Abb. 995–997.]

L (Taf. 76,3; 79,2) *Wien*, Hofmuseum, Antikensammlung Nr. 179, geschenkt von

Erzbischof V. E. Milde 1846. Der Stein schien mir pentelisch, besonders nach der Bruchstelle des abgesprengten Hinterhauptes, an der nichts auf die von Bernoulli vermutete Zugehörigkeit zu einer Doppelherme wie *A B* hinweist. In Marmor ergänzt ist ein Flicken am inneren Anfang der rechten Braue und die Nase. Die Oberlider sind mit Gips geflickt, das rechte untere Lid und die Säume der Ohren etwas bestoßen geblieben, ebenso das Ende der dünnen Haarsträhne über der rechten Stirnecke, das zudem durch stärkeres Putzen dieser Gesichtshälfte undeutlich geworden ist. – Robert von Schneider, Album der Antiken-Sammlung des a.-h. Kaiserhauses Taf. 12, S. 6; beide Ansichten bei Bernoulli II Taf. 12a, vgl. S. 96 Nr. 5. [Richter II 173 Nr. 7 Abb. 976–978. 985.]

Zweifelhafte Wiederholungen

Von den angeführten elf sichern Repliken unseres Porträts unterscheiden sich schon durch etwas größeren Maßstab einige Köpfe, die in wesentlichen Zügen soviel Ähnlichkeit bieten, daß sie mehrere Fachgenossen auf dieselbe Person beziehen zu müssen glauben. Dies scheint mir indes nur bei einem Kopfe wahrscheinlich genug, um ihn den sicheren Wiederholungen anzureihen.

M Rom, Villa *Mattei*, auf neuer Gewandbüste. Ergänzt die mittlere Scheibe des Halses, die ganze Nase mit angrenzenden Wangenstreifen und der Oberlippe, aus einem Stück, das im März 1908 abgefallen am Boden lag. Die Unterlippe ist etwas abgesplittert. Daß der Kopf keine genaue Kopie sei, lehrt schon der große Maßstab; z. B. beträgt der Abstand der äußeren Augenwinkel etwa 0,105 m, der des rechten Augenwinkels vom entsprechenden Mundwinkel rund 0,085 m gegen annähernd 0,09 und 0,072 an dem Wiener Exemplar *L*. Doch schienen auch mir die Hauptumrisse ähnlich genug, trotz vieler Verschiedenheiten im einzelnen, die weiterhin zur Sprache kommen. Die Haarbehandlung sowie die umrissenen Augensterne und Pupillen mit Doppelbohrung weisen den Kopf in antoninische Zeit. – Arndt, Einzelaufnahmen I Nr. 126/7; Bernoulli Nr. 3. [Richter II 173 Nr. 4 Abb. 992–994.]

Erwägenswert scheint mir dieselbe Deutung für einen wohl noch etwas größern Kopf mit fast greisenhaften Formen im Besitze des Malers Sigurd Wandel in Kopenhagen; er soll später auf Grund von Abbildungen genauer geprüft werden. Einen anderen Kopf bei Professore Volpi in Florenz (Piazza Goldoni), den ich durch verschiedene Photographien des Besitzers und Arndts kenne, vermag ich keineswegs, mit letzterem, unserem Typus „außerordentlich ähnlich, wohl identisch" zu finden. Ganz ausgeschlossen erscheint mir die Gleichsetzung durch sehr abweichenden Gesichtsbau, Ausdruck und Haarwuchs für eine charaktervolle Bronzebüste der herkulanischen Villa, die mir brieflich von zwei Seiten als Variante bezeichnet wurde[75]. Wenigstens nach meinen Kenntnissen ist eine so verschiedene „Auffassung" in der realistischer gewordenen Bildniskunst aristotelischer und späterer Zeit nicht mehr möglich.

Replikenkritik und Stilvergleichung

Es gilt zunächst die Rezensio der verschiedenen Kopien. Arndt im Texte zu der Ludovisischen *H* warf die Frage auf, ob die Reihe nicht auf zwei verschiedene Fassungen des Bildnisses schließen lasse, deren eine, durch *H* und etwa *M* vertreten, noch den mehr flächigen Stil des früheren vierten Jahrhunderts aufweise, während die andere, durch den bessern Kopf der Doppelherme *A* und den Wiener *L* repräsentierte, sich als Umbildung in hellenistischem Sinn, etwa in der Richtung des *Pseudoseneca* verriete.

Die einzige genaue Analogie zu solcher Umbildung eines einigermaßen realistischen Porträts wäre meines Erinnerns das Verhältnis des Farnesischen *Lysias* in Neapel [Taf. 44,3] zu der so viel einfacher stilisierten Replik im Capitolinischen Museum [Taf. 45][76]. Aber nach genauer Untersuchung des ersteren bin ich sicher, daß der ganze erstaunliche Realismus seines Gesichts nur auf völliger Abarbeitung der Verwitterungsschicht beruht, die an dem schlicht geformten Haar und Barte stehengeblieben ist, ähnlich wie bei unserem Pariser Kopfe *G*.

So scheinen mir denn auch alle Exemplare des in Rede stehenden Kopfes auf ein und dasselbe Original lysippischer Zeit zurückzugehen, das einige besonders treu, andere mit verschiedenen Abweichungen nachbilden.

Am greifbarsten ist die Identität des Typus wie gewöhnlich in der Haaranordnung, die nur die vergrößerte freie Wiedergabe in Villa Mattei *(M)* erheblich umgestaltet hat. Die höchst charakteristischen Fransen über der Stirn, an *B* und besonders *C*, *G* zerstört, wiederholen sich mit geringen Variationen an *D*, *E*, *F*, *I*, *K*, *L*. *F* in Palermo übertreibt etwas ihre Länge, namentlich links, *D* in Kopenhagen gibt die Anordnung links etwas verwischt. Der überarbeitete Castellanische Kopf *K* fügt in der Mitte ein Strähnchen hinzu und gestaltet alle etwas derber. Letzteres gilt in noch höherem Maße von der bessern Seite *A* der Doppelherme. Auf der verscheuerten Stirn des Apollonjschen Exemplars *I* schienen mir die Zotteln viel dichter zu liegen. Das Ludovisische *H* zeigt sie so verbreitert, daß sie sich in der Mitte und rechts zu einheitlicher Tolle zusammenschließen. Aber dafür stimmt das rechte Schläfenhaar mit dem von *L* in Wien, *A*, *B* in Athen und *K* (Castellani) durchaus; auch darin, daß es mit einer Lockenspitze den oberen Saum des Ohres bis an die Muschelhöhle überschneidet, was sogar an dem arg zugerichteten Kopf *C* der Uffizien kenntlich ist. Diesen bezeichnenden Zug sparten sich dagegen auf verschiedene Weise die auch sonst schematisch verfahrenden Kopisten des „*Belisar*" *G* und der Exemplare *D* und *F*, letzterer trotz der Treue in der Wiedergabe der Stirnfransen. In der Stilisierung des Haares erinnert *K*, trotz etwas grober, schematischer Arbeit, mit der gleichmäßigen Riefelung seiner Löckchen am meisten an Bronze, das wahrscheinliche Material des Urbildes. Aber das feinste Verständnis für die Eigenart des Haarwuchses und der Haartracht zeigt doch *L* in Wien.

Noch entschiedener behauptet *L* die erste Stelle für die Gesichtszüge. Zwar die

Nase ist, nicht glücklich, ergänzt; davon besser erst unten (S. 168). Aber der breite, fest geschlossene Mund mit den starken Lippen und den verächtlich herabgezogenen Winkeln erscheint nirgends ebenso charakteristisch. Selbst *A*, wo er am ähnlichsten wirkt, verringert ein wenig die Breite, desgleichen *B* mit der zu dünnen Unterlippe, erst recht *C*, *D* und vollends *M* (Mattei). *H* mildert wenigstens den Ausdruck durch schwächere Lippen und minder herabgezogene Winkel. *I* hebt gar den rechten Winkel und *F* den linken – wenn die Lichtbilder mich nicht täuschen, auch in dem unergänzten Teil –, um einen Schimmer von Lächeln zu erzeugen. *F* noch mehr als *H* glättet dazu die Denkerfalten der Stirn, von denen *D* und selbst *M* mehr bewahrt hat, während sie *A* genau, nur schematischer und etwas gröber als *L* gibt. Dieses Hauptexemplars kleine Augen vergrößern sich im allgemeinen sukzessive in der Reihe *A*, *B*, *H*, *D*, *F* (auch auf *K* und *C*, falls hier die Überarbeitung nicht täuscht), und damit wandelt sich abermals der Ausdruck von der kühlen Aufmerksamkeit in *L* bis zur offenen Freundlichkeit in *F*. Treuer bleibt hierin *D*, *I* und das Bruchstück *E*, freilich bei sehr verschiedener Gestaltung der Augenumgebung. *E* gibt nämlich das Oberlid stärker, die senile Furche darüber schärfer als *L*, vielleicht mit Übertreibung der ursprünglichen Charakteristik. Zu ihr passen endlich auch die allein an dem sonst so verstümmelten Pariser Exemplar *G* bewahrten Querfalten rechts am Halse. Kunstgeschichtlich scheint mir dieser treffliche Charakterkopf nirgends besser hinzupassen als in die entsprechenden Lebensjahre des *Aristoteles*, etwa vom fünfzigsten bis an seinen Tod (334 bis 322). Dahin weist doch wohl auch der sich zunächst aufdrängende Vergleich mit dem bekannten Bildnis des *Euripides* (Taf. 73–75).

Denn gegen die jetzt eher vorherrschende Annahme zeitgenössischer Herkunft dieses tiefsinnigen Charakterporträts[77] scheint mir dessen Zurückführung erst auf die lykurgische Statue[78] kaum noch zweifelhaft, seit der früher nur durch überkühne Vermutung gefundene, sehr abweichende Kopf des Dichters von finsterem, geistig unaufgeschlossenem Ausdruck und dem greisen *Sophokles* (Taf. 36–40) nahekommendem Stil in dem eingemeißelten Euripideszitat der Replik aus Rieti, jetzt in Kopenhagen, eine schwer wegzudeutende Bestätigung gefunden hat [vgl. Taf. 118–119][79]. Auch davon das nähere in den „Imagines Illustrium“. [Zur Frage vgl. auch hier S. 226f. 246 und 263ff.]

Jener spätere *Euripides* ähnelte unserem *Aristoteles* namentlich in der Behandlung des einheitlich geballten, nur flächig detaillierten Bartes und der feinen, in die gewölbte Stirn gestrichenen Haarschlänglein. Seine Hauptformen dagegen klingen begreiflicherweise noch an Typen der ältern Zeit an, während das Philosophenporträt in der äußern und innern Charakteristik durchaus seiner Entstehungszeit entspricht. Es wurde sogar mit dem des ganz gleichaltrigen *Demosthenes* [Taf. 108–112] verglichen[80], an den zum Beispiel die Halsfalten der Pariser Wiederholung *G* wirklich erinnern. Allein das Rednerbildnis ist doch noch viel weiter fortgeschritten in dem unruhigen Reichtum der Oberflächenbehandlung und der dramatischen Kraft des Ausdrucks, entsprechend seiner endgültigen Formulierungen erst durch

Polyeukt im Jahre 280, an der die neulich hinzugefundenen gefalteten Hände keinen Zweifel mehr lassen (oben Anm. 40). Diese pathographische Bildniskunst vertritt allerdings auch schon der geradezu an *Demosthenes* erinnernde prächtige Kopf in Sammlung Barracco [Taf. 121], der angeblich von einem der letzten attischen Grabreliefs, aus den Jahren dicht vor den Luxusgesetzen des Phalereers, herrührt [81]. Unter den datierten Philosophenporträts gehört ihr so recht erst der *Epikur* an [82]. Dagegen schließt sich unser *Aristoteles*kandidat in seiner lebensvollen, aber ruhigern Ethographie gut an den klugen, lebhaften Kopf des *Theophrast* (Anm. 31 [Taf. 123]), der noch im Mannesalter, also kaum viel nach des Lehrers Tode, dargestellt ist. Demnach werden kunstgeschichtliche Bedenken wider diesen Gedanken nicht wohl aufkommen können.

V. Vergleich der erhaltenen Köpfe mit der Überlieferung

Die Entscheidung über den Vorschlag, die S. 160 ff. aufgezählten Köpfe *Aristoteles* zu benennen, hängt somit nur ab von ihrem Vergleich mit den beiden Zeichnungen des orsinischen Inschriftbüstchens (S. 156 f.) im Codex Capponianus und von Rubens (Taf. 76,2; Abb. 6; 77,2; Abb. 7), besonders mit der erstgenannten, offenbar treueren, und dieser Vergleich scheint mir nicht etwa bloß die Möglichkeit, sondern die Gewißheit der ausgesprochenen Deutung zu ergeben, worin mir nicht wenige Forscher zugestimmt haben [83]. Das fast entgegengesetzte, wie nicht selten übervorsichtige Urteil Bernoullis (S. 97 f.) gründet sich auf unzureichende Kenntnis oder Würdigung der Verschiedenheit unserer Marmorkopien; auf Verkennung der für eine Reduktion, wie es die verschollene Herme war (S. 158), von vornherein wahrscheinlichen Ungenauigkeit und ihrer nicht minder glaublichen Ergänzung von moderner Hand; auf Unterschätzung der schlagenden Ähnlichkeit nicht allein im allgemeinen, sondern in ganz persönlichen Zügen.

Diese frappante Übereinstimmung zeigen klar die Zusammenstellungen unserer Tafeln 76–80. Die stark, fast kindlich vorgewölbte Stirn mit den ernsten Denkerfalten; die schräg gerichtete Nase; der breite, fest geschlossene Mund mit der starken Unterlippe, dem kräftig gerundeten Zäpfchen der Oberlippe, von dem aus gerade Striche nach den Winkeln hinabgehen; die mageren Backen; der singuläre Kontur des Unterkiefers mit dem schroff vortretenden Kinn und der, trotz der Kürze des Bartes, so breit ausladenden Ecke; das mäßig große Ohr, dessen oberen Saum bis an den Muschelrand ein Haarbüschel deckt – das alles sollen zufällige Berührungen zweier verschiedener Gelehrtenköpfe sein?

Die für solch unwahrscheinliche Annahme geltend gemachten Abweichungen erledigen sich insgesamt leicht. Die vereinfachende Zusammenfassung der feinen Stirn-haarfransen zu einheitlicher Tolle, wie sie der Capponianus deutlicher als Rubens zu geben scheint, ist am Ludovisischen Kopfe *H* fast ebenso durchgeführt, nur ohne die sachgemäße Verkürzung, die sich aber ganz ähnlich an der wahrscheinlichen Matteischen Variante *M* wiederfindet. Dem vorn etwas höher gewölbten, hinten verkürzten Schädel der beiden Zeichnungen widersprechen zwar die treueren Kopien wie *L, H, D, K,* aber *F* zu Palermo und *G* im Louvre kommen ihm schon recht nahe. Die Verkürzung des Hinterhauptes kehrt in ähnlichem Maß an Repliken anderer Kopftypen wieder, so an der Chiaramontischen des wagenbesteigenden Jünglings im Conservatorenpalast [84] und an der Madrider des *Menander* [85]. Ein besonders starkes Beispiel dafür ist der sogenannte *M. Brutus* des capitolinischen Museums [86] – vermutlich *Agrippa Postumus* –, wie zwar nicht die hinterhauptlose Replik von Martres Tolosanes [87], wohl aber das pompeianische Knabenbildnis derselben Person lehrt [88]. Den übermäßig erhöhten Stirnschädel des orsinischen *Aristoteles* samt anderen kleinen Abweichungen von den besten großen Exemplaren beobachtete Bernoulli selbst (I S. 139) an dem ganz gleichartigen vatikanischen *Sophokles*büstchen des lateranischen Typus (unten Anm. 60). Dieses hat auch die vergrößerten Augen, die in unserem Falle wieder schon an dem Exemplar *F* und der freien Wiedergabe *M* im Gegensatze zu der μικρομματία der meisten und besten andern (wie *D, E, I, L*) hervorzuheben waren. Die von beiden Zeichnungen des kleinen *Aristoteles* gegen den Konsens aller erhaltenen Stücke bezeugte leichte Unterschneidung der Unterlippe war eine banale Verschönerung, wie sie beispielsweise die zwei verkleinerten Hermen des greisen *Sophokles* zu Bonn und Dresden (Anm. 57), namentlich letztere (Taf. 39) im Gegensatze zu großen Wiederholungen des Typus aufweisen.

Endlich den *nasus aquilinus* erkannten wir schon oben (S. 166) als moderne Ergänzung, nicht allein wegen der allgemeinen Wahrscheinlichkeit, noch mehr wegen seiner genauen Übereinstimmung mit der einen vor dem Auftauchen der Inschriftsbüste zur Grundlage der *Aristoteles*ikonographie gemachten Gemme Ursins. Dies müssen wir nun erst recht, da die leider geringen Reste von Nasenrücken unserer Köpfe, das obere Drittel in *H,* etwas weniger in *A,* nur der Wurzelansatz in *L,* allerdings eine ganz andere, gerade oder vielleicht gar etwas eingesenkte Form verlangte, der der Ergänzer von *H* am nächsten gekommen sein dürfte (Taf. 77, 3; 78, 2). Wenn ich früher Bernoulli (S. 98) schrieb, der Bruch an *A* spreche eher für eine (konvex) gebogene Nase, so war das nichts als ein Versehen auf Grund der unklaren Photographien, wie mich wiederholte Prüfung des Abgusses belehrte und dessen gut beleuchtetes Bild Taf. 80 nachzuprüfen erlaubt. Aber die Annahme solch alltäglicher Ergänzung des ursinischen Marmors ist wahrlich unbedenklicher als das Gegenteil. Recht ähnliche Nasen sind den Exemplaren *D, F* (Taf. 76, 1; 77, 1) und *K* gemacht worden.

All die erhobenen Schwierigkeiten können auf die Dauer nur den hartnäckigen Skeptiker an der schlagenden Gleichheit der so ganz eigenartigen Hauptformen irre machen und zu der verzweifelten Annahme drängen, wir hätten in den elf oder zwölf erhaltenen Marmorköpfen einen dem Stagiriten zwar merkwürdig ähnlichen Philosophen derselben Epoche, aber doch nicht ihn selbst vor uns, und gerade dieser Stern erster Größe sei unter all den bekannt gewordenen Bildnissen immer noch nicht aufgetaucht.

Solch ein Zufall wäre um so verwunderlicher, als auch die antiken Schilderungen des *Aristoteles* (S. 152 ff.) auf die meisten oder wenigstens auf die besten unter den großen Exemplaren unseres Typus, namentlich *L* (Taf. 76,3; 79,2), noch vollständiger passen als auf die Zeichnungen der verkleinerten Inschriftbüste. Da ist der kurze, wohlgepflegte Bart. Da ist das sorgsam geordnete Haar, das im Gegensatze zu der hinten und an den Seiten erhaltenen Fülle den Scheitel nur dünn bedeckt, von hier aus mit spärlichen Strähnen in die Stirne gekämmt, entsprechend dem von Sueton auf *Caesar,* auch einen Elegant, angewandten Ausdruck: *deficientem capillum revocare a vertice adsueverat*[89], also der mäßige Haarschwund, wie ihn für den Philosophen die Araber bezeugen, während ihn, gleich dem Römer, die Spottverse natürlich ohne Einschränkung einen Kahlkopf schelten. Wer den bei Karikaturen allezeit gebotenen Abstrich vornimmt, wird auch den προγάστωρ der Iamben nicht als Zeugnis dickerer Backen ansehen, als sie unser Kopf besitzt[90]. Kaum voller hat sie zum Beispiel der alte Borghesische Lyriker in der Glyptothek Ny Carlsberg[91] und sein Stilverwandter, der Silen mit dem Dionysoskinde, beide trotz erheblicher Rundung des Leibes. Eine halbe Stunde der Beobachtung auf der Straße oder gar in einer gelehrten Gesellschaft wird noch bessere Analogien liefern.

Unser Mann ist ferner in den besten Repliken *L* und *E* (auch in *D* und *I*) ausgesprochen μικρόμματος, wie es nach Diogenes der Stagirit war. Und die μωκία, die letzterem im Angesichte saß, fand sogar Bernoulli (S. 97) an jenem ausgeprägt. Doch wohl vor allem in dem gekniffenen Munde mit der etwas aufgeworfenen Unterlippe und den verächtlich herabgezogenen Winkeln sowie in dem kühlen kritischen Blick der kleinen Augen. Ja die Brauen, mehr außen als innen gewölbt, entsprechen einem von Aristoteles selbst in der Zoologie (1, 3) aufgestellten physiognomischen Anzeichen solcher Gemütsart: ὀφρύες ... ὧν αἱ μὲν εὐθεῖαι μαλακοῦ ἤθους σημεῖον, αἱ δὲ πρὸς τὴν ῥῖνα τὴν καμπυλότητ' ἔχουσαι στρυφνοῦ, αἱ δὲ πρὸς τοὺς κροτάφους μωκοῦ καὶ εἴρωνος, αἱ δὲ κατεσπασμέναι φθόνου [Augenbrauen ... die geraden sind ein Zeichen sanfter Sinnesart, die zur Nase hin gewölbten kennzeichnen den Mürrischen, die zu den Schläfen hin gewölbten dagegen den Spötter und Schalk, die heruntergezogenen aber sind ein Zeichen von Neid]. Es hält nicht schwer, sich diese Züge, gelöst aus dem notwendigen Ernst der griechischen wie jeder monumentalen Bildniskunst[92], in dem Ausdruck vorzustellen, womit uns nach dem Urteil eines Kenners der Schriftsteller gelegentlich anblickt: „Wir glauben *Aristoteles* mit den kleinen Augen schelmisch blinzeln und ein spöttisches Lächeln um seine Lippen spielen zu sehen"[93]. Gerade diesem großen beweglichen Mund, der nicht ohne Mühe fest geschlossen zu sein scheint, trauen wir gern die ἄκαιρος στωμυλία zu, die Platon übelgenommen haben soll. Es ist ein echter, rechter Professorenmund, disputierlustig und rechthaberisch, wie er dem Meister der Dialektik gebührt. Ja selbst eine zu lange Zunge könnte man hinter diesen Lippen suchen, wenn es feststände, daß die τραυλότης des Stagiriten so aufzufassen ist[94]. Zugleich erinnern sie in ihrer Fülle, gemäß einer populären, aber kaum ganz unbegründeten Meinung, an seine sinnliche Genußfreudigkeit. Das kräftig vortretende Kinn verkündet eine fast trotzige Entschiedenheit. Über all diesen Menschlichkeiten aber thront ehrfurchtgebietend die gewaltige Kuppel des νοῦς, die aus der Fessel der zu engen Unterstirn hervorzudrängen scheint.

Der ganze Aufbau des höchst eigenartigen Kopfes hat etwas Unausgeglichenes, von hellenischer Formenharmonie besonders weit Entferntes. Er erinnert in einigen Hauptzügen nicht mich allein an *Melanchthon,* wie wir ihn am bequemsten in dem Stiche Dürers vor uns haben[95]. Es liegt nahe, solche Erscheinung des Mannes von Stagira, obgleich er sich als reiner Hellene fühlte, aus einem Einschlag barbarischen Blutes zu erklären. Die steile Stirn, der schräg vortretende, eher etwas eingesunkene Nasenrücken und das harte Kinn findet sich an einem der wenigen erhaltenen Thrakerporträts, dem des Königs *Kotys,* das nach seinen Münzen vielleicht auch in einem athenischen Marmorkopfe wieder gefunden ist[96]. Indes wäre es vermessen, aus so vereinzeltem Vergleich eine zwingende Bestätigung dieses Einfalls abzuleiten. Möglich bleibt doch auch individuell abnorme Kopfbildung des großen Gelehrten, wie sie ja von Helmholtz bekannt ist. Jedenfalls paßt dazu, was uns jenes Epigramm karikierend von des *Aristoteles* abnormer, man möchte sagen rachitischer Körpergestalt berichtet. Der zu dem Kopfe verglichene praeceptor Germaniae war ja gleichfalls von unscheinbarem Wuchs und dazu mit einem Sprachfehler behaftet[97]. Möchte uns zu dem wiedergewonnenen Kopfe bald auch die ganze Gestalt beschieden sein. Eine Vermutung, auf die jene Worte des Apollinaris (S. 155) führen können, bleibt besser erst den ›Imagines Illustrium‹ vorbehalten.

Anmerkungen

* [Diese Arbeit Studniczkas ist leider nie erschienen.]
** [Vgl. hier, ohne den epigraphischen Anhang, S. 117 ff.]
[1] Vgl. einstweilen Louis Courajod, L'imitation et la contrefaçon des objets d'art antiques aux xvᵉ et xviᵉ siècles (in der Petite Bibl. d'art et d'archéologie) 1889 S. 16 f., vorher schon in der Gaz. des beaux-arts XXXIV 1886 S. 191; dazu noch Emile Molinier, Les Plaquettes (in der Bibl. internat. de l'art sous la direct. d'E. Müntz) II Nr. 643 und Hülsen S. 169 Nr. 28*, beide nicht ohne Irrtümer. Die einzige m. W. veröffentlichte, vortreffliche Abbildung der Plakette, wohl nach dem originalen Exemplar (das sich jetzt im Herz. Museum zu Braunschweig befindet), nur mit willkürlich hinzugefügter Inschrifttafel, ist der Stich von Enea Vico aus dem Jahre 1546, nebst einem Nachstich von 1553 aufgenommen in Lafrerys und Duchets Spe-

culum Romanae magnificentiae, über das zu vgl. Michaelis in den Röm. Mitth. d. d. archäol. Instituts XIII 1896 S. 262 ff. – Falsch urteilte über die gleich erwähnte Marmornachbildung dieses Typus E. Q. Visconti und mit ihm noch Bernoulli II S. 88 A. 4. Die Entstehung des Porträts im Quattrocento sichert außer seinem Stile die Wiederholung auf dem ersten Blatte der Wiener Nikomachischen Ethik des Miniators Reginaldo Piramo da Monopoli, abgeb. bei H. J. Hermann im Jahrb. d. kunsth. Samml. d. Kaiserhauses XIX 1898 Taf. 6 zu S. 189 vgl. S. 165. [Vgl. jetzt: J. H. Jonkees, Fulvio Orsini's Imagines and the Portrait of Aristotle (1960) 18 Taf. 3b; J. Pope-Hennessy, Renaissance Bronzes from the Samuel Kress Collection (1965) 103 Nr. 373 Abb. 325 mit der älteren Lit.; G. F. Hill–G. Pollard, Renaissance Medals from the Samuel Kress Collection (1967) 56 Nr. 298 mit Abb.]

[2] Authentische Bildnisse des Argyropulos, wenn auch von bescheidenem Werte, geben die Initialen der Vorworte in den Handschriften seiner lateinischen Übersetzungen von Aristotelischen Werken zu Florenz Bibl. Laurent. plut. 71 cod. 7 und 18, plut. 84 cod. 1. Ich werde sie nach Photographien, die Kollege H. Brockhaus mit freundlicher Genehmigung des Bibliothekdirektors besorgt hat, in den ›Imagines Illustrium‹ herausgeben.

[3] Mélanges d'archéol. et d'hist. IV 1884 S. 150 ff.

[4] Inventar S. 14 Nr. 179 (Mélanges S. 162), abgeb. Cod. Capp. 228 Bl. 38. [Vgl. Jonkees a. O. 25 Taf. 5b.]

[5] Inventar S. 8 Nr. 84 (Mélanges S. 157), abgeb. Cod. Capp. 228 Bl. 39 und wohl danach in dem Gemmenwerk von Stosch, wiederholt bei S. Reinach, Pierres gravées Taf. 132, 42 vgl. S. 173. [P. Zazoff, Die antiken Gemmen, Hdb. d. Arch. (1983) 321 Anm. 96 Taf. 94, 6.]

[6] Inventar S. 50 Nr. 18, abgeb. Cod. Capp. 228 Bl. 40 [= Jonkees a. O. 18. 25 Taf. 5a], danach Galle 1. Aufl. Taf. 27, 2. Aufl. Taf. 35 [= hier Taf. 104, 3], darnach Bellori, Imag. phil. 7 und noch Visconti, Icon. Gr. I. Taf. 20, 1.

[7] Kieseritzky, Muzej drevnej skulptury Nr. 257; Bernoulli II S. 63, 7.

[8] Röm. Mitt. V 1890 S. 12 ff. [Richter II 176 Abb. 1018. 1020.]

[9] So urteilt auch Arndt, Portr. Nr. 378 f. im Texte, den uns die Bruckmannsche Firma leider nur auf dem Umschlage liefert.

[10] Th. Gomperz, Griech. Denker II S. 177 f.; Natorp bei Pauly und Wissowa, Real-Encyklop. II S. 906, 9.

[11] Winter in der Festschrift Th. Gomperz dargebracht S. 416 ff.

[12] Bernoulli Münztaf. 2, 9, Text II S. 9 f. [Richter II 176 Abb. 1019.]

[13] Abg. Bernoulli II Taf. 30 vgl. S. 210 ff., wo die ganz klare Echtheitsfrage unentschieden bleibt, während Sieveking in Christs Gr. Literaturgesch. 4. Aufl. S. 996 Nr. 43 gar das sichere Falsum als echt behandelt.

[14] Die Stelle beigebracht von Petersen in den Röm. Mitt. V 1890 S. 14 A. 2; in den Ausgaben von Aldrovandis Statue von 1558 und 1562 auf S. 256. Vgl. Lanciani, Storia degli scavi di Roma III S. 22. Über die Abfassungszeit des Werkes von Aldrovandi s. H. L. Urlichs und Michaelis in den Röm. Mitt. VI 1891 S. 250 f.

[15] Guattani, Mon. ant. ovv. notizie di antichità e belle arti 1805 Taf. 35 S. 163 ff.

[16] Im Codex Neapol. V E 10, ausführlicher zitiert bei Matz und v. Duhn zu Nr. 1174, I S. 343 A.*.

[17] Nagler, Allg. Künstlerlex. XIX S. 445.

[18] *L. Ann. Seneca* um ein Profil sehr ähnlich dem Senecakopfe der Berliner Doppelherme, Kehrseite *durate* über einem Schiff im Sturm.

¹⁹ Rossi-Maffei, Raccolta di statue Taf. 128; Magnan, Elegantiores statuae 1776 Taf. 40 und Ville de Rome 1778 III Taf. 30, alles von Matz und Duhn angeführt.

²⁰ E. Q. Visconti im Museo Pio-Clem. II S. 84 A. 9; Ic. Gr. I. S. 186 f.

²¹ So von Wachsmuth in der Archäol. Zeitg. XIX 1861 S. 210; Matz und Duhn Nr. 1174; Benndorf in den Röm. Mitt. I 1886 S. 115; Kaibel, Inscr. Gr. Sic. Ital. Nr. 1139. Vgl. auch Schuster, Porträts gr. Philos. S. 16 f.

²² Die ersten leisen Zweifel in Bernoullis Baseler Paedagogiumprogramm von 1877, Die Bildnisse ber. Griechen S. 14 f.; die Unzugehörigkeit des Kopfes kurz verkündet von E. Curtius in der Archäol. Zeitg. XXXVIII 1880 S. 107.

²³ Eingehend dargelegt habe ich das alles in den Röm. Mitt. V 1890 S. 12 ff., danach Helbig, Führer² II Nr. 998 und Bernoulli II S. 92 f. Das Aufstützen des Kopfes in die rechte Hand bezweifelte neuerdings, mir scheint ohne zureichenden Grund, Winter, s. oben Anm. 11.

²⁴ Röm. Mitt. V 1890 S. 15 f. und bei Pauly und Wissowa II S. 1021 f.

²⁵ Diog. Laert. 5, 1, 2. Vgl. Susemihl, Gesch. d. griech. Liter. d. Alexandrinerzeit II S. 29.

²⁶ Aristoph. Thesm. 130 ff. 218 ff. Vgl. auch Ekkl. 65.

²⁷ Athen. 6, 560 e, Fr. h. Gr. I S. 320, Nr. 249.

²⁸ Athen. 13, 565 a. Vgl. Mau bei Pauly und Wissowa III S. 30 ff., wo jedoch der Unterschied auch nicht genug beachtet ist.

²⁹ Ephippos bei Athen. 11, 509 c, Fr. com. Gr. III S. 332, 14, 7 Meineke, II S. 257, 14 Kock.

³⁰ Theophr. Char. 10, 14 und 26, 4 mit meinen Erläuterungen auf S. 88 und 222 f. der Ausgabe der Leipziger philologischen Gesellschaft 1897.

³¹ Arndt, Portr. Nr. 231 f.; Bernoulli II Taf. 13; Christ, Gr. Literatur⁴ Anhg. Nr. 33.

³² Anthol. von Jacobs III Adesp. 552, von Dübner und Cougny III Kap. 5, 11.

³³ So unter anderen Timaios Fr. h. Gr. I S. 209 f. Mehr zitiert Gercke bei Pauly und Wissowa II S. 1022.

³⁴ Censorin, de die nat. 14, 16.

³⁵ Plutarch, de aud. poëtis 8; Suidas u. d. W. Ἀριστοτ. Vgl. oben S. 169 f.

³⁶ Jul. Lippert, Studien z. griech.-arab. Übersetzungsliteratur I (Braunschweig 1894) S. 19; 33 ff.; mir von O. Immisch freundlich nachgewiesen. [Vgl. jetzt J. Düring, Aristotle in the Biographical Tradition (1957).]

³⁷ Dafür verweist mich Kollege August Fischer u. a. auf die Beschreibung Mohammeds von Tirmidhī in der Ichamā'il und in den einheimischen Lexicis sowie auf die des Mahdi von Abdarrahmān Bastāmī in den „Moschusgerüchen" Kap. 10.

³⁸ Lippert a. a. O. S. 10.

³⁹ Lambeci Comment. de bibl. caes. Vindob. 1675 VII zu S. 76, in der 2. Aufl. von Kollar (1781) VII zu S. 166 etwas ungenauer; eher besser bei Nessel, Catal. libr. mscr. IV zu S. 38. Vgl. Katalog der Miniaturenausstellung⁴ Wien 1902 S. 5, 18. – Den Hinweis darauf verdanke ich wieder Immisch.

⁴⁰ Jahrbuch d. arch. Inst. XVIII 1903 S. 25 ff. [hier S. 141 ff.].

⁴¹ Schäfer, Demosthenes³ III S. 428 A. 1 [hier S. 100 Anm. 31].

⁴² Fr. Baumgarten, De Christodoro, Dissert. Bonn 1881 S. 14 f.

⁴³ K. Lange im Rhein. Museum XXXV 1881 S. 112 ff.; Fr. Baumgarten a. a. O. S. 16 ff.

⁴⁴ Christod. 271 ff. Zeitschr. f. d. österr. Gymnas. 1885 S. 834 ff. Diese Deutung der Verse habe ich als Prager Student in Petersens Übungen gelernt. Zur Deutung des polykletischen Diadumenos zuletzt Fr. Hauser in den Jahresheften d. österr. Instit. IX 1906 S. 279 ff.

[45] Apoll. Sidon. epist 9, 9, 14; vgl. Bernoulli II S. 87f., im allgemeinen auch Milchhöfer in den Archäol. Studien H. Brunn dargebr. S. 37 A. 2.

[46] C. I. A. III 1 Nr. 946. [Richter II 171 Nr. 1 Abb. 1014; vgl. auch hier S. 23.]

[47] Vom Hörensagen erwähnt sie F. von Duhn zu Matz, Ant. Bildw. I. S. xviii im Nachtrag zur Spadastatue Nr. 1174. Al. Castellani als Eigentümer nannte mir Helbig.

[48] So meinte Kaibel, Inscr. Gr. Sic. Ital. zu Nr. 113f.; dagegen schon Bernoulli, II S. 89 und, nach meiner Mitteilung, Hülsen Nr. 5.

[49] Mélanges S. 185 Nr. 57 (vgl. oben Anm. 3).

[50] Das Klischee von meinem Festblatt ›Zum Winckelmannsfeste des archäologischen Seminars der Universität Leipzig XI. Dec. MDCCCC‹; vgl. Bernoulli II S. 95ff. [Vgl. jetzt Jonkees a. O. 191. Taf. 6; Richter II 171 mit Abb.; M. van der Meulen, Petrus Paulus Rubens Antiquarius (1975) 174 C3 Taf. 24c.]

[51] Von den beiden in meinem Buche genauer zu besprechenden Blättern des Louvre enthält den Aristoteles Nr. 20359, Rooses, L'œuvre de P. P. Rubens V S. 209 Nr. 1399, Photogr. Braun Nr. 62957. [Vgl. Jonkees a. O. 271. Taf. 7a; van der Meulen a. O. Taf. 24 D; Rubens, ses maitres, ses élèves, dessins du musée du Louvre, Ausst. Paris 1978 58 Nr. 46 mit Abb.]

[52] Inventar S. 16 Nr. 209 und S. 49 Nr. 1 (Mélanges S. 103 und 182, s. oben Anm. 3).

[53] Über ihn einiges bei Nolhac, Bibl. S. 36 A. 3 und S. 63 A. 2 (vgl. oben S. 148).

[54] Docum. d. musei d'Italia II S. 423 (mir von Hülsen nachgewiesen).

[55] [Kiepert und] Hülsen, Formae Urbis S. 29 „Domus Pomponiorum"; O. Richter, Topogr. d. St. Rom² S. 298f.

[56] Arndt, Portr. Nr. 135; Bernoulli II Taf. 3 S. 15; Christ, Griech. Literaturg.⁴ Anhang Nr. 20. [Richter II 209 Nr. 1 Abb. 1346–1347.]

[57] Angeführt und im ganzen richtig beurteilt von Bernoulli I S. 127 d; S. 130, 15; S. 153, 22; 156. [Richter I 128 Nr. 28 Abb. 667–668; 136 Nr. 26 Abb. 755–756.]

[58] Am besten abgebildet und beurteilt bei Sieveking in Christs Griech. Literaturg.⁴ S. 988, Nr. 13; vgl. Bernoulli I Taf. 14 S. 130, 9; 135. [Richter I 127 Nr. 18 Abb. 641–643; hier Taf. 36.]

[59] Nach Arndt, Portr. Nr. 121, vgl. Bernoulli I Taf. 17 S. 150ff. [Richter I 135 Nr. 13 Abb. 717 bis 719; hier Taf. 73.]

[60] Am besten bei Sieveking a. a. O. Nr. 12; vgl. Bernoulli I S. 225. [Richter I 128f. Nr. 1 Abb. 678–679.]

[61] Welcker, Alte Denkm. I S. 457; Friederichs, Bausteine Nr. 504, beibehalten von Wolters Nr. 1310; die Doppelherme jetzt photographisch bei Arndt, Portr. Nr. 123, Bernoulli I S. 126f. vgl. 130, 16; 153, 23; 156 A. 2, auch S. 106 gegen die Aischylosvermutung Furtwänglers, die leider dennoch Sieveking bei Christ a. a. O. S. 987, 10 weitergibt. [Richter I 128 Nr. 27 Abb. 670. 672; 136 Nr. 24 Abb. 749–750.]

[62] Comparetti und de Petra, Villa Ercolanese Taf. 12, 4 und 7–9; Bernoulli, II Taf. 12, a und Taf. 19, a, b.

[63] Fröhner, Musées de France Taf. 1 und 2; Rayet, Monum. de l'art ant. II Taf. 72; Bernoulli R. Ik. II 1 S. 38 und 89; C. I. L. XIII 1 Nr. 1366. [F. W. Goethert, in: Festschr. A. Rumpf (1952) 98 Taf. 20; 3–4.]

[64] Nr. 422, Amelung, Sculpt. d. Vatic. I Taf. 61 S. 586. [Richter II 217 Nr. 3 Abb. 1410–1412.]

[65] Usener in der Strena Helbig. S. 327ff.; 331f.

[66] Babelon et Blanchet, Catal. des bronzes de la bibl. nat. nr. 734, besser bei Furtwängler, Neue Denkm. in den Sitzungsber. d. bair. Akad. 1897 II S. 117f.

[67] Furtwängler, Sammlung Somzée Taf. 1; C. Jacobsen, Ny Carlsberg Glyptotek, Fortegnelse 1907 Nr. 34 und Billedtaveler Taf. 3; [Pollak], Catal. d. collezione Prosp. Sarti (Gall. Sangiorgi 1906), Nr. 13 Taf. 4.

[68] Helbig, Coll. Barracco Taf. 35 und 35 A; Arndt und Amelung, Einzelaufn. V Nr. 1616–1618.

[69] Photogr. Coolidge 9708, 9709 A; XXIII. annual report, Boston 1898 p. 76 nr. 55.

[70] Morcelli, Fea, Visconti, La Villa Albani Nr. 332/3; Furtwängler, Meisterwerke S. 103 A. 2; Bernoulli I S. 67, II S. 96 A. 4.

[71] Morcelli a. a. O. Nr. 71; L. Curtius, in: Jahrbuch XIX 1904 S. 66 f.; irrig Bernoulli II S. 96 A. 4.

[72] A. H. Smith, Catal. of sculpt. III Nr. 1789. Der Herr Verfasser teilt mir freundlich mit, daß ihm bei erneuter Prüfung die Köpfe nicht mehr jugendlich erscheinen und daß sie auch ihn etwas an *Claudius* erinnern.

[73] Watzinger, in: Athen. Mitt. XXVI 1901 S. 307. Unsern Doppelkopf finde ich weder in diesem noch in anderen Fundberichten erwähnt.

[74] Nr. 144; Dütschke, Ant. Bildw. in Oberitalien III Nr. 152 a; Bernoulli, Röm. Ikonogr. II 2 S. 208, 25.

[75] Abg. Arndt, Porträts Nr. 157/8; Comparetti e de Petra, Villa Ercolanese Taf. 9, 1.

[76] Beide abgebildet Arndt, Portr. Nr. 131–134, der farnesische allein auch sonst, z. B. Bernoulli II Taf. 1 S. 1 f., Christ, Gr. Liter.⁴ S. 990, 21, wo auch Sieveking das obige Urteil wiedergibt, das zuerst wohl Winter im Jahrbuch V 1890 S. 162 begründet hat. – Beiläufig: die Inschrift Λυσίας am Neapeler Kopfe (Hülsen Nr. 24), die kürzlich ein namhafter englischer Fachgenosse in einem Vortrag verdächtigt hat, bewährte sich mir als sicher echt, und dementsprechend hat sich die Inschrift Λυσιας auf der ganz abweichenden Capitolinischen Herme, die Hülsen Nr. 23 wieder für echt erklärte, gemäß dem Urteile von Bernoulli S. 3, nach gründlicher, mit Mr. Yeames von der Britischen Schule vorgenommener Waschung als sicher falsch erwiesen. Auch hierüber alles Nähere in den Imagines. [Richter II 207 f. Nr. 1–2 Abb. 1340–1345.]

[77] Furtwängler, Meisterwerke S. 550 A. 1, Klein, Gr. Kunstgesch. II S. 248, Sieveking bei Christ, Gr. Literatur.⁴ S. 988. Furtwängler knüpfte den *Euripides* richtig an das von Wolters nachgewiesene Porträt eines *Archidamos* [Taf. 72], der aber mit seinem Entdecker nicht auf den II., sondern auf den III. König dieses Namens zu beziehen ist, trotz Bernoulli I S. 121 f. [Vgl. hier S. 101 ff.]

[78] Bernoulli I S. 156; wohl auch Winter, Kunstgesch. in Bildern I Taf. 62, 7 u. a. m.

[79] Die Deutung zweifelnd aufgestellt von G. Krüger für den Castellanischen Kopf des British Museum [Taf. 119] Arch. Zeitg. XXXIV 1881 Taf. 1 S. 5, A. H. Smith, Catal. of sculpt. III Nr. 1833 Taf. 11, Bernoulli I S. 157, wo die Repliken im Palazzo Riccardi und in Dresden [Taf. 118] nach Arndt erwähnt sind. Letztere ist aber im Jahrbuch IV 1889 Anz. S. 98 abgebildet, wo Treu die Krügersche Vermutung für möglich hielt. Die Herme aus Rieti: C. Jacobsen, Ny Carlsberg Glyptotek, Billedtaveler Taf. 29, 414 b und Fortegnelse von 1907 S. 150, wo auch (freilich ungenau) die ausweichende Behandlung der Inschrift durch Comparetti zitiert ist: Rediconti dell'accad. dei Lincei. cl. sc. mor. 1897 S. 205 ff. [Zum Typus: Richter I 139 ff. Nr. 1–5 Abb. 768–778.]

[80] Gercke in den Neuen Jahrb. f. kl. Altert. XIII 1904 S. 457 links.

[81] Helbig, Coll. Barr. Taf. 62 S. 47; Reisch in der Zeitschr. f. bild. Kunst N. F. VI S. 204 Abb. 3, S. 205 f. [Helbig⁴ II Nr. 1898.]

82 Ähnlich urteilt darüber Sieveking a. a. O. S. 994, 36, der S. 993, 33 auch den *Theophrast* vergleicht.

83 Öffentlich wohl nur Gercke a. a. O. Doch ist auch das Ludovisische Exemplar *E* im Thermenmuseum jetzt einfach als *Aristoteles* bezeichnet. Von „ziemlicher Wahrscheinlichkeit" spricht Heberdey in der Zeitschr. f. österr. Gymnas. 1901 S. 838. S. dagegen Anmerk. 89 und 90. Private Äußerungen führe ich nicht namentlich an. [Die Identifizierung findet heute, nach neuerlicher Irritation in den 60er Jahren, allgemeine Zustimmung: vgl. Richter II 170ff.; T. Hölscher, AA 1964, 869ff.; N. Kunisch, in: Plastik. Antike und moderne Kunst der Sammlung Dierichs in der Ruhr-Universität Bochum (1979) 24ff.]

84 Gherardini im Bull. d. commiss. comun. 1888 Taf. 15/6 Nr. 3, 4; vgl. Amelung, Sculpt. d. Vatic. I S. 415, 166.

85 Bernoulli II S. 112, 12; Abguß in Berlin, Friederichs und Wolters, Gipsabgüsse Nr. 1637, nach dem Photographien für meine Imagines gemacht sind. [Richter II 233 Nr. 31 Abb. 1605 bis 1607.]

86 Bernoulli, R. Ik. I Taf. 19; Arndt, Portr. Nr. 692. [K. Fittschen–P. Zanker, Katalog der römischen Porträts in den Capitolinischen Museen I (1985) 191f. Nr. 19 Taf. 19. 21. 22.]

87 Joulin, Les établissements gallo-romains de Martres-Tolosanes (extrait des Mémoires de l'acad. des inscr. I. ser., tome XI, I. partie 1901) Taf. 18, 268 D, bisher, scheint es, unerkannt.

88 Arndt, Porträt Nr. 693/4, im Texte nach dem Vorgang de Petras richtiger beurteilt als von Bernoulli, R. Ik. I S. 192. [A. De Franciscis, Il ritratto a Pompei (1951) 45ff. Abb. 38–39.]

89 Sueton. Div. Iulius 45. – Die mäßige Kahlheit unseres *Aristoteles* verkannte seltsamerweise O. Roßbach in seiner Anzeige von Bernoulli, Berl. philol. Wochenschr. 1902 S. 371.

90 Auch dieses Bedenken hat O. Roßbach a. a. O. erhoben.

91 Brunn, Denkm. gr. röm. Skulpt. Nr. 477; Winter, Kunstgeschichte in Bildern I Taf. 42, 3. [Richter I 67 Abb. 231–232. 234. 237.]

92 Vgl. die treffende Bemerkung Schadows darüber, die Winter, Gr. Porträtkunst S. 17 anführt.

93 Th. Gomperz, Gr. Denker. III S. 21.

94 Vgl. besonders Aristoteles, Hist. anim. 1, 11 S. 492 b 33, aber auch Probl. 11, 28 p. 902 b 23; Gercke bei Pauly und Wissowa II S. 1021. O. Roßbach a. a. O. bildet sich ein, dem Munde unseres *Aristoteles* anzusehen, daß ihm der „Sprachfehler στωμυλία [!], τραυλότης)" mangelt.

95 V. Scherer, Dürer (Klassiker der Kunst IV) S. 153; Knackfuß, Dürer (Künstlermonogr. V) S. 117.

96 Imhoof-Blumer, Hell. Porträtköpfe auf Münzen Taf. 2, 17; Crowfoot in Journ. of hell. stud. XVII 1897 S. 321 Taf. 11; Arndt, Portr. Nr. 343/4.

97 Die Zeugnisse bei Karl Schmidt, Ph. Melanchthon, Elberfeld 1861 S. 29.

Ein Porträt des Redners Hypereides

Von Frederik Poulsen

Der auf Tafel 82, 1–3 wiedergegebene Kopf steht seit einigen Jahren in der Ny Carlsberg Glyptotek, in deren Katalog von 1907 er zu Recht als *Büste eines Griechen* [1] bezeichnet wird. Scheitel und Hinterkopf fehlen, und aus der Art und Weise, wie die rückseitige Oberfläche behandelt wurde (Taf. 82,3), ist zu erkennen, daß dieser Kopf ursprünglich zu einer Doppelherme gehörte. Der untere Teil der vertikalen Verbindungsfläche ist jetzt mit Gips zugedeckt. Ansonsten ist die Büste gut erhalten; allerdings erkennt man hier und da einige Abnutzungsspuren, vor allem in den Haaren über der Stirn und im Bart, sowie feine Risse und ausgeschlagene Stellen, z. B. am linken Auge und im äußeren Winkel des rechten Auges. Es handelt sich um eine ziemlich gute Kopie aus dem 1. Jh. der römischen Kaiserzeit.

Dieses ausgesprochen charakteristische Gesicht ist von anderen Exemplaren her bekannt. Carl Jacobsen erwähnt in seinem Katalog eines im Museo Torlonia in Rom [2], das anscheinend besser ausgeführt ist als das unsere (man beachte insbesondere die unteren Lider); die Augenbrauen sind hier mit Schraffuren versehen; ansonsten stimmen beide Exemplare fast völlig miteinander überein.

Lippold gebührt das Verdienst, zwei weitere Kopien entdeckt zu haben [3]. Er nennt zuerst die stark beschädigte Büste aus Athen, die Benndorf vorher unter der Bezeichnung *Alter Platon* [4] vorgestellt hatte. Es liegt eine unbestreitbare Ähnlichkeit in den Stirnfalten vor, im spärlichen Haarwuchs oben auf dem Schädel, in den kleinen Augen und in der allgemeinen Gestaltung; aber die Stirn ist niedriger und nicht so ausgeprägt, der Bart auf andere Weise geformt, und aufgrund des schlechten Zustandes ist die Büste nicht so sicher zu identifizieren. Dagegen steht die Identität einer vierten Kopie, die in Form einer Doppelherme im Musée Vivenel in Compiègne steht, eindeutig fest: wir zeigen sie hier zum ersten Mal in zwei Abbildungen (Taf. 83) nach einer Photographie aus dem Deutschen Institut in Rom [5]. Dank der Freundlichkeit des Kustos, Herrn Blu, konnte ich die Herme bei einem Besuch in Compiègne sorgfältig untersuchen. Sie besteht aus einem Männer- und einem Frauenkopf, die miteinander verbunden und nie voneinander getrennt worden sind, wie es eine scheinbare Trennungslinie vermuten lassen könnte. Während das Gesicht der Frau fast völlig zerstört ist – und zwar so weit, daß sogar die Stirn fehlt, allein die Haare darüber sind erhalten geblieben –, ist die Männerbüste, die vom Bartrand bis zum Scheitel 0,275 m hoch ist, in einem ausgezeichneten Zustand; Nase und Ohren sind antik, Nasenspitze und Augenbrauen weisen nur unbedeutende Kratzer auf.

Frederik Poulsen, Un portrait de l'orateur Hypéride, in: Monuments et Mémoires 21, 1913, S. 47–58. Übersetzt von Margot Staerk.

Der Hals ist aus Gips nachgebildet. Auf der Oberfläche lassen sich einige Schleif-spuren erkennen, diese Überarbeitung hat dem Gesamteindruck aber nicht gescha-det. Wir haben hier eine ausgezeichnete römische Kopie vor uns; Haare und Bart sind noch feiner gearbeitet, als man anhand der Fotos erkennen kann. Im ganzen gesehen stimmt das Gesicht mit dem des Kopenhagener Exemplars überein, aber alle Züge sind voller und kräftiger, besonders Wangen und Lippen. Es wirkt nicht so greisenhaft und hochmütig, ohne dadurch jedoch etwas von seiner Entschlossen-heit zu verlieren. Der Blick ist ausdrucksvoller, und jene so charakteristische bogen-förmige Falte, die an beiden Büsten über der linken Braue zu sehen ist, ist bei der aus Compiègne stärker ausgeprägt. Auch die Stelle an der Nasenwurzel wird durch die vertikalen Falten mit einer tiefen Querfalte darunter mehr betont. Beide Büsten weisen jedoch dasselbe spärliche, kurzgeschnitte Haar am Oberkopf auf, dieselbe Form von Gesicht und Bart. Die Geschicklichkeit des Kopisten läßt sich daran erkennen, wie er das schwierige Problem gelöst hat, die beiden Köpfe so zu kom-binieren, daß jeder in seiner Art zur Geltung kommt: die vom Schädel des Mannes gebildete regelmäßige Kuppel nimmt oben den Ehrenplatz ein; unten ringeln sich die dichten Locken der Frau kokett über die Seiten hinaus bis nach hinten. Man kann nicht umhin anzunehmen, daß der Kopist, dem wir die Büste aus der Glyptotek verdanken, solche Schwierigkeiten zu umgehen suchte, indem er sie nicht aus einem einzigen Block herausmeißelte, sondern mehrere Teile aneinandersetzte: in diesem Fall wäre die betreffende Büste ursprünglich ebenfalls mit einem Frauenkopf verbunden gewesen.

Wer ist nun dieser Mann mit dem markanten, intelligenten, aber nicht gerade lie-benswürdigen Gesicht? Er ist alt, hat nur noch wenig Haare, eine von Falten zer-furchte Stirn, nicht sehr tiefliegende Augen mit leicht schräggestellten Lidrändern und Oberlidern, die ein wenig schlaff sind, vor allem über dem linken Auge. Schlä-fen und Wangen sind eingefallen, der Mund ist gerade und fest geschlossen. Der mittellange Bart ist zierlich gekräuselt. Wir haben hier einen alten Mann vor uns, bei dem die Jahre einige Spuren hinterlassen haben, dessen äußeres Erscheinungs-bild aber sehr gepflegt ist. Länge und Form des Bartes sind nun wichtige chronologi-sche Anhaltspunkte: der Barttypus ist älter als jener bei den Porträts des Aristoteles [Taf. 76–80] und seiner Zeitgenossen, der Bart selbst ist als kompakte Masse aufge-faßt, in die die Locken reliefartig eingearbeitet sind. Die Art der Ausführung ver-weist auf die Mitte des 4. Jh., und die anderen Formdetails, z. B. die Behandlung der fleischigen Gesichtsteile, weichen auch nicht viel von anderen uns bekannten Bildnissen aus derselben Zeit ab [6].

Im Katalog des Museo Torlonia wird dieser Mann als Lysias bezeichnet; man fügt so-gar hinzu, es sei das beste bekannte Porträt des Redners Lysias. Bernoulli weist diese Zuschreibung mit Recht zurück [7]. Ein Vergleich mit den bekannten Porträts des Lysias [Taf. 44–45] [8] zeigt uns, daß die Ähnlichkeit nur ganz oberflächlich ist: wir haben zwar ein gealtertes, faltiges Gesicht mit kahler Stirn, hervorstehenden

Backenknochen und rechteckigem Bart vor uns, doch alle Details weisen Unterschiede auf: der Schädel ist viel kahler, die Stirn tiefer gefurcht, das Haar an Schläfen und Hinterkopf länger, der Schnurrbart dichter und breiter und der Bart länger. Da Lysias um 380 in hohem Alter gestorben ist, versetzt uns die lange Haar- und Barttracht natürlich in die im 5. Jh. herrschende Mode. Unsere Büste ist deutlich jünger; dennoch ähnelt sie der anderen unbestreitbar im Typ. Wenn man sie mit der Büste des Isokrates vergleicht[9], kann man nicht nur in Anordnung und Schnitt des Bartes, sondern im Gesamttyp eine Ähnlichkeit feststellen. Da die griechischen Porträtisten bekanntlich dazu neigten, die allgemeinen und typischen Züge hervorzuheben, begehen wir sicherlich keinen Fehler, wenn wir dieser Ähnlichkeit eine Bedeutung beimessen: wir wollen unsere Büste also zur Gruppe der Advokaten- und Rednerporträts rechnen.

Eins ist auf jeden Fall sicher, daß sie nämlich, wie ihr realistischer Charakter beweist, eine wirkliche Person darstellt, die im 4. Jh. gelebt hat. Man kann folglich die Hypothese, es handle sich um einen Charakterkopf, nicht gelten lassen und muß jede Interpretation zurückweisen, die in der Doppelherme von Compiègne z. B. Alkaios und Sappho, Pindar und Korinna etc. . . . .[10] sehen will.

Wir wollen uns nun dem Frauenkopf zuwenden, dessen Gesicht leider zerstört ist. Das Haar bleibt unsere einzige Bestimmungsgrundlage. Es fällt in weichen Wellen und bedeckt wie bei den Aphroditeköpfen des Praxiteles den oberen Teil des Ohres. Über der Stirn ist es in einem großen Büschel zusammengefaßt, dessen Form wir hier in einer Zeichnung wiedergeben, die anhand des Originals kurz skizziert wurde (Tafel. 83, 2). Die Geschichte dieses Büschels oder Haarknotens, die man vor Furtwängler nicht im 4. Jh.[11] hätte beginnen lassen wollen, ist kürzlich von Hekler[12] in allen Einzelheiten untersucht worden. Ihre Anfänge können wir auf den Grabdenkmälern der Griechen verfolgen. Anfangs werden die Haare über der Stirn aufgesteckt, aber man behält in der Mitte eine Trennungslinie bei[13]. Dann folgt die zweite Phase: ein hoher Haarbausch mitten über der Stirn[14]. Diese Art von Frisur findet sich bei einer Reihe von rundplastischen Arbeiten wieder, bei Originalen und römischen Kopien[15], und anhand eines weiblichen Kopfes aus Epidaurus hat Hekler eindeutig bewiesen, daß diese Frisur schon um 375 v. Chr. in Gebrauch gewesen sein muß. Aber die schleifenförmige Frisur, wie an der Büste von Compiègne, ist vermutlich ebenfalls zu dieser Zeit entstanden. Selbst wenn man das zweifelhafte Beispiel des *Apollo Barberini*, dessen Datierung sehr umstritten ist, außer Betracht läßt, finden wir dieselbe Frisur bereits auf der Grabstele der *Nikarete*, die in Berlin steht[16] und auf jeden Fall aus der ersten Hälfte oder, was noch wahrscheinlicher ist, aus dem ersten Drittel des 4. Jh. stammt; wir finden sie ferner bei der weiblichen Marmorfigur aus dem Fund von Mahdia wieder, die laut L. Curtius aus der Zeit vor Praxiteles stammt[17]. Diese Mode war aber erst um die Mitte des 4. Jh. allgemein verbreitet, und seither erscheint die Haarschleife ziemlich häufig auf Flachreliefs und Grabstatuen[18]. Innerhalb der zweiten attischen Schule, zu der der Künstlerkreis um Praxiteles gehörte, erfreute sie sich besonderer Beliebtheit, denn wir sehen sie an mehreren um die Mitte des Jahrhunderts geschaffenen Göttertypen: ein Typ der *Hygieia* [19], ein Typ der *Kore* [20], ein sehr bekannter und weitverbreiteter Typ des *Apollon* [21] und ein Typ der *Artemis* [22]. Es ist viel darüber diskutiert worden, ob diese *Kore* nicht von Praxiteles stamme; man muß sie aber wohl in einen anderen Zusammenhang stellen, und zwar mit dem Epheben von Boston und den erwähnten Typen des *Apollon* und der *Artemis*, die mit Sicherheit attischen Ursprungs sind, aber von einem unbekannten Künstler geschaffen wurden [23]. Hingegen könnte niemand den vollkommen praxitelischen Charakter der *Hygieia* abstreiten, die wir an den Anfang der Liste gestellt haben. Wenn wir nun die weibliche Frisur von Compiègne mit der der soeben aufgezählten Köpfe vergleichen, so stellen wir fest, daß sie die größte Ähnlichkeit mit der der *Hygieia* aufweist, und zwar sowohl in bezug auf die Form der Schleife als auch hinsichtlich der Anordnung der Locken. In bezug auf die Locken kann man sie auch mit dem *praxitelischen Apollonkopf* aus dem Museo Barracco vergleichen, nur ist da die Schleife nicht so ausgeprägt [24]. Kurz, wir sind berechtigt, diese besondere Frisur dem Kreis um Praxiteles und seiner Schule zuzuordnen.

Die kleine Schläfenlocke am Kopf von Compiègne könnte eine Hinzufügung des Kopisten sein, wie es in anderen Fällen vorgekommen ist [25]; da wir diese Schläfenlocke aber auch schon beim *Apollon von Belvedere* finden, kann man nicht behaupten, sie habe nicht schon vor dem 4. Jh. existiert [26].

Die Haarschleife des *Apollon von Belvedere* [27] kennzeichnet einen weiteren Schritt in der Ausgestaltung des Motivs: sie ist nicht so dicht, stärker stilisiert und erinnert an jene Haarschleifen, mit denen man so oft die Göttertypen in hellenistischer Zeit schmückte: Apollon, Aphrodite und andere [28]. Zu jener Zeit entsprach die betreffende Frisur aber wohl nicht mehr der tatsächlichen Mode; außerdem stellen wir fest, daß diese Schleifenfrisur in hellenistischer Zeit ausschließlich den Gottheiten vorbehalten bleibt: sie ist ein Relikt, und in dem einzigen Fall, wo wir die zur Schleife gerollten Haare an einer hellenistischen Porträtbüste finden, sieht das erzielte Resultat vollkommen anders aus [29].

Die Tatsache, daß dieser Frauenkopf bei der Herme von Compiègne mit der Porträtbüste eines Mannes verbunden wurde, schließt jeden Gedanken daran, daß es sich bei der Frau um eine Gottheit handle, aus; wir können mit Gewißheit sagen, daß auch dieser Kopf das Porträt einer Frau ist und aus der Mitte des 4. Jh. aus dem praxitelischen Kreis stammt. Wir dürfen auch zu Recht hinzufügen: diese Frau muß ziemlich berühmt gewesen sein, so daß man es für gut befunden hat, in der römischen Kaiserzeit eine Kopie ihres Kopfes anzufertigen und sie mit einem Zeitgenossen zusammenzufügen.

Durch römische Kopien kennen wir die von Kephisodot dem Jüngeren, dem Sohn des Praxiteles, geschaffenen Dichterinnenstatuen, von denen eine genau die Frisur aufweist, die uns hier beschäftigt [30]. Die schlichte Ausführung der Frisur von Compiègne legt jedoch die Annahme nahe, daß sie zu einem weiter zurückliegenden

Zeitpunkt, und zwar um die Mitte des 4. Jh. entstanden ist; es drängt sich deshalb
der Gedanke an das bekannteste Porträt von Praxiteles selbst auf, jenes der Hetäre
Phryne, deren Bildnis er zweimal angefertigt hat: einmal in Marmor für den Eros-
tempel in Thespies, dann in vergoldeter Bronze für Delphi, wo die Statue sich in der
Nähe des großen Apolloaltars in bester Gesellschaft befand[31]. In seinem ergötz-
lichen Aufsatz ›Hypereides und der Prozeß der Phryne‹ hat Paul Girard mit sicherem
Instinkt anhand eines in Boston aufbewahrten Kopfes, der eben diese Haarschlei-
fenfrisur aufweist, das körperliche Erscheinungsbild Phrynes genau beschrieben.
Es handelt sich hierbei um reine Intuition; man kann jedoch auf eine Reihe von Ter-
rakottafiguren verweisen, die eine mit einem Himation bekleidete Frau darstellen,
deren Oberkörper entblößt ist und die sich in einer typisch praxitelischen Haltung
gegen eine Säule lehnt[32]. Eine Figur aus dieser Serie hält ein Tympanon in der Hand
und wird somit als Hetäre charakterisiert[33]; an drei anderen läßt sich sowohl eine
Tendenz zu einer weitergehenden Enthüllung des Körpers feststellen – was man
auch bei den Frauengestalten des Praxiteles beobachten kann – als auch eine
entsprechende Entwicklung des Haarbüschels über der Stirn zu einem richtigen
Haarknoten[34]. Viel besser als die *Venus von Ostia,* in der Furtwängler Phryne wieder-
erkennen wollte[35], geben uns diese Terrakotten trotz ihrer Abweichungen voneinander eine Vorstellung von dem Typus, nach dem Praxiteles seine beiden Bildnisse
der *Phryne* schuf, wobei er die von ihm bevorzugte Körperhaltung mit heraus-
geschobener Hüfte beibehielt.

Von welchem zeitgenössischen Männerbildnis ließ sich nun denken, daß es in römischer Zeit mit dem der *Phryne* in Verbindung gebracht würde? Diese Frage läßt sich
unabhängig von jeder stilistischen Untersuchung stellen: Gab es in der Mitte des
4. Jh. v. Chr. einen berühmten Griechen und eine ebenso berühmte Griechin, die
den Gedanken daran nahelegten, sie später in einer Doppelherme für eine römische
Bibliothek oder einen Park zusammenzufügen? Hier kann man eigentlich nur Hypereides und Phryne nennen. Hypereides hatte für den Ruhm Phrynes mehr geleistet als Praxiteles und Apelles[36]; in Rom las und bewunderte man sein Plädoyer, das
von Messala Corvinus übersetzt wurde: *adeo ut etiam cum illa Hyperidis pro Phryne
(oratione) difficillima Romanis subtilitate contenderet*[37]. Es war im kaiserlichen
Rom, wo die wohlbekannte Legende von dem dramatischen Hilfsmittel entstanden
ist, das Hypereides im Verlauf des Prozesses wegen ἀσέβεια anwandte, als er die
Brust der Angeklagten entblößte, um die Richter zu erregen. Eine aus diesen beiden Gestalten bestehende Doppelherme paßte nicht nur in die Bibliothek eines
Redners, sondern in die eines jeden in griechischen Dingen bewanderten Römers.

Unser Männerkopf, von dem wir vier Reproduktionen gefunden haben, gehört also
zu den Bildnissen von Rednern und Rechtsgelehrten; zwei davon (das Exemplar in
Compiègne und das der Ny Carlsberg Glyptotek) sind oder waren Bestandteil einer
Doppelherme. In der Villa Mattei gibt es eine Inschrift, die unter der Büste des
berühmten Redners stand und uns den Namen des Künstlers, den Bildhauer des Ori-

ginals, nennt: Zeuxiades[38], einen Schüler des Silanion; die hieraus sich ergebende Datierung stimmt mit dem Charakter der Büste überein, der uns in die Mitte oder das dritte Viertel des 4. Jh. verweist[39]. Denn die Person ist als schon alter Mann dargestellt, und natürlicherweise denkt man an die Zeit zwischen 340 und 322, dem Todesjahr des Hypereides. Ganz selbstverständlich jedoch hat der alte Mann die Barttracht beibehalten, die um die Mitte des Jahrhunderts in Mode gewesen war; dies ist also kein Anlaß zur Verwunderung. Auf stilistische Untersuchungen im Zusammenhang mit der Tatsache, daß Zeuxiades ein Schüler Silanions war, wollen wir hier allerdings verzichten; denn die künstlerischen Merkmale des letzteren sind noch nicht klar genug umrissen, bei einer anderen Gelegenheit wollen wir sie näher untersuchen.

Hypereides selbst hat einmal gesagt: Χαρακτὴρ οὐδεὶς ἔπεστιν ἐπὶ τοῦ προσώπου τῆς διανοίας τοῖς ἀνθρώποις [Vom Gesicht kann man den Menschen die Denkfähigkeit nicht ablesen][40]. Wir dürfen wohl ein wenig optimistischer sein als der vorsichtige Redner, der, als er diesen Ausspruch tat, vielleicht die Richter einem Spitzbuben geneigt machen mußte. Wenn es ein Porträt gibt, das der Vorstellung, die wir uns von Hypereides machen, genau entspricht, so ist es jenes eines alten Mannes, der vom Leben zwar ein wenig mitgenommen wurde, aber trotz der erschlafften Gesichtszüge noch voller Energie ist und, worauf seine wohlfrisierte Bart- und Haartracht hindeutet, sehr auf sein Äußeres bedacht ist. Man kann Hypereides wohl folgendermaßen charakterisieren: ein vornehmer, umsichtiger, aber nicht vollkommen zuverlässiger und auch nicht gerade liebenswürdiger Mann; eine Person, die man bei heiklen Angelegenheiten einsetzen konnte, wie z. B., als die Athener nach den Betrügereien bei den olympischen Wettläufen die Gemüter wieder beruhigen mußten[41]; ein rücksichtsloser Lebemann, der es fertigbrachte, seinen eigenen Sohn zu verjagen, um sich eine Geliebte ins Haus zu holen[42]; als Redner elegant und hinterhältig, aber ohne die Kraft und die Originalität des Demosthenes, und ganz ohne Scheu, seinen großen Zeitgenossen zu kopieren[43]; ein schlauer, hinterlistiger Politiker, – trotzdem gelang es ihm in bestimmten Momenten, besser als jeder andere den Gedanken seiner Zeit Ausdruck zu verleihen, so z. B., als er in seiner Leichenrede den Gegensatz zwischen den alten Athener Sitten und den neuen Sitten, die seit Alexander eingerissen waren, charakterisiert: φανερὸν δ᾽ἐξ ὧν ἀναγκαζόμεθα καὶ νῦν ἐᾶν· θυσίας μὲν ἀνθρώποις γιγνομένας ἐφορᾶν, ἀγάλματα δὲ καὶ βωμοὺς καὶ ναοὺς τοῖς μὲν θεοῖς ἀμελῶς, τοῖς δὲ ἀνθρώποις ἐπιμελῶς συντελούμενα, καὶ τούς τούτων οἰκέτας ὥσπερ ἥρωας τιμᾶν ἡμᾶς ἀναγκαζομένους (fr. 21, éd. Kenyon) [offenkundig ist, weswegen wir gezwungen werden, nun auch folgendes zuzulassen: zuzusehen, wie Menschen Opfer gebracht werden, wie Standbilder und Altäre und Tempel den Göttern sorglos, den Menschen aber mit Sorgfalt ausgeführt werden, und wie wir gezwungen sind, die Hausgenossen dieser Leute wie Heroen zu ehren]. Und mit welch heldenhafter Größe erduldete er seinen schrecklichen Tod!

Paul Girard hat zu Recht gesagt: „Unter den großen Gestalten im untergehenden

Athen ist der Redner Hypereides eine der fesselndsten Persönlichkeiten." Es ist bedauerlich, daß der Herme im Musée Vivenel das Gesicht Phrynes fehlt, und dennoch können wir diesen Verlust leicht verschmerzen: vom psychologischen Standpunkt her hätten uns vermutlich weder der Künstler noch das Modell viel Interessantes beibringen können. Viel bedauerlicher wäre jedoch der Verlust des Porträts des gerissenen Alten gewesen, des Charmeurs, des gewandten Stilisten, der besser als jeder andere aus der lebendigen Quelle der Umgangssprache zu schöpfen verstand, jenes rücksichtslosen, gewieften und beherzten Hypereides, so wie ihn ein Meisterschüler des berühmten Porträtisten Silanion zu sehen und darzustellen wußte. – Haben wir aber wirklich ein Porträt des Hypereides vor uns? Haben wir uns nicht etwa einer Illusion hingegeben? Aus Gewissenhaftigkeit muß ich schließlich sagen, daß der Nachweis, den ich hier unternommen habe, nicht unumstößlich ist, da er sich nicht auf materielle Belege stützt; ich habe lediglich eine Reihe übereinstimmender Daten miteinander verknüpft, die uns die erwähnte Schlußfolgerung allmählich nahelegen und uns in ihrer Gesamtheit dorthinführen. Ich glaube jedoch, daß diese unterschiedlichen Gründe recht gut dargelegt sind und daß ihre vollkommene Übereinstimmung stichhaltig genug ist, so daß sich der Leser nach reiflicher Überlegung meiner Meinung anschließen kann. Wie oft muß sich unsere archäologische Wissenschaft doch leider damit zufrieden geben, in Ermangelung einer unerreichbaren Gewißheit einen mehr oder weniger großen Grad an Wahrscheinlichkeit erlangt zu haben!

Anmerkungen

[1] Billedtavler Taf. 30, 422. Höhe, vom Bart bis zur Stirn gemessen, 0,28 m. Marmor aus Paros. Restaurierungen: Hals, Nasenspitze; die äußeren Teile der Ohren wurden später angefügt. [Richter II 211 Nr. 5 Abb. 1362–1364; zum Typus zuletzt: E. Minakaran-Hiesgen, JdI 85, 1970, 146 ff.: Isokrates.]

[2] Museo Torlonia Taf. 30. [Richter II 211 Nr. 1 Abb. 1350–1351.]

[3] Lippold, Griechische Porträtstatuen 56 Anm. 2.

[4] ÖJh 2, 1889, 250 Taf. 4. [Richter II 211 Nr. 6 Abb. 1360–1361.]

[5] Photogr. A. 88, 46. Im neuesten Katalog des Musée Vivenel hat dieser Kopf die Nummer 497. [Richter II Nr. 3 Abb. 1355–1357.]

[6] Studniczka, Bildnis des Aristoteles 28 ff. [= hier S. 147 ff.].

[7] Griechische Ikonographie II 3.

[8] Der signierte Kopf von Neapel: Bernoulli, Griech. Ikon. II Taf. 1; ABr. 131/2; Hekler, Bildniskunst der Griechen und Römer Taf. 26; Guida Ruesch Nr. 1116. Die Kopie im Museum des Kapitols: ABr. 133/4; Hekler Taf. 25; Stuart Jones, Catalogue of the Museo Capitolino Taf. 60, 96. Vgl. auch Studniczka, Bildnis des Aristoteles 27 [= hier S. 165]. Zu Recht weist Bernoulli als Porträts des Lysias ebenfalls zurück: ABr. 163–166 (= Stuart Jones Taf. 55, 13–14) und 779/80 (= Hekler Taf. 27 a).

[9] Bernoulli a. a. O. 14 Taf. 3; ABr. 135. [Richter II 209 Nr. 1 Abb. 1346–1347.]

[10] Zum Korinnaporträt vgl. Bernoulli, Griech. Ikon. I 88ff.; EA 1188/9.

[11] Meisterwerke 665 Anm. 1.

[12] Ausonia 5, 1910, 5ff. Vgl. auch S. Reinach, Têtes antiques 143 und Klein, Praxitelische Studien 16.

[13] Vgl. Conze, Attische Grabreliefs Taf. 89, 359; 109; Billedtavler Taf. 15–16, 201. 209. 215.

[14] Vgl. Conze Taf. 36, 79; 68, 290; 83, 334; 113, 518.

[15] Vgl. die Figur von Durazzo: ÖJh 1, 1898, 1ff. Taf. 1 (= Collignon, Statues funéraires 301). Andere Beispiele bei Hekler a. a. O.

[16] Beschreibung Skulpt., 740.

[17] AA 1910, 259 Abb. 1.

[18] Vgl. Conze Taf. 268, 1211; Furtwängler, Collection Sabouroff I Taf. 22 (= S. Reinach, Têtes antiques Taf. 180); Hekler 5ff. Abb. 1. Der Knoten findet sich auch bei der sitzenden Frau auf der Stele, die der Louvre 1910 erworben hat: AA 1911, 448 Nr. 7.

[19] Vgl. Köpp, AM 10, 1885, 265 Taf. 8–9.

[20] Vgl. R. v. Schneider, Jahrb. der kunsthist. Sammlungen des allerhöchsten Kaiserhauses 16, 1895, 138 und 142 (= Album auserlesener Gegenstände Taf. 5; und Klein, Praxitelische Studien Abb. 5); Svoronos, Das athenische Nationalmuseum Taf. 77, 1461.

[21] Vgl. EA 342 und 923/4; Amelung, Führer 2; Overbeck, Kunstmythologie des Apollon 150 und 510.

[22] Vgl. EA 1356/7.

[23] Vgl. EA, Text zu 1199 und 1356/7, sowie Klein, Praxitelische Studien 4ff. Abb. 2–4.

[24] Vgl. Klein, Praxiteles 168 und 178.

[25] Vgl. EA 531–533.

[26] Vgl. S. Reinach, Têtes antiques 148; EA, Text zu 1378/9.

[27] Vgl. Furtwängler–Urlichs[3] 88; S. Reinach, Têtes antiques Taf. 241.

[28] Vgl. EA 1060 und 1567; S. Reinach a. a. O. Taf. 184. 185. 186–190; Wiegand und Schrader, Priene 336 Abb. 378–80: Stackelberg, Gräber der Hellenen Taf. 61 und 71. Mendel, Catalogue des Sculptures de Constantinople I (1912) 328 Nr. 121. Vgl. auch den Knoten der Isis: Reinach a. a. O. Taf. 274.

[29] Vgl. BdA 4, 1910, 308ff. Abb. 5–6. Vgl. auch EA 1342/3 und 1467/8, sowie die Statue von Anzio: Klein, Praxitelische Studien 40.

[30] Vgl. Klein, Praxitelische Studien 33 Abb. 9; Overbeck, Schriftquellen 1341.

[31] Pausanias IX 27, 5 und X 14, 7. Über Phryne und die zeitgenössischen Künstler vgl. Perrot, Monum. Piot 13, 1906, 119.

[32] Vgl. Winter, Terrakotten II Taf. 93.

[33] Vgl. Winter a. a. O. Nr. 4.

[34] Vgl. Winter a. a. O. Nr. 5–7. Über die Nacktheit der Phrynestatue vgl. Klein, Praxiteles 292ff.

[35] Meisterwerke 549ff.

[36] Vgl. Klein, Praxiteles 243 und 246.

[37] Quintilian X 5, 2. Vgl. Περὶ ὕψους, 34, 3: τὸ γὲ τοι περὶ Φρύνης ἢ Ἀθηνογένους λογίδιον ἐπιχειρήσας γράφειν (ὁ Δημοσθένης) ἔτι μᾶλλον ἂν Ὑπερείδην συνέστησεν.

[38] Bernoulli, Griech. Ikon. II 59; Löwy, Inschriften griech. Bildhauer Nr. 483 [Richter II 210].

[39] Plinius 34, 51; Jex-Blake and Sellers, The elder Pliny's chapters 234.
[40] Hypereides, ed. Kenyon, Fragm. 196.
[41] Pausanias V 21, 5.
[42] Athen. XIII 590 C–E. Vgl. 341 E und Kenyon, Fragm. 13.
[43] Kenyon, Fragm. 95.

Das Bildnis Menanders

Von Franz Studniczka

Diese Arbeit hat die Vorschrift *nonum prematur in annum* bald dreimal erfüllt. Das glaube ich um so mehr entschuldigen zu sollen, weil Alfred Gercke, in freundschaftlicher Anerkennung ihrer breitern urkundlichen Begründung, von der Bekanntgabe desselben, ihm unabhängig gekommenen Grundgedankens[1] zurücktrat, schon als ich einen ersten handschriftlichen Entwurf dem unvergeßlichen Adolf Michaelis, einem der Erneuerer der griechischen Bildnisforschung, zum sechzigsten Geburtstag vorlegte. Kurz darauf veröffentlichte ich, aus Anlaß der Frage nach dem Verbleib eines verschollenen grundlegenden Zeugnisses, einen ganz kurzen Auszug in einer Spalte (1627) der ›Berliner Philologischen Wochenschrift‹ von 1895. Eingehender trug ich meinen Gedankengang im Herbste 1897 der Philologenversammlung zu Dresden vor, deren ›Verhandlungen‹ (42) aber nur einen ganz kurzen Bericht gaben, weil ich damals auf baldiges Erscheinen einer besondern Schrift verweisen zu können meinte, die indes unerwartete, so dringliche wie langwierige Arbeiten zurückhielten. Doch legte schon 1901 auf Grund der Niederschrift jenes Vortrags und ergänzender Mitteilungen aus dem mir rasch zuwachsenden Stoffe J. J. Bernoulli im II. Bande seiner ›Griechischen Ikonographie‹ (111 ff.) meine Menanderthese genauer dar; freilich nicht ohne Lücken in der schon damals möglichen Beweisführung zu lassen und, mit deshalb, ohne einen Rest von Skepsis zu überwinden. Diese konnte ja der treffliche Gelehrte auch sonst zu weit treiben, eingeschüchtert durch die Erfahrung, wie viel des vermeintlichen Wissens auf seinem Lieblingsgebiete sich bei schärferem Zusehn in Dunst auflöste. Trotzdem hat die Ansicht bei den meisten Sachkundigen mehr oder weniger entschiedenen Beifall gefunden.

Deshalb glaubte ich mich berechtigt, in aller Muße an ihrer Begründung weiterzuarbeiten, bald im Zusammenhang eines größeren Buches, das mir zur Ergänzung der grundlegenden Werke Bernoullis notwendig erscheint und dessen aus der Menanderuntersuchung hervorgewachsener Plan, dank auch freundlicher Unterstützung von vielen Seiten, besonders von Paul Arndt, immer mehr in die Breite und Tiefe wuchs. Es soll den Titel ›Imagines Illustrium‹ erhalten, in Erinnerung an das einschlägige Lebenswerk des alten Fulvius Ursinus, der trotz seinen bedenklichen Schwächen mit Recht als Vater der Ikonographie bezeichnet worden ist. Wenn ich diesen Teil seiner Arbeit genauer kennengelernt habe als andere, so verdanke ich das hauptsächlich dem schönen Buche von Pierre de Nolhac ›La Bibliothèque de

Neue Jahrbücher für das Klassische Altertum, Geschichte und Deutsche Literatur 21, 1918, S. 1–31.

Fulvio Orsini‹ (1878). Es gilt zunächst seine ikonographischen Leistungen wie die, meist geringeren, seiner Vorgänger und Nachfolger bis herab auf E. Q. Visconti, noch vollständiger zu überblicken, als es der verdienstvolle epigraphische Aufsatz Hülsens in den ›Römischen Mitteilungen‹ 1901, trotz der Benützung meines damaligen Materiales, seiner begrenzten Aufgabe nach ermöglicht.

Wie Kostbares da zu holen war, zeigte das Bildnis des *Aristoteles,* das zuerst auf dem Festblatt zur Winckelmannsfeier des Archäologischen Seminars in Leipzig 1900 und ausführlich vor dem Verzeichnis der dortigen philosophischen Doktoren des Jahres 1907–8 bekanntgemacht worden ist [hier S. 147ff.]. Doch auch den Gefahren dieses Quellgebiets habe ich meinen Zoll entrichten müssen. Auf dem Leipziger Winckelmannsblatte von 1901 glaubte ich in dem Stich einer Frauenherme in Ursins ersten Imagines (1570, 39), über die sicher gefälschte Inschrift *Eucharis* hinweg, ein *Kleopatra*bildnis erkennen zu dürfen, bis Photographien des in Madrid erhaltenen Kopfes auch die Ungenauigkeit der Zeichnung dartaten[2]. Ja, in meinem Beitrag zur Festschrift für einen verehrten Lehrer[3] ließ ich mich, trotz genauer Kenntnis der zwei traurigen Ikonographien Pirro Ligorios, verleiten, an die Echtheit der Inschrift seines stoischen Philosophen *C. Iunius Fufficius* zu glauben, die er (wie ich jetzt meine) in die Zeichnung einer echten, aber namenlosen Bildnisherme einfügte; ein Irrtum, den Hülsen alsbald richtigstellte[4]. Dagegen freue ich mich, den von ihm verteidigten Namen des Kapitolinischen ‘*Lysias*’ (verschrieben zu Αυσιας) durch einfache Wäsche endgültig als falsch erwiesen zu haben[5].

Zu dem aus der Übersicht der alten Ikonographien erzielbaren, natürlich nicht umfangreichen Gewinn an echten Imagines Illustrium soll ihrer mein so betiteltes Buch auf den mannigfachen Pfaden der Kombination viel mehr hinzubringen. Vorläufig bekanntgemacht sind folgende Beiträge dieser Art: eine vollständig erhaltene Wiederholung des lysippischen *Alexander Azarà* [Taf. 65][6] und der befestigte Nachweis, daß die Stele von Kleitor [Taf. 146–147], aus der Werkstatt Damophons, wirklich den *Polybios* darstellt[7]; die mutmaßliche, unter Traian kopierte Büste *M. Antons* in London[8]; der erst als Gegenstück zu dem Profilkopf Barracco wieder als echt anerkannte greise Augustus in Berlin[9]; dessen jüngster Enkel *Agrippa Postumus*[10] und der in Marmor mit einer seiner Büsten in Pompeii verborgen, in trefflicher kleiner Erzbüste auch bei Ludwigshafen gefundene *Seian*[11]; der älteste Augustusenkel *Gaius Caesar,* früher, trotz den grundverschiedenen Münzbildern, irrig für *Caligula* gehalten, von dem sogleich auch einige wirkliche Bildnisse den freigewordenen Platz einnehmen konnten[12].

Diesen vorläufigen Mitteilungen folge nun auch, noch etwas ausführlicher als sie im Januar 1917 der Berliner Archäologischen Gesellschaft vorgetragen wurde, eine solche über den ursprünglichen Kern des geplanten Buches, den Menander. Ihn fand nämlich unlängst einer der tüchtigsten Mitforscher auf dem ikonographischen Gebiete, Georg Lippold, in seinen griechischen Porträtstatuen (89) ‘lange nicht so fest begründet’ wie den Aristoteles. Zum endgültigen Abschluß freilich auch dieser

Untersuchung, wie der ganzen ›Imagines‹, bedarf es noch einiger Reisen, die der Weltkrieg ad Kalendas Graecas zu vertagen zwingt.

I. Verlorene und verdorbene Menanderbildnisse mit Inschrift

Was für ein Dichter Menandros gewesen ist, das wissen wir seit etlichen Jahren aus eigener beglückender Anschauung[13]. Sie ist manchem besonders lebendig geworden, als Carl Robert mit seinen hallischen Studenten die größten neuen Komödienbruchstücke in dem ehrwürdigen Lauchstedter Theater zu wohlgelungener Aufführung brachte[14]. Erst jetzt verstehn wir ganz die Äußerungen bewundernder

Abb. 8   Basis der Menanderstatue in Athen, Dionysos-Theater, Rekonstruktion

Liebe, die den Namen Menander bis ans Ende des Altertums und darüber hinaus begleiten.

Dieser Schätzung des Dichters entspricht die ungewöhnlich hohe Zahl seiner inschriftlich bezeugten Bildnisse. Von den wichtigsten freilich besitzen wir nicht mehr als den Untersatz mit der Inschrift. So von dem ältesten, gewiß dem Urbild aller späteren, der ohne Zweifel ehernen *Statue im Dionysostheater*, die auch Pausanias und Dion von Prusa kurz erwähnen[15]. Der 1862 daselbst gefundene Hauptblock ihres Sockels[16] aus pentelischem Marmor hat in seine obere Fläche eingehauen eine tiefe Entlastungsmulde. Sie bestätigt, was schon die Profile und der Vergleich mit vielen anderen Statuenbasen lehren[17]: daß oben eine ausladende Deckplatte und unten eine entsprechende Fußplatte zu ergänzen ist. Wie etwa das Ganze in seiner eleganten Schlankheit aussah, lehrt die Zeichnung Abb. 8. Die sich so ergebende Standfläche bietet reichlichen Platz für ein lebensgroßes Sitzbild nach Art des sogenannten Menander und seines Gegenstückes, des *Poseidippos,* in der Vatikanischen Statuengalerie. Der Zeichnung eingefügt sind nach Löwys Faksimile der Name des Dichters und die Künstlerinschrift Κηφισόδοτος Τίμαρχος ἐποίησαν. Da diese Meister, die berühmten Söhne des Praxiteles, Zeitgenossen des Dichters waren, haben sie ihn sicher nach dem Leben dargestellt. Doch wird ihm, der mit seinen vielen Stücken nur acht Siege errang, die Ehre dieses öffentlichen Denkmals kaum lange vor, vielleicht erst nach seinem Tode zuteil geworden sein. Menander starb etwa fünfzigjährig im Jahre 293/2[18], angeblich beim Baden im Piräus[19].

Kaum jünger ist nach den Schriftformen der einfache Name Μένανδρος auf einem Marmorsockel von Eretria, den auf unsern Dichter zu beziehen nahe liegt, weil der Block unweit des Theaters gefunden und, wie der sachkundige Ephoros Kuruniotis versichert, gewiß kein Grabstein ist[20]. Nach den Maßen – L. 1,08 (unvollständig)

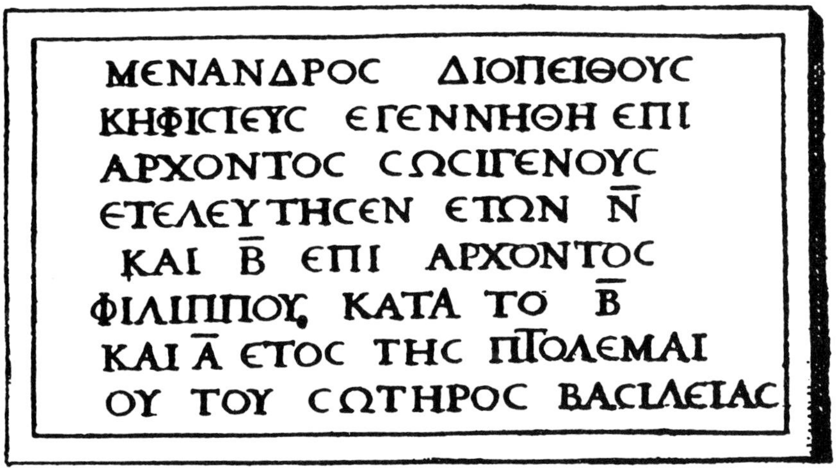

Abb. 9   Chronologische Inschrift

Br. 0,72, H. 0,46 – und der seichten Bettung auf der obern Fläche kann es sich nur wieder um eine Statuenbasis handeln.

Die drei andern Untersätze von verlorenen Menanderbildnissen entstammen der Kaiserzeit und der Umgebung Roms. Die verschollene *chronologische Inschrift*[21], Abb. 9, die früher mit Unrecht verdächtigt worden ist, dürfte vermöge ihrer Verhältnisse und ihrer Umrahmung auf dem Sockel einer großen oder kleinen Figur gestanden haben. Der *Hermenschaft* mit den drei vierzeiligen Epigrammen unter dem Namen[22], welche die Stiche bei Statius (1569, hier Abb. 10) und bei Ursin (1570, hier Abb. 11), doch wohl auf Grund damaliger Ergänzung, vollständig geben, obgleich am Marmor alle Zeilenanfänge ein sicher alter, echt gebräunter und versinterter Bruch weggenommen hat, befindet sich im Museum zu Turin. Brust und Halsgrube zeigen magere Formen. Der Kopf mit Hals ist nicht abgebrochen, sondern war für sich gearbeitet und aufgesetzt. Ebenso hergerichtet war wohl der *Hermenschaft* mit

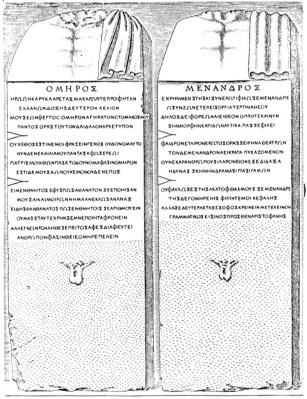

Abb. 10   Kopflose Hermen des Homer und des Menander,
verschollen bzw. Turin, nach Statius

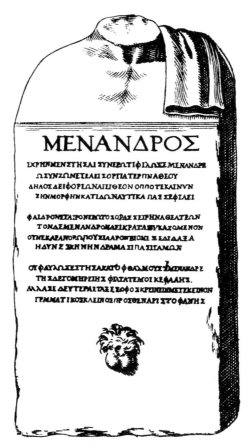

Abb. 11   Herme des Menander, Turin nach Ursinus (1570)

dem bloßen Namen Μέναντρος aus einer Villa bei Nemi, den ich nicht auffinden konnte, obgleich er erst 1887 zutage kam[23]. Das ist sehr zu beklagen; denn aus Nemi gelangte etwa um dieselbe Zeit einer von den Köpfen, in denen ich den Dichter erkenne, in die Villa des Generals Biancardi bei Castel Gandolfo, wo mir ihn Walter Amelung – auch sonst ein getreuer Helfer dieser Studien – nachwies, und dieser Kopf war zum Aufsetzen auf eine Herme gearbeitet. Ließen sich die beiden Stücke zusammenbringen, dann wäre vielleicht ein großer Teil der folgenden Überlegungen unnötig.

Die Untersuchung gestaltet sich deshalb sehr umständlich, weil die auf uns gekommenen *Menanderbildnisse mit Beischrift* durchweg mehr oder minder geringe Arbeiten der späteren Kaiserzeit sind. Nach solchen besser gearbeitete Marmorköpfe sicher zu erkennen, vermag nur derjenige, der dazu durch weite Umschau vorbereitet ist.

Außer acht bleiben darf in solch vorläufiger Darlegung eine von den sog. *Theater-*

marken aus Knochen, die in einem Sarkophage zu Pergamon gefunden wurde [24]. Sie zeigte in schlechter Erhaltung, die sich inzwischen noch verschlimmert hat, das rechte Profil des Dichters mit Efeukranz. Ebenso bekränzt erscheint in Dreiviertelansicht sein Brustbild in einem der quadratischen Porträtfelder des großen *Monnusmosaiks* zu Trier [25], das auch bei geringerer Zerstörung nichts lehren würde, was die zwei Marmorbüsten an Rundschilden nicht besser erkennen ließen.

II. Zur Beurteilung der Hauptquellen für die Kenntnis des verlorenen Menander-Schildbüstchens des F. Orsini

Von diesen Imagines clipeatae des Dichters kennen wir die eine nur in Stichen und Zeichnungen des 16. Jh., deren richtige Einschätzung leider nicht ohne weitläufige Vorbereitung durchführbar ist.

Zu dem ältesten Bestande der ikonographischen Sammlung Fulvio Orsinis, die er sich samt seiner berühmten Bücherei im Palaste der mächtigen Farnesen, wo der feine Kanonikus als Hausantiquar, Bibliothekar und Familiar sein Leben zubrachte, hat anlegen dürfen [26], gehörte ein vor Porta Aurelia gemachter Grabfund: drei Dichterstatuetten (die zwei inschriftlich bezeichneten des *Pindar* und *Euripides* leider kopflos) und ein Paar kleine Schildbüsten, *Sophokles* [Taf. 40] und *Menander* [Taf. 90, 1–2] [27]. Wie klein sie waren, das erfahren wir erst aus ihrer letzten Erwähnung in einem Inventar der Kunstschätze des Hauses Farnese, dem Orsini seine Antiken hinterlassen hatte: unter den 1775 in der Villa Farnesina befindlichen Stücken erscheinen sie als due tondi di filosofi, con iscrizione greca, pal. 1 di diametro [28], das heißt etwa 0,20 m. Das ist keineswegs unerhört: das vermeintliche *Cicero*medaillon des Kardinals Borgia, auch in der Form des Rahmens den unsern ähnlich, hatte nur wenig mehr als 0,20 m im Durchmesser [29], etwa ein Drittel Lebensgröße, und das höchstwahrscheinlich von solchem Rund abgebrochene *Sokrates*köpfchen in Kiel ist noch etwas kleiner [30].

Bevor wir aber die erhaltenen Abbildungen dieses mit allen seinen Fundgenossen verlorenen Menander betrachten, müssen wir die Eigenart der Werke, zu denen sie gehören, kennenlernen [31]. Von den Kaiserbildnissen abgesehen erschien die erste, durchweg aus den Marmorsammlungen Roms geschöpfte Ikonographie ›Inlustrium virorum vultus‹ ebendort 1569, zusammengestellt und kurz eingeführt von dem portugiesischen Philologen Estaço, der sich lateinisch Achilles Statius nannte. Sie enthält neben einigen auch heute noch wertvollen Hauptstücken etliche plumpe Beischriftenfälschungen und eine Menge namenloser Köpfe bis zu Satyrn und Panen. Um nun rasch der Welt zu zeigen, wieviel mehr und Besseres er schon aus

allen möglichen Quellen beisammenhatte, machte der damals gerade vierzigjährige
Fulvius Ursinus Hals über Kopf seine ersten ›Imagines et elogia virorum illustrium‹
zurecht und warf sie schon 1570 auf den Markt. Diese ehrgeizige Eile ist auf Tritt
und Schritt zu spüren, auch in der Treue mancher Zeichnungen.

Verhältnismäßig ähnlich bleiben den Marmororiginalen die den Stichen bei Statius
nachgezeichneten Bilder, wie der *Thukydides* der Doppelherme[32] (Taf. 41), obgleich auch er nach Proportionen und Ausdruck arg genug entstellt ist. Aber z. B.
den *Theophrast*[33] (Taf. 122, 2), der bei Statius nicht ohne Sorgfalt im einzelnen karikiert ist, macht der nicht ganz unabhängige Stich von 1570 fast unkenntlich, indem
er den gemeinsamen Entstellungen, wie den malerisch durchgeführten zu großen
Augen, noch neue, wie die freieste Auflockerung von Haar und Bart hinzufügt.
Eine entsprechende Umbildung im Zeitstil erfuhr bei Ursin der dort zuerst veröffentlichte *Lysias Farnese*[34] (Taf. 44, 1), von dem hier beiläufig wiederholt sei, daß er
seinen weiten Vorsprung im Naturalismus vor der kapitolinischen Replik [Taf. 45][35]
ganz und gar der Überarbeitung seiner verwitterten Oberfläche durch den Ergänzer
des 16. Jh. verdankt. Im Stich von 1570 ist sein Gesicht zusammengedrückt, Bart, Nase
und Stirn viel zu niedrig, trotzdem die Augen aufgerissen, die Brauen schräg herabgezogen, durch diese Abänderungen der sanfte Ausdruck des Marmors in sein Gegenteil
verkehrt. Nur der kleine Haarschopf über der Stirn, wenn er auch viel zu tief herabreicht, beruht auf genauerer Beobachtung des verscheuerten Originals, als der
sonst in allen Stücken unvergleichlich genauere Stich unserer Taf. 44,2[36], der freilich den Ausdruck immer noch etwas verfinstert, Haar und Bart nur im ganzen richtig, im einzelnen unplastisch weich gibt. Ein Zeichen größerer Genauigkeit ist hier
auch der Verzicht auf die dort willkürlich eingefügten Augensterne.

Dieser Stich ist eine Probe aus Orsinis zweiten ›Illustrium imagines‹, an denen er,
seit jenem leichtsinnig herausgeworfenen Buche von 1570, weiterarbeitete, bis sie
zwei Jahre vor seinem Tode, 1598, erschienen, sehr verkürzt gegen seinen Plan und
ohne den diesem weitern Plan angepaßten Kommentar, der erst 1607 in der zweiten, um einen kleinen Anhang neuer Tafeln vermehrten Auflage unter dem Namen
des Johann Faber, eines jungen deutschen Arztes in Rom, herausgegeben wurde.
Den Druck besorgte Plantin(-Moretus) in Antwerpen, als Verleger und Herausgeber zeichnet Theodorus Gallaeus (der Schwiegersohn Morets), eins der jüngern
Mitglieder der bekannten flämischen Stecherfamilie Galle. Er war selbst in Rom
gewesen und hatte dort, mit dünnen, hellen Bleistiftstrichen, die Vorlagen für die
meisten Stiche dieses Werkes gezeichnet, die im Codex Capponianus 228 der Vatikanischen Bibliothek zusammengebunden sind.

Obgleich man es den Zeichnungen und Stichen Galles ansieht, daß ihm der plastische Stil der Vorbilder fernlag, hat er doch mit Fleiß und Gründlichkeit unvergleichlich treuer gearbeitet als die meisten italienischen Vorgänger, nicht nur an dem eben
betrachteten Lysias. So kommt bei ihm der *Theophrast Albani* (hier Taf. 122, 3) der
Wirklichkeit viel näher, obgleich er von den Fehlern der älteren Stiche nicht bloß die

Augensterne beibehalten hat. Und gar sein *Karneades* [37] (Taf. 135,1) ist, wie das meiste im Gegensinn, dermaßen treu gestochen, daß man danach den in Kopenhagen erhaltenen Abguß (Taf. 135,2–3) der verschollenen Inschriftbüste sofort wiedererkennt. Nur ist abermals, wie beim Lysias, die schwache Stirnhaartolle übersehn, das Auge zu weit geöffnet, die Nase allzu groß und gebogen. Daß auch dies Gewohnheitsfehler Th. Galles waren, zeige hier wenigstens noch ein Beispiel (Taf. 151,1): die Bleistiftzeichnung jenes Capponianus nach dem bartlosen Kopf einer in Neapel verwahrten Farnesischen Doppelherme, die ihr damaliger Besitzer Ursinus irrig auch *Sophokles* und *Menander* benannte [38]. Er hatte sie schon 1570 abgebildet (danach unsere Taf. 150,1), aber noch unergänzt und von vorn, dazu wieder in den Maßverhältnissen und vielen Einzelheiten so unähnlich, daß an der Gleichheit gezweifelt werden könnte, wenn sie nicht urkundlich feststände.

III. Die Zeichnungen des orsinischen Menander-Schildbüstchens

Im letzterwähnten Falle (Taf. 150,1) wirkte wohl zur Untreue des Stiches in den ›Imagines‹ von 1570 der Wunsch mit, diesen vermeintlichen dem inschriftlich gesicherten *Menander Orsini*, eben jener kleinen Schildbüste [39], möglichst anzugleichen. Ihr Stich von 1570 (Taf. 90,1) sieht dem des Doppelhermenkopfes in der Tat sehr ähnlich. Aber dann kommt wieder Th. Galle und gibt ein anderes Bild (im Stiche Taf. 90,2 von der Handzeichnung Taf. 94,2 nur leicht verschieden), vor dem man zunächst betroffen ausruft: armer Menander, wie hast du dich verändert! Indes, wir dürfen nicht voreilig verzweifeln, sondern uns an das halten, was die erörterten Proben aus den beiden orsinischen Bildniswerken gelehrt haben. Danach bleibt der Flame gewiß dem Urbild viel näher, nur macht er höchstwahrscheinlich die Nase zu lang, das Stirnhaar eher zu kurz und schlicht. Wo sein veröffentlichter Stich von der Bleistiftzeichnung abweicht, gebührt natürlich letzterer der Vorzug, so in der stärkern Unterlippe und dem Fehlen des Kinngrübchens, das vielleicht aus dem ältern Kupfer nachgetragen wurde. Sicherster Verlaß ist erst recht auf das beiden oder allen drei Wiedergaben Gemeinsame: den eiförmigen Kopf, das weich an den Schläfen herab über der Stirn etwas zur Seite gestrichene Haar, das ältliche magere Gesicht mit den hervortretenden Backenknochen, den Stirnfalten und dem ernst geschlossenen Munde, den entsprechenden Hals mit hervortretendem Kehlkopf – alles dem vom Dichter erreichten Lebensalter wohl angemessen (S. 188). Höchst erwünscht wäre eine Seitenansicht des verlorenen Bildnisses, und eine solche bietet in der Tat eine handschriftliche, bald nach 1570 abgefaßte Ikonographie; freilich keine bessere, als die zweite, umfangreichere Arbeit dieser Art von Pirro Ligorio – eigentlich hieß er nur Pietro Ligori – im XXIII. Bande seines zweiten Wer-

kes delle antichità, das er als Hofantiquar des Herzogs Alfons II. in Ferrara niederschrieb und das im Staatsarchiv zu Turin verwahrt ist[40]. Wie aus des Erzfälschers
erster, bei seinem Abgang von Rom durch Kardinal Farnese angekauften Sammel-
handschrift nicht wenig, natürlich meist Falsches, in Ursins ›Imagines‹ von 1570 übergegangen war[41], so beutete nun jener dieses und des Statius (S. 191) gedrucktes
Bildniswerk aus. Zu den daraus abgezeichneten Köpfen fügte er eine Menge neue,
die ihm *procul ab Urbe*, wo es wenig Antiken gab, zu Dutzenden aus der leichtfertig
gewandten Feder flossen. Ab und zu benützt er aber doch eigene, aus dem römischen
Schiffbruch gerettete Originalskizzen[42]. Dazu zählen muß ich seine beiden *Menander*köpfe in Seitenansicht[43] (Taf. 92, 1. 3), die sichtlich auf ein und dasselbe Urbild
zurückgehen. Den einen, offenbar mehr entstellten, setzt er nach seiner alten
Gewohnheit auf die kopflose Herme mit den drei Epigrammen (hier S. 189 f.). Der
andere, nachträglich myrtenbekränzte, auf Hermenschaft mit dem bloßen Namen,
gleicht in dessen Schriftformen wie in der vollbekleideten Brust dem Medaillon Orsinis, nach dessen Stich (hier Taf. 90, 1) er aber nicht gezeichnet ist, obgleich dieser
mit seiner Dreiviertelansicht besser auf den Schaft gepaßt hätte als das reine Profil.
Es ist somit kaum vermeidlich, diese charaktervolle Seitenansicht als unabhängige
Wiedergabe jenes Schildbüstchens zu betrachten, mit dem in der Tat alle Hauptzüge,
auch der gepreßte Mund, übereinstimmen. Diese Annahme wird sich uns noch
bestätigen (S. 206 f.).

Von Ligorio ist hier leider kein gar so großer Sprung zu E. Q. Visconti, obgleich das
ein wirklicher, in seiner Art bedeutender Gelehrter war. Aber mit der Wahrheit
nahm er es nicht immer genau, und kaum aus bloßem Leichtsinn. Über diesen
harmlosen Entschuldigungsgrund weit hinaus gehen schon die dreisten Versicherun-
gen, womit die ›Iconographie grecque‹ die richtige Deutung des bekannten Blindentypus auf *Homer* 'beweist'[44]. Ein mit dem abgebildeten Pariser Exemplar ganz
übereinstimmender Kopf habe sich nach Fabers [d. h. Ursins] Kommentar zu
Galle[45] am gleichen Orte der Via Ostiensis gefunden wie der kopflose Hermenschaft des Dichters mit den drei Epigrammen [Abb. 10 links][46] (das Gegenstück zum
Turiner *Menander*, hier Abb. 10 rechts) und genau daraufgepaßt, wovon man sich
– so fügt er, mit einem Rest von Scham nur in der Fußnote, hinzu – noch vor dem
Marmor in Neapel überzeugen könne. Dort jedoch steht und stand keine andere
Wiederholung dieses Homertypus als die farnesische mit der neuen, aber schon bei
Bellori mitabgebildeten Gewandbüste[47], den Hermenschaft aber hat seit dem Zeichner des Statius (1569) und vielleicht des Ursinus kein Mensch mehr im Original
gesehn. Dagegen ist der für ihn bei Faber nur mit bescheidener Vermutung in Anspruch genommene Kopf sicher der neuerdings als greiser *Sophokles* bestimmte
orsinisch-farnesische, der seit der Überführung nach Neapel auf glattem neuen
Hermenschafte steht [Taf. 37][48].

Noch etwas ärger sprang der große Ennio Quirino mit den kleinen Schildbüstchen
des *Sophokles* und *Menander* um. Da sie, wie berichtet (S. 191), sich noch 1775 in der

Farnesina befanden, kann sich ihrer der 1751 geborene, frühreife Gelehrte sehr wohl aus eigener Anschauung erinnert haben. Aber die angeblich neuen und genauern Zeichnungen dieser Stücke für seine Ikonographie sind nichts als üble Verfälschungen der Stiche Th. Galles. In den des *Sophokles*, der bei Galle deutlich die Züge des neuerdings festgestellten Greisenbildnisses trägt[49], ließ Visconti die des vatikanischen Inschriftbüstchens von dem verjüngten Typus der Lateranstatue hineinzeichnen. Und den Galleschen Stich des *Menander*clipeus[50] mußte sein Zeichner an Kinn, Mund, Nase und Brauen so weit ändern, daß er genügend dem Kopfe der vatikanischen Sitzfigur glich, in der Visconti den berühmtesten Komödiendichter vermutete, weil ihr Gegenstück als der viel weniger bekannte *Poseidippos* inschriftlich bezeichnet ist. Solch ein heilloser Schwindel vermochte die Wissenschaft zwei bis drei Menschenalter hindurch so gründlich irrezuführen, daß die echte alte Überlieferung, obgleich sie in jeder größeren Bücherei zugänglich war, ganz vergessen wurde.

IV. Die Schildbüste Menanders zu Marbury Hall

Geringen Einfluß gewann zunächst auch ein zweiter Inschriftclipeus, der fast lebensgroße Menander zu Marbury Hall in Cheshire, den schon 1853 George Scharf, aber in ganz ungenügender Zeichnung und an entlegener Stelle herausgab[51]. Verwendbar wurde er erst neuerdings, als mir Cecil Smith mit bekannter Hilfsbereitschaft eine Photographie[52] und, was bei der schlechten Beleuchtung des Marmors noch wertvoller ist, einen Abguß besorgte (Taf. 90, 3; 91, 1; 93, 2)[53]. Der Name steht auf der Unterseite des schwachen Rahmens, etwas nach rechts verschoben, leicht eingegraben und jetzt ziemlich verscheuert; die Echtheit scheint mir, nach Abguß und Abklatsch, außer Frage, wie sie denn auch niemals ernstlich bestritten wurde. Noch sicherer als die Schriftformen weist die Arbeit – unter anderem der tief umrissene Augenstern und die Pupillenmulde mit den zwei sich berührenden Bohrlöchern oben – frühestens auf antoninische Zeit hin. Eine offene Buchrolle im Felde ist das Attribut des Schriftstellers; entsprechende Abzeichen sind in anderen Rundbildern auch von Göttern und Heroen angebracht.
Mit den vorhin vergleichend beurteilten Abbildungen des verlorenen Schildbüstchens Taf. 90, 1–2; 94, 2, unter denen sich die letzte, die Handzeichnung Galles im Capponianus, als die verhältnismäßig beste erwies, stimmt dieses Bildnis, wie in dem vollbekleideten Bruststück, auch in den Kopf-, Gesichts- und Halsformen hinreichend überein. Wir sehen dasselbe schlanke, hagere Oval, nur die Nase (deren Spitze ergänzt ist) in normalerem Maß, als das von dem Flamen, wie wir sahen gewohnheitsmäßig, übertriebene, von Orsinis früherem Zeichner herabgedrückte. Viel deutlicher als bei Galle, im wesentlichen so wie in dem Stich von 1570 und bei Ligorio (Taf. 92, 1. 3) schwingt sich das Stirnhaar zur Seite. Doch ist es weit höher

hinaufgerückt, wohl etwas mehr, als dem Bildhauer hinterdrein lieb war, da er die 'Geheimratswinkel' mit feiner Strichelung unorganisch ausfüllte. Die soviel höhere Stirn hat die zwei Querfalten in geraderer Form, weil sie hier nicht oder kaum die zwei zur Nasenwurzel niedersteigenden Falten herabziehen. Dadurch und vermöge der entsprechend höher gewölbten Brauen (mit kräftiger Andeutung des Haars) erscheint der Ausdruck etwas aufgehellt. In gleichem Sinne wirkt der geöffnete Mund. Das Kinn hat bei Galle und in Ligoris Profil eine vollere, hier eine kantigere Form. Sonst jedoch sind diese Züge 'schöner', aber auch leerer, charakterloser; es liegt über ihnen ein Hauch von Langerweile, den wir unmöglich dem beiden Schilden zugrundeliegenden Originalbildnis des geistvollen Dichters, nur der glatten, oberflächlichen Mache des späten Kunsthandwerks Schuld geben können.

Dieses Urteil bestätigt, vielleicht über Erwarten, die ähnlichste, wenn auch nicht aus derselben Werkstatt herrührende Schildbüste eines berühmten Griechen, die wir mit guten, anderweitig gesicherten Bildnissen desselben Mannes vergleichen können: der wiederum fast lebensgroße *Demosthenes* im Casino Doria-Pamphilj [54], der hier (in seinem bronzefarbigen Holzrahmen) mit dem Kopf der vatikanischen Statue [55] zusammengestellt erscheint (Taf. 108. 111). Stände nicht auf dem Täfelchen im Felde rechts, sicher von antiker Hand, in vier Zeilen zerlegt der leicht verschriebene Name Αη|μο|σϑε|νης, man könnte lange streiten, ob in dem Medaillon der Redner gemeint sein kann. Die Nase freilich ist fast ganz neu. Doch auch das Alte stimmt nur im allgemeinsten. Der Bart ist, besonders störend auf der Oberlippe, gekürzt und fast nur durch Aufrauhung der Fläche angedeutet. Das Haar, in den guten Köpfen kurzlockig, ist hier in schlichten, geraden Wischen in die Stirn gestrichen. Sie selbst wirkt dennoch wieder zu hoch und ist in der Seitenansicht kindlich vorgewölbt. Aus ihrem ursprünglichen, ausdrucksvoll krausen Faltenspiel hat der Pfuscher zwei schlichte Querfalten und zwei lange, senkrechte über der Nasenwurzel gemacht. In schreiendem Widerspruche mit den letzteren hat er die Brauen schräg emporgehoben, während sie der Meister dieses Charakterbildnisses tief herabzog, um unter ihnen den Blick hervorstechen zu lassen. Durch diese und andere gedankenlos willkürliche Änderungen ist aus den finster entschlossenen Zügen des leidenschaftlichen Volksführers und einstigen Stotterers etwas wie die Jammermiene eines blöden, gedrückten Bettlers geworden.

Nach diesem nächsten Vergleichsstück besitzen wir in dem *Menander Marbury* nur eine durch viele Zwischenhände arg entstellte Wiedergabe des Urbilds. Sein für uns leider grundlegendes Zeugnis ist also nicht zuverlässig genug, um auf die alten Zeichnungen nach dem verschollenen *Menander Orsini* verzichten zu können. Letzterer muß vielmehr nach diesen Abbildungen, obgleich nur etwa ein Drittel lebensgroß, doch weit mehr von einem frühhellenistischen Charakterporträt bewahrt haben. Auch sonst gehören solche Miniaturkopien nicht zu den allergeringsten [56], so wenig sie in der Regel gute Wiederholungen im ursprünglichen Maße ersetzen können. Die mit vieler Mühe gewonnene urkundliche Grundlage dieser Untersuchung bleibt also bedauerlich schmal. Auf ihr trotzdem einen, wie ich hoffe, festen Bau zu errichten, ermöglicht aber ein Hilfsgerüst von anderweitigen Anzeichen, das bessere Köpfe des großen Dichters zu vermuten gestattet, ja nötigt.

V. Die Zahl und die älteren Deutungen der mutmaßlichen Menanderköpfe

Zunächst handelt es sich, entsprechend dem Ruhme Menanders und der selten großen Zahl erhaltener Unterschriften seiner Bildnisse (S. 187), um einen der im spätern Altertum am häufigsten wiederholten Porträtköpfe. Schon Bernoulli (1901) zählte 19 sichere und sicher antike Kopien auf[57]. Ihnen vermag ich heute allermindestens 13 weitere hinzuzufügen. Die neue Deutung auf einen hochberühmten Griechen hat eben im Kreise der Forscher und Liebhaber die Umschau erweitert und verschärft. Allein durch meinen Freund Edward P. Warren in Lewes (Sussex) kamen seit den neunziger Jahren drei gute Exemplare in das von ihm mitbegründete Museum seiner Vaterstadt Boston [Taf. 93, 1. 3; 94, 1; 98, 1–2; 101, 2; 103, 1; 104][58], drei weitere Kopien als großmütiges Geschenk in meine Hände, wovon ich die beste (in einer schwachen Stunde) dem Albertinum in Dresden[59], die beiden anderen dem Leipziger Archäologischen Institut übergab (das kleine hier Taf. 94, 3). Die Gesamtzahl von mindestens 32 sichern Nachbildungen, die weiteres Suchen, besonders in entlegenen Sammlungen, gewiß noch erhöhen wird, kommt schon den Ziffern nahe, mit denen in Bernoullis ›Griechischer Ikonographie‹ nur Träger bis tief in die Kaiserzeit hinab in aller Munde fortlebenden Ruhmes: *Euripides, Sokrates, Demosthenes* vertreten sind.

Aus dieser Menge kann hier natürlich nur eine Auswahl zur Sprache kommen und auch davon nur das Wichtigste im Bilde vorgeführt werden, weil die Zeit überall die größte Sparsamkeit gebietet. Die ausgewählten Stücke werden nach Möglichkeit in der Folge besprochen, daß sie uns stufenweise dem Urbild und dadurch auch der Bedeutung des Dargestellten näherbringen.

Die älteste Deutung ist die auf *Pompeius*. Sie gründete sich angeblich auf das über 3 m hohe Standbild im Palaste Spada[60], das, weil etliche 300 m vom Pompeustheater gefunden, als dasjenige begrüßt wurde, das Augustus dort aufstellen ließ, nachdem zu seinen Füßen in der Kurie Cäsar ermordet worden war. Flaminio Vacca beschreibt in seiner 57. Memoria den bald nach 1550 geschehenen Fund so, wie wenn die Statue mit ungebrochenem Hals ausgegraben worden wäre. Allein der Kopf [Taf. 103, 3], den sie bereits in den ältesten Abbildungen trägt, gehört ihr bekanntlich nicht, schon weil ihm der Kranz fehlt, dessen Bandenden auf den Schultern haften. Auf der Leiter hinaufgestiegen fand ich vor vielen Jahren, daß der Halsteil des Kopfes mit geradem Schnitt auf dem ziemlich ebenen Halsbruch der Figur sitzt und daß der ganze Kopf eine völlig unberührte, moderne Arbeit ist, obgleich ihm einmal braune Augensterne angemalt worden sind. Zu meiner Freude erklärte mir bald darauf Furtwängler, dasselbe bemerkt zu haben, und ist unlängst Amelung zum gleichen Ergebnis gelangt [61]. Auch sonst gibt es nicht wenige neue Kopien dieses Typus, von denen wohl einzelne, wie die überlebensgroße in der Rotunde der Villa Doria-Pamphilj [62], aber keineswegs alle den Kopf der Spadastatue zum Vorbilde haben, so z. B. nicht die lebensgroße Wiederholung in der Loggia scoperta des Vatikanischen Museums [63]. Der Mann galt eben für den großen Pompeius, von dem schon vor Auffindung jenes Standbildes Ulisse Aldrovandi in seinem 1550 abgefaßten Führer durch Roms Antiken drei Marmorköpfe anzuführen wußte [64]. Das alte Vorbild des Ergänzers der Spadastatue weiß ich noch nicht ganz sicher anzugeben. In den römischen Museen steht ihm am nächsten der eine *Kopf in Sammlung Ludovisi* [65] (Taf. 92,2), in neuerer Zeit irrig Nerva benannt und auf den ersten Blick wohl gut 'römisch' wirkend, wozu freilich die ergänzte Hakennase beitragen dürfte.

Wie die frühen Bildnistäufer darauf verfallen konnten, in diesem Typus den *Pompeius* der Münzen, den schon ein Münchener Marmorrelief der Frührenaissance nicht übel vergrößert zeigt [66], wiederzufinden, das ist vielleicht zuviel gefragt. Doch wird es begreiflicher angesichts der andern *Replik Ludovisi* [67] (Taf. 103,2), die auf neuer Panzerbüste steht und einmal Augustus hieß. Mehr noch als die kleinen Ergänzungen und die Glättung der Haut läßt hier die ursprüngliche, gröbere Arbeit die Gesichtsformen voller, die Stirntolle massiger erscheinen. Für unsere Ansprüche freilich ist auch von hier noch ein unmöglicher Sprung zu dem behaglich rundlichen, geschäftig wichtigen *Pompeius* mit seiner notdürftig angedeuteten Alexandermähne, den nach guten Münzbildern Helbig in dem schönen Kopfe Jacobsens erkannt hat [68].

Erträglicher war der Vergleich mit dem Münzporträt *Sullas*, den noch 1882 Bernoulli in seiner ›Römischen Ikonographie‹ für das bessere von den zwei Exemplaren im Museo Chiaramonti vorschlug [69]. Aber gerade diese nicht übel gearbeitete Büste mit dem knappen Brustabschnitt der ersten Kaiserzeit, die auch ihre zahlreichen Ergänzungen nur wenig entstellen, läßt in ihren schauend aufblickenden Augen und ihren geöffneten Lippen einen Charakter vermuten, der kaum auf starkes Wollen und Handeln gerichtet war.

VI. Die für einen griechischen Dichter beweisenden Wiederholungen

Auf das Wahre hätte längst die Doppelherme in Villa Albani [70] führen müssen, wenn ihr bartloser Kopf trotz seiner unglücklichen Haltung sogleich als eine Replik unseres Typus, in jener nüchtern 'römischen' Auffassung, erkannt worden wäre. Denn sein kurzbärtiger Genosse ist der *Pseudo-Seneca*. Wer an dieser sehr alten Taufe festhielt, wie noch Visconti, der erkannte in unserem Bartlosen irgendeinen hellenistischen Stoiker, trotzdem sich, meines Wissens, kein griechischer Philosoph jemals rasiert hat. Damit war es vorbei, als 1813 die kleine, später für Berlin erworbene Doppelherme zutage kam, die mit *Sokrates* verbunden den inschriftlich bezeichneten *Seneca* natürlich bartlos gibt, wie man ihn übrigens, nach dem Zeugnis einer Schaumünze des Britischen Museums, schon einmal im 17. Jh., ich weiß nicht woher, gekannt hatte. Dann aber kam (1872) ein solcher Pseudo-Seneca ins Palatinmuseum, dessen Efeukranz, *doctarum hederae praemia frontium*, den seltsamen Alten als Dichter erwies, nach dem Brauche der Kaiserzeit als Dichter im allgemeinen[71], nicht notwendig als dionysischen, und zwar als sehr berühmten. Denn die Zahl der Wiederholungen ist vielleicht die allergrößte, wozu ja freilich auch die packende Lebenswahrheit dieses Greisenbildnisses mitgewirkt haben kann. Von einer sicheren Bestimmung sind wir noch weit entfernt; nur so viel scheint mir klar, daß es ein Dichter aus der Zeit des Künstlers, d. h. aus dem 3. Jh., wahrscheinlich aus dessen erster Hälfte war.

Unser mit diesem kurzbärtigen, hellenistischen Dichter gepaarter Bartloser galt zunächst als Römer. Aber dieser Gedanke ist von vornherein wenig wahrscheinlich, besonders für ein so oft wiederholtes Bildnis. Ist doch bisher nicht einer von den berühmten römischen Dichtern in Marmor nachgewiesen oder in einem öfter kopierten Kopfe auch nur zu vermuten[72]. Und von den benennbaren Doppelhermen verbindet nur eine einen Griechen und Römer: die eben erwähnte des *Sokrates* und *Seneca*. Sonst besitzen wir so gekuppelt an gesicherten Bildnissen nur *Sophokles* und *Euripides* [Taf. 39], *Herodot* und *Thukydides* [Taf. 41], *Epikur* und *Metrodor*[73]. Anderweitig gepaart begegneten uns auf diesem Wege schon *Sophokles* und *Menander* in den Schildbüstchen Ursins (S. 191 [Taf. 40. 90]) und die kopflosen Hermenschäfte des *Homer* und *Menander* mit je drei Epigrammen (S. 189 Abb. 10). Also lauter Paare naher griechischer Berufsgenossen. Doch ist auch auf diesen Grundsatz kein unbedingter Verlaß. Wenn die kopflose Doppelherme in Neapel[74] den *Solon* ausdrücklich als σοφός mit *Euripides* als ποιητής vereinigt, so wird der Gedanke an die Elegien des Gesetzgebers geradezu abgelehnt und bleibt ein anderes Band zu suchen; vielleicht kommt der gemeinsame Geburtsort Salamis in Betracht. Als Landsleute und Verwandte waren so, laut einleuchtender Deutung eines rhodischen Epigramms[75], *Herodot* und sein Oheim, der Epiker *Panyassis*, zusammen dargestellt.

Nach letzteren beiden Fällen könnte man zweifeln, ob der albanische Genosse des falschen Seneca überhaupt ein Dichter sein müsse. Zum Glück aber tritt in die Bresche die sichere, wenn auch mäßig erhaltene und ausgeführte Wiederholung unseres Mannes im Universitätsmuseum zu Oxford, die selbst den Efeukranz trägt[76], wie die Menanderbüsten der Theatermarke und des Mosaiks (Anm. 24 bis 25). Wer weiß, ob dieser Kopf nicht mit seinem antiken Hals auf den Turiner Hermenschaft paßt, dessen zweiter Vierzeiler das über ihm stehende Dichterhaupt ...

M]ένανδρον ἀεὶ κρᾶτα πυκαζόμενον [. . . den Menander, der sich immer das Haupt umhüllt] nennt (S. 189f. Abb. 10–11).

Den so erst recht festgestellten Dichter sichert über die schon zu der Doppelherme betonte Wahrscheinlichkeit hinaus auch als Hellenen das Vorkommen des Bildnisses in mehreren Griechenstädten. Eine Herme mit erbärmlich zerstörtem Gesicht, aber dennoch an Haar und Hals und sonst als Replik unverkennbar, hat mir weiland Th. Schreiber im Museum zu Alexandria nachgewiesen und aufnehmen lassen. Aus Athen kam eine Hermenbüste nach Venedig, wie der treffliche Paciaudi durch die Unterschrift des Taf. 95,1 wiederholten Stiches seiner Marmora Peloponnesiaca bezeugt, auf den mich Amelung aufmerksam machte. Ich konnte noch nicht feststellen, ob es dasselbe Exemplar ist, das mir L. Curtius im Seminario Patriarcale bei S. Maria della Salute nachwies [Taf. 95,2; 97.101,1]. Ein unterlebensgroßes Exemplar hat dann unlängst Hekler im Magazin des Athener Nationalmuseums bemerkt, dessen Fundort zwar unbekannt, aber sicher nicht außerhalb Griechenlands zu suchen ist[77]. Durch Arndt veröffentlicht ist längst, wenn auch nur in ungünstig beleuchteten Aufnahmen, die Replik aus und in Korfu[78]. Mir öffnete dieser treffliche Kopf schon 1886 die Augen für die edle griechische Rasse und bewegte Seele des vermeintlichen Römers.

Fast allgemein dieselbe Wirkung hatte dann die seit Bernoulli öfter gut abgebildete Herme in Boston[79] (Taf. 93,3; 101,2; 103,1; 104,2). Sie ist von trefflicher Arbeit, bis auf die abgesprengte Nasenspitze und eine Verwitterung der rechten Backe wie Halsseite tadellos erhalten. Aber der Vergleich mit den übrigen, mir zumeist gut bekannten Wiederholungen, deren sieben lebensgroße die Leipziger Sammlung nebeneinanderzustellen erlaubt, zeigt meines Erachtens, daß die Bostoner Herme für diese Bildnisform Einzelheiten leicht abgeändert hat, also nicht, wie angenommen wird, dem Original schlechthin am nächsten bleibt.

Diesen Rang bestreitet ihr, mit dem nächststehenden Kopf von Korfu, der der Glyptothek in Kopenhagen[80], der dort immer für einen Griechen gegolten hat (Taf. 96). Zwar verrät er in der am bequemsten vergleichbaren Haarziselierung, besonders im Nacken, an einigen Stellen etwas weniger Sorgfalt und mag auch einzelne Gesichtszüge leicht entstellt haben. Allein er bewahrt am meisten von der Bewegung, der äußeren und inneren, des statuarischen Urbildes, wie er denn auch, nach der hier noch entschiedener als an der erwähnten Büste Chiaramonti erhaltenen Hebung und Wendung und dem starken Gewandrest im Nacken links eher von einer Statue als von einem Brustbild abgebrochen sein mag. Wegen dieser Vorzüge wurde eben erst, trotz den erschwerenden Zeitläuften, an einem Abguß dieses Stückes im Leipziger Archäologischen Institute durch Konservator Hackebeil, in den seltenen freien Stunden, die ihm der Heeresdienst gewährte, unter freundlicher Beihilfe des Bildhauers Prof. Adolf Lehnert, und, für die Metalltönung, der Werkstatt im Dresdener Albertinum, der Versuch gewagt, die Erscheinung der ursprünglichen εἰκὸν χαλκῆ wiederherzustellen[81] (Taf. 102,3, nach Aufnahme von stud. phil. E. Langlotz). Die am Marmor in Gips frei ergänzte Nase wurde auf Grund der Herme in Boston, da sie dort aber etwas gar zu fein erscheint, auch unter Berücksichtigung der zwei anderen, hierin am besten erhaltenen Repliken desselben Museums (Taf. 93, 1; 98 [jetzt Dumbarton Oaks]; 94, 1 [jetzt Philadelphia]) neu gestaltet, ebenso die bestoßenen Ohren und sonstigen Absplitterungen vervollständigt. Die helle Erzfarbe mit ihren Glanzlichtern und die Nachbildung bunt eingelegter Augen mit Wimpern sowie kupferbelegter Lippen scheint mir, so unvollkommen uns das vorerst auch geraten sein mag, die Wirkungskraft des Kopfes in sachgemäßer Weise zu steigern. Das Erscheinen der oberen Zahnreihe ist bei der Haltung der Lippen kaum vermeidlich und durch die gute Wiederholung in Dresden bezeugt (Anm. 59). Hier wollen wir, ohne die übrigen Kopien zu vergessen, etwas verweilen und das Bildnis genauer zu erfassen versuchen.

VII. Beschreibung des Bildnisses

Wahrlich, ein bezauberndes Menschenantlitz, voll von Leben, Geist, Eigenart, und doch von vornehmster, adliger Schönheit. Für beides ist schon die Nase bezeichnend: im Profil leise, aber charakteristisch gebogen, zeigt sie von vorn den bewegten Doppelschwung des Rückenumrisses und die rassig atmenden Flügel. Daß der Mann sich seiner Schönheit bewußt war, verrät die sichere Kunst, womit er seine länglichen, weichen, lockeren Haare, *flexas pectine comas* [82], in diese nachlässig elegante Ordnung gebracht hat: von dem vertieften Wirbel aus nach vorne gestrichen und beiderseits vor den Schläfen hinab wie über der Stirn seitwärts nach seiner Rechten geschwungen. Aber er ist nicht mehr jung, nach dem Durchschnitt vieler eingeholter Schätzungen eher fünfzig als vierzig. Darauf führen die Zeichen eines durch die Jahre nicht nur, auch durch Leben und Leiden angebahnten Formenverfalls. An dem rechten zusammengedrückten Kopfnicker schiebt sich die Haut in starke Querfalten. Der Kehlkopf drängt sich durch die dünne Haut so stark vor, daß sogar seine lotrechte Spalte deutlich ist. Die Schläfen sind etwas eingesunken. Über den breiten, gehobenen Oberlidern schneidet eine tiefe Rille, am äußeren Augenwinkel ein kräftiger 'Hahnentritt' oder 'Krähenfuß' ein. Hart treten die Jochbogen heraus, besonders der der rechten, kürzeren und schwächeren Backe.
Dies ist der augenfälligste Zug jener Ungleichheit der Gesichtshälften, die, auch im Leben ganz gewöhnlich, mit der die 'Symmetrie' lockernden 'Eurhythmie' der entwickelten griechischen Plastik oft ähnlich gestaltet wird wie hier [83]. Die Mittelachse des Gesichts biegt sich nämlich in derselben Richtung zusammen, wohin es geneigt ist, so daß ebendahin alle Querlinien leise zusammenstreben. Diese verkürzte Seite pflegt in der Hauptansicht vom Beschauer abgewandt zu sein, und so drehen unseren Kopf die Wiederholungen mit erhaltenem Bruststück, die vatikanische Büste (S. 198 [gemeint offenbar Richter II 229 Nr. 1 Abb. 1533–1535]) und die Herme in

Boston (Taf. 103, 1). Dadurch wird die tiefere Höhlung der rechten Wange noch augenfälliger. Aber den Vordergrund beherrscht die fast noch jugendfrische linke Backe. Ihrer würdig ist das Kinn, eher breit und kräftig vorgewölbt, mitunter, wie in Kopenhagen, vorn etwas abgeplattet, an der Bostoner Herme und an anderen Exemplaren [84] unten durch ein Grübchen leise geteilt, was doch wohl keine Kopistenzutat sein wird. Auch der schöngeschwungene Mund, besonders die Unterlippe, gleicht fast dem eines jungen Gottes, etwa des Apoll im Belvedere.

Letzterer Vergleich führt auf das lebensvolle Mienenspiel. Die niedergezogenen Mundwinkel und die dadurch verschärften Falten, die von den atmenden Nasenflügeln tief herabgehen, ergeben einen leisen Zug von Verachtung, am entschiedensten an den Exemplaren in Kopenhagen und Korfu, deren Oberlippe dünner ist als an der Bostoner Herme. Die auch an ihr und sonst, besonders wirksam an den eben erwähnten zwei Repliken, bewahrte Öffnung der Mundspalte, in der das Dresdener Exemplar (Anm. 59) die Zähne andeutet, nimmt aber diesem verächtlichen Ausdruck etwas von der Strenge, die ihm die geschlossenen Lippen freierer Kopien geben [85]. Das erlaubt etwa an ein befreiendes Wort zu denken. Doch ist eine geringe Öffnung des Mundes auch dem Lauschenden eigen. So oder so aufgefaßt vereinigt sich dieser Zug gut mit dem zweiten Hauptausdruck, dem des aufmerksamsten Beobachtens. An der Herme zu Boston und anderen Kopien etwas gedämpft, zeigt er sich wieder aufs deutlichste in Kopenhagen und Korfu, an den in mäßige Entfernung etwas abwärtsgerichteten Augäpfeln unter den emporgewölbten Lidern und Brauen. Die beschriebenen Spuren des Verfalls um das Auge geben auch diesem Blick einen leisen Ton des Leidens, und die Stirn wirkt ähnlich. Ihre durch das offene Schauen hervorgebrachten zwei waagerechten Falten werden in der Mitte ein wenig niedergezogen durch die zwei schärferen, von der Nasenwurzel aufsteigenden: das Zeichen ernsten, gespannten, fast unmutigen Sinnens.

Das alles kommt am besten zur Geltung, wenn wir den Mann auf hohem Sockel im Sitzen vorgeneigt, den Kopf erhebend und etwas zur Seite wendend ergänzen.

Dies höchst verbreitete griechische Dichterbildnis zeigt uns also in seinen besten erhaltenen Wiederholungen einen Mann von vornehmer Schönheit, der, schon an die Fünfzig alt und von Leiden nicht verschont, immer noch von stolzer Höhe herab, aber doch mit erregter Teilnahme der Menschen Treiben aufmerksam betrachtet und zugleich scharf bedenkt, deshalb wohl auch ein wenig verachtet, geneigt, das so Ergriffene in Worte zu fassen. Durch den Ernst dieses Angesichts einen Lustspieldichter ausgeschlossen zu glauben, könnte nur die Unkenntnis der alten Bildniskunst und sogar unserer Wirklichkeit verlocken.

VIII. Stilistische Zeitbestimmung des Kopfes

Ehe wir dieses Meisterwerk mit den dürftigen beglaubigten Menanderbildnissen vergleichen, fragen wir erst, wieweit sich seine Zeit anderweitig bestimmen läßt. Daß der Mann seinen Bart abnahm, weist ihn in die Zeit nach Alexander. Der älteste genau bekannte Vertreter dieser Mode ist, von den Diadochen [Taf. 84–89] abgesehn, nach dem Zeugnis der vatikanischen Statue der Komödiendichter *Poseidippos*, der nach dem Tode Menanders, zuerst 287 v. Chr., auftrat [86]. Doch könnte unser eleganter Weltmann dem Anfang der Sitte näher stehen; freilich auch weit ferner. Ersteres empfiehlt aber der Stil des Kopfes.

All die Wirklichkeit persönlichen Daseins, die dem Bildnis abzusehen soeben versucht worden ist, wußte der Meister auf echt griechische, 'klassische' Weise in den festen Rahmen eines Idealtypus einzufügen. Für meine Meinung [87], wo sich dieser Typus an zeitlich Bestimmtes anschließen läßt, berufe ich mich gern auf einen der bedeutendsten Erforscher antiker und neuerer Kunst unter den Toten. Julius Lange schrieb mir schon 1895 anläßlich seiner Auskunft über den Erhaltungszustand der schönen Replik bei Jacobsen: „Ich bin darauf gespannt, was Sie aus dem Kopfe machen wollen. Selbst bin ich nicht weiter gekommen, als einen entschieden lysippischen Charakter in demselben zu erkennen, eine künstlerische Familienähnlichkeit mit dem Apoxyomenos und der Alexanderherme des Louvre."

Am vatikanischen *Apoxyomenos* [88] (Taf. 68,1) – den selbst die Gegner seiner Zurückführung gerade auf Lysipps gleichartiges Werk von diesem nicht weit hinabrükken können – sind in der Tat, trotz größter Verschiedenheit in Wesen und Stimmung, alle Grundverhältnisse des Aufbaues, die gegen frühere Ideale (Skopas und Praxiteles mitgerechnet) nüchternere Formenbehandlung sowie die entsprechende, nicht pathetische, sondern eher 'nervöse' Lebendigkeit sehr gleichartig. Auch der Kopf des *Agias* in Delphi [89] (Taf. 67,1) scheint mir, seine Eigenart als gleichzeitige flotte Marmorvariante einer lysippischen Bronzeschöpfung richtig in Anschlag gebracht, trotz seinem schlankeren Bau dem Apoxyomenos und unserem Kopfe verwandt, letzterem namentlich in den Ausdruckswerten des umwölkten – beileibe nicht skopadischen – Blicks und des leise geöffneten Mundes. Beides sogar über den Dichter hinaus, aber in ähnlichem Sinne gesteigert, zeigt der Kopf des wieder nur in späteren Kopien nach Erz auf uns gekommenen *Sandalenlösers* (auf Taf. 68,2 die Fagansche in London), der auch nach dieser fast angriffslustigen Erregung eher einen sich zum Wettkampfe bereitenden Athleten, als den einem Befehle lauschenden Götterboten darstellt [90].

Wie derselbe Jüngling im Knabenalter erscheint mir der bogenspannende *Eros* (Taf. 69), den Amelung kühn, aber treffend als nahen Verwandten auch unseres Menander in Anspruch nimmt [91]. Nur schießt er übers Ziel hinaus, wenn er deshalb den Eros dem Lysipp, für dessen Urherrschaft hier alles spricht, wegnimmt und den Meistern der Dichterstatue gibt, die doch von ihrem Vater Praxiteles keinen Bildnis-stil erben konnten und deshalb auf diesem ihren Hauptgebiete in das Fahrwasser des ihre Zeit beherrschenden Genius geraten mußten, da sie selbst keine führenden Meister gewesen sein dürften[92]. Allein dies setzt schon das Ergebnis voraus, dem wir erst zustreben. Die Übereinstimmung des Eroskopfes mit dem Dichterporträt (s. besonders Taf. 93,3) liegt namentlich in der Art, wie das längliche, weiche Haar, bei dem Knaben etwas mehr geringelt, den hohen Schädel bis in den Nacken locker und doch knapp umkleidet. Diese Verwandtschaft dürfte noch klarer hervortreten, wenn die Eroskopien die Haarziselierung des Bronzeurbildes so genau wiedergäben wie die besten Exemplare unseres Kopfes. Ähnliches ist von dem kürzeren Haar des *Apoxyomenos* und dem weit längeren des *Alexander Azarà* [Taf. 65] zu sagen, dessen Londoner Replik in diesem Punkte noch weniger bietet (Anm. 6). Am nächsten steht hier wohl der alte *Silen* mit dem Dionysoskinde[93], dessen von Lysipp abhängige Komposition nicht hindern kann, ihn auch künstlergeschichtlich an die Reihe Eirene–Hermes anzuschließen. Unter allen Bildnissen aber scheint mir keines gleichartiger – namentlich in der Verschmelzung idealer Züge mit persönlichen und augenblicklichen – wie der lysippische *Seleukos* aus Erz in Neapel [Taf. 84–85][94]. Von den beschriebenen Altersspuren unseres Mannes kehren die Querfalten des rechten Kopfnickers an derselben Stelle des polyeuktischen *Demosthenes* von 280 v. Chr. wieder (Taf. 110–112).

Da aber solche zum Teil über große gegenständliche Unterschiede hinweg angestellte Stilvergleichung nicht jeden zu überzeugen pflegt, ist es günstig, daß sich auf einem dem Stil verwandten, aber leichter faßbaren Gebiete dasselbe ergibt: auf dem der Mode. Einer solchen entspricht offenbar die vorhin beschriebene, elegante Haaranordnung unseres Mannes, besonders die charakteristische, lockere Stirntolle (S. 201). Unter den verglichenen lysippischen Köpfen hat sie der das Haar auch sonst ähnlich tragende, feine Knabe Eros, nur aus kürzeren Löckchen, weil die längeren in dem Zopf zusammengeflochten sind. Von den sicher bestimmten Bildnissen aber zeigt den ersten entschiedenen Ansatz dazu, noch bei kürzer gehaltenem Stirnhaar, der *Theophrast Albani* (Taf. 123), der den Philosophen rund fünfzigjährig darstellt, also auf ein gegen 320 geschaffenes Werk zurückgeht, aus der Zeit, da er Schulhaupt des Peripatos wurde und der Jüngling Menander bei ihm gehört haben soll[95]. Viel ähnlicher, nur schlichter als unser fünfzigjähriger Menander trägt das Stirnhaar zur Seite gekämmt sein gealterter Mitephebe *Epikur*, den hier [. . .] das gute, eherne Inschriftbüstchen von Herkulaneum veranschaulicht[96] (Taf. 124). Einen Anklang daran zeigt auch das buschigere Haar des eben erwähnten *Seleukos*. Nur annähernd Gleichartiges bietet ja auch wieder das 1. Jh. v. Chr., am *Poseidonios* [Taf. 153] und *Cicero*[97]. Doch wurde damals wieder selbst diese Äußerlichkeit viel trockener gefaßt als an den zwei frühhellenistischen Bildnissen. Vollends die an unserem Dichter aufgewiesene lysippische Lebensfülle im Rahmen eines Typus scheint mir in jener späteren Griechenkunst, die von dem barocken Übermaß eines *Laokoon* zu gemessener Ruhe zurücklenkt, mindestens ganz unwahrscheinlich[98].

Noch ähnlicher als an den eben verglichenen Bildnissen finde ich die Haartracht des unseren nur an einem einzigen, soweit dessen erbärmliche, späte Arbeit diesem kunstreichen Gebilde nachzukommen vermag: an dem *Menander Marbury.*

IX. Vergleich der Köpfe
mit den beglaubigten Schildbüsten Menanders

Die inschriftlich gesicherten Schildbüsten müssen jetzt überhaupt mit den schon vorgeführten und mit weiteren Repliken unseres Dichterkopfes verglichen werden. Taf. 93 stellt den englischen Clipeus zwischen zwei Exemplare, die noch vollständiger als er (S. 195) ihre Nasen behalten haben: die schon betrachtete schöne Herme in Boston und den unlängst ebendahin verbrachten Kopf aus Corneto, der früher als Leihgabe im Museo Civico seines Fundortes stand [jetzt in Dumbarton Oaks][99]. Es ist eine saubere Arbeit, aber eine in allen Stücken ungenaue Kopie, welche selbst die Grundformen, z. B. die Nasenbreite, stark verändert, einen Teil der Altersspuren und den herben Ausdruck des Mundes weggeglättet hat, um den gefeierten Lustspieldichter 'recht freundlich' dreinsehn zu machen. Selbst von hier ist es freilich noch weit genug zu der geistlosen Leere des Medaillons und zu manchen seiner Einzelformen. Die senkrechten Stirnfalten sind fast ganz weggeglättet; der Mund noch schwungloser und zu weit offen; das Kinn, wie besonders die Seitenansicht lehrt, zugespitzt, was indes schon der Ludovisische Kopf Taf. 92, 2 vorbereitet. Das Ohr ist zu hoch geraten, ebenso die Grenze des nur im allgemeinen stimmenden Haares, besonders die Stirntolle. Daß dies jedoch den Bildhauer reute, zeigt die ungeschickte Ausfüllung der entstandenen Geheimratsecken mit antoninisch gestichelten Härchen. Und die Gesamtumrisse stimmen doch nicht übel mit denen des schlanken Hermenkopfes, bis hinab zu dem schwachen Grübchen unten im Kinn (S. 202).

Die Brücke von dem *Menander Marbury* zu anderen geringen Repliken unseres Kopfes schlägt ein inschriftloses *Schildbildnis in Smyrna* (Teilansicht auf Taf. 91, 2). Mein alter Schüler K. A. Neugebauer – dies sei ihm ein Gruß in die Gefangenschaft, in die er an der Somme tapfer kämpfend geriet – gab mir von diesem Stücke zuerst Kunde und vermittelte die gefällige Zusendung von Photographien durch den Ephoros der Evangelischen Schule Pelekidis, erheblich früher als Hekler, im gleichen Sinn wie Neugebauer brieflich, das Denkmal öffentlich anführte[100]. Trotz allen Abweichungen ist derselbe Mann wie in Marbury Hall gemeint. Es stimmt nicht allein die dürftige Mache, der schmale Rundrahmen und das bekleidete Bruststück, auch die Gesamtform des Kopfes, die zu großen Augen mit den, hier nur einfacher, gebohrten Pupillen und die allzu glatte Unterstirn. Aber der Stirnschopf sitzt wieder tiefer, an seiner ursprünglichen Stelle, das Kinn hat die kräftige Form der meisten Köpfe und der Mund ihren herben Ausdruck, nur durch Zusammenpressen der Lippen übertrieben. So nähert sich die Gesamterscheinung des Smyrnaer Reliefs noch mehr solchen verrömerten Exemplaren unseres Mannes wie dem Ludovisischen Taf. 92, 2.

All diese Vergleichungen ergeben, meine ich, für den bezeugten *Menander Marbury* so viel, daß er mit den vermuteten besseren Köpfen des Dichters und nur mit diesem unter allen erhaltenen Bildnissen, wenigstens ebensogut zusammengeht wie der Inschriftclipeus des *Demosthenes* in Villa Pamphilj mit dem Kopfe des sicher benannten Standbildes (Taf. 108. 111).

Doch wir dürfen deshalb nicht die Mühe scheuen, nochmals auch das verlorene Schildbüstchen Orsinis heranzuziehen, natürlich in der treuesten Wiedergabe, die uns davon geblieben ist, der Zeichnung von Theodor Galle im Capponianus (S. 192). Sie ist auf Taf. 94, 2 zusammengestellt einerseits mit dem etwa ebenso kleinen Marmorköpfchen des Leipziger Archäologischen Instituts [101] (Nase, Kinn, Hals und Bruststück ergänzt, die einst verwitterte Oberfläche besonders an Mund und Augen derb geputzt), einem ähnlich dürftigen Auszug, wie ihn aus Bildnissen des *Sophokles* und *Euripides* die bekannten Doppelhermen geben [Taf. 39] [102]; andererseits mit dem Abguß der dritten lebensgroßen Wiederholung zu Boston [103], die gleich den zwei anderen ihre Nase fast ganz besitzt. Sie noch mehr als das Köpfchen unterscheidet sich von allen bisher herangezogenen Stücken hauptsächlich dadurch, daß sie von dem sonst so starken Oberlid nur den Saum zeigt, das übrige gleichsam unter den Augendeckel zurückschiebend, wodurch der Blick etwas Stechendes bekommt, zumal da die senkrechten Stirnfalten viel kräftiger sind, als sie in unserer Beleuchtung des Gipses wirken. Der geschlossene Mund ist hier kleiner und weniger herabgezogen als zumeist. Wäre das Kinn nicht stärker als gewöhnlich, sondern eher schwächer, wie wir es schon an dem einen Kopf Ludovisi kennen (Taf. 92, 2), dann ergäbe sich eine noch vollkommenere Übereinstimmung mit dem Clipeus Ursins, der auch den starken Kehlkopf und die hervortretenden Backenknochen hat. Denn seine übrigen Abweichungen in der Zeichnung: die zu lange Nase und das vereinfachte, eher verkürzte Stirnhaar, kennen wir schon als gewohnheitsmäßige Unarten Th. Galles (S. 193). In beiden Punkten sehr verschieden ist denn auch der, im ganzen sicher weniger treue, Stich der ›Imagines‹ von 1570 (unsere Taf. 90, 1). Er wie auch der nach Galles eben besprochener Zeichnung hergestellte Stich von 1598 (Taf. 90, 2) geben dem Kinn das kleine Grübchen in der Unterkante, das wir an der Rundbüste zu Marbury, der Bostoner Herme und anderen Repliken fanden (S. 202). Dieses Urteil bestätigen endlich die zwei Federzeichnungen im Ligorius Taurinensis (Taf. 92, 1.3), die, wie sich früher herausstellte (S. 194), auf ihre Hermenschäfte nichts als Profilskizzen des orsinischen Medaillons aufsetzen. Daß sie, namentlich die mit der von dort entlehnten bloßen Namensaufschrift, in den Hauptzügen gar nicht übel getroffen waren, ergibt der Vergleich mit den Seitenansichten des Kopfes aus Corneto und selbst der Bostoner Herme (Taf. 93). Volle Treue in den Einzelheiten der Haarbildung ist weder von dem kleinen Marmorwerk noch von der flotten Feder des Fälschers zu gewärtigen. In den Gesichtszügen aber widerstrebt der Gleichsetzung nur der gekniffene Mund, und den gibt ähnlich Galles Dreiviertelansicht (Taf. 94,2). Auch große Repliken drücken, wie erwähnt, die ursprünglich offenen Lippen mehr zusammen (Taf. 92,2; 94,1).

Somit erweist sich der Vergleich mit all den verschiedenartigen Zeugnissen über das verlorene Inschriftmedaillon F. Orsinis der gleichen Benennung unseres schönen Bildniskopfes eher noch günstiger, als der mit dem erhaltenen Menanderschild zu Marbury Hall. Da nun diese Benennung schon durch die Häufigkeit und den Stil des so oft nachgebildeten bartlosen Dichterkopfes sehr nahegelegt wird, ein anderer Anwärter für den berühmten Namen aber in dem ganzen Bestand an Bildnissen fehlt, müssen weitere Zweifel als ein von aller Wahrscheinlichkeit abirrendes Übermaß an Vorsicht gelten. Um so mehr, als noch ein anderer Weg ans gleiche Ziel führt.

X. Das lateranische Menanderrelief

Eine noch kleinere Wiedergabe unseres Bildnisses als das Leipziger Köpfchen (Taf. 94,3), nur 0,054 hoch, und trotzdem ebenso sicher, dabei von größerem Kunstwerte, trägt auf seinen Schultern der sitzende Dichter des bekannten Reliefs im Lateranmuseum [104] (Taf. 104,1; 105). Neu ist daran nur die Nase. Die Gleichheit der Person gewährleisten all die hier schon wiederholt beschriebenen Züge, namentlich die Kopfhaltung, die Stirntolle, der Hahnentritt, der harte Jochbogen über der hohlen Wange, ihre Falten und die der Stirn wie des Halses mit dem vortretenden Kehlkopf. Beträchtlich verschieden geraten ist im Relief nur das zu hohe Hinterhaupt, das zu schwache Schläfenhaar und das zu große Ohr. Auch sonst konnte die Umsetzung in so kleinen Maßstab nicht ohne Einbuße abgehen. Aber stellen wir das Köpfchen neben die oben gekennzeichnete, banalere Umarbeitung aus Corneto (Taf. 98,1), dann bleibt jenem immer noch ein Vorsprung nach dem Geiste des Urbildes hin. Eine gewisse ernste Nüchternheit gehört zum Kunstcharakter der Zeit, in der das Relief, unbeschadet der Benützung von Vorbildern doch wohl sicher ein Original, geschaffen worden ist. Das war meines Erachtens das erste halbe Jahrhundert nach Christi Geburt. Dort ist z. B. die Verwendung breiter Meißelbahnen zur Angabe der Haare üblich, wie sie hier besonders die Masken zeigen, und die Reihe kleiner Bohrlöcher oben an dem Wandschrank findet ihresgleichen im Panzerzierat desselben Zeitraums [105].

Die Deutung dieses seit Winckelmann, ja seit Bellori oft besprochenen Reliefs hat dabei merkwürdige Schwankungen erfahren, nicht selten, weil der Nachfolger von dem richtigeren Urteil der Vorgänger keine Kenntnis nahm. Auch in jüngster Zeit ist sie wieder auf Abwege geraten, am meisten in der Auffassung des Hintergrundes, die nicht ohne Belang für die der Gestalten ist.

So gut wie allgemein ist jetzt der Mann, der, den Mantel um die Beine geschlagen, bequem auf seinem Lehnstuhl sitzt, als Dichter der neuen Komödie anerkannt. Ein bekanntes Stück von ihm bedeuteten offenbar die zuerst von Garrucci in der Hauptsache[106], neuerlich von Robert bis ins einzelne richtig gedeuteten drei Masken eines Jünglings, einer Hetäre mit λαμπάδιον und eines Alten (eher als Sklaven). Die erste Maske hebt der Dichter eben von dem Tisch, wo die anderen ruhen, um sich mit ihr zu befassen. Daß er dabei sprechen, wohl Verse der Rolle hersagen wird, verrät die rednergemäße Fingerhaltung[107] der eben im Schoße etwas ausruhenden Rechten. Der Text des Stückes ist auch zur Stelle: aufgerollt auf dem Pulte (ἀναγνωστήριον, ἀναλογεῖον), das auf dünner Holzsäule hinter der Hetärenmaske aufragt; das Fußgestell war zwischen den Beinen und Querriegeln des Tisches nur gemalt, wenn nicht ganz unterdrückt. Die schräg heraustretende rechte Hälfte des Pultes selbst ist abgebrochen, der Bruch aber geebnet. Dasselbe Gerät mit der ausgespannten Buchrolle, nur auf stärkerer Säule, zeigt eine Smyrnaer Terrakotte des Archäologischen Seminars in Berlin[108] neben einem Lehrer, der einen Knaben darauf lesen läßt, und der Grabstein der zehnjährigen Avita im Britischen Museum, die sich wohl, trotz dem zu großen Abstand, aus dem aufgestellten Buch etwas in ihre Schreibtafel abschreibt[109].

Auch unser Dichter hat ein zweites Schriftstück vor sich: die schmälere Rolle, die über die Tischkante niederhängt. Zwar wurde sie neuerdings zuversichtlich als Zeugbinde erklärt[110]. Aber die geringe Breite beweist nicht ausreichend dafür und das aufgewickelt herabhängende Ende dagegen: sein Zusammenhalten[111] setzt den spröderen, federnden Stoff der Buchrolle, nicht weiches Gewebe voraus. Und was könnte mit solchem der Dichter vorhaben? Das Aufputzen der Masken ist doch nicht sein Geschäft. Dagegen ist es wohl verständlich, wenn er eine zum Gebrauch aufgewickelte Schriftrolle, die er vielleicht noch weiter zu benutzen gedenkt – Birts 'Motiv VII' –, so vor sich an den Tisch hängt, da zum Hinlegen nicht Raum genug übrig ist. Als etwas breiteres Blatt Papier gibt den Gegenstand sichtlich die Stroganoffsche Wiederholung des Reliefs[112]. Die nächstliegende Bedeutung dieser zweiten Rolle neben der größeren auf dem Pulte, dem mutmaßlichen Texte der Komödie, scheint mir die einer 'Rolle' in unserem Sinn, das heißt des für den einzelnen Schauspieler bestimmten, also zu seiner Maske gehörigen Auszugs aus dem Drama.

Rechts oben erscheint ein Wandschrank. Er gilt zwar den neuesten Erklärern, wie schon dem alten Gronov[113], wieder als Tür oder gar 'Torbau'. Doch dafür wäre die Öffnung zu schmal, das geriefte Schirmdach zu zierlich. Vor allem aber reicht der Bau nicht tiefer als bis an den Ellbogen der Frau hinab, während doch darunter in dem freien Grunde die Fortsetzung des Flügels und des vertieften Wandstreifens gut möglich, also nötig wäre. Daß Türen im Relief nicht so in der Luft schweben, zeigen Denkmäler verschiedener Zeiten[114]. Der unglückliche Gedanke folgte aus der von außen herangebrachten Meinung Pfuhls, die durchlaufende Wand sei nicht die eines Gemaches, sondern eines 'Peribolos'[115]. Dafür angeführt wird aber nichts weiter, als daß auf der Umfassungsmauer eines ganz anders deutlichen Heiligtums solcher Art, an dem in einem Relief zu München der Bauer seine Kuh vorübertreibt [116], zwei Rundscheiben (Tympana?) stehen, wie auf unserem Wandabschluß, wo jedoch das Rund gleich neben dem Wandschrank einem neuen Flicken angehört. Allein warum sollte nicht auch ein Teller (orbis), mit den anderen Gefäßen, auf dem Wandsims eines Gemaches stehen? Sieveking glaubte allerdings einen weiteren, entscheidenden Grund für die Annahme zu finden, der feine Bildhauer habe den Dichter mit all seinem Hausrat vor ein ländliches Heiligtum versetzt: die Reliefplinthe, die trotz ihrer Schmalheit rechts an schieferigen Fels erinnert. Aber davon entfällt ein guter Teil, wenn man unter den Füßen der Frau eine Art unregelmäßigen Schemel erkennt [117]. Auch hätte der Künstler, bei entschieden landschaftlicher Absicht, der Plinthe mehr Ausdehnung gegeben, etwa wie es in dem Dresdener Schauspielerrelief geschehen ist [118]. Endlich läßt sich felsiger Grund zur Not in oder vor einem attischen Hause denken.

Wie dem auch sein mag: der Wandschrank scheint mir klar und sicher. Denn ein Fenster hätte an der Innenseite kaum solch eine Verdachung und wäre zudem ohne Bedeutung für den Vorgang. Etwas für ihn Erforderliches muß das junge Weib aus dem Bau mit den offenen Türen entnommen haben. Er wäre, höchst passend, ein *armarium, parieti in bibliothecae speciem insertum* [119], wenn die, laut Abbildungen, Beschreibungen und Abguß, früher vorhandene rechte Hand mit einer Schriftrolle die ursprüngliche gewesen wäre [120]. Dem widerspräche ja noch keineswegs die neue Ansatzstelle im Armbruch, die auch zur Befestigung der abgebrochen mitgefundenen Hand gedient haben könnte. Aber die Hand war, nach dem Abguß, ganz anders geformt als die heute noch ungebrochene linke mit ihren erst auffallend vollen und dann spitz zulaufenden Fingern. Ferner bemerkte mir Amelung schon vor vielen Jahren das Wesentliche von dem, was dann Lohmeyer öffentlich darlegte: daß nämlich oberhalb des Handbruchs eine geglättete Ansatzstelle für einen beiderseits weit ausladenden Gegenstand zeugt. Leider reicht jedoch sie und erst recht der umgebende Raum schwerlich für die von Lohmeyer angenommene Maske, zu der das übrige, auch der Wandschrank, gut passen würde. Aus diesem ist wiederum der von Petersen vorgeschlagene Kranz nicht wohl entnommen zu denken. Erwägenswert scheint mir, ob sich nicht mit der Abarbeitung eine waagerecht gehaltene, etwas stärkere Rolle vertrüge. Diesen Gedanken durch einen Ergänzungsversuch zu erproben, war bisher leider untunlich.

Klar scheint mir auf jeden Fall, daß die liebenswürdige Helferin vor dem Wandschrank steht, um dem Dichter daraus etwas zu seiner Arbeit Gehöriges zu reichen, und daß sie es ihm, Blick in Blick, eben vorweist, wie mit der Frage: Ist es das Rechte? Das wäre denn doch ein gar zu häuslich-vertrauliches Mitwirken für eine *Muse* oder ähnliche Idealgestalt, an die hier seit Winckelmann die meisten Erklärer gedacht haben. Neuerdings konnte sich diese Ansicht auf die entsprechende Vereinigung benannter Musen mit ihren menschlichen Schülern im Mosaik des Monnus [121] und der *Skene* mit Euripides in dem etwa antoninischen Relief zu Konstantinopel berufen[122]. Aber gerade dieses nächst vergleichbare Bildwerk gibt der Bühngöttin in Schwert, fußfreiem Kleid und wohl auch Kothurnen Andeutungen von Theaterkostüm, die unserer Frauengestalt ganz fehlen. Wer in ihrem Genossen den Meister der neuen Komödie erkennt, wird sich, wie lange vor der Ermittelung seines Bildnisses O. Benndorf[123], darin bestärkt finden durch die Übereinstimmung, in der die schlicht menschliche Helferin des Reliefs mit der Überlieferung von der Geliebten Menanders steht. Denn Alkiphron hat es schwerlich erfunden, sondern aus den früh einsetzenden biographisch-anekdotenhaften Aufzeichnungen übernommen, obgleich z. T. willkürlich ausgeschmückt, wenn er *Glykera* dem zu Ptolemaios berufenen Freunde von ihrer liebevollen Teilnahme an seiner Arbeit (ἥτις αὐτῷ τὰ προσωπεῖα διασκευάζω [die ich ihm die Theatermasken vorbereite] usw.) schreiben und sachverständig erwägen läßt, welche von seinen Komödien sich am besten für den Hof in Alexandrien eignen würden[124]. Ein Durchlesen dieses hübsch erfundenen Briefwechsels hätte auch von dem Einwand abhalten können, die Frau des Reliefs sei für eine Hetäre zu würdevoll, ruhig und ehrbar[125]. Den einer so edel aufgefaßten Vertreterin dieses Berufes angemessenen Hauch von Koketterie kann man immerhin in dem Zurücklehnen des aphroditeähnlich frisierten Köpfchens und dem Einstützen der Linken spüren. Als Anklänge von Bildnisähnlichkeit könnten das schlanke Gesicht mit dem äußerst kleinen Mund auf der auffallend stämmigen Gestalt, auch die schon erwähnte volle, spitzfingerige Hand gelten.

Erst recht nahe liegt der Gedanke, der *Menander* im Relief sei der Statue im Dionysostheater nachgebildet (S. 188). Doch möchte ich dafür nicht anführen, daß die Relieffigur mit der Maske in der Linken nicht nur, samt dem Tisch, in der Stroganoffschen Replik, auch allein in dem kleinen Marmor von Aquileia zu Berlin wiederholt ist[126]. Denn zu der größern Freiheit dieser Nachbildung gehört auch ein meines Erachtens ganz verschiedener, jugendlicher Kopf von feinem, aber kaum hellenistischem, eher antoninischem Stile. Da wäre eben der Typus, wie so oft, zur Darstellung eines anderen Mannes benutzt. Für *Menander* selbst werden dann wieder die genau entsprechenden Figuren auf Gemmen (und Pasten) zu gelten haben[127], da nach bekannten Schriftstellerzeugnissen die Menschen der späteren Antike Bilder ihrer Lieblingsschriftsteller gern in dieser bequemen Form bei sich trugen. Einen Zweifel an der vollkommenen Übereinstimmung all dieser Reliefgestalten mit der Statue der Praxitelessöhne legen die zwei (oder drei) Schildbüsten *Menanders* (Taf. 90–91) und die Athener Büste bei Paciaudi (S. 200 [Taf. 95]) nahe: sie tragen insgesamt den Chiton, wie der vatikanische *Poseidippos*, und die einzige nachprüfbare Analogie, das *Demosthenes*rund Pamphilj, geht in der (abweichenden) Kleidung mit der zugrundeliegenden Statue zusammen (Taf. 108. 114–115). Möge auch die des Dichters bei erweiterter Umschau doch noch zum Vorschein kommen. Sehr wohl wäre die lebendige Aufmerksamkeit unseres Kopfes (S. 202) auf eine von der Hand emporgehaltene Maske gerichtet zu denken.

XI. Vergleich des Bildnisses
mit den Nachrichten über Menanders Persönlichkeit

Die mutmaßliche Glykera des Lateranreliefs führt uns schon zu dem letzten Teil unserer Aufgabe, das nachgewiesene Bildnis *Menanders,* am besten auf Grund unserer Tafeln 93 und 96–98, mit dem zu vergleichen, was die Schriftquellen von seiner Persönlichkeit melden (oben S. 187f.). Er lebte wenig über fünfzig Jahre, entsprechend dem Alter, das die Köpfe verraten. Einer vornehmen attischen Familie entsprossen, genoß er die beste Erziehung. Im Ephebenkorps dient er mit Epikur (mit dem unser Dichter die Stirnhaartracht teilt, S. 204 Taf. 124), den philosophischen Unterricht aber genoß er bei Theophrast (dem Vorläufer dieser Haartracht). Als echter Peripatetiker wurde er ein feiner Weltmann; auch in seinen Lustspielen war er ἥκιστα λοίδορος [am wenigsten ein Freund der Schmährede][128]. Solchem Wesen entspricht schon der Anschluß an die neue makedonische Sitte des Bartabnehmens, die unter den Berufsgenossen Menanders wohl der etwas jüngere *Poseidippos,* nicht aber jener *Pseudo-Seneca* mitmachte.

Weiteres lehrt die Karikatur, die uns von Menander die Phaedrusfabel V 1 zeichnet. Er schritt mit gesalbtem (also auch elegant frisiertem) Haar (S. 201) in schleppenden Gewändern[129] einher, auch als er sich herbeiließ, mit den anderen dem neuen Herrn Athens, Demetrios, entgegenzugehen. Phaedrus nennt den Phalereer, den aber der Dichter als Mitbürger und Schulgenossen sicher von Jugend auf kannte, während der in der Fabel vorausgesetzten Lage nur der Städtebezwinger entspricht. Dieser also fragt bei dem Herannahen des weichlichen Stutzers erst verächtlich: was für ein Kinäde getraut sich da, mir unter die Augen zu kommen? Als er aber vernimmt, dies sei der Vertreter der auch von ihm warm bewunderten Komödien, schlägt sogar sein Urteil über die Erscheinung rasch um und er spricht: man kann gar nicht schöner sein als er.

Trotz dieser Schönheit soll Menander, nach dem Suidasartikel, schieläugig, στραβὸς τὰς ὄψεις, gewesen sein. Daran wird man kaum zweifeln dürfen, weil es die eingelegten Augen des Erzbildes im Dionysostheater sehr wohl wiedergegeben haben können. Als Nachklang davon wollen mir immer wieder und, was mehr besagt, auch dem erfahrenen Bildhauer, der, wie erwähnt (S. 200), bei der entsprechenden Bearbeitung des Exemplars in Kopenhagen (Taf. 102,3) freundlich geholfen hat, ihre sehr ungleich vorgewölbten Augäpfel erscheinen. Doch fehlte mir schließlich der Mut, das Schielen bei ihrer farbigen Tönung zu entschiedenem Ausdruck bringen zu lassen. Daß klassische Bildniskunst auch diesen Fehler, gerade an aufblickenden Augen, erträglich zu gestalten vermag, lehrt wohl am besten Rafaels Fedra Inghirami[130].

Der schöne und verzogene Lebemann Menander hatte auch, gemäß den leise schmerzhaften Zügen unseres Dichterkopfes, seine kleinen Leiden, sagen wir etwa

Migränen, zu ertragen, die Übelwollende damals wie heute gern für weichliches
Getue (τρυφὰς καὶ σαλακωνείας [Weichlichkeit und Prahlerei]) erklärten[131]. Ein
bezeichnendes Augenblicksbild aus solchem Unwohlsein ist die Szene, wie Menander
δυσημερήσας [als er einmal einen schlechten Tag hatte] nach Hause will und die
Milch, die ihm Glykera reicht, zurückweist, weil sie ihm die Haut darauf (γραῦς,
wienerisch die Hex') verleidet[132]. Zur Bekämpfung solcher Nervosität mag es
geschehn sein, daß er noch als älterer Mann, auch darin sehr modern, in der See
schwamm, wobei er sein vorzeitiges Ende gefunden haben soll (S. 188).

Läßt sich sogar etwas von diesen 'dekadenten' Menschlichkeiten in unserm Bildnis
wiederfinden, so erst recht des großen Dichters reiche Seele mit ihrer Kraft des
Beobachtens und Denkens, ihrer Empfindungswärme und ihrem Adel. Sie leuchtet
uns, wie aus den wiedergefundenen Teilen seiner Stücke, auch aus den besten Nachbildungen des Kopfes heute wieder so deutlich entgegen, wie einst dem Dichter der
Epigramme auf dem Hermenschaft in Turin (S. 189 f. mit Abb. 10–11) und macht uns
namentlich den Schlußvers des ersten aus einer blassen Redensart zum ergreifenden
Erlebnis:

σὴν μορφὴν κατιδὼν αὐτίκα πᾶς σε φιλεῖ
[Jeder, der deine Gestalt erblickt, hat dich gleich lieb].

Anmerkungen

[1] S. Gerckes Anzeige von Bernoulli, Gr. Ikonographie, in dieser Zeitschrift 1904 XIII 457.

[2] Die Inschrift zuletzt bei Hülsen, Hermeninschriften Nr. 66* (Röm. Mitteil. 1901 XVI 185),
aber ohne Hinweis auf den Marmor E. Hübner, Ant. Bildwerke in Madrid S. 228 Nr. 507
(jetzt in Museo Arqueol. nazion. Nr. 2755) mit der, trotz Hübner, neuen Inschrift. Die Photographien verdanke ich Arndt und R. de Mélida.

[3] Beiträge zur alten Geschichte, Festschrift zu O. Hirschfelds 60. Geburtstag, 1903, 413 ff.

[4] Röm. Mitteil. 1902 (1903) XVII 317 ff.

[5] Bei Hülsen in den Röm. Mitteil. 1901 XVI 163 Nr. 23; Bernoulli, Gr. Ik. II 3; mein Aristoteles 27 Anm. [hier S. 174 Anm. 76]; Jones, Catal. Mus. Capit. 226, 15, mit einem unbegründeten Rest von Zweifel; Helbig–Amelung, Führer[3] I Nr. 815.

[6] Zur Erinnerung an Th. Schreiber, in den Berichten d. Sächs. Ges. d. Wiss. 1912 LXIV 197 f.
mit Tafel.

[7] Ebenda 1911 LXIII 3 ff. mit 2 Tafeln. Unbegründete Zweifel bei Thieme-Becker, Künstlerlexikon VIII 333 (Amelung). [Vgl. hier S. 58 ff.]

[8] Leipziger Winckelmannsblatt 1904; Hekler, Bildniskunst d. Gr. u. R. 155 b. 319; vgl. Röm.
Mitteil. 1914 XXIX 58 (Poulsen).

[9] Winckelmannsblatt 1916, genauer und richtiger bei Arndt, Portr. im Texte zu 1001 (noch
nicht erschienen).

[10] An letztgenannter Stelle, ausführlicher als in dem vorhin angef. Aristotelesprogramm 31;
vgl. Helbig–Amelung, Führer[3] I Nr. 872.

[11] Winckelmannsblatt 1909; die weitere meist dieser Vermutung widersprechende Literatur auch im Texte zu Arndt, Portr. 1001. S. vorerst Barthel im VII. Bericht d. röm.-german. Kommission 1914 (1914), 188 ff.

[12] Jahrbuch 1910 XXV Anz. 532 ff. Die weitere Caligulaliteratur auch bei Arndt, Portr. Text zu 1001. S. vorerst Poulsen in der Kopenhagener Zeitschrift Vor Tid 1914–15 I 81 ff. – Poppelreuters *Drusus* (Festschrift des Wallraf-Richartz-Museums, Köln 1911; Lehner, Provinzialmuseum Bonn II Taf. 1, 3) ist entweder ein reif aufgefaßter *Gaius Caesar* oder noch eher sein Vater *Agrippa,* der jetzt ähnlich idealisiert in dem Erzkopf von Susa vor uns steht: Gisela Richter, Gr. etr. rom. bronzes, New York, Nr. 330.

[13] In diesen Blättern handelte darüber von Wilamowitz 1908 XXI 34 ff. Mehr bei Christ–Schmid, Gr. Literatur⁵, 29.

[14] R. Meister in den Grenzboten 1908 III 272 ff.

[15] Pausan. 1, 21, 1; Dion Chrys. XXXI 117, S. 258 Arnim.

[16] Löwy, Inschr. gr. Bildhauer Nr. 108. Aufnahmen und Photographien verdanke ich Bulle, Dörpfeld und Kavvadias. [Richter II 225 Nr. 1 Abb. 1518–1520.]

[17] Diesen Vergleich erleichterte mir H. Bulle mit seinem reichen Material von großen Aufnahmen; vgl. seine Gr. Statuenbasen, Habilitationsschrift München 1894, 36 ff. und seine Beiträge zu Purgolds Behandlung der Basen Olympia, die Ergebnisse II 155 ff.

[18] Kirchner, Prosop. Att. II Nr. 9875; Clark, Fergusson und Jonson in Class. Philology 1906 I 313 ff., 1907 II 305, 1914 IX 256. Einen Teil dieser Nachweise verdanke ich A. Körte.

[19] Ovid Ibis 589 mit Schol.

[20] Ἐφημερ. ἀρχαιολ. 1897, 151, 4. Herrn Kuruniotis bin ich auch für einen Abklatsch verpflichtet. [Richter II 225 Nr. 2 Abb. 1521.]

[21] Röm. Mitteil. 1901 XVI 166 Nr. 28 (Hülsen), zuletzt besprochen in den Anm. 18 angef. Aufsätzen. [Richter II 226 Nr. 6 mit Abb.]

[22] Ebd. Nr. 27, wo Hülsen den oben erwähnten Bruch irrig für neu erklärt, weil er (gegen Stephani, Nauck und Kaibel) die vollständige Gestalt der alten Stiche für echt hält. Dann aber müßte die jetzt fehlende linke Kante damals als loses Bruchstück vorhanden gewesen und doch nicht angefügt worden sein. [Richter II 226 Nr. 4 mit Abb.]

[23] I. Gr. XIV add. 1184a; Notizie 1888, 195 (Borsari). [Richter II 226 Nr. 5.]

[24] Athen. Mitteil. 1889 XIV 130 (Kondoleon). Seltsam verkannt bei (Joubin) Musée Ottoman, Bronzes et bijoux, catal. somm. 89 Nr. 277 bis, wie mir Wolters nachwies, Bernoulli, Gr. Ik. II 106 d. Vgl. Gercke in der oben Anm. 1 angef. Rezension, der das kleine Bildwerk überschätzte. Die für ihn angefertigte Photographie und Zeichnung, die ich später herausgeben werde, haben jetzt um so mehr Wert, als das Original, wie mir Th. Wiegand mitteilte, fast unkenntlich geworden ist. [AvP I 2, 293 Nr. 24 mit Abb.; Richter II 228 Nr. 4.]

[25] Ant. Denkm. d. archäol. Instit. I Taf. 48, 4; Hettner, Illustr. Führer durch das Provinzialmuseum in Trier 64 ff.; Bernoulli II 105 c. [Richter II 228 Nr. 6 Abb. 1516.]

[26] Vgl. im allgemeinen Pierre de Nolhac, La bibl. de Fulvio Ursini 1878 (Bibl. des écoles d'Athènes et de Rome LXXIV).

[27] Über diesen Fund berichtet Ursinus selbst im Kommentar zu seinen zweiten von Th. Galle gestochenen Imagines, s. hier S. 192. Die vier Inschriftstücke mit Literatur bei Hülsen Nr. 10. 29. 36. 40, Röm. Mitt. 1901 XVI 158 ff.; Bernoulli, Gr. Ik. I 87; 124 und 132; 154; II 104.

[28] Docum. ined. per la storia dei musei d'Italia III 197.

[29] Visconti, Icon. Rom. I 262 A. 1 und Taf. 12, 5, 6; vgl. Bernoulli, R. Ik. I 141.

30 Bernoulli, Gr. Ik. I 189, 26; Kekulé, Bildnisse des Sokrates (Abhandl. pr. Akad. 1908) 52 f. Abb. 37. [Richter I 114 Nr. 21. Vgl. auch den Terracotta-Clipeus mit Menanderbildnis in Boston, hier Taf. 91, 3: H. Wrede, Die spätantike Hermengalerie von Welschbillig (1972) 53 Taf. 11, 3–4.]

31 Für das Folgende ist die oben Anm. 5 angeführte Arbeit Hülsens und mein Aristotelesprogramm 3 ff. [= hier S. 147 ff.] zu vergleichen.

32 Statius iv; Ursin 89. Jetzt in Neapel, Ruesch, Guida Nr. 1129; Hülsen Nr. 15. [Richter I 148 Nr. 1 Abb. 825–827.]

33 Statius xiii; Ursin 59. Jetzt Villa Albani; Helbig, Führer³ II Nr. 1881; Hülsen Nr. 17. [Richter II 177 Nr. 1 Abb. 1022–1023.]

34 Ursin 75. Neapel, Ruesch, Guida Nr. 1116; Hekler 26 und 319; Hülsen Nr. 24. [Richter II 207 Nr. 1 Abb. 1340–1342.]

35 Arndt, Portr. 133/4; Hekler 25, xiv; Jones, Catal. Mus. Capit. 257, 96. [Richter II 208 Nr. 2 Abb. 1343–1345.]

36 Nach Galle (Ursin), Illustr. imag. 1598 (2. Aufl. 1606) 85.

37 Galle 42; ältere Literatur Hülsen Nr. 21; dazu Bernoulli, Gr. Ik. II 181 Taf. 24; Lippold, Gr. Porträtstat. 27; 83. Den Gips verdankt das Leipziger Archäol. Institut einer Schenkung der Abgußsammlung in Kopenhagen, die Dr. Fr. Beckett gütig veranlaßte. [Zur noch immer verschollenen Farnese-Büste Richter II 249 Nr. 1 Abb. 1682–1684 (Abguß Ravenna). 1688 (Abguß Kopenhagen).]

38 Abgeb. Ursin. 1570, 33; Cod. Cappon. 228, 24; daraus, wie auch anderes, durch Vermittlung J. K. Gevaerts, bei Gronovius, Thesaurus Gr. II 98. Erwähnt von Faber zu Galle 90; Inventar zum Testament Ursins Mélang. d'archéol. et d'hist. 1884 IV 182, 7 (Nolhac); Inventar der Farnesischen Sachen in Neapel von 1796 in der Anm. 28 zitierten Docum. I 180 Nr. 150 und 151, weil damals auseinandergesägt (wie ebenda die Doppelherme des Herodot und Thukydides Nr. 139 und 153); wiedervereinigt 1805 Docum. IV 185 Nr. 33 (vgl. 30). Neuere Literatur bei Ruesch, Guida Nr. 1135. Der bärtige Kopf auch bei Hekler 3 b. [Vgl. jetzt H. v. Heintze, RM 68, 1961, 80 ff. Taf. 20, 2; 21, 2; 23.]

39 Ursin 1570, 33; Galle 90; Cod. Cappon. 228, 25; Hülsen Nr. 29; Bernoulli, Gr. Ik. II 104. [Richter II 227 Nr. 1 a–c mit Abb.]

40 Hülsen S. 145 ff. [= hier S. 127 ff.].

41 Ebd. S. 130 ff. 141 ff. [= hier S. 119 ff. 125 ff.]. Vgl. hier S. 186.

42 S. vorerst Hülsen S. 148 [= hier S. 128 f.].

43 Ligorios Turiner Handschrift XXIII 32 f. Die Photographien verdanke ich dem verstorbenen Ermanno Ferrero in Turin.

44 Visconti, Icon. Gr. (franz. Orig.-Ausg.) I 53 mit Anm. 1, zu Taf, 1, 1–2. Noch Bernoulli I 3, a hatte mit diesem Lügengewebe seine Not und wagte seinen wahren Charakter nur zu vermuten.

45 Dort S. 46, s. unsere S. 192.

46 Hülsen Nr. 35.

47 Ruesch, Guida Nr. 1130; Bernoulli I 4 und 9 Nr. 6. [Richter I 50 Nr. 7 Abb. 70–72.]

48 Ruesch, Guida Nr. 1119, mit richtiger Angabe der Ergänzung, während Bernoulli I 129, 1 den Schaft für alt hält. [Richter I 127 Nr. 17 Abb. 638–640.] Mit diesem schon im Neapler Inventar von 1796, in den Anm. 28 zitierten Docum. I 186 Nr. 169, ebd. IV 185 Nr. 24 von 1805. Der Kopf allein, wie bei Faber S. 45 und in dem Inventar F. Orsinis (oben Anm. 38) Nr. 8 erwähnt, abgeb. im Cod. Cappon. 228, 149.

[49] Galle 136 (nach Cappon. 228, 20), im richtigen Zusammenhange wiederholt bei Bernoulli I 124 und bei Delbrück xxxiii; Visconti, Ic. Gr. I 81 Taf. 4, 3; dort Taf. 4, 1; 2 die Inschrift-büste, deren neuere Literatur bei Helbig–Amelung, Führer³ Nr. 284 und II S. 471. [Richter I 125 Nr. 1 Abb. 611–613.]

[50] S. oben Anm. 39, dazu Visconti I 89 mit Taf. 6, 3. Der Vatikanische Pseudomenander: Helbig, Führer³ Nr. 196 und II S. 470. [Helbig⁴ I Nr. 130.]

[51] Transactions of the royal soc. of literature sec. ser. IV (1853) S. 381 ff. (G. Scharf); Michaelis, Anc. marbles in Gr. Britain 514 Nr. 40; I. Gr. XIX Nr. 1181. [Richter II 227 Nr. 2 Abb. 1528–1530; Classical Sculpture formerly from Marbury Hall, Cheshire, Auktion London (Christie's) 10. 7. 1987, 28 Nr. 9.]

[52] Diese wiedergegeben bei Bernoulli II 106.

[53] [Hier durch Aufnahmen nach Gipsabguß in Göttingen ersetzt.]

[54] Bernoulli II 75, 37. Die guten photographischen Aufnahmen verdanke ich meinem hoch-verehrten Lehrer E. Petersen, der überhaupt als Leiter des Instituts in Rom viel für meine Bildnisstudien getan hat. [Richter II 217 Nr. 9 Abb. 1403. 1409.]

[55] Helbig–Amelung, Führer³ I Nr. 22. An Bildern vgl. bes. Bernoulli II Taf. 11. 12; Hekler 56; 57; Sieveking bei Christ, Gr. Liter.⁵ Abb. 23; 24. [Hier S. 79 und 141 ff.]

[56] Vgl. oben S. 191 und S. 206; auch das Anm. 5 angeführte Aristotelesprogramm S. 17 ff. [= Hier S. 158 ff.]

[57] Aus Bernoullis Liste II 111 ff. von 23 Marmorköpfen ist 2 und 21 als modern, 23 als un-sicher, 19 als verschieden zu streichen, 20 (Amelung, Skulpt. des Vatik. I 594 Nr. 431) und 22 als sicher zu zählen. [Vgl. Richter II 229 ff. Nr. 1–54; K. Fittschen, Kat. Erbach (1977) 28 Anm. 1.]

[58] Die Stücke Bernoulli II 112 f. Nr. 9; 15; 18. Vgl. unten S. 200. 205. 206 f. [Richter II 233 Nr. 39 Abb. 1611–1613 (Corneto, jetzt Dumbarton Oaks); Nr. 40 Abb. 1608–1610 (jetzt Phila-delphia); Nr. 38 Abb. 1621–1623 (Boston).]

[59] P. Herrmann, Verzeichnis der ant. Originalbildwerke Nr. 198. [Richter II 231 Nr. 19 Abb. 1583–1584; die beiden Köpfe in Leipzig ebenda Nr. 21 und 22.]

[60] Abb. der Statue nach Photographie bei Baumeister, Denkm. III 1384, des Kopfes bei Bernoulli, R. Ik. I Taf. 7, vgl. S. 112 ff. und Gr. Ik. II 113, 21; Helbig–Amelung, Führer³ II Nr. 1818. [Helbig⁴ II Nr. 2008.]

[61] S. Anm. 60.

[62] Wohl zu unterscheiden von der antiken Wiederholung daselbst auf Paludamentumbüste: Matz–Duhn, Ant. Bildw. in Rom I Nr. 1832.

[63] Von Bernoulli auch noch Gr. Ik. II 111, 2 zweifelnd unter die alten Repliken gezählt, jedoch von Amelung, Skulpt. d. Vatik. II 740, 71 mit Recht kurzweg für neu erklärt, trotz erheblicher Verwitterung.

[64] Der Kürze halber s. das Register zur Aldrovandiübersetzung bei S. Reinach, Album de Pierre Jacques 105.

[65] Schreiber, Villa Ludovisi Nr. 98; Bernoulli, Gr. Ik. II 111, 6. [Richter II 230 Nr. 5 Abb. 1545–1547.]

[66] Im Antiquarium zu München, das Gegenstück eines inschriftlich bezeichneten *Scipio Africanus*, das J. Sieveking als *Pompeius* erkannte. Ihm verdanke ich Photographien der beiden noch nirgends erwähnten Stücke, die ich in meinen ›Imagines‹ herauszugeben denke.

[67] Schreiber a. O. Nr. 109; Bernoulli, Gr. Ik. II 112, 7; R. Ik. I 121. [Richter II 230 Nr. 6 Abb. 1550.]

[68] Röm. Mitteil. 1886 I 37 ff. Taf. 2 mit Münzbildern. Danach Baumeister III 1386. Delbrück, Ant. Portr. Taf. 32 und 61, 28. Hekler 155 a.

[69] Bernoulli, R. Ik. I 94, vgl. 123, 1, Taf. 8; Gr. Ik. II 111, 1; Helbig–Amelung, Führer[3] I Nr. 94 und II S. 468.

[70] Abgeb. Comparetti–de Petra, Villa Ercolanese Taf. 4, das Profil auch bei Bernoulli II 162, 9 und Hekler 105 a. Zur Deutung und Zeitbestimmung ausführlich, aber nicht richtig Bernoulli 167 ff. Vgl. Helbig–Amelung, Führer[3] I Nr. 814, II Nr. 1395; 1826; zuletzt Six im Bull. corr. hellén. 1913 XXX 370 ff. [Richter II 230 Nr. 8 Abb. 1551–1552; zum Ps.-Seneca: I 59 Nr. 6 Abb. 140–141.]

[71] Vgl. vorerst Mau im Bull. d. inst. 1883, 90 f. [Richter I 59 Nr. 4 Abb. 135, jetzt im Thermen-Museum.]

[72] Die von Mau, Pompeii[2] 466 und mit ihm von anderen für Vergil und Horaz erklärten Büsten stellen sicher einen Prinzen und einen hohen Offizier, m. Er. *Agrippa Caesar* und *Seianus* dar. S. oben Anm. 10–11. Den *Vergil* vermute ich, auf Grund des Mosaiks (Monum. Piot IV Taf. 20) in dem Lateranischen Kopfe Arndt, Portr. 594/5; Hekler 195 a.

[73] Bernoulli, Gr. Ik. I 127, d; e = 153, 22. 23; 159, 1 = 180; II 123, 1 = 131, 1. Ein kleiner Doppelkopf des *Platon* und *Zenon* aus Ägypten soll vor 11 Jahren in den Louvre gekommen sein (nach Héron de Villefosse und Michon im Jahrbuch 1907 XXII Anz. 372, 14). Doch möchte ich erst selbst sehn, bevor ich die Deutung für sicher halte. [Richter II 166 Nr. 13 Abb. 936–937; 188 Nr. 4 Abb. 1090–1091.]

[74] I. Gr. XIV 1208; Bernoulli, Gr. Ik. I 38. [Richter I 85 Nr. 3, z. Z. verschollen.]

[75] I. Gr. XII 1, 145 mit dem Nachtrag Hillers von Gaertringen, Athen. Mitteil. 1896 XXI 61 f.

[76] Abgeb. Chandler, Marm. Oxon. 58; vgl. Michaelis, Anc. marbl. 557, 66; richtig erkannt von Bernoulli, Gr. Ik. II 112, 14. Ich kenne den jetzt von seinen Ergänzungen (bis auf die Gewandbrust) befreiten Marmor und habe, dank Crawfoot, eine Photographie vor mir. [Richter II 232 Nr. 26 Abb. 1592–1595.]

[77] Deutsche Literaturzeitung 1914, 1448. Hekler war so gütig, mir eine Photographie vorzulegen, die jeden Zweifel an der Richtigkeit seiner Feststellung ausschließt. [Richter II 233 Nr. 44 Abb. 1630–1632; zu den Repliken in Alexandria und Venedig: 234 Nr. 48 Abb. 1618–1619; 231 Nr. 15 Abb. 1573–1576.]

[78] Arndt–Amelung, Einzelaufnahmen 610/11; vgl. Bernoulli, Gr. Ik. 112, 11. [Richter II 233 Nr. 43 Abb. 1633–1635.]

[79] Bernoulli II 113, 18 Taf. 14; Sieveking bei Christ–Schmid, Gr. Liter.[5] Anhang Abb. 16; Hekler Taf. 106 f.; am besten Delbrück Taf. 20. [Vgl. Anm. 58.]

[80] Bernoulli II 113, 17, abgeb. Jacobsen, Billedtavler til Kataloget Taf. 31 Nr. 429; (im Katalog von 1892 Nr. 1082); nach dem Abguß bei Michaelis–Wolters in Springers Handbuch[10] I 368, 680 und Winter, Kunstgesch. in Bildern[2] I 280, 4, in schöner Aufnahme von Eduard Schwartz. [Richter II 232 Nr. 35 Abb. 1589–1590.]

[81] Die Kosten trug die Baedekerstiftung, deren Erträgnisse dem Leipziger Archäologischen Institut jedes vierte Jahr zu freiester Verfügung stehn.

[82] Petron 126.

[83] Dies hat meines Erinnerns am besten der unlängst auch durch den Kriegsdienst hinweggeraffte Botho Graef dargelegt, zu dem Hillerschen Helioskopf in der Strena Helbig. 103.

⁸⁴ So an dem Bostoner Kopf [jetzt Philadelphia] Taf. 94, 1 (vgl. Anm. 103) und an dem in Verona (Bernoulli II 112, 10; 15, beide im Abguß vor mir [Richter II 231 Nr. 17 Abb. 1564 bis 1565]); auch an dem Anm. 59 miterwähnten lebensgroßen Marmor des Leipziger Archäologischen Instituts, einer mäßigen Replik.

⁸⁵ So Taf. 92, 2; 103, 2; 94, 1; vgl. auch Taf. 90, 1–2; 94, 2; 91, 2.

⁸⁶ Christ–Schmid, Gr. Liter.⁵ 487; [Richter II 238 Abb. 1647–1650]; vgl. oben S. 195.

⁸⁷ Kurz ausgesprochen schon in meiner ersten, oben S. 185 angeführten Notiz.

⁸⁸ Helbig–Amelung, Führer³ Nr. 23 und was dort angeführt ist. Beste Abbildungen des Kopfes Brunn, Denkm. 487. [K. Schauenburg, in: Ant. Pl. II (1963) 78 ff. Taf. 63–71.]

⁸⁹ Vgl. Amelung a. eben a. O. An der dort vertretenen Zugehörigkeit des Agias zum Werke Lysipps hat mich auch der feingesponnene Versuch von Wolters, das von Preuner angenommene Verhältnis des delphischen Marmors zu dem Erzwerk des Meisters in Pharsalos umzukehren, und was er sonst ausführt, nicht irregemacht; s. Sitzungsber. d. bayr. Akad. 1913, 4, 41 ff. [T. Dohrn, in: AntPl VIII (1968) 34 Taf. 10–20.]

⁹⁰ Die erhaltenen Köpfe gut bei Arndt, Einzelaufnahmen 733/4 und Glypt. Ny Carlsberg Taf. 128/9 und S. 177 ff. abgeb. Die an letzterer Stelle bekämpfte, oben gebilligte Deutung von Klein nahm unlängst an Wolters, Illustr. Katal. d. Glypt. zu München 1912 S. 49. Mehr Literatur bei Furtwängler–Wolters, Beschr. d. Glypt. Nr. 287.

⁹¹ Helbig–Amelung, Führer³ I Nr. 776. Auf unserer Taf. 69, 2 nach Monum. Piot 1906 XIII Taf. 12, vgl. S. 137 ff., obgleich dies Exemplar, in einer Pariser Sammlung, an der Nase und wohl auch der Oberlippe etwas ergänzt ist. Aber von den unberührten Repliken des Brit. Mus. Nr. 1674 (hier Taf. 69, 1) und 1680 stehn mir eben nur Vorderansichten zu Gebote. – Zur lysippischen Herkunft vgl. Jahrbuch 1915 XXX 127 ff. (Frickenhaus).

⁹² So urteilt auch Klein, Gesch. gr. Kunst II 395 und Sieveking bei Christ–Schmid, Gr. Liter.⁵ II 1311. Dagegen wollte Hekler S. XXV rechts unsern Menander wegen seines lysippischen Wesens von dem der Praxitelessöhne unterschieden wissen.

⁹³ Helbig, Amelung, Führer³ Nr. 4. Auf Kephisodot d. J. hat ihn Klein zurückgeführt, freilich sicher falsch als das Symplegma nobile (vgl. Helbig–Amelung³ Nr. 1063–68).

⁹⁴ Erkannt von Wolters in den Röm. Mitteil. 1889 IV 32 ff. Taf. 2 [= hier S. 106 ff.]; Arndt, Portr. 101; 102; Hekler 68; Ruesch, Guida Nr. 890.

⁹⁵ Laert. Diog. V 36 aus Pamphila.

⁹⁶ Mehr bei Bernoulli II 123 ff. Taf. 16; 17; Sieveking bei Christ–Schmid⁵ Anhang Abb. 38; Hekler 101a und S. XXII. [Richter II 196 Nr. 8 Abb. 1175–1176.] Der neue Marmor zu New York am besten bei Delbrück 25. – Epikur συνέφηβος Menanders: Strabon 14, 638.

⁹⁷ Hekler 126; 159–161 mit Literaturangaben hinten. [Zum Poseidonios: Richter III 282 Abb. 2020; zum Cicero: H. R. Goette, RM 92, 1985, 291 ff. Taf. 116–125.]

⁹⁸ Dies gegen Lippold, Gr. Porträtstat. 89 f. Was er sonst gegen meinen Menander vorbringt, wird sich z. T. noch erledigen, z. T. ist es mir kaum verständlich. So weiß ich nicht, was die Unsicherheit der Deutung des ‘Seneca’ gegen die seines Partners ausmachen soll; vgl. oben Anm. 70.

⁹⁹ Bernoulli II 112, 9. Museum of fine arts bulletin, Boston 1912 X 46, 3. [Vgl. Anm. 58.]

¹⁰⁰ Deutsche Literaturzeitung 1914, 1448. [Richter II 234 Nr. 49 Abb. 1522–1523.]

¹⁰¹ Kopfhöhe 0,09 m, gegen rund 0,27 der lebensgroßen Stücke. Aus Rom. Geschenk von E. P. Warren, vgl. S. 197.

¹⁰² Die Dresdener Doppelherme mit großen Repliken zusammengestellt in meinem Aristoteles Taf. 1 [hier S. 158].

[103] Erwähnt, noch zu Lewes House in Sussex, bei Bernoulli II 112, 15; abgeb. Notizie d. scavi 1897, 148 [vgl. o. Anm. 58. 84].

[104] Die Literatur ausführlich bei Helbig–Amelung, Führer³ II Nr. 1183. Dort sind, z. T. im Rückschritt gegen die 2. Aufl. Nr. 487, nach dem Vorgang von Birt, Pfuhl, Sieveking, die Irrtümer vertreten, die oben bekämpft werden. Meine Ansicht kurz schon in der oben S. 185 angeführten ersten Notiz. [Richter II 229 Nr. 11 Abb. 1525. 1529; Helbig⁴ I Nr. 1069.]

[105] Z. B. Bonner Studien für Kekulé Taf. 1, 2 S. 10 (von Rohden).

[106] Garrucci, Monum. del museo Later. 80 zu Taf. 42. Daß drei Masken ein Stück bedeuten, zeigt am ausdrücklichsten die Bleimarke mit der Inschrift Θεοφορουμένη Μενάνδρου, in neugefundenem Exemplar Ἐφημ. ἀρχαιολ. 1901, 120 Taf. 17, 1 (Mylonas).

[107] Sie nähert sich der von Quintilian Inst. XI 3, 102 so beschriebenen: *cui non dissimilis, sed complicitis tribus digitis, quo nunc graeci plurimum utuntur, etiam utraque manu, quotiens enthymemata sua gestu velut corrotundant.*

[108] Inventar D 38. Eine kleine Photographie verdanke ich der Seminarleitung.

[109] Abgeb. und (z. T. abweichend vom obigen) erläutert von Pfuhl im Jahrbuch 1907 XXII 130 f.

[110] Birt a. O. 178 f. mit Zustimmung Amelungs (s. Anm. 104), unter Hinweis auf ein unediertes Gemälde von Boscoreale, dessen Photographie mir P. Herrmann in Dresden freundlich vorwies. Dort hängen aber die Bandenden gerade herab, nicht aufgerollt.

[111] Ähnlich in den Abbildungen bei Birt a. O. S. 238 f.

[112] Brunn–Arndt, Denkm. 626, 2. [Richter II 229 Nr. 12 Abb. 1526, jetzt in Princeton.]

[113] Gronovius, Thesaur. Gr. I Gg zu dem aus Bellori, Imag. II Taf. 69 wiederholten Stich. So auch Garrucci (s. Anm. 106). Anders begründet dieselbe Meinung Sieveking und Amelung, oben Anm. 105. Den Wandschrank habe ich von jeher erkannt. Öffentlich spricht davon zuerst wohl Petersen, Vom alten Rom 172 (schon in der 1. Aufl.); dazu auch Lohmeyer in den Röm. Mitteil. 1904 XIX 40.

[114] Freiermord Benndorf–Niemann, Heroon von Gjölbaschi-Trysa Taf. 7, 2 (Winter, Kunstgesch. in Bildern² I 262, 3); Hellenistisches Kybelerelief der Marciana in Venedig, zuletzt im Jahrbuch 1913 XXVIII 11 (Salis), auch bei Roscher, Lexik. d. Mythol. I 726; Homerischer Becher Jahrbuch 1908 XXIII Taf. 6 (danach Robert, Oidipus 452); Pasiphaerelief Spada Schreiber, Reliefbilder 8, Brunn–Arndt, Denkm. 624 b, Roscher I 936. U. a. m.

[115] Jahrbuch 1905 XX 153. Ich meine, diese Deutung Pfuhls besteht auch für seine hellenistischen Totenmahle nicht zu Recht. Das kann aber hier beiseite bleiben.

[116] Furtwängler–Wolters, Beschr. der Glypt. Nr. 455.

[117] Vgl. schon Benndorf–Schöne, Ant. Bildw. d. Later. Mus. S. 164 und neuerdings, Rev. arch. 1912 XIX 179, gar S. Reinach, der die geringfügige Erhebung zur Statuenbasis und die Frau zur Statue macht.

[118] Bieber, Dresd. Schauspielerrelief 89, Brunn–Arndt, Denkm. 628 b (Sieveking).

[119] Plinius, Epist. II 17, 8 in der Beschreibung eines Cubiculum seines Laurentinum. Vgl. Digest. 30, 41, 9, erläutert durch die Bücherei des Celsus in Ephesos: Jahreshefte 1905 VIII Beibl. 62 (Heberdey). Darstellungen stehender Bücherschränke zuletzt bei Birt a. O. 261 ff.

[120] So schon in der Zeichnung des sog. Ursinianus, Vatic. l. at. 3439 f. 91 (vgl. Hülsen i. d. Röm. Mitteil. 1901 XVI 141); dann Bellori (Anm. 113); Winckelmann, Monum. ined. Nr. 192, im Text nach Nr. 189. Abguß z. B. in Straßburg Nr. 1132 und im Albertinum zu Dresden. Über die Herrichtung des Handbruchs s. Lohmeyer a. O. 39 mit Anm. Petersens.

[121] Ant. Denkm. d. archäol. Instit. I Taf. 48 f.; Hettner, Führer d. d. Provinzialmuseum in Trier S. 64 ff.

[122] Am besten in Sieveking Anhang zu Christ–Schmid, Gr. Liter. 4. Aufl. Abb. 15, 5. Aufl. Abb. 14, hier mit dem Menanderrelief zusammengestellt. S. Reinach, Répert. d. reliefs II 172; vgl. Lippold, Gr. Porträtstatuen 52. [Richter I 137 Nr. 6 Abb. 767.]

[123] Beitr. z. Kenntn. d. gr. Theaters 34.

[124] Alkiphron II 4, 5 und 19. A. Körte teilt mir freundlich mit, er werde demnächst im Hermes nachweisen, daß die geschichtliche Glykera, die Maitresse des Harpalos, nicht auch Menanders Geliebte gewesen sein kann. Ob aber nicht eine jüngere Namensgenossin? Sicher mit Recht beanstandet Körte die Vorstellung Alkiphrons, daß Menander als Schauspieler auftrat. Aber das könnte die Mißdeutung einer Beschäftigung des Dichters mit den Masken sein, wie sie unser Relief und ähnlich das mit Euripides (Anm. 122) darstellt, den schon Aristoph. Acharn. von Masken umgeben vorführen: 418 Οἰνεὺς ὁδί, 427 Βελλεροφόντης οὑτοσί. Hat man doch auch unsern Dichter deshalb oft für einen Schauspieler gehalten, zuletzt noch Birt (s. Anm. 104).

[125] So Amelung zu Helbig, Führer³ II S. 23 und Wochenschr. f. kl. Philol. 1911, 622 in der Anzeige des die Glykeradeutung billigenden Textes von Sieveking zu Brunn–Arndt, Denkm. 626.

[126] Mit Sieveking zu Brunn–Arndt, Denkm. 626, wo als Textfigur 3 und 4 auch das oben besprochene Relief von Aquileia in Berlin Nr. 951 besser abgebildet ist als Athen. Mitteil. 1901 XXVI 136 (Krüger). [Richter II 229 Abb. 1524; R. Wünsche, MüJb 31, 1980, 21 Abb. 16.] Die Annahme, dieses Stück sei noch hellenistisch, wiederholte auch M. Bieber, Röm. Mitteil. 1911 XXVI 225 Anm.

[127] Furtwängler, Gemmen Taf. 32, 5; ders., Beschr. d. geschn. Steine im Antiquar. Nr. 4521 Taf. 33. Dem Relief recht ähnlich eine Glaspaste des Archäol. Instit. in Leipzig. – Wichtige Zeugnisse: Cicero, De finib. V 1; Ovid, Trist. I 7, 6 ff., wo es sich aber nur um Köpfe handelt.

[128] Athen. XII 549 c.

[129] Dazu vgl. noch Tertullian, De pallio 4 S. 23 Salmasius, der auch schon die kleine Textberichtigung gibt.

[130] Abgeb. z. B. im Klass. Bilderschatz 597.

[131] Alkiphron II 3, 4.

[132] Athen. XIII 585 c. Die Pointe der Geschichte tut hier nichts zur Sache.

Eine Hermenbüste des Olympiodoros

Von Frederik Poulsen

Die Hermenbüste [aus der Sammlung Ustinow, jetzt in der Nationalgalerie in Oslo, Taf. 106–107[1]] ist 0,51 m hoch, der Kopf selbst mißt vom Kinn bis zum Scheitel 0,265 m. Dieses bemerkenswerte Marmorwerk wurde in Cäsarea in Palästina zur gleichen Zeit wie die Hermenbüste des *Sophokles* [jetzt ebenfalls in Oslo[2]] gefunden. Die Übereinstimmung in den Abmessungen deutet auf denselben Herkunftsort hin, und aufgrund der Art und Weise, wie die Köpfe jeweils zur Seite gedreht sind, könnte man sie sogar für Pendants halten, was aber nicht unbedingt der Fall sein muß. Sie haben vermutlich die Bücherregale *(plutei)* in der Bibliothek eines Griechen oder Römers geschmückt[3].

Die Inschrift *Olympiodoros* stammt mit Sicherheit aus antiker Zeit, und die Form der Buchstaben verweist ebenso wie die Technik bei der Gestaltung der Haartracht in das 1. Jh. n. Chr.[4]. Diese Herme sowie diejenige des *Sophokles* sind also zeitgenössische römische Kopien. Zum Glück ist die Herme des *Olympiodoros* viel sorgfältiger ausgeführt, viel ausdrucksvoller als jene des *Sophokles,* und dies ist um so bedeutsamer, als es sich hier nicht wie bei der anderen um ein Porträt handelt, das mehrfach reproduziert worden ist, sondern um einen „neuen Mann" in der griechischen Porträtkunst.

Die Abbildungen auf Taf. 106–107 lassen den Zustand der Beschädigung und des Verfalls erkennen, in dem sich die Herme befindet. Kinn und Schnurrbart sind besonders verwittert. Trotz dieser Zerstörung kommt jedoch die kraftvolle Energie des Kopfes ungeschmälert zur Geltung. Es ist ein Gesicht, das durch seinen fast abweisenden Ernst und den pathetischen Schmerz, der in den Augen zum Ausdruck kommt, das Interesse auf sich zieht. Quer über die Stirn ziehen sich zwei lange Furchen, und zwischen den Brauen sind zwei tiefe Falten eingegraben. Die blinzelnden kleinen Augen unter den sie überschattenden Brauen werden von Lidwülsten eingerahmt. Im rechten Augenwinkel sind „Krähenfüße" zu erkennen. Die Wangen mit stark hervortretenden Backenknochen sind hohl und faltig; auch im Schläfenbereich und in der Mitte der Stirn treten die Knochen hervor. Der Mund hat eine sehr schmale Oberlippe und ist leicht geöffnet; die Mundwinkel sind nach unten gezogen, diese Linie wird von den Konturen des herabhängenden Schnurrbartes weitergeführt und vertieft, wodurch der das Gesicht beherrschende Ausdruck der Bitterkeit noch verstärkt wird.

Frederik Poulsen, La collection Ustinow. La sculpture. Danske Videns. Selsk. Skr. II hist. phil. Kl. 1920 No. 3, S. 21–26: V. Buste d'Olympiodoros en forme d'hermès. Übersetzt von Margot Staerk.

Die spärlichen Haare sind zur Kopfmitte hin gekämmt, um die Kahlheit zu verdek-
ken, ungefähr so wie bei dem Porträt des *Aristoteles* [Taf. 76–80][5]. Eine Locke über
der linken Schläfe hat die Form einer Doppelspirale. Im Nacken und an den Seiten
sind die Haare dichter, und die weit nach hinten gezogenen Locken lassen die
Ohren frei. Die Tatsache, daß man den Schädel unter dem Haar nicht mehr spüren
kann, ist sicherlich auf das Unvermögen des Kopisten zurückzuführen.

Durch die Haartracht und den kurzgeschorenen Bart (μέση κουρά im Gegensatz
zum πώγων älterer Zeiten) ähnelt das Porträt des *Olympiodoros* dem des *Aristoteles,* man findet das letztere Merkmal aber auch beim Porträt des *Demosthenes* [Taf.
108–112] wieder, das aus dem Jahr 280 v. Chr. stammt, und es besteht kein Zweifel
daran, daß die *Olympiodoros*büste aufgrund ihres künstlerischen Charakters und
der Art der Gestaltung mit dem *Demosthenes*porträt verwandt ist[6]. In seinem oben
erwähnten Aufsatz zitiert Thiersch Paul Arndt, der die Büste mit dem Porträt des
Aischines [Taf. 81] vergleicht, bei dem ebenfalls die Stirnfalten, die Gestaltung der
Augen sowie Form und Anordnung der Haarlocken ohne jeden Zweifel Ähnlichkeiten im Charakter aufweisen[7]. Und das Porträt des *Aischines* gehört, wie man an der
Wiedergabe des Gewandes an der Statue in Neapel erkennt, an den Anfang der hellenistischen Epoche, vermutlich in die Zeit zwischen 300 und 280 v. Chr.[8]. In Ausdruck und Gestaltungsweise besteht ferner eine bemerkenswerte Ähnlichkeit zwischen *Olympiodoros* und dem unbekannten Dichter in der Ny Carlsberg Glyptotek
(Taf. 117)[9]; auf den Ausdruck dieser beiden Marmorbüsten könnten sich die Worte
des Aristophanes „κἄβλεψε νᾶπυ" [Ritter 631: „und machte ein Senfgesicht"] beziehen. Zu Recht hat Arndt diesen Kopf in dieselbe Zeit datiert wie das *Demosthenes*porträt, und das Band im Haar weist darauf hin, daß es sich um den Kopf eines
Schauspieldichters handelt. Die angegebene Epoche würde zu der Statue passen,
die im Dionysostheater in Athen 287–286 enthüllt wurde und den Komödiendichter *Philippides* darstellte. Dieser Dichter hatte der Stadt Athen nach der Schlacht
von Ipsos große politische Dienste erwiesen[10]. Ein Porträt aus derselben Zeit,
allerdings sehr viel bewegter, ist der grobe Kopf eines *Diadochen* in der Ny Carlsberg Glyptotek (Taf. 54, 2)[11], der aufgrund der Linien um den Mund und der
Gestaltung des Bartes der *Olympiodoros*herme ebenfalls ähnlich sieht. Schließlich
kann man sie noch mit dem Porträt eines berühmten Griechen aus jener Zeit vergleichen, von dem drei Nachbildungen existieren, das aber zur Zeit noch nicht identifiziert ist[12].

Aus all dem geht hervor, daß man das Entstehungsdatum des Originals mit Sicherheit um das Jahr 300 v. Chr. herum ansiedeln kann. Der Träger dieses Namens, dessen Berühmtheit sich daraus ergibt, daß man ihn zu Sophokles in Beziehung gesetzt
hat, kann weder der Skeptiker Olympiodoros, der Schüler des Karneades, sein, der
um die Mitte des 2. Jh. v. Chr. lebte, erst recht nicht einer der beiden Philosophen
oder der Historiker gleichen Namens, die alle zwischen dem 4. und dem 6. Jh.
n. Chr. gelebt haben. Diese letzte Möglichkeit wird schon dadurch ausgeschlossen,

daß man die Kopie dieses Porträts anhand des Stils in das 1. Jh. n. Chr. datieren kann, spätestens jedoch in den Beginn des 2. Jh.

Der Charakter der Zeit und der Typus des Originals jedoch passen haargenau zu dem Athener Feldherrn *Olympiodoros*, der seine Landsleute in einen letzten verzweifelten Kampf gegen die makedonischen Truppen führte. Schon 301 hatte jener Olympiodoros die Stadt Elatea in Phokis von der Herrschaft des Königs Kassander von Makedonien befreit, und in den darauffolgenden Jahren gelang es ihm, zwischen Athen und Ätolien ein Verteidigungsbündnis gegen die Makedonier zustande zu bringen. Später befreite er Eleusis, Piräus und Mounychia und kämpfte 287–286 in der Nähe des Musenhügels von Athen siegreich gegen die makedonische Besatzung von Athen [13]. Obwohl es nur eine sehr kleine Schlacht gewesen war [14] – auf Athener Seite waren nur 13 Männer gefallen –, war die Begeisterung darüber in Athen sehr groß. Man ehrte die Gefallenen mit einer Beisetzung im Kerameikos, und dem Sieger Olympiodoros zu Ehren errichtete man auf der Akropolis eine Statue, die zur Zeit des Pausanias in der Nähe der Votivgruppe des Attalos [15] stand, und außerdem eine Statue im Prytaneion von Athen und eine in Eleusis [16]. Auch die Phokier von Elatea bezeigten ihm ihre Dankbarkeit, indem sie ihm eine Bronzestatue in Delphi [17] errichteten und ihm außerdem als Anerkennung für den Sieg einen Bronzelöwen widmeten, dessen Sockel wiedergefunden wurde [18].

So fällt also die Zeit, in der *Olympiodoros* seine Heldentaten vollbrachte und man ihm zu Ehren Statuen aufstellte, mit jener Zeit zusammen, wo man die Erinnerung an *Demosthenes*, den furchtlosesten Gegner der makedonischen Herrschaft im 4. Jh., wiederbelebte, indem man ihm mehr als 40 Jahre nach seinem Tod eine von Polyeuktos geschaffene Statue errichtete [Taf. 114–116]. Die Anwesenheit von Porträtbüsten dieser beiden Freiheitshelden im Haus eines griechischen Patrioten wäre durchaus zu verstehen. Möglicherweise ist die Kopie des *Olympiodoros*porträts entweder nach der Statue von der Akropolis angefertigt worden oder nach der Bronzestatue von Delphi, die aller Wahrscheinlichkeit nach während des Kaiserreichs nach Rom gebracht worden war.

Der Umstand jedoch, daß die Herme des *Olympiodoros* gleichzeitig mit der des *Sophokles* gefunden wurde, deutet darauf hin, daß Olympiodoros auch einen literarischen Ruf genossen hat. Selbstverständlich waren diese beiden Hermen nicht die einzigen, die einer Bibliothek als Schmuck dienten, vielmehr mußte sich dort ein großer Teil der Vertreter des griechischen Geisteslebens befunden haben, und nur aufgrund eines unerklärlichen Zufalls sind diese beiden erhalten geblieben. In einer Anmerkung von Diogenes Laertius [19] wird im Zusammenhang mit dem Kyniker Diogenes von einem Schriftsteller gesagt, „daß er an der Spitze der Athener gestanden hat", und nach der Ausgabe von Cobet soll er Athenodoros geheißen haben. Wie mir Professor H. Diels aus Berlin liebenswürdigerweise mitgeteilt hat, ist es der Name Olympiodoros, den man in der guten Handschrift dieses Autors in Paris liest. Nur in der interpolierten Handschrift (F. Laurentianus), die Cobet benutzt hat, steht der Name Athenodoros. Da jedoch weder ein Schriftsteller noch ein Feldherr mit Namen Athenodoros bekannt ist, haben die Philologen in neuerer Zeit schon vor der Überprüfung durch Diels erkannt, daß es sich hier um einen Fehler handeln mußte, und den Namen in Olympiodoros geändert[20]. Ob dieser Olympiodoros identisch ist mit dem gleichnamigen Schüler des Theophrast, der unter jenen genannt wird, denen der Meister sein Testament anvertraute[21], läßt sich nicht feststellen. Es ist vielleicht der Zukunft vorbehalten, dieses Problem zu lösen und zu beweisen, daß ebenso wie Demosthenes auch Olympiodoros in der Erinnerung des Volkes und in den Bibliotheksgalerien weiterlebte, nicht nur aufgrund seiner politischen Ideen, sondern auch als literarische Persönlichkeit.

Anmerkungen

[1] Zuerst veröffentlicht von H. Thiersch, Zeitschrift des deutschen Palästinavereins 1914, 62 ff. Taf. 13, 1–2. [Richter II 162 Abb. 894–896; Th. Lorenz, Galerien von griech. Philosophen- und Dichterbildnissen bei den Römern (1965) 20.]

[2] Thiersch a. O. Taf. 13, 3–4. [Richter I 127 Nr. 24 Abb. 671. 673–674; Lorenz a. O.]

[3] Juvenal II 7.

[4] Larfeld, Griech. Epigraphik 271 ff.

[5] Fr. Studniczka, Das Bildnis des Aristoteles, Leipzig 1908 [= hier S. 147 ff.].

[6] Bernoulli, Griech. Ikon. II Taf. 11–12. [Hier S. 78 ff. Taf. 108–116.]

[7] Bernoulli, ebd. Taf. 9–10. [Richter II 212 ff. Abb. 1369–1379.]

[8] Lippold, Griech. Porträtstatuen 95 ff.

[9] NCG 425: ABr 915–916; EA 157–158. [V. Poulsen, Portraits grecs (1954) 57 Nr. 29 Taf. 22; vgl. auch J. Frel, Greek Portraits, J. Paul Getty Museum (1981) Nr. 42.]

[10] Dittenberger, Sylloge³ Nr. 374.

[11] NCG 450 a. [Richter III 253 Abb. 1708.]

[12] ABr 585–590. [Fittschen, Kat. Erbach 19 Anm. 9.]

[13] Hitzig–Blümmer, Pausaniaskommentar I 282 ff.

[14] Pausanias I 29, 13.

[15] Pausanias I 25, 2.

[16] Vielleicht identisch mit dem von Plinius erwähnten Bildnis: *Athenion Maronitis . . . pinxit in templo Eleusine phylarchum* (Nat. hist. 35, 134).

[17] Pausanias I 26, 1–3. Über die Bedrängnis in Elatea ebd., X 34, 3.

[18] Ebd. X 18, 7. Dittenberger, Sylloge Nr. 361.

[19] VI 23.

[20] In seiner Abhandlung über Antigonos von Karystos, S. 206, hat Wilamowitz als erster darauf hingewiesen, daß der Text an dieser Stelle verderbt ist.

[21] Diogenes Laertius V, 57.

Die Anfänge der griechischen Bildniskunst
Ein Beitrag
zur Geschichte der Individualität

Von Ernst Pfuhl

Plinius berichtet, daß Lysistratos, der Bruder des Lysipp, der erste gewesen sei, der vollkommen ähnliche Bildnisse geschaffen habe; vorher seien die Menschen so schön wie möglich dargestellt worden [1]. Diese Angabe von größter kunstgeschichtlicher Bedeutung verbindet er mit der Schilderung des von Lysistratos angewendeten technischen Verfahrens: er habe Gipsformen nach dem Leben genommen, diese mit Wachs ausgegossen und die Abgüsse dann nur noch, wie man zu sagen pflegt, retuschiert. Diese technische Angabe hat man unbesehen geglaubt und als Zeichen eines mechanisch äußerlichen Realismus aufgefaßt, gleichsam als das Extrem der realistischen Richtung, die Lysippos selber eingeleitet habe. Träfe diese Auffassung zu, so müßte man jedoch sagen, daß hier nicht eine äußerste Steigerung, sondern ein Gegensatz vorliege. Dieser Gegensatz ist der von Kunst und Nichtkunst. Wir überblicken die griechische Bildniskunst zur Genüge, um mit aller Bestimmtheit sagen zu können, daß der Bruder des Lysippos nicht ein Banause war wie jene, welche die Totenmasken verstorbener Römer unmittelbar in Ahnenmasken umgewandelt haben mögen. Unter dem Einfluß dieser naheliegenden Praxis, die mit Kunst nichts zu tun hat, ist Plinius wohl zu seiner Auffassung einer an sich unverdächtigen Nachricht gelangt; denn daß Lysistratos Abgüsse nach dem Leben zu Studienzwecken hergestellt und benutzt habe, braucht nicht bezweifelt zu werden; das ist eine Äußerlichkeit der technischen Arbeitsweise wie die gelegentliche Benutzung von Photographien nicht nur durch Banausen, sondern auch durch große Meister der Bildniskunst. Die Hunderte von griechischen Bildnissen, die wir überblicken, zeigen nirgends eine Spur von dem unkünstlerischen Verfahren, das Plinius schildert, sondern durchweg eine vollkommen künstlerische Formung. Ob sich eine solche auf einem Abguß nach dem Leben herstellen läßt, scheint fraglich, tut hier jedoch nichts zur Sache; denn es ist gleichgültig, ob ein solcher Abguß als Studie danebensteht oder in der künstlerischen Formung verschwindet. Sollte dies Letztere wirklich der Fall gewesen sein, so ließe sich sogar die Auffassung des Plinius halten, niemals aber die Bewertung seiner Angabe durch die Neueren.

Ernst Pfuhl, Die Anfänge der griechischen Bildniskunst. Ein Beitrag zur Geschichte der Individualität (1927) S. 1–31.

Unendlich viel wichtiger als diese technische Einzelheit ist die Nachricht, daß Lysistratos als erster vollkommene Ähnlichkeit im Bildnis gegeben habe. Man weiß, wie
derartige Nachrichten in der antiken Literatur zu bewerten sind: Lysistratos muß
der erste gewesen sein, der einem hellenistischen Gelehrten als bedeutender Vertreter dieser Richtung in einer dem damaligen Urteil vollkommen erscheinenden
Ausprägung bekannt war. Man sollte meinen, daß diese Nachricht, die durch die
Angaben über die Bildnisse des gleichzeitigen Malers Apelles bestätigt wird[2], ein
Eckstein der kunstgeschichtlichen Forschung über das antike Bildnis sein müsse;
allein das ist nicht der Fall; wir wissen es besser. Das Individualbildnis von ausgeprägtem Realismus, sei es auch nicht jeder kleinsten Einzelform, soll bereits zu Ende
des 5. Jh. entstanden sein. Wir glauben, die Züge des *Sophokles*, des *Euripides*, des
Thukydides und selbstverständlich des *Sokrates* genau zu kennen, ja wir rechnen sogar mit der Möglichkeit, daß schon ein halbes Jahrhundert vorher die des Aischylos
in dem Gemälde der Marathonschlacht verewigt worden seien. Selbst eine archaische Bildniskunst hat man angenommen und sich angesichts des Saburoffschen
Männerkopfes im Berliner Museum sogar zu den Worten verstiegen, daß der Künstler bei der Arbeit keinen Blick und keinen Gedanken von seinem Modell abgewen-
det habe[3]. Dieser äußerste Anachronismus braucht hier nicht bekämpft zu werden,
denn er ist anscheinend fast allgemein mit guten Gründen abgelehnt und auch aus
dem Lager seiner eigenen Vertreter mit richtiger Erklärung des täuschenden Tatbestandes widerrufen worden[4]. Ich selbst habe diese Ansicht stets abgelehnt und gelegentlich bekämpft; dennoch habe auch ich der Denkweise, welcher sie entstammt, nicht vollkommen widerstanden, wenn ich es für möglich erklärte, daß die
leicht individualisierte Profillinie in dem auf eine Marmorscheibe gemalten Bilde
des Arztes *Aineios* (Taf. 4,2) ein Ansatz zu bildnismäßiger Darstellung sein könne
und daß einzelne Köpfe von Feldherren und Kämpfern, wie *Aischylos*, in dem großen Wandgemälde der Marathonschlacht mehr oder minder bildnismäßig gewesen
sein können[5].
Ich stehe nicht an, mit aller Schärfe zu erklären, daß dies der reine Unsinn ist. Über-
blickt man die Dinge im großen geschichtlichen Zusammenhange, so zeigt sich, daß
es zwar vom hohen Archaismus an Charaktertypen und Karikaturen gibt, daß im
besonderen Greise, später auch Männer von weniger hohem Alter, in wachsendem
Maße individuell charakterisiert wurden; der *Aineios* steht im Zusammenhange
einer Typenreihe, die mit dem *Halimedes* auf dem altkorinthischen Amphiaraoskrater
(Taf. 6,4) beginnt und in ihren letzten Auswirkungen sehr weit herabreicht[6]. Der
Begriff des Bildnisses in unserem Wortsinne fehlt jedoch nicht nur dem Archaismus,
sondern noch dem ganzen 5. Jh. vollständig; er ist uns aber seit Jahrhunderten so
selbstverständlich, daß es uns ungemein schwerfällt, die geschichtliche Betrachtung
von Anachronismen freizuhalten. Die unten näher begründete Auffassung finde ich
nur in zwei kurzen Worten von Buschor angedeutet. Er sagt bei der Besprechung
der realistischen Züge der Olympiaskulpturen: „das was wir Bildnis nennen, liegt

noch in weiter Ferne" und bemerkt, daß im ganzen 5. Jh. keine Spannung zwischen Idealporträt und Individualporträt vorhanden sei[7]. Damit stellt er sich in Gegensatz nicht nur zur allgemeinen Meinung, sondern auch zu der von den bedeutendsten und verdienstvollsten Bildnisforschern vertretenen. Auch für diese gilt das Wort des Plinius, daß der Wunsch nichtüberlieferte Gesichtszüge erzeuge[8]. Angesichts der wundervollen Charakterköpfe des alten *Sophokles* (Taf. 36) und vollends des *Euripides* (Taf. 73) glauben wir nur zu gern, daß dies ihre wirklichen Züge seien, und der Verstand ist ein gefügiger Diener des Willens.

Wir besitzen zwei Typen des *Sophokles* (Taf. 36. 57), und zwei Statuen von ihm scheinen unsere Überlieferung zu bezeugen[9]. Die lateranische Statue wird mit guten Gründen auf die um 330 im Athener Theater aufgestellte Erzstatue zurückgeführt; sie galt bis vor kurzem unbestritten als eine idealisierende Verjüngung des authentischen Altersbildnisses, das in vielen Kopien erhalten sei; dies gehe auf die von Iophon, dem Sohne des Dichters, geweihte Statue zurück. Gegen diesen letzteren Schluß sind zwar Einwände erhoben worden, jedoch nicht durchgedrungen; sie betreffen auch nicht das kunstgeschichtlich Wesentliche, die Annahme eines zeitgenössischen Altersbildnisses, hinter welchem andere Forscher noch ein oder zwei frühere Bildnisse suchen.

Noch großartiger und viel individueller als das Bild des alten *Sophokles* ist das des *Euripides* vom Neapler Typus (Taf. 73). Auch Studniczka, dessen Forschungen wir einen unschätzbaren Eckstein der griechischen Kunstgeschichte, das um 325 entstandene Bildnis des *Aristoteles* (Taf. 76,3; 79,2) verdanken, folgt neuerdings Lippold, der mit Sieveking und anderen aus schlagenden Gründen annimmt, daß dies Bildnis nicht auf die mit dem *Sophokles* gleichzeitige Statue im Theater zurückgehe – soweit zweifellos mit Recht. Dann aber folgt ein, wie wir sehen werden, der Sophoklesfrage paralleler Trugschluß: da wir auch von *Euripides* zwei Bildnisse besitzen, deren eines, der Typus Rieti-Kopenhagen (Taf. 119), höchstwahrscheinlich auf die Statue im lykurgischen Theater zurückgeht, so wird das andere auf dem Wege der Subtraktion für zeitgenössisch erklärt[10].

Viele, die zwar nicht mitten in der Einzelforschung stehen, aber die Geschichte der griechischen Kunst in ihren großen Zügen kennen, werden angesichts des Neapler *Euripides* fragen, wie in aller Welt dieses im Sinne griechischer Kunst realistische Individualbildnis sich in die Kunst des ausgehenden 5. oder selbst des frühen 4. Jh. einfügen solle. Andere, die noch ferner stehen, werden finden, die Erforschung der griechischen Kunst scheine noch in den Anfängen zu stehen, wenn die ersten Forscher schwanken können, ob ein in vielen, zum Teil ausgezeichneten Kopien erhaltenes hochbedeutendes Werk dem Ende des 5. Jh. oder der Alexanderzeit angehöre; denn früher haben Studniczka und andere den Neapler *Euripides* zum *Aristoteles* gestellt. Ganz parallel ist das Schwanken, ob der *Archidamos* aus Herculanum (Taf. 72) der zweite oder der dritte sei[11]. Jene nicht ganz fernstehenden werden finden, daß die Facharchäologie blind sei; aber das wäre ein Trugschluß: die genannten Gelehrten, welchen grade die Bildnisforschung viele und zum Teil entscheidende Förderung verdankt, sind nichts weniger als blind; wohl aber ist fast die ganze Fachwissenschaft in der vorliegenden Frage wundergläubig.

Aus der oben gekennzeichneten, durch heutiges Empfinden, menschlich begreifliche Wünsche und gleißnerische Parallelen der literarischen und der bildlichen Überlieferung bestimmten Einstellung heraus glaubt man nur zu gern an ein entwicklungsgeschichtliches Wunder, das wiederum in der literarischen Überlieferung eine Stütze zu finden scheint: dem Zeugnis des Plinius über Lysistratos stellt man das des Lukian über Demetrios von Alopeke gegenüber [12]. Lukian schildert diesen attischen Meister, den er als Menschenbildner, als Schöpfer leibhaftiger Menschen mit allem Realismus auch der häßlichen Erscheinung den Bildnern idealer Göttergestalten gegenüberstellt, als ausgesprochenen Veristen; und Quintilian bemerkt, daß er in dieser Richtung zu weit gegangen sei, während Praxiteles und Lysipp das rechte Maß in der Naturwahrheit hielten. Der unbefangene Leser wird meinen, es handle sich um einen Meister der Alexanderzeit oder allenfalls der Mitte des 4. Jh., einen Zeitgenossen der verglichenen Großmeister und damit auch des Lysistratos; ein Widerspruch liege hier nicht vor.

Anders die geltende Fachmeinung: Weil Demetrios die Statue eines vielleicht schon im Jahre 424 von Aristophanes als Obersten erwähnten *Ritters Simon* geschaffen habe – die Gleichsetzung ist nichts weniger als sicher, aber immerhin möglich –, müsse seine Tätigkeit bereits gegen Ende des 5. Jh. oder spätestens um die Jahrhundertwende begonnen haben. Damit schien für die Bildnisse des alten *Sophokles*, des *Euripides* und des *Archidamos* der frühe Ansatz ermöglicht zu sein und es schien sich auch der kunstgeschichtliche wie der geistesgeschichtliche Zusammenhang herstellen zu lassen: Man hat auf die auffälligste Gruppe unter den oben erwähnten Charakterstudien des 5. Jh. hingewiesen, die *Kentaurenköpfe* der Parthenonmetopen (Taf. 21,3; 22–23), des Theseion, des Tempels von Phigalia, des lykischen Sarkophages aus Sidon [13], und in dem Subjektivismus und Individualismus der Sophistik schien die geistige Voraussetzung gegeben.

Dies alles sind Trugschlüsse, die einmal mit aller Bestimmtheit und nicht nur andeutungsweise als solche gekennzeichnet werden müssen. Die Vorstellung von einer doppelten Wellenbewegung in der Geschichte des griechischen Bildnisses ist gänzlich unhaltbar und voller kunstgeschichtlicher wie geistesgeschichtlicher Anachronismen. Man nimmt an, die Entwicklung verlaufe von dem frühklassischen oder gar archaischen Realismus über den durch das Periklesbildnis bezeugten reinen Idealismus des hochklassischen Stiles zum frühen Verismus des Demetrios; dieser sei jedoch wirkungslos geblieben und habe erst in Lysistratos seine Nachfolge gefunden. Die treibende Kraft zu dieser Vorstellung liegt vielleicht mehr auf geistesgeschichtlichem als auf kunstgeschichtlichem Gebiet. Hier sei nur so viel bemerkt, daß wir auch gegenüber dem Begriffe der Befreiung des Individuums durch die Sophistik viel zu sehr dazu neigen, unsere heutigen Vorstellungen von Individualität in die ersten Anfänge der weltgeschichtlichen Entwicklung, an deren Ende wir stehen, zurückzuverlegen; sie gehen aber nicht nur über die der Sophistenzeit, sondern selbst über die des späteren Altertums, ja noch der Renaissance erheblich hinaus. Die Sophisten haben nicht die Individualität in unserem Sinne, sondern nur die Physis vom Nomos befreit, und die ganze, in Platons Ideenlehre gipfelnde geistige Richtung der klassischen Zeit schließt unsere Vorstellung von Art, Wert und Interesse der Individualität geradezu aus [14].

Die Denkmäler, welche unten näher betrachtet werden, zeigen in der Entwicklung der Charakterstudie und der allgemeinen Formensprache im Verlauf des 5. Jh. die notwendige Vorbereitung, allenfalls die ersten unsicheren Ansätze zu einer künftigen Bildniskunst, nicht aber diese selbst. Die Formensprache des *Euripides* (Taf. 73) und des *Archidamos* (Taf. 72) ist von der streng stilisierten Ausdrucksweise der Charakterstudien des 5. Jh. durch eine Welt getrennt und zeigt selbst dem *Platon*kopfe (Taf. 49) gegenüber eine ganz gewaltige Entwicklung, die sich für uns an die Namen Lysippos und Lysistratos knüpft. Wir dürfen als dritten den Namen des *Demetrios* hinzufügen, denn der aus der Statue jenes *Ritters Simon* hergeleitete Zeitansatz ist vollkommen willkürlich. Dieser Simon kann, selbst wenn es der von Aristophanes erwähnte *Hipparch* war, noch im ersten Viertel des 4. Jh. gelebt haben, er kann aber auch als der erste Schriftsteller über Pferdekunde um des hippischmilitärischen Interesses einer späteren Zeit willen noch lange nach seinem Tode ein Denkmal erhalten haben. Für den Zeitansatz des *Demetrios* besitzen wir außer jenem Vergleich mit Praxiteles und Lysipp die Schriftformen und die geschichtlichen Beziehungen seiner signierten Statuenbasen [15]. Von diesen brauchen zwei sicher nicht über die siebziger oder höchstens achtziger Jahre heraufgerückt zu werden, eine dritte, wo der Künstlername mit größter Wahrscheinlichkeit ergänzt wird, ist eher etwas jünger, die beiden anderen aber gehören nach dem Urteil der besten Kenner, Ulrich Köhler und Johannes Kirchner, genau der Mitte des 4. Jh. an. Meine Frage, ob der Annahme, daß Demetrios noch nach Mitte des Jahrhunderts gearbeitet habe, von epigraphischer Seite etwas im Wege stehe, beantwortet Kirchner mit einem entschiedenen Nein. *Demetrios* kann also von etwa 380 bis 340, wenn nicht gar bis 330 tätig gewesen sein, und seine auffällig realistischen Bildnisse haben natürlich seiner Spätzeit angehört.

Damit fällt jeder Anlaß, ein kunstgeschichtliches Wunder anzunehmen; *Demetrios* wird zum Zeitgenossen des Lysistratos und des Silanion. An die Spitze der griechischen Individualbildnisse im streng realistischen Sinne des Wortes tritt das des *Aristoteles* (Taf. 76,3; 79,2) – desselben Mannes, der aus früheren Ansätzen die literarische Biographie geschaffen hat [16]. Das erste in den allgemeinen Formen individuelle Bildnis, das, wenn überhaupt, so doch nicht lange vor der Mitte des Jahrhunderts geschaffen sein wird und deshalb nach wie vor dem Silanion zugewiesen werden kann, ist das des *Platon* (Taf. 49) [17]. Das älteste Bildnis des *Sokrates* (Taf. 46) verdankt seinen individuellen Charakter nur der Tatsache, daß *Sokrates* von ausgeprägtem Silentypus war; ob und wieweit es ihm in den eigentlich individuellen Zügen gleicht, bleibt fraglich; denn es zeigt durchaus nicht, wie behauptet wird, die literarisch überlieferten wulstigen Lippen noch auch die aufwärts gerichteten Nasenlöcher; die Nasenspitze ist vielmehr im Gegensatz zu den beiden jüngeren Sokratestypen nicht aufgeworfen, sondern leicht gebogen wie bei manchen älteren Satyrtypen[18]. Dies Bildnis braucht keineswegs zu seinen Lebzeiten, geschweige denn unmittelbar nach dem Leben geschaffen zu sein, sondern dürfte eher aus der Zeit stammen, als seine Schüler es wagen konnten, das Andenken des Meisters reinzuwaschen. Die große Formenstrenge dieses in dem Münchner Bronzekopfe derb, aber sicherlich stilreiner als in den Marmorkopien wiedergegebenen Bildnisses kann auch dem Fernerstehenden zeigen, wie undenkbar der Neapler *Euripides* (Taf. 73) im 5. und noch im Beginn des 4. Jh. ist. Das große Jahrhundert der griechischen Bildniskunst ist nicht, wie man zu sagen pflegt, das 4., sondern die zweite Hälfte des 4. und die erste Hälfte des 3. Jh.

Den Tatbestand im 5. Jh. kennzeichnen die urkundlich gesicherten Statuen der *Tyrannenmörder* [Taf. 7] und des *Perikles* [Taf. 19, 20] auf der einen, die *Kentaurenköpfe* der Parthenonmetopen (Taf. 21,3; 22–23) auf der anderen Seite nahezu erschöpfend: die Bildnisse sind rein ideal, die Charakterstudien unbeschadet der einfachen Formensprache der Zeit zwischen altertümlicher Maskenhaftigkeit und starker Annäherung an den Idealtypus in verschiedenen Abstufungen weitgehend individuell[19]. Nur in der Kleinkunst, auf einzelnen Gemmen (Taf. 27,1. 3) und ein paar Satrapenmünzen (Taf. 28,2; 29,2) vom Ende des Jahrhunderts beginnen sich Züge von Individualisierung bei offenbar wirklich als Bildnis gemeinten Köpfen zu regen; ob und inwieweit sie wirklich ikonisch sind, fragt sich aber noch[20]. In der Monumentalkunst kennen wir kein einziges Individualbildnis aus dem 5. Jh., weder Pythagoras noch Heraklit, noch sonst jemand. Das mit Hilfe einer Münzdarstellung erkannte Bildnis des *Pythagoras* erweist sich auf den ersten Blick als klassizistische Schöpfung[21]. Die ganze Kopfarchitektur mit den tief unter den Augenrändern zurückweichenden Augen und Wangen ist hier ebenso wie bei dem fälschlich so genannten *Aischylos* [Taf. 14] ein Formelement der Diadochenzeit[22]; die Formen sind auffällig leer und allgemein, die Bartform ist unecht altertümlich. Das Werk ist offenbar für Neupythagoreer geschaffen. Bei der antoninischen Kopie einer Statue des *Heraklit* (Taf. 51) hat der Entdecker Lippold selbst zwischen dem 5. und dem 4. Jh. geschwankt – sehr verständlich, denn hier ist ein Körpertypus des 5. Jh. mit einem Kopftypus des 4. verbunden[23]. Daraus folgt, daß die auf den ephesischen Münzen nachgebildete Statue ebenfalls eine Schöpfung der Spätzeit war. Für den Kopf mag das *Platon*bildnis (Taf. 49) um seines mürrischen Ausdruckes willen zugrunde gelegt worden sein. *Anakreon* vollends ist selbstverständlich nur der Idealtypus eines älteren Komasten in der edlen Auffassung des hochklassischen Stiles[24].

Was wir an unbenannten, aber offenbar als Bildnis gemeinten Köpfen aus dem 5. Jh. besitzen, gibt sich nur durch den äußeren Habitus, im besonderen die Haar-

tracht und die Charakteristik eines höheren Lebensalters, als Darstellung von Sterblichen zu erkennen. So weist ein bedeutender Kopf in Aranjuez im ganzen auf den
Aristogeiton, in der Profilbildung sogar auf den *Aineios* zurück [25]. Auch der vielum-
strittene Kopf des sogenannten *Julianus* (Taf. 15 [Pindar]) läßt sich als etwas jüngeres Werk aus dem dritten Viertel des 5. Jh. leicht festlegen [26]. Er erinnert in der
grundsätzlichen Bewegung seiner Formen und in der Alterscharakteristik an die
dem Idealtypus am nächsten stehenden *Kentauren* vom Parthenon (Taf. 22,3), ist
aber kein attisches Werk; denn die eigentümliche Zeichenweise seines Haares entspricht der im weiteren nesiotischen Kreis üblichen Art, und die ganze Anlage von
Haar und Bart ähnelt auffällig der bekannten Gemme des Chioten *Dexamenos*
(Taf. 27,1). Zweifellos attisch ist dagegen ein von manchen auch heute noch für das
älteste *Sophokles*bildnis gehaltener Kopf (Taf. 18). Auch er trägt nur Kennzeichen
des Alters, nicht aber einer Individualität [27]. Diese zweifellosen Bildnisse des 5. Jh.
sind also reine Idealbildnisse. Die lange Reihe der Strategenköpfe zeigt, daß der
Perikles [Taf. 19–20] in einem Zusammenhange steht, der von dem wohl richtig
benannten *Miltiades* bis mitten ins 4. Jh. nur Idealköpfe aufweist. Erst am Ende der
Reihe, gewiß nicht vor dem letzten Drittel des 4. Jh., erscheint ein wirklich individuelles Strategenbildnis [28].

Jugendschönheit und Heroisierung blieben auch weiterhin der Bildnismäßigkeit
gefährlich; selbst dem erschütternden Meisterwerk des Pyrgoteles, das uns den tod-
geweihten *Alexander* vor Augen stellt, liegt der Idealtypus der Zeit zugrunde [29]. Das
gilt auch für so großartige Bildnisse von Herrschern in höherem Lebensalter wie
Seleukos Nikator [Taf. 84–85] und *Ptolemaios Soter* (Taf. 87), ja selbst für *Menander*
[Taf. 90–103] [30]. Hier sind wirkliche, aber mehr oder minder heroisierte Menschen
mitten in der Blütezeit des Individualbildnisses dem Idealtypus angenähert. Umgekehrt sind die Idealbilder der Geistesheroen des 5. Jh. mehr oder minder vollkommen individualisiert. Der große Meister, der den *Euripides* des Neapler Typus
(Taf. 73) geschaffen hat, trug ein unvergleichlich echteres und tiefer gefaßtes Bild
des Tragikotatos in seiner Seele als jener andere, der dem großen Publikum in der
lykurgischen Statue einen grob äußerlich charakterisierten *Euripides* (Taf. 119) vor
Augen stellte; beide haben sich um die Überlieferung von dem langen Barte des
Dichters keinen Deut gekümmert [31].

Der Neapler *Euripides* ist eine Schöpfung aus der Vorstellung, von gleicher Art, nur
geistig tiefer als der annähernd gleichzeitige *Bias* (Taf. 55) und der späthellenistische *Homer* [Taf. 140] [32]. Während dieser das realistische, individuell wirkende Bild
des blinden Dichtergreises gibt, ist der wundervolle *Homer* aus der Mitte des 5. Jh.
(Taf. 13) selbstverständlich nur ein reines Idealbild des blinden Greises von höchster Würde und Weisheit [33]. Typisch ist auch die wenig jüngere *Greisin* (Taf. 25), die
man in chronologisch unmöglicher Weise dem *Demetrios* hat zuweisen wollen [34].
Die Alterslockerung der Formen geht selbst in der Kopie gar nicht so weit über das
hinaus, was schon wesentlich ältere Werke, das *Vasenbild des Pistoxenos* [Taf. 24,1]

und das *Bostoner Triptychon* [Taf. 24,2], zeigen[35]. Wer weiß, ob nicht auch der *Lysias* (Taf. 45), der einem *Kentauren* vom Parthenon (Taf. 23,3–4) auffällig ähnelt, nur ein täuschend individueller Alterstypus ist; er kann frühestens kurz vor dem Tode des Redners um 380, sehr wohl aber auch noch etwas später entstanden sein[36].

Erst bei *Platon* (Taf. 49) betreten wir den festen Boden zweifelloser Bildnismäßigkeit wenigstens der Hauptformen, und dem entspricht das vereinzelte, aber deshalb nicht minder wertvolle Zeugnis der Münzen. Regling weist die beiden Münztypen von Kyzikos, die den Kopf eines dicken alten Mannes zeigen (Taf. 29,5–6), dem mittleren Drittel des 4. Jh. zu[37]. Der eine wird dem Anfang, der andere dem Ende dieses Zeitraumes angehören, denn sie zeigen einen erheblichen entwicklungsgeschichtlichen Abstand. In dem einen liegt der Idealtypus der Zeit der Individualisierung durch Dicke und Alterskennzeichen zugrunde; in dem anderen ist die Individualisierung vollkommen. Das Verhältnis ist grundsätzlich, wenn auch nicht im einzelnen, ähnlich wie das zwischen den Bildnissen des *Lysias* (Taf. 45) und des *Aristoteles* (Taf. 79). Der *Platon*kopf (Taf. 49) ist bereits stärker individualisiert als der erste Münztypus. Mit dem *Platon* hat Winter das Bildnis des *Thukydides* [Taf. 42 bis 43], Sieveking auch das des *Herodot* zusammengestellt; beide müssen als Idealbildnisse gelten. Der dem *Thukydides* zugrundeliegende Typus ist der gleiche wie der des sogenannten *Mausolos* [Taf. 54,1], womit der Zeitansatz um die Jahrhundertmitte gegeben ist[38].

Daß auch die Statue des *Demosthenes* (Taf. 112), die ja erst einige vierzig Jahre nach seinem Tode geschaffen wurde, ein solches Idealbildnis sei, ist die kühnste und vermutlich auf den stärksten Widerspruch stoßende Behauptung in Löwys bahnbrechendem Aufsatz über das Sophoklesbildnis[39]. Hier lag ja nun die Möglichkeit der Benutzung wirklicher Individualbildnisse nach dem Leben vor, denn in den im Jahre 319 verfaßten Charakteren des Theophrast erscheint es als typische Gewohnheit des Schmeichlers, das Bildnis des Hausherrn hervorragend ähnlich zu finden. Vergleicht man jedoch mit dem *Demosthenes* das Bildnis des *Theophrast* (Taf. 123) und das des Staatsmannes und Feldherrn *Olympiodoros* (Taf. 106–107), der die Politik des Demosthenes mit mehr Sinn für die veränderte Wirklichkeit zu eben der Zeit fortsetzte, als die Statue des *Demosthenes* geschaffen wurde, so versteht man Löwys Meinung[40]. In *Theophrast* und in *Demosthenes* sehen wir zwei sehr verschiedene Tonarten des gleichen Grundtypus, der durch Einfügung auffälliger individueller Züge und eines mit glänzender Ausdruckskraft aufgeprägten Gesamtcharakters individualisiert ist. Ganz anders der *Olympiodoros*. Hier haben wir trotz der monumentalen Betonung der Hauptformen eine vollkommen individuelle Bildung auch des zugrundeliegenden Formengerüstes; man erkennt das zeitgenössische Individualbildnis.

Damit soll nun freilich nicht behauptet werden, daß der *Demosthenes* ein rein ideales Charakterbild sei; es ist höchst wahrscheinlich, daß der Meister die wirklichen Züge des Mannes gekannt und bis zu einem gewissen Grade verwendet hat; den-

noch steht sein Werk im Zusammenhang einer Typenreihe, über deren Länge man
fast erschrecken könnte. Es war nicht reine Torheit, wenn man in jener Gemme des
Dexamenos (Taf. 27,1), die freilich noch dem 5. Jh. angehört, Demosthenes erkennen wollte; denn es liegt wirklich ein gewisser typologischer Zusammenhang vor.
Dieser umfaßt auch zwei Goldringe, einen älteren (Taf. 27,3) und einen jüngeren
[Taf. 27,2], bei welchen nicht nur die gleiche Senkung der Nasenspitze, sondern
auch deren scharfe Zuspitzung bei gradem Nasenrücken wie bei dem Demosthenes
(Taf. 112) vorliegt [41]. Es ist das eine der Erscheinungsformen des aus dem Archaismus ererbten Alterstypus, den im Zusammenhange mit anderer Stirnbildung auch
der berühmte *Kriegerkopf* in einem frühklassischen Vasenbild (Taf. 21,2) und in wieder anderer Abwandlung, die sich näher mit der Gemme des *Dexamenos* berührt,
das *Vasenbild des Aesopos* (Taf. 26,1) zeigt [42].
Die Frage, ob hier ein Zufall oder wirklich ein Zusammenhang mit älteren Charakterstudien vorliegt, läßt sich nicht ohne näheres Eingehen auf die reiche und vielge-
staltige Geschichte der ganzen griechischen Bildniskunst erörtern [43]. Hier sollte nur
versucht werden, einer meines Erachtens vielfach anachronistischen Vorstellung
von den Anfängen dieses Kunstzweiges ein geschichtlich besser begründetes Bild
gegenüberzustellen. Falls dies sich der allgemeinen Geschichte der griechischen
Kunst besser einfügt als unserer stark durch die neuere Kunst beeinflußten Vorstellung von Bildniskunst im allgemeinen, so liegt darin wohl keine Schwäche der vor-
getragenen Hypothese.
Von hier aus ist auch das oft erörterte Verhältnis zwischen griechischer und römischer Bildniskunst leicht verständlich [44]. Dem Griechen ist auch das Bildnis in erster
Linie Kunstwerk und hinter dem Individuum steht ihm immer der Typus, den es vertritt [45]. Das Ideal ist erreicht, wenn ein großes Individuum einen neuen Menschen-
typus in sich verkörpert. Dies ist bei *Aristoteles* (Taf. 79) der Fall. Es ist kein Zufall,
daß der Schöpfer der Biographie in einem Individualbildnis vor uns steht, das sich
ebenbürtig neben dem Idealbildnis des *Euripides* (Taf. 73) behauptet. Die Fähigkeit
zur Schöpfung so vollkommen individueller Idealbildnisse beruht auf dem dargestellten Sachverhalt.
Bei den Römern diente das Bildnis wie bei den Ägyptern ursprünglich bloß der
Religion, nur daß nicht der Totenkultus allein, sondern auch das Selbstbewußtsein
eines Volkes von ausgeprägtester Willenskraft dahintersteht [46]. Was aber ursprünglich
nicht mehr als die persona, die individuelle Ahnenmaske war, das wurde mit den
Mitteln griechischer Kunst allmählich zum echten Bildnis, in welchem der Sinn für
die Individualität auf einer neuen Stufe seiner europäischen Entwicklung in die
Erscheinung trat [47]. In der mittleren Stoa berührte sich das griechische Denken mit
den großen Charakterköpfen der römischen Republik [48]. Es scheint kein Zufall zu
sein, daß hier ein Fortschritt in der Auffassung und Bewertung der Individualität
einsetzt. In dieser Berührung von griechischem Geist und römischem Wesen liegen
die geistigen Wurzeln der späteren griechisch-römischen Bildniskunst.

Anmerkungen

[1] Plin. nat. hist. XXXV 153. Hiervon streng zu scheiden ist Aristoteles Poetik 1454b 9 ff.: Der Tragiker müsse es machen wie die guten Bildnismaler, welche die individuelle Form ähnlich wiedergeben, aber verschönern (τὴν ἰδίαν μορφὴν ὁμοίους ποιοῦντες καλλίους γράφουσιν). Dies ist nicht banal gemeint, sondern so wie es von aller großen Bildniskunst gilt: in Form und Ausdruck wird das bessere Selbst des Menschen in seinen wesentlichen Zügen erfaßt und gestaltet. Viele lehrreiche Aussprüche und Beispiele dafür gibt Waetzoldt, Die Kunst des Porträts, aus dem Bereiche der neueren und neuesten Kunst (in den Bemerkungen zur Antike einzelne Irrtümer); vgl. z. B. 4 (Bernini), 11, 116 (Reynolds). 80 (Lomazzo). 108 f. (David), ferner 122–129 (vgl. u. Anm. 44). Das Nebeneinander der Photographie und des Selbstbildnisses von Max Liebermann, 112 Abb. 6 f., ist eine schlagende bildliche Erläuterung der Worte des Aristoteles.

[2] Plin. XXXV 88, vgl. 90: wenn er es wagen konnte, das auffällige Schielen des Antigonos zu verbergen, muß er ein Meister der Charakteristik gewesen sein.

[3] Kekulé, D. griech. Skulptur² 12.

[4] Schrader, Auswahl archai. Marmorskulpturen 4 f.; Julius Lange, Darstellung d. Menschen 32 f.; Studniczka, N. Jahrb. V 1900, 173 f.; Lippold, Griech. Porträtstatuen 20 ff. Vgl. meine Bemerkungen N. Jahrb. XLV 1920, 50; Ath. Mitt. XLVIII 1923, 155. Daß einzelne hervorragende Fachgenossen anders denken, soll nicht verschwiegen werden, doch möchte ich beiläufige, ohne jedes begründende Wort getane Äußerungen nicht anführen. Daß Lehmann-Hartleben in einer sein verdienstliches Buch über die Trajanssäule ergänzenden Abhandlung mit einer archaischen Bildniskunst rechnet, erwähne ich deshalb, weil ich auch seinen Ausführungen über die Bildnisköpfe an der Säule trotz mancher feinen Bemerkung in der Hauptsache nicht beistimmen kann (Die Antike I). Ich glaube nicht an Individualbildnisse einzelner Gefangener, sondern an freie Schöpfungen aus der Gesamterfahrung der Bildhauer, finde den Anteil der skopasisch-hellenistischen Formtypik reichlich stark und meine auch Durchkreuzungen der Rassenkennzeichnung zu sehen. Lehmann-Hartleben nimmt von vornherein einen geistesgeschichtlich unhaltbaren Standpunkt ein, da er von der Annahme eines aus „einmaligem Persönlichkeitserlebnis" stammenden archaischen Bildnisses ausgeht (320).

[5] Malerei I 494, II 645, 662 (673), III T. 176, 485 *(Aineias)*. Ähnlich Lippold, Griech. Porträtstatuen 28, 68. Vgl. Julius Lange a. O. 162 f. Für *Aischylos* ist bildnismäßige Darstellung nicht überliefert; aus der Erwähnung bei Pausanias I 21, 2 geht nur hervor, daß die Späteren eine Kriegergestalt in dem Schlachtbilde so nannten – fraglich ob mit Recht, etwa auf Grund einer Namensbeischrift. Außer den Feldherren beider Parteien werden auch manche Krieger in vorgeschrittenem Lebensalter dargestellt worden sein. Die Alterscharakteristik wirkte unter den Idealtypen individuell; darauf beruht offenbar die plinianische Angabe von der ikonischen Bildung der Feldherren (auch der feindlichen!). Wenn man bei der Laodike in Polygnots athenischer Iliupersis die Züge von Kimons Schwester Elpinike finden wollte, so wird das nicht der Ausgangspunkt, sondern eine Folge des Klatsches über ihr Verhältnis zu dem Maler gewesen sein; denn sie galt auch sonst als locker.

[6] S. o. S. 232, u. S. 241 ff.

[7] Olympia 27, 40. Anders z. B. Curtius, D. griech. Grabrelief 2; Schrader, Die Antike II 113 ff.

[8] N. h. XXXV–9.

⁹ S. u. S. 245 f.

¹⁰ S. u. S. 246.

¹¹ Entdeckt und richtig auf Archidamos III., König von 361–338, bezogen von Wolters, Röm. Mitt. III 1888 T. 4 [hier S. 101 ff.]; so auch neuerdings Studniczka, Artemis und Iphigenie 115. Bernoulli, Griech. Ikonographie I T. 12 (mit unbegründeten Zweifeln an der Benennung). Arndt, Griech. u. röm. Porträts T. 765 f. Delbrück, Antike Porträts 18. Hekler, Bildniskunst d. Griech. u. Römer 11. Da der König in Süditalien fiel und zwei Statuen in Olympia sowie anscheinend eine weitere in Delphi besaß, ist das Auftreten seines Bildnisses in Herkulanum nicht befremdlich. Die delphische Statue wird von Pomtow, Delphi Nr. 140, auf den gleichen König, nicht auf den des Peloponnesischen Krieges zurückgeführt. Falls das zutrifft, verlören Furtwänglers ohnehin unhaltbare Ausführungen, Meisterwerke 550 f. 1 ihre letzte schwache Stütze. Sonderbarerweise hat auch er, der erfahrene Kenner griechischer Bronzen und römischer Marmorkopien, sich durch die erzmäßige Behandlung des Haares in der Hauptansicht und die Vereinfachung an dem flüchtig angelegten Ober- und Hinterkopf beirren lassen, daß er darüber die Formensprache des Gesichtes übersah. Ähnlich erging es Kekulé und Schrader mit dem Erzoriginal des Faustkämpfers aus Olympia [Taf. 53], das vor Lysipp undenkbar ist (Sitz. Akad. Berlin 1909, 694 ff.; 60. Berl. Winckelmannsprogr. 18 f.), ja sogar mit einem urhellenistischen Werk, dem Faustkämpfer im Thermenmuseum nach Winters Vorgang Amelung in Helbigs Führer³ Nr. 1350. Hier ist allerdings die Stilisierung des Haares absichtlich vereinfacht, wenn auch noch nicht gradezu klassizistisch. Den Stil der Statue hat Krahmer, Röm. Mitt. XXXIX 1924, 162 f. ausgezeichnet charakterisiert (zum Haar 158, 1).

¹² Overbeck, Schriftquellen Nr. 897 ff. Ein polemisches Eingehen auf die umfangreiche Demetriosliteratur erübrigt sich angesichts meines grundsätzlich abweichenden Standpunktes. Meine Meinung über viele Einzelheiten kommt auch ohne das zum Ausdruck, so auch in der vorigen Anmerkung. Der Archidamos bleibt natürlich ganz wohl geeignet, der Vorstellung von dem Spätstil des Demetrios einen ungefähren Anhalt zu geben; vgl. auch den Körper des Asklepios Pitti-Massimi, Einzelaufnahmen Nr. 219, 2054. Furtwängler, Meisterwerke 275, 2 unterschätzt den Wert der Angaben des Lukian; im gleichen Zusammenhange steht ja doch die berühmte Charakteristik des myronischen Diskobolen. Die scharfsinnigen Ausführungen von Reisch, Österr. Jahresh. XX 1919, 299 ff. passen gut zu dem Spätansatz des Demetrios: wenn der Bildhauer Nikomachos, der die Statuette der Dienerin der Lysimache machte, wirklich mit dem berühmten Maler gleichzusetzen ist, so war er noch nach 330 tätig (geboren anscheinend um 390, vgl. Malerei II 755); er wäre also ein vermutlich jüngerer Zeitgenosse des Demetrios gewesen. Diesen läßt Reisch zwischen 390 und 350 arbeiten (303). Die dem Demetrios von Arndt, Six, Sauer (N. Jahrb. XLI 1918) u. a. zugewiesenen Werke sind auf eine Zeitspanne von über hundert Jahren zu verteilen. Über die erhaltenen Signaturen s. Anm. 15.

¹³ Studniczka, N. Jahrb. V 1900, 174.

¹⁴ Dies näher auszuführen ist nicht meine Sache und ich verzichte auch darauf, die naheliegenden Parallelen zwischen bildender Kunst und Literatur von der künstlerisch freien Sophoklesstudie des Ion über Isokrates und Xenophon bis zur aristotelischen Biographie zu ziehen (der platonische Sokrates gestattet keine solche Parallelisierung, aber die Schöpfung des Lysipp setzt ihn voraus). Grundlegend ist Misch, Die Autobiographie I; vgl. besonders 44–48, 74 ff.; 111–117. Wertvolles Material bei Bruns, Das literarische Porträt. In wenig Worten viel sagt Leo, D. griech.-röm. Biographie 316 f. Vgl. auch W. F. Otto, D. Antike I 356; Jaeger, Solons Eunomie, Sitz. Akad. Berlin 1926, 84 f.

[15] Seit der Behandlung in Löwys ›Inschriften griechischer Bildhauer‹ hat sich mancherlei geändert. Kirchners Güte verdanke ich wertvolle Bemerkungen. Wie ich bei ihm, Hiller v. Gaertringen und Ad. Wilhelm von jeher erfahren habe, sind grade die bedeutendsten Epigraphiker am vorsichtigsten in der Begrenzung paläographischer Zeitansätze. Bei den attischen Grabreliefs kann man jetzt, freilich nur in Athen, soweit kommen, die Inschriften nach den Reliefs auf 10–20 Jahre festzulegen. Um so wichtiger ist es, wenn geschichtliche Beziehungen dem Ansatz zu Hilfe kommen, und das ist grade bei den späteren Signaturen des Demetrios der Fall. Bequeme Zusammenstellung bei Michaelis, Arx Athenarum 113 Nr. 65–69, ergänzt durch Reisch, Österr. Jahresh. XX 303ff. Um 350 anzusetzen sind JG II 1522 (vgl. 1531) und II 5, 1393c, älter 1425 und 1425b (Add. p. 350). II 3, 1376, die Basis der berühmten Lysimachestatue, wo der Künstlername verloren ist, scheint etwa den sechziger Jahren anzugehören (Reisch).

[16] Studniczka, D. Bildnis des Aristoteles, Leipziger Dekanatsprogramm 1908 [hier S. 147ff.]. Beste Replik in Wien; Delbrück T. 19, Hekler T. 87ff. Da Aristoteles im Jahre 322 mit 62 Jahren starb, ist das Bildnis schwerlich lange vor 325 entstanden. [Dazu vgl. hier S. 23.]

[17] S. u. S. 246ff.

[18] Über die Sokratesbildnisse, Arndt T. 1031ff., zusammenfassend soeben Studniczka, Zwischen Philosophie u. Kunst (Festschr. f. Joh. Volkelt). [Richter I 109ff.; der antike Ursprung der Münchner Bronze ist nicht gesichert, daher wird hier der Neapler Marmorkopf abgebildet, Richter I 111 Nr. 4 Abb. 480–482.] In dem von ihm erwähnten Zeitungstext zu einem Bilde der neuen Londoner Statuette [Taf. 64, 1–2] bewegt sich mein Urteil noch in den herkömmlichen Bahnen. Daß auch das älteste Bildnis wahrscheinlich postum sei, bemerkt schon Lippold, Porträtstatuen 53 gegenüber Bulle (Sieveking geht in seinen wertvollen Bemerkungen in Christs Geschichte der griechischen Literatur, 4. u. 5. Auflage, sogar bis in die Mitte des 4. Jh. herab: 4. Auflage 992). Wenn Lukian oder ein anderer Spätling erzählt, daß Sokrates im Gefängnis von Malern porträtiert worden sei, so ist das selbstverständlich eine aus späteren Vorstellungen von Sokrates und von Bildniskunst heraus gesponnene Legende. Womöglich ist sie nicht einmal antik; ich kenne sie nur aus Kekulé 36, der sie ohne Stellenzitat anführt, und habe sie trotz verzweifelten Suchens und Umfragens bei solchen, die es wissen könnten, nirgends gefunden. Auf jeden Fall ist es etwas ganz anderes, wenn nach Xenophon, Memor. III 11, eine Hetäre von Malern belagert wurde: hier handelt es sich offenbar um Studien nach einem schönen Modell. Über den Stil des ältesten Typus Loeschcke, Anz. XXIX, 1914, 515ff.: er betont mit Recht, wie einfach bewegt und frei von jedem stofflichen Realismus die Form, wie streng geschlossen Umriß und Masse sind. Die Zeichnung des Bartes erinnert etwas an die Gemme des Dexamenos (S. 242). Loeschckes Abbildung ist übrigens zu sehr von unten genommen, damit man in die Nasenlöcher hineinsehen könne. Hekler S. XIII (wo der große Kopf in der Unterschrift versehentlich als Köpfchen bezeichnet ist); Wolters, Ill. Führer durch die Glyptothek Nr. 448. Ähnliche Nasenspitzen bei Satyrn in der Vasenmalerei: Malerei III T. 70, T 144f.

[19] S. u. S. 243.

[20] S. u. S. 242.

[21] Arndt, Porträts T. 151f. (Hekler T. 9b), bestimmt nach einem epigraphen Kontorniaten durch McDowall, Papers Brit. School Rome III 310 (Bernoulli, Griech. Ikonogr. I Münztafel I 22). Die Augäpfel sind aus Gips ergänzt. Der Neupythagoreismus beginnt in späthellenistischer Zeit. [Helbig[4] II Nr. 1362; auf eine Abbildung wurde verzichtet.]

[22] Vgl. Studniczka, N. Jahrb. V 1900, 174. [Richter I 123 Abb. 604–605.]

[23] Lippold, Ath. Mitt. XXXVI 1911, 153 ff. T. 4; Porträtstatuen 46. Delbrück, Porträts T. 14 (Bernoulli I Münztafel II 4). [Richter I 80 Abb. 306–307. 310.]

[24] Arndt, La glyptothèque Ny Carlsberg T 26 ff.; Einzelaufnahmen Nr. 312 f. Hekler T. 6. Winter, Kunstgesch. in Bildern 251, 3 f. Kekulé, Jahrb. VII 1892 T. 3. Schrader, Die Antike II 120 ff. T. 10. Lippold, Porträtstatuen 35 ff. [Richter I 75 ff. Abb. 271–290]. Kekulé meint in völlig ungeschichtlichem Denken auf Grund heutigen Empfindens, die Züge des Anakreon seien überliefert gewesen, da er bei Lebzeiten oft porträtiert worden sein müsse. Nun haben wir ja Darstellungen von ihm im strengen rotfigurigen Stile, dessen Meister doch so manche höchst individuelle Charakterstudie gezeichnet haben; Anakreon erscheint aber bei ihnen, wie zu erwarten, in rein typischen Formen. Vgl. Robert, Hermeneutik 81 f.

[25] Arndt, Porträts T. 547 f., Mitte 5. Jh. Die Nase ist leider verloren. [D. Hertel, MM 26, 1985, 239 Nr. 6 Taf. 53 b; auf eine Abbildung wurde verzichtet.]

[26] Arndt T. 681–686; Stuart Jones, Catal. Capitol. Mus. T. 58 Nr. 72 f., wo man zur Not sieht, daß Arndt die Replik Nr. 72 unterschätzt: sie hat sogar das stumpfe Aneinanderstoßen der Augenlider im äußeren Winkel bewahrt. Die Neapler Replik hält Hauser, Oest. Jahresh. X 1907, 15 f. für die beste; es ist jedoch eine freilich sorgfältige Übertragung in antoninische Art. Wichtig ist die dort allein erhaltene Nase: sie ist ganz einfach geformt; dagegen verleiht die Ergänzung dem kapitolinischen Kopf Arndt T. 684 einen täuschenden Schein von Individualität. In Wahrheit haben wir nur den Typus eines etwas verbrauchten Mannes in mittleren Jahren vor uns. [Zum Typus: Richter I 100 f. Abb. 413–425; zur Identifizierung: s. o. S. 19 Anm. 104.] Außer den Kentauren vom Parthenon sind die des lykischen Sarkophages von Sidon zu vergleichen, Hamdy Bey und Th. Reinach, Nécropole royale à Sidon T. 17. [B. Schmidt-Dounas, Der lykische Sarkophag aus Sidon (1985) Taf. 13–14.] Für die scharfe Herausarbeitung der Hauptformen ist außer den Kentaurenköpfen auch der unten S. 242 näher behandelte Ring (Taf. 27,3), der darin im Gegensatz zu der Gemme des Dexamenos (Taf. 27,1) steht, zu vergleichen. Das Haar ist zwar struppiger, zeigt aber auch die gleichen schmalen Strähnen, die besonders am Hinterkopf des „Julianus", Arndt T. 681 f., recht sorgfältig wiedergegeben sind (im Gesicht sind spätere realistische Züge beigemengt). Vgl. nesiotische Reliefs, so zumal Jahresh. VI 1903 T. 1 (Kreta); Furtwängler, Samml. Saburoff T. 6 (Karystos [Taf. 20,2]; schon unter dem Einfluß der Parthenonkunst); erheblich älter das wahrscheinlich westjonische Bostoner Triptychon, Ant. Denkm. III T. 8 (Leierspieler). Bemerkenswert ist die energische Kopfbewegung. Für den Ruhm des Mannes spricht auch eine *imago clipeata* in Smyrna (Lippold, Röm. Mitt. XXXIII 1918, 8 f.) [EA 3206, keine Wiederholung des Typus!].

[27] Maßgeblich für die Recensio und damit für die Zeitbestimmung ist die Londoner Replik: Bernoulli, Griech. Ikonogr. I 142 f.; dazu Lippold, Porträtstatuen 38 f. [Richter I 130 f.; Abb. 690–707; W. Gauer, JdJ 83, 1968, 163 ff.]. Über die dreißiger Jahre braucht man wohl nicht heraufzugehen. Die Ähnlichkeit mit dem Ammon in Wörlitz, Einzelaufnahmen Nr. 398 f., ist im ganzen nicht so groß wie in der grundsätzlichen Behandlung von Haar und Bart. An diesen erkennt man auch die am stärksten abweichenden, ganz in den Stil des 4. Jh. übertragenen Repliken, so Arndt T 31 f. (Hekler T. 18 a), 771 f. (Anpassung an das Gegenstück in der Doppelherme). Auch die feine kapitolinische Replik T. 774 f. enthält in den Augen und der stofflicheren Hautbildung jüngere Elemente. Am einfachsten ist der Kopf aus Rieti, Einzelaufnahmen Nr. 1980 f. Deutung auf Sophokles: Helbig, Führer [3] Nr. 1401; auf Xenophon mit Vorbehalt Studniczka, Journ. hell. stud. XLIII 1923, 65. Die Ähnlichkeit mit Sophokles beruht nur darauf, daß eben beide typische Athener sind.

[28] Das Material bei Kekulé, Abh. Akad. Berlin 1910 II, mit schweren Fehlern in der chronologischen Reihenbildung (am sonderbarsten der Ansatz des sogenannten Themistokles oder
Alkibiades im Vatikan vor dem Perikles auf Grund täuschender Eindrücke, worunter wieder
das Verkennen der Nachbildung von Erzziselierung in Marmor, s. o. Anm. 11. Vgl. Lippold,
Porträtstatuen 29 ff. zumal zum „Miltiades", Arndt T. 21 f., 971 f. (Hekler T. 1 b). Die übrigens nur in der Münchner Replik auffällige Schiefe des Mundes erklärt Kekulé wohl richtig
aus der Heftigkeit der Bewegung. Diese Vorkämpferstatue könnte die Darstellung des Miltiades in dem Gemälde der Marathonschlacht angeregt haben. Arndt T. 417 f. (Hekler T. 1 a)
kann sehr wohl Kimon sein (Sauer, N. Jahrb. XLI 1918, 372 vermißt Familienähnlichkeit mit
dem sogenannten Miltiades auf Grund der hier abgelehnten Voraussetzungen). Der Mitte
des 4. Jh. gehört der albanische Kopf an, Arndt T. 287 f. Der späte realistische Kopf in Berlin
Arndt T. 289 f. Der Kopenhagener Kopf T. 285 f. scheint mir nach der Abbildung an Mund
und Wangen stark überarbeitet, ich lasse ihn daher aus dem Spiel. [Vgl. jetzt: D. Pandermalis, Untersuchungen zu den klassischen Strategenköpfen (1969); G. Dontas, in: Festschr.
F. Brommer (1977) 79 ff.]

[29] Delbrück, Jahrb. XL 1925, 8 ff. T. 2 ff. Dies Werk entzieht sich infolge seiner Verbindung
von Durchsichtigkeit und Spiegelung der photographischen Wiedergabe; man kann es nur
würdigen, wenn man es in der Hand hält (was mir durch Doro Levis Güte vergönnt war). Die
Photographie karikiert die Form wie den Ausdruck; er hat nichts Irres und die Übergänge der
Formen sind viel weicher, alles ist viel klassischer, als die Abbildungen ahnen lassen. Die Grundformen des Kopfes zeigen eine Weiterbildung des skopasischen Typus unter lysippischem
Einfluß, es kann also nur eine annähernde Ähnlichkeit der Daseinsform vorliegen; alles
Gewicht liegt auf dem Ausdruck, dessen überzeugende Gewalt die Idealisierung der Formen
vergessen läßt.

[30] Seleukos: Delbrück Porträts XLI T. 22, Hekler T. 68, besser als Arndt T. 101 f.; auch Altertümer von Pergamon VII T. 31 f. (Hekler T. 75, Delbrück XL T. 27) dürfte eher den Lehnsher-
ren Seleukos als Attalos I darstellen. Ptolemaios: Arndt T. 853 f. Menander: Hekler T. 105 ff.;
Delbrück T. 20. Treffend Studniczka N. Jahrb. XXI 1908, 20. [Vgl. hier S. 203.]

[31] S. u. S. 246.

[32] Bias: Arndt T. 371 f.; Hekler T. 77; vgl. Bernoulli I 46 links [Richter I 87 f. Abb. 352–355].
Homer: Arndt T. 1, 1011–1020; Hekler T. 117 f. [Richter I 50 Abb. 58–104].

[33] Arndt T. 423 f. (Hekler T. 8): am stilreinsten (München); schon die Replik Baracco, Arndt
T. 973 f. ist etwas verfälscht: den Augenrändern ist durch höheren Schwung gegen die Nasenwurzel hin ein leichtes Pathos verliehen. Vollends umstilisiert im Sinne jüngerer Kunst ist die
vatikanische Replik, Arndt T. 421 f. (Hekler T. 9 a); deshalb wollte Winter, dem noch Robert,
Hermeneutik 85 folgt, hier ein Werk des Silanion erkennen. Vgl. Buschor, Olympia 27. Wertlos ist der Kopf in Moskau, Dän. Mitt. IV 1, 1921, 20 ff. T. 6, den Waldhauer, Journ. hell. stud.
XLIV 1924, 50, 53 nicht einmal als ungenaue Replik gelten läßt. Die Deutung auf Homer ist
auch angesichts der Replikenreihe viel wahrscheinlicher als die auf Teiresias oder gar Epime-
nides. Idealbilder Homers und Hesiods sind zuerst gegen Mitte des 5. Jh. bezeugt (Weihung des
Mikythos in Olympia, vgl. Preuner, Jahrb. XXXV 1920, 59 ff.) [Richter I 47 ff. Abb. 1–17].

[34] Six, Röm. Mitt. XXVII 1912 T. 2 f.; Delbrück T. 21. Auch Reisch, Jahresh. XX 1919, 312 ff.
tritt entschieden für die Zuweisung und damit für einen Ansatz im zweiten Viertel des 4. Jh.
ein. Jede Erörterung leidet darunter, daß nur diese eine Kopie vorliegt; dennoch bestimmen
die strengen Stilelemente den Eindruck im ganzen wie im einzelnen. Auch bei dem Haar

kommt es viel weniger auf die Tracht als auf die Stilisierung an. Die Dargestellte kann sehr wohl eine mythologische Greisin sein. Vgl. Buschor, Olympia 27, 40 [Richter I 155f. Abb. 878–881].

[35] Malerei III T. 166 (Mw. T. 48). Ant. Denkm. III T. 8.

[36] Vgl. S. 249 Anm. 32. Bei dem epigraphen Kopf in Neapel ist, wie Studniczka, Menander 7, gesehen hat, die ganze Oberfläche des Gesichts mit modernem Realismus überarbeitet. Zu dem starken Winkel von Stirn und Nase vgl. das Grabrelief Conze T. 274, 1 (dazu u. S. 249 Anm. 15) und die Satrapenmünze Delbrück T. 61, 1 (u. S. 242f. Taf. 29,2).

[37] Regling, D. Münze als Kunstwerk 82 T. 30, 618f. Delbrück T. 61, 3f. [Richter II 160 Abb. 897].

[38] Herodot: Arndt T. 128f.; Hekler T. 15f.; Bernoulli I 158ff. T. 18f., Münztafel II 5f.; er verkennt die zweite Inschrifterme in Neapel, die nur eine besonders schlechte Replik ist wie die in Neuyork, Amer. Journ. Arch. 1920, 104. Vgl. Sieveking–Christ[4] 989f. [Richter I 145ff. Abb. 795–818; K. Fittschen, Kat. Erbach (1977) 16ff. Nr. 4 Taf. 5]. Daß die Züge des bald nach 430 verstorbenen Herodot nicht überliefert waren, versteht sich und geht auch aus der vollkommen abweichenden Bildung auf den Münzen von Halikarnaß hervor. Dort ist eine Statue von ihm bezeugt, ebenso später in Pergamon und in Konstantinopel; es gab also mindestens zwei voneinander unabhängige Idealbildnisse. Bei dem mehrfach kopierten Kopf ist eine gewisse Individualisierung der Hauptformen und des Haares erstrebt; er steht darin auf der gleichen Stufe wie im Individualbildnis des Platon. Dies ist eine allgemeine Entwicklungsstufe der Bildniskunst, nicht eine besonders „akademische" oder „dekorative" Richtung, wie sie Sieveking in der späteren Entwicklung mit Recht feststellt (auffälliges Nebeneinander in der Doppelherme von Epikur und Metrodor, Sieveking Nr. 35f., Hekler T. 100f.). – Thukydides: Arndt T. 128, 130; Hekler T. 17; Bernoulli I T. 18, 20; Poulsen, Greek and rom. portraits in engl. country houses 26ff.; Sieveking Nr. 19. Vgl. Winter, Jahrb. V 1890, 157f. [Richter I 148f. Abb. 825–836]. Da Thukydides nicht lange über 400 herab gelebt hat, kann auch hier kein zeitgenössisches Bildnis vorliegen oder auch nur nachklingen. Zu der Zeitbestimmung durch den Platon kommt der Mausolos, Hekler T. 38 (Bernoulli II T. 7 [Taf. 54,1]). Dies ist zwar ein Asiat in jüngeren Jahren und vollends kein Geist wie Thukydides, dazu nun wirklich in anderem Sinn eine dekorative Skulptur; allein der formale Grundtypus ist nahe verwandt. Eine hellenistische Umbildung des Thukydideskopfes unter Erhöhung des Lebensalters vermutet Dickins in einem Kopf in Korfu, Journ. hell. stud. XXXIV 1914, 309 mit unzureichender Abbildung [Richter I 149 Abb. 837–839].

[39] Belvedere VIII 1925 Heft 37, 5. Die beste und besterhaltene Replik in Oxford, Journ. hell. stud. XLVI 1926, 72 T. 5. Cassons Recensio trifft in der Hauptsache zu, doch ist ihm das wichtige Silberemblem, Winnefeld 68. Berl. Winckelmannsprogr. T. 2 entgangen; vgl. Buschor zu Bruckmanns Wandbildern alter Plastik 31ff.; Krahmer, Röm. Mitt. XXXIX 1924, 154. Die von Casson abgetrennte und auf ein oder mehrere andere Vorbilder zurückgeführte Gruppe B enthält, soweit mir Abbildungen vorliegen, teils geringe Repliken des Haupttypus, so das freundliche Herculaner Erzköpfchen Hekler XVII [Taf. 109], teils Köpfe, deren Beziehung auf Demosthenes mindestens fraglich ist. Der Kopf der vatikanischen Statue und die Münchner Herme sind gute Durchschnittsrepliken (Arndt T. 136f.; Hekler T. 56f.; Sieveking–Christ[4] Nr. 22f.), der Kopenhagener Kopf ist trotz äußerlich erzmäßiger Mache in der Formgebung unsicher (Bernoulli II T. 12b), der Berliner wüst übertreibend verzerrt (Arndt T. 138). Daß der Bildhauername Polyeuktos versehentlich aus dem des Archons von 275/4

entstanden sei, vermutet Studniczka, Artemis und Iphigenie 96 [Richter II 216 ff. Abb. 1397–1512].

[40] Theophrast: Arndt T. 231 ff.; Bernoulli II T. 13 [Richter II 177 f. Abb. 1022–1030]. Neben der Inschriftherme kommt die elende Replik nicht in Betracht. Falls die Herme zuverlässig ist, läge ein zeitgenössisches Werk vor, denn die Formgebung steht auf einer etwas älteren Stufe als bei dem Demosthenes: letztes Viertel des 4. Jh. Der Ausdruck zeigt zum erstenmal den eigentlichen Gelehrtentypus, der auf den seherischen Denker Platon und den ebenso feinen wie großen Universalgeist Aristoteles folgt. Als Standesbildnis und Charaktertypus ist der Kopf ebenso repräsentativ wie die von Theophrast gleichsam als biologische Typen geschilderten Charaktere. – Olympiodoros: Poulsen, Collection Ustinow, Vid. Skr. Kristiania II 1920 Nr. 3, 21 ff. Abb. 23 ff. [= hier S. 220 ff.]. Auch hier liegt ja ein Charakterbildnis von großer Kraft vor: man erkennt den Tatmenschen, der Staatsmann und Feldherr zugleich ist, und die Hauptformen sind trotz ihrer individuellen Anlage großzügig architektonisiert. Es ist lehrreich, hiermit ein Selbstbildnis von Max Liebermann zu vergleichen: der deutsche Impressionist und der griechische tektonisch empfindende Plastiker treffen sich hier in einem Grundzug aller monumentalen Bildniskunst (Waetzoldt, D. Kunst d. Porträts 112 Abb. 6).

[41] S. u. S. 242.

[42] S. u. S. 241.

[43] Dabei wird auch die genaue chronologische Ordnung der attischen Grabreliefs des 4. Jh. eine Rolle spielen, obwohl auf ihnen keine Bildnisse vorkommen. Systematische Arbeit vor den Originalen führt zu sicheren Ergebnissen; darauf einzugehen ist jedoch weder hier der Ort noch überhaupt meine Absicht, da andere Fachgenossen damit beschäftigt sind. Den richtigen Ansatz des Aristonautes gibt soeben von Salis im 84. Berl. Winckelmannsprogr. auf Grund allgemeiner Erwägungen, die zum gleichen Ergebnis führen wie die chronologische Reihenbildung. Auch das oft genannte Grabmal von Prokles und Prokleides wird von Winter in der Festschrift für Gomperz viel zu hoch angesetzt. Ich nenne nur ein paar Köpfe älterer Männer aus der zweiten Hälfte des 4. Jh.: Einzelaufnahmen Nr. 681, 679, 675, 701, 672; Conze T. 149.

[44] Zuletzt Rodenwaldt, Anz. XXXIX 1924, 367 f. Koch, Röm. Kunst 74 ff. Lehmann–Hartleben, D. Antike I 329 f. Vgl. auch Waetzoldt a. O. 122 ff. über „Abbild" und Bildnis.

[45] Vgl. das o. Anm. 40 über Theophrast und Olympiodoros Bemerkte. Bruns, D. literar. Porträt 454 ff. betont, daß in den Gerichtsreden des Lysias die Persönlichkeit des Angeklagten ganz hinter dem Typus, der Menschenklasse, die er vertritt, verschwindet; dem Isokrates kommt es auch nur auf die Übereinstimmung der gepriesenen Persönlichkeit mit dem Idealtypus an. Xenophon bringt, soweit er nicht Isokrates folgt, einen Fortschritt.

[46] Die Ahnenmasken und die Idealgestalten der griechischen Grabreliefs – es ist der gleiche Gegensatz wie zwischen den Augenblicksgöttern der Römer, dieser gestaltlosen Apotheose des Einmaligen, und den plastischen Götteridealen der Griechen; dem nicht über den vorliegenden Einzelfall hinausdenkenden Realismus des Bauern steht die gestaltende Phantasie des Künstlers gegenüber. Ich folge bei diesem Vergleich der Antrittsrede meines Kollegen Latte.

[47] Es ist sehr bezeichnend, daß Frauen und Kinder erst bei den Römern vollkommen bildnisfähig geworden sind. Frauenbilder wie Arndt T. 61 f., 175–180 sind in der rein griechischen Antike undenkbar. [Vgl. dazu hier S. 17.]

[48] Misch, D. Autobiographie 115 f.

Erläuterungen

Um der obigen Darstellung ihren thesenartigen, zu klärendem Streite der Meinungen herausfordernden Charakter zu wahren, habe ich sie weder mit eingehenden Erörterungen noch mit großen Anmerkungen belastet. Ich gebe daher anhangsweise einige Ergänzungen und Erläuterungen.

I. Individualisierung im Archaismus und im 5. Jahrhundert: Nichts ist leichter, als ein unregelmäßiges und daher individuell wirkendes Profil zu zeichnen oder auch plastisch zu bilden; auf primitiver Stufe spielt dabei auch der Zufall mit. Daß die Griechen fähig waren, individuelle Formen zu sehen und zu gestalten, versteht sich schon für den hohen Archaismus von selbst und nach dem Ende der abstrakten Stilisierung des geometrischen Stiles stellen sich auch alsbald die Zeugnisse dafür ein. Auf einem frühattischen Kännchen der sogenannten Phalerongattung (Taf. 6,1) finden sich zwei Protomen und eine mit einem zwergenhaften Körper ausgestattete Gestalt nebeneinander[1]. Alle drei sind verschieden und wirken höchst individuell; die beiden Protomen sind jedoch nur Abwandlungen des gleichen, damals beliebten Grundtypus mit kühn geschwungener Nase[2]. Die darin offenbarte Kurvenfreude ist ein allgemeines Formenelement des Stiles, das ebenso wie die realistische Durchbildung und Gliederung der Einzelformen in bewußtem Gegensatz zum geometrischen Stile steht; wie weit ins Einzelne dabei der orientalische Einfluß geht, ist für unser Problem gleichgültig. Neben den sicher und schwungvoll stilisierten Protomen wirkt der vollkommen abweichende dritte Kopf wie eine eigentliche Naturstudie; der Maler hat hier ganz frei aus seiner Kenntnis verschiedener Kopftypen geschöpft.

Gegenüber diesen tastenden Anfängen realistischer Menschendarstellung im hohen 7. Jh. zeigt sich die archaische Typenbildung in der korinthischen Keramik des 6. Jh. schon stark fortgeschritten[3]. Man hat verschiedene Typen und weiß sie mit der Absicht verschiedener Charakteristik mannigfach abzuwandeln (Taf. 6,2–4); von wirklich individuellen Naturstudien ist jedoch keine Rede. Hauser glaubte zwar, eine solche gefunden zu haben; allein das war ein lehrreicher Irrtum. Er hielt den auf einem Henkel des Amphiaraoskraters spielend in den Ton geritzten Jünglingskopf seines individuellen Profils wegen für das scherzhafte Konterfei eines Werkstattgenossen[4]. In Wahrheit ist auch dieser Kopf mit der auffällig eingesattelten Nase ein fester Typus, der genauso z. B. bei zwei großen, sorgfältig gemalten Mädchenköpfen vorkommt[5]. Dem frühattischen Typus der Adlernase ist hier die Entennase gegenübergestellt; beide stehen in großem Gegensatz zu dem „klassischen" Profil, das auch schon in der korinthischen Keramik vorkommt, und zwar auf dem gleichen Pinax mit zwei ganz anderen Typen vereinigt (Taf. 6,2–3)[6]. Ausdrucksabsicht und künstlerisches Experiment gehen neben- und durcheinander: Erfüllung der Grundtypen mit realistischer Einzelform und idealisierende Vereinfachung. Von erster Art ist beispielsweise die knollige Bildung der Nasenspitze, die sich in der archaischen Großplastik, so bei dem bekannten attischen *Grabrelief eines Diskophoren* [Taf. 5,1][7], ebenso findet wie auf dem genannten Pinax und sonst in der Keramik (verfeinert auch bei den „Entenschnäbeln"), ja verspätet noch in der spielenden Studie auf einem der älteren Marmorziegel des olympischen Zeustempels[8]. Diese Studie ist ganz ebenso zu beurteilen wie die auf dem Henkel des Amphiaraoskraters.

Der Krater bietet in der Gestalt des *Halimedes* (Taf. 6,4) auch ein wichtiges frühes Beispiel des Greisentypus mit gebogener Nase, deren Spitze stark herabhängt[9]. Wie dies gemeint ist, erkennt man leicht an dem viel weiter durchgebildeten *Berliner Tonfries* eines attischen Grabmales, der anscheinend aus der Werkstatt des Exekias stammt (Taf. 6,5)[10]: Die Unschönheit des Alters soll wie durch die Bartstoppeln, so durch die von dem Idealtypus abweichende individuelle Form und überdies durch den Verfall der Formen gekennzeichnet werden; denn so ist offenbar das Herabhängen der Nasenspitze aufzufassen. Den gleichen Grundtypus zeigt auch der *Aineios* (Taf. 4,2), freilich sehr verfeinert und verallgemeinert sowie durch den langen Bart in entgegengesetzter Richtung charakterisiert: der drastisch ausgedrückten Trauer in den beiden anderen Köpfen ist hier eine vornehme Alterswürde gegenübergestellt[11].

Der Typus hat noch eine lange Geschichte und ist mannigfach abgewandelt worden[12]. Dabei ist meist auf die Senkung der Nasenspitze verzichtet und nur die charakteristische Verbindung der gebogenen Nase mit einer mehr oder minder gewölbten, zurückfliehenden Stirn festgehalten worden; teilweise Kahlheit ist häufig, aber um so weniger allgemein, als auch Männer von mittlerem Alter durch dieses bewegte Profil charakterisiert werden; so noch im späteren 5. Jh. der Pankratiast *Agakles* auf seinem Grabstein[13]. Bisweilen verschwimmt die Grenze zu einem verwandten Typus mit steiler Stirn, so schon bei der köstlichen Karikatur eines *hockenden dürren Männchens* vom Ende des 6. Jh.[14]; auch das Bruchstück eines gegen 430 entstandenen attischen *Grabreliefs* gehört hierher[15].

Ein anderer Alterstypus ist von weniger charakteristischer Grundform, konnte jedoch mit den verfeinerten Mitteln der frühklassischen Kunst ebenfalls sehr individuell gestaltet werden. Hier läuft eine einheitliche Kurve in schrägem Zuge von dem kahlen Vorderschädel über den ganz leicht eingeschweiften Nasenrücken herab; so bei dem *Greis* auf dem erwähnten korinthischen Pinax (Taf. 6,3), bei dem *Priamos* auf einer klazomenischen Scherbe[16], bei dem zum Thersitestypus gesteigerten dürren *Komasten* auf dem Amazonenkrater des Euphronios[17] und in köstlich verfeinerter Charakteristik bei dem frühklassischen *Aesop* (Taf. 26,1)[18]. Bei diesem reicht die Nasenspitze wieder auffällig weit herab. Dies ist in anderer Form, mit scharfer Zuspitzung der Nase, auch bei dem berühmten *Kriegerkopf* eines Neuyorker Kraters (Taf. 21,2) der Fall; dessen steil vorspringende Stirn verweist ihn im übrigen in eine andere Typenreihe[19].

Hier können nun weder alle Grundtypen noch gar ihre mannigfachen Berührungen und Kreuzungen, geschweige denn die vielen Einzelstudien und Karikaturen besprochen werden[20]; das Angeführte wird jedoch genügen, um den großen Zusammenhang erkennen zu lassen, in welchem die oben herangezogene Gemme des *Dexamenos* (Taf. 27,1) und die verwandten *Goldringe* (Taf. 27, 2–3) stehen[21]. Alle drei zeigen das schräge Profil mit vorn kahlem Schädel, im Ganzen einheitlich durchlaufender Stirn-Nasen-Linie und auffälliger Senkung der Nasenspitze; diese ist bei dem älteren Goldringe so scharf zugespitzt, daß man nicht nur an den Neuyorker Krater, sondern angesichts des graden Nasenrückens sogar an hocharchaische Bilder wie das der bekannten kykladischen *Apollonamphora* erinnert wird[22].

Bei der Gemme des *Dexamenos* (Taf. 27,1) ist alles gemildert und verfeinert sowie ein mittleres Lebensalter dargestellt. Abgesehen von dieser Alterscharakteristik und der realistischen Haartracht ist im Grunde nur die Nasenspitze deutlich individuell, d. h. im Widerspruch mit dem Idealtypus der Zeit gebildet[23]. Es war ein ganz richtiges Gefühl, wenn man hier den Typus des vornehmen Atheners seiner Zeit zu sehen meinte; der Schluß aber, daß der Besitzer des Ringes genau porträtiert sei, ist ein Zirkelschluß. Gemeint sein wird der Mann freilich, denn auf einer anderen Gemme des *Dexamenos* ist der im Typus der Grabreliefs des späteren 5. Jh. dargestellten Frau der Name *Mika* beigeschrieben[24]. Ihr wie der Dienerin liegt der gleiche Zeittypus mit dem großen, tief eingebetteten Auge wie bei dem Männerkopf zugrunde; eine feinere Durchbildung im einzelnen gestattete der kleine Maßstab nicht. Die anderen Siegel werden für Männer von dem dargestellten Lebensalter gemacht worden sein, und diese Männer werden vermutlich nicht grade Silensgesichter gehabt haben. Mehr läßt sich nicht sagen, sofern man auf sicherem Boden bleiben will.

Eine lehrreiche Parallele bieten zwei Münztypen von *Satrapen* des ausgehenden 5. Jh. (Taf. 28,3; 29,2)[25]. Zwischen den auch weiterhin noch üblichen Idealköpfen mit der Tiara erscheinen hier ausnahmsweise individuelle Profile mit gebogenen Nasen. Auf diesen beruht die Wirkung, denn die übrigen Formen sind reichlich allgemein. Der eine Kopf ist auf Derbheit, der andere auf Feinheit stilisiert. Die Abweichung vom Idealtypus bietet auch hier noch durchaus keine Gewähr für wirkliche Bildnismäßigkeit; womöglich sollten nur die Barbaren als solche gekennzeichnet werden. Elemente, tastende Ansätze zu einer wirklichen Bildniskunst liegen hier vor – mehr nicht.

Charakterstudien und Karikaturen sind im hochklassischen Stil bezeichnenderweise seltener als vorher und schon im frühklassischen Stile fast durchweg mythologisch oder religiös. Die individuellen Formen von Todes- und Altersdämonen sind überdies zweifellos keine ominösen Studien nach bestimmten Individuen, sondern sicher nur aus der allgemeinen Erfahrung der Maler geschöpft[26]. So steht auch hinter den verschiedenartigen Banausengesichtern des *Charon* (Taf. 26,2) auf den weißen Lekythen der allgemeine Typus des banausischen Fährmannes. Abgeschwächt liegt

etwas Derartiges auch auf Weihreliefs des späteren 5. Jh. vor[27]: die Züge des Stif-
ters weichen von den edlen Idealköpfen der Götter nicht deshalb ab, weil er porträtiert wäre, sondern um den Menschen und vollends den Banausen in Chiton und
Kappe zu charakterisieren. Am Parthenon gibt es noch nichts dergleichen; Menschen und Götter zeigen denselben Idealtypus und individuelle Züge selbst von
edlem Charakter erschienen grade gut genug, um die wüsten *Kentauren* (Taf. 22,4)
zu kennzeichnen.

Diese *Kentaurenköpfe* haben die Beachtung, die sie verdienen, noch keineswegs
gefunden. Die Spannweite ihrer Unterschiede in Stil und Ausdruck ist sehr groß.
Die Extreme scheiden in unserem Zusammenhang aus, sofern man nicht auch bei
der archaischen Maske der strengsten Metope (Taf. 22,1) auf die gebogene Nase
Wert legen will[28]. Das andere Extrem (Taf. 22,3) verhält sich zu den Idealköpfen
der Götter und Menschen ebenso wie die *Silensköpfe* auf der *Françoisvase* zum
Typus: dessen Formen sind nur vergröbert und stärker bewegt, aber nicht verändert[29]. Bei einem anderen Kopf (Taf. 22,4) ist die Formbewegung noch geringer,
aber dafür das Alter mit einfachen Mitteln ausgedrückt; es ist ein edler, würdiger
Typus[30]. Stärker durchgebildet ist das Würzburger Bruchstück [Taf. 22,2][31]; auch
dies könnte man für den Kopf eines Dichters oder Denkers halten. Dafür allzu
grimmig sind drei weitere Köpfe. Der eine zeigt einen kraftvollen Greisentypus mit
kahlem Schädel und energisch abgesetzter, gebogener Nase (Taf. 23,3–4); das Moll
und Andante des *Lysias* (Tf. 45) ist hier auf erheblich älterer Stufe in Dur und
Furioso übertragen[32]. Für die Stilstufe besonders lehrreich sind die bedeutenden
Köpfe auf der noch am Tempel sitzenden Südwestmetope (Taf. 21,3) und auf der
sogenannten *Peirithoosmetope* [Taf. 23,2][33]. Hier ist der Schädel sehr stark gegliedert und die Oberstirn gewaltsam vorgewölbt; die Formen sind aber selbstverständlich so einfach architektural und daher unrealistisch stilisiert, daß Köpfe wie die des
Euripides (Taf. 73) und des *Archidamos* (Taf. 72) trotz ihrer großen plastischen
Form daneben stark realistisch wirken[34]; sie können nicht diesseits, sondern erst
jenseits des *Platon*kopfes (Taf. 49) stehen und haben mit der so stark vom Parthenon
beschatteten Kunst des späteren 5. Jh. nichts zu tun. Um dem Formcharakter
der letztgenannten Kentauren gerecht zu werden, tut man gut, auch einen Blick
zurückzuwerfen, auf den *Marsyas* des Myron und den stark gefurchten *Kentaurenkopf* aus dem Westgiebel des olympischen Zeustempels (Taf. 21,1)[35]: diese mit
Händen greifbare Strenge der stilisierten Form blieb für das ganze 5. Jh. bestimmend; sie lebt auch in dem ältesten *Sokrates*kopf (Taf. 46) im frühen 4. Jh. noch
nach.

Die literarische Überlieferung enthält nichts, was dem Zeugnis der Denkmäler
widerspräche oder im Zweifelsfall zu einer anderen Deutung des Tatbestandes
nötigte. Gar nichts ergibt die bekannte Bestimmung, daß in Olympia erst nach drei-
maligem Sieg eine ikonische Statue geweiht werden durfte; denn wir wissen nicht,
wann sie erlassen wurde[35a]. Eine sehr späte Nachricht besagt, Parrhasios habe dem

Hermes seine eigene Gestalt gegeben, um sich nicht durch ein Selbstbildnis Vorwürfen auszusetzen[36]. Will man das glauben, so folgt daraus nur, daß es damals erst Charakterstudien, aber eben noch keine Bildniskunst gab; denn die durch eine Inschrift gekennzeichnete Weihung der eigenen Gestalt in typischen Formen gab es ja längst. Eher könnte man in den *Alkibiades*bildern des jüngeren Aglaophon eigentliche Bildnisse suchen[37]. Allein der Skandal, den diese Darstellungen der Bekränzung des Siegers durch Olympias und Pythias sowie seines Lagerns im Schoße der Nemeas hervorriefen, läßt sich auch anders erklären: die entsprechenden Namen der Hetären, mit denen man ihn in Beziehung wußte, und die Hybris der Selbstheroisierung genügten. Überdies wurde er grade deshalb als der schönste Mann gefeiert, weil er sich zum Modell für Götterbilder eignete[38]: nicht seine individuellen Züge, sondern die Ähnlichkeit mit dem Idealtypus wurde also betont. Ansätze zum Bildnis in sakral-heroischer Sphäre: das ist das Äußerste, was man annehmen kann. Von den berüchtigten Bildern des Pauson endlich gilt das gleiche in der niederen Sphäre realistischer Charaktertypik und anscheinend auch der Karikatur[39]; bei dieser Auffassung muß man noch die Unsicherheit der Gleichsetzung des Malers mit dem Hungerleider bei Aristophanes in Kauf nehmen. Von Denkmälern sind die ältesten Karikaturen der Kabirionkeramik und erbarmungslose Charakterstudien wie auf dem unteritalienischen *Phineuskrater* (Taf. 24,3) zu vergleichen.

Endlich der von Plinius im Widerspruch mit seiner eigenen Angabe über Lysistratos aufgenommene Fremdenführerklatsch, das Selbstbildnis des altsamischen Erzgießers Theodoros sei äußerst ähnlich gewesen[40]. Wer das für zeitgenössische Überlieferung hält, mag sich mit den Philologen auseinandersetzen; hier bedarf es nur noch eines Wortes über das Bildnis bei den ägyptischen Lehrmeistern der Griechen und im besonderen der Samier. Es soll in seiner Bedeutung wahrlich nicht herabgesetzt werden; eben hier liegt einer der grundsätzlichen Unterschiede griechischer und ägyptischer Kunst. Allein man darf auch seinen theoretisch möglichen Einfluß auf die Griechen nicht überschätzen. Mit Recht ist betont worden, daß in der Masse der ägyptischen Bildnisse der Typus stärker sei als die Bildnismäßigkeit[41] – wie wir ja auch an lebenden Fremdvölkern den Typus viel stärker empfinden als die individuellen Abweichungen. Auffällige Einzelzüge stehen meist allein in typischer Umgebung. Nur in kurzen Epochen und nie allein ist die ägyptische Kunst zu einer weitgehend individuellen Durchbildung des Porträts gelangt und grade in der Saïtenzeit, wo die Griechen in Berührung mit Ägypten traten, überwiegt die Typik durchaus; denn jene berühmte Gruppe der realistischen grünen Köpfe wird neuerdings schlagend richtig in die hellenistische Zeit verwiesen[42]. Die Annahme einer archaischen und selbst noch einer frühklassischen griechischen Bildniskunst widerspricht nicht nur der großen Linie der griechischen Stilentwicklung, sondern ist auch geistesgeschichtlich unmöglich. Das archaische Individuum spricht sich aus wie Archilochos oder Sappho, aber es ist nicht Gegenstand der Darstellung.

II. Sophokles und Euripides: Die Bildnisse des *Sophokles* sind neuerdings so ausgiebig behandelt worden[43], daß es hier keiner eingehenden Darlegung bedarf. Von größter Bedeutung ist der von Löwy nach Helbigs Vorgang mit neuer Begründung versuchte Nachweis, daß die Statue im Theater (Taf. 57) nicht eine idealisierende Umbildung, sondern ihrerseits das Vorbild der Darstellung als Greis (Taf. 36) gewesen sei. Das Verhältnis ist tatsächlich so eng, daß man sogar fragen kann, ob wirklich eine Umschöpfung oder gar nur eine Stufenleiter von Kopistenabwandlungen vorliege; denn die Grenzen verschwimmen um so mehr, als auch der lateranische Kopf vor der Ergänzung älter wirkte[44]. Allein der Alterstypus ist in den guten Repliken doch zu bedeutend, als daß man dies bejahen könnte; wir haben offenbar eine hellenistische, und zwar eine frühhellenistische Umschöpfung vor uns; diese hat dann ihrerseits noch eine späthellenistische Umbildung erfahren: der *Arundelsche Erzkopf* (Taf. 136–137) ist auch mehr als eine Kopistenabwandlung[45]. Von diesem dritten Sophokles kennen wir auch die ganze Statue: ein *Pariser Relief* bildet sie nach[46]. Dieses hatte man mit dem anderen Greisenkopf, dem sogenannten *farnesischen Typus* (Taf. 36), verbinden wollen, sich aber mit Recht daran gestoßen, daß dort Kopf und Hals aufrecht sind; der Arundelsche Kopf zeigt dagegen den der Vorbeugung des Oberkörpers entsprechenden schrägen Halsansatz. Die Formgebung seines Gesichtes ist vor dem 2. Jh. unmöglich; sie weist bereits auf den Homer und den Laokoon voraus. Demgegenüber vermag das ganz schlichte Haar, das man in dieser Form übrigens auch in älterer Zeit vergeblich suchen wird, keinen höheren Ansatz zu begründen; es ist ein Mittel gegensätzlicher Wirkung[47].
Ein Ansatz zu dieser Bildung hat vielleicht schon in dem Vorbilde des farnesischen Typus vorgelegen; wenigstens weist sowohl der bedeutende *Londoner Kopf* (Taf. 36) wie der sonst flaue (auch schlecht erhaltene) *Münchner Kopf Berolzheimer* [Richter I Abb. 655] in diese Richtung. Allein andere Repliken, so die *Neapler* [Taf. 37] und auch die sorgfältig erzmäßige *Kopenhagener* [Taf. 38] stehen dem lateranischen Typus so viel näher, daß hier wirklich nur Kopistenabwandlungen vorliegen mögen: ein leicht klassizistischer Stich erschien wohl dem Bilde des großen Klassikers angemessen und ergab auch hier schon jene gegensätzliche Wirkung zu der realistischen Durchbildung des Gesichtes. Diese ist so, wie sie die guten Repliken überliefern, vor der Alexanderzeit unmöglich; sie ist sehr weit entfernt von der einfachen, streng stilisierten Formbewegung des *„Julianus"* (Taf. 15) oder auch eines jüngeren Kopfes aus dem 5. Jh. wie jener zu wenig beachtete im Musensaal des Vatikanes (Taf. 16)[48] mit seiner leichten Zeichnung der Altersfurchen auf der Oberfläche und dem trotz unregelmäßiger Lockung flachen Relief von Haar und Bart. Auch gegenüber dem *Platon* (Taf. 49) ist der Abstand noch sehr fühlbar. – Endlich die strittige Statuenweihung des Iophon[49]. Man kann zugeben, daß diese Ergänzung des lückenhaften Textes sich aufdränge, nicht aber, daß es eine Bildnisstatue gewesen sei; denn der Zusammenhang nötigt zu der Annahme, daß *Sophokles* nicht als Mensch und Dichter, sondern als Heros Dexion dargestellt war[50].

Bei *Euripides* liegen die Dinge im einzelnen anders, aber, wie Löwy am Schlusse seiner Abhandlung vorsichtig andeutet, grundsätzlich doch ähnlich. Der Kopf des Typus *Rieti-Kopenhagen* (Taf. 119) steht auf ähnlicher Stufe wie der *lateranische Sophokles* (Taf. 57)[51]; die Unterschiede liegen nur in der Charakteristik: *Sophokles* vertritt die harmonische Schönheit, *Euripides* erscheint als finsterer, verbitterter, gealterter Mann. Die zu diesem Kopf gehörige Statue ist wahrscheinlich in der alten Zeichnung einer verschollenen Statuette notdürftig erhalten[52]. Der Kopf zeigt einen Charaktertypus und die immer individuell wirkenden Züge des Alters, zu welchen nach Ausweis der obigen Darlegung auch die unschöne Nase gehört; seine Grundformen sind aber durchaus typisch und er ordnet sich in die Reihe der attischen Grabreliefs ohne weiteres als ein Werk aus dem dritten Viertel des 4. Jh. ein. Der *Neapler Typus* (Taf. 73) ähnelt ihm lange nicht so sehr wie der *farnesische Sophoklestypus* dem *lateranischen*[53]; immerhin werden die Alten (ebenso wie die Neueren vor dem Auftauchen der entscheidenden Inschrift) unschwer gesehen haben, daß dieselbe Persönlichkeit gemeint war[54]. Auch der Ausdruck ist ja im Ganzen gleichartig, trotz des gewaltigen Unterschiedes: dort ist der finstere Menschenfeind für das stumpfe Empfinden der halbgebildeten Menge hingestellt, hier der echte *Euripides* in der ganzen Feinheit seines hohen Geistes und in der Tragik seines Lebens verkörpert. Dieses Bildnis ist vor dem dritten Viertel des 4. Jh. geistesgeschichtlich ebenso unmöglich wie kunstgeschichtlich, und wenn noch soviel äußere Gründe für einen Zeitansatz um 400 sprächen; die bisher dafür angeführten Gründe sind nachweislich falsch[55].

III. Platon: Das in einem Dutzend Repliken erhaltene Bildnis stimmt in Form und Ausdruck mit den literarischen Angaben überein[56]. Diese scheinen nicht ihrerseits von dem Bildnis abzuhängen, sondern stammen zum Teil von zeitgenössischen Komikern und haben auch sonst entschieden literarischen Charakter. Von den Repliken ist keine wirklich gut und allzu viele sind von elender später Arbeit, offenbar für den Bedarf der Neuplatoniker ohne künstlerisches Interesse gemacht. Immerhin läßt die Recensio erkennen, daß die beste *Replik im Vatikan* (Taf. 49) im ganzen treu ist, und zwar nicht nur in den Hauptformen, sondern auch in der allgemeinen Art der auf der Oberfläche bleibenden Einzelformgebung; diese ist freilich zu hart geraten. Am nächsten steht die Kopenhagener Replik; ein grundsätzlicher Widerspruch liegt nirgends vor, auch in der ärgsten Entstellung und Verflachung nicht. Dieses Bildnis hat allgemein enttäuscht, da man anscheinend den Ausdruck dionysischer Ekstase erwartet hatte – als ob der große weltabgewandte Denker, der nie laut lachte und der schlimmen Welt des trügerischen Scheines und der täuschenden Vielheit ein mürrisches Antlitz zeigte, der selbst den *Homer* aus seinem Idealstaat verbannte, sich zur Schau gestellt haben könnte wie ein pathetischer Prunkredner. Sein Reich der Ideen war doch eben nicht von dieser Welt, sein Blick war so nach innen gewendet, daß Spätere ihn als Melancholiker bezeichneten. So zeigt der Ausdruck, den selbst die Kopien noch bewahren, die innere Spannung hinter der gewaltigen Denkerstirn, verbunden mit der leidvollen Resignation nach bitteren Enttäuschungen, eine herbe Altersweisheit, die aber zugleich von königlicher Alterswürde ist[57]. Zum Eindruck dieser Würde trägt der gleichmäßig flutende Bart ähnlich bei wie bei dem ältesten *Homer* [Taf. 13]; Bart und Haar entsprechen den Angaben der Komödie über die Tracht der Akademiker.

Wem dieses Werk nichts sagt, der mag dann freilich in dem neu entdeckten *Platon Holkham* (Taf. 125) eine Offenbarung sehen[58]. Ich halte diesen für eine hellenistisch gesteigerte Umbildung des anderen; die Formen sind aufgelockert und in Kurvenschwung gebracht, die rechte Seitenlocke ist menandrisch über die Stirn gerückt und der Bart völlig in Einzellocken zerfasert. Dies ist auch bei den schlechten Repliken des anderen Kopfes geschehen, weil es dem späteren Geschmack entsprach. Dennoch wird man den Holkhamschen Kopf nicht für eine Kopistenumbildung, sondern für die Kopie einer hellenistischen Umschöpfung zu halten haben. Beide Köpfe mit Poulsen als gleichzeitige Schöpfungen anzusehen, scheint mir ganz unmöglich. Er meint, der *Platon Holkham* sei die einzige erhaltene Kopie der Statue des Silanion in der Akademie, während die vielen Repliken des anderen Typus auf eine gar nicht bezeugte Grabstatue zurückgingen. Diese Ansicht sowohl wie die von Wilamowitz, daß man den Haupttypus nicht mit der von dem Perser Mithradates den Musen der Akademie geweihten Statue des Silanion gleichzusetzen brauche[59], widerspricht aller Wahrscheinlichkeit – ganz abgesehen von den hellenistischen Zügen des Kopfes Holkham. Wenn nur ein Kopf aus der Mitte des 4. Jh. immer wieder kopiert wurde, so ist es natürlich der des allbekannten Denkmals in der Akademie, und Kopien dieses Werkes waren auch die vielen *Platon*statuen, von welchen nach der Angabe des späten Kommentators Olympiodoros Athen zu seiner Zeit voll war.

Dagegen tritt Wilamowitz mit Recht gegen Michaelis für den plinianischen Zeitansatz des Silanion um 328 ein (mit Lysipp und Lysistratos). Die milesische Basis mit seiner Signatur beweist das zwar nicht, denn sie scheint wie die pergamenische eine spätere Erneuerung zu sein, aber die beiden einzigen ganz sicheren Daten, freilich nur *termini post quos*, 364 und 335, führen auf den Ansatz des Plinius[60]. Da die plinianischen Akmedaten nun bekanntlich keineswegs mit der Höhe des Lebens oder gar dem vierzigsten Jahr übereinstimmen, kann Silanion sehr wohl schon in den fünfziger Jahren tätig gewesen sein. Das Vorbild unserer Kopien darf man nun nicht etwa in der Weise zeitlich bestimmen, daß man sagt: „Platon ist im Jahre 347 mit 81 Jahren gestorben, hier erscheint er etwa 60 Jahre alt, folglich ist das Werk zu Beginn der sechziger Jahre des 4. Jh. entstanden." Berühmte Männer werden selten im letzten Greisenalter dargestellt und hier sind vollends nur die wesentlichen Hauptformen individuell gestaltet; es ist noch keine Rede von einem ins einzelne gehenden Realismus wie bei *Aristoteles* (Taf. 79). So wird man den *Platon*kopf (Taf. 49) gegen 350 anzusetzen haben als ein frühes Werk des Silanion aus der Zeit, wo Demetrios und wohl auch schon Lysistratos begannen, dem wirklichen Individualbildnis die Bahn zu brechen.

An dessen allmählicher Durchbildung kann auch Silanion seinen Anteil gehabt haben; es liegt gar kein Grund vor, ihn mit Winter zu einem Akademiker zu machen [61] – selbst abgesehen von der Angabe, er habe in dem Bildnis des Bildhauers Apollodoros, eines wilden Cholerikers, die *iracundia* selbst dargestellt. Ob dies nun wertloses rhetorisches Geschwätz ist oder nicht, so genügt es doch auf keinen Fall, um dem Silanion den noch etwas pathetischen *Platon Holkham* (Taf. 125) zuzuweisen; denn selbst wenn man diesen nicht als hellenistisch anerkennt, muß man doch zugeben, daß die Charakteristik des vatikanischen Platon eine größere Leistung ist; Zornwütigkeit wie bei jenem Apollodoros ist sehr viel leichter darzustellen. Vollends berechtigt die Tatsache, daß Silanion einmal einen Choleriker porträtiert hat, nicht zu dem Schluß, er müsse Platon, den „Melancholiker", ebenfalls in pathetischer Erregung dargestellt haben. Für den Zeitansatz des Silanion ergibt dieser Bildhauer Apollodoros nichts. Die Annahme, es sei der 360 verstorbene Sokratiker gewesen, drängt sich zwar trotz der Häufigkeit des Namens auf, da beide als toll bezeichnet wurden; allein auch dieses Bildnis kann wie so viele andere postum gewesen sein.

Den *vatikanischen Platon* hat man mit Recht mit einer Statue verbunden, die uns nur in dem Abguß einer verschollenen epigraphen Statuettenreplik mit nicht zugehörigem Kopf überliefert ist [62]: ein schwerer älterer Mann im dicken Philosophenmantel, ganz einfach in Form und Komposition, ohne Kontrapost. Denkt man sich den mit seiner seitlichen Hebung vorzüglich passenden vatikanischen Kopf aufgesetzt, so ergibt sich auch der überlieferte runde Rücken mit geneigtem Hals. Da die Hauptansicht auch nach Ausweis der Inschrift von der rechten Seite war, erhielt der Betrachter den Eindruck, daß Platon sich ihm aufblickend zuwende [63].

Anmerkungen zu ›Erläuterungen‹

[1] Der Kürze und Einfachheit wegen zitiere ich Vasenbilder meist aus meiner ›Malerei und Zeichnung der Griechen‹ III; wenn die Abbildungen in meinen weiter verbreiteten ›Meisterwerken griechischer Zeichnung und Malerei‹ wiederholt sind, füge ich das Zitat in Klammern bei (Mw.). Die Phaleronkanne Mal. Taf. 17, 80f.
[2] Mal. T. 18, 84 (Mw. T. 2, 2); Journ. hell. stud. XXII 1902 T. 2f. Vgl. auch Ath. Mitt. XXVIII 1903, 136f. Beilage VI 6.
[3] Mal. I 214, 223.
[4] Furtwängler–Reichhold, Griech. Vasenmalerei T. 122.
[5] Mal. T. 45, 191.
[6] Ebenda T. 43, 184f.
[7] Winter, Kunstgesch. in Bildern 206, 2.
[8] Olympia, D. Ergebnisse IV Text 189.

[9] Mal. T. 42 rechts oben (Mw. T. 9).

[10] Ant. Denkm. II T. 11, 2.

[11] Mal. T. 176, 485.

[12] Mal. T. 94, 325 (Mw. T. 19, 30), T. 132, 410 links, T. 208, 542.

[13] Conze, Att. Grabreliefs T. 183 (Springer–Wolters[12] 249).

[14] Mal. T. 119, 387; ein Zwischenglied T. 131, 408.

[15] Conze T. 274, 1. Der Ansatz in die Mitte des 5. Jh. ist stilistisch ebenso unmöglich wie sachlich; Diepolder wird zeigen, daß es damals in Athen gar keine Grabreliefs gab. Die halbkursive Inschrift kann niemand auf zwanzig Jahre genau ansetzen.

[16] Mal. T. 33, 146.

[17] T. 123 oben, der dritte von rechts (deutlicher Griech. Vasenmalerei T. 61).

[18] Mal. T. 182, 495 (Mw. T. 57, 79).

[19] Mal. T. 182, 496 (Mw. T. 57, 78).

[20] Vgl. Mal. I 311 (309), 361 ff., II 526 f., 603 (562).

[21] Furtwängler, Gemmen I T. 14, 3 (51, 8); T. 10, 35; Bulle, N. Jahrb. V 1900 T. 1, 16, 19; Delbrück, Antike Porträts T. 58, 1; Hekler, D. Bildniskunst d. Griechen u. Römer X; Beazley, Lewes House Gems 48 T. 3, 50, T. A 29: dies der jüngere Goldring von geringerer Arbeit und Erhaltung (Nase); das Profil ist stärker bewegt. [J. Boardman, Greek Gems and Finger Rings (1970) 287 Taf. 466; 296 Taf. 670; A. Greifenhagen, Schmuckarbeiten in Edelmetall II (1975) 71 Taf. 54, 11.]

[22] Mal. T. 24, 108 (Mw. T. 2, 3).

[23] Die angeblich individuelle Form des Ohres beruht natürlich nur auf der Schematisierung in kleinem Maßstabe.

[24] Gemmen I T. 14, 1; N. Jahrb. 1900 T. 1, 17. Die Gemme kann nach Ausweis der Münzen von Terina sehr wohl den zwanziger Jahren angehören; vgl. Regling, 66. Berl. Winckelmannsprogr. T. 2 ε–χ [Boardman o. a. 288 Taf. 467].

[25] Delbrück T. 61, 1 f.; Regling, Die Münze als Kunstwerk 82 T. 19, 424 f. [Vgl. hier S. 279 ff.]

[26] Vgl. Mal. II 526 f., III T. 182, 493, T. 200, 528, T. 208, 542, T. 214; Riezler, Weißgrund. att. Lekythen T. 26 f., 44; Mon. Piot XXII T. 3.

[27] Arndt–Amelung, Einzelaufnahmen Nr. 1220, schwerlich ein Ritter: das bei Adoranten nicht übliche Pferd ist gewiß nicht das Standeszeichen – vor Asklepios sind alle gleich! –, sondern hier zu Beginn der Asklepiosweihungen irgendwie individuell bedingt, durch Unfall, Reise oder allenfalls Beruf.

[28] Brunn, Denkmäler T. 182, 1; Smith, Sculpt. of the Parthenon T. 24, 1; Walston, Journ. hell. stud. XLIV 1924, 240 rechts (Alcamenes 48). [Zu den Kentaurenköpfen vgl. B. Schweitzer, Zur Kunst der Antike II (1963) 144 ff. 195 Taf. 41.]

[29] Brunn T. 185, 1; Smith T. 17, 2; Walston links. Françoisvase: Griech. Vasenmalerei T. 12.

[30] Smith T. 23, 2; Walston Mitte.

[31] Einzelaufnahmen Nr. 887 (Smith T. 18, 1).

[32] Brunn T. 182, 2; Smith T. 20, 1; Julius Lange a. O. 169. Lysias: Arndt, Griech. u. röm. Porträts 133 f., ergänzt durch Hekler 25.

[33] Brunn T. 184, 1; Smith T. 16, 1; 19, 1.

[34] S. o. S. 226. 246.

[35] Brunn T. 611; Buschor u. Hamann, Olympia T. 44.

[35a] Vgl. Lippold RE s. v. Siegerstatue 2267 f. [Dazu vgl. hier S. 359 ff.]

[36] Themist. Orat II p. 29 a (Overbeck Nr. 1702).

[37] Mal. II 699 f.

[38] Vgl. v. Wilamowitz, Antigonos 147.

[39] Mal. II 699 f., vgl. III T. 357, T. 225, 572; T. 249. Angesichts der archaischen Charakterstudien und Karikaturen ist es theoretisch nicht ganz ausgeschlossen, daß bereits in der Geschichte von der bösartigen Karikierung des Hipponax durch Bupalos und Athenis ein wahrer Kern steckt; praktisch ist damit jedoch nichts anzufangen (Plinius XXXVI 11 f. Unmöglich ist Roberts Erklärungsversuch, Arch. Märchen 115 f.: der archaische Stil ist den Alten nie so fremd geworden wie der Generation um 1880).

[40] N. h. XXXIV 83.

[41] Wohl zuerst v. Bissing, Denkmäler ägypt. Skulptur und Einführung in die Gesch. d. ägypt. Kunst passim.

[42] Delbrück, Antike Porträts T. 11 f., vgl. Bieber, Röm. Mitt. XXXII 1917, 145 f.; Curtius, Antike Kunst I 207 ff. [Vgl. hier S. 294 ff.]

[43] Studniczka, Journ. hell. stud. XLIII f. 1923 f. (vgl. Amelung ebenda 1924, 54) gegen den unglücklichen Versuch von Th. Reinach, die lateranische Statue auf Solon zu beziehen. So auch Amelung, Mem. accad. pontif. rom. di archeol. I pte II 1924 mit wichtigen Abbildungen, mir erst nach langen Bemühungen nachträglich zugänglich geworden. Löwy, Belvedere VIII 1925, Heft. 37. Hauptabbildungen (vgl. auch die genannten Abhandlungen): lateranischer Typus Amelung T. 35 vor der Ergänzung, die fast eine Fälschung ist; Arndt, T. 113 ff.; Bernoulli I T. 16; Delbrück T. 16 B; Hekler 54: Studniczka 1923, 58–61 [Richter I 128 ff. Abb. 675–688]. Farnesischer Greisentypus Arndt T. 33 f. (3 f.), 123, 981–986; Bernoulli I 127 T. 14; Delbrück T. 16 A; Hekler T. 97 a; Jahrb. XI 1896, 167 [Richter I 125 ff. Abb. 611–674].

[44] Löwy, letzte Anm. zu Amelung Mem. pont. T. 35. [Vgl. dazu o. S. 36 Anm. 146.]

[45] Arndt T. 989 f.; Bernoulli I 135 f. T. 15 [Richter I 131 Abb. 708–710].

[46] Poulson, Coll Ustinow, Vid. Skr. Kristiania II 3, 1920, 20 [Richter I 131 Abb. 713].

[47] Vgl. das S. 234 Anm. 11 zu dem Faustkämpfer im Thermenmuseum Bemerkte.

[48] Arndt T 769 f.; Hekler T. 18 b [Lippold, Vat. Kat. III 1, 15 f. Nr. 494 Taf. 21].

[49] Vgl. Studniczka 1923, 67; 1924, 285.

[50] Gegen die Annahme eines noch älteren Typus, welchen Winter, Jahrb. V 1890, 162 wieder in einen älteren und einen jüngeren zerlegen wollte, Bernoulli I 142 ff., vgl. o. S. 230.

[51] Fünf Repliken von sehr verschiedener Arbeit: Rieti-Kopenhagen, Hekler 89; Einzelaufnahmen Nr. 1982 f., derb. London, Smith, Cat. sculpt. Brit. Mus. III T. 11, 1833; Arch. Zeit. XXXIX 1881 T. 1; Studniczka 1923, 63, hart [hier Taf. 119]. Thermenmuseum, Val. Müller, Anz. XXXVII 1922, 131, malerisch weich. Eine gute Durchschnittskopie ist der Kopf in Dresden, Herrmann, Verzeichnis der antiken Originalbildwerke 54 Nr. 197 (Tafel, vgl. Anz. IV 1889, 98 [hier Taf. 118]), wertlos der in Madrid, Ricard, Marbres du Prado T. 54 Nr. 94 [Richter I 139 ff. Abb. 768–778. Zum Problem der Datierung zuletzt: B. Vierneisel-Schlörb, Klassische Skulpturen (Kat. Skulpturen München II 1979) 387 ff. Nr. 34].

[52] Studniczka 1923, 64 [Richter I 137 Nr. d. mit Abb.]; anders Lippold, Porträtstatuen 67, 5 auf Grund einer dafür unverbindlichen Bemerkung von Winter. Das Gewand stimmt allerdings nicht zu dem der Herme von Rieti, aber dieses hält Lippold selbst nicht für kopiert, sondern für eine dekorative Schöpfung des Kopisten – eine Unterscheidung, deren grundsätzliche Berechtigung er in wichtigen Fällen schlagend nachgewiesen hat. Die Herme in Dresden ist nackt. Ein Hindernis für die Annahme, daß die Statuette keine Schöpfung der Spätzeit,

sondern eine Kopie der Statue im Theater sei, besteht also nicht; dafür liegt sogar ein positiver Grund vor: die allgemeine Ähnlichkeit mit der Statue eines Tragikers, die jetzt fälschlich den Kopf des Euripides trägt, aber von Studniczka mit guten Gründen auf die Statue des Aischylos im Theater zurückgeführt worden ist (Lippold 64 f.).

[53] Von den vielen Repliken ist neben der Neapler nur die Mantuaner, bei welcher die Nase ganz erhalten ist, von Bedeutung [Taf. 75]. Arndt T. 35 ff., 121 ff.; Bernoulli I T. 17; Delbrück T. 17; Hekler T. 10, diese beiden um ebensoviel zu sehr von unten aufgenommen wie bei Schrader, D. Antike II T. 11 zu sehr von oben. Die zugehörige Statue in dem Konstantinopler Relief, Mendel, Cat. sculpt. mus. Ottom. Nr. 574; Gaz. b. arts 1906 I 329; Rev. art. anc. et mod. XIII 1906, 263 T. 26; Sieveking[4] Nr. 15 [Richter I 137 Nr. b Abb. 767].

[54] Vgl. Krüger, Arch. Zeit XXXIX 1881, 5 ff.

[55] Lippold 49 ff., dem Studniczka, Artemis und Iphigenie 115 folgt (wogegen Winter stets entschieden den Ansatz in die Alexanderzeit vertreten hat, zuletzt in Gercke–Nordens Einleitung[3] 180). Der Lehnstuhl hat nicht einmal mehr die echte alte Form und auch schon das spätere dicke Kissen wie z. B. der Poseidippos (Hekler T. 110; Sieveking Nr. 16). Nun findet sich aber die alte Stuhlform noch oft genug auf Grabreliefs der zweiten Hälfte des 4. Jh. und dort lebt auch die einfache Manteltracht mit quer über die Schenkel herabhängendem Zipfel nach. Beides gilt auch für ein Asklepiosrelief, bei welchem sich stilistische und prosopographische Gründe für einen Ansatz nach 330 verbinden (Studniczka, Jahrb. XXXIV 1919, 112, 4 nach v. Duhn; Einzelaufnahmen Nr. 1231; Winter, Kunstgesch. in Bildern 309, 5). Diese Züge passen für die Darstellung eines älteren Klassikers vorzüglich, und die Manteltracht kehrt denn auch bei dem oben S. 245 als späthellenistisch bezeichneten dritten Sophokles-typus wieder. Die realistische Flauschtracht zeitgenössischer Philosophen gehört einer anderen Darstellungsgattung an. – Was die Schlichtheit in der Bildung von Haar und Bart betrifft, so genügt ein Hinweis auf spätere Philosophen, z. B. Zenon (Arndt T. 235 ff.; Hekler T. 104 [Taf. 126]).

[56] Bernoulli, Griech. Ikonographie II 18 ff. T. 4 ff. Arndt, Griech. u. röm. Porträts T. 5, 776 ff.; Einzelaufnahmen Nr. 1402 f. Delbrück, Ant. Porträts T. 15. Hekler, Bildniskunst T. 22 a. Lippold, Griech. Porträtstatuen 55 f., dessen Andeutungen Verständnis für die Bedeutung des vielverkannten Werkes verraten. Vgl. seine treffende Bemerkung 37. [Vgl. hier S. 62 f.]

[57] Dieser Ausdruck hat zu der Benennung „Zenon" geführt, bevor dessen wirkliches Bildnis bekannt war.

[58] Poulson, Journ. hell. stud. XL 1920, 190 ff. T. 8; Greek and rom. portraits in engl. country houses 32 f. [Richter I 167 Nr. 15 Abb. 927–929].

[59] Platon I 703 unter der irrigen Voraussetzung, daß Repliken mehrerer Platonbildnisse vorlägen. Der von ihm genannte Kopf in Cambridge ist aber nur eine flaue Kopie des vatikanischen Typus und der von Benndorf veröffentlichte Wiener Kopf ist, wie schon Lippold bemerkte, überhaupt kein Platon, sondern nach Poulsens glänzendem Nachweis höchstwahrscheinlich Hypereides (Mon. Piot XXI 47 ff., Mitt. dän. Akad. IV, 1, 1921, 4 ff. [= hier S. 176 ff.].

[60] Preuner, Hermes LVII 1922, 105 f. Vgl. auch den demnächst erscheinenden, mir noch unzugänglichen Artikel Silanion in der RE von Lippold.

[61] Jahrbuch V 1890, 151 ff. mit großem Erfolg.

[62] Lippold, Porträtstatuen 55 [Richter II 167 Abb. 960].

⁶³ Wertlos vorbehaltlich einer Überraschung bei erneuter Ausgrabung ist der zur Zeit nur aus einer elenden Zeichnung bekannte Torso vom Serapeum in Memphis, Jahrb. XXXII 1917, 167, 7 [Richter II 168, Abb. 961]. Es fragt sich, ob er für den Holkhamschen Kopf in Betracht kommt.

Die Anfänge
der griechischen Bildniskunst

Von Franz Studniczka

In einem ebenso benannten Bändchen, das nur noch den Untertitel ›ein Beitrag zur
Geschichte der Individualität‹ führt [1], hat der Basler Archäologe Ernst Pfuhl die
ihm selbst neue Ansicht vertreten, es habe bei den Griechen erst etwa seit der Mitte
des 4. Jh. eine Bildniskunst „in unserem Wortsinn" gegeben. Diesen Wortsinn
genau festzustellen wäre nützlich gewesen im Hinblick auf seine unleugbare Dehn-
barkeit. Es genügt – um von den Greueltaten einiger Expressionisten und anderer
„-isten" der letzten Jahre zu schweigen – schon ein Hinweis etwa auf die ungeheure
Verschiedenheit der *Goethe*bildnisse, beispielsweise der Marmorköpfe von Trippel
und von Rauch, oder ein vergleichender Blick auf einschlägige Gemälde von Böck-
lin und Leibl, Fritz Kaulbach und Liebermann, um vor allzu enger Fassung jenes
Begriffs zu warnen. Wem dies und anderes gegenwärtig ist, den wird die neue Ansicht über die griechische Bildniskunst wundern und beschäftigen, auch wenn er
kein Archäologe von Fach ist. So mag ein begründetes Urteil dem Leserkreis dieser
Zeitschrift nicht unerwünscht kommen. Es wurde erst gut ein Jahr nach dem Erscheinen des Büchleins niedergeschrieben. Ich wollte mir, auf die Zusammenfassung eigener Untersuchungen hinstrebend, nicht nur fürs Zulernen, auch für das
schwierige Umlernen Zeit lassen. Als Vorbild für letzteres dienen konnte die Anzeige eines mit dem ganzen Wissenszweig vertrauten Mitforschers wie Sieveking im
Gnomon 1928, S. 26. Dennoch geht der hier vorgetragene Widerspruch schließlich
noch etwas weiter, und zwar, zum Teil, auf anderen Wegen, als der von Koepp in den
Götting. Anzeigen 1927, S. 373. Mir scheint Pfuhl, fortgerissen von dem ihm als
bahnbrechend geltenden Aufsatz Eman. Löwys über die Sophoklesbildnisse (im
Belvedere 1925, anfangs), unhaltbare Folgerungen zu ziehen, die sich mit dem von
ihm selbst in die Untersuchung gezogenen Stoffe widerlegen lassen. Auch dafür
sehr dankenswert sind die vom Bruckmannschen Verlag den 31 Seiten beigefügten
12 Tafeln nach vom Verfasser sorgsam ausgewählten Vorlagen; nur über den oft mit
dem Pinsel abgedeckten Grund ist zu klagen. Auf diese vielen Bilder sei der in der
sonstigen Literatur des Gegenstandes nicht heimische Leser hingewiesen, wo ihn
unsere knappere Auswahl im Stiche läßt. Zur Auffindung weiterer Stoffes können
die mit alphabetischen Verzeichnissen ausgestatteten, umfassenden Handbücher
von J. J. Bernoulli und von Hekler dienen.

Zeitschrift für bildende Kunst 62, 1928/29, S. 121–134.

I.

Pfuhl geht aus von den Nachrichten des Plinius, Naturgesch. 35, 153, über Lysipps Bruder Lysistratos. Dieser soll zuerst Menschengesichter mit Gips abgeformt haben. Das ist nicht unbedingt richtig. Schon im alten Ägypten wurden Totenmasken aus Gipsformen hergestellt, und nach dem Leben abgeformt sind vielleicht einige von den Gipsmodellen, welche, in der Werkstatt des Hofbildhauers Thutmosis zu Tell-Amarna, aus der Zeit Amenophis IV. ausgegraben, den Berliner Museen gehören. Einiges darüber bringt der Bericht L. Borchardts von 1913 in den Mitteilungen der Orient-Gesellschaft Nr. 52, S. 34 ff. Jener griechische Bildhauer soll aus den Gipsformen Wachsabgüsse genommen und diese nachgearbeitet haben. So denkt man sich gewöhnlich, nur erst nach den Leichen, die *Imagines maiorum* der vornehmen Römer hergestellt. In nicht klar ausgesprochenem, aber doch wohl in einem Zusammenhang mit dem technischen Verfahren des Lysistratos zu verstehen ist offenbar die letzte Angabe des Plinius über ihn, er habe Ähnlichkeiten wiederzugeben gelehrt, während vor ihm die Bildnisse möglichst schön gemacht worden waren. Aus diesem fragwürdigen Zusammenhang sollen wir als einen „Eckstein der Kunstgeschichte" entnehmen, daß es erst aus lysippischer Zeit, d. h. aus der Alexanders d. Gr., vollkommen ähnliche Bildnisse gab. Ich fürchte, dies täten wir nicht mit besserem Recht, als wenn wir derselben römischen Enzyklopädie (34, 54) glauben wollten, Pheidias habe als erster den Weg zur Erzbildhauerei eröffnet, und mehr dergleichen.

Den Nachrichten über Lysistratos entspricht indes, sie bestätigend, nach Pfuhl, S. 228, daß der früheste in Marmorkopien – die Urbilder waren meist in Erz gearbeitet – auf uns gekommene Bildniskopf „in streng realistischem Sinne" der kaum vor 325 geschaffene des *Aristoteles* ist. Die gesamte Überlieferung hierüber legt das Leipziger philosophische Dekanatsprogramm von 1908 vor [hier S. 147 ff.]. Die beste Wiederholung ist die Wiener (Taf. 76,3; 79,2). Doch rührt ihre kurze, keck vorspringende Nase von Ergänzerhand her; die ursprüngliche ist, nach dem Rest am Ludovisischen Exemplar, etwas länger und mit leicht eingesenktem Rücken zu denken. Gewiß ist dies ein Bildnis von höchst eigenartigen Formen und seltener Ausdruckskraft. Auf Wachstumshemmungen in der Kindheit des nach schriftlichen Angaben auch sonst körperlich nicht wohlgeratenen Denkers aus dem thrakischen Stagira zurück geht wohl die von dem gewaltigen Hirngefäß eingeengte Unterstirn und die, trotz kurzgehaltenem Barte, wieder breit heraustretende Kinnlade. Die kühl und kurzsichtig blickenden Augen, wie der große, starke Mund mit den herabgezogenen Winkeln, der mühsam geschlossen scheint, wirken echt professoral, wieder in Übereinstimmung mit den Lebensnachrichten.

Aber merkwürdigerweise gibt noch Aristoteles selbst in der auch von Pfuhl (Anm. 1) beigebrachten Stelle der Poetik als Gepflogenheit wenigstens der guten Bildnismaler – bei denen keine grundsätzliche Abweichung von den Bildhauern denkbar ist – an, die persönlichen Züge zu verschönern. Demgemäß muß Pfuhl, S. 230 sogar noch in der mit Lysipp und seinem schon genannten Bruder Lysistratos anhebenden Blütezeit der wahrhaften Bildnisplastik das gleiche Verfahren anerkennen. Nicht allein für Alexander und höherbetagte Fürsten wie *Seleukos I.* [Taf. 84 bis 85], auch für den um 290 etwa fünfzigjährig dargestellten Komödiendichter *Menandros* (Taf. 102, 3). Dessen edelschönes und doch von Abnormitäten nicht ganz freies Haupt mit den lebensprühenden, geistvollen, auch etwas leidenden Zügen ist ja nach der Ansicht der meisten Sachkundigen durch die enggeschlossene Kette von Beweisgründen jeder Art in Ilbergs Neuen Jahrbüchern von 1917 bündig nachgewiesen [hier S. 185 ff.]. Der Rückfall eines Fachmanns wie Lippold in den einst flüchtig hingeworfenen Gedanken Furtwänglers an Vergil bleibt stilgeschichtlich wie ikonographisch gleich bedauerlich. Selbst diese große Leistung der Praxitelessöhne Kephisodotos und Timarchos macht schwerlich den Eindruck, der Wirklichkeit näher geblieben zu sein als etwa der Trippelsche Goethe. Noch „typischer" als *Menander* mag sein Altersgenosse *Epikur* [Taf. 124] gestaltet sein, erst recht dessen Schüler *Metrodor* und *Hermarch*, deren erhaltene Köpfe deshalb nicht selten verwechselt worden sind. Als ein Höhepunkt des geschichtlichen Charakterbildnisses gilt zumeist das düster leidenschaftliche, verbissene Antlitz der posthumen *Demosthenes*statue von Polyeuktos (280 v. Chr. [Taf. 108–116]). Doch selbst für dieses zieht Pfuhl, S. 231 noch die Möglichkeit einer auf keine bildlichen Quellen gegründeten, ganz freien Schöpfung in Betracht, allerdings ohne rechte Zuversicht. Das hat indes seinen Gewährsmann Löwy nicht abgehalten, den unglaublichen Satz näher auszuführen (Belvedere 1928, S. 79).

Noch keine dem Wesensreichtum eines der größten Denker und Dichter entsprechende Zusammenfassung mannigfacher Eindrücke zu einem lebensvollen Gebilde, aber offenbar in allen Hauptzügen eine treue Wiedergabe des Äußeren ist der breite, mürrisch abweisende *Platon*kopf (Taf. 49). Nach dem festgehaltenen Lebensalter wird das Urbild spätestens um 350, eher rund zehn Jahre früher geschaffen sein. Das verträgt sich auch mit der Zeit des Meisters der Statue in der Akademie, Silanion, selbst wenn er noch unter Alexander d. Gr. weiterwirkte. Der Versuch Poulsens, für Silanion einen andern, geistig bedeutenderen *Platon*kopf nachzuweisen, scheint mir mißglückt. Die Eigenheiten des Marmors in Holkham Hall [Taf. 125] werden eher als mit Pfuhl, S. 247 auf eine hellenistische Umbildung auf moderne Überarbeitung zurückzuführen sein, wie jetzt auch Sieveking in der erwähnten Anzeige, S. 28 vermutet². So steht es, wie ich längst gezeigt habe [hier S. 192], mit dem *Neapler Lysias* [Taf. 44, 3], dessen „Verismus" einst die Stilgeschichte irreführte (Pfuhl, S. 238, Anm. 36).

Nicht erheblich über die Zeit des *Platon*bildnisses hinab weisen die in zahlreichen Sockelinschriften der athenischen Burg gegebenen Anhaltspunkte für die Schaffensdauer des berühmten „Menschenbildners" Demetrios aus der attischen Gemeinde Alopéke: sie reichen auch nach Pfuhl, S. 228 nicht tiefer als bis 350, wohl aber über

380 hinauf. Eher noch hinter diese obere Grenze zurück führt die von Plinius (34, 76) bezeugte Statue des *Simon*, eines Schriftstellers über das Reitwesen. Ihn erwähnt Xenophon am Anfang seiner Darstellung desselben Gegenstandes, den er für ihm liebe junge Menschen niederschrieb, gewiß vor allem für die eigenen Söhne, höchstwahrscheinlich als sie nach Zurückberufung des Vaters aus der Verbannung in die athenische Reiterei eintraten, wo der ältere alsbald 362 bei Mantinea den Heldentod fand. Aber die Art, wie Xenophon des Vorgängers gedenkt, klingt nicht so, als wenn dieser damals noch gelebt hätte. Am Sockel der miterwähnten *Reiterstatue Simons* beim Eleusinion in Athen, ohne Frage jenes Erzbildnisses von Demetrios, hatte der Dargestellte selbst seine Taten in Relief abbilden lassen (ἐξετύπωσεν). Das paßt nur auf einen Reiterobersten von Bedeutung, und einen Hipparchen desselben Namens kennen wir aus den 424 aufgeführten Rittern des Aristophanes (Vers 242) samt der alten Erklärung dieser Stelle. War dieser Simon damals nur wenig über das Mindestalter solcher Staatsbeamten, d. h. über dreißig, dann kann er als Siebziger leicht die anderweit bekannte Wirkenszeit des Demetrios erlebt und ihn mit jenem Denkmal seines Ruhmes betraut haben. Jedenfalls gehört nicht in die Zeit Alexanders, sondern in die erste Hälfte des 4. Jh. dieser „Anthropopoios", dem das im I. Buch der Rednerlehre Quintilians 10, 9 auf uns gekommene Kunsturteil ungefähr dasselbe vorwirft, was wir von einem andern kunstgeschichtlichen Standpunkt aus als Lob über Lysistratos bei Plinius gesagt fanden: Demetrios habe die Wahrheit übertrieben und die Ähnlichkeit mehr als die Schönheit geliebt. Daß er dabei mit Lysipp und dem etwas älteren Praxiteles verglichen wird, nötigt uns so wenig, diesen Künstler später als hier geschieht, anzusetzen, wie z. B. die Zusammenfassung des Kalamis und Kallimachos als wesensverwandter Meister bei Dionys von Halikarnass über Isokrates 3 den zwischen ihnen bestehenden Abstand eines Menschenalters aufheben kann. Unter die allzu wahren Bildnisse des Demetrios gehörte sicher die Erzstatue der Athenapriesterin *Lysimache* auf der Akropolis, die, nach 64 Dienstjahren errichtet, gewiß viel von den Spuren sehr hohen Alters zur Schau trug. Etwas deutlicher wird uns durch Lukians Schilderung im Lügenfreund 18 die Gestalt des korinthischen Strategen *Pelichos*, als ein ungenügend in seinen Mantel gehüllter Dickbauch mit hervortretenden Adern, mit spärlichem Haupt- und Barthaar, letzteres wie vom Luftzug gesträubt. Wieweit dem Künstler mit der äußerlichen Naturtreue auch schon der Ausdruck des seelischen Wesens, etwa in der Richtung auf das *Aristoteles*bildnis (Taf. 76,3; 79,2) gelang, wird erst dann klarwerden, wenn eines seiner Werke in treuer Nachbildung sicherer erkannt ist als bisher.

Einstweilen zum *Pelichos* stellen dürfen wir indes mit Jan Six die vor der Mitte des Jahrhunderts geprägten *Elektronmünzen von Kyzikos* am kleinasiatischen Ufer der Propontis (Taf. 29,5–6). Sie zeigen auf speckfaltigem, kurzem Hals den kahlen, lorbeerbekränzten Kopf eines Mannes mit trotzig tatkräftigem Ausdruck im unschönen Gesicht, gewiß einen griechischen Machthaber, der, wie schon früher persische

Satrapen, diesen ursprünglich Göttern vorbehaltenen Ehrenplatz in Anspruch nehmen konnte. Auf ein großplastisches Urbild aus der Zeit, als Demetrios jung war, zurück geht der Kapitolinische Marmorkopf des um 380 als Greis verstorbenen Redenschreibers *Lysias* (Taf. 45). Es ist zwar eine trockene, etwas hölzerne Nachbildung eines Erzwerkes, das schon selbst formelhafter und bei weitem nicht so „sprechend" gestaltet war als der *Aristoteles* (Taf. 76,3; 79,2). Aber es war doch ohne Frage, z. B. in den eigenartigen Stirnrunzeln, ein durchaus persönliches Bildnis, das auch mit seinem ruhigen, gehaltenen Ausdruck dem Stil des Schriftstellers entspricht. Für Pfuhls gewaltsames Streben, seine frischgewonnene Meinung durchzusetzen, bezeichnend ist der Versuch S. 231, sogar hier nur einen „täuschend individuellen Alterstypus" glaubhaft zu machen. Zur Begründung weiß er nichts Besseres anzuführen als die schon von Sieveking, S. 29, 1 als sehr äußerlich abgelehnte Ähnlichkeit mit dem *Kentaurenkopf* einer Parthenonmetope (Taf. 23,3–4). Auch sonst spricht er wiederholt so, wie wenn unklassische Profile mit schräg vorgebogenen Nasen nichts als Alterszeichen wären. Eher noch persönlicher als der *Lysias* wirkt der *Thukydides* mit ganz eigenartigem Seitenumriß von Gesicht und Schädel samt der Platte auf dem Scheitel und anderen Zügen. Halten wir uns an die schlichtere Fassung in *Holkham* (Taf. 43) und nicht an die der *Neapler Doppelherme* [Taf. 42], dann weist er auf den *Platon* des Silanion voraus. Wie dieser verrät er weniger von der Geistesmacht als von dem verdüsternden Schicksal des Mannes. Darum braucht jedoch das Bildnis des Geschichtschreibers nicht auch erst von Silanion geformt zu sein, wie einst Winter annahm. Wenn er gegen Ende des Peloponnesischen Krieges in die Heimat zurückkam und dort an seinem Werk über ihre einstige Größe und ihren Heldenkampf darum weiterschuf, dann mag es für ihn so gut ein Ehrenstandbild gegeben haben wie auf der Akropolis für *Oinobios*, den angeblichen Urheber seiner Zurückberufung. Wodurch Pfuhl, S. 231 das erhaltene Bildnis erst an die Statue des „*Maussollos*" von Halikarnass [Taf. 54,1], eine Verschmelzung von klassisch idealen und barbarischen Zügen, anknüpfen will, bleibt mir so unverständlich wie Sieveking. Die Treue des *Thukydides*kopfes kann auch dadurch nicht verdächtigt werden, daß es von seinem viel älteren und unbedeutenderen Vorgänger *Herodot* erst aus späteren Zeiten zwei untereinander grundverschiedene, sicher gleich freierfundene Darstellungen gibt, wofür auf die eingangs erwähnte Anzeige von Koepp, S. 380 verwiesen sei. Ganz unmittelbar bezeugt eine zwar vereinfachende, jedoch das Wesentliche eines bestimmten Manneshaupts klar erfassende Bildniskunst nicht viel nach der Mitte des 5. Jh., trotz dem Verkleinerungsversuch von Pfuhl, S. 242, der Siegelstein mit der Künstlerinschrift des noch durch andere Gemmen bekannten *Dexamenos* aus Chios (Taf. 27,1). Sollen wir wirklich, mit Sieveking, S. 30, glauben, daß so etwas damals nur der ionischen Kleinkunst möglich war?

II.

Als Grund für die Meinung von dem späten Aufkommen wirklicher Bildnisse gilt Pfuhl und Sieveking vor allem der durch mehrere in der Hauptsache übereinstimmende Marmornachbildungen auf uns gekommene *Perikles*kopf (Taf. 20,1). Sein Urbild war ohne Zweifel die auf der Akropolis geweihte Erzstatue von Kresilas, dem Meister einer von den später vielkopierten *Amazonen*, und zwar – trotz dem Schwanken der Meinungen – sicher derjenigen, die der Berliner Marmor am bekanntesten gemacht hat. Wie diese Idealgestalten aus der Sage wird das Bildnis des erhabenen Staatshauptes aus dem Jahrzehnt von 440 bis 430 herrühren, gewiß nicht aus nennenswert früherer Zeit. Dennoch weist es keine Altersspuren eines Sechzigers auf, gleicht überhaupt sehr den Götterbildern, ähnlich wie die von Aristoteles im I. Buch seiner Politik 2, 15 vorausgesetzten Menschen, denen schon vermöge ihrer seltenen Wohlgestalt nach allgemeinem Ermessen die übrigen als Sklaven untertan zu sein wert wären. Nun bringt ja in der Tat die Natur heute noch ausnahmsweise Menschen hervor, die griechischen Idealtypen sehr nahekommen. Abbildungen einiger Beispiele dafür erwähnt der Nachruf auf Georg Treu in den Berichten der sächsischen Akademie für 1921, S. 61 *Anm., im Widerspruch zu der Meinung des Verstorbenen, die klassische Schönheit sei vielmehr durch einen Vorgang in der Künstlerseele entstanden, den uns die photographischen Durchschnittsbilder bestimmter Menschengattungen veranschaulichen können. Daß auch *Perikles*, trotz seinem verbauten „Zwiebelkopf", wirklich so aussah wie sein Bildnis, hält Koepps Anzeige, S. 378 für möglich. Es wird indes unglaublich durch die weitgehende Übereinstimmung seiner Gesichtszüge mit denen unbekannter Zeitgenossen auf Grabsteinen. Als Beispiel diene hier Taf. 20, 2, die vom Berliner Museum freundlich zur Verfügung gestellte Neuaufnahme des beinahe lebensgroßen Kopfes der Stele von Karystos auf Euböa. An persönlichen Eigentümlichkeiten des Perikles bleibt wenig mehr als das Kraushaar und das Fehlen der leisen Schwellung der Unterstirn, das auch die erwähnte Kresilasamazone von der polykletischen unterscheidet. Diese Idealität des *Perikles*bildnisses erklärt sich wohl einfach dadurch, daß sich der „Vorstand des Demos" von Athen absichtlich ebenso götterähnlich darstellen ließ, wie gleichzeitig seinen ganzen Demos, für den er die Herrschaft über Gesamthellas anstrebte, im Panathenäenzug am Parthenon. Vom persönlichen Wesen des Staatsmanns kam dabei die vielgerühmte und durch Beispiele aus seinem Leben belegte „olympische" Ruhe gut zum Ausdruck. Solche Schönheitstypen blieben, wie auf Gräbern, auch für Ehrenbilder üblich, und zwar eher aus Bescheidenheit denn aus Eitelkeit. Durften doch nach bekannter, kaum anfechtbarer Überlieferung olympische Sieger erst nach dem dritten Siege in wirklichen Bildnissen verewigt werden [dazu vgl. hier S. 359ff.].

Um von dem hochidealisierten *Perikles* über den noch etwas äußerlich ähnlichen *Platon* bis zu dem sprechenden Charakterkopf seines größten Schülers einen unglaublich einfachen Aufstieg zu finden, müßten wir nicht allein die auch schon „wahren", obgleich noch minder reifen und reichen Bildnisse des *Thukydides* und *Lysias* gewaltsam beseitigen. Schon am Anfang des Parthenonbaus (im Jahre 447) wirkten an dessen Metopen zumeist noch ältere Bildhauer mit, die Geschmack an eingehendem Erfassen minder idealer, persönlicher Gesichtsbildungen fanden und solche wenigstens für niedrigere Sagenwesen wie die Kentauren verwendeten. Nach dem Vorgang Julius Langes hat Pfuhl, S. 243 und Tafel 21–23 die wichtigsten davon zusammengestellt. Er hat ihre Verwandtschaft mit Bildnissen dadurch unfreiwillig anerkannt, daß er einen unter ihnen mit dem *Lysias* (Taf. 45) verglich. Mögen selbst die eigenartigsten von diesen *Kentaurenköpfen* ohne die Absicht gemacht sein, einzelne wirkliche Menschen erkennbar darzustellen, sie sind doch kaum viel „typischer" als so manches gesicherte Bildnis, sogar noch aus der anerkannten Blütezeit dieser Kunst.

Anklänge solcher Art, wenn auch etwas schwächere, bieten schon die peloponnesischen Marmorwerke vom Zeustempel in Olympia [Taf. 12, 2]. An die nur in späteren Ersatzkopien erhaltenen alten Frauen seines Westgiebels anschließen läßt sich ein Meisterwerk aus gleichzeitiger, nur stärker ionisch beeinflußter Schule (Taf. 24, 2): die Hüterin des Adonisbäumchens am Gegenstück des *Ludovisischen Altaraufsatzes* in Boston. Unleugbar kann ihr Kopf Zug um Zug einem lebenden Urbild entsprochen haben. Ebenso ausgeschlossen ist, trotz Pfuhl, S. 241, der Gedanke an bloße „Charaktertypen", das heißt doch wohl an freie, nicht auf genauer Betrachtung von Einzelmenschen beruhende Schöpfungen für in Athen kurz vor den Parthenonmetopen entstandene Vasenbilder der letzten vorklassischen Zeit. (Diese Zeit mit A. von Salis „frühklassisch" zu nennen, ist kaum eine Verbesserung unseres Sprachgebrauchs.) Herausgehoben sei hier nur der Kopf (Taf. 21, 2) einer sonst wohlgebildeten *Kriegergestalt*, die auf dem Mischgefäß in New York mit stark sprechender Bewegung der rechten Hand einem Mann im Bürgerkleid gegenübersteht. Des letzteren tief in den Nacken hängende Locken, bedauerlicherweise der einzige Rest seines Kopfes, können, im Hinblick auf noch spätere Bildnisse wie Taf. 74, den Vorgang nicht in die Heroenwelt verweisen, obgleich eine solche Deutung immerhin denkbar sein mag. Viel eher wird jedoch das Bild der damaligen Wirklichkeit entnommen sein, in der ein szeptertragender Würdenträger nicht ausgeschlossen ist. Der Kriegsmann sieht aus, wie wenn er vernachlässigt aus dem Felde zurückkäme. Das Haar wuchert ungelockt, ja deutlich ungepflegt über Stirn, Ohren und Nacken herab, der Bart ist entsprechend überlang und struppig. Das Auge blickt unter der inmitten niedergebogenen Braue aus ungewöhnlich tiefer Höhle wie hungrig hervor. Den bekümmerten Ausdruck verstärken die von Nasenflügel und Backe zum Winkel des gepreßten Mundes ziehenden Furchen. Der Umriß von Stirn und Nase wirkt, wie das ganze Haupt, „verblüffend individuell" (Sieveking, S. 31). Man sollte glauben, jeder Athener müsse damals imstande gewesen sein, den Namen anzugeben. Doch selbst wenn der Vasenmaler keinen bestimmten Menschen gemeint

hat, er war gewiß imstande, ein kenntliches Bildnis zu zeichnen, wenn es von ihm
verlangt wurde.

Daß diese Forderung an die im kimonischen Athen führende Kunst, die große
Wandmalerei, wirklich gestellt und von ihr erfüllt wurde, ist bezeugt und vor solchen Nachklängen wie dem Vasenbild Taf. 21, 2 durchaus kein „Unsinn", wie Pfuhl,
S. 225 versichert. Derselbe Plinius, dem Pfuhl den „Eckstein" seiner Schrift, die
Kunde von Lysistratos entnimmt, erwähnt 35, 87, daß in der bunten Halle das Bild
der Marathonschlacht, ein Werk des Panainos, die Führer bildnisähnlich gab. Die
ausdrücklich miterwähnten Perser zwar müssen wohl nur „Charaktertypen" gewesen sein, zu denen schon Vasen aus der Zeit der großen Schlachten unverächtliche
Vorläufer darbieten. Aber für die Hauptpersonen unter den attischen Siegern
dürfen wir an mehr oder minder treue Wiedergabe nach dem Leben oder, für die
verstorbenen, womöglich nach ältern Darstellungen glauben.

In der langen archaischen Lehrzeit der Griechenkunst war deren Hauptanliegen
ohne Frage schon die Ausgestaltung ihrer Gedächtnisbilder zu möglichst geradlini-
gen Normaltypen. Aber ihr tastendes Suchen ergriff dabei, trotz der Starrheit gewisser Formeln, mehr von der Mannigfaltigkeit der Natur als die klassische Idealbild-
nerei. Deshalb machen archaische Gebilde auf unbefangene Beschauer oft einen
persönlichen Eindruck. Als vom Herbst 1885 an auf der Akropolis die lange Reihe
der Marmorkoren, deren Bildnisbedeutung immer noch ungewiß bleibt, aufer-
stand, nannten wir Archäologen sie scherzend „die Tanten", im einzelnen sogar mit
Eigennamen. Von diesem Jugendeindruck möchte Koepp in dem oben (S. 253) erwähnten Bericht S. 378 nicht ablassen, besonders im Hinblick auf die individuellen
Körperformen. Aber dieselben Schwankungen zeigen Frauengestalten des Glau-
bens und der Sage auf Vasen und sonst. Nicht minder persönlich wirkende Koren-
köpfe finden sich sehr ähnlich an fernen Orten wieder. So gleicht dem der *Akropo-
lisstatue Nr. 673* bis zu dem Grübchen auf der linken Wange der *Mädchenkopf* aus
dem Apollonheiligtum auf dem böotischen Ptoion im Athener Nationalmuseum
Nr. 17. Noch entscheidender ist die weitgehende Ähnlichkeit des Gesichts der
Sphinx von Spata in Ostattika (ebenda Nr. 28), gewiß keines Bildnisses, mit dem
wackeren *Rombos*, Sohn des Palos, der, ein Bullenkalb auf den Schultern darbrin-
gend, in Marmor auf der Burg von Athen steht (Nr. 624 ihres Museums). Dasselbe
gilt von den meisten Darstellungen Verstorbener an ihren Grabdenkmälern für die
archaische Zeit schon ebenso wie für die klassische, z. B. für den früher auch als
rechtes Bildnis in Anspruch genommenen Wehrmann *Aristion*, den gegen 520
Aristokles meißelte [Taf. 4, 1].

Aber neben diesem Hauptstrom typischer Menschendarstellung muß Pfuhl 240 ff.,
wenngleich widerwillig, ein früh beginnendes und langsam zunehmendes Hinüber-
greifen in das Gebiet weit persönlicherer, schärferer oder gröberer Formen anerkennen, die sich sowenig wie die soeben besprochenen Erscheinungen des 5. Jh. insgesamt als namenlose „Charaktertypen" wegdeuten lassen. Schon der *Jünglingskopf*

(Taf. 5, 1) von einer attischen Grabstele, der sich vor dem geschulterten Diskos ab-
hebt, trägt unerschrocken eine recht knollige Nase zur Schau. Etwa gleichzeitig (um
540) erscheint auf einem der Bruchstücke des stattlichen, nach Vasenart gemalten
Frieses von einem Grabbau (Taf. 6, 5) zwischen den vielen typischen Köpfen der
Leidtragenden, denen auch das weiße Frauenprofil daneben angehört, ein Mann
mit sehr kurz geschorenem Haar und Bart, dessen Nase mäßig hakenförmig gekrümmt sich mit der Spitze ein wenig herabsenkt. Nach Pfuhl, S. 241, soll das alles
nur typisch „die Unschönheit des Alters" bedeuten. Aber das Alter kennzeichnet
die Tonmalerei schon früher der Wirklichkeit entsprechend mit weißem Haar und
mit Runzeln (z. B. Pfuhl, Taf. 11, 2). Auch gelten den größten Bewunderern der
Menschenschönheit die beiden Abweichungen von der geraden Nase, das γουπόν
und das σιμόν, die Hakennase und die Stumpfnase, keineswegs ohne weiteres als
häßlich, geschweige denn die erstere als greisenhaft. Hier genüge ein Hinweis auf
Platons V. Buch vom Staat 19 und auf des Aristoteles' V. Buch der Politik 7, 17.
So wollte der Maler jenes alten Frieses nicht allein durch den beigeschriebenen
Namen, auch mit dem krummnasigen Profil, ohne Runzeln und weißes Haar, sicher
nur eine Hauptperson der Trauerversammlung für alle Angehörigen sofort erkennbar machen. Wenn ebenso vollständig erhalten, würde der noch kürzer geschorene
Saburoffsche Statuenkopf in Berlin wohl unzweideutiger bildnishaft wirken, als es
Pfuhl, S. 225 in berechtigtem Widerspruch gegen frühere Übertreibungen, Wort
haben will. Desgleichen vermuten möchte ich schon für das eher noch ins 7. Jh.
zurückreichende Oberteil einer Kalksteingestalt der Daidalidenkunst aus dem kretischen Eleutherna, mit dem Rest einer maßlos plumpen Nase und anderen untypi-
schen Zügen, die von den erschienenen Abbildungen vielleicht die bei Perrot,
Histoire de l'art VIII, S. 431, am klarsten erkennen läßt.
Vermöge dieses kretischen und anderer Beispiele dürfte sich ergeben, daß die frühe
Griechenkunst aus dem rein typischen Scheinbildnis um so eher herausstrebte, je
unmittelbarer auf sie die ägyptische wirkte. Denn die letztere war schon seit Jahrtausenden, wenigstens in besonderen Fällen, zu treuerem Erfassen der persönlichen
Erscheinung, schließlich mitsamt ihrem seelischen Ausdruck, fortgeschritten
(Pfuhl, S. 244). Am stärksten wirkte natürlich der Einfluß Ägyptens auf die dort seß-
haft gewordenen Hellenen. Das Werk eines solchen ist z. B. der fettleibige Mann
– leider mit zerstörtem Gesicht – auf dem kleinen *Kalksteinrelief aus Naukratis* (Taf.
4, 3), dessen hier angenommene kunstgeschichtliche Stellung der Herausgeber
C. C. Edgar richtig erkannt, sonst aber kaum jemand beachtet hat. Da die Griechen
im Nillande damals zumeist aus Kleinasien stammten und dahin oft zurückkehrten,
mußte auch in den so viel bedeutenderen Kunstschulen dieses Landes die Wirkung
der ägyptischen Bildniskunst zur Geltung kommen. Von den nicht mehr spärlichen
Belegen dafür steht hier auf Taf. 5, 2 eine seltsame Gestalt vom sog. *Harpyiendenk-
mal* in der lykischen Hauptstadt Xanthos, dessen Reliefdarstellungen aus der Toten-
verehrung das Werk tüchtiger ionischer Künstler schon des 5. Jh. sind. Unser Thro-

nender, nach dem langen, aber nicht schleppenden Kleid ein Mann, hat oberhalb seines schweren Leibes einen unerhört dicken Hals und ein entsprechendes Untergesicht, im Gegensatz zu der kurzen Nase. Verschieden von den beiden anderen sitzenden Männern des Grabmals ist er bartlos, aber offenbar kein Jüngling, und völlige Bartschur kommt schwerlich in Frage. So bleibt kaum etwas übrig, als an einen Verschnittenen zu denken, der, im Dienste einer Gottheit oder des persischen Oberherrn emporgekommen, dann auch, wie später Philetairos in Pergamon [Taf. 127–128], in seiner Verwandtschaft zu Ansehen gelangt war. Wie dem auch sein mag, von einem bloßen „Typus" kann hier wieder nicht die Rede sein.

Nach den angeführten und noch anderen Belegen für unverkennbare, wenngleich bescheidene Anfänge von ostgriechischer Bildniskunst schon in der archaischen Zeit ist wenigstens die Zuversicht abzulehnen, womit Pfuhl, S. 244 die Nachricht über ein sehr ähnliches *Selbstbildnis* des großen Bildhauers *Theodoros* von Samos als Fremdenführerklatsch verwirft. Mit dem seit der Mitte des 6. Jh. rasch zunehmenden Einfluß der Ionierkunst auf das griechische Mutterland, besonders auf Athen, erstarkte auch dort die Neigung, die längst beobachtete Mannigfaltigkeit der Formen zu gewollten Darstellungen bestimmter Menschen zu verarbeiten. Spätestens der großen Malerei kimonischer Zeit, unter deren Hauptmeistern der Ionier Polygnotos von Thasos der bedeutendste war, dürfen wir, nach Proben ihrer Wirkung auf die Gefäßmalerei wie Taf. 21, 2, schon recht ähnliche Bildnisse zutrauen. Diese Richtung vermochte die Hochflut der klassischen Idealkunst unter der perikleischen Demokratie nur zurückzudrängen, nicht hinwegzuschwemmen. Mit dem *Thukydides* und *Lysias* (Taf. 43. 45) sahen wir einen neuen, stetigen Fortschritt wirklicher Bildniskunst einsetzen, den Demetrios vielleicht noch kräftiger förderte als Silanion mit seinem *Platon* (Taf. 49). Aber nicht oft erfaßte sie selbst körperlich etwas mißratene Erscheinungen so rückhaltlos wie den *Aristoteles*kopf (Taf. 76,3; 79,2). Immer aufs neue gewann die Grundneigung der Hellenenkunst zum Annähern der Einzelerscheinung an die edelsten Typen starken Einfluß, wie doch wohl im *Menander*bildnis (Taf. 102, 3) und den damit oben verglichenen. Erst unter den Römern kamen Zeiten einer so nicht eingeschränkten Personendarstellung. Einen unaufhaltsamen Fortschritt zeigt die eigentlich griechische Bildnisplastik nur in derselben Weise, wie die Darstellung von Gestalten der Religion und Sage: in der Bereicherung und Steigerung des seelischen Ausdrucks.

III.

Wie weit die Nichtachtung der äußeren Ähnlichkeit noch in der Blütezeit dieses Kunstzweiges bei den Hellenen gehen konnte, lehren am besten die seltenen Fälle, wo wir Bildnisse desselben Mannes in verschiedenen Fassungen besitzen. Zwei von diesen Fällen sollen hier noch zur Sprache kommen, weil sie in der Darlegung

Pfuhls und Sievekings Hauptrollen spielen und mir von ihnen kunstgeschichtlich falsch beurteilt scheinen.

Erst die zwei *Euripides*bildnisse (Pfuhl, S. 246 ff.). Einig sind fast alle, seit Lippold, Porträtstatuen, S. 50, darüber, daß der erst neuerlich durch die Verse aus einem Drama des Dichters auf der *Herme von Rieti* in Kopenhagen gesicherte Kopf (hier Taf. 118 die Replik in Dresden) auf das gegen 330 von Lykurg im athenischen Theater errichtete Standbild zurückgeht. Er verkörpert, dem neuen Ausdrucksvermögen dieser Zeit entsprechend, die spätere Auffassung des Euripides als des über Götter und Menschen pessimistisch unwirsch richtenden Dramatikers. Was war die Quelle dieser posthumen Neugestaltung? Man sollte denken: eine ältere beglaubigte Darstellung. Als solche bot sich der in weit zahlreicheren Nachbildungen, auch mit Beischrift, erhaltene Kopf, nach dem schon 1881 G. Krüger jenen anderen zu benennen wagte. Das beste Exemplar ist immer noch das in Neapel (Taf. 73), von dem Hekler einen Abguß durch Tönung dem Bronzeurbild anzugleichen versuchte, leider ohne die für den Blick wertvollen Wimpern anzufügen (in dieser Zeitschrift 1926/27, S. 274). Gegen den von Hekler noch vertretenen frühen Ansatz soll nun auch dieses edlere, stillere Bildnis ein Werk der Alexanderzeit sein. Als Hauptgrund dafür gilt (zuletzt bei Sieveking, S. 29) eine gewisse Ähnlichkeit mit dem *Aristoteles*kopf (Taf. 76, 3; 79, 2), die, als ich (in der dort angeführten Schrift [hier S. 147 ff.]) dessen Namen erwies, auch mich irreführte. Inzwischen wurde ich durch Lippold eines Besseren belehrt und glaube, nach reiflicher Erwägung, dabei verharren zu müssen. Das Wesentliche an dieser oberflächlichen Ähnlichkeit sind nämlich nur die über die allzu hoch gewordene Stirn herabgeholten Haarfransen. Doch sind die des Philosophen viel fortgeschrittener im Stil, plastischer, reicher, unruhiger geschlängelt. Daß diese Haartracht bis in die Geburtszeit des Euripides oder noch etwas weiter hinaufreicht, beweist ihre archaische Zeichnung beim *Vater des Eurystheus* (Taf. 26, 3) auf der Londoner Schale aus der späteren Werkstatt des Töpfers Euphronios. Das Haar des *Aristoteles* ist auch sonst, namentlich in der Seitenansicht (Taf. 76, 3) bewegter und wirrer, trotz der Verschiedenheit seines Wuchses eher dem anderen *Euripides* vergleichbar (Taf. 118). An dem meines Erachtens älteren (Taf. 73) zieht es in viel flacheren, übersichtlicher geordneten Strähnen vom Scheitel nieder und hängt dann in langen, auch nicht allzu bewegten Wellen über die Ohren und tief in den Nacken. Das Taf. 74, 2 gezeigte Budapester Exemplar zeigt die ursprüngliche Erzarbeit marmorgemäßer umgebildet. Darum eignet es sich besser zum Vergleich mit dem Kopf eines der *Festordner* im Ostfries des Parthenons (Taf. 74, 3), einem genaueren Beleg für dieselbe Haartracht aus den reiferen Jahren des Dichters, als die von H. Schrader in der Zeitschrift ›Die Antike‹ von 1926, S. 127 f. herangezogenen. Doch verweise ich gern auf Schraders Darlegung des tiefernsten, aber mild ruhevollen, noch ganz der reifen Kunst des 5. Jh. entsprechenden Wesens dieses Bildnisses. Dahin paßt der fest zusammengehaltene Bart, auch er verschieden von dem des *Aristoteles*. Wie der breite Schnurrbart den Mund umrahmt, das hat Schrader richtig mit dem *Anakreon* verglichen. Die beschauliche Stille des Ausdrucks weist in dieselbe Zeit; einigermaßen ähnlich zeigt sie noch der *Lysias* (Taf. 45), der freilich viel schlechter kopiert ist. Vom *Aristoteles* unterscheidet sich der Tragiker auch durch seine weit schlichter gewölbte, fast nur im Knochenbau gegliederte Stirn. Das Wesentliche ihrer Gestaltung ist bereits an dem greisen Seher *Iamos* aus dem Ostgiebel des olympischen Zeustempels vorgebildet, der nur im Zusammenhang der Gruppe beunruhigt und sorgenvoll emporblickt und den Mund wie zur Vorhersage des Unheils öffnet [Taf. 12, 2]. Für das ganze Schema des *Euripides*kopfes, samt den herabhängenden Locken, sei aus der späteren Kunst des 5. Jh. noch der zweite Gesandte vor dem Satrapen im zweithöchsten Fries des *Nereidendenkmals von Xanthos* verglichen [Taf. 74, 4]. So scheint mir dieser Bildniskopf fest in den Altersjahren des *Euripides* verankert. Dazu passen die Grundzüge des zugehörigen Sitzbildes, die uns das späte Relief in Konstantinopel wiedergab (Abb. Z. f. b. K. 1926/27, S. 273 [Richter I 137 Abb. 767]). Lippold verglich sie treffend mit *Göttern* des Parthenonfrieses und ähnlichen Gestalten, wogegen Pfuhl, S. 251 Anm. 55 nichts Wesentliches vorbringen konnte. Viel weiter hinauf, als dieser Gelehrte zugesteht, bis in die edel-stille klassische Plastik, reicht also mit diesem Werk eine bei aller Zurückhaltung schon tief persönliche Bildniskunst.

Vielleicht nicht ganz so zwingend klar, aber doch sehr wahrscheinlich, ist das entsprechende Verhältnis zwischen den beiden *Sophokles*köpfen (Pfuhl, S. 245). Der vermeintliche dritte nämlich, der *Arundelsche Erzkopf* Taf. 136–137 – den Sieveking, S. 28 f. gar als frühestes Idealbildnis des hochbetagten Tragikers ansetzt – unterscheidet sich in allen Hauptzügen, z. B. dem Profil und der Bartlänge, von dem, was die zwei inschriftlich gesicherten *Sophokles*bildnisse gemein haben. Er ist eine leicht altertümelnde, dabei vielleicht von dem beglaubigten greisen Sophokles mitbeeinflußte Neuschöpfung des späteren Hellenismus. Nach dem geöffneten Munde stellt sie einen singenden oder rezitierenden Dichter dar, von dem es kein echtes Bildnis gab. Die Priesterschnur im Haar trägt ja unter anderem auch der allbekannte *Homer*. Den *Sophokles* besitzen wir somit, wie den *Euripides*, nur in zwei Fassungen. Einigkeit herrscht wieder in der Zurückführung des Standbildes im Lateranmuseum (und der Wiederholungen seines Kopfes) auf das Lykurgische im Dionysostheater. Von Teneranis verfälschender Ergänzung des Gesichts dieser besten unter den erhaltenen Kopien befreite uns Amelung, indem er den noch unergänzten Kopf in einem alten Abguß der Villa Medici erkannte (Taf. 57, 1–2). Hier ist bei aller noch blühenden Schönheit doch mehr von der ernsten Würde reiferen Alters. Dennoch bleibt, trotz dem Versuch Löwys (wie schon spätantiker Kopisten), die Grenze zu verwischen, ein weiter Abstand zwischen diesem Haupt und dem am besten durch die vatikanische Inschriftherme gesicherten Greisentypus.

Für den Ursprung dieses alten *Sophokles*kopfes ist es eine wichtige Voraussetzung, daß gleich nach dem Tode des Neunzigers (406) dessen Sohn Iophon eine Statue von ihm errichtete. Wie unzweideutig dies bezeugt ist, wurde wohl gegen wohlfeile

Zweifel aufs neue erwiesen im Journal of hellenic studies 1923, S. 67 und im folgenden Jahrgang, S. 285. Der Einwand von Pfuhl, S. 245 gegen die Zurückführung des in nicht wenigen Marmorkopien erhaltenen Kopfes auf das Weihebild des Iophon: dieser habe den Verstorbenen als Heros *Dexion*, also nicht bildnisähnlich dargestellt, kann vielleicht verblüffen, aber nicht überzeugen. Wurden doch selbst die vergötterten Könige, wie schon altägyptische die hellenistischen, und später die Kaiser in Bildnissen verehrt. Des Sophokles Erhebung zum Heros „Begrüßer" gründete sich hauptsächlich auf seine fromme Leistung als Priester eines alten attischen Heros (eine Würde, die beide Darstellungen durch die sein Haar umfassende Schnur, das Strophion, andeuten): im Jahre 420 wurde Asklepios aus Epidauros in Athen eingeführt und erhielt bei dem Tragiker die erste vorläufige Unterkunft. Dieser war damals schon etwa fünfundsiebzig Jahre alt, und dementsprechend wird ihn die Dexionstatue verewigt haben. War doch die hellenische Kunst längst gewöhnt, auch greise Heroen zu gestalten, deren z. B. Polygnot gemalt hat. Selbst im Idealbilde des attischen Volkes, dem *Parthenonfries*, kommen wenigstens ältliche Männer vor. Allen so gegebenen Voraussetzungen entspricht im Gegenständlichen das Altersbildnis des *Sophokles*.

Nun soll jedoch abermals der Stil des Kopfes, nach der Wiederaufnahme einer alten Ansicht durch Löwy, Pfuhl und Sieveking, um 400 v. Chr. unmöglich sein, ja gar für eine hellenistische Umbildung des – frei erfundenen – *lateranischen Bildnisses* (Taf. 57, 1–2) zeugen. Selbst noch im Vergleich mit frühhellenistischen Bildnissen, wie dem *Demosthenes* [Taf. 108–112] und *Menander* (Taf. 102, 3), findet Sieveking „die Gesichtsbehandlung aufgelockerter, nicht mehr das Knochengerüst, sondern die darüberliegenden Fleischteile dominierend. Auch Haar und Bart wirken in ihrer Modellierung mehr als selbständige Glieder, nicht dem Ganzen untergeordnete Teile" usw. Das alles verstehe ich, mit knapper Not, nur vor gewissen allzu effektvoll beleuchteten Aufnahmen der *Londoner Herme* (wie Pfuhl, Taf. 1), die wegen ihrer guten Erhaltung und Arbeit im Abguß verbreitet und zumeist abgebildet ist. In einer nüchternen Photographie, wie der Taf. 36 abgebildeten, wirkt sogar sie minder „hellenistisch". Dem Stil des Urbildes näher stehen dürfte jedoch, trotz flauerer Ausführung, der *Kopf zu Kopenhagen* (Taf. 38), auch er bis in die Nasenspitze erhalten; nur seine Augen werden zu groß geraten sein. Sonst scheint mir an ihm alles Wesentliche in die Zeit der Iophonstatue gut zu passen. So das schlicht herabgekämmte Haar, besonders das noch an die vorklassischen „Haarrollen" gemahnende im Nacken, worin Sieveking einen späthellenistischen „Anklang von Klassizismus" erkennen muß. Der Bart ist allerdings flockiger als der kürzer gehaltene des frühen *Euripides* (Taf. 73). Doch das beginnt schon an dem oben mit ihm verglichenen *Iamos* des olympischen Zeustempels [Taf. 12, 2] und findet sich, bei krauseren Einzellöckchen, da und dort im *Parthenonfries*, wie an dem auf ein etwa gleichzeitiges Urbild zurückgehenden *Dresdener Zeus*. Das steile Profil mit der leicht gebogenen Nase ist dem des *Euripides* ziemlich gleichartig. Die Stirn zeigt am Kopenhagener

Kopf im Gegensatze zu dem Londoner fast keine Hautfurchen und wenig Vorwöl-
bung über den Brauen. In beiden Dingen geht die verjüngte Erscheinung der *Lateranstatue* gemäß ihrem Zeitstil weiter. Dagegen verzichtet sie, verschönernd, auf die
kantiger umbiegenden Schläfen und auf die schräg auswärts ansteigenden Brauen.
Diesen von der Mehrzahl der Wiederholungen bewahrten Zug hat, nur fratzenhaf-
ter, schon einer unter den oben S. 259 erwähnten, bildnisähnlichen *Kentauren* vom
Parthenon. Hierin bewährt sich wieder der ältere Sophokles als der der Wirklichkeit
nähere, wie der entsprechende *Euripides*. Nur macht letzterer den Eindruck feinerer
Durchgestaltung. Dies könnte damit zusammenhängen, daß die *Dexion*statue
sicher erst nach dem Tode hergestellt wurde, doch mag sie einen bei Lebzeiten
geschaffenen Vorläufer gehabt haben. Immerhin zeigt schon der Greisenkopf des
Sophokles, mit dem des jüngeren, philosophischeren Tragikers verglichen, die offener
ansprechende Art des weltmännischeren von ihnen, trotz dem herben Ernst des
Alters und der Feierlichkeit des Priesterheros. So betrachtet, wird hoffentlich auch
dieses würdevolle Haupt seinen Platz behaupten oder zurückgewinnen unter den
spärlichen Belegen dafür, daß es schon ein Menschenalter nach dem götterähn-
lichen *Perikles* und dem mit ihm auf der Burg errichteten Idealbilde des *Anakreon*
eine monumental gewordene Bildniskunst gab, die über die soviel weiter zurück-
verfolgbaren Anfänge beträchtlich hinausging auf dem Wege, der alsbald zum
Menschenbildner Demetrios führte.

Nachschrift

Bei der Druckberichtigung darf ich noch einen meines Erachtens zwingenden
Beitrag zum Nachweis des entsprechenden Verhältnisses zwischen den beiden
*Sokrates*typen ankündigen (gegen Pfuhl, S. 229). Wie Wolters aus einer bisher zu
wenig beachteten, weil irrig weggedeuteten Schriftstelle dartun wird, stellten bald
nach der Hinrichtung des Meisters seine Schüler und Freunde, unter ihnen *Platon*,
sein Bildnis von der Hand eines sonst unbekannten Künstlers auf. Soll dieses Urbild
unter den später kopierten ebenso fehlen, wie nach Pfuhl und Sieveking das von
Iophon geweihte *Sophokles*bildnis?

Anmerkungen

¹ [Hier S. 224 ff.; die Verweise beziehen sich auf den Nachdruck in diesem Band.]
² [Diese Annahme ist durch die Existenz einer weiteren Replik inzwischen eindeutig widerlegt: Richter II 167 Nr. 19 Abb. 954–956.]

Ptolemaios VI. Philometor

Von Achille Adriani

Im Februar 1936 kaufte der „Service des Antiquités" für die Sammlung des Museums von Alexandria den schönen Kopf an, der hier auf Tafel 141–143, 1[1] vorgestellt werden soll. Dabei handelt es sich, wie sich im folgenden zeigen wird, um ein gesichertes Portrait *Ptolemaios VI. Philometor*, das nicht nur ikonographisch, sondern besonders auch stilistisch für die Geschichte des ptolemäischen Portraits wichtig ist. Das Werk, dessen Identifizierung unter allen großplastischen Portraits der Ptolemäer, die bisher untersucht worden sind, zu den am besten gesicherten gehört, stellt eines der ganz wenigen ptolemäischen Originale dar, das genau datierbar ist. Es handelt sich also um einen wirklichen Fixpunkt in der äußerst dunklen Geschichte der Plastik des hellenistischen Ägypten[2].

Gehauen aus einem Block pentelischen Marmors, der seine gewohnte warme Bernsteinfärbung angenommen hat, steht uns die mächtige Physiognomie des sechsten Ptolemäers in ihrer Mischung aus Gewalt, Hochmut und moralischer Schwäche gegenüber. Auf dem langen und robusten Hals sitzt entschieden nach rechts gewendet der Kopf, dessen Ausdruck bestimmt wird durch einen willensstarken, geschlossenen und schmalen Mund mit zwei vertikalen Falten an beiden Seiten, einem vorstehenden, starken und sinnlichen Kinn, das die langen Kieferknochen abschließt, und zwei Augen, die sich zwischen den geschwollenen und schweren Lidern öffnen, um, ich weiß nicht ob mit Verachtung oder eher gequält, zu schauen. Die hohe und schmale Stirn wird von ungeordneten Strähnen umrahmt, die an den Seiten kaum herausgearbeitet, oben deutlich mit dem Bohrer geformt sind[3].

Dem Kopf fehlen der linke obere Teil mit dem Ohr und ein Teil der Schädeldecke. Was davon übriggeblieben ist, läßt erkennen, daß hier ein Diadem saß, erstes und sicherstes Indiz für die königliche Würde der dargestellten Person. Die übrigen erhaltenen Teile des Haares sind außer den Strähnen an der Stirne, die schon beschrieben wurden, im abbozierten Zustand belassen und in der Masse verhaftet; sie zeigen keinen Zusammenhang mit den Strähnen. Auch das erhaltene Ohr ist nicht fertig ausgearbeitet. All das steht in Kontrast zu der Oberfläche des Gesichts und des Halses, die mit äußerster Sorgfalt geglättet sind. Der untere Teil des Halses, der beinahe spitz endet und zu glatten, quer zueinander stehenden Flächen beschnitten ist, zeigt, daß der Kopf für sich gearbeitet wurde.

Die Oberflächenglätte des Gesichtes und einige Reste von beißendem Rot, das vielleicht dazu dienen sollte, die Farbe der Haare zu fixieren, lassen daran denken, daß

Achille Adriani, Tolomeo VI Filometore, in: Société – Royale d'Archéologie – Alexandrie. Bulletin N. S. 10, 1938, 97–105. Übersetzt von Caroline Römer.

die nicht ausgearbeiteten Teile mit Absicht so belassen wurden. Die fehlenden Teile
der Schädeldecke könnten, wie gewöhnlich, mit Stuck ergänzt worden sein; ich
möchte aber in diesem Fall nicht ausschließen, daß außer der Lücke an der linken
Seite, die im übrigen von einer großen Absplitterung des Marmors herzurühren
scheint, der Rest ebenso wie die nicht ausgearbeiteten Teile des Haares und das Ohr
mit Absicht im Zustand der Unfertigkeit belassen wurden.

Die einfach zugehauene Oberfläche unterhalb der Grube des Brustbeins deutet darauf hin, daß der Kopf nie in den Rumpf eingesetzt worden ist, für den er vielleicht
bestimmt war.

Leider ist die Nase fast vollständig zerstört; außerdem haben schwere Korrosionen
den Mund und den rechten Augenbrauenbogen angegriffen.

Die Augen in den tiefen Höhlen sind, wie ich oben schon bemerkte, durch die dik-
ken und schweren Lider, besonders die Oberlider, charakterisiert und durch ein
Paar hochgezogener Augenbrauen, die in einer weiten und klaren Kurve die Stirne
wie mit einer herausspringenden Linie begrenzen.

Was die Technik betrifft, ist die Beobachtung wichtig, daß nicht einmal die Einzelheiten der Augen so sorgfältig ausgearbeitet waren wie die übrige Oberfläche des
Gesichtes und daß zwischen dem Oberlid des rechten Auges und der darüberliegenden Wölbung eine äußerst scharfe, mit dem Bohrer gezogene Rinne verläuft, die an
dem linken Auge fehlt.

Es gibt nur wenige Fälle in der hellenistischen Ikonographie, bei denen die Verbindung zwischen rundplastischem Portrait und der Darstellung auf Münzen so eng ist,
wie hier zwischen dem vorliegenden *Kopf* und der *Münze Ptolemaios VI.*, der wir uns
in hervorragender Weise als Ausgangspunkt für einen Identifizierungsversuch bedienen können. Ich möchte über die Tetradrachmen aus Silber sprechen, die von Ptolemaios als König von Syrien im Jahre 148 v. Chr. geschlagen wurden und die nur in zwei
Exemplaren bekannt sind; das eine Exemplar befindet sich in der Bibliothèque Nationale in Paris (hier Taf. 142, 1), das andere in der Sammlung Ennery in Den Haag.[4]

Die längliche Form des Gesichts mit dem bemerkenswert vorgeschobenen und heruntergezogenen Kinn, der Mund mit den schmalen Lippen, die Augen mit den geschwollenen Lidern, welche tief unter den hohen Augenbrauen liegen, die Anordnung der Haare auf der Stirne und schließlich der lange Hals mit dem akzentuiert
vorspringenden Adamsapfel machen eine Identifizierung mit Ptolemaios VI. sicher.
Diese Identifizierung ist um so wahrscheinlicher, als wir uns nicht einer alltäglichen,
gewöhnlichen Physiognomie gegenübersehen, sondern einer Physiognomie, die unver-
wechselbare Charakteristika zeigt.

Man muß hinzufügen, daß wir für die Ikonographie von Ptolemaios VI. glücklicherweise außer auf die Münzen noch auf ein anderes Vergleichsstück zurückgreifen
können: einen *Kopf ägyptischen Typs,* der *in Ägina* gefunden wurde und im Nationalmuseum von Athen aufbewahrt wird; er trägt eine eindeutig auf Ptolemaios VI.
bezogene Inschrift in Hieroglyphen.[5] Der Kopf ist schon erschöpfend von Six

besprochen worden (hier S. 70 ff. mit Taf. 144), der besonders auf die große Ähnlichkeit mit den Portraits der Münzen hinwies; bis heute ist dieser Kopf das einzige,
sicher identifizierte statuarische Dokument für die Ikonographie Ptolemaios' VI.
Auch ein Vergleich zwischen diesem Kopf und der neuen Skulptur des Museums
von Alexandria bestätigt also entschieden die vorgeschlagene Identifizierung.

Da ich mich nicht bei einer erneuten Aufzählung aller vergleichbaren Elemente
aufhalten will, verweise ich auf Taf. 144, in der jeder leicht alle Charakteristika
wiederfinden kann, die schon an dem Kopf aufgezeigt wurden, um den es in dieser
kleinen Arbeit geht.

Die Identifizierung dieses Kopfes wirft neues Licht auf einen anderen *Kopf ägyptischen Typs*, der *aus Abukir* stammt und seit vielen Jahren in unserem Museum
aufbewahrt wird (Taf. 145); der Kopf wurde schon für ein Portrait Alexanders IV.,
Ptolemaios' Epiphanes und schließlich auch des Drusus, des Bruders von Tiberius[6],
gehalten; der direkte Vergleich mit unserem Marmorkopf und mit den Photographien des *Kopfes aus Ägina* macht in meinen Augen eine Identifizierung mit *Ptolemaios VI.* sicher. Trotz der Stilisierung, die wir bei einem Portrait ägyptischen Stils
erwarten müssen, finden sich in dem *Kopf von Abukir* alle jene Charakteristika, die
wir schon mehrmals angesprochen haben: die längliche Form des Gesichtes, das
lange, vorstehende Kinn, der schmale und breite Mund, die tiefliegenden Augen
mit den geschwollenen Lidern, die weiten scharfen Augenbrauen, die typische
Form der Stirn, die hoch, schmal und im Ansatz vorspringend ist, und schließlich
mehrere Einzelheiten, wie die charakteristische Wölbung der Haut neben der Nase,
ein wenig über den Nasenflügeln, welche ebenfalls bei dem *Kopf in Athen* und dem
Marmorkopf von Alexandria zu beobachten ist. Auch die Art, wie die Stirn von den
Haarbüscheln eingerahmt wird, findet sich, ich würde sogar sagen, Locke für
Locke, bei dem *Kopf aus Abukir* und dem aus *Ägina* wieder. Was die Haare betrifft,
bleibt noch anzumerken, daß die Locken auf der Stirne des Marmorportraits mit
größerer Freiheit, aber nach dem gleichen Schema geordnet sind: Zwischen den
seitlichen Haarbüscheln, die nach innen zeigen, ist eine Gruppe von Locken, die
nach rechts fallen, über der Mitte der Stirne eingefügt.

Der *Kopf von Abukir* ist dem anderen aus *Ägina* nicht nur wegen seines besseren
Erhaltungszustandes, sondern auch wegen seiner stilistischen Qualitäten überlegen;
sie machen den Kopf meiner Meinung nach zu einem der interessantesten Stücke
dieser Serie von ägyptisch-hellenistischen Portraits, die noch auf eine erschöpfende
Bearbeitung im ganzen und im Vergleich mit den beiden künstlerischen Strömungen, die sich in ihm begegnen, wartet. Mit seiner starken Individualisierung
unterscheidet sich der Kopf von vielen anderen Beispielen dieser Art, die einem
konventionellen Typ folgend inhaltsleer und nur sehr schwer, oft auch gar nicht
identifizierbar sind.

Kommen wir kurz auf den neuen *Kopf* des Museums *in Alexandria* zurück, der uns
am meisten in stilistischer Hinsicht interessiert. Wenn wir ihn mit den beiden Köp-

fen ägyptischen Stils vergleichen, fällt sofort auf, mit wieviel größerer Kraft es bei gleichem Objekt der griechische Künstler verstanden hat, den Gehalt des Portraits wiederzugeben.

Um diesen Unterschied besser zu verstehen, helfen uns die historischen Quellen, und zwar nicht die Nachrichten über die schicksalsschweren Ereignisse während der Herrschaft des Ptolemaios, der sich beständig im Kampf mit seinem jüngeren Bruder Ptolemaios VIII. Euergetes und den Seleukiden befand, sondern zwei wertvolle Zeugnisse des Polybios und des Diodor über den Charakter des Königs, die der beste Kommentar für den Kopf, um den es hier geht, zu sein scheinen.

Polybios nämlich sagt uns, daß der König nach Meinung einiger Leute die höchsten Ehren der Nachwelt verdient habe, daß nach Meinung anderer aber das Gegenteil der Fall sei.[7] Er selbst, der Historiker, gibt zu, daß der König von einer Güte gewesen sei, wie sie kein anderer Herrscher je besessen habe, daß aber der Erfolg und der Reichtum seinen Charakter verweichlicht hätten; er habe sich von Trägheit und der Lust nach Vergnügungen korrumpieren lassen, und seine Leidenschaften hätten ihn verdorben.

Dementsprechend ist auch das Portrait, das uns Diodor von ihm zeichnet[8]; er beschreibt einen König, der in Festigkeit und Elan nicht hinter anderen zurückstand, der aber durch seinen ausschweifenden Lebenswandel verweichlichte.

Diese merkwürdige Mischung aus Güte und Energie, Weichlichkeit und Laster, enthüllt sie sich nicht beim ersten Anblick des *Marmorkopfes* im Museum *von Alexandria*, eines Werkes, das ein Künstler von sicherlich großer darstellerischer Fähigkeit geschaffen hat? Im Kontrast zu der nervösen Energie, die im ganzen Gesicht und besonders im schmalen Mund zum Ausdruck kommt, steht der unbeständige Blick, der einen ohne Festigkeit, aber mit einem Anflug von Überheblichkeit fixiert.

Der Kopf stellt für die alexandrinische Kunst ein in gewisser Hinsicht neues Dokument dar. Denn wenn man für die alexandrinische Schule eine stark realistische Strömung annahm, so ließ sich diese nur an den sogenannten Genrestücken oder Grotesken nachweisen, aber kein in gleicher Weise wichtiges Stück bestätigte bisher für das Portrait einen so lebendigen Realismus, der Alexandria mit jener individualistischen Portraitrichtung verbunden hätte, die in anderen hellenistischen Kunstzentren so gut dokumentiert ist. Daß dieser Realismus in einer Originalskulptur, die mit Sicherheit in die erste Hälfte, und noch genauer in das zweite Viertel des 2. Jh. v. Chr. datiert werden kann, festzustellen ist, dürfte ein bemerkenswertes Faktum sein, besonders weil man in dem neuen Stück auch einige der traditionellen Charakteristika des alexandrinischen Portraits finden kann: Die große Frische der Ausführung (man beachte z. B. die Haare auf der Stirne), die Großzügigkeit, man kann fast sagen die betonte Nachlässigkeit in den Einzelheiten, die Technik der in Stuck ausgeführten Teile und jene fließende und ein wenig weiche Bildung der Wangen, die Schreiber als ein Charakteristikum des ptolemäischen Portraits erahnt hatte, das dann in einigen Werken der römischen Zeit überleben sollte.[9]

Anmerkungen

[1] Inv. Nr. 24 092; Höhe 0,41 m. [Zuletzt H. Kyrieleis, Bildnisse der Ptolemäer. Archäol. Forschungen 2, 1975, 59 ff. F 3 Taf. 49, 2; 50–51.]

[2] Muß daran erinnert werden, daß die Ikonographie der Ptolemäer eines der dunkelsten und umstrittensten Gebiete der antiken Ikonographie ist? Nicht einmal für die Portraits Ptolemaios' I., dessen Profil wir recht genau von den Münzen kennen, hat man sich, was einige Köpfe betrifft, die wir im ersten Teil dieser Studie erwähnt haben, geeinigt. Neben Ptolemaios I. sind am sichersten Arsinoe III. (Bostoner Kopf aus Alexandria: Caskey, Catal. Sculp. Boston Mus. 123; und Bronze in Mantua: A. Levi, BdA 1926/27, 548 ff.; Pfuhl, JdI 45, 1930, 39 Abb. 25) und Ptolemaios Philopator (Bostoner Kopf aus Alexandria, Caskey a. O. 120) identifiziert worden.

[3] Der Gebrauch des Bohrers überrascht in dieser Zeit für die Ausführung der Einzelheiten nicht. Zu einer analogen Ausarbeitung der Haare auf der Stirne vgl. die hellenistischen Köpfe ABr. 489/90; 861/62; 857/58; 865/66; 1109/110.

[4] Svoronos, Nomismata IV, 302 Nr. 1486 Taf. 48 Nr. 19/20; Poole, Brit. Mus. Cat. (The Ptol.) Taf. 32,8 [vgl. hier S. 73 mit Anm. 8].

[5] Six, AM 12, 1887, 212 ff. Taf. 7–8 [= hier S. 70 ff.]; Picard, Sculp. Ant. II 282. Die Hypothese von Lenormant, daß auf dem großen Kameo von Wien Ptolemaios VI. dargestellt sei, ist alt (s. Furtwängler, Ant. Gemm. Taf. 53,1). Ich würde nicht mit Blum (BCH 39, 1915, 23 ff. pl. 1,4.5) auf den beiden Ringen des Louvre (Ant. Gemm. Taf. 31,25.26) ein Portrait von Ptolemaios VI. sehen. Blums Identifizierung ist von Watzinger in: Exp. v. Sieglin II 1 B (1927) 13 akzeptiert worden; ebenfalls von Lippold, Gemmen und Kameen, Taf. 70, 2 und 5, und, mit Vorbehalt, auch von E. Suhr, Portraits of Greek Statesmen (1931) 154. Die Ähnlichkeiten mit Arsinoe III. und Ptolemaios VI. könnten einen veranlassen, zu der Hypothese Schreibers (Bildnisse Alexanders 136) zurückzukehren, der hier Ptolemaios V. erkannt hatte (s. auch RA 1903, 243). [Kyrieleis a. O. 63 Taf. 46,5.6: Ptol. VII.?]

[6] Inv. Nr. 3357 Höhe 0,61 m, grüner Granit [Kyrieleis a. O. 59 ff. F 2 Taf. 48–49,1]. Der Kopf ist mit dem Klaft bedeckt, aber beim Betrachten der Oberfläche erkennt man ganz oben, daß auch hier wie bei dem Kopf aus Ägina der König die hohe Krone getragen hat.
Zur Identifizierung mit Alexander IV., die auf einem unbegründeten Vergleich mit dem angeblichen Alexander IV. des Kairoer Museums beruhte, s. Dutilh, BArchAlex 7, 1905, 48/49. Die anderen Identifizierungen, deren Ursprung ich nicht kenne, sind bei Breccia, Monuments d'Égypte Gr. Rom. I (1926) 59/60 Taf. 18,2 aufgezählt.

[7] Polybios XL, 12 [s. hier S. 74].

[8] Diodor, Excerpta de virt. et vit. 579 [s. hier S. 75].

[9] Exp. v. Sieglin, I (1908) 271. Siehe auch W. Amelung, Bull. Comm. 25, 1897, 110 ff.

Ein Porträt Xenophons

Von Achille Adriani

Im Jahre 1940, auf einem meiner Erkundungsgänge durch den reichhaltigen Anti-
quitätenmarkt von Kairo – diese Erkundungsgänge enttäuschten mich fast nie in
meiner Neugierde als Wissenschaftler und in meinem Wunsch, den Sammlungen des
Griechisch-Römischen Museums in Alexandria Stücke von besonderem Interesse
zu sichern, bevor sie, wie so oft in der Vergangenheit, über das Meer entschwanden
oder für immer in einer unzugänglichen Privatsammlung endeten –, fiel mir bei dem
Antiquitätenhändler Abe Mayor eine Herme mit einem schönen bärtigen Kopf und
der Inschrift Ξενοφῶν auf dem Sockel auf (Taf. 71) [1].

Das Stück zeigte zunächst keine besonderen Eigenheiten, durch die es für die Probleme der alexandrinischen Kunst hätte interessant werden können. Dennoch
machten der seltene ikonographische Typus und der berühmte Name der Person,
mit der er offenbar identifiziert werden mußte, die Herme zu einem begehrten
Objekt für jeden Museumsdirektor. Ich begann deshalb sofort die Verhandlungen
für den Ankauf mit Herrn Abe Mayor, der bereit war, das Stück zu reservieren, bis
die immer schwierigen und langwierigen bürokratischen Vorgänge abgeschlossen
wären. Da jedoch brach der Sturm des Krieges los, der mich in die glühenden Sand-
dünen der Wüste führen sollte, wo über wirklich schwerere und, bei Gott, traurigere
Dinge nachzudenken war als über die Probleme des griechischen Porträts. Aber als
das „Zwischenspiel mit dem Stacheldraht" vorbei war und die alten Leidenschaften
wiederauflebten, ging ich, meinen *Xenophon* zu suchen, und fand ihn, eifersüchtig
behütet unter einer roten Decke, bei Herrn Abe Mayor. Es war nicht die Zeit für
Ankäufe, und es war auch nicht mehr meine Aufgabe zu verhandeln, aber der
freundliche Besitzer überließ mir eine Photographie der Skulptur und die Erlaubnis
zur Publikation; das wurde mir Versprechen und Verpflichtung. Weitere Jahre sind
seitdem vergangen (auch diese, lieber Abe Mayor, nicht so fröhlich, wie jene, jetzt
so fernen, in denen eine Entdeckung bei Ihnen mich mit einer Freude erfüllen
konnte, die ich nicht immer vor Ihnen zu verbergen verstand, bevor noch unsere
Verhandlungen über die Preise beendet waren); langsam und unter Schmerzen
kehrte ich zu den Studien zurück, bei denen mich die Probleme und die Denkmäler
Alexandrias von neuem gefangennahmen. Jetzt aber ist es Zeit, meine Schuld beim
Freund einzulösen und auch über seinen Xenophon das wenige zu sagen, was ich
darüber werde sagen können.

Mit der *Herme „Abe Mayor"* kehrt aus dem Dunkel einer mehr als 2000jährigen Ver-

Achille Adriani, Un ritratto di Senofonte, in: Archeologia Classica 1, 1949, S. 39–45. Übersetzt von Cornelia Römer.

gangenheit das Bild eines der besten Schriftsteller Griechenlands zurück, des farbigen Erzählers der ›Anabasis‹, des treuen Sokratesschülers, der die Erinnerung an seinen Meister in den bewegten Seiten der ›Apologie‹ und der ›Memorabilien‹ wiederaufleben ließ. Der uns unbekannte Bildhauer, der ihn porträtierte, hat ihn im Marmor als einen schon alten Mann fixieren wollen, mit vornehmem Aussehen, den Blick tief, lebendig und fest, die Züge hager, aber ohne Falten, den Bart voll, aber nicht lang, das dichte Haar verschlungen auf der weiten Schädeldecke und reich fließend über der Stirn.

Die eingeritzten Augen sind sicherlich eine Änderung des römischen Kopisten im Geschmack seiner Zeit[2]. Im ganzen ist das Porträt gut erhalten: den größten Schaden hat ein beträchtlicher Teil der Nase durch Erosion erlitten. Die anderen Abschürfungen, die auf der Oberfläche zu beklagen sind, haben zum Glück nicht Ausmaße, die ein richtiges stilistisches Urteil unmöglich machten. Obwohl nicht von besonders feiner Ausführung, erscheint uns das Werk doch als eine gute Werkstattarbeit römischer Zeit; wie man leicht sofort erkennt, und wir noch besser sehen werden, gibt es mit bemerkenswerter stilistischer Treue in der äußeren Form und in der Gestaltung des psychologischen Gehalts ein Original aus einer der glücklichsten Perioden der Geschichte des Griechischen Porträts wieder. Vom gleichen Original, das der Bildhauer der *Herme „Abe Mayor"* kopierte, ist sicherlich auch ein *Kopf* abhängig, der sich *in Madrid* im Prado befindet (Taf. 70)[3]. Das Stück ist in moderner Zeit mit einer Herme verbunden und besonders an Nase und Mund stark restauriert worden. Als Paul Arndt die Herme in seiner monumentalen Sammlung griechischer und römischer Porträts publizierte, wies er die Ausführung in die erste Hälfte des 3. Jh. n. Chr., blieb aber unsicher, ob es sich um ein Original jener Zeit oder um die Nachbildung eines Originals aus dem 4.–3. Jh. v. Chr. handele. Dieser Zweifel kann heute nicht mehr bestehen, seitdem wir die Herme aus Kairo kennen; diese muß zwar wie oben gesagt nach der Paläographie der Inschrift in die zweite Hälfte des 2. Jh. n. Chr. datiert werden, es gibt aber keinen Zweifel, auch wenn man von dem eingeritzten Namen absieht, daß sie von einem griechischen Original abhängt.

Die beiden Exemplare gleichen sich, wie oft zu beobachten ist, nicht bis ins letzte. Sie zeigen sogar einige nicht geringfügige Unterschiede, die recht deutlich den stilistischen Gesamteindruck verändern. Daß die beiden Stücke jedoch Kopien ein und desselben Archetyps sind, zeigen unwiderlegbar die gleiche Grundform der Stirn und des Gesichts und einige jener Besonderheiten, die ich als „Enthüller" zu bezeichnen pflege und deren Übereinstimmung nicht zufällig sein kann. Ich meine die Art, wie auf der Stirn und an der rechten Schläfe die Haarbüschel verteilt und geordnet sind. Man betrachte vor allem die große gebogene Locke an dieser Schläfe, die Überlagerung dieser Locke von einer anderen, kleineren, die von oben herabfällt[4], außerdem den Winkel, der durch die Aufspaltung der Locken über der rechten Schläfe entsteht, das Proportionsverhältnis zwischen diesen beiden auseinandertretenden Locken und die Bewegung der Locken über der Stirn: wenn sie beim Exemplar im Prado auch etwas verändert sind, so haben sie doch auch hier die Aufteilung in vier nach rechts gerichteten Spitzen bewahrt, von denen die beiden mittleren fast genau rechts und links von der Mittelachse der Stirn liegen.

Es steht außer Zweifel, daß sich von den beiden Künstlern der Bildhauer des Kairoer Exemplares enger am Original orientierte. Der Bildhauer des Madrider Stükkes trug dem Geschmack und der Technik seiner Zeit Rechnung und bediente sich daher an vielen Stellen des Bohrers; er schnitt tiefe Rillen zwischen die Haarbüschel, um jenes Wechselspiel von Hell und Dunkel zu erreichen, das bei den Porträts des 3. Jh. so beliebt ist. Der Kopist des Kairoer Kopfes dagegen hat, obwohl er nicht viele Jahre vor dem anderen gearbeitet haben muß, dem Volumen des Bartes und besonders der Haare die unterschiedlichen malerischen Werte des Originals in Form einer weichen und fließenden Masse erhalten. Auch in dem Bemühen, den Augen einen tiefer und anders suchenden Blick zu verleihen, müssen wir uns den Kopisten des Kairoer Exemplars als dem Original getreuer vorstellen, auch wenn zuzugeben ist, daß das Einritzen der Pupille das Aussehen der Augen einigermaßen verändert hat.

Es ist anzunehmen, daß unser Porträt zunächst nicht als Herme gedacht war, sondern als Porträtstatue; das geht aus den Studien über die Hermenporträts hervor, in denen gezeigt wurde, daß dieser Typ, der bei den Römern so häufig anzutreffen ist, bei den Griechen nicht vor dem 2. Jh. v. Chr. vorkommt[5]. Von dem Werk kennen wir heute also nur den Kopf, aber wer weiß, ob es nicht eines Tages dem geübten und scharfen Auge eines „Spezialisten" gelingt, wie schon andere Male, auch den Körper unter den Statuen ohne Kopf oder mit nicht zugehörigem in unserem Denkmälerbestand ausfindig zu machen.

Die erhaltene literarische Überlieferung berichtet nur über ein *Xenophon*-Porträt: Die Statue aus pentelischem Marmor, die auf seinem Grabe in Skillus bei Olympia errichtet worden war, wo Xenophon nach seiner Verbannung aus Athen Zuflucht gesucht hatte und wo er noch lange im Genuß der Einkünfte und des Friedens eines Landgutes lebte, das ihm die Spartaner geschenkt hatten[6]. Mit Sicherheit zu entscheiden, ob das Porträtpaar Kairo–Madrid uns ausgerechnet das Bildnis von Skillus zurückgibt oder ein anderes, von dem uns keine Kunde geblieben ist, ist unmöglich. Die erstere Annahme könnte ausgeschlossen werden durch einen gewissen zeitlichen Abstand zwischen dem Datum, dem die überlieferte Grabstatue zugewiesen werden muß (den Jahren unmittelbar nach dem Tod des Historikers um 355 v. Chr.), und der Zeit, der unser Original zuzuweisen stilistische Gründe nahelegen, wie wir bald ausführen werden. Wenn andere Fakten für die Identität sprächen, könnte der zeitliche Abstand, der im übrigen nicht sehr groß ist, mit der Annahme erklärt werden, daß die Grabstatue nicht sofort, sondern einige Jahrzehnte später auf dem Grab des Verbannten errichtet worden ist. Aber da diese Fakten fehlen, bleibt die Identifizierung zweifelhaft. Auch wenn wir also annehmen, daß das Original, von dem unsere beiden Skulpturen abhängen, jünger ist als die Statue in Skillus, so können wir durch die Erwähnung dieser Statue in der Literatur sicher sein, daß das in den Kopien überlieferte Bild einen ikonographisch realen Wert hat, daß die Kopien also nicht zu jenen rekonstruierten Porträts gehören, die im 5. und 4. Jh. v. Chr. so oft vorkommen; denn die Ikonographie *Xenophons* wäre ja schon in seiner Grabstatue festgelegt gewesen, als das neue Porträt entstand.

Der Stil des Werkes mit seinem klaren Gefühl für strukturelle Einheit, mit jenem regen Interesse für den psychologischen Gehalt, der sich in dem tiefen, wie in die Ferne und zur Seite gerichteten Blick ausdrückt, mit jenem einfachen malerischen Gefühl, das die Partien auf Gesicht und Stirn weich erscheinen läßt, den Verlauf der Augenbrauen zu sanften Bögen formt und, wie wir bereits sagten, die Masse der Haare wie leichte Flocken hier und da verteilt, weist meiner Meinung nach ohne jeden Zweifel darauf hin, daß das Vorbild entstanden sein muß, als die griechische Kunst schon die schöpferische Phase von zwei der drei großen Künstler des 4. Jh. erlebt hatte, nämlich von Praxiteles und Skopas, und als sie die Zeit des jüngsten von ihnen, Lysipp, gerade durchlebte. Das Werk paßt tatsächlich im allgemeinen zu anderen Porträts, die in die letzten Jahrzehnte des 4. Jh. zu datieren sind, wie der *Archidamos III. in Neapel* [Taf. 72][7], der *Aristoteles in Wien* [Taf. 76, 3; 79, 2][8], das *Porträt Arndt–Bruckmann 585–90*, das Arndt in Zusammenhang mit dem letztgenannten Kopf brachte[9], die beiden *Euripidesporträts Typus Rieti* [Taf. 118–119][10] und *Typus Farnese* [Taf. 73–75][11], der sogenannte *Sokrates des Typs B* im Thermenmuseum [Taf. 63][12] und andere. Besonders nahe aber steht es dem sogenannten *Aristipp in Kopenhagen* (Taf. 67, 2)[13] und dem *Agias* des Lysipp [Taf. 67, 1][14]. An den letzteren erinnert die geistige Anspannung, die in den Augen zum Ausdruck kommt, die weiche Behandlung der Stirn und des Gesichtes, die Modellierung der Partie zwischen den Augenbrauen und die weiche und freie Gestaltung des Haares. An den „Aristipp" erinnern einige dieser stilistischen Eigenheiten, besonders aber die Art der Wiedergabe der Haare auf dem mächtigen Schädel.

Die engsten Vergleiche mit dem *Agias* und dem „Aristipp", d. h. mit einem Werk des Lysipp und einem, das ihm zugeschrieben wird, und jene allgemeineren mit den oben genannten Werken, von denen sowohl der *Aristoteles* als auch der *Sokrates* im Thermenmuseum, sowohl der *Euripides Farnese* als auch – weniger unmittelbar – der *Euripides Rieti*[15] dem Lysipp zugewiesen worden sind, könnten uns zu der verführerischen Schlußfolgerung verleiten, daß wir mit dem *Xenophon* ein weiteres Werk des Meisters gewonnen hätten, ein Porträt, über das nicht einmal die literarischen Quellen etwas mitgeteilt hätten. Aber ich muß bekennen, daß ich eine solche Zuschreibung nicht wagen würde, denn ich halte unser Wissen über die wahre Persönlichkeit des Lysipp für viel zu dürftig, von dem wir letztlich doch nur die einzige Kopie des *Apoxyomenos* kennen und den *Agias*, der in vielerlei Hinsicht problematisch ist[16]. Ich möchte deshalb abschließend nur feststellen, daß der *Xenophon*, wie im übrigen auch die anderen erwähnten Porträts, die ebenfalls keinen größeren Anspruch darauf erheben können, dem Werk des Meisters zugeschrieben zu wer-

den, allgemein zum Kreis um Lysipp gehören könnte. Dies und nicht mehr als dies
über die Zuschreibung.

Was die zeitliche Einordnung betrifft, muß ich zunächst sagen, daß ich es auch hier
für unmöglich halte, zu präzisieren – wie andere es von mir fordern könnten –, ob
der *Xenophon* „ein wenig älter" oder „ein wenig jünger" sei als dieses oder jenes
erwähnte Vergleichsstück: meiner bescheidenen Sicht nach können sich nämlich genaue Angaben dieser Art, die heute ein Hauptanliegen unserer Forschungen geworden zu sein scheinen, nur auf irreale Grundlagen stützen: indem man schon früher
festgelegten Datierungen bestimmter Stücke einen absoluten Wert einräumt, die
ihrerseits zu einem ganz überwiegenden Teil nicht mehr sind und auch nicht mehr
sein können als annähernde Bestimmungen, auf die man sich geeinigt hat; indem
man die Werke unserer chronologischen Gruppe betrachtet, als ob sie Originale
wären, obwohl es sich leider fast immer um Kopien handelt, deren Treue wir immer
in Zweifel zu ziehen haben; indem man schließlich stillschweigend (und das sollte
genügen) ein Prinzip der Evolution der Formen zugrunde legt, das um so irrealer
ist, je strenger, und ich möchte sagen „haargenauer" es angewandt wird.

Nachdem wir einmal Lysipp und die Porträts, die ihm zugeschrieben wurden, erwähnt haben, sei noch hinzugefügt, daß ich sehr erstaunt bin über die Forschung
auch jüngster Zeit, die einen entscheidenden Einfluß Lysipps auf den Realismus in
der Entwicklung des griechischen Porträts annimmt [17], der sich bis hin zu den Porträts
des frühen Hellenismus, die der Richtung des sogenannten schlichten Stils angehören, erkennen ließe [18]. Dieser Stil hat in meinen Augen wesentliche Charakteristika
(eine starke strukturelle Konzentration, eine Strenge der Grundkonzeption und
eine nüchterne Formensprache), die ihm auf der Schwelle zum Hellenismus seine
Originalität verleihen und die diesen Stil in Gegensatz bringen nicht nur zu den
beiden erwähnten Werken, die mit mehr Grund als lysippisch angesehen werden
können, sondern gerade auch mit den Porträts, die dem Lysipp tatsächlich zugeschrieben werden. In ihnen wie auch in dem neuen *Xenophon*porträt sehe ich nichts
anderes als reife Beispiele jenes Naturalismus des 4. Jh., der sich im Porträt, nachdem selbst in der Vorstellung vom Göttlichen die strengere Abstraktion der vorausgehenden Zeit aufgegeben war, nur in der Hinwendung zu individuelleren Formen
ausdrücken konnte. Diese Porträts können für sich beanspruchen, in der Durch-
dringung des menschlich-geistigen Gehaltes und der größeren Freiheit der Formensprache dem jeweiligen Gegenstand näherzustehen, aber sie bleiben Idealporträts.
Von wahrem Realismus im griechischen Porträt wird man nicht sprechen können,
außer bei einigen Darstellungen der hellenistischen Zeit. Sicher kann ich mich
irren, aber ich glaube, daß nichts idealisierter ist als der „lysippische" *Sokrates* [Taf.
58–63], der in der tiefen Geistigkeit des Dargestellten jede Spur von jener Häßlich-
keit getilgt zu haben scheint, die den Kopf des Philosophen einem Silenkopf ähnlich
machte. Ist nicht im Grunde jener *Sokrates*kopf, den man mit Recht für älter hält
[Taf. 46] [19], realistischer als dieser, auch wenn es in einigen Aspekten der Formen-

sprache, der Manier der Bartbehandlung z. B., eine größere Tendenz zur Stilisierung gibt? Zeigt nicht selbst der *Agias* [Taf. 67, 1] Lysipp als einen Porträtisten, der noch auf den Wegen des klassischen Idealismus wandelte? (Es ist dabei unwichtig, ob es sich um ein Rekonstruktionsporträt handelt, denn, da es die ästhetischen Ideale des Künstlers und nicht des Dargestellten sind, die die Formensprache bestimmen, kann es geben und gibt es in der Kunst sowohl „realistische" Rekonstruktionsporträts wie „ideale" Porträts von Zeitgenossen.) Und den „*Aristipp*" mit seinen Beziehungen zum *Apoxyomenos* [Taf. 68, 1], die ihn als Werk des Lysipp erkennen ließen, kann man ihn ein realistisches Porträt nennen? Oder sehr viel realistischer als andere frühere Werke, die nicht dem Lysipp gehören, als z. B. der *Mausolos* oder der *Afrikaner von Kyrene*?

Insgesamt scheint mir, auch wenn wir die Zuschreibung an Lysipp für die Werke, die wir erwähnten, oder für andere, die noch unsicherer sind und die hier gar nicht erwähnt wurden, beibehalten, daß sich uns die Persönlichkeit des Lysipp als Schöpfer eines neuen Realismus in der Porträtkunst vollkommen entzieht; und ich frage mich, ob bei dem Versuch, die Persönlichkeit des Lysipp zu erfassen, das Urteil der Forschung nicht eher vom Echo der literarischen Tradition als von der Stimme der Stücke selbst beeinflußt ist.

Aber mit diesen Überlegungen sind wir schon weit entfernt von der Aufgabe, die sich diese eiligen Bemerkungen gestellt hatten, nämlich ein Werk von einzigartiger ikonographischer und stilistischer Bedeutung anzuzeigen, für dessen Veröffentlichung ich mich als Schuldner fühlte, nicht nur gegenüber dem Freunde Abe Mayor, sondern auch ein wenig gegenüber den Kollegen, Schuldner gleichsam einer Neuigkeit, deren begünstigter Sachwalter ich war.

Anmerkungen

[1] Höhe 0,46 m. [Jetzt im Museum von Alexandria: Richter II 158 Abb. 882–884; E. Minakaran-Hiesgen, JdI 85, 1970, 112 ff. Abb. 1.3.7.11.]
[2] Über die Vorläufer dieser vorteilhaften Technik, die sich für das Marmorporträt bis in hadrianische Zeit zurückverfolgen läßt, vgl. Poulsen, Ikon. Miscellen (1921) 84 ff.
[3] Inv. Nr. 376. Hübner 177. ABr 669–70. [Richter II 158 Abb. 885–887; Minakaran-Hiesgen a. O. 117 Abb. 5.9 mit weiteren Repliken.]
[4] Deutlich sichtbar, wenn man unsere Abbildung auf Taf. 71, 1 mit der Ansicht von ABr 670 [Taf. 72,1] vergleicht.
[5] Siehe zu diesem Problem K. Schefold, Die Bildnisse der antiken Dichter, Redner und Denker (1943) 196–197. [Vgl. hier S. 6 mit Anm. 26–30.]
[6] Von Winckelmann bis Studniczka haben die Kritiker den Namen Xenophons anonymen antiken Porträtköpfen beigelegt. Aber immer handelte es sich um nicht beweisbare Hypothesen. Vgl. Bernoulli, Griech. Ikon. II 8 und Studniczka, JHS 43, 1923, 65.
Dafür, daß es sich bei dem Porträt um den Historiker Xenophon handelt, sprechen gute

Gründe; die Existenz römischer Kopien weist auf eine in der römischen Welt bekannte Persönlichkeit hin; es ist daher nicht anzunehmen, daß hier der andere Xenophon aus dem 4. Jh. dargestellt ist, der Bildhauer und Mitarbeiter des älteren Kephisodot (Paus. VIII 30, 10 und IX 16, 1). Ebenfalls nicht zur Diskussion steht die dritte Person dieses Namens, Xenophon aus Ephesus, der wenig bekannte Autor der Liebesgeschichten von Habrokomes und Antheia (2. Jh. n. Chr.).

[7] Hekler, Bildniskunst 11 (wo die Identifizierung mit Archidamos II. beibehalten ist) und Laurenzi, Ritratti greci 35 (er übernimmt die jüngere und nach stilistischen Erwägungen wahrscheinlichere Identifizierung mit Archidamos III.). [Vgl. hier S. 101 ff.]

[8] Hekler a. o. 87; Laurenzi a. O. 44; Schefold a. O. 96. [Vgl. hier S. 147 ff.]

[9] Text zu ABr 590. [Vgl. hier S. 223 Anm. 12.]

[10] Laurenzi a. O. 33; Schefold a. O. 88,3. [Vgl. hier S. 11 f. 245 f. und S. 263 ff.]

[11] Hekler a. O. 10; Laurenzi a. O. 45; Schefold a. O. 94. [Vgl. hier S. 245 f. und 263 ff.]

[12] Hekler a. O. 20; Laurenzi a. O. 39; Schefold a. O. 82. [Vgl. hier S. 351 ff.]

[13] Laurenzi a. O. 36. Vgl. G. Krahmer, RM 46, 1931, 144 Fig. 5. [V. Poulsen, Les portraits grecs (1954) 46 Nr. 17 Taf. 14.]

[14] Laurenzi a. O. 37. [Vgl. hier S. 203.]

[15] Der Typus Rieti ist jüngst wieder (Schefold und Laurenzi) als die Statue identifiziert worden, die von Lykurg im Theater von Athen zusammen mit den Statuen des Aischylos (Typus Farnese [Taf. 56]) und des Sophokles (Typus Lateran [Taf. 57]) gestiftet worden ist. Aber während Laurenzi den Typus Rieti für älter hält als den Typus Farnese und ihn um etwa 340 v. Chr. einordnet, hält Schefold ihn für später und läßt ihn vom Typus Farnese abhängen.

[16] Ich teile hierin die Zurückhaltung von Krahmer, der RM 46, 1931, 131 an die grundsätzlichen Bemerkungen von Curtius, Text zu BrBr 601–604, über die Schwierigkeiten erinnert, mit denen die archäologische Forschung bei der Rekonstruktion des Œuvres der antiken Meister zu kämpfen hat.

[17] Vgl. Hekler a. O. S. XXI und zuletzt Laurenzi, CrA 1940, 5 und Ritratti greci 36 ff.; Schefold a. O. 36.200 und passim.

[18] Vgl. Laurenzi a. O. 52 (Ptolemaios I. in Kopenhagen [Taf. 87]); 54 (Philetairos von Pergamon [Taf. 127–128]); 43 (Seleukos [Taf. 84–85], dessen Zuschreibung an das Spätwerk des Lysipp jedoch übernommen wird).

[19] Hekler a. O. 19; Laurenzi a. O. 16; Schefold a. O. 68.

Satrapenbildnisse
Zum neuen Münzporträt des Tissaphernes

Von Willy Schwabacher

J. G. Droysen sagt zu Beginn seiner ›Geschichte Alexanders des Großen‹: „Wenn man verfolgt, wie die Schulen des Platon, des Isokrates, usw., wie die Philosophie, die Rhetorik, die Aufklärung in den freien Städten, an den Höfen der Dynasten und Tyrannen bis Sizilien, Kypros und dem pontischen Herakleia, selbst bis an die Satrapenhöfe sich verbreitete und Einfluß gewann, so sieht man wohl, wie sich über allen Partikularismus und alle Lokalverfassung eine neue Art der Gemeinschaft, man möchte sagen die der Souveränität der Bildung erhob, von der das brutale Herrentum Spartas am weitesten entfernt war."

Diese neue Art der Gemeinschaft im geistigen Leben des ausgehenden 5. und des frühen 4. Jh. v. Chr., deren Manifestation in der Kunst Ernst Langlotz „einen Klassizismus erster Prägung" nannte[1], ist vor kurzem durch eine bisher unbekannte Münze blitzartig beleuchtet worden. Sie hat in der Archäologie und antiken Kunstgeschichte noch nicht die ihr gebührende Beachtung gefunden.

Ein im südöstlichen Kleinasien bei Karaman, dem antiken Laranda, in Lycaonien 1947 ans Licht gekommener Schatzfund attischer Tetradrachmen der zweiten Hälfte des fünften und der ersten Jahre des 4. Jh. v. Chr. enthielt unter 71 bekannt gewordenen Prägungen – darunter 28 in Athen gemünzte Originalstücke und 42 in Syrien oder Ägypten entstandene Imitationen – e i n e n völlig neuartigen Münztypus[2]. In ihm tritt Droysens Erkenntnis von der neuen Art geistiger Gemeinschaft in der zerrissenen Welt des ausgehenden 5. Jh. „bis an die Satrapenhöfe" buchstäblich an einem offiziellen Monument vor Augen. Das Hauptbild dieser Münze läßt zudem in einer genialen Neuschöpfung zum ersten Male einen Ton erklingen, der in dieser Phase der Klassik bisher noch kaum gehört worden war.

Denn es ist kein Zweifel darüber möglich, daß wir in dem Münzbild der Vorderseite dieser attischen Tetradrachme nach dem Wort des Herausgebers "the earliest, and one of the finest coin-portraits" zu erblicken haben[3] (Taf. 28,1). Der Umstand, daß dieses außerordentliche Monument mit an Sicherheit grenzender Wahrscheinlichkeit aufs Jahr datiert werden kann, verleiht ihm auch als Denkmal der Kunstgeschichte eine völlig einzigartige Bedeutung.

Die sorgfältigen und überzeugenden Erwägungen numismatischer und historischer

Willy Schwabacher, Satrapenbildnisse. Zum neuen Münzporträt des Tissaphernes, in: Charites. Studien zur Altertumswissenschaft [Festschrift Langlotz], hrsg. von Konrad Schauenburg (1957) S. 27–32.

Art E. S. G. Robinsons, für die ein für alle Mal auf die oben genannte Veröffentlichung des damaligen Leiters der Münzsammlung des Britischen Museums zu verweisen ist, haben zu dem erstaunlichen Resultat geführt, daß hier bei einer durch
Münzfuß (16,96 g) und traditionellen Eulentypus auf der Rückseite rein attischen
Prägung an die Stelle der behelmten Athene ein Bildnis des Satrapen Tissaphernes
aus dem Jahre 412–411 v. Chr. und entsprechend anstelle der traditionellen Inschrift
AΘE der Eulenrückseite die Inschrift ΒΑΣ (ΙΛΕΩΣ), d. h. „des Königs (Geld)",
getreten ist. Da Robinson auch bereits die anderen längst bekannten Satrapenbildnisse auf Münzen nichtattischer Prägung zum Vergleich und zur näheren Bestim-
mung herangezogen hat, sollen hier lediglich einige Hinweise darauf gegeben werden,
welches hellere Licht dieses im griechischen Kulturbereich wohl früheste historische
Bildnis auf die Entstehung des griechischen Porträts zu werfen imstande ist.
Die bedeutungsvolle Scheidung von Menschenbild und Menschenbildnis, die
B. Schweitzer seinen Porträtforschungen in der antiken Kunst zugrunde legt[4], ist
natürlich in Robinsons englischem Ausdruck "coin-portraits" implizit mitenthalten.
Es ist indessen kaum die Absicht des Herausgebers gewesen, auf alle jene viel-
schichtigen Probleme näher einzugehen, die sich für die griechische Kunstge-
schichte an das plötzliche Auftauchen eines Individualbildnisses auf einer attischen
Tetradrachme persischer Prägung knüpfen. Nach der sizilischen Katastrophe war
Alkibiades in Athen von den politischen Gegnern gestürzt worden und offen auf die
spartanische Seite getreten. Die Flotten Spartas, Korinths, aller abgefallenen Bun-
desgenossen Athens und die sizilische Flotte sammelten sich im Herbste 412. Der
Schauplatz ist Milet. Im politischen Spiel hält Tissaphernes, der Satrap Joniens,
Lydiens und Kariens, auf der Höhe seiner Macht den Spartanern die Vertragstreue: Er
bezahlt, in der Hoffnung auf neue athenische Niederlagen, wie aus Thukyd. VIII, 29
geschlossen werden kann, Flottensubsidien für einen Monat in attischer Währung,
der auch in Westkleinasien damals gangbarsten. Seit Jahren schon hatten ja ge-
schickte Münzgraveure, vielleicht athenische Flüchtlinge wie Alkibiades selbst,
infolge der langsam abnehmenden Zufuhr attischen Silbers nach Kleinasien, Syrien,
Phönikien und Ägypten, ein neues Tätigkeitsfeld in der Herstellung der Stempel zur
Prägung jener Massen von Ersatz-Eulen gefunden, die mit 42 Stücken auch wieder
über 50 Prozent des Schatzfundes von Karaman ausmachen[5]. Daß die persischen
Satrapen diese pseudo-attischen Münzprägungen duldeten, ja aus Handelsrücksich-
ten förderten, mitunter gar selbst organisierten, darf ohne weiteres angenommen
werden. Ein Versuch des Tissaphernes mit seiner Subsidienauszahlung – nicht nur in
attischer Währung, sondern auch in attischer und pseudo-attischer Münze – politische Propaganda in aufsehenerregender Form zu verbinden, liegt daher durchaus
im Bereich des Möglichen. Ähnlich scheint auch Robinson diesen Ersatz des ehrwürdigen Athenebildes durch das Satrapenporträt und des Namens der Stadt durch
den Titel des Großkönigs auf der Eulenmünze zu verstehen[6]. In außergewöhnlicher
politischer Situation entsteht so im jonischen Osten am persischen Satrapenhof das

erste griechische Münzbildnis eines lebenden Menschen – eine unerhörte Beleidigung der Göttin, deren durch Tradition geheiligten Platz auf der Münze es einnimmt. Ihre Macht schien damals so gebrochen, daß Tissaphernes das Sakrileg wagte. „In ihm begegneten die Griechen dem geschicktesten Gegenspieler, den das Achämenidenreich damals stellen konnte, einem Manne von weitem politischen Blick, zielbewußt, schlau und vollkommen gewissenlos" – so ist dieser Satrap erst vor kurzem von einem schwedischen Forscher charakterisiert worden[7].

Der Schöpfer des neuen Münztypus erhält plötzlich eine den Stempelgraveuren bisher verwehrte Aufgabe: An den geweihten Platz des traditionsgebundenen Bildes der behelmten Göttin soll er ein individuelles Menschenbildnis setzen. Es muß eine überlegene Künstlerpersönlichkeit gewesen sein. Daß er die geistige Tragweite des Auftrages erkannt hat, glaubt man gerade in der verhalten-maßvollen Art der Durchführung zu spüren (Taf. 28,1). Hinter der „grandeur"[8] dieses mächtigen Bildnisses zittert gleichsam noch die Erregung des Sakrilegs. Es zeigt charakteristische Merkmale einer plötzlich verwirklichten revolutionierenden künstlerischen Konzeption.

Diese Konzeption hatte allerdings schon „in der Luft gelegen". Ernst Langlotz hat sie bereits an gewissen Höchstleistungen der Parthenonkunst erkannt, z. B. beim *Ephebenkopf N 118* des Nordfrieses: „Seine Züge wirken neben den idealen Kopftypen ringsum ganz individuell durch den Schnitt des Profils und das weiche, fast allzu üppige Karnat. Alkibiades mag ähnlich von den Künstlern seiner Zeit dargestellt worden sein"[9]. Der noch einen Grad individuellere Schnitt des Profils des Tissaphernesporträts, das zumal um Augen- und Mundpartie noch weichere Karnat, in der Wirkung verstärkt durch den Kontrast des gepflegten, spitz vorstoßenden Bartes und die schlicht behandelte persische Satrapentiara (Kyrbasia) mit ihren rahmenartig herabhängenden Zipfeln, bezeugen die Weiterentwicklung dieser Stiltendenzen. Auch Robinson weist auf das verhältnismäßig flache Relief des Kopfes hin, "still trailing with it a suggestion of the Parthenon, it gives the impression of a piece of sculpture"[10]. Es ist, als ob uns vergönnt wäre, in dem auf 412–411 v. Chr. datierten Münzstempel den Augenblick des Umschwunges zu einer wesentlich neuen und bedeutungsvollen Phase, zugleich mit dem Wandel vom Idealbild zum Individualbildnis, mitzuerleben[11].

Im jonischen Osten und in der sogen. „Kleinkunst" des Gemmen- und Münzstempelschnitts, an den von orientalischer Tradition genährten und von griechischer Bildung durchtränkten Satrapenhöfen, scheinen die neuen künstlerischen Konzeptionen zuerst zu starkem Durchbruch zu kommen[12]. Der bärtige Athenerkopf der jetzt in Boston bewahrten, einst in Karà in Attika gefundenen *Jaspis-Gemme*, das Meisterwerk des Dexamenos aus Chios [Taf. 27,1], der ja auch für Auftraggeber im Schwarzen-Meer-Gebiet gearbeitet hat[13] – wohl noch etwas früher als die Tissaphernesprägung entstanden –, zeigt schon den ausgeprägt realistischen Bildnischarakter jonischen Stils. Eine Behandlung der drei anonymen Bildnisköpfe auf *Elektronstate-*

ren von Kyzikos (v. Fritze, Nomisma VII, Taf. VI, 9–11 [Taf. 29, 5–7]) sowie des mit dem Beamtennamen *Pythagoras* versehenen Porträts einer abderitischen Silber-tetradrachme der Jameson Collection (Ch. T. Seltman, Greek coins[2], London 1955, Pl. XXVIII, 11 [hier Taf. 29,4]) soll an anderer Stelle erfolgen. Im fremden sozialen Milieu, begünstigt durch die politischen Umstände des geschichtlichen Augen-blicks, verwirklicht sich so der der frühen und hohen Klassik noch nicht vertraute Gedanke des echten Individualbildnisses, um erst später in neuen Phasen griechi-scher Kunst und im Hellenismus griechisches Allgemeingut zu werden. Ein Über-blick über die geographische Verbreitung der frühen Individualporträts zeigt mit aller wünschenswerten Deutlichkeit, daß das Herrscherporträt und damit wohl das Porträt im allgemeinen nur auf dem Boden Ägyptens, Persiens und Makedoniens wachsen konnte, nicht aber in der griechischen Poliskultur in ihrer demokratischen Phase[14].

Einiges bleibt nun noch über die kunstgeschichtliche Stellung der übrigen, bereits viel besprochenen Satrapenbildnisse auf Münzen zu bemerken. Nach dem Auftau-chen der attischen Eulenmünze mit dem Tissaphernesporträt und dem persischen Königstitel wird kaum jemand mehr an der Identifizierung des schönen Porträts der oft abgebildeten Tetradrachme mit der Kithararückseite und der vollständigeren Titelabkürzung ΒΑΣΙΛ(ΕΩΣ) zweifeln (Taf. 28,2)[15]. Es stellt in allen physiognomi-schen Einzelheiten denselben bärtigen Satrapen dar: *Tissaphernes*, wie Six und Head längst angenommen hatten. Robinson datiert das Stück (gegen E. Babelon) mit guten historischen Gründen um 400 v. Chr., in die Zeit der Niederwerfung der revoltierenden jonischen Städte durch den gerade wiedereingesetzten Satrapen. Der Prägeort – Kolophon oder Iasos? – kann auch jetzt noch nicht mit Sicherheit festgelegt werden. Stilistisch ist hier anscheinend schon eine weitere Stufe des Por-träts erreicht: der Kopf hat an parthenonischer Idealität verloren – an realistisch-individueller Ausdruckskraft indessen nicht wenig gewonnen. Wenn der Typus der Eulenmünze wie oben näher begründet wohl einen attischen Stempelschneider ver-muten läßt, so scheint hier ein jonischer Stempelkünstler von großem Können am Werke gewesen zu sein. Sein Kopfstempel zeigt in der Behandlung des Karnats, in den sensiblen Schwellungen der hier unter dem Kinn gebundenen Tiara charakte-ristisch-jonische Züge. Auch die Kithara der Rückseite stellt die großen Flächen des sanft gewölbten Klangbodens in bewußten Gegensatz zum fast übermäßig fein durchgeführten übrigen Detail. Vielleicht ist sie aus diesem Grunde nicht, wie sonst oft auf Münzen, von vorne, sondern von rückwärts her dargestellt. Alles spricht dafür, in dieser etwa ein Jahrzehnt jüngeren *Tissaphernes*münze eine neue Spitzen-leistung, diesmal rein jonischer Prägung, in der Verwirklichung des damals noch immer ungewohnten Bildnisgedankens zu erblicken.

Das dritte bisher meist als *Tissaphernes* bezeichnete Münzporträt (Taf. 28,3) – uns in einer Serie von Tetradrachme, Drachme, Halbdrachme und Vierteldrachme bekannt [16] – wurde indessen von Robinson nun diesem wieder abgesprochen: ". . . in all details, as well as in general appearance, it resembles the tetradrachm of Pharnabazos, in spite of great difference in style. I suggest . . . the King-with-galley coin must be of Pharnabazos" [17]. Bei genauem Vergleich der drei Kopfstempel von sechs bekannten Exemplaren der in Kyzikos geprägten Tetradrachmen mit der Namensbeischrift *Pharnabazos* um den Kopf [Taf. 29,2] [18] kann ich jedoch durchaus nicht die von Robinson hervorgehobenen Ähnlichkeiten mit dem Porträtkopfe der ehemals in Berlin befindlichen, von ihm "King-with-galley"-Typ genannten Bildnismünze oder mit dem Porträt der ihr zugehörigen, von Robinson in diesem Zusammenhang aber nicht erwähnten Kleinmünzen sehen. Auch W. Wroth spricht bei der Publikation des prachtvollen zweiten Londoner Exemplares der Pharnabazosmünze nicht von einem weiteren Münzbildnis dieses Satrapen, obwohl er das damals längst bekannte Berliner "King-with-galley"-Porträt leicht hätte heranziehen können, wenn für ihn eine Identität des dargestellten Satrapen mit Pharnabazos in Frage gekommen wäre. Schon rein anatomisch zeigen die Formen von Stirn, Augenpartie und Nase, daß es sich nicht um denselben Menschen handeln kann. Andere Ähnlichkeiten als die rein äußerlichen der Haar- und Barttracht vermag ich hier nicht zu erkennen. Hingegen scheint mir die alte Six-Head-Babelonsche Identifizierung des "King-with-galley"-Satrapen mit dem *Tissaphernes* der Kitharamünze, und über diese nun auch mit dem Porträt der neuen Eulentetradrachme, trotz gewisser Verschiedenheiten, viel mehr für sich zu haben: die Hauptzüge wie Stirn- und Nasenbildung stimmen gut überein; die letztere zeigt, in starkem Gegensatz zu *Pharnabazos* (vgl. Taf. 29,2), z. B. die charakteristisch herabhängende Spitze, selbst wenn der Nasenrücken auch "more suddenly and steeply curved" erscheint als bei den anderen *Tissaphernes*-Münzbildnissen [17]. Besonders aber führt der Vergleich mit den zur ehemals Berliner Tetradrachme gehörigen Kleinmünzen vor Augen, daß dieser Satrapenkopf nicht "as broad from nose to nape as it is long from forhead to chin" ist [19], sondern daß er deutlich die Langschädelform der übrigen Tissaphernesbildnisse wiedergibt [20].

Auch für den Zeitpunkt der Ausgabe der "King-with-galley"-Tissaphernesserie ergibt sich ein historisch recht wahrscheinliches Datum. Wenn hier tatsächlich Tissaphernes dargestellt ist, so kann diese Flottenausgabe gleichzeitig mit der des *Pharnabazos* aus Kyzikos ca. 397 v. Chr. geprägt sein, als beide Satrapen ihre gemeinsamen Vorbereitungen gegen die Aktion des Derkyllidas an der karischen Küste trafen [21], oder im darauffolgenden Jahr, als Tissaphernes sich in erfolglosen Attacken gegen Agesilaos von Sparta wenden mußte, der ihn geschickt zu täuschen verstand. Es folgte die Niederlage, die Diskreditierung des Satrapen am Hofe des Großkönigs und schließlich seine Hinrichtung im Jahre 395 v. Chr. Diese Datierung dürfte historisch mit ebenso wahrscheinlichen Gründen angenommen werden können wie die Robinsons, der in dem Porträt Pharnabazos erkennen und für die Ausgabe die Zeit nach dem Tode des Tissaphernes vorschlagen möchte. – Voll übereinstimmen kann man indessen mit der stilistischen Beurteilung Robinsons, der den "provincial style" dieser King-with-galley-Ausgabe, im Gegensatz zu den übrigen Satrapenmünzen, hervorhebt[22].

Wenn die beiden zuletzt besprochenen Münzbildnisse des *Tissaphernes*, wie auch das gleichzeitige des *Pharnabazos* auf dessen großartiger Flottenausgabe von Kyzikos (Taf. 29,2) seit langem als erstaunliche Zeugnisse früher griechischer Bildniskunst gebührende Beachtung gefunden haben, so ist zu hoffen, daß dem neu aufgetauchten frühesten dieser Satrapenporträts in der griechischen Kunstgeschichte nun ebenfalls ein seiner Bedeutung entsprechender Platz eingeräumt wird. – Im gleichen Jahre der Entstehung des *Tissaphernes*porträts, 412–411 v. Chr., werden im griechischen Westen jene sizilischen Prägungen geschaffen, deren vielbewunderte Meisterschaft gewiß auch im Osten nicht unbekannt geblieben ist[23]. In ihrem leisen ermatteten Stil sind wir heute geneigt, bereits einen ersten Klassizismus zu erkennen[24] – während im Osten in der neuen schöpferischen Konzeption des menschlichen Bildnisses der griechischen Kunst sich weite bisher nicht erschaute Perspektiven eröffneten.

Anmerkungen

[1] Griechische Klassik, Bonn 1946, S. 24. Vgl. auch die weitere dort zitierte Literatur.

[2] E. S. G. Robinson, Num. Chron. 1948, S. 48–56, Pl. V, 8: des., Brit. Museum Quarterly Vol. XV, 1952, S. 50, Pl. XX, 8.

[3] Brit. Museum Quarterly a. a. O., S. 51. G. K. Jenkins verdanke ich die Möglichkeit, die Münze hier nach dem Original vergrößert abbilden zu können. [Vgl. ferner die o. S. 14 Anm. 73 genannte Lit.]

[4] Z. B. in Studien zur Entstehung des Porträts bei den Griechen, Leipzig 1940, S. 7 unten.

[5] Vgl. hierzu W. Schwabacher, Opuscula Archaeologica VI, 1950, S. 139–149.

[6] Num. Chron. 1948, S. 55: "In any case the inauguration of his subsidy is the obvious occasion for Tissaphernes to mark by a special issue glorifying himself and his master at the same time, but easily passing with the Athenian tetradrachms which no doubt made up the bulk of the payment."

[7] H. S. Nyberg, in „Das Reich der Achämeniden", Historia Mundi III (Der Aufstieg Europas), Bern 1954, S. 106. – Den Hinweis verdanke ich P. P. Kahane, Jerusalem. Dieser Aufsatz ist auch sonst durch die Diskussion mit ihm, während seines Aufenthaltes in Stockholm im Frühjahr 1955, vielfach gefördert worden. Besonders bin ich Herrn Kahane für die Durchsicht des Manuskripts zu Dank verpflichtet.

[8] E. S. G. Robinson, 1. c. S. 55.

[9] Phidiasprobleme, Frankfurt a. M. 1947, S. 34.

[10] Num. Chron. 1948, S. 53.

[11] Es muß hier freilich betont werden, daß die Kunst des 4. Jh., zu der ja unter anderem auch die hier behandelten Satrapenbildnisse überleiten, von Langlotz und anderen nicht mehr zur eigentlichen Klassik gezählt wird: vgl. Griechische Klassik, Bonn 1946, S. 18ff.

[12] B. Segall hat in "Realistic portraiture in Greece and Egypt", The Journal of the Walters Art Gallery, IX, 1946, S. 58–59, auf diese Zusammenhänge bereits hingewiesen, doch tritt m. E. bei ihr der graecopersische Anteil an der Entstehung des Porträts zu stark hinter dem ägyptischen zurück.

[13] A. Furtwängler, Jahrb. d. Inst. III, 1888, Taf. 8, 8; ders. Antike Gemmen, 1900, Taf. XIV, 3 und LI, 8. R. Delbrück, Antike Porträts, Bonn 1912, Taf. 58, 1. J. D. Beazley, The Lewes House Collection of ancient gems, Oxford 1920, no. 50, Pl. III. – Die Gemme macht den Eindruck eines Privatporträts, nicht eines offiziellen Werks, und war deswegen von offiziellen Erwägungen bei Festlegung der gegenständlichen Einzelheiten und des Stils unabhängiger, als es ein Münzstempel sein konnte. – Vgl. auch den Artikel Dexamenos in Thieme–Beckers Künstlerlexikon von Pernice (1913).

[14] Vgl. B. Segall, 1. c. Die Münzporträts des lykischen Dynasten Khäräi, 425–410 v. Chr. (Babelon, Traité Pl. 99, 2–11 und Brett, Greek coins in Boston Pl. 95, 2086), müssen einer gesonderten Behandlung vorbehalten bleiben. [Vgl. hier S. 337 ff.]

[15] B. V. Head, Hist. num.[2] S. 597, Fig. 301. – G. F. Hill, Select Greek Coins, Paris 1927, Pl. VII, 3 und Pl. LXIV, 2 (danach hier Taf. 28,2); ders., Princ. coins of the Greeks, London 1932, Pl. 19, 41 etc. – Zuletzt Gisela M. A. Richter, Hesperia, Suppl. VIII, 1949, Pl. 37, und M. Bieber, The Sculpture of the Hellenistic Age, New York 1955, S. 71, Fig. 243, 244 und 247.

[16] E. Babelon, Traité II, 2, Pl. LXXXVIII, 10–13. – K. Regling, Die antike Münze als Kunstwerk, Berlin 1924, Taf. XIX, 425. – Vergrößerungen bei K. Lange, Herrscherköpfe des Altertums, Berlin–Zürich 1938, S. 34, und Charakterköpfe der Weltgeschichte, München 1949, Taf. 1.

[17] Num. Chron. 1948, S. 51–52. Vgl. auch die skeptische Einstellung E. Pfuhls, Die Anfänge der griechischen Bildniskunst, München, 1927, S. 21–22, zu Taf. XII, 3–8 [= hier S. 242].

[18] E. Babelon, Traité II, 2, Pl. CVIII, 1 und Pl. CLXXVIII, 15. – K. Regling, 1. c. Taf. XIX, 424. – Imhoof–Blumer, Porträtköpfe, Pl. III, 2. – K. Lange, Herrscherköpfe d. Altertums 1938, S. 33. – BMC. (Ionia), Pl. XXXI, 5. – Num. Chron. 1893, S. 11–13, Pl. I, 11 (W. Wroth); G. F. Hill, Princ. coins of the Greeks, 1932, Pl. 8, 15. – Kat. Naville IV, Pl. XXIX, 782.

[19] Num. Chron. 1948, S. 51–52.

[20] E. Babelon, Traité II, 2, Pl. LXXXVIII, 11–13 im Vergleich mit 25.

[21] Vgl. hierfür u. zum Folgenden die Darstellung bei M. Cary in CAH. VI, 39–41, und E. Babelon, Traité II, 2, S. 103–106.

[22] Num. Chron. 1948, S. 53.

[23] In einem kilikischen Schatzfund von ca. 380 v. Chr. kam unter attischen und östlichen Prägungen u. a. auch eine syrakusanische Tetradrachme vor: vgl. E. T. Newell, Num. Chron. 1914, S. 3, Pl. I, 1; ferner P. Orsi, Atti del'Ist. Ital. Num. III, p. 28. – Vgl. auch B. Ashmoles Bemerkung, Num. Chron. 1948, S. 54.

[24] Es mag als von nicht geringem Interesse hier daran erinnert werden, daß gerade diese Werke eines ersten Klassizismus die wahlverwandte Bewunderung Winckelmanns und Goethes erregten: „Weiter als diese Münzen kann der menschliche Begriff nicht gehen" (Kleine Schriften, Erinnerung über die Betrachtung der alten Kunst), und „In ihnen lacht uns ein unendlicher Frühling von Blüten und Früchten der Kunst eines in höherem Sinne geführten Lebensgewerbes und was nicht alles noch sonst entgegen" (Italienische Reise, Palermo, Donnerstag, den 12. April 1787 – nach einem Besuch des Münzkabinettes des Fürsten Torremuzza).

Das Themistoklesporträt in Ostia

Von Heinrich Drerup

Der archäologische Meinungsstreit um das *Themistokles*porträt in Ostia (Taf. 9, 2, 10; 11, 1; 12,1) ist inzwischen in sein drittes Jahrzehnt eingetreten, ohne irgendwie an Aktualität eingebüßt zu haben[1]. Die entscheidende Aporie lautet nach wie vor: Handelt es sich um die Kopie eines zeitgenössischen Originals – und wir haben es mit einer sorgfältig gearbeiteten Kopie zu tun –, so verlief die Frühgeschichte des griechischen Porträts anders als man bis dahin angenommen hatte. Handelt es sich dagegen um die Kopie einer archaisierenden Neufassung oder gar Neuschöpfung späterer Zeit, so steht eine derart verblüffende Stilkopie innerhalb der Porträtgeschichte völlig isoliert, gleichgültig in welche Zeitumgebung man sie hineinstellt. Ohne das Problem als Ganzes neu aufzurollen, soll in den folgenden Bemerkungen auf einige Gesichtspunkte hingewiesen werden, die meines Erachtens noch nicht genügend berücksichtigt bzw. unberücksichtigt geblieben sind.

Die Frage, ob ein zeitgenössisches Porträt des *Themistokles* während seiner Tätigkeit in Athen erschlossen werden darf, läßt sich bekanntlich positiv und negativ beantworten. Negativ, sofern eine öffentliche Ehrenstatue gemeint ist. Das Zeugnis des *Demosthenes* und *Aischines* ist völlig klar[2], ganz abgesehen davon, daß Ehrenstatuen lebender Politiker ausgeschlossen waren in einem Athen, das die Machtstellung und das Ansehen der führenden Politiker mit wachem Mißtrauen überwachte und auch im Bildwerk nur die nationale Tat, nicht die persönliche Leistung gelten ließ[3]. Die positive Antwort ist weniger klar und bezieht sich auf eine private Weihung. Plutarch berichtet, daß in dem von Themistokles errichteten Heiligtum der Artemis Aristobule noch bis zu seinen Tagen ein Porträt des Staatsmannes gestanden habe[4]. Es ist wahrscheinlich, daß Plutarch beides – Tempel und Porträt – als eine Weihung des Themistokles versteht und sicher würde ein zeitgenössisches Porträt des Dedikanten nichts Außergewöhnliches darstellen (s. u.).

Unter dieser Voraussetzung sei die geschichtliche Situation nach der Verbannung des Themistokles kurz in Erinnerung gebracht. Themistokles ist zu einem späteren Zeitpunkt wegen Hochverrats, d. h. wegen Konspiration mit dem Landesfeind in Abwesenheit zum Tode verurteilt worden. Er wurde für rechtlos und seines Vermögens verlustig erklärt und seine Bestattung in heimischer Erde verboten. Sein Haus in Melite wurde abgerissen, jedenfalls war dessen Stelle noch zu Plutarchs Zeiten Ablageplatz für die Leichen der Gerichteten[5]. Einer seiner Freunde, der dem

Heinrich Drerup, Das Themistoklesporträt in Ostia, in: Marburger Winckelmann-Programm 1961, S. 21–28.

Geflohenen Frau und Kinder zugeführt hatte, ist deswegen unter Kimon angeklagt und hingerichtet worden[6].

Für Bianchi-Bandinelli[7] und Becatti[8] waren mit der Ächtung die Voraussetzungen gegeben, die eine Zerstörung etwa vorhandener Bildnisstatuen des flüchtigen Landesfeindes nach sich ziehen mußten. Es läßt sich ein weiteres Argument hierfür anführen. Themistokles war nicht der erste, gegen den die attische Demokratie einen Hochverratsprozeß angestrengt hat. Sein unmittelbarer Vorgänger und Schicksalsgenosse war *Hipparchos*, des Charmos Sohn, Archont des Jahres 496/95[9]. Auch er, der seit 488/87 in der Verbannung lebte, wurde nach der Schlacht bei Salamis in Abwesenheit zum Tode verurteilt. Vor allem aber – unser Gewährsmann ist Lykurg in seiner einzigen erhaltenen Rede gegen Leokrates (117) – wurde beschlossen, eine auf der Akropolis befindliche eherne Bildnisstatue von ihm – τὴν εἰκόνα αὐτοῦ – einzuschmelzen und in eine Schandsäule umzugießen, auf der die Landesverräter eingegraben werden sollten[10]. Themistokles dürfte darauf, wenigstens zeitweilig, gestanden haben[11]. Selbstverständlich kann es sich auch bei dieser Statue nur um eine private Weihung, errichtet vielleicht während des Archontates, nicht um eine öffentliche Ehrung gehandelt haben. Wir stoßen damit auf die spätarchaische Bildnisstatue eines Lebenden, die in Athen gewiß nicht die erste ihrer Art war. Ihr Schicksal ist in unserem Zusammenhang bedeutsam. Denn mir scheint, die Schlußfolgerung ist nun nicht mehr zu umgehen, daß auch das angenommene Bildnis des *Themistokles* im Heiligtum der Artemis Aristobule, dessen Errichtung übrigens an sich schon Anstoß erregt hatte[12], daß überhaupt jedes etwa existierende *Themisto-kles*bildnis der Katastrophe zum Opfer gefallen ist. Aus der *Themistokles*ikonographie muß das zeitgenössische Athen, für das neben dem Bildnis im Artemisheiligtum gelegentlich auch zwei weitere im Prytaneion[13] und im Dionysostheater[14] in Anspruch genommen werden, damit wohl endgültig ausscheiden.

Die Rehabilitierung des Geächteten hat sich nur zögernd vollzogen[15], immerhin durften die Söhne ein gemaltes Bildnis ihres Vaters im Parthenon aufstellen[16]. Ob damals oder erst später man im Artemisheiligtum das vernichtete Bildnis durch ein neues ersetzte oder ob man hier, an sinnvollem Ort, überhaupt erstmals ein solches aufstellte, ist gleichgültig. Wenn jedoch Plutarch betont, daß der Dargestellte nicht nur seelisch, sondern auch in seiner äußeren Erscheinung heldenhaft wirkte[17], dann liegt der Gedanke an eine fiktive verklärende Gestaltung spätklassischer oder hellenistischer Zeit sehr viel näher als an ein archaistisch zurückgestimmtes physiognomisches Porträt. Mit dem knapp überlebensgroßen *Ostiakopf* kann das Bildnis – ein εἰκόνιον – also auch unter dieser Annahme nicht in Zusammenhang gebracht werden. Im übrigen müßte jedes athenische Bildnis des *Themistokles*, gleichgültig welcher Zeit, den Strategenhelm getragen haben.

Bleibt als bezeugtes Bildnis des strengen Stils die auch durch eine Bronzemünze des Antonius Pius bekannte Statue auf dem Marktplatz von Magnesia übrig[18]. Den terminus post bezeichnet die Einweisung des Themistokles in sein Herrschaftsgebiet

durch Artaxerxes, der 465/64 die Herrschaft antrat, genauer der Tod des Themistokles im Jahre 459, da die Bezeichnung μνημεῖον durch Thukydides 1, 138 sowie die
Spendeschale und die Bekränzung auf der Münzdarstellung nur den heroisierten
Toten meinen können. Es ist betont worden, daß das Standmotiv diesem Zeitansatz
entspricht. Nicht dagegen entspricht er dem *Ostiakopf*, der unmöglich als ein Werk
der fünfziger Jahre verstanden werden kann[19]. Hinzu kommt, daß der *Ostiakopf*
nach links, die Statue aber nach rechts blickt, von der Bekränzung zu schweigen.
Somit hat auch die *Magnesiastatue* aus den Überlegungen auszuscheiden.

Wenden wir uns nunmehr dem *Ostiakopf* selber zu. Für sein Vorbild die Neufassung
eines älteren Werkes bzw. eine archaisierende Erfindung anzunehmen liegt nach den
angestellten Überlegungen um so näher, als auch das neu entdeckte Themistokles-
dekret aus Troizen[20] als Neuredaktion oder Erfindung des 4. Jh. erkannt worden
ist[21]. Gibt der Stil für einen Spätansatz Anhaltspunkte? Die eigentliche Schwierigkeit ist bereits angedeutet worden. Die Formen des strengen Stils sind nicht äußerliche trennbare Zutat, sondern bestimmen den Charakter des Werkes von Grund
auf in einem Maße, daß es nicht gelingen will, für eine derartige Annahme Parallelen
aufzutreiben. Die schwankenden Datierungen sind hierfür aufschlußreich: erstes
Viertel[22], Mitte[23] und drittes Viertel[24] des 4. Jh. v. Chr., 1. bis 3. Jh. n. Chr.[25]. Von
ihnen kann lediglich Schweitzers[22] Datierung in das erste Viertel des 4. Jh. sich auf
in etwa vergleichbare zeitgenössische Formelemente berufen, nämlich auf eine zusammenfassende sphärische Umschließung der Grundform des Kopfes, die als Sym-
ptom einer allgemeinen Neuorientierung den plastischen Grundstoff für die weitere
Gestaltung des 4. Jh. entwickelt. Der Weg vom *Kopf Pastoret* über den sogenannten
Herodot der Agora von Athen zum älteren *Sokrates*porträt, das Schweitzer unmittelbar vergleicht[26], ist hierfür symptomatisch.

Lassen sich die von Schweitzer in Anspruch genommenen jüngeren Züge der *Ostia-
herme* von dort aus erklären? Die Weichheit der Gesichtsformen: Sie ist größer als
an den Köpfen des frühen 4. Jh., entsprechendes gilt für die Unterbohrung des
Auges[27]. Das Eruptive des Ausdrucks: Der Kopf zeigt eine Angestrengtheit zum
Ausdruck, zur Bewußtheit seiner Existenz überhaupt hin, die von einer brutalen
animalischen Lebenskraft bedrängt ist. Für die Neufassung eines älteren Porträts
aber müßte, auch wenn man sie sich stilistisch zurückprojiziert denkt, gerade der
Wunsch nach einer Erhöhung und Vergeistigung des rehabilitierten Helden maßgebend gewesen sein. Das Runde und Geballte der Anlage: Die Köpfe des frühen
4. Jh. zeigen in der Tat eine spannungsreiche Relation der Gesichtsglieder zur Sphärik
der Gesamtanlage, die sie als Werke einer neuen Zeit von der statischen Bildung
des Gesichtsgefüges noch des späten 5. Jh. unterscheidet. Beim *Ostiakopf* dagegen
dient die Rundheit im Gegenteil der isolierenden Verdeutlichung der in sich ruhenden Einzelform und der sie trennenden Flächen[28]. Aufschlußreich die beiden span-
nungslos gegeneinander versetzten Rundwülste zwischen den Augen, Ausdruck des
Zornes und der Verbitterung, dem das übrige Gesicht nicht antwortet.

Es ergibt sich, daß auch der methodisch konsequenteste Versuch, den Kopf in zwei Stilebenen aufzuspalten, nicht aufgeht. Dann aber bleibt nur der nicht minder häufig unternommene entgegengesetzte Versuch, ihn einschließlich seiner beanstandeten Elemente als ein Werk etwa der frühen sechziger Jahre des 5. Jh. zu verstehen. Womit sich zum zweiten Mal die Frage erhebt: Wo war das zeitgenössische Original beheimatet? Am häufigsten ist unter Hinweis auf den Kopf des *Aristogeiton* (Taf. 9,1) Attika genannt worden[29]. Halten wir, gewissermaßen zur Kontrolle unseres Ausschlußverfahrens, die beiden Köpfe gegeneinander, wobei der oft angestellte Vergleich der Haare und des Bartes, der mehr oder weniger nur etwas über den Zeitstil aussagt, beiseite bleiben kann. Was den Kopf des *Aristogeiton*, d. h. seine vatikanische Replik, als unverwechselbar attisch auszeichnet, ist seine Helligkeit und Klarheit, ist die Festigkeit und der axiale Bau des Gliedergerüstes, die Knappheit und Straffheit der Formensprache. Der *Themistokles*kopf zeigt nichts dergleichen. Seine Anlage ist kubisch und massig, sein Umriß ausladend, sein Charakter schwer und lastend, von einem axialen Gerüst ist nichts zu spüren. Die Formen sind breit ausgewölbt und von starkem Relief, sie bewegen sich schwerflüssig, fast träge, vermeiden scharfe Abgrenzungen. Sie lassen nicht einen sehnigen, sondern einen muskulösen gedrungenen Körper vermuten. Der Ausdruck ist vergleichsweise dumpf, zugleich von einer verhaltenen Stoßkraft und Wildheit, die vor allem aus den kugelig herausgewölbten Augen, die an Löwendarstellungen gemahnen, hervorbricht.

Sicher ist die Physiognomie des Dargestellten an der Wirkung nicht ganz unbeteiligt. Zugleich aber haben wir es, wie der Vergleich mit einem *Herakles*kopf in Kopenhagen[30] (Taf. 8,1) zeigt, mit einem in diesen Jahren gepflegten Typus zu tun. Die gleiche ausladende stiernackige Kopfbildung, das gleiche verhältnismäßig eng zusammengerückte Gesicht mit den Augenbrauenwülsten innerhalb der mächtigen Umrißrundung. Für den Kopenhagener *Herakles* ist der myronische, also attische Charakter unbestritten, Hafner hatte aus diesem Grunde als Meister des *Themistokles*kopfes Myron vermutet[31]. Gerade die typologische Vergleichbarkeit zwischen *Themistokles*- und *Herakles*kopf zeigt nun aber eindeutig, daß umgekehrt *Aristogeiton*- und *Herakles*kopf, so verschieden ihr Typus ist, als Werke gleichen Stiles und gleicher Landschaft sich sofort zusammenschließen gegenüber dem massigeren und weicheren Bau des *Themistokles*kopfes. Womit sich bestätigt: Der Stil des *Themistokles*kopfes ist nicht attisch. Für eine Entstehung in Magnesia könnte gerade seine Weichheit und Massigkeit angeführt werden[32], nicht aber die plastische Energie der Durchformung, das starke, die Gesichtsteile und die Halsmuskulatur heraustreibende Relief, das durch und durch männliche Ethos. Alles das führt wieder zurück in das festländische Griechenland.

Die Frage nach der landschaftlichen Herkunft muß also neu gestellt werden. Die Antwort, die ich darauf geben möchte, heißt: Argos. Die herausgestellten Stilelemente lassen sich am ehesten hier glaubhaft unterbringen. Nur in der Bronze aus Ligurio in Berlin[33] und den mit ihr verwandten Werken[34] sind ähnlich gedrungene, mächtig herausgewölbte Körperformen, ist eine ähnlich kubische Gesamtanlage und Weichheit der Formenbehandlung festzustellen, nur hier treffen wir auf eine vergleichbare Verschlossenheit des Ausdrucks, auf den breiten Wulst der Unterlippe.

Läßt sich ein argivisches *Themistokles*porträt historisch begründen? Die Rolle, die Argos im Leben des Siegers von Salamis spielte, ist bekannt, im Zusammenhang mit dem Ostiakopf aber noch nicht hervorgehoben worden [35]. Die Gründe, die zur Verbannung des Themistokles führten, waren, abgesehen vielleicht von einer wachsenden persönlichen Unbeliebtheit, sein Gegensatz zu den alten Adelsgeschlechtern, die hinter Aristides und Kimon standen, und die von ihm mit Nachdruck betriebene antispartanische Politik. Die Wahl seines Verbannungsortes war demnach konsequent. Sie fiel auf den traditionellen Todfeind Spartas, auf das demokratische Argos, das in frischer Erinnerung an das Gemetzel im Argoshain den zum Kampf gegen Xerxes verbündeten Griechen zu verstehen gegeben hatte, daß es gegebenenfalls lieber unter persischer als spartanischer Botmäßigkeit leben wolle. Die Beziehungen des Themistokles zu Argos reichen denn auch in die Zeit vor der Verbannung zurück, als er den spartanischen Antrag zu Fall brachte, die Gegner und Neutralen von 480/79, also auch Argos, aus der delphischen Amphiktyonie auszuschließen. Man darf annehmen, daß der Verbannte in Argos mit offenen Armen aufgenommen wurde.

Der Aufenthalt in Argos läßt sich zeitlich nicht exakt bestimmen, er muß mindestens zwei Jahre, kann aber auch drei oder vier Jahre gedauert haben. Jedenfalls überschnitt er sich mit dem Versuch des bereits unter Anklage stehenden Spartiaten Pausanias, des Siegers von Plataeae, die Heloten gegen seine Heimatstadt aufzuwiegeln. Aber auch Themistokles selber war nicht untätig, sondern bereiste, sicher nicht zum Vergnügen, die Peloponnes. Ob er am Ausbruch des dritten messenischen Krieges und an der demokratischen Reform von Elis mitbeteiligt war, die notwendig eine Spitze gegen Sparta enthielt, läßt sich nicht erweisen. Mit Sicherheit darf dagegen der demokratische Synoikismos Mantineas, das Bündnis der Arkader mit den Argivern und ihr gemeinsamer Krieg gegen Sparta mit Themistokles in Zusammenhang gebracht werden. Während Sparta eine existenzgefährdende Krise durchlebte, war Argos in der Lage, seinen verlorengegangenen Herrschaftsbereich auf Tiryns und Mykene wieder auszudehnen. Erst nach der siegreichen Abwehr der Koalition durch die Schlachten von Tegea und Dipaia konnte Sparta daran denken, seinen gefährlichsten Gegner unschädlich zu machen. Der Prozeß gegen ihn in Athen war auf spartanisches Betreiben in Gang gesetzt worden, gegen die Vollstreckung des Todesurteils gab es nach der Beendigung des Krieges zwischen Argos und Sparta keinen Schutz mehr. Erst jetzt, nicht mit seiner Verbannung, war die politische Rolle des Themistokles ausgespielt. Im Gegenteil: Während seine Stellung in Athen nach den siegreichen Verteidigungsschlachten des Perserkrieges nur noch die eines mehr und mehr in die Minderheit gedrängten, unbequem gewordenen Parteiführers war, muß er in Argos und weit über Argos hinaus der führende Kopf einer nationalen und demokratischen Freiheitsbewegung gegen die spartanische Bevormundung gewesen sein.

Ist es unter diesen Umständen wirklich so abwegig, ein zeitgenössisches und die Zeiten überdauerndes Porträt des *Themistokles* in Argos eher als in Athen anzunehmen, auch wenn die Überlieferung hierüber nichts vermeldet? Sicher ist, daß ein *Themistokles*porträt in Argos von der Ächtung weniger bedroht war als in Athen, um so weniger, als der Vorwurf des Medismos wohl nicht allzu großen Eindruck gemacht hat auf eine Landschaft, die ihren eigentlichen Gegner auch während der Perserkriege in Sparta sah[36]. Und schließlich: Der dem *Ostiakopf* eigentümliche Ausdruck des Zornes und der Bitternis, der in physiognomischen Detailformen verhaftet bleibt, kann sinnvoll nur an einem argivischen, d. h. in der Verbannung gearbeiteten *Themistokles*porträt, nicht aber an einem attischen Porträt des Siegers *Themistokles* erklärt werden.

Sowohl die stilkritische als auch die historische Überlegung führen auf getrenntem Weg zur gleichen, gegenseitig sich bestätigenden Vermutung, im Vorbild der *Ostia-herme* ein in Argos gearbeitetes zeitgenössisches Porträt des *Themistokles* zu erkennen, wobei man die Frage, ob es sich um eine öffentliche Ehrenstatue oder nicht eher um eine private Weihung gehandelt hat, auf sich beruhen lassen kann. Es liegt nun nahe, weitergehend auch die Entstehungszeit historisch genau zu fixieren. Hier jedoch versagen wie gesagt unsere Quellen. Das einzig sichere, von Diodor 11, 54 ff. gegebene Datum 471/70 läßt sich sowohl auf die Verbannung als auch auf die Flucht beziehen, im einen Fall müßte die Verbannung um einige Jahre nach oben, im anderen die Flucht um einige Jahre nach unten gerückt werden. Die betagte Kontroverse zwischen den beiden Zeitansätzen, die notwendig das argivisch-arkadische Bündnis miteinbezieht[37], hat auch durch die letzten Untersuchungen keine neuen Gesichtspunkte ergeben[38]. Im allgemeinen überwiegt die Spätdatierung und mir scheint, daß sie sich durch den *Ostiakopf* stützen läßt, der eher auf die frühen sechziger als auf die späten siebziger Jahre verweist.

Was von der Physiognomie des *Themistokles* übrig bleibt, wenn wir die argivischen Formelemente abziehen, ist vermutlich weniger als man im allgemeinen annimmt. Am Tatbestand des Porträts ist gleichwohl nicht zu rütteln. Doch sind die Grundsatzfragen zur Geschichte des Porträts nicht mehr Ziel dieser Ausführungen.

Anmerkungen

[1] Neuere Behandlungen und Stellungnahmen: V. H. Poulsen, Les portraits grecs 1954, 16 f. H. Weber, Gnomon 27, 1955, 445 f. G. Richter, Greek Portraits I (Coll. Latomus XX) 1955, 16 ff. R. Calza, Museo Ostiense (Itinerari) 1957 nr. 85. B. Schweitzer, Griechische Porträtkunst (Acta Congressus Madvigiani III) 1957, 7 ff., 21 ff. K. Wessel, JdI. 74, 1959, 124 ff.

G. Zinserling, Klio 38, 1960, 87 ff. M. Guarducci, Riv. Filol. Class. 1961, 75 f. P. Amandry, Bull. Fac. des lettres Strasbourg 39, 1961, 431 ff. [Vgl. ferner H. Sichtermann, hier S. 302 ff.]

² Demosth. Lept. 70; Arist. 196. Aisch. Ktes. 181 ff. Vergl. Plut. Kim. 7.

³ Ablehnung des Antrags, die Figur des Miltiades im Bild der Schlacht von Marathon durch Beischrift des Namens auszuzeichnen: Aisch. Ktes. 186.

⁴ Plut. Them. 22. Der Tempel scheint neuerdings festgestellt zu sein: BCH. 83, 1959, 572 Abb. 1 u. 2.

⁵ Plut. Them. 22. Das Haus des in den gleichen Jahren zum Tode verurteilten spartanischen Königs Leotychidas wurde abgerissen: Her. 6, 72.

⁶ Plut. Them. 24.

⁷ Critica d'Arte 5, 1940, 19.

⁸ Critica d'Arte 7 (NS. 2) 1942, 85. Vgl. auch Amandry (Anm. 1) 433 Anm. 42. Guarducci (Anm. 1) 55 hält es für unmöglich, daß vaterländische Volksbeschlüsse, die durch Themistokles eingebracht waren, nach seinem Sturz noch öffentlich aufgestellt waren.

⁹ Sundwall, RE. VIII 1664 s. v. Hipparchos 2. Reinmuth, RE. XVIII 1676 s. v. Ostrakismos.

¹⁰ Zur Schandsäule vgl. Busolt, Griech. Gesch. II (2. Aufl. 1895) 398 Anm. 2. Chr. Habicht, Hermes 89, 1961, 23. H. Berve, Zur Themistoklesinschrift von Troizen (Ber. Bayer. Akademie 1961 Heft 5) 48.

¹¹ Busolt a. O.

¹² Plut. Them. 22.

¹³ Paus. 1, 18, 3. Zeitgenössisch: G. Calza, Le Arti 1940, 152 ff.

¹⁴ Arist. Or. XLVI 161, 13 f. Zeitgenössisch: M. Bieber, AJA. 58, 1954, 282 ff.

¹⁵ Nach 430 muß das u. a. gegen Themistokles gerichtete Pamphlet des in Athen lebenden Thasiers Stesimbrotos erschienen sein: Laqueur, RE. III A 2463 ff. s. v. Stesimbrotos.

¹⁶ Paus. 1, 1, 2.

¹⁷ Them. 22: καὶ φαίνεταί τις οὐ τὴν ψυχὴν μόνον, ἀλλὰ καὶ τὴν ὄψιν ἡρωϊκὸς γενόμενος.

¹⁸ A. Rhousopoulos, AM. 21, 1896, 18 ff. Abb. S. 22. M. Rubensohn, AA. 1897, 131 ff. A. Boethius, From the Collect. Ny Carlsberg Gl. III 1942, 210 Abb. 7 u. 8.

¹⁹ Auf den Prägungen des Themistokles in Magnesia erscheint ein nach rechts oder links gewandter Apollo mit Lorbeerbaum (R. Weil, Corolla numismatica in honour of B. V. Head 1906, 301 ff. Abb. 1–3. O. Seltman, Greek coins 1960, 107 f. Taf. 15, 14 u. 15 [Richter I 98 Nr. c Abb. 410]). G. Calza (Critica d'Arte 5, 1940, 15), R. Bianchi Bandinelli (Critica d'Arte 5, 1940, 20) und G. Becatti (Critica d'Arte 7 NS. 5, 1942, 84) sehen darin fälschlich eine Statue des Münzherren mit Lanze. Eine bereits zu Lebzeiten errichtete und auf den Münzen geprägte Statue des Themistokles in Magnesia läßt sich also numismatisch nicht erweisen.

²⁰ M. Jameson, Hesperia 29, 1960, 198 ff.

²¹ Erfindung: Guarducci (Anm. 1) 48 ff. Amandry (Anm. 1) 413 ff. Habicht (Anm. 10). Neuredaktion: Berve (Anm. 10).

²² B. Schweitzer, Antike 17, 1941, Berichte 77 ff. Griechische Porträtkunst (Anm. 1).

²³ Um 460: Bianchi Bandinelli (Anm. 19).

²⁴ Poulsen (Anm. 1) 17. Amandry (Anm. 1) 434.

²⁵ Becatti (Anm. 19) und Weber (Anm. 1).

²⁶ Allerdings dürfte nicht die Münchener, sondern die künstlerisch höherstehende Neapler Replik [Taf. 46] dem Charakter des Originals, das ein Reuebildnis war, näherstehen.

²⁷ Hierzu Richter (Anm. 1) 18.

[28] Vgl. vorige Anmerkung.

[29] G. Calza, Le Arti 18, 1940, 156 ff. H. Fuhrmann, AA. 1941, 476 ff. T. Dohrn, DLZ 1942, 986 f. U. Miltner, ÖJh. 39, 1952, 70. Lippold, Handbuch 109. Der gleiche Meister: C. F. Crome, Hellasjahrbuch 7, 1942, 9. H. Diepolder, Pantheon 31, 1943, 114 ff. Zinserling (Anm. 1) 95.

[30] G. Hafner, AA. 1952, 94 ff.

[31] A. a. O. 100 f.

[32] K. Schefold, Bildnisse d. ant. Dichter, Redner u. Denker 18 (attische u. ostjonische Elemente).

[33] K. A. Neugebauer, AA. 1942, 477 f. Abb. 6. W.-H. Schuchardt, Gesch. der Kunst im Altert. 268 Abb. 241.

[34] Langlotz, Bildhauerschulen 54 ff.

[35] Die ausführlichste Darstellung der Ereignisse bei Busolt, Griech. Gesch. III 1, 107 ff. und Kahrstedt, RE. VA 1685 ff. s. v. Themistokles. Dort die einschlägigen Quellennachweise.

[36] Her. 7, 148–152.

[37] Ausführliche Übersicht über die älteren Ansätze bei Busolt, Griech. Gesch. II 1, 112 Anm. 2. Gegenüber Busolts Frühdatierung tritt Beloch, Griech. Gesch. II 2 (2. Aufl.) 192 f. mit ausführlicher Begründung für die Spätdatierung ein.

[38] V. W. Gomme, An historical commentary on Thucydides I 1945, 389 ff. R. Lenardon, Historia 8, 1959, 23 ff.

Der grüne Kopf
des Berliner Ägyptischen Museums

Von Carl Küthmann

Wohl kaum ein anderes Kunstwerk ist in seiner zeitlichen Stellung so umstritten geblieben wie der sog. *„Grüne Kopf"* des Ägyptischen Museums zu Berlin [Taf. 155 bis 156]. Von der Mitte des 6. bis tief in das 2. Jh. v. Chr. reichen die von Ägyptologen und klassischen Archäologen gegebenen Zeitansätze, ohne daß bisher Übereinstimmung erzielt worden wäre. Eine Übersicht der verschiedenen Datierungen gibt G. A. S. Snijder[1]. Aus dieser geht hervor, daß die Ägyptologen unter Ablehnung jeglichen griechischen Einflusses die Entstehungszeit möglichst hoch hinaufrücken, in die 26. Dynastie, unter Einwirkung der Skulptur der voraufgehenden Äthiopenzeit, vor allem des Kopfes eines Statuenbruchstückes mit erhaltenen Schultern und oberem Teile der Brust aus dem Versteck von Karnak, gewöhnlich Mentuemhet genannt[2], obwohl sie sich unter dessen inschriftlich beglaubigte Bildnisse kaum einreihen läßt. So vor allem R. Anthes, der sich mehrfach mit der Porträtkunst dieser Spätzeit[3] beschäftigt hat und als Entstehungsjahr etwa 530 vor Chr. annimmt. Heinrich Schäfer[4] setzt ihn „unter allem Vorbehalt" in die Zeit um 400 und A. Scharff[5] um 350 vor Chr., in die Epoche, welche die letzte einheimische Dynastie, die Sebennyten, auf dem Pharaonenthrone sah. F. W. von Bissing[6] datiert den Kopf in die Zeit der ersten Ptolemäer, L. Curtius[7] dagegen unter Hervorhebung von starker Wahrung des eigentlich Ägyptischen, aber Beeinflussung durch die fortgeschritteneren anatomischen Kenntnisse der alexandrinischen Akademie in das 2. Jh. v. Chr., ein Ansatz, den er mit einem Ausblick auf mancherlei Beziehungen des spätrepublikanischen römischen Porträts zum *grünen Kopf* begründet. In seiner Besprechung des dem Ansatz v. Bissings sich anschließenden Büchleins von H. Drerup, Ägyptische Bildnisköpfe[8], kehrt F. Chamoux zum Ansatz in die 26. Dynastie zurück[9].

Diese anscheinende Hoffnungslosigkeit, zu einer festen Datierung zu gelangen, läßt sich nur durch eine eingehende Analyse aller Einzelheiten überwinden. Wenn Schäfer[10] ausführt „Man hat in dieser Arbeit griechischen Einfluß sehen wollen, ohne jedoch sagen zu können, worin der eigentlich stecke. Dagegen habe ich stets behauptet, daß alles diesem Kopfe Eigentümliche ägyptischem Geiste entsprungen ist", und Curtius sich zu dem Bekenntnis hinreißen läßt[11] „Wäre alles Ägyptische untergegangen und nur der große grüne Kopf erhalten, so könnte aus ihm allein der Geist der ägyptischen Kunst rekonstruiert werden", so enthalten beide Urteile Übersteigerungen, die auf ihr richtiges Maß zurückzuführen sind.

Zeitschrift für Ägyptische Sprache und Altertumskunde 88, 1963, S. 37–42.

Das Gesicht des Priesterkopfes (Taf. 155) mit seinen alles beherrschenden Augen verleugnet in dem Schnitt der Lider keinen Augenblick seine ägyptische Herkunft. Es sind jedoch so viele, zunächst zurücktretende Einzelheiten in den Zügen enthalten, die man aus der ägyptischen Tradition allein nicht erklären kann, daß wir diesem Neuen nachzugehen uns zunächst bemühen müssen.

Bei dem ausgesprochenen Mangel an Bildwerken der ägyptischen Spätzeit, die es auch nur entfernt mit der künstlerischen Durchbildung dieses Kopfes aufzunehmen vermöchten, gilt es, sich nach etwaigen Anregungen außerhalb des Niltales umzusehen. Vor einem Vierteljahrhundert bereits wies O. Waldhauer auf die Verbindung der spätägyptischen Kunst mit der römischen Porträtbildnerei hin [12]. Seitdem liegt die zusammenfassende Arbeit von B. Schweitzer über die Bildniskunst der römischen Republik vor [13].

Bei unserem *grünen Kopfe* ist zunächst auffallend die griechische Bildung des oberen Randes der Augenhöhlen ohne Wiedergabe der Brauenhaare, die in der griechischen Plastik bis hinein in das 4. Jh. v. Chr. zu verfolgen ist [14] und zu der ich in der gesamten ägyptischen Skulptur keine Parallele kenne. Auf den Einfluß der römischen Porträtkunst des 1. Jh. vor Chr. verweisen bei dem Priesterkopfe die *lunulae* unter dem Unterlide, die wir bei vielen Bildnissen der Republik antreffen [15], aber auch auf solchen des griechischen Ostens [16].

Auf römischen Bildnissen begegnet uns auch die starke, dem inneren Augenhöhlenwinkel entspringende, zunächst der Nase entlang streichende, dann die *lunulae* bogenförmig unten umfassende und sich am Jochbein verlierende Falte, so z. B. in München beim sog. *Marius* und dem dortigen *Greisenkopfe* [17], aber auch beim sog. *Komödiendichter* des Vatikan oder dem sog. *Cicero* [18].

Von ägyptischen Wiedergaben dieser, die untere Augenhöhle umziehenden Falte kenne ich nur den, doch wohl einen Ptolemäer-König mit Kopftuch darstellenden, leider recht fragmentarischen *Wiener Kopf* [19] mit ungewöhnlich starker Betonung dieser Falte, den *Priesterkopf* des Musée Jacquemart-André in Paris aus grünem metamorphischem Schiefer ohne Rückenpfeiler [20], sowie den *Mentuemhet*-Kopf [21] aus Karnak, bei dem sie ebenso auffallend hervorgehoben ist. Merkwürdig bleibt, daß dieser Kopf, der seit seiner Auffindung die Ägyptologen und die Kunstwelt so ungemein gefesselt hat, im Altertum anscheinend keine künstlerische Nachfolge fand. Vielleicht ist es das Bildnis eines Barbaren oder wenigstens Landfremden, bei dem sich der ägyptische Künstler nicht an die für die Darstellung eines Einheimischen geltenden Gesetze gebunden fühlte, und für die wir gerade aus der Äthiopenzeit in den Statuen des *Harwa* [22] oder des *Irigadiganen* [23] Beispiele besitzen.

Die Verfasser des ausführlichen Verzeichnisses der ägyptischen Altertümer in Berlin [24] schließen die Beschreibung des *grünen Kopfes* mit den Worten „merkwürdig sind die kleinen Fältchen (Taf. 156) in der Oberlippe und an der Nase". Die feinen Striche über der Oberlippe, vier rechts und zwei links, sind hier wohl als Altersfältchen, wie man sie bei älteren Leuten, an Frauen häufiger als an Männern, beobachten kann, und nicht als Schnurrbarthaare zu deuten[25].

Die Bemerkung über die Fältchen an der Nase, womit die je drei, schwach abwärtsgerichteten Querfältchen an der linken wie rechten Seite der Nase in den Augenwinkeln gemeint sind, läßt darauf schließen, daß diese den Verfassern an ägyptischen Porträts oder Köpfen unbekannt sind. Und in der Tat hat man sie mit Ausnahme des großen *grünen Kopfes* an keiner anderen ägyptischen Porträtskulptur angetroffen. Ganz geläufig sind sie jedoch als Altersmerkmale jedem, der sich mit dem Bildnis der römischen Republik beschäftigt hat. Sie treten u. a. auf bei dem *Greisenkopf* des *Vilonius*[26]. Die stilisierten, pfeilspitzenartig aus drei Linien zusammengesetzten Falten in den äußeren Augenwinkeln erinnern an deren Schnitt bei dem sog. *Cicero* im Kapitolinischen Museum[27]. In der Mehrzahl der Fälle scheint die oberste, schwach abwärtsgebogen und dann hochgezogen, aus dem Oberlid zu entstehen, wie wir es schon an dem oben erwähnten Kopfe des *Mentuemhet* beobachten können. Auch die Teilung der Unterlippe unseres Priesterkopfes durch eine kurze Kerbe erscheint bei dem sog. *Cicero*-Kopf des Museo Capitolino[28].

Die an fast allen nachsullanischen Bildnissen des 1. Jh. v. Chr. auftretenden Nasolabialfalten zeigen beim *grünen Kopfe* eine ungemein sorgfältige, stilisiert ornamentartige Durchbildung, die als Besonderheit in Höhe der weitesten Ausbiegung beiderseits eine häckchenförmig gebogene Furche abwärts sendet (Taf. 156). Können wir die Nasolabialfalten in Ägypten als Ausdrucksmittel für Altersdarstellungen weit hinauf verfolgen[29], so ist ihre hier vorliegende Gestaltung doch sehr selten. Ich kenne diese nur bei dem *Priesterkopf* von der Agora in Athen[30] und bei dem in zwei römischen Kopien vorliegenden Kopf einer alten Frau [Taf. 25][31], dessen Original nach Ausweis der Haartracht dem 5. Jh. v. Chr. angehört[32]. Der außergewöhnliche Verismus der Züge mit den schweren Augensäcken, den Nasenwurzelsteilfalten, den beiden dünnen parallelen Querfalten vor der Stirn, den fast ohne Relief eingerissenen Nasolabialfalten mit den seitlichen Häckchen deuten auf Entstehung dieser Kopien in den vierziger Jahren des 1. Jh. v. Chr., denen ja auch der Athener *Priesterkopf* angehört.

Aber noch weitere Charakteristika teilt der *grüne Kopf* mit der Skulptur der spätrepublikanischen Zeit. Über die Nasenwurzel ziehen sich zwei parallele Querfalten, wie wir sie an Bildnissen der Zeit des Cicero[33] und vor allem des Cäsar finden[34]. Bei dem *Cäsarkopf Chiaramonti* ist die Doppelquerfalte beiderseits in die Augenwinkel herabgezogen, um die feinen Parallelfältchen wie bei dem *grünen Kopf*, dem des *Vilonius*, dem des *Porträts von Acireale* zu ersetzen.

Über diesen Querfalten ziehen sich zwei starke, scharfgeschnittene Parallel-Steilfalten von der Nasenwurzel bis zum oberen Teile der Unterstirne, eine bei ägyptischen Skulpturen in dieser Prägnanz sonst nicht zu beobachtende Erscheinung, wohl aber bei zwei weiteren Porträts, die beide mit dem Namen *Cäsars* verknüpft sind, dem *Marmorkopfe in Turin* und der *Büste aus metamorphischem Schiefer* in Berlin[35].

Auf der Unterstirn unseres Priesterkopfes ist links und rechts von den Parallelsteil-
falten über der Nasenwurzel je eine leichte Schwellung zu erkennen, deren Außen-
seiten oberhalb der vortretenden Augenhöhlenränder in schwache, oben gerundete
Vertiefungen übergehen. Die gleiche Erscheinung wiederholt sich an dem *Berliner
Marmorkopfe* cäsarischer Zeit aus Ägypten [36] mit seinen dem *grünen Kopfe* auffällig gleichenden, brauenlosen Augenhöhlenrändern. Nur bilden bei ihm die Stirnfalten über der Nasenwurzel einen spitzen Winkel von geringer Höhe, und eine dünne
Steilfalte stößt bis zur vortretenden Oberstirn vor. Auch der im Tiber gefundene
Marmorkopf eines Isispriesters [37] im Museo Nazionale zu Rom schließt sich hier an.
Die seitlichen Vertiefungen über den brauenlosen Augenhöhlenrändern sind bei
ihm, vergröbert, flachbogig umgrenzt.

Mit keiner anderen antiken Plastik verbinden den *grünen Kopf*, bedingt schon
durch den beiden gemeinsamen Werkstoff, nähere Beziehungen als mit der *Berliner
Cäsarbüste* [38]. Er teilt mit diesem Bildnis den eiförmigen Umriß des Kopfes [39]. Das
Haar ist hier nicht plastisch gebildet, sondern in kunstvoll übereinander gereihten
Zotteln sorgfältig eingeschnitten. Die Stirn wird ähnlich wie beim *grünen Kopfe*
gegliedert durch flache Mulde zwischen der vortretenden Ober- und Unterstirn, frei
von den Querfalten der Marmorbildnisse. Die Nasolabialfalten freilich vereinigen
sich nicht wie beim Priesterkopf in einer Kurve, sondern gehen in die erste senk-
rechte Wangenfalte über. An dem Ohrläppchen beider Köpfe tritt eine kurze, von
der Gegenleiste zum äußeren Rande verlaufende Alters-Schrägfalte auf, die ja auch
bei dem sog. *Cicero des Museo Capitolino* (Hekler 160), bei dem *Pompeius* in
Venedig (Schweitzer Abb. 121), ja sogar bei der *Octavia* des Louvre (R. West,
Taf. 26, 104, Hekler, Taf. 207 a) erscheint.

Für die Datierung des *grünen Kopfes* gibt aber ein anderes, bisher übersehenes
Moment den Ausschlag. Von jeher hat man sich über die eigentümliche Bildung der
Ohren links bzw. rechts vom äußeren Gehörgange gewundert (Taf. 156). v. Bissing [40]
kennzeichnet sie mit den Worten „Das Eck ist etwas stark nach außen gekehrt und
die Schenkelgrube verflüchtigt sich. Am Läppchen sieht man eine Grube und einen
Spalt. Die horizontale Teilung des Ohres ist stark betont. Mehrere Falten führen
vom Ohrenrand in die Gegend des äußeren Gehörganges abwärts, auch dort den
Eindruck des straff anliegenden Fleisches schaffend." Seiner Beschreibung ist insofern ein Irrtum unterlaufen, als er das linke Ohr, das, freilich verkümmert, an seiner
richtigen Stelle angegeben ist, „als etwas stark nach außen gekehrt" anspricht und
es daher mit den zunächst waagerecht vorspringenden, dann schräg abwärts gebogenen Falten verwechselt, die sich in den langen, fast senkrechten Riefeln parallel
zum Ohrrand bis zum untersten Zipfel des Läppchens fortsetzen. Aus diesen, unge-
schickt genug wiedergegebenen Altersfalten kann man mühelos erkennen, daß die
Wiedergabe dieser Erscheinung dem ägyptischen Künstler nicht gelegen hat und er
sie einem griechisch-römischen Vorbilde, vielleicht nicht einmal vollkommen verstanden, entnahm.

Die Aufklärung geben die spätrepublikanischen Bildnisse, deren Verismus so weit geht, daß keine individuelle Besonderheit unberücksichtigt bleibt, von dem kleinsten Fältchen bis zur entstellenden Warze. Bei einer nicht geringen Anzahl dieser Porträts finden wir die langen, auf der Wange nahe dem Ohr meist etwas schräg entlangstreichenden und bisweilen auch das Ohreck bedeckenden, jedenfalls häufig beengenden [41] Altersfalten. Und diese für ein ägyptisches Bildnis bisher noch nicht nachgewiesenen Altersmerkmale treten beim *grünen Kopfe* zum ersten Male auf. Die Wiedergabe der im Gegensatz zur sonst bevorzugten rechten, hier einmal von Anthes [42] gewählten linken Seitenaufnahme läßt die drei oder vier in Höhe des Ohrläppchenendes einsetzenden und bis über das Eck hinaufreichenden Parallelfalten, wenn auch wegen des harten Materials schwach, jedoch deutlich genug erkennen (Taf. 156). Eine entsprechende Parallele in der römischen Porträtplastik bietet der *Greisenkopf* des Museo Torlonia [43], wo beim rechten Ohr die sehr steil geführten Falten das Eck vollkommen, am linken großenteils bedecken. Was v. Bissing als Ohreck betrachtet, sind die Abschlußkonturen der parallel zum Ohr sich hinziehenden Falten. Das gleiche gilt vom rechten Ohr, nur daß wegen der Härte des Steines der Faltenstreifen auch am Original kaum mit bloßem Auge erkennbar ist, sondern allein das obere Faltenende neben dem Ohre ihn andeutet. Eine Erklärung für die auffallende Schwellung am Eingang zur rechten Ohrmuschel [44], nach außen durch eingeschnittene, flachgebogene Linie abgegrenzt, sucht man in der einschlägigen Literatur vergebens. Selbst v. Bissing erwähnt sie nicht. Und doch ist auch sie für die zeitliche Einreihung des Priesterkopfes von Belang. An der gleichen Stelle wie bei dem ägyptischen Kopfe erscheint sie an dem des *Aiedius* [45] auf seinem Grabrelief in Berlin, nur daß die ungegliederte Schwellung durch schräg abwärts laufende Altersfalten aufgelockert ist. Die Nasolabialfalten weisen auch bei *Aiedius* in Höhe des Mundes die seitlichen, freilich greisenhafter gestalteten Häkchen auf, wie beim *grünen Kopfe*. Die Zeit des Reliefs wird durch die Melonenfrisur der anscheinend weit jüngeren Frau auf die Anfangsjahre des Augustus bestimmt. Eine ähnliche Wiedergabe dieser in flachen Bogen rechts vom Ohr vorspringenden Altersfalten treffen wir an bei dem marmornen *Priesterkopf* von der athenischen Agora [46], deren untere Fortsetzung in Höhe des Ohrecks sich stilistisch besonders eng mit der gleichen Partie am ägyptischen Priesterkopfe berührt. Die Ursache zur dortigen summarischen Behandlung des Faltenwerks wird in der Härte des Steines liegen.

Die weitgehende Übereinstimmung der künstlerischen Ausdrucksmittel erklärt sich nur aus der zeitlich nahen Stellung bei den sonst ganz verschiedenen Denkmälern und deutet hin auf die letzten Jahre Cäsars bis zu dem Aufstieg von Augustus, also etwa das Jahrzehnt von 45 bis 35 vor Chr.

Anmerkungen

[1] Mnemosyne, Leiden 1939, S. 253. [Vgl. auch R. Bianchi, The Egg-Heads: One type of Generic Portrait from the Egyptian Late Period, in: Römisches Porträt, Wiss. Konferenz 1981 (Wiss Z Berlin 31, 1982) 149ff.; C. Vandersleyen, Chronique d'Égypte 60, 1985, 358ff.]

[2] Hoher Beamter der Äthiopenzeit in Theben. [J. Leclant, Montouemhat, quatrième prophète d'Amon, prince de la Ville (1961).]

[3] Arch. Anz. 54, 1939, Sp. 376ff.

[4] Schäfer–Andrae, Kunst des alten Orients, S. 112/13. [Vgl. auch W. Kaiser, Jb BerlMus 8, 1966, 5ff.]

[5] Handbuch der Archäologie, München 1937–39, S. 623, Taf. III, 1.

[6] Denkmäler ägyptischer Skulptur, München 1911, Text zu Tafel 105.

[7] Handbuch der Kunstwissenschaft, L. Curtius, die antike Kunst I, S. 207 und 209.

[8] Münster 1950.

[9] Revue Archéologique 6. Serie, Bd. 45, 1955, S. 237/38.

[10] Amtliche Berichte aus den Berliner Museen 35, 1913/14, S. 144.

[11] A. a. O. S. 207.

[12] Arch. Anz. 1930, S. 203 dazu Ab. 9 und 10. [Vgl. auch G. M. A. Richter, JRS 45, 1955, 39ff.; A. Adriani, RM 77, 1970, 72ff.]

[13] Leipzig 1948.

[14] Statue des Maussollos von seinem Grabmal (Hekler 38), ein weiteres Beispiel unter vielen – von den römischen des 1. Jh. v. Chr. ganz zu schweigen – der Kopf eines hellenistischen Herrschers aus Pergamon in Berlin (Hekler 75).

[15] Besonders ausgeprägt bei Schweitzer Abb. 129, 130; Boehringer, Der Caesar von Acireale, Taf. 16 und 17.

[16] Beim Kopfe aus Delos, Schweitzer Abb. 94.

[17] A. Br. 27, 30; Schweitzer Abb. 170 und 148/9.

[18] A. Br. 1226, Schweitzer Abb. 122, Cicero = Hekler 160.

[19] H. Demel, Jahrb. der Kunsth. Slg. in Wien, N. F. 10, eine gute Wiedergabe bei Anthes, Ae. Z. 1937, Taf. 6.

[20] Schäfer–Andrae Taf. XX, R. Delbrück, Antike Porträts, Taf. 9.

[21] F. Poulsen, From the collections of the Ny Carlsberg Glyptothek, Bd. 3, 1942 S. 160f. Abb. 17.

[22] Bulletin de l'Institut français du Caire Bd. 30, 1931, Taf. 2; Scharff, Hdb. d. Archaeologie, München 1937/39, S. 617, Taf. 108, 1.

[23] Bulletin de l'Institut français d'archéologie orientale, Bd. 34, 1937, Taf. 1 und 2.

[24] 2. Aufl. 1899, S. 320, Nr. 12 500.

[25] Wie sie v. Bissing, Denkmäler ägyptischer Skulptur, Text zu Taf. 105 immerhin für möglich hält. Bei dem Marmorkopf eines Prinzen aus dem julischen Hause, in Berlin, Blümel R. 17, Taf. 8, wo die Striche etwas dichter gereiht und auch über den Mundwinkeln erscheinen, wird man bei dem jugendlichen Gesichte an Schnurrbarthaare, die noch nicht dem Schermesser zum Opfer gefallen sind, zu denken haben.

[26] A.-Br. 1158 (Vilonius), Boehringer, der Cäsar v. Acireale, Taf. 13, A.-Br. 598/99 Büste in Neapel, Cäsar von Acireale Taf. 2.

[27] Hekler Taf. 160. [Vgl. aber Kaiser a. O. (o. Anm. 4) Abb. 1. 2. 4. 5–10. 13.]

[28] Die Teilung der Unterlippe ist gut ägyptisch und kommt bereits unter der IV. Dynastie vor, wie beim Kopfe des Dedefre aus Abu Roasch im Louvre (Encycl. photogr. de l'art, le Musée du Louvre I, Taf. 10) und in der 12. Dynastie bei Amenemhet III., Kopf aus Bubastis (Evers, Staat aus dem Stein I, Taf. 114 II, S. 92, 621).

[29] So z. B. an dem einzigartigen Köpfchen der Königin Teje (Amenophis III.) geschnitten aus Eibenholz. Gute Abb. bei R. Delbrück, Antike Porträts, Taf. 5.

[30] Hesperia Bd. 4, 1935, Fig. 30, S. 405. Danach Buschor, das hellenistische Bildnis S. 55, Abb. 44.

[31] Die bessere Londoner abgeb. bei R. Delbrück, Antike Porträts Taf. 21 und F. Poulsen, Jb. d. Inst. 47, 1932, S. 81, Abb. 5, die geringere bei B. M. Feletti-Maj, Museo Nazionale Romano. I. Ritratti Nr. 1. – Die gesamte Literatur bei Laurenzi, Ritratti Greci S. 89, Nr. 10.

[32] Die Haartracht ähnelt der eines Demetertypus, von dem eine römische Kopie sich in Berlin befindet (Blümel, Röm. Kopien griech. Skulpturen d. V. Jh. vor Chr. Nr. 168).

[33] Beim Cicero des Museo Chiaramonti (Schweitzer Abb. 139), beim sog. Cicero des Kapitol. Mus. (Hekler 160).

[34] Beim Cäsar Chiaramonti (Boehringer, Cäsar von Acireale Taf. 24), bei dem des Senatorenpalastes (Boehringer Taf. 27), bei dem Kolossalkopf in Neapel (Boehringer Taf. 30). Bei dem in Turin (Boehringer Taf. 20).

[35] Boehringer, Taf. 20 und Taf. 42/43. Bernoulli, Röm. Ikonogr. I, S. 177, Taf. 18, Blümel, Röm. Bildn. R. 9, S. 4, Taf. 5, Hekler 158a. Rodenwaldt, Kunst d. Antike, Taf. 35.

[36] Blümel, R. 44, S. 19, Taf. 9, ein Geschenk des Freiherrn F. W. v. Bissing, Blümel setzt diesen Kopf, mir unbegreiflich, in die zweite Hälfte des 1. Jh. n. Chr.

[37] Schweitzer Abb. 126.

[38] Die vagen Zweifel des in ihrer Beurteilung so unsicheren Bernoulli bedürfen keiner ernsthaften Widerlegung. Der erste, die Unversehrtheit der Büste, trifft nicht einmal vollkommen zu, da mehrere, wenn auch geringfügige Ausbesserungen vorliegen. Den anderen hinsichtlich der Büstenform hätte er, wie er es bei der Berliner Marmorbüste Cäsars getan hat, im Vorwort des zweiten Bandes berichtigen können, in welchem er S. 89/90 die kleine Bronzebüste der Livia aus Neuilly-le-Réal erwähnt und abbildet. Deren Büstenform ist der des Cäsarbildnisses sehr ähnlich. Schon die Gravierung des Haares in diesem sehr harten Stein mit sorgfältiger Beobachtung der Mittellinie einer jeden Haarzottel, die von Blümel hervorgehobene Sinterbildung in dem Liniengewirr und die zierliche Arbeit an der Ohrmuschel wie deren Ähnlichkeit mit der des Bronzekopfes aus Samnium im Louvre (Poulsen, Probleme Abb. 15) schließen die Arbeit eines Fälschers des 18. Jh. aus.

[39] Der eiförmige Kopfumriß tritt in Ägypten bereits vor der El-Amarna-Zeit auf, z. B. bei dem Köpfchen der Prinzessin Nofrure, der Tochter der Hatschepsowet, mit der Senmut, der Wesir ihrer Mutter, in seiner Hockerstatue sich darstellen ließ (Schäfer–Andrae, Kunst d. alten Orients Taf. 322). Die Mode der unnatürlich überstreckten Prinzessinnenköpfe hat die Amarnazeit nicht überdauert. An römischen Beispielen dieser Eiform sind aus dem 1. Jh. v. Chr. mehrere bekannt. Ein solches zeigt Hekler 140.

Waldhauer im A. A. 54, 1930, S. 201/202 in aufschlußreicher Gegenüberstellung mit dem *grünen Kopf*. Ein bisher in 5 Kopien vorliegender Greisenkopf (Poulsen, Probleme d. röm. Ikonogr. Taf. 35) zeigt mit seinem schütteren Haar noch größere Ähnlichkeit mit der Kontur des *grünen Kopfes*, aber auch dem der Berliner Cäsarbüste. Eine für römische Skulpturen fast übertriebene Eiform zeigt ein männliches Bildnis cäsarischer Zeit in der

Münchener Residenz A.-Br. 1155/56 mit anatomisch richtiger Ergänzung eines Teiles des Hinterhauptes. Unsere kurze Liste zeigt deutlich, daß diese Kopfform, aus Ägypten stammend, durch die direkte Berührung mit Rom unter Cäsar in der römischen Skulptur in Aufnahme kam.

[40] Denkmäler ägyptischer Skulptur, Text zu Taf. 105. [Vgl. aber Kaiser a. O. (o. Anm. 4) Abb. 6–10. 21–24.]

[41] Vgl. die Marmorherme in Berlin, Blümel, R. 3, Taf. 3.

[42] Arch. Anz. 1939, Sp. 381, Abb. 4.

[43] Schweitzer, Abb. 85/86.

[44] R. Delbrück, Antike Porträts, Taf. 11 links.

[45] Abb. des Kopfes allein bei G. Rodenwaldt, Kunst der Antike, Berlin 1927 S. 532 und Kunst um Augustus, Berlin 1942, S. 36, Abb. 20.

[46] Hesperia, Bd. IV, 1935, Fig. 31, S. 406. F. Poulsen, Probleme der röm. Ikonographie Taf. 55.

Der Themistokles von Ostia

Seine Wirkung in fünfundzwanzig Jahren

Von Hellmut Sichtermann

Kurz vor Ausbruch des Zweiten Weltkrieges wurde im antiken Ostia in der Nähe des Theaters ein als Hermenbüste gearbeitetes Porträt eines bärtigen Mannes gefunden, welches am unteren Rand die in griechischen Buchstaben eingehauene Inschrift *„Themistokles"* trug. Das Werk, aus griechischem Marmor bestehend, war im ganzen gut erhalten, nur die Nase und der linke Backenbart wiesen Beschädigungen auf [Taf. 9, 2; 10; 11, 1; 12, 1].

Damit war unserer Zeit das erste gesicherte Bildnis des großen athenischen Staatsmannes geschenkt worden, und zwar an einem Orte, wo niemand einen solchen Fund vermutet hätte.

Man sollte meinen, daß das Porträt allein schon durch diese einfachen, undiskutierbaren Tatsachen ein gewisses Aufsehen erregt hätte; und da es sich um ein Kunstwerk handelt, hätte man auch eine unmittelbare Reaktion auf diesen seinen künstlerischen Charakter erwarten können.

Eine Umschau in dem seither erschienenen Schrifttum zeigt jedoch, daß gerade diese einfachen, im wahren Sinne des Wortes „primitiven" Tatsachen von recht geringer Wirkung gewesen sind.

In den seither erschienenen allgemeinen Wörterbüchern wird der Herme wenig Beachtung geschenkt; das vom Kröner-Verlag herausgegebene ›Wörterbuch der Antike‹ (⁶1963) z. B. nennt sie gar nicht, und in dem ›Kleinen Lexikon der Antike‹ von O. Hiltbrunner, dessen zweite Auflage 1950 erschien, findet sich nur ein kurzer Hinweis (497).

Wenn das vielleicht auch durch die Allgemeinheit und bewußte Knappheit der betreffenden Publikationen gerechtfertigt erscheint, so können beide Gründe für die inzwischen erschienene Spezialliteratur nicht immer angeführt werden.

Dennoch ist beispielsweise in den historischen Veröffentlichungen keine große Wirkung des Porträts von Ostia zu verzeichnen. So bringen etwa G. W. Botsford und Ch. A. Robinson in der dritten Auflage ihrer ›Hellenic History‹, welche 1950 erschien, obwohl sie der Ausgabe 106 Tafeln beigeben, keine Abbildung des *Themistokles*, erwähnen auch im Text das Bild nicht. Andere begnügen sich mit kurzen Hinweisen, wie etwa H. Bengtson in seiner ›Griechischen Geschichte‹ (²1960, 144). Die ›History of Greece‹ von J. B. Bury (1951) bringt zwar als winzige Vignette eine Abbildung (322 Abb. 96), doch geht der Text auf sie nicht ein, ebensowenig wie der

Gymnasium 71, 1964, S. 348–381.

der anspruchsvolleren ›Propyläen-Weltgeschichte‹ (1962), welcher von A. Heuß
stammt, obwohl die tüchtige Bildredaktion – aber eben nur sie – dem Werke eine
ganze Tafel mit dem Ostia-Bildnis beigegeben hat (bei 217). Nur A. R. Burn hatte
den Mut, in seinem Buche ›Persia and the Greeks‹ (1962) der Herme einen ganzen
Abschnitt zu widmen, welcher nicht nur eine wohldurchdachte Auseinandersetzung
mit dem Bildnis als solchem enthält, sondern gänzlich unbefangen von dem Erlebnis eines "face to face" ausgeht: "As often, to meet the man thus ‚face to face‘ is a
surprise . . ." (281). Die gleiche "surprise" soll uns noch öfter begegnen.

Im philologischen Schrifttum scheint nur die auf größere Popularität bedachte Plut-
archübersetzung von K. Ziegler (Artemis-Verlag) das Bildnis zu berücksichtigen; es
wird nach einer gedruckten Vorlage schlecht und recht wiedergegeben (257 Abb. 4).
Hat also die Tatsache, daß es sich hier um das erste, beglaubigte Bildnis des Themistokles handelt, nicht viel Eindruck gemacht, so haben es die übrigen Tatsachen
nicht viel mehr getan.

Daß es sich hier um ein zunächst römisches Werk, den Teil einer römischen Umgebung, Zeichen römischen Geschmacks und römischer Bildung handelt, und das
dazu noch an einem so seltsamen Orte, dazu hat sich kaum jemand geäußert. Es
mag Zufall sein, daß inzwischen wenig über „Römisches" überhaupt veröffentlicht
wurde; doch auch die Ostia-Spezialisten gaben sich kaum mit dem unerwarteten
Funde ab. Obwohl R. Calza und E. Nash in ihrem ›Ostia‹ (1959) einige andere in
Ostia gefundene Porträts abbilden, bringen sie den *Themistokles* weder als Bild
noch im Text, ebensowenig wie H. Schaal ›Ostia, der Welthafen Roms‹ (1957) [1]. Das
umfangreiche Werk von R. Meiggs, ›Roman Ostia‹ (1960) erwähnt das Bildnis in
wenigen Zeilen, wobei zwar die Besonderheit des Fundortes betont wird: ". . . if it
belonged to a tenant of the house, it is interesting to speculate why and how he acquired it . . ." (433), ohne daß jedoch diesen „Spekulationen" weiter nachgegangen
wird; abgebildet wird das Werk auf den vierzig Tafeln des Buches nicht. Wiederum
nur eben erwähnt ist die Herme im Stichwort „Ostia" des 1963 erschienenen fünften
Bandes der ›Enciclopedia dell'Arte Antica‹ (795, G. Becatti) [2].

Die Ursache dieses geringen Echos ist leicht anzugeben: unter archäologischer Aufsicht gefunden und unter gleicher Aufsicht in das wenige hundert Meter vom Fundort entfernte „Museo Ostiense" verbracht, unterstand und untersteht das Werk
bis heute nur den Archäologen, und da heutzutage für jedes antike Kunstwerk
schon von Staats und Gesetzes wegen nur die Archäologie zuständig ist und das für
Antiken geltende Ausfuhrverbot fast auch schon für die Wissenschaft Geltung besitzt, hat die Diskussion um das Werk die Grenzen der fachlich-archäologischen
Probleme bisher kaum überschritten, und die vereinzelten Versuche, es außerhalb
der Fachwelt bekanntzumachen [3], geschahen in so eindeutig archäologischer
Form, daß sie sich von den übrigen Äußerungen in den Fachzeitschriften kaum
unterschieden.

Dieses Eingesperrtsein in eine einzige Wissenschaft wird dadurch begünstigt, daß auch alle anderen Aspekte, die das Werk außer dem archäologischen noch haben könnte, zum Ressort von anderen Wissenschaften gehören, eine Kommunikation also schwer möglich ist. Schon der Dargestellte, *Themistokles* selbst, der noch Unporträtierte, der Staatsmann sowohl als der Mensch, ist ja kaum Gegenstand irgendeiner auf das Allgemeine gerichteten Aufmerksamkeit, sondern gehört ganz und gar in den Bereich der Alten Geschichte. Für diese aber, als Wissenschaft, ist das Äußere der von ihr behandelten Gestalten nur ein sekundäres Phänomen, niemals Gegenstand der eigenen Forschung, und taucht es irgendwo einmal auf, so holt man sich eben Rat bei denen, die sich von Amts wegen damit beschäftigen, wobei man allenfalls bereit ist, das Anliegen dieser Leute mit dem kollegialen Titel „Nachbarwissenschaft" zu klassifizieren, womit aber im Grunde eben doch nicht das Einigende, sondern das Trennende bezeichnet ist. Respekt vor den Kompetenzen; weshalb es nur logisch erscheint, daß die Einführung eines antiken Porträts wie das des *Themistokles* in die Alte Geschichte durch höfliche und korrekte Zitierung der zuständigen archäologischen Aufsätze geschieht, und daß das Prädikat „bemerkenswert", wenn es überhaupt gebraucht wird, sich nur auf eine *archäologisch* bemerkenswerte Tatsache bezieht (H. Bengtson a. O.). Ob irgendein Althistoriker die zitierten Aufsätze dann liest, versteht und für seine Vorstellung von *Themistokles* verwendet, ist eine andere Frage. Denn die Mahnung „ohne Kenntnis der mit dem Geist schicksalhaft verbundenen, vergänglichen Daseinsform ist jede Persönlichkeitsvorstellung unvollständig", und daher gehörten „die Porträtdarstellungen historischer Persönlichkeiten zu den kostbarsten bildlichen Dokumenten der Geistesgeschichte"[4], stammt nicht von einem Historiker, sondern von einem Archäologen, ist also parteilich.

Diese Mahnung ist aber immerhin schon ein Versuch, die Grenzen zu durchbrechen, Brücken zu schlagen. Denn die Archäologie als solche interessiert sich für die antiken Porträts ja auch nicht um des Aussehens der Dargestellten willen. Als Geschichte der antiken Kunst ist sie an einem antiken Kunstwerk, ganz gleich, was es darstellt, nur soweit interessiert, als es sich in die antike Kunstgeschichte einordnen läßt, und die „Ikonographie" geht sie nur insofern etwas an, als sie zu diesem Einordnen etwas beitragen kann. Das „Wann" ist ihr wichtiger als das „Wer", und dieses „Wann" geht nicht vom Objekt, sondern von der Geschichte aus. Diese aber ist nicht Geschichte des zufällig noch Vorhandenen, sondern dessen, was einst da war; hiernach bestimmt sich der Wert des Vorhandenen, seiner Rekonstruktion hat es zu dienen – auch wenn es selbst dabei zurücktritt[5].

Auch der *Themistokles* von Ostia interessiert *als solcher* die Archäologie sehr wenig, da er für eine Kopie zu halten ist; das hinter ihm stehende Original ist das Ziel aller Untersuchungen – was bei der Archäologie als einer historischen Wissenschaft heißt: seiner zeitlichen und örtlichen Einordnung.

Nun wird jeder bereit sein zuzugeben, daß die Lösung dieser Fragen wenn nicht unbedingtes Erfordernis, so doch wichtige Voraussetzung für jede weitere Beschäftigung mit dem Werke ist, wodurch sich auch das geduldige Warten der außerarchäologisch Interessierten erklärt. Da nun „der archäologische Meinungsstreit um das *Themistokles*porträt in Ostia inzwischen in sein drittes Jahrzehnt eingetreten ist, ohne irgendwie an Aktualität eingebüßt zu haben"[6], d. h. eine allgemein befriedigende Antwort noch nicht gefunden wurde und erst kürzlich in einem Rückblick abschließend erklärt werden mußte: „Le problème est donc encore ouvert"[7], so ist das Schweigen der Nichtarchäologen doppelt verständlich. Die Schwierigkeiten bei der Lösung der Datierungsfrage haben bisher eine breitere Wirkung des Fundes von Ostia verhindert, das Kopfzerbrechen, das er den Archäologen bereitet hat und noch bereitet, ließ ein anderes Interesse gar nicht aufkommen; die archäologische Sensation, die den Umständen nach als erste auftreten mußte, hat die künstlerische, die historische und schließlich auch die geistesgeschichtliche beeinträchtigt, wenn nicht unmöglich gemacht.

Man täusche sich über diesen Gegensatz nicht. Es stehen sich hier zwei Arten der Anteilnahme gegenüber: auf der einen Seite stehen die, welchen die kunstgeschichtliche Einordnung nur Mittel zum Zweck ist, das Werk ikonographisch, künstlerisch und kulturgeschichtlich würdigen zu können, und die am Zeitbedingten, am Stil nur soweit interessiert sind, als es abzustreifen ist, um entweder zum reinen „Porträt des Themistokles" oder gar nur zum zeitlosen Kunstwerk vordringen zu können, auf der anderen diejenigen, welche das Werk lediglich als Glied in der Entwicklung der griechischen Kunst ansehen.

Es kann auch keine Annäherung während des Arbeitsprozesses erfolgen, denn da die Fragestellung der Archäologen eine derjenigen der Nachbarwissenschaften oder der reinen Betrachtung diametral entgegengesetzte ist, wird auch der Wert der Einzeltatsachen diametral entgegengesetzt veranschlagt.

Die unumstößliche Tatsache etwa, daß es sich hier um ein Porträt des *Themistokles* handelt, wird dahingehend ausgewertet, daß man fragt, wann ein solches Porträt überhaupt möglich gewesen sei – um so einen Anhaltspunkt für die Datierung zu gewinnen. Seine künstlerische Qualität wird, sofern positiv beurteilt, als Beweis für klassisch-griechischen Ursprung des Originals, sofern negativ beurteilt, als Beweis für späte, eklektische oder retrospektive Entstehung desselben angesehen. Die Tatsache, daß es in der Nähe des Theaters gefunden wurde, dient zu der Überlegung, daß vielleicht auch das Original mit einem Theater in Zusammenhang gebracht werden könnte, was wiederum, in Verbindung mit diesbezüglichen literarischen Nachrichten, allein zu dessen Datierung dient[8]. Vor allem aber die Tatsache, daß es sich um ein römisches Werk handelt, wird nur dazu benutzt, die römischen Züge möglichst zu eliminieren, und wenn eine Erkenntnis des römischen Anteils erstrebt wird, dann nur, um von ihm absehen zu können. Und die Porträtzüge werden nur insofern beachtet, als sie sich vielleicht mit antiken Nachrichten über das Aussehen des Themistokles verbinden lassen, was für eine zeitgenössische Darstellung sprechen könnte, womit man wieder der Datierung des Originals näher gekommen wäre. Um ihrer selbst willen werden all diese Tatsachen von der archäologischen Forschung nicht berücksichtigt.

Nun steht gewiß hinter dieser archäologischen Bemühung um die Datierung letzten Endes doch das Bewußtsein, es mit einem Werk allgemeiner Bedeutung zu tun zu haben, ohne welche jene Bemühung ja auch nur einen halben Sinn hätte. Dieses – zumeist latente – Bewußtsein kann durchaus auch hin und wieder an die Oberfläche steigen. So gab es Archäologen, die bei Bekanntwerden des Porträts nicht von ihrem Wunsche sprachen, durch neue Funde die Entwicklungsgeschichte des griechischen Porträts zu klären, sondern einfach, ein Bildnis des Themistokles zu besitzen. Wenn dabei auch gelegentlich immer noch das eigene Fach genannt werden kann und von dem „von den Archäologen so oft gewünschten, inschriftlich bezeichneten Kopf des Themistokles"[9] gesprochen wird – als ob sich sonst niemand diesen Kopf gewünscht hätte! –, so ist dann schließlich doch auch ganz einfach von „unserem Wunsch nach einem zeitgenössischen Bildnis des Themistokles" (B. Schweitzer [Anm. 2] 78) die Rede, wobei unter „uns" an der Stelle, an welcher dieser Satz steht, nicht nur die Fachgenossenschaft gemeint sein kann. Auch ist es sicher schon ein Zeichen der über das rein Archäologische hinausgehenden Wertschätzung, daß die Veröffentlichung des Werkes nicht in einer streng fachlichen Publikation wie etwa den ›Notizie degli Scavi‹ erfolgte, sondern in der mit umfassenderem Anspruch auftretenden Zeitschrift ›Le Arti‹ (2, 1939/40, 152 ff. G. Calza) – eben als die Bekanntmachung einer „opera d'arte", welche nicht nur den Archäologen angeht. Und wie schon hier (152), so wurde auch noch gelegentlich in später erschienenen Abhandlungen die „ikonographische" Bedeutung des Fundes an erster Stelle genannt[10].

Oft ist aber eine solche Reverenz vor der allgemeinen Bedeutung nicht mehr als eine bloße Einleitung. Wenn beispielsweise erklärt wird, die Herme des *Themistokles* bedeute „nicht bloß deshalb eine Überraschung, weil sie uns zum ersten Male ein gesichertes Bildnis des Siegers von Salamis bietet, sondern *vor allem*, weil der Charakter dieses Bildnisses allem widerspricht, was unsere bisherige Kenntnis der griechischen Porträtkunst erwarten ließ" (Diepolder a. O. [o. Anm. 3] 114), so wird eben doch der stilistischen Überraschung der Vorrang vor der allgemeinen gegeben, auch wenn diese an erster Stelle genannt wird. Da diese Bemerkung zudem in einer allgemeinen, nicht archäologischen Kunstzeitschrift steht, scheint damit ein absoluter Vorrang dieser stilistischen Überraschung proklamiert zu werden – denn wer soll hier unter „uns" verstanden sein?

Das ikonographische Problem wird dann auch konsequenterweise weiter nicht berührt, und man folgt damit der Mahnung Bianchi Bandinellis, der ausdrücklich erklärt hat, das stilistische und das ikonographische Problem seien nicht voneinander zu trennen, die Lösung des einen ziehe die des anderen nach sich[11] – was in der Archäologie aber nur heißen kann, daß erst das Datierungsproblem gelöst sein müsse, ehe man an das ikonographische gehen darf. Ob das dann noch die Archäologie zu tun habe, bleibt überhaupt dahingestellt; es gibt Archäologen, die diesen Teil der

Beschäftigung mit dem Werk als „Grundsatzfrage" rundweg ablehnen (Drerup 26 [= hier S. 291]), oder solche, die auch die ikonographischen Konsequenzen unter ästhetischem Gesichtspunkt ansehen und lediglich „nostro desiderio *estetico* reguardo al problema del ritratto di Temistocle" [12] befriedigt sehen wollen.

So ist es erklärlich, wenn von den Archäologen bisher nur wenige so unpuritanisch waren, sich an die Mahnung nicht zu halten, alle „Grundsatzfragen" des Porträts außer acht zu lassen, und die sich, nachdem sie die Datierung gefunden zu haben glaubten (aber erst danach!), sogleich selbst zu dem Porträt als solchem äußerten, wobei sie also eigentlich nicht mehr als Archäologen, sondern als Privatleute sprachen. Sie gingen dabei mehr oder weniger von der gleichen unproblematischen Überzeugung aus, die schon G. Calza bei der ersten Bekanntmachung der Herme geäußert hatte, daß sie uns „fa conoscere l'aspetto fisico del creatore della prima flotta ateniese" [13], daß man sich also, ohne ängstlich auf den Stil des Porträts zu achten, getrost mit diesem „aspetto fisico" als solchem auseinandersetzen dürfe. Calza selbst gab offen seiner Überraschung Ausdruck (a. O. 152. 156): „Nessuno certo avrebbe potuto identificare il ritratto per quello di Temistocle", „in verità il grande ateniese non ci si presenta come ce lo saremmo immaginati". Ähnlich urteilten auch B. Schweitzer ([o. Anm. 2] 78): „Niemand würde sich den Sieger von Salamis und Führer Athens in entscheidenden Jahren so vorgestellt haben." G. Rodenwaldt ([o. Anm. 2] 90): „Das Bildnis entspricht nicht recht unserer Vorstellung des Mannes", es läßt „die Geistigkeit des klugen und gewandten Diplomaten vermissen", und T. Dohrn: das Porträt „widerspricht unseren Erwartungen und Vorstellungen von dem Manne sehr" [14].

Es erhoben sich jedoch auch Stimmen, die gerade die Übereinstimmung dessen, was von *Themistokles* überliefert ist, mit dem Bildnis von Ostia hervorhoben – der erste grundsätzliche Widerspruch in der Beurteilung, den wir zu registrieren haben. "My supposition, of course, is that the literary descriptions of Themistocles and the original of the herm corresponded ..." [15], und: „Die Parallele zwischen dem plastischen und dem literarischen Bildnis geht so weit, daß Themistokles wie im Porträt so auch bei Thukydides und noch bei Aristoteles hervortritt als die eindrucksvollste Gestalt der älteren attischen Geschichte" [16]. Hier tauchen jedoch schon weitere, interne Gegensätze auf: wenn B. Schweitzer ([o. Anm. 2] 81) die abschließenden Worte der Charakteristik des Themistokles durch Thukydides mit der Bemerkung zitiert: „Sie könnten unter unserem Bildnis stehen" und G. Hafner erklärt, Themistokles stehe in der Herme vor uns, so „wie ihn Thukydides ... schildert" [17], so steht dem die Meinung von A. Boethius (221) entgegen: "To my mind the Themistocles herm – as I see it – has more to do with the fabulous spirit of Herodotus and the somewhat shocking description of the hero than with Thucydides' splendid, concise characterization." Und da ja auch sonst nichts zum Vergleich da ist, beschränkte man sich trotz der Warnung des gleichen A. Boethius (221): "It is always risky to compare art and literature" nicht nur auf das Allgemeine: „Bei Plutarch ist überliefert, daß der

Sieger von Salamis ein amusischer Mensch war. Das aber ist auch seinem Gesicht anzusehen" wurde behauptet[18]. Und besonders die Geschichte von der gewaltsamen Überredung der Andrier durch Themistokles, die Plutarch erzählt (Them. 21), fand man in dem Ausdruck des Gesichtes bestätigt: „Sono appunto queste, mi sembra le caratteristiche riflesse nel volto energico e plebeo del Temistocle ostiense"[19], erklärte man nach Anführung dieser Geschichte, oder, allgemeiner: "The big, ugly, and brutal mouth encourages the belief that he was an energetic leader, but one not scrupulous in the choice of means at his disposal"[20]; und wenn wir aus den Quellen wissen, daß Themistokles eine „forza non commune" gehabt habe und auch bei militärischen und diplomatischen Aktionen als „uomo duro e risoluto" erschienen sei, so müßten wir zugeben: „Tale temperamento fisico e morale è ben messo in evidenza dall'erma di Ostia"[21]. Vor allem aber fand man die Nachricht von der thrakischen oder karischen Mutter des Themistokles in den Zügen des Porträts bekräftigt: „Das Bildnis des Themistokles zeigt den Sohn einer thrakischen Mutter" beginnt G. Hafner [o. Anm. 17] a. O. seine Charakterisierung, und dieser Hinweis findet sich auch bei anderen immer wieder[22].

Das alles sind im Grunde vereinzelte Randbemerkungen, und häufig genug stehen auch sie – wie etwa deutlich bei A. Boethius – im Zusammenhang mit der Datierungsfrage. Nur einer trieb die Ketzerei so weit, einen ganzen Aufsatz nicht in der Datierung gipfeln zu lassen, sondern in der aus dieser gezogenen Folgerung, daß wir die Herme „in all ihren Einzelheiten als wirklichkeitsgetreue Wiedergabe bewerten" dürfen (Miltner [o. Anm. 10] 74), wonach also jeder getrost mit der Interpretation der Züge beginnen könne; der Autor selbst beschränkte sich fast ganz auf das Ethnische und versäumte nicht, dabei an hervorragender Stelle wieder die thrakische oder karische Mutter zu nennen.

Das alles hat mit der eigentlichen archäologischen Forschung nicht viel zu tun. Diese selbst steht dem Problem der Ähnlichkeit im Grunde gleichgültig gegenüber. Die kleine Kontroverse zwischen A. Boethius und R. Bianchi Bandinelli zeigt diese Gleichgültigkeit recht deutlich: während Boethius ([o. Anm. 15] 215) erklärte, daß die individuellen Züge so sehr zum Porträt als Kunstwerk selbst gehörten, daß sie nicht später dazuerfunden sein könnten und auf den Lebenden selbst zurückgehen müßten, erklärt Bianchi Bandinelli gelassen: „Non sappiamo quali elementi, anche descrittivi, fossero a disposizione di un artista del IV secolo . . ."[23]. Niemand von den Vertretern einer späteren Datierung äußerte sich dazu, ob man ein solch individuelles Gesicht überhaupt „erfinden" könne, ob es vielleicht von irgendeinem Modell genommen sei (wobei man sich fragen muß, warum man gerade dieses gewählt habe), und flüchtete sich, obwohl andere von der „titanischen Realistik"[24] des Kopfes sprachen, doch wieder in die Behauptung, im Grunde sei auch der *Themistokles* stilistisch mehr Typ als Individuum[25].

Ganz vereinzelt sind Äußerungen der Archäologen über den Fundort und seine Bedeutung. Das mag gewiß auch daran liegen, daß der Ausgräber, G. Calza ([o.

Anm. 13] 152), ausdrücklich erklärt hatte, die Herme sei in einem „ambiente senza importanza" gefunden worden, und von dem ursprünglichen Aufstellungsort könne man nur schwer sagen, „quale potesse essere". Er selbst hat sich dann, als guter Kenner Ostias immerhin doch von der Tatsache beeindruckt, daß das Werk gerade an diesem Orte gefunden wurde, wenigstens in einer Anmerkung kurz hierzu geäußert, wobei er eine Parallele zwischen dem von *Themistokles* gegründeten Hafen Piräus und Ostia zog (ebenda Anm. 3). Außer ihm fand nur A. Boethius den Fundort "very surprising", beschränkte sich aber auf einige, G. Calza modifizierende Bemerkungen: ". . . probably a shop in Ostia, not far from the theatre, perhaps used as a school"[26]; womit aber die Bemerkungen der Archäologen zum Fundort um seiner selbst willen erschöpft sind.

Das eigentliche Anliegen der Archäologen war, wie gesagt, die Datierung des Originals, das hinter der Herme aus Ostia vorauszusetzen ist. Die bisher dazu geäußerten Meinungen seien hier, ohne Erörterung des Für und Wider (was nur vor einen Kreis von Fachleuten gehört) kurz referiert.

Am frühesten geäußert und von den zahlreichsten Archäologen vertreten wurde die Meinung, daß wir hier die – mehr oder weniger treue – Kopie nach einem reinen Werk des sogenannten Strengen Stils oder der Frühklassik vor uns hätten, also der Jahre etwa um 470 bis 460 v. Chr.[27], wobei verschiedene landschaftliche Zuweisungen (Jonien, Attika, Argos) und Meisterzuschreibungen (Myron, Kritios und Nesiotes)[28] vorkommen können. Die bedeutendste gegnerische Gruppe vertritt die Meinung, daß wir es hier entweder mit einer reinen Schöpfung des 4. Jh. v. Chr. zu tun hätten oder mit einer weitgehenden Umbildung eines Vorbildes aus dem fünften Jahrhundert im vierten, welche aus dem Ganzen erst das gemacht habe, was wir vor uns sehen[29]; es können Schwankungen um einige Jahrzehnte innerhalb dieser Gruppen vorkommen. Von beiden Gruppen haben sich Sondermeinungen abgespaltet, die entweder dem römischen Kopisten oder dem Umgestalter des 4. Jh. teils entscheidende, teils nur oberflächliche Änderungen zuschreiben. Vereinzelt, jedoch mit Energie vertreten, steht die Anschauung, daß das Vorbild der Herme ein erst in römischer Zeit von Klassizisten geschaffenes Werk sei, für das etwa die Zeit vom ersten vorchristlichen bis zum zweiten nachchristlichen Jahrhundert in Frage käme[30]; vereinzelt ist auch die Meinung, die Herme gebe eine rückgewandte Schöpfung des dritten nachchristlichen Jahrhunderts wieder[31].

Diese Vorschläge zur Datierung gingen rein von dem Stil des Werkes aus. Die Schwierigkeit dabei war, daß ein wirklich vergleichbares Werk sich nicht nennen ließ und keiner der dazu gemachten Vorschläge allgemeine Anerkennung fand. Am meisten stimmte man noch dem Hinweis auf das (mutmaßliche) Porträt des Feldherrn Pausanias [Taf. 15, jetzt als Bildnis Pindars identifiziert] zu, von welchem mehrere Kopien erhalten sind; doch hatte das schließlich nur zur Folge, daß nun auch dieses Porträt alle Datierungsschwankungen des Themistokles mitmachen mußte, vom 5. Jh. bis zum Neuattischen[32].

Die Versuche, außerstilistische Anhaltspunkte für die Datierung zu finden, schlugen meist fehl, und in Ermangelung beweiskräftiger Argumente sahen sie sich schließlich ebenfalls gezwungen, von einem durch den Stil bestimmten ersten Ansatz ihren Ausgang zu nehmen. Selbst wer ausdrücklich die stilkritische Methode für „unzureichend" hielt und mit „soziologisch-politischen Argumenten" weiterkommen wollte, mußte doch von der Feststellung ausgehen: „Die Merkmale des strengen Stils sind so augenfällig, daß selbst Verfechter der Meinung, das Original sei erst im 4. Jh. entstanden, die Verwandtschaft mit frühklassischen Werken zugegeben haben" [33].

Das gleiche gilt auch für die Bemühungen, die Herme mit einem der in der Literatur genannten Bildnisse des Themistokles in Verbindung zu bringen – was in ähnlichen Fällen bei anderen Porträts so oft zu brauchbaren Datierungen geführt hat –, da ein zwingender historischer oder antiquarischer Verbindungsgrund bei keinem von ihnen bestand. So ist auch bei diesen Versuchen das Hin und Her der Meinungen zunächst nur ein Spiegel der Unsicherheit in der stilistischen Beurteilung, und erst in zweiter Linie ein Zeichen der Unsicherheit auch auf außerstilistischem Gebiet.

Diese Unsicherheit rief dann allerdings ihrerseits neue Gegensätze in den Meinungen hervor. Schon die Frage, ob der Themistokles von Ostia überhaupt auf ein literarisch erwähntes Porträt zurückgehen müsse, wurde verschieden beurteilt: „Zweifellos umfassen diese Nachrichten alle berühmten Themistoklesstatuen, und nur die berühmten kommen als Quelle für unser Bildnis in Frage" wurde erklärt (B. Schweitzer [o. Anm. 2] 80), doch ebenso kann man das Gegenteil vernehmen: "We are surely not restricted to the portraits of which chance has preserved us a literary mention" [34]. Weiter wurde von der einen Seite bestritten, daß irgendeine der Nachrichten sich auf ein zeitgenössisches Bildnis beziehen und die Herme also auf ein solches zurückgehen könne: die Verbannung des Themistokles und seine Verurteilung, die Ächtung seines Andenkens und sein Leben beim Perserkönig hätten sowohl zur Zerstörung etwa vorhandener Bildnisse als auch zur Verhinderung neuer zeitgenössischer führen müssen [35]; von anderer Seite wurde dem jedoch lebhaft widersprochen, und man beschränkte sich dabei nicht nur, wie L. Curtius ([o. Anm. 27] 91), auf die Konstatierung des Fehlens diesbezüglicher Nachrichten, sondern bemühte sich auch zu zeigen, daß "there is no reason to doubt, . . . that portraits of Themistocles existed during his lifetime or soon after his death . . ." (G. M. A. Richter 20).

So ist es, bei dieser allgemeinen Unsicherheit, kein Wunder, wenn schließlich nach und nach sämtliche in der Literatur genannten Bildnisse mit der Herme von Ostia in Verbindung gebracht worden sind, ebenso, wie man diese Verbindung bei jedem einzelnen zu widerlegen versucht hat. Eine Aufzählung dieser Zuschreibungen und eine Diskussion der Argumente gehört nicht an diese Stelle; G. Zinserling bietet in seiner Abhandlung eine genaue Übersicht über die einzelnen Meinungen, die der Interessierte nachlesen möge [36]; hier seien nur die Bildnisse selbst kurz genannt.

Plutarch (Them. 22, 2) erwähnt eine Statuette in dem von Themistokles in der Nähe seines Hauses in Melite gestifteten Heiligtum der Artemis Aristobule, die er noch selbst gesehen hat, Cornelius Nepos (Them. 10, 3) eine Statue auf dem Markt in Magnesia, Pausanias (1, 18, 3) die Bildnisse von Themistokles und Miltiades im Athener Prytaneion und Aelius Aristides (orat. 46 ed. Dindorf 161, 13) Statuen ebenfalls dieser beiden im Dionysos-Theater in Athen; andere gelegentliche Erwähnungen lassen sich gleichermaßen auf eines dieser vier Bildnisse zurückführen.

Mit der Unsicherheit bei der Zuschreibung hängt zusammen, daß auch keine Einigkeit über das Aussehen der Statue erzielt wurde, auf welcher der in der Herme allein wiedergegebene Kopf gesessen haben muß. Selbst wenn wir die grundsätzlichen Schwierigkeiten bei der Zurückführung auf anderweitig (in der Literatur oder auf Münzen) überlieferte Bildnisse beiseite lassen, bleiben andere fragliche Punkte genug; hier sei als Beispiel nur vermerkt, daß der öfter geäußerten Meinung, der Kopf habe auf einer Statue in „heroischer Nacktheit" (Hafner [o. Anm. 17] 174) gesessen, aus dem Grunde widersprochen wurde, Porträtköpfe auf nackten Statuen habe es erst in römischer Zeit gegeben[37]. Nur, daß die von der Herme überlieferte leichte Wendung des Kopfes auf die Haltung der Originalstatue zurückzuführen sei, wurde allgemein anerkannt.

Ein weiteres Faktum, das in die außerstilistische Diskussion gehört, die Helmlosigkeit des *Themistokles*, die im Gegensatz zu den übrigen erhaltenen Strategenbildnissen steht, hat ebenfalls keinen Anhaltspunkt für irgendeine Zuschreibung oder Datierung liefern können, und auch sie wurde ganz verschieden gedeutet und beurteilt. Entweder meinte man, das Fehlen des Helmes sei bei einer gleichzeitigen Ehrenstatue unmöglich[38], oder stellte fest, daß gerade ein retrospektives Porträt des 4. Jh. den Helm hätte haben müssen (Curtius [o. Anm. 27] 88), oder war schließlich der Meinung, daß zumindest „jedes *athenische* Bildnis des Themistokles, gleichgültig welcher Zeit, den Strategenhelm getragen haben" müßte (Drerup 22 [= hier S. 287]) – von anderen, detaillierteren Kontroversen abgesehen.

Weder stilistische noch historische, noch antiquarische Argumente haben also zu einer allgemein anerkannten zeitlichen und örtlichen Festlegung des Originals der Herme geführt. So mag es demnach immer noch verfrüht erscheinen, den *Themistokles von Ostia* einem nichtarchäologischen Publikum vorzustellen, und von seiner Wirkung wäre gar nicht weiter zu reden, da sie sich ja fast ganz in der Verblüffung der Archäologen erschöpft, die hier zu konstatieren, aber nicht weiter darzustellen wäre; und wer einen Sinn für das tertium comparationis hat, mag an Christian Morgenstern denken: dadurch, daß man den Mond mit Hilfe eines deutsch geschriebenen A oder Z als abnehmend oder zunehmend erkennen kann, sei dieser ein „völlig deutscher Gegenstand" geworden – wobei der Vergleich mit dem *Themistokles* nur insofern nicht ganz zutreffend wäre, weil die Buchstaben im stilistischen Alphabet der Archäologie, mit deren Hilfe er als „zu-" oder „abnehmend" erkannt werden könnte, noch nicht gefunden sind (weshalb viele eine Änderung dieses Alphabets fordern); oder wäre er gerade deshalb zu einem „völlig archäologischen Gegenstand" geworden?

Nun weiß gewiß jeder, daß der Mond auch unabhängig von jedem Alphabet existiert und wirkt, und auch der *Themistokles von Ostia* hat seine Existenz und seine Wirkung außerhalb der wissenschaftlichen Bemühung um ihn: der eine als „Naturwerk", der andere als „Kunstwerk". Diese ihre Existenz ist aber absolut umfassend, d. h., auch der Versuch einer Einordnung ist schon ihre Folge. *Jede* Äußerung über den *Themistokles* ist, sofern sie vom Eindruck ausgeht und den Eindruck wiedergibt, eine Äußerung über den künstlerischen Charakter des Werkes, ganz gleich, wer diese Äußerung tut und zu welchem Zweck er sie tut. Sie ist Reaktion auf die Wirkung dieses Werkes. Als solche unterliegt sie, selbst wenn sie fachwissenschaftlichen Interessen entspringt und fachwissenschaftliche Ziele hat, noch nicht der wissenschaftlichen Wertung, sondern stellt dieser nur das Material zur Verfügung. Lassen wir den Prozeß der Verwertung dieses Materials aber beiseite, so bleibt die reine Äußerung zum Werk – die auch für ein nichtspezialisiertes Forum von Interesse ist, eine Wirkung des Werkes darstellt.

Wenn also hier, an dieser nichtarchäologischen Stelle, dennoch von den Äußerungen der Archäologen die Rede ist, so nicht um der Ziele der Archäologie, sondern um des Werkes und seiner Wirkung willen. Nicht, *was* für Schlüsse gezogen wurden, sondern *woraus* sie gezogen wurden, nicht das zweite und dritte, sondern das erste Urteil, nicht das, wozu Fachwissen notwendig ist, sondern der unmittelbare Eindruck soll hier berücksichtigt werden; nicht also z. B. die Frage, ob der Ausdruck des Kopfes attisch, jonisch oder argivisch sei, ob frühklassisch oder neuattisch, sondern ob es ihn überhaupt gebe und wie er als solcher beurteilt werden kann; nicht, ob diese oder jene Stilmittel Strenger Stil, viertes Jahrhundert oder spätantik seien, sondern, ob es sich überhaupt um Stilmittel handelt. Die archäologische *Bewertung* der geäußerten Eindrücke muß hier, nolens volens, wohl mit angeführt werden, auch werden sich Hinweise auf diese oder jene Verschiedenheit in den Meinungen über sachliche Dinge, die mit dem Eindruck wenig zu tun haben, nicht vermeiden lassen. Die Verankerung all dieser Äußerungen im Gefüge der archäologischen Wissenschaft soll jedoch nur dann zur Sprache kommen, wenn dadurch ein Licht auf die Verbindung dieser Wissenschaft mit der Allgemeinheit fällt.

Eigentlicher Gegenstand wird die fachliche Argumentation jedoch nie werden; sie hat für das außerarchäologische Publikum keine unmittelbare Bedeutung. Dieses ist allenfalls an dem Ergebnis, nicht an dem Wege dazu interessiert, und solange das Ergebnis noch nicht vorliegt, vermag es den zu seiner Erreichung verwendeten Mitteln nur soweit sein Interesse zuzuwenden, als sie auch außerhalb der ihnen zugedachten Rolle eine Aussage über das Werk, einen Reflex desselben, darstellen. Dabei spielt es keine Rolle, ob etwa bedeutende Archäologen neben weniger bedeutenden zitiert werden; diese ihre Bedeutung zeigt sich ja erst im (hier nicht beachteten)

Auswerten des ersten Eindrucks, die Eindrücke selbst, als solche, können keinem Werturteil unterliegen. Der Nutzen einer solchen Umschau kann für die Archäologie selbst also kein direkter, sondern allenfalls ein indirekter sein.

Zugleich mit dieser kritischen Vorführung der bisherigen Äußerungen unter neuem Gesichtspunkt sollen auch neue photographische Aufnahmen des Porträts vorgelegt werden (Taf. 9,2; 10; 11,1; 12,1). Es ist seltsam, daß in all den vielen Veröffentlichungen, die bisher dem *Themistokles* galten, immer nur die gleichen Aufnahmen abgebildet wurden. Die Arbeitsaufnahmen, die der ersten Veröffentlichung von G. Calza zugrunde lagen, tauchten nur noch selten auf[39]; die späteren, immer wieder verwendeten Photographien stammen vom Gabinetto Fotografico Nazionale (E 23886 – 9) und sind in der bei diesem Institut gebräuchlichen Technik des scharfen Beleuchtens mit (mindestens) zwei künstlichen, vorwiegend seitlich gelenkten Lichtquellen gemacht. Sie sind von ausgezeichneter Qualität. Trotzdem ist es irreführend, jahrzehntelang ein Kunstwerk, das viele von denen, die es beurteilen oder auch nur kennenlernen wollen, nicht selbst sehen können, immer nur in den gleichen Aufnahmen abgebildet wird, seien diese auch noch so gut. Daß auch sie – wie alle anderen – in irgendeiner Hinsicht täuschen, hat einer der kompetentesten Beurteiler des Stückes bestätigt, indem er offen zugab, seine erste Datierung des Originals sei irrig, weil sie sich nur auf die vorhandenen Aufnahmen gestützt hätte, er habe gerade jene Eigentümlichkeiten falsch beurteilt, „che le fotografie esistenti non rendono"[40].

Die hier vorgelegten neuen Aufnahmen von H. Koppermann konnten ebenfalls des künstlichen Lichts nicht ganz entraten, weil das natürliche Licht des Museums für photographische Aufnahmen nicht ausreicht. Eine setzt das Bildnis wirkungsvoll in Positur (Taf. 10,1), was an dieser Stelle erlaubt sein mag, zumal andere, nach strengeren Richtlinien aufgenommene hinzutreten (Taf. 9,2; 11,1; 12,1); diese werden besonders den Archäologen genehm sein. Natürlich kann keine von ihnen den unmittelbaren Eindruck ersetzen, aber sie zeigen vielleicht doch neue Seiten eines so verschieden beurteilten, also doch wohl auch verschieden anzuschauenden Kunstwerkes.

Die völlige Verschiedenheit in der Beurteilung, der „imbarazzante contrasto dei giudizi" (Becatti 76) ist in der Tat das, was bei Durchsicht der Äußerungen zunächst und am meisten auffällt. Es beginnt schon beim allgemeinsten Eindruck des Porträts als solchen, über den auch der Archäologe sich Rechenschaft ablegen muß. Für den einen ist es das „geistvolle plastische Porträt des großen attischen Staatsmannes" (Schweitzer [o. Anm. 2] 81), für den andern ein „grobschlächtiges Werk" (Weber [o. Anm. 31] 446), der eine glaubt ein Bildnis, „das mit seiner bedrängenden Unmittelbarkeit den Betrachter tief beeindruckt", „ein Meisterwerk von besonderem Rang" (Hafner [o. Anm. 17] 175) vor sich zu haben, der andere sieht nur „la piatta e insoddisfacente realtà della tarda erma ostiense" (Becatti [o. Anm. 12] 88);

der Dargestellte erscheint dem einen „zunächst . . . wie ein biederer, nüchterner
Spießbürger" (Curtius [o. Anm. 27] 88), der andere meint einen „aspetto maestoso
e fiero"[41] zu bemerken. Ob das Bildnis einen individuellen Charakter habe oder
nicht, wird ganz verschieden beurteilt: „Starr und unlebendig", „ein Gesicht ohne
persönlichen Ausdruck, . . . das nicht Spiegel einer Seele ist, sondern Typus und
Maske" (Wessel [o. Anm. 25] 135. 132), „schematica e fredda maschera di maniera
dell'uomo di azione e di pensiero" (Becatti 87), „nulla si avverte che lo renda vera-
mente individuale"[42] sagen die einen, und: „Hier ist alles Bedeutende in den
Brennspiegel einer kräftigen Individualität gesammelt" die anderen (Schweitzer 81).
Was die Einzelheiten des Gesichts betrifft, so sieht es nicht anders aus. Über den
„großen" und „brutalen" Mund ist man sich noch verhältnismäßig einig, doch bemerkt immerhin der eine, daß „die vollen Lippen fest, aber voll verhaltener Energie übereinanderruhen" (Schweizer 78), während der andere eine „bocca grande
semiaperta"[43] sieht. Besonders aber die Augen und der Blick werden in der verschiedensten Weise beurteilt: „Starres, blickloses Auge" heißt es da auf der einen Seite
(Wessel 136), während man von der anderen vernehmen kann: „Unter aufmerkend
emporgezogenen Brauen sitzen die klar umränderten Augen, . . . ihr wacher und
starker Blick beherrscht den ganzen Ausdruck" (Schweizer 78); und während
H. Drerup (24 [= hier S. 289]) von der „verhaltenen Stoßkraft und Wildheit, die vor
allem aus den kugelig herausgewölbten Augen, die an Löwendarstellungen gemahnen,
hervorbricht", beeindruckt wird, fühlt G. M. A. Richter sich nicht an Löwen, sondern an Kinder erinnert und sagt von den gleichen Augen: "The resultant expression has indeed something childlike"[44].
Es kommt aber auch vor, daß nicht nur der Ausdruck des Porträts selbst verschieden
beurteilt wird, sondern auch der zur Kennzeichnung dieses Ausdrucks verwendete
Begriff, woraus sich ein ganzes Nest von Gegensätzen ergeben kann. Es ist dies
z. B. der Fall bei der Frage nach dem „Heroischen" des Porträts. „In questo viso
non ci sia nulla di eroico . . ."[45] sagt der eine, „ohne alle Ehren steht dieser heroische Mensch vor uns" der andere (Curtius [o. Anm. 27] 89): für den einen *ist* er
heroisch, für den anderen nicht. Was aber heißt „heroisch"? Wie sehr die Meinungen
darüber gerade angesichts unseres Porträts auseinandergehen können, zeigt sich
deutlich bei der Frage, ob die Herme von Ostia auf das von Plut. Them. 22, 3 genannte Porträt zurückzuführen sei, welches mit den Worten gekennzeichnet wird,
man habe ihm angesehen, daß Themistokles wie in der Seele, so auch im Äußeren
heroisch gewesen sei. Viele haben hier heroisch einfach mit dem kunsthistorisch-
ästhetischen Begriff „idealisiert" gleichgesetzt, die Bezeichnung sei aus der Verwunderung der Zeit Plutarchs über das Fehlen eigentlicher Porträtzüge zu erklären, und
diese Charakterisierung sei „nicht mit dem Porträtcharakter der Herme zu verein-
baren"[46], eben weil die Statuette demgegenüber „eine völlig idealisierte Auffassung
des Themistokles"[47] vorgetragen hätte; sie sei, „una statua idealizzata, non un ritratto fisionomico"[48] gewesen, „così idealizzata che appariva innalzata ad eroe"[49],

ja, nichts weiter als „a commonplace, ideal portrait" (Boethius [o. Anm. 15] 222 f.) oder doch zumindest „eine fiktive verklärende Gestaltung" (Drerup 22 [hier S. 287]). Wenn die mythischen Heroen in der griechischen Kunst alle idealisiert erscheinen, dann ist heroisch eben dasselbe wie idealisiert, und wenn der Ausdruck eines Porträts „heroisch" genannt wird, dann handelt es sich demzufolge um einen „tipo eroico e ideale" (Becatti [o. Anm. 12] 85).

Andere jedoch meinten, daß man Plutarch mit dieser Gleichsetzung „mißdeute" (Miltner [o. Anm. 10] 71) (wie soll man sich wohl auch die „idealisierte Seele" des Themistokles vorstellen?), und sie fanden in dem „heroisch" kein Argument gegen, sondern *für* die Verbindung der Herme von Ostia mit der genannten Statuette; deren von Plutarch erwähnter „sguardo ‚eroico'" scheine sich auf dieser Herme zu wiederholen[50], gerade sie sei ein Bild „des Helden auch im Äußeren" (Curtius 91), wie Plutarch es gesehen hat.

Diese Meinungen hätten sich gut auf die Philologen berufen können, welche den betreffenden Ausdruck des Plutarch mit „herrisch", „einen Helden vorstellen", „etwas Heroisches haben", „den Geist und die Züge eines Helden besitzen" übersetzen[51], nie jedoch etwas von „idealisiert" verlauten lassen, und wie rein archäologisch eine solche Gleichsetzung im Grunde ist, bezeugt auch das Urteil eines Historikers, der auf seine Weise die Verbindung der Herme von Ostia mit der von Plutarch genannten Statuette verfocht und dabei zu dem ἡρωικός äußerte: "The current word for what he means is, I think, ‘indestructible'" (Burn [o. S. 302] 282) – also nichts von „fiktiv" und „verklärt".

Eine Verbindung der beiden gegnerischen Meinungen ist nur dann zu erzielen, wenn man eben auch in der *Ostia-Herme* das „Idealisierte" spürt, wie es in der Tat, mit den nötigen Konsequenzen in unserer Frage, geschehen ist (Zinserling [o. Anm. 27] 106); eine Lösung, die keineswegs allgemeine Zustimmung gefunden hat.

Die Gegensätzlichkeit der Meinungen beruht, wie sich schon aus den bisher betrachteten Äußerungen immer klarer ergeben hat, vor allem darauf, daß das, was an dem Werk archäologisch genau bestimmbarer Zeitstil, und das, was überhaupt nicht mehr „Stil" ist, was zum Gegenstand gehört, sich der rein stilistischen Bestimmung also entzieht, ganz verschieden beurteilt und der Trennungsstrich immer wieder anders gezogen wird. Wenn einmal von einem „grobschlächtigen Werk", ein anderes Mal von dem „plebeischen Äußeren des Themistokles" gesprochen wird, so zeigt sich schon hier die Unsicherheit in der Trennung; denn ganz gewiß ist diese Trennung nicht gleichgültig, da ein Mensch mit plebejischem Äußeren durchaus mit höchst raffinierten künstlerischen Mitteln dargestellt werden kann, und umgekehrt.

Wirkliche Klarheit und Einigkeit der Meinungen herrscht nur bei der Beurteilung der Haare; diese können bei keinem Kunstwerk absolut gegenstandstreu wiedergegeben, müssen immer „stilisiert" werden. Und in welcher Manier sie das beim *Themistokles* sind, unterliegt keinem Zweifel: ein Blick auf die Kopien des *Aristogeiton* aus der Gruppe der *Tyrannenmörder*, die auf Kritias und Nesiotes zurückgeführt wird [Taf. 9, 1], ein weiterer auf die Repliken des myronischen *Diskuswerfers*, insbesondere den *Kopf in Berlin*, genügt, um die gleichen Mittel der Abstraktion zu erkennen (vgl. Curtius [o. Anm. 27] 78 ff.).

Ganz anders verhält es sich aber mit allen übrigen Elementen des Kopfes, dem Mund, den Augen, den Wangen, dem Gesicht, der Schädelform, dem Nacken. Hier ist eine derart einfach zu bestimmende Stilisierung nicht wahrzunehmen; irgendwo muß sie aber doch sein, da der *Themistokles* kein Gipsabguß nach einem wirklichen Gesicht, sondern ein Kunstwerk ist, und sie herauszufinden und gegen das Nicht-Stilisierte, rein Physiognomische abzugrenzen, ist bisher das (nicht immer erkannte oder gar eingestandene) Hauptanliegen der Archäologen gewesen. Denn ein absolut realistisches, in keiner Beziehung und in keiner Einzelheit stilisiertes Porträt wäre – auch hier sei an den Sinn für das tertium comparationis appelliert – dem zu vergleichen, was die Kriminalpolizei ein „perfektes Verbrechen" nennt: es ließe sich wegen mangelnder Täterspuren nicht aufklären, d. h. in der Sprache der Archäologen: datieren. Aber wie die Kriminalpolizei so weigert sich auch die Archäologie, ein solches „perfektes Verbrechen" ohne weiteres anzuerkennen, und sie wägt jedes, auch das kleinste Indiz, um zur Aufklärung zu gelangen.

Wenn also nicht nur in den Haaren, sondern auch im Gesicht und in der Schädelform „Stil" sein muß, dann ist die erste Frage, ob der Stil dieser Teile mit dem der Haare übereinstimme, was auf die Frage hinausläuft, ob die Herme im ganzen überhaupt eine stilistische und künstlerische Einheit bilde.

Diese Frage ist häufig verneint worden. Man vermißte die „unità di stile"[52], fand in dem Werk eine „Stilmischung"[53], „un mélange . . . singulier du style"[54], nannte es „additiv" (Zinserling [o. Anm. 27] 105), meinte, es sei nicht „einheitlich erfunden"[55], im Ganzen überhaupt eine „creazione dotta" (Becatti [o. Anm. 12] 82), die ihre Existenz „beinahe kunsthistorischen Stilkenntnissen" (Weber [o. Anm. 31] 446) verdanke; im einzelnen wurde erklärt, daß die „elementi di gusto severo . . . periferici"[56] blieben, und daß die individuellen Züge einem idealen Typus „aufgelegt", ja „aufgepfropft"[57] seien. Man verhehlte sich auch den eigentlichen Grund dieses Zwiespaltes nicht: Das Gesicht antworte den Haaren nicht, seine Maske fände in ihnen „nessun eco", sie sei von deren „immobile calotta" geradezu „imprigionata"[58], und stilistisch gesehen seien diese Haare ein „Zitat" nach einem Werk aus anderer Zeit[59].

Da nun aber das Zitieren auch eine Kunst sein kann – eben, wenn es „gekonnt" ist –, so setzten solche Urteile nicht immer die Ablehnung der stilistischen Einheit mit derjenigen der künstlerischen gleich. Die gegnerischen Meinungen haben aber fast ausnahmslos aus dem einheitlichen künstlerischen Eindruck auch den stilistischen herleiten wollen. Es wurde „geleugnet", daß hier überhaupt ein Künstler „spät-archaische Formen von Haar und Bart weitergeschleppt habe, um damit ein jüngeres Gesicht zu drapieren" (Curtius [o. Anm. 27] 88), die Formen des Strengen Stiles seien „nicht äußerlich trennbare Zutat", sondern bestimmten „den Charakter des Werkes von Grund auf", so daß „auch der methodisch konsequenteste Versuch, den Kopf in zwei Stilebenen aufzuspalten", nicht aufgehe (Drerup 23 f. [= hier S. 288 f.]); und ein anderer faßte seine Meinung in folgendem Bekenntnis zusammen: „Un opera di tale immediatezza e freschezza di forma, di tale spontaneità e violenza dell'ethos e di tale stupefacente ‚severità‘ di espressione, non può essere . . . un compositum mixtum"[60].

Der Gegensatz beruht darauf, daß wir es im Gesicht mit einer gänzlich anderen Art des Stilisierens zu tun haben als bei den Haaren, für deren im Grunde immer gleichbleibende Formen sich genügend Schemata anbieten, während es für die Umsetzung einer Physiognomie keine solchen Schemata gibt – es sei denn, man „idealisiere" sie, womit man ihr aber eben gerade den Charakter der Physiognomie nimmt. Das Gesicht kann den gleichen Stil haben wie die Haare, den gleichen künstlerischen Zeitgeist verraten; dennoch handelt es sich um zwei verschiedene Dimensionen des Stilisierens, was einen schematischen Vergleich unmöglich macht: die Frage „was ist Haar, was ist Stil" liegt auf einer anderen Ebene als die Frage „was ist Physiognomie, was ist Stil". Die Trennung ist hier wesentlich schwerer.

Das betrifft schon die Gesamt-Physiognomie. Wenn etwa B. Schweitzer den *Themistokles* mit dem frühen *Sokrates*bild und einer Büste im Konservatorenpalast vergleicht, so meint er das rein stilistisch und glaubt, damit die betreffenden Werke als gleichzeitig erwiesen zu haben[61]; aber gerade die stilistische Verwandtschaft wurde bestritten: „Die Ähnlichkeit . . . ist allenfalls physiognomischer Art, aber keine des Stils" erklärte H. Weber ([o. Anm. 31] 445), und das davon unabhängige Urteil eines Nichtarchäologen, des Historikers A. R. Burn, der "something Socratic" in dem Gesicht des *Themistokles* fand ([o. S. 302] 281), gibt ihm recht; daß Burn hier nicht etwa seinerseits in naiver Weise Physiognomie und Stil verwechselt, geht aus seiner Bemerkung hervor: "I do not think this is only due to the fact that the herma has lost the tip of its nose" (281 Anm. 5) – das einzige Mal übrigens, daß diese fehlende Nase in den Äußerungen zum Ausdruck erwähnt wird.

Betrachten wir weiter die Bemerkungen zu den einzelnen Formen des Kopfes, so stoßen wir auf den gleichen Gegensatz. Kaum eine gibt es, die nicht sowohl stilistisch als auch physiognomisch beurteilt wurde.

Es beginnt schon bei einem Teil, der sozusagen als Übergang von den eindeutig stilisierten Kopfhaaren zu den so schwer zu bestimmenden übrigen Formen des Kopfes gelten kann: dem Bart. Wenn seine von den Kopfhaaren abweichende Art der Haarwiedergabe einmal als Stilmerkmal aufgefaßt wird – „la barba dimostra una ragionata e contestata composizione calligrafica"[62] –, ein anderes Mal dagegen behauptet wird, im Prinzip hätten Kopf- und Barthaare „genau die gleiche Struktur", und die abweichende Form erkläre sich einfach dadurch, daß „der Bart als Masse und die große Form der Bartlocke ihre besonderen Mittel der Darstellung"[63] erforderten, so haben wir es schon hier mit einem Schwanken zwischen der rein stilistischen und der realistischen, physiognomischen Betrachtung zu tun.

Wieviel mehr ist das aber bei den übrigen Elementen des Kopfes der Fall. „Die Augengegend und auch die Stirnpartie gehören nicht in die erste Hälfte des 5. Jh." (Dohrn [o. Anm. 9] 987), beides ist also stilistisch zu bewerten; „das glotzende Auge unter der in ihrer unteren Hälfte stark vorgewölbten Stirn, auf der Sorge und Zorn ihre dauernde Wohnstatt aufgeschlagen haben, sucht ein Ziel . . ." (Curtius [o. Anm. 27] 89), d. h., beides gehört weder dem fünften noch sonst einem Jahrhundert, sondern dem *Themistokles* an.

Die Gegensätze können auch, wie oben beim Vergleich mit dem *Sokrates*porträt, direkt ausgesprochen werden. Da vergleicht etwa Bianchi Bandinelli den „brutalen" Ausdruck der vorgeschobenen Unterlippe des *Themistokles* mit demjenigen des *Bronzekopfes eines Faustkämpfers* aus Olympia [Taf. 53], und er tut es, um den *Themistokles* damit in dieselbe Zeit zu datieren[64]. „Das ist aber eine Ähnlichkeit nur des physiognomischen, nicht des stilistischen Motivs", widerspricht L. Curtius (84); als Stilelement betrachtet (was also demnach auch möglich ist) gehöre diese Lippe schon zum „Formenschatz der entwickelten klassischen Gestalt" (90). Einige Jahre darauf warnt der gleiche Bianchi Bandinelli gegenüber dem *Themistokles* vor dem „errore di mescolare a valutazioni stilistiche considerazioni psicologiche" und zieht einen klaren Trennungsstrich zwischen Stil und Physiognomie: „Quella ampiezza quasi mostruosa delle guance, il cui piano continua e si perde nel vello laterale della barba quando già da un pezzo sono stati superati i limiti della normale anatomia . . ."[65], d. h., die hier betrachteten Formen dürfen nicht als „normale Anatomie", sondern müssen als Stilmittel beurteilt werden; doch zeigt sich, daß diese „ampiezza quasi mostruosa delle guancie" nicht nur als Stilmittel verschieden gedeutet werden kann – G. Calza sieht in der „larga e piatta superficie delle guance l'impronta dello stile severo"[66], K. Schefold in den „vollen, großgewölbten Formen unattische Elemente, wie sie ostionischer Kunst eignen" ([o. Anm. 16] 18) –, sondern daß sie eben doch als „normale Anatomie" betrachtet werden können, und demzufolge „die starken Backenknochen, das dadurch so breit wirkende Gesicht . . . als durchaus persönliche Züge (des Themistokles) verstanden werden" dürften (Miltner [o. Anm. 10] 74).

Beides, sowohl Schwanken zwischen stilistischer und physiognomischer Beurteilung überhaupt als auch größte Gegensätze innerhalb der stilistischen Bewertung zeigt sich in besonders krasser Weise bei der Betrachtung des Kopfes. Wird er rein stilistisch genommen, so kann seine „kubisch gedrängte Form" (Diepolder [o. Anm. 3] 114) einmal ganz allgemein als Stilmerkmal des fünften Jahrhunderts angesehen werden, und man sieht dann in ihm entweder das „noch unsicher konstruierte Achsenkreuz" (Curtius [o. Anm. 27] 89) oder schon „la stratificazione tettonica dell'età classica"[67], oder man bezeichnet umgekehrt das gleiche Achsenkreuz als „stärker aufgelockert"[68] und setzt es weit in die Nachklassik. Will man eine landschaftliche Einordnung vornehmen, so sieht man den Kopf, als „kubisch und massig", im Gegensatz zur „Festigkeit und dem axialen Bau des Gliedergerüstes" attischer Köpfe und macht ihn zu einem argivischen Werk (Drerup 24 [= hier S. 289f.]); was dann „von der Physiognomie des Themistokles übrigbleibt, wenn wir die argivischen Formelemente abziehen, ist vermutlich weniger, als man im allgemeinen annimmt", heißt es dann (ebenda 26 [= hier S. 291]) – was also demnach weder möglich noch auch unbedingt nötig wäre. Die Physiognomiker dagegen erklären: "The coarse, broad, and massive features are not Greek but barbarism, and confirm the tradition that his mother was a Thracian woman" (Bieber [o. Anm. 8] 282f.), und sie werden nicht müde, angesichts des Schädels immer wieder auf diese thrakische (oder karische) Mutter zu verweisen, und dieser Hinweis dient schließlich auch als archäologisches Argument: wenn die Römer, wie Pausanias (1, 18, 3) berichtet, aus einer der beiden Statuen, die im Prytaneion dem Andenken des Miltiades und des Themistokles geweiht waren, das Bildnis eines Thrakers gemacht haben, so könne das wohl das Bildnis des Themistokles gewesen sein, und dieser Irrtum sei verständlich, wenn wir an die Überraschung denken, die die Herme von Ostia bei den neueren Betrachtern hervorgerufen hat[69].

Um den Stil kümmern solche Urteile konsequenterweise sich nicht viel, ja, sie können sich expressis verbis von ihm distanzieren: „Wenn Diepolder in der ‚kubisch gedrängten‘ Form nur ein stilistisches Merkmal erkennen will, so ist dem entgegenzuhalten, was insbesondere ein Vergleich mit dem nach Diepolder möglicherweise sogar der gleichen Werkstatt entstammenden Kopf des *Aristogeiton* deutlich macht, daß wohl der allgemein rektanguläre Aufbau als stilistische Eigenart zu verstehen wäre, der nahezu rein würfelförmige Schädelumriß jedoch gegenüber dem langgezogenen Kopf des *Aristogeiton* unzweifelhaft ein persönliches Element wiedergibt" (Miltner [o. Anm. 10] 74); wenn dieses Urteil von der Feststellung ausgeht, daß wir im *Themistokles* von Ostia, da er „überzeugend und wohl auch endgültig in die unmittelbare Umgebung der Tyrannenmördergruppe" (ebenda 71) datiert und der Forderung, die Zeitfrage *vor* der ikonographischen Bewertung zu lösen, also Genüge getan sei und wir nunmehr die Darstellung „in all ihren Einzelheiten als wirklichkeitsgetreue Wiedergabe bewerten", über die thrakische Abstammung also getrost bis zum Vergleich mit der Kopfform des *Thukydides* und des spätrömischen Kaisers *Maximinus Thrax* vorstoßen dürfen (ebenda 74) (wobei einem Stilisten sich wohl der Magen umdrehen mag), so wird die Tautologie nicht beachtet, daß viele der so ganz und gar als physiognomisch betrachteten Eigenarten des Kopfes vorher, als Form- und Stilelemente, selbst dazu gedient haben, die Datierung ins frühe 5. Jh. zu bewirken, daß sie sich also sozusagen durch anfängliches Auftreten als künstlerische Form das Recht erwirkt haben, nunmehr als „durchaus persönliche Züge" des Themistokles verstanden zu werden – eine Tautologie, der wir in ähnlicher Form auch später noch begegnen werden.

Nicht immer zeigt sich das Dilemma so grob. Aber selbst ein so sorgfältiger Ana-

lytiker wie B. Schweitzer spricht von den „Porträtelementen, die nicht an der Oberfläche bleiben, sondern die plastische Struktur bis in die Tiefe hinein umbilden", und
er gelangt weiter über die „Strukturverwandtschaft der Form", die der *Themistokles*
von Ostia mit einem vielleicht *Philipp II. von Makedonien* darstellenden Porträt
[Taf. 54,2] aufweise, zu der Feststellung: „Trifft diese Benennung zu, dann ist auch
die physiognomische Verwandtschaft des Makedonen mit dem Themistokles, in dessen Adern thrakisches Blut floß, ... von Bedeutung"[70] (wobei es in diesem Zusammenhange nichts ausmacht, daß die „Strukturverwandtschaft der Form" hier nicht
im fünften, sondern im vierten Jahrhundert gesucht wird).

Auf der gleichen Ebene liegt es, wenn viele Beschreibungen des Kopfes sich gar
nicht die Mühe machen, zwischen physiognomischen und rein stilistischen Zügen zu
unterscheiden und übergangslos von einem zum anderen springen. Wenn es dann
aber nach einer nur dem Stil geltenden Analyse des Ostiakopfes heißt: „Sicher ist
die Physiognomie des Dargestellten an der Wirkung nicht ganz unbeteiligt" (Drerup
24 [= hier S. 289]), so wird damit deutlich auf die Verschiedenheit beider Faktoren
hingewiesen und auch der Wunsch nach einer Trennung geäußert. Daß es sich dabei
um ein echtes Dilemma handelt, hören wir auch aus den feinen und besonnenen
Worten heraus, die G. v. Kaschnitz-Weinberg über den *Themistokles* geäußert hat:
„Hier steckt hinter der spätklassischen Umbildung zweifelsohne doch noch ein
wirkliches Porträt, das ... diesmal sogar dem Erlebnis der realen Persönlichkeit
entsprang. Denn die individuellen Züge des Staatsmannes sind trotz der späteren
beträchtlichen Umstilisierung, die hier die frühklassische Formgebung und Struktur
weit mehr angriff als beim Homer, ebenso erkennbar wie die ursprüngliche formale
Anlage des Bildnisses" (a. O. [o. Anm. 29] 341); wo aber hören die individuellen
Züge auf, wo beginnen Umstilisierung, Formgebung und Struktur?

Dem Hin und Her zwischen persönlichen Zügen und künstlerischer Struktur, dem
plebejischen Aussehen und den Formen des Strengen Stils, der thrakischen Herkunft und dem unsicher konstruierten Achsenkreuz versuchte schließlich die
Altmeisterin der griechischen Kunstgeschichte Gisela Richter ein Ende zu bereiten,
indem sie mutig den gordischen Knoten durchschlug und beides vereinte, d. h. die
Physiognomie selbst datierte: "... the decisive argument for the early date of the
Ostia Themistocles is the anatomical. Its anatomical structure is that of the period
that lies between the archaic and the classical ..."[71]. Wenn hier mit "anatomical
structure" wohl doch wieder nur das künstlerische Formengerüst gemeint sein soll,
so ist es immerhin schon bezeichnend, daß dafür überhaupt dieser Ausdruck gewählt
werden konnte, und vielleicht spricht dabei doch auch die Überlegung mit, daß
nicht jedes Gesicht und nicht jede "anatomical structure" zu allen Zeiten möglich
sei (weshalb es heute ja, scherzhafterweise, durchaus möglich ist, lebende Menschen zu „datieren" und als antik gefälschte Porträts sich so oft schon durch ihre moderne Physiognomie zu erkennen geben). Ja, aber gehört die Anatomie des Themistokles wirklich in "the period that lies between the archaic and the classical"? „Erst

im Jahrhundert der Soldatenkaiser begegnen uns solche Physiognomien" wurde fast gleichzeitig geäußert (Weber [o. Anm. 31] 446)! Die Anatomie also ist fünftes Jahrhundert vor, die Physiognomie 3. Jh. n. Chr. – weiter kommt man mit dieser Methode also auch nicht.

Man kann aber noch einen anderen Versuch machen, das Stilisierte und das Porträthafte zu vereinigen; es wurde behauptet, daß dem Kopf ein „idealer Heraklestypus" zugrunde liege, der erst nachträglich zu einem Porträt gemacht worden sei; die Verbindung ergebe sich daraus, daß Kopfform und Kopfhaltung „offenbar nicht nur persönliche Kennzeichen des Dargestellten" seien, „sondern daß sie auch wesentliche Bestandteile des Heraklesideals bilden" [72], und das sei keineswegs bloßer Zufall, denn Themistokles habe ja auch im Leben „mit der Kraft eines Herakles gegen Perser und Tyrannen" gekämpft [73]. Man kann also Kopfform und -haltung getrost als ideales Motiv datieren und sie dennoch als persönliche Eigenarten des Dargestellten ansehen – womit nebenbei auch die oben behandelte Wendung des Plutarch von der heroischen Seele und dem heroischen Äußeren gerechtfertigt erscheint. Doch, wenn schon etwas Ideales zugrunde liegt, ist es dann wirklich Herakles? Ein anderer fühlte sich an den stierköpfigen Gott auf den Münzen von Gela erinnert [74] – wobei freilich der Vergleich der Taten dieses Gottes mit den Taten des Themistokles schwieriger sein dürfte.

Man hat wohl versucht, der Frage nach der Scheidung von Stil und Physiognomie überhaupt auszuweichen, in der Meinung, die Realistik des Porträts sei so stark, daß man sich über ihre Abgrenzung zur reinen stilistischen Form nicht weiter den Kopf zu zerbrechen brauche und nur zu fragen habe, wann eine solche Realistik kunst- und geistesgeschichtlich überhaupt möglich sei; im Grunde handele es sich gar nicht um eine kunstgeschichtliche, sondern um eine kulturgeschichtliche Frage.

Hier nun aber zeigt sich das Wesen des *Themistokles* von Ostia in seiner stärksten und bedeutsamsten Form, indem er die Betrachter zwingt, bewußt oder unbewußt, gewollt oder ungewollt zum Grundproblem der Archäologie überhaupt Stellung zu nehmen, für welches ich nicht zögere das Wort Goethes anzuführen, das er bereits bei einer seiner ersten Begegnungen mit problematischer, der archäologischen Forschung bedürftiger Antike in unübertrefflicher Klarheit formulierte: „Und so wird es einem denn doch wunderbar zu Muthe, daß uns, indem wir bemüht sind, einen Begriff des Altertums zu erwerben, nur Ruinen entgegenstehen, aus denen man sich nun wieder das kümmerlich aufzuerbauen hätte, wovon man noch keinen Begriff hat" [75]. Es ist die Paradoxie, daß wir die Bruchstücke nur auf Grund allgemeiner Vorstellungen und Richtlinien ergänzen und zusammenfügen können, diese allgemeinen Richtlinien aber aus den Bruchstücken selbst gewinnen müssen.

Das Rezept, dieser Paradoxie mit dem Leitsatz zu entgehen: *Primum monumentum, deinde philosophia* – ein Leitsatz, der gerade angesichts des Themistokles von Ostia formuliert worden ist [76] –, klingt wohl selbstverständlich und einfach;

aber ohne vorherige philosophia ist dem einzelnen Monument eben auch nicht bei-
zukommen, und bloßes eifriges Sammeln möglichst vieler Einzelheiten, um daraus
eine möglichst richtige allgemeine Vorstellung zu gewinnen, wird über die Entdek-
kung platter und oberflächlicher Regeln kaum hinauskommen. Wer nicht schon vor
dem Sammeln und während des Sammelns eine allgemeine Vorstellung als Richt-
linie in sich trägt, wird solche niemals durch das Sammeln allein aufzufinden vermögen, wenn es auch wohl nur wenigen gegeben ist, ohne Korrekturen auszukommen.
Ja, selbst der endlich gefundenen Regel wird und muß immer noch etwas von ihrem
„heuristischen" Ursprung anhaften, sofern sie wirklich tief und allgemein sein soll:
„In Wirklichkeit liegt in der allgemeinen Anwendung eines solchen Begriffs immer
schon bewußt oder unbewußt der Anspruch des ‚Verstehens', d. h. der Einsicht in
eine ‚Struktur', aus der einzelnes abgeleitet, ‚erklärt' werden kann"[77] – also letztlich
nicht Verstehen des allgemeinen Begriffes aus dem einzelnen, sondern Verstehen
des einzelnen aus dem allgemeinen Begriff.
Der *Themistokles* von Ostia war nun gerade genau zu der Zeit ans Tageslicht getreten, als man solche allgemeinen Vorstellungen über das griechische Porträt und
seine Entstehung und Entwicklung nach langer Arbeit und mühevollem Sammeln
endlich gefunden zu haben glaubte. Das Schicksal wollte es, daß fast gleichzeitig
mit der Publikation des Themistokles B. Schweitzers umfassende ›Studien zur
Entstehung des Porträts bei den Griechen‹ erschienen[78], die gewiß nicht in einer
bloßen Hypothese gipfelten, sondern sich auf die Analyse vieler schriftlicher und
monumentaler Zeugnisse stützten, die aber dennoch „philosophia" waren. Ihr Ergebnis war, daß es ein wirkliches, ein realistisches Porträt im ganzen 5. Jh. noch
nicht gegeben habe, daß die Entwicklung von den idealisierten Schöpfungen der
klassischen Zeit, die noch keine persönlichen Züge überlieferten, zu den durchaus
individuellen Bildnissen des 4. Jh. gegangen sei – eine Theorie, die so wohlgegründet
und so einleuchtend erschien, daß sogar behauptet wurde, nur sie allein hätte die
Datierung des *Themistokles* in die Zeit nach dem 5. Jh. verursacht (Zinserling
[o. Anm. 27] 88).
Man kann es allerdings dem Künder und Begründer dieser These selbst nicht nach-
sagen, daß er sie in blindem Vertrauen auf ihre Richtigkeit ohne weitere Darlegungen als Argument gegen die frühe Datierung des *Themistokles* angeführt hätte;
bevor noch von anderer Seite die Mahnung ausgesprochen wurde, daß vor der
Theorie das einzelne Werk zu stehen habe, hat er sich bemüht, so, als gäbe es diese
These noch gar nicht, den Fund von Ostia ins 4. Jh. zu setzen, nicht also mit der
These die Einzeldatierung zu rechtfertigen, sondern mit der Einzeldatierung die
These[79]. Andere haben sich aber nicht gescheut, den umgekehrten Weg einzuschla-
gen und erklärten kategorisch: „Mettere in dubbio la capacità analitica ed estetica
della critica moderna è assurdo", B. Schweitzer habe ein für allemal die Gesetze
festgestellt, nach denen die Entstehung und Entwicklung des griechischen Porträts
vor sich gegangen ist, und an ihrer Richtigkeit zu zweifeln sei ebenso absurd, wie es

„assurdo" sei zu glauben, unser Bild der frühen Klassik könne durch neue Funde anders modifiziert werden „se non in estensione" (Becatti [o. Anm. 12] 78). Vom fünften vorchristlichen Jahrhundert gelte nun einmal: „Un ‚genere‘ del ritratto effettivamente non esiste" [80], weshalb man auch die Unmöglichkeit, den *Themistokles* in dieses Jahrhundert zu datieren, ohne weitere Darlegungen damit begründen könne, daß „per tutto il V secolo la espressione fisionomica individuale non ebbe diritto di cittadinanza artistica" [81], oder zumindest die Unmöglichkeit, ihn in dieser Zeit als attisches Werk zu begreifen, aus der „Tatsache" herleiten dürfe, „daß es im festländischen Griechenland um diese Zeit überhaupt kein Individualporträt gegeben hat" [82], wo dieses „aus Gründen der allgemeinen Haltung" ihm gegenüber „unmöglich" [83] gewesen sei; alles Hinweisen auf stilistische Züge nütze gar nichts: „Un ritratto fisionomico di Temistocle sarebbe inconcepibile per ragoni *spirituali* . . ." (Becatti 81), denn das Problem der Entstehung des Porträts sei „di storia della cultura e non di storia dell'arte" [84]. Die Kunstgeschichte könne davon, ohne sich sonderlich anzustrengen, nur profitieren: mit der Spätdatierung des Themistokles werde „die Kunst der beginnenden Frühklassik in Athen von einem nicht zugehörigen Werk befreit" [85].

Eine wenn auch wohl nur rhetorisch gemeinte Einschränkung machte dann doch Bianchi Bandinelli, für den die „elementi fisionomici, ritrattistici" nicht der Zeit um 470 bis 460 vor Chr. angehören können „nè per stile nè, se abbiamo compreso qualche cosa del gusto e delle idee di quel tempo, per possibilità storica" [86].

Da gab es nun aber trotz allen kategorischen Schwörens auf die Richtigkeit der Schweitzerschen These viele, die dieses rhetorische „se abbiamo compreso qualche cosa del gusto e delle idee di quel tempo" angesichts des *Themistokles* durchaus unrhetorisch mit einem klaren „Nein" beantworteten und erklärten: „I concetti tradizionali sullo stile di quell'epoca *vengono smentiti*" (L'Orange [o. Anm. 27] 676), und wenn der Themistokles mit den bisherigen Vorstellungen von der Kunst des 5. Jh. unvereinbar ist, „dann irrt eben die Kunsttheorie" (Neugebauer [o. Anm. 27] 552); die Aufgabe sei nicht, den *Themistokles* der Theorie anzupassen, sondern die Theorie dem *Themistokles*: „Mit diesem Themistokles muß auch die Theorie des griechischen Porträts umgedacht werden" (Curtius [o. Anm. 27] 91), es sei notwendig, offen zuzugeben, „daß wir unsere Vorstellungen von der Kunst des sechsten und fünften Jahrhunderts zu sehr vereinfacht hatten" [87], und schließlich sei das keine Kapitulation, sondern eine Befreiung: die „neueren Theorien über die Idealität des Porträts des 5. Jh." seien nichts weiter als „eine hypothekarische Belastung unseres klassizistischen Schauens" (Boehringer [o. Anm. 27] 22), ja eine „klassizistische Zwangsvorstellung" (Zinserling [o. Anm. 27] 94), das Ergebnis „vorgefaßter Meinungen" (ebenda 93), und nach ihrer Beseitigung dürfte konstatiert werden: „L'orizzonte appare libero per una visione approfondita dell'arte di tutto questo periodo" (L'Orange [o. Anm. 27] 676).

Da diese Urteile sich natürlich nicht damit begnügen konnten, den *Themistokles* sozusagen nur an den (auch im übertragenen Sinne zu kurzen) frühklassischen Haaren ins 5. Jh. zu ziehen, wonach dann jeder selber sehen sollte, wie er sich mit dem „brutalen" und „grobschlächtigen" Gesicht inmitten all der schönen Idealität abfinden mochte, so ging ihr Bemühen vor allem darum, auch dem realistischen Gesicht ein Heimatrecht neben der klaren Helle des Aristogeiton und der erhabenen Würde des Gottes aus dem Meere zu verschaffen. Schon in der ersten Veröffentlichung war diese Notwendigkeit erkannt worden; G. Calza versäumte nicht, auf die „figurazioni di una viva realità" zu verweisen, die es schon im 5. Jh. neben aller Idealität gegeben habe [88] und nannte auch bereits die Vasenbilder, die dann immer wieder zitiert werden sollten [89], untermauerte diesen Hinweis auch bereits theoretisch mit der Feststellung zweier Strömungen innerhalb der Frühklassik, einer idealistischen und einer realistischen, eine Unterscheidung, die dann besonders von A. Boethius herausgearbeitet wurde ([o. Anm. 15] 218 ff.). Unter Anführung zahlreicher Beispiele vor allem aus der Vasenmalerei hat dann E. Bielefeld ([o. Anm. 27] 80 ff.) erneut auf die weite Verbreitung realistischer Tendenzen in der frühklassischen Kunst verwiesen und diese Tendenzen mit dem *Themistokles* in direkten Zusammenhang gebracht.

Wenn aber in dieser jüngsten Zusammenstellung (82 ff.) die einschränkenden Bemerkungen gemacht werden, daß es sich hier um „freilich handwerkliche Kunstwerke" handele und daß von hier aus „der Schritt zu einem wirklich ‚realistischen‘, ‚individuellen‘ Bildnis . . . noch weit" sei, so ist bereits der schwache Punkt dieses Beweises genannt, und hier eben hat dann auch die Kritik eingesetzt, die erklärte, daß „il ‚tipo ideale‘ non era un abito da prendere o lasciare a piacere, ma il risultato di tutta una complessa visione del mondo e dell'arte" [90], daß also in dieser „complessa visione" ein gänzlich realistisches Bildnis keinen Platz haben könne; diejenigen, welche wegen der „creazioni espressionistiche tipizzanti del brutto", die es im 5. Jh. gegeben habe, auch den *Themistokles* in dieses Jahrhundert holen möchten, verwechselten „naturalismo e verismo con espressionismo astratto e ideale" (Becatti [o. Anm. 12] 79); der Schritt von diesen realistischen Darstellungen zu einem wirklichen Porträt sei nicht nur weit, sondern geradezu unmöglich: „Individuellbrutale Züge wie die des Themistoklesbildes konnte . . . der Bildhauer des fünften Jahrhunderts, wie auch viele Vasenbilder bestätigen, sehr wohl bilden, aber eine solche Darstellung war mit der Idee der damaligen Porträtkunst durchaus unvereinbar" (F. Poulsen [o. Anm. 29] 483). Hatte man ja doch auch gerade dieser Frage schon vor dem Auftauchen des *Themistokles* größte Aufmerksamkeit geschenkt, wobei man nach sorgfältigem Sammeln des Materials, der Beispiele aus Plastik, Vasenmalerei, Münzen und Gemmen und seiner wohlerwogenen Analyse zu der Feststellung gelangt war, daß das griechische Porträt wohl „aus den Bereichen des Abnormen und der apotropäischen Maske" herzuleiten sei, daß es sich aber bei diesen Abnormitäten selbst „niemals um bildnisartige Versuche" [91] gehandelt habe; wenn es stimmt, daß diese realistisch-individuellen Bildungen zwar die formellhandwerklichen Voraussetzungen für ein individuelles Porträt darstellen, dieses Porträt selbst aber, als solches, sich aus den idealen Schöpfungen der gleichzeitigen Kunst entwickelt habe, welche sich eher als die realistischen Alten der Vasenbilder und die individuellen Kentauren der Parthenonreliefs mit „Ichgehalt" gefüllt hätten[92], so nützt alles Sammeln von Beispielen solcher Realistik im 5. Jh. nichts; der fehlende „Ichgehalt" kann dadurch nicht herbeigeholt werden.

Hinter diesen Kontroversen, in denen es ja um die gleichen Dinge geht und die Verschiedenheit nur in ihrer Bewertung liegt, zeichnet sich immer klarer die Tatsache ab, daß es im Grunde tatsächlich nur auf den Ausgangspunkt ankommt. Darüber kann auch nicht hinwegtäuschen, daß beide Seiten immer wieder auf ihre Argumente weisen und bemüht sind, ihre Position nicht nur als reine philosophia erscheinen zu lassen. Wenn die Entwicklungs- und Stilgesetze, um die es hier geht, wirklich klare und eindeutig erkennbare sind, dann muß jede Subsumierung eines Einzelmonumentes unter diese Gesetze absolut allgemeingültig, der Beweis schlüssig sein; ist er es nicht, so ist er eben noch kein Beweis, sondern „philosophia" – was ganz unabhängig davon ist, daß er sich später durchaus als richtig erweisen kann. Wenn diese Gesetze selbst jedoch im Letzten sich einer strengen, mathematischen Festlegung entziehen, schlüssige Beweise daher gar nicht möglich sind, so ist jede Einordnung von vornherein bereits philosophia und kann nie etwas anderes werden. In jedem Fall aber, sei es in dem des noch nicht endgültig geführten oder in dem des niemals endgültig führbaren Beweises, ergibt sich, daß die aufgestellte Behauptung schließlich in reiner Selbstbestätigung, in krasser Form sogar in Tautologie enden muß. Entweder man erklärt, daß die „Geburtsstunde des Bildnisses bei den Griechen erst im 4. Jh. schlägt"[93], und dann kann der Themistokles nicht vorher entstanden sein, oder man sagt, daß seine "anatomical structure" (oder was auch immer) nur frühklassisch sein könne, und begleitet nun konsequenterweise schon dieses frühe Erscheinen eines Porträts mit dem konstatierenden Rufe: "Individualised portraiture is born!"[94] Man „befreit" also entweder die frühklassische Kunst von einem „nicht zugehörigen Werk", oder man gewinnt in dem gleichen Werk durch seine Frühdatierung „ein neues kostbares Datum zur Fixierung eines Werkes des Übergangsstiles" (Curtius [o. Anm. 27] 91), „befreit" also damit die gleiche Kunst von nicht zugehörigen „hypothekarischen Belastungen"; die den Schlußfolgerungen zugrunde gelegten Gesetze sind dann entweder „leggi del spirito" (Becatti [o. Anm. 12] 81) – oder „verfehlte theoretische Konstruktionen" (Bielefeld [o. Anm. 27] 79), und die Überbrückung der Gegensätze wird unmöglich: auf der einen Seite heißt es: *weil* es im 5. Jh. noch keine realistischen Porträts gegeben hat, muß der *Themistokles* später entstanden sein – auf der anderen: *weil* der *Themistokles* im 5. Jh. entstanden ist, muß es damals schon realistische Porträts gegeben haben.

Auch die anderen mit dem künstlerischen Charakter des Werkes zusammenhängenden Alternativen zeigen den gleichen Kreislauf. Bei der Frage etwa, ob der *Themistokles* ein künstlerisch, d. h. also auch stilistisch einheitliches Werk sei oder nicht, entscheidet bereits die Ausgangsposition: entweder man geht von der Zeit aus und setzt ihn in irgendein Jahrhundert, sei es das vierte vorchristliche oder zweite oder dritte nachchristliche, und dann hat man damals eben schon „zitieren" oder sich „der schlichten Formgebung des strengen Stils bedienen" (Weber [o. Anm. 31] 446) können, oder man erklärt: „Un artista del IV secolo non può essere un archeologo" (Becatti 81), erfunden wurde wohl auch damals schon, aber „einheitlicher"[95], beziehungsweise man stellt fest, daß es auch für das 3. Jh. n. Chr. „kein einziges sonstiges Beispiel für ein archaisierendes, den Stil einer vergangenen Periode so einfühlsam nachahmendes . . . Schaffen" gebe (Wessel [o. Anm. 25] 135) und daß die „Vorstellung, es habe in der römischen Kaiserzeit so etwas wie archäologisch geschulte Fälscherwerkstätten gegeben, . . . ganz in der Luft" hänge[96], ja, daß eine „derart verblüffende Stilkopie innerhalb der Porträtgeschichte *völlig* isoliert" stehen würde, „gleichgültig in welche Zeitumgebung man sie hineinstellt" (Drerup 21 [= hier S. 286]) – und dann *kann* der *Themistokles* keine Neufassung oder Neuschöpfung einer späteren Zeit sein. Also entweder sagt man: *weil* es in den Jahrhunderten nach der Klassik keine stilistische Kompositionsfähigkeit gegeben hat, muß der Themistokles früher entstanden, also uneinheitlich sein – oder: *weil* er später entstanden, also uneinheitlich ist, muß es eine solche Kompositionsfähigkeit in der Nachklassik gegeben haben.

Was aber folgt aus dieser scheinbar unauflösbaren Diskrepanz, was zeigt sie, wie können wir von ihr einerseits auf unser Urteilsvermögen, andererseits auf den *Themistokles* zurückschließen? Ist sie nichts als ein Zeichen der Unzulänglichkeit der angewandten Methoden, müssen wir dieses Ergebnis fünfundzwanzigjähriger Forschung als „umiliante" für die Archäologie betrachten[97] und die Frage von L. Curtius ([o. Anm. 27] 82) wiederholen, die schon vor über zwanzig Jahren gestellt wurde: „Steht es wirklich so fatal um unsere Wissenschaft, daß die Urteile Berufener über einen so bedeutenden neuen Fund um ein Jahrhundert" – heute könnten wir sagen: um sieben Jahrhunderte – „auseinandergehen müssen?" Oder liegt es an dem Werke selbst, an der „Ironie des Schicksals" (Dohrn [o. Anm. 9] 986), das uns mit einem *Themistokles* an der Nase herumführt, vor welchem *alle* Methoden versagen müssen?

Aber – um welches Werk handelt es sich hier denn eigentlich, um das Original oder um die Kopie?

Wir haben diese Frage bisher noch nicht berührt, und die Umschau unter den geäußerten Meinungen hat das nicht als Versäumnis erscheinen lassen – obwohl man hätte meinen sollen, daß bei dem anfangs betonten einseitigen Interesse der Wissenschaft am Original zunächst dieser Unterschied hätte herausgestellt werden müssen. Es ist aber anders: sosehr auch die Archäologen rein und ausschließlich das Original meinen, wenn sie beschreiben, ihren Eindruck wiedergeben, Schlüsse ziehen, datieren, sowenig achten sie bei diesem Tun auf die Tatsache, daß sie es in

Wirklichkeit nur mit einer Kopie zu tun haben. Wohl bemühen sich viele, bevor sie
an die Analyse gehen, Klarheit über diese Frage zu gewinnen, kaum je aber stoßen
wir im Verlauf der Analyse selbst auf das Bestreben, *im Urteil* Kopie und Original
zu trennen, diesen Eindruck dem Original, jenen der Kopie zuzuschreiben – es ist
einfach immer nur vom *Themistokles* die Rede –, wenn nicht sogar, wie beispielsweise von A. Boethius ([o. Anm. 15] 206), die „Herme" anstelle des Originals
genannt wird, obwohl doch gerade die Hermenform das einzige ist, was *sicher* der
Kopie angehört.

Und befragen wir nunmehr, zum letzten Male, die einzelnen Forscher direkt nach
ihrer Meinung, d. h. nach ihren präanalytischen Äußerungen zu dieser Frage, so
ergibt sich diese Unsicherheit, die schließlich zu bewußter oder unbewußter Gleichgültigkeit führt, sehr deutlich auch aus den Antworten, die wir erhalten – gegensätzliche, wie alle anderen, die wir zu hören bekamen.

Es beginnt schon beim allgemeinen, der Qualität: „Esecuzione alquanto piatta e
fiacca della copia romana . . ."[98], „copia poco vibrante"[99], „copista fiacco"[100],
„unfähiger römischer Kopist" (J. Sieveking [o. Anm. 55] 643), „flaue römische
Kopie"[101] – solchen Urteilen stehen diametral entgegengesetzte gegenüber wie:
„Une excellente copie"[102], „recht verständiger Kopist"[103], „sorgfältig gearbeitete"
oder wenigstens „in Haar und Bart . . . ganz ausgezeichnete Kopie"[104].

Ob nun, ganz abgesehen von der Qualität, die Treue der Kopie dem Original gegenüber positiv oder negativ zu beurteilen sei, wird nicht weniger widerspruchsvoll entschieden. Zwar geben die meisten, da ja auch andernfalls jede weitere Bemühung
um das Original wenig Sinn hätte, eine allgemeine Treue zu. G. Calza etwa ist der
Meinung, daß der Kopist „con cura e con pieno rispetto tutto ciò che era motive e
dettaglio dell'originale" ausgeführt habe, daß ihm aber die Fähigkeit gefehlt hätte,
das Werk mit der „vita interiore"[105] zu beseelen, daß er also das Original nicht verfälscht habe, aber „quel perfetto equilibrio tra concezione ed esecuzione in cui con-
siste il classico e che doveva essere nell'archetipo"[106] zerstört hätte; ähnlich urteilen
auch Bianchi Bandinelli, der trotz der Schwächen des Kopisten seine Leistung „da
ritenersi fedele, appunto per certa accuratezza da calligrafo senza personalità pro-
pria" (a. O.) bezeichnet, T. Dohrn ([o. Anm. 9] 986), der dem Kopisten nur eine
„klassizistische Veränderung im Stile seiner Zeit" zuschreibt, und K. Schefold, der
erklärt ([o. Anm. 16] 18): „Die Züge des Vorbildes sind nur abgeschwächt, nicht
umgestaltet." Aber in der Anführung der einzelnen Elemente, die nun entweder
treu übernommen oder verändert worden seien, herrscht große Unsicherheit. J. Sieveking ([o. Anm. 55] 643) spricht nur von „einigen Fremdheiten", die der Kopist in
das Werk gebracht hätte, G. Calza von den „particolarità fisiche di plebeo e di
trace" (a. O. 16f.) – weiter hat sich kaum jemand gewagt[107]. Eine genauere Aufzählung gab nur L. Curtius; er nannte „die überschnittenen Augenlider", die „breit ge-
bohrte Furche über den oberen Augenlidern" und erwog ([o. Anm. 27] 87f.), ob der
Kopist nicht auch „die Umgebung des Auges verweichlicht" und „das Stirnrun-

zeln durch die Furche über dem Ansatz der Nase und die waagrechte Falte . . . übertrieben" habe, Bemerkungen, die G. Becatti ([o. Anm. 12] 82) zu der Frage veran-
laßten, wo danach noch die „Grundzüge" zu finden wären und was unter ihnen zu
verstehen sei. Der gleiche G. Becatti erklärte dann auch kurzerhand (78 ff.), daß es
sich hier überhaupt um keinen Kopisten gehandelt haben könne, da dieser eben
„kopiere" und nicht umbilde, wozu er weder Talent noch Autorität besitze, daß ein
solches „Original" aber in der vorrömischen Zeit unmöglich sei, womit die Frage
nach der Treue praktisch gegenstandslos wird.

Ja, selbst eine anscheinend so einfache, keiner ästhetischen Schulung bedürftige
Tatsache wie die Datierung und Beurteilung der Inschrift stieß auf Schwierigkeiten.
Epigraphiker datierten sie ins zweite nachchristliche Jahrhundert, was von den meisten Archäologen stillschweigend übernommen wurde [108]; bis die Meinung geäußert
wurde, daß das ja nicht viel aussage, weil die Inschrift auch später, nachträglich,
hinzugefügt sein könnte (Dohrn [o. Anm. 9] 987). Man braucht nun nur noch die in
anderem Zusammenhang für derartige Kopisteninschriften geäußerte Vermutung
anzuführen, sie sei bereits in einer Athener Werkstatt zur bloßen Kennzeichnung
angebracht worden [109], um die Konfusion vollständig zu machen.

Diese Verschiedenheit der Meinungen ist nicht verwunderlich, wenn wir die einfache Tatsache berücksichtigen, daß es von diesem *Themistokles*bildnis keine einzige
weitere Kopie gibt, die einen Vergleich gestatten würde, bei dem das Gemeinsame
als wahrscheinlich dem Original zugehörig, das Abweichende als Zutat oder Manier
des Kopisten erkannt werden könnte. An dem Kopf allein haben sich ein klar
erkennbarer römischer Zeitstil oder gar irgendwelche individuellen Besonderheiten
des Kopisten nicht ablesen lassen, ja selbst etwas so Äußerliches wie die Formen der
Schläfenhaare wurden als „remoti progenitori tipologici di analoghi schemi nel
ritratto di Augusto" [110] aufgefaßt, also als Vorläufer der römischen Form, nicht als
deren Produkt angesehen, und über die kleine Haarzange links über der Stirn bleibt
aus dem Grunde wenig zu sagen, weil sie sich, als klassizistische Eigentümlichkeit,
von Augustus bis in die Spätantike hinein verfolgen läßt.

Auch die Erkenntnis, in Ostia weitere Werke von der gleichen Kopistenhand zu
besitzen (Weber [o. Anm. 31] 445), führt nicht weiter, da die Ähnlichkeit über den
allgemeinen Eindruck nicht hinausgeht.

Da freilich bleibt nichts anderes übrig, als die Trennung von Original und Kopie
ganz beiseite zu lassen und uns um die diesbezüglichen Urteile nicht weiter zu
bemühen: niemand weiß ja auch anzugeben, warum die Kopie denn eigentlich
„flau" oder warum sie „excellente", der Kopist „unfähig" oder „verständig" sein
soll; und ebensowenig, wie wir uns die einzelnen, vom Kopisten „interpolierten
Fremdheiten" erfolgreich wegdenken und den Kopf ohne sie vor uns zu sehen vermögen, genausowenig vermögen wir ihn uns ohne Flachheit und Flauheit vorzustellen. Versagen aber die stilistischen und antiquarischen Kriterien, so können wir eine
einzige Kopie, ohne das Original zu kennen, als Kunstwerk nicht unabhängig von

diesem Original beurteilen oder versuchen, die künstlerischen Eigenschaften, die es hat, in die des Originals und die der Kopie aufzuspalten. Wenn ihr Glanz auch nur ein Abglanz sein sollte, so ist er doch das einzige Leuchten, das wir bemerken. Wir haben immer nur ein Werk vor uns.

Auch beim *Themistokles* kommen wir nicht um die Tatsache herum, daß wir es weder mit der Ehrenstatue in Magnesia noch der Statuette im Artemistempel, noch sonst einem Original zu tun haben, sondern allein mit der in Ostia gefundenen Herme [111]. Auch der, der nicht sie, sondern das Original sucht, wird doch nur sie betrachten, wird aus dem Theater oder dem Prytaneion von Athen oder aus Argos nach Ostia zurückkehren müssen, zu jenem „ambiente senza importanza" – das doch immerhin soviel importanza besaß, den Themistokles zu bergen.

Es ist müßig, darüber nachzusinnen, ob das ein schwerwiegender Verlust ist. Er wäre es, wenn wir genau wüßten, *was* wir verloren haben. So aber bedeutet die Besinnung auf diese Tatsache eine Rückkehr zum Ausgangspunkt: zu jenen einfachen, undiskutierbaren Fakten, von denen wir am Anfang sprachen, und deren Wirkung wir vermißten. Diese Wirkung ist schließlich doch dagewesen: denn wer hat all das Hin und Her der Meinungen verursacht, wer erschien dem einen als Meisterwerk, dem anderen als flach und unbefriedigend, dem einen als attischer Herakles, dem anderen als jonischer Aristogeiton, wer blickte einmal wie ein Löwe, ein anderes Mal wie ein Kind, sah einmal wie Sokrates, ein anderesmal wie ein Flußgott, dann wieder wie ein Spießbürger aus, wer war einmal heroisch, einmal unheroisch, ein compositum mixtum oder ein Werk aus einem Guß? Das war nicht irgendein nebelhaftes Original, welches ja auch aus diesen Eindrücken erst hätte erschlossen werden müssen, sondern es war einzig und allein die Herme selbst, so wie sie vor uns steht, mit all ihren Einzelheiten, als ganzes und unteilbares Werk.

Man kann das als beklagenswerten Mangel ansehen, der Herme selbst die Schuld an all den Gegensätzen und Widersprüchen zuschreiben, da sie als Kopie eben keiner eindeutigen Aussage fähig sei, und zu dem Schluß gelangen, daß hier nicht die Archäologie, sondern ihr Gegenstand versagt habe. Man kann diese ihre Wirkung aber auch absolut nehmen, als Ausdruck ihres eigentlichen künstlerischen Wesens, der nicht in Worte gefaßt, gemessen, klassifiziert – verglichen werden kann. Was dem Historiker Kopfzerbrechen verursacht, wird so dem Betrachter zum Schlüssel für das Werk, was jenen verwirrt, dient diesem zur Erkenntnis: ein Kunstwerk, das diejenigen, die sich mit ihm beschäftigen – ganz gleich, warum sie es tun –, zur Besinnung auf die letzten Prinzipien der Kunstbetrachtung zwingt, sie anhält, bis zu jenem geometrischen Punkt vorzustoßen, in welchem die Argumente zur Philosophie, die Philosophie zur Argumentation wird, ein solches Werk muß wohl am Letzten der Kunst teilhaben, nicht sowohl äußerlich einheitlich als innerlich unteilbar sein.

Bei einer solchen Betrachtung werden dann alle Fragen, die nicht dieses unteilbare Kunstwerk zum Gegenstand haben, in eine andere Sphäre gerückt als die ihrer

Intention. Ob die Unterschrift „Themistokles" sagen will: „So hat er ausgesehen",
oder: „So habt ihr ihn euch vorzustellen", oder: „So stelle ich ihn mir vor", oder:
„So könnte er . . ." oder „so muß er ausgesehen haben", das zu entscheiden wird angesichts der Aussage des Porträts als solchem gleichgültig und reduziert sich wieder
zur einfachen Bezeichnung: „Themistokles". Die Unterscheidung von Stil und
Physiognomie wird irrelevant: gerade, daß beide nicht zu trennen sind, gehört zu
diesem Kunstwerk, erhebt beide Begriffe zu einer höheren Einheit, der des künstlerischen Porträtstils; ebenso vereinigen sich die Züge des Strengen Stils und die
späterer Jahrhunderte zu einem geschlossenen Ganzen griechisch-römischer Antike, einer Wirkung all ihrer Tendenzen von griechischer Form bis zum römischen
Geschmack zu einer selbständigen Aussage. Die Frage nach der Qualität verblaßt
hierbei – nicht alles, was sich nicht datieren läßt, ist ein Meisterwerk, und nicht alle
Meisterwerke sind undatierbar: es bleibt der Begriff der Einmaligkeit.

Gewiß, dieses Porträt ist „bis jetzt einzigartig" (Karusos [o. Anm. 27] 40), hat in
sich „qualche cosa che esce dall'ordinario"[112], steht „gänzlich isoliert" (Curtius
[o. Anm. 27] 90); was aber den Historiker verzweifeln läßt, gilt dem Betrachter als
großartige Manifestation der ungebrochenen Kraft antiker Kunst: er ist dankbar,
daß die Antike uns noch solche einmaligen Werke schenkt, daß das Schicksal noch
ironisch sein kann, daß nicht alles in die bereitgestellten Fächer hineinpaßt und
selbst die feinsten Methoden der Forschung ihre Grenzen haben; er ist dankbar dafür, daß es immer noch Werke gibt, die der leitenden und ordnenden Macht der Wissenschaft entrinnen, welcher sonst kaum noch ein antikes Monument von seiner
Geburtsstunde (als „Antike") bis zur Mumifizierung im Museum entgeht, und daß
die Verhinderung seiner äußeren Abenteuer die inneren nicht hat unterbinden können – daß aus der archäologischen Sensation noch sensationelle Archäologie werden kann: „Man glaubte am Ende zu sein mit den zweifelhaften Datierungen der
antiken Ikonographie, und die Schwierigkeiten blühen um uns herum wie nie zuvor"[113] – er wird sich dieses Blühens als Zeichen lebendiger Kraft erfreuen.

Diesem Betrachter genügt es, sich an das zu halten, was das Auge sieht und der Verstand weiß: die Herme eines bärtigen Mannes mit der Inschrift „Themistokles", die
in Ostia gefunden wurde. Das ist viel, sehr viel, genug, um Neues, Wichtiges und
Wesentliches über Themistokles, über Ostia und die antike Porträtkunst zu erfahren; hat er sich den Helden von Salamis vorher anders vorgestellt, so wird er seine
Vorstellung berichtigen, hat er den Bewohnern Ostias den Wunsch nicht zugetraut,
ein Porträt des Themistokles zu besitzen, so wird er dieses Urteil korrigieren, hat er
die antike Porträtkunst eines solchen Stiles nicht für fähig gehalten, so wird er sich
belehren lassen; und das Werk wird ihm dabei das bleiben, was es von Anfang an
gewesen ist: der *Themistokles von Ostia*.

Das bedeutet keine gleichgültige oder verächtliche Abkehr von der geschichtlichen
Bemühung um ihn, und der Historiker wird sich gewiß nicht mit der Feststellung
begnügen dürfen, daß wir es hier mit einem „typisch antiken" Werk zu tun haben,

er wird die Begriffe des Einmalig-künstlerischen und des weiter nicht reduzierbaren Porträtstils als untauglich für die historische Forschung ablehnen müssen, er wird sich auch nicht damit abfinden, daß alle Bemühungen um das Datum und die Herkunft doch in einer Sackgasse enden müßten und über „vorgefaßte Meinungen" und unbeweisbare Philosophie nicht hinauszukommen sei. Jedes Kunstwerk gehorcht bestimmten historischen Gesetzen und hat seinen geschichtlichen Ort, und auch, wenn es für dessen Bestimmung keine Mathematik geben kann, so gibt es doch Wege, die zum Ziele führen. Der *Themistokles von Ostia* wirkt gewiß nicht nur als zeitloses Kunstwerk, sondern auch als ein geschichtlich gewordenes und geschichtlich zu verstehendes, und auch diese Wirkung zeichnet sich hinter den Äußerungen der Archäologen als sachlicher Vorgang ab: nicht so sehr im zahlenmäßigen Anwachsen irgendeiner der verschiedenen Meinungsgruppen, als daß ganz allgemein diese oder jene Argumente verblassen, nicht mehr angeführt werden, verschwinden, auch ohne „widerlegt" zu werden, andere dafür mehr Gewicht bekommen, an Kraft gewinnen, daß hier ein Vergleich stillschweigend fallengelassen wird, dort ein anderer immer mehr überzeugt – bis in all dem Hin und Her allmählich wie von selbst eine Linie, ein Ziel sichtbar wird.

Es wäre wohl auch möglich, die Entstehung dieser Linie zu verfolgen, indem man die einzelnen Urteile und Äußerungen nach ihrem tiefsten Grunde befragt, sie analysiert, zu Gruppen zusammenfaßt, gegenüberstellt, um sozusagen von ihnen nicht, wie wir es getan haben, auf das zeitlose, sondern das geschichtliche Kunstwerk zu schließen. Das kann aber hier unsere Aufgabe nicht sein. Ebensowenig kann aber auch der sich über dem Hin und Her der Meinungen vollziehende Prozeß einer sozusagen unpersönlichen Meinungsbildung den forschenden Geist selbst der Aufgabe entheben, unaufhörlich neue Argumente herbeizuholen, sie zu wägen und zu prüfen, so, als gäben sie allein den Ausschlag; die Wirkung, das Zusammenfließen zu einem einzigen Strom, ergibt sich dann von selbst und muß sich von selbst ergeben.

Wir, die wir den Boden dieser Forschung hier nicht betreten wollen, dürfen eher als diejenigen, die mitten im Getümmel stehen, einen überschauenden Blick auf das Ganze werfen; und wenn wir all die Bemühungen, aus der fragmentarischen Überlieferung ein Bild des verlorenen Ganzen zu gewinnen, in ihrer Gesamtheit betrachten, so wird es uns dann schließlich und endlich wohl ähnlich ergehen wie Goethe in Terni, als er dem Ergebnis einer Zusammenfügung antiker Bruchstücke gegenüberstand und sie mit den Worten „nicht dumm, aber toll" bezeichnete (wie oft muß das Gegenteil geäußert werden!), daß wir den tiefen gemeinsamen Grund unseres eigenen Strebens, „einen Begriff des Altertums zu erwerben" mit jenem forschenden Bemühen, „das kümmerlich aufzuerbauen, wovon man noch keinen Begriff hat", gewahr werden – wobei auch uns wohl, als Schluß und als neuer Beginn, als Resignation und als Aufschwung, „denn doch wunderbar zu Muthe" werden mag.

Anmerkungen

¹ Vgl. A. von Gerkan, Gymnasium 66, 1959, 187 ff.

² Der in Vorbereitung befindliche 5. Band einer bei S. Fischer erscheinenden Weltgeschichte ›Die Mittelmeerwelt im Altertum I (Perser und Griechen)‹ (Hrsg. H. Bengtson) wird neben Perikles und Alexander eine Abbildung der Herme aus Ostia bringen. So wird nun wohl doch allmählich wenigstens das alte, falsche Themistoklesporträt, nach welchem „Schule und populäre Geschichtsdarstellung ihr Themistoklesbild . . . in Übereinstimmung zu bringen" begannen (B. Schweitzer, Die Antike 17, 1941, 77), durch die authentische Darstellung verdrängt. – Ganz spezielle Arbeiten wie der Aufsatz von C. Guratzsch, Der Sieger von Salamis (Klio 39, 1961, 48 ff.) erwähnen das Bildnis natürlich überhaupt nicht.

³ B. Schweitzer 77 ff. G. Rodenwaldt, Forsch. u. Fortschr. 18, 1942, 90. F. Diepolder, Pantheon 31, 1943, 114 f. Wohl auch A. Boethius, Eros och Eris (1944) 44 ff. (mir nicht zugänglich).

⁴ A. Hekler, Bildnisse berühmter Griechen ³(1962) 5.

⁵ Die gelegentlichen Bemühungen um das Ähnlichkeitsproblem, die in G. M. A. Richters Schrift „Greek portraits II: To what extent were they faithful likenesses?" (Coll. Latomus XXXVI 1959) gipfeln, können darüber nicht täuschen: sie sind Parerga, Zusatz, nicht Ziel und Hauptanliegen.

⁶ H. Drerup, Marburger Winckelmann-Programm 1961, 21 [hier S. 286].

⁷ N. Dacos, Ant. Classique 31, 1962, 318.

⁸ M. Bieber, Amer. Journal of Archaeol. 58, 1954, 282.

⁹ T. Dohrn, Dt. Lit. Ztg. 64, 1943, 986.

¹⁰ F. Miltner, Österr. Jahresh. 39, 1952, 70. R. Bianchi Bandinelli, Storicità dell'arte classica (1950) 65.

¹¹ Storicità dell'arte classica (1950) 65.

¹² G. Becatti, Crit. d'Arte 7, 1942, 88.

¹³ Le Arti 2, 1939/40, 152.

¹⁴ a. O. [o. Anm. 9] 986. Im Grunde handelt es sich um die gleiche "surprise", die wir auch bei A. R. Burn ([o. S. 302] 281) registrierten.

¹⁵ A. Boethius, From the Coll. of the Ny Carlsberg Glyptotek 3, 1942, 222.

¹⁶ K. Schefold, Die Bildnisse der ant. Dichter, Redner u. Denker (1943) 21.

¹⁷ Gesch. d. griech. Kunst (1961) 174.

¹⁸ G. Kleiner, Gnomon 24, 1952, 373.

¹⁹ G. Calza, Le Arti 2, 1939/40, 160.

²⁰ Bieber [o. Anm. 8] 283. Vgl. auch B. Schweitzer (o. Anm. 2) 78.

²¹ R. Bianchi Bandinelli, Il problema del ritratto greco (o. J., um 1952) 51.

²² z. B. G. Calza, Crit. d'Arte 5, 1940, 16 f. B. Schweitzer [o. Anm. 2] 78. R. Bianchi Bandinelli (o. Anm. 21) 51.

²³ Storicità dell'arte classica (1950) 268 Anm. 76.

²⁴ O. Deubner, Marburger Winckelmann-Programm 1948, 23.

²⁵ z. B. K. Wessel, Jahrb. d. Dt. Archäol. Inst. 74, 1959, 134.

²⁶ a. O. [o. Anm. 15] 202. Ähnlich auch B. Schweitzer [o. Anm. 2] 77.

²⁷ G. Calza, Le Arti 2, 1939/40, 161. Ders., Crit. d'Arte 5, 1940, 15 ff. H. Fuhrmann, Arch. Anz. 1940, 436. Ders., Arch. Anz. 1941, 479. K. A. Neugebauer, Dt. Lit. Ztg. 62, 1941, 552.

L. Curtius, Röm. Mitt. 57, 1942, 78 ff. Ch. Picard, Rev. des Ét. Gr. 1942, 278. Ders., Manuel d'archéol. Grecque III 1 (1948) 142. G. Rodenwaldt (o. Anm. 2) 90. Ders., Köpfe von den Südmetopen des Parthenon (Abh. d. Dt. Akad. d. Wiss. Berlin Phil.-hist. Kl. 1945/46 Nr. 7) 22 Anm. 1. T. Dohrn (o. Anm. 9) 986. F. Diepolder (o. Anm. 3) 114. K. Schefold (o. Anm. 16) 18. O. Deubner (o. Anm. 24) 126. 128. H. P. L'Orange, Mél. Picard I (1949) 675 f. G. Lippold, Die griech. Plastik (Handb. d. Arch. III 1 1950) 109. G. M. A. Richter, Three critical periods in Greek sculpture (1915) 6. Dies., Greek portraits (Coll. Latomus XX 1955) 16 ff. Dies., A handbook of Greek art (1959) 91. Dies., Rend. Pont. Acc. 34, 1961/62, 41 ff. G. Kleiner (o. Anm. 18) 373. E. Boehringer in Festschrift A. Rumpf (1952) 22 f. F. Miltner (o. Anm. 10) 71. G. Hafner, Arch. Anz. 1952, 102. Ders., Jahrb. d. Dt. Arch. Inst. 70, 1955, 124 f. Ders. (o. Anm. 17) 174 f. M. Bieber, Amer. Journal of Arch. 58, 1954, 283. H. Koch in Festschrift f. Fr. Zucker (1954) 223. W. Binsfeld, Grylloi (Diss. 1956) 22. J. Frel, Eirene 1, 1960, 69. G. Zinserling, Klio 38, 1960, 87 ff. F.-B. Mache, Mon. Piot 51, 1960, 34. P. A. Clement, Gnomon 33, 1961, 823. Chr. Karusos, Aristodikos (1961) 40. E. Bielefeld, Arch. Anz. 1962, 76 ff. K. Schauenburg, Gymnasium 70, 1963, 281.

[28] Jonien: G. Rodenwaldt 90. Schefold 18. – Attika: Miltner 72. – Argos: Drerup 21 ff. Vgl. Schauenburg 281. Bielefeld 75 Anm. 2. – Myron: G. Hafner, Arch. Anz. 1952, 102, vorsichtiger dann: Gesch. d. Griech. Kunst (1961) 175. – Kritios u. Nesiotes: F. Crome, Hellas Jahrb. 7, 1942, 9. Zinserling 104. 109.

[29] E. Pfuhl (zitiert bei G. Calza, Crit. d'Arte 5, 1940, 15). Zunächst auch R. Bianchi Bandinelli, Crit. d'Arte 5, 1940, 20, dann widerrufen Storicità dell'arte class. (1950) 65. B. Schweitzer (o. Anm. 2) 79. Ders., Acta Congressus Madvigiani 3, 1957, 21 ff. (jetzt: Zur Kunst d. Antike, Ausgewählte Schriften II 1963, 183 ff. Im folgenden nur hiernach zitiert). G. v. Kaschnitz Weinberg, Gnomon 17, 1941, 341. L. Laurenzi, Ritr. Greci (1941) 94 f. F. Poulsen, Gnomon 17, 1941, 483. A. Boethius (o. Anm. 15) 202 ff. V. H. Poulsen, Les portraits Grecs (1954) 12 ff. Vgl. auch E. Berger, Röm. Mitt. 65, 1958, 27 f. P. Amandry, Bull. de la Fac. de Lettres de Strasbourg 39, 1961, 431 ff. M. Guarducci, Riv. Filol. Class. 39, 1961, 75 f.

[30] Becatti 76 ff. Ders., Problemi fidiaci (1951) 143. Vorsichtiger ders., Gnomon 24, 1952, 462 und Scultura Greca II (1961) 186: 1. Jh. n. Chr.

[31] H. Weber, Gnomon 27, 1955, 445 f. Dagegen ausdrücklich Wessel [o. Anm. 25] 124 ff. J. Frel, Bull. du Musée Hongrois des Beaux-Arts 8, 1956, 16 Anm. 13. Vgl. auch ders., Eirene 1, 1960, 69 ff. G. Hafner, Jahrb. d. Dt. Arch. Inst. 70, 1955, 124 Anm. 75.

[32] Lit. bei Bielefeld 75 ff. Vgl. auch G. Hafner (o. Anm. 17) 175. P. A. Clement, Gnomon 33, 1961, 823. G. M. A. Richter, Rend. Pont. Acc. 34, 1961/62, 45. – Neuattisch: R. Bianchi Bandinelli (o. Anm. 11) 269 Anm. 77.

[33] Zinserling [o. Anm. 27] 88 f. Eine Auseinandersetzung mit dem Stil konnte auch in dieser Untersuchung nicht vermieden werden.

[34] G. M. A. Richter, Greek portraits (Coll. Latomus XX 1955) 20. R. Bianchi Bandinelli, Crit. d'Arte 5, 1940, 19. Becatti 85.

[35] G. Rodenwaldt (o. Anm. 3) 90. Ders., Köpfe (o. Anm. 27) 22 Anm. 1.

[36] a. O. [o. Anm. 27] 90 Anm. 3. Zur Frage der Zurückführung auf literarisch erwähnte oder auf Münzen wiedergegebenen Porträts auch E. H. Richardson, Mem. of the Am. Ac. 21, 1953, 102 Anm. 105. G. M. A. Richter, Greek portraits IV (Coll. Latomus LIV 1962) 11. Drerup 22 f. [= hier S. 287 f.].

[37] R. Bianchi Bandinelli, Crit. d'Arte 5, 1940, 23.

[38] R. Bianchi Bandinelli, Crit. d'Arte 5, 1940, 20.

[39] G. Calza, Le Arti 2, 1939/40 Taf. LX, Bieber a. O. [o. Anm. 8] 384 Abb. 9. B. Schweitzer (o. Anm. 2) 77 ff. Abb. 1. 2. 4. Miltner [o. Anm. 10] 70 Abb. 24.

[40] R. Bianchi Bandinelli (o. Anm. 11) 65.

[41] R. Bianchi Bandinelli (o. Anm. 11) 66.

[42] G. Calza, Crit. d'Arte 5, 1940, 16.

[43] G. Calza, Le Arti 2, 1939/40, 155.

[44] Greek portraits (Coll. Latomus XX 1955) 18. Einige Zeilen vorher zieht G. M. A. Richter allerdings auch Löwen zum Vergleich heran, jedoch nur in stilistischer Hinsicht; über diesen Unterschied wird noch zu reden sein.

[45] G. Calza, Crit. d'Arte 5, 1940, 16.

[46] B. Schweitzer, Zur Kunst der Antike II 185. Ob eine direkte Verbindung schon deshalb unmöglich sei, weil es sich bei dem von Plutarch erwähnten Bildnis um ein εικόνιον, also wohl eine Statuette, gehandelt hat, darf hier unberücksichtigt bleiben; vgl. ebenda 185.

[47] B. Schweitzer, Die Antike 17, 1941, 80.

[48] R. Bianchi Bandinelli, L'origine del ritr. in Grecia e in Roma (1961) 56.

[49] R. Bianchi Bandinelli (o. Anm. 21) 53. Ebenso schon G. Calza, Le Arti 2, 1939/40, 155. E. Pfuhl, zitiert von G. Calza, Crit. d'Arte 5, 1940, 15.

[50] R. Bianchi Bandinelli, Crit. d'Arte 5, 1940, 20.

[51] W. Ax (Kröner) ³24. E. Eyth (Langenscheidt) 31. W. Capelle (Insel) 52. K. Ziegler (Artemis) 391.

[52] R. Bianchi Bandinelli, Il problema del ritr. Greco (o. J., um 1952) 52.

[53] F. Poulsen, Gnomon 17, 1941, 483.

[54] V. H. Poulsen, Les portraits Grecs (1954) 12.

[55] J. Sieveking, Philol. Wochenschr. 62, 1942, 643.

[56] R. Bianchi Bandinelli (o. Anm. 11) 66.

[57] G. Hafner, Arch. Anz. 1952, 100. Zinserling 105.

[58] Becatti 81. Ähnlich auch R. Bianchi Bandinelli, Crit. d'Arte 5, 1940, 18.

[59] B. Schweitzer, Zur Kunst der Antike II 185.

[60] H. P. L'Orange, Mél. Picard I (1949) 676 Anm. 3.

[61] Die Antike 17, 1941, 79 f.

[62] R. Bianchi Bandinelli, Crit. d'Arte 5, 1940, 19.

[63] Curtius [o. Anm. 27] 83, ähnlich Wessel [o. Anm. 25] 134.

[64] Crit. d'Arte 5, 1940, 19.

[65] Storicità dell'arte class. (1950) 269 Anm. 80.

[66] Crit. d'Arte 5, 1940, 16.

[67] G. Calza, Le Arti 2, 1939/40, 155.

[68] B. Schweitzer, Die Antike 17, 1941, 79.

[69] G. Calza, Le Arti 2, 1939/40, 160. Ähnlich Bieber a. O. [o. Anm. 8] 283.

[70] Zur Kunst der Antike II 184.

[71] Greek portraits (Coll. Latomus XX 1955) 17.

[72] G. Hafner, Arch. Anz. 1952, 100. Zustimmend Zinserling [o. Anm. 27] 105. Bielefeld [o. Anm. 27] 88.

[73] G. Hafner, Gesch. d. griech. Kunst (1961) 174. Vgl. Zinserling 106.

[74] Boethius [o. Anm. 15] 215. Auch sonst wird hin und wieder der „Stiernacken" genannt,

z. B. bei Curtius 89, doch widerrät die Vertiefung, die der Themistokles von Ostia im Nacken zeigt, einem solchen Vergleich.

[75] Italienische Reise, Terni 27. 10. 1786.

[76] Curtius [o. Anm. 27] 91, zitiert dann u. a. von Ch. Picard, Rev. des Ét. Gr. 1942, 278. Manuel d'Archéol. Gr. III 1 (1948) 128.

[77] N. Himmelmann-Wildschütz, Marburger Winckelmann-Programm 1962, 11.

[78] Abhandl. d. Sächs. Ak. d. Wiss. Phil.-hist. Kl. 91, 1939 Heft 4 (1940), jetzt: Zur Kunst der Antike. Ges. Schriften II (1963) 115ff. Im folgenden nur hiernach zitiert.

[79] Die Antike 17, 1941, 77ff. Zur Kunst der Antike II 183ff.

[80] R. Bianchi Bandinelli, Crit. d'Arte 5, 1940, 24.

[81] R. Bianchi Bandinelli a. O. 22; vgl. ders., Enciclopedia dell'Arte Antica III (1960) 1049f.

[82] G. Rodenwaldt (o. Anm. 2) 90.

[83] Ders., Köpfe (o. Anm. 27) 22 Anm. 1.

[84] R. Bianchi Bandinelli, Crit. d'Arte 5, 1940, 21.

[85] B. Schweitzer, Zur Kunst der Antike II 186.

[86] Storicità dell'arte class. (1950) 67.

[87] Chr. Karusos, Aristodikos (1961) 40.

[88] Le Arti 2, 1939/40, 159.

[89] Es ist keineswegs allein Diepolder gewesen, der sie (a. O. [o. Anm. 27] 114f.) heranzog, wie Bielefeld ([o. Anm. 27] 80) behauptet; sie werden u. a. auch von F. Poulsen [o. Anm. 29] 483, Becatti [o. Anm. 12] 78, Boethius [o. Anm. 15] 216f., G. M. A. Richter, Greek Portraits (Coll. Latomus XX 1955) 17, G. Hafner, Arch. Anz. 1952, 101 Anm. 61 (mit weiterer Lit.) und Zinserling 93 genannt; außerdem hatten schon E. Pfuhl, Die Anfänge der griech. Bildniskunst (1927) und seine Gegner nicht nur die diesbezüglichen Vasenbilder, sondern auch die Beispiele aus der übrigen Kleinkunst „nahezu vollständig gesammelt" (B. Schweitzer, Zur Kunst der Antike II 139). [Vgl. hier S. 240ff.]

[90] R. Bianchi Bandinelli (o. Anm. 11) 268 Anm. 76.

[91] B. Schweitzer, Zur Kunst der Antike II 146. 142.

[92] So hat E. Buschor, Bildnisstufen (1947) 30f. die Schweitzersche These modifiziert; Schweitzer selbst legte größeren Wert auf die „Dämonenfratze" als auf die Kuroi und Siegerstatuen, vgl. Zur Kunst der Antike II 146.

[93] B. Schweitzer, Zur Kunst der Antike II 120. Vgl. ebenda II 197.

[94] G. M. A. Richter, Greek portraits (Coll. Latomus XX 1955) 21. Dies., Rend. Pont. Acc. 34, 1961/62, 43.

[95] Sieveking [o. Anm. 27] 643; vgl. auch Bielefeld [o. Anm. 27] 76.

[96] G. Hafner, Jahrb. d. Dt. Arch. Inst. 70, 1955, 124 Anm. 75.

[97] Raissa Calza, mündlich.

[98] G. Calza, Le Arti 2, 1939/40, 160.

[99] R. Bianchi Bandinelli (o. Anm. 80) 17 u. Storicità dell'arte class. (1950) 65.

[100] R. Bianchi Bandinelli, Crit. d'Arte 5, 1940, 20.

[101] Schefold [o. Anm. 16] 18, zustimmend Kleiner [o. Anm. 18] 373.

[102] V. H. Poulsen, Les portraits Grecs (1954) 12.

[103] B. Schweitzer, Die Antike 17, 1941, 78.

[104] Drerup 21 [= hier S. 286]. Curtius [o. Anm. 27] 82.

[105] Le Arti 2, 1939/40, 160.

[106] Crit. d'Arte 5, 1940, 17.

[107] Vgl. auch R. Calza – M. Floriani Squarciapino, Il Museo Ostiense (1962) 32 Nr. 10.

[108] Vgl. R. Bianchi Bandinelli, Crit. d'Arte 5, 1940, 17. Ders., Storicità dell'arte class. (1950) 65. Becatti a. O. [o. Anm. 12] 88 mit Anm. 44.

[109] G. Lippold, Vat. Kat. III 1 (1936) 99 ff.

[110] R. Bianchi Bandinelli, Crit. d'Arte 5, 1940, 18.

[111] Die Forderung, in der Forschung die Herme von Ostia selbst dem vermuteten Original voranzustellen, ist m. W. bisher nur von G. Fuchs (mündlich) erhoben worden.

[112] R. Bianchi Bandinelli, Storicità dell'arte class. (1950) 65.

[113] F. Poulsen, Gnomon 17, 1941, 484.

Lykische Münzporträts

Von Willy Schwabacher

Seit Dr. E. S. G. Robinson veröffentlichte, was er als „eines der frühesten und zufälligerweise eines der schönsten Porträts auf irgendeiner Münze"[1] bezeichnete, hat er immer einen besonderen Blick für die Anfänge der Porträtkunst auf griechischen Münzen gehabt[2]. Da dieses faszinierende Thema schon seit langem auch mich interessiert hat[3], halte ich dies für eine gute Gelegenheit, diese Untersuchungen zu erweitern. Ein anderer Grund dafür, sie unter einem neuen Blickwinkel zu betrachten, ist die kürzliche Entdeckung eines bereits berühmten Schatzes aus Kleinasien, der eine ganze Reihe von bisher völlig unbekannten frühen Porträtmünzen enthält. Dr. Robinson war einer der ersten, der einige der schönsten dieser wertvollen Dokumente, die in der ersten Hälfte des 4. Jh. v. Chr. unter lykischen Herrschern geprägt wurden, erworben hat, und in seiner üblichen Großzügigkeit hat er sie dann dem Heberden Coin Room des Ashmolean Museums in Oxford geschenkt. Hier soll nun der Versuch unternommen werden, diese und andere lykische Porträtserien vom kunsthistorischen Standpunkt aus kritisch zu untersuchen und ihnen ihren besonderen Platz innerhalb der Entwicklung der ostgriechischen Kunst zuzuweisen.

Lykien bildet fast eine Halbinsel und ist eine sehr abgeschlossene gebirgige Provinz an der Südküste Kleinasiens. Seine frühe Geschichte, soweit sie bekannt ist, war ziemlich bewegt[4]. Die Lykier, die zum ersten Mal in der ›Ilias‹[5] erwähnt werden, haben anscheinend, zumindest im Landesinneren, ihre charakteristische Kultur und Lebensart bewahrt und waren bis zu ihrer endgültigen Hellenisierung nach Alexanders Eroberung relativ unabhängig von starken orientalischen und griechischen Einflüssen geblieben. Als ein Beispiel hierfür seien in diesem Zusammenhang ihre eigene Sprache und ihr eigenes Alphabet, die noch in der Mitte des 4. Jh. v. Chr. benutzt wurden, erwähnt sowie ihre matriarchalische Gesellschaftsstruktur[6].

Aus diesen und ähnlichen Gründen wäre es verlockend, der Frage nachzugehen, wie die griechische Kunst auf die Berührung mit dieser fremden Kultur reagierte. Hat sie früher oder später die in diesem Teil der Mittelmeerwelt gebräuchlichen Ausdrucksformen assimiliert? Oder hat sie möglicherweise bestimmte fremde Merkmale übernommen und umgeformt und somit ihrer eigenen Ausgestaltung und Entwicklung neue Richtungen und Nuancen hinzugefügt?[7]

Es steht allerdings zweifellos fest, daß Lykien niemals eine bedeutsame Rolle innerhalb der verschiedenen Bereiche der klassischen Kultur gespielt hat. Die besonderen sozialen Gegebenheiten dieser östlichen Provinz scheinen jedoch gewisse

Willy Schwabacher, Lycian Coin-Portraits, in: Essays in Greek Coinage, Presented to Stanley Robinson (1968), S. 111–124. Übersetzt von Margot Staerk.

typisch lykische Merkmale in den Künsten hervorgebracht zu haben, die anderswo nicht zu beobachten sind und die in der Tat die Landschaft Lykiens beherrschten[8]. Die eindrucksvollen Grabdenkmäler in Form von Kästen auf hohen Pfeilern und die kunstvoll herausgehauenen Felsengräber zeugen noch immer von wohlhabenden und kunstliebenden Familien oder Einzelpersonen, die ihre religiösen Überzeugungen, ihre Mythen und Legenden in einem anderswo unbekannten Ausmaß in bemerkenswerten Bauwerken und Skulpturen zum Ausdruck brachten. Als Beispiel für einen gelegentlichen lykischen Einfluß auf diese Art von Grabkunst kann man ähnliche Bauten im benachbarten Karien nennen, zu denen auch das berühmte Mausoleum des karischen Satrapen Mausolos aus dem späteren 4. Jh. v. Chr. gehört[9].

Dies ist jedoch nicht der Ort, um tiefer in die faszinierenden Probleme vorzudringen, die durch die Einflüsse aus Ost und West, unter denen sich die lykische Kunst entwickelte und ihre charakteristischen Züge ausbildete, aufgeworfen werden. Es mag hier genügen darauf hinzuweisen, daß ionische Künstler von den Ägäischen Inseln und dem westlichen Kleinasien schon im 6. und 5. Jh. v. Chr. eine dominierende Rolle gespielt haben, obwohl persische (ursprünglich assyrische) und auch ägyptische (Gjölbaschi) Richtungen offensichtlich nie aufgehört haben, Aufbau und Skulpturenschmuck der lykischen Grabdenkmäler zu beeinflussen[10].

In der lykischen Kunst gibt es jedoch eine Besonderheit, die sich anscheinend nirgendwo sonst zu einem so frühen Zeitpunkt entwickelt hat: eine ausgeprägte Tendenz zum individuellen Porträt. Ansätze in diese Richtung lassen sich bereits bei den frühen Figurenfriesen beobachten, die seit etwa 500 v. Chr. die lykischen Grabbauten schmückten. Man hat immer schon erkannt, daß diese Reliefs eine seltsame Mischung orientalischer Tradition und ostgriechischer Kunst unter persischer Herrschaft von der Zeit des Kyros bis zum Ende des 5. Jh. v. Chr. aufweisen. Die thronenden Gestalten vom Harpyiengrab im Britischen Museum [Taf. 5, 2][11] z. B. wurden zu Recht als heroisierende Darstellung der Mitglieder einer einzigen Fürstenfamilie, vermutlich durch mehrere Generationen hindurch, gedeutet[12]. Im Gegensatz dazu lassen die Friese, die den wohlbekannten lykischen Sarkophag aus Sidon in Istanbul aus der 2. Hälfte des 5. Jh. v. Chr. zieren, den idealisierenden Einfluß der klassischen griechischen Kunst jener Zeit erkennen. Von dem Satrapen jedoch, der gegen Ende desselben Jahrhunderts in dem berühmten Nereidenmonument von Xanthos beigesetzt wurde[13] und der in der Mitte des Peristylfrieses in einer realistischen historischen Szene abgebildet ist, hat man bereits gesagt: „Wir dürfen in seinem Kopf trotz der nicht guten Erhaltung die Absicht eines Porträts erkennen"[14].

Östliche Vorstellungen und Muster lassen sich auch in der lykischen Münzprägung von Anfang an nachweisen, obwohl wahrscheinlich griechische Graveure viele der Prägestempel mit den für Lykien charakteristischen Tiergestalten – Ebern, geflügelten Löwen, Greifen etc. – angefertigt haben. Bereits in den letzten zwei Jahrzehn-

ten des 5. Jh. v. Chr. tauchen die ersten Porträts mit ausgeprägt individuellen Zügen, wie auf dem Xanthosfries, auch auf lykischen Herrschermünzen auf. Ein Blick
auf einige Exemplare aus dieser Gruppe von Porträtmünzen (Taf. 30–31) soll dazu
dienen, eine ausführlichere Diskussion jener bislang unbekannten Emissionen ein-
zuleiten, die im Elmali-Fund von 1957 zutage kamen[15]. Besonders interessant unter
diesen frühen Exemplaren ist die Gruppe, die der Herrscher Khäräi oder Khreis
(vermutlich eine lykische Form des lydischen Namens Kroisos)[16] geprägt hat. Seine
Herrschaft dauerte nach G. F. Hill und B. V. Head ungefähr von 450–410 v. Chr.,
nach E. Babelon, mit dem die meisten späteren Numismatiker übereinstimmen,
von 425–410 v. Chr.[17]. Nach dem griechischen Epigramm in der 250 Zeilen umfassenden großen Inschrift auf der berühmten Stele von Xanthos[18], die vermutlich zu
Ehren des Khäräi nach 410 errichtet worden ist, war der Herrscher ein Sohn des
Harpargos, der Lykien für Dareios I. Hystaspes erobert hatte. Er war mit Sicherheit
einer der mächtigsten Fürsten Lykiens und war, derselben Quelle zufolge, ein
Vasall, wenn nicht gar ein Verbündeter des mächtigen ionischen Satrapen Tissaphernes gewesen, dessen Münzporträt inzwischen wohlbekannt ist [Taf. 28–29][19]. Das
Unterfangen, die Münzen des Khäräi in eine gesicherte chronologische Reihenfolge
zu bringen, scheint jedoch sehr schwierig zu sein, und was J. P. Six vor fast 70 Jahren
gesagt hat, trifft immer noch zu: „Jede neue lykische Münze gibt ein neues Rätsel
auf, und . . . es wird lange dauern, bis alle daraus sich ergebenden Probleme ihre
Lösung gefunden haben"[20]. Ein Blick auf die Vergrößerungen einer Reihe von
Münzen mit Köpfen, die offensichtlich Khäräi darstellen sollten (Taf. 30–31, 1–11),
läßt sofort den Eindruck entstehen, daß sie zu einer Zeit graviert wurden, als die
Stempelschneider mit der Vorstellung eines individuellen Porträts noch nicht vertraut waren. Einige dieser Köpfe, die unbenannt sind, zeigen wohl nur verallgemei-
nerte Formen, obwohl die Gesichtszüge Khäräis wahrscheinlich zumindest in den
Fällen erkannt werden müssen, in denen sein Name ganz in der Nähe des Kopfes
angegeben ist. Der eindrucksvollste von allen ist vielleicht der Kopf in Dreiviertelansicht innerhalb des vertieften Vierecks auf der Rückseite der einmaligen Bostoner
Münze (Taf. 30, 2). Nach A. Baldwin Brett weist dieser Kopf einen späteren Stil auf
als die in BMC Lycia, Taf. 6, 1 und Taf. 49, 8 (hier Taf. 30, 4. 3) gezeigten Köpfe und
stammt vermutlich aus den letzten Jahren seiner Regierungszeit[21]. Ihre Meinung
wurde von E. S. G. Robinson unterstützt, der in bezug auf diesen Kopf sogar
vermutet, „daß Khäräi dem Ende des 5. Jh. näher kam als ursprünglich angenommen"[22]. Wenn man jedoch den im Vergleich zu anderen Athenaköpfen auf
Khäräi-Münzen ziemlich frühen Stil des Athenakopfes auf der Vorderseite betrachtet und die Tatsache berücksichtigt, daß Dreiviertelansichten schon ein Jahrzehnt
früher als bislang allgemein angenommen (anhand von Kimons berühmter „Are-
thusa"-Tetradrachme von Syracus) auf griechischen Münzen (wie in Amphipolis) in
Mode gekommen waren, so kann Khäräis bemerkenswertes Dreiviertelporträt auf
der Bostoner Münze schließlich doch aus genau derselben Zeit stammen wie das

großartige Porträt seines Verbündeten Tissaphernes auf der ca. 412–411 v. Chr. in Milet geprägten Tetradrachme nach Athener Vorbild [Taf. 28, 1][23].

Von allen *Münzporträts Khäräis* weist zweifellos dasjenige auf dem vorzüglichen *Pariser Stater* (Taf. 30, 5) die stärksten individuellen Züge auf[24]. Die auffallend persönlichen Gesichtszüge, die gebogene Adlernase (nicht unähnlich derjenigen des *Tissaphernes*), die dicken Lippen und der lange gefurchte Bart heben diesen Kopf deutlich von den meisten anderen Darstellungen Khäräis ab. Diese Ausnahme unter den Porträts des Herrschers mag vielleicht bis zum gewissen Grade die von Hinks und Schweitzer geäußerte Überzeugung bestätigen, daß solche „Abweichungen von der Idealnorm rassisch, nicht persönlich bedingt sind"[25].

Von den Münzen ohne Khäräis Namen lassen sich, neben einigen anderen[26], zumindest drei der hier abgebildeten (Taf. 30, 8–10) aufgrund einer gewissen allgemeinen Ähnlichkeit mit Porträts, die *Khäräis* Namen aufweisen, diesem Herrscher zuschreiben. Eine Ausnahme – und ein Rätsel – stellt Taf. 31, 11 dar. Diese Münze im Britischen Museum ist immer *Khäräi* zugeschrieben worden, seit B. V. Head sie als erster diesem Dynasten zugeordnet hatte[27]. Das Porträt jedoch, das, wie bei den Münzen auf Taf. 30, 9–10, von einem gepunkteten Kreis umrahmt ist, sticht aufgrund seines stark ‘orientalischen’ Aussehens von allen anderen Khäräi-Münzen auffallend ab und erweckt den Eindruck, als handle es sich um die konventionelle Darstellung eines persischen Satrapen. Ein zweites Exemplar dieser interessanten Emission, das aus demselben Stempelpaar stammt, ist kürzlich in der Sammlung v. Aulock veröffentlicht worden[28]. Der Athenakopf auf der Rückseite weist jedoch einen klassisch-griechischen, fast attischen Charakter auf. Was auch immer der Grund für diesen Widerspruch sein mag, der ‘orientalische’ Satrap auf der Rückseite (ob er nun Khäräi ist oder nicht) sollte einen lykischen Fürsten, einen Vasallen des Großkönigs, darstellen.

Trotz der recht großen Unterschiede im allgemeinen Aussehen und in der Qualität all dieser lykischen Herrscherköpfe, von denen einige einen griechischen Lorbeerkranz um ihre persische Tiara gewunden haben (Taf. 30, 3. 8), kann kein Zweifel daran bestehen, daß wir hier die Anfangsphase individueller Porträtkunst auf griechischen Münzen vor uns haben. Wir sind in der Lage, die Entwicklung zu verfolgen, in deren Verlauf die griechischen Stempelschneider auf fremdem Boden die völlig neuartige Aufgabe zu meistern lernten, die altehrwürdigen Götterbildnisse durch die Bilder lebender Individuen zu ersetzen. Es sieht so aus, als ob zunächst noch etwas von den unsterblichen Göttern in den Gesichtszügen dieser sterblichen Wesen überdauerte (Taf. 30, 3). Die hohe gesellschaftliche Stellung dieser asiatischen Herrscher und ihre Würde als Stellvertreter des persischen Königs waren vielleicht der Grund dafür, daß die Graveure nur zögernd darangingen, ihre individuellen Gesichtszüge wiederzugeben[29], oder wie Plinius es später ausdrückte (hist. nat. XXXIV 74): *mirumque in hac arte est quod nobiles viros nobiliores fecit.*

Das gleiche gilt für die übrigen lykischen Münzporträts aus dieser und einer etwas späteren Zeit, die vertreten werden durch den in zwei Inschriften erwähnten *Artuṁpara* (Taf. 31, 12–13), den historisch nur aufgrund seiner Münzprägungen bekannten *Ddänävälä* (Taf. 31, 14–16) und durch *Khärigä* (Traite II 2, Taf. 99, 20). Aufgrund ihres Porträts allein könnte man sie nicht voneinander unterscheiden, wenn da nicht die sie begleitende Herrscherinschrift wäre. Ihre Köpfe sind typische Beispiele für den Versuch, mehr oder weniger hellenisierte Bildnisse orientalischer Herrscher anzufertigen, die zu einer fast göttlichen Erhabenheit idealisiert sind; in einem besonders interessanten Fall ist der Kopf mit einem rein griechisch-korinthischen Helm geschmückt (Taf. 31, 13)[30].

In dieser Hinsicht folgen die lykischen Stempelschneider derselben Richtung wie ihre Kollegen an anderen Satrapenhöfen: in Theutrania, Pergamon und Lampsakos in Mysien, in Tarsos, Mallos und Nagidos (?) in Kilikien sowie an einigen nicht identifizierten Münzstätten[31] tauchen Satrapenköpfe mit einem ähnlich konventionellen Charakter auf. Fr. Imhoof-Blumers generelle Bedenken, in allen diesen Köpfen individuelle Porträts erkennen zu wollen, sind daher leicht zu verstehen[32]. Wenn diese Köpfe jedoch mit einem Namen versehen sind, dann muß gemeint sein, daß sie den Herrscher dieses Namens auch darstellen[33]. Viel bedeutsamer ist allerdings, daß neue Funde in Lykien zu beweisen scheinen, daß die oben beschriebenen tastenden Versuche zu wahren Meisterwerken realistischer Porträtkunst weiterentwickelt wurden.

Die Münzporträts der beiden lykischen Herrscher *Mithrapata* und *Päriklä*, auf Taf. 32–33 abgebildet, bestätigen diese Behauptung. Sie kamen zum ersten Mal in dem kürzlich gefundenen Schatz von Elmali aus dem Jahre 1957[34] zutage und stellen, abgesehen von zwei mit demselben Stempel geprägten Exemplaren (Taf. 33, 10), eine völlige Neuheit in der griechischen Numismatik dar; beide wurden von K. Regling angezweifelt, doch seine Einwände erweisen sich nun als nicht gerechtfertigt[35]. Der Information zufolge, die mir freundlicherweise L. Mildenberg zukommen ließ (Brief vom 25. Februar 1965), ist außer den elf auf Taf. 32–33 abgebildeten Porträtstempeln seit 1958 kein weiterer im Handel aufgetaucht, da jedoch der größte Teil des Schatzes in Istanbul noch nicht veröffentlicht ist, kann man nicht sicher sein, ob er nicht noch zusätzliche Varianten dieser Porträts enthält[36]. Was man von diesen Herrschern und ihren vermutlich zeitgenössischen Münzen weiß, wurde bereits anläßlich des Erwerbs einiger Exemplare dieser wertvollen neuen Dokumente durch öffentliche und private Sammlungen in einer Reihe von vorläufigen Arbeiten veröffentlicht[34]. Für das besondere Anliegen dieses Artikels sollen hier lediglich die Porträts der beiden Satrapen von einem kunsthistorischen Standpunkt aus und unter Berücksichtigung der soeben gemachten Ausführungen betrachtet werden.

Die meisten Gelehrten scheinen jetzt darin einer Meinung zu sein, daß die Köpfe auf diesen elf Prägestempeln wirkliche Porträts der beiden Herrscher *Mithrapata* und *Päriklä* sind, die Erwähnung ihrer Namen auf den Münzen scheint die Absicht

der Graveure und auch ihrer Auftraggeber besonders zu betonen. Kurz nach ihrem
ersten Auftauchen im Elmali-Schatz wurden für die Köpfe in Frontalansicht auf den
Pärikla-Münzen (Taf. 39, 9–11) freilich andere Namen vorgeschlagen[37]. Aber nachdem G. K. Jenkins bemerkte, daß „es anscheinend völlig gerechtfertigt ist, den (unbekränzten) Kopf eher als ein Porträt des Herrschers anzusehen, wie bei seinem
Gegenstück auf den Mithrapata-Münzen, denn als das einer Gottheit oder eines
Heroen"[38], scheinen sich auch die Skeptiker der gängigen Meinung angeschlossen
zu haben, daß die fast frontalen Köpfe „den Herrscher selbst, vielleicht in göttlicher
Gestalt"[39] darstellen. Diese Ansicht ist durchaus mit der Tatsache vereinbar, daß
diese beiden Vasallen des Großkönigs inzwischen so weit hellenisiert erscheinen,
daß sie im Gegensatz zu den meisten anderen lykischen Herrschern nicht einmal
mehr die Satrapentiara, das Symbol ihres persischen Amtes, tragen.

L. Mildenberg hat gezeigt, daß die Serie von acht Porträtstempeln des *Mithrapata*
in einer Kette von Stempelkoppelungen miteinander verknüpft sind, die eine gesicherte relative chronologische Reihenfolge für die einzelnen Emissionen gewähr-
leistet[40]. Ohne im einzelnen Mildenbergs numismatische Argumente zu wiederholen, die er zuerst in seinem Vortrag in Rom (September 1961) dargelegt hat,
wurde auf Taf. 32, 1–6; 33,7–8 die von ihm vorgeschlagene Reihenfolge der Prägestempel befolgt.

Ohne jeden Zweifel läßt sich an dieser Abfolge von Porträtstempeln auch eine stilistische Entwicklung aufzeigen. Wenn sich auch das Porträt auf *Mithrapatas* erstem
Stempel (Taf. 32, 1) in seiner allgemeinen Haltung und Aussage merklich von den
auf Taf. 30–31 abgebildeten tiarageschmückten Köpfen *Khäräis* und anderer früher
Herrscher unterscheidet, so erinnert es uns dennoch irgendwie an jene unpersön-
liche Idealisierung, die, wie gezeigt wurde, ein typischer Zug für viele Porträtstem-
pel von *Khäräi*, *Artuṁpara* und *Ddänävälä* war. Der Unterschied liegt eher in der
Qualität als im Stil, und mit einiger Berechtigung (wenn auch mit ein wenig Übertreibung) ist gesagt worden, daß „dieser Kopf sich noch an ein Götterbild anlehne"
(L. Mildenberg, Rom 1961). Dieses immer noch leicht idealisierte Porträt weist in
der Tat eine sehr subtile Ausführung in all seinen feinen Einzelheiten auf – man
beachte die Art und Weise, wie das Haar auf der Stirn und im Nacken gelockt, wie
es vom Wirbel aus in glatten Strähnen heruntergekämmt und wie das groß geöffnete
Auge weich in das Gesicht eingebettet ist. Im Vergleich mit diesem ersten Porträt
des *Mithrapata* kann man die Köpfe auf Taf. 32, 2–4 eindeutig als wahre realistische
Porträts des Herrschers bezeichnen. Die plastische Wiedergabe der Muskeln, „die
unruhig erregte Führung der einzelnen Haarsträhnen" sowie andere Details wurden
bereits von E. Bielefeld[41] hervorgehoben. Er ist einer der wenigen Archäologen,
die die Bedeutung von Münzserien für die Geschichte der frühen griechischen Porträtkunst verstanden haben, und er hat auch zu Recht auf die stilistische Stufe des
sogenannten „Reichen Stils" in der attischen Vasenmalerei um 400 v. Chr. hingewiesen, der das entfernte Lykien vielleicht mit einer Verzögerung von ein oder zwei

Jahrzehnten erreicht hat. Ebenfalls bemerkenswert sind die erstaunlichen Unterschiede in der Ausführung dieser drei Varianten im realistischen Stil. Sie lassen sich nur schwer mit Worten beschreiben, man sollte sie jedoch aufmerksam beobachten, um eine Vorstellung von ihrer in diesem Frühstadium erstaunlichen psychologischen Ausdruckskraft zu bekommen. Besonders deutlich ist sie, zumindest in meinen Augen, in der gespannt-nervösen Erregung des letzten Kopfes aus dieser Gruppe (Taf. 32, 4).

Die folgende Gruppe von *Mithrapata*-Porträts weist wieder auf überraschende Weise veränderte Versionen des Dynastenkopfes auf. Es scheint, daß die Stempel Taf. 32, 5–6; 33, 7 das Werk noch eines anderen Künstlers sind, der es vermochte, *Mithrapatas* Porträt eine neue Monumentalität zu verleihen, ohne jedoch seinen Grundzug einer wirklichkeitsgetreuen Ähnlichkeit mit der Person abzuschwächen. Im Vergleich z. B. mit der subtilen nervösen Feinheit auf Taf. 32, 4 scheinen die nicht weniger detaillierten Züge von Taf. 32, 5 und besonders von Taf. 33, 7 eine ruhige und ernste, aber deutlich individuelle Würde und Erhabenheit auszustrahlen. Dies war, so möchte man glauben, der Stil der verlorenen Meisterwerke der rundplastischen attischen Porträtskulpturen aus der ersten Hälfte des 4. Jh. v. Chr. Die beiden Porträts auf Taf. 32, 6 und 33, 8 reichen kaum an diese Größe heran, das letztere zeigt allerdings wiederum eine andere bemerkenswerte und eigenständige Version des Kopfes.

Die drei herrlichen Dreiviertelporträts des *Päriklä* (Taf. 33, 9–11), der ebenso wie *Mithrapata* ohne die persische Satrapentiara dargestellt ist, sind auf Vorderseitenstempel graviert, im Gegensatz zur Mehrzahl der Stempel mit Profildarstellungen. In dieser Hinsicht stimmen sie mit den meisten frontalen Kopftypen auf Münzen überein. Solche technisch äußerst diffizilen Gravierarbeiten sind ganz einfach besser geschützt, wenn sie in den Amboßstempel anstatt in den weniger stabilen Rückseitenstempel eingraviert sind, wie man an zahlreichen griechischen Serien mit frontalen Kopftypen aus eben dieser Zeit erkennen kann. Die chronologische Reihenfolge dieser drei Vorderseitenstempel ist noch nicht durch Stempelkoppelungen wie bei den *Mithrapata*porträts aus derselben Zeit festgelegt worden; obwohl nicht weniger als zehn verschiedene Rückseitenstempel mit einem vorwärtsschreitenden Krieger bekannt sind, scheint es zwischen den Vorderseiten keine Bindeglieder zu geben, so daß ihre chronologische Ordnung allein vom Stil abhängt. L. Mildenberg stellt ohne Angabe von Gründen den unbekränzten Kopf (Taf. 33, 9) an das Ende der Reihe. Nach einer stilistischen Untersuchung der zehn Stempelrückseiten gelangte ich jedoch zu einer genau entgegengesetzten Schlußfolgerung: Die beiden Krieger, die mit dem bekränzten Kopf Taf. 33, 10 kombiniert sind, scheinen stilistisch etwas schwächer zu sein als jene auf den beiden Rückseiten mit dem zusätzlichen Sternzeichen, die mit dem unbekränzten Kopf auf Taf. 33, 9 kombiniert sind. Die zwei anderen Rückseiten ohne das Sternzeichen, die mit diesem unbekränzten Kopf verbunden sind, leiten zu jenen schwächeren Kriegern über, die mit dem

bekränzten Kopf Taf. 33, 10 verbunden sind. Die bislang in Verbindung mit dem Kopf
auf Taf. 33, 11 bekannten Kriegerstempel schließlich weisen alle deutliche Anzeichen eines stilistischen Verfalls dieses Typs auf und sollten daher konsequenterweise
ans Ende dieser Entwicklung gestellt werden [42].

Entsprechend der soeben vorgeschlagenen Reihenfolge folgen die Frontalporträts
Pärikläs stilistisch derselben Richtung: das jugendlich unbekränzte Frontalporträt
auf Taf. 33, 9 ist am brillantesten und steht ganz klar am Anfang. Als nächstes folgt
der immer noch hervorragende Kopf mit Gewand und Kranz von Taf. 33, 10 mit seinem ganz anderen, aber etwas älteren und härteren Ausdruck. Der Kopf mit Kranz
und Gewand von Taf. 33, 11 mit dem auf der rechten Seite hinzugefügten Delphin-
beizeichen würde dann schließlich das stilistisch degenerierte Ende dieser Serie von
*Päriklä*porträts darstellen [43]. Ich will nicht näher auf ein weiteres Argument eingehen, das diese Reihenfolge möglicherweise bekräftigt, möchte es zumindest jedoch
erwähnen: könnten die bekränzten Emissionen des Porträts nicht auf einen militärischen Erfolg in der späteren Laufbahn des Herrschers hinweisen [44]? Wie bekannt,
hatte Päriklä gegen Ende seiner Herrschaft den Ehrgeiz, ganz Lykien von der persischen Vorherrschaft zu befreien [45]. Er schloß sich dem großen Satrapenaufstand an,
wurde jedoch um 360 v. Chr. von dem karischen Satrapen Mausolos besiegt, der
dem Großkönig treu geblieben war und als Belohnung für seine Ergebenheit Lykien
in seine Satrapie eingliedern durfte.

Das guterhaltene Exemplar der unbekränzten Emission, das sich jetzt in einer
Schweizer Privatsammlung befindet (Taf. 33, 9), ist auch in anderer Hinsicht von
Interesse. Colin M. Kraay gelang es vor kurzem, den Münztyp zu bestimmen, der
als Schrötling benutzt und mit dem wunderbaren jugendlichen Kopf des *Päriklä* auf
der Vorderseite und dem kraftvollen bärtigen Krieger auf der Rückseite überprägt
worden ist. Er hat entdeckt, daß die ursprüngliche Münze ein Stater Euagoras' I.
von Salamis auf Zypern war aus einer Serie, die sich sehr gut dazu eignete, als
Schrötling für eine zeitgenössische lykische Münze zu dienen [46]. Und die Rückseite
dieses prächtigen Exemplars, von der ein Teil in Vergrößerung hier auf Taf. 33, 9a
abgebildet ist, bestätigt auf äußerst überzeugende Weise Dr. Robinsons Vermutung,
daß der bärtige Krieger ebenfalls *Päriklä* selbst darstellt [47]. Die außergewöhnliche
Größe des Kopfes (ca. 4mm) im Verhältnis zum Körper des Kriegers verleiht
Robinsons Meinung bereits einen sehr hohen Grad an Wahrscheinlichkeit, und wir
dürfen in diesem behelmten Kopf sicherlich ein Miniaturprofilporträt des Herrschers erblicken.

Es ist wiederum nicht leicht, den Stil dieser praktisch in voller Vorderansicht dargestellten *Päriklä*-Köpfe mit Worten zu charakterisieren. G. K. Jenkins vermutete
„einen gewissen Einfluß aus Syrakus auf die allgemeine Gestaltung und Ausführung" – wobei er sich vielleicht auf die frontalen *Athena*köpfe aus anderen lykischen
Serien (Zagabaha und Väkhssära) bezog sowie auf den Kriegertyp von der Rück-

seite, der möglicherweise von den Leukaspis-Drachmen aus Syrakus abgeleitet ist[48]. Obwohl dies so sein mag, scheint es doch näherliegend, auf Rhodos zu verweisen, wo frontale *Helios*köpfe seit ca. 408 v. Chr. in Mode gekommen waren, oder auf Klazomenai, wo das Meisterwerk des Theodotos mit dem frontalen *Apollo*kopf zehn Jahre nach dem Frieden des Antalkidas von 387 v. Chr. herausgegeben wurde. Im Hinblick auf die Ableitung des Löwen-Stier-Motivs auf Diobolen des Päriklä aus Akanthos[49] sollte man selbst Frontalköpfe aus Nordgriechenland, wie jene aus Amphipolis, Ainos und Larisa nicht als mögliche Modelle ausschließen. Nicht zuletzt hatte diese Mode einen prächtigen Vorläufer in Lykien selbst, wie wir eben gesehen haben: *Khäräis* Frontalporträt auf der Rückseite der einmaligen *Bostoner Münze* (Taf. 30, 2). Jedoch nur hier in Lykien hat die Idee die Anregung zur Frontaldarstellung individueller Porträts geliefert.

Es ist bezeichnend, daß solch ein kühner und subtiler künstlerischer Entwurf hier im Randgebiet der griechischen Kultur von einem völlig hellenisierten nichtgriechischen Herrscher in Auftrag gegeben und von einem griechischen Künstler höchsten Ranges ausgeführt wurde. Zweifellos waren beide sich darüber im klaren, was für ein einmaliges Werk sie in Angriff genommen hatten; sie fanden auch in der gesamten späteren griechischen Münzprägekunst keinen Nachfolger. Daß dies aber gerade dort und zu diesem Zeitpunkt geschehen sollte, scheint kaum das Ergebnis eines reinen Zufalls zu sein. Päriklä Gesicht, so wie ich es sehe, macht deutlich, daß er eine sehr eindrucksvolle, seine Zeitgenossen überragende Persönlichkeit gewesen sein muß – ein Mann, der in seiner Jugend den Ausbruch des großen Krieges in Griechenland miterlebt und das unheilvolle Schicksal jenes Staates vor Augen hatte, nach dessen großem Führer Perikles er selbst benannt worden war. Die nachdenklichen, etwas philosophischen und würdevollen Züge des schönen unbekränzten Porträts zeigen die eine Seite seiner Persönlichkeit; die bekränzten Porträts scheinen andere Züge seines komplexen Charakters auszudrücken – Gespanntheit, Argwohn, Heftigkeit – und spiegeln die harten Erfahrungen und Enttäuschungen im aktiven Leben dieses lykischen Herrschers wider, der am Rand des griechischen Kulturgebiets in einer etwas späteren Zeit großer Unruhen lebte[50].

Griechische rundplastische Porträtskulpturen aus dieser aufregenden Zeit, als der Individualismus sich anschickte, griechisches Leben und griechische Menschen zu prägen, als die hoffnungslose Isolation der Sterblichen in den großen Schauspielen der zeitgenössischen Dichter täglich demonstriert wurde, müssen wir heutzutage fast ausschließlich durch den Filter römischer Kopien hindurch betrachten. Ist es bloßer Zufall, daß eine der wenigen erhaltenen original griechischen Porträtstatuen aus der Zeit um die Mitte des 4. Jh. v. Chr., der sogenannte *„Mausolos"* im Britischen Museum[51], uns mit seinem ernsten und kraftvollen Ausdruck des majestätischen Kopfes irgendwie an den Gegenspieler des karischen Herrschers, an *Päriklä* aus dem benachbarten Lykien, erinnert? Weist nicht das zweite *lorbeerbekränzte Porträt* (Taf. 33, 10), das nur ungefähr ein Jahrzehnt früher in den sechziger Jahren des Jahrhunderts entstanden ist, eine gewisse untergründige Ähnlichkeit mit dem „*Mausolos*"-Kopf [Taf. 54, 1] auf? Auf jeden Fall ermöglichen es uns die neuentdeckten lykischen Porträtmünzen und andere numismatische Funde in Kleinasien aus der letzten Zeit, die bedeutende Phase in der griechischen Porträtkunst von *Khäräi-Tissaphernes* bis zu *Mithrapata-Päriklä* – oder, für die Plastik, von *Kresilas-Perikles* bis zu *Bryaxis-"Mausolos"* – in einer fast ununterbrochenen Reihe von Originalschöpfungen aus der Hand großer griechischer Stempelschneider zu verfolgen.

Anmerkungen

[1] Museum Notes 9, 1960, 4. Vgl. NC 1948, 48 ff.; BMQ 15, 1952, 50–51 Taf. 20, 8.

[2] Z. B. in AJA 60, 1956, 299 und in NC 1960, 35 Nr. 9.

[3] Acta Congressus Madvigiani (1954) III 38–39; 'Satrapenbildnisse' in: Charites (Langlotz-Festschrift. 1957) 27–32 [= hier S. 279 ff.]; Pythagoras on Greek coins, in: Opuscula, Festschrift für K. Kerényi (1968) 59–63.

[4] Vgl. Ruge und Deters in RE xiii, 2270 ff. (Lit.).

[5] vi 184. 430; xii 330.

[6] Herodotus I 173.

[7] Diese Probleme werden auf meisterliche Weise behandelt von G. Rodenwaldt in 'Griechische Reliefs in Lykien', SB Berlin 25, 1933, 1028 ff., und in JdI 55, 1940, 44. Siehe auch die neuere Arbeit von E. Panofsky, Tomb Sculpture (1964) 20–21 Abb. 25–27.

[8] Vgl. die wundervollen Fotos in E. Akurgal, Die Kunst Anatoliens (1961) Abb. 77–84 sowie die Farbtafeln V und VI.

[9] Vgl. G. Lippold, Griech. Plastik (1950) 255.

[10] G. Rodenwaldt a. O. (1933) 1028 ff.; a. O. (1940) 44 ff.; E. Akurgal, Griechische Reliefs des 6. Jh. v. Chr. aus Lykien (1941); G. Lippold, Griech. Plastik (1950) 67. 123 u. 208 f.; H. Möbius, in: Theoria, Festschr. W.-H. Schuchardt (1960) 159 ff.

[11] Vgl. F. N. Pryce, Cat. of Sculpt. of the Brit. Museum I 1 (1928) B 287. 289. 311–13 Taf. 30.

[12] H. Möbius a. O. 163 f. Vgl. auch Fr. Studniczka, Die Anfänge der griech. Bildniskunst, in: Ztschr. f. bildende Kunst 62 (1927/28) 121 f. [hier S. 253 ff.]; B. Schweitzer, Studien zur Entst. d. Porträts bei d. Griechen, SB Leipzig 91, 1939, Heft 4, 5 u. 15.

[13] F. N. Pryce a. O. Nr. 879; BrBr 217b; J. Charbonneaux, La sculpt. classique (1945) 47 f. Taf. 37; W.-H. Schuchardt, AM 52, 1927, 94 f.; G. Lippold, Griech. Plastik (1950) 208 f.; E. Panofsky a. O. 21–22 Abb. 47.

[14] G. Rodenwaldt a. O. (1933) 1045.

[15] G. K. Jenkins, NC 1959, 33–41; O. Mørkholm, Nationalmuseets Arbejdsmark 1960, 86 bis 94; SNG v. Aulock Tafel 138–9; JNG 14, 1964, 74; Num. Meddelanden 30, 1965, 4–5; G. Le Rider, RN 1961, 18–21; E. Varoucha-Christodoupoulos, BCH 84, 1960, 494 Tafel 8; M. Thompson, SNG Berry Nr. 1184–92; M. Comstock u. C. Vermeule, Greek, Etruscan and Roman Art 158; Archaeology 12, 1959, 5; Greek, Roman and Byzantine Studies 1, 1958, 100; H. A. Cahn, in: Kunstwerke d. Antike, Auktion Basel 1963 Nr. F 77; ders., in: K. Schefold, Meisterwerke griech. Kunst (1960) 300 Nr. 508; M. Comstock u. Cornelius Vermeule, Greek

coins 1950 to 1963, Museum of Fine Arts, Boston (1964) 52–53 Nr. 225–30 u. 233–4, vgl. auch S. 5 (Vorwort); L. Mildenberg, in: Atti Congresso internazionale di Numismatica 1961, II 45 ff. [Zu den lykischen Dynasten-Münzen vgl. ferner: O. Mørkholm – J. Zahle, ActaArch 47, 1976, 47 ff.; J. Zahle, in: Acta 9ème Congrès Intern. de Numismatique, Bern 1979 (1982) 101 ff.]

[16] Vgl. Babelon, Traité II 2, 274.

[17] G. F. Hill, BMC Lycia, Pamphylia and Pisidia (im folgenden als BMC zitiert) 22; B. V. Head, HN² 691; Traité II 2, 266; A. Baldwin Brett, Cat. of Greek Coins, Boston (1955) 265; O. Mørkholm, SNG v. Aulock Nr. 4169; JNG 14, 1964, 72 ff.

[18] E. Kalinka, Tituli Asiae Minoris I (1901) Nord I 30.

[19] Siehe oben Anm. 1 u. 3.

[20] NC 1898, 126. Ein gutes Beispiel für diese Behauptung ist der Stater von „Krñña", den das Britische Museum 1920 erworben hat: NC 1921, 174 Nr. 24, hier Taf. 30, 6. Die Inschrift gibt anscheinend den Namen eines neuen Herrschers wieder, kann möglicherweise aber auch als eine andere lykische Form von *Khäräi* gedeutet werden, dessen Gesichtszüge diesem Kopf auf jeden Fall ziemlich ähnlich sehen. Athenas Kopf auf der Vorderseite ist anscheinend außerdem mit demselben Prägestempel geprägt wie der auf dem Käräi-Exemplar, BMC 101, Taf. 6, 1 (hier Taf. 30, 4).

[21] Cat. of Greek Coins, Museum of Fine Arts, Boston (1955) 265 Nr. 2086 Taf. 95.

[22] AJA 60, 1956, 299.

[23] Siehe oben Anm. 1 u. 3.

[24] Traité II 2, 267 Nr. 347 Taf. 99, 5; J. P. Six, RN 1886, 182 Taf. 10,9, hat bereits festgestellt, daß dieser Kopf die Merkmale eines Individualporträts aufweist. Ein zweites Exemplar von denselben Prägestempeln, das E. T. Newell erworben hat, befindet sich nun in der Sammlung der American Numismatic Society.

[25] R. P. Hinks, Greek and Roman Portrait Sculpture (1935) 5–6; B. Schweitzer a. O. (o. Anm. 12) 34–35.

[26] Traité II 2 Taf. 99, 6–11.

[27] B. V. Head, Guide to the Princ. Coins of the Ancients (1880) 23 Taf. 2, 38: „Der Kopf des persischen Satrapen auf dieser Münze ist, falls es sich um ein Porträt handelt, das früheste, das auf einer Münze zu sehen ist. Dem Stil nach zu urteilen, stammt er aus der Zeit um 400 v. Chr." – diese bemerkenswerte Beobachtung wurde vor 85 Jahren gemacht; Fr. Imhoof-Blumer, Porträtköpfe auf ant. Münzen (1885) 23 Taf. 3, 7; J. P. Six, RN 1886, 176. 179; G. F. Hill, NC 1895, 28–29; BMC 22 Nr. 102 Taf. 6, 2; Traité II 2, 267 Nr. 346 Taf. 99, 4; Guide to the Princ. Coins of the Greeks (1959) Taf. 9, 42.

[28] O. Mørkholm, SNG v. Aulock 4175.

[29] B. Schweitzer a. O. (o. Anm. 12) 32: „Die individuellen Züge sind nur wertvoll, wenn sie schön sind, einer allgemeinen Norm entsprechen" (vgl. Platon, Symp. II, 19). Ferner Acta Congressus Madvigiani III 19–20; G. M. A. Richter, 'The Greek portraits of the fifth century B. C.', in: RendPontAcc 34, 1961–2, 57. Vgl. auch die vortrefflichen Bemerkungen von H. Bloesch, in ,Persönlichkeit und Individualität auf antiken Münzen', in: Winterthurer Jahrb. 1960, 61–62 (er weist umgekehrt auf ,menschliche' Züge bei Zeus auf einem Goldstater aus Lampsacus (a. O. Abb. 14) aus der ersten Hälfte des 4. Jh. v. Chr. hin).

[30] Geprägt in Side, Pamphylien, also in einer stärker hellenisierten Gegend. Vgl. Samml. Jameson I Nr. 1593 a Taf. 96, jetzt SNG v. Aulock Nr. 4184; ebenfalls veröffentlicht von

S. Atlan, in: Anatolia 3, 1958, 89–95 und von O. Mørkholm, JNG 14, 1964, 73 Taf. 4, 4. Siehe ferner: Arif Müfid Mansel, Die Ruinen von Side (1963) 5–6 Abb. 5.

[31] Der Kürze halber seien als Abbildungen dieser frühen Porträtmünzen hier die Tafeln aus dem ‚Traité‘ angegeben: Theutrania Taf. 88, 4–6; Pergamon Taf. 88, 7–8; Lampsacus Taf. 88, 14. 16–17; Tarsus, Mallus und Nagidus Taf. 107, 1–9. 16; 108, 2–17. 18–20 sowie 120, 1–3. M. Thompson hat kürzlich einen neuen Porträt-Stater von *Tiribazus* (?), der vermutlich in Nagidus geprägt wurde, veröffentlicht: SNG Berry 1281.

[32] Porträtköpfe auf ant. Münzen (1885) 4–5 und 22; JIAN 1, 1898, 20; Kleinasiat. Münzen II (1902) 470.

[33] Vgl. O. Mørkholm, Num. Meddelanden 30, 1965, 4.

[34] Siehe oben Anm. 15.

[35] Die griech. Münzen d. Samml. Warren (1906) Nr. 1231; vgl. aber jetzt G. K. Jenkins, NC 1959, 34 und 38; Auktion F. Schlesinger, Auktion 13 (1935) Nr. 1372.

[36] Ein weiteres bekränztes Frontalporträt Päriklás auf einer kleineren Münze, einem Tetrabolus, tauchte erst vor kurzem bei einer Auktion auf: Monnaies et Médailles S. A., Basel, Auktion 32 (20. Okt. 1966) Nr. 131.

[37] C. Vermeule, Greek, Roman and Byzantine Studies 1, 1958, 100 sowie in: Archaeology 12, 1959, 4–5. Der Hauptanteil des Schatzes ging an das Museum in Istanbul: siehe M. J. Mellink, AJA 63, 1959, 85 sowie O. Mørkholm, JNG 14, 1964, 74 Anm. 48. Eine Veröffentlichung dieser ‚ungefähr 600 Silbermünzen‘ wird zur Zeit von Frl. N. Olçay, Istanbul, vorbereitet. [Vgl. jetzt N. Olçay–O. Mørkholm, NumChron 1971, 1 ff.]

[38] NC 1959, 36–37.

[39] Greek Coins 1950–1963, Museum of Fine Arts, Boston (1964) 5.

[40] Vgl. oben Anm. 15; siehe auch G. K. Jenkins, NC 1959, 36–37.

[41] E. Bielefeld, ‚Gott, Heros oder Feldherr‘, in: Gymnasium 71, 1964, 533.

[42] Diese Beobachtungen gründen sich auf die hervorragenden Fototafeln, die Dr. L. Mildenberg anläßlich seines Vortrages auf dem Kongreß in Rom 1961 verteilt hatte und die jetzt in dem o. Anm. 15 zitierten Werk abgebildet sind. [Vgl. aber auch Olçay–Mørkholm a. O.]

[43] In SNG v. Berry Nr. 1191–2 vertrat M. Thompson dieselbe Reihenfolge, ebenso auch V. Vermeule in: Greek Coins 1950–63, Boston 1964, Taf. 21, 233–4, sowie G. Le Rider, RN 1961, Taf. 8, 14. 15, wohingegen O. Mørkholm in SNG v. Aulock Nr. 4249–53 mehr oder weniger L. Mildenberg folgt.

[44] Siehe Theopompus, Fragm. 111.

[45] Siehe Ruge und Deters, in: RE xiii 2270 ff. sowie ‚Traité‘ II 2, 146 und 178.

[46] SchwMbll. 1964, 136. Diese Münze ist schon oft abgebildet worden: siehe H. A. Cahn, in: K. Schefold, Meisterwerke griech. Kunst (1960) 300 Nr. 508 und ‚Kunstwerke d. Antike‘ (Sammlung Käppeli, 1963) 79 F 77. Ferner P. R. Franke – M. Hirmer, Die griechische Münze (1964) Taf. 192.

[47] NC 1959, 39.

[48] In ähnlicher Weise O. Mørkholm, Nationalmuseets Arbejdsmark, 1960, 88.

[49] Vgl. SNG v. Aulock Nr. 4247–8 sowie SNG Berry Nr. 1189. Ferner O. Mørkholm a. O. 89, 3 sowie JNG 14, 1964, Taf. 4, 5–8.

[50] Wäre es möglich, daß Demetrius von Alopeke, der nach Lukian, Philopseudes 18–20, und Quintilian xii 10. 9, einen neuen drastischen Realismus in die griechische Porträtkunst eingeführt hatte, oder einer seiner Schüler, vielleicht als Flüchtling, an den Hof Mithrapatas oder

Pärikläs gekommen war und die Graveure an der Münzstätte von Antiphellos beeinflußt hatte? Vgl. E. Homann-Wedeking, AM 76, 1961, 111–12, sowie E. Bielefeld a. O. (o. Anm. 41) 534. Über Demetrius im allgemeinen siehe G. Lippold, Griech. Plastik (1950) 226–7.

[51] Cat. II Nr. 1000; gefunden in Halikarnass. Früher Mausolos genannt, wurde sie vor kurzem von Rhys Carpenter, Greek Sculpture (1960) 214–16, als eine „typisch mittelhellenistische Arbeit" bezeichnet und entsprechend in die Zeit um 160 v. Chr. datiert. Ich halte bis jetzt weiterhin an der Datierung in die Mitte des 4. Jh. fest, wie es auch die meisten Archäologen tun, z. B. vor kurzem R. Lullies – M. Hirmer, Griechische Skulptur (1957) Taf. 205–7, und E. Buschor, Die Plastik der Griechen (1936) 86–89; ders., Maussollos und Alexander (1950) 21–22; ders., Das Porträt (1960) 110. Vgl. die neusten Arbeiten von G. M. A. Richter, Greek Art (1959) 150; dies., The Portraits of the Greeks II (1965) 161–2 Abb. 899–902 („genau datierbar in die Zeit um 350 v. Chr.").

Zu den Abbildungen

Es sind nur die Porträtseiten der Münzen abgebildet.

Tafel 30/31:

Die Vorderseiten von Nr. 1–12 und die Rückseiten von Nr. 14–16 weisen einen *Athena*kopf auf, die Vorderseite von Nr. 13 die ganze Gestalt der Göttin mit einer Nike auf ihrer rechten Hand. Nr. 1–11: *Khäräi* (ca. 425–410 v. Chr.); Nr. 12–13: *Artumpara* (ca. 400–390 v. Chr.); Nr. 14–16: *Ddänävälä* (ca. 400–390 v. Chr.). (Zitate beziehen sich auf frühere Abbildungen desselben Exemplars.)

1.	Stater	8,37 gr	Brit. Museum: NC 1920, 113 Taf. 14,11; H. Weber 7230.
2.	Stater	8,18 gr	Boston, Museum of Fine Arts: A. Baldwin Brett, Cat. of Greek Coins (1955) Nr. 2086.
3.	Stater	8,54 gr	Paris, Babelon, Traité Taf. 99,2; BMC Lycia, etc. Taf. 44,8 (s. S. XXXV).
4.	Stater	8,37 gr	Brit. Museum: BMC Lycia, etc., 101 Taf. 6,1. J. P. Six, RN 1886, 177 Nr. 181; Fr. Imhoof-Blumer, Porträtknöpfe auf ant. Münzen (1885) Taf. 3,6; Babelon, Traité Taf. 99,3.
5.	Stater	8,12 gr	Paris: Babelon, Traité Taf. 99,5; J. P. Six, RN 1886, 178 Nr. 182 Taf. 10,9.
6.	Stater	8,32 gr	Brit. Museum: NC 1921, 174 Nr. 25 (Inschrift: 'Krnna').
7.	Drachme	4,06 gr	Brit. Museum: NC 1928, 13 Nr. 35 (von Zitelli).
8.	Hemidrachme	2,02 gr	Brit. Museum: Erworben 1930 von Zitelli.
9.	Drachme	4,13 gr	Istanbul. (v. Aulock): SNG v. Aulock Nr. 4176; P. R. Franke–M. Hirmer, Die griech. Münze (1964) Taf. 190,693.
10.	Hemidrachme	2,09 gr	Brit. Museum: Ex H. Weber 7231.
11.	Stater	8,35 gr	Brit. Museum: BMC Lycia, etc., 102 Taf. 6,2; Fr. Imhoof-Blumer, Porträtköpfe (1885) Taf. 3,7; J. P. Six, RN 1886, 176 Nr. 179; Babelon, Traité Taf. 99,4; Guide to the Princ. Coins of the Greeks (1959) 18 Nr. 42 Taf. 9.

12. Stater	8,06 gr	Brit. Museum: BMC Lycia, etc., III, Taf. 6,12; J. P. Six, RN 1886, 63 Nr. 221; NC 1898, 200; Babelon, Traité Taf. 100,15.
13. Drachme	3,79 gr	Istanbul (v. Aulock): SNG v. Aulock Nr. 4184, ex Jameson Nr. 1593; O. Mørkholm, JNG 14, 1964, 73 Taf. 4,4; A. M. Mansel, Die Ruinen von Side (1963) 8 Abb. 5.
14. Stater	8,38 gr	Paris: Babelon, Traité Taf. 101,3; J. P. Six, RN 1886, 60 Nr. 211 Taf. 10,11; NC 1898, 214.
15. Stater	8,05 gr	Paris: Babelon, Traité Taf. 101,4.
16. Stater	7,95 gr	Paris: Babelon, Traité Taf. 101,6.

Tafel 32/33:

Nr. 1–8: *Mithrapata* (ca. 385–360 v. Chr.); Nr. 9–11: *Päriklä* (ca. 380–360 v. Chr.). Die Vorderseiten von Nr. 1–5.7 zeigen einen Löwenkopf mit den Tatzen nach rechts, die von Nr. 6 und 8 ein Löwenfell und die Rückseite von Nr. 9–11 einen vorwärtsschreitenden Krieger.

1.	9,77 gr	Oxford, Ashmolean Museum: Mildenberg, Atti Congresso internazionale di Numismatica 1961, 45ff. Nr. 1; P. R. Franke–M. Hirmer, Die griech. Münze (1964) Taf. 191, 656; Auktion Hess/Leu, 1959, Taf. 10, 269.
2.	9,84 gr	Privatsamml.: Mildenberg a. O. Nr. 3.
3.	9,89 gr	Privatsamml.: Mildenberg a. O. Nr. 4; Hess/Leu, 1955, Taf. 8, 222.
4.	9,83 gr	Kunstmarkt 1960: Mildenberg a. O. Nr. 5.
5.		Privatsamml.: Mildenberg a. O. Nr. 6; Franke–Hirmer a. O. Taf. 191, 657. (Vorderseite).
6.	9,85 gr	Kunstmarkt 1961: Mildenberg a. O. Nr. 9.
7.	9,79 gr	Kopenhagen, Nat. Museum: Mildenberg a. O. Nr. 6; O. Mørkholm, Nationalmuseets Arbejdsmark 1960, 90,7; JNG 14, 1964, Taf. 4,6; Num. Meddelanden 30, 1965, 3 Nr. 5.
8.		Privatsamml.: Mildenberg a. O. Nr. 11; Franke–Hirmer a. O. Taf. 191, 658.
9.9a	9,85 gr	Samml. Käppeli, Basel: Mildenberg a. O. Nr. 26; H. Cahn, in: K. Schefold, Meisterw. griech. Kunst, (1960) 300–1 Nr. 508; Kunstw. d. Antike (Kat. Käppeli), Basel 1963, F 77; Franke–Hirmer a. O. Taf. 191, 659; Hess/Leu 1959, Taf. 10, 270; C. M. Kraay, SchwMbll. 1964, 136 Abb. 1.
10.	9,73 gr	Kunsthandel 1958: Mildenberg a. O. Nr. 25; Franke–Hirmer a. O. Taf. 191, 660 (Rückseite); Hess/Leu, 1958, Taf. 9, 227.
11.	9,70 gr	Kunsthandel 1958: Mildenberg a. O. Nr. 20 u. 22.

Für Photographien und Gipsabdrücke danke ich: dem Museum of Fine Arts, Boston; dem Britischen Museum, London; dem Cabinet des Médailles, Paris; dem National Museum, Kopenhagen; sowie L. Mildenberg, Zürich, M. Hirmer, P. R. Franke, München.

Ein Sokratesporträt in Sfax

Von Hans-Joachim Kruse

Der auf Taf. 60, 1–2 wiedergegebene Bildniskopf, der hier dank der freundlichen Genehmigung der tunesischen Antikenverwaltung vorgestellt werden kann, befindet sich im Museum von Sfax[1]. Der stark beschädigte, etwa lebensgroße Kopf ist aus mittelfeinem, hellgräulichem Marmor gemeißelt, dessen helle Oberfläche an einigen Stellen orangegelbliche Verfärbungen überziehen. Die linke Gesichtshälfte ist zum großen Teil abgeschlagen; die Bruchlinie verläuft vom Scheitel zur Nasenwurzel und zur linken Schnurrbarthälfte hin, an der Seite zieht sie sich bis in die mittlere Höhe des Bartes hinab und hinter dem Ohr wieder zum Scheitel hinauf. Die Bruchfläche ist offenbar, wie einige Werkspuren zeigen, nachträglich verändert worden. Auch sonst ist die Gesichtsoberfläche stark bestoßen: die Stirn, die Braue, das Auge, zum Teil die Wangenpartie, ferner das Haupthaar sowie der Bart, von dem unten ein Stück fehlt. Stärker abgestoßen ist eine Stelle an der rechten Seite des Bartes und hinter dem rechten Ohr. Die Nase ist beinahe vollständig abgeschlagen. Wo aber an Stirn-, Wangen- und Augenpartie die antike Oberfläche erhalten ist, beleben sie feine, zarte Formen.

Dargestellt ist ein etwa sechzig Jahre alter Mann mit einem länglichen Kopf, dessen Höhe vor allem durch die hochgewölbte Stirn und den langen Bart bewirkt wird und der in der Seitenansicht sehr breit angelegt ist[2]. Die stark ausgeprägte, von zwei weich eingetieften Furchen durchzogene Stirn erscheint dadurch, daß die Haare schon weit zurückgetreten sind, besonders hoch. Soweit die Oberfläche in dieser oberen Partie der Stirn erhalten ist, lassen sich keine feinen Haarsträhnen erkennen. Die Schläfe ist leicht eingezogen und bildet den Übergang zu der sehr kräftig einsetzenden Wangenpartie, die nach unten hin in den Backenbart überzugehen scheint und gegen den Schnurrbart durch einen weichen, sorgsam ausmodellierten Wulst abgesetzt ist. Der Übergang von Augen- und Wangenpartie ist infolge des schlechten Erhaltungszustandes nur noch zu ahnen; er wird durch weiche, fein gebildete Formen bestimmt gewesen sein. Aus dieser Umgebung hebt sich das Oberlid hervor und ist gegen den leicht überhängenden Orbitalwulst in klarer Linie abgesetzt und mit fast gleicher Schärfe auf den Augapfel gelegt. Das Unterlid setzt im äußeren Augenwinkel viel weicher als das obere an. Zwei kleine Fältchen bilden sich an dieser Stelle; der Augapfel war, wie es scheint, nicht gebohrt. Nur noch an einigen Spuren läßt sich der Umriß der Nase verfolgen. Der Nasenrücken wird oben sehr schmal gewesen sein; auch links von ihm ist noch ein geringer Rest der antiken Oberfläche erhalten. Der rechte Nasenflügel ist noch zu erahnen, vom linken

Archäologischer Anzeiger 1968, S. 435–446.

Nasenloch eine punktförmige Bohrung erkennbar. In ihrem unteren Teil muß die Nase ungewöhnlich breit gewesen sein. Auffällig ist ebenfalls ihre ausgesprochen kurze und anscheinend mißgebildete Form.

Der Schnurrbart, an dem Einzelheiten kaum noch deutlich sind, bedeckt die ganze Oberlippe. Sein rechtes schmales Ende ordnet sich sogleich dem Verlauf des Bartes ein, während das linke sehr dick und breit, mehrfach gelockt, tiefer als jenes herabreicht. Die durch eine schmale Bohrlinie abgesetzte Unterlippe ist breit ausgebildet. Unter ihr sind die Barthaare zart angegeben. Ansonsten gliedern den Bart breite, schwerfällige Locken, die zum Teil durch Eintiefungen in sich gegliedert und besonders an den Seiten durch kräftige Einkerbungen voneinander getrennt sind. Die linke Bartseite ist vernachlässigt: Einige Locken laufen fast gleichmäßig parallel.

Das Haupthaar umfängt in leichten, weichen Bewegungen Stirn und Wangen und hebt sich vom Kopf nur wenig ab. Die Locken sind vielfältig und frei ausgebildet, durchbrechen dennoch nicht die Kontur, sondern begleiten und beleben sie. An den Seiten sind sie hier und da durch tiefe Einhöhlungen voneinander getrennt. Über dem rechten Ohr sind einige punktförmige Bohrspuren stehengeblieben. Wie die Barthaare ist auch das Haupthaar von schweren, massigen Locken bestimmt, denen jedoch, besonders an der rechten Seite, noch starke, lebhafte Bewegungen innewohnen. Die Ohren sind weitgehend von den Haarwellen verdeckt. Der Hals, von dem nur wenig erhalten ist, ist wie der ganze Kopf von sehr breiter, schwerer Form.

Nach den technischen Einzelheiten, der Verwendung des Bohrers und der Anlage der Oberfläche, dürfte der Kopf am ehesten in spätadrianisch-frühantoninischer Zeit entstanden sein. Neben den zarten Modellierungen ist vom Bohrer, der allerdings nur punktweise angesetzt wurde, nicht wenig Gebrauch gemacht.

Unser Kopf ist eine Replik des zweiten Sokratesbildnisses[3], die dem Gesichtsausdruck nach und im Verlauf der Locken der Wiederholung im Kapitol am nächsten steht.

Die oben und an der rechten Seite die Stirn einrahmenden Locken am tunesischen Kopf sind – soweit unbeschädigt – in jeder einzelnen Windung auch am *Kopf im Kapitol* (Taf. 61 [Richter Nr. 5])[4] vorhanden, mit dem Unterschied, daß sie an dieser Replik viel schärfer als an der afrikanischen gefaßt sind. So sind auch die Modellierungen des Gesichtes knapper und nüchterner als an unserem Kopf. Die Brauen und Lider zeichnen sich als scharfe Linien ab, die rechte Wange ist gleichmäßig gewölbt. Die Haare der rechten Schnurrbarthälfte sind in feine, fast ziselierte Formen gegliedert. Durch die zurückliegende schmale Unterlippe wirkt der Mund wie eingefallen.

Auch an der rechten Seite stimmen beide Köpfe in der Führung der Haare überein. Doch sind die Locken an der afrikanischen Replik nicht so präzise wie hier gegeneinander abgesetzt, sondern erscheinen schwerer und weicher, oft etwas kürzer und sind kräftiger bewegt, während sie am kapitolinischen Kopf linear, fast bronze-mäßig angelegt sind und in manchen Partien, besonders vor und schräg vorn über dem Ohr, flacher wirken.

An dem *Kopf im Konservatorenpalast* (Taf. 59 [Richter Nr. 7]) weichen die Haare an der rechten Stirnseite ab. In Höhe der Schläfe tritt ein Gabelmotiv an die Stelle der bei jenen Köpfen sich eng an die Oberfläche anschmiegenden langen Haarsträhne. In der etwas weiter als am *kapitolinischen Kopf* abstehenden Partie darunter sind zwar einzelne Motive bewahrt, aber gegeneinander verschoben und verschieden betont. An der linken Stirnseite stimmen die Haare im großen überein, sind jedoch in einem Zug durchgeführt und kraftvoller bewegt: Die seitliche Locke biegt kräftiger um und stößt mit der Spitze gegen die Schläfe. Auch der Gesichtsausdruck unterscheidet sich von dem der beiden ersten Repliken. Die Wangen sind knapp angelegt; an der rechten Seite erscheint das Gesicht fast hohlwangig. Die Brauen sind höher gezogen, die Formen weicher vorgetragen.

An der rechten Seite sind die Abweichungen von den beiden anderen Wiederholungen sehr groß. Zwar stimmen die Haare über und hinter dem Ohr im Verlauf mit denen am *kapitolinischen Kopf* überein, sind jedoch viel kräftiger und plastischer ausgebildet. Über dem Ohr laufen zwei dicke Lockenbündel nebeneinander her, am *kapitolinischen Kopf* aber bilden die Haare an dieser Stelle eine breite, flache Masse. Die Überlagerungen der Locken schaffen schräg hinter dem Ohr kräftige Höhen und Tiefen. Direkt vor dem Ohr sind wie am *kapitolinischen Sokrates* drei Strähnen wiedergegeben, doch wird das Dreiermotiv an diesem Kopf durch die mittlere, tiefer herabreichende Locke gesprengt. In den Haaren darüber bleiben zwar einzelne Motive erhalten, doch ist ihr Zusammenklang anders als an den beiden anderen Köpfen verwischt. Gerade in dieser Partie wird deutlich, wie der Kopist des *kapitolinischen Kopfes* die einst wohl stärker plastischen Locken in die Fläche gepreßt hat, ein Unterschied, der auch im Vergleich mit dem *Kopf in Sfax* in Erscheinung tritt. Der Bart ist an dieser Seite am *Sokrates im Konservatorenpalast* viel reicher gearbeitet. Am *kapitolinischen Kopf* sind die Locken weit durchgezogen und wirken flacher; hier sind es kräftige, bewegte, kleinteilige Formen.

An der linken Seite können diese Beobachtungen in der Anlage des Haupthaares noch vervollständigt werden. Die Locken sind plastischer, kraftvoller und stärker nach außen gewölbt als an der Wiederholung im Kapitol. Viel lebhafter als am *Kopf in Sfax* ist der Bart wiedergegeben[5].

Die Replik im *Thermenmuseum* (Taf. 63 [Richter Nr. 3]) erscheint durch den langen, spitz zulaufenden Bart schmaler als die anderen Köpfe. Die hohe, kräftige Stirn gliedern zwei nur in der Mitte erhalten gebliebene Falten: Teile der Stirn, beide Brauen und Oberlider sind in Gips ergänzt. Insbesondere von den beiden ersten Repliken weicht die Behandlung der Wangenpartie ab. Die Jochbeine treten stark vor, die Wangen sind schmal und eingefallen, während sie an den Köpfen im *Kapitol* und in *Sfax* voll ausgebildet und mit einem schweren Wulst gegen den Schnurrbart abgegrenzt sind. In der Vorderansicht stimmen die eng anliegenden Haare mit denen der beiden ersten Repliken im großen überein. Doch ist die Behandlung des Bartes sehr unterschiedlich. Die Partie unter dem Mund setzt sich bei den anderen Köpfen deutlich gegen die nach unten folgenden Locken ab, während sie hier flacher erscheint und nach unten weiterläuft. Rechts setzen sich die Haare bis in das eigenartige zangenförmige Motiv an der Spitze des Bartes fort, das nach Aussage anderer Repliken gewiß zum Original gehört hat. Die Strähnen des Bartes fließen in große Züge zusammen, während an den Wiederholungen im *Konservatorenpalast* und in *Sfax* die Einzellocke für sich steht, kräftiger bewegt und plastischer modelliert ist. Der Vergleich mit dem *Kopf im Louvre* (Taf. 58, 2) und anderen Repliken zeigt eindeutig, daß der Kopf im *Konservatorenpalast* in dieser Bartpartie genauer kopiert ist.

In der rechten Seitenansicht wird die Unzuverlässigkeit dieser Replik noch deutlicher. Das Ohr liegt weiter frei als an allen anderen Köpfen. Die vom rechten Stirnwinkel ausgehende Locke ist in einem Zug nach unten durchgeführt, das Dreiermotiv darunter zu einer Locke zusammengefaßt. Die sonst unterteilten Strähnen über dem Ohr bilden eine Masse und sind kraftlos und ohne Schwung gearbeitet. Hinter dem Ohr sind die Haare stark vereinfacht: Sie laufen nach vorn, während bei den Repliken im *Kapitol*, *Konservatorenpalast*, *Sfax* und selbst *Leningrad* das vordere Lockenbündel nach hinten umbiegt, das hintere nach vorn und zwischen ihnen eine Locke hervorkommt und sich auf das vordere Lockenbündel legt. Weiter hinten sind kaum noch einzelne Haarzüge ausgebildet.

Die andere Seite ist ebenfalls summarisch angelegt. Wie schwach sind die Motive im Vergleich mit der Replik im Konservatorenpalast! Hinter dem Ohr und am Hinterkopf sind die Haare kaum noch voll ausgearbeitet. Von den reichen Motiven im Bart jenes Kopfes ist hier nichts mehr zu spüren.

Die Replik im *Thermenmuseum* ist also in den Details der Haare in vielen Partien sehr flüchtig gearbeitet. Sollten daher nicht auch die Abweichungen in den Gesichtszügen zu einem Teil auf den Kopisten zurückzuführen sein?

Die Replik im *Louvre* (MA 59) verdient bei der Suche nach dem Vorbild besondere Beachtung (Taf. 58 [Richter Nr. 13]). Der Kopf ist in Höhe der Augen sehr breit, die Haare sind stärker aufgelockert als am Kopf im *Kapitol* und in *Sfax*. Der keilförmig nach unten zusammenlaufende Bart ist sehr lang. So nähert sich der Kopfumriß fast der Form einer Raute. Während links von der Stirn das Haar weitgehend mit dem des *kapitolinischen Kopfes* übereinstimmt, sind die Abweichungen an der rechten Seite beträchtlich. An der Schläfe ist wie an der Replik im *Konservatorenpalast* eine Gabel angelegt. Die Locke seitlich von ihr wölbt sich weit nach außen und stößt mit der Spitze nach innen. An jenem Kopf geht sie in die darunterfolgenden Locken über. Die Haare sind hier klarer angeordnet als an der Replik im *Konservatorenpalast*. Der Bart stimmt in den Einzelheiten mit dem jenes Kopfes überein; die Bartspitze mit dem zangenförmigen Motiv ist hier noch besser erhalten. Im Gesichtsausdruck steht der *Pariser Kopf* der Replik im *Kapitol* am nächsten. Die Wangen sind kräftig, das Gesicht ist breit und nicht schmal und eingefallen wie beim Kopf im *Thermenmuseum*.

An der rechten Seite sind die Haare übersichtlicher als am Kopf im *Konservatoren-palast* und kraftvoller als am *kapitolinischen Sokrates* angelegt. Unter dem Scheitel sind die Locken im Gegensatz zu jenen Repliken kräftig ausgebildet und in klaren, lebendigen Formen gegeneinanderbewegt. Die das Ohr verdeckende Locke läuft nicht so weit und gleichmäßig durch wie dort. Sehr viel schwungvoller sind die Haare schräg über dem Ohr gestaltet. Die Locken winden sich nach außen und schaffen Höhen und Tiefen, während der Kopist des *kapitolinischen Kopfes* die Lok-ken in die Ebene drückt und es dem der Replik im *Konservatorenpalast* nicht gelingt, die komplizierte Anlage des Originals an dieser Stelle wiederzugeben. Im gleichen Sinn wirken die Locken vor dem Ohr, die an allen Repliken verschieden angelegt sind, besonders plastisch. Ob man sich freilich auch in dieser Partie an die *Pariser* Replik halten wird, ist nach den anderen Wiederholungen zweifelhaft. Der Bart ist in den kräftigen, kleinen Wellen dem des Kopfes im *Konservatorenpalast* verwandt, während der des *kapitolinischen Sokrates* flüchtig und vereinfacht wieder-gegeben ist.

Die andere Seite des Kopfes ist mit weniger Sorgfalt ausgeführt. Die bei dem Porträt im *Konservatorenpalast* so kräftigen Locken wirken hier flach, die das Ohr bedeckenden Haare fast wie zwei Scheiben. Die Locken darüber mit ihren gewun-denen Spitzen sind an jenen Köpfen in größeren Formen angegeben; nur der Kopf im *Thermenmuseum* zeigt darin verwandte Züge. An der *kapitolinischen* Replik sind die Haare oben und neben der Stirn in vereinfachten Formen gleichmäßig nebenein-ander angeordnet. Am meisten Vertrauen wird man in dieser Partie dem Kopf im *Konservatorenpalast* schenken. Im Bart zeigen sich die gleichen Flüchtigkeiten. Die Locken stimmen zwar im Verlauf mit jenen überein, sind jedoch schwerfälliger und weniger bewegt.

Einige der nun folgenden Repliken ergänzen das gewonnene Bild, ohne entschei-dend Neues beizutragen, andere sind ikonographisch wertlos, wieder andere müssen aus der Typenreihe ganz ausgeschlossen werden.

Im allgemeinen Ausdruck und in den Einzelformen schließt sich den Köpfen im *Kapitol* und *Konservatorenpalast* eine Replik in *Leningrad* [Richter Nr. 22] an. Bei ihr sind in Höhe der Augen die Haare locker wie am *Pariser* Kopf angeordnet, ent-sprechen aber rechts der Stirn im Verlauf denen des *kapitolinischen Kopfes*. Der Bart ist sehr lang, die Locken sind eigenständig behandelt wie an den Wiederholungen im *Konservatorenpalast* und in *Paris*. Die Ausführung ist freilich etwas gröber. An der rechten Seite sind die Motive vereinfacht. Von der kleinen Gabelung oben rechts an der Stirn zieht sich eine Strähne bis in Höhe des Ohres in einem Zug ähnlich wie bei dem Kopf im *Thermenmuseum* weit herab. Bewahrt bleibt die Haaranordnung über und hinter dem Ohr. An der etwas weniger kompliziert gestalteten linken Seite ist der Verlauf der Haare dem der Replik im *Konservatorenpalast* verwandt.

Am *Münchner Sokrates* [Richter Nr. 18] ist der Bart sehr lang und durch tiefere Bohrungen als an den anderen Köpfen aufgelockert. Seine Einzellocken sind eigenständig behandelt. Die Stirn ist wie an jenem Kopf hoch gewölbt, die Wangen sind nicht so kräftig modelliert. Da die Unterlippe kaum angedeutet ist, erscheint der Mund eingefallen. An den Seiten sind die Haare sehr flüchtig behandelt, doch lassen sie noch etwas von der plastischen Wirkung des Vorbildes verspüren.

Eine zweite Herme im *Kapitolinischen Museum* [Richter Nr. 6] gibt die Züge des Sokrates zwar lebendig, aber sehr flüchtig wieder. Die Locken des langen Bartes sind in durchlaufende Strähnen zusammengefaßt. Besonders an der rechten Seite ist das Haar stark vereinfacht; nur wenige Locken stimmen noch mit denen des Vorbildes überein.

Die zweite Replik im *Thermenmuseum* [Richter Nr. 4, hier Taf. 62] weicht im Gesichtsausdruck stark ab: Der Kopf erscheint fast rechteckig, die Stirn flacher und breiter als sonst. Die Stirnfalten sind schematisch angelegt, die Lider sehr hart gezogen. Die Barthaare sind vereinfacht wiedergegeben, jede Locke aber ist für sich behandelt. Im Ansatz ist an der rechten Schläfe die Gabel wie bei dem *Pariser Kopf* und dem im *Konservatorenpalast* vorhanden, vor dem rechten Ohr das Dreiermotiv ausgebildet.

Die Herme in *Neapel* [Richter Nr. 12], die wegen ihrer Inschrift wichtig ist, hat gerade noch im Bart einige Anklänge an diesen Bildnistypus. An den Seiten sind die Locken einfach nach vorn gestrichen.

Die weiteren Repliken mögen hier übergangen werden, da sie kaum etwas Neues über das Original aussagen. Auszuscheiden sind allerdings drei ‚Repliken‘ aus der Typenliste von G. M. A. Richter:

Der Kopf in der *Galleria Geografica des Vatikan* [Richter Nr. 2], den R. Kekulé dem Sokrates abspricht, hat mit dem zweiten Bildnistypus zwar keinen Zug gemeinsam, soll aber sicherlich Sokrates darstellen[6].

Der Kopf des *Clipeus in der Villa Albani* [Richter Nr. 8], dessen antiken Ursprung schon R. Kekulé und H. v. Heintze angezweifelt haben, hat mit diesem Typus gleichfalls nichts zu tun[7].

Der Bildniskopf der *Sammlung Fiamingo*, der vor etwa 30 Jahren von Herrn Giuseppe Maria Fiamingo im italienischen Kunsthandel erworben und von G. M. A. Richter 1964 veröffentlicht wurde, muß als Fälschung ausscheiden (Taf. 60, 3 [Richter Nr. 9])[8]. An einem einzigen Detail läßt sich der Nachweis mit Gewißheit durchführen: Die Barthaare sind an der linken Seite in fünf nebeneinander leicht schräg verlaufenden Strähnen angeordnet, vor deren Spitzen eine nach unten geschwungene Locke vorgelegt ist. Diese Besonderheit wie auch die sich darunter anschließenden Haare finden sich in gleicher Weise an dem Kopf im *Kapitol*, wo gerade diese Partie ergänzt ist, und gehören nicht zum Original. Denn nach Ausweis der anderen Wiederholungen sind an dieser Seite die Haare nach unten bewegt.

Eine spätantike, bisher unveröffentlichte Replik in *Leipzig*, Archäologisches Institut,

S. 574, ist meines Wissens bisher unerwähnt geblieben. Der Kopf ist mir nur in einer Aufnahme des DAI. Rom bekannt[9].

Nachdem wir die einzelnen Repliken des Sokratesbildnisses betrachtet haben, kehren wir zum Kopf in *Sfax* zurück und werden die Frage aufwerfen: Was gibt diese Replik für das Vorbild aus? Wie hat das Original ausgesehen?

An dem *tunesischen* Kopf sind die Modellierungen des Gesichtes sehr fein wiedergegeben, doch ist die Ausarbeitung der Haare, insbesondere am Bart, stellenweise stark vernachlässigt. Im Gesichtsausdruck schließt er sich eher an die Replik im *Kapitol* als an die im *Konservatorenpalast* an. Doch hat der Kopist des *kapitolinischen* Kopfes die Gesichtsformen knapper angelegt und die Locken in scharfen Formen, flach und kraftlos ausgeführt. Am Original muß das Haar im Sinne der Repliken im *Louvre*, *Konservatorenpalast* und in *Sfax* kräftiger belebt gewesen sein. Der Kopf im *Konservatorenpalast*, an dem der Bart besonders gut überliefert ist, wird, abgesehen von der unklaren Anlage des Haupthaares an der rechten Seite und der flachen linken Wange, dem Original näherstehen als die *kapitolinische* Replik. Der Kopist des *Thermenkopfes* hat die Seiten völlig vernachlässigt, die Barthaare zwar eindrucksvoll, aber flüchtig und summarisch wiedergegeben. Auch die den Eindruck so sehr beeinträchtigende Anlage der hohlen Wangen geht auf ihn zurück. Dagegen hat sich die Replik im *Louvre* als sehr gute Arbeit erwiesen und mag, wenn auch in manchen Partien etwas hart und nüchtern gearbeitet, dem Vorbild sehr nahe kommen. Von allen Repliken am besten ist an ihm das Haupthaar an der rechten Seite überliefert. Im Gesamtausdruck ist diesem Kopf die Replik im *Kapitol* verwandt.

Zwischen diesen fünf im einzelnen oft verschiedenen Repliken ist das Vorbild zu suchen. Charakteristisch für das zweite Sokratesbildnis war eine hohe, kräftige Stirn, die unten von zwei Furchen durchzogen war. Die Steilfalten an der Nase waren nur ganz schwach angegeben, die Brauen hochgezogen, die scharf beobachtenden Augen weit geöffnet. Die linke Wange war etwas flach, die rechte voll und weich ausgearbeitet. Die Nase hatte die charakteristische Knollenform. Der Bart reichte tief herab und war von dreieckigem Umriß. An den Seiten war das Haar recht locker angelegt.

Am meisten von diesem Original werden die Köpfe im *Louvre* und im *Konservatorenpalast* bewahrt haben. Am *Pariser* Kopf sind jedoch durch die nüchterne, harte Arbeit des wohl trajanischen Bildhauers viele Feinheiten der Modellierung verlorengegangen. Wie bei unserem Kopf wird die Oberfläche des Gesichts reicher gestaltet gewesen sein.

Anmerkungen

[1] Für die Publikationserlaubnis möchte ich dem Direktor der tunesischen Nationalmuseen, Herrn Y. Mohamed, auch an dieser Stelle danken. Herr Professor R. Horn hat freundlicherweise das Manuskript durchgesehen und für ihn angefertigte Aufnahmen des DAI. Rom zur Verfügung gestellt. – Der Kopf in Sfax ist mit dem Vermerk »tête de vieillard« ausgestellt. Museumsnummer S. 11. H 31 cm. Fundort und Fundjahr konnte ich nicht in Erfahrung bringen. Vielleicht stammt er aus dem nahegelegenen Thaenae.

[2] Diese Eigenart kommt im Museum nicht recht zur Geltung, da der Kopf dort unter beträchtlichem Winkel nach hinten geneigt ist.

[3] Vgl. zu den Repliken G. M. A. Richter, The Portraits of the Greeks I 112 ff. Abb. 483 ff. Die Seitenansichten des Kopfes im Thermenmuseum Inv. 1236 [Richter Nr. 3] sind bei ihr fälschlicherweise unter Nr. 4, dem anderen Kopf dieses Museums, abgebildet [hier Taf. 62].

[4] Vgl. Taf. 60, 2 und Taf. 61, 2 mit Richter a. O. Abb. 485. Taf. 61, 2, deren Blickwinkel mit dem von Taf. 59, 2 übereinstimmt, gibt den kapitolinischen Kopf in direkter Vorderansicht wieder und läßt die rechte, einst dem Beschauer abgewandte Seite sehr viel breiter als in der Aufnahme bei Richter erscheinen. Noch deutlicher ist diese unterschiedliche Anlage der Gesichtshälften bei der Wiederholung im Thermenmuseum (vgl. DAI. Rom 68.3600). Unsere Taf. 60, 2 entspricht im Blickwinkel eher der bei Richter wiedergegebenen Ansicht als der von Taf. 61,2.

[5] An unserem Kopf sind nur noch die unteren Locken erhalten, während an der kapitolinischen Replik die ganze Seite ergänzt ist.

[6] R. Kekulé, Die Bildnisse des Sokrates 56f. Lippold, Vat. Kat. III 2, 476f. Nr. 42 Taf. 211: Der Kopf stimme mit keinem der überlieferten Typen überein, stelle aber wahrscheinlich Sokrates dar.

[7] R. Kekulé a. O. 52 Nr. 13. H. v. Heintze in A. Hekler, Bildnisse berühmter Griechen[3] 54.

[8] Essays in Memory of Karl Lehmann 267f. Abb. 1–3.

[9] 63.1874 (Reproduktionsnegativ nach einer Aufnahme des Archäologischen Instituts der Universität Leipzig).

Quas iconicas vocant
Zum Porträtcharakter der Statuen dreimaliger olympischer Sieger

Von Walter Hatto Gross

„Aus eben dem Geiste des Schönen war auch das Gesetz der Hellanodiken geflossen. Jeder olympische Sieger erhielt eine Statue; aber nur dem dreimaligen Sieger ward eine ikonische gesetzt. Der mittelmäßigen Porträts sollten unter den Kunstwerken nicht zu viele werden. Denn obschon auch das Porträt ein Ideal zuläßt, so muß doch die Ähnlichkeit darüber herrschen; es ist das Ideal eines gewissen Menschen, nicht das Ideal eines Menschen überhaupt."

Der zweite Satz dieses Abschnittes aus dem II. Kapitel von Lessings ›Laokoon‹ ist eine Paraphrase zu Plinius, nat. hist. 34, 16, die bis in unsere Tage nicht wesentlich anders zu lauten pflegt. Zwar haben A. Hirt[1] und E. Q. Visconti[2] unter Berufung auf Lukianos, pro imag. 11, den Versuch gemacht, 'iconisch' als lebensgroß zu verstehen. Dieser abwegigen Interpretation hat spätestens 1885 Ch. Scherer[3] ein gründliches Ende bereitet; W. Dittenberger und K. Purgold konnten daher 1896 schreiben[4]: „Daß man darunter eine Porträtstatue zu verstehen habe, hätte nie bestritten werden sollen." Es wurde auch nicht mehr bestritten. Der Porträtcharakter der Statuen dreimaliger olympischer Sieger ist communis opinio geworden[5]; Einschränkungen betreffen nur den Zeitraum, von dem ab Porträts überhaupt möglich waren[6]. Eine vorsichtig formulierte Frage, ob die Gesamtauffassung der Pliniusnotiz so zulässig sei[7], hat selbst bei dem, der sie stellte, keine weiteren Folgen gezeitigt. Es erscheint allmählich sinnvoll, diese Position zu überprüfen. Der im folgenden dazu vorgelegte Versuch beschränkt sich streng auf die Frage nach dem Porträt bei den genannten Siegerstatuen; es ist nicht beabsichtigt, den Ergebnissen einer demnächst zu erwartenden Neubearbeitung der olympischen Statuenbasen[8] damit irgendwie vorzugreifen.

Drei weitere Quellen sind es im wesentlichen, die uns über das Aussehen der olympischen Siegerstatuen berichten, und zwar die ausführlichen Mitteilungen des Pausanias (6, 1 ff.) über die von ihm selbst gesehenen Standbilder in der Altis, ferner die bei den Ausgrabungen in Olympia zum Teil wiedergefundenen, mit Inschriften versehenen Basen dieser Bilder, schließlich der bereits zitierte Satz des Lukianos. Aus

Nachrichten der Akademie der Wissenschaften in Göttingen, Phil.-Hist. Klasse 1969, Nr. 3, S. 62–76.

ihnen muß eine das unmittelbare Wortverständnis erhellende Kommentierung der Angaben des Plinius versucht werden.

Am leichtesten zu verstehen (und am wenigsten hilfreich) ist Lukianos. Er läßt pro imag. 11 die Sprecherin sagen, sie habe oft gehört, daß es den Siegern bei den olympischen Spielen nicht erlaubt sei, ihre Standbilder in mehr als Lebensgröße aufzustellen, sondern die Hellanodiken sorgten dafür, daß auch nicht einer die Wahrheit überschreite, ja, bei der Überprüfung der Standbilder werde strenger verfahren als bei der Nachprüfung (für die Zulassung) der Athleten. Diese Angabe wird durch die Basen der olympischen Siegerstatuen insoweit bestätigt, als in keinem Fall eine überlebensgroße Figur angenommen werden muß[9]. Dagegen gibt es immer auch unterlebensgroße Standbilder, etwa das siegreiche Gespann der *Kyniska*, das zu Pausanias' Zeiten im Pronaon des Zeustempels stand[10], oder die Pferde samt Wagen des *Glaukon von Athen*[11]. Von diesen unterlebensgroßen Skulpturen, die als einfachere Ausführungen grundsätzlich zu den größeren Statuen gehören und wie sie auf Basen im Freien aufgestellt waren, sind die Statuetten zu trennen, die als Weihegabe des Siegers oder anderer Frommer an Zeus auch ohne ausdrückliche Zustimmung der Hellanodiken ins Heiligtum gegeben wurden. Ihr Format differiert vom 7. bis ins 5. Jh. nur unwesentlich. Pausanias spricht von ihnen nicht, aber die Ausgrabungen haben uns meisterhafte Werke aus diesem Kreis wiedergeschenkt, ohne die eine Vorstellung auch von den großen Anathemen nicht wohl möglich wäre[12].

Was Pausanias in seiner Periegese über die Standbilder der Olympioniken sagt, ist schon öfter zusammengefaßt worden. Das Recht zur Aufstellung des Bildes wird nach dem Siege durch die Hellanodiken bzw. die Gemeinde von Elis ausgesprochen. Die Eleer wachen in älterer Zeit eifersüchtig darüber, daß nur die Sieger selbst, nicht ihre Heimatgemeinde als Stifter genannt werden. Die Bereitstellung der Mittel für die Herstellung der (meist ehernen) Statuen und ihre Aufstellung in der Altis ist Sache des Siegers; oft helfen ihm dabei Familie oder heimatliche Polis. Der Beschluß der Eleer, dem jeweiligen Sieger Aufstellung seines Standbildes in dem Heiligtum zu gestatten, muß nach Einführung dieses Brauches (im 6. Jh.?) entweder genereller Art gewesen sein, so daß eine Wiederholung zu den einzelnen Olympiaden nicht mehr notwendig war, oder er war rein formeller Natur, Bestätigung eines Gewohnheitsrechtes. Nur unter einer dieser beiden Voraussetzungen ist die Erzählung des Pausanias 6, 8, 3 verständlich, daß *Eubotas von Kyrene*, dem ein heimischer Orakelspruch seinen Sieg vorausgesagt hatte, seine Statue im vorhinein anfertigen ließ, so daß er sich in die Lage versetzt sah, sein Standbild an dem gleichen Tage aufzustellen, an dem er zum Sieger ausgerufen worden war[13]. Dies ist eine Ausnahme, der Perieget stellt sie als solche dar. Im allgemeinen verstrich geraume Zeit, bis die Statue geschaffen und an Ort und Stelle richtig aufgestellt war. Gelegentlich verstrichen mehrere Olympiaden bis zur Erreichung dieses Zieles. Das war z. B. immer dann der Fall, wenn die Inschrift, sofern sie von gleicher Hand geschrieben ist, mehrere nacheinander errungene olympische Siege aufführt[14], oder wenn ein einheitliches Denkmal Sieger aus zwei Generationen der gleichen Familie zeigt[15]. Es kam sogar, wie Pausanias 6, 1, 1 bemerkt, mehrfach vor, daß auch berühmte Olympioniken keine Statuen aufstellen lassen konnten – es war eben unter anderem eine Geldfrage. Allgemein wird man annehmen dürfen, daß zwischen Sieg und Errichtung des Siegerbildes mehrere Jahre, oft viele Jahre lagen[16].

Der Brauch, Statuen der Sieger aufzustellen, hat im 6. Jh. seinen Anfang. Pausanias 6, 18, 7 nennt als älteste Siegerstatue diejenigen des *Praxidamas* und *Rhexibios* (544 bzw. 536 v. Chr.), beide aus Holz geschnitzt. Entweder das Holz, Material so vieler früher Bilder, oder ein Irrtum hat zu dieser Angabe des Periegeten geführt, denn an anderer Stelle nennt er selbst als frühesten Athleten, dem ein Standbild gegolten habe, den *Eutelidas* (6, 15, 8), dessen Sieg je nach Berechnung 628 oder 595 v. Chr. angesetzt wird – falls nicht die Statue des *Eutelidas* erst ein gutes halbes Jahrhundert nach seinem Sieg aufgestellt worden ist[17]. Jedenfalls waren die Siegerstatuen des 6. und frühen 5. Jh. Weihe- und Dankgaben an die Gottheit, wie andere Anatheme auch, aber noch nicht ‚Bilder des Siegers‘; dieser profanere Brauch kommt erst mit der Zeit des Peloponnesischen Krieges auf[18].

Außerhalb Olympias, in der Heimat des Siegers, ist die älteste uns bekannte Statuenehrung die des *Arrhachion* aus Phigaleia, der dreimal zum Sieger in Olympia ausgerufen worden war. Pausanias hebt hervor, die Statue sei im Typus des archaischen Kuros gehalten. Das war also offenbar nicht das Übliche, es gab also nicht viele archaische Siegerbilder zu seiner Zeit[19].

Pausanias sagt nichts über Vorschriften der Eleer bezüglich der Größe der Statuen, bestätigt also Lukianos nicht, widerspricht ihm aber auch nicht. Er teilt auch nichts über eine Vorschrift oder einen Brauch mit, daß nur dreimalige Olympioniken ‘ikonische’ Statuen erhalten durften. Es bedeutet in diesem Zusammenhang wenig, daß er die Standbilder der Sieger meist mit εἰκών, seltener mit ἀνδριάς, gelegentlich die gleiche Statue einmal so, einmal mit dem anderen terminus bezeichnet. Auf diese Frage werden wir in Kürze zurückzukommen haben.

Die Inschriften der Basen bestätigen weitgehend die Angaben des Pausanias, die Basen selbst die des Lukianos. Da keine einzige olympische Siegerstatue vollständig erhalten ist, bisher auch alle Versuche, Kopien nach solchen nachzuweisen, gescheitert sind, können die Basen über den Porträtcharakter der Standbilder mehrmaliger Olympioniken wenig aussagen. Was sie dennoch für das Verständnis des Pliniustextes herzugeben vermögen, wird uns im Anschluß an eine neue Interpretation der Stelle beschäftigen.

Nach der Einleitung in seine Behandlung der Metalle diskutiert Plinius zunächst verschiedene Bronzemischungen wie korinthisches, delisches, aiginetisches Erz, um über verschiedene aus Bronze hergestellte Gegenstände des praktischen Gebrauchs zu den Statuen von Göttern und Menschen zu kommen. Dort heißt es dann (34, 16): *effigies hominum non solebant exprimi nisi aliqua inlustri causa perpetuita-*

tem merentium, primo sacrorum certaminum victoria maximeque Olympiae, ubi omnium qui vicissent statuas dicari mos erat, eorum vero qui ter ibi superavissent ex membris ipsorum similitudine expressa, quas iconicas vocant. Plinius geht dann weiter zu den Statuen der *Tyrannenmörder* in Athen; für die Frage der olympischen Siegerbilder gibt er nichts weiter aus. Der herausgelöste Satz ist, mindestens in seinem ersten Teil, „in monumentaler Kürze eine treffende Aussage über das griechische Porträt"[20] und besagt: Bildnisse pflegten nur von solchen Menschen geschaffen zu werden, welche aus irgendeinem erlauchten Grunde die Fortdauer verdienten, an erster Stelle durch einen Sieg in den heiligen Wettkämpfen und vor allem in Olympia; dort war es Brauch, daß von allen Siegern Statuen geweiht wurden, wobei jedoch von denjenigen, die dort dreimal gesiegt hatten, die *similitudo* nach deren eigenen Gliedern dargestellt wurde; diese (Statuen) nennt man 'ikonische'. Daraus geht hervor, daß die *similitudo* einmaliger olympischer Sieger nicht oder auf eine andere, nicht näher bezeichnete Weise zum Ausdruck gebracht wurde; deren Statuen konnte man folglich auch nicht 'ikonisch' nennen. Schon Lessing (und seine Vorgänger) hatte sich wegen der Worte *similitudo* und *iconicas* zu einer Paraphrase veranlaßt gesehen, die auf Porträtcharakter dieser Standbilder hinauslief. Die erste Frage muß daher lauten, ob die angeführten Worte hier eine solche Bedeutung haben können oder gar müssen.

Daß *similitudo* 'Ähnlichkeit' in den verschiedensten Bedeutungsvarianten heißt, ist jedem Lexikon zu entnehmen. Doch ist der Spezialfall der Porträthaftigkeit, Porträtähnlichkeit außerordentlich selten, wenn überhaupt nachweisbar. Denn wenn Cicero (orator 2, 9) von Pheidias sagt, daß er, um den Zeus in Olympia oder die Athena Parthenos zu schaffen, nicht *contemplabatur aliquem, e quo similitudinem duceret*, sondern er habe ein Bild dieser Schönheit in sich getragen, dann ist da nicht von Porträtähnlichkeit, sondern von Körperbildung allgemein die Rede. Noch allgemeiner ist Seneca (epist. 71, 2) zu verstehen: *nemo, quamvis paratos habet colores, similitudinem reddet, nisi iam constat quid velit pingere; similitudo* bedeutet hier die wiedererkennbare ('ähnliche') Wiedergabe eines beliebigen, noch nicht festgelegten Motivs. Entscheidend für unsere Frage ist jedoch der Sprachgebrauch des Plinius selber. *Similitudo*, dazu die Steigerung *veri similitudo* verwendet er (nat. hist. 34, 38), wenn er als Beispiel für erfolgreiche künstlerische Darstellung nicht Bilder von Göttern oder Menschen *(deorum hominumve similitudinis)*, sondern das Bronzebild eines seine Wunden leckenden Hundes anführt, dessen naturalistische Wiedergabe *(indiscreta veri similitudo)* er rühmt. Auch bei Cicero und Seneca ist diese Spezifizierung der Ähnlichkeit als naturalistische oder veristische Wiedergabe gemeint. Von Apelles heißt es bei Plinius (nat. hist. 35, 88), daß er Porträts *(imagines)* von so vollendeter Naturwahrheit *(adeo similitudinis indiscretae)* gemalt habe, daß ein Gesichtsdeuter *(metoposcopus)* aus ihnen die Zahl der Jahre habe ablesen können, die der Porträtierte noch zu leben habe oder schon gelebt hatte. Hier ist der Gegensatz zwischen den lateinischen Worten für Porträt *(imago)* und naturalistische

Darstellung *(similitudo)* evident. Dem Porträtbegriff am nächsten kommt die Anekdote von dem sikyonischen Töpfer Butades (nat. hist. 35, 151). Der erfand in Korinth, *similitudines* aus Ton zu bilden, indem er den durch das Lampenlicht erzeugten Schattenriß des Gesichtes *(facies)* eines von seiner Tochter geliebten jungen Mannes, den diese nachgeritzt hatte, an der Wand mit Ton ausfüllte, daraus eine Patrize machte *(typus)* und das Relief dann brannte. Abgesehen davon, daß von einem Porträt im heutigen Wortverstand hier natürlich nicht die Rede sein kann[21], daß der Porträtbegriff für einen Römer anders aussah als für uns, die Erzählung zielt auch hier auf eine mehr oder weniger naturalistische Wiedergabe eines Gesichtsprofils. Es ist schließlich bezeichnend, daß Plinius in seiner Auslassung über die römischen Ahnenbilder (nat. hist. 35, 4 ff.) nur *imago, vultis, facies* sagt, aber nie *similitudo.* In dem Satz über die olympischen Siegerbilder dürfen wir also verstehen, daß eine naturalistische Wiedergabe dreimaliger Sieger nach deren eigenen Gliedern hergestellt wurde. Das klingt zunächst dunkel, läßt sich aber durch Beiziehung anderen Materials erhellen.

Das Adjektiv *iconicus*, römische Schreibung des griechischen εἰκονικός, ist in der lateinischen Literatur überaus selten. Das zugehörige Hauptwort *icon* ist ein rhetorischer Terminus technicus, der hier ebensowenig hilft wie die Weiterbildung *iconismus*, die bei Seneca (epist. 95, 66) als aus dem Sprachgebrauch der Steuer- bzw. Zollpächter *(publicani)* stammend bezeichnet wird und 'Kennzeichnung' bedeutet, in einer Papyrusurkunde des Jahres 103 n. Chr. die (in den Paß einzutragenden) Kennzeichen[22]. Etwas besser steht es um das aus dem Adjektiv gebildete Substantiv *iconica*, das von späten Glossographen als *figura, imago imperatoris* erklärt wird, also als Porträt verstanden werden kann – aber es kommt sonst in der erhaltenen Literatur nicht vor. Das Adjektiv begegnet außer an unserer Stelle noch zweimal in der lateinischen Literatur der Antike. Suetonius (Caligula 22, 3) spricht von einem *simulacrum aureum iconicum* des Caligula in dessen Tempel (dem Tempel seiner Gottheit), also von einem Stand- oder Sitzbild aus Gold mit Porträtzügen. Außerdem ist bei Plinius (nat. hist. 35, 57) von einem Gemälde des Panainos[23] die Rede, das die *Schlacht bei Marathon* darstellte. Die Kunst sei bereits so entwickelt gewesen, daß der Maler dort *iconicos duces* dargestellt habe; genannt werden *Miltiades, Kallimachos* und *Kynaigeiros* auf athenischer, *Datis* und *Artaphernes* auf persischer Seite. Schon B. Schweitzer hat energisch gegen ältere Versuche behauptet, es könne sich hier nicht um Porträtzüge handeln, es habe die Erkennbarkeit der Person genügt[24]. Er versteht aber zugleich *iconicus* hier dennoch als 'porträthaft' und führt die Ausdrucksweise auf eine hellenistische Quelle des Plinius zurück[25]. Nun wissen wir – Schweitzer hat das durchaus gesehen –, daß in dem *Marathonbild* den Personen keine Namen beigeschrieben waren, sondern daß sie durch Stellung und Gestik kenntlich gemacht waren[26]. *Miltiades* war der vorderste der athenischen Strategen und streckte die eine Hand gegen die Perser aus, hinweisend und zum Kampfe anfeuernd. Von *Kallimachos*, der in der Schlacht fiel, heißt es bei Himerios (or. 30, 2), er habe mehr einem Kämpfenden gleichgesehen als einem Toten. Von *Kynaigeiros* wußte jeder Athener, daß ihm bei dem Versuch, ein feindliches Schiff am Achtersteven festzuhalten, der Arm abgehauen worden war. Es ist wohl unnötig, den Umweg über eine hellenistische Quelle zu gehen, um in *'iconicus'* genau dies ausgedrückt zu finden: Stellung und Gestik sind die 'besonderen Kennzeichen' der Anführer, deren Rolle in der Schlacht jedem geläufig war. Aber selbst wenn man eine hellenistische Quelle einschieben zu müssen glaubt, das Adjektiv behält bei Plinius die genannte Bedeutung; nichts deutet auf eine Spezialisierung in Richtung auf 'porträthaft' hin.

Kehren wir mit dieser Annahme zu unserem Text zurück, so wird deutlich, daß auch dort *iconicus* besagt, die Athleten seien in charakteristischen Bewegungen, nicht porträthaft dargestellt worden. Die *similitudo* war *ex membris ipsorum* (= der Olympioniken) dargestellt; der Ausdruck erhält nun erst sein volles Gewicht. Bei aller Beobachtung rhetorischer Regeln ist nicht ein Wort zuviel gesagt, Plinius hat sich durchaus präzis ausgedrückt.

Eine genauere Untersuchung der griechischen Worte εἰκών, εἰκονικός führt im wesentlichen zum gleichen Ergebnis. Gewiß bedeutet εἰκών in der Sprache des Hellenismus und der Kaiserzeit oft genug 'Porträt', aber ebensooft geht es nur auf ein besonderes Kennzeichen körperlicher Art, auf ein Spezifikum, das mit Bildnischarakter nichts zu tun hat. Am besten sind diese Fragen für den Sprachgebrauch des Pausanias untersucht[27]. Er nennt Götterbilder in der Regel ἄγαλμα, seltener ἀνδριάς, Menschenbilder ἀνδριάς und εἰκών, wobei letzteres vor allem auf Personen historischer Zeit angewandt wird. ἀνδριάς ist mit beiden anderen Worten austauschbar, ἄγαλμα dagegen nicht mit εἰκών. Die Nuancen werden am deutlichsten, wenn in einem Satz für ein und dasselbe Werk von den beiden nicht synonymen Ausdrücken ἄγαλμα und εἰκών Gebrauch gemacht wird, etwa Pausanias 8, 41, 6. Dort heißt es, er (Pausanias) habe keine Gelegenheit gehabt, das Kultbild (ἄγαλμα) der Eurynome selbst zu sehen, habe aber von den Bewohnern von Phigaleia gehört, daß goldene Ketten das Holzbild (ξόανον) zusammenhalten; bis zu den Hüften sei es das Abbild (εἰκών) einer Frau, darunter ein Fisch. Auch hier bedeutet εἰκών nicht Porträt, davon kann bei einem Kultbild nicht die Rede sein, sondern die spezifisch menschlich-weiblichen Formen, die von dem Fischleib abgesetzt werden. Wenn Pausanias die große Menge der Siegerbilder in Olympia als εἰκών, einige als ἀνδριάς bezeichnet und gelegentlich beide Ausdrücke auf das gleiche Siegerbild anwendet, so stimmt das offenbar vorzüglich zu dem *(statuas) quas iconicas vocant* des Plinius.

Es mag nützlich sein, sich hier einer Erörterung zu erinnern, die nichts mit Olympia zu tun hat, dagegen mit attischen Athletenbildern. Xenophon erzählt (Memorab. 3, 10, 6–8) von einem Besuch des Sokrates bei dem Bildhauer (ἀνδριαντοποιός) Kleiton, der, wie seine Bezeichnung ausweist, für Athletendarstellungen bekannt war. Sokrates sagt ihm, er wisse und sehe, daß Kleiton Läufer, Ringer, Faustkämpfer und

Pankratiasten als schöne Menschen darzustellen wisse; es interessiere ihn nun, wie der Künstler den Statuen den lebensvollen Ausdruck (τὸ ζωτικὸν φαίνεσθαι) verleihe. Kleiton gibt dann im Verlauf des Gesprächs zu, dazu müsse man die Gestalt des Menschen nachbilden, die durch die jeweilige Stellung bedingten Verkürzungen und Dehnungen in den Leibern, das Angespannte und das Gelockerte. Das bezieht sich alles auf Motive und Bewegungen der Gliedmaßen und Muskeln, auf den Kontrapost – von Bildniszügen ist dabei mit keinem Wort die Rede; sie gehören um 400 offenbar noch nicht zum 'lebensvollen Ausdruck'. Es leuchtet ohne weiteres ein, wie gut das zu unserer Interpretation des Pliniustextes paßt.

Zweierlei bleibt zu klären. Wie sahen ikonische wie nichtikonische Siegerstatuen in Olympia aus, und warum hat man so hartnäckig ikonisch mit porträthaft gleichgesetzt? Die beiden Fragen hängen eng miteinander zusammen.

Die Vorstellung vom Athletenbild der griechischen Kunst, wie sie sich mindestens seit dem 19. Jh. durchgesetzt hat, ist von Vasenbildern, Kleinbronzen und einigen wenigen Statuen geprägt. Alle diese Bilder haben gemeinsam, daß sie den Wettkämpfer in mehr oder weniger lebhafter Bewegung als Teilnehmer an einem bestimmten Sport kennzeichnen, als Diskuswerfer, Speerwerfer, Waffenläufer, Springer, Faustkämpfer, Ringer usw. Lassen wir die Flächenbilder beiseite, deren Gesetze mit denen der Freiplastik nicht kommensurabel sind, so bleiben es doch die Tübinger *Waffenläufer*[28], der *Wettläufer* aus Olympia[29], der *Diskobol* des Myron[30], der *Doryphoros* des Polykleitos[31] oder der *Diskophor* des Naukydes[32], die unser Bild des hellenischen Athleten ebenso bestimmen wie der delphische *Wagenlenker*[33] oder der *Bronzekopf* aus Olympia [Taf. 53][34] und der *sitzende Faustkämpfer* in Rom[35] das Bild ihrer Kampfarten. Daneben aber gibt es die stilleren Bilder, die Darstellungen von siegreichen Athleten, bei denen wir nicht einmal sehen, in welcher Kampfart sie ihren Erfolg errangen. Als Beispiel mögen die Statuen von Athleten dienen, die sich nach dem Kampf mit der Strigilis schaben[36]. Hier ist nicht mehr das Kennzeichnende einer bestimmten Sportart, sondern allgemeiner das Charakteristikum 'des Athleten' erfaßt. Es ist bezeichnend, daß sich solche Bilder erst in der Freiplastik des ausgehenden 5. und des 4. Jh. finden. Die klassische Zeit hatte noch stillere, 'klassischere' Darstellungen bevorzugt, wie sie besonders Polykleitos und seine Schule entwickelten. Als Beispiel sei *der den Kranz absetzende Knabensieger* genannt[37], wohl das edelste der uns noch erkennbaren großplastischen Siegerbilder des 5. Jh.[38].

Diese knappen Hinweise mögen ausreichen, um die Hypothese zu stützen, daß sich die beiden Grundtypen der Athletenbilder in Übereinstimmung mit dem Pliniustext befinden. Die eine Gruppe stellt nicht Sieger in einer bestimmten Kampfart dar, sondern Sieger schlechthin. Dabei bleibt es für unseren Überblick unerheblich, daß die fortschreitende Veränderung der griechischen Plastik von der Klassik zum Hellenismus hin auch diese allgemeinen Siegerbilder im Sinne jeder Generation neu erfaßt und durchgestaltet. Auf diese Gruppe trifft mit Sicherheit die Kennzeichnung zu, daß die Statuen nicht ikonisch sind. Die andere Gruppe stellt Sieger in einer bestimmten Disziplin dar. Der Unterschied zu den allgemeineren Bildern wird weniger durch äußere Zufügung eines bezeichneten Attributes, etwa eines Diskus oder eines Helmes und Schildes, erreicht, als vielmehr durch eine andere, der jeweiligen Kampfart angepaßte Haltung. Mit anderen Worten, die schärfere Kennzeichnung wird durch eine von ruhigem Stehen abweichende Haltung der *membra*, der Glieder des Körpers, erzielt. Wir dürfen uns also die Standbilder siegreicher Olympioniken, die drei Siege nacheinander errungen haben, in der Art der zweiten unserer Gruppen vorstellen. Von Porträt ist dabei nicht mehr die Rede. Es bedeutet eine erfreuliche Bestätigung dieser Ansicht, daß wir keine einzige Porträtstatue eines Siegers besitzen, sei es aus Olympia oder von einem anderen Fundort, die vor der Epoche der römischen Herrschaft entstanden ist[39]. Damit wäre zugleich geklärt, warum sich die Vorstellung vom Porträtcharakter der Statuen dreimaliger olympischer Sieger so lange gehalten hat. Denn alle Behandlungen dieser Frage sind immer von der selbstverständlichen Voraussetzung ausgegangen, ein siegreicher Athlet habe nur so dargestellt werden können, wie Sokrates es in dem Gespräch mit Kleiton für die Athletenbilder voraussetzt und wie unsere ikonische Gruppe es zeigt, ein dreimaliger Sieger müsse also eine zusätzliche Charakterisierung erhalten haben. Für diese blieb dann nur das individuelle Bildnis übrig.

Um eine Gegenprobe zu gewinnen, wenden wir uns nochmals Pausanias zu, dessen Angaben über die olympischen Siegerstatuen in einigen Fällen über die Feststellung hinausgehen, dieser oder jener Sieger in einer bestimmten Disziplin habe eine Statue erhalten, von der unter günstigen Umständen auch der Künstler genannt wird. Diese nicht allzu häufigen 'Beschreibungen' sollen im folgenden in tunlicher Kürze darauf befragt werden, ob sie für unser Problem etwas ausgeben. Dabei kann das Standbild der thrakischen Mendaier Pausan, 5, 27, 12 von vornherein ausgeschieden werden, denn obgleich es einem Fünfkämpfer mit altertümlichen Sprunggewichten glich, stellte es keinen Sportsieger dar, sondern war ein Siegesmal der Stadt Mende für einen Waffenerfolg über Sipte. Ebenso müssen wir die Anatheme der Sieger in Wagen- und Pferderennen außer Betracht lassen, da sie anderen Gesetzen gehorchen. Es ist oft genug beobachtet worden, daß sich die Grundhaltung dieser Siegesmäler von der der übrigen Siegerstatuen unterscheidet. Das hängt mit dem großen Aufwand zusammen, den die Haltung eines Rennstalls erforderte; der war nur fürstlichen Herren möglich. Es kommt dazu, daß beim Wagenrennen im Gegensatz zu den übrigen Sportarten nicht der Lenker, der die Pferde zum Siege geführt hatte, zum Sieger ausgerufen wurde, sondern der Besitzer des Gespanns[40]. Im Pferderennen konnte sogar das siegreiche Pferd als Grund für die Siegerehrung seines Reiters und Herrn gelten, wenn es diesen abgeworfen hatte, jedoch korrekt als erstes am Ziel angelangt war[41]. Schließlich muß die vielbehandelte Notiz Pausan. 6, 4, 5 über den *Anadumenos* des Pheidias hier ausgeklammert werden, da schon Pausanias den Namen des Dargestellten nicht anzugeben wußte und es somit unklar bleiben muß, ob es sich überhaupt um eine Darstellung eines olympischen Siegers gehandelt hat.

Der älteste Olympionike, von dessen Standbild ausführliche Einzelheiten bekannt sind, war zugleich einer der berühmtesten der ganzen Antike. *Milon*, der Sohn des Diotimos, aus Kroton war fünffacher Periodonike, d. h., er hatte fünfmal Siege an allen großen panhellenischen Agonen errungen; je sechsmal war er in Olympia und Delphi, zehnmal auf dem Isthmos, neunmal in Nemea als Sieger ausgerufen worden[42]. Man erzählte sich später Wunderdinge von seinen Leistungen, zu denen hinzukam, daß er als gewählter Feldherr seiner Vaterstadt die Sybariten besiegte. Seine sportliche Hochform hielt annähernd dreißig Jahre an (er hatte vor den aufgezählten Erfolgen bereits als Knabe in Olympia und Delphi gesiegt), denn nach den regelmäßigen Triumphen zwischen 540 und 516 nahm er noch an der Olympiade 512 teil, in der ihn ein jugendlicher Landsmann überwand. *Milon* war Ringer. Seine Statue in Olympia (Pausan. 6, 14, 6) stellte ihn jedoch nicht als Ringer dar, sondern im Typus der archaischen Kuroi mit ganz eng stehenden Füßen, in der linken Hand einen Granatapfel haltend, die rechte vorgestreckt mit leicht abgespreiztem Daumen und offenen Fingern, dazu mit einer Binde um das Haupt. Die Figur stand auf einer runden Basis. Einen Teil dieser Züge kann man nur aus den phantasievollen (und falschen) Erklärungen erschließen, die von den Fremdenführern in Olympia verbreitet wurden.

Als *Milon* auf der Höhe seines Ruhmes stand, wurde in der 65. Olympiade (520 v. Chr.) als neue Wettkampfart der Waffenlauf zugelassen; den Sieg errang in dieser und der folgenden Olympiade *Damaretos* aus Heraia. Seine Statue wurde erst wesentlich später aufgestellt, denn inzwischen hatte sein Sohn in zwei Olympiaden des früheren 5. Jh. Siege im Fünfkampf errungen[43]. *Damaretos* war mit Helm, Schild und Beinschienen als Waffenläufer gekennzeichnet; über die Haltung des Standbildes im einzelnen sind wir nicht unterrichtet.

In der gleichen Zeit wie *Damaretos* gewann *Glaukos* aus Karystos als Faustkämpfer in Olympia, Delphi, Nemea und auf dem Isthmos vielfachen Ruhm. In Olympia siegte er zwar nur einmal (520 v. Chr.), aber seine Erfolge an den übrigen panhellenischen Festspielen, mindestens je zwei in Delphi und je acht in Nemea und auf dem Isthmos, ließen ihn zu einem der berühmtesten Athleten der Antike werden. Simonides trug durch seine Verse auf *Glaukos* vor allem für die spätere Zeit ganz wesentlich dazu bei. Die Statue des *Glaukos* ließ sein Sohn anfertigen und wandte sich dazu an den Bildhauer Glaukias. Dieser stellte den berühmten Boxer in einer charakteristischen Haltung dar, als 'Schattenkämpfer' (σχῆμα σκιαμαχοῦντος), in einer technischen Übung also, für die *Glaukos* besonders bekannt gewesen sein soll[44]. Dies ist die älteste Statue eines Olympioniken, von der uns eine 'ikonische' Haltung überliefert ist. Entstanden im früheren 5. Jh. v. Chr., widerspricht sie in einem Punkt den sonstigen Angaben über solche Standbilder, denn von *Glaukos* wird ja nur ein einziger olympischer Sieg berichtet. Schon hier wird aber offenbar Rücksicht genommen darauf, daß *Glaukos* Periodonike war, d. h. einmal an allen vier großen Wettkämpfen der griechischen Welt gesiegt hatte. Ähnliches läßt sich auch später noch beobachten, so daß die Angaben des Plinius wohl dahingehend zu erweitern sind, daß Periodoniken die gleichen Ehren erwiesen wurden wie dreimaligen Olympioniken. Daß bei den Statuen des *Milon* und *Damaretos* nicht von 'Porträt' die Rede sein kann, ergibt sich schon aus der Zeit ihrer Entstehung; auch bei *Glaukos* hat es sich ganz offenbar nicht um eine Statue mit Bildniszügen gehandelt.

Theognetos aus Aigina siegte 476 im Ringkampf der Knaben in Olympia; er hatte bereits vorher an den Isthmien und den Pythien seine Gegner geworfen. Die Statue in Olympia stellte ihn nach Pausan. 6, 9, 1 mit einem Pinienzapfen und einem Granatapfel in der Hand dar. Über die tiefere Bedeutung dieser Attribute ist viel gerätselt worden; jedenfalls haben sie keine Beziehung zum Ringkampf, die Darstellung war also keinesfalls 'ikonisch'[45].

Ein Problem stellt in diesem Zusammenhang das Siegerbild des Rhodiers *Akusilaos* dar. *Akusilaos* hatte am gleichen Tag im Faustkampf der Männer gesiegt wie sein Bruder *Damagetos* im Pankration. Beide gehörten zu einer berühmten rhodischen Familie olympischer Sieger, die schon Pausanias nach ihrem Vater Diagoras benennt[46]. Die hier interessierenden Siege der Brüder fallen in die 83. Olympiade (448 v. Chr.). In einer Gruppe von Siegerbildern der ganzen Familie war *Akusilaos* dargestellt, den Faustkampfriemen an der linken Hand, die Rechte „wie zum Gebet" erhoben. Selbst wenn wir annehmen, die ganze Familiengruppe sei erst nach dem letzten Sieg eines ihrer Glieder geschaffen worden, also gegen Ende des Peloponnesischen Krieges[47], bleibt unklar, warum *Akusilaos* in der besonderen Haltung wiedergegeben war. Von Porträt war gewiß nicht die Rede, auch als ikonisch kann die Statue nicht bezeichnet werden (der erhobene Arm oder Riemenwerk ist nicht charakteristisch für Boxer), aber eine befriedigende Erklärung scheint derzeit nicht möglich.

Wohl in das frühere 4. Jh. v. Chr. fällt der Sieg des Eleers *Hysmon* im Fünfkampf; auch an den Nemeen hatte *Hysmon* in der gleichen Disziplin gesiegt[48]. Seine Siegesstatue, ein Werk des Sikyoniers Kleon, zeigte den Athleten mit altertümlichen Sprunggewichten in den Händen. Durch dieses Attribut hatte Pausan. 5, 27, 12 bei einem anderen Standbild sich an Fünfkämpfer erinnert gefühlt[49], aber das besagt für unsere Frage wenig, solange über die Haltung der Figur nichts Näheres bekannt ist. Halteren allein machen sie nicht zu einer ikonischen Statue.

Zusammenfassend werden wir feststellen dürfen, daß die Angaben des Pausanias und seiner Parallelüberlieferung unserer Interpretation des Begriffs der ikonischen Statuen nicht entgegenstehen. Es ist freilich auch keine Bestätigung aus ihnen zu gewinnen, da Pausanias fast ausschließlich Siegerbilder der älteren Zeit, bis in den Beginn des 4. Jh. hinein, ausführlicher charakterisiert, während für die jüngere Zeit Angaben fehlen. In diese Lücke treten jedoch die Basen der olympischen Siegerstatuen ein, soweit sie erhalten sind und vor der Neubearbeitung ausgewertet werden können. Diese Basen tragen Inschriften und Standspuren. Den Wandel in der

Sprache und der hinter ihr stehenden Gesinnung, soweit er aus den Inschriften ab-
zulesen ist, hat zuletzt B. Schweitzer eindringlich interpretiert[50].

Hier haben wir es vornehmlich mit den Indizien zu tun, die aus der Oberseite der
Basisblöcke zu gewinnen sind. Die älteste publizierte Basis einer Siegerstatue, zu
der die Einlaßspuren erhalten sind, ist die des Atheners *Kallias*, dessen Statue Mikon aus Athen schuf[51]. In der 77. Olympiade (472 v. Chr.) hatte *Kallias* im Pankration gesiegt, die Bronzestatue wird im Laufe der nächsten Jahrzehnte aufgestellt
worden sein. Sie stand mit beiden Füßen auf, der rechte war nur ganz wenig mit der
Fußspitze nach außen gesetzt, beide Füße stehen fast genau auf der gleichen Höhe.
Man wird kaum fehlgehen, wenn man das linke Bein als das Standbein, das rechte
als Spielbein versteht, die Figur stand also etwa so wie die Bronzestatuette eines
Athleten aus Ligurio, die zwischen dem Sieg des *Kallias* und der Jahrhundertmitte
entstanden ist[52]. Nichts weist darauf hin, daß durch die Haltung ein spezieller Hinweis auf das Pankration gegeben worden sei. Zu einem nicht näher festlegbaren
Datum des 5. Jh. siegte unter den Knaben im Faustkampf der Arkader *Tellon*. Die
Basis[53] zeigt vorgesetzten linken (bzw. zurückgesetzten rechten) Fuß, beide Füße
streben etwas nach auswärts[54]; welches Bein das Standbein war, wage ich nicht zu
entscheiden. Auch dieses Standbild war in ruhiger Haltung, ohne Angabe von Bewegungen des Faustkampfes dargestellt, soweit es sich beurteilen läßt. Die Basis des
Kyniskos aus Mantineia, Siegers im Faustkampf der Knaben, die nach Pausan. 6, 4,
11 von Polykleitos gearbeitet war (die Signatur ist nicht erhalten)[55], zeigt die typische polykletische Fußstellung, in diesem Fall linkes Standbein, rechter Fuß zurückgesetzt und nur auf der Spitze ruhend. Falls der Sieg des *Kyniskos* tatsächlich in den
sechziger Jahren des 5. Jh. anzusetzen ist, wäre dies das bei weitem älteste Werk des
Polykleitos, von dem wir wissen.

Die älteste Basis eines dreimaligen Olympioniken, die uns erhalten ist, zeigt nach
den dürftigen Fußspuren eine ruhig stehende Figur – wenn die Ergänzung der Inschrift richtig ist[56]. Die Basis gehört jedenfalls noch ins 5. Jh. v. Chr. und zeigt,
daß damals 'ikonische' Siegerbilder in Olympia offenbar noch nicht zugelassen
waren; wenigstens ist nichts von einer Hindeutung auf einen Pankratiasten zu erkennen. Der Sieger im Faustkampf der Knaben in der 89. Olympiade (424 v. Chr.),
Hellanikos aus Lepreon, war ähnlich wie *Kyniskos*, wenn auch mit etwas weiterer
Schrittstellung dargestellt[57], ruhig war auch die Haltung des *Charmides* aus Elis,
der wohl noch im 5. Jh. als Knabe im Faustkampf siegte[58], doch standen seine Füße
näher beieinander.

Aus dem frühen 4. Jh. stammt die Basis des *Damoxenidas* aus Mainalon, der im
Faustkampf der Männer gesiegt hatte[59]. Die erhaltene Spur des rechten Fußes, das
Fehlen der linken auf dem einzigen Basisblock haben zu der Vermutung geführt, die
Statue sei in stärkster Ausfallstellung dargestellt gewesen. Zu einem solchen Schluß
reichen die Reste nicht aus, doch bleibt unsicher, wie die Figur gestanden hat. Ru-
hig war dagegen, mit leicht vorgesetztem rechten Spielbein, die Haltung des *Eukles*

aus Rhodos, dessen Statue im frühen 4. Jh. von Naukydes geschaffen wurde[60]. Polykletisches Standmotiv hatte die Statue des Eleers *Pythokles*, die auch von einem Polykleitos im früheren 4. Jh. geschaffen worden ist; der Sieg war im Fünfkampf errungen worden[61]. Ebenfalls von einem Polykleitos signiert ist die Basis für den Sieger im Ringkampf der Knaben, *Xenokles* aus Mainalon; die Figur stand ruhig, in einem für Polykleitos ungewöhnlichen Standmotiv[62]. Verwandt war die ebenfalls von einem Polykleitos um die Mitte des 4. Jh. signierte Basis für *Aristion* aus Epidauros, der wie *Damoxenidas* im Faustkampf der Männer gesiegt hatte[63]. Anders verhält es sich mit dem Standbild des *Athenaios* aus Ephesos, der an einer nicht näher bestimmbaren Olympiade des 4. Jh. im Faustkampf der Knaben gesiegt hatte. Auf seiner Basis[64] scheint der rechte, nur mit der Spitze den Boden berührende Fuß so weit zurückgesetzt zu sein, daß eine Art Ausfallstellung gemeint gewesen sein könnte. Da *Athenaios* nur einmal gesiegt hat, wäre dies die erste Ausnahme von der vermuteten Regel, doch bleibt eine Bestätigung durch die neue Veröffentlichung der olympischen Statuenbasen abzuwarten.

Aus dem 3. Jh. hat sich der Basisblock einer Bronzestatue erhalten, die den Eleer *Nikarchos*, Sieger im Ringkampf, darstellte; das Standbild scheint nicht über eine einfache Ruhestellung hinaus bewegt gewesen zu sein[65]. Ein nicht namentlich bekannter Eleer, der in Olympia mindestens im Fünfkampf gesiegt hatte, außerdem je zwei Siege an wenigstens 3 verschiedenen Festen aufführt, scheint in stark bewegter Stellung dargestellt gewesen zu sein[66]. Er war also mehrmaliger Sieger, wenn auch nicht gesagt werden kann, ob dies auch für Olympia zutrifft. Wir übergehen weitere Fälle ruhig stehender oder nur wenig bewegter Standbilder, sofern es Darstellungen einmaliger Sieger waren, und wenden uns den wenigen bewegten Darstellungen zu. Wohl in der ersten Hälfte des 2. Jh. v. Chr. siegte *Epitherses* aus Erythrai, dessen Statue Pythokritos von Rhodos schuf[67]. *Epitherses* muß ein gefeierter Faustkämpfer gewesen sein, die Inschrift nennt zwei olympische und mindestens je einen isthmischen, nemeischen und delphischen Sieg. Seine Statue muß, wenn sich bewahrheitet, daß sie mit nur einem Fuß aufstand, eine lebhafte Bewegung gezeigt haben. Von *Aristodamos*, dessen Statue im 2. oder 1. Jh. gearbeitet wurde[68], wissen wir nichts weiter, nicht einmal in welcher Disziplin er möglicherweise gesiegt hat. Sein Standbild scheint in ausschreitender oder ausfallender Haltung dargestellt gewesen zu sein.

Aus all diesen Einzelheiten läßt sich entnehmen, daß bewegte Standbilder olympischer Sieger in der Altis immer eine Ausnahme waren. Es versteht sich von selbst, daß die Erringung mehrfacher Siege in Olympia auch stets selten war, wenn auch häufiger, als es sich heute noch nachweisen läßt. Auch in der späteren Zeit waren nicht alle Standbilder dieser mehrmaligen Sieger 'ikonisch'; der alte Brauch des 5. Jh. hat immer wieder nachgewirkt. Die erhaltenen Basen olympischer Siegerstatuen geben keinen Anlaß, von der neuen Interpretation des Plinius-Textes abzugehen. Diese wird sich im Zusammenhang der Geschichte des Porträts bei den Griechen zu bewähren haben.

Anmerkungen

Außer den im Jahrbuch des Deutschen Archäologischen Instituts üblichen Sigeln werden im folgenden zitiert mit

HB   H. Hitzig–H. Blümer, Des Pausanias Beschreibung von Griechenland II 2 (1904)

IO   W. Dittenberger–K. Purgold, Die Inschriften von Olympia (Olympia. Die Ergebnisse . . . V, 1896. Neudruck 1966)

[1] Über das Bildnis der Alten (1814–1815) 7.

[2] Iconographie Grecque (Paris 1808. Zweite Ausgabe Mailand 1824/26). Discours préliminaire p. VIII Anm. 4.

[3] De olympionicarum statuis. Diss. Göttingen 1885, 9ff.

[4] IO 295.

[5] Z. B. HB 530. W. W. Hyde, Olympic Victor Monuments and Greek Athletic Art (1921) 54. G. Lippold, RE II A ('Siegerstatuen', 1923) 2267f., der den Porträtcharakter sogar auf „die Besonderheiten der Glieder, der Muskeln" ausgedehnt wissen will. E. N. Gardiner, Athletics of the Ancient World (1930. Neudruck 1955) 59. L. Drees, Olympia (1967) 122.

[6] Z. B. B. Schweitzer, Acta Congressus Madvigiani III (1957) 13 [nachgedruckt in: B. Schweitzer, Zur Kunst der Antike II (1963) 7ff.].

[7] G. Lippold, Griechische Porträtstatuen (1912) 32. Vgl. die ganz korrekte Formulierung bei P. Amandry, in: Charites, Studien zur Altertumswissenschaft (1957) 64, 7.

[8] Durch F. Eckstein. [Jetzt: F. Eckstein, ΑΝΑΘΗΜΑΤΑ. Studien zu den Weihgeschenken strengen Stils im Heiligtum von Olympia (1969).]

[9] IO Nr. 146 schließen aus den Einlassungsspuren und Verwitterungen auf der Basis auf Füße von mindestens 37–39cm Länge und also auf eine überlebensgroße Statue. Der Schluß ist trügerisch, die Statue war offenbar nur etwa lebensgroß. Kallias siegte 472 v. Chr. in Olympia; er war Periodonike, da er vorher bereits an den Pythien, Isthmien und Nemeen als Sieger ausgerufen worden war, vgl. zuletzt L. Moretti, Olympionikai, MemAccLinc. Ser. VIII Band VIII, 1959 (dieser Teil erschienen bereits 1957), 53ff., spez. 91 Nr. 228.

[10] IO Nr. 634 und Paus. 5, 12, 5; frühes 4. Jh. v. Chr. Moretti a. O. 114f. Nr. 373.

[11] IO Nr. 178 und Paus. 6, 16, 9; 3. Jh. v. Chr. Moretti a. O. 136 Nr. 542. Vgl. auch IO Nr. 197 (späthellenistisch).

[12] Als Beispiele seien genannt: Wagenlenker (?), 7. Jh. (Olympiabericht 4, 1944, 127ff. Taf. 47–50 = E. Kunze, Neue Meisterwerke griech. Kunst aus Olympia, 1948, 12 Abb. 18–19), startender Läufer, 5. Jh. (Olympiabericht 1, 1937, 77ff. Taf. 23–24 = Kunze a. O. 26 Abb. 55–57), Pferd von Viergespann, 5. Jh. (Olympiabericht 3, 1938/39, 133ff. Taf. 59–64 = Kunze a. O. 31 Abb. 74–75). Eine Weihegabe dieses Typus war auch der Tübinger Waffenläufer (z. B. W. H. Schuchhardt, Kunst der Griechen, 1940, 174 Abb. 146), wenn wir auch den Fundort nicht nennen können. [Der Tübinger Waffenläufer, hrsg. von Ulrich Hausmann (1977).]

[13] Zum Namen *Eubotas* vgl. HB II 573f., zur Datierung F. Chamoux, Cyrène sous la monarchie des Battiades (1953) 235, 1. Vgl. ferner Amandry a. O. 63, 1. Moretti a. O. 110 Nr. 347.

[14] Etwa IO Nr. 144 (Siege 484, 476, 472 v. Chr. Pausan. 6, 6, 4ff.), 153 (Siege 432–424 v. Chr.), 166 (zwei Siege mit Pferden bzw. Fohlen 372, ein weiterer mit Pferden 368 v. Chr.?). Vgl. Amandry a. O. 64. Unsicher bleibt die Beurteilung der Siege des *Ergoteles* (472, 464 in

Olympia, weitere Siege an den anderen panhellenischen Agonen), vgl. E. Kunze, Olympia-Bericht V, 1956, 153 ff.; Amandry a. O. 65.

15 IO Nr. 198–204. Unsicher Nr. 170, vgl. Paus. 6, 14, 12 und Amandry a. O. 66.

16 Vgl. zur ganzen Frage Amandry a. O. 63 ff.

17 Vgl. HB zu beiden Stellen und E. Meyer, Pausanias (1954) 628. Beispiele für späte Siegerehrungen durch Statuen, z. T. erst nach Jahrhunderten, bei Amandry a. O. 67 f. Zu *Praxidamas*: Moretti a. O. 71 f. Nr. 112, zu *Rhexibios* 72 Nr. 119, zu *Eutelidas* 67 Nr. 63–64 mit Datierung auf 628 v. Chr.

18 Vgl. Amandry a. O. 69 mit Verweisen auf die ältere Literatur.

19 Pausan. 8, 40, 1 mit HB z. St. Moretti a. O. 70 Nr. 102. *Arrhachion* wurde 572, 568 und 564 als Sieger ausgerufen. – Die 1890 in Bassai gefundene Statue ist nicht, wie anfangs vermutet, die des Arrhachion; sie ist entschieden älter als 564. Vgl. L. Budde, Die attischen Kuroi (1939) 54. F. Matz, Geschichte der griechischen Kunst I (1950) 195. E. Buschor, Frühgriechische Jünglinge (1950) 12. L. Alscher, Griechische Plastik I (1954) 141, 69. – Weitere Siegerstatuen außerhalb Olympias vgl. Hyde a. O. 361 ff.

20 Schweitzer, Acta a. O. 27. [Vgl. o. Anm. 6.]

21 Vgl. dazu die Bemerkungen bei Schweitzer, Acta a. O. 8. [Vgl. o. Anm. 6.]

22 Papyri Oxyrrh. VII 1022: *nomina eorum (scil. tironum) et iconismos.*

23 In anderen Quellen dem Mikon oder Polygnotos zugeschrieben, was in unserem Zusammenhang ohne Bedeutung ist.

24 B. Schweitzer, Studien zur Entstehung des Porträts bei den Griechen (Abh. Akad. Leipzig, phil.-hist. Kl. 91, 1939, Nr. 4) 21, 58. [Nachgedruckt in: B. Schweitzer, Zur Kunst der Antike II (1963) 115 ff.]

25 Vgl. Schweitzer, Acta a. O. 9 f. [Vgl. o. Anm. 6.]

26 Die Quellen bei J. Overbeck, Die antiken Schriftquellen zur Geschichte der bildenden Künste bei den Griechen (1868) Nr. 1083/84 und 1099–1108.

27 Vgl. A. Schubart, Philologus 24, 1866, 561 ff. M. Fränkel, De verbis potioribus quibus opera statuaria Graeci notabant, Diss. Leipzig 1873. A. Engeli, Die oratio variata bei Pausanias, Diss. Zürich 1905 (1907) 8 ff. Zu ἄγαλμα jetzt Hj. Bloesch, Agalma (Kleinod Weihgeschenk Götterbild), 1943, zu ξόανον RE IX A 2140 ff.

28 Z. B. W. H. Schuchhardt, Kunst der Griechen (1940) 174 Abb. 146. [S. o. Anm. 12.]

29 Schuchhardt a. O. 178 Abb. 150. Kunze a. O. Abb. 55–57.

30 Z. B. Dörig, in: Boardman–Dörig–Fuchs, Die griechische Kunst (1966) Taf. 202.

31 Z. B. Dörig a. O. Taf. 210.

32 Z. B. Dörig a. O. Taf. 226.

33 Z. B. Schuchhardt a. O. 196 ff. Abb. 163 ff. Dörig a. O. Taf. 156.

34 Z. B. Schuchhardt a. O. 339 Abb. 312. Dörig a. O. Taf. XL.

35 Z. B. Schuchhardt a. O. 446 f. Abb. 415 f. Fuchs (s. Anm. 30) Taf. 30, 1.

36 Etwa der Schaber aus Ephesos in Wien, z. B. Dörig a. O. 170 f. Taf. 227, oder der 'Schaber' des Lysippos (z. B. Schuchhardt a. O. 340 f. Abb. 313 f. Dörig a. O. Taf. 242), von dem Schuchhardt bemerkt: „In römischer Zeit hatte jedenfalls der Ruhm des Künstlers den des Dargestellten überstrahlt." Die Beispiele sind unabhängig von der Frage, ob es sich gerade bei diesen Statuen um Siegerbilder handelt.

37 Z. B. Schuchhardt a. O. 273 Abb. 248. P. E. Arias, Policleto (1964). Taf. 16 ff. G. Hafner, Zum Epheben Westmacott (SB Heidelberg 1955).

³⁸ Schon der Maßstab schließt die Möglichkeit aus, im Diadumenos des Polykleitos eine Siegerstatue zu erkennen, vgl. zuletzt Dörig, a. O. 153 zu Taf. 211. – Die Angabe des Cornelius Nepos, Chabrias 1, 3, erst seit der Statue des Chabrias (um 375 v. Chr.) seien Siegerbilder dargestellt worden *iis statibus quomodo victoriam essent adepti*, braucht so falsch nicht zu sein wie allgemein angenommen wird (s. die Kommentare z. St. und G. Lippold, RE II A 2271): der Diskobol des Myron z. B. war kein Siegerbild!

³⁹ Der Bronzekopf aus Olympia (o. Anm. 34 [Taf. 53]) ist kein Porträt, sondern ein ungewöhnlich weitgehend mit 'realistischen' Einzelzügen ausgestattetes Allgemeinbild eines Faustkämpfers.

⁴⁰ Das Epigramm unter der Statue des *Xenombrotos* von Kos, Siegers im Wagenrennen gegen Ende des 5. Jh. v. Chr. (IO Nr. 170. Hyde a. O. 54f. Lippold, RE II A 2268. Moretti a. O. 108f. Nr. 340) sagt, er habe τοῖος ὁποῖον ὁρᾷς gesiegt; das ist kein Hinweis auf Porträtcharakter, wie meist gesagt wird, sondern allgemeiner zu verstehen.

⁴¹ Pausan. 6, 13, 9: Stute Aura des Pheidolas von Korinth.

⁴² Nachweise und Diskussion bei Modrze, RE XV 1672ff. und zuletzt bei Moretti a. O. 72ff. Nr. 122.

⁴³ Nachweise bei Moretti a. O. 74f. Nr. 132.

⁴⁴ Pausan. 6, 10, 1–3. Moretti a. O. 75f. Nr. 134.

⁴⁵ Das Epigramm des Simonides auf *Theognetos* (149 Bergk⁴ = 111 Diehl) und die Erwähnung bei Pindar. Pyth. VIII 35ff. (bes. 50) samt Scholien dazu nennen freilich immer nur den olympischen Sieg des Theognetos. Die beiden anderen Erfolge erschließt Moretti a. O. 90 Nr. 217 aus den Attributen – Pinienzapfen für den Isthmos, Granatapfel, der dann in einen Apfel umgedeutet werden muß, für die Pythien –, und das ist ganz unwahrscheinlich, denn Pindar hätte in seinem Preislied auf den pythischen Erfolg des Aigineten Aristomenes gewiß nicht den olympischen, sondern den pythischen Sieg des Theognetos genannt, hätte es ihn gegeben. Zur Deutung vgl. auch HB 577.

⁴⁶ Pausan. 6, 7, 1–3. Schol. Pind. Ol. 7 inscr. (p. 198 Drachmann). Moretti a. O. 102 Nr. 299.

⁴⁷ Vgl. IO Nr. 159 und Moretti a. O. 111 Nr. 354; 105 Nr. 322 mit ausführlichen Nachweisen.

⁴⁸ Pausan. 6, 3, 9–10. Moretti a. O. 117 Nr. 391.

⁴⁹ S. o. S. 366.

⁵⁰ Schweitzer, Studien a. O. 24ff. [Vgl. o. Anm. 24.]

⁵¹ IO Nr. 146. Moretti a. O. 91 Nr. 228. Zur Größe der Statue vgl. o. Anm. 9.

⁵² Schuchhardt a. O. 268 Abb. 241.

⁵³ IO Nr. 147/48. Moretti a. O. 92 Nr. 231.

⁵⁴ Also nicht, wie Dittenberger–Purgold a. O. angegeben, „in dem bekannten archaischen Schema mit vorgesetztem linken Bein auf beiden Füßen gleichmäßig ruhend".

⁵⁵ IO Nr. 149. C. Robert, Hermes 35, 1900, 174. Hitzig–Blümmer zu Pausan. 6, 4, 11. Amandry a. O. 75. Moretti a. O. 97 Nr. 265.

⁵⁶ IO Nr. 153. Alle drei olympischen Siege sind in der Inschrift Ergänzung, die auf der Annahme beruht, es müsse sich um die Basis des *Dorieus* aus Rhodos handeln, was z. B. von Moretti a. O. 105 Nr. 322 abgelehnt wird, vgl. ebendort 88 Nr. 201. Amandry a. O. 65.

⁵⁷ IO Nr. 155. Moretti a. O. 106f. Nr. 331.

⁵⁸ IO Nr. 156. Moretti a. O. 103 Nr. 310.

⁵⁹ IO Nr. 158. Moretti a. O. 117 Nr. 393.

⁶⁰ IO Nr. 159. Moretti a. O. 111 Nr. 354.

[61] IO Nr. 162. Zur Frage der Datierung der Statue und der Erneuerung der Inschrift vgl. Amandry a. O. 75 ff. Moretti a. O. 100 Nr. 284.

[62] IO Nr. 164. Amandry a. O. 77. Moretti a. O. 119 Nr. 408.

[63] IO Nr. 165. Amandry a. O. 77 f. Moretti a. O. 120 Nr. 415.

[64] IO Nr. 168. Moretti a. O. 123 f. Nr. 438.

[65] IO Nr. 175. Moretti a. O. 136 Nr. 540.

[66] IO Nr. 176. Moretti a. O. 138 Nr. 560.

[67] IO Nr. 186. Zur Zeit vgl. A. Rumpf, RE XXIV 602 (Pythokritos Nr. 3). Moretti a. O. 143 f. Nr. 610 datiert den ersten Sieg 184, den zweiten 180 v. Chr.

[68] IO Nr. 182. Moretti a. O. 147 Nr. 664. [Vgl. die „ikonische" Statue eines Wettläufers in Izmir aus dem 1. Jh. v. oder n. Chr. (mit Porträtzügen?): The Anatolian Civilisations II Greek–Roman–Byzantine, Ausst. Istanbul 1983 Nr. B 185.]

Menander:
Eine Büste mit Inschrift

Von Bernard Ashmole

Dr. Gisela Richter[1] hat mehr als 50 Repliken dieses wohlbekannten Bildnistypus gesammelt und beschrieben und hat nach einer erschöpfenden Diskussion seiner Identität daran festgehalten, daß er *Menander* darstellt, wie Studniczka als erster vorgeschlagen hatte [hier S. 185 ff.]. Eine Miniaturreplik aus Bronze im J. Paul Getty Museum in *Malibu* (Taf. 99–100) bestätigt ihre Schlußfolgerung und räumt alle eventuellen Zweifel daran aus dem Weg, denn auf dem Sockel, der nie von der Büste getrennt worden ist, seit er mit ihr in der Antike verbunden wurde, steht gerade über dem unteren Profil der Name 'Menandros' [Taf. 102, 1–2]: der Anfangsbuchstabe ist durch Verwitterung unkenntlich geworden, das Epsilon sowie der Querstrich und die erste vertikale Linie des Ny kann man gerade noch erkennen; die letzten sechs Buchstaben sind zwar schwach, aber eindeutig lesbar[2].

Die Tatsache, daß diese kleine Büste – deren nächste Verwandte die lebensgroße Marmorbüste aus Athen in *Venedig* ist [Taf. 95. 97. 101, 1][3] – als einzige Replik den Eindruck zu vermitteln mag, daß der Dichter schielte, wie Suidas von ihm behauptete[4], legt die Vermutung nahe, daß sie trotz ihrer geringen Größe eine getreue Kopie der *Athener* Statue des Kephisodotos und Timarchos[5] ist; und selbst wenn sie nicht die getreueste Kopie ist, so belegt sie doch die Authentizität der ganzen Serie von Kopien und läßt uns, falls wir uns die von Kopisten und Restauratoren eingebrachten fremden Züge wegdenken können, in dem verbleibenden Überrest den Stil der Söhne des Praxiteles erkennen.

Anmerkungen

[1] Portraits of the Greeks II (1965) 224–236 Abb. 1514–1643; AM 77, 1962, 250.

[2] Die Büste ist mit Sockel 17 cm hoch, der Sockel selbst ist 2,8 cm hoch und mißt 8 cm im Durchmesser. Die Büste schloß unten mit einem flachen, 2 cm breiten Zapfen ab, der durch einen oben in den Sockel geschnittenen Schlitz gesteckt und dann von unten durch hineingegossenes Blei versiegelt wurde, das einen rechteckigen Block von ca. $3,5 \times 2,3$ cm gebildet hat (Taf. 102,4). Die Augen sind in die Bronze eingraviert, wobei die Umrißlinien geschnitten sind: die Pupille selbst besteht aus einer muldenförmigen Vertiefung. Da die Büste für Alter-

Bernard Ashmole, Menander: an Inscribed Bust, in: American Journal of Archaeology 77, 1973, S. 61. Übersetzt von Margot Staerk.

tumsforscher von besonderem Interesse ist, hat Mr. Getty sie freundlicherweise für ein Jahr dem Ashmolean Museum als Leihgabe überlassen, wo dank dem Entgegenkommen von Mr. Michael Vickers ein Abdruck sowie eine Photographie der Inschrift gemacht wurden.

³ Richter 231 Nr. 15 Abb. 1573–1576.

⁴ A. Adler, Hg. (1933), 361: 589 [vgl. hier S. 211].

⁵ Der signierte Sockel ist wiedergefunden worden (s. dazu Richter 225 [hier S. 187 mit Abb. 8]; die Statue war vermutlich aus Bronze, denn Plinius führt diese beiden Künstler bei den Herstellern von Bronzestatuen auf.

Die Aufstellung des Perikles-Bildnisses und ihre Bedeutung*

Von Tonio Hölscher

Kurz nach der Beschreibung des Parthenon berichtet Pausanias: „Auf der Akropolis von Athen steht auch ein Standbild des Perikles, des Sohnes des Xanthippos, und eines des Xanthippos selbst, der die Seeschlacht bei Mykale gegen die Perser schlug. Das Bildnis des Perikles aber ist an einer anderen Stelle aufgestellt, während neben dem des Xanthippos eines des Anakreon aus Teos steht . . .“[1]. Kurz vor dem Ende seines Rundgangs über die Akropolis kommt er auf das Standbild des *Perikles* zurück[2]: Dessen Standort ist also in der Nähe der Propyläen gewesen[3], während die erste Erwähnung nur eine Assoziation anläßlich der östlich des Parthenon aufgestellten Figuren des *Xanthippos* und des *Anakreon* war[4]. – Von dem originalen Bildnis des *Perikles*, das nach Plinius ein Werk des Kresilas war[5], hat sich nur ein Fragment der Basis mit einem Teil der Inschrift erhalten. Der Kopf ist jedoch durch mehrere römische Kopien bekannt (Taf. 19)[6]. Der Brustausschnitt der *Londoner Herme* bezeugt weiterhin, daß die Figur nackt war[7]. Ein Loch in der Basis zeigt schließlich, daß die linke Hand eine Lanze aufstützte[8].

Pausanias hat sich offensichtlich über den Standort der Statue Gedanken gemacht, vielleicht sogar etwas gewundert. Zumindest aber geht aus seinen Sätzen hervor, daß es für den antiken Betrachter eine sinnvolle Frage war, in welchem Kontext ein Bildnis aufgestellt war[9]. Daß das nicht erst für die Zeit des Pausanias gilt, zeigen etwa die Nachrichten, daß es auf der Athener Agora gesetzlich verboten war, an bestimmten Stellen, insbesondere neben den *Tyrannenmördern*, Bildnisse aufzustellen[10]. Man scheute sich offenbar, andere Personen mit diesen Helden zu vergleichen; und als man später das Gesetz durchbrach, geschah es eben mit der Absicht dieses Vergleichs: 307 v. Chr. erhielten *Antigonos Monophthalmos und Demetrios Poliorketes* goldene Statuen in einem Wagen neben *Harmodios und Aristogeiton*, offensichtlich weil sie damals als Wiederbringer der Freiheit, als Soteres gefeiert wurden und damit jenen früheren Rettern des Staats ähnlich waren[11]; und noch deutlicher ist der Vergleich bei *Brutus und Cassius*, denen man Ehrenstatuen neben den Tyrannenmördern errichtete, „weil sie jenen nachgeeifert hatten“[12]. Noch bei Dio Chrysostomos findet sich diese Betrachtungsweise, wenn darüber geklagt wird, daß irgendein mäßiger Dichter nicht nur mit einer Statue geehrt, sondern diese sogar neben der des *Menander* aufgestellt worden sei[13]. Ähnliche Überlegungen

Festschrift für Ernst Siegmann I = Würzburger Jahrbücher für die Altertumswissenschaft, NF 1, 1975, S. 187–199.

müssen bei der Aufstellung von Bildnissen vielfach eine Rolle gespielt haben. Auch
bei dem des *Perikles* scheint das der Fall gewesen zu sein.

Die negative Feststellung des Pausanias, daß das Standbild des *Perikles* nicht neben
dem seines Vaters gestanden habe, könnte eine Erklärung in einer Nachricht des
Cornelius Nepos finden[14]: Bei *Timotheos* sei es zum ersten Mal geschehen, daß die
Athener, nachdem sie schon den Vater, das heißt *Konon*, mit einer Ehrenstatue ausgezeichnet hatten, dem Sohn dieselbe Ehre erwiesen; so habe das neue Denkmal,
neben dem des Vaters aufgestellt, die Erinnerung an jenen wiederaufleben lassen.
Daß in dieser späten Überlieferung Vorstellungen wiedergegeben werden, die in
klassischer Zeit möglich sind[15], wird aus vielen Beispielen deutlich.

In den großen griechischen Heiligtümern bildeten die Statuen siegreicher Athleten
derselben Familie oft Gruppen von beträchtlichem Ausmaß. Am eindrucksvollsten
war vielleicht die der *Diagoriden*, die in Olympia viele Siege errungen hatten[16]: Die
Brüder *Akusilaos, Dorieus und Damagetos* stellten zunächst im späteren 5. Jh. für
sich selbst und ihren Vater *Diagoras* in Olympia Standbilder auf; und in der nächsten Generation fügten zwei weitere Olympiasieger, *Eukles und Peisirodos*, ihre
Bildnisse denen ihres Großvaters und ihrer Onkel hinzu[17]. Ebenfalls durch drei
Generationen führten die Statuen des *Damaretos*, seines Sohnes *Theopompos* und
des gleichnamigen Enkels in Olympia, die beiden ersten offenbar im frühen 5. Jh.
gleichzeitig errichtet, die dritte später angefügt[18]. Vater und Sohn standen mehrfach in Bildnissen nebeneinander – sei es, daß der Sohn beide Bildnisse gleichzeitig
weihte, sei es, daß er das seine an das bereits stehende des Vaters anschloß[19].
Immer wird hier der eigene Ruhm durch den der Vorfahren verstärkt[20].

Ähnliche Bestrebungen finden sich in dem Priestergeschlecht der *Butaden*. Nach
Pausanias waren an den Wänden des Erechtheion γραφαί . . . τοῦ γένους . . . τῶν
Βουταδῶν zu sehen[21]. Außerdem befanden sich dort zwei Familiengruppen von be-
rühmten Mitgliedern dieses Geschlechts aus spätklassischer oder frühhellenisti-
scher Zeit: Holzfiguren der Praxiteles-Söhne Kephisodot und Timarchos stellten
Lykurg und seine Söhne *Habron, Lykurg und Lykophron* dar[22]; wer von diesen den
Auftrag zu der Gruppe gab, ist ungewiß[23]. Ferner zeigte ein Pinax des Ismenias von
Chalkis (wohl nicht identisch mit den von Pausanias genannten γραφαί) die
ἀναγωγὴ τοῦ γένους und insbesondere *Habron*, der das Bild auch geweiht hatte,
wie er als Zeichen der Übergabe der Priesterwürde seinem Bruder *Lykophron* den
Dreizack überreichte[24]. Der Stolz – und auch die Sorgen[25] – der Familientradition
haben hier deutlichen Ausdruck gefunden.

Für den Bereich der Politik gelten zum Teil verschärfte Bedingungen. Bei Athleten
mußte die Familientradition durch objektiv feststellbare Leistungen jeweils hergestellt werden, bei Priestergeschlechtern wie den *Butaden* war sie durch altes Recht
gesichert: in beiden Fällen war dabei nichts, was Anstoß erregen konnte. Dasselbe
trifft in der Politik bei Fürstendynastien wie der Familie des *Daochos* zu, der seine
Vorfahren, sich selbst und seinen Sohn in Delphi mit einem aufwendigen vielfiguri-

gen Anathem feierte[26]. Noch ungewöhnlicher war die *Statuengruppe aus Gold und Elfenbein*, die Philipp II. in Olympia in einem Rundbau errichten ließ[27]: Dargestellt waren *Philipp und Olympias*, Philipps Eltern *Amyntas und Eurydike* sowie der junge *Alexander*. Ebenfalls in der 2. Hälfte des 4. Jh. stellten die Athener auf der Agora Statuen des bosporanischen Herrschers *Pairisades*, seines Onkels *Gorgippos* und seines Sohnes *Satyros* auf, denen sie später noch eine weitere des Enkels *Spartakos* hinzufügten – jeweils zum Dank für Getreidelieferungen und andere Wohltaten[28]; wenn sich dagegen Einspruch erhob, so nicht wegen der Schaustellung genealogischer Traditionen, sondern allenfalls aus parteipolitischen Gründen[29]. Aber gerade solche Beispiele von Denkmälern auswärtiger Fürstengeschlechter können zeigen, welche Assoziationen sich dabei einstellen konnten und welchen Argwohn darum eine derartige Demonstration von Familienmacht in öffentlichen Bildwerken erregen mußte, wenn es sich um Politiker der eigenen Stadt handelte[30]. Gewiß mag es manchmal rein familiäre Ehrfurcht gewesen sein, die hinter einem Familienbild stand; so wird ein Porträtgemälde des Arkesilaos, das *Leosthenes und seine Kinder* zeigte, von diesen in Auftrag gegeben worden sein, ohne daß sie damit vielleicht besondere Ambitionen für sich selbst ausdrücken wollten[31]. Aber schon bei dem Pinax des *Habron*, der sich als Angehöriger des alten Geschlechts der *Butaden* darstellen ließ, ist die politische Absicht deutlich[32]. Dasselbe muß wohl für die Holzgruppe mit *Lykurg und seinen Söhnen* gelten, auch wenn der Auftraggeber nicht ganz sicher ist. Sehr aufschlußreich ist eine *Statuengruppe*, die die Athener *Pandaites* und *Pasikles* in der 2. Hälfte des 4. Jh. auf der Akropolis errichten ließen[33]. Dargestellt waren Mitglieder ihrer Familie aus verschiedenen Generationen – bezeichnenderweise aber nicht die Stifter selbst: Für Pandaites war offenbar auf der Basis ein Platz freigehalten, auf dem sein Bildnis erst nach seinem Tod eingefügt werden sollte, und ebenso mag man an eine spätere Anfügung des (offenbar jüngeren) Pasikles gedacht haben; jedenfalls aber liegt die Annahme nahe, daß die zunächst aufgestellten Familienangehörigen damals bereits tot waren und die Lebenden sich noch nicht in ihrem Kreis darstellen lassen wollten.

Ähnliche Tendenzen finden sich bereits im 5. Jh. – mit dem bezeichnenden Unterschied, daß der lebende Politiker dabei gewöhnlich noch weniger in den Vordergrund trat. In dem Gemälde der *Marathonschlacht* in der Stoa Poikile, das aus dem Kreis um Kimon in Auftrag gegeben worden war, war dessen Vater *Miltiades* stark hervorgehoben; dessen Ruhm sollte auch auf den Sohn Glanz werfen, ohne daß aber dieser selbst dargestellt war[34]. Die Standbilder des *Xanthippos* und des *Anakreon* sind um 440 v. Chr. offenbar von Perikles geweiht worden[35]; auch hier sollte die Ehrung des Vaters zugleich den Sohn in ein helles Licht rücken, vielleicht auch seine Verbindung mit Anakreon auf Perikles' Beziehung zu verschiedenen Künstlern hinweisen, aber auch Perikles war in die Gruppe nicht aufgenommen[36].

Diese Zurückhaltung hat gewiß ihren Grund gehabt. Wie argwöhnisch man in Athen die Aufstellung von Bildnissen beobachtete, ist bekannt[37]. Für Ehrenstatuen von

Staats wegen, die meist auf der Agora standen, wird das bezeugt durch die Emphase, mit der man betonte, daß nach den Tyrannenmördern erst wieder Konon eine solche Auszeichnung erhalten habe[38], und durch den Ärger, den manche Politiker im 4. Jh. über die Ausweitung solcher Ehrungen gegenüber dem 5. Jh. empfanden[39]; ebenso durch die Diskussionen, die sich angeblich um die Darstellung des *Miltiades* in dem *Marathongemälde* entspannen, und die, selbst wenn sie nicht im 5. Jh. in dieser Form stattgefunden hätten, zumindest bezeichnend für die Auffassung weiterer Kreise im 4. Jh. wären[40]. Kaum weniger als für öffentliche Ehrenstatuen gilt das aber auch für Weihgeschenke auf der Akropolis, die ja weit mehr war als ein Ort persönlicher Götterverehrung. Zweifellos war die Aufstellung eines Bildnisses auf der Burg einfacher als auf der Agora zu erreichen: man stand dabei in alter religiöser Tradition. Daß dabei aber die politische Absicht stark in den Vordergrund treten konnte, wird etwa dadurch deutlich, daß *Konon* nicht nur das oben genannte Bildnis auf der Agora, sondern – offensichtlich ohne wesentlichen Bedeutungsunterschied – auch eines auf der Akropolis erhielt[41]. Ein extremes Beispiel für die mögliche politische Sprengkraft solcher Denkmäler sind die beiden Gemälde, die *Alkibiades* 416 v. Chr. dort zur Feier seiner Siege im Wagenrennen geweiht hat[42]. Das eine zeigte ihn bekränzt von Olympias und Pythias, das andere sitzend im Schoß der Nemea. Bei diesen Bildern sollen die Jüngeren begeistert zusammengelaufen sein, die Älteren aber sich geärgert haben, da sie tyrannisch und unrecht seien[43], also anstößig in religiöser und zugleich politischer Hinsicht. Wie vorsichtig man im allgemeinen zu sein hatte, zeigt ferner der Umstand, daß über weite Strecken des 5. Jh. keine Standbilder von lebenden Politikern auf der Akropolis bekannt sind, außer in der Form von Athletenstatuen, während umgekehrt die meisten überlieferten Athletenstatuen bekannte Politiker darstellten[44]: Offensichtlich wählte man, sofern man sportliche Erfolge aufzuweisen hatte, diese durch religiösen Brauch legitimierte und darum weniger anstößige Form des Standbildes, um sich auch als Politiker glanzvoll zu präsentieren.

Alle diese Überlegungen zeigen, daß das Bildnis des *Perikles* – ob es von ihm selbst, von seinen Anhängern oder seinen Nachkommen, zu seinen Lebzeiten oder nach seinem Tod geweiht wurde[45] – kaum zufällig so weit entfernt von dem seines Vaters aufgestellt war. Eine enge Verbindung mit der Statue des *Xanthippos* wäre ein zu offensichtliches Pochen auf Familientraditionen, eine Propagierung fast dynastischer Ansprüche gewesen, die bei der Empfindlichkeit der Athener gegen derartige Ambitionen gewiß sofort Anstoß erregt hätte.

Doch nicht nur in dieser negativen Weise ist die Aufstellung der *Perikles*-Statue aufschlußreich. Der Besucher der Akropolis muß sie erblickt haben, sobald er durch die Propyläen eingetreten war, und zwar offenbar auf der linken Seite, da Pausanias sie nicht auf dem Hinweg (zum Erechtheion kommend) erwähnt[46]. Dort muß das Bildnis dem Betrachter sogleich in programmatischer Weise gezeigt haben, wer die Neugestaltung der Burg in dieser Form ins Werk gesetzt hatte[47]. Zugleich aber stand die Statue in der Nähe eines Bildwerks, das ebenfalls auf Perikles und seine Politik hinwies: bei der *Athena Lemnia* [48], die Pausanias in engstem Zusammenhang mit dem *Perikles*-Bildnis nennt, nach der Beschreibung der *Athena Promachos* und unmittelbar vor Verlassen der Akropolis [49]. Das Standbild des *Perikles* ist also nicht zu weiteren Bildnisstatuen, sondern zu einem politischen Denkmal anderer Art in Beziehung gesetzt worden.

In ähnlicher Weise hat man im 4. Jh., um das Andenken des *Kallias* und des von ihm ausgehandelten Friedens mit den Persern zu ehren, sein Bildnis auf der Agora neben der *Eirene* des Kephisodot aufgestellt [50]. Die Statuen des *Konon* und des kyprischen Königs *Euagoras*, die Athen von der Bedrückung durch Sparta befreit hatten, errichtete man vor der Halle und bei dem Standbild des *Zeus Eleutherios*, der auch *Zeus Soter* genannt wurde [51]. Und wenn dann *Demetrios Poliorketes* eine Reiterstatue auf der Agora „neben der *Demokratia*" erhielt [52], so ist das in ähnlichem Sinn zu verstehen wie die Ehrenstatuen, die ihm und seinem Vater kurz vorher neben den *Tyrannenmördern*, den Gründerheroen des demokratischen Athen, aufgestellt worden waren. Darüber hinaus hat die Agora im ganzen als Standort von Bildnissen in Athen eine inhaltliche Bedeutung gehabt: denn man hielt dort darauf, daß auf dem zentralen Platz des politischen Lebens nicht wie in anderen Städten Athletenfiguren, sondern ausschließlich Standbilder guter Feldherren oder die der *Tyrannenmörder*, das heißt politisch bedeutender Persönlichkeiten, standen [53].

Perikles wurde also im Zusammenhang mit einem Monument seiner politischen Leistung dargestellt. Die *Athena Lemnia* war ein Denkmal eines der wichtigsten Elemente der perikleischen Politik, nämlich der Aussendung von Kleruchien, die die Beherrschung der Mitglieder des Seebunds und das Wohlergehen der ärmeren Schichten Athens sicherten.

Es ist bisher nicht gelungen, die Auftraggeber und die genaue Entstehungszeit des *Perikles*-Bildnisses mit Sicherheit zu bestimmen. Die früher aus stilistischen Gründen allgemein angenommene Ansetzung um 440 ist in jüngster Zeit mehrfach mit historischer Begründung angezweifelt worden zugunsten einer postumen Datierung [54]. Allerdings bleiben die vorgebrachten Argumente, die die Biographie und die persönlichen Beziehungen des Perikles, des Kresilas und des Phidias betreffen, notwendigerweise subjektiv und unverbindlich. Weiter könnte die bereits erwähnte Beobachtung führen [55], daß auf der Athener Akropolis – und das gilt auch für andere öffentliche Plätze der Stadt [56] – seit den Perserkriegen von keinem bedeutenden Politiker ein Standbild zu Lebzeiten bekannt ist, außer in der Form der Athletenstatue. Wenn dies nicht durch die Lückenhaftigkeit der Überlieferung bedingt ist [57], so kann man sich fragen, ob es wahrscheinlich ist, daß gerade Perikles diese Zurückhaltung durchbrochen hat [58]. Man möchte das eher in der nächsten Generation erwarten, als *Alkibiades* seine aufsehenerregenden Gemälde weihte [59], als der Hipparch *Simon* ein Reiterstandbild von sich, ein Werk des Demetrios von Alopeke, ins athenische Eleusinion stiftete und an dessen Sockel seine Taten in Relief darstellen ließ[60], als ein anderer Hipparch, *Pythodoros* (?), ein ungewöhnliches Weihrelief mit einer Schlachtszene im Heiligtum von Eleusis aufstellte[61]. Doch auch solche Überlegungen sind nicht völlig zwingend, denn andererseits ist soeben eine erwägenswerte Ergänzung der fragmentierten Inschrift auf der Basis vorgeschlagen worden, die implizieren würde, daß das Bildnis zu Lebzeiten des Perikles von einem seiner Söhne geweiht worden ist[62]. Da dies jedoch kaum die einzig mögliche Ergänzung ist[63] und da auch der Stil eine Datierung bald nach 429 nicht ausschließt[64], muß dieses Problem wohl einstweilen offenbleiben, so wichtig es für die Bedeutung des Werkes zweifellos ist. Außer Frage aber steht es, daß die Statue, wenn auch kaum von Perikles selbst, so doch zumindest von Verwandten oder Anhängern geweiht worden ist.

Die Beobachtungen zur Aufstellung haben auch Folgen für das Verständnis der künstlerischen Form des Bildnisses. Ältere Deutungen sind zum Teil sehr weit auseinandergegangen. Furtwängler etwa sah in der Kopfhaltung eine erhabene Milde ausgedrückt, welche *Perikles*' innere Größe begleite; die vollen Lippen deuteten auf einen Mann, der nicht durch eiserne Tatkraft, sondern durch seine Redekunst wirke; und zugleich sei darin eine sinnliche Veranlagung deutlich, die Perikles sowohl als Freund und Beschützer der Künstler wie als zärtlichen Liebhaber der Aspasia erkennen lasse[65]. Ganz anders Studniczka, der die Idealität dieses Bildnisses betonte und darin eine bewußte Angleichung des *Perikles* an Götterbilder sah[66]. Andere wiederum deuteten diese unindividuelle Darstellungsweise nicht als Gottähnlichkeit, sondern im Gegenteil als Zeichen der Zurückhaltung, als Einreihung in einen menschlichen Normaltypus[67]. In neuerer Zeit ist mit Recht mehrfach zur Vorsicht bei der physiognomischen Deutung antiker Bildnisse gemahnt worden. Eine Semantik physiognomischer Motive – eine der notwendigsten, wenngleich noch kaum vorhandenen Grundlagen zum Verständnis der antiken Bildniskunst[68] – kann nur in großem Zusammenhang erarbeitet werden. Hier sollen nur einige Hinweise verfolgt werden, die sich aus den Beobachtungen über die Aufstellung ergeben.

Zunächst ist es deutlich, welch ausgeprägten öffentlichen Charakter dies Bildnis hat. Private Motive wie die Zärtlichkeit des Liebhabers haben dabei keinen Platz; es ist der Staatsmann *Perikles*, der hier gezeigt wird. Individuelle Züge im Sinn einer Abweichung vom typischen Menschenbild jener Zeit sind in diesem Bildnis ohnehin kaum zu finden. Man hat – in Anlehnung an eine Überlieferung bei Plutarch[69] – gemeint, daß die Haare, die bei mehreren Repliken in den Augenhöhlen des Helmes erscheinen, den „Zwiebelkopf" des *Perikles* andeuten sollen [vgl. Taf. 20,1]; aber es konnte gezeigt werden, daß zumindest bei der *Londoner Herme* [Taf. 19] der Kopf unter dem Helm eine völlig normale Form hat und daß in dieser Replik wohl die authentische Überlieferung vorliegt[70]. Andere sahen das Individuelle mehr im Psychischen, glaubten eine gewisse Erhabenheit oder auch leichte Trauer und Melancholie in dem Antlitz zu erkennen[71]; aber solche Eindrücke beruhen im allgemeinen auf Nuancen, die der römischen Kopie angehören und die man heute nicht mehr kritiklos zur psychologischen Analyse des Originals verwenden sollte[72]. Weitere Züge, wie die schmale Form und die leichte Neigung des Kopfes[73], finden sich auch bei der *Amazone* des Kresilas, sind also eher Stil des Künstlers als Eigenart der dargestellten Person[74]. Die wesentliche Aussage des Bildnisses scheint gerade im Fehlen individueller Züge zu liegen; *Perikles* ist nicht „persönlicher" dargestellt als etwa der Bärtige auf dem ungefähr gleichzeitigen *Grabrelief aus Karystos* in Berlin [Taf. 20,2][75].

Die allgemeine kritische Haltung der Öffentlichkeit und die besondere Vorsicht, die die Auftraggeber der *Perikles*-Statue offenbar walten lassen mußten, zeigen weiter, daß der Staatsmann hier nicht bewußt den Göttern angeglichen sein kann. Die Ansicht, „ideale" Darstellungsweise sei als solche ein Zeichen von heroischem oder göttlichem Wesen, ist denn auch eine idealistische Vorstellung, die antiken Absichten nicht entspricht[76]. Dasselbe gilt für die zu erschließende Nacktheit der Figur, die ebenfalls als Zeichen der Heroisierung gedeutet wurde[77]: Auch hier ist die semantische Bedeutung verkannt, „heroische Nacktheit" ist zumindest für diese Zeit eine unzutreffende Bezeichnung, *Perikles* war nur in der Leistungsfähigkeit und Schönheit seines Körpers dargestellt und blieb damit durchaus im menschlichen Bereich[78].

Schließlich ist auch die korinthische Helmform sicher kein heroisierendes Motiv[79]. Zwar bricht die dichte Reihe der erhaltenen korinthischen Helme im frühen 5. Jh. ab, spätere Beispiele sind nicht mehr bekannt, die Helmform ist damals also offenbar weitgehend von anderen Typen verdrängt worden[80]; in der Bildkunst wird sie seitdem vor allem für Gottheiten und Figuren der Heldensage beibehalten. Immerhin können Darstellungen von sterblichen Kriegern auf Vasen und Reliefs einen Hinweis darauf geben, daß sie vielleicht auch in der 2. Hälfte des 5. Jh. noch nicht völlig aufgegeben war[81] – sofern man darin nicht eine rein bildliche Bewahrung des alten Typus sehen will, die über den realen Gebrauch nichts mehr besagt. Gleichgültig aber, ob Perikles hier nur im Bildnis mit der alten Helmform gezeigt ist oder ob sie (was vielleicht wahrscheinlicher ist) tatsächlich zu seiner Zeit noch gelegentlich getragen wurde – jedenfalls besteht kein Grund, darin ein Zeichen von Heroisierung zu sehen: Es ist lediglich ein traditionelles Motiv, das entweder mit bestimmten Auffassungen des Perikles bzw. der Auftraggeber des Standbildes oder mit dem von ihm bekleideten Strategenamt zusammenhängen muß. Der *Parthenonfries* wie die Reliefs des *Nereidenmonuments* von Xanthos zeigen deutlich, daß die vereinzelten Träger korinthischer Helme unter den übrigen Figuren keine Sonderstellung als heroengleiche Gestalten einnehmen[82].

„Idealität" bedeutet im 5. Jh. nicht „Heroisierung", sondern Einreihung in das allgemeine Menschenbild der Zeit[83]. Da man seit dem Strengen Stil, auch in Athen, durchaus schon zu individuellen Darstellungsformen gelangt war, muß hier eine klare Absicht liegen[84]: Die Zurückweisung und Abwehr bestimmter – wenn auch

nicht allgemein üblicher, sondern nur in seltenen Fällen zur Bezeichnung ungewöhnlicher Erscheinungen angewandter – künstlerischer Möglichkeiten und der
damit zusammenhängenden Auffassung vom Verhältnis des einzelnen zur Gemeinschaft. Es kann darum bei *Perikles* nicht lediglich Einfügung in den Normaltypus gemeint sein, sondern nur die bewußte Verkörperung dieser Norm. Bald nach seinem
Tod urteilten viele, es sei bei allem Selbstbewußtsein niemand zurückhaltender, bei
aller Milde niemand feierlicher gewesen als er[85]. Es wird überliefert, daß er in der
Öffentlichkeit stets mit wohlgeordnetem Gewand auftrat, daß er zu seiner Umwelt
im allgemeinen auf Distanz hielt, eine ernste, gemessene Würde zur Schau trug und
jeden Ausdruck persönlicher Affekte vermied[86]. Individuelle Impulse sollten dabei
anscheinend möglichst aus dem Spiel bleiben. Dies Auftreten des *Perikles* – das
machen die Quellen deutlich – ist offenbar programmatisch gewesen, es sollte zugleich
Ausdruck seines politischen Stils sein. In seiner äußeren Erscheinung muß er damit
– teils von Natur, teils in bewußter Selbststilisierung – einem Menschenbild entsprochen haben, das damals weithin als Ideal Anerkennung fand[87]: Sein politischer
Erfolg ist ein Zeichen dafür; und die Bildkunst dieser Jahrzehnte, die weithin von
diesem Leitbild bestimmt ist, bestätigt, wie allgemein solche Vorstellungen in Geltung
waren. Nur mit einer solchen Haltung konnte ein Politiker offenbar in der damaligen geschichtlichen Situation eine integrierende Wirkung auszuüben hoffen[88].
Perikles steht damit neben Alexander und Augustus, die ebenfalls ihrer Umwelt
bestimmte herrschende Leitbilder ihrer Zeit in eigener Person sichtbar vor Augen
führten[89]. Sein Auftreten, das im ethischen und politischen wie im optisch-formalen
Sinne „Stil" war, wirft ein Licht auf die historischen Grundlagen der hochklassischen Kunst.

Wie bewußt und reflektiert dies bei *Perikles* ist, geht schon aus Plutarch hervor, der
berichtet, daß dem *Perikles* diese Haltung von Anaxagoras nahegelegt worden
sei[90]. Ein weiteres Zeichen für die ethisch-politische Bedeutung, die man damals
solchen formal-ästhetischen Erscheinungen beimaß, ist das Werk des Damon[91], der
zum engsten Kreis des *Perikles* gehörte, eines Musikers, der zugleich im politischen
Leben eine solche Rolle spielte, daß seine Gegner ihn ostrakisierten. Seine Musik-
lehre trat mit dem Anspruch auf umfassende Wirkung für das gesamte Staatswesen
auf: „In ein neues 'eidos der Musik' überzuwechseln, davor soll man sich hüten, da
man damit eine Gefahr im Ganzen eingeht; denn nirgends werden musikalische
Stile geändert ohne Konsequenzen für die bedeutendsten politischen Gesetze, wie
Damon sagt und wie auch ich glaube", schreibt Platon[92]. Damons Theorie verfocht
eine Erziehung in gemessener, geordneter Musik, mit dem Ziel einer psychischen,
ethischen und politischen Bildung, die mit Begriffen wie σωφροσύνη, δικαιοσύνη,
ἀνδρεία, εὐσχημοσύνη umschrieben werden kann[93]. Der Begriff der εὐκοσμία
– von ihm selbst oder zumindest von anderen in seinem Sinn gebraucht[94] – zeigt diese
Ambivalenz von ästhetischen und ethisch-politischen Kategorien sehr deutlich. Es
ist darum kaum zu bezweifeln, daß ähnliche Probleme im Kreis um *Perikles* auch

für den Bereich der Bildkunst diskutiert wurden, daß also der in diesem Kreis geför-
derte künstlerische Stil, die äußere 'Haltung' des führenden Politikers und seine
politischen Vorstellungen in einem bewußten Zusammenhang gesehen wurden.

Das 'Ideal' ist hier nicht mehr nur negativ bestimmt als das 'Nicht-Individuelle';
sondern mit dem Auftauchen der Möglichkeit individueller Darstellungsweise und
Persönlichkeitsentfaltung ändert sich das gesamte Bedeutungssystem: Das Allgemeine, wo es bewußt wird (was freilich nicht immer der Fall zu sein braucht), erhält
nun aus dem Gegensatz zum Besonderen eine positiv bestimmbare Bedeutung. Die
Zurückdämmung individuellen Wesens wird zum Leitbild.

Die Gegner haben Perikles freilich anders gesehen: als arrogant und tyrannisch, als
Kriegstreiber. Man hat heute ihre Stimme ernster zu nehmen gelernt als die ältere
Forschung[95], von der früheren klassizistischen Glorifizierung ist man mit Recht ab-
gerückt[96]. Doch solche Kritik hat in dem Bildnis kaum einen physiognomischen
Anhaltspunkt. Der Auftraggeber muß zu Perikles positiv gestanden, der Künstler
dieser Auffassung Ausdruck verliehen haben. Eine 'objektive' Wiedergabe seiner
Züge, in denen der kritische Betrachter auch die negativen Seiten seiner Persönlich-
keit erkennen könnte, wird man in dem Bildnis schwerlich suchen.

Beurteilen kann man hier zunächst nur das, was intendiert ist, nämlich eine pro-
grammatische 'Haltung'. Erst wenn man sich ganz auf diese Ebene gestellt hat,
wenn man das Bildnis ausschließlich als Aussage eines Auftraggebers und eines
Künstlers an ein bestimmtes Publikum sieht, kann man als weiterer Schritt diese
Aussage mit dem vergleichen, was aus anderen Quellen über das Wesen und die
Leistung des *Perikles* bekannt ist. Seine Kritiker dürften in dem Bildnis aufgrund
solcher Überlegungen eine Fassade gesehen haben – jedenfalls scheinen sie sein
dem Bildnis entsprechendes öffentliches Auftreten in diesem Sinne aufgefaßt zu
haben[97].

Als ein Kunstwerk ist das Porträt des *Perikles* Interpretation. Nicht als 'objektive'
Wiedergabe der Physiognomie, sondern nur als absichtsvolle Deutung des Politikers stand im Altertum und steht noch heute dies Bildnis der Beurteilung offen.
Diese Interpretation ist gewiß einseitig und verdeckt manches, was wir heute nicht
mehr übersehen können; das mag man bedauern. Aber es ist immerhin eine Interpretation, die aus dem unmittelbaren Umkreis des *Perikles* stammen und seiner
eigenen Selbstauffassung weitgehend entsprechen muß; insofern ist sie ein beachtens-
wertes historisches Zeugnis. Vor allem aber antwortet das Bildnis offenbar auf die
Erwartungen, die große Teile der Öffentlichkeit an einen führenden Politiker stellten; hier liegt die allgemeine Bedeutung dieses Werkes und seiner formalen Aussage.

Anmerkungen

* Veränderte Fassung des Vortrags zu meinem Würzburger Habilitationskolloquium. Für Hilfe, Anregung und Kritik danke ich vor allem E. Simon, außerdem H. Drerup, H. Froning, Chr. Meier, A. E. Raubitschek und P. Zanker.

Außer den in der archäologischen Literatur üblichen Abkürzungen (AA 1973, 773 ff.) werden hier folgende verwendet:

Gauer   W. Gauer, Die griechischen Bildnisse der klassischen Zeit als politische und persönliche Denkmäler, JdI 83, 1968, 118 ff.

Richter, Portraits   G. M. A. Richter, The Portraits of the Greeks I–III (1965).

Wycherley   The Athenian Agora III (1957): R. E. Wycherley, Literary and Epigraphical Testimonia.

[1] Pausanias 1, 25, 1.

[2] Pausanias 1, 28, 2.

[3] Vgl. oben S. 380.

[4] Zu Xanthippos: Richter, Portraits I 101. – Zu Anakreon: Richter, Portraits I 75 ff. Gauer 141 f.

[5] Plinius, N. H. 34, 74.

[6] Basis: A. E. Raubitschek, Dedications from the Athenian Akropolis (1949) 139 ff. Nr. 131 (mit falscher Zusammensetzung, inzwischen von ihm selbst aufgegeben: s. seinen demnächst erscheinenden Artikel in der Festschrift M. Guarducci [=ArchCl 25/26, 1973/74, 620 f.]; für die Möglichkeit, das Manuskript zu studieren, danke ich ihm auch hier). G. M. A. Richter, Greek Portraits IV (Coll. Latomus 44, 1962) 12 ff. Richter, Portraits I 104 Abb. 434. – Erhaltene Repliken bei Richter, Portraits I 102 ff. Dazu ferner Gauer 142 f. D. Pandermalis, Untersuchungen zu den klassischen Strategenköpfen (1969) 24 ff. 100 ff. D. Metzler, Porträt und Gesellschaft (1971) 213 ff.

[7] Vgl. F. Eckstein, Festschrift F. Matz (1962) 72. Versuche, Kopien des ganzen Körpers nachzuweisen, sind bisher nicht geglückt. Zu der Statuette Hartford (W.-H. Schuchhardt, Antike Plastik I [1962] 37. E. Bielefeld, Antike Plastik I [1962] 39 ff.) und der aus Thisoa (G. Oikonomos, Ephem 1937, 896 ff.). Vgl. Gauer 142. Pandermalis a. O. 30.

[8] Das Loch ist, wie auch Raubitschek (Festschrift Guarducci, s. oben Anm. 6) wieder mit Recht betont, eindeutig von der Oberseite her eingetieft, nicht auf der Rückseite, wie Pandermalis und Metzler behaupten. Es ist zwar am rückwärtigen (schrägen) Bruch des Fragments zu sehen, aber in seiner zylindrischen Form senkrecht eingebohrt (Dm. 2,6 cm. Tiefe 3,0 cm. Abstand von r. Seitenkante 2,7 cm. Abstand von Vorderkante 8,6 cm).

[9] Die folgenden Bemerkungen zur Aufstellungspraxis bei griechischen Bildnisstatuen erheben nicht den Anspruch, das Problem als ganzes auch nur annähernd auszuschöpfen. Sie sollen nur an einem konkreten Beispiel zeigen, was diese Fragestellung zu leisten vermag. Weitere Beobachtungen sollen an anderer Stelle vorgelegt werden. Zu vergleichbaren Bräuchen bei der Aufstellung von politischen Denkmälern vgl. T. Hölscher, JdI 89, 1974, 70 ff.

[10] *Tyrannenmörder*: IG II/III² Nr. 450b, 7 ff. (Wycherley Nr. 278); Nr. 646, 37 ff. (Wycherley Nr. 278); Nr. 646, 37 ff. (Wycherley Nr. 279). – Sonstige Verbote: Ps.-Plutarch, Vit. X orat. 852 e (Wycherley Nr. 704). IG II/III² Nr. 1039,39 (Wycherley Nr. 701).

[11] Diodor 20, 46, 2 (Wycherley Nr. 264). Chr. Habicht, Gottmenschentum und griechische Städte (Zetemata 14, 1956) 44 ff. Vgl. oben S. 381.

[12] Dio Cassius 47, 20, 4 (Wycherley Nr. 262).

[13] Dio Chrysostomos 31, 116. Vgl. dazu Jahn – Michaelis, Arx Athenarum (³1901) 36 zu 21,2.

[14] Cornelius Nepos, Timotheos 2,3 (Wycherley Nr. 712). Eine Basis auf der Akropolis läßt noch erkennen, wie einem zunächst allein aufgestellten Bildnis des *Konon* später eines des *Timotheos* hinzugefügt wurde: G. P. Stevens, Hesperia 15, 1946, 4 ff.

[15] Das gilt selbst für den Fall, daß Nepos keine authentische Nachricht über die Überlegungen bei der Aufstellung des *Timotheos*-Bildnisses gehabt hätte: Die Kriterien sind jedenfalls nicht erst zu seiner Zeit möglich.

[16] Pausanias 6, 7, 1 ff. Hitzig – Blümner, Pausaniae Graeciae descriptio II 2 (1904) 564 ff. Dittenberger – Purgold, Olympia V (1896) Nr. 151. 152. 159. P. Amandry, Festschrift E. Langlotz (1957) 67. [Vgl. auch hier S. 368.]

[17] Das Standbild des *Eukles*, das Pausanias (6, 6, 2) offenbar an anderer Stelle gesehen hat, muß nach Aristoteles (Schol. Pindar, Ol. 7,1) ursprünglich bei den Bildern der Familie gestanden haben.

[18] Pausanias 6, 10, 4f. Amandry a. O. 67 erwägt neben der hier vorgeschlagenen relativen Chronologie auch die Aufstellung der ganzen Gruppe durch den jüngeren *Theopompos*, was mir wegen der Überlieferung über die beiden Künstler weniger wahrscheinlich ist.

[19] Amandry 66f. Zu vergleichen sind auch die Fälle, in denen eine Siegerstatue (wohl gewöhnlich postum) vom Sohn des Siegers errichtet wurde: W. W. Hyde, Olympic Victor Monuments and Greek Athletic Art (1921) 30 Anm. 1. Amandry 65f.

[20] Vgl. Amandry 66.

[21] Pausanias 1, 26, 5.

[22] Ps.-Plutarch, Vit. X orat. 843 e-f. RE 11, 236f. s. v. Kephisodotos (G. Lippold). J. Marcadé, Mélanges Ch. Picard (1949) 698.

[23] Es scheint mir nicht sicher zu sein, daß der Auftraggeber, wie bei dem Gemälde des Ismenias (s. u.), *Habron* war, wie Lippold und Marcadé a. O. annehmen. Die Formulierung bei Ps.-Plutarch spricht eher dagegen.

[24] Ps.-Plutarch a. O. RE 9, 2141 s. v. Ismenias (G. Lippold). Thieme – Becker 19, 252 s. v. Ismenias (A. Rumpf). Marcadé 696ff. EAA 4, 242 s. v. Ismenias (R. Pincelli).

[25] Zu der schwierigen Sicherung der Nachfolge s. Marcadé 697f.

[26] J. Pouilloux, FdD II: La Region Nord du Sanctuaire (1960) 67 ff. T. Dohrn, Antike Plastik VII (1968) 33 ff. (dort ältere Lit.). A. H. Borbein, JdI 88, 1973, 79 ff.

[27] Pausanias 5, 20, 9f. 5, 17, 4. A. Mallwitz, Olympia und seine Bauten (1972) 128 ff. H.-V. Herrmann, Olympia (1972) 171 f. Borbein a. O. 66 f. Die Identifizierung der Bildnisse *Philipps* und *Alexanders* durch V. v. Graeve, AA 1973, 244 ff. scheint mir nicht zwingend zu sein.

[28] Deinarchos 1, 43 (Wycherley Nr. 700). IG II/III² Nr. 653, 40 ff. (Wycherley Nr. 711).

[29] Deinarchos a. O.

[30] Die politischen Bindungen sind dabei gewiß von Ort zu Ort verschieden gewesen. Die folgenden Bemerkungen beschränken sich darum im wesentlichen auf Athen. Zu politischen Familiendenkmälern s. soeben auch A. H. Borbein, JdI 88, 1973, 88 ff. mit weiteren Beispielen, auch aus hellenistischer Zeit. Allerdings scheint die Entwicklung nicht ganz so unvermittelt im 4. Jh. eingesetzt zu haben, die hier aufgeführten Vorläufer scheinen mir mehr Gewicht

zu haben als Borbein ihnen gibt. Daß etwa die Standbilder der *Diagoriden* in Olympia auf getrennten Basen standen, spricht nicht gegen ihre genealogische Tendenz.

³¹ Pausanias 1, 1, 3. Die Söhne des *Leosthenes* scheinen keine bedeutende Rolle in der Politik gespielt zu haben; jedenfalls sind sie nur aus der Erwähnung des Pausanias bekannt. Bei den Familienbildern von Pamphilos (Plinius, N. H. 35, 76), Timomachos (Plinius, N. H. 35, 136), Athenion (Plinius, N. H. 35, 134), Oinias (Plinius, N. H. 35, 143) und Koinos (Plinius, N. H. 35, 139) sind die Hintergründe unbekannt.

³² Vgl. G. Lippold, RE 11, 236 s. v. Kephisodotos.

³³ IG II/III² 3829. E. Loewy, Inschriften griechischer Bildhauer (1885) 63 ff. Nr. 83. RE 12, 1995 s. v. Leochares (G. Lippold). J. K. Davies, Athenian Propertied Families (1971) 23 f. Nr. 643. Dort müßte wohl als Sohn von *Myron II.* noch *Pasikles II.* eingefügt werden, denn *Pasikles I.* kann nicht einer der Weihenden gewesen sein, da er sonst in der Weihinschrift vor *Pandaites II.* genannt sein müßte.

³⁴ T. Hölscher, Griechische Historienbilder des 5. und 4. Jh. v. Chr. (1973) 55 ff. 74 ff.

³⁵ Literatur oben Anm. 4.

³⁶ Ähnliche Motive hat wohl Hipponikos bei der geplanten Weihung eines Bildnisses seines Vaters *Kallias* gehabt, sofern die bei Aelian, var.hist. 14, 16 (Overbeck, Schriftquellen 976 f.) berichtete Anekdote verläßlich ist. Vgl. RE 21, 1711 s. v. Polykleitos (G. Lippold).

³⁷ Vgl. allgemein Gauer 118 ff. D. Metzler, Porträt und Gesellschaft (1971) 351 ff.

³⁸ Demosthenes, Leptines 70 (Wycherley Nr. 261). Schol. Demosthenes, Meidias 62 (Wycherley Nr. 702).

³⁹ Demosthenes, Aristokrates 196.

⁴⁰ Aischines, Ktesiphon 186. B. Schweitzer, Studien zur Entstehung des Porträts bei den Griechen, Abh. Leipzig 91 Nr. 4 (1939) 19 ff. Gauer 136 f. Hölscher a. O. 55 f.

⁴¹ Agora: Wycherley S. 213. Akropolis: Pausanias 1, 24, 3. G. P. Stevens, Hesperia 15, 1946, 4 ff. Vgl. auch die Ehrenstatuen für *Spartakos* auf der Agora und der Akropolis: IG II/III² 653, 40 ff. (Wycherley Nr. 711); und ähnlich die Ehrungen (wohl auch Bildnisse) für *Olympiodoros*: Pausanias 1, 26, 3. Dazu Aristeides 53, 23 (Wycherley Nr. 690).

⁴² Overbeck, Schriftquellen 1132–34.

⁴³ Plutarch, Alkibiades 16, 7.

⁴⁴ A. E. Raubitschek, Hesperia 8, 1939, 155 ff.

⁴⁵ Zu diesem Problem s. o. S. 381.

⁴⁶ So bereits G. P. Stevens, Hesperia 5, 1936, 514 f.; sein Versuch, die Standspuren des Sockels zu identifizieren, bleibt gewiß hypothetisch, aber die allgemeine Lokalisierung ist zweifellos richtig.

⁴⁷ Stevens 515 scheint mir zu sehr der Route des Pausanias zu folgen, wenn er meint, daß der Besucher erst beim Verlassen der Akropolis auf Perikles hingewiesen werden sollte.

⁴⁸ Pausanias 1, 28, 2. Stevens 514 f. Kopien der Statue: A. Furtwängler, Meisterwerke der griechischen Plastik (1893) 4 ff. G. Lippold, HdArch III 1 (1950) 145. E. Kirsten, Festschrift B. Schweitzer (1954) 166 ff. E. Simon, Die Götter der Griechen (1969) 204 ff.

⁴⁹ Leider sind die Anlässe zur Errichtung der Athenia Hygieia an der SO-Ecke der Propyläen (A. E. Raubitschek, Dedications from the Athenian Akropolis (1949) Nr. 166. Overbeck, Schriftquellen 906) und des erneuerten Chalkidier-Wagens (Raubitschek a. O. Nr. 168. 173), die beide im weiteren Umkreis des Perikles und der Athena Lemnia standen und beide – teils von antiken, teils von modernen Autoren – mit Perikles verbunden worden sind,

umstritten, so daß diese Denkmäler hier nicht mit Sicherheit in die Betrachtung einbezogen werden können.

[50] Pausanias 1, 8, 2 (Wycherley Nr. 158).

[51] Isokrates, Euagoras 57 (Wycherley Nr. 29). Pausanias 1, 3, 2 (Wycherley Nr. 16).

[52] Kyparissis – Peek, AM 66, 1941, 222 Z. 13ff. A. Wilhelm, ÖJh 35, 1943, 159f. Wycherley Nr. 696 (mit der kaum richtigen alten Ergänzung). Vgl. oben S. 377.

[53] Lykurg, Leokrates 51 (Wycherley 268).

[54] Schon A. W. Lawrence, Classical Sculpture (1929) 207. V. Poulsen, ActaArch 11, 1940, 32 (gleichzeitig mit dem Diomedes, den er 26f. in die 20er Jahre datiert). Raubitschek a. O. 511. P. Amandry, Festschrift E. Langlotz (1957) 72 Anm. 36. Neuerdings häufig: F. Eckstein, Festschrift F. Matz (1962) 71f. Zustimmend W.-H. Schuchhardt, Antike Plastik I (1962) 37. Richter, Portraits I 104. D. Pandermalis, Untersuchungen zu den klassischen Strategenköpfen (1969) 28. D. Metzler, Porträt und Gesellschaft (1971) 221f. Dagegen mit Recht Gauer 142f., dessen stilistische Argumentation jedoch auch nicht zwingend ist. Dazu, daß die Nacktheit kein Zeichen der Heroisierung ist und darum nicht postume Aufstellung beweist (Eckstein, Pandermalis), s. oben S. 383.

[55] Oben S. 380.

[56] Bezeichnend, daß das Eikonion des *Themistokles* (Plutarch, Themistokles 22, 2f.), das möglicherweise zu seinen Lebzeiten aufgestellt wurde, in dem kleinen, fast privaten Heiligtum der Artemis Aristobule stand. [Dazu hier S. 287.]

[57] Solche Lücken in den Quellen sind aber um so seltener anzunehmen, je berühmter die betreffenden Männer waren – und gerade um die berühmten geht es hier; bei weniger bedeutenden Personen ist man wohl weniger kritisch gewesen (vgl. T. Hölscher, Griechische Historienbilder des 5. und 4. Jh. v. Chr. [1973] 100. 216).

[58] In diese Richtung gehen die Überlegungen von Amandry a. O. 72 Anm. 36. Mir scheint diese Lösung die plausibelste zu sein, sie ist aber einstweilen kaum beweisbar.

[59] Oben Anm. 42.

[60] Xenophon, Hipp. 1, 1; offenbar dasselbe Werk wie der bei Plinius, N. H. 34, 76 genannte *eques Simon* des Demetrios von Alopeke. Vgl. dazu W. Helbig, AZ 18, 1861, 180ff. Dies Zeugnis ist mir leider bei meiner Arbeit über griechische Historienbilder (Anm. 57) entgangen; es ist eine wichtige Bestätigung der im Peloponnesischen Krieg wieder einsetzenden persönlichen Repräsentation im Historienbild. Das Denkmal muß (gegen Helbig a. O.) eine Privatweihe gewesen sein. Xenophon spricht von einem ἵππος, Plinius von einem eques. Welche Überlieferung zutrifft, ist nicht mit Sicherheit zu sagen; doch liegt im Kontext des Xenophon eine versehentliche Akzentverschiebung auf das Pferd allein näher als der umgekehrte Fehler bei Plinius: Man wird also eher an eine Reiterstatue denken. Doch in jedem Fall ist die individuelle Ambition des Denkmals durch die Sockelreliefs unübersehbar. Über die dort dargestellten Taten des Simon wissen wir nichts. Er muß aber wohl als fachmännischer Reiter eine militärische Rolle in den Jahrzehnten vor oder nach 400 gespielt haben, so daß seine Identifizierung mit dem von Aristophanes, Ritter 242 genannten Hipparchen Simon ein brauchbarer Vorschlag ist (Helbig a. O. Vgl. RE 3 A 173 s. v. Simon). Als Autor einer Schrift περὶ ἱππικῆς gibt er sich als ein „moderner" Intellektueller zu erkennen, wozu die Wahl des „revolutionären" Demetrios von Alopeke zu passen scheint. So verwundert auch die starke Verherrlichung der eigenen Verdienste bei ihm nicht.

[61] Hölscher 99ff. 216.

⁶² A. E. Raubitschek, Festschrift M. Guarducci (s. oben Anm. 6).

⁶³ Vgl. die ältere Ergänzung [Περ]ικλεος [Κρεσ]ιλας ἐποιε, die bisher nicht zwingend widerlegt ist.

⁶⁴ Man ist mit Feindatierungen auf Grund des Stils in jüngster Zeit mit Recht vorsichtiger geworden. Die stilistische Spanne an einheitlichen Komplexen von Bauskulpturen wie den Südmetopen des Parthenon oder dem plastischen Schmuck des Mausoleums von Halikarnass ist eine Warnung.

⁶⁵ A. Furtwängler, Meisterwerke der griechischen Plastik (1893) 271ff. Ähnlich noch G. M. A. Richter, The Sculpture and Sculptors of the Greeks (⁴1970) 179. Vgl. auch unten Anm. 71.

⁶⁶ F. Studniczka, Zeitschrift für bildende Kunst 62, 1928/29, 125f. [hier S. 258] (wie darin zugleich ein Ausdruck von „Bescheidenheit" liegen soll, ist mir unverständlich; in diesem Widerspruch zeigt sich die Unhaltbarkeit dieser idealistischen Interpretation, vgl. oben S. 383 Anm. 76). Ähnlich A. W. Lawrence, Classical Sculpture (1929) 207. Vgl. auch K. Schefold, Die Bildnisse der antiken Dichter, Redner und Denker (1943) 19f. D. Pandermalis, Untersuchungen zu den klassischen Strategenköpfen (1969) 100ff. Angleichung an Heroentypen glaubt D. Metzler, Porträt und Gesellschaft (1971) 214 zu erkennen.

⁶⁷ Zum Beispiel A. Hekler, Bildnisse berühmter Griechen (³1962, bearb. von H. v. Heintze) 18. G. Lippold, HdArch III 1 (1950) 172f.

⁶⁸ Vgl. L. A. Schneider, Gnomon 46, 1974, 404. [Vgl. jetzt L. Giuliani, Bildnis und Botschaft (1986) 101ff.]

⁶⁹ Plutarch, Perikles 3. Neuerdings in diesem Sinne B. Schweitzer, Zur Kunst der Antike, Ausgewählte Schriften II (1963) 196. W. Fuchs, Die Skulptur der Griechen (1969) 561.

⁷⁰ Pandermalis 29. Vgl. auch Metzler 217f.

⁷¹ C. Blümel, Staatliche Museen Berlin, Katalog der Sammlung antiker Skulpturen IV (1931) 5. Ebenso problematische psychologische Ausdeutung bei Metzler 219f. Vgl. dagegen Schneider 400.

⁷² Dazu Th. Lorenz, BABesch 42, 1967, 85ff.

⁷³ Darauf weist z. B. Furtwängler 272 hin.

⁷⁴ G. Lippold, Griechische Porträtstatuen (1912) 35. Ders., Die Skulpturen des Vaticanischen Museums III 1 (1936) 88.

⁷⁵ C. Blümel, Die klassisch griechischen Skulpturen der Staatlichen Museen zu Berlin (1966) 14f. Abb. 5.

⁷⁶ T. Hölscher, Ideal und Wirklichkeit in den Bildnissen Alexanders des Großen, AbhHeidelberg 1971 Nr. 2, 12ff.

⁷⁷ Zum Beispiel F. Eckstein, D. Pandermalis (oben Anm. 54).

⁷⁸ Vgl. T. Hölscher, AntK 17, 1974, 79ff.

⁷⁹ So Gauer 122 zum Strategen Pastoret. Ähnlich E. v. Schwarzenberg, JbKSWien 68, 1972, 11.

⁸⁰ E. Kunze, Olympiabericht 5 (1956) 74. Gauer 122.

⁸¹ Parthenonfries: A. H. Smith, The Sculptures of the Parthenon (1910) Taf. 49. Nereidenmonument von Xanthos: BrBr Taf. 216. Vasen: W. Riezler, Weißgrundige attische Lekythen (1914) Taf. 15. 19. 36. 90. Vgl. Kunze a. O. Anm. 17. Auch J. K. Anderson, Military Theory and Practice in the Age of Xenophon (1970) 28 wertet solche Darstellungen als Zeugnisse für tatsächlichen (wenn auch nur noch seltenen) Gebrauch.

⁸² S. Anm. 81.

⁸³ Hölscher, Ideal und Wirklichkeit 20 ff.

⁸⁴ Hölscher, Ideal und Wirklichkeit 24. Dazu die Vasenbilder: D. Metzler, Porträt und Gesellschaft (1971) 81 ff., die freilich nur zum Teil wirkliche Individualität darstellen; die Kriterien der Analyse sind in dieser Arbeit nicht scharf genug.

⁸⁵ Plutarch, Perikles 39.

⁸⁶ Plutarch, Perikles 5. 7. 36. Protagoras, bei Diels – Kranz, VS⁸ Nr. 80 B 9. Platon, Phaidros 269 e – 270 a.

⁸⁷ Siehe dazu A. Heuß, Propyläen Weltgeschichte III: Griechenland. Die hellenistische Welt (1962) 266. Vgl. H. Protzmann, Paradeigma als Schlüsselbegriff des hochklassischen Stilbewußtseins, Dissertationes Berolinenses 3, 1967, 65 (für die Zusendung dieser Arbeit danke ich P. Zanker). Ders., in: Die Krise der griechischen Polis, Deutsche Akademie der Wissenschaft zu Berlin, Schriften der Sektion für Altertumswissenschaft 55, 1, 1969, 11 ff. – Zur Wirkung vgl. besonders Protagoras a. O.: diese Haltung habe ihm täglich τὴν ἐν τοῖς πολλοῖσι δόξαν eingebracht.

⁸⁸ Dieser bewußten Haltung könnte der Begriff 'Paradeigma' entsprechen, sofern er im Kunstverständnis jener Zeit schon eine Rolle spielte; vgl. dazu Protzmann 48 ff.

⁸⁹ Vgl. Hölscher, Ideal und Wirklichkeit 36 ff.

⁹⁰ Plutarch, Perikles 5.

⁹¹ Zum Folgenden vgl. vor allem H. Ryffel, MusHelv 4, 1947, 23 ff. S. auch A. E. Raubitschek, Classica et Mediaevalia 16, 1955, 78 ff. F. Schachermeyr, Festschrift F. Altheim I (1969) 192 ff. K. Meister, Rivista storica dell'antichità 3, 1973, 29 ff.

⁹² Platon, Staat 424 c. Auf diese Stelle wies mich in anderem Zusammenhang Chr. Meier hin.

⁹³ Zum Teil dieselben Leitvorstellungen werden bei Protagoras (Diels – Kranz, VS⁸ Nr. 80 B 9) als Sinn der entsprechenden Haltung des Perikles genannt.

⁹⁴ Ryffel 27 ff.

⁹⁵ J. Vogt, HZ 182, 1956, 249 ff. Vgl. H. Strasburger, Historia 4, 1955, 1 ff. J. Schwarze, Die Beurteilung des Perikles durch die attische Komödie und ihre historische und historiographische Bedeutung (Zetemata 51, 1971).

⁹⁶ In der Interpretation des Perikles-Bildnisses besonders ausgeprägte Verklärung bei E. Buschor, Das Kriegertum der Parthenonzeit (1943) 4 f.

⁹⁷ In dem Spott mit dem Beinamen Olympios muß dies wohl mitgemeint sein. Vgl. dazu H. Strasburger bei D. Pandermalis, Untersuchungen zu den klassischen Strategenköpfen (1969) 102 Anm. 4. Auch der Vergleich mit dem Staatsschiff Salaminia, bei Plutarch, Perikles 7, von Kritolaos übernommen, dürfte als zeitgenössischer (Komödien-?) Witz entstanden sein.

Bibliographie in Auswahl

Es wurde besonders die nach den ›Portraits of the Greeks‹ von Gisela M. A. Richter erschienene Literatur berücksichtigt, von der älteren nur Arbeiten von besonderer Bedeutung. Für die Zitierweise und die Abkürzungen der Zeitschriften gelten die Regeln der ›Archäologischen Bibliographie 1985‹.

A. Dokumentationen
1. Bildpublikationen

P. Arndt–F. Bruckmann, Griechische und römische Porträts (1891 ff., letzte Lieferung durch G. Lippold 1942).
A. Hekler, Bildniskunst der Griechen und Römer (1913).
R. Paribeni, Il ritratto nell'arte antica (1934).

2. Kataloge von Museen und Sammlungen

- *Aranjuez:* D. Hertel, Die griechischen Porträts der Sammlung Azara und ihre Rezeption in der Casa del Labrador von Aranjuez, in: MM 26, 1985, 234 ff.
- *Boston, MFA:* M. B. Comstock–C. C. Vermeule, Sculpture in Stone (1976).
- *England:* F. Poulsen, Greek and Roman Portraits in English Country Houses (1923).
- *Erbach:* K. Fittschen, Katalog der antiken Skulpturen in Schloß Erbach (1977).
- *Florenz, Uffizien:* G. Mansuelli, Le sculture II (1961).
- *Kopenhagen, NCG:* V. Poulsen, Les portraits grecs (1954).
- *London, Brit. Mus.:* R. P. Hinks, Greek and Roman Portrait Sculpture (1935).
- *Madrid, Prado:* A. Blanco, Catalogo de la escultura (1957).
- *Malibu, Getty Mus.:* J. Frel, Greek Portraits in the J. Paul Getty Museum (1981).
- *München, Glyptothek:* B. Vierneisel-Schlörb, Klassische Skulpturen des 5. und 4. Jahrhunderts (Katalog der Skulpturen II 1979).
- *Rom, Mus. Cap.:* H. Stuart Jones, A Catalogue of Ancient Sculpture Preserved in the Municipal Collections of Rome. The Sculptures of the Museo Capitolino (1912).
- *Rom, Thermen-Mus.:* B. M. Felletti Maj, I ritratti (1954).
- *Rom, Vatikan:* G. Lippold, Die Skulpturen der Vatikanischen Museen III 1 (1936). III 2 (1956).
- *USA:* C. Vermeule, Greek and Roman Sculpture in America (1981).

3. Ausstellungskataloge

- *Berlin:* L. Giuliani, Individuum und Ideal. Antike Bildniskunst, in: Bilder vom Menschen in der Kunst des Abendlandes. Jubiläumsausstellung der Preuß. Museen Berlin (1980).

– *Bern:* Gesichter. Griechische und Römische Bildnisse aus Schweizer Besitz (1982, 3. Aufl. 1983).
– *Boston:* Greek and Roman Portraits 470 BC–AD 500, Boston 1972.

4. *Porträts nach Fundgebieten*

– *Ägypten:* A. Adriani, Ritratti dell'Egitto greco-romano, in: RM 77, 1970, 72ff.
  R. Bianchi, The Egg-Heads: One Type of Generic Portrait from the Egyptian Late Period, in: WissZBerlin 31, 1982, 149ff.
  B. v. Bothmer, Egyptian Sculpture of the Late Period 700 B.C. to 100 A.D. (1960).
  H. Drerup, Ägyptische Bildnisköpfe griechischer und römischer Zeit (1950).
  P. Graindor, Bustes et statues-portraits de l'Égypte gréco-romaine (1937).
  W. Kaiser, Ein Statuenkopf der ägyptischen Spätzeit, in: JbBerlMus 8, 1966, 5ff.
  P. Montet, Un chef-d'œuvre de l'art gréco-égyptien: la statue de Panemerit, in: MonPiot 50, 1958, 2ff.
  C. Vandersleyen, De l'influence grecque sur l'art égyptien, in: ChrEg 60, 1955, 358ff.
  Vgl. auch hier S. 70ff. und S. 267ff.
– *Kyrenaika:* E. Rosenbaum, A Catalogue of Cyrenaican Portrait Sculpture (1960).
– *Sizilien:* N. Bonacasa, Ritratti greci e romani della Sicilia (1964).

5. *Porträts nach Fundorten*

– *Athen, Agora:* E. Harrison, Portrait Sculpture (The Athenian Agora I 1953).
– *Delos:* C. Michalowski, Les portraits hellénistiques et romains (Expl. de Délos XIII 1932).
– *Herculaneum, Villa der Pisonen:* D. Comparetti–G. De Petra, La villa ercolanese dei Pisoni (1883, Nachdruck 1972).
– *Kos:* G. Jacopi, Monumenti di scultura nel Museo Archeologico di Rodi III e nell'Antiquarium di Coo, in: ClRh V 2 (1932) 71ff.
– *Magnesia:* D. Pinkwart, Weibliche Gewandstatuen aus Magnesia, in: AntPl XII (1973) 149ff.
– *Ostia:* R. Calza, I ritratti I (Scavi di Ostia V 1964).

6. *Fundgruppen und Aufstellung*

M. Kreeb, Studien zur figürlichen Ausstattung delischer Privathäuser, in: BCH 108, 1984, 317ff.
M. Kreeb, Zur Basis der Kleopatra auf Delos, in: Horos 3, 1985, 41ff.
J.-Ph. Lauer–Ch. Picard, Les statues ptolemaiques du Serapieion de Memphis (1955), dazu Rez. Gnomon 29, 1957, 84ff. (F. Matz).
Th. Lorenz, Galerien von griechischen Philosophen und Dichterbildnissen bei den Römern (1962).
R. Neudecker, Die Skulpturenausstattung römischer Villen in Italien (1987).

5

D. Pandermalis, Zum Programm der Statuenausstattung in der Villa dei Papiri, in: AM 86, 1971, 173 ff.

B. Geschichte des griechischen Porträts
1. Gesamtdarstellungen

J. D. Breckenridge, Likeness. A Conceptual History of Ancient Portraiture (1968).

E. Buschor, Das Porträt. Bildniswege und Bildnisstufen in fünf Jahrtausenden (1960).

R. Delbrueck, Antike Porträts (tabulae in usum scholarum VI, 1912).

L. Giuliani, Bildnis und Botschaft. Hermeneutische Untersuchungen zur Bildniskunst der römischen Republik (1986).

L. Laurenzi, Ritratti greci (1941, Nachdruck 1969, mit Bibliographie).

G. Lippold, Griechische Porträtstatuen (1912).

G. M. A. Richter, Greek Portraits:

I. A Study of their development, Coll. Latomus XX (1955).

II. To what extent were they faithful likenesses, Coll. Latomus XXXVI (1959).

III. How were likeness transmitted in ancient times? Small portraits and near-portraits in terracotta, Greek and Roman, Coll. Latomus XLVIII (1960).

IV. Iconographical Studies: A Few Suggestions, Coll. Latomus LIV (1962).

2. Vorarchaische und archaische Porträts

C. W. Blegen, Early Greek Portraits, in: AJA 66, 1962, 245 ff.

S. Karusu, Der Erfinder des Würfels. Das älteste griechische mythische Porträt, in: AM 88, 1973, 55 ff.

S. Marinatos, Minoische Porträts, in: Festschr. M. Wegner (1962) 9 ff.

3. Zu den Anfängen des griechischen Porträts

J. Dörig, Quelques remarques sur l'origine ionienne du portrait grec, in: Festschr. H. Jucker (1980) 89 ff.

J. Frel, Les origines du portrait en Grèce, in: Eirene 1, 1960, 69 ff.

D. Metzler, Porträt und Gesellschaft. Über die Entstehung des griechischen Porträts in der Klassik (1971), mit Rez. in Gnomon 46, 1974, 397 ff. (L. Schneider) und BJb 173, 1973, 531 f. (D. Pandermalis).

B. Schweitzer, Studien zur Entstehung des Porträts bei den Griechen, SBLeipzig 91, 4, 1940 (nachgedruckt in: B. Schweitzer, Zur Kunst der Antike II [1963] 115 ff.), mit Rez. in PhW 1941, 410 ff. (J. Sieveking) und Gnomon 17, 1941, 337 ff. (G. Kaschnitz-Weinberg).

B. Schweitzer, Griechische Porträtkunst, in: Acta Congressus Madvigiani 1954 III (1957) 7 ff. (nachgedruckt in: B. Schweitzer, Zur Kunst der Antike II [1963] 168 ff.).

B. Schweitzer, Bedeutung und Geburt des Porträts bei den Griechen, in: Acta Congressus

Madvigiani 1954 III (1957) 27ff. (nachgedruckt in: B. Schweitzer, Zur Kunst der Antike II [1963] 189ff.).

V. Zinserling, Die Anfänge griechischer Porträtkunst als gesellschaftliches Problem, in: ActaArchHung 15, 1967, 283ff.

V. Zinserling, Frühe Individualbildnisse in Großgriechenland, in: Klio 53, 1971, 97ff. Vgl. auch hier S. 224ff. und S. 253ff.

4. Zum Problem des Realismus

G. G. Belloni, Le premesse 'realistiche' nel ritratto fisiognomico sulle monete greche, in: NumAntCl 5, 1976, 53ff.

G. M. A. Richter, Realismus in der griechischen Porträtkunst, in: Altertum 14, 1968, 146ff.

B. Segall, Realistic Portraiture in Greece and Egypt, in: JbWaltersArtG 9, 1946, 53ff.

V. Zinserling, Realistische Porträtkunst der Griechen. Anfänge und frühe Entwicklung, in: WissZJena 18, 1969, 187ff.

5. Porträtkunst des 5. und 4. Jh.

A. M. Ardovino, Il relitto di Porticello ed il cosidetto 'filosofo', in: AnnPerugia 20, 1982/83, 55ff.

F. Bodenstedt, Vorstufen der Porträtkunst in der ostgriechischen Münzprägung des 5. und 4. Jh. v. Chr., in: Proceedings of the 9. International Congress of Numismatics, Bern 1979 (1982) 95ff.

W. Gauer, Die griechischen Bildnisse der klassischen Zeit als politische und persönliche Denkmäler, in: JdI 83, 1968, 118ff.

T. Hölscher, Griechische Historienbilder des 5. und 4. Jahrhunderts v. Chr. (1973).

E. Paribeni, Le statue bronzee di Porticello, in: BdA 69, 1984, Nr. 24, 1ff.

G. M. A. Richter, The Greek Portraits of the Fifth Century B.C., in: RendPontAcc 34, 1961/62, 37ff.

S. Ridgway, The Bronzes from the Porticello Wreck, in: Archaische und klassische griech. Plastik, Akten des intern. Kolloquiums Athen 1985 II (1986) 59ff.

E. Voutiras, Studien zu Interpretation und Stil griechischer Porträts des 5. und frühen 4. Jahrhunderts, Diss. Bonn 1980.

V. Zinserling, Bemerkungen zur Porträtkunst der Hochklassik, in: Das Problem des Klassischen als historisches, archäologisches und philologisches Phänomen, Görlitzer Eirene-Tagung 1967 (1969) 21ff.

6. Porträtkunst des Hellenismus

E. Buschor, Das hellenistische Bildnis (1949, 2. Aufl. 1972).

G. Hafner, Späthellenistische Bildnisplastik. Versuch einer landschaftlichen Gliederung (1954).

E. Raftopoulou, L'enfant d'Hierapetra (1975).

A. Stewart, Attika. Studies in Athenian Sculptures of the Hellenistic Age (1979).

H. Weber, Späthellenistische Bildniskunst, in: ÖJh 51, 1976/77 Beibl. 21 ff.

7. *Zum Verhältnis zur republikanischen Porträtkunst*

J. D. Breckenridge, Origins of Roman Republican Portraiture: Relations with the Hellenistic World, in: ANRW I 4 (1973) 826 ff.

G. M. A. Richter, The Origin of Verism in Roman Portraiture, in: JRS 45, 1955, 39 ff.

B. Schweitzer, Die Bildniskunst der römischen Republik (1948).

R. R. R. Smith, Greeks, Foreigners and Roman Republican Portraits, in: JRS 71, 1981, 24 ff.

W. Trillmich, Das Torlonia-Mädchen. Zu Herkunft und Entstehung des kaiserzeitlichen Frauenporträts, Abh. Göttingen 92 (1976).

O. Vessberg, Studien zur Kunstgeschichte der römischen Republik (1941).

M.-L. Vollenweider, Die Porträtgemmen der römischen Republik (1974).

H. Weber, Zu einem „Römerbildnis" in Basel, in: AntK 18, 1975, 28 ff.

H. Weber, Sur l'art du portrait à l'époque hellénistique tardiv en Grèce et en Italie, in: Ktema 1, 1976, 113 ff.

P. Zanker, Zur Rezeption des hellenistischen Individualporträts in Rom und in den italischen Städten, in: Hellenismus in Mittelitalien, Kolloquium Göttingen 1974 (1976) 581 ff.

P. Zanker, Zur Bildnisrepräsentation führender Männer in mittelitalischen und campanischen Städten zur Zeit der späten Republik und der iulisch-claudischen Kaiser, in: Les «Bourgeoisies» municipales italiennes aux IIe et Ier siècle av. J.-C., Coll. Neapel 1981 (1983) 251 ff.

C. Ikonographie
1. *Zusammenfassende Darstellungen*

J. J. Bernoulli, Griechische Ikonographie mit Ausschluß Alexanders und der Diadochen I–II (1901, Nachdruck 1969).

G. M. A. Richter, The Portraits of the Greeks I–III (1965) mit ausführlicher Lit. III 293 ff.; Suppl. (1971); stark gekürzte und revidierte Neuausgabe in einem Band, ed. R. R. R. Smith (1984).

2. *Viri illustres*

J. D. Breckenridge, Multiple Portrait Types, in: ActaAArtHist 2, 1965, 9 ff.

L. Curtius, Miszellen zur Geschichte des griechischen Porträts, in: RM 59, 1944 (1948) 17 ff.

J. Frel, Contributions à l'iconographie grecque (1969).

A. Hekler, Bildnisse berühmter Griechen (1940; 3. Aufl. bearb. v. H. v. Heintze 1962).

K. Schefold, Die Bildnisse der antiken Dichter, Redner und Denker (1943).

a) Dichter

K. Schefold, Griechische Dichterbildnisse (1965).

b) Philosophen

J. Frel, Ein unbekannter kynischer Philosoph, in: HefteABern 10, 1984, 19ff.

R. Herbig, Bildnis eines griechischen Gelehrten in Würzburg, in: AEphem 1937 II (1940) 534ff.

H. Möbius, Der Philosoph mit dem Epsilon, in: Festschr. H. Jucker (1980) 145ff.

K. Schefold, Aristion von Chios, in: Festschr. H. Jucker (1980) 160ff.

H. Wrede, Bildnisse epikureischer Philosophen, in: AM 97, 1982, 235ff.

c) Strategen

G. Dontas, Bemerkungen über einige attische Strategenbildnisse der klassischen Zeit, in: Festschr. F. Brommer (1977) 79ff.

D. Pandermalis, Untersuchungen zu den klassischen Strategenköpfen, Diss. Freiburg 1969.

E. Schwarzenberg, Χαλκοῦς στρατηγός, in: JbKS Wien 68, 1972, 7ff.

3. *Bildnisse einzelner viri illustres*
(in alphabetischer Reihenfolge)

– *Aischines*: F. Hiller, Zum Neapler Aischines, in: MarbWPr 1962, 53ff.
  H. Wrede, Zwei neue Bildnisse des Aischines, in: StädelJb 3, 1971, 68ff.
– *Aischylos:* H. Jucker, Zwei wunderliche Heilige, in: Boreas 5, 1982, 143ff.
– *Alkibiades:* G. Neumann, Alkibiades, in: AA 1986, 103ff.
– *Antisthenes:* B. Andreae, ΑΝΤΙΣΘΕΝΗΣ ΦΙΛΟΣΟΦΟΣ ΦΥΡΟΜΑΧΟΣ ΕΠΟΙΕΙ, in: Festschr. H. Jucker (1980) 40ff.
– *Aratos:* H. Ingolt, Aratos and Chrysippos on a Lead Medaillion from a Beirut Collection, in: Berytus 17, 1967/68, 143ff.
  L. Bacchielli, Arato o Crisippo? Nuove ipotesi per un vecchio problema, in: QuadALibia 10, 1979, 27ff.
– *Aristoteles:* N. Kunisch, Ein neues Marmorporträt des Aristoteles, in: Paul Dierichs zu seinem 75. Geburtstag (1976) 53ff.
– *Chrysippos:* H. Luschey, Eine neue Chrysipp-Gemme, in: Festschr. F. Homann-Wedeking (1975) 202ff.
  S. auch Aratos.
– *Demosthenes:* J. C. Balty, Une nouvelle réplique du Démosthènes de Polyeuctos, in: BMusArt 50, 1978, 49ff.
  J. M. Bundgaard, Demosthenes the Victim, in: Festschr. P. Krarup (1976) 28ff.

E. Diez, Neue Demosthenes-Bildnisse, in: GettyMusJ 1, 1974, 37 ff.
S. auch hier S. 78 ff. und S. 141 ff.
– *Epikur:* H. v. Heintze, Die Statue des Epikur, in: Festschr. A. Adriani III (1984) 765 ff.
B. Frischer, On Reconstructing the Portrait of Epicurus and Identifying the Socrates of Lysippus, in: CalifStClAnt 12, 1979, 121 ff.
B. Frischer, The Sculpted World. Epicureanism and Philosophical Recruitment in Ancient Greece (1982) 129 ff.
R. Winkes, The Portraiture of Epikouros, in: RAArtLouvain 16, 1983, 63 ff.
– *Euripides:* H. v. Heintze, Studien zur griechischen Porträtkunst, in: RM 71, 1964, 71 ff.
– *Homer:* R. und E. Boehringer, Homer. Bildnisse und Nachweise (1939).
– *Isokrates:* s. Xenophon.
– *Menander:* C. Bossert-Radke, Eine männliche Gewandstatue in Gerzensee, in: HefteA-Bern 7, 1981, 49 ff.
A. De Franciscis, Il Menandro di Ercolano, in: CronErcol 1, 1971, 113 ff.
G. Hafner, Neues zum Bildnis Vergils, in: RdA 7, 1983, 37 ff.
H. Jucker, Menander, nicht Augustus, in: SchwMbll 20, 1970, 20 ff.
W. Schindler, Das griechische Menanderbildnis in der Sicht der römischen Kopisten. Eine neue Replik im Privatbesitz eines DDR-Bürgers, in: WissZBerl 25, 1976, 467 ff.
Die Bildnisstatue des Dichters Menander – Dokumentation der Überlieferung und Rekonstruktion, in: 250 Jahre Georg-August-Universität Göttingen, Ausstellung im Auditorium 1987, 148 ff. S. auch hier S. 185 ff. und S. 375 f.
– *Metrodor:* H. Jucker, Zur Bildnisherme des Parmenides, in: MusHelv 25, 1968, 181 ff.
– *Panyassis:* I. Sgobbo, Panyassis il poeta riconosciuto in un ritratto della „Villa dei Papiri" di Ercolano, in: RendAccNapoli NS 46, 1971, 115 ff.
M. G. Picozzi, Tre repliche di un ritratto ellenistico, in: Studi miscellanei 11, 1976, 191 ff.
– *Parmenides:* s. Metrodor.
– *Perikles:* s. hier S. 377 ff.
– *Phidias:* F. Preißhofen, Phidias-Daedalus auf dem Schild der Athena Parthenos?, in: JdI 89, 1974, 50 ff.
– *Pindar:* S. Sande, Bemerkungen zum sog. Pausanias-Porträt, in: ActaAArtHist, ser. alt. 2, 1982, 55 ff.
S. auch hier S. 19. Anm. 103–104.
– *Platon:* R. Boehringer, Platon. Bildnisse und Nachweise (1935).
H. v. Heintze, Studien zur griechischen Porträtkunst, in: RM 71, 1964, 31 ff.
S. auch hier S. 61 ff.
– *Polybios:* P. Bol–F. Eckstein, Die Polybios-Stele in Kleitor/Arkadien, in: AntPl XV (1975) 83 ff.
S. auch hier S. 58 ff.
– *Poseidippos:* H. v. Heintze, Zu Poseidippos und „Menander" im Vatikan, in: RM 68, 1961, 80 ff.
– *Pythagoras:* J. C. Balty, Pour une iconographie de Pythagore, in: BMusArt 48, 1976, 5 ff.
W. Schwabacher, Pythagoras auf griechischen Münzbildern, in: Opuscula, Festschr. K. Kerenyi (1968).
– *Sieben Weise:* F. Brommer, Zu den Bildnissen der sieben Weisen, in: AA 1973, 663 ff.
H. v. Heintze, Zu den Bildnissen der sieben Weisen, in: Festschr. F. Brommer (1977) 163 ff.

H. v. Heintze, Die erhaltenen Darstellungen der sieben Weisen, in: Gymnasium 84, 1977, 437 ff.

A. Lissi Caronna, Un'erma-ritratto di Pittaco al Museo Nazionale Romano, in: MonAnt 49, 1979, 357 ff.

A. v. Salis, Imagines illustrium, in: Eumusia, Festschr. E. Howald (1947) 11 ff.

– *Sokrates:* H. v. Heintze, Studien zur griechischen Porträtkunst, in: RM 71, 1964, 77 ff.

T. Lorenz, Das Bildnis des Sokrates, in: Perspektiven der Philosophie, Neues Jahrbuch 1977, 255 ff.

S. auch hier S. 351 ff. sowie unter Epikur.

– *Themistokles:* M. Cundari, Un ritratto greco del V. sec. A. D.: Temistocle?, in: StCO 19/20, 1970/71, 400 ff.

A. Linfert, Die Themistokles-Herme in Ostia, in: AntPl VII (1967) 87 ff.

S. auch hier S. 286 ff. und S. 302 ff.

– *Theokrit:* U. Hausmann, Zum Bildnis des Dichters Theokrit, in: Stele, Gedenkschr. N. Kontoleon (1980) 511 ff.

– *Xenophon:* E. Minakaran-Hiesgen, Untersuchungen zu den Porträts des Xenophon und Isokrates, in: JdI 85, 1970, 112 ff.

J. H. Oliver, Herm at Athens with portraits of Xenophon and Arrian, in: AJA 76, 1972, 327 f.

S. auch hier S. 272 ff.

– *Zenon, der Stoiker:* H.-J. Kruse, Ein Beitrag zur Ikonographie des Zenon, in: AA 1966, 386 ff.

4. *Herrscher und Dynasten*

N. Davis–C. M. Kraay, The Hellenistic Kingdoms. Portrait Coins and History (1973).

A. Herrmann, A Fragmentary Hellenistic Ruler Portrait, in: AntK 16, 1973, 170 ff.

F. Imhoof-Blumer, Porträtköpfe auf antiken Münzen hellenistischer und hellenisierter Völker (1885).

G. Kleiner, Das hellenistische Herrscherbild, in: Festschr. P. H. v. Blanckenhagen (1979) 129 ff.

L. Laurenzi, Ritratto di un principe ellenistico, in: ClRh X (1941) 3 ff.

A. Linfert, Bärtige Herrscher, in: JdI 91, 1976, 157 ff.

A. Muscettola, Bronzetti raffiguranti dinasti ellenistici al Museo Archeologico di Napoli, in: Bronzes hellenistiques et romaines, Actes du 5. Coll. Intern. sur les bronzes antiques, Lausanne 1978 (1979) 87 ff.

E. Newell, Royal Greek Portrait Coins (1937).

J. M. C. Toynbee, Roman Historical Portraits (1978) 77 ff.

5. *Bildnisse einzelner Herrscher und Dynasten*
(nach Ländern bzw. Geschlechtern
und Regierungszeiten)

a) Baktrien

R. Curiel–G. Fussmann, Le trésor monétaire de Qunduz (1965).

b) Kappadokien

O. Mørkholm, The Cappadocians Again, in: NumChron 1979, 242 ff.
H. Seyrig, Trois portraits de rois hellénistiques, in: Syria 49, 1972, 114 ff.
D. Simonetta, The Coins of the Cappadocian Kings (1977).
G. Traversari, Due ritratti di Ariarate V di Cappadocia, in: RM 76, 1969, 320 ff.
G. Traversari, Sull'iconografia di Oroferne di Cappadocia, in: RM 77, 1970, 174 ff.

c) Karien

B. Ashmole, Solvitur disputando, in: Festschr. F. Brommer (1977) 13 ff.
J. Carter, The Sculpture of the Sanctuary of Athena Polias at Priene (1983).
G. B. Waywell, The Free-Standing Sculptures of the Mausoleum at Halicarnassus in the British Museum (1978).

d) Kommagene

K. Hermann–O. Puchstein, Reisen in Kleinasien und Nordsyrien (1890).
D. Kleiner, The Monument of Philopappos in Athens (1983).
Kommagene, Geschichte und Kultur einer antiken Landschaft, Antike Welt 6, 1975, Sondernummer.
M. Santangelo, Il monumento di C. Julius Antiochos Philopappos in Atene, in: ASAtene NS 3–5, 1941–43 (1947) 153 ff.
D. Sullivan, The Dynasty of Commagene, in: ANRW II 8 (1977) 732 ff.
H. Waldmann, Die kommagenische Kultreform unter König Mithridates I. Kallinikos und seinem Sohne Antiochos I. (1973).

e) Lykien

H. A. Cahn, Dynast oder Satrap?, in: SchwMbll 25, 1975, 84 ff.
N. Olçay–O. Mørkholm, The Coin Hoard from Podalia, in: NumChron 1971, 1 ff.
J. Zahle, Persian Satraps and Lycian Dynasts. The Evidence of the Diadem, in: Actes du 9e Congrès Intern. de Numismatique, Bern 1979 (1982) 101 ff.
S. auch hier S. 337 ff.

f) Makedonien

- *Philipp II.:* V. v. Graeve, Zum Herrscherbild Philipps II. und Philipps III. von Makedonien, in: AA 1973, 244 ff.

  M. R. Kaiser-Raiss, Philipp II. und Kyzikos. Ein Porträt Philipps II. auf einem Kyzikener Elektronstater, in: SchwNR 63, 1984, 27 ff.

  A. Prag–J. Musgrave–R. Neave, The Skull from Tomb II at Vergina. King Philip of Macedon, in: JHS 104, 1984, 60 ff.

- *Alexander d. Gr.:* M. Andronikos, Vergina, The Royal Tombs and the Ancient City (1984).

  E. Berger, Ein neues Porträt Alexanders des Großen, in: AntK 14, 1971, 139 ff.

  J. J. Bernoulli, Die Bildnisse Alexanders des Großen (1904).

  M. Bieber, Alexander the Great in Greek and Roman Art (1964).

  B. Fehr, Bewegungsweisen und Verhaltensideale. Physiognomische Deutungsmöglichkeiten der Bewegungsdarstellungen an griechischen Statuen des 5. und 4. Jh. v. Chr. (1979) 67 ff.

  K. Gebauer, Alexanderbildnis und Alexandertypus, in: AM 63/64, 1938/39, 1 ff.

  V. v. Graeve, Ein attisches Alexanderbildnis und seine Wirkung, in: AM 89, 1974, 231 ff.

  G. Grimm, Die Vergöttlichung Alexanders des Großen in Ägypten und ihre Bedeutung für den ptolemäischen Königskult, in: Das ptolemäische Ägypten, Akten des Intern. Symposions Berlin 1976 (1978) 103 ff.

  T. Hölscher, Ideal und Wirklichkeit in den Bildnissen Alexanders d. Gr. (1971).

  B. Hundsalz, Alexander mit der Lanze, in: DaM 2, 1985, 107 ff.

  Z. Kiss, Un nouveau portrait d'Alexandre le Grand, in: EtTr 4, 1970, 119 ff.

  Z. Kiss, Un portrait incomme d'Alexandre le Grand au Musée National de Varsovie, in: RoczMusWarsz 18, 1974, 111 ff.

  G. Kleiner, Das Bildnis Alexanders des Großen, in: JdI 65/66, 1950/51, 206 ff.

  K. Kraft, Der behelmte Alexander der Große, in: JNG 15, 1965, 7 ff.

  R. Leimbach, Plutarch über das Aussehen Alexanders des Großen, in: AA 1979, 213 ff.

  D. Michel, Alexander als Vorbild für Pompejus, Caesar und Marcus Antonius (1967).

  H. G. Niemeyer, Alexanderkopf in Sevilla, in: AA 1978, 106 ff.

  P. Perdrizet, Un type inédite de la plastique grecque: Alexandre a l'égide, in: MonPiot 21, 1913, 59 ff.

  T. Schreiber, Studien für das Bildnis Alexanders des Großen (1903).

  G. Schwarz, Zum sog. Eubuleus, in: GettyMusJ 2, 1975, 71 ff.

  G. Schwarz, Triptolemos-Alexander, in: Festschr. B. Neutsch (1980) 449 ff.

  E. v. Schwarzenberg, Der lysippische Alexander, in: BJb 167, 1967, 58 ff.

  E. v. Schwarzenberg, Zum Alexander Rondanini oder Winckelmann und Alexander, in: Festschr. E. Homann-Wedeking (1975) 163 ff.

  E. v. Schwarzenberg, The Portraiture of Alexander, in: Alexandre le Grand. Image et réalité (Fondation Hardt, Entretiens 22, 1976) 223 ff.

  H. Thiersch, Lysipps Alexander mit der Lanze, JdI 23, 1908, 162 ff.

- *Demetrios Poliorketes:* P. W. Lehmann, A New Portrait of Demetrios Poliorketes (?), in: GettyMusJ 8, 1980, 107 ff.

  Ch. Picard, Teisikrates de Sicyone et l'iconographie de Démétrios Poliorcétès, in: RA 1944, 5 ff.

Ch. Picard, Le Démétrios Poliorcétès du Dodécathéon délien, in: MonPiot 41, 1946, 73 ff.

– *Antigonos Gonatas:* G. Dontas, Stil und Benennung eines Herrscherporträts in Kopenhagen, in: ÖJh 54, 1983, 87 ff.

H. P. Laubscher, Hellenistische Herrscher und Pan, in: AM 100, 1985, 333 ff.

– *Perseus:* G. Neumann, Ein Bildnis des Königs Perseus, in: JdI 82, 1967, 157 ff.

g) Paphlagonien

G. Hübner, Der Porträtkopf, in: M. Filgis–W. Radt, Die Stadtgrabung, 1. Das Heroon (AvP XV 1, 1986) 127 ff., bes. 136 ff.

h) Pergamon (Attaliden)

R. A. Bauslaugh, The Unique Portrait Tetradrachme of Eumenes II., in: MusNotAmNumSoc 27, 1982, 39 ff. (vgl. dazu Antike Münzen, Auktion 3. 5. 1983 [Leu, Zürich] Nr. 364).

R. Özgan, Bemerkungen zum Großen Gallieranathem, in: AA 1981, 489 ff.

U. Westermark, Das Bildnis des Philetairos von Pergamon. Corpus der Münzprägung (1961). S. auch Paphlagonien.

i) Pontos

G. Kleiner, Bildnis und Gestalt des Mithridates, in: JdI 68, 1953, 73 ff.

O. J. Neverov, On the Iconography of Mithridates VI., in: TrudyErmit 13, 1972, 110 ff.

H. Pfeiler, Die frühesten Porträts des Mithridates Eupator und die Bronzeprägung seiner Vorgänger, in: SchwMbll 18, 1968, 75 ff.

M. L. Vollenweider, Deux portraits inconnues de la dynastic du Pont et les graveurs Nikias, Zoilos et Apollonios, in: AntK 23, 1980, 146 ff.

j) Ptolemäer (Lit. seit Kyrieleis, 1975)

B. R. Brown, Art History in Coins. Portrait Issues of Ptolemy I, in: Festschr. A. Adriani II (1984) 405 ff.

K. Fittschen, Zwei Ptolemäerbildnisse in Cherchel, in: Festschr. A. Adriani I (1983) 165 ff.

I. Jucker, Zum Bildnis Ptolemaios III. Euergetes I., in: AntK 18, 1975, 17 ff.

A. Krug, Die Bildnisse Ptolemaios IX., X. und XI., in: Das ptolemäische Ägypten, Akten des Intern. Symposions Berlin 1976 (1978) 9 ff.

H. Kyrieleis, Bildnisse der Ptolemäer (1975).

K. Parlasca, Bildnisse des Ptolemaios Apion. Bemerkungen zu einer neuen Hypothese, in: Festschr. G. Kleiner (1976) 95 ff.

K. Parlasca, Probleme der späten Ptolemäerbildnisse, in: Das ptolemäische Ägypten, Akten des Intern. Symposions Berlin 1976 (1978) 25 ff.

F. Queyrel, Portraits de souverains lagides à Pompéi et à Délos, in: BCH 108, 1984, 267 ff.

F. Queyrel, Un portrait de Ptolémée III. Problèmes d'iconographie, in: RLouvre 35, 1985, 275 ff.

M. L. Vollenweider, Portraits d'enfants en miniature de la dynastie des Ptolémées, in: Festschr. A. Adriani II (1984) 363 ff.

k) Ptolemäerinnen (Lit. seit Kyrieleis, 1975)

S. Besques, Deux portraits d'Arsinoe III. Philopator ?, in: RA 1981, 227 ff.

E. Brunelle, Die Bildnisse der Ptolemäerinnen, Diss. Frankfurt 1976.

C. M. Havelock, A Portrait of Cleopatra II (?) in the Vassar College Art Gallery, in: Hesperia 51, 1982, 269 ff.

I. Jucker, Ein Bildnis der Arsinoe III. Philopator, in: HefteABern 5, 1979, 16 ff.

E. La Rocca, L'età d'oro di Cleopatra. Indagine sulla Tazza Farnese (1984).

K. Vierneisel, Die Berliner Kleopatra, in: JbBerlMus 22, 1980, 5 ff.

K. Vierneisel, Bildnis einer ptolemäischen Königin, in: MüJb 36, 1985, 186 f.

l) Satrapen

E. Akurgal, Neue archaische Skulpturen aus Anatolien, in: Archaische und klassische griechische Plastik, Akten des intern. Kolloquiums Athen 1985 I (1986) 9 ff. Taf. 4–5.

H. A. Cahn, Tissaphernes in Astyra, in: AA 1985, 587 ff.
    S. auch hier S. 279 ff.

H. A. Cahn, Weitere Bildnismünzen des Tissaphernes, in: Numismatics-Witness to History (1986) 11 ff.

m) Seleukiden

Th. Fischer, Ein Bildnis des Tryphon in Basel?, in: AntK 14, 1971, 56.

Th. Fischer, A Coin Portrait of King Antiochus, the son and Co-Regent of King Antiochus the Great?, in: NumChron 13, 1973, 220 ff.

M. Garlaschelli, L'iconografia monetare dei Seleucidi, in: NumAntCl 1972, 61 ff.

Greek Coins and Coins of the Seleucid Kings, Auction XVIII 31. 3. 1987 (West Hollywood).

A. Houghton, Coins of the Seleucid Empire from the Collection of Arthur Houghton (1983).

A. Houghton, The Portrait of Antiochus IX., in: AntK 27, 1984, 123 ff.

A. Houghton–G. Le Rider, Le deuxième fils d'Antiochos IV à Ptolemais, in: SchwNR 64, 1985, 73 ff.

I. Jucker, Ein Bildnis Demetrios' II. von Syrien, in: Hefte ABern 6, 1980, 22 ff.

H. Kyrieleis, Ein Bildnis des Königs Antiochos IV. von Syrien, in: BWPr 127, 1980.

E. La Rocca, Il principe ideale, in: BullCom 90, 1985, 23 ff.

A. Laumonier, Trois portraits d'Alexandre I Balas, in: BCH 79, 1955, 528 ff.

G. Le Rider, L'enfant-roi Antiochos et la reine Laodice, in: BCH 110, 1986, 409 ff.

O. Mørkholm, Studies in the Coinage of Antiochus IV of Syria (1963).

O. Mørkholm, Sculpture and Coins. The Portrait of Alexander Balas of Syria, in: NumAntCl 10, 1981, 235 ff.

n) Sizilien

E. Sjöquist, A Portrait Head from Morgantina, in: AJA 66, 1962, 319 ff.

D. Besondere Darstellungsformen und Insignien
1. Büsten

B. Barr-Sharrar, The Hellenistic and Early Imperial Decorative Bust (1987).
H. Jucker, Das Bildnis im Blätterkelch (1961).
G. M. A. Richter, The Origin of the Bust Form for Portraits, in: Festschr. A. K. Orlandos I (1965) 59 ff.

2. Diadem

A. Alföldi, Caesar in 44 v. Chr. I (1985) 105 ff.
H. W. Ritter, Diadem und Königsherrschaft. Untersuchungen zu Zeremonien und Rechtsgrundlagen des Herrschaftsantritts bei den Persern, bei Alexander dem Großen und im Hellenismus (1965).

3. Hermen

H. Wrede, Die antike Herme (1985).

4. Imago clipeata

R. Winkes, Clipeata imago. Studien zu einer römischen Bildform. Diss. Gießen 1969.

5. Reiterstatuen

H. B. Siedentopf, Das hellenistische Reiterdenkmal (1968).

6. Sitzstatuen

G. Dontas, Εἰκόνες καθημένων πνευματικῶν ἀνθρώπων εἰς τὴν ἀρχαίαν ἑλληνικὴν τέχνην (1960).
G. Dontas, Εἰκονιστικά Β', in: Deltion 26 A, 1971, 16 ff.

E. Überlieferung

G. M. A. Richter, How were the Roman Copies of Greek Portraits Made?, in: RM 69, 1962, 52 ff.

K. Schefold, Die Überlieferung der griechischen Bildniskunst, in: Festschr. U. Hausmann (1982) 79 ff.

Verzeichnis
der Text- und Tafelabbildungen

Taf. 5,1 Grabrelief eines Diskusträgers, vom Dipylon, Athen, Nat.Mus., nach Inst.Neg. Athen, N. M. 5330.

Taf. 5,2 Relief vom „Harpyien"-Monument in Xanthos, London, Brit.Mus., nach Mus.Photo.

Taf. 6,1 Halsbild einer protoattischen Kanne, Athen, Nat.Mus., nach Pfuhl, Anfänge Taf. 12,9.

Taf. 6,2–3 Tonpinakes aus Korinth, Berlin (West), Staatl.Museen, nach Pfuhl, Anfänge Taf. 11, 1–2.

Taf. 6,4 Seher Halimedes vom Amphiaraos-Krater, ehem. Berlin, im Krieg zerstört, nach Pfuhl, Anfänge Taf. 11,3.

Taf. 6,5 Tonpinax des Exekias, Berlin (West), Staatl.Museen, nach Mus.Photo.

Taf. 7 Tyrannenmörder, Neapel, Mus.Naz., Gipsabguß Göttingen, nach Photo St. Eckardt.

Taf. 8,1 Kopf des Herakles, Kopenhagen, NCG, nach Mus.Photo.

Taf. 8,2 Kopf eines Bärtigen, Athen, Akropolis-Mus., nach Inst.Neg. Athen, Akr. 2042.

Taf. 9,1 Bildnis des Aristogeiton, Rom, Pal. Cons., nach Inst.Neg. Rom 39.909.

Taf. 9,2 Bildnis des Themistokles, Ostia, Mus., nach Inst.Neg. Rom 63.2349.

Taf. 10,1–3 dasselbe, nach Inst.Neg. Rom 63.2356/2353/2357.

Taf. 11,1 dasselbe, nach Inst.Neg. Rom 66.2295.

Taf. 11,2 wie Taf. 8,2, nach Inst.Neg. Athen, Akr. 2043.

Taf. 12,1 wie Taf. 9,2, nach Inst.Neg. Rom 66.2287.

Taf. 12,2 Kopf eines Sehers aus dem Ostgiebel des Zeus-Tempels in Olympia, nach Ashmole – Yalouris, Olympia Taf. 34.

Taf. 13,1–2 Bildnis des Homer, Epimenides-Typus, München, Glyptothek, nach Mus.Photo (H. Koppermann).

Taf. 14,1–2 Bildnis eines Kahlköpfigen („Aischylos"), Rom, Mus.Cap., nach Inst.-Neg. Rom 54.1038/9.

Taf. 15,1–2 Bildnis des Pindar, Rom, Mus.Cap., nach Inst. Neg. 63.1813. 1815.

Taf. 16,1–2 Bildnis eines Unbekannten, Rom, Vatikan, Sala delle Muse, nach ABr. 469–470.

Taf. 17,1–2 Bildnis des „Schreitenden Dichters", Wien, Kunsthist.Mus., nach Mus.-Photo.

Taf. 18,1–2 Bildnis eines Unbekannten („Sophokles III"), London, Brit.Mus., nach Mus.Photo.

Taf. 19,1–2 Bildnis des Perikles, London, Brit.Mus., nach Mus.Photo.

Taf. 20,1 Bildnis des Perikles, Rom, Vatikan, Sala delle Muse, nach Vat.Neg. XXI–25–42.

Taf. 20,2 Grabstele aus Karystos in Berlin (Ost), Staatl.Museen, nach Mus.Photo.

Taf. 21,1 Kopf eines Kentauren aus dem Westgiebel des Zeustempels in Olympia, nach Inst.Neg. Athen 85/237.

Pythagoras und dem Bildnis eines Unbekannten, nach H. M. May, The Coinage of Abdera Taf. 13, 218.

Taf. 29,5–8 Statere der Stadt Kyzikos mit dem Bildnis eines (?) Unbekannten, nach K. Lange, Herrscherköpfe des Altertums (1938) Taf. 37; J. Frel, Greek Portraits in the J. Paul Getty Museum (1981) Abb. 51; G. K. Jenkins, Ancient Greek Coins (1972) Abb. 298 und 289.

Taf. 30–33 Lykische Münzen, Aufbewahrungsorte und Photonachweise s. S. 349 ff.

Taf. 34–35 Bildnis eines Unbekannten, aus dem Schiffswrack bei Porticello, Reggio Calabria, Mus.Naz., nach Inst.Neg. Rom 84.5830–5833.

Taf. 36,1–2 Bildnis des Sophokles, Typus Farnese, London, Brit.Mus., nach Mus.Photo.

Taf. 37,1–2 Bildnis des Sophokles „Farnese", Neapel, Mus.Naz., nach Inst.Neg. Rom 56.513/4.

Taf. 38,1–2 Bildnis des Sophokles, Typus Farnese, Kopenhagen, NCG, nach Mus.Photo.

Taf. 39,1–2 Doppelherme mit Bildnis des Sophokles, Typus Farnese, und des Euripides, Typus Farnese, Dresden, Staatl. Skulpturensammlung, nach Mus.-Photo.

Taf. 40,1 Unterlebensgroße *imago clipeata* des Sophokles, Typus Farnese, einst im Besitz des Fulvius Ursinus, jetzt verschollen, Stich in F. Ursinus, Imagines et elogia (1570), nach Richter I Abb. S. 125.

Taf. 40,2 dasselbe, Zeichnung des Gallaeus im Codex Capponianus 228 im Vatikan, nach T. Lorenz, Galerien Taf. 16,1.

Taf. 40,3 dasselbe, Stich nach Gallaeus in J. Faber, Illustrium imagines (1606), nach Taf. 136 ebenda.

Taf. 41,1 Doppelherme mit Bildnissen des Thukydides und des Herodot, Stich in A. Statius, Inlustrium . . . vultus (1569), nach Taf. 4 ebenda.

Taf. 41,2 dasselbe, Gipsabguß Göttingen, nach Photo St. Eckardt.

Taf. 42,1–2 dasselbe, Bildnis des Thukydides, nach Inst.Neg. Rom 83.1923.1925.

Taf. 43,1–2 Büste des Thukydides, Holkham Hall, nach Photo Forschungsarchiv Köln 1333/5–6 mit freundlicher Erlaubnis von Lord Leicester.

Taf. 44,1 Bildnis des Lysias, Neapel, Mus.Naz., Stich des F. Ursinus, Imagines et elogia (1570), nach Studniczka, Bildnis Menanders Taf. 1,3.

Taf. 44,2 dasselbe, Stich nach Gallaeus in J. Faber, Illustrium imagines (1606), nach Taf. 85 ebenda.

Taf. 44,3 dasselbe, nach Inst.Neg. Rom 60.631.

Taf. 45,1–2 Bildnis des Lysias, Rom, Mus.Cap., nach Inst.Neg. Rom 54.969–970.

Taf. 46,1–2 Bildnis des Sokrates, Typus A, Neapel, Mus.Naz., nach Inst.Neg. Rom 36.897.897 A.

Taf. 47,1–2 Hermenbüste des Platon, Berlin (Ost), Staatl.Museen, nach Mus.-Photo.

Taf. 80,1–3   Doppelherme mit zwei Bildnissen des Aristoteles, Athen, Nat.Mus., nach Richter II Abb. 1009/1010 und Inst.Neg. Athen, Athen Varia 220.

Taf. 81,1–2   Bildnis des Aischines von der Statue aus der Pisonenvilla von Herculaneum, Neapel, Mus.Naz., Gipsabguß Göttingen, nach Photo St. Eckardt.

Taf. 82,1–3   Bildnis des Hypereides, Kopenhagen, NCG, nach Mus.Photo.

Taf. 83,1.3   Doppelherme mit Bildnissen des Hypereides und der Phryne, Compiègne, Musée Vivenel, nach Mus.Photo.

Taf. 83,2   dasselbe, Haar der Phryne von oben, nach F. Poulsen, MonPiot 21, 1913, 52 Abb. 4.

Taf. 84,1–2   Tetradrachmen des Seleukos Nikator ehem. im Kunsthandel und in London, geprägt unter Antiochos I. (1) und Philetairos (2), Aufn. nach dem Gips von St. Eckardt.

Taf. 84,3–4   Bronzebildnis des Seleukos Nikator aus der Pisonenvilla von Herculaneum, Neapel, Mus.Naz., nach Inst.Neg. Rom 83.1862/1864.

Taf. 85,1–2   wie Taf. 84, 3–4, nach Inst.Neg. Rom 83. 1861/1863.

Taf. 86,1   Tetradrachme des Ptolemaios I. Soter nach F. Imhoof-Blumer, Porträtköpfe auf antiken Münzen (1885) Taf. 1,2.

Taf. 86,2–3   Bildnis des Ptolemaios I. Soter, Paris, Louvre, nach Photo M. Chuzeville.

Taf. 87,1   Tetradrachme des Ptolemaios I. Soter, nach Franke–Hirmer, Griech. Münze Taf. 218, 799.

Taf. 87,2–3   Bildnis des Ptolemaios I. Soter, Kopenhagen, NCG, nach Mus.Photo.

Taf. 88,1–2   Bronzene Bildnisstatuette des Antigonos Gonatas (?), Neapel, Mus. Naz., nach Inst.Neg. Rom 59. 763/765.

Taf. 89,1–2   Bildnis des Demetrios Poliorketes aus der Pisonenvilla von Herculaneum, Neapel, Mus.Naz., nach Inst.Neg. Rom. 59. 760/1.

Taf. 90,1   Unterlebensgroße *imago clipeata* des Menander, einst im Besitz des F. Ursinus, jetzt verschollen, Stich in F. Ursinus, Imagines et elogia (1570), nach Studniczka, Menander Taf. 4,1.

Taf. 90,2   dasselbe, Stich nach Gallaeus in J. Faber, Illustrium imagines (1606), nach Taf. 90 ebenda.

Taf. 90,3   Inschrift des Menander-Clipeus, Marbury Hall, Gipsabguß Göttingen, nach Photo St. Eckardt.

Taf. 91,1   *Imago clipeata* des Menander, Marbury Hall, Gipsabguß Göttingen, nach Photo St. Eckardt.

Taf. 91,2   *Imago clipeata* des Menander, ehem. Smyrna, Evang. Schule, z. Z. verschollen, nach Studniczka, Menander Taf. 6,5.

Taf. 91,3   *Imago clipeata* des Menander aus Ton, Boston, Mus. of Fine Arts, nach H. Wrede, Die spätantike Hermengalerie von Welschbillig Taf. 11,3.

Taf. 92,1   Hermenbüste des Menander, Zeichnung des P. Ligorio, Turin, Archivio di Stato, nach Studniczka, Menander Taf. 7,4.

Taf. 92,2   Bildnis des Menander, Rom, Thermen-Museum (Slg. Ludovisi), nach Studniczka, Menander Taf. 7,5.

Taf. 92,3   wie Taf. 92,1, nach Studniczka, Menander Taf. 7,6.

Taf. 93,1   Bildnis des Menander, Dumbarton Oaks, Courtesy of the Byzantine Collection, Neg. 53.45.1, 1986 Dumbarton Oaks, Trustees of Harvard University, Washington, DC 20007.

Taf. 93,2   wie Taf. 91,1.

Taf. 93,3   Hermenbildnis des Menander, Boston, Museum of Fine Arts, nach Mus.-Photo.

Taf. 94,1   Bildnis des Menander, Philadelphia, Univ.Mus., Gipsabguß Göttingen, nach Photo St. Eckardt.

Taf. 94,2   wie Taf. 90, 1–2, Zeichnung des Gallaeus im Codex Capponianus im Vatikan, nach H. v. Heintze, RM 68, 1961, Taf. 22,1.

Taf. 94,3   Unterlebensgroßes Bildnis des Menander, ehem. Leipzig, Archäol. Institut, z. Z. verschollen, nach Studniczka, Menander Taf. 8,3.

Taf. 95,1   Hermenbüste des Menander, Venedig, Seminario Patriarcale, Stich in Paciaudi, Marmora Peloponnesiaca II 1761, nach Studniczka, Menander 17 Abb. 4.

Taf. 95,2   dasselbe, nach Inst.Neg. 68.5156.

Taf. 96,1–2   Bildnis des Menander, Kopenhagen, NCG, nach Mus.Photo.

Taf. 97,1–2   wie Taf. 95,2, nach Inst.Neg. Rom 68.5157–5158.

Taf. 98,1–2   wie Taf. 93,1.

Taf. 99–100   Bronzebüstchen des Menander, Malibu, J. Paul Getty Mus., nach Mus.-Photo.

Taf. 101,1   wie Taf. 93,2, nach Photo im Nachlaß R. Horn.

Taf. 101,2   wie Taf. 93,3, Gipsabguß Göttingen, nach Photo St. Eckardt.

Taf. 102,1–2   wie Taf. 99, 1–2, nach Mus.Photo sowie J. Frel, Greek Portraits (1981) 83 (Inschrift).

Taf. 102,3   Rekonstruktion des Menanderbildnisses durch Hackebeil und Lehnert im Archäol. Institut Leipzig, Aufnahme von E. Langlotz, nach Studniczka, Menander Titelbild.

Taf. 102,4   wie Taf. 99, 1–2, nach Ashmole, AJA 77, 1973, Taf. 12,7.

Taf. 103,1   wie Taf. 93,3, Gipsabguß Göttingen, nach Photo St. Eckardt.

Taf. 103,2   Bildnis des Menander, Rom, Thermen-Mus. (Slg. Ludovisi), nach Photo Anderson 2050.

Taf. 103,3   „Pompejus Spada", neuzeitliche Kopie des Menanderporträts, überlebensgroß, Rom, Pal. Spada, nach Photo Anderson 1953.

Taf. 104,1   Menanderrelief Rom, Vatikan, Mus.Greg.Prof., Bildnis des Dichters, nach Inst.Neg. Rom 1418.

Taf. 104,2   wie Taf. 93,3, nach Mus.Photo.

Taf. 104,3   Tondobildnis, angeblich des Aristoteles, Stich nach Gallaeus in J. Faber, Illustrium imagines (1606), nach Taf. 35 ebenda.

Taf. 123,1–3   dasselbe, nach Inst.Neg. Rom 31.1431–1433.

Taf. 124,1–2   Bronzebüstchen des Epikur aus der Pisonenvilla von Herculaneum, Neapel, Mus.Naz., nach Inst.Neg.Rom 85. 1474/1479.

Taf. 125,1–2   Bildnis des Platon, Typus Holkham Hall–Basel, Holkham Hall, nach Photo Forschungsarchiv Köln 1420/4.7, mit freundlicher Erlaubnis von Lord Leicester.

Taf. 126,1–3   Bildnis des Zenon, Neapel, Mus.Naz., nach Inst.Neg. Rom 60.611 bis 613.

Taf. 127,1–3   Tetradrachmen mit dem Bildnis des Philetairos, geprägt unter Eumenes I., Attalus I. und Eumenes II., nach Franke–Hirmer, Griech.Münze Taf. 203, 737–739.

Taf. 127,4–5; 128   Bildnis des Philetairos aus der Pisonenvilla von Herculaneum, Neapel, Mus.Naz., nach Inst.Neg. Rom 83.1853–1856.

Taf. 129,1–2   Bildnis eines Kynikers (?), Rom, Mus.Cap., nach Inst.Neg. Rom 41.15–16.

Taf. 130,1–2   Bronzebildnis eines Unbekannten aus dem Schiffsfund von Antikythera, Athen, Nat.Mus., nach Inst.Neg. Athen N. M. 6065/6067.

Taf. 131,1–2   Bildnis eines Unbekannten, Rom, Thermen-Museum, nach Photo G. Fittschen-Badura.

Taf. 132,1–2   Bildnis des Antisthenes, Rom, Vatikan, Gall.Geogr., nach Inst.Neg. Rom 77.496/500.

Taf. 133,1–2   Bildnis eines Unbekannten mit Myrtenkranz, Athen, Nat.Mus., Gipsabguß Göttingen, nach Photo St. Eckardt.

Taf. 134,1–3   Büste des Chrysipp, Neapel, Mus.Naz., nach Inst.Neg. Rom 60.608–610.

Taf. 135,1   Büste des Karneades „Farnese", z. Z. verschollen, Stich nach Gallaeus in J. Faber, Illustrium imagines (1606), nach Taf. 42 ebenda.

Taf. 135,2–3   dasselbe, Gipsabguß Kopenhagen, Statens Museum for Kunst, nach Mus.Photo.

Taf. 136–137   Bronzebildnis eines Unbekannten, sog. Sophokles Arundel, London, Brit.Mus., nach Mus.Photo.

Taf. 138,1   Bronzebildnis eines Unbekannten aus der Pisonenvilla von Herculaneum, sog. Pseudo-Seneca, Neapel, Mus.Naz., Gipsabguß Göttingen, nach Photo St. Eckardt.

Taf. 138,2   Kopf des Schleifers, Florenz, Uffizien, Gipsabguß Göttingen, nach Photo St. Eckardt.

Taf. 139,1–2   wie Taf. 138,1, nach Inst.Neg. Rom 85.514/519.

Taf. 140,1–2   Bildnis Homers, sog. Blinden-Typus, Schwerin, Gipsabguß Göttingen, nach Photo St. Eckardt.

Taf. 141,1–2   Bildnis Ptolemaios' VI., Alexandria, nach Inst.Neg. Kairo F 12675/6 und F 12702/3 (D. Johannes).

antiken Vorbild der mittleren Kaiserzeit (?), Modena, Gall. Estense, nach Photo Bandieri, Modena.

Taf. 160   Codex Vaticanus 3439 fol. 124' des F. Ursinus, nach Ch. Huelsen, RM 16, 1901 Taf. 6.

Tafelteil

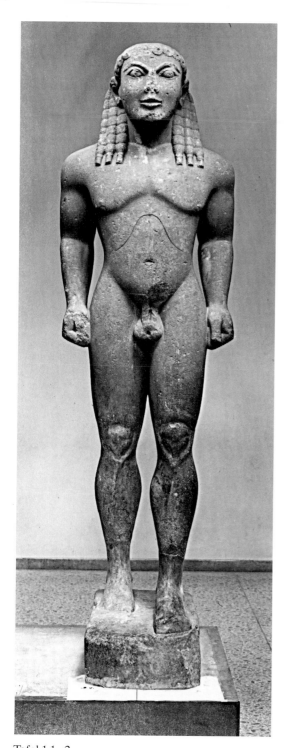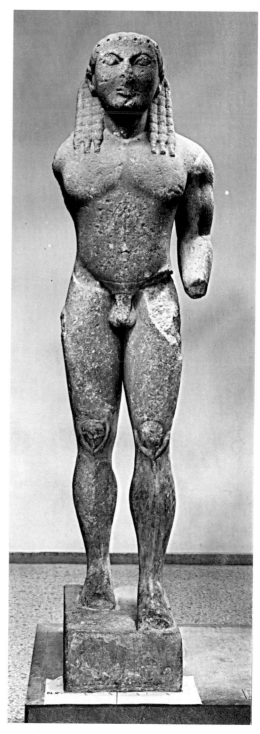

Tafel 1,1–2
Bildnisstatuen des Kleobis und Biton, Delphi, Museum (S. 4, 15, 17)

Tafel 2,1
Kopf des Kuros vom Dipylon, Athen, Nat.Mus. (S. 15, 17)

Tafel 2,2
Kopf des sog. Rampinschen Reiters, Gipsabguß des Originals im
Louvre, Athen, Akropolis-Museum (S. 15, 17)

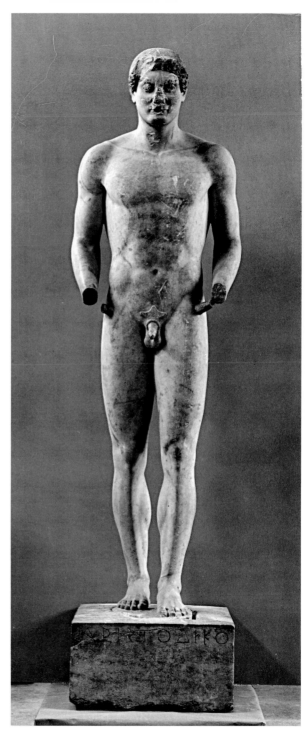

Tafel 3,1
Grabrelief des Dermys und Kitylos,
aus Tanagra, Athen, Nat.Mus. (S. 15, 17)

Tafel 3,2
Bildnisstatue des Aristodikos, aus Keratea, Athen,
Nat.Mus. (S. 15, 17)

Tafel 4,2
Tondo mit Bildnis des Arztes Aineios, Athen,
Nat.Mus. (S. 17, 225, 230, 241)

Tafel 4,1
Grabrelief des Aristion, aus Velanideza,
Athen, Nat.Mus. (S. 15, 17, 260)

Tafel 4,3
Grabrelief aus Naukratis, Aufbewahrungsort
unbekannt (S. 17, 261)

Tafel 5,1
Grabrelief eines Diskusträgers, vom Dipylon, Athen, Nat.Mus.
(S. 17, 241, 261)

Tafel 5,2
Relief vom „Harpyien"-
Monument in Xanthos,
London, Brit. Mus.
(S. 261, 338)

Tafel 6.1
Halsbild einer protoattischen Kanne, Athen,
Nat.Mus. (S. 240)

Tafel 6.4
Seher Halimedes vom Amphiaraos-Krater,
ehem. Berlin, im Krieg zerstört (S. 225, 241)

Tafel 6.2–3
Tonpinakes aus Korinth, Berlin (West), Staatl.Museen (S. 240, 241)

Tafel 6.5
Tonpinax des Exekias, Berlin (West), Staatl.Museen (S. 241, 261)

Tafel 7
Tyrannenmörder, Neapel, Mus.Naz., Gipsabguß Göttingen (S. 17, 229)

Tafel 8.2
Kopf eines Bärtigen, Athen, Akropolis-Mus. (S. 18, 31 Anm. 65)

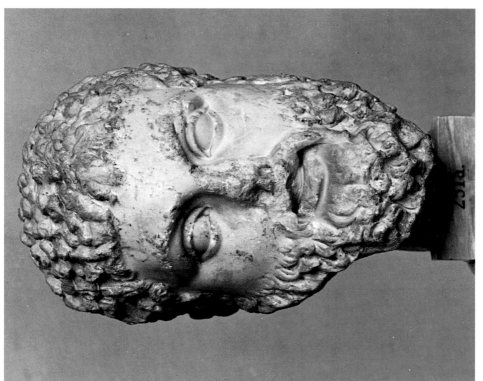

Tafel 8.1
Kopf des Herakles, Kopenhagen, NCG (S. 289)

Tafel 9,2
Bildnis des Themistokles, Ostia, Mus. (S. 13, 18, 31 Anm. 65, 286 ff., 302 ff., 313)

Tafel 9,1
Bildnis des Aristogeiton, Rom, Pal. Cons. (S. 17, 289, 316)

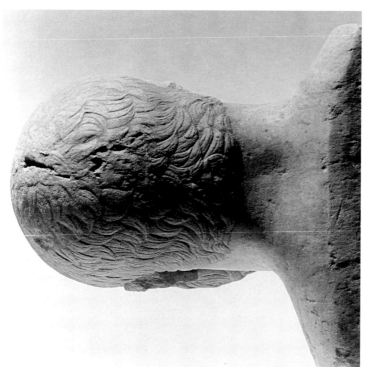

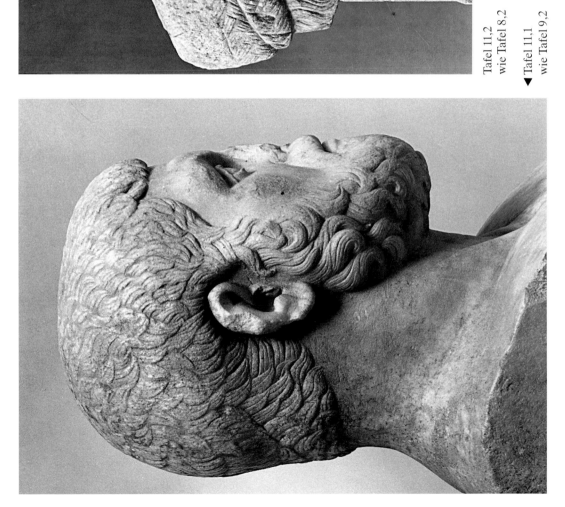

Tafel 11,2
wie Tafel 8.2

▼Tafel 11,1
wie Tafel 9,2

Tafel 12.2
Kopf eines Sehers aus dem Ostgiebel des Zeus-Tempels in Olympia
(S. 5, 18, 259, 264, 265)

Tafel 12.1
wie Tafel 9,2

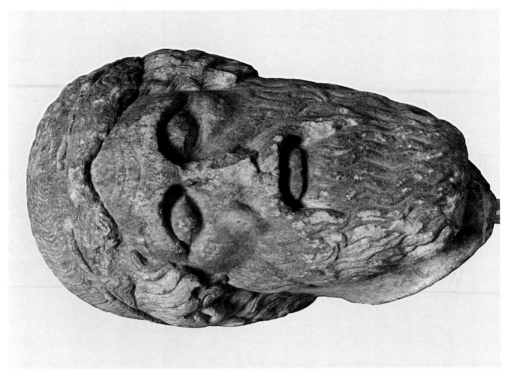

Tafel 13,1–2
Bildnis des Homer, Epimenides-Typus, München (S. 5, 13, 18, 230, 247)

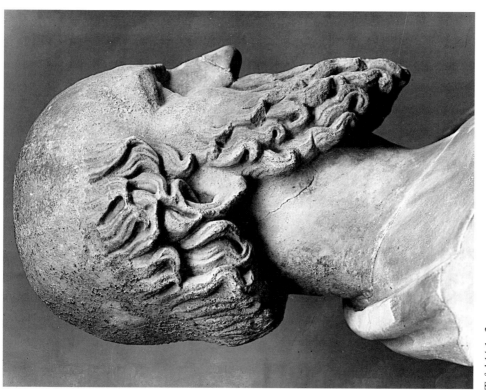

Tafel 14,1–2
Bildnis eines Kahlköpfigen („Aischylos"), Rom, Mus.Cap. (S. 18, 24, 57 Anm. 59, 229)

Tafel 15,1–2
Bildnis des Pindar, Rom, Mus.Cap. (S. 19, 24, 230, 245, 309)

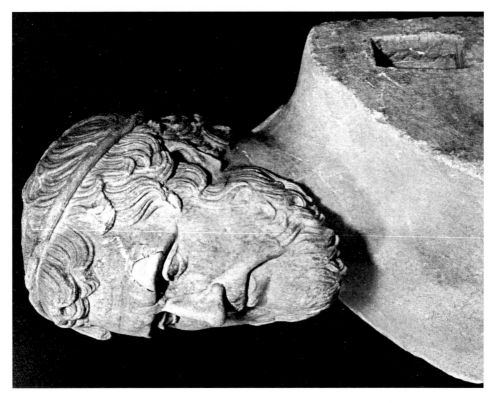

Tafel 16,1–2
Bildnis eines Unbekannten, Rom, Vatikan, Sala delle Muse (S. 245)

Tafel 17.1–2
Bildnis des „Schreitenden Dichters", Wien, Kunsthist.Mus. (S. 31 Anm. 58)

Tafel 18,1−2
Bildnis eines Unbekannten („Sophokles III"), London, Brit.Mus. (S. 230)

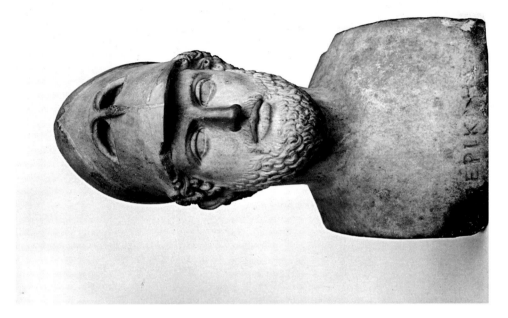

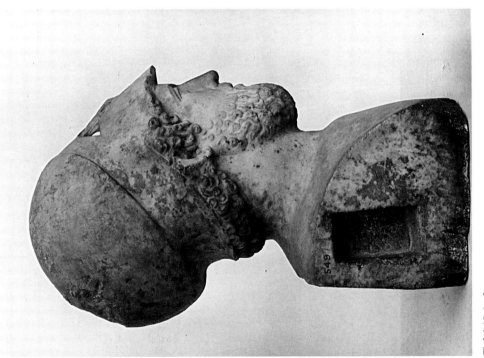

Tafel 19,1–2
Bildnis des Perikles, London, Brit.Mus. (S. 20, 48, 229, 230, 377, 382)

Tafel 20.1
Bildnis des Perikles, Rom, Vatikan, Sala delle Muse (S. 229 f., 258, 382)

Tafel 20.2
Grabstele aus Karystos in Berlin (Ost), Staatl. Museen (S. 236 Anm. 26, 258, 383)

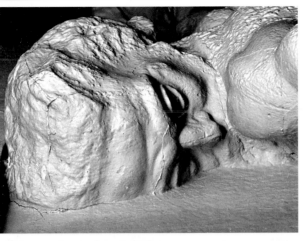

Tafel 21,1
Kopf eines Kentauren aus dem Westgiebel des
Zeustempels in Olympia (S. 5, 19, 243)

Tafel 21,2
Kriegerkopf von einem Krater des
Achilleus-Malers in New York, Met.Mus.
(Rogers Fund) (S. 232, 241, 259 f., 262)

Tafel 21,3
Kopf des Kentauren der Südmetope 1 des
Parthenon, Abguß (S. 227, 229)

1

2

3

4

Tafel 22,1–4
Köpfe von Kentauren der Südmetopen des Parthenon (S. 227, 229, 230, 243, 257, 259)

1

2

3

4

Tafel 23,1–4
wie Tafel 22

Tafel 24,3
Kopf einer Harpyie am Phineus-Krater
des Amykos-Malers in der Slg. Jatta
in Ruvo (S. 244)

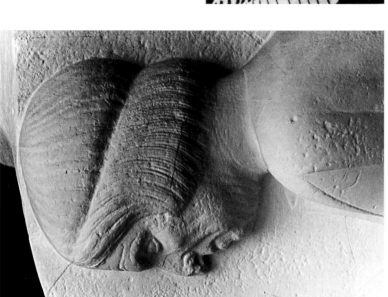

Tafel 24,2
Kopf einer alten Frau am Bostoner Thron,
Gipsabguß Göttingen (S. 231, 259)

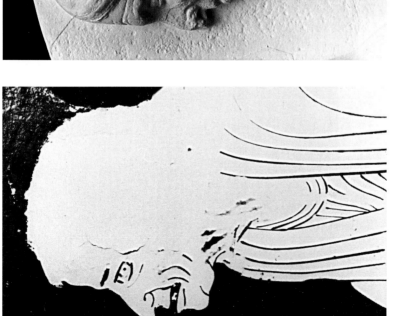

Tafel 24,1
Kopf der Amme Geropso am Skyphos des
Pistoxenos-Malers in Schwerin (S. 230)

Tafel 25.1–2
Bildnis einer alten Frau („Lysimache"), vielleicht der Königin-Amme Aithra, London, Brit.Mus. (S. 5, 230, 296)

Tafel 26,3
Vater des Eurystheus auf der Schale des
Euphronios, London, Brit. Mus.
(S. 20, 263)

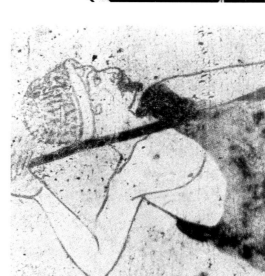

Tafel 26,2
Charon, weißgrundige Lekythos des Sabouroff-
Malers (S. 20, 242)

Tafel 26,1
Äsop im Innenbild einer attisch-rotfigurigen
Schale, Rom, Vatikan (S. 20, 232, 241)

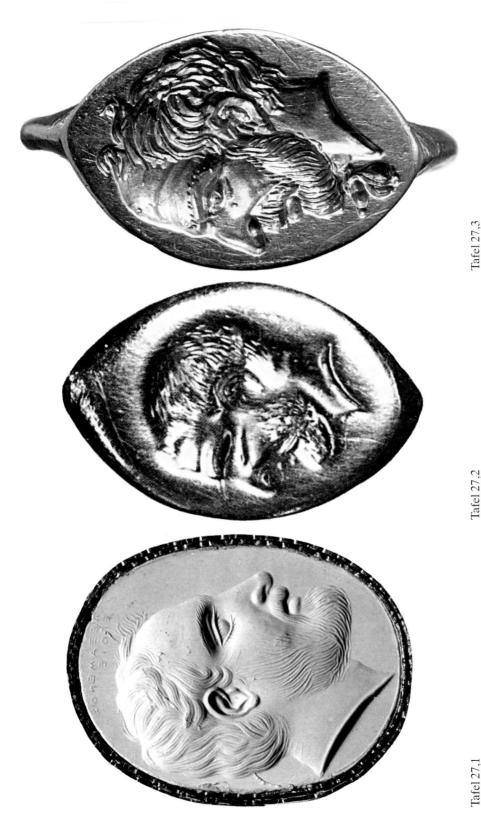

Tafel 27,1
Gemme des Dexamenos, aus Attika, Boston,
Museum of Fine Arts (Francis Barlett Collection)
(S. 98, 229, 230, 232, 236 Anm. 26, 242, 257, 281)

Tafel 27,2
Goldring aus Tumulus IV von
Nymphaion (Krim), Oxford, Ashmolean
Museum (S. 232, 242)

Tafel 27,3
Goldring, Berlin (West), Staatl. Museen
(S. 229, 232, 236 Anm. 26, 242)

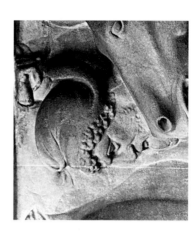

Tafel 28.3
Tetradrachme mit Bildnis des Tissaphernes, ehemals Berlin, Staatl. Münzslg. (S. 20, 242, 282)

Tafel 28.4
Kopf eines persisch gekleideten Mannes, am lykischen Sarkophag aus Sidon, Istanbul, Arch. Mus. (S. 20)

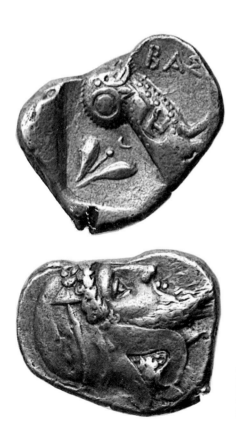

Tafel 28.1
Tetradrachme mit Bildnis des Tissaphernes aus dem Münzfund von Karaman, London, Brit.Mus. (S. 20, 279ff., 339ff.)

Tafel 28.2
Tetradrachme mit Bildnis des Tissaphernes, London, Brit.Mus. (S. 20, 229, 282, 339)

1

Tafel 29,1   Bronzemünze der Stadt Astyra mit Bildnis des Tissaphernes,
Privatslg. (S. 20 f.)

2

Tafel 29,2   Tetradrachme der Stadt Kyzikos mit Bildnis des Pharnabazos,
ehemals Berlin, Staatl. Münzslg. (S. 229, 242, 283 f.)

3

4

5

6

7

8

Tafel 29,5–8   Statere der Stadt Kyzikos mit dem Bildnis eines (?)
Unbekannten (S. 21, 231, 256, 282)

▼ Tafel 29,3   Elektronmünze der Stadt Phokea mit Bildnis eines
unbekannten Satrapen (S. 20)

▼ Tafel 29,4   Tetradrachme der Stadt Abdera mit dem Namen des
Münzbeamten Pythagoras und dem Bildnis eines
Unbekannten (S. 20, 282)

Tafel 30,1–10   Lykische Münzen (S. 339 ff.)

13

16

12

15

11

14

Tafel 31,11–16   Lykische Münzen (S. 339 ff.)

Tafel 32.1–6 Lykische Münzen (S. 341 ff.)

Tafel 33,7–11   Lykische Münzen (S. 341 ff.)

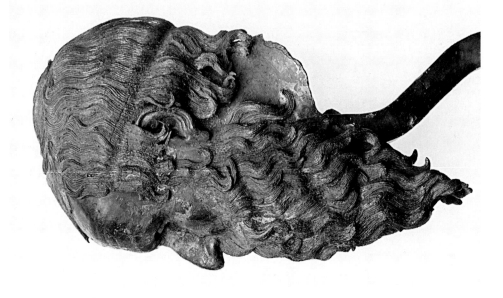

Tafel 34,1–2
Bildnis eines Unbekannten, aus dem Schiffswrack bei Porticello, Reggio Calabria, Mus.Naz. (S. 14, 19)

Tafel 35,1–2
wie Tafel 34,1–2

Tafel 36,1–2
Bildnis des Sophokles, Typus Farnese, London, Brit. Mus. (S. 19, 158, 166, 226, 245, 265 f.)

Tafel 37,1–2
Bildnis des Sophokles „Farnese", Neapel, Mus. Naz. (S. 166, 194, 245)

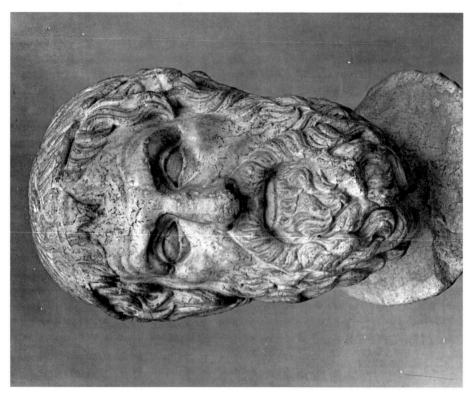

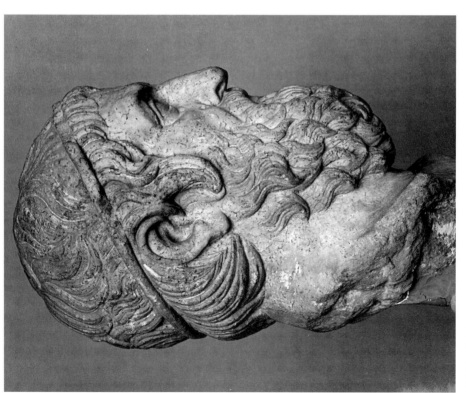

Tafel 38.1–2
Bildnis des Sophokles, Typus Farnese, Kopenhagen, NCG (S. 166, 245, 265 f.)

Tafel 39,1–2
Doppelherme mit Bildnis des Sophokles, Typus Farnese, und des Euripides, Typus Farnese, Dresden, Staatl. Skulpturensammlung
(S. 158, 160, 168, 199, 206)

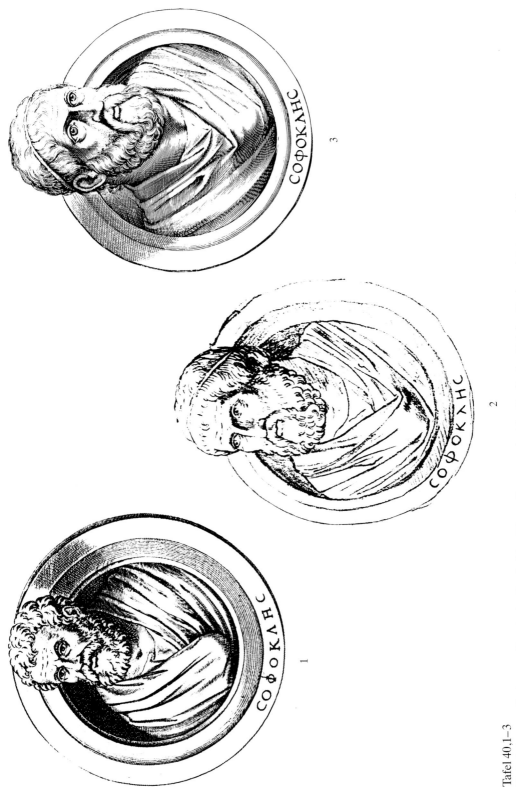

Tafel 40.1–3
Unterlebensgroße *imago clipeata* des Sophokles, Typus Farnese, einst im Besitz des Fulvius Ursinus, jetzt verschollen;
1 nach F. Ursinus, 1570; 2 nach Gallaeus; 3 nach Faber, 1606 (S. 9, 131, 191, 199)

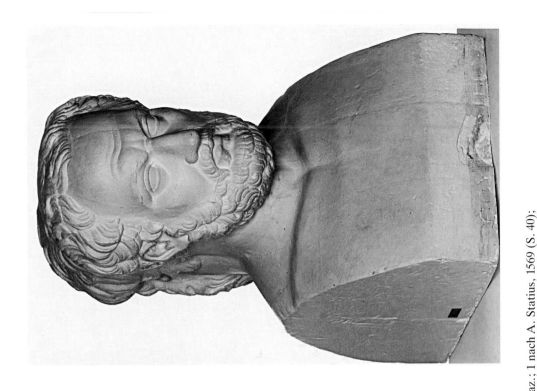

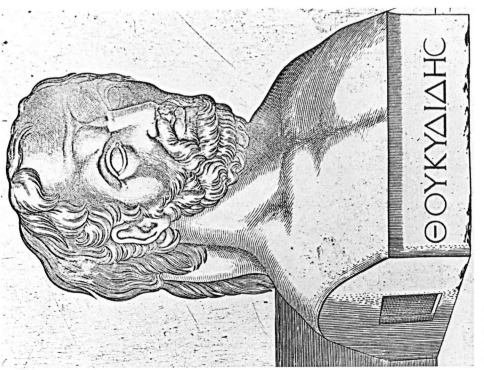

ΘΟΥΚΥΔΙΔΗС

Tafel 41,1–2
Doppelherme mit Bildnissen des Thukydides und des Herodot, Neapel, Mus.Naz.; 1 nach A. Statius, 1569 (S. 40);
2 nach Abguß Göttingen (S. 9, 39, 123, 125, 131, 157, 192, 194, 257)

Tafel 42,1–2
wie Tafel 41,1–2, Bildnis des Thukydides (S. 21, 39 ff., 231)

Tafel 43,1–2
Büste des Thukydides, Holkham Hall (S. 21, 42 ff., 231, 257, 262)

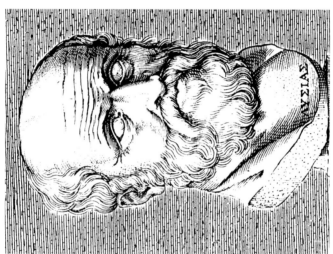

Tafel 44.1–3
Bildnis des Lysias, Neapel, Mus. Naz. (S. 124, 131, 165 Anm. 76, 177, 192, 255); 1 nach F. Ursinus, 1570; 2 nach Faber, 1606 (S. 192)

Tafel 45.1–2
Bildnis des Lysias, Rom, Mus.Cap. (S. 165, 177, 192, 231, 243, 257, 262, 264)

Tafel 46,1–2
Bildnis des Sokrates, Typus A, Neapel. Mus.Naz. (S. 228, 243, 276)

Tafel 47,1–2
Hermenbüste des Platon, Berlin (Ost), Staatl. Museen (S. 61)

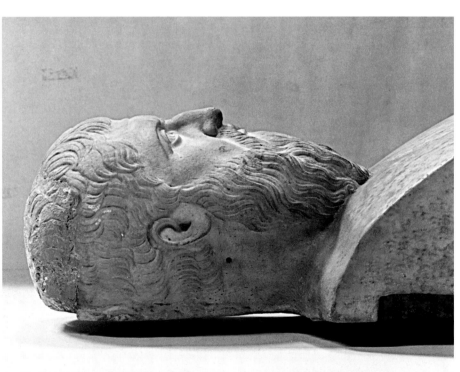

Tafel 48,1–2
Bildnis des Platon von einer Doppelherme, Rom, Vatikan, Ingresso (S. 61)

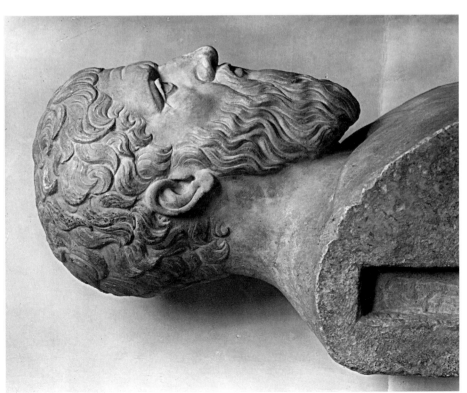

Tafel 49,1–2
Bildnis des Platon, Rom, Vatikan, Sala delle Muse (S. 22, 24, 62, 64, 228f., 231, 243, 245 ff., 255, 262)

Tafel 50,2
Kopf eines attischen Grabreliefs, Kopenhagen, NCG (S. 24)

Tafel 50,1
Bildnisherme des Miltiades, vom Caelius in Rom, zeitweilig verschollen,
jetzt Ravenna, Mus.Naz. (S. 24, 51 Anm. 6, 125)

Tafel 51,1−2
Kopf der Statue des sog. Heraklit, Iraklion, Nat.Mus. (S. 229)

Tafel 52,1–2
Bildnis eines Unbekannten (sog. Apollodor) aus der Pisonenvilla von Herculaneum. Neapel, Mus. Naz. (S. 24 Anm. 145, 113 Anm. 9)

Tafel 53,1–2
Bronzebildnis eines Boxers aus Olympia, Athen, Nat. Mus. (S. 24 Anm. 145, 234 Anm. 11, 318, 365 f. Anm. 34. 39)

Tafel 54.2
Bildnis eines Herrschers (? sog. Philipp II.), Kopenhagen, NCG (S. 221)

Tafel 54.1
Bildnis des Maussollos aus Halikarnassos, London, Brit. Mus., Abguß
Göttingen (S. 1. 21. 48. 231. 257. 346)

Tafel 55,1–2
Bildnis des Bias, Rom, Vatikan, Sala delle Muse (S. 230)

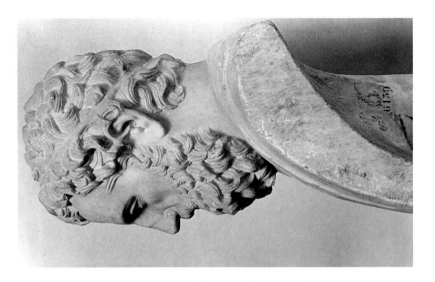

Tafel 56,1–3
Bildnis des Aischylos „Farnese", Neapel, Mus.Naz. (S. 21, 24, 278 Anm. 15)

Tafel 57,1–3
Bildnis des Sophokles, Typus Lateran, Vatikan, Mus. Greg. Prof. (S. 21, 24, 68 Anm. 8, 226, 245, 247, 264 f.); 1–2 nach Abguß vor der Restaurierung; 3 nach der Restaurierung

Tafel 58.1–3
Bildnis des Sokrates, Typus B, Paris, Louvre (S. 354)

Tafel 59,1–3
Bildnis des Sokrates, Typus B, Rom, Pal.Cons (S. 120, 353)

Tafel 60,3
Bildnis des Sokrates, Typus B, neuzeitliche
Kopie nach Replik Tafel 61 in Slg. Fiamingo
(S. 356)

Tafel 60,1–2
Bildnis des Sokrates, Typus B, Sphax, Museum (S. 6, 351)

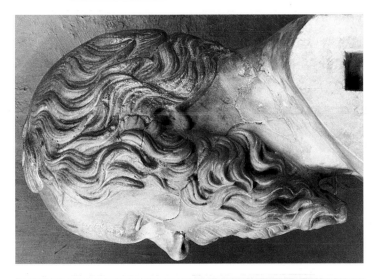

Tafel 61.1–3
Bildnis des Sokrates, Typus B, Rom, Mus.Cap. (S. 352)

Tafel 62,1–3
Bildnis des Sokrates, Typus B, Rom, Thermen-Mus. (S. 352 Anm. 3, 356)

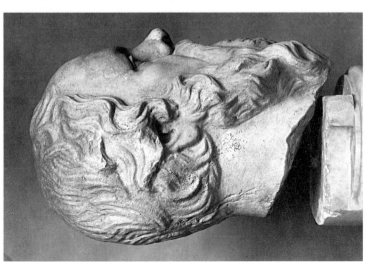

Tafel 63,1–3
Bildnis des Sokrates, Typus B, Rom, Thermen-Mus. (S. 275, 353)

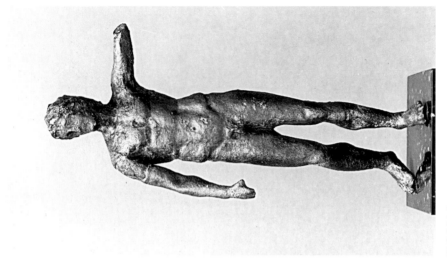

Tafel 64,3
Bronzestatuette Alexanders d. Gr.,
Paris, Louvre (S. 24, 116)

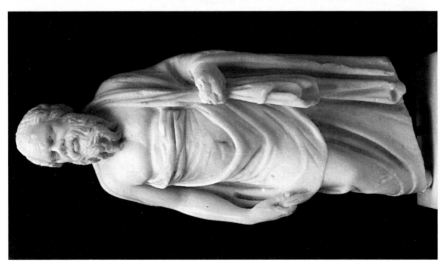

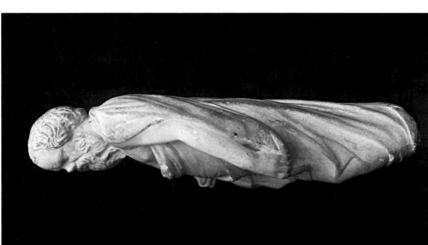

Tafel 64,1–2
Statuette des Sokrates aus Alexandria, London, Brit.Mus. (S. 235 Anm. 18)

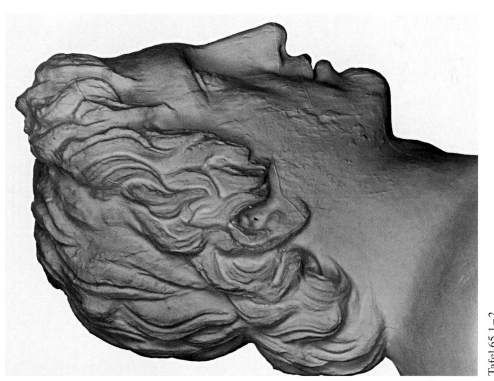

Tafel 65,1–2
Hermenbildnis Alexanders d. Gr. (Herme Azara), Paris, Louvre, Abguß Göttingen (S. 24, 56 Anm. 50, 116, 204)

Tafel 66,1–2
Bildnis Alexanders d. Gr., Privatbesitz Schwarzenberg, Gipsabguß Göttingen (S. 25)

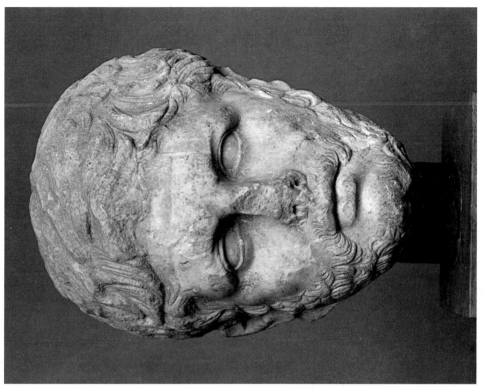

Tafel 67,2
Bildnis eines Unbekannten, Kopenhagen, NCG (S. 275)

Tafel 67,1
Bildnis des Agias, Delphi, Museum (S. 203, 275, 277)

Tafel 68,2
Kopf des sog. Sandalenlösers, London, Brit.Mus. (S. 203)

Tafel 68,1
Kopf des Apoxyomenos, Rom, Vatikan (S. 199, 203, 277)

Tafel 69.1–2
Kopf des Bogenspannenden Eros (S. 203); 1 Replik London, Brit.Mus.; 2 Replik Paris, Privatbesitz

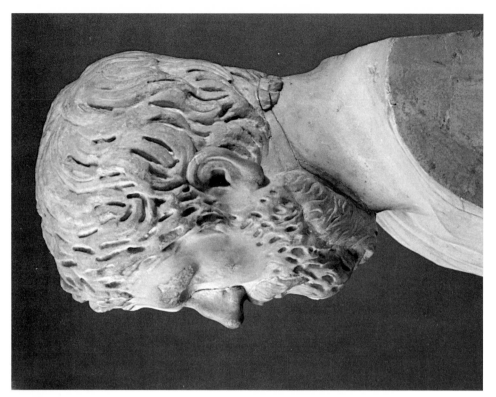

Tafel 70,1–2
Bildnis des Xenophon, Madrid, Prado (S. 273)

Tafel 71,1–2
Bildnis des Xenophon, Alexandria, Griech.-Röm. Museum (S. 272 ff.)

Tafel 72,1–2
Bildnis des Archidamos aus der Pisonenvilla von Herculaneum, Neapel, Mus.Naz. (S. 101, 114, 174 Anm. 77, 226, 228, 243, 275)

Tafel 73,1–2
Bildnis des Euripides „Farnese", Neapel, Mus. Naz. (S. 24, 48, 166, 226, 228ff., 243, 263, 265, 275)

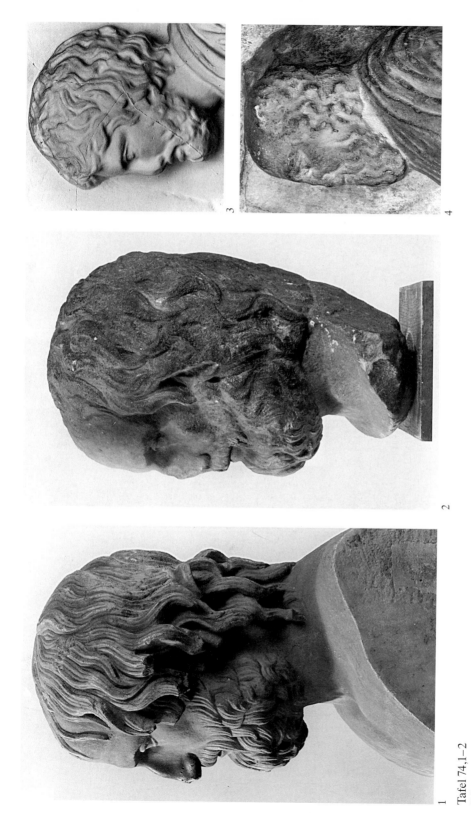

3

4

2

1

Tafel 74,1–2
Bildnisse des Euripides, Typus Farnese: 1 Replik Mantua, Pal. Ducale (S. 251 Anm. 53); 2 Replik Budapest, Museum der Schönen Künste (S. 263)

Tafel 74,3
Kopf eines Phylenheroen, ehemals Athen, Parthenon-Ost-Fries, Abguß Göttingen (S. 20, 24, 263)

Tafel 74,4
Kopf eines Gesandten am Kleinen Sockelfries des Nereiden-Monuments in Xanthos, London, Brit. Mus., Gipsabguß Göttingen (S. 24, 264)

Tafel 78.1–2
Bildnis des Aristoteles. Rom, Thermen-Mus. (S. 163, 168)

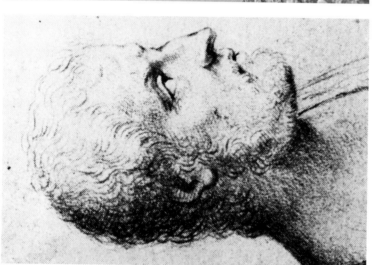

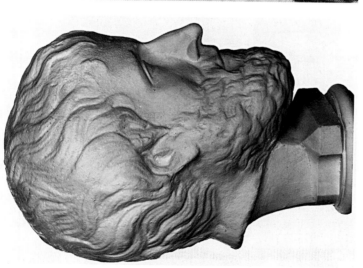

Tafel 77.1–3
Bildnisse des Aristoteles: 1 Replik Kopenhagen, NCG, Abguß Göttingen (S. 162, 168); 2 wie Tafel 76.2, nach P. P. Rubens (S. 157, 167);
3 wie Tafel 78.1–2 (S. 163)

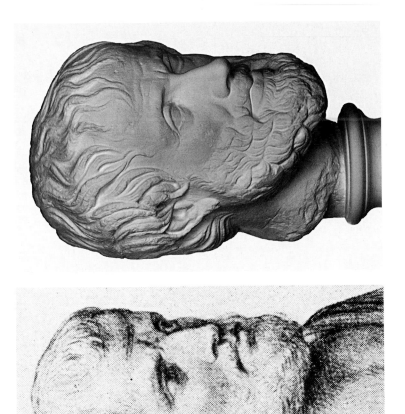

Tafel 76,1–3
Bildnisse des Aristoteles: 1 Replik Palermo, Mus. Naz. (S. 162); 2 Unterlebensgroße Büste, einst im Besitz des Fulvius Ursinus, jetzt verschollen, nach Gallaeus (S. 157, 160, 167); 3 Replik Wien, Kunsthist. Museum, Abguß Göttingen (S. 163, 169, 177, 221, 226, 228, 254, 257, 262)

Tafel 75,1–2
Bildnis des Euripides, Typus Farnese, Mantua, Pal. Ducale (S. 57 Anm. 57, 251 Anm. 53)

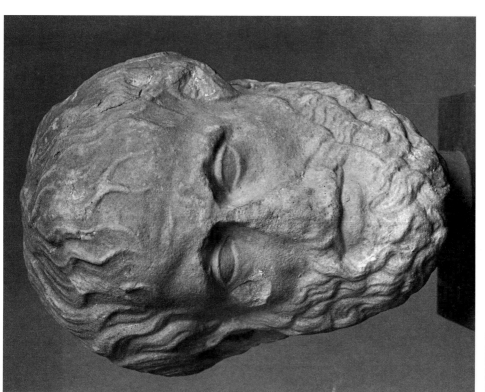

Tafel 79,1-2
Bildnisse des Aristoteles: 1 Replik Kopenhagen, NCG (S. 162); 2 Replik Wien, Kunsthist. Museum (S. 163, 169, 177, 221, 226, 228, 254, 257, 262)

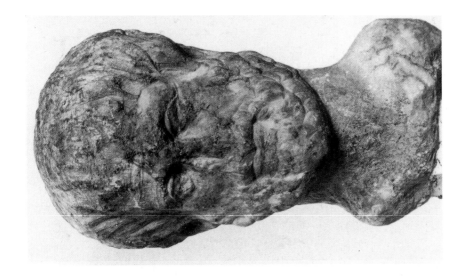

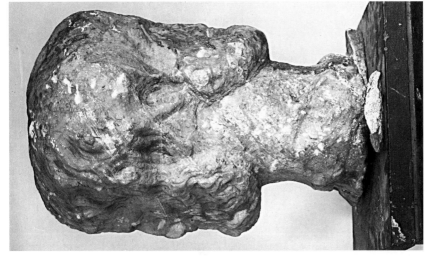

Tafel 80,1–3
Doppelherme mit zwei Bildnissen des Aristoteles, Athen, Nat. Mus. (S. 161)

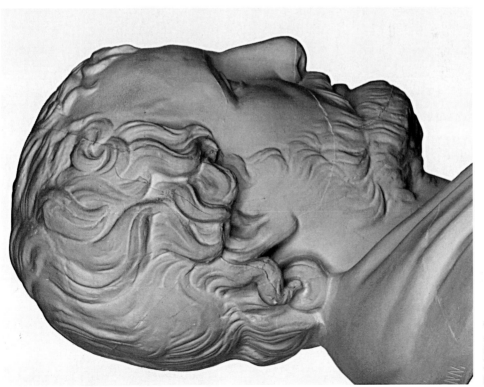

Tafel 81,1–2
Bildnis des Aischines von der Statue aus der Pisonenvilla von Herculaneum, Neapel, Mus.Naz., Gipsabguß Göttingen (S. 92, 112, 221)

Tafel 82.1–3
Bildnis des Hypereides, Kopenhagen, NCG (S. 176 ff.)

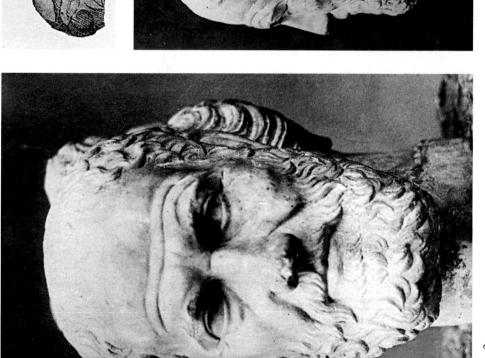

Tafel 83,1–3
Doppelherme mit Bildnissen des Hypereides und der Phryne, Compiègne, Musée Vivenel (S. 176ff.)

Tafel 84,1–2
Tetradrachmen des Seleukos
Nikator in London, geprägt
unter Antiochos I. (1) und
Philetairos (2)
(S. 26, 108 Anm. 16, 204)

Tafel 84,3–4
Bronzebildnis des Seleukos Nikator aus der Pisonenvilla von Herculaneum, Neapel, Mus. Naz.
(S. 26, 106, 230, 255, 278 Anm. 18)

Tafel 85,1–2
wie Tafel 84, 3–4

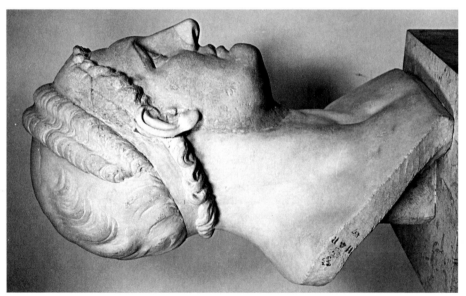

Tafel 86,2–3
Bildnis des Ptolemaios I. Soter, Paris, Louvre (S. 25, 107)

Tafel 86,1
Tetradrachme des
Ptolemaios I. Soter
(S. 107)

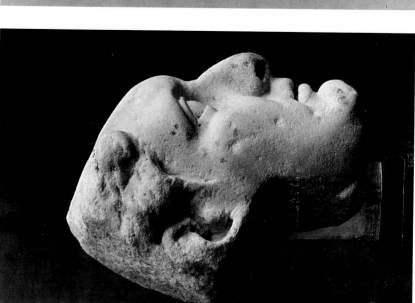

Tafel 87,2–3
Bildnis des Ptolemaios I. Soter, Kopenhagen, NCG (S. 25, 230, 278 Anm. 18)

Tafel 87.1
Tetradrachme des
Ptolemaios I. Soter
(S. 107)

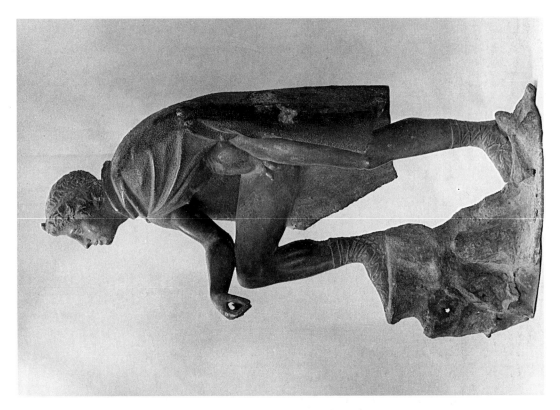

Tafel 88,1–2
Bronzene Bildnisstatuette des Antigonos Gonatas (?),
Neapel, Mus. Naz. (S. 107)

Tafel 89,1–2
Bildnis des Demetrios Poliorketes aus der Pisonenvilla von Herculaneum, Neapel, Mus.Naz. (S. 108, 113)

Tafel 90,1–2
Unterlebensgroße *imago clipeata* des Menander, einst im Besitz des Fulvius Ursinus, jetzt verschollen
(S. 52 Anm. 10, 131, 191 ff., 199, 206, 210): 1 nach F. Ursinus, 1570; 2 nach Faber, 1606

Tafel 90,3
Inschrift des Menander-Clipeus, Marbury Hall, Gipsabguß Göttingen (wie Tafel 91,1)

Tafel 91,1
Imago clipeata des Menander,
Marbury Hall, Gipsabguß Göttingen
(S. 11, 195 ff. mit Anm. 51, 205, 210)

Tafel 91,2
Imago clipeata des Menander, ehem.
Smyrna, Evang. Schule, z. Z. verschollen
(S. 205, 210)

Tafel 91,3
Imago clipeata des Menander aus Ton, Boston,
Mus. of Fine Arts (S. 214 Anm. 30)

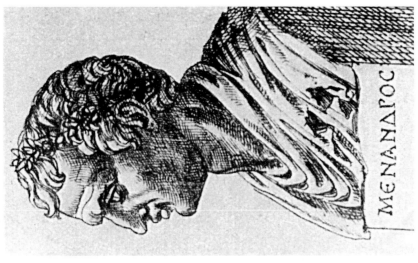

Tafel 92,1–3
Bildnisse des Menander: 1 und 3 nach P. Ligorio (S. 194, 206); 2 Replik Rom, Thermen-Museum (Slg. Ludovisi, S. 198, 205 f.).

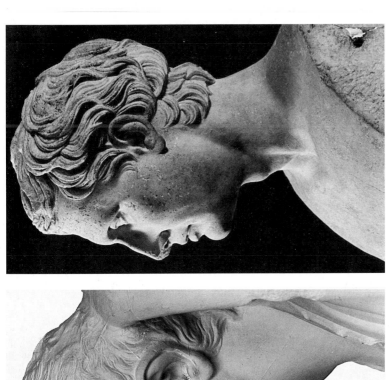

Tafel 93,1–3
Bildnisse des Menander: 1 Replik Dumbarton Oaks (S. 197, 201, 205); 2 wie Tafel 91,1; 3 Replik Boston, Museum of Fine Arts (S. 197, 200, 206)

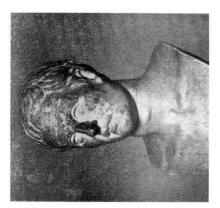

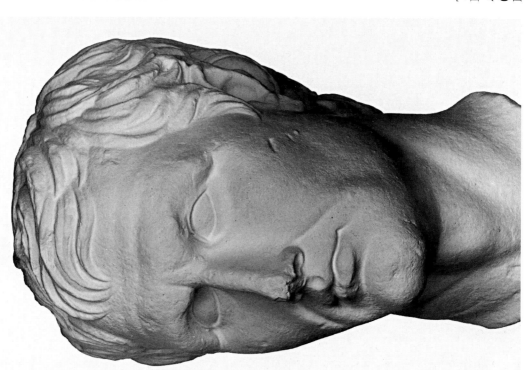

Tafel 94,1–3
Bildnisse des Menander: 1 Replik Philadelphia, Univ.Mus.,
Abguß Göttingen (S. 197, 201, 207); 2 wie Tafel 90,1–2 nach Gallaeus
(S. 193 ff., 195, 207); 3 Unterlebensgroße Replik ehem. Leipzig, Archäol.
Institut, z. Z. verschollen (S. 197, 206 f.)

Tafel 95.1–2
Hermenbüste des Menander, Venedig, Seminario Patriarcale (S. 200, 210, 375); 1 nach Paciaudi, 1761

Tafel 96.1–2
Bildnis des Menander, Kopenhagen, NCG (S. 200, 202)

Tafel 97,1–2
Bildnis des Menander, Venedig, Seminario Patriarcale (S. 202, 230, 375)

Tafel 98,1–2
Bildnis des Menander, Dumbarton Oaks (S. 197, 201, 207)

Tafel 99,1–2
Bronzebüstchen des Menander, Malibu, J. Paul Getty Museum (S. 11, 375)

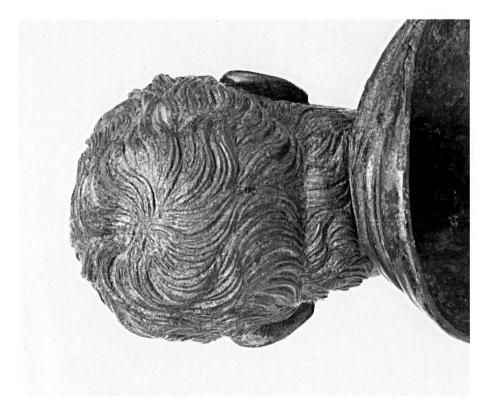

Tafel 100,1–2
Bronzebüstchen des Menander, Malibu, J. Paul Getty Mus. (wie Tafel 99,1–2)

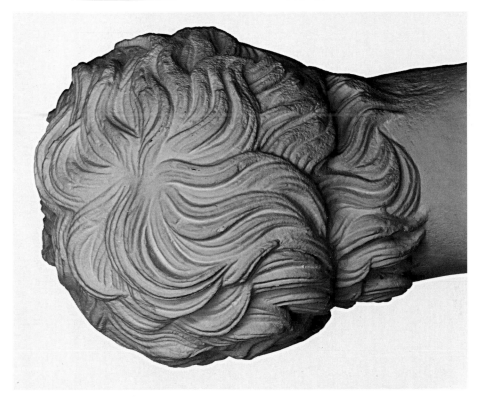

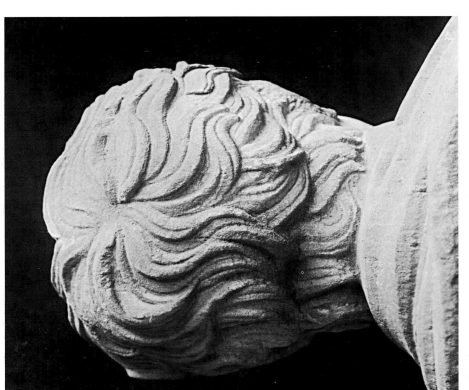

Tafel 101,1–2
Bildnisse des Menander: 1 Replik Venedig (vgl. Tafel 93,2); 2 Replik Boston, Abguß Göttingen (vgl. Tafel 93,3)

Tafel 102,1–2
Inschrift auf der Basis des Menanderbüstchens in Malibu (vgl. Tafel 99–100)

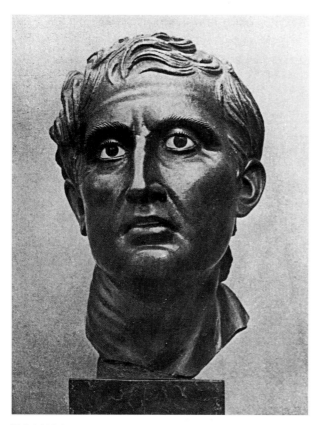

Tafel 102,3
Rekonstruktion des Menanderbildnisses
(S. 200f., 211, 255)

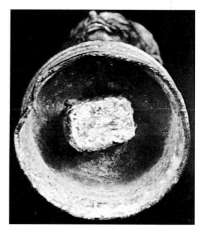

Tafel 102,4
Unterseite des Menander-
büstchens, Malibu
(vgl. Tafel 99–100)

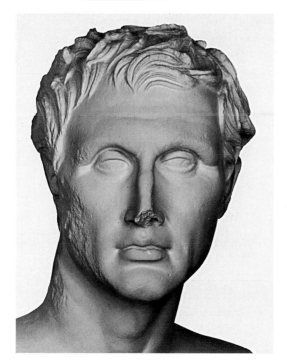

Tafel 103,1–3
Bildnisse des Menander: 1 Replik Boston
(vgl. Tafel 93,3; 101,2); 2 Replik Rom,
Thermen-Mus. (Slg. Ludovisi, S. 198);
3 Neuzeitliche Kopie Rom, Pal. Spada
(„Pompejus Spada", S. 197)

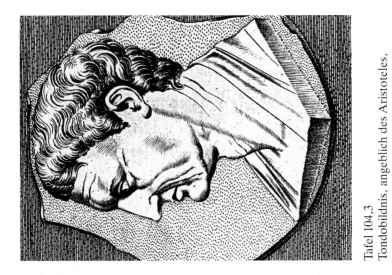

Tafel 104,3
Tondobildnis, angeblich des Aristoteles,
nach J. Faber, 1606 (S. 139 Anm. 56, 149)

Tafel 104,2
Bildnis des Menander, Replik Boston,
Museum of Fine Arts (vgl. Tafel 93,3; 101,2)

Tafel 104,1
Menanderrelief Rom, Vatikan, Mus. Greg. Prof.
(vgl. Tafel 105)

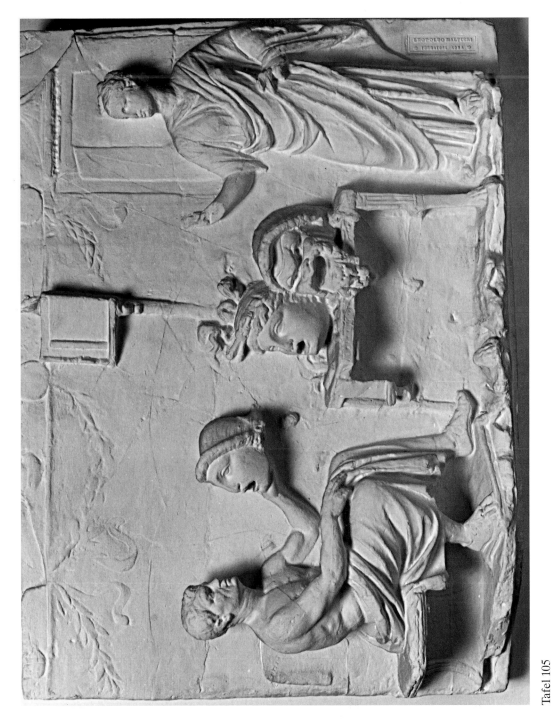

Tafel 105
Menanderrelief Rom, Vatikan, Mus. Greg. Prof., Gipsabguß Göttingen (S. 207 ff.)

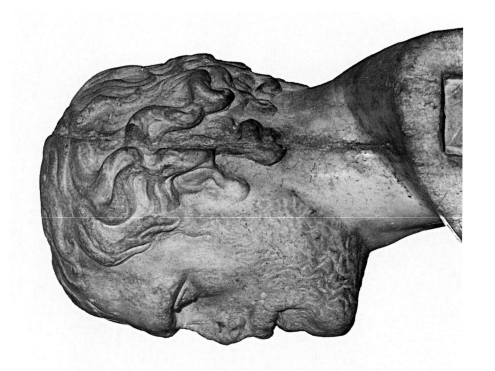

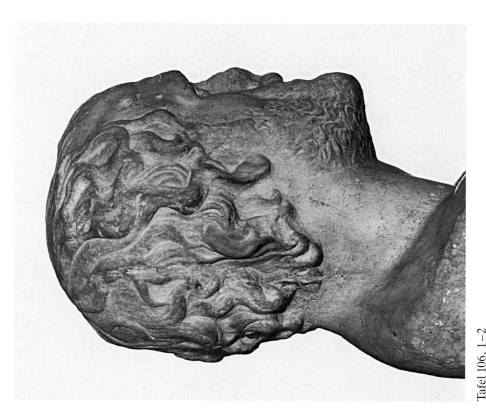

Tafel 106, 1–2
Hermenbüste des Olympiodoros, Oslo, Nationalgalerie (S. 6, 22, 220ff, 231)

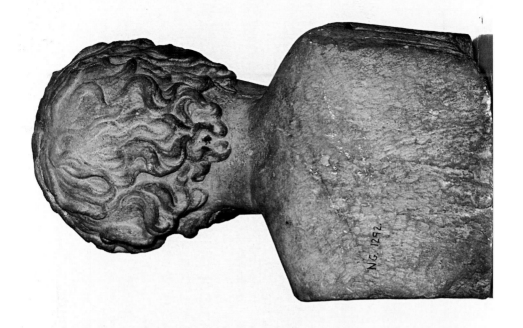

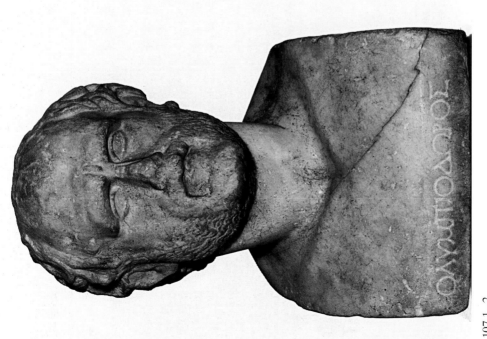

Tafel 107,1–2
wie Tafel 106,1–2

Tafel 108,1–2
Imago clipeata des Demosthenes, Rom, Villa Doria Pamphilj (S. 51 Anm. 6, 86, 196, 206, 210, 255)

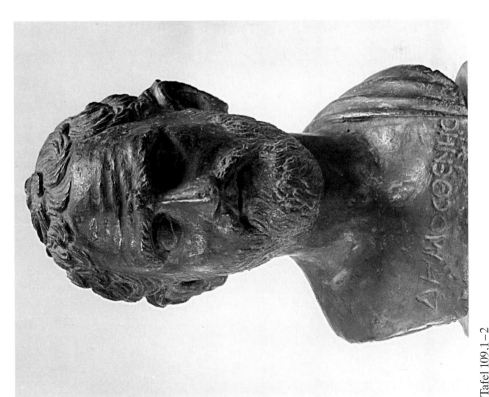

Tafel 109,1–2
Bronzebüstchen des Demosthenes aus der Pisonenvilla von Herculaneum, Neapel, Mus. Naz. (S. 83 Nr. m, 159, 238 Anm. 39)

Tafel 110,1–2
Bildnis des Demosthenes der Statue in Kopenhagen, NCG (S. 78, 166, 204, 221, 255)

Tafel 111,1–2
Bildnis des Demosthenes der Statue in Rom, Vatikan, Braccio Nuovo (S. 79, 166, 196, 204, 206, 221, 255)

Tafel 112,1–2
Bildnis des Demosthenes aus Eskişehir (Dorylaion), Oxford, Ashmolean Museum (S. 6, 204, 231 f.)

Tafel 113,1–2
Hand von einer Statue des
Demosthenes, Rom, Vatikan
(S. 142, 143 f.)

Tafel 113,3–4
Fuß von einer Statue des
Demosthenes, Rom, Vatikan
(S. 144)

Tafel 114,1
Statue des Demosthenes, Rom, Vatikan, Br.N.,
im ergänzten Zustand (S. 7, 79, 141, 210, 222)

Tafel 114,2
Torso des Demosthenes, Brüssel, Musée
Royaux d'Art et d'Histoire (S. 93)

Tafel 115,1–2
Statue des Demosthenes, Kopenhagen, NCG, im ergänzten Zustand von 1954 und davor (S. 7, 78, 141, 210)

Tafel 116,2
Trauernde am sog. Klagefrauen-Sarkophag aus Sidon
in Istanbul (S. 143)

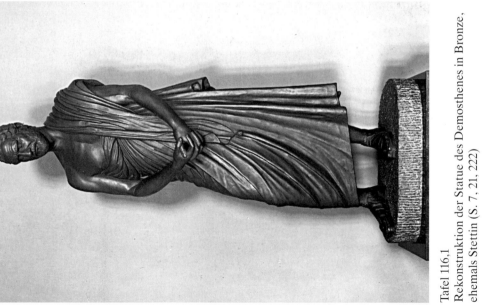

Tafel 116,1
Rekonstruktion der Statue des Demosthenes in Bronze,
ehemals Stettin (S. 7, 21, 222)

Tafel 117,1–2
Bildnis eines Unbekannten, Kopenhagen, NCG (S. 221)

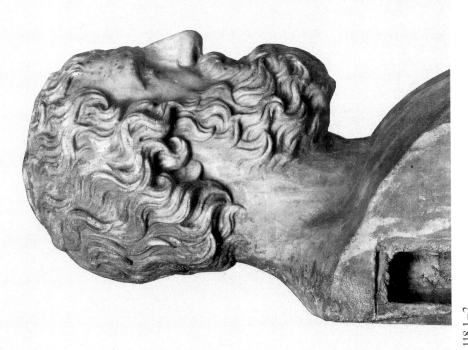

Tafel 118.1–2
Bildnis des Euripides, Typus Rieti, Dresden, Staatl. Skulpturenslg. (S. 166 mit Anm. 79, 250 Anm. 51, 263, 275)

Tafel 119,1–2
Bildnis des Euripides, Typus Rieti, London, Brit.Mus. (S. 166 mit Anm. 79, 246, 250 Anm. 51, 275)

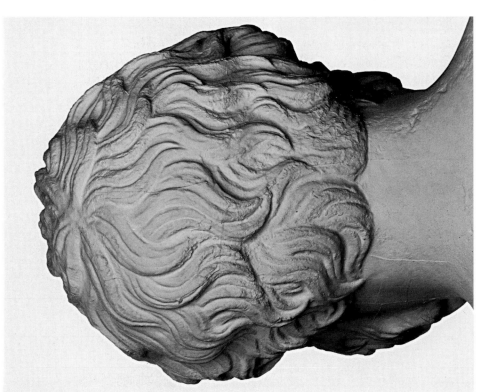

Tafel 120,1–2
Bildnisse des Euripides (S. 11f., 24): 1 Typus Rieti, Replik Dresden, Abguß Göttingen (vgl. Tafel 118); 2 Typus Farnese, Replik Mantua (vgl. Tafel 75)

Tafel 121,1–2
Bildnis eines Unbekannten, Rom, Museo Barracco (S. 167)

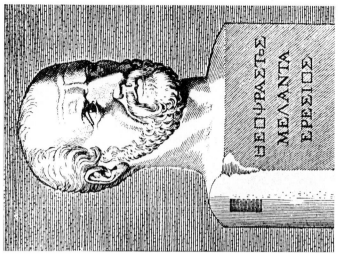

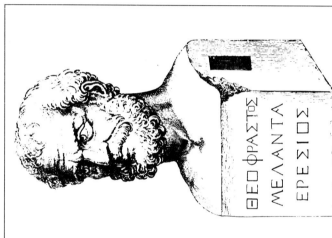

Tafel 122,1–3
Bildnisherme des Theophrast, Rom, Villa Albani (S. 131, 192): 1 nach A. Statius, 1569; 2 nach F. Ursinus, 1570; 3 nach J. Faber, 1606

Tafel 123,1–3
wie Tafel 122,1–3 (S. 25, 118, 123, 131, 153, 157, 204, 231)

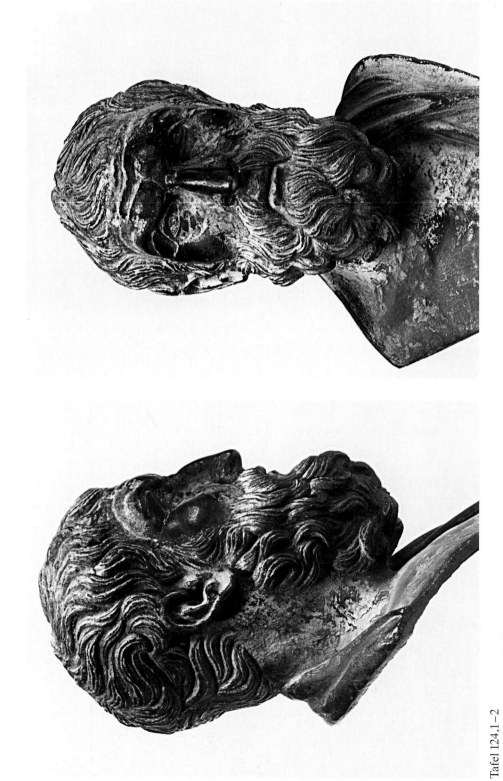

Tafel 124,1–2
Bronzebüstchen des Epikur aus der Pisonenvilla von Herculaneum, Neapel, Mus. Naz. (S. 25, 159, 204, 211, 255)

Tafel 125,1–2
Bildnis des Platon, Typus Holkham Hall–Basel, Holkham Hall (S. 25, 247 f., 255)

Tafel 126.1–3
Bildnis des Zenon, Neapel, Mus.Naz. (S. 25, 251 Anm. 55)

Tafel 127,4–5
Bildnis des Philetairos, Neapel (vgl. Tafel 128)

▼ Tafel 127,1–3
Tetradrachmen mit dem Bildnis des Philetairos,
geprägt unter Eumenes I., Attalus I. und
Eumenes II. (S. 114)

1

2

3

Tafel 128,1–2
Bildnis des Philetairos aus der Pisonenvilla von Herculaneum, Neapel, Mus.Naz. (S. 114, 262, 278 Anm. 18)

Tafel 129,1–2
Bildnis eines Kynikers (?), Rom, Mus.Cap. (S. 26 Anm. 155)

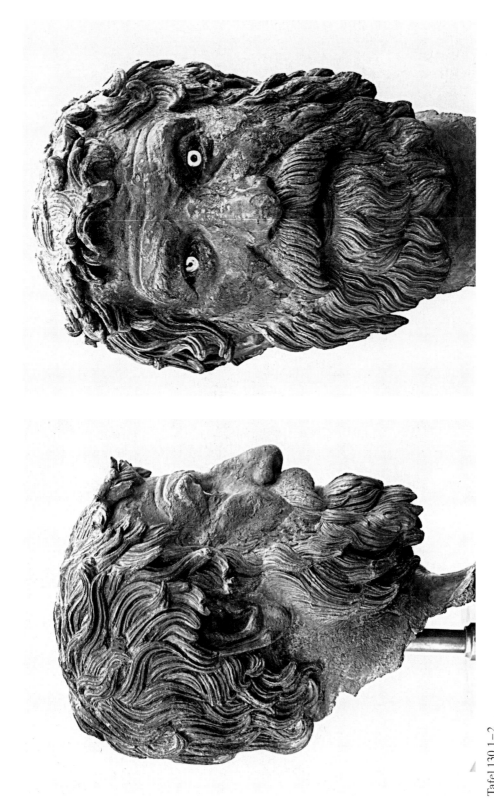

Tafel 130.1–2
Bronzebildnis eines Unbekannten aus dem Schiffsfund von Antikythera, Athen, Nat.Mus. (S. 19, 26 Anm. 155)

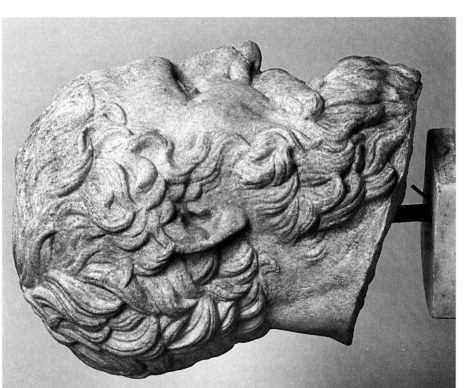

Tafel 131,1–2
Bildnis eines Unbekannten, Rom, Thermen-Museum (S. 19, 26 Anm. 155)

Tafel 132,1–2
Bildnis des Antisthenes, Rom, Vatikan, Gall. Geogr. (S. 23)

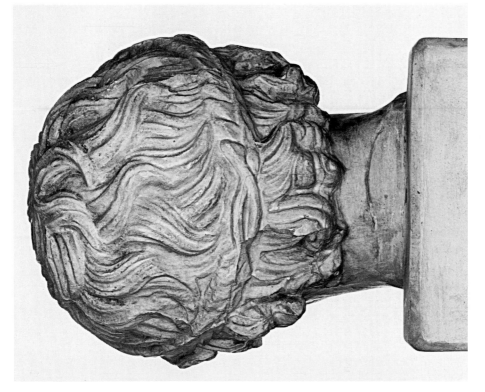

Tafel 133,1–2
Bildnis eines Unbekannten mit Myrtenkranz, Athen, Nat.Mus., Gipsabguß Göttingen (S. 26)

Tafel 134,1–3
Büste des Chrysipp, Neapel, Mus. Naz. (S. 26, 159)

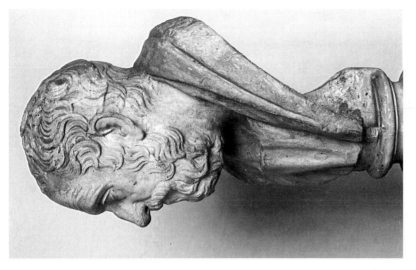

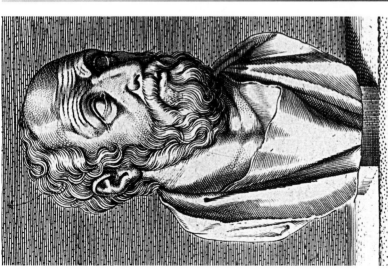

Tafel 135,1–3

Büste des Karneades „Farnese", z. Z. verschollen (S. 22 mit Nachtrag S. 38, 193): 1 nach J. Faber, 1606; 2–3 nach Abguß Kopenhagen, Statens Museum for Kunst

Tafel 136,1–2
Bronzebildnis eines Unbekannten, sog. Sophokles Arundel, London, Brit.Mus. (S. 26, 68 Anm. 17, 245, 264)

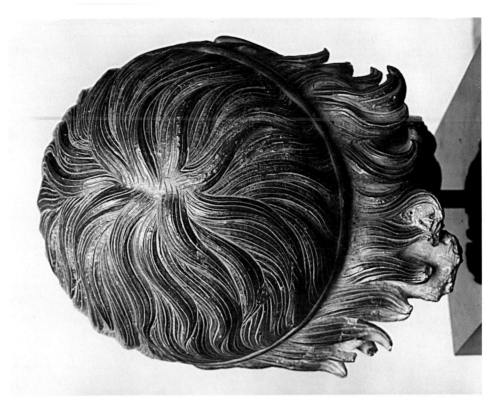

Tafel 137,1–2
wie Tafel 136,1–2

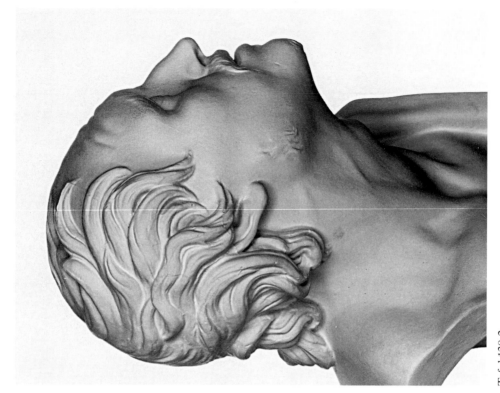

Tafel 138.2
Kopf des Schleifers, Florenz, Uffizien, Gipsabguß Göttingen (S. 5, 25)

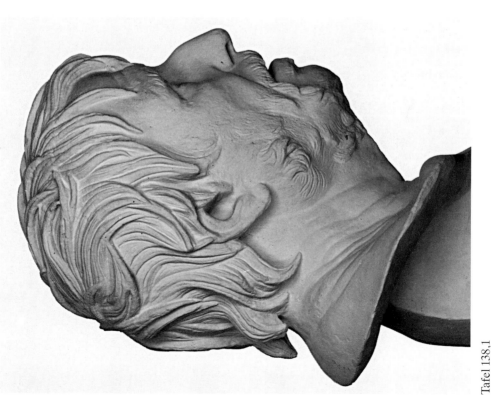

Tafel 138.1
Bronzebildnis eines Unbekannten aus der Pisonenvilla von
Herculaneum, sog. Pseudo-Seneca, Neapel. Mus.Naz.,
Gipsabguß Göttingen (S. 7, 25)

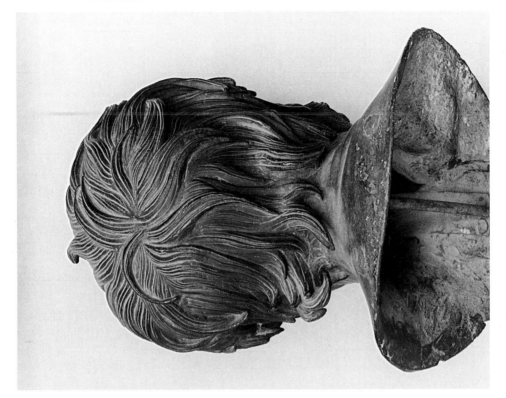

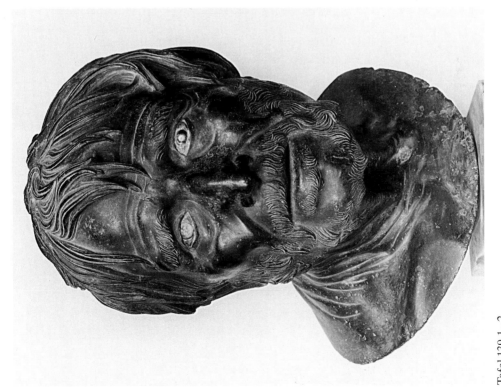

Tafel 139,1–2
Bronzebildnis eines Unbekannten aus der Pisonenvilla von Herculaneum, sog. Pseudo-Seneca, Neapel, Mus.Naz. (S. 7, 26, 113)

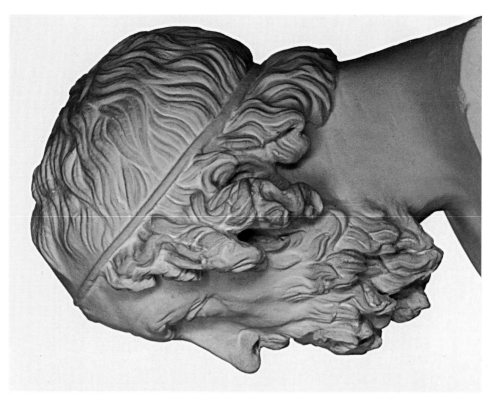

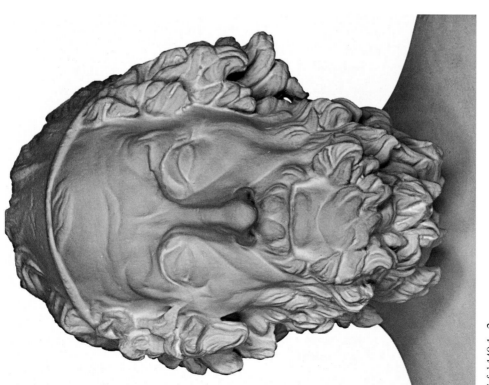

Tafel 140,1–2
Bildnis Homers, sog. Blinden-Typus, Schwerin, Gipsabguß Göttingen (S. 3, 5, 26, 230)

Tafel 141,1–2
Bildnis Ptolemaios' VI., Alexandria (S. 267ff.)

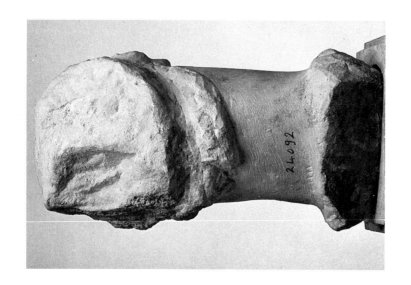

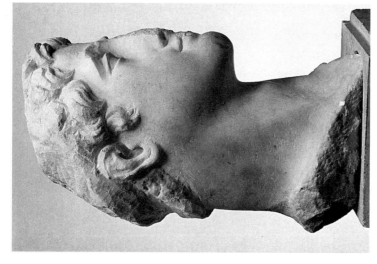

Tafel 142.2–3
wie Tafel 141

Tafel 142.1
Tetradrachme Ptolemaios' VI., Paris, Cab.
des Médailles (S. 73, 268)

Tafel 143,2
Bildnis eines Unbekannten, Delos, Museum (S. 22. 26)

Tafel 143,1
wie Tafel 141

Tafel 144,1–3
Granitbildnis Ptolemaios' VI. aus Aigina, Athen, Nat.Mus. (S. 27, 70, 268 f.)

Tafel 145,1–2
Granitbildnis Ptolemaios' VI. aus Abukir, Alexandria, Griech.-Röm.Museum (S. 27, 269)

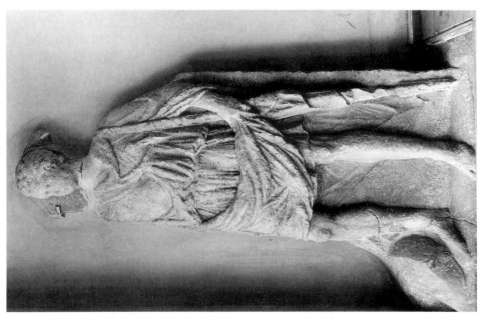

Taf. 146,1–2
Ehrenstele des Polybios, Kato Klitoria, Demarcheion (S. 22, 58 ff., 186): 1 heutiger Zustand; 2 Zustand im 19. Jh., nach Abguß Freiburg

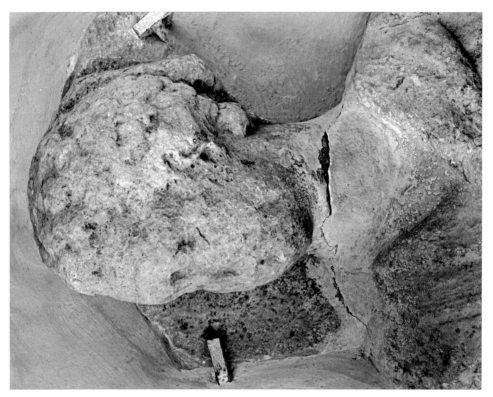

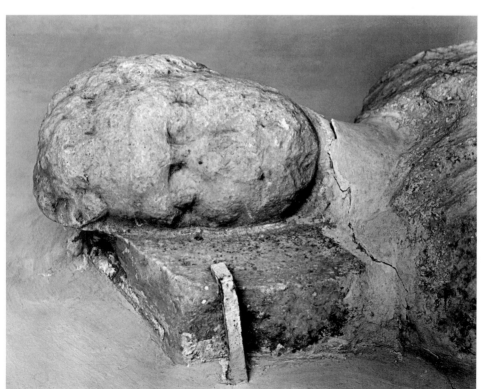

Tafel 147,1–2
wie Tafel 146

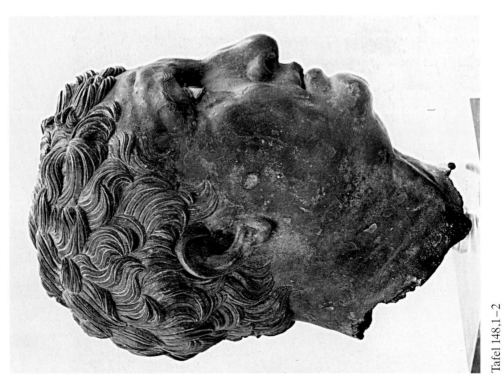

Tafel 148,1–2
Bronzebildnis eines Unbekannten aus Delos, Athen, Nat. Mus. (S. 22, 26)

Tafel 149,2
Clipeus-Bildnis des Diophantos, Delos, Museum (S. 22, 26)

Tafel 149,1
Bildnis eines Unbekannten, sog. Poulsenscher Vergil,
Kopenhagen, NCG (S. 22)

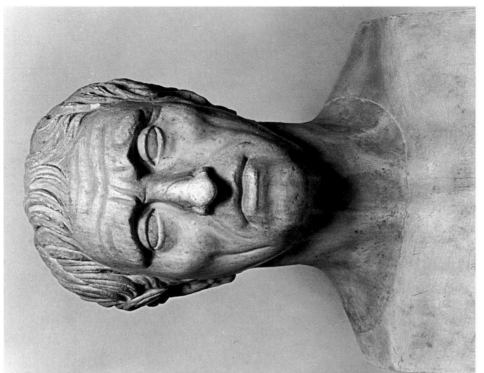

Tafel 150,2
Bildnis eines Unbekannten an Doppelherme Neapel, Mus.Naz. (S. 193)

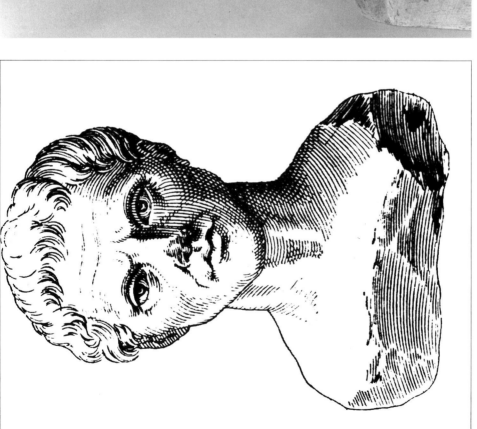

Tafel 150,1
Bildnis eines Unbekannten, nach F. Ursinus, 1570 (S. 193)

Farmer's World

The Yearbook of Agriculture

1964

THE UNITED STATES DEPARTMENT OF AGRICULTURE

FOR SALE BY THE SUPERINTENDENT OF DOCUMENTS, WASHINGTON, D.C., 20402 - PRICE $3.00

FOREWORD

American and
World Agriculture

by ORVILLE L. FREEMAN
Secretary of Agriculture

AT NO TIME in three centuries has American agriculture reached so far and touched the lives of so many people as today.

At no time in thirty centuries has world agriculture faced greater problems, greater challenges, and greater opportunities.

And at no time has American agriculture been so closely connected as now with world agriculture in its gigantic task of feeding and clothing more people; husbanding and developing its various resources; expanding its trade; sharing in and contributing to the upsurge of modern science; undergirding economic growth; and, by doing all this, assuming an ever-larger role in mankind's long struggle for freedom and plenty.

This book reveals the vital stake everybody in the United States has in a healthy export trade for American agriculture, not only because farmers have so much to sell and because the livelihood of so many Americans besides farmers depends on it, but also because the world so greatly needs what we can offer.

Exports of American farm products are now at their highest level. Their total value in 1963 approximated 5 billion dollars, equivalent to one-sixth of cash receipts from all farm marketings. One acre out of every four is harvested for export. The output of about 75 million acres of our cropland is moving abroad.

These exports support at least a million jobs, both on and off the farm. They require financing, storage, and inland and ocean transportation. They would fill more than a million freight cars or more than 5 thousand cargo ships, and they are carried to more than 125 countries and territories.

Most Americans have learned that we cannot separate our agriculture from the rest of our national economy, but many have still to recognize that we cannot disconnect American agriculture from world agriculture and world business. This lesson also is contained herein.

Wheat from Kansas competes in world markets with wheat grown in Canada and Argentina. Hogs from Iowa share markets with those of Denmark and Poland. Oranges from Florida and Spain, cotton from Texas and Brazil, dairy products from Wisconsin and Denmark are increasingly part and parcel of the world market.

Just as national markets have their trading rules, so do the world markets. Trade must be orderly and subject to agreements and conventions worked out through negotiation by the organizations of which we are a part—for example, the General Agreement on Tariffs and Trade.

We hold to the belief that trade is a two-way street, and that a healthy flow of two-way traffic can be promoted by a lowering of tariffs and other trade barriers.

We pride ourselves on being good salesmen with fine products to sell. We know that we have in the Department of Agriculture men and women skilled in the arts and crafts of trade. We know that our farm and food industry is highly qualified for international competition in any liberalized trade situation.

But we know, too, that international relationships are linked closely with commerce, and vice versa. Trade involves much more than loading 5 billion dollars' worth of agricultural goods on ships bound for foreign ports. It is a matter also of supporting or competing with blocs, alinements, or groupings, whose political aims may be no less important than their economic goals.

Readers will sense this challenge in these pages.

But, above all, trade is now what it has ever been: Opportunity.

It is opportunity to share our abundance to fulfill a humanitarian obligation; opportunity to help less privileged regions develop dynamic economies of their own, thus becoming our potential customers; opportunity to raise standards of living all over the world, in the advanced nations as well as those that are emerging; opportunity to stride toward a better day for agriculture, industry, and consumers.

Trade is opportunity to enter more swiftly the age of plenty, progress, freedom, and peace that is the objective of mankind's long pursuit.

Purposes and Ideals

by ALFRED STEFFERUD

Editor of the Yearbook

THE PURPOSE of the Yearbooks of Agriculture (including this one) since their origin many years ago has been to present unbiased, factual information of value and interest to farmers and other Americans.

Several secondary purposes may be served at the same time: To report on work in progress in the Department of Agriculture, since the Yearbooks are related to the annual reports of the Secretary of Agriculture; to summarize developments in the agricultural sciences; to discuss problems in rural affairs and to indicate in an objective fashion the ways in which they may be solved; to point out changes in knowledge, attitudes, and production and consumption; and to present one at a time over the years an integrated, encyclopedic reference series.

A book of science ("A science teaches us to know, and an art to do, and all the more perfect sciences lead to the creation of corresponding useful arts") indulges in no special pleading, however worthy the cause; is dedicated to the pursuit of truth and fact; tries to be clear and to clarify but not to be "popular" in the ways of polls and TV ratings; and takes the long view of programs, policies, and transient pressures.

Those purposes and ideals are apparent, we trust, in the present Yearbook of Agriculture, which encompasses a much broader field than any of its predecessors—a field hitherto untilled and made somewhat precarious by rapid changes in world affairs (including, for example, the names of countries), and the complexity of the subject.

Two special points about this book:

First, its intended readers.

We address ourselves, as always, primarily to American farmers, consumers, and others who have an interest in agriculture, but farmers, agricultural administrators, and policymakers anywhere should find much of value in it.

A paragraph in the notes sent to prospective contributors reads:

"The book will inform Americans about America's growing stake in world agriculture and explain how our actions, trade, and policies affect and are affected by agricultural, natural, and political developments abroad. It will inform people everywhere of the greatness of American agriculture, the problems we face, the importance of international understanding and joint effort, and the expenditures we consider necessary to achieve agricultural prosperity and security."

The fact of change also is brought out. Changes in production, consumption, trade, governments, organizations, laws, and programs posed a problem and a challenge as we labored to make a book of lasting value. Life and its components never stand still, but we believe we present a body of information that will remain valid for a number of years—as an introduction to the subject of world trade if nothing else. Periodicals and other publications are available from the Department of Agriculture to producers, dealers, exporters, and others who need current information on specific aspects of production and trade.

Second, its emphasis on the importance of farmers in this changing, striving, industrially developing world.

On farmers rests progress, whether social, political, administrative, or economic. In a world of automation, technology, conferences and international maneuvers, machines, and impersonal relationships, we must keep in mind the men—as men, as human beings—who provide the basic elements of life and whose bond with the earth is an abiding verity.

The members of the 1964 Yearbook Committee are:

Foreign Agricultural Service: W. A. Minor, CHAIRMAN; Kenneth W. Olson, SECRETARY; James O. Howard; Douglas M. Crawford; Afif I. Tannous; Ralph E. Spencer; John H. Dean; Harald C. Larsen.

Economic Research Service: Wilhelm Anderson, Kenneth L. Bachman, Nelson P. Guidry.

Agricultural Marketing Service: Omer W. Herrmann, Howard P. Davis.

Agricultural Stabilization and Conservation Service: Murray Thompson, Ernest W. Grove.

Agricultural Research Service: G. E. Hilbert, Kenneth Haines.

Forest Service: Robert K. Winters.

Soil Conservation Service: Guy D. Smith.

Federal Extension Service: Raymond C. Scott, Dana G. Dalrymple.

CONTENTS

Production

Marketing

World Trade

Our Trade

Agreements

Assistance

Needs

FARMER'S WORLD

Valley to Valley, Country to Country

by WAYNE D. RASMUSSEN

CIVILIZATION began when man planted his first seed and tamed his first animal about 10 thousand years ago. Before that, for a million years, people lived precariously on the fruits and seeds the women gathered and the small animals the men killed. In the few years since— few, as history measures time—agriculture and civilization have advanced from valley to valley, country to country, hemisphere to hemisphere as men have shared seeds, tools, skills, knowledge, and hopes.

Very likely one of mankind's greatest achievements—planting and harvesting crops—came about through a primitive woman's observation while she was gathering seeds. She may have noticed that the grain-bearing grasses grew up where seeds had been spilled or stored. Then she herself placed some seeds in the ground and saw them grow.

Animal husbandry probably developed when men succeeded in taming animals that they had wounded or driven into enclosures for slaughter, but it also is likely that women saved and tamed young animals.

Farming and animal husbandry developed together for a long period. The herding of livestock came later.

Agriculture originated first in the Middle East, perhaps in the grassy uplands where the wild grains and the wild animals first to be domesticated were found. Excavations at the site of the village of Jarmo in present-day Iraq indicate that 7 thousand years ago people there had two varieties of wheat, barley, sheep, goats, pigs, cattle, horses, and dogs. Tools were of polished or chipped flint and obsidian, a volcanic glass. The use of obsidian is evidence of early trade; its nearest known source is Lake Van in Turkey.

Agriculture spread from the Middle East to such areas as the Danubian Basin, the western and northern shores of the Black Sea, the fertile crescent bordering the desert of Arabia, and the valleys of the Indus in eastern India and the Hwang Ho in northern China. The cultural pattern was much the same, except in the Americas, where agriculture probably was discovered independently.

Our farming ancestors over the centuries accomplished feats that modern man has not yet duplicated. Drawing upon wild stock, they developed all the major food plants and domestic animals grown today.

Wheat and barley were domesticated in the first area of agricultural development, southwestern Asia. Rice and bananas were developed later in southeastern Asia, and sorghum and millets in Africa. Maize, known as corn in America, and potatoes were among several major food crops developed in the New World.

Food animals were first domesticated in Asia. The turkey was domesticated in the New World. Eventually these crops, many others, and animals migrated throughout the world.

The accomplishments are even greater when we consider the tools the first farmers invented and used. A pointed stick, the digging stick, was the last tool of the food gatherer and the first of the farmer. The stick, which had been used to grub up roots, served to dig holes for seeds. Somebody added a crossbar, so that a man could use his foot to drive the stick deeper into the soil. That was the origin of the spade. A stick that had a branch at one end and could be pulled through the ground was the first hoe. Later a blade of stone or shell on

the hoe gave it greater cutting power. Similarly, a stick used to knock heads of grain loose from the stalks became a sickle when stone teeth were set along one edge.

After animals were domesticated for food, they soon began to serve as beasts of burden. The next step, one never taken by the American Indian, was to fasten a heavy hoe behind an animal and induce him to pull it through the ground.

The climate of the Middle East and northern Africa gradually became drier after man first discovered agriculture. Tribes and villages moved from poorly watered sites to sources of water as the centuries passed. At the same time, man began to irrigate his cropland wherever he had access to water. The simplest device was to dip water from a well or spring and pour it on the land. Many types of buckets, ropes, and, later, pulleys were used. A more continuous flow was provided by the swipe, or shadoof, a long pole pivoted from a beam. One end of the pole held a bucket; the other held a heavy clay weight. A man pulled the bucket down to the water, and the clay weight then lifted the filled container to a height where it could be emptied into a ditch. A shadoof could raise about 600 gallons a day.

The conduction of water through ditches from streams was practiced widely in the Middle East, where the ancient canal systems still can be seen. The periodic floods of the Nile in Egypt led to the development of systems of basins on the upper Nile to hold the waters. The basins were opened to permit the water to flow over the dyke-enclosed tracts when it was needed.

Cereals were domesticated at an early age because they kept well and could be stored for use during lean years and winter. Even in his food-gathering stage, man stored grain, seeds, and nuts. Ancient Egyptians preserved meat and fish by salting and drying them in the sun.

The discovery of metal and its uses brought the Neolithic Era to an end and gave farmers sharper, stronger blades for hoes, plow points, and sickles. The change to metal took place slowly and in some areas—the Americas, for example—not at all. Most cultures first used bronze, then iron.

WHEN AGRICULTURE appeared in written history in the time of the Egyptians, Greeks, and Romans, it was already a highly developed art, backed by years of progress based on observation and trial and error. Some early Chinese historians assigned the beginning of agriculture in China to a specific year, 2737 B.C., when a continuous record of political life was started. Farming undoubtedly had been practiced before that particular year, but giving a new ruler credit for teaching farming to the people indicates the value they placed on it.

Agriculture enabled a man to produce more than enough food for himself and his family. Some labor thus could be released for the development of other aspects of civilization, such as industry, the arts and sciences, government, and writing.

Ancient civilizations, from the invention of writing to the beginning of the Christian Era, saw the adoption of systems of land use aimed at preserving or restoring soil fertility. The first farmers had practiced natural husbandry; that is, simply sowing and reaping. They moved on to new land when yields declined.

Sometimes the increase in population that usually followed the establishment of a settled village economy made it difficult to move to new land. In several parts of the world farmers then turned to fallow. Every year, according to some plan which became fixed, part of the land was given special treatment. No seed would be planted on it. The weeds and grass would be plowed under at least once during the growing season so as to rid it of some weeds and parasites, add vegetable matter, and conserve moisture. The fallow system was used in ancient Greece and Rome, in China from perhaps as early as 2000

B.C., and in Germany and northern Europe through medieval times.

But farmers of ancient times did not rely solely on fallowing to improve the soil. Ashes, animal manure, and composts were used in the Middle East, Greece, and Rome. The Greeks and Romans added lime in various forms.

The Roman farmers could draw upon farm manuals by Cato the Censor, writing about 200 B.C., or his successors, including Varro and Columella, for advice on ways to grow olives and grapes and press the fruits for oil and juice. Bread, oil, wine, figs, and grapes were staples in the ancient Mediterranean diet.

IMPROVEMENTS spread slowly.

The methods the ancients used survived with modifications in many parts of the world for centuries.

Fallowing, for example, was the basis for England's well-known two- and three-field systems of medieval times. The medieval English manor, with its villagers and lord, was divided into garden, arable, meadow, pasture, and waste land. The arable land was divided into two or three large fields, which in turn were divided into strips of an acre or less. Each villager would farm a number of scattered strips. Under the two-field system, half the land was left fallow. The other half was planted with winter and spring grain. In the three-field system, one field was fallow, one was planted in wheat or rye, and one was planted in some spring crop, such as barley, oats, peas, or beans. The three-field system permitted as much as 50 percent greater productivity than the two-field system.

Two other developments in northern Europe during medieval times also increased productivity: A heavy plow that could turn the soil was invented. The invention of the horse collar permitted the effective use of horsepower.

Fallowing sometimes gave way to rotations. Nitrogen-fixing legumes— peas, beans, vetches, alfalfa—would be grown on a field formerly fallow. The system arose through trial and error after it was noted that small grain planted on land formerly in legumes usually yielded more. It was practiced oftenest when towns and cities arose and farmers had a ready market for all they could produce. Legume rotation succeeded fallowing in limited areas of ancient Greece and Rome, in parts of China shortly before the Christian Era, and in Germany and England in the 16th century.

As THE MEDIEVAL period passed in Europe, the beginning of the modern age was marked by a renewed interest of Europeans in other parts of the world, followed by exploration and by conquest.

Some early explorers brought foreign plants and animals back to Europe. Accounts of their explorations, writings of travelers, and archeological and historical reconstructions of the past have given us a picture of farming in the 15th century.

Soil exhaustion, erosion, war, and corruption had brought such a decline in Chinese agriculture that by the year 1510 many farmers were dying of starvation. It was a factor that led to the overthrow of the Ming dynasty by the Manchus, invaders from the north, early in the 17th century.

India, the goal of many European explorers in the 15th century, was a land of fruit and spices. Rice, peas, and millet were basic crops. Curry, ginger, cloves, cinnamon, and other spices added variety to the diet. Most farmwork was done by hand by farmers who paid rents and taxes to the rulers. Irrigation works were maintained by the government in some sections. An Englishman in India in 1616 wrote that "the plenty of all provisions" was "very great throughout the whole country," and "every one there may eat bread without scarceness."

Northern Africa was well known to the Europeans of Columbus' day. The Arabs who had swept across that area and into Spain made sugar from cane and grew many kinds of wine grapes. Their irrigation systems were good.

They used fertilizer, and they adapted their crops to the land. They practiced grafting and introduced many trees and plants into northern Africa.

Much less is known of farming in central Africa 500 years ago. Ruins of large cities indicate that parts of the region had an extensive agriculture. Terraces, plainly of an agricultural nature, and long-abandoned irrigation works in present-day Ethiopia, Kenya, and Rhodesia must be examined further before we can know the whole story of civilizations that flourished as late as the 15th century and then disappeared.

IN CONTRAST, the story of American Indian agriculture at the time Columbus discovered the New World is recorded. The Spaniards conquered two Indian civilizations, the Aztecs of Mexico and the Incas of Peru.

Both civilizations were based upon settled agriculture. These, like the lesser centers, had developed independently of the rest of the world.

Among the crops originating in the New World, corn, kidney and lima beans, squashes, pumpkins, and tobacco were grown in many parts of North and South America. Corn, or maize, the most important crop of American origin, was developed in the highlands of Mexico. The potato rivaled corn in importance in South America. It originated in the Andes.

Manioc, sweetpotatoes, pineapples, and peanuts were developed as sources of food in the Amazon Valley. Only incidental crops, such as the Jerusalem artichoke, were first developed in what is now the United States.

The Indians had dogs but few other domesticated animals. In Peru, they had llamas, alpacas, and guinea pigs. Turkeys were kept in Mexico and the southwestern United States. The Aztecs and Mayas of Mexico and Central America kept bees.

Irrigation was practiced from what is now Arizona to Chile. There were about 150 miles of main irrigation ditches in the Salt River Valley. Irrigation was carried out in Peru on a scale scarcely equaled in modern days. Many Indians fertilized their crops. Along the Atlantic coast, fish were placed in cornhills during planting. Nevertheless, agriculture in the New World was limited by the lack of draft animals and the failure to discover the uses of iron. Away from a few major centers of civilization, Indian farmers practiced natural husbandry, clearing new land as yields declined.

The first European colonists in the New World, particularly in what is now the United States, found it difficult to adapt European methods to American conditions. They faced starvation and survived only because of supplies received from the mother countries and the food they bought or took from the Indians. The permanence of the Colonies was not assured until agriculture was securely established, and that came after they adopted the crops and tillage methods of the natives.

While the Indians of America contributed much to world agriculture, the Europeans who conquered and settled the New World introduced livestock, crops, and tools.

The axe and the plow, with the animals to pull the plows, were carried to America by all of the national groups entering the New World.

The Spaniards brought alfalfa, barley, flax, oats, sugarcane, wheat, and many others. They brought their grapes, oranges, peaches, pears, and other fruits and vegetables.

By 1606, the French had planted cabbage, flax, hemp, oats, rye, wheat, and other crops in Canada.

The English brought all the crops and livestock they had grown at home. Other nations introduced particular breeds and varieties of animals and plants.

The new settlers themselves made some improvements. For example, John Rolfe of Virginia obtained tobacco seed from South America in 1612 and raised a crop from it, which established American exports of tobacco to England.

The agricultural methods brought to the New World by the first European immigrants differed little from those of a thousand years earlier. Yet Europe, particularly England, was on the verge of a new era of developments that were to culminate in an agricultural revolution and were marked by the scientific rotation of crops and, in England, by the enclosure of many fields and scattered strips of land. Rotation and enclosure were a result of a growing market economy and the consequent emphasis on commercial farming.

Greater emphasis on commercial farming led to some consolidation of holdings in England under the open-field system. At the same time, some pastures and croplands were enclosed. The enclosure movement in the 16th century was undertaken mainly to furnish pasturelands for sheep—the demand for wool of the spinning and weaving industries was more effective than the demand for wheat.

The development of scientific rotations owed much to new methods and crops introduced from other European nations. Clover was introduced from Spain, turnip cultivation from Flanders, and new grasses from France. Although their value was recognized by the end of the 16th century, they were not widely grown until later.

Farm tools were crude at the beginning of the period. The large and cumbersome wooden plows usually were drawn by oxen. After the soil was broken, iron- or wooden-toothed harrows were pulled over the land. All crops were seeded by hand. Grain crops were cut with scythes or reaping hooks and threshed with flails. Hoes, mattocks, spades, and forks completed the list.

Often the ideas for machines were well known before they were adopted. Grain drills are an example. The Chinese had used a wheelbarrow drill as early as 2800 B.C. The first English patent was granted in 1623. A more practical drill was described by John Worlidge in 1669. Not until about 1700, however, when Jethro Tull made and publicized a seed drill, did these devices attract much attention. Tull also urged the adoption of the French horse hoe, or cultivator.

Many types of plows were used in Great Britain, but the first definite step toward making plows in factories came in 1730, when the Rotherham plow was introduced. It had a colter and share made of iron and may have been brought to England from Holland. It was called the Dutch plow in Scotland.

The introduction of root crops, clover, and grasses into a four-course crop rotation provided support for a larger number of livestock. The principle of selective breeding had been known for generations, but the creation of new breeds that gave general satisfaction was a long process. Improvement of the old native varieties by crossing with the newer breeds took longer.

The improvement of livestock was related to the enclosure of former open-field farms and the conversion of common and waste land into pasture. The movement began in the 16th century and was partly arrested by legislation; in the 18th century it received support from Parliament. The enclosure of pastures gave the livestock farmers control over breeding and permitted more rapid improvements in their herds.

All of these slow changes in English farming resulted in an agricultural revolution, which reached its peak in the first half of the 19th century. By then, greatly improved methods had been adopted, total output of farm products and output per man-hour had gone up, and livestock and crop husbandry seemed to be in balance with each other and the rest of the economy.

Over a period of 150 years, a number of agricultural leaders influenced British farmers and landowners to adopt improved practices. They were able to influence farming because industrialization, improved transportation, and other economic forces made the adoption of the improvements practical and profitable.

The most noted of the reformers were Jethro Tull (1674–1740), Charles Townshend (1674–1738), Robert Bakewell (1725–1795), Arthur Young (1741–1820), Sir John Sinclair (1745–1835), and Thomas Coke (1752–1842).

Tull invented a grain drill and advocated more intensive cultivation and the use of animal power. Townshend set an example of better farming through improvements in crop rotations and in emphasizing the field cultivation of turnips and clover. Bakewell devoted himself to developing better breeds of livestock. Young and Sinclair were influential writers, whose works were studied in many parts of the world. Coke developed a model agricultural estate, working particularly with wheat and sheep. Farm leaders and statesmen from many parts of the world visited his estate.

Other European countries contributed to the agricultural revolution, but advance was most rapid in England. The physiocrats, a school of economists who emphasized the importance and virtue of agriculture, influenced agricultural thought in France in the 18th century. They appeared to yearn for earlier days when agrarian interests were dominant but were indifferent to proved methods of progressive farming. For example, fallowing persisted in most of France, with little protest from the physiocrats, long after the value of the scientific rotation of crops had been demonstrated in England.

France contributed a new method of food preservation, canning. It permitted the year-round use of many otherwise perishable foods. In 1795, when France was at war, the Government offered a prize to the citizen who could devise a method of preserving food for transport on military and naval campaigns. The prize was awarded in 1810 to Nicolas Appert, a Parisian confectioner. He had filled bottles with various foods, sealed the bottles, and cooked them in boiling water.

The Napoleonic wars also gave impetus to the sugarbeet industry. Andreas Marggraf, a German chemist, in 1747 had crystallized sucrose from beets. One of his pupils, Franz Karl Achard, built the first sugarbeet factory in Silesia in 1802. With imports cut off because of war, Napoleon encouraged the building of a number of factories in France, where the industry persisted. Efforts were made to establish factories in the United States from 1830 on; the first successful American plant opened in California in 1879.

As the European nations expanded their colonies over the world, they influenced farming everywhere. The influence was greatest in the thinly populated regions, such as the New World and Australia, and least in densely populated regions like India. When Napoleon led his armies into Egypt in 1798, he commented on the good quality of its agricultural produce and suggested that with French help the Nile Valley could become a Garden of Eden. He established a plant introduction garden in Egypt in 1800 and asked for French fruit trees. A group of French gardeners set out for Egypt the next year, but the British captured them at sea.

Many years later, in 1882, the British began a policy of agricultural reform and assistance in Egypt, building in part upon reforms introduced by the rulers of Egypt in the preceding decades. During the first decade of British rule, many irrigation works were completed and repaired, and the first Aswan dam was begun. The acreage brought under cultivation increased.

Europe's greatest impact on world agriculture followed the discovery, conquest, and settlement of the New World and, later, the development of reforms and improvements, which encouraged changes in farming.

For more than a century, however, Americans knew little of the changes in European agriculture. Gradually, scientific societies, such as the American Philosophical Society, founded in 1743, encouraged the investigation of European ideas and experiences and agricultural experimentation. Societies devoted entirely to agriculture were not organized until the United States had declared its independence. The first of record was established in New

Jersey in 1781. The Philadelphia Society for Promoting Agriculture and the South Carolina Society for Promoting and Improving Agriculture were founded in 1785.

The early agricultural societies were groups of men of all professions who could afford to experiment and who would seek out and adapt to American conditions the progress made in other countries. None were farmers who depended solely on the produce of their farms for a living. Among them were George Washington and Thomas Jefferson. They corresponded with English agricultural reformers. Both were interested in soil conservation. Washington was first in this country to raise mules. Jefferson introduced upland rice and designed a hillside plow, a moldboard for a plow that would turn the soil, and other implements.

The changes in England during the 18th century included the development of improved breeds of livestock. The first importations of Bakewell's improved cattle were made by two gentlemen farmers of Maryland and Virginia in 1783. Large numbers of Merino sheep were imported from France and Spain a few years later. The first Hereford cattle were imported by another statesman, Henry Clay, in 1817. Nevertheless, most American livestock during the first half of the 19th century wandered about the open countryside.

Some leaders recognized the need to reach ordinary farmers. Elkanah Watson organized the Berkshire Agricultural Society at Pittsfield, Mass., in 1811. Its purpose was to hold an annual fair for the farmers of the community. The idea spread rapidly but declined when farmers did not realize their exaggerated hopes of benefits to be gained. Farm journals, first the *Agricultural Museum* in 1810 and then the *American Farmer* in 1819, also tried, but they received little support.

Production per man-hour in the United States increased only a little from 1800 to 1840 and somewhat more from 1840 to 1860.

But a technological foundation was being laid for a revolution in production. At the beginning of the period, the cotton gin, invented in 1793 by Eli Whitney, greatly changed agriculture in the South. The cheap, efficient separation of the seeds from the fiber encouraged planters to grow more cotton. The extensive commercial production of cotton dominated farming and led to the expansion of the plantation system. The South grew the one crop and neglected more diversified agriculture, while it depended on England and the North for markets and for supplies of other farm products and manufactured articles. At the same time, cotton cultivation brought about the rapid settlement of the region and returned large sums to the planters.

A cast-iron plow with interchangeable parts, patented in 1819 by Jethro Wood, was a major contribution. It would not scour in the heavy soils of the prairies, however; the soil clung to the moldboard instead of sliding by and turning over. Two Illinois blacksmiths, John Lane in 1833 and John Deere in 1837, solved the problem by using a smooth steel and polished wrought iron for the shares and moldboards of their plows.

The mechanical reaper was probably the most significant single invention introduced into American farming between 1800 and the Civil War. It replaced much human power at the crucial point in grain production when the work must be completed quickly to save a crop from ruin. The reapers patented by Obed Hussey in 1833 and Cyrus H. McCormick in 1834 marked the transition from the hand to the machine age of farming.

Many other farm machines were invented between 1830 and 1860, and the bases for other farm improvements were laid. Edmund Ruffin, sometimes called America's first soil scientist, had urged the chemical analysis of soil and the use of marl as early as 1821. His work preceded that of Justus von Liebig, the great German chemist who published *Chemistry in Its Applications to Agriculture and Physiology* in 1840. Liebig's theories brought science to agriculture in Europe, and his influence was felt in America.

Commercial fertilizer was used in the United States, beginning with Peruvian guano in the 1840's. Mixed chemical fertilizer first appeared on the market in 1849. Modern irrigation agriculture began in the United States in 1847, when Mormon pioneers opened a ditch in Utah.

The United States Congress in 1862 passed four laws, all signed by President Abraham Lincoln, which were to help transform American agriculture. The Homestead Act encouraged western settlement. The Morrill Land-Grant College Act encouraged agricultural education. The act establishing the Department of Agriculture provided a means for assisting farmers to adopt better methods. The act chartering the Union Pacific Railroad assisted in opening western land.

Agriculture from 1850 to 1870 was a decisive element in our economic development. The coming together of various lines of technology, the emphasis on agricultural reform, and the profitability of agriculture created an agricultural revolution. The profitability of farming was due primarily to the greatly increased overseas demands for American farm products and the demand for products to support the armies in the Civil War.

The Nation's farms produced enough food and fiber to satisfy the needs of our growing population and to dominate our exports. Agricultural exports in 1865 were 82.6 percent in value of our total exports. This percentage declined slowly but did not fall below 50 percent until 1911. Both value and volume increased year to year, but less rapidly than other exports.

THE UNITED STATES was not alone in increasing its total volume of agricultural exports after 1865.

Argentina, Australia, Canada, and New Zealand became competitive with the United States in shipping grain and livestock products to Europe, although commercial agriculture began about a generation later than in America. The use of refrigeration in steamships, beginning in the 1870's, offered better opportunity to get livestock products to markets.

Refrigerated ships gave Argentina its opportunity to market fresh beef in England. Modern agriculture began in Argentina in 1856, with the arrival of 208 Swiss families. A considerable flow of European immigration followed. The immigrants established and developed the great cereal belt, and later the sugar, vineyard, cotton, and fruit belts. Herd improvement, beginning about 1860, aided sheep and cattle raising, which the Spanish settlers had established.

The manorial system, established in Canada by the first French colonists, was not abolished there until 1854. Agriculture thereafter developed more rapidly in Quebec, particularly after dairying became profitable. The Civil War in the United States hastened the transition from wheat growing to mixed farming in Ontario. At about the same time, wheat growing began in the Red River Valley and then spread slowly over the prairie provinces. The creation of a variety of wheat known as Marquis, by Sir Charles E. Saunders, and its distribution to Canadian farmers beginning in 1908, was a triumph for Canadian scientific endeavor.

Wool dominated exports from Australia throughout the 19th century. It more than quadrupled in value from 1861 to 1890. During this period, millions of acres of pasture were fenced, which led to better breeding, conservation of the soil, and greater production per man-hour.

European farming was not established in New Zealand until after 1840. The outbreak of war with the native Maoris in 1859, which led to the sending of British troops to the islands, and the discovery of gold in 1861 meant a great rise in population and a larger market for food products. Over time,

wheat and wool came to be the major enterprises. Both were produced for export. The introduction of refrigeration in 1882 opened new possibilities. Meat—beef, mutton, and lamb—was shipped to England immediately. Exports of butter were large after 1900. Farming became a collection of specialized industries during the 20th century.

At about the same time New Zealand was developing as an agricultural nation, another country far to the north was opening its doors to Western civilization. Japan in 1854 granted the United States minor trading concessions, a major departure from its previous isolationism. At about the same time, the feudal system collapsed, and Japan began rapid economic growth.

Concerned with its northern frontiers, Japan determined to colonize Hokkaido, an island that seemed to offer opportunity for agricultural development. The Japanese turned to America for help because weather conditions on Hokkaido and in the Northeastern United States were similar, America led the world in the use of farm machinery, and the United States was isolated from any international controversy.

The Japanese Government hired Horace Capron, Commissioner of the newly established Department of Agriculture, to head a mission to Japan. He arrived in Japan in the fall of 1871 with his group and remained there 4 years. Despite difficulties, which at times seemed insurmountable, the mission got a new, modern agricultural development underway in Hokkaido and had much to do with paving the way for better farming in Japan.

The Capron mission was responsible for establishing the first railway in Japan and encouraging the development of waterpower. By the First World War, Japan was a modern industrial nation. An authority on the economic history of Japan has said: ". . . it was the expansion of Japan's basic economy—agriculture and small-scale industry built on traditional foundations—which accounted for most of the growth of national productivity and income during this period."

Russia, Japan's rival in the Far East during the second half of the 19th century, liberated its serfs in 1861 and gave them allotments of land, administered through a communal system.

This accelerated a process of rural transformation, even though Russia suffered a great famine in 1891–1892. The period saw the encouragement of cotton growing in Turkestan and a sizable movement of peasants from European Russia into Siberia. The Russian Government made an effort to cultivate varieties of cotton that were suited to the climate of Turkestan and produced the finest staple. It kept in close touch with the U.S. Department of Agriculture, asking for samples of American cottonseed, information regarding types of staple, and advice in general. It was also cooperative in offering the United States its experience with American cotton, as well as with wheat and other crops that were of interest to American growers.

THESE VIGNETTES indicate that the years between 1850 and the First World War were years of agricultural change and development in many parts of the world. In other areas, particularly those with large populations held in colonial status, there was little or no advance.

We should bear in mind, however, that technological improvement in any aspect of farming may draw on experience from several sources.

Several European nations, for example, made substantial contributions during the 19th century to the development of dairying.

Major breeds of dairy cattle developed in Europe included the Ayrshire in southwestern Scotland, the Guernsey and Jersey in the Channel Islands, the Holstein-Friesian and the Dutch-Belted in the Netherlands, and the Brown Swiss in Switzerland.

The modern silo for storing green forage for winter use had its beginning in Germany about 1860 and was quickly adopted in France.

A Swede, Carl de Laval, in 1878 invented the centrifugal cream separator, the most important of numerous inventions that helped dairying. An American, Stephen M. Babcock, in 1890 devised a test for measuring the quantity of fat in milk. Milking machines were patented in several countries during this period and came into wide use after the First World War. Taken together, these developments provided the technological basis for modern dairy farming.

American agriculture was approaching a balance with the rest of the economy as the 20th century began. Most farmers produced for the market. The prices they received for their products in relation to prices they paid for other products seemed fair. Horse-drawn machinery had replaced much hand labor on farms. Steam engines were used for plowing and threshing in parts of the West. Inventors were at work improving tractors with internal combustion engines. Lime and chemical fertilizer were widely used in the South and East. Draining in some areas and irrigation in others made land more productive. The agricultural colleges and the Department of Agriculture had brought science to bear on farming, even though farmers were sometimes slow to adopt their recommendations. The establishment of the cooperative extension service in 1914 meant that a college-trained county agent carried the results of research to farmers.

The First World War caused major dislocations in European agriculture for nearly 6 years. The food and fiber exporting nations found demand for their products virtually unlimited. Prices rose, and many individual farmers in commercial farming areas throughout the world expanded their operations. Demand continued for about 2 years after the end of the war in 1918. By the summer of 1920, European agriculture had made a remarkable recovery, and some European countries embarked upon a program of agricultural self-sufficiency. World prices of many farm products declined sharply as a result.

World agriculture, at least among the countries producing surpluses for export, suffered chronic depression during the twenties and early thirties. Some countries developed plans to aid their farmers by influencing foreign marketing. In a few instances, where one controlled a substantial part of the supply of a commodity, attempts were made to control exports and thus raise prices.

Several nations, during the depression years, began to make particular efforts to help their farmers by extending credit, supporting farm prices, or establishing production control schemes.

The worldwide agricultural depression saw the continued development of agricultural technology, even though most farmers had neither the capital nor the financial incentive to change their methods.

Agricultural experiment stations in all parts of the world continued to develop better yielding plants and animals and to find new means to combat diseases and insects. Industry improved the tractor and other machines.

The Second World War provided the the price incentives for farmers to increase production in every way possible, mainly by the adoption of the latest advances in agricultural technology. There was no postwar deflation like that following the first war. Continued postwar demand for food in many parts of the world and price supports of one type or another for farm products kept prices up. The result was great technological advance in much of the world.

In the United States, the revolution included widespread progress in mechanization, with gasoline tractors displacing horses and mules. The commercial production of cottonpickers after the war completed the mechanization of cotton production.

Greater use of lime and fertilizer, the widespread use of cover crops and other conservation practices and improved varieties, the adoption of hybrid corn, a better balanced feeding of livestock, the more effective control of insects and disease, and the use of chemicals for such purposes as weedkillers and defoliants were part of the technological revolution.

Artificial breeding, which drew on earlier experiences in the Soviet Union and Denmark, brought major changes to the dairy industry. Such chemicals as gibberellic acid, a plant growth regulator first discovered in Japan, were placed on the market.

Hybrid sorghums, chickens, and pigs, following the great success of hybrid corn, brought our production to new heights.

The successful development of freezing food for retail sale, beginning before the First World War, and the commercial adoption of freeze-drying in the early sixties improved food marketing. Sales of partially processed and ready-to-eat convenience foods, many of them frozen, increased markedly after the war. Attractive packaging, control of quality, and improvements in supermarkets helped give Americans a constantly improving diet.

Similar advances might be cataloged for most of western Europe and Canada, Australia, New Zealand, Japan, and other countries. Yet the agricultural potentialities of many nations are still underdeveloped.

One of the great opportunities in agriculture today is to help them take part in this technological revolution through the greater development of their own natural and human resources and greater participation in world trade.

WAYNE D. RASMUSSEN *became chief of the Agricultural History Branch, Economic Research Service in* 1961. *He edited* Readings in the History of American Agriculture *and was coauthor of* Century of Service: The First 100 Years of the United States Department of Agriculture.

Bond with the Earth

by AFIF I. TANNOUS

THE SERFS, the peasants, the tribesmen, the farmers, they are the ones whose sweat and toil produced the food that has nourished people these thousands of years and whose tie to the good earth made the foundations for the cultures and civilizations of their own time and later times.

Peons, peasants, tribesmen, and farmers there are still. Their association with the land endures. Their sweat and work continue. But times have changed: They are called on now to produce more food and fiber for the growing world population. The mechanisms of the trade and finance their products made possible and necessary are becoming bafflingly complex. They are awakening to a new consciousness of their destiny and contributions. Their welfare is of increasing concern to national and international authorities. No longer can they be neglected. Their productive effort must be amply rewarded. Their worth as citizens needs to be recognized as other segments of society have been; the contributions of their way of life to national structures merit our appreciation.

Anyone who wants a clear view of world agriculture and America's stake in it and its directions will do well to know who farmers are and how they live and work and produce because on them depend the world's food, much trade, and many institutions.

The first thing to appreciate is the bond between the land and the man who tills it, for that is an attachment that may mean the success or failure of any project or scheme of collective farming, expropriation or land reform, encouragement or discouragement of farm production, and change in established patterns of farming.

The bond is as old as the dawn of human consciousness, when man found his existence tied to the land on which he roamed, hunted, and died. The bond became stronger as man learned to domesticate animals and plants.

As herdsman he became more tied down to a certain place than as hunter. The attachment became binding when he settled down to cultivate the soil and wait for it to produce crops. That was the beginning of true civilization. Mutual aid, extensive communication, exchange of products, family life, common worship, and other human values became more possible than before.

Throughout recorded history, agriculture was man's major occupation. As he multiplied over the surface of the globe, his settlement on the land became established as his dominant way of life. Its major forms we can see today in some countries, functioning almost as they did ages ago.

NOMADIC or semisettled tribal agriculture is one of those ancient, yet still functioning, systems. It developed as man advanced from the hunting-gathering economy toward direct dependence on domesticated animals and plants. From the beginning, it seems to have existed side by side with the permanently settled agricultural village. Its importance is evident in several countries of northern Africa, the Near East, and southeastern Asia. It is dominant in the bush and savanna life of Africa south of the Sahara.

Tribal people who live in deserts and semideserts migrate far. With their livestock, they follow the seasons, seeking pastures and water. Tribes who live on the edges of the Sahara and in the south of Arabia are almost constantly on the move because of the extreme scarcity of water and pasture. Among those who are established away from the true deserts—like the tribes on the highlands of northern Africa, the plateaus of Arabia, Iran, and Afghanistan, the semidesert plains of Jordan, Syria, and Iraq, and the savanna areas of tropical Africa—migration is more regularly seasonal.

In the thick rain forest of Africa and similar tropical areas, migration takes the form mostly of shifting agriculture—burning and clearing the forest into patches of temporary agricultural production and then moving on to new sites within the tribal territory.

On more than one occasion, I observed these tribal folk on the move. In northern Iraq I saw the Kurdish tribes, during their spring migration, moving from the lowlands up the mountain slopes with their flocks of sheep and their household effects loaded on horses and donkeys. Men, women, and children were following the way of life established by their ancestors for centuries. During the same season, traveling by car and truck across the Nejd Plateau of Saudi Arabia and over the Syrian desert, I saw the caravans of Arab Bedouins with their camels, sheep, and goats, moving to northern regions after greener pastures. We overtook them as they were marching, or when they stopped to water their animals, or when they camped for the night, pitching their black tents made of goat hair.

These people do not recognize the national boundaries that have been set up in recent times and cut across their migration trails. They feel they have belonged to the heart of the vast areas of land since time immemorial, and they wish to maintain their freedom to move according to the demands of seasonal changes and the needs of their pattern of life.

In the Mediterranean region, the tribes move in winter several hundred miles away from the hills and river valleys deep into the open spaces on the rim of the desert. When the dry season begins in spring, the movement is reversed. Similar courses are followed by the leading tribes of northern Iraq, Iran, and Afghanistan.

The Fulanis of northern Nigeria move with their cattle herds between the desert areas of the north and the rim of the thick forest in the south. The controlling factors are the availability of seasonal moisture and tsetse fly, which permits no livestock to thrive wherever it exists. The fly spreads farther north from its forest abode into the savanna areas during the rainy season and forces tribal migration accordingly.

As one drives along or flies over these courses nowadays, one can see the patterned movement of people and livestock. More than that, one can see the historical process of transition from pure nomadism to semisettled and permanent agriculture. No rigid lines or barriers divide these ways of life. They are manifestations of a total endeavor by human beings in adjustment to the forces of their environment. Some continue on the path of pure nomadism. Others are semisettled and do part-time agriculture. Others are settled permanently in agricultural villages but retain many tribal ways.

The tribal way of life continues to make contributions to the larger national structures all over the world. The tribal folk in many places produce the bulk of the camels, sheep, goats, and cattle. By nomadic grazing, they can harvest the scanty growth of the desert, where cultivated agriculture has no chance. When semisettled, they also can raise annual crops. The products of their livestock supply the markets of villages and cities and some—wool and hair, skins and hides, dairy products—may be exported.

Tribal people are sometimes the major human resource available to their countries. Their overflow over the centuries has replenished villages and urban centers. Ruthless forces of environment have selected and seasoned their race to endure, as is readily apparent, for example, in the Massai in

Kenya, the Nejdi nomad in Saudi Arabia, and the Afghan highlander.

Among the basic contributions of the tribal system to society over the ages are family and kinship solidarity, self-reliance, and individual prowess and leadership. Where we find it today in its pure form, undamaged by outside forces, its organization is basically democratic despite its austere and autocratic ways. The chief is a member of the tribe, recognized as the leader mainly on the basis of his qualities. Social and economic equality is general among tribesmen. They are free, independent, and outspoken.

They tell the story of an Arab tribal chief who moved with his flocks and people into pasture areas near Damascus. The settled village folk complained to the Ottoman Governor of Damascus about the damage caused to their crops by the grazing flocks of the Bedouins. The Governor did his best to get the chief to move away from that area, but without success. Finally he sent a messenger offering him three alternatives: To pay a tribute for grazing rights, to move away, or to go down and talk it over in Damascus. True to the Bedouin directness and independent character, the chief sent the following message to the Governor: "Greetings. Tribute we shall not pay; from here we shall not move; and down to Damascus we will not go. Peace upon you."

But the tribal system generally has been neglected by rising national powers and has been damaged by forces beyond tribal control. In many places, where the tribes are in the process of settlement, tribal chiefs may be transformed to absentee landlords, and their tribesmen may be sinking to serfdom. In other places, where the tide of nationalism is rising, serious efforts have been aimed at detribalization. Forced or poorly conceived forms of settlement have been tried in some countries, but the result has been demoralization and loss to national economies. The situation calls for more thoughtful and rational plans, based on the realities, the social-economic values, and limitations of tribal life.

THE AGRICULTURAL village settlement began in remote times, probably in the highlands of the Near East, where man first learned to cultivate plants and raise livestock. Village life that depended on mixed farming spread into Asia, westward around the Mediterranean, and into Europe.

Excavations in Palestine, northern Iraq, Iran, and other parts of the Old World have revealed much of its earliest forms. At Byblos, on the Mediterranean in Lebanon, you can still see the remains of an ancient Phoenician settlement, much older than the Crusader castle and Roman amphitheater standing on the same site. You can see the foundations of its clustered houses, the temple where people worshiped and offered sacrifice, the water hole, and many stone implements they used. Close by in a typical Lebanese village, you can see how features of the ancient settlement have prevailed despite modern changes.

The village even today is still the dominant type of settlement among farming peoples. It is firmly established in northern Africa and the Near East; in Pakistan, India, and the rest of southeastern Asia; in western Europe; and most of Latin America. Even in China, the Soviet Union, and eastern Europe, it retains its form and much of its functions despite the modifications of collectivization. The scattered farmsteads that are typical of the United States, Canada, Australia, and parts of northern Europe and southern South America form a much smaller proportion of the world farming population.

Despite widespread existence and development and despite differences of cultures and the local peculiarities, agricultural villages have several outstanding features in common. They are the centers where farmers live close together in clustered dwellings and from which they go out to work in their fields. They gain from their village a feeling of physical and social security, as they are identified with its kinship groups, its traditions, and its common activities and ways of doing things.

Family and religious ties are strong among them. So is their attachment to their ancestral land. Their desire to own it is instinctive and atavistic, but their love for it is deep even if they work it as sharecroppers or tenants. The jobs they cannot do themselves they do through the traditional forms of mutual aid or with occasional hired village labor. The farm meets many of their needs, but they trade in the regular market of the nearest town, the larger weekly market in their neighborhood, or in a city market. The land is their existence and fulfillment. Only the most compelling of economic or political conditions drive them from it.

As I grew up in my old ancestral village on the lower slopes of the Lebanon mountains, I found myself immersed in an atmosphere of intimate association between my people and the land. It was our land, the land of my ancestors, whose names I learned to recite covering eight generations. Also, I learned the proper name given to each orchard or field of our property scattered around the village.

And as my grandfather took me around, he told me about the history and folklore associated with our land.

Each family in the village was similarly identified with its land, and no one would want to part with it except under extreme conditions of emergency or deprivation. When some of the people emigrated to seek fortunes in the Americas or Australia, they preferred to mortgage the land for travel loans rather than sell it. And the first surplus income they earned was sent back home to release the land. They wanted to keep it within the family, even though they would never return to settle on it themselves.

When I returned to Lebanon in the spring of 1963, I found the situation still about the same. The basic bond between the rural folk and the earth has endured, despite the many changes brought about by modern technology and living.

But village life has limitations and problems. It is isolated and has limited horizons, and so it tends to have conflicting groups. Also, its traditionalism and strong community consciousness discourage deviation and change toward improved methods of production and living.

Aside from the more modern rural areas of western Europe and a few other regions, the village folk—the majority of the world's farmers—have had the short end of the stick. In most villages of Latin America, the Near East, Pakistan, and India, average family income is low—the equivalent of 50 to 150 dollars a year. They usually have no credit facilities and must borrow at usurious rates. Most of them are landless sharecroppers, wage earners, or owners of holdings too small to support them.

The clustered village structure and customs dictate a wasteful fragmentation of the cultivated land. Methods of cultivation generally are primitive. The ancient hand sickle, the threshing board, and the wooden plow are common. Even animal power and the wooden plow are missing in most of tropical Africa. Crops are produced by the use of the ancient short-handle hoe and are transported on men's and women's backs. Transportation facilities are inadequate. Illiteracy may be as high as 90 percent. Sanitary facilities and health services are primitive, and the incidence of disease is high.

One of my most vivid impressions during my first trip in tropical Africa was seeing so many people using that type of hoe and transporting the produce on their backs. It was the pattern of production and transportation prevailing wherever I traveled in the countries of west-central and eastern Africa. Often I saw women carrying babies on their backs and baskets of produce on their heads, going home from the fields or to the village market to sell their products.

Yet these hard-working village folk

produce most of the world's food and fiber. They and tribal people are the major human resource—70 to 80 percent of the total population—in most countries. Furthermore, the basic values of their life—endurance, directness in their relationships, family solidarity, religious faith, sociability, and neighborly sharing—are at the foundation of cultures and development.

The impact of national emancipation and international cooperation have brought a redeeming awakening to the problems, needs, and promise of village people. National authorities, now supported by international effort, have been directing more and more attention and concern to the great rural base. The need for broad programs of agrarian reform at last is recognized seriously.

New programs touch many sides of rural development—equitable distribution of the land, fair taxation, setting up cooperatives and other institutions, extension work, education, health services, centers for agricultural mechanization, experiment stations, and others.

Even in France, where agriculture has been developed to high levels, the need for further improvements in the agrarian system has been recognized. The country is now proceeding with the application of a national policy aimed at consolidation of the fragmented holdings of the villages, expansion of credit and extension services, and improvement of marketing methods and facilities.

Mexico took the lead in Latin America, and has had successful experience in land reform.

Some beginnings in that field were made by other Latin American countries before the initiation of the Alliance for Progress in 1961. Since then, some tangible and promising steps have been taken, including tax reforms in several countries and the adoption of land reform laws in others. Also, more attention has been directed toward the development of human resources through education.

Peru, for example, has begun to move ahead with determination on a wide front of rural improvement within a comprehensive program of national development.

Nicaragua passed a new agrarian reform law in 1962 for the benefit of its farmers, and so did the Dominican Republic and Chile. Chile also has completed a comprehensive aerial survey of its agricultural land, which will provide a basis for settlement and agricultural development.

Japan achieved a thorough agrarian reform with United States support at the end of the war. A community development movement in India has begun to revitalize its villages.

The Egyptian revolution of 1962 pioneered in land reform and emancipation of the peasants in the Middle East. Promising beginnings have been made in Morocco through land distribution and the paysanats, which are centers for improved agricultural methods. Similar paysanats have been established in the Congo.

Tribal village folk in Kenya are being settled on good farmland.

National leaders of Tunisia have identified themselves with rural improvement on an intensive scale on the basis of self-help.

I cannot forget how President Bourguiba of Tunisia emphasized this principle when he received us (members of the United States Wheat Team) to discuss wheat donations by the United States. We had toured the country, estimated its emergency needs, and obtained Washington's approval for the donations. The President expressed his sincere appreciation for American help, a free gift of food for his people who needed it. But he expressed his determination that the rural people receiving the aid should work for it on productive projects for their own benefit. Later on, he did just that, and the Tunisian project of self-help, using American wheat for rural improvement, became a model copied in several other countries.

Thailand is an example of what an

old country with traditional village life and agriculture could do under a sound agrarian structure. Its farmers are mostly independent and enterprising owner-operators. Their government has been concerned with the agricultural base and alert to possibilities for increasing production and exports. A sound policy aimed at these objectives has been followed since 1950 or so. The result has been the successful transformation of the economy from a one-crop base (rice) to that of several major export crops, including rice, corn, cassava, and livestock.

The Shah of Iran has fostered a comprehensive agrarian reform that may reach every village. Similar awakenings and developments have been taking place in Greece, Italy, Turkey, the Philippines, and other countries where village life is significant.

BUT A MAJOR segment of the world's village people live under Communist regimes in the Soviet Union, China, and eastern Europe. There the village was the focus of a different activity. Communist authorities from the beginning sought to destroy the traditional village organization and to replace it with centrally controlled collective farms. It amounted to the destruction of the deep roots of hundreds of millions of people.

Collective farming has existed as a minor feature of the agrarian structure in other parts. For example, it is practiced in Israel side by side with co-operative family farming; by various tribal groups in Africa; and in some old villages of the Middle East and Far East, where land is held in common.

What has happened under communism is different and unprecedented. It has been enforced ruthlessly by dictation from above in disregard of centuries-old farming systems and ways of life. It has struck swiftly and sweepingly. It is aimed at increased production and uses all available technical means, but rigid regimentation allows little initiative.

In the Soviet Union and in other Communist-controlled countries, it began with the declaration of freedom and free land for the peasants with the division of large estates. That first stage was short lived. Soon there followed the destruction of the old agrarian structure, liquidation of the large peasant farmers, effective assertion of the ownership of the land by the state, and the setting up of the kolkhoz, or collective farm, under state control.

Most Russian farmers belong to the kolkhoz system. A general description of one unit would be a fair representation of farm life in the Soviet Union today. It is basically related to the old agricultural village structure but aims at changing and replacing it.

Its members are drawn mostly from the village folk. Its land is the same land that was previously farmed by individual village families as owners or as tenants on large estates. The church and other institutions of the village were eliminated or modified. New institutions (notably schools and recreation halls) were set up according to the Communist pattern.

The dominant institution that directs the community affairs and most of life among the farmers is the kolkhoz organization itself. It receives its patterns of operation from a hierarchy of central authorities, most of whom are far away from the facts of country life.

It operates through a president and a number of administrative and professional persons who direct the members, community activities, and field operations. The members are organized into work brigades, each under a brigade leader, and assigned to activities according to the central pattern.

The achievements and rewards of workers, men and women, are calculated on the basis of the labor-day unit. The unit is given a value according to the type of work done, so that rewards are higher for higher skills and some margin is allowed for individual initiative.

Members are paid in kind and cash, the amount depending on the total output of the kolkhoz at the end of the harvest. The state quota of the crop is met first, and part of the income is turned to the kolkhoz reserve. The portion of the crop that is divided among the members is used by them or sold. Members receive free health care and free schooling for their children.

After the agonies of its early stages under the Stalin regime, when large independent farmers were liquidated and millions of people died from famine, the collective system was forced to include some private incentives. At each kolkhoz, therefore, farm families generally are allowed to own houses, small adjoining plots, some livestock and feed for them, and farm handtools.

Into this miniature farming activity, symbolic of the free private enterprise, a family pours every bit of effort it can spare from its collective duties.

The results are revealing. The farm family has better food and has some items to spare for sale on the free market for higher prices. The total area of all private plots is estimated at 3 to 4 percent of all cropland. The value of the products from the private plots amounts to about 30 percent of the total agricultural output of the Soviet Union.

The sovkhoz, or state farm, is another form of Soviet collective farming. Its objectives are similar to those of the kolkhoz, but it is completely owned and administered by the state. It usually covers a larger area per farm and is especially important in the newly opened lands of the central Soviets and southern Siberia.

In general, it is better staffed and equipped than the kolkhoz, and its workers are paid regular wages. Its production efficiency has been improving, and it has developed better institutions and services for its people.

THE COMMUNIZING of agriculture in China is somewhat like that in the Soviet Union. The vast rural base which faced the Chinese Communists in the late forties consisted mostly of the traditional, deep-rooted village community. Family and community

ties were strong. Religious and social institutions were deeply traditional. Farmers cultivated small family holdings near their villages.

Aiming at ultimate collectivization and state control, the authorities appealed to the peasant farmers through the usual inducement—confiscation of large holdings and the promise of free land to the landless and small owners. The next step was to encourage and organize the farmers to cooperate in the production of crops through the traditional channels of mutual aid. So far, the procedure was in keeping with the old ways of the people. The land was apparently theirs, and they received a good share of the produce.

Then control became more centralized, as mutual aid teams were organized into the larger but rudimentary production cooperative. A third comprehensive step was taken in a few years—the consolidation of production cooperatives into advanced cooperative organizations, geared to even more central control of agricultural production. Within a short time, some 120 million farm families found themselves members of these organizations and regimented by them. The system at this stage was similar to the Russian kolkhoz. The land went under state control, but each family was allowed to retain a small plot, some implements, and livestock.

The authorities embarked on the last and most drastic move toward complete socialization in the late fifties. They declared the well-known commune system and began to apply it rigorously. That was supposed to be the final answer to the attainment of the Communist ideal in farm life.

Each commune was intended to be a large, self-sustaining, political-economic entity, composed of an average of 30 advanced cooperatives with highly centralized authority over the people.

It regimented the lives and operations of the farmers and confiscated the family plots, livestock, and implements. Everything belonged to the commune, including the people. Men and women were organized into work teams and brigades that were assigned various tasks as the situation demanded, according to a centralized pattern of production. Family ties were disregarded. Members were assigned to different production units. Children were taken care of centrally. People ate in mess halls.

Within a year, the commune system as originally conceived proved unworkable. Human endurance under absolute regimentation reached a breaking point. Family life was heavily damaged, private initiative was destroyed, and a man's dignity was lost. Agricultural production slumped, and the people were hungry.

Finally, within 3 years, the authorities were obliged to recognize their failure and retreat from the commune approach. They swung the pendulum back, roughly to the equivalent of the previous state, the less drastic production cooperative. Central state control, still strong, claimed the lion's share of the farming endeavor, but family plots were restored, and farmers were allowed to sell excess products in the free market. Total production rose, and the people had more to eat.

The Communist wave of collective farming swelled over into the countries of eastern Europe but with varying impacts, as compared to Russia and China. Collectivization was about complete in Rumania and Hungary in 1963. Not more than 15 percent of the farmland was collectivized in Poland and 12 percent in Yugoslavia. The traditional rural life, with its emphasis on the family unit, individual initiative, and private ownership of the land, has survived to some degree.

THE SEPARATE farmstead and the rural community it fostered are rather new in world agriculture. They have never taken a real hold in most of Asia and are limited in Europe.

Even in the early stage of settlement in North America, the agricultural village and the plantation prevailed. During the later stages of expansion into the valleys and the plains in the heart of the continent and the West, the isolated farmstead took firm roots, flourished, and became dominant.

Within the past century or so, it has become widespread, important, and typical in the United States. Similar settlements and rural development have occurred in Canada, Australia, New Zealand, South Africa, and somewhat in South America.

Its fundamental feature is independent, private ownership of land. The American pioneer farmer had to struggle, work, suffer, and risk his life before he was able to secure himself on the new land, but he was rewarded, perhaps as no other farmer of the Old World has been, by becoming a free and independent owner-operator. He met the challenge, knowing that the land and its fruits were his.

The significance of the farmer's ownership of land went beyond the capacity to produce amply for his needs and for national and world markets. It lay in the heart of his steady development as an independent, self-reliant individual. This pattern of development spared the United States the trials and upheavals of countries where a chasm separated peasants and the elite. Even today, this basic issue—how to emancipate every peasant through a sound and secure system of land tenure and enable him to follow other pursuits—constitutes a threat to national structure in Latin America, the Near East, southeastern Asia, and African countries that were colonies.

Members of an American farm family form a solid, self-reliant, hard-working group. They are free to cultivate, produce, plan for the future, and develop themselves, adopt improved techniques and methods, and to seek better ways of living. Still, family ties and loyalty are not so strong as to thwart initiative in the younger generation. The heavy hand of the old kinship group and the traditional community are not there to hold youth back and keep it in place. Farm families may trade in one village, go to church in another, and attend a farmers' meeting in a third. Their horizons have widened to include urban, national, and world communities. They buy and read books, subscribe for national magazines and newspapers, attend plays and concerts, keep up with developments, and vote.

My PURPOSE in pointing this out is not to make odious comparisons but to emphasize that even in these modern times of science and technology, electronics, jet planes, and mechanized agriculture, most of the world's farming people are at the lowest levels of human development.

An example: Much of the agricultural land in Latin America is held in very large estates. They are cultivated by village peasants on the basis of sharecropping or wage labor. The peasants' share of the crop is barely enough for subsistence living. They have no economic margin to improve their lot and no channels are open to seek other ways of living. The system began in the early years of the conquest. Large grants of land were made to influential individuals; with the land went the Indian people under special concessions to provide the necessary labor. Subsequent national development confirmed this type of agricultural settlement and exploitation.

ANOTHER EXAMPLE: In the Middle East, from the Atlantic borders to Pakistan, the roots of large-scale agricultural exploitation have been associated with absentee ownership.

In the forties and fifties, a wave of independence swept over the region, and new and old national entities found themselves faced with grave agrarian issues. Their superstructures tottered on shaky agrarian foundations, where the majorities of their peoples were hopelessly bound. Like their Latin counterparts, these peasant masses were mostly sharecroppers, tied to the land of their ancestors. They were illiterate, ignorant, and slaves of primitive methods of

cultivation. The magnitude of the absentee landlord was measured mostly in terms of the number of villages he owned—land, houses, and people.

He supplied some management and credit, but not enough to put the land under efficient cultivation or to give the peasants a chance to improve their lot.

The harvested crop in Iran, for instance, was divided among the five factors of production—land, labor, water, seed, and draft power. The peasant usually could claim the share of only one or two of the factors. In Egypt, the rent per acre was so high that the fellah could have barely enough to eat.

Much of this situation existed in 1964, but with a basic difference. The responsible elite in almost all of these countries—kings, presidents and other government authorities, political leaders, and intellectuals—have become increasingly aware of the seriousness of the situation. They have launched a variety of national agrarian programs to emancipate the peasants, give them ownership of the land they cultivate, furnish more secure terms of tenancy, and support services and institutions.

ISRAEL provides an unusual example of land settlement and agricultural development. The country, ancient in origin, is young as a nation. Most of its people are immigrants from all over the world who came to live on the ancient land in the past few decades.

With the exception of the original Arab settlers (now a minority concentrated mostly in the Galilee neighborhood), the incoming people attached themselves to the land according to patterns set by responsible national authorities. The new nation was not bound to any deep-rooted system of traditional agriculture.

Also, unlike its neighbors and most of the newly developing countries, Israel has only a small minority (about 20 percent) of its 2.5 million people living in rural areas and engaged mainly in agriculture. The country consequently is not faced with the usual problems of rural overpopulation and underemployment; it also has well-developed industries.

A third feature is that Israeli farmers come from a variety of cultural origins; they carry different patterns of living. They come from eastern and western Europe, from northern Africa and the Near East, and from other regions, too. They had to go through a process of adjustment under national guidance, culminating in the establishment of integrated and productive settlements. They benefit increasingly from the services of highly developed national institutions of agricultural research, extension, and training.

As they settle on the land, which is largely state owned, they are free to choose their type of settlement. One such major type is the collective, called kibbutz. Here, private property is practically nonexistent. The people work the land and share in the harvest collectively, and their living generally is communal.

Another major kind of settlement is the cooperative village, called moshav. The land is held in common, but private ownership of the houses and private family life are maintained.

The third major form is represented by Jewish and Arab village settlements, where the land is owned and operated by individual families.

Thus, within a relatively short period, (mostly from 1948 to 1964), and with substantial aid from abroad, Israel has been able to develop a highly efficient system of agriculture in balance with industrial development. Also, its experiment with various types of settlement developed voluntarily side by side—from the purely collective to the purely private operation—generally has been successful.

Fortified with highly developed technical and scientific competence, Israel has been reaching out to other emerging countries, mostly in Africa, to share with them its experiences in various aspects of agricultural settlement and development.

A SIMILARLY promising trend has been established in southeastern Asia.

Japan has succeeded in the peaceful liquidation of the old system of large-scale absentee ownership. Its peasant millions became free—and have become more efficient producers and more effective citizens.

India is in the midst of a tremendous rural development program aimed at the same objectives.

The Philippines and other countries of the region are steadily following their own national paths toward agrarian reform and sound agricultural development.

Tropical Africa is at a crossroads. Most of its agricultural development has been achieved through the plantation system.

The Republic of the Congo is an example of a plantation enterprise, established mostly by European colonial organizations or large-scale farmers. They made tremendous investments, introduced modern technology, and supplied managerial skills. They operated at heavy risks. The system has improved agricultural development and commercial production. It has developed much of the great export products such as hardwood, palm oil, rubber, cotton, tea, coffee, peanuts, and bananas.

But at the same time, the plantation has tied down to its operation a major portion of the human resource in the form of resident or migrant labor. It has given rise to a special class of landless African peasants. Their housing, health, food, and other primary needs are taken care of to one degree or another. They depend upon the plantation for their subsistence, but have no stake in its land, nor do they participate in its management.

Newly independent African countries also have inherited, among other colonial developments, the plantation enterprise.

What will the new national regimes do with it? Will extreme nationalism squeeze out European investment and management at the risk of letting the system go to pieces? Will new formulas of cooperation be established whereby the great plantation will continue to operate on a new basis? How are they to free the human resource tied up with the system?

The issue involves millions of tribal folk, who are in various stages of agricultural settlement. Some are nomadic herders. Others practice shifting agriculture. Others cultivate permanent smallholdings. Most of them operate under traditional tribal laws of land tenure.

Will national developments provide them with sound agrarian structures based on their recognized rights in the land within the context of their tribal cultures?—or will collective or other schemes be imposed on them from above? Will they develop into landless peasants in an African system of large-scale absentee ownership?

The answers will depend largely on whether the rising African elite will permit the chasm to widen between them and the village-tribal peoples, or whether they will keep close to that solid base and on it secure national development.

I think that the world's experience indicates that the key to the great rural resource is to give the cultivator a man's position as an independent farmer or tenant.

AFIF I. TANNOUS *is Area Officer for the Near East and Africa, Foreign Agricultural Service. He taught in the American University of Beirut and worked on rural development in the Near East. After earning a doctor's degree at Cornell University, he taught at the University of Minnesota and joined the Foreign Agricultural Service in 1943. His work entails much travel in the Near East and Africa and has included several assignments on United States and United Nations field missions. From 1951 to 1954, he was Deputy Director of the United States Operations Mission in Lebanon. From 1954 to 1961, he served in Foreign Agricultural Service as Chief of the Africa and the Middle East Analysis Branch.*

Migrations and Agriculture

by PHILLIPS W. FOSTER

WE IN THE UNITED STATES know how much immigrants have contributed to American farming, economics, and the texture of life: The British in New England, Spanish in the Southwest, Negroes in the South, and Germans and Scandinavians in the Midwest, for instance.

The history of every other country in the world also has been affected by immigration. There is hardly one farmer anywhere whose farm life and farm activities are not influenced in one way or another by a migration sometime in the past.

Famine has caused several of the world's most dramatic migrations, including that of thousands of Irish during and after the Irish potato famine of 1845–1848.

People have gone to new homes in distant lands also because of a long pressure on the food supply.

People have migrated because of a promise of new or better ground to till, or because they wanted to set up a trading post somewhere far from home, or because there were prospects for a better job somewhere else.

People have migrated for non-economic reasons. They have moved because they thought the new homeland would provide them with a better place in which to practice their religion. They have moved to gain political freedom or intellectual stimulation. They have moved to get away from social ostracism. People have migrated involuntarily. Some were sold into slavery, taken captive in war, or shipped to Siberia.

GREAT MIGRATIONS, whatever their cause, always have influenced agriculture. Sometimes the migrants have brought new plants and animals with them.

Sometimes they have introduced different institutions and values into the new homeland: Novel systems of land tenure, different attitudes toward work, new food habits, new credit systems, slavery.

Sometimes migrants have introduced new technology: New agricultural machinery, new techniques of cultivation, insecticides.

Sometimes they have carried with them birds and insects and organisms that have become pests and caused disease.

MOVING from place to place was the usual way of life for primitive tribes. The movements were not normally over great distances, and a tribe usually moved within the same territory that its ancestors had known. Occasionally, in prehistoric times, people would wander to completely new lands, never to return to the old camping grounds.

Probably the earliest of such migrations of primitive peoples that affected agriculture significantly was the migration that brought the American Indians from Asia across the Bering Straits to North America.

The first wave of this migration began perhaps 24 thousand years ago. Successive waves continued until shortly before the Christian Era. Long before their "discovery" by the European world, these people had found, cultivated, and developed such important crops as corn, potatoes, and tomatoes.

Arnold Toynbee, the English historian, describes another migration of antiquity that was due to an agricul-

tural pressure and resulted in important agricultural developments.

During the most recent glacial epoch, the storms that in warmer times watered the plains of Europe were forced southward and watered the Afrasian steppe, which extends from the Atlantic coast of north Africa eastward to India and China. Somewhat more than 10 thousand years ago, as the glacier was receding and the storms were moving northward following it, the primitive Afrasian hunters and food gatherers faced the gradual desiccation of their land.

The Paleolithic men (who left their hand axes all over the Afrasian steppe from Morocco to India) had three opportunities open to them as their food supply became less and less. First, they might move northward or southward with their prey, following the climate to which they were accustomed.

Second, they might remain on the steppes and seek out a miserable existence on such game and plants as could withstand the droughts. And third, they might invade the swamps of the river valleys.

Although the Paleolithic men tried each, the ones who invaded the valleys made the most immediate contribution to agriculture, for in the process of conquering the swamps of the Nile, the Tigris-Euphrates, the Indus, and the Yellow Rivers, these people learned to grow crops and to cope with the annual flooding of the rivers by channeling the waters into irrigation canals and replanting their annually inundated fields.

It was probably the process of conquering these valleys with primitive agriculture and primitive engineering that stimulated the development of the early river-valley civilizations—the first of the great civilizations. So, while those who chose the alternative of plunging into the swamps traveled the shortest distance of any who fled from desiccation, they influenced agriculture much more than did those who at the same time traveled much greater distances.

There have been five truly great explosive migrations since recorded history began: The Bantu expansion in Africa, then the Arab expansion after Mohammed, the European expansion after the Renaissance and Reformation, the forced migration of Negroes to the Western Hemisphere, and the recent Chinese expansion into Manchuria and southeastern Asia.

Each time the migrating peoples carried their influence into new territories in the span of a few centuries.

Each time they had an important effect on the agriculture in the new territories.

THE FIRST, that of the Bantu in Africa, began about the time of Christ. The Bantu peoples, a group of tribes from eastern Nigeria and the Cameroon highlands, began the invasion of the lands of Pygmies who lived in the tropical rain forest of the Congo River Basin. They were able to make the invasion at this time, and not before, because then the Bantu acquired a group of Indonesian crops that could be grown in the rain forest.

How the Bantu acquired the Indonesian crops is a study on how rapidly man sometimes moved crops around the world with his migrations long before the time of modern transportation.

Some time before the birth of Christ, a group of people known as the Maanyan on the southeastern coast of Borneo had developed skills in navigating their outrigger canoes through trading with the inhabitants of nearby islands.

Their territory lay along a famous trade route that connected Malaya with China through the Philippines.

The Borneo navigators mastered this trade route and then ventured farther, making contact with Ceylon and India, then Arabia, and eventually Africa.

On the coast of Africa, the Indonesians set up a trading colony in Azania. (Azania corresponded roughly to the present coast of Kenya.) The Azanians themselves had migrated to the area some 2 thousand years before

the arrival of the Indonesians and had established a terraced agriculture on the African coast, leaving the nearby steppes to the bushmen hunters.

Since the Azanians already had knowledge of agriculture, it was easy for the Indonesians to introduce into Africa the crops they brought with them: Rice, bananas, taro, yams, and the sweetpotato, which some adventurous prehistoric seamen had brought to Indonesia from South America.

The Azanians adopted all the Indonesian crops but rice. Apparently they could not get used to the Indonesians' method of cultivating rice. The Azanians passed on the four Indonesian crops to their neighbors to the north, and the cultivation of the crops then spread quickly across the grasslands south of the Sahara and north of the rain forests.

When the Bantu moved into the rain forests to the south, they found the Indonesian crops they brought with them even more suited to the wet climate they encountered than to the semiarid climate of their old home. The new crops gave them a decided advantage over the Pygmies, who previously had ruled supreme in the Congo Basin.

Within 500 years, the Bantu had conquered the entire Congo, subduing the Pygmies and setting up a symbiotic relationship with them. The area they conquered in this short time span was roughly equivalent in size to the United States east of the Mississippi.

After their conquest of the Congo Basin rain forest, the Bantu emerged into the highlands of Uganda, where they relearned the cultivation of African cereals, which they had forgotten during the previous 500 years. During the next 900 years, the Bantu conquered east Africa, learned how to keep cattle, and brought the cattle from eastern Africa south across the tsetse fly belt and then conquered south-central Africa.

The tsetse fly, which attacks both cattle and humans, exists in a belt across south-central Africa. This pest

had previously prevented the introduction of cattle to southern Africa.
The Bantu demonstrated the superior
quality of their technology when they
managed to move cattle across this
belt and successfully introduce them
into southern Africa.

By the year 1400, the Bantu had
managed to finish their occupation of
practically all Africa from the Congo
basin to the east and south, except the
extreme southwestern corner of the
continent.

It was on this southwestern corner
that the Dutch were later to land and
start a migration northward as part of
the third great migratory explosion.

But that is getting ahead of our story,
for the second great explosive migration in history began in the Middle
East many centuries before the European Renaissance.

A NEW FAITH, Islam, arose about
A.D. 600 in Arabia. In less than 100
years, its followers, the Moslems, had
occupied territory extending from the
Atlantic Ocean at Morocco eastward
to the Indian Ocean and northward to
the Caspian Sea.

Although the Moslem migration is
better known than the Bantu migration, which was still going on when
the Moslems set out, fewer people
moved in the Moslem migration. The
Moslem migration, especially during
its first century, was predominantly
military in character.

The spread of Moslem influence continued by military conquest, colonization, and trader missionaries. By 1600,
less than a thousand years after the
death of its founder, Islam had been
carried almost all the way to its present territorial limits.

Today most of the world's 400 million Moslems live in a band stretching from Morocco through Indonesia,
widening out on the south to Zanzibar
and on the north into Siberia. Islam
has affected the agriculture of every
region it has penetrated, for wherever
Islam has become predominant, swine
have virtually disappeared.

THE MOST EXTENSIVE movement of
people ever to occur began just as the
Islamic world was completing its territorial growth. Between 1600 and
1940, more than 70 million people
emigrated from Europe. Most of them
migrated between 1820 and 1930.
The peak of the migration occurred
around 1910. The migrant streams out
of Europe went first toward Latin
America. Later other migrant streams
moved toward North America, then
Africa, Asia, Australia, and New
Zealand.

When Spain and Portugal began
their conquest of Central and South
America shortly after Columbus' 1492
voyage, neither country was looking for
new land to colonize, for they could
not spare enough men to settle it. The
territory was closed at first to settlers.

In line with the customs of feudal
Europe, Spain and Portugal rewarded
successful conquerors and others who
won favor with the crown by giving
them large tracts of land in the New
World. The new landowners were
allowed to settle on their lands and
often arrived accompanied by armed
guards, carpenters, bricklayers, and
other craftsmen.

Large areas of Latin America were
thus organized along the lines of the
latifundia, or large landed estates—a
system of agriculture that was common
in southern Europe during the time of
Spain's greatest glory. The latifundia
system, employing simple agricultural
techniques and much relatively unskilled labor, enabled the owner to be
an absentee landlord. The latifundia
system is still prevalent in Latin
America and is one of many institutions restraining economic development there today.

The early European immigration
into North America was different from
that into Central and South America.

Early North American immigrants
were largely from the countries surrounding the North Sea. To some of
them, the goal of religious and political
freedom was important, but the lure of
free land was the major enticement.

During the two centuries before 1800, net immigration from Europe into North America may have totaled about 2 million, but this was a mere trickle compared to the 40 million or so who arrived the next 150 years.

It was during this latter period of migration that what was once a group of colonies clustered along the Atlantic seashore became, through western migration, two nations—the United States and Canada. Without intracontinental migration, the capacity of the New World to absorb immigrants would have been exhausted long ago.

This westward movement of people in North America has been credited with many accomplishments, including the development of a composite American nationality and the encouragement of democracy.

As the westward movement of people gained force and as east coast and European markets for foodstuffs developed, the pattern of subsistence farming in the North and of plantation agriculture in the South gave way increasingly to a pattern of commercially oriented, owner-operated farms.

While the Europeans and their descendants were moving west in North America, other Europeans (mostly Russians) were moving east across the Urals into Siberia. Almost 7 million settlers crossed the Urals between 1801 and 1914.

The areas of tillable land in Asiatic Russia lie chiefly in a fairly long belt, called the Siberian wedge. The wedge is never much more than 300 miles wide. It shrinks as it runs from the Urals eastward toward the Pacific Ocean. North of the wedge, it is too cold for farming; south of the wedge, it is too dry for farming.

Some of those who settled in Siberia were forced to do so, but most of them were ordinary peasants who crossed the Urals of their own volition in search of a better life. They went to Siberia to get free land and to escape serfdom and military service. Their crossing was an expression of Russian agricultural individualism.

The Russian peasants, who did Russia the triple services of peopling Siberia with Russians, bringing eastern European culture to the shores of the Pacific, and greatly enlarging Russian agricultural productive capacity, were rewarded during the Great Depression with collectivization of their newly created smallholdings.

Individual colonization in Siberia was prohibited in 1930. The law would have been unnecessary, for with the passing of free land, the motivation to colonize was killed. The phenomenon of Russian agricultural individualism, nurtured and developed by the great Siberian migration, however, has not been so easy to kill.

During the 1821–1932 period of great European emigration, Australia and New Zealand received 3.5 million immigrants. They and their descendants developed the agriculture of Australia and New Zealand in much the same way that North America west of the Appalachians grew.

The Australian westward movement was characterized by squatters, who took over the land and began ranching operations before it was officially open to settlement. Before the end of the century, more sedentary farmers were displacing the squatter-ranchers.

Africa also received its contingent of European settlers during the period of the great European exodus. Most of them settled in Algeria and the Union of South Africa. A million Europeans were on the north African coast (mostly in Algeria) by 1932, as against 12 million non-Europeans.

The Europeans in Algeria established an efficient commercial agriculture based on large owner-occupied farms. These farms used extensive amounts of non-European labor and exported wheat and wine to the European market.

With the turmoil accompanying Algerian independence in 1962, most of these commercial farms were abandoned by their owner-managers, who fled to Europe. Most of the farms in 1963 were being operated as collectives by the people who used to work them as hired laborers.

The greatest wave of immigration to South Africa occurred after the discovery of gold. During the peak period of the immigration, around 1895, some 25 thousand immigrants, mainly Europeans, arrived annually in the Union of South Africa.

For South African agriculture, however, the smaller immigrations that began centuries before were more important. The Dutch East India Company in 1625 founded a settlement on the Cape of Good Hope for the purpose of keeping open their trade route to the Far East.

Dutch settlers took cattle onto the traditional grazing lands of the Hottentots and gradually settled more and more of South Africa in a great trek eastward and northward. By the middle of the 18th century, Dutch farmers and the advance guards of the Bantu, whom I mentioned earlier, were coming into frequent contact.

The resulting conflict between the Dutch and the Bantu, known as the Kaffir Wars, marked the beginning of violent conflict between the races in South Africa.

Long before the discovery of diamonds (1867) and gold (1885) and the resulting inrush of people from Europe, the Dutch farmer had transformed extensive reaches of South Africa into ranches and farms along the patterns other European descendants used in other countries.

The Europeans had the most profound impact on agriculture in the places where they settled as serious farmers, but their influence on agriculture was felt also in places where they did not settle extensively.

The influence of the European lawmaker was felt throughout Africa and south Asia, where European concepts of land tenure have modified in varying degrees the indigenous systems of land tenure. The British in India, for instance, changed the Zamindar from an individual who merely collected the taxes on a landholding to one who

both collected taxes and had certain ownership rights to the land.

Throughout the Tropics, Europeans organized and controlled vast plantations. The plantations established a new pattern of agriculture as they began the large-scale commercial production of sugar, tea, rubber, coffee, and bananas.

The Europeans who went out to settle and farm new lands in the 16th century and who thus began the great European exodus could not have known that by their acts they were laying the groundwork for two important non-European emigrations: African and Chinese.

THE AFRICAN EMIGRATION constituted the largest involuntary movement of people in history.

The African slave trade with the Western Hemisphere began in the 16th century. Slaves were brought to the Virginia Colony early in the 17th century. By the 18th century, the slave trade reached its peak. Seven million slaves were brought to the Americas. The slave trade continued illegally until the middle of the 19th century. It is estimated that nearly 15 million slaves had been imported into the Americas by the end of the slave-trading era.

The extensive slave trade undoubtedly was instrumental in the early introduction into the Americas of native west African crops, such as sorghum and watermelon, as well as the early introduction of such Western Hemisphere crops as corn and peanuts into Africa.

Slaves were a tremendously important source of labor in Latin America and in southern North America and were therefore a strategic factor in the development of commercial agriculture in the Western Hemisphere.

Negro slaves became the major source of nonfree agricultural labor in the Western Hemisphere for several reasons. They were strong, hard working, and healthy. Negroes were generally immune to many of the diseases that plagued the workers of plantation agriculture. They were inexpensive. A master could buy an African slave for life for the same price it cost him to get a European indentured servant for 10 years. They were politically unprotected. They had no monarch to whom they could appeal against abuses, as did white men. They were easy to recognize. If they decided to run away, they could not blend in with the nearby Indian or white communities. There seemed to be an inexhaustible supply. The supply of Indian slaves was limited, and white indentured servants became increasingly difficult to obtain.

THE CHINESE expansion into the "Southern Ocean," as they call the islands and peninsulas of southeastern Asia, is the last of the truly great explosive migrations.

The Chinese have been migrating to the Southern Ocean for centuries. They apparently brought the use of bronze and iron to Indonesia about 300 B.C. They were entrenched in Malacca before the arrival of the Portuguese, in the Philippines before the arrival of the Spanish, and in Indonesia before the arrival of the Dutch and the English.

But the great flood of Chinese expansion into the Southern Ocean occurred after Europeans had invested capital in enterprises such as plantations and tin mines. While the Chinese were attracted to the Southern Ocean by the economic development that was being stimulated by the European influence, they were also driven there by famines.

Famines in China and migrations away from centers of famine on the China plains are apparently as old as Chinese history. During the past 2 thousand years, more than 1,800 famines have occurred in various parts of China. During the second half of the 19th century, a succession of severe famines caused the death of millions.

The Chinese moved outward in all directions. Several million of them entered Manchuria. Lesser numbers went to Mongolia.

Migration from southern China had already shoved large numbers off the shore and into the sea. Some had colonized nearby islands, including Taiwan. Others stayed on the water and today still live by the tens of thousands on their boats.

The severity of the famines during the late 19th century, plus the fresh fields of opportunity that had been created by European enterprise and capital in southeastern Asia, provided an exceptionally strong impetus to move to the Southern Ocean. It paid to migrate as it had never paid before. More than 12 million Chinese now live in the non-Chinese lands stretching from Burma through Indonesia to the Philippines.

The great flood of Chinese expansion into the Southern Ocean occurred soon after its conquest by the Western World. Politically and economically, the Chinese migration was as important there as was the Western arrival, for the Chinese are the eternal middlemen of southeastern Asia.

The Chinese for many years have taken care of the marketing of most of the native tobacco, corn, copra, coffee, rubber, wood, fruit, and so forth in Indonesia.

Chinese have retail stores in cities throughout the Southern Ocean. It is said that Chinese control most of the rice trade in Thailand. They control the rubber marketing system in Malaya so completely that a saying has developed that if all the Chinese in the country simply stayed home one day, not an ounce of rubber would move out of the country. In the Philippines they are moneylenders and brokers and control two-thirds of the island's largely agricultural export trade.

The Chinese for a long time have had a crucial role in the credit system of southeastern Asian peasants. They often developed a lending business in a series of communities and would call each week at the door of their customers to offer a loan or collect the installment on one previously given.

The non-Chinese of the Southern Ocean often resent the success of Chinese businessmen. Most of the countries of the area have laws directed against this minority. A law adopted in the Philippines in 1954, for example, provided, among other things, that aliens (Americans excepted) are prohibited from engaging directly or indirectly in the retail trade. Nearly 20 thousand Chinese retailers were affected. Later legislation required retail enterprises owned by Philippine citizens to employ only Philippine citizens.

THE FIVE great migrations I have reviewed are not the only significant ones in recorded history. Recent lesser migrations have changed agriculture.

During this century, for example, a steady trickle of Japanese vegetable growers has headed for Latin America. They are a minority of the immigrants into Latin America, but they have set an excellent example for the other Latin American vegetable growers.

Before and after the formation of Israel, about a million Jews from around the world settled in the ancient homeland. Israel was confronted with the problem of building an agriculture with people who were willing to farm but who knew almost nothing about farming. To compensate for this lack, they invented a new form of agricultural resource organization, which they called the kibbutz. The kibbutz was organized with an individual, or a few individuals, who knew how to farm and a large number of individuals who did not, but who were willing to contribute their labor and share in common the fruits of their joint efforts.

The partition of India in 1947 was followed by the mass transfer of about 16 million people. The distance involved was not far compared to the other migrations I have mentioned, but the transfer caused great disruption of agriculture.

THE AGE of great international migrations seems to have drawn to a close just as the age of great internal migration is getting into full swing.

The trend in movement of people now is toward cities. In the Western World, the urbanization has been a phenomenon of the past 150 years, but in much of the world it is only recently gaining force.

Most Americans lived in rural areas before 1920. The urban population since has been in the majority, and its relative size has been steadily increasing. A large part of the world's population, however, is still rural. About 55 percent of the world's labor force was engaged in agriculture in 1964.

The development of commercial agriculture to a large extent made possible the growth of the cities. At the same time, the growth of the cities has been a stimulant to the further commercialization of agriculture.

Around the world, city populations are growing faster than rural populations. By the year 2000, barring some worldwide disaster, the earth's population will be clearly urban oriented.

The need for a highly productive, commercial agriculture in underdeveloped parts of the world will become increasingly urgent as the trend toward urbanization continues. As a consequence, the role of agriculture in the technical assistance programs of the developed world will have to be increasingly stressed, as will the importance of agriculture in economic development programs.

PHILLIPS W. FOSTER *joined the staff of the University of Maryland in 1961 as an associate professor of agricultural economics. A specialist in international agriculture, his research interests center on the role of agriculture in developing areas. He has served with the Department of State as a consultant on economic development. He has degrees from Cornell University and the University of Illinois. He spent 4 years as an extension specialist in agricultural economics and public policy at Michigan State University.*

Questions To Be Answered

by MONTELL OGDON

WORLD AGRICULTURAL problems are cousins and offspring of natural, social, and economic conditions and are linked so closely that an upset in a locality may be felt on the other side of the globe.

The one that comes first to mind is the hazard of drought, flood, cold, insects, diseases, and other elements of Nature that at times have reduced the production of food to the point of famine, as in Bengal in 1943, when more than a million persons died.

In some regions, such as western Europe, our Corn Belt, and the Pampas in Argentina, soils and weather are such that with the employment of scientific methods, anything approaching a crop failure seldom occurs. In countries like Denmark and the United Kingdom, the intensified application of good practices has brought steady rises in output per unit of land. In the United States, Australia, and Canada, where much of the farming is done in areas once susceptible to crop failure, agricultural advances are helping to obtain increased yields in the years of intemperate weather that once would have reduced output sharply.

But in many underdeveloped countries where technology has made less headway, the vagaries of weather are apparent in low and in variable yields from year to year, and in some countries—in western Asia, for example—extremely variable yields continue to occur because of the adverse weather. Thus in much of the world, weather is still a major problem in farming.

Closely connected with weather and the availability of food are low standards of living, which have characterized agricultural populations through the centuries. Only within the last three centuries has the situation improved significantly—and that almost entirely in industrial countries.

One of the major problems in history arises when the population on the land becomes so dense that the average producer cannot grow enough food to provide for his family.

An equalizing factor between population density and farm output used to be the high human death rate from disease and famine. The situation has changed, however, and the population pressure on the land has increased with the developments of medical science. Relieving the situation in the more densely populated countries of Europe, especially during the 18th and 19th centuries, were movements of people off the land to industrial centers and to new opportunities in North America, South America, Australia, and New Zealand.

No such relief has been available in most parts of the world, particularly in mainland China, southern Asia, and the Middle East. Improvement of the economic position of the rural population is still one of the greatest problems of underdeveloped and the developed countries alike.

In the less-developed countries whose populations are predominantly agricultural, a billion persons, one-third of the world population, live in rural districts. The value of their per capita agricultural output averages less than 100 dollars a year. The per capita gross domestic product for the agricultural sector of the economy in the less-developed countries is one-fifth of the GDP of the nonagricultural sector. In newly developing countries that have significant nonagricultural industry, the per capita GDP for agriculture is one-fourth to one-third that of the nonagricultural sector. In the most advanced industrial countries, the average per capita GDP for agriculture is usually little more than one-half of that for the nonagricultural sector of the economy.

Governments of developing countries have undertaken the slow and costly work of raising the efficiency of peasants and helping them to have a more active place in a commercial economy.

ONE HANDICAP that becomes apparent immediately is the damage being done by natural elements and man to an essential agricultural resource—the land.

The need to eke out an existence has caused overgrazing, unwise cropping, the exhaustion of fertility, and the use of manures as fuel. The exploitation by continuous cropping of land that should be fallow, the burning over of second-growth forests, and the burning of stubble or fodder after removal of the grain have ceased entirely in only a few advanced regions.

Deforestation still proceeds in many places, and the naked land is open to the natural forces of erosion that carries away much of its soil.

The immense knowledge we have of science in agriculture can build up the land or tear it down. A man and a machine and a day's time can destroy the land's usefulness for years.

Strip mining with large earthmoving equipment, construction of one-story industrial plants on flat alluvial soil, modern highways, and the extensive bulldozing of land for construction of dwellings, as the population movement to urban centers continues pellmell in many parts of the world, denude the land.

The farmer himself has been partly to blame. He tends to overlook some of the destructive consequences resulting from what he judges to be expedient use of his new machines and chemicals. The use of custom operators, or employees, more skilled in operating machinery than agriculture, for plowing, cultivating, spraying, and

harvesting on a large scale increase the danger that farmers themselves can harm the land.

Suitable soil, the right amount of moisture and sunshine, fertilizers, insecticides, and mechanical power and other equipment are only a part of the inputs into agricultural production. There are also essential skills—whether supplied by the farmer with his own hands, by other members of his family, or hired workers—plus planned and scientific management under constantly changing circumstances.

Application by the modern producer of scientific knowledge—handed down from past generations, the result of his own experience, or the result of comparing the results of his own efforts with those obtained on other farms and demonstration plots—is a most important consideration.

The inputs into a modern agricultural production unit are becoming increasingly costly in many parts of the world. Land in high-producing regions tends to become capitalized at levels that reflect efficient production.

In the most underdeveloped areas, extensive education, structural changes in farm credit and marketing, new roads, housing, and certain utilities may be necessary before efficient production is attained. The investment in machinery and in management and skilled labor, if it must be hired or trained, is expensive. Because suitable new agricultural land is becoming scarce and costly and other inputs also are becoming more and more expensive, the capital investment becomes more important in the development, maintenance, and improvement of commercial farms.

MANY PROBLEMS have arisen in connection with marketing. Some, such as adjustment to changing world demand, have worsened since the First World War.

Even before then, however, functioning of the marketing process was far from perfect. Producers in colonial countries and major independent agricultural countries claimed that their products were undergraded, underweighed, and underpriced. Railway cars and ships were not always available in peak shipping seasons. Freight rates often contained inequities. In addition to the state-defined standards for weights and measures used by traders since ancient times, there was a certain amount of market regulation. Some countries had highly protective import duties. Some had preferential duties. Some had preferential transport regulations. Some even had export duties.

To assure value received to agricultural producers, governments provided for regulation of services to farmers or registration of certain persons performing agricultural marketing services, such as public weighers, graders, auctioneers, warehousemen, and traders. They set freight rates to protect farmers and sometimes set rates for milling of farm products. They sometimes set quality standards for export commodities of great importance in a country's national economy. Some countries established state monopolies for domestic buying, milling, exporting, and importing some products.

Agricultural products, until transportation comes within easy reach of the producer, usually are sold locally for local consumption or to a buyer's agent at a price that often does not represent competitive demand in world market places.

When adequate services and relatively free competition among traders existed, a definite relationship developed between the prices of staple farm products in the export country and the price in world commodity markets until 1914.

For example, making allowance for a rising or declining trend in prices, the price paid to the American farmer for wheat and the price at Minneapolis-St. Paul bore a constant relationship to the export contract price. At the same time, the United States export price showed a definite relationship to the cost, insurance, and freight import price in London, Liverpool, Rotterdam, or Hamburg.

Though the foreign demand was generally strong for farm products during the 25 years before the First World War, definite price cycles were apparent among annual average prices for major farm products in world trade; there were wide variations between lows and highs for the same commodity; and there were sharp price changes from one year to another for the same products.

The United States export price of wheat declined from 1.03 dollars a bushel in 1892 to 80 cents in 1893; that of cottonseed oil declined from 40.8 cents a gallon in 1909 to 6.6 cents a gallon in 1910. The annual average export prices of corn ranged between 31 cents and 75 cents a bushel. Upland cotton prices ranged from 5.4 cents to 14.48 cents a pound. The average annual prices of bacon and ham ranged from 7.5 cents to nearly 14 cents a pound.

Contributing to the uncertainty of price in the world market were uncertainties as to the volume of a commodity that would be purchased in the world's leading markets or what competition would be encountered.

Contributing to the uncertainty of the situation in the world market and uncertainty of farm income were variations in domestic production. In Iowa, already the largest corn-producing State in the 1890's, farmers produced a crop of 251.8 million bushels in 1893, 81.3 million bushels in 1894, and 321.7 million in 1896.

Seasonal prices varied more than did the average annual export price for the same commodity. Average monthly prices received by Nebraska producers during 1895–1914 for wheat were 37 cents to 1.10 dollars a bushel; for corn, between 10 cents and 72 cents a bushel; for butter, between 8 and 27 cents a pound.

Many major agricultural exporting countries went through a much more grueling experience than did the United States from the 1880's to 1914.

Countries that depended on exports of farm products for the gold and foreign exchange to maintain their economies became bankrupt. Currencies were depreciated. Central banks failed. Industrial development came to a standstill. Governments were shaken. Legislation was enacted to encourage both domestic cooperative marketing and exports by cooperative pools, and experimental programs, such as redistribution of land, state ownership of railroads, and payment of bounties to agricultural producers.

The decline of prices of farm products relative to prices of other products became a worldwide phenomenon, particularly between 1920 and 1933. To offset tendencies that were causing economic stress and reduced standards of living, programs initiated before or during the First World War were reassessed and extended to protect agricultural producers.

Governments in the more economically developed countries generally took various measures that helped to raise the income level of agricultural producers. They specified minimum prices for farm products. They purchased commodities to support their prices. They made acreage payments to producers. They restricted imports of competitive products. They made payments to the producers to cover the difference between prices received by farmers and a goal price.

PROGRAMS devised as remedies to farm problems and widely enacted unilaterally to cope with the effects of adverse weather and radical price declines and to give greater economic security to agriculture and society have themselves become a major problem in the handling of many commodities.

Wheat, which vies with cotton as the most widely traded agricultural commodity in world commerce, is also one of the most widely regulated. It is regulated in exporting and deficit countries alike in order to maintain or stabilize incomes of producers. It is regulated in nutritionally deficit

countries in the interest of consumers.

In major exporting countries, measures to stabilize producers' incomes have arisen out of the uncertainties respecting yields, prices, and foreign demand and the increasing costs of materials needed to produce it. The measures include government-guaranteed prices to producers for certain specified quantities of wheat or unlimited quantities, payment of insurance or ad hoc grants in case of reduced size of crop resulting from adverse weather conditions, purchase and storage of wheat to support the price, control of the imports, export quality control, and the use of bilateral government-to-government sales agreements.

Governments in exporting countries use bilateral agreements among other methods of assuring export markets. Australia, for example, has used bilateral agreements to cover much of that country's commercial wheat and flour sales abroad. They have been made with West Germany, Japan, mainland China, and the Soviet Union. A "gentlemen's agreement" between Australian wheat export authorities and groups controlling the flour industry in the United Kingdom assures a market for specified amounts of Australian wheat at the world market prices.

In the more economically advanced wheat-growing deficit countries, producers are encouraged by such incentives as a guaranteed market at high guaranteed prices, subsidization of production requisites, or other payments. Millers may be required to mix homegrown wheat into their flour for bread. The price they pay for wheat and the price they charge for bread may be controlled. Imports may be subject to high customs duties, variable levies, and price fixing.

High guaranteed prices and governmental control of imports in western Europe stimulate domestic production that tends to displace wheat that can be produced much more efficiently in oversea countries. The price for domestic wheat per bushel in 1959 (before the inception of control of agricultural prices by European Economic Community among member countries) was 2.86 dollars in Germany and 2.83 in Italy. For the same year, it was 4.10 dollars in Switzerland, 3.43 in Norway, 2.78 in Japan, and 1.81 in the United States.

In less-developed countries, subsidization of wheat production is much more limited than in the more affluent countries. Yet there may be many controls, such as governmental purchase to support the domestic market price, fixed prices, compulsory planting or subsidization of production requisites to encourage increased wheat output, specified extraction rates, and maximum retail prices.

Controls over wheat are so complete in some countries that they amount virtually to governmental monopoly. In Norway, for example, the Norwegian Grain Corporation controls imports, exports, and domestic distribution of wheat, feed grains, and other feeds. In Canada, the Canadian Wheat Board buys all homegrown wheat except that used for domestic feed and is the sole wheat importer and exporter.

The common agricultural policy of the European Economic Community requires that imports of wheat be subjected to variable import levies so that imported wheat cannot interfere with the operation of the administered price system for wheat grown in European Economic Community countries.

Most countries of the British Commonwealth and some that are no longer members give preferential tariff treatment to imports from other Commonwealth countries. The United Kingdom and a few others do not have duties on wheat imports or do not give preferential tariff treatment to each other. Some, however, do give such a preference on wheat and many give it on wheat flour. For example, wheat flour entering the United Kingdom from Commonwealth sources enters duty free; flour from Australia and Canada thus largely has the British

market, because flour from the United States or Argentina would pay an ad valorem duty of 10 percent.

An international wheat agreement among the principal wheat exporting and importing countries tends to have certain short-term stabilizing effects on the world wheat prices, without interfering with the operation of production incentives, price supports, or the other domestic wheat programs.

THE DETAILS I have given at length about wheat exemplify questions that pertain to other leading crops and products:

Should their production and prices be controlled? How? What is the effect of our policy of supporting the domestic prices of cotton, say, on the production elsewhere? Do pricing policies restrict consumption—of sugar, for example? To what degree do the international agreements interfere with the marketing of a crop, like tobacco, on a competitive commercial basis? What is the effect of import licenses, duties, and price schemes on trade in fruit and vegetables?

I could cite many more. They are considered in later chapters. They emphasize two salient points: Agricultural production and trade are tremendously and increasingly complex. We need to bring to the consideration of such questions and problems a great amount of knowledge, wisdom, fairplay, and humility to achieve the goal of a decent living for all people.

EXPANSION OF OUTPUT and adjustments of production on a scale never before achieved in most countries will be required of agriculture before the end of another decade.

The annual population growth rate of the world from the end of the Second World War to 1964 rose from 1 percent to 2 percent. Before 1975, at a growth rate of 2 percent annually, the population of the world will increase by about 650 million.

Agriculture is not alone responsible

for provisioning mankind with food and other products, but it does have a major role in providing food, fiber, and other important products. The record since 1955 points to serious shortcomings in the supply-demand equilibrating factors. Per capita production from crop year 1954–1955 to 1963–1964 showed an increase of only 3 percent in the period, and a decline of 5 percent in the 5 years 1958–1959 to 1963–1964. Moreover, the distribution of the increase was uneven by regions and by commodities.

The rate of increase in the world agricultural output from year to year will have to be increased 50 percent above that of 1958–1959 to 1963–1964 if it is to keep pace with the rate at which population is rising. The race between population growth and agricultural production is too close for complacency.

IT MAY BE presumptuous to say that famine could not cause starvation in our time. Major agricultural producing areas are frequently subject to weather conditions that sharply reduce the level of harvested crops below food requirements.

India, with more than 450 million people, and other populous countries of southeastern Asia have historically been subject to droughts and floods.

Mainland China, whose estimated population is 650 million, has had serious droughts and floods since 1959.

The Soviet Union, with 218 million people, has become more susceptible to the effects of weather since wheat growing was extended into the "new lands" area east of the Urals, which has variable and low rainfall and short growing seasons.

Countries of southern Asia would have had a series of food crises during 1955–1964 had they not drawn heavily on supplies of wheat in the United States, Canada, and Australia.

FOREMOST among problems is whether developing countries, which have had difficulties with balance of payments and are heavily populated, can improve their earning capacities to meet the rising requirements of an unprecedented growth in population.

Success requires the development of agricultural methods suitable to the natural conditions peculiar to each agricultural area; construction of fertilizer plants and other costly programs, such as land clearing or irrigation; and the application by producers of the required changes in techniques.

Success in the application of improved agricultural production technology was a major factor in the changes that occurred in the pattern of commodity output between 1950 and 1964.

While world wheat output increased by 19 percent and rice 32 percent, corn production rose 43 percent. Increases in the production of such tropical oilseed products as palm oil, coconut oil, and palm kernel were small. The production of peanuts, largely in underdeveloped countries, and olive oil somewhat outpaced the growth in population. The production of soybeans increased 50 percent, largely in the United States.

Production of cash crops for export in underdeveloped countries were generally subject to better farm management and cultural practices than crops grown in the same countries largely for domestic use. Thus, for example, the output of tea rose 47 percent; cocoa, 52 percent; coffee, 64 percent; and sisal, 66 percent.

The total increase in agricultural output has been greatest in countries that were becoming increasingly industrialized and could purchase food and other farm products in the world market to meet deficits due to increasing populations and rising industrial activity.

The increase in per capita farm output from 1954 to 1964 was 15 percent in West Germany, 17 percent in France, 18 percent in the United Kingdom, 34 percent in Austria, and 43 percent in Japan.

On the other hand, in nutritionally

deficit and underdeveloped countries, which have had serious balance-of-payment problems, the increases in per capita production were slight. In Latin America and northern Africa as a whole and in several African countries south of the Sahara, per capita output in 1963–1964 was no higher than in 1953–1954.

Per capita agricultural output in 1963–1964 was below the 1935–1939 level in Afghanistan, Burma, Cambodia, Ceylon, Indonesia, Laos, Pakistan, South Vietnam, and Taiwan, and only 3 percent above 1935–1939 in India.

Significant price changes for farm products occurred in the fifties and early sixties that affected both importing and exporting countries. Some such changes accompanied the disturbances to markets at the time of the Korean war and interruption of traffic through the Suez Canal.

Decline in the world price of farm products of all types, food, beverages, fibers, and raw materials, such as vegetable oils for nonfood purposes and natural rubber, amounted to 24 percent from 1951 to 1955 and 15 percent from 1957 to 1961.

The prices of some commodities, such as sugar, coffee, and cocoa, showed sharp year-to-year fluctuations in the fifties and often necessitated adjustment in a country's economy.

The prices of many products vitally important in the export trade of underdeveloped countries continued to show sharp declines between 1957 and 1962. The world price of cocoa declined by 46 percent, coffee by 33 percent, sugar by 25 percent.

What avenues should be taken to protect the interests of producers and consumers in production, pricing, and marketing of farm products?

Should countries declare their controls to be an essential mechanism to defend their industries against the problems of production and aggressive agricultural policies of other countries? The result could be controls so complete that production and trade would be determined not by economic utilization of resources but by a government's administrative ability to control imports and financial ability to subsidize domestic production and exports.

The dangers inherent in the present situation are reflected by the many proposals advanced during 1954–1964 that nations ameliorate conflicting agricultural policies by joint action.

Yet countries feel strongly the urge to continue their efforts on a national basis to protect producers and consumers from such vagaries as drought, extreme price fluctuation, and ad hoc protectionist action of other countries.

The welfare of producers, traders, and consumers is involved in such international programs as regional economic integration, commodity agreements, reciprocal reduction of trade barriers, and economic assistance to underdeveloped countries and in such national programs as those for advancement of resource development and conservation, crop insurance, and farm credit.

The development of agricultural resources in line with the most economic utilization of those resources should not be forgotten in any reorientation of national or international programs.

At the same time, if we are to achieve output needed for the future world population, programs must encourage maximum utilization of private capital and individual production incentives.

Much can be done along these lines in view of the greatly improved communication techniques and the knowledge and skills being developed in production, marketing, and use of information on future demand for farm products arising from population growth, urbanization, and changes in income.

MONTELL OGDON *is an international agricultural economist in the Economic Research Service. Before joining the Department of Agriculture in 1939, he was an assistant in the College of Agriculture, University of Illinois; a Carnegie fellow at the University of California; and a professor at Texas Tech University.*

Nutritional Status

of the World

by ESTHER F. PHIPARD and
RILEY H. KIRBY

PEOPLE must be well fed if they are to be healthy, productive, happy, and secure. Millions of people do not have enough to eat, and so problems of food supplies and nutrition must be attacked on an international scale.

The first step in solving the problems is to define and assess them—to determine the extent and severity of malnutrition in the world.

One avenue is through estimates of the kinds and amounts of foods consumed in different countries and the extent to which the diets meet the nutritional needs of the people.

These food balances—supplies of food balanced against the populations to be fed—are developed by the Food and Agriculture Organization of the United Nations as a part of its continuing study of the state of food and agriculture. They are prepared also by the Department of Agriculture to measure the world's food resources.

Food balances are developed for each commodity on the basis of domestic production, imports, exports, and changes in stocks to get the supply available for all uses. From that total are deducted amounts used for feed, seed, and industrial purposes and estimated waste. The remainder, representing amounts for human consumption, is divided by the number of persons in the population to give per capita consumption of each type of food. Estimates of the calories, protein, and other nutrients available for consumption can then be made.

Seldom are food balances models of precision. The basic data are incomplete, unreliable, or lacking in some countries, and estimates must be based on fragmentary information. Also, population statistics for many countries are unsatisfactory. Food balances nevertheless serve reasonably well to indicate variations in dietary patterns and levels of consumption and to measure changes over time.

A comparison of food balances prepared by the Department of Agriculture for more than 80 countries reveals some sharp differences. For example, some countries rely heavily on grain products and other starchy foods. Those items are much less important in other countries, where people eat more meat and other costlier foods. The calories per person per day may range from fewer than 2 thousand to more than 3 thousand. The consumption of total protein may vary from less than 50 grams to more than 100 grams per person per day. The consumption of fat varies even more.

It is more meaningful, however, to evaluate the food available for person within one country in terms of the calories and amounts of nutrients the food provides as compared to amounts needed to maintain normal health and activity in the country.

In the Department's study, *The World Food Budget, 1962 and 1966* (Foreign Agricultural Economic Report No. 4, October 1961), nutritional reference standards were established for calories, protein, and fat as being major indicators of dietary levels.

Reference standards for calories for major regions were based on requirements as developed by the Food and Agriculture Organization in the Second World Food Survey for 36 countries. The requirements take into account environmental temperature, body weights, and the distribution by age and sex of the national populations. Reference standards used by the Department of Agriculture varied from 2,710 Calories in Canada and the Soviet Union to 2,300 in the Far East and Communist Asia.

The reference standard for total protein was set at 60 grams per person per day. Some attention also was given to the sources of protein. Nutritional needs for protein can be met by foods of vegetable origin if they are combined in rather exact proportions so that the shortages of amino acids—the components of proteins—in the staple food are made good by those in other kinds of foods. Protein needs are much more likely to be met, however, if some foods of animal origin are included in the diet. Some of the better plant sources, such as dry beans, peas, and nuts, also help to safeguard protein adequacy.

The reference standard for animal protein based on 10 to 15 percent of total protein was set at a minimum of 7 grams—the approximate amount in an ounce of cheese or one egg or one frankfurter. An additional 10 grams of protein from pulses (peas and beans) was specified also, or, if animal protein exceeded 7 grams, enough from pulses to bring the total to 17 grams.

The amount of fat required for a nutritionally adequate diet is not well defined. The reference standard we adopted was the amount of fat that would provide 15 percent of the reference calories. This level was based on judgment as to what might be a reasonable nutritional "floor."

The approximate nature of these reference standards should be emphasized. Although stated as fixed figures for purposes of calculations, knowledge of human requirements does not provide a basis for such precise averages.

SET AGAINST these standards, the food balances of many countries reveal diets that are adequate and even more than adequate on the average. Among them are the United States, Canada, Australia, and New Zealand, all of which have large land resources and a mod-

ern and mechanized agriculture and produce food in export abundance. Also included are Europe, the Soviet Union, and the southern parts of South America and Africa.

In short, the industrialized countries, which have one-third of the world's population, have the science, technology, financial resources, and managerial ability to command the food supplies needed for good nutrition.

Some 70 countries, including most of Asia, Africa, and Latin America, have food supplies that are deficient in one or more nutrients, and many lack sufficient calories. Here live 2 billion people, two-thirds of the world total. Some of the more severe deficits in consumption per person occur in Africa and Latin America.

Because of the far larger numbers of people and greater density of population, however, the Far East and Communist Asia constitute the center of the world food problem. This becomes clear when deficits in daily per capita consumption of calories, protein, and fat of each country are translated into tons of specific foodstuffs necessary to meet the deficits for the entire population for a whole year.

The essential nutrients are available in a wide variety of foodstuffs, but for convenience and ease of understanding it is useful to express the deficits in terms of a few widely known and used foods. Thus deficits in animal protein can be expressed in terms of nonfat dry milk and those in pulse protein in terms of dry beans and peas. Deficits in other protein and calories can be converted to tons of wheat, and those in fat to tons of vegetable oils.

With allowances for increases in population and likely changes in production, trade, and consumption, a world food budget for 1966 shows that additional quantities of foodstuffs would be needed in all the countries in which diets are less than adequate to meet the nutritional standards equivalent to 29 million metric tons of wheat, 3 million tons of vegetable oil, 1.6 million tons of nonfat dry milk, and

165 thousand tons of dry beans and peas.

The non-Communist Far East has two-thirds of the projected wheat shortage and nearly half of the shortages in animal and pulse proteins and fats. This region accounts for 42 percent of the population of the diet-deficit regions and has 60 percent of the overall food deficit. Communist Asia accounts for most of the rest of the animal protein and fat shortages and more than 10 percent of the wheat shortage.

The deficits as calculated are on an annual basis after an allowance for consumption of foodstuffs provided under the Food for Peace program. On an overall basis, they represent only about 2 percent of the value of world agricultural production. This appears at first glance to be an amount of modest dimensions—merely 2 percent. The world's farmers increase production this much and more (2.4 percent) from one year to the next. But (and here is the rub) the world's population increases nearly as fast as the gain in production. Farm production increased more rapidly in 1954–1964 than ever before, but so did population.

Thus gains in production per person come slowly, and the slight increase that was made over the past quarter century occurred principally in regions where diets already were adequate. No improvement is registered in the 70 countries where diets are deficient, yet it is there that gains must be made.

Seen in the light of other comparisons, to produce or to buy the additional foodstuffs that represent the nutritional deficits poses a challenge of no small proportions. Twenty-nine million tons of wheat, for example, is more than 6 percent of the production of all cereals in diet-deficit areas.

It about equals the amount of all cereals imported annually by these countries in recent years, and it is not far short of the level of carryover wheat stocks built up in the United States over a period of years.

The prospects of doubling imports of food grains are not bright because most of the countries have foreign exchange problems and lack substantial industry to produce for export. Their economies are mostly agricultural, and the agriculture is not highly productive. Their arable land is limited and population is dense. Farms are small, methods are backward, and yields and output are low.

Undernutrition, or too little food to give needed calories, exists in all countries, even in the United States. The fact that a country's food supply provides enough calories per capita to meet the nutrition reference standard means only that. Averages assume values below as well as values above, but in those countries with calorie averages below reference levels, one can expect to find widespread undernutrition as well as malnutrition.

Although nutritional needs can be met by many different combinations of foods, it is agreed generally that diets in which more than two-thirds of the calories are derived from cereals, starchy roots, and sugars are likely to be of poor nutritional quality, especially if the staple foods are largely cassava, bananas, sweetpotatoes, or highly milled corn or rice. The proportion of calories from them and from sugar in some developing countries is as high as 75 to 85 percent, whereas in well-fed countries it is more like 40 to 50 percent.

The amount and sources of protein in a country's food supply is another clue to dietary adequacy. In the World Food Budget, nearly half of the countries had food providing less than the reference standard, 60 grams of total protein per person per day. Of these, 9 countries had less than 7 grams from animal sources and 13 had less than 17 grams of protein from animal foods and pulses combined. These protein-deficient countries were in the same three areas of the world where calories were short—Latin America, Africa, and the Far East.

Diets in many countries are low in

fat or oil. The reference standard, the amount to provide at least 15 percent of the reference calories, amounted to 36 to 42 grams of fat per person per day. That equals about three tablespoons of oil. Twenty-four countries and Communist Asia had less than this amount of fat in their food supplies. In two countries of the Far East, the average quantity was only half as much as the reference standard.

The nutritional significance of such low-fat diets is not known, nor is there a scientific basis for setting an optimum level of fat in the diet. Some fat is needed to furnish essential fatty acids and to aid in the absorption of fat-soluble vitamins. From a practical viewpoint, a moderate amount of fat in diets is advantageous. Because they are so concentrated, fats contribute needed calories without much bulk. It is not surprising that many of the countries with food supplies low in fat were also low in calories.

IN THE BETTER FED countries where food supplies are ample in kind and amount to provide for nutritional needs of the population, severe undernutrition and malnutrition are the exception rather than the rule. Nevertheless, with freedom to buy foods of their choice, except when limited by low incomes, many people make poor selections and end up with diets low in essential nutrients.

In the United States, for example, many individuals have in their meals less than recommended amounts of one or more nutrients, especially calcium, ascorbic acid, and vitamin A. Others may be short in thiamine and riboflavin. Clear-cut cases of deficiency diseases, such as pellagra or scurvy, are seldom seen, but wiser food choices would mean the attainment of much higher levels of health and vitality.

A more serious problem in the better fed countries is that of overnutrition or excessive calories in relation to need. The result is overweight. Part of it may be ascribed to the relatively high consumption of fat. Fat, a concen-

trated source of food energy, provides more than twice as many calories per unit of weight as protein and carbohydrate. It is estimated that about 25 percent of residents of the United States are overweight to a degree that is considered a health hazard.

There is evidence that the kind and amount of fat in the diet may be a contributing factor in cardiovascular disease, one of the most frequent causes of death in the United States, in much of Europe, and in well-to-do groups in other countries. Thus malnutrition resulting from too many calories or a poor balance of food sources of calories can be just as serious in terms of life expectancy as undernutrition.

WITH TOO LITTLE food—too few calories—for long periods, the body adapts to a lower plane of existence by conserving expenditure of energy. For adults, that means a loss of weight, lower physical activity, and consequently less output of work. Poor physical stamina coupled with low income, limited technical knowledge, and perhaps lack of water or fertile soil are basic causes of food shortages. A cycle of cause and effect operates to perpetuate the situation.

When children have too little food or the wrong kinds, growth and development are affected and general health is impaired. A greater susceptibility to disease is a natural concomitant. Malnutrition among young children is especially serious. It is largely responsible for the high mortality rate, which for children 1 to 4 years old, is said to be up to 40 times greater in some of the developing areas than in the United States or other economically well-off countries.

A shortage of protein, as well as calories, is common in the postweaning period, when the child may be given a starchy gruel low in protein.

It is especially common in places where cassava and yams are the staple foods. Sometimes a better diet may be available, but the mother continues these poor feeding practices because of tradition and from lack of knowledge.

Protein-calorie malnutrition of children is perhaps the most serious and widespread deficiency disease in the world. In its severe form, known as kwashiorkor in some areas, it exists in most of the food-deficit countries of the Far East, the Middle East, Africa, and Latin America. Characteristics of the disease include growth failure, muscular wasting, edema, skin and hair changes, mental apathy, liver damage, anemia, and sometimes associated infections. If diets are not improved, the rate of mortality may be high.

Deficiencies of other nutrients in the diet also leave their mark on the nutritional status of people, adults as well as children. This is to be expected with diets so high in cereals and starchy roots and so low in dairy products, eggs, meat and fish, fruit, pulses, and vegetables.

A MAJOR CONTRIBUTION to the measurement of nutritional status around the world is being made under the program of the Interdepartmental Committee on Nutrition for National Defense.

The committee was established in 1955 to assist countries in which the United States has a special interest to identify and assess nutritional problems of the people and to help them use their resources to best advantage in solving their problems.

When a country requests it, a survey mission of American specialists assesses the nutritional health of population groups through dietary studies, clinical examinations, and biochemical measurements. Working side by side with their counterparts in the host countries, the specialists also study the quality and availability of the food supply with a view to recommending measures for its improvement.

The committee's teams by 1963 had completed nutrition surveys in eight countries in the Far East, four in the Near East, eight in South America and Central America, two in northern Africa, and one each in the West Indies and Spain.

The surveys have underscored similarities in the nutrition problems of different countries. Besides protein-calorie malnutrition of young children, certain other deficiencies are widely prevalent.

Endemic goiter (enlargement of the thyroid gland) is common in sections of food-deficit countries and in many other countries. Its prevalence is associated with insufficient intake of iodine, which is unevenly distributed in food and water and generally is more abundant near a seacoast.

Endemic goiter occurs to some extent in the United States and Canada. It has been a serious public health problem in most of the countries in Central America, South America, and the Far East. A large goiter belt extends some 1,500 miles across the north of India, where the incidence varies from 29 percent in one district to more than 40 percent in another.

Goitrous areas also exist in Thailand, Burma, and other countries in that part of the world. In a small village in Vietnam, for example, 34 percent of the individuals examined by scientists of the committee's survey team had thyroid enlargement. The proportion exceeded 50 percent for females under 15 years and was more than 60 percent for pregnant and lactating women.

Endemic goiter can be controlled through the use of iodized salt. Many countries have adopted legislation requiring iodization of salt, but problems of production and distribution of iodized salt to needy areas remain to be solved in some countries.

Evidence of riboflavin deficiency was a common finding in the nutrition surveys conducted by the committee. Riboflavin deficiency is associated with diets low in milk, meat, green vegetables, and legumes.

In the United States, nearly half of the riboflavin in the average diet comes from milk and milk products, and one-fourth from meat, fish, and eggs. In countries where those foods are not available to most of the people, short-ages of riboflavin and of other nutrients they provide are common.

Vitamin A deficiency in its most severe form, xerophthalmia, is a principal cause of preventable blindness in some countries in southern and eastern Asia. It is especially prevalent among children under 5 years and often is associated with protein malnutrition in this age group. If untreated, vitamin A deficiency may lead to blindness or death.

In Malaya, half the cases of blindness are said to be due to vitamin A deficiency. It is considered the commonest cause of preventable blindness in India. Reports from Indonesia indicate that perhaps thousands of small children die or go blind every year because of lack of vitamin A along with a generally poor diet. Among contributing causes may be the poor nutritional status of the mother during pregnancy and lactation, a diet low in vitamin A following weaning, poor absorption of vitamin A or of carotene because of limited dietary fat or intestinal disturbances, and possibly because of other dietary shortages affecting metabolism of vitamin A.

Food sources of preformed vitamin A, such as egg yolk, whole milk, and liver, usually are not available to the groups affected. Yet many excellent sources of provitamin A (carotene), such as red palm oil and leafy vegetables, are available but are not given to young children.

FOR MANY COUNTRIES at least fragmentary information is available about the nutrition problems that need attention.

Even within a country the problems may differ among specific areas or among different segments of the population. In general, the most seriously malnourished are the so-called vulnerable groups—mothers during the reproductive period and young children. Families everywhere with incomes barely adequate to sustain life show evidence of malnutrition and too little food.

Despite the similarity of nutrition problems around the world, efforts to improve diets and nutritional health must be developed separately for each country or perhaps for areas within countries.

Planning must take into account the particular characteristics of the area and the people; the general economic level, agricultural resources, and capacity to increase or modify food production and to process, preserve, and distribute needed food; and the cultural aspects of food habits, including traditional practices.

Many disciplines are involved in the complex problem of improving diets. Specialists in agriculture, economics, food technology and nutrition, public health, and education all have a part in bringing about a situation where enough of the right kinds of food is available to all groups of people.

Cooperative effort is needed from the cabinet level to the rural community, where plans to improve diets may include home production of certain kinds of foods, child feeding projects, or even the provision of adequate water supplies.

Everywhere there is need for education in agricultural methods, sanitation and public health, homemaking, and the feeding and care of young children.

Progress will be slow because of the enormity of the problem, but much has already been accomplished. Leaders in many countries are taking the initiative in attacking the problems of food and nutritional health. With the help of international agencies and other government and nongovernment groups, important developments are taking place.

Since its founding in 1945, the Food and Agriculture Organization has completed more than 2 thousand technical missions to help increase food production. The programs emphasize expansion of agriculture where feasible, better farming practices to improve crop yields, and control of animal diseases and destructive pests. The program in India includes expanded fisheries, poultry keeping, milk production, and the growing of more legumes, fruit, and other protective foods. Demonstrations of food production are given in some districts as a practical kind of education in nutrition.

Fish farming, developed in Thailand and other countries with the assistance of Food and Agriculture Organization experts, has provided a source of dietary protein of good quality for many people for whom meat, milk, and eggs are not available.

A vigorous agricultural program carried out in Mexico by the government in cooperation with the Rockefeller Foundation has brought about a substantial increase in food production, partly by obtaining much larger crop yields. The result is a more varied diet with more animal protein foods and higher calorie levels for many Mexicans.

In Taiwan, rice enrichment for the armed forces was started in 1958 at the recommendation of one group of the Interdepartmental Committee on Nutrition for National Defense. Nutrients added by enrichment include thiamine, a deficiency of which causes beriberi. In some rice-eating countries, other measures are taken by the government to prevent beriberi, such as the production of parboiled rice or control of the extent of milling to retain some of the thiamine.

A food cannery in Iran was modernized with technical assistance from the International Cooperation Administration. This plant made possible a supply of canned meat, fruit, and vegetables for the armed forces and civilians. This and many other activities contributing to improved nutrition in Iran were stimulated by the medical nutrition survey of the interdepartmental committee.

DEVELOPMENT of suitable sources of protein that will help to improve low-protein diets has challenged nutrition research workers and food technologists the world over.

A number of products have been developed and tested for biological effectiveness and human acceptability. Some are in use in special feeding programs. Although ways of solving the problem will differ, the principles are the same. For long-term planning, locally available sources of protein must be found that are nutritionally effective, low in cost, and acceptable to people. Equally important are plans for getting the foods to the people who need them most.

School feeding programs have been established in many countries. Meals at school offer a way of providing milk and other nutritious foods to a needy group and encourage the development of good food habits.

The full potential of school feeding programs will be reached only when sufficient funds, food, and equipment are available and when there are enough trained personnel to conduct the program.

In all countries there is great need for more professional workers—physicians, nurses and other health workers, nutritionists, teachers—with knowledge of foods and nutrition. Consequently, expanded opportunities for training are provided by United Nations agencies, nongovernment organizations, and other groups.

Educational programs that actually reach families are an important objective. In the last analysis, it is only through better meals eaten in the homes of the country that nutritional improvement of the population will occur. Special knowledge and skills for this kind of teaching are needed by extension workers in home economics, welfare and health workers, and the teachers.

ESTHER F. PHIPARD *is Chief of the Diet Appraisal Branch, Consumer and Food Economics Research Division, Agricultural Research Service.*

RILEY H. KIRBY *became Assistant Chief of the Far East Branch, Regional Analysis Division, Economic Research Service, in 1958.*

World Sources of Protein

by MARTIN G. WEISS and
RUTH M. LEVERTON

PROTEINS are the scarcest and most expensive of all our foodstuffs; millions of people in the world have never had the amount or the quality of proteins they need for nutritional well-being.

Proteins are present in every animal and plant cell, and they have to be made by living cells. All proteins come directly or indirectly from plants, which combine nitrogen, hydrogen, oxygen, and carbon from soil, air, and water as they grow to make these vital substances.

People and animals cannot use such simple materials and must get protein from plants or other animals. Once eaten, the proteins are digested into smaller units and rearranged to form the many special and distinct proteins of the body tissues. These are basic substances in all the body's muscles, organs, skin, hair, and other tissues.

Proteins are made up of different combinations of 22 simpler nitrogen-containing materials, the amino acids. Eight are classed as essential or indispensable because they must be supplied to the animal body in readymade form. The other amino acids are also essential for body tissues and functions, but the body can build them from carbon, hydrogen, oxygen, and nitrogen furnished by food.

The value of any food in meeting the body's needs for protein depends on the amount and assortment of amino acids, especially the essential ones. Also important is the ability of the body to digest and metabolize the food, and what and how much protein the food supplies in relation to what and how much protein the body needs.

The amount of protein needed for health depends chiefly on the person's age, whether or not he is growing or otherwise forming new tissue, and on the adequacy of his supply of energy. Supplying energy needs takes priority over all other uses of food. When there is a shortage of energy sources, proteins are used for that purpose, and their amino acids will not be available for maintaining body tissues.

In the United States and Canada, animal products provide two-thirds of the protein in human food. The proteins in meat, poultry, fish, eggs, and dairy products are ideal for human consumption. They are palatable and are nutritionally complete, as they comprise adequate amounts of each of the eight indispensable amino acids. In fact, gelatin, which is deficient in certain amino acids, is the only protein from animals that is nutritionally incomplete with respect to amino acids.

There are about 6 billion head of livestock and poultry in the world—about two animals for every human being—but the distribution is far from uniform. The world has slightly more than three times as many people as cattle, but major livestock countries, such as Argentina and New Zealand, have about two and one-half times as many cattle as people. Densely populated countries like Pakistan, Burma, Thailand, Ceylon, and Cambodia may have four to six times as many people as cattle.

It is said often that in densely populated countries people and animals may actually compete for proteins: The supply of feed and food there is such that the conversion of plant products to nutritious animal products by animals is too expensive, and animals are too inefficient in converting feed to food.

Animal scientists, however, have made great strides in lowering the feed-to-food ratio, particularly in chickens and swine.

Under efficient management conditions, the following pounds of feed are required to produce 1 pound of animal gain or product: Milk, 1.0; broilers, 2.3; eggs, 3.1; turkeys, 3.5; swine, 3.6; beef, 8.0; and lamb, 8.7. Thus the efficient producer can expect a pound of milk from each pound of feed and a pound of live-weight broiler per 2.3 pounds of feed. He must use 8 pounds of feed to produce 1 pound of live-weight gain as beef. Since poultry dresses out much higher than cattle, the price of steak naturally is much higher than the price of dressed chicken.

Scientists have determined the protein-conversion efficiency for the same products—the amount of protein animals require in their feed to make a pound of crude or total protein in the animal product.

Thus, the pounds of protein required are: Milk, 3.9; eggs, 4.1; broilers, 4.6; turkeys, 6.2; pork, 7.1; beef, 10.0; and lamb, 12.5. That range is as great as the feed-conversion efficiency; the protein-conversion efficiency of the livestock classes falls almost in the same order.

The figures indicate that in milk, eggs, and broilers, under good management, we get 1 pound of protein for the investment of about 4 pounds of protein in the feed. For a pound of protein in beefsteak or lamb chops, however, we must invest two and one-half to three times that much protein.

These comparisons must be qualified in several respects. The crude protein of the feed is determined by analyzing for total nitrogen and multiplying by the factor 6.25, which gives a good measure of protein. But this method measures all the protein, much of which would not be digestible by people. In fact, animals can utilize only 30 to 95 percent of the total protein in feeds, the percentage depending on the digestibility of the feedstuffs used. Furthermore, we must

keep in mind that the animal uses protein for maintenance as well as for growth or production of meat, eggs, and other products. The conversion ratios would be higher when management conditions are not efficient—when animals have poor rations or forage for themselves and get little supplemental feed, as they do in many feed-deficient countries.

Ruminant animals, such as cattle and sheep, can convert a combination of carbohydrates and synthetic nitrogen compounds to proteins. In fact, nearly one-third of the nitrogen requirements in the ration of fattening cattle may be supplied in the form of urea. In the ordinary feeds, however, nitrogen occurs mostly as proteins. The ability to use nonprotein nitrogen therefore is not thought to be of any great importance when a balanced ration is fed.

We must conclude that large differences in feed and protein conversion exist among animal classes and products. With even the most efficient conversion, however, approximately 4 pounds of crude protein are required to produce 1 pound of animal protein. Some of this crude protein could not otherwise be converted to human use. Finally, in most countries only animals can harvest vast rangelands, woodlands, and wastelands. Also, many plant residues occur as the by-products of the harvested crops. Even though conversion rates may be unfavorable, grazing is the only means of utilizing much of these resources.

SOCIAL, RELIGIOUS, and dietary customs of some countries may reduce the consumption of animal proteins.

India, for instance, pooling cattle and water buffaloes, is estimated to have about one-half animal per person, about the same as the cattle-human ratio in the United States. Since many of these animals are unclaimed and wander about the countryside, statistics are not accurate. Some estimates have been as high as one animal per person.

Even with the large numbers of cattle and buffaloes, animal foods make up a small part of the Indian diet. Bullocks are a major source of farm and transport power. More important is the opposition to slaughter of cattle dictated by religious doctrines. The reluctance to slaughter cattle is an outgrowth of the great famines during the rule of the Mongol emperors in the 14th century, when decimation of breeding stock was threatened. It was incorporated into the Hindu religious philosophy and persists today. Slaughter of cattle is prohibited by law in more than half of the 15 Indian States. As a consequence, India is largely a country of vegetarians, and consumption of animal products is restricted chiefly to dairy products and eggs.

FISH also are a major source of animal proteins. About three-quarters of the annual catch of 41 million metric tons is used for human consumption. On a world basis, this amounts to 22 pounds per person, in comparison with 20.5 pounds of beef and 20.3 of pork.

Fish flour, sometimes called fish protein concentrate, has received increased international interest. It consists of finely ground whole fish and is used as a food additive. It is said to be the world's cheapest, most abundant, and biologically richest source of animal protein. It contains up to 95 percent protein, and all of the essential amino acids occur in adequate quantity. With present systems of processing, however, the meal is not acceptable for human food in some countries because it includes the offal of the fish.

PLANT PROTEINS, particularly in the Western World, have long been considered poor relatives of the animal proteins.

Advances in dietary research and development of refined analytical techniques have done much to clarify the situation. First, the concentration of proteins varies greatly among plants and plant parts. Secondly, plant proteins vary greatly in nutritional quality, which is determined by the ratio or balance of the eight essential amino acids required by people.

Most of the people in the world are fed by relatively few major crop plants. These crops may be grouped into six general classes: Cereals (rice, wheat, and corn); sugar plants (sugarcane and sugarbeet); root crops (potatoes, sweet potatoes, and cassava); tree crops (banana and coconut); oilseed legumes (soybeans and peanuts); and pulses (dry beans and peas, chickpeas, and broadbeans). If high yields of cotton can be combined with the newly discovered glandless (gossypolfree) genetic characteristic, cottonseed also may become a major source of food.

Rice illustrates the importance of these crops in human nutrition. It has been estimated that at least 60 percent of the energy of half the people in the world is derived from rice. More than 30 percent of all human energy on this globe therefore comes from one crop.

Because cereals as a group are the most widely grown crops for human food, they probably contribute as much vegetable protein to the human diet as all other crops combined. But their protein concentration is not high. Rice has a protein content of 7.5 percent; wheat, 13 percent; and corn, 9.5 percent.

The man of average weight requires about 70 grams of protein a day. If he were to get it from rice, he would need to eat more than 2 pounds daily. He would need 1.75 pounds of corn or 1.25 pounds of wheat.

The sugar crops, sugarcane and sugarbeet, are processed almost entirely for sugar, which contains no protein when refined. The residues, sugarcane bagasse and sugarbeet pulp, contain protein, but they are not used for human food. Sugar that is produced by noncentrifugal means usually is consumed in an unrefined condition and is sticky and doughy. The product, known as gur in India, panela in Latin America, and jaggery in Africa, contains small amounts of proteins as impurities, but they are not of dietary significance.

Potatoes, sweetpotatoes, and cassava are largely starch crops. Cassava is grown only in tropical and subtropical countries. The processed product with which we are most familiar is tapioca. On a fresh basis, both types of potatoes contain only about 2 percent protein; cassava roots contain even less. In fact, to supply the required 70 grams of protein, a man would need to eat 8 pounds of potatoes or 25 pounds of processed tapioca.

The protein concentration in bananas is low and is similar to cassava root in this regard. Coconut, on a dry-weight basis, is similar to rice in total protein content.

We should not infer that those major crops that are low in protein are undesirable food. Most are important sources of energy-rich starches, and many contain important mineral constituents of the diet.

OILSEEDS in general are first-rate sources of protein. The protein contents of most oilseeds are much higher than in cereals. Many varieties of soybeans contain more than 40 percent protein, peanuts fall in the range of 25 to 30 percent, and cottonseed contains about 16 to 18 percent.

Extraction of oil and removal of seedcoats concentrate the protein in the remaining oilmeal and oilcake. The protein in the meal and flour produced therefrom exceeds 50 percent. Concentrates that contain 72 to 74 percent protein, which is higher than that in meat on a dry-weight basis, can be made through additional processing.

High-protein soybean concentrates have been used to supplement diets in countries where nutrition is inadequate. One cup of soybean concentrate, approximately 170 grams, will supply the daily requirements of protein, vitamins, and minerals for an average adult.

The quality of protein in the oilseed crops generally is good. All are slightly lower than ideal in methionine. The quality of protein in soybeans, however, compares favorably with that of animal products.

Dry beans and peas are a major source of food throughout the world. All of the edible beans and peas are legumes. Internationally, they are collectively referred to as pulses and sometimes as grain legumes. They include a goodly number of crops and species. In the Western Hemisphere, Europe, and Africa, dry edible beans consist mostly of beans belonging to the same botanical species as snap or wax beans. They include navy, great northern, pinto, red kidney beans, and others. In the United States, we also grow lima beans, dry peas, cowpeas, lentils, and mungbeans.

The grain legume produced to the greatest extent in the Far East is chickpeas. Pigeonpeas, mungbeans, urdbeans, and dry peas also are produced in large quantities. Others include moth beans, broadbeans, hyacinth beans, and the twinflower Dolichos.

The protein contents of pulses fall within the range 22 to 26 percent on a dry-weight basis. The quality of protein in chickpeas, pigeonpeas, lima beans, and twinflower Dolichos is exceptionally good and comparable with that of animal proteins. Proteins in most of the other pulses have excellent quantities of lysine but are slightly low in the sulfur-bearing amino acids, methionine and cystine.

The full possibilities of the pulses of the world have not been realized. Grain legumes generally have not been improved as much as many other crops, partly because emphasis has been placed on the improvement of crops that are exported extensively, such as cotton, tea, and coffee.

In tropical countries, most pulses are grown largely during the dry period, with little or no irrigation. Yields are much less than optimum. The development of improved varieties and systems of culture that would give maximum production would greatly increase the potential of this important class of protein-bearing crops.

THE PLANT COLLECTION program of the United States Department of Agriculture was intensified several years ago. Cultivated plants and the plants from natural stands in their native, uncultivated habitat have been sought in many lands. The primary objective is to find new crops to provide raw materials for industry. Principal attention is given the composition of seeds, particularly their content of proteins, special oils, gums, and waxes.

The total proteins of seeds vary among plant families. Proteins in species within families vary, but not so much as some other constituents, such as oil content. For example, the species of the legume family may have 12 to 55 percent of protein; members of the grass family may have 2 to 33 percent. Despite such variations, one would expect search among the legumes to yield more high-protein species than among the grasses.

Families of plants also reveal certain patterns in the quality of the proteins in their seed. Amaranthaceae, the family to which pigweed belongs, and Umbelliferae, the parsley family to which dill and carrots belong, are moderately low in total proteins but are high in lysine. Leguminosae in general also are good sources of lysine, but a few species, such as peanut, are low. Most legume species are low in methionine. Species of Gramineae, the grass family, tend to be very low in lysine but high in methionine. The family to which sesame belongs has similar protein quality. Combinations of corn and soybeans or sesame and soybeans therefore make a good source of balanced proteins.

In quantity and quality of protein, the four most promising families for sources of seed protein for man and nonruminant animals are Leguminosae (soybeans, alfalfa, clover, and others); Compositae, to which safflower and sunflower belong; Cruciferae, which includes rape, mustard, and cabbage; and Cucurbitaceae, of which melons, cucumbers, and gourds are members.

Man's principal sources of vegetable protein are seeds. Other parts of plants, particularly of vegetables and fruit, are eaten but do not constitute major sources the world over.

Bearing in mind the growth of the world's population, we must take a fresh look at all possible sources of protein that might be available to man. We know that huge amounts of proteins exist in certain plants that have never been used very much for human food.

PROTEINS occur abundantly in the leaves of many plants. They usually are considered to be animal feed and are used directly by people to only a limited degree.

On good land in the North Central States, an acre of soybeans may yield 700 pounds of protein. Alfalfa, however, harvested or grazed from a similar acre, may readily contain 1,200 to 1,400 pounds of protein. Most of this protein could not be digested by people.

Animals can convert leaf protein to nutritious and palatable animal protein—although man could expect to recover only one-fourth to one-twelfth of the protein eaten by animals. From the more efficient animal conversions, such as milk, we can at best expect to obtain only half as much protein from an acre of alfalfa as from an acre of soybeans used directly as human food. If we prefer our protein in the form of lamb chops, we are realizing only one-seventh as much protein as from soybeans. There is no question that we prefer milk or lamb chops to some form of plant protein. If expanding populations, however, required a change, the question must be raised as to whether we can use alfalfa protein directly as human food.

Research on the processing of protein from leaves has been conducted in Great Britain. The protein is extracted by a pulping process, which consists of breaking open the leaf cells by cutting or rubbing. The juice is pressed out, and all coarse particles eliminated with fine sieves. The starch grains and chloroplast fragments, which contain the green coloring of leaves, are removed by a high-speed centrifugation. The protein in the juice is separated from the water-soluble components of the leaf by acid-ification to approximately pH 4 or by heating to 70° to 80° C. About 75 percent of the protein in young, succulent leaves—but only 15 to 20 percent of the protein in leaves nearing maturity—can be extracted.

The product is dark green and does not have a desirable flavor. Flavoring, of course, can be added, and the color can be masked by encasing the protein, as in ravioli. Some experiments indicated that leaf protein has a nutritive value only slightly below that of milk protein. In feeding experiments with swine and other animals, it compared favorably with fishmeal. The economic feasibility of the process had not been demonstrated in 1964.

MANY PLANTS lower on the evolutionary scale also can combine nitrogen with compounds containing carbon, hydrogen, and oxygen and thereby synthesize the basic components of proteins. In fact, the capacity of ruminant animals to make proteins from urea and corncobs or straw is really the synthesizing of proteins by microorganisms in the digestive tract of the animal.

Lower plants that have been investigated as sources of protein include the algae, yeast and other fungi, and the bacteria.

The algae include thousands of species. Some are single-celled, microscopic plants, such as those that cause green color in water allowed to stand uncovered in sunlight for a few days. Some are the giant kelps of the ocean, which may be more than 100 feet long and have leaflike structures several feet across. They have different forms, colors, and conditions of growth. Algae flourish in ponds, lakes, streams, and oceans. Some grow on trees and in soil—even on snow.

Nearly all algae bear chlorophyll, which permits them to combine carbon dioxide and water to form sugars, a process called photosynthesis. Sunlight is the source of energy for the process. The enormous part that algae have had is shown in the estimate that algae have synthesized 90 percent of the world's organic carbon.

Many algae can grow in sea water. As only 30 percent of the world's surface is covered by land, it stands to reason that 70 percent of the solar energy that reaches the earth falls on the sea. As solar energy is necessary for photosynthesis, one could reason that the seas potentially offer greater opportunities for food production than the land.

Algae in general utilize solar energy more efficiently than higher plants do. The single-celled algae are particularly efficient. Few higher plants capture as much as 2 percent of the sun's radiation; indeed, it has been estimated that only 0.2 percent of the solar energy that falls on a cornfield is utilized.

Because single-celled algae are distributed much more uniformly throughout the medium in which they grow, they miss less sunlight. Every cell is a chlorophyll-bearing, productive unit, whereas in higher plants many cells have been differentiated into conductive and storage tissues and are no longer productive. The photosynthetic efficiency of some of the green algae such as Chlorella, at low light intensities, approaches use of 25 percent of light energy.

We are interested primarily in the few algae that have a particular food potential, the large marine algae and single-celled algae adaptable to mass culture.

Marine algae, or seaweeds, are not new in the human diet. Orientals, even during the era of Confucius, regarded seaweeds as a delicacy. Chinese, Japanese, Filipinos, and Hawaiians were particularly fond of them. Until 1800, peoples of the Western World did not use them, but since that time certain types have come into food use, particularly in Scandinavia, Scotland, and the West Indies.

Several species of brown and red algae with large forms are cultivated for food in Japan. They have large holdfast structures that superficially resemble roots. Bundles of bamboo, to which the seaweeds attach themselves, are "planted" in the mud bottom of shallow marine waters. In other countries, natural stands of more than a score of species are harvested.

In general, all marine algae used as human food have large forms and are low in protein, fats, and digestible carbohydrates. The aversion of western people to extensive eating of seaweeds is due mostly to their poor digestibility and palatability. Odd as it may seem, digestibility of seaweed seems to increase with regular eating over a period of time. It is theorized that certain microflora, which aid in the digestion, are acquired and built up in the human digestive tract.

The amount of protein composition of seaweeds approximates that of the more highly developed plants. Also, like the protein in leaf tissue, it has poor digestibility unless it is processed. It rarely exceeds 15 percent in brown algae and often drops to 5 percent in late summer. Seaweeds of the red algal group may contain 25 percent of crude protein. Marine algae differ from fresh water algae and land plants in that they contain considerable nonprotein nitrogen. Ruminant animals therefore find them more nutritious than non-ruminants and people do.

Except for the abundant minerals in them, seaweeds must be regarded, because of poor digestibility, as having low food value for human beings and can be only a minor supplement to the normal diet. As animal feed, particularly for ruminants, they have moderate value.

Culture of algae under controlled conditions has the potentiality of producing large quantities of proteins in a relatively small space. Algae may be cultured in large vats in the open, in large tubes on the roofs of buildings,

or, when the temperature needs to be controlled, in large jars or vats in a greenhouse. This means of food production merits particular attention in operations such as space travel.

For mass culture, single-celled species are considered more efficient than the complex forms. The most widely used genus in experiments is Chlorella.

For most efficient production, the water medium in which the algae are grown must be fertilized with plant nutrients, aerated with carbon dioxide, and agitated to prevent settling and to assure uniform lighting of all cells. Temperature control and supplementary light may be required.

Experiments with Chlorella on a pilot-plant scale were conducted for a few summer months in the United States and for several years in Japan.

In the United States experiment, conducted in one large polyethylene tube on the roof of a building at Cambridge, Mass., the cost of Chlorella production was estimated as 25 to 30 cents a pound and the yield was calculated as 8 tons of protein per acre per year. With the large production systems, potential yields up to 20 tons of protein per acre have been estimated.

In Japan, Chlorella was produced in culture ponds covering about 1 acre. Sunlight furnished the only source of energy, and production was continued the year around. Over a 2-year period, about 2,200 pounds of protein a year were produced on 1 acre. The product sold for nearly 2 dollars a pound.

The protein content of the single-celled algae suitable for mass culture varies among species and with environmental conditions. Japanese-produced Chlorella averaged 40 percent crude protein. Other experiments have shown as high as 55 percent for this species. The quality of protein also varies. Most tests show low values for the amino acids methionine, histidine, and tryptophane.

Feeding trials with rats and rabbits showed higher gains than obtained when proteins were supplied with soybean meal, particularly when the algae were supplemented with amino acids that are deficient. No digestive difficulties were encountered in humans conditioned to the diet, except when more than 100 grams a day were consumed.

Certain conclusions can be drawn. Production of algal protein in mass culture as a common food is not economically feasible at present. Digestibility of algae is difficult for people, and additional processing studies are needed. The bitter, strong, spinach-like flavor is objectionable to most westerners, and further research on palatability is required.

A number of micro-organisms besides unicellular algae have been investigated as sources of proteins. Most of them do not contain chlorophyll and therefore cannot synthesize sugars. Waste sugars, however, occur in many products, such as citrus-waste press juice, molasses from sugarbeet and sugarcane, and wood sugars. In the presence of inorganic nitrogen, many micro-organisms can synthesize proteins from such wastes.

One class of organisms, yeasts and yeastlike micro-organisms, has shown particular promise. Production of a species of food or nutritional yeast, known as *Torulopsis utilis*, which is unlike baking or brewing yeasts, is an established industry in some places.

Thousands of tons of food yeast were propagated and eaten by Germans during the Second World War, and food yeast is now being produced in the United States, British West Indies, Sweden, and Germany. The product is known as torula. Yields of proteins vary with the waste sugar material on which the yeast is grown. The range of crude protein generally is 40 to 60 percent. The protein is of good quality except for a deficiency in the sulfur-containing amino acids, particularly methionine.

A number of other yeast and yeastlike organisms are being investigated experimentally and commercially for the production of food yeast.

A technique was developed to convert whey, a waste product from the cheese industry, into food yeast. The yeast micro-organism used in the process belongs to the genus *Saccharomyces*. It grows well on whey sugar, and within 3 to 5 hours produces one-half pound of yeast for each pound of whey sugar.

Of the myriad species of fungi in the world, a goodly number can grow in a medium containing sugar and inorganic nitrogen salts. A near-theoretical conversion of inorganic to organic nitrogen is accomplished by some species within 4 days. The protein productions of 10 genera of *Fungi Imperfecti* have been reported.

Crude proteins of the products of the different genera varied from 6 to 35 percent. From the better fungi, a conversion of 1 pound of protein was obtained from 6 pounds of hexose sugar. The product was white to very light buff and usually odorless and tasteless. Mouse-feeding trials indicated that the substances were not toxic. From performance of the better fungi, it was calculated that the sugar produced by an acre of sugarcane with added nitrogen could be converted by fungi to more than 2.5 tons of protein. The economic feasibility of such conversion is questionable.

As in the case of yeasts, potential commercial production probably must be reserved for sugars occurring as industrial waste products.

STILL ANOTHER class of micro-organisms, the bacteria, is worth scrutiny.

Like the yeasts and fungi, many species of bacteria can synthesize their own proteins from sugars and inorganic nitrogen. Certain bacteria also can utilize free nitrogen from the air. One group with this capacity is the Rhizobia, which enter into a symbiotic relationship with legume plants. Another group, the Azotobacter, is free living in soil. Because of its ability to grow with only the air as a source of nitrogen, a species known as *Azotobacter venelardii* has been investigated as a protein-producing organism.

In its natural habitat, the soil, the organism grows on decaying plant materials and available minerals.

When soil nitrogen is limited, it uses nitrogen of the air to build up protein within its body. Upon death of the bacteria, this nitrogen becomes available for the nutrition of plants. Scientists in the Soviet Union have reported appreciable increases in plant yields after inoculation of new lands with Azotobacter, but studies in the United States failed to support this claim.

When grown in an aerated, liquid medium containing sugar and a few simple salts, Azotobacter multiplies rapidly. If it is harvested, killed, and dried at the time of maximum growth, the nitrogen remains locked in the bacterial proteins and becomes available for the nutrition of people or animals ingesting the bacteria.

Feeding trials with mice indicated no toxic substances. Human taste panels did not distinguish biscuits in which the flour contained 2 percent Azotobacter powder. Protein content approached 75 percent, which is extremely high for vegetable products. The amino acid balance of the protein compared favorably with that from yeast and other micro-organisms.

LET us summarize the sources of proteins for nutrition.

At the outset, we must realize that man and animals are completely dependent on plants to synthesize proteins; that is, to combine inorganic nitrogen with sugars. Plants, as used in this statement, include the highly developed plants, algae, yeasts and other fungi, and the lowly bacteria. Whether the synthesis occurs in the sunny fields, the ocean, the paunch of a cow, or in the vat of a commercial establishment, the process is similar and equally vital.

Many proteins are incorporated into plant parts that are indigestible to humans. Animals can convert a large part of these proteins to digestible proteins. Regardless of population densities, animals will continue to serve as effective converters of proteins indigestible to humans and as machines to harvest plant materials in inaccessible terrain. When animals are fed proteins that are digestible by man, the conversion efficiency is low, as only one-fourth to one-twelfth of the protein will be available to man.

High-protein plant sources must be exploited to supply the protein needs of the ever-increasing numbers of people. Among the higher plants, particular attention must be given the pulses and oilseed crops.

Direct extraction of protein from green leaves and mass culture of single-celled algae have great potential for maximum protein yield per unit area. Until digestibility and palatability of these sources of protein can be improved, they cannot be considered ideal sources of nutrition for direct human consumption.

The mass culture of yeasts and other fungi and bacteria has great potentiality in producing high yields of protein with acceptable amino acid balance.

MARTIN G. WEISS *began his research career with the Department of Agriculture in 1936 in Iowa as a breeder of new soybean varieties. Improved varieties resulting from this program, notably Hawkeye, Adams, and Blackhawk, were grown on more than half of the United States acreage at the peak of their production. Soybeans have become a major source of protein in the United States and were grown on more than 29 million acres in 1964. Dr. Weiss became leader of soybean production investigations for the Department of Agriculture at Beltsville in 1950, Chief of the Field Crops Research Branch in 1953, and Associate Director of the Crops Research Division in 1957.*

RUTH M. LEVERTON, *a nutritionist, has spent all her professional career in research and graduate teaching in agricultural experiment stations and land-grant universities before joining the Department of Agriculture in 1957. In 1961 she became Assistant Administrator, Agricultural Research Service.*

Population, Income, and Food

by ROBERT D. STEVENS

THE REV. THOMAS ROBERT MALTHUS published in 1798 an essay that tried to prove that population tends to increase faster than does the production of food and other goods. The human race, he maintained, was continually threatened with food shortages, severe malnutrition, and at times starvation because of overpopulation.

At that very time, though, by an extraordinary coincidence of history there was beginning in Europe an industrial revolution, which over the years brought tremendous economic growth and large increases in income.

We know now that the industrial revolution and the accompanying agricultural revolution banished the specter of food shortages from economically developed countries. Malthus died before it became plain that the great increases in productivity destroyed his theory for nations whose economic development has been rapid.

But we know also that in many other countries population has grown apace while productivity has remained much the same.

Population in the presently developed countries grew less than 1.5 percent a year during the period of industrialization. Today in many of the underdeveloped regions the rate of population growth is 2.5 percent a year or more, primarily because of improved health conditions.

Newly developing regions, in order to have more food and other goods for every citizen—or even to maintain present per capita incomes—therefore must increase production much faster than the presently developed countries had to in the past.

In order to estimate how much more food is needed in a country, we need to know something about its growth in population.

The United Nations estimated that the population of Africa increased 2 percent a year during the fifties. In the Western Hemisphere, the average rate of population growth was estimated at 2.1 percent. The rate in the United States was 1.7 percent and in Asia, 1.9 percent annually. In Europe, where countries are well developed, it was only 0.8. The United Nations calculation of the average growth rate of world population from 1950 to 1960 was 1.8 percent a year. There were nearly 20 percent more people in the world at the end of the decade than at the beginning. The total world population for 1962 was estimated at 3.15 billion persons.

The rate of growth of world population has increased since the industrial revolution. It is now higher than it has ever been.

Population experts in many parts of the world have been studying the figures. They have analyzed the history and development of the industrialized countries and have observed a typical pattern of population growth during economic development.

Before economic development occurs, about as many people die each year as are born. Typically, there are 4 or 5 births and about the same number of deaths per 100 persons in such countries. As a result, the total population of the country remains approximately the same or increases a little from time to time when harvests are particularly good and in long periods of peace.

When economic development begins, health and other conditions usually improve, and the number of births exceeds the number of deaths. As a nation continues to develop economically, however, birth rates drop.

Some European countries in the past few decades have had birth rates of 2.5 or less per hundred persons. These low birth rates are associated with urbanization, higher incomes, and the dissemination of knowledge of methods of family planning. The death rates in those countries are low—about 1.5 deaths per hundred persons are common. Thus, with birth rates at 2.5 per hundred and death rates at 1.5 per hundred, the population increases 1.0 percent a year.

The demographers predict increased rates of population growth during the next few decades in most of the world, except Europe, the United States, and a few other countries.

Some studies indicate an increase in world population of at least 1.7 percent a year over the next decade or so. We know therefore that world food supplies must increase at least that much if people are going to continue to eat as much as they have in the past.

In many of the newly developing countries, however, population is expected to increase by 2.5 or even 3 percent a year. Over countries that have not achieved similar increases in agricultural production, Malthus' prediction still hangs.

ALL of the developed countries have succeeded in increasing their food supplies faster than their populations have grown. They did so by boosting agricultural and industrial productivity. Income per capita went up.

As income per person increases, people spend more money on food to improve their diets, according to a generalization formulated by the German economist Ernst Engel in 1857. This generalization, known as Engel's law, specifies the relation between increased family income and expenditures for food, clothing, and housing.

In the United States in the midthirties, for example, when per capita income averaged about 810 dollars (in 1947–1949 dollars), the market value of food consumed per capita averaged about 222 dollars. In the late thirties, when income per person reached an average of 1,006 dollars, food consumed was worth 249 dollars per capita. By the midfifties, per capita income had increased to about 1,400 dollars and food consumption to 331 dollars per person. A higher value of food consumption of 336 dollars per person was observed. Economists believe this high level was due to the special conditions that followed the Second World War. Similar increases in food and incomes have been observed in many countries.

The figures pertain to increases in the cost, or value, of food consumed per person as income rises. The value of food measured thus includes packaging and the full price paid for meals served in restaurants.

If we should measure food by weight instead of measuring it by its money value, a different picture is presented.

The weight of the food consumed per person generally remains about the same, although in the United States the weight of food consumed per capita has dropped from 1,616 pounds in 1909 to 1,455 pounds in 1961. The decline is explained partly by the fact that Americans now do less physical labor. Because the weight of food eaten is determined by the size of a person's stomach, the amount consumed, as measured by weight, remains about the same regardless of higher incomes.

LET US RETURN to money measures of the value or cost of food.

Engel's law suggests that increases in income cause increased food consumption. The relation between increases in income and increases in food consumption is called the income elasticity of food and is measured by an income elasticity coefficient. A positive coefficient indicates that consumption of food will increase as income rises. If the coefficient is greater than

1.0, consumption will rise faster than income. A negative coefficient indicates a decline in consumption as incomes rise.

For example, in the data I cited for the United States, the income elasticity coefficient of food consumption is approximately 0.7. This means that an increase of 10 percent in income will cause an increase of 7 percent in the value of food consumed. A coefficient of 0.7 is high for developed countries and in this instance was due to special historical circumstances—a major depression and the war period—which made a coefficient of elasticity greater than in more normal periods. Most of the estimates of the current income elasticity for the value of all food in the United States are in the range of 0.3 to 0.5.

In many newer countries, the income elasticity coefficient for food consumption appears to be considerably greater than it is in the industrialized countries. An elasticity coefficient of 0.8 or even 0.9 appears to exist in some countries. That means that for every 10 percent of increase in income, one may expect an increase of 8 or 9 percent in the value of food eaten. This high elasticity is due largely to the fact that incomes in many of the newly developing nations are so low that a high proportion of increased income is used to purchase additional food.

The proportion of income a person spends for food is another aspect of Engel's law. "The poorer a family is," he said, "the greater the proportion of the total expenditure which it must use to procure food." This relation is true for countries also. Expenditures for food in the United States averaged about 20 percent of per capita income in 1964; in many low-income countries, about 50 to 60 percent of incomes is spent for food.

RISING INCOMES also affect the national diet. A poor man must buy inexpensive foods that fill his stomach and give him enough energy for work— rice, potatoes, noodles, macaroni, bread, and other things made from cereals. He will buy more preferred foods as his income increases. In each country, the preferred foods are considered luxuries. Usually fruit, fresh vegetables, dairy products, and many meats are in this group. These foods have high income elasticity coefficients.

An example is given in United States data. The pounds of preferred foods consumed per capita, including dairy products, meat, fruit, and leafy vegetables, have increased since 1909 from 679 pounds to 783 pounds in 1962. The amounts of potatoes, flour, and cereal products declined from 512 pounds in 1909 to 252 pounds. Changes in the per capita consumption of other foods have been less striking.

In percentage terms in 1909, the preferred foods I mentioned accounted for 42 percent of the weight of food consumed per capita. In 1961, these foods had increased to 54 percent of the weight of food consumed. Potatoes, flour, and cereal products represented 32 percent of the weight of food consumed in 1909, but declined to 17 percent in 1962.

Not all the changes in diet are due to rising incomes, of course. Food tastes change over time. Also, because less physical work has been required of the average American workman, he has come to eat less energy-producing foods such as potatoes and cereals. Another factor is that the average weight of a population may change as its average age goes up. Older people tend to be more sedentary and need less food. All in all, though, higher income is the main reason for changes in national diets.

We can use a simple equation to estimate food requirements: The rate of increase in national food consumption, c, is equal to the rate of population growth, a, plus the rate of increase in income per capita, b, times the income elasticity coefficient for food, x. Thus: $c = a + bx$.

The equation requires data for the three variables, a, b, and x.

For the rate of expected population

growth, *a*, we have used the medium estimates of population growth in the different parts of the world made by the United Nations Department of Economic and Social Affairs in 1958.

As to the rate of growth in per capita income, *b*, we cannot know how fast the economies of nations will grow. In general, rapidly growing countries have achieved a per capita rate of income growth of some 2 percent a year. In the past two decades, the United States rate has been around 2 percent. At that rate, it takes 35 years, or about a generation, to double per capita income.

Many countries now have economic development plans that try to increase income faster than that, but I doubt whether many newly developing countries can sustain higher rates of growth for long periods. So I use 2 percent as the rate of increase of per capita income, recognizing that the rate of increase in food consumption will be less if this rate is not achieved.

The income elasticity coefficients to be used in the calculation are based on the best available evidence. In general, as I said, they tend to be high—0.7 or 0.8 in countries of low per capita income and low (0.3 to 0.5) in industrialized countries.

The lowest rates of growth in food consumption—about 1.6 percent a year—are expected in the United Kingdom and France. In the United States, Japan, and the Soviet Union, the expected rates are 2 to 3 percent a year; in India and the Philippines, 3 or 4 percent. The figures are higher in quite a number of countries—Taiwan, the United Arab Republic, Brazil, South-West Africa, and Mexico.

The average for the world is about 3 percent a year. To repeat: The estimates refer to the money value or cost of food eaten and not to its weight or volume.

We can see the magnitude of the task in some developing nations if we compare their expected rates of growth in food consumption and the rates in industrialized countries.

In France, for example, the expected rate of growth in food consumption is 1.7 percent a year, but Brazil has more than twice that rate, 4.2 percent a year.

The data indicate that many low-income countries are likely to have a rate twice that of the so-called advanced countries because their population is growing rapidly and their income elasticity coefficient of food is considerably higher.

I foresee little likelihood that either factor will change much in the near future. The coefficient of food in low-income countries very likely will remain high, because the first thing poor people want when they receive more money is more and better food. Some form of severe government control by such methods as rationing is about the only way to prevent increases in per capita food consumption in countries as development occurs. Rates of population growth will remain high for some time, as there is little evidence yet of declines in birth rates.

INDUSTRIALIZED and developed nations have demonstrated that they can produce or import more than enough food to meet the increased requirements for food. They also have adjusted the mix of farm products produced and imported to meet the demands for changes in diet associated with economic growth. They should have no shortage of food in the foreseeable future, barring war or other unforeseen calamities. In fact, some of them have produced too much of certain food products and have had to take measures to discourage the production of some foods.

FOR THE LOW-INCOME countries, Malthus' prediction that food supplies cannot keep pace with food needs remains a serious prospect.

As we have seen, food needs are increasing much faster in those countries than in the developed countries because of higher rates of population growth and higher income elasticities for food.

Can they attain an increase of food availability of 3 or 4 percent a year? We have evidence, on the one hand, that developed countries have achieved increases of 3 percent or more, that it is physically possible for developing regions to achieve the rates of growth in food production and imports they require, and that ample technical knowledge is available so that enough food may be produced for all.

On the other hand: Many of the low-income countries are not producing enough food or raising production fast enough. How large their food shortages will become and when they will succeed in meeting their food needs through an increased domestic production or greater commercial imports of food are serious questions.

Some countries have shortages of productive land and other restraints on increasing domestic food production rapidly. Some of them therefore may have to increase their exports so they can buy the food they need from other countries.

Major hindrances to increased production and food-generating exports are lack of the necessary social and governmental institutions, lack of education, and lack of local technical knowledge. These hindrances remain even though many countries are working hard to develop new institutions that will serve agriculture and other sectors of the economy better. Improvements in educational systems and the search for needed technical knowledge are going forward—but in many countries with too little effort and money to meet the impending food needs.

ROBERT D. STEVENS *joined the Development and Trade Analysis Division of the Economic Research Service as international agricultural economist in 1961. Previously he taught at the National College of Agriculture, Bao-Loc, Vietnam, under the sponsorship of the Council on Economic and Cultural Affairs, Inc., of New York.*

Potentials for Food Production

by CHARLES E. KELLOGG

A REASONABLY prosperous agriculture—one that produces more than the needs of the rural families—laid the foundation for industrial development and economic growth in countries that we describe as developed.

As their industries grew, machines and chemicals became available to make agriculture even more efficient and to make the fullest use of their soils. It was not accomplished in a day or a generation.

So, also, in the developing countries of South America, Africa, and southern and eastern Asia, great efforts have been made to extend farm production and economic growth. Yet measures that reduced illness and death have been so effective in many countries that improvements in agriculture, far short of the potential, are partly offset by population increases. Then, too, other needs tend to compete with agriculture for the domestic resources, scarce foreign exchange, and the small cadre of educated people.

In a developing country it can seem that everything needs doing at once. Priorities are necessary, and a degree of patience. I repeat: It cannot be done in a day. The factor of time and the principle of interactions of several practices in the use of soil are points I stress over and over in consultations with representatives of other governments who seek ways to improve their

agricultures and economic progress.
The machines and chemicals we
have had for years made it possible to
till some soils not naturally suited to
crop production. Thus, yields were
improved on some of the soils already
in use, and new acres could be prepared for crops. Many of the soils
unresponsive to our new methods for
crop production now have been put to
other uses.

From the beginning, cultivators—
the people who till the soil—have
had to prepare their soil for crop use.

Land clearing, stone removal, ma-
nuring, tillage, and simple drainage
and irrigation are old practices. Then
came liming and fertilization. These
and other practices can now be done
more easily and designed more precisely to fit local situations.

Nearly all kinds of soil now are
modified for efficient crop use. The
plant nutrients are increased and
balanced, especially with chemical
fertilizer. Water is controlled by combinations of drainage, irrigation, and
control of runoff.

Powerful machines can plow the soil
deeply to break up hardpans, can
shape the surface for ease of control
of water, can dig ditches and lay tile,
and can throw up terraces and small
dams. New crop varieties have been
bred for high yields on improved
soils. Science has given cultivators new
ways to control insects and diseases.

Some of the most productive soils
of western Europe and the United
States have been reconstituted by
combinations of practices that have
drastically altered the original characteristics of the soils. Many of these
practices were unknown in earlier
centuries. A few, such as deep digging
and shaping land surfaces, were done
before power tools and are being done
now in developing regions, but with
low labor returns. Science now gives
us more powerful methods for creating good arable soils out of indifferent
soils.

Even soils of high potential require
skillful management. Different kinds
of soil require different combinations
of management practices. Contrast-
ing kinds of soil are being brought to
similar high levels of efficiency, but
by different sets of practices.

Any one kind of soil is a unique combination of many features: Depth of
rooting zone; permeability to water;
slope; hazard of erosion or soil blowing; reserves of the different plant
nutrients being released from mineral
and organic fractions; capacity to
hold and release water to roots; proportions of stones, sand, silt, and clay;
degree of seasonal waterlogging; acidity; abundance of soluble salts; and
others.

Under modern management, one
partly changes the soil and partly
selects management practices and
kinds of crops to develop a system that
gives the optimum harvest for efficiency in terms of output over input.

The skillful agriculturist no longer
asks: "What will this soil produce
with simple management?" Today he
asks: "How will this soil respond to a
management system to bring out its
potential efficiency, considering machines, chemicals, water-control devices, crop selection, and so on?"

LET US CONSIDER some of the critical
qualities of a generalized ideal soil,
realizing that the ideal is not identical
for all crops and that the effect of any
one depends also on the others.

1. The soil must have a balanced
supply of the essential plant nutrients
available to the roots for the crops to
be grown. These include phosphorus,
nitrogen, calcium, magnesium, potassium, sulfur, iron, boron, manganese,
zinc, molybdenum, and perhaps others
from the soil, in addition to carbon,
hydrogen, and oxygen from air and
water.

For efficient use, nearly all soils
require chemical fertilizers, even in
addition to farmyard manure, green
manures, and compost. People commonly think that fertilizers simply help
increase the yields of crops that could
be grown anyway. Yet without fertil-

izers it would be uneconomic to have pastures in our Southern States, commercial vegetables along the Atlantic coast, or sugarcane in Hawaii. Nearly all soils of the Tropics require chemical fertilizer for economic yields of crop plants.

Fertilizers are better now than a generation ago. The percentage of plant nutrients in commercial fertilizer has been increased, and so the costs of shipping the actual chemical nutrients are lower. A better understanding of symptoms of deficiencies, better soil tests and fertilizer trials, and modern ways to classify soils have made possible more precise recommendations of fertilizers to apply to specific fields.

The machines to apply fertilizers are being improved. New Zealanders have made a dramatic advance. They have special airplanes for spreading fertilizer to bring otherwise productive, well-watered, steep soils into use for high-yielding sheep pasture.

2. The ideal soil has a deep rooting zone for growth and for the storage of water, air, and nutrients. Rooting zones can be deepened by heavy tillage that breaks up lower layers or by the addition of soil material to the surface.

Rooting zones in other soils are deepened by applying lime and fertilizers deeply and by using strongly rooted crops, such as alfalfa, that add organic matter in depth and furnish food for the micro-organisms that help change a massive soil into a granular one.

3. The soil must be able to furnish both water and air to the plant roots. This means water control within the soil to have enough of it without crowding out the air that roots need. Water-control practices (terraces, irrigation, or drainage, or some combination of them) and special tillage were used to make good arable soils of a high proportion of the most productive soils in the world today. These practices and the protection of low-lying soils by seawalls and river levees have been improved greatly since the Second World War. Huge dams store water to control floods and to use for expanded irrigation.

4. The ideal arable soil is stable. It does not slip down the slope, blow away, or wash onto low ground or into streams. The hazards of erosion on many steep soils and of soil blowing on many sandy or powdery soils in dry and windy places are too great for them to be made into arable soils.

Here, too, gradual progress is being made, first to appraise the hazards before development and then to use for crops only soils on which the erosion or blowing can be controlled by proper tillage, terracing, windbreaks, crop selection, and related practices.

5. Soil and air temperature must permit growth. Temperatures too low for crop growth probably limit the use of more acres of the earth's land surface than any other single factor.

Yet the boundary between soils not potentially arable because of cold and those potentially arable is being pushed back toward the poles through breeding of short-season crops, improved fertilization for rapid growth, and combinations of tillage and water control to assist early warming of the soil. In the United States, corn is grown considerably north of where it was grown in the thirties. In Canada, the Scandinavian countries, and the Soviet Union, small grains and other crops can be grown farther north.

Two other sets of requirements are essential in the management of a good arable soil.

6. Kinds and varieties of crops, in monoculture, mixtures, or sequences, must be grown that have the genetic potential to respond to the modified soil and environment. If seeds are saved over generations from crops grown on soils of low fertility, the variety is unlikely to respond enough to improved water and fertility to make the practices economic. On many acres, all three—fertility, water control, and seeds—must be changed at the same time.

The story of hybrid corn is well known. On the best farm soils of the Middle West, farmers using the hybrids had an immediate response over the older sorts because these had lacked the growth potential to use all the moisture and nutrients in the soils. Yet hybrid corn did not show a significant advantage in the Southern States until additional fertilizer was used at planting time, supplemental nitrogen was added in early summer, and the plant population was increased. Now many of the highest corn yields are in the South.

7. The crops (and soils) must be protected from insects, diseases, and other hazards, else the other management practices may come to nothing.

Of these seven principal sets of practices, four are vital on every acre of cropland in the world: A balanced supply of nutrients, water and air when the plants need them, an adapted kind and variety of crop, and crop protection. The others are also vital on many of the acres.

Thus the total harvest from an acre and the harvest per man-hour depend on a complex of interactions among the many features of the soil and the practices of management. Each one in the system has effects on the others.

This principle of interactions in soil use is of the utmost importance and needs all possible emphasis in newly developing areas changing from traditional to modern farming. Rarely does an improvement in one practice—irrigation, fertilizers, or improved seeds—give a satisfactory result. Cultivators and their advisers always must think of the systems of management in relation to the local kind of soil they have.

So FAR we have considered some of the major factors accounting for variations in soil use. They are important in estimating the acres of soils in the world that could be used to meet the expanding needs and for suggesting measures for making progress toward that end.

Laying aside for the moment the great educational, economic, and institutional needs for a productive agriculture in the newly developing countries: Has the world enough soil resources to produce the food people need?

The answer to this question changes with time, partly because the standards for the potentially usable soils change with new knowledge and technology.

Continually we find new ways to improve natural soils for crop use and to rehabilitate old arable soils of low productivity. Before the sixties, many felt that the United States might run out of cropland to take care of our domestic needs and our commitments abroad. Now a usable surplus of some 200 million acres that could be used for crops is estimated.

Even though the total land area of the world is relatively fixed, the total area of potentially arable soils—those that could produce food, fiber, and industrial crops—is highly flexible. The total depends on the state of the agricultural arts. Getting good harvests from it depends on the arts of agriculture used in communities all over the world.

The Production Yearbook for 1961 of the Food and Agriculture Organization of the United Nations gave the following percentages for the present use of land in the world: Wasteland, some of which may have potential, 40.5; forested land, 30; permanent meadows and pastures, 19; arable land and land under permanent crops, 10.5.

A figure of about 3,500 million acres was given for soil now in use—arable land and land in permanent crops. Besides ordinary food and fiber crops, it includes permanent crops (such as vines, orchards, rubber, oil and coconut palms, tea, coffee, cacao, and nut trees), temporary meadows and pastures, kitchen gardens, and temporary fallow. The distinction between permanent and temporary pasture is indefinite, and fallow land is hard to identify, especially that associated with shifting cultivation. Much of the forested land in the humid Tropics and subtropics, especially in Africa and South America, has excellent soil for crops.

Roughly one-half of the earth's surface is unsuitable for crop production; it is neither arable nor potentially arable. Several large regions have no present prospects for crop use. They include the great areas of everlasting ice and snow, essentially all the cold tundra soils, the soils of the high and rugged mountains, and soils of deserts and semideserts that lack water for irrigation. Some of the soils of the deserts and high mountains offer limited use for grazing, and some have a forest cover.

The soils now used are not necessarily the best. The location of good harbors and the position of land easily reached from them had a lot to do with the introduction of advanced agriculture in South America and Africa.

Whereas transport in countries of western Europe evolved slowly from trails to wagon roads, waterways, paved highways, railways, and finally to airlines, the intermediate steps of railways and paved trucklines have never been fully developed in Africa and South America. The unnavigability of the Congo River from the sea probably held back the development of the Congo Basin for two centuries.

Estimates of potential new cropland I made after the Second World War (in *Food, Soil, and People*, published by the United Nations Educational, Scientific, and Cultural Organization in its Food and People Series in 1951) have turned out to be conservative. If made in light of today's agricultural technology, the figure for potential new arable land (1,300 million acres) would be much higher—perhaps two or three or five times the needs of the world population in 1964. Yet many persons thought my estimate was too high at the time.

The Food and Agriculture Organization in 1963 published *Possibilities of Increasing World Food Production*, by Walter H. Pamley. It gave no esti-

mates, but the conclusion was unaltered: "It is clear that the *world potentials* for increasing food production are very substantial indeed."

For a revised edition in 1958 of *Efficient Use of Fertilizers* (Food and Agriculture Organization Agricultural Studies No. 43), a new general soil map of the world was made in the Soil Conservation Service. It is reproduced here on page 63.

ON THE BASIS of more detailed soil maps, A. C. Orvedal, Chief, World Soil Geography Unit, Soil Conservation Service, and his staff made new estimates of the acres of potential arable land in the world for both cultivated and noncultivated food, fiber, and industrial crops. An accompanying table gives those estimates for the units shown on the general soil map.

This total of some 6,589 million acres is not quite twice the figure the Food and Agriculture Organization gave in 1961 for the arable land in use. Even if this estimate is in error by as much as 15 percent either way, the conclusions are unaltered—for a long time at least, basic soil resources need not be the factor that limits production if soil management is reasonably good.

The additional acres of potentially arable soils are not equally distributed in relation to either national boundaries or population.

My 1951 estimate included 300 million acres in northern areas, but this figure would now be conservative for the United States and Canada alone.

In addition, there is a considerable area in northern Europe and Asia that currently known practices make potentially productive. The 1 thousand million acres estimated for the Tropics is low in view of current knowledge and experience with tropical soils in Queensland and many other places where the prerequisites for modern agriculture have been available.

Many people have little knowledge of the great agricultural potentials in the humid Tropics. Some still regard these "steamy jungles" with the awe

ESTIMATED POTENTIALLY ARABLE LAND IN THE WORLD

Map Unit on Accompanying Soil Map	Potentially Arable Land in Map Unit Percent	Acres (millions)
1. Prairie Soils, Degraded Chernozems	80.0	242
2. Chernozems and Reddish Chestnut	70.0	660
3. Dark Gray and Black Soils of Subtropics and Tropics	50.0	618
4. Chestnut, Brown, Reddish Brown	30.0	892
5. Sierozems, Desert	.5	34
6. Podzols and Weakly Podzolized	10.0	320
7. Gray-Brown Podzolic	65.0	972
8. Latosols, Red-Yellow Podzolics	35.0	2,780
9. Red-Yellow Mediterranean	15.0	41
10. Soils of Mountains	.5	30
11. Tundra	.0	0
Total		6,589

These criteria were used to define arable land:

That reasonably good management would be used including appropriate combinations of adapted crop varieties, water control methods, pest control, and methods of plant nutrient maintenance, including some chemical fertilizers.

Crops include the ordinary food, fiber, and industrial crops that are normally cultivated as well as fruits, nut crops, rubber, sisal, coffee, tea, cocoa, palms, vines, and meadow crops that may or may not be cultivated.

All regular fallow land is counted, including the natural fallow under shifting cultivation.

Irrigation of arid soils is limited by water from streams and wells. Sea water is excluded as a potential source.

SOIL MAP OF THE WORLD

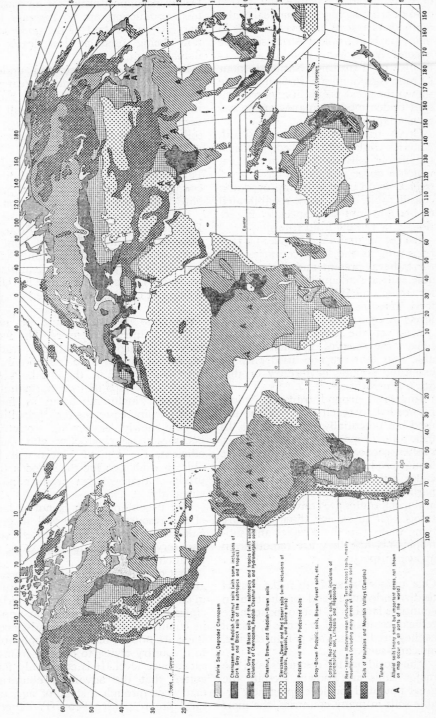

Prairie Soils, Degraded Chernozem

Chernozems and Reddish Chestnut soils (with some inclusions of Dark Gray and Black soils of the subtropics and tropics)

Dark Gray and Black soils of the subtropics and tropics (with some inclusions of Chernozems, Reddish Chestnut soils and Hydromorphic soils)

Chestnut, Brown, and Reddish-Brown soils

Sierozems, Desert and Red Desert soils (with inclusions of Lithosols, Regosols, and Saline soils)

Podzols and Weakly Podzolized soils

Gray-Brown Podzolic soils, Brown Forest soils, etc.

Latosols, Red-Yellow Podzolic soils (with inclusions of Hydromorphic soil, Lithosols and Regosols)

Red-Yellow Mediterranean (including Terra Rossa) soils, mostly mountainous (including many areas of Rendzina soils)

Soils of Mountains and Mountain Valleys (Complex)

Tundra

Alluvial soils (many small but important areas not shown on map occur in all parts of the world) of early explorers before the period of modern machines, chemicals, and methods of research. Developments in many parts of tropical Africa since the Second World War, notably achievements of l'Institut National pour l'Etude Agronomique du Congo, have shown the great possibilities of tropical soils under modern management systems adapted to them.

Great tracts in Africa and South America could be developed. Yields on the better soils in southeastern Asia, which a dense population already occupies, could be greatly improved and considerable new land rehabilitated or brought into use, especially in sections now remote from transport.

Except for mainland China and perhaps some of the small countries near the Sahara, present and potential arable soils are adequate for food needs for a long time if international trade in food remains at approximately its levels in 1964.

Most of the developing countries have large reserves of potentially arable soils that are now used only for extensive grazing or forestry or that are not used at all.

Improved ground transport would be needed to reach many of the unused but potentially arable regions. In fact, some crops—sugarcane, bananas, rubber, cacao, and several others—are being produced where they are because soils are suitable and because harbors, navigable streams, and rail and truck routes are convenient. Large tracts well suited for those crops are lying unused in the Tropics and subtropics because they are remote from good transport.

OUR URGENT NEED is to make a start toward adequate food production in countries lacking it, not to make more refined estimates of potentials, useful as they are for analyses of future trade, aid, and such.

The world has the resources, and the major skills are known. Despite the great potential for developing new arable soils in many countries, the most promising opportunities for increasing food production are to increase the harvests on the best of the good soils now being used at low levels of management.

Better use of surface and underground water will permit a great increase in irrigation. Probably more than one-half of the increase will be used to improve the productivity of soils now used for low- or uncertain-yielding cereal crops.

Great opportunities exist in India, Pakistan, the Soviet Union, and other countries for making better use of presently cultivated soils with irrigation.

In the United States and western Europe, irrigation to reduce drought risks on presently cultivated land is increasing. (Because opportunities for wide-scale irrigation by desalinized sea water were still speculative in 1964, we do not consider them here.)

THE FOOD PROBLEM must be met largely country by country. The food moved through international trade, important as that is, makes up only a tiny percentage of the total. As a country develops its own agriculture, its trade, including trade in farm products, increases. As the agriculture of the newly developing countries becomes more productive and more efficient, the United States will be able to exchange for their goods the products that we can produce most efficiently.

The urgent problem is not a lack of soil resources but the will to give cultivators the education, incentives, and services needed for the work of producing food.

First of all, many have not appreciated the critical place of agriculture in stimulating economic growth. Principles of economic growth that apply in countries already in an advanced stage are not the ones most applicable to a country trying to emerge from a subsistence level. It is commonly forgotten that the advanced countries first went through a stage of agricultural progress. (See Peter T. Bauer's

Economic Analysis and Policy in Under-developed Countries.)

Agriculture needs a higher priority than many new governments have been persuaded to give it. One cannot expect a successful industry in the midst of a depressed and inefficient agriculture—unless there is some great mineral wealth or other basis for capital development. For industry in mainly agricultural countries to grow faster than it did in western Europe, agriculture must grow much faster.

Once agriculture gets a start, the industries serving it can go forward rapidly. Examples include service industries for transport, fertilizers, tools, food processing, and the like. Then further savings from agriculture and these service industries stimulate the basic industries. All highly efficient agriculture today has access to the chemicals, machines, and the other products of industry, either within the country or within a customs union with other areas.

A second factor has been the low social level of the cultivators. Many have lacked either incentive or influence. The land policy of the United States during its formative years was directed to helping men get land at reasonable terms. Farm people shared in programs for education and in political life. Some of the newly developing countries—India, for example—are making strong efforts, but lifting the social and political status of great numbers of cultivators is bound to take time. In many countries the effort is weak.

A third great handicap, closely related to low social level, is the lack of educational facilities in most rural districts of the developing countries. Few cultivators can read. Good general education is a first necessity for sustained agricultural development. Success with modern agricultural practices requires operationally literate people. Yet many cultivators are having a new awakening; they see that illiterate people have great handicaps in all economic and political activity.

They appear to realize the urgent need for schools more than many of their leaders and advisers.

Fourth, the principle of interactions is the most important technical principle to establish in the newly developing countries. The agricultural leaders and cultivators must grasp a working knowledge of it to achieve high and efficient production.

As I have pointed out, that means that several practices must be combined, fitted together, and adapted to the local kinds of soil. Each practice supports the others. Commonly, for example, an improved variety by itself gives a 10- or 20-percent increase; fertilizer by itself gives a similar increase; and proper water conservation or irrigation alone can raise yields 20 percent. With the practices properly combined on the same acre, the harvest may increase by 100 to as much as 600 percent.

Much of the effort for improved harvests in the developing regions has fallen short of hopes and potentialities. In part, the departures from this principle of interactions, or combined practices, follow from the educational handicap of the cultivators and the notion that agriculture is a simple enterprise.

Many seek a simple sloganlike program to give a dramatic, single answer to increasing production. Examples are fertilizers, improved seeds, irrigation, or pest control. In part, the failure to grasp the principle of interactions may result from the extreme narrowness of experience and education of advisers from the advanced countries. Yet successful farmers in the advanced countries understand the principle; and so do the first-class specialists who have worked with them.

Fifth, the highly efficient agriculture essential to our modern society must have many facility services from outside the farm units themselves. Besides general education, higher education and graduate schools must be available. Since countries must depend on educating most of their own scientists and engineers, the earlier universities can be well established the better.

Both field research and general research stations are essential. Many basic principles can be transferred from the advanced countries, but their application must be worked out locally. Management systems for tropical soils and crops will require new studies of many of the accepted basic principles themselves. Advisory services, organization, soil surveys, and country planning also are needed. I mentioned them in a paper, "Interactions in Agricultural Development," prepared for the United Nations Conference on the Application of Science and Technology for the Benefit of the Less Developed Areas and printed in Volume III, *Agriculture*, in 1962.

Each country needs to appraise its own soil resources. Methods vary widely even on good soils. In any scheme to improve soils or make additional arable soils, one needs to know the potentials and the most effective combination of practices to use.

Except for a few small areas, most of the newly developing areas lack soil maps for planning an efficient agriculture on either the present arable land or the potentially arable land not now being used. On the accompanying outline map of the world, the approximate availability of soil surveys basic to agricultural planning is indicated. The soil surveys give people a bridge between the whole body of agricultural knowledge and its specific application to a tract of land.

To make a soil map of any area, there must be a classification of soils, based upon the combinations of their characteristics that reflect their basic properties. In the United States, more than 70 thousand local kinds of soil are recognized, each with a unique set of characteristics. Once we have a detailed soil map of all the Tropics, we may expect many more kinds of soil there than in all the temperate countries.

With both farm and research experience related to named and de-

scribed kinds of soil, the soil map is the effective tool for selecting from our knowledge the information that applies to any specific tract.

Soil maps are especially needed to avoid waste in the introduction of new systems of use. The only alternative is the direct help of a widely experienced scientist who can recognize, without soil maps, how the soils relate to others under advanced use elsewhere.

Scientists have been studying the properties, behavior, and classification of soils in the temperate areas of the earth for more than a century. Since the Second World War, much has been learned about soils of tropical and subtropical areas. Except in the places where advanced agriculture has been long established and in a few areas of concentration since the war, the data about soils in these vast areas are too scanty for the operational planning of modern systems of use.

In any country, however, a first approximation of a soil map can be had by collecting and synthesizing all the available data on soils, geology, land form, relief, vegetation, and climate. Such maps can be used to help locate the most promising broad areas for development and for suggesting the steps to take, provided the classification is scientifically consistent with basic principles.

Since soil management systems have been worked out for many of the important kinds of soil in the world, this knowledge can be transferred to areas of like soils elsewhere. If we know the kind of soil in a specific area, we have a basis for starting an appraisal. This method for transferring the results of research and experience from one area to another, even between continents, is called the method of geographic correlation.

A world map of kinds of soil, classified by uniform standards, could expedite this important method of geographic correlation.

The minimum scale for a world soil map useful in transferring agricultural knowledge and technology would be

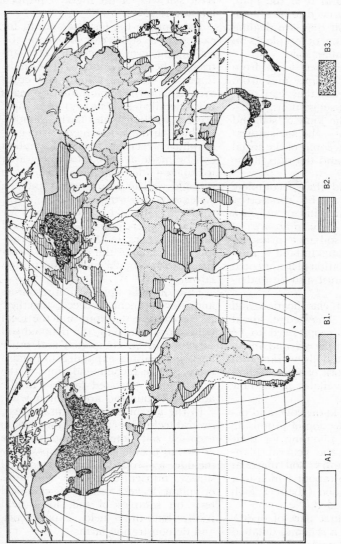

A. Areas relatively unimportant for crops, except locally.
  A1. Existing soil maps of little or no usefulness for agricultural interpretations,
      except in a few localities. Most soil maps highly schematic.
B. Areas relatively important for crops.
  B1. Existing soil maps of little or no usefulness for agricultural interpretations,
      except in a few localities; most maps small in scale and highly schematic.
  B2. Coverage mainly by soil maps useful for broad agricultural interpretations
      at the province level (political units about 10 million hectares—20,471,000
      acres—in size); maps of medium scale and at least partly schematic.

Some regions lack such coverage but have detailed or semidetailed maps
(like B3) for scattered localities.
  B3. Coverage, with some gaps, mainly by soil maps useful for moderately
      detailed agricultural interpretations at the county level (political units
      about 100 thousand hectares—200,471 acres—in size); high proportion
      of maps detailed or semidetailed and based largely on field investigations.
      (Boundaries are approximate and delimit dominant conditions only.
      Hence, within any areas mapped as a given category, there may be small
      areas of other categories.)

1 : 2,500,000 (about 1 inch to 40 miles). Such a map would need to indicate the kinds of soil accurately in relation to the principal railroads and highways, rivers, market towns, and other local features, so that the local users could orient themselves and read the map. From the map they need to be able to tell the kinds of soil they are dealing with locally and the other places in the world with similar soils.

In this way they can learn from what experiment stations and from what developed areas they can most likely obtain useful suggestions.

In addition to the kind of soil and its associated climate, the agricultural adviser must take account of the social facilities available and the skill of the cultivators.

It cannot be said that a complete farming system can be transferred from an area of one kind of soil in a highly advanced society to an area of the same kind of soil in a primitive society. Improvements in land tenure, such as the consolidation of fragmented holdings, usually must also be undertaken.

Yet through soil classification and its interpretation, knowledge about how the soils and crops need to be treated can be transferred and much improved local methods worked out within the framework of services, materials, and skills available in the new area.

Such transfers of knowledge and experience permit selection of promising tracts and general planning for their development. For the general planning within a country, soil maps at scales of 1 : 250,000 (about 1 inch to 4 miles) to 1 : 1,000,000 (about 1 inch to 16 miles) are needed.

As an essential first part of operational planning of a scheme, detailed soil maps of large scale, say around 1 : 20,000 (about 3.2 inches to the mile), give a sound basis for planning roads, water-control structures, the consolidation of fragmented holdings, and specific farming systems according to the local kinds of soil.

Substantial beginnings toward an efficient and abundant agriculture that stimulates economic growth can be made without a complete soil survey, a full set of long-time experiments, the latest in facilities for research in the basic sciences, or the highly equipped laboratories.

To appraise the fertilizer needs, for example, a start can be made by examining growing crops. The nutrient-deficiency symptoms of our most important food and industrial crops are well known. Exploratory soil maps with detailed soil surveys of sample areas can be made fairly rapidly.

Thus, through the method of geographic correlation, much information can be made available to a new area to suggest the soils most likely to respond well to management and the systems most worth testing.

Methods have been developed for field testing fertilizers, new crops, and other practices in combination rapidly. The best of the combined practices can be shown on demonstration farms.

Thus does the appraisal of resources and development proceed together. As agriculture develops and the local cultivators gain skill, the detailed soil surveys can be completed and other research facilities expanded to furnish more precise recommendations of the type highly educated farmers in the advanced countries are familiar with.

In the advanced agricultural areas, several techniques are used together to appraise soil potentials and to give advice to people growing crops. They include a properly interpreted soil survey, nutrient-deficiency symptoms on plant leaves, results of chemical tests on samples of soil, local field trials, long-time field experiments, and demonstration farms.

Actually, skilled soil scientists do not depend on any one method anywhere nor do they use all methods everywhere. To speed up the process of agricultural production in a developing area, they develop an advisory system by selecting methods that give reasonably acceptable results for the costs, the recommendations of wide acceptance and use, and maximum support to the other practices used by the cultivators.

A good approximation at once is far better for cultivators just beginning in modern agriculture than a long and expensive wait for precise results.

The more precise data give their full advantage only in a fully developed, advanced soil use system where skillful cultivators can make small differences in practices for high production that they could not at first understand.

The great need now is to make more substantial progress toward the great potential abundance in our soils by making full use of geographic correlation with the best soil maps available, and systems of simple testing methods, for individual recommendations. These can be improved with more elaborate and expensive methods as the local people have the income and the skills to benefit from them.

And, of course, additional food potentials exist in the sea and in the lakes and streams. These have not been considered here—only the soils.

Progress will require increased education and skill. Fertilizers are needed from the start on nearly all soils of the newly developing countries. They will reward the cultivator only if the fertilizer and the associated practices, including crop selection, to make it effective are fitted properly to the kind of soil he cultivates.

CHARLES E. KELLOGG *is Deputy Administrator (for Soil Survey), Soil Conservation Service. He received his doctor's degree from Michigan State University in 1929 and served on the staffs at the University of Wisconsin and North Dakota State University. He has headed the Soil Survey since July 1934. His work has taken him to many foreign countries as a representative of the United States or as a guest of foreign institutes. He was awarded the degree of doctor of science by Gembloux (Belgium), North Dakota State University, and Ghent (Belgium).*

Soil Conservation, a World Movement

by ROY D. HOCKENSMITH and PHOEBE HARRISON

MEN FROM MANY countries have come to the United States to study ways to protect the soil and augment its productivity.

Most of them were sent by their governments. Men from Kenya, the Union of South Africa, Cyprus, the Federation of Rhodesia and Nyasaland, and Basutoland came first, in the thirties. Twenty-five specialists in agriculture from Central America, South America, and Mexico arrived in 1943; they knew the agriculture of their countries but were uninformed on modern methods of conserving soil and water.

Several thousands since then have come to work for a year or more with technicians and study at universities.

When they return home, they set up training programs for professional conservationists.

Their studies embrace the management of soil; the use of soil and water in irrigation farming; the prevention and control of erosion; ways to improve soil fertility; and newly developed or redesigned conservation practices.

Examples of the last are stripcropping and grass waterway systems, which have come into use on slopes in nearly every State and in Mexico, Australia, New Zealand, Canada, Brazil, Venezuela, and elsewhere.

In Spain, where a few years ago there was no sign of the modern conservation pattern, many large tracts now have flowing, curved plantings and harvestings laid out in beautiful precision.

Other practices of ancient origin, like the bench terracing of the Phoenicians and the Incas, have been refined after research and demonstrations in California, Puerto Rico, and in the mountains of Mexico.

MANY COUNTRIES recognize that conservation of soil and water is a key to food production for growing populations and that soil must be kept productive year after year.

In the United States, per-acre increases in yields made possible in part by progress in soil and water conservation, have enabled us to grow, on fewer acres, agricultural products to meet ever-rising needs. Thus we have been able to take out of cultivation many acres that are not suited for continued cropping and to compensate for the food production lost on much good land that has been taken over by homes, industrial plants, highways, and other nonagricultural uses.

Other countries, including Mexico, Australia, New Zealand, and the Republic of South Africa, also have experienced significant per-acre increases in yields. All have excellent conservation programs, in which large numbers of technicians work directly with farmers and ranchers.

Italy and Taiwan are examples of small and heavily populated countries that have profited from conservation.

FOUR OBJECTIVES of soil conservation in the United States are:

To control soil erosion at all times and prevent soil damage in the future.

To use the better soils, wherever crops can be grown efficiently, for greater net gain per acre. The aim is to help the farmer reach a level of income and standard of living closer to that of managers in industrial enterprises.

To convert land least suitable for cultivation to pastures, forestry, recreation, and wildlife or other uses in which the soil is not disturbed.

To protect and hold in reserve soils not needed but potentially suited to cultivation until there is a demand for farm commodities from them or until they may be needed for the balancing of efficient farm units.

Good progress is being made in planned conversions in land use in our country. The acreage converted by soil conservation district cooperators to less intensive long-term uses exceeded 21.5 million acres during 1952–1961. The conversions included cropland converted to grass and woods.

The Soviet Union also has converted much land not suitable for crop production to conservation uses, such as forests and grass or water storage. In the regions of loess—highly erodible, wind-laid soil materials—thousands of gullies have been healed through conversion of cropland to grass. Soviet technicians and farmers have become adept in controlling the type of gullying peculiar to loess soils.

AN EXAMPLE of scientifically planned clearing, plowing, and cropping of new lands can be seen in Zambia, Malawi, and Southern Rhodesia. Farmers and agricultural specialists there have had the unique experience of developing an agriculture largely on virgin land.

They have used soil surveys, in terms of land capability, as the base for planning. Most other countries have had to superimpose a conservation agriculture on used lands, many of them eroded and depleted of their natural fertility.

Aside from the United States and the Soviet Union, no large country seems to have used the land conversion principle very much. Extensive, sparsely settled land does not lend itself to this particular kind of planning because there is no need for it; nor does a large, densely populated country, such as India, because the urgency for total use of the lands of all categories does not allow the money, time, and effort required.

In this period of increasing populations nearly everywhere, the four principles and objectives of soil conservation, if used persistently in planning for conservation, could help greatly in solving the problems connected with unbalanced, overbalanced, or uncertain production.

Control of erosion is a fundamental consideration because not even a good crop of grass seed, an indispensable item in any soil conservation project, can be grown on eroded land.

IN CONNECTION with problems of using water in semiarid countries, the Snowy Mountains scheme of Australia, the world's driest continent, wherein three river systems are being diverted to convert hundreds of miles of arid but fertile plains to productive land, is an interesting endeavor.

The Snowy Mountains Authority, the agency responsible for the undertaking—half completed in 1964—has adopted intensive soil conservation methods wherever the natural vegetation and soil surface have been disturbed. Drainage is controlled by use of a combination of stone and steel drains, grassed waterways, absorption and contour banks (terraces), and settling ponds. Mechanical stabilization of steep slopes is achieved by networks of woven wickerwork fences, brush matting, and bitumen sprays.

Revegetation follows mechanical stabilization. White clover has been used extensively. Trees, particularly willow and poplar, have been widely planted.

To control erosion, grazing has been eliminated on much of the high plains that comprise the watersheds of the various storage works. The deterioration of pasture cover because of harmful grazing practices, including burning the dry grass tops after the snow melted each spring, had been a serious erosion problem in Australia.

Grazing on much of the Snowy Mountains country is strictly con-trolled to prevent silting of the reservoirs and damage to slopes.

Values of the Snowy Mountains scheme, started in 1946, have become apparent. Its two main products—power for new industries and irrigation water for agriculture—and its important byproducts, recreation and an anticipated tourist industry, are in sight.

The soil conservation works, which have been largely done by the Soil Conservation Service of New South Wales and the Soil Conservation Authority of Victoria, are recognized as assurance that a valuable national asset will not depreciate through uncontrolled gullying, siltation, or destruction of the vegetation.

In the State of Israel, where water is a limiting factor in agriculture, a Soil Conservation Service has been functioning since shortly after the country was established in 1948.

Conservation plans were operating in 1964 on all land used for cultivation; a third is under irrigation. Contouring of different types is used; broad-base terraces are prominent in the landscape. Water is conserved in all possible ways, including carefully designed waterway systems, multiple-purpose ponds, and judicious watering for irrigation.

SOME PROJECTS involve a studied use of conservation techniques for opening virgin land for farming and grazing.

An example is the huge Sabi Catchment in Zambia, Malawi, and Southern Rhodesia. Soil surveys were made of the region, which had never been disturbed by man. The land was classified in detail for various uses. All clearing, opening of grassland and forest, plowing, and other operations have been done in accordance with the classification plan.

In the Republic of South Africa, district committees are advised to give special attention to the planning of watersheds, big or small, for complete conservation. Specific practices, such as construction of contour banks, receive priority. The soil conservation department of the Ministry of Agriculture is helping the districts through an intensive educational program in addition to technical assistance. Lectures and demonstrations are planned for all farmers in areas where there has been a definite decline in the number of farms planned for conservation.

Working toward conservation of a complete river basin, the Soil and Water Conservation Department of Colombia has started from scratch to make surveys and plans in the provinces of Huila, Cordoba, Magdalena, and Guabira. The surveys include all the rich alluvial lands of the Sinu River Basin.

Experiments have been undertaken to determine ways to conserve the soils of steep lands used for coffee production in Colombia. Five methods of contour planting, conforming with the same number of slope gradients, have been recommended for establishment of all coffee plantations. Other experiments involve the use of waste materials from coffee harvesting and processing to restore organic matter to soils.

The United States Department of Agriculture and ministries in other countries maintain close working relationships. Especially in research to develop new practices for tropical countries is a continuous correspondence carried on among scientists and technicians of the two Americas.

Chile in 1962 published an agrarian reform law, which made ownership of agricultural land contingent upon its proper use and improvement.

São Paulo, Minas Gerais, and Rio Grande do Sul in Brazil organized agencies that provide farmers with technical assistance in solving soil and water conservation problems.

In São Paulo, the first measures to protect the soil against erosion were taken in 1938, when the provincial department of agriculture created a terracing service. The agency was replaced in 1940 by the Division of Conservation, which became the administrative unit for a Teaching and Training Service, a Technical Assistance Service, and an Expansion (Extension) Service. Special courses in soil mapping, conservation planning, and the application of conservation practices are provided for college graduates by the Teaching and Training Service. The Technical Assistance Service supplies the technical help that farmers need to apply conservation practices to the land. The State is divided into 10 area conservancies. These are subdivided into 99 conservation units, which serve 505 townships. Equipment and an operator to do conservation work are furnished to the farmer on a rental basis.

In Rio Grande do Sul, the Soil and Forest Conservation Service was created in 1946 under the direction of the secretary of agriculture. A Renewable Resources Section was formed in 1956. It includes the Soil Conservation Service, which operates in 7 regions through 30 conservation units.

SOIL CONSERVATION in the Soviet Union is in the tradition of early Russian soil scientists, who were leaders in the basic research into the nature, genesis, and geography of soils and soil classification. Conservation needs and practices are included in all farm plans, so that there are relatively few instances of seriously misused soils. Even in the newly opened lands, care is given to protect soils subject to wind erosion.

Vegetative practices for erosion control, such as tree planting and good management of grass, are used in most parts of the country. Shelterbelts and windbreaks to protect crops against hot winds and soil blowing and sometimes to control runoff are used on collective and state farms. Legume-grass mixtures are given emphasis in acid podzolic soils and peat soils to maintain soil fertility. Essentially all farms have plans of crop rotation.

A water-conserving practice used in northern Kazakhskaya and other areas of the Soviet Union is snow ridging with tractor-drawn machines. The machines pack snow and push it into contour ridges to hold as much as possible on the field. It is said that as much as a thousand tons of additional water per hectare (2.471 acres) can be conserved as soil moisture by this method.

The Republic of the Philippines is a leader in soil conservation among Pacific regions. Despite limited financial support and other difficulties, the Philippine Soil Conservation Service has completed soil surveys of 25 million acres and erosion surveys on 10 million acres.

Nearly 100 thousand acres have been covered under cooperative soil conservation work. Numerous demonstrations and scattered areas have been treated with conservation plans and practices. A handicap to overall conservation is the predominance of small landholdings—2 to 4 acres. Conservationists have begun a concerted effort among the country's conservation agencies to correct the situation. They advocate a type of land reform that would permit formation of districts including a large number of small farms to be treated as a unit for conservation planning.

Another island country, Malagasy Republic—Madagascar—with nearly 5 million inhabitants, has a conservation program that is an interesting example of how the idea of soil conservation can be retained in the transformation of a country from colonial status to a republic.

Another interesting point is that the great island is near Kenya, the east African country where the work of conservation has been carried on for years.

In 1940, Kenya, then a colony, dispatched its newly appointed soil conservation official to the United States to learn about American methods. He returned to Kenya to encourage the conservation of Kenya's grazing lands, managed almost wholly by native tribesmen.

In 1963, soon after Kenya was pronounced a republic, the country's conservationists announced that 7 million acres had been brought under conservation use and protection. Loans from the World Bank have helped Kenya expand its program to include work to improve tenure of land and farm management.

The Agricultural Rehabilitation and Development Act was enacted in Canada in 1962. It established a nationwide soil and water conservation and development program. Work started at once on about a dozen development and research areas that covered large acreages and included a number of communities. Funds were appropriated and plans were made for an initial 3-year phase of the program to end April 1, 1965. The Provinces, all of which have carried on soil and water conservation programs for some years, benefited financially from the national program.

The Soil Conservation Service of New South Wales in Australia has a plant-hire plan, whereby heavy equipment is available to farmers for building terracing systems and dams and do other work in conservation. Officials of several South American countries have planned to use a similar scheme.

In China, an ambitious soil conservation plan, involving a vast region between the Yellow River and the Wei, with deeply eroded and gullied loess soil, was announced in 1955. It was to be carried out in connection with irrigation schemes, some of which have been completed, to reclaim urgently needed cultivable land. Nothing is known of the plan for soil conservation between the great rivers. Also unknown is the fate of the painstakingly assembled soil and water conservation experiment station and demonstrations, flourishing in 1945, at Tien-Shui in Kansu.

Across a few miles of the South China Sea, on the large island of Taiwan, Chinese have developed a soil and water conservation program. About 500 trained technicians work closely with farmers on the island.

In India, Pakistan, and the Sahara fringes, work to halt desert creep has been started in thousands of small projects. Dune-control methods that have been successful in certain places in the Great Plains, Northwest coastal areas, and dune areas of the Great Lakes region have been used.

Surveys by Pakistani and United States conservation technicians in Pakistan revealed that, aside from desert creep, flash runoff from monsoon rains, destruction of vegetation by overgrazing, up-and-down hill cultivation, and lack of vegetated contour bunds—terraces—are primary causes of extensive erosion.

Practical demonstrations of soil and water conservation methods suitable for Pakistan's different climatic and topographic areas were set up for the benefit of farm families and for training technicians, a procedure duplicating the period before formation of soil conservation districts in the United States.

A doubling of per-acre yields of food and forage crops, realized on test fields by use of practices to conserve moisture and fertilizers, gave impetus to Pakistan's plan to organize a soil conservation program for all the country.

An educational program launched in 1956 to teach conservation principles and methods to Indian villagers still farming the primitive shifting-cultivation way was bearing fruit by 1964. This was seen in many requests from village councils for technical aid in reclaiming blown soils and some tracts riddled by gullying.

A new law passed in Turkey in 1960 created a soil conservation and farm irrigation directorate and provided legal authorization for an unusually broad national program for all phases of soil and water use and conservation.

The new agency's functions extend from prevention of erosion and flood damage to encouraging land consolidation for conservation purposes. It includes reclamation of brushlands, irrigation services of all kinds, soil surveys and land capability maps,

research on soil and soil fertility, and the organization of soil conservation and irrigation districts or watershed associations.

The first activity carried out was the training of technicians at regional centers. Each training group was charged with the development of a demonstration of techniques. In this way, the initial conservation work put on the land immediately benefits a significant amount of the country's agricultural soil and water resources.

A NEW EXPERIENCE for the Soil Conservation Service—an extension of its regular functions to another country's land—began in 1962. The Republic of Tunisia requested on-the-ground technical assistance in planning and developing a pilot tract of nearly 250 thousand acres, to be used for demonstration and training.

The Tunisian Government specified that all applicable conservation and range management techniques be applied in a planned sequence; Tunisian technicians would do the work and undergo training as soil conservationists from the beginning. Funds were supplied by the Agency for International Development.

A second project was approved in 1963. A working agreement was signed with the Republic of Algeria, where the Soil Conservation Service undertook work on four large projects in conservation and land management.

The agreement designated a two-fold purpose: To provide immediate employment among the rural population and to bring about better use and conservation of agricultural land. The agreement called specifically for erosion-control structures; terracing; reforestation of denuded slopes; clearing of stony lands; and construction of water-spreading systems, wells, pits, and cisterns to store irrigation water.

Long-range guides and a pattern of advisory and technical services are to be developed to become a model for the Algerian Ministry of Agriculture in carrying out a long-term soil and water conservation program. The training of Algerian technicians in procedures for conducting such a program is considered essential, as is also the devising of ways to influence the rural population in the direction of greater appreciation of its responsibilities for preservation and improvement of land, water, and forestry resources.

The stabilization of duneland, of great importance in northern Africa, has been under study and experiment in the countries north of the Sahara. Tests in Libya whereby sand is sprayed with a thin oil to stop blowing were started in 1963. Acacia and eucalyptus trees were planted in the dunes that had moisture below surface. The ground was sprayed immediately. Excellent wind erosion control and tree growth resulted on a large area that once was under natural forest.

THUS soil conservation has become a world movement. Its scientific and economic implications are beginning to be discernible, especially in countries where conservation is the people's concern, the governments having the role of technical and financial supporter. There soil conservation is understood and discussed by large numbers of people.

ROY D. HOCKENSMITH *became Director, Soil Survey Operations, Soil Conservation Service, in 1952. His worldwide experiences include service as chairman of the Commission on Soil Technology of the International Society of Soil Science, as participant at the United Nations Scientific Conference on Conservation and Utilization of Resources, and at a Food and Agriculture Organization Conference on Land and Water Utilization and Conservation.*

PHOEBE HARRISON *joined the Division of Information, Soil Conservation Service, in 1936. As a part of its regular information program, the Division handles foreign requests for information on soil and water conservation, makes studies of programs and developments in other countries, and maintains records pertaining to the world conservation movement.*

Water Has a Key Role

by ELCO L. GREENSHIELDS

TO KEEP PACE with the needs of the billion persons who have entered the world since 1940 and the needs of countless others who want to be better fed and clothed, agricultural production must rise. Agriculture can keep up, but not without greater efforts to increase efficiency and to expand into undeveloped regions.

Agricultural production can advance in two ways. One is to use more acres of potential arable land. The other is to increase the efficiency of utilization of the land now farmed. Expanding irrigation may be an absolute necessity to extend crop acreage; it may be the most productive of all possible improvements on present cropland.

Water is the key. It makes possible the full use of technology in farming—the proper application of fertilizers, suitable crop rotations, the best of adapted varieties, and so forth.

Too little attention is being given to irrigation in districts that already have a high rate of output. Too much attention is given to the glamorous projects that will make the deserts bloom. We might better concentrate our limited capital to extending irrigation into the existing farmlands rather than developing new areas.

Nevertheless, the prospects that fire the imaginations of engineers and planners are the zones where agriculture has made little progress.

One is the arid zone, which occupies more than one-third of the landmass of the globe. Most of it is in the Tropics. Deserts cover 37 percent of Africa but only 10 percent of South America. The arid zones are rich in solar energy. Their soils generally are rich in nutrients, but they lack water.

Another zone is the subpolar belt. There the challenge is to select early maturing crops for the short growing season and to discover economically feasible ways to control the effects of the untimely frosts, chilling winds, and occasional droughts.

Tropical rain forests have a great potential. The forested, humid Tropics occupy 41 percent of the total area of Africa and 43 percent of South America. They produce an enormous mass of vegetable substance, although the land itself generally is not fertile. The big question is whether to try to produce conventional food crops or by research to try to find a way to convert the canopy of the forests to usable protein extracts. It could well be that the tropical belt can be made to yield a vast supply of food from the leaves.

Irrigation was used on 370 million acres in the production of crops in the early sixties. This estimate is based on my appraisal of available reports from 95 countries and territories. (By irrigation we mean that water is artificially applied to the land or rainfall is artificially held on the land, as in paddies.)

Thus at that time 13 percent of the world's arable land was under irrigation. The major regions of the world had the following percentages of the total irrigation: Europe, 5.9; the Soviet Union, 8.3; Asia, 64.8; Africa, 3.8; Oceania, 0.6; South America, 3.2; and North America, 13.4. The United States had 10 percent.

The hydroelectric capacity of Africa is estimated at two-fifths of the world's capacity, but it has no comparable potential for irrigation. Roughly 4 million acres are under irrigation in Africa south of the Sahara and 8 million acres in northern and northwestern Africa. The whole continent has a potential of about 36 million acres—about the same as the irrigated acreage in the United States in 1964.

This estimate assumes that the total area under irrigation will reach 12 million to 14 million acres in trans-Sahara Africa; 14 million to 16 million acres in Morocco, Algeria, Tunisia, and the United Arab Republic; and possibly 10 million acres of swamplands that could be drained and given supplemental irrigation.

The perennial and seasonal swamps, a striking feature of Africa, cover about 125 thousand square miles. The more important are the Niger Delta, Lake Chad, the fresh water swamps of Nigeria, the Congo Basin, and the Kafue flats in Zambia. Their immensity suggests the possibility of draining and pumping schemes, but whether it is feasible and economically attainable is a question.

A 10-year program of the Government of Tunisia to bring its irrigated area up to 151 thousand acres includes dams for water storage to irrigate 43 thousand acres; drilled wells to irrigate 14 thousand acres; and dug wells and other small water developments to provide water for 19 thousand acres. Irrigation works had been developed in 1962 for 74 thousand acres. Estimates are that the full development of all water resources in Tunisia could provide enough water to irrigate 740 thousand acres.

Morocco has made prodigious efforts to advance irrigation agriculture—to make the country the California of Africa. The National Office of Irrigation, whose staff numbered 8 thousand in 1964, is regarded as of unusual competence. Each year between 1955 and 1964, an average of 34 thousand acres were added to the irrigated area.

MEXICO had about 10.6 million acres under irrigation in 1964. Of that, about 6.9 million acres had been developed by the government and 3.7 million by private enterprise.

There, as elsewhere in the world, rehabilitation of the oldest irrigation areas has become necessary because of salinization. The rehabilitation of seven irrigation districts has been undertaken through two loans from the International Bank for Reconstruction and Development. The Ministry of Agriculture embarked on a program to finance the improvement of new irrigated areas (some 173 thousand acres a year) and the rehabilitation of about 494 thousand acres a year. The total area proposed for irrigation in new projects is nearly 3 million acres.

A large part of the irrigation in Central America has been developed by private enterprise, but nearly all the governments of these small countries started irrigation projects in the sixties.

Information from United Nations sources included these figures on the irrigated acreages and the percentages of arable land under irrigation: Guatemala, 99 thousand, 2.7 percent; Honduras, 82 thousand, 3.3; El Salvador, 49 thousand, 2.6; Nicaragua, 30 thousand, 0.4; Costa Rica, 37 thousand, 5.3; Panama, 35 thousand, 3.1. Of a total of about 18 million acres of arable land in the six countries, 332 thousand acres—1.9 percent—were irrigated in the early sixties.

NEARLY ALL the island countries of the Caribbean have been pursuing active irrigation programs.

A survey by the Food and Agriculture Organization in 1953 indicated the countries had started projects that would put 100 thousand acres under irrigation and had scheduled projects that would irrigate another 60 thousand acres.

The Dominican Republic has made plans to increase its irrigated acreage by more than 250 thousand acres.

In Haiti, projects under construction in 1964 were designed to bring into irrigation 175 thousand acres.

Puerto Rico has a multipurpose project to irrigate 26 thousand acres.

The United Nations reported the following irrigated acreages and percentages of arable land:

The Dominican Republic, 334 thousand, 19.9 percent; Haiti, 161 thousand, 6.1; Cuba, 148 thousand, 3.0; Puerto Rico, 96 thousand, 12.4; Jamaica, 54 thousand, 9.5.

The five countries thus had about 793 thousand acres (of a total of 10.6 million acres of tillable land) under irrigation.

SOUTH AMERICA has comparatively abundant water resources, whose full potential has hardly been touched.

Most of the continent has enough rainfall for farming, but roughly a million square miles are deficient in total annual rainfall, and other districts are subject to major seasonal droughts.

The main arid zones are in Argentina, Chile, Peru, Bolivia, and Venezuela. Colombia and Ecuador have smaller ones. In what is known as the drought polygon in northeastern Brazil, rainfall is highly irregular.

Three-fourths of the irrigation in South America is in Argentina, Chile, and Peru. The irrigated land used for crops and the percentages of arable land in 1963 were:

Argentina, 2,772 thousand acres, 3.7 percent; Bolivia, 160 thousand, 2.1; Brazil, 865 thousand, 1.8; British Guiana, 148 thousand, 4.3; Chile, 3,370 thousand, 24.7; Colombia, 544 thousand, 4.3; Ecuador, 425 thousand, 8.3; Paraguay, 30 thousand, 2.3; Peru, 2,995 thousand, 62.0; Surinam, 35 thousand, 40.7; Uruguay, 64 thousand, 1.0; Venezuela, 642 thousand, 5.0.

The 12 countries thus had a total of about 189 million acres of arable land, of which 12 million acres—6.4 percent—were irrigated.

The development of irrigation relative to need and relative to the rest of the world has been gradual. Many countries in South America have failed to provide regular and continuous financing for the construction and maintenance of the larger number of irrigation projects on which construction has been reported.

Available records for 1960 show little increase over records for 1950, but projects started or planned since 1954 are a sign of considerable momentum. A study by the United Nations Economic Commission for Latin America in 1963 estimated that 32 million acres, or more than 15 percent of the cultivated land, needed irrigation.

Chile has good resources of land and water for the further development of irrigation on about 5 million acres. The Ministry of Public Works inaugurated an irrigation program to put 1.2 million acres under irrigation. Studies have been started on projects that could bring in 1.6 million acres.

Peru, too, has good water resources and also can expand its irrigation by several million acres. New projects in Peru would provide water to about 1.8 million acres. The irrigation of 1.4 million acres more may be possible.

In Brazil, where irrigation has been of minor importance, five separate projects under construction and planned in 1964 could add 270 thousand acres.

In Bolivia, two projects involve 40 thousand acres; projects under investigation could add 500 thousand acres.

Argentina began several projects and has many others under study that could more than double its irrigation. Argentina has received United Nations Special Fund technical assistance in the study of the Viedma Valley in the lower Rio Negro River Basin.

THE 1959 census reported that slightly more than 33 million acres in the United States were irrigated, an increase of 7.3 million acres in 10 years. Over several decades, irrigation has progressed steadily at the rate of about 750 thousand acres a year.

I estimate that about 37 million acres were irrigated in 1963. Farmers are equipped to irrigate at least 40 million acres if water supplies are available in the West and if there is a need in the humid East.

The United States can still advance its irrigation. A modest rate of increase can be expected over the long run. In any one year, the amount of irrigation could decline where water supplies in the West are low, economic conditions are unfavorable, or rainfall is adequate in the East.

The upper limit of irrigation in the United States is estimated to be about 70 million to 75 million acres—about 50 million acres in this century.

CANADA has vast water resources and has undertaken great waterworks for navigation and power.

Little development of water supplies for irrigation has been undertaken because natural water supplies generally are adequate for the best adapted type of agriculture.

Canada has developed 20 million kilowatts of hydroelectric capacity out of a total estimated feasible capacity of some 53 million.

Of the 3 million acres of potentially irrigable land in major projects in the western Provinces, 1.5 million acres have been or are in the process of being developed.

The major irrigation districts in Alberta actually irrigated 545 thousand acres out of a classified irrigable area of 900 thousand acres in 1960.

In British Columbia, the major irrigation districts, with an irrigable area of 400 thousand acres, irrigated a total of 218 thousand acres in 1962.

In Saskatchewan, 54 Provincial irrigation projects in 1961 covered some 440 thousand acres.

Under construction in 1964 were the St. Mary project in Alberta, to add 214 thousand acres of new irrigation to the 510 thousand acres already in the project; the Bow River project west of Medicine Hat in Alberta, whose potential is 240 thousand acres; and the South Saskatchewan River Development project for 500 thousand acres in central Saskatchewan.

THE AMOUNT of irrigation in southern Europe is relatively small—about 10 percent of the cultivated land—in relation to arable lands that could benefit by irrigation. Studies of irrigable land and available water development potential indicate that 24 percent of the farmlands could be brought under irrigation.

In southern Europe, irrigation makes possible a wide choice of crops and rotations and contributes to the diversification and intensification of farming. In the Mediterranean countries, the influence of irrigation is small for winter crops and great for spring crops. Irrigation is not so vital in France and Yugoslavia, where irrigation is a matter of supplementing the nearly adequate natural precipitation.

Adjusted data for seven countries in 1960 included, respectively, the acres of irrigated land and the percentages of cultivated land that were then and potentially could be irrigated: Cyprus, 195 thousand acres, 18.2 percent, 23.3 percent; France, 6,178 thousand acres, 11.6 percent, 20.4 percent; Greece, 899 thousand acres, 10.3 percent, 32.3 percent; Israel, 334 thousand acres, 31.1 percent, 54 percent; Italy, 6,864 thousand acres, 17.5 percent, 23.8 percent; Spain, 4,524 thousand acres, 8.6 percent, 21.2 percent; Yugoslavia, 297 thousand acres, 1.4 percent, 35.9 percent.

THE EXTENT of irrigation in northern Europe varies because of differences in rainfall, soil conditions, and the type of agriculture. Further expansion of irrigation will not be so great as in southern Europe, mainly because the need is less great.

Irrigation in the northern regions is a safeguard against crop damage during occasional dry periods. In places that have high winds and heavy evaporation, sprinkler irrigation is valuable. Some crops, particularly vegetables, have requirements beyond the normally heavy rainfall. Extra water is required also in places of highly pervious soils. Vineyards in Germany (195 thousand acres in 1962) are irrigated for frost control.

Irrigation in northern Europe increases grain yields by 20 to 50 percent. Yields of sugarbeets have been increased 70 to 80 percent and potato yields, 60 to 100 percent.

Much of the irrigation in Europe is by sprinklers. Flood irrigation is used principally in valleys and mostly for meadows and pastures. Flush irrigation, used in mountainous areas, can be carried out by simple means but is wasteful of water and requires that a field be cut up by numerous ditches.

ARTIFICIAL regulation of the water table, which is possible only in fairly permeable soils, is used mainly in the Netherlands. The level of ground water must be regulated precisely for the production of flower bulbs.

The European Commission on Agriculture in 1961 reported these figures as to the acres and percentages of cultivated land that are irrigated: Austria, 67 thousand acres, 1.5 percent; Belgium, 117 thousand acres, 5 percent; Denmark, 74 thousand acres, 1.1 percent; the Federal Republic of Germany, 642 thousand acres, 3.1 percent; the Netherlands, 2,065 thousand acres, 80.4 percent; Norway, 15 thousand acres, 0.7 percent; Poland, 514 thousand acres, 1.3 percent; Sweden, 62 thousand acres, 0.7 percent; Switzerland, 52 thousand acres, 4.8 percent.

Figures as to potential irrigation, as percentages of all cultivated land, were: Austria, 9.7; Belgium, 16.8; Denmark, 1.1; Federal Republic of Germany, 9.4; the Netherlands, 96.3; Norway, 0.7; Poland, 14.5; Sweden, 0.7; Switzerland, 9.3.

THE SOVIET UNION has a landmass of 8.65 million square miles, three times the size of the 48 contiguous United States, but has only 470 million acres in farms, or about 9 percent of its area.

Most of the Soviet agriculture is in the fertile triangle, which extends from the Baltic and Black Seas eastward to south-central Siberia as far as the upper valley of the Yenisei River. Six of the Soviet Union's largest rivers, the Dnepr, Don, Volga, Yana, Irtysh, and Ob, flow through the region.

Most of the territory south of 50° north latitude has an average rainfall of 4 to 16 inches a year. Its major rivers are the Dnepr, which flows into the Black Sea; the Don, which empties into the Sea of Azov; the Volga and Ural Rivers, which enter the Caspian Sea; and the two Darya Rivers, which flow into the Aral Sea.

The eastern part has a great number of channels formerly occupied by streams—an indication that the region has become dry through the centuries.

The Soviets have announced extraordinary plans to develop the water resources of this south-central region.

Soviet 5-year plans always have listed huge targets for increased irrigation. Since the severe winter of 1962–1963 and the drought of the summer of 1963 caused Russia to make large purchases of grain abroad, the Soviets can be expected to accelerate their reclamation programs. In order to obtain a guaranteed crop of 30 million tons a year, they have announced plans of investing the equivalent of 15 billion dollars in new irrigation projects and new irrigated farms.

In irrigated acreage, the Soviet Union ranks with China, India, and the United States. Before the revolution in 1917, Russia had fewer than 6 million irrigated acres. More than 13 million acres had been irrigated by 1932. The first 5-year plan added nearly 3 million acres. The irrigated area reported in 1949 was 23.7 million acres and 30.7 million acres in 1958.

A scheme launched in 1955 was to use the water of the Syr Darya River to reclaim some 741 thousand acres of the "hungry steppe" of central Asia. Its main feature is a canal with an irrigation network designed to provide water to 390 thousand acres. Two smaller canals were designed to irrigate 119 thousand and 151 thousand acres.

On the Amu Darya River, the Kara Kum Canal diverts water from the Amu Darya to the water-deficient Murgab and Tedjen Rivers. Its first stage is some 248 miles long and can irrigate 250 thousand acres. Ultimately

the main canal will extend some 560 miles and will irrigate more than a million acres.

Dams on the Dnepr are being built with a view to irrigating some 3.7 million acres in southern Ukraine and northern Crimea. Its main canal, 263 miles long, is designed to supply water to 900 thousand acres.

Plans for dams on the Volga would provide water for 2 million acres in the Caspian-trans-Volga regions. The Volga region has fertile soils, but its rainfall is irregular, and occasional droughts are severe.

Plans call for transforming the Volga into seven reservoirs along its entire course, with dams to regulate the river discharge and provide hydro-electric generation of a yearly output of 10 billion kilowatt-hours of energy. The Volga is to be linked to the Ural River by the 370-mile Stalingrad Canal, which is designed to bring about 1.5 million acres under irrigation. It is to be linked to the Don River by the 63-mile Volga-Don Canal.

The development of the Don River calls for a system of main and lateral canals to irrigate 1.87 million acres. One large reservoir will have a capacity of 10 million acre-feet. Smaller reservoirs will be built on the tributaries. The main canal will be 118 miles long and the total length of the laterals will be 353 miles. A special feature will be a system of 140 pumping stations.

It has been said that the Soviet Union can put about 102 million acres under irrigation, about half of it in central Asia, Kazakhskaya, and Trans-Caucasia. That would mean a twofold to threefold increase in irrigation in droughty areas. Russia in 1962 reported advanced planning and construction on projects to irrigate 16 million acres.

A plan advanced by the Soviet engineers (as reported in Scientific American in September 1963) would dam off the Great Ob and Yenisei Rivers, which flow north to the Arctic, connect the reservoirs thus formed by a canal, and then use canals, rivers, and lakes to transport the water south to the Aral Sea and the Caspian. The achievement of that project and others would mean that Russia may be the first nation to make any sizable reclamation of the great deserts of the world.

IRRIGATION is important in all Asia, but I give some details of only a few countries in which irrigation is most extensive.

Pakistan had 27.4 million acres under irrigation in 1963. West Pakistan is dry, and much of the farming depends on irrigation. East Pakistan has abundant rainfall during the monsoon season of 4 or 5 months. In East Pakistan's tropical climate, irrigation could bring about the production of one or two additional crops during the 7 or 8 months of dry weather.

East Pakistan, with its Brahmaputra-Ganges-Meghna River complex, has been a dreamland of planners of water resource developments. Their plans fill volumes but overlook some basic facts and ignore the fundamental human and social environment. For example, the Brahmaputra-Ganges multipurpose development of seven major schemes would supposedly convert East Bengal in 30 years into a land of plenty for its burgeoning population of 50 million.

A start was made on one part, the Ganges-Kobadak, which would provide for flood protection and irrigation of 2.2 million acres. Plans were made in 1952. Work started in 1954 as part of East Pakistan's first 5-year plan. Targets were to irrigate 150 thousand acres by 1958 and another 50 thousand acres by 1960. A large amount of scarce investment funds was spent, and much precious land was taken from thousands of cultivators for a huge network of canals that were used only in part for the first time in 1963. The first phase of the first unit was opened with ceremonies in 1962, but effective operation of the scheme failed

to be achieved. Many major problems of civil engineering remained unsolved in 1964.

IRRIGATION has been practiced in India since ancient times.

Nearly 58 million acres were irrigated in 1959—35 percent by government projects. The acreage in 1959 is a gain of 6.3 million over that in 1951.

India in 1963 irrigated nearly 20 percent of her cultivated area, yet the utilization of the water resources of her major rivers is far from complete. Only a little more than 5 percent of the annual flow of the nine most important rivers is withdrawn for irrigation. The target of the third 5-year plan of India is 90 million acres of irrigated land—nearly 30 percent of the average planted acreage in India.

The long-term objective of Indian planners is to bring about 175 million acres under irrigation.

All reports I have seen indicate that China has more farmland under irrigation than any nation. The Production Yearbook of the Food and Agriculture Organization shows an unofficial report of 183 million acres irrigated in 1960—more than twice the acreage reported for 1957.

A news report in 1960 quoted Chinese authorities that mainland China had irrigated 70 percent of her 266 million cultivated acres—a total of 186 million acres irrigated. The report may be untrue, for it came at a time when China was exaggerating details of its agricultural production for political reasons.

China had 16 percent (42.5 million acres) of her cultivated land under irrigation in 1949. It is unlikely that China increased her irrigation by 120 million acres in 10 years. China claimed in 1958 to have half of her farmland—167 million acres—under irrigation and announced the launching of a program to bring 80 percent of the farmland under irrigation.

In making comparisons of irrigated land, we should remember that much of the irrigation in the Far East is so-called "rainfed" irrigation, mostly paddy. The system involves little, if any, artificial control over water. The paddies are basins that hold the rain. Water may be lifted into the basins during an occasional dry period.

The figure that is considered most accurate, the one published by the International Commission on Irrigation and Drainage in 1955, is 77.3 million irrigated acres in mainland China.

Mountainous Japan has 100 million acres of land, only about 15 percent of which is tillable. Seven million acres were under irrigation in 1950 and 8.5 million acres in 1960.

Japan has undertaken several large projects. The first was the Aichi Irrigation project, for which World Bank financing was obtained. It benefits 75 thousand acres, of which 41 thousand acres of existing paddy fields are supplied additional water, 28 thousand acres of upland fields are irrigated, and 6 thousand acres are newly reclaimed paddy fields.

A project on the Tedori River to be completed in 1966 will distribute muddy irrigation water in order to build up the existing thin layer of soil over 25 thousand acres. Its major works include soil-hauling equipment, mud-water mixing equipment, special conveying pipes, and pressure pumps.

Other projects include the Nabeta project to reclaim land from river estuaries and provide water to 1,580 acres; the Nobi project, with 57 thousand acres; the Toyokawe Irrigation project, 54 thousand acres; and the Iwate Sanroku Reclamation project, 30 thousand acres.

MEN since ancient times have had to get, use, and manage water.

The aqueducts of the Roman Empire were marvels of engineering; a conduit the Romans built 2 thousand years ago to provide a water supply to Tunis is still in use.

One modern counterpart—maybe greater, even, than the aqueducts—is the dredging, draining, and reclaiming of the Netherlands. Holland has been described as a sand and mud dump left over from the ice age. Starting about 400 B.C. with the building of dwelling mounds by the Frisians on the higher spots in the sea marshes, the Dutch have fought continuously against the sea and have made most of their productive land. Of the total of arable land, 2,538,000 acres, 1,843,000 acres have been reclaimed from the sea, river marshes, and moors.

Beginning with the early mound building, which involved moving by hand a cubic yardage of earth equal to that required in the original construction of the Suez Canal, the work moved into a second stage of building seawalls and dikes. By 1860, the Dutch had built 1,750 miles of dikes by hand. A third stage was the digging of ditches and canals, which drained and separated the fields and were canals for shipping. The ditches and canals meant moving a billion cubic yards of earth.

A fourth great task was the digging of peat, which had the double purpose of providing fuel and creating lakes, which, when drained, gave more fertile land than the original moors. Ten billion cubic yards were involved in the digging of moors. In these four stages, the Dutch had dug by hand the equivalent of a ship canal 40 feet deep, 200 feet wide, and 5 thousand miles long by 1860.

The great contemporary work is the closing of the Zuider Zee (1926–1932), diking and pumping the polders dry, and building a thriving agricultural economy. The reclamation of the Zuider Zee is one of the greatest works ever carried out by man. Its object was to create 550 thousand acres of new fertile land and provide a fresh-water reservoir in the heart of the country.

The Dutch had a setback in their fight against the sea in a flood in 1953, which took 400 thousand acres of the best tillable land in the southwest. The reconquering and remaking of that area have spurred those tireless people to make bolder plans for the future.

The next great undertaking will be the Delta scheme, the closing of the great estuaries of the Maas and Rhine Rivers. They expect to complete it by 1980. In the more distant future is the Wadden reclamation, the closing of the coast in northwestern Holland beyond the enclosure dike of the Zuider Zee.

THE RECLAMATION PROGRAM of the United States Bureau of Reclamation in 60 years has made an outstanding contribution to the economic development of the West.

Its continuing work is vital to the growth of western irrigation agriculture, for private expansion of irrigation has nearly reached its limit, easily achieved irrigation projects are a thing of the past, and further expansion becomes more difficult, more expensive.

The Bureau in 1964 had before it 134 proposals for projects and additional units that would provide full water to nearly 3 million acres and provide supplemental water to 1.6 million acres.

Reclamation projects from 1906 through 1962 produced a gross farm value of all crops amounting to 18.9 billion dollars. That is five times the cost of all reclamation projects, including both irrigation and nonirrigation features, such as hydropower, flood control, and recreation and municipal water supply. The 106 reclamation projects and major units of projects can provide water for 8.6 million acres of irrigable land. Reclamation projects in 1962 provided a full water supply for the irrigation of 3.5 million acres, a supplemental water service for 3.5 million acres, and a temporary water service to 188 thousand acres.

The Bureau of Reclamation has built many record-breaking dams. The 726-feet-high Hoover Dam, whose storage capacity is 31 million acre-feet, was completed in 1936. It kindled the imagination of engineers around the world and led to many larger works.

Bureau of Reclamation projects in operation in 1963 included 216 storage reservoirs, 136 diversion dams, 7,771

miles of main canals, 21,486 miles of laterals, and nearly 11 thousand miles of drains. Under construction were 23 storage dams and 2 diversion dams. The water surface of Bureau reservoirs covers 1.35 million acres. The hydroelectric powerplants connected with Bureau projects in operation and under construction in 1963 have a planned power capacity of more than 9 million kilowatts.

Among the mightiest projects of the Bureau of Reclamation are the Columbia Basin project, whose key feature is the Grand Coulee Dam, which serves about 1 million acres; the Central Valley project, the Bureau's most complex multipurpose project, involving three river systems in the 500-mile-long Central Valley of California; the Colorado-Big Thompson project, which involves more than 100 separate major engineering features that divert water across the Continental Divide through a 13-mile tunnel to provide supplemental water to 720 thousand acres; the Colorado River Storage project, which extends into 5 States and whose 4 huge dams will store 35 million acre-feet; and the Missouri River Basin project, which will cover 10 States and ultimately provide irrigation water for 3 million acres and supplemental water to nearly 700 thousand acres of irrigated land.

ONE OF THE MOST extensive flood control and river stabilization projects in the world is being undertaken in the alluvial valley of the lower Mississippi River. The complex system of levees, floodways, controlled outlets, and channel improvement, including cutoffs, required to control Mississippi floodwaters is the work of more than 150 years. The cost of works since 1927 approaches 2 billion dollars.

The Mississippi system drains 1,246,605 square miles in 31 States and 2 Provinces of Canada—41 percent of the 48 mainland States. A flood in 1927 covered 26 thousand square miles of land when levees broke. Several great flows since then have been passed to the Gulf of Mexico through the improved flood-control works.

Today there are 1,599 miles of levees along the Mississippi below Cairo, Ill. In addition, there are 1,507 miles of levees on tributary streams and 448 miles of levees in the Atchafalaya Basin, one of the major outlets for Mississippi floodwaters.

The levees are the best known feature of the lower Mississippi flood control plan, but the modern program for flood control and river improvement involves several features.

Among them are reservoirs on the tributary streams, within and outside the alluvial valley, to hold back flood-flow as much as practicable; levees on the tributaries and on the Mississippi to confine the flow to a carefully designed channel and backwater area; cutoffs on the river to speed flow down the river and lower the flood stages at key points in the system; revetment, which is placed to protect flood-control structures and to aid in stabilizing the channel; and overbank floodways, which divert flow from the river.

The plan also makes use of dikes, pumping plants, siphons, floodgates, and floodwalls.

The major remaining problem is to stabilize the caving banks of this meandering river. Work toward this end has been underway for several generations. The Mississippi is one of the outstanding examples of a large river on which extensive bank protection is being carried out. Many types of works have been used on the Mississippi and its tributaries.

Stabilizing a meandering stream the size of the Mississippi is a stupendous task. More than 375 million dollars have been spent on this phase of development since 1928. Considerable sums were spent before 1928 by the Government and by local levee districts. Additional revetment, which may cost 400 million dollars, will be needed to halt river movement.

The tremendous energy of the river is exerted constantly to continue its natural meanders. The levee system confines the flow to a channel about 3 miles wide. The width of the flood plain averages 45 miles. The complex phenomena that lead to bank undercutting and recession are not all eliminated by the works that now confine and regulate the flow. Engineers are apprehensive that the absence of any great overflow since 1927 has led to complacency about the task still ahead.

AROUND THE WORLD, the Tennessee Valley Authority is the best known and most talked-about river basin development. Its application of a unified approach to the development of water resources for multiple purposes has caught the attention of water resource planners everywhere.

Countries—especially the newer countries—want to pattern the development of their own rivers after TVA. To study TVA, 1,700 representatives came from 86 countries in 1961, 2 thousand from 70 countries in 1962, and 2,600 from 88 countries in 1963.

This is good, and America can be proud of TVA's accomplishments, but it is not all good, for two reasons.

One is that TVA has given most emphasis to large-scale hydroelectric, flood-control, and navigation work. Only minor attention has been given to agricultural development, and that only in recent years. The TVA pattern for an overall rich agricultural Nation like ours may be satisfactory, but agricultural purposes must be given high priority in most underdeveloped countries.

Furthermore, TVA works provide for nearly complete regulation and control of all the flow of the Tennessee River—an objective that is proper only for the most developed nations. Few underdeveloped countries can afford or should undertake that, no matter how generous the foreign aid given them. Countries with extremely scarce capital would be well advised to set a more limited objective for river basin development until such time as their agriculture, industry, and commerce can make use of it effectively.

The Tennessee River system drains 41 thousand square miles and is the fifth largest in the United States. It is the most completely developed large river in the world. Its entire flow can be turned off, so to speak, at the Kentucky Dam at a time when floods threaten the lower Ohio and Mississippi Rivers.

TVA was created in 1933 to develop the Tennessee River Basin so as to provide navigation on the main stem, control floods, and generate maximum power consistent with the objectives of flood control and navigation.

The TVA power system in 1963 had 32 major dams and 8 steamplants with a generating capacity of nearly 12.7 million kilowatts, and facilities for an additional generating capacity of 2.6 million kilowatts were being built.

At the beginning of the flood season each year, the reservoir system is operated so as to provide 12 million acre-feet of storage space for floodwater. TVA produces about 8 percent of all the electricity in the United States. The generation in 1963 was 68.5 billion kilowatt-hours.

The TVA navigation channel extends 650 miles from Knoxville to Paducah, Ky., where the Tennessee empties into the Ohio. TVA ties into the Inter-Connected Inland Waterway System of the Ohio, Missouri, and Mississippi Rivers and the Gulf Inter-Coastal System. The entire system comprises 7,265 miles of 9-foot channel and 1,895 miles of 6- to 9-foot channel. The freight traffic on the Tennessee River reached a total of 2.3 billion ton-miles in 1960. Thirteen million tons of commercial traffic were carried in 1962.

When TVA took stock of itself in 1961, it found gratifying progress in output of electric power and the associated rate of industrial development in the basin, river navigation and improved commerce, prevention of floods in urban areas in the basin, and the contribution of the system to the control of floods on the lower Ohio and

Mississippi. The poorest showing was in agriculture. Improvement in agricultural incomes nowhere near matched the progress in industrialization and commercialization.

TVA therefore began intensive programs in tributary areas. The first such effort was in the 2,250-square-mile watershed of the Elk River in southern Tennessee and northern Alabama. TVA is working with local groups and State agencies to bring about economic advancement through both improvement of the physical state of the land and water resources and through improved methods of farming.

At the close of 1963, tributary area development programs were underway in 12 watersheds. Typical of these programs is the Beach River tributary in western Tennessee, which includes 14 upstream dams and 80 miles of channel improvement. The water control system will provide for flood control, recreation, and municipal, industrial, and agricultural water supply.

The intensified efforts in agriculture are encouraging but long overdue. Agriculture in the beginning paid a big price for TVA development. The full reservoirs inundated 606 thousand acres, much of it good valley farmland, to give flood protection to only 110 thousand acres of basin land.

In speaking of watershed programs, we would be remiss not to mention the outstanding achievements of the Soil Conservation Service in a relatively short span of years.

Its small watershed program started with a pilot undertaking on 62 watersheds in 1953. On January 1, 1964, operations were authorized on 528 small watersheds comprising 30 million acres. On that date, most of the pilot projects had been completed in addition to regular program projects in 60 watersheds. A total of 933 watershed projects comprising 63 million acres had been authorized for planning assistance on January 1, 1964.

These watershed projects include many purposes: Flood protection, agricultural management of water, municipal and industrial water supplies, and recreation and fish and wildlife development.

The program of work involves a combination of soil and water conservation measures on farm and ranch lands and many types of watershed improvement works—floodwater retarding dams, levees, channel improvements.

The United States small watershed program is unique in the world's experience. Few countries have water and land resource development and conservation programs on small watersheds that are anywhere near comparable to that of the Soil Conservation Service.

ISRAEL is one of the few countries whose effective utilization of the last drop of available water approaches 100 percent.

Of its 5 million acres, about 75 thousand acres were under irrigation when the State of Israel was established. Within 12 years, 340 thousand acres were irrigated. By the use of all known sources of water, a total of about 650 thousand acres can be irrigated after meeting higher priority demand; that would be one-half of all irrigable land—1.3 million acres.

The rain, which comes only in winter, averages 40 inches in the north, 8 in the midsection, and 1.25 in the far south. The north, from the country's narrowest point north of Tel Aviv, has 85 percent of the available water. Galilee and the Sea of Galilee (Lake Kinneret or Lake Tiberias) make up most of the north, which is roughly one-third of the country.

The uneven distribution of available water brought into being Israel's famous water grid, which is not unlike the electric grids of the United States, whose main purpose is to balance sources of supply with demand. The electric grid makes it possible to use hydroelectric power that otherwise would be wasted in distant areas to meet peak demands. The water grid functions in much the same way, ex-

cept that it has an added dimension of storage. The water grid not only carries water from surplus to deficit areas but in winter carries water to reservoirs in the south for later use during the crop season.

The water grid in Israel has a number of regional segments that can be connected.

The first large segment to be completed was the Yarkon River-Negev project, which diverts water of the Yarkon from its source east of Tel Aviv and carries it initially by a 66-inch conduit to the northern Negev.

A second 70-inch conduit (western Yarkon line) provides extra capacity, carries reclaimed sewage water from Tel Aviv, and is designed to carry water from the Jordan when that undertaking is completed.

Other regional segments are the western Galilee-Kishon project, which collects water from springs and wells in western Galilee and transports it by conduit to the fertile Jezreel Valley, and the Kinneret-Beit-Shean Valley project, which will carry water from the Jordan and Yarmuk to the Beit-Shean Valleys.

The biggest part of the national grid, the Kinneret-Negev project, consists of a 108-inch conduit running 150 miles from Lake Kinneret to tie in to the Yarkon-Negev conduits. At Lake Kinneret, the major water source and reservoir for the project, large pumping installations are required for lifting the water, because the lake is some 665 feet below sea level.

The Jordan-Negev project, the backbone of the national grid, is planned to link Israel's only large surface water source, the Jordan, and other rivers, spring sources, intermittent flows, and the underground aquifers of central and southern Israel. On its way from north to south, this large conduit connects regional systems and thus makes possible the central coordination of distribution. It will permit unbroken countrywide storage from the winter rainy season for use in summer and very likely in years of drought.

The water plan will do more than transport water through a national network of conduits. It will include standby pumping capacity to transfer water to underground storage and a network of wells with a peak pumping capacity above the safe yield of the aquifers. Overdraft of the aquifers during dry periods means that they can serve as storage reservoirs during wet periods.

Coastal collectors, a system of shallow wells near the coast, will control the outflow of fresh water to the sea. They will reduce the average outflow of 20 to 25 percent of annual natural recharge to as little as 6 percent.

Upon the completion of the Jordan conduit system, major construction works have been planned to reclaim sewage and industrial waste water and to recover the intermittent runoff of coastal streams. Water obtained in this way is quite expensive, and the economics of doing such work would be questionable in most other places. In Israel, necessity overrides the usual considerations of economics. That is not to say, however, that Israel has glossed over economics in its water development plans. Economics has been most carefully scrutinized in the planning of scale and the scheduling of works to receive priority.

For example, with the assistance of the United Nations Special Fund, Israel has undertaken an exhaustive examination of the economics of the flood runoff collector, the Zikim Dam.

The dam is less than a mile from the seacoast and collects runoff from the Nahal Shikma watershed in the northern part of the Negev. The dam was completed in 1959 and collected the first runoff in the 1959–1960 rainy season. Water stored is immediately pumped into water-spreading ditches in the sand dunes near the coast. The water recharges a Pleistocene aquifer that had been heavily overpumped.

The study includes a thorough analysis of the cost of water retrieved by the Zikim Dam and associated works, the cost of water from possible alternative sources, and the costs by feasible methods of development, such as the collection by small dams and utilization in the upper watershed area and the costs of providing water through the national grid at places where local water resources can be developed.

Israeli engineers believe that the limit to additional water supplies for agriculture—estimated at about 900 thousand acre-feet annually—will be reached by 1970. Municipal use will be given priority. Since industrial use per unit of volume of water makes about 25 times as much contribution to the national product as agricultural use, allocation of water to industry also will have priority.

To prevent the lack of water from acting as a brake on the growth of the economy, Israel has been exploring and evaluating all possible ways and means of increasing supplies and raising efficiency—ways to use low-quality water, watershed management for water conservation, reduction of evaporation from open water, desalinization of sea water, weather modification, and water-saving irrigation.

We shall surely find new horizons in water development in this small Biblical land. Its explorations of underground water movement by isotope tracing and use of advanced methods will be the pattern for others.

It was in the center of the Negev, centuries before Christ, that the Nabatians applied techniques of desert agriculture. They conserved rainfall by diverting it from large areas into cisterns. They stacked flintstones in a way that permitted night winds to pass around them and cool them so they collected moisture. The water from the stones dripped to the ground and supported perhaps a grapevine. (At least that is the theory I accept for those strange piles of flintstones one can still see on the hillsides.) They cut channels around barren hills to divert and concentrate runoff into small areas of deep soil that retained enough moisture to grow a crop.

The reconstruction of the remains of one of these ancient collecting systems has been undertaken at Avdat. One of the so-called new techniques advocated by water planners today is called "water harvesting"—a concept no different from the methods that were practiced before the time of the Roman Empire in the Negev.

Israel's water problems typify those faced by many countries that face an unprecedented rate of increase in water needs for agriculture, domestic use, and industry.

An additional problem is that Israel's main source of water, the Jordan River, has been involved in an international dispute.

The Israelis have had to enforce strict allocation and control on water uses and devise ingenious water-charge schemes so as to encourage conservative use and prevent excessive uses.

UNUSUAL PLANS also are going forward elsewhere.

In Sudan Gezira, as the angle between the Blue Nile and the White Nile is called, an irrigation scheme has been under development for many years. It had its beginning in 1907, when British public works officials first proposed it. Up to 1963, 2 million acres had been put under irrigation. A proposed fifth stage would bring an additional 200 thousand acres under irrigation.

The economy of the Republic of the Sudan rests to a large extent on the scheme. The government's income from the Gezira has reached as high as 15 percent of its total revenue. Cotton is the main income-producing crop. The sale of cotton abroad earns about 60 percent of Sudan's foreign exchange.

In the lower basin of the Ganges-Brahmaputra in East Pakistan, the pressure of population on resources is intense, the need for water is urgent, and many difficulties must be overcome to bring about large-scale development. Many plans have been advanced. One is known as the Old Brahmaputra Multipurpose project, a three-phase proposal to divert water from the Brahmaputra River into its old channel. The project would command a gross area of 2 million acres. The first phase would irrigate 650 thousand acres and would cost more than 150 million dollars.

The first dam across the Nile at Aswan in the United Arab Republic to divert water for irrigation was built in 1891–1902. It has been raised twice since. Work began in 1960 on what is referred to as the Aswan High Dam. It will store the entire flow of the Nile in a low-flow year. Its reservoir will have a total capacity of 127 million acre-feet and a usable capacity of 68 million acre-feet a year.

The Nile drains 1.1 million square miles. Its flow at highest flood stage exceeds 1 million acre-feet a day. At Aswan Dam its low flow is about 365 thousand acre-feet, and the average flow is 650 thousand acre-feet a day.

The dam is to be 364 feet high and 11,480 feet long. Its cost has been set at 1.2 billion dollars. Construction, to take 10 years, has been planned in two stages—the erection of the subsidiary frontal and rear dams and seven diversion tunnels and the completion of the construction, including hydroelectric installations. Full use is due in 1974.

The project will extend by about 30 percent the acreage irrigated by Nile waters—up to a total of 2 million acres. Enough water will be available to put 700 thousand acres on perennial irrigation, instead of the present basin irrigation basis. In the basin method, an ancient one, floodwater is held in basins to provide only one irrigation a season.

Egypt expects the project to make possible the cultivation of 700 thousand acres of rice each year. Upon full implementation, the project is expected to increase the total national agricultural income by 35 percent. The dam will provide protection against high floods.

The Indus River Basin is one of the richest natural resource regions of the world. The headwaters of the Indus and its tributaries are in the Himalayas, and the flow is from India into Pakistan. The basin contains the world's largest single stretch of irrigated land. The canal system commands about 33 million acres, and 23 million acres are irrigated each year. The average total flow of the river is 170 million acre-feet—68 million acrefeet on an average flows to the sea during the monsoon season. All irrigation has been accomplished without mainstem storage works.

According to a resource survey made by the Canadian Colombo Plan in 1953–1954, a third of the land under command of these canals is poorly drained or waterlogged, about 5 million acres are severely saline, and saline areas exist throughout another 11 million acres. Irrigation has been practiced there for 5 thousand years, but severe waterlogging and salinity are of comparatively recent origin and have arisen with the increase of irrigation.

A reclamation and development program on the Indus, said to be the biggest of its kind ever undertaken anywhere, has been started under the Indus Water Treaty of 1960 between India and Pakistan. The two countries, with the assistance of seven other countries, including the United States, and the World Bank have set out on a program that was initially estimated to cost 1.1 billion dollars. More than that may be needed, however, to develop the Indus fully, divide the water equitably between the two countries, overcome drainage and salinity problems, avoid water shortages, and improve methods of farming.

This tremendous program includes two large dams in Pakistan to provide for a combined live storage of 9 million acre-feet and one dam in India to store 5.5 million acre-feet, hundreds of miles of canals, barrages, diversion works, power stations, and drainage works, and thousands of wells to overcome waterlogging and salinity. The works are in addition to the large Bhakra Reservoir on the Sutlej River in India.

Rivers are the lifeblood of agricultural irrigation the world over.

The world's great river systems drain about one-half of the land and carry about 15 billion acre-feet of water to the sea each year. The other half is drained by thousands of small coastal rivers or is desertland with virtually no runoff.

The principal river of northeastern Africa and the longest—about 4,130 miles—in the world is the Nile. Its drainage basin covers about 1.2 million square miles. The basin contains Lake Victoria, the largest fresh-water lake in the Eastern Hemisphere. Each year from July to October the Nile floods its plain of variable width and gives the life sustenance to the agriculture of Egypt. It has an average annual discharge at its mouth of about 72 million acre-feet.

Most of the rivers of northwestern Africa are short, rise in the mountains in the Atlas, Grand Atlas, and Anti-Atlas ranges, and have a torrential course to the coastal plain. A large number dry up in the summer. In western Africa is the great basin of the Niger, which has its headwaters near the Atlantic coast. It heads eastward and northward into the Sahara and finally empties into the Gulf of Guinea.

The Congo River Basin takes up most of equatorial Africa. The largest of the African basins, it includes 1.4 million square miles with by far the largest discharge—2.8 million acre-feet a day.

The Zambezi in southeastern Africa, the fourth largest of the African rivers, has a drainage basin of about 463 thousand square miles. The great Kariba hydroelectric dam, which cost 220 million dollars, built downstream from Livingstone, forms the largest man-made lake in the world. Of the three main tributaries of the Zambezi, the Kafue Basin takes up most of the southwestern part of Zambia. Below the Zambezi in southeastern Africa is the Limpopo Basin of some 77 thousand square miles.

The more important rivers in southern Africa are the Great Berg and the Orange. The lower course of the Orange has no tributaries in 559 miles.

Ranging in size along with the largest, the basin of the Chad is a closed drainage basin. Lake Chad loses all the water it receives through evaporation and is gradually shrinking. Its area is approximately 896 thousand square miles.

THE RIVERS of Europe are known more as items in history and literature and trade than as sources of water for industry and agriculture.

The Danube, for one, which in songs is beautiful and blue, is a grand river. It is 1,760 miles long and drains 347 thousand square miles. Unlike other European rivers that flow north or west, the Danube flows east. Along its banks live Germans, Austrians, Czechs, Hungarians, Yugoslavs, Bulgarians, Rumanians, and Russians.

Because of its fairly regular high-volume flow, the Danube has long been a great thoroughfare for trade. Its future service to man, though, will be more and more as a source of water for towns and cities and farms.

Austria, for example, has begun work on a plan to divert water from it into a large irrigation project. The Marchfeld undertaking is designed to irrigate 450 thousand acres. The tributary and mainstem flows will be used more and more for the generation of hydroelectric power by means of dams, 14 of which have been planned in Austria.

The busy, castled Rhine, whose headwaters embrace much of Switzerland and has a delta channel that empties into the Zuider Zee, is 800 miles long and has a drainage area of 86 thousand square miles. It is navigable from the sea for a distance of about 550 miles. Its history has been written in tears and blood. Today much of its natural beauty is marred by the smoke and pollution of industries. Its waters have not been greatly developed for irrigation or power.

The Rhone, which begins at Lake Geneva and flows through the French Alps and empties into the Mediterranean, has been highly developed for hydropower. Only a small amount of its water has been developed for irrigation, but several projects have been started. One, the Durance Basin development on a major tributary, is expected to provide water for supplemental irrigation on 148 thousand acres. The Durance, which flows out of the French Alps, has a steep grade, ideal for hydroelectric development. Plans call for 24 hydroplants capable of an annual power production exceeding 6 billion kilowatt-hours and facilities that supply domestic and industrial water to 68 communities.

The Soviet Union has an unsurpassed potential for water development. It has more than 20 thousand rivers that have a total length of 1.9 million miles. More than 50 rivers have catchment basins in excess of 38 thousand square miles. The annual runoff of all her rivers is about 3.2 billion acre-feet—13 percent of all the rivers of the world, according to Soviet engineers.

Five of the world's 19 rivers that drain more than 380 thousand square miles are in Russia—the Volga, Ob, Yenisei, Lena, and Amur. Other large rivers are the Dnepr, Don, Neva, Pechora, Ural, Khatanga, Yana, Indigirka, Kolyma, and Anadyr. The last four have permafrost basins.

The Lena, Ob, and Yenisei rise in the central Asian highlands and flow into the Arctic.

The slow-flowing Lena empties into the Arctic through an ice-choked delta that is exceeded in size only by the Ganges and Niger. The Lena River Basin has almost inexhaustible forest resources and great mineral wealth.

The Ob is kept open for traffic by icebreakers. The Ob Basin is reported to be an area of vast economic development. Its great waters may someday be diverted to irrigate lands far to the south, where climate and soils are favorable for agriculture.

The Yenisei, an ancient water route

through a trackless wilderness, may also become an important resource in the future development of Asia's great landmass.

THREE FAMOUS rivers in western Asia are the Tigris-Euphrates, which empties into the Persian Gulf; the Oxus; and the Jaxartes, which flows out of the Kunlun Mountains and across the Turkistan desert to the Aral Sea.

India and Pakistan have the Indus, which flows out of the Karakorum Mountains across the Punjab Desert to the Arabian Sea, and the Ganges-Brahmaputra system, which empties into the Bay of Bengal through a network of deltas.

Three great rivers flow southward through narrow valleys in India and China—the Irrawaddy, the Salween, and the Mekong, an international river that has been studied intensively by agencies of the United Nations.

Twenty percent of the drainage area of the Mekong is in China. It is the largest river in southern Asia. Its headwaters are the tablelands of Tibet. About 3 percent of its basin is in Burma, the rest in Laos, Vietnam, Thailand, and Cambodia. Its abundant water has not been developed significantly for the benefit of the nearly 20 million people living in its lower basin. The main river is used for navigation. Its water is used to irrigate about 500 thousand acres. Parts of the river, particularly in Laos, have a high water-power potential.

The two great rivers of China are the Yangtze and the Hwang Ho, or Yellow. The Yangtze heads in the Tibetan Mountains and cuts China in half. It is called China's lifeline. It is a great river of commerce and also supplies water for irrigation.

The Yellow River is called China's sorrow because it has changed course many times through its vast alluvial plains at flood and caused untold damage and loss of life. It carries a record volume of silt. It is used for irrigation. Perhaps someday it will be tamed for greater usefulness.

NONE OF THE rivers of Central America and Mexico is among the world's greatest, but they are important assets in their own countries. Considerable development has taken place, but the job has only begun.

In Mexico, the greatest river, the Rio Grande, is mostly a United States river. The parts of its tributaries in Mexico drain about 100 thousand square miles. The next largest river of Mexico, the Lerma-Santiago, drains 50 thousand square miles and has a mean flow of 10 thousand cubic feet a second.

In Central America, 12 principal rivers enter the Atlantic and 15 enter the Pacific. One of the largest, the Segovia, is 50 miles long. A main river that flows into the Pacific is the Tempa in El Salvador. It is about 190 miles long. The San Juan, flowing to the Atlantic along the frontiers between Nicaragua and Costa Rica, has been considered as a second possible route for an interoceanic canal.

The Canto and Sagua La Grande are important in Cuba. In Haiti and the Dominican Republic, the Yaque del Norte and Yaque del Sur have promising development possibilities. The Dominican Republic has been approaching bilateral and multilateral aid groups for assistance in surveying the Yaque del Sur.

The river systems of South America have a tremendous potential for development. One visionary plan is to connect the Orinoco in Venezuela by means of the 220-mile-long natural Casiquiare Canal to the Rio Negro of the Amazon and to connect the Amazon with the Parana-Paraguay Rivers. Much has been done, and many projects are moving into the construction stage, but the countries of South America have hardly begun to achieve full use of their rivers.

The rivers of South America that flow west are relatively short, and their basins are small because the Andes Mountains are so close to the Pacific. They have great potential for hydroelectric power, irrigation, and water supply development. The rivers flowing east and north into the Atlantic and Caribbean are long and drain broad basins. They have a low average gradient in their lower reaches and are generally suitable for navigation. In their numerous highland tributaries there is a huge hydroelectric development potential.

Studies by the United Nations Economic Commission for Latin America indicated a total hydropotential of something like 156 million kilowatts for all Latin America. Only about 7 million kilowatts, or 4.5 percent, had been developed in 1964.

The Amazon has a greater drainage area and flow than any other river. Its length is exceeded only by the Nile. The Amazon drainage area is equal to nine-tenths of the 48 mainland States. About half of its 4 thousand miles is navigable. Through its 200-mile-wide mouth, 3.6 billion acre-feet of fresh water flow annually to the sea, according to the United States Geological Survey.

The main north-flowing rivers of South America are the Magdalena and the Orinoco. About 600 miles of the Magdalena and its tributaries are navigable. Hydroelectric installation completed, under construction, and being considered would have a capacity in excess of 4 million kilowatts. In the Cauca Basin, a main tributary of the Magdalena, a large irrigation and power scheme has been launched. The Orinoco River Basin contains 340 thousand square miles. The Orinoco is navigable for about a thousand miles and has a large hydroelectric potential that has been explored only partly.

The Plate River system includes the Parana, Paraguay, and Uruguay and ranks among the world's mightiest rivers. This system drains nearly 2 million square miles and has a discharge equal to about 25 percent of the Amazon. In Argentina the river is navigable by vessels of 10 thousand tons. Its land and water resources have led some persons to call South America the continent of the future.

FERDINAND C. LANE, in his book, *Earth's Grandest Rivers*, speaks of the Mississippi-Missouri as the father of waters; associates the St. Lawrence with the Empire of the Great Lakes; calls the Rio Grande a turbulent border stream; describes the Columbia as the gateway to the Northwest; mentions the Yukon as an open door toward Russia; and refers to the Churchill as a relic of the ice age, and the Nelson and Saskatchewan as shades of the Hudson's Bay Company.

The work of the United States Geological Survey, Corps of Engineers, Bureau of Reclamation, the Tennessee Valley Authority, and the Department of Agriculture have given us incomparable information on our rivers. Water-resource planning staffs of many States have outlined in detail the developments and potentials of our rivers. Even so, the projected program of feasible river development projects grows continually larger as new vistas are opened to keep pace with needs.

The leading North American rivers and their drainage areas (in thousands of square miles) and average annual flow (in thousands of acre-feet) are: Mississippi, 1,244 and 442,360; Mackenzie, 697 and 202,720; St. Lawrence, 498 and 361,900; Nelson-Saskatchewan, 414 and 57,900; Yukon, 360 and 130,320; Columbia, 258 and 185,340; Colorado, 244 and 59,530; Rio Grande, 232 and 13,235; Frazer (Canada), 92 and 81,810; Mobile, 42 and 42,350; Susquehanna, 28 and 27,650.

Australia has one important river system, the Murray-Darling. Its 2,345 miles drain 414 thousand square miles. Its average annual discharge is 13 thousand cubic feet a second. The Murray has a relatively small flow because of the low rainfall and because it traverses so much semidesert area. The river has been developed with numerous dams and irrigation projects.

A POSTWAR DRIVE through bilateral and multilateral aid to advance the economies of less-developed areas led to the initiation of a large number of projects to develop water resources.

Through the years, as new agencies and new programs have emerged, the emphasis on water has increased. A brief examination of the major programs gives an indication of the relative effort devoted to water projects.

The International Bank for Reconstruction and Development, popularly known as the World Bank, is a bank of governments. It was conceived at the Bretton Woods economic conference in 1944 to reconstruct war-torn countries and to develop backward ones. The Bank began operations in 1946 and made its first loan in 1947 for European postwar reconstruction.

Its primary function is to lend money for development, but it also provides many technical services to its members.

Its first source of funds is the capital subscribed by member governments. The total capital subscriptions to June 30, 1963, were 20.7 billion dollars. Ten percent of the capital subscriptions have been paid in; the rest is subject to call only if required to meet the Bank's obligations. The Bank has supplemented its funds by the sale of bonds and notes to investors in some 40 countries.

In its first 18 years of operation, the Bank made loans with an original principal amount of 7.12 billion dollars. The total number of loans made by the Bank was 349. The total lent was 6.98 billion dollars, net of cancellations and refundings. Sixty-four countries and territories had borrowed from the Bank. The effective loans held by the Bank as of January 1, 1964, amounted to 4.82 billion dollars.

The total net lendings as of June 30, 1963, were used for reconstruction in Europe, 7.1 percent; electric power, 33.4 percent; transportation, 32.4 percent; communications, 0.4 percent; agricultural and forests, 7.6 percent; industry, 16.2 percent; general development, 2.9 percent.

More than three-fifths of the agricultural loans have been for irrigation and flood control. In all, 26 separate loans for irrigation and flood-control purposes were made with a total principal amount of 330.6 million dollars.

Bank loans by no means cover all the cost for the full development for irrigation or flood protection projects. In some instances, the loans are for rehabilitation of projects where major investments had been made. In other instances, the loans are a mere start on the total investment that will ultimately be required to bring about full development. In all cases, the governments are putting in a large share of the total costs, and additional financing has been from other sources.

Two Bank loans to Pakistan in connection with the Indus River Basin development are only a small part of the more than 1 billion dollars that will be required. The Governments of Australia, Canada, Germany, India, New Zealand, the United Kingdom, and the United States have planned contributions in grants and loans of more than 800 million dollars.

Of some projects, like the Dez project in Iran, the Litani in Lebanon, the Yanhee in Thailand, and the Seyhan in Turkey, irrigation is a minor part. Irrigation loans make up only a small fraction of river basin development financing by the Bank. Loans for hydroelectric dams and generator installations have accounted for more than one-fourth of all its loans.

A loan of 47 million dollars was made to Ghana for the Volta River power project, which will cost 196 million dollars. The United States is providing 37 million dollars, the United Kingdom, 14 million dollars, and Ghana, 98 million dollars.

A loan of 100 million dollars was made to Australia for its 900-million-dollar Snowy Mountains hydroelectric scheme.

Two loans of 34 million and 21 million dollars, respectively, were made to the Philippines for two separate hydroelectric projects. A loan of 30 million dollars was made to Yugoslavia for its Baina Basta project on the Drina. Colombia received a loan of 22 million dollars for its Guadalupe River hydroelectric project, 17.6 million dollars for its Bogota River hydroelectric plant, and 37 million dollars for its Cauca Valley project. The Federal Power Board of Rhodesia and Nyasaland was given a Bank loan of 80 million dollars for part of the financing of the Great Kariba Dam and power installation on the Zambezi River.

THE INTERNATIONAL DEVELOPMENT ASSOCIATION, an affiliate of the World Bank, which completed its third year of operation on June 30, 1963, had on that date committed 495 million dollars in development credits.

Its aims are to promote economic development, increase productivity, and raise levels of living in the less-developed regions.

It provides capital on much more liberal terms of repayment than the World Bank. The loans are repayable in foreign exchange over 50 years, free of interest. Credits thus far have provided a 10-year period of grace before repayments.

Development credits in the first 3 years went to 18 countries for transport, power, communications, irrigation, and flood control. Transport has been the principal purpose, but development of water resources and irrigation has increased in importance in the operations. Of a total of 39 development credits extended by the Association, 15 credits were for water.

They were for two projects in the Republic of China, six projects in India, three projects in Pakistan, and one project each in Jordan, Nicaragua, Sudan, and Turkey.

The governments themselves, and in some cases the World Bank and bilateral aid, contribute a large part of the cost of the projects.

The total credits for water projects are about 126 million dollars, or one-fourth of all the Association's credits. The credits for the 10 irrigation projects will help complete water supply works for the eventual irrigation of 3.4 million acres. The China ground-water project involves 765 deep wells for the irrigation of 208 thousand acres.

The India Uttar Pradesh tubewell project will help finance the drilling and equipping of 800 tubewells for irrigation of 320 thousand acres. Other India projects will bring about or improve irrigation acreage as follows: Shetranji, 86 thousand; Salandi, 113 thousand; Sone, 1 million; and Purna, 152 thousand acres. The Sone River is a tributary of the Ganges, and parts of this project have been under irrigation for 80 years.

The Roseires Dam project on the Blue Nile was the first joint IDA-World Bank project. Germany also is participating in this project to make a total of 51 million dollars in financing to Sudan for this important extension of their irrigation. The project will bring in nearly 900 thousand acres of new irrigation and will benefit other areas where water supplies are inadequate.

The Brahmaputra flood-control project will protect about 400 thousand acres of cultivated land. The two IDA irrigation projects in Pakistan will benefit 320 thousand acres. The Khairpur project will restore production on 300 thousand acres of irrigated land in the Indus River Basin by pumping and drainage and salinity control.

The Seyhan River-IDA project will finance the first stage of a project in the Adana Plain and will benefit 135 thousand acres. It is a part of a long-range, multiple-purpose project involving hydroelectric power and flood control in addition to irrigation. The Government of Turkey has estimated that this first stage may cost the equivalent of 50 million dollars.

THE UNITED NATIONS Water Resources Development Center at the United Nations headquarters sets forth proposals for priority action in the activities of the United Nations to develop and utilize water resources. The Center works in cooperation with several United Nations specialized agencies, most of whose fieldwork is financed and directed by the United Nations

Special Fund. The main aim of the Special Fund is to make preinvestment surveys and studies of feasibility of proposed projects.

In its 11 sessions between May 1959 and January 1964, the Governing Council of the United Nations Special Fund had authorized 375 projects in 79 countries and territories, as well as 15 regional projects involving 50 additional countries, territories, and islands. The projects will cost an equivalent of 837 million dollars, of which 502 million dollars are being provided by the recipient governments and 335 million dollars come from the resources of the Special Fund.

About two-fifths of all Special Fund projects are investigations and studies of water and land resources, mineral wealth, and agricultural and industrial potential.

BILATERAL AID for water development has come from several countries.

France, in relation to its gross national product, has contributed heavily to help the developing regions of the world. The bulk of French aid has gone to industry and social programs in northern and western Africa. From 1946 through 1961, the total oversea aid of France amounted to 7 billion dollars. In 1960 and 1961, payment credits for soil and forest restoration amounted to 13.2 million dollars, and for agricultural equipment, 50.2 million dollars. Aid for water supply amounted to 57.3 million dollars, but this was for water supply systems in urban areas, and not for irrigation.

British engineers have laid the foundations of modern irrigation works and have been responsible for such developments in the Middle East, India, and Pakistan. On the Nile, the British have been responsible for the Delta barrages and the basin irrigation system of Upper Egypt, the existing Aswan Dam, and its associated barrages that provide perennial irrigation for Middle Egypt.

In the Sudan, the Sennar Dam built by British engineers on the Blue Nile made possible the Gezira scheme that now produces cotton and food crops on nearly a million acres.

The foundation of modern work on the Tigris and Euphrates Rivers was laid by the British. British engineers have constructed the 1,625-foot-long Kut barrage on the Tigris to provide irrigation for some 900 thousand acres. They were engaged for many years in a work to divert the Tigris floodwaters from a point near Samarra into the Wadi Tharthar depression in order to prevent the disastrous floods of the past and to store the water for irrigation. This project was inaugurated in April 1956. Also completed then was a barrage on the Euphrates at Ramadi.

Modern irrigation work in India began early in the 19th century, when engineers of the British East India Company restored and improved the ancient system of canals in the Punjab and the Madras Presidency. Later they constructed the Ganges Canal, which provided irrigation for the area between the Jumna and Ganges Rivers that is now the granary of Upper India and a series of irrigation works in the Punjab, which turned 3 million acres of waste into rich agricultural land. When British rule in India came to an end in 1947, the work of generations of British and Indian engineers had provided more than 70 million acres of irrigated land.

The amount of United States aid to help countries develop their water resources for agriculture exceeds that extended by any other source. Even so, assistance in water development has represented only a minor part of all United States aid given. During the period up to June 30, 1962, the United States had given about 100 billion dollars; 1.3 billion dollars of that amount had gone for irrigation, flood control, and power projects.

The United States had given aid through 1962 for irrigation purposes in 43 countries in connection with some 105 projects. The funds obligated on them amounted to 375 million dollars.

BECAUSE OF the huge capital amounts needed for water resources development, developing countries cannot afford to accept low returns on projects.

They cannot afford to put the prestige of a grandiose project ahead of better returns from smaller projects more in keeping with their capability.

At best, the flow of investment capital and aid from industrialized nations will fall short of the needs of developing countries. Our responsibility to succeeding generations is to make all possible effort to make the best use of available resources.

While I have emphasized here that water is the key to expanding agricultural production, it is by no means the only thing. We need increased efficiency in the application of all factors of agricultural production. As Eugene R. Black, former president of the World Bank, said, "It is Utopian to expect every country to be cultivated as efficiently as Denmark and thereby assume that the World can easily feed twice its present population."

A modern irrigation project in an undeveloped country will not give as good results as one in the western United States. It is relatively easy to transport competent engineers and construction materials and equipment to build an irrigation project. It is not easy to transform cultivators of such a country into competent farmers with managerial ability and initiative and to provide the continuing incentives so they will apply themselves energetically year after year to make effective use of the water.

ELCO L. GREENSHIELDS *joined the Agriculture Division of the Technical Operations Department, International Bank for Reconstruction and Development, as an agricultural economist on July 1, 1963. In the Bank his work consists mainly of appraisals of irrigation projects on which member countries have made application for financial assistance. Before joining the Bank, he served as Assistant to the Director, Resources Development Economics Division, Economic Research Service.*

Engineering in Agriculture

by E. G. McKIBBEN and W. M. CARLETON

AMERICAN farmers owned 4.5 million tractors in 1964. Tractors have displaced 22 million work animals and 76 million acres that would have been needed to grow feed for them.

Tractors are an index of the evolution of engineering in agriculture—mechanization, automation, structures, and facilities for processing and storing crops and raising livestock.

Mechanization in the United States followed a logical course, beginning with the operations—mainly plowing, cultivating, and harvesting—that require the most physical effort or impose extreme time limits to harvest the product.

Let us review some aspects of the mechanical evolution to see if they can be applied in countries that apparently need more machines and obviously need more food and other agricultural products.

Multiple-horse hitches and, later, steam traction power during the latter part of the 19th century meant that tillage ceased to be the limiting factor in crop production. The reaper helped reduce the time and labor needed for harvesting grain. Developments like tractors with internal-combustion engines and combined harvester threshers virtually assured a firm supply of basic commodities.

Farmstead mechanization was accelerated greatly by the high price and shortage of farm labor after the Second World War. In some feedyards, six men feed as many as 25 thousand head of cattle by the proper use of feed-preparation units and self-unloading trailers and trucks. Many farmers have installed automatic, pushbutton, electric feeding and grinding systems.

The mechanization of the harvesting of fruit and vegetables—difficult because of the varied characteristics of different plants and because most fruit and vegetables are delicate and perishable—is well started in the United States, although little is being done elsewhere in the world.

The electrification of the American farms is an outstanding development. The percentage of farms with electricity rose from 11 in 1934 to about 98 in 1960. The use of electricity per farm has increased about eightfold between 1940 and 1964. In about 500 ways, farmers use electricity to do work they once did by hand. Among the uses they appreciate most are the automatic pressure water system and equipment for handling livestock water and feed and mixing and feeding animal rations.

As important as the adoption of the farm tractor during the period of the First World War were the almost universal adoption of the combined harvester thresher and the cornpicker, greater use of the field forage harvester and pickup baler, and acceptance of the cottonpicker after the beginning of the second war.

This evolution in the application of engineering in American agriculture has placed farming on a par with other occupations and industries. Farmers no longer need to labor from dawn to dark. A worker's output has increased greatly. A smaller and smaller proportion of the total labor force has been needed to achieve an ever-increasing production.

Less than one-tenth of the work force is on farms. In many well-developed countries, more than a third are so engaged; in other countries, farmworkers may total 80 to 90 percent.

Take rice, the major food for 60 percent of the population of the world. In the most highly mechanized rice producing section in the United States, 7.5 man-hours are required per acre; in many parts of the world, more than 700 to 900 man-hours are used.

Some of this higher productivity must be credited to improvements in other phases of agricultural technology, such as better varieties, more effective use of fertilizer, and improved cultural practices. A major factor, however, has been the increased utilization of nonhuman energy and more effective machines and implements.

WHY DID this evolution attain so high a rate in the United States?

No one can give a positive answer, but it appears that American progress is the result of several favorable circumstances, a combination unique in history and one that probably will not appear again.

Some of the elements of this combination are:

A stable government over a large area.

A government that favored individual initiative without internal trade barriers.

A publicly supported system of general education.

A psychology of increased production, developed by people who had settled in a new land to conquer it, develop it, and make it their home.

The psychology of change, which became intensified as the more adventurous of each generation moved west to pioneer a new frontier.

A rapidly expanding agriculture on new lands allowed the introduction of new machines and new methods without the need to discard the old.

A surplus of clear, level land, well suited to mechanization.

The absence of a peasant or serf class in much of the area.

A shortage of agricultural labor or an infrequent surplus of labor. Under such conditions great emphasis was placed on production per man.

Three wars, which produced severe labor shortages. The Civil War established the reaper and related machines. The First World War established the tractor and combine harvester. The Second World War established the cottonpicker and other harvesters.

A rapidly expanding and effective industrial development, which absorbed the labor released by farm mechanization and supplied many of the elements needed to perfect and produce new farm machines and implements as they evolved.

A remarkable development of transportation—railroads and high-quality hard-surfaced highways with trucks, buses, and automobiles and the airplane.

Outstanding advances in the biological sciences of agriculture. Plant breeders have greatly aided mechanization by producing varieties better suited to mechanical harvesting— grain sorghums of uniform growth, shatterproof small grains, hybrid corn, and stormproof cotton are examples.

A progressive agricultural chemical industry, which has supplied effective chemicals for fertilizing, controlling diseases, insects, and weeds and for controlling growth, such as defoliation for cotton harvest or fruit retention for a better apple harvest.

Improved processing plants that can handle mechanically harvested products. Sugar mills and cotton gins are examples.

Our experience indicates that more than basic engineering technology and agricultural science is necessary for an effectively engineered agriculture.

Specialization and exchange have special significance in our system. An extensive adoption of specialization of production and a general participation in the exchange of the products is the only basis on which society can benefit from advancing agricultural technology.

Thus leadership in farm engineering is not an isolated development.

It cannot be exported and installed successfully without the related developments that made it possible in America.

These essential related developments involve almost the entire structure of society and include general literacy; stable, equitable government; minimum trade restrictions; sound money; an effective, equitable credit system; agricultural science; an agricultural chemical industry; an economic source of fuel; efficient transportation; adequate processing industries; reliable and equitable marketing and distribution systems; consumer goods industries; and service industries.

We do not list these requirements necessarily in the order of importance. In fact, we cannot assign a relative importance, because each is essential if a system of agriculture like ours is to succeed. Even the operator of farm machines must be able to read. As the system develops in any country, all participants will have an increasing need for knowledge.

The exchange phases of engineered agriculture cannot be developed without a stable, equitable government that favors few or no internal trade restrictions, sound money, and a good credit system.

If mechanical power is to be substituted for animal and human power, a source of fuel must be available at a competitive price.

Without an effectively applied agricultural technology and fertilizers, pesticides, and other products of an agricultural chemical industry, there will be little agriculture for the engineer to mechanize.

Unless transportation is efficient and extensive, processing industries are adequate and the marketing and distribution system is effective, an engineered agriculture cannot serve consumers or reward farmers.

If consumer goods and service industries are not sufficiently developed, there will be no employment for the workers released by machines, and there will be no customers for the products of an engineered agriculture.

THE FIRST TASK of research in agricultural engineering as a service to developing countries is therefore to modify and adapt our machines, facilities, and methods to the general farming situation in the particular country or to develop new methods and means if they are needed.

This adaptation and development may not be easy. Many will want to move slowly through all the steps taken here in America during the more than a century of development. Others will insist on the immediate adoption of our most advanced technology.

Both views are basically wrong. The objective should be to proceed with mechanization as rapidly as it can be assimilated and integrated with overall benefit. That will vary from country to country.

A second service to developing countries is to help bring new or abandoned land into productive use. Such lands are unused because they are difficult or impossible to farm with hand labor or even with animal power. They are forested, covered with brush or very heavy grasses, or semiarid. They require rather advanced engineering to clear, drain, or irrigate. The problems of financing such reclamation activities by public or private agencies often are formidable. Their economic feasibility often is controlled by the social, industrial, and financial factors we listed.

In fact, the limits on this type of development usually are sociological and not technological. Technically, the bringing of new land into production and the returning of abandoned land to production have great possibilities. We estimate that nearly 10 billion additional acres might be brought into use, compared to 4 billion acres that were used for agriculture in all the world in 1964.

Whether this can be done will depend on how badly society wants to do it.

Technology has reached the point where almost any physical program can be carried out if the human relationships involved can be managed successfully. For example, the United States and the Soviet Union have been spending about 100 billion dollars annually on their military establishments. That is enough each year to provide for 250 dollars an acre for 400 million acres, an additional area equal to more than 10 percent of the land now being used in world agriculture.

Or, with 100 billion dollars, probably enough plants could be built to desalt enough sea water to irrigate 15 million additional acres.

MORE THAN 90 percent of the power on the farms of the world is still being generated by human beings and by animals.

Most developing countries are not ready for mechanization as we think of it in the United States or at most are only partly ready.

Too often the outside expert, lacking experience of local conditions, assumes that the people do not wish to mechanize, when in fact it is illiteracy and lack of capital that hold them back. When they are shown a new instrument, or crop, or cultural practice that in reality fits their needs and is compatible to the local situation, they not only will accept it but they will make great efforts to find a way to pay for it.

Although the chief function of machinery is to make it possible for each man to do more work, and not to grow more food per acre, improvements in equipment can and do make contributions to raising total crop yields by performing some operations that are not practicable by hand, by enabling many operations to be performed better, and by making possible both more timely operations and the farming of some land that could not be farmed with primitive tools.

Population and mechanization are closely interrelated. In countries such as India, whose population is high and available land is scarce, a farmer working with improved indigenous implements powered by oxen may get as high yields as with tractors and their implements; yet the farmer with his oxen can handle more land than is available.

If the maximum number of years of existence without consideration to the quality of life is the controlling philosophy, long-time survival of the race depends on maximum production per acre and not upon the maximum production per hour of work.

We have estimates, for example, that 16 million persons may be added to the labor force in India during the sixties; of them, 10.5 million may go into nonagricultural work. Of the remaining, about 3.5 million may be employed in agriculture, thus raising, rather than lowering, the pressure on the land. Under such circumstances, there does not seem to be any possibility of mechanizing agriculture or even of solving the problem of food. Social changes involving population control are a necessary foundation for the technology required to raise the general level of life for all segments of a population.

Even with progress toward population control, mechanization in the developing countries is difficult because the populations are increasing most rapidly where resources are already most limited.

To a considerable degree, man can improve his lot only according to the energy he has at his command. Greater production of food in many regions depends on man's ability to harness other than manual power to better tools and equipment. But that is not possible unless he is trained to carry out new and better farming techniques to handle better and more advanced equipment.

A great deal of training will be required at all levels—research workers, extension workers, and farmers—as soon as practicable. The education and training of engineers, technicians, and fieldworkers therefore must go along at the same time as advances in mechanization. Most of this training should be carried out in the countries where it is to be used; in the end, it must be done there.

FROM THE EXPERIENCES of agricultural engineers, a pattern of needs characteristic of developing countries is emerging.

One engineer, writing from Liberia, a country that has been independent more than a century, describes an area that has great agricultural potential of land, water, and sunshine but must import food. What are the most important needs? First and foremost is a need for answers to problems.

Nigeria gained her independence in 1960 but has problems like those of Liberia. With a population of about 40 million and an area of 357 thousand square miles, Nigeria is the largest and most heavily populated country in Africa. The soils are low in fertility. A shifting cultivation practice is used. Here—as in similar countries—the twin problems of initiating elementary education and improved agricultural technology must go on concurrently. Illiteracy is high among farmers, who have few mechanical skills.

TWO PIECES of foundation work need be done before large-scale development schemes will be successful.

One is applied research to determine what agricultural practices are best suited to the local conditions.

The other is the training of the people in primary education and in agricultural practices.

While literacy is being raised, suitable varieties of plants must be developed, proper planting and fertilizing practices established, and methods of controlling plant diseases and insects worked out. All of them must go on while heavy machines are used to clear and prepare the available additional land for cultivation. General farm mechanization of the current American type can await the foundation developments.

Tractors, modern implements, and new machines are of little value to farmers in some countries. Hand labor is abundant and cheap in many regions, and it is not usually economic to supplant these men with machines.

Unless the machines will do the job better, unless they will increase overall production, and unless the work is too heavy for muscle labor, it is better to improve the indigenous tools and equipment until such time as the social and economic conditions compatible with an engineered agriculture can be developed. Otherwise mechanization may handicap development and add to unemployment.

Poor roads, inadequate storage facilities, and lack of capital and credit restrict agricultural production. The potentialities of agricultural engineering in Nigeria and similar countries are unlimited if the essential social and economic developments we listed earlier can take place.

Large acreages in many arid and semiarid countries could be brought into production if presently wasted river and floodwaters were controlled. Surveys of water potential, applied research in water usage, cultural practices with irrigation, and proper terracing policies are important and require additional equipment. The same is true for land drainage.

How TO MAKE agriculture develop fast enough in the less-developed countries is one of the most stubborn of all questions.

How to increase production to the amount needed to support the present world population and at the same time to increase it still further to catch up with the increasing population—these are research problems that will require the coordinated efforts of agricultural engineers and scientists in all the other agricultural disciplines. Topography, climate, rainfall, seasons, transportation, crop storages, irrigation, credit, and education—the problems are many and great.

So are our ways to solve them.

E. G. McKibben *and* W. M. Carleton *are the Director and Associate Director, respectively, of the Agricultural Engineering Research Division, Agricultural Research Service.*

The Need for Fertilizers

by W. L. HILL

FERTILIZATION and appropriate liming are the only ways to maintain or increase the productivity of soil under the intense stress it is put to in making every arable acre count for the most.

A hundred-bushel corn crop removes from the soil 78 pounds of nitrogen, 36 pounds of phosphoric oxide, and 26 pounds of potassium oxide in the corn. Additional amounts of these nutrients are removed in the stover— 52, 18, and 94 pounds, respectively, in a yield of 3.3 tons to the acre. To maintain the existing fertility level, fertilization must compensate for the withdrawals of nutrients in the harvested crop.

Fertilization and liming also make for efficient use of soil moisture. Fertilizers alter little, if at all, the total water supply, but their judicious use does increase the yield obtainable with the available supply, be it rainfall or irrigation. In an experiment of 12 trials with wheat, fertilization raised the average yield from 13 to 18 bushels an acre without altering the residual soil moisture at harvest. Viewed from the other side, provision of adequate moisture by irrigation increases the crop demand for nutrients, which in many instances can be met only by using suitable fertilizers.

The use of fertilizer is an avenue to increased yields of crop varieties generally. The fruits of fertilizer use are gathered immediately without a necessary waiting period of 10 to 15 years, or longer, while the plant breeder is developing high-yielding strains better adapted to the soil and climate.

Fertilization stimulates vegetative growth. The resultant robust plants sometimes are said to be less susceptible to disease and attack by pests—a generalization that is broader than the facts warrant. Actually, the healthy, rapidly growing plant is less susceptible to diseases of the roots, but lush growth favors diseases of the tops. At the same time, the vigorous plant can stand more punishment than the stunted one, and therefore rapid growth can compensate to a degree for damage by disease and pests.

So, because the use of fertilizers is a key to productivity, efficient use of moisture, varietal performance, and resistance to disease, the distribution of the world's fertilizer resources and production facilities are important factors in its agricultural economy.

NITROGEN, for which Nature's primary store is the atmosphere, is available to all countries that have a facility for winning it in useful chemical compounds. On the other hand, phosphorus and potassium reserves are piled up in a few places.

Phosphorus is stored in Nature mainly in three broad classes of mineral combinations—aluminum (iron) phosphates, calcium-aluminum (iron) phosphates, and calcium phosphates. The last is the dominant class in commerce, of which the commercial forms are phosphate rock and apatite. Members of the first two classes of phosphate are not tractable in established processing factories. Their utilization must await the development of economic methods for recovery of the phosphorus in forms suitable for fertilizers.

Known reserves of calcium phosphates amount to 47.3 billion metric tons, according to a report in 1962 of the United States Bureau of Mines. This figure does not include large deposits known to be in North Carolina

and in Peru, for which reliable tonnage estimates are not available.

Of this amount, Morocco, the United States, and the Soviet Union hold 90 percent—45, 29, and 16 percent, respectively. If the 7 percent held by Algeria, Tunisia, and the United Arab Republic be added to the Morocco share, northern Africa, the United States, and the Soviet Union have 97 percent of the known phosphate deposits. The rest occurs in 30-odd lands.

The mine production of marketable grades of phosphate rock and apatite was 46.8 million metric tons in 1962. The United States, northern Africa, and the Soviet Union produced 85 percent of it—42, 24, and 19 percent, respectively. Asia (mainly China, Christmas Island in the Indian Ocean, the Hashemite Kingdom of Jordan, and North Vietnam) contributed 5.5 percent; Oceania (mainly Makatea, Nauru, and Ocean Islands), 5 percent; Senegal, South Africa, and Togo, 2.5 percent; Brazil, 2 percent; and all others, 1 percent.

The depletion of phosphate deposits at disproportionate rates is evidenced by alinement of figures for production with those for reserves. Countries that hold 97 percent of the known reserves are contributing only 85 percent of the production; viewed the other way, 3 percent of the reserves are contributing 15 percent of the production.

Obviously, the scattered small deposits are being mined at high rates in response to the demand in the nearby trade community. When they are exhausted, material will have to be shipped into the community from distant large stores at higher costs to the users, unless future exploration uncovers new reserves nearby.

POTASSIUM occurs in more than two dozen forms, both water soluble and water insoluble, in rocks and minerals and in water solutions (brines). The dominant sources of this element for fertilizer use are brines and soluble saline deposits of the chloride or the sulfate locked in a few chemical combinations with the chloride or sulfate of magnesium, calcium, sodium, or aluminum.

World reserves of soluble potassic materials are large. Except the potassium associated with a deposit of nitrate in Chile, they appear to lie wholly in the Northern Hemisphere.

Known reserves are estimated to amount to at least 63 billion tons of ore, divided (in percentages) thus: Canada, 25; the United States, 0.6; Germany (East and West), 34; the Soviet Union, 27; France and Spain, each 0.4; Israel and Jordan (Dead Sea), 3; and others, 9. Germany, the Soviet Union, and Canada thus hold 86 percent of the known reserves.

World production of marketable potassic materials in 1962 was estimated to be 9.7 million metric tons of potassium oxide. The percentage shares of the producing countries are: Canada, 1; the United States, 23; Germany, 38; the Soviet Union, 15; France and Spain, 20; Israel, 1; and other countries, 2.

World production of potassic materials, like that of phosphate rock, is not shared proportionally by the known reserves. The trio of countries having 86 percent of the reserves furnished only 54 percent of the production. In contrast, the United States, France, and Spain, with only 1.4 percent of the reserves, produced 43 percent of the supply. The United States alone accounted for 23 percent.

These comparisons show that the small deposits, strategically located with respect to market areas, are being depleted at disproportionate rates. This observation does not necessarily mean that exhaustion is close at hand. Known domestic reserves are sufficient for about five generations at the rate of production in 1963.

Exploration in search of additional deposits of phosphate rock and potassic minerals in places distant from the few very large stores is therefore necessary if there is to be a continuing supply of these agricultural essentials at minimum cost. It is an important item that is all too easily overlooked while supply keeps pace with demand. The search should precede the need by at least a generation, in order to provide adequate time for adaptation of mining practices to the new conditions and for appropriate modification of methods for extraction of the valuables from the mined ore.

Domestic production of phosphate rock and potassic materials accounted for 42 and 23 percent of world production in 1962. The United States that year exported 21 percent of its production of phosphate rock, valued at 27.6 million dollars, and 21 percent of its production of potassic materials, valued at 31 million dollars. Imports of these two commodities during the same period were valued at 3.6 and 22 million dollars, respectively.

Consumption of phosphate rock is divided between agricultural and industrial uses. Fertilizers and other agricultural commodities took about 70 percent of the rock sold or used by domestic producers (inclusive of imports). Fertilizers accounted for 93 percent of the domestic consumption of potassic materials.

Potassic materials are produced at the mines in ready-for-farm-use forms, although a considerable part of the sulfate is produced from the chloride at other locations. A substantial portion of the potassic materials actually reaches the farm in mixed fertilizers. Nearly 90 percent of the world production was potassium chloride (muriate) in 1960–1961. The remainder was the sulfate and smaller quantities of other materials.

Phosphate rock, on the other hand, is shipped from the mines to distant plants for processing into superphosphate, phosphoric acid, and multinutrient fertilizers of sundry sorts.

Rock, being subject to the lower freight rate, can be transported considerable distances at less cost per unit of nutrient than many of the processed phosphates. Just under seven-eighths of the phosphorus consumed by world agriculture as commercial fertilizers in 1960–1961 was derived from phosphate rock.

The world consumption was divided among materials as follows: Normal superphosphate for direct application to soil and mixed (inclusive of compound) fertilizers, each one-third plus; basic slag and concentrated phosphate (triple superphosphate, ammonium phosphates, and other things), each one-eighth; and rock for direct application, somewhat less than one-tenth. Accordingly, about four-fifths of the phosphorus used was in processed forms prepared from phosphate rock.

THE NITROGEN SUPPLY initially is won mainly in the form of ammonia by fixation of atmospheric nitrogen and by recovery as a byproduct of the coke industry. Chilean nitrate production accounted for about 45 thousand metric tons of nitrogen in 1959–1960. Ammonia is used in the manufacture of a wide variety of fertilizer materials for farm use.

The division of world nitrogen consumption among these materials is: Ammonium nitrate, including the limed product, nearly one-third; ammonium sulfate and mixed (including compound) fertilizers, each one-fifth plus; anhydrous ammonia for direct application and urea, one-eighth; and calcium nitrate, calcium cyanamide, ammonium phosphates, and sodium nitrate (with smaller quantities of other materials), one-seventh.

World production of nitrogen was about 13.6 million metric tons. Europe, North America (including Central America), and Asia contributed nearly 98 percent of it—52, 33, and 13 percent, respectively.

Four-fifths of the European production was in seven countries—Germany, France, Italy, the Netherlands, the United Kingdom, Poland, and the Soviet Union.

In North America, the United States and Canada accounted for 99 percent of the production.

The production figures for individual countries in Asia are rough estimates in many instances. Firm figures are available for seven of the countries, which share in the estimated total for Asia, as follows: Japan, 58 percent; India, 7; Taiwan, 4; South Korea and Israel, about 2 each; Pakistan and the Philippines, 0.7 and 0.4, respectively.

World production of phosphorus in 1960–1961 amounted to about 10.4 million metric tons of available phosphoric oxide (P_2O_5). Although phosphorous factories are scattered more widely than nitrogen plants, Europe, North America, and Asia provided the major part of the production—55, 27, and 7 percent, respectively, or a total share of 89 percent. Australia and New Zealand contributed Oceania's share of 7 percent, which makes a total of 96 percent of the world production accounted for.

Seven countries provided nearly three-fourths of the European production, namely: Germany, the Soviet Union, France, Italy, the United Kingdom, Belgium, and Spain.

In North America and Central America, more than 99 percent was in the United States and Canada. The United States' share was about 93 percent. Japan, India, and Taiwan provided three-fourths of the production in Asia.

In summary: The production figures show that in 1961 the manufacturing facilities for nitrogen and phosphorous materials were concentrated in 16 countries—9 in Europe, 2 in North America, 3 in eastern Asia, and 2 in Oceania. These countries produced 85 percent of the world supply of nitrogen materials and nearly 87 percent of the supply of available phosphorus.

The consumption of fertilizers parallels the production of nutrient materials rather closely. Heavy producing countries are also avid consumers.

The 16 countries accounted for 74 percent of the nitrogen and 79 percent of the available phosphorus consumed in fertilizers. As a rule, to which Norway is an exception, nations have thus far manufactured fertilizers primarily for their own use and secondarily for exportation.

According to traditional patterns of production, a country that wishes to insure adequate fertilizer for growing its food and fiber will seek to establish domestic facilities for processing nutrient materials.

The provision of factories is not enough, however. Other basic essentials are power and certain critical raw materials. Besides an economic source of power, fixation of nitrogen depends on the manufacture of hydrogen from coal, oil, natural gas, other carbonaceous fuel, or water. The production of soluble phosphates requires an economic supply of mineral acid or electric power. A country that cannot qualify on these counts will need to rely on the importation of fertilizer from countries that possess production resources.

Intercontinental movements of nitrogen and phosphorous materials in 1960–1961 carried 1.4 million metric tons of nitrogen and 15.4 million tons of phosphoric oxide, of which 0.6 million tons was in the form of processed phosphates and the rest was in the form of phosphate rock.

Movements of potassium materials amounted to 3.7 million tons of potassium oxide (inclusive of inter-country traffic in Europe).

The patterns of international trade are complicated by the circumstance that many countries are both exporters and importers of materials carrying the same nutrient.

The situation is illustrated by the traffic in nitrogen. The origin and percentage of nitrogen exports in 1960–1961 were: Europe, 78; South America, 10; North America, 8; Asia, 3; and Oceania, 0.3.

Destinations and percentages were: Asia, 45; North America, 20; Africa, 14; South America, 7; Europe, 4; Oceania, 1; undesignated, 9. European exports went to all continents. Asia took one-half, whereas Africa and North America took one-sixth each. Asian exports also went to all conti-

nents in quantities ranging from 4 thousand to 15 thousand metric tons of nitrogen. Oceania exported only to Asia. North America exported mainly to Asia (one-half), South America, Europe, and Africa. South American exports went to all continents—more than one-half to North America and one-third to Europe.

The critical need for fertilizers in nonindustrialized lands, which either do not possess resources of fertilizer or have not developed adequate manufacturing facilities, has lately gained worldwide recognition. Industrialized countries are developing a sense of responsibility for supplying the need through exportation or in other ways. In any event, manufacturers in many quarters are looking to expansion in the international market by shipment from without or by manufacture within the country with potential market demand.

Developments stemming from these commercial activities within this decade no doubt will alter markedly the world distribution of fertilizer manufacturing facilities and therewith the pattern of intercontinental trade in fertilizers.

FERTILIZER is the key to profitable crop production in many parts of the world.

Economic crop production requires fertile soil, adequate moisture, good seed of an adapted variety, and protection against pests, weeds, and disease. Failure to provide for any one of these requirements will, in general, limit yields and thus reduce the effectiveness of the effort devoted to supplying the other three.

The use of fertilizer increases the effectiveness of all four requirements.

W. L. HILL, *research chemist, became Director, the United States Fertilizer Laboratory, Soil and Water Conservation Research Division, Agricultural Research Service, in 1959. He has been engaged in research on fertilizers in the Department since 1928.*

Chemicals in

Crop Production

by W. B. ENNIS, JR., and
W. D. McCLELLAN

BLIGHTS, PLAGUES, weeds, and insects always have dogged man's attempts to produce food, feed, and fiber. Sometimes he has been able to control the pests. When he has not been able to do so, his society has suffered or perished.

An example is the late blight in Ireland in 1845 and 1846 that all but destroyed the potato crops on which the Irish were almost wholly dependent as a major source of food. As a consequence, a million people died from starvation or from disease.

Before 1870, Ceylon was preeminent in coffee production. The coffee rust fungus, a serious parasite on wild coffee trees, then invaded the plantations, and yields became so low that coffee was abandoned as a crop and was replaced by tea. South America, particularly Brazil, then became the coffee empire of the world.

In the Philippines, cadang-cadang has become the most serious disease in coconuts, and if control measures are not developed, the livelihood of one-third of the population is hurt.

In the Tropics and other regions of high rainfall, crop plantings are lost year after year because of heavy weed competition despite adequate hand labor. Some crops can no longer be grown in places that have become infested with such perennial weeds as nutsedge, quackgrass, and field bind-weed. Aquatic weeds, such as Salvinia, threaten production of rice in Ceylon, and transportation on the Nile River is restricted because of the clogging of the river by water-hyacinth.

Plant parasitic nematodes undoubtedly cause crop damage throughout the world, but the extent of their damage is not known. The Incas in Peru had a custom that forbade the planting of potatoes year after year in the same fields. We know now that the golden nematode of potatoes has long been present in Peru, and it is assumed that the presence of nematodes accounted for the long rotations between crops.

History is full of other examples of the ravages of pests. Necessity has forced farmers to adopt chemicals for controlling their plant diseases, nematodes, and weeds, because chemicals generally are more effective and economical than other methods.

Native vegetation in its natural environment will not support large numbers of livestock or people. As they increase, it becomes necessary to replace native vegetation in many places with more productive plants. When native vegetation is disturbed or cultivated fields are abandoned, weeds take over.

To produce crop plants, farmers must utilize all available technology to stabilize the vegetation at a high productive level and prevent it from returning to a less productive level. The control of weeds is a basic, essential, and important aspect of this fundamental ecological process. The costs of weed control, together with reduced crop yields and quality caused by weed competition, constitute some of the highest costs in the production of crops. The control of weeds is one of the most important practices in modern farm management.

· For a long time farmers had to rely on crude tools and handweeding.

Rotation of crops was recognized more than a half century ago as a valuable supplement to tillage methods of controlling weeds. It still is important.

The use of chemicals to control weeds also has a long history. Common salt was used a century ago. Between 1895 and 1909 investigators in the United States and Europe studied copper sulfate, salt, iron sulfate, sulfuric acid, and carbolic acid as chemicals for controlling weeds.

The discovery of the selective herbicidal properties of certain dinitro dye compounds by workers in France in the thirties was an important step.

No marked acceptance of chemical control methods occurred until about 1948, but early discoveries of selective chemicals, such as the dinitro compounds, demonstrated the feasibility of chemical control of weeds and stimulated continued search for chemicals that would kill some plants and not others—crop plants, that is. We call it selective action.

The discovery of the selective herbicidal action of the phenoxyacetic acids, typified by 2,4-dichlorophenoxyacetic acid (2,4-D), in 1944 had far-reaching effects in weed control. Within 5 years after its discovery, 2,4-D was being used to control weeds on more than 18 million acres of small grains and 4.5 million acres of corn in the United States.

Chemical industries in the United States and elsewhere began then to synthesize and evaluate the weed-killing properties of hundreds of chemicals. As a result, instead of three or four herbicides of commercial significance in the midforties, 181 million pounds of herbicides, representing 6 thousand formulations of more than 100 organic chemicals, were shipped for use in the United States in 1962.

In 1962–1963, herbicides comprised 20 percent of the total organic pesticide production in the United States. In 3 years from 1959 to 1962, the value of exports of 2,4-D, 2,4,5-T, and other herbicides from the United States increased from 6.7 million dollars to 22.4 million dollars.

In 1962, of the United States herbicide exports totaling more than 22 million pounds, more than 8 million pounds of herbicides were exported to Canada; 1.7 million pounds to the Netherlands; 1.3 million pounds to Colombia; 1.1 million pounds to the Republic of South Africa; 0.9 million pounds to Venezuela; 0.6 million to Japan, Mexico, and West Germany; and more than 225 thousand pounds each to Costa Rica, Pakistan, Sweden, Spain, the United Kingdom, and Australia.

The use of herbicides in the United States more than doubled between 1959 and 1963. Herbicides were applied on an estimated 85 million acres, or about 20 percent of the Nation's cropland, in 1962. Most of the grain crops in the United Kingdom are treated with herbicides. More than 70 percent of the summer cereals of West Germany are chemically treated for weed control.

The chemical control of weeds (and other pests) hinges on the property some substances have of affecting only certain species. Selective toxicity—the basis for synthesis and formulation of effective herbicides that kill weeds and leave the crop unharmed—often is achieved through techniques of application that bring the herbicides in closer contact with weeds than with crop plants.

Sometimes the selectivity operates through differential behavior and biochemical reactivity of weeds and specific crop species to particular herbicides. Scientists in England, the Netherlands, and West Germany, as well as those in the United States, have contributed to a better understanding of the bases for selective action of herbicides.

An example of a selective herbicide is propanil (3,4-dichloropropionanilide), which is effective against barnyard grass (*Echinochloa crusgalli*) and other annual weed grasses and sedges in ricefields. Rice, a nontilled crop, is not injured by propanil at any stage of growth, but propanil is most effective on the weeds soon after they emerge. Increases in yield after treatment with propanil range from 325 to 5,300 pounds of rough rice an acre. Average gains reported in five States were 1 thousand to 2 thousand pounds.

Chemical control also lowers costs of production, reduces the amount of hand labor, and increases mechanized production. Chemical control of weeds in strawberries has reduced costs from 200 dollars an acre for handweeding to less than 30 dollars. The use of herbicides in cotton reduces cost of weed control from 24 dollars an acre to about 8 dollars and reduces man-hours from 35 to 12.

We have estimates that chemical weed control in such nontilled crops as wheat, oats, and barley and on grazing lands has raised their productivity 10 to 20 percent.

Labor for hoeing and pulling weeds in many tilled crops, such as corn, soybeans, sugarbeets, sugarcane, cotton, and vegetables, is no longer available at costs the farmers can afford.

Chemical weed control also has facilitated mechanized production. When poisonous weeds and brush are killed, productivity of pastures and rangelands is greater and leads to improved management of livestock and better milk and meat.

Herbicides also can control weeds that clog irrigation and drainage canals and interfere with the use of ponds, lakes, and streams.

All this is not an American monopoly. Other countries use agricultural chemicals and have done much to improve them. For some countries, chemical weedkillers are or can be a way to increase production and make more efficient use of labor.

In the heavy rainfall areas of tropical zones in Central and South America, chemical weed control has increased productivity of rice, maize, and other food crops. Herbicides are being used increasingly in African nations to control brush on rangeland and to clear waterways of water-hyacinth. New Zealand and Australia make extensive use of herbicides to control weeds and brush on grazing lands.

We believe herbicides will be used more extensively throughout the world to help improve farming efficiency and productivity of crops.

BLIGHTS, SMUTS, scabs, wilts, mildews, rusts, mosaics, and other diseases are caused by fungi, bacteria, and viruses. Every crop plant is affected by one or more of the diseases.

They affect seeds, seedlings, stalks, roots, leaves, tubers, fruits, and flowers. They kill many plants outright and may reduce crop production to zero. The quantity and quality of the crop may be severely curtailed by fungal, bacterial, and viral attacks in the field and after harvest.

Many virus diseases are systemic in the plant. Many may be carried by insects. Some viruses must spend a part of their cycle in the insect host before the insect is capable of transmitting them to another plant. Others are transmitted merely by mechanical contact. Bacteria can be disseminated by splashing rain, insects, and man through contact. Fungi are disseminated in many ways—most of them as spores, which are windborne or carried in drops of splashing water. Others migrate through the soil through normal growth or may be disseminated by rain and irrigation water. Some organisms attack a particular host; other parasitic organisms have a wide range of host plants.

Plant diseases are controlled by the use of resistant varieties, proper crop management, and the use of chemicals. Plant pathologists and plant breeders are constantly developing resistant varieties. Frequently the organisms themselves mutate and form new and more virulent races, and plant breeders must then develop varieties which will be resistant to these new races.

The biological control of plant diseases may moderate their destructive effects, but the use of artificial biological control methods has not been entirely successful. Losses caused by some of the insectborne virus diseases, such as the curlytop disease, which is spread by the beet leafhopper, have been reduced by spraying the overwintering sites with an insecticide before it migrates into beetfields in the spring.

Chemical control and development of resistance are the chief measures to control plant diseases. We have no effective way to control bacterial plant diseases, although the antibiotic streptomycin has been used with success against fireblight of apples and pears. A search has been underway for some time for an effective viricide.

The value of bordeaux mixture was discovered in France about 1882. It became a mainstay in plant disease control for many years. Copper sulfate, mainly bordeaux mixture, was used on potatoes to the extent of 20 million pounds a year by the time of the Second World War and almost that much was applied to apples to prevent bitterrot and blackrot. Two major companies that supply the American market with bananas have spent an estimated 18 million dollars a year for bordeaux mixture to control the Sigatoka disease of bananas in the Tropics. The disease is so severe that banana plantations must be sprayed 15 to 17 times a year.

There has been a shift away from the use of copper for controlling Sigatoka to the use of oil sprays. This has resulted in a tremendous reduction in our export of copper sulfate. In 1957, for example, 56.6 million pounds of copper sulfate were shipped from the United States to the four banana-producing countries, Guatemala, Honduras, Costa Rica, and Panama, whereas in 1962 only Honduras imported as much as 70 thousand pounds, a drop from the 20,272,000 pounds Honduras imported in 1957.

Now there is a shift back to bordeaux mixture or to the organic fungicides, since continued use of the oil sprays appears to result in smaller bunches of bananas in many areas.

The organic mercury compounds were introduced into the United States from Germany as seed treatments in 1913. Previously most cereal seed and potato seed diseases were treated with formalin. Much of the early research and development on the use of organic mercuries as seed-treating materials was done in Germany. It has been estimated that 15 million pounds of organic mercurials have been used annually in the United States for treating seed and that more than 60 million acres were planted with treated seed. Farmers used to rely on copper, sulfur, and mercury compounds, but greatly improved organic fungicides have been developed since 1945.

Some of them evolved from compounds used in making automobile tires. A patent was issued in 1934 for an alkyl dithiocarbamate as a fungicide, but it was almost 10 years before dithiocarbamate fungicides became available to the public. During this period, the fungitoxicity of chloranil (tetrachloro-p-benzoquinone) was demonstrated, but it was considered too expensive at first. Later, however, it was shown that from an investment of 70 cents an acre required to treat pea seeds, a return of as much as 21.25 dollars could be realized at 1951 prices. Nearly all seed peas in the United States are treated.

The nitropyrazoles, the amino triazoles, the s-triazines, the quinolines, and the phenols also have been widely studied as fungicides, but only a few have come into widespread commercial use. Most fungicides have been developed as protective chemicals. Applied to the plants before spores of the causal fungus are deposited, they can prevent the development of disease if good coverage by the fungicide is obtained.

Fungicides are used to control plant diseases in many countries. They are applied to the seed to prevent rotting or to foliage as sprays or dusts to protect the plant by destroying the spores of the fungi before they penetrate the foliage and cause infection.

The dollar value of exports of fungicides from the United States has been climbing rapidly. The value of fungicides exported was 8 million dollars in 1959 and 26 million dollars in 1962.

In western Africa, especially in Nigeria, the black pod disease of cocoa (caused by *Phytophthora palmivora*) is a serious pest. This disease is practically universal wherever cocoa is grown commercially. Spraying with copper compounds of various kinds, including bordeaux mixture, is the principal control measure employed. Extensive control programs for this disease are underway in Nigeria and spray applications often are made every month.

Most fungicides now in use are inefficient, and large amounts are needed to insure protection. A constant search is being made in a number of countries for more efficient and effective fungicides. There are no effective materials for controlling most root-rotting fungi or fungi that invade the conductive tissues of plants and cause them to wilt.

Therapeutant-type chemicals, which readily move through the plant from one part to another, are easily applied, and are low in cost, are needed. They should prevent the entry of the organisms into the plants or kill them after they enter or (in the case of wilt diseases) offset their wilt effects.

Also needed are fungicides that can be applied to seeds and be absorbed by them and become systemic.

Many of the newest organic fungicides have proved satisfactory for the control of plant diseases in the Tropics. There the potential demand is great, but their widespread use is limited by the relatively low purchasing power of many farmers. Discovery and introduction of more effective and economical chemicals for use against plant diseases will contribute greatly to meeting world problems of food production by insuring a consistent production of healthy crops.

PLANT PARASITIC NEMATODES attack practically all kinds of plants and limit crop production in all parts of the United States. Field and forage crops, vegetables, fruit and nut plants, ornamentals in nurseries and around homes, and turf and grasses on lawns and golf courses are affected.

Nematodes also carry several viruses that cause plant diseases. They also incite some fungal and bacterial diseases and cause them to be more severe.

Damage caused by heavy nematode infestation often may reduce yields as much as 75 or 100 percent. Crop losses due to nematodes may amount to 1 billion dollars a year in America.

For many years root knot nematodes and the cyst-forming nematodes were thought to be the worst nematode groups, but nematologists in the Southeastern States demonstrated the severity of damage that can be caused by ectoparasitic nematodes such as the root lesion nematode.

Evidence that species of the root lesion nematode, Pratylenchus, are causing substantial crop losses in many parts of the world is accumulating rapidly. For example, the tea industry is of vital importance to Ceylon—providing 60–70 percent of its exports—and research has demonstrated that losses due to this nematode are large.

To grow many crops successfully under present conditions, some type of nematode control is necessary.

Control by nonchemical means, such as crop rotations, fallowing, and growing resistant varieties, undoubtedly has been practiced widely by growers for a long time and still is an important method of control.

Control by chemicals, or nematocides, has become of increased importance in the production of crops. An estimated 100 million pounds of nematocides were used in the United States in 1961, principally on tobacco, pineapple, and vegetable fields.

Although we have known of the damage done by nematodes, high costs and difficulties formerly restricted the use of the available materials and methods, and soil treatment was confined to high-value crops in the greenhouse and nursery. Steam, carbon bisulfide, chloropicrin (tear gas), and methyl bromide were the methods and materials available. Treatments cost 300 to 500 dollars an acre and entailed hazards and inconveniences. Nematode control consequently was achieved through the development of a few resistant varieties and crop rotation.

A significant development was the discovery in the forties of the value of a mixture of 1,2-dichloropropane and 1,3-dichloropropene (D-D mixture) for controlling nematodes in pineapple plantings. D-D mixture, a byproduct of the petroleum industry, is relatively cheap, and land can be treated for one-tenth of the cost of older materials.

Ethylene dibromide, another relatively inexpensive material, later was shown to be an effective nematocide. Because these two nematocides could be used effectively and practically on a field scale, farmers rapidly adopted them. Both are widely used in the United States, but low temperatures in Europe apparently restrict treatment to summer.

The treatment of all pineapple plantations in Hawaii with a nematocide before planting has become a standard practice. The major uses for nematocides elsewhere in the United States are for treating land to be planted to tobacco, cotton, and vegetables.

In Rhodesia root knot is widely prevalent even in the veld areas not previously cropped. Tobacco growers there practice nematode control through a combination of crop rotations and the use of nematocides. Yield increases of 400 to 500 pounds an acre are obtained when nematocides are used. Of the 224 thousand acres of tobacco in Rhodesia, 105 thousand were fumigated in 1962.

NEMATOCIDES have been used on only a fraction of the farming sections where they could be applied profitably. Better, more efficient nematocides are needed for general use.

A nematocide generally useful for controlling nematodes in planting stock is needed by nurserymen and by plant quarantine authorities responsible for preventing the introduction of plant pests. Attention should be given to the development of chemicals and methods for treating nematodes on roots several feet below the soil surface and also for controlling nematodes at the surface.

Possibilities include low-phytotoxic chemicals that can be applied to the plant leaves, where they are translocated to the roots so that they can kill or repel nematodes in the root zone. Also, the synthesis and use of possible attractant or chemisterilant chemicals in the soil might interrupt nematode feeding and reproduction activities either in the absence of host plants or in their presence and thus result indirectly in their control.

F. W. WENT's discovery in 1928 of naturally occurring auxin in plants and P. W. Zimmerman's discovery in the thirties that certain synthetic chemicals can change the growth of plants in many ways stimulated interest in discovering and developing chemicals to regulate plant growth. These chemical regulators are unlike the fertilizer chemicals, which provide nutrients for plant growth. Instead, they regulate the many physiological processes that take place during growth, fruiting, and maturation.

Now we know of chemicals that stimulate or retard the growth of plants; induce or retard sprouting, rooting, and flowering; increase resistance to cold, heat, and drought; increase or decrease the set of fruit; hasten defoliation; and cause other responses in plants.

Growth-regulating chemicals are applied in minute amounts to control the growth and behavior of crop plants. Naphthaleneacetic acid is used to treat apple trees in the fall to prevent fruit drop and thereby improve the quality. Only one teaspoonful is used on 1 acre of orchard, which produces approximately 200 thousand apples. If this chemical were not used, the grower could lose 50 percent or more of the crop.

Potatoes store best at relatively low temperatures, but the ideal storage is costly and not always possible to maintain. Potatoes sprout profusely and shrivel and deteriorate when they are stored at higher temperatures. Sprouting is prevented safely through the use of regulating chemicals.

Growth regulators are widely used to induce rooting of the vegetatively propagated plants, with no danger of poisoning animals and people.

Some chemicals are used by nurserymen and florists to produce a dwarfing effect. Others can stimulate growth and elongation.

One growth-regulating chemical, gibberellic acid, is used to increase the size and quality of grapes. It has an extremely low animal-toxicity level.

Chemicals that cause leaves to fall also are used to prepare cottonfields for mechanical harvesting. Leaf fall normally is associated with physiological aging, but it may be induced also by water stress, certain disease organisms, insect attacks, nutrient deficiencies, light frosts, and other factors, such as mechanical injuries, which injure but do not kill the leaf blades. Chemicals now provide a means of producing defoliation timed to the producers' needs.

Three general types of chemicals fall within this category—defoliants, which induce leaf fall (abscission) but do not kill the plant; desiccants, which cause severe leaf kill, with little or no leaf fall but fast drying of attached leaves; and regrowth inhibitors, which retard or prevent new leaf growth immediately after defoliation or desiccation.

Harvest-aid chemicals are used on several million acres of cotton harvested by machine in the United States, but improvements in their reliability and use are being sought.

Further knowledge of the physiological factors within the plant that control abscission and growth is being developed through research that deals with biochemical mechanisms involved in the abscission process; studies of chemical penetration and translocation in the plant and of the distribution and fate of the chemical after it is absorbed; and investigations on cultural and environmental control methods to make chemicals more dependable in action. Desiccants are also widely used before mechanical harvesting of a number of seed crops.

Numerous problems, such as tolerance of crops to frost, drought, and high salt content in the soil, may be solved through the use of chemicals.

Tremendous crop losses occur each year as a result of low-temperature injury to economic crop plants. Compounds on the horizon appear capable of increasing the tolerance of plants to low temperatures, particularly in the production of fruit and vegetables. These chemicals may delay flowering until frost hazard is over or may actually increase cold hardiness.

It may be possible that regulating chemicals can be used to lower the water requirements of plants in places of critical water supply and thus conserve water. Regulating chemicals which will increase the tolerance of crops to salt injury and thereby permit their growth in soils with high salt content probably can be developed.

Regulating chemicals are being developed that will control the size and shape of plants so as to facilitate the use of machines for harvesting them.

Retardant-type chemicals are in prospect to regulate the size of trees and shrubs along roads and streets that obstruct the visibility of automobile drivers and interfere with electric and telephone wires. Maleic hydrazide is used commercially to stunt grass along highways and thus reduce the number of mowings required for maintenance.

Many crop plants must be harvested during relatively short periods to obtain a high-quality product. There are possibilities of developing chemical methods of extending the time during which these crops can be harvested, thus facilitating harvest, reducing production costs, and improving the quality of the product for the consumer.

W. B. ENNIS, JR., *is Chief and* W. D. MCCLELLAN *is Assistant Chief of the Crops Protection Research Branch, Crops Research Division, Agricultural Research Service.*

The Place of Insecticides

by STANLEY A. HALL

No COUNTRY can have an efficient agriculture without the use of insecticides and other pestkillers.

Insecticides have made it possible to enhance the quality and amount of agricultural products and to protect the health of people.

A dramatic example is the use of insecticides, chiefly DDT, in a campaign against malaria by the World Health Organization. The program has included all but 300 million of the 1,400 million persons who live in malarious regions (other than China, North Korea, and South Vietnam). Insecticides also have scored successes in beating down other insectborne diseases, like typhus and yellow fever.

Without insecticides we would have wormy—and smaller amounts of— vegetables, fruit, grain, and stored products that insects may infest. We also would have to put up with outbreaks of grasshoppers and infestations of the Mediterranean fruit fly, cattle grubs, ticks, lice, and many more.

Problems attend their use, and therefore the types of insecticides and the methods of applying them are being changed and improved on the basis of observations, experiments, and evaluations by scientists the world over. This work has been going on a long time.

Critics and opponents of the use of chemical pestkillers stress their harmful effects on the wildlife of forest and stream and hazards to human health because of the ways they are applied and the residues that may remain in food.

Such doubts cannot be ignored, and people everywhere must be made aware of the penalties of carelessness and ignorance—as well as the benefits of the proper use of insecticides.

Rachel Carson, one of the critics, in her book, *Silent Spring*, laid much of her criticism at the door of the chlorinated hydrocarbon insecticides, of which DDT is an example.

It is true that DDT, which has been widely used, can be detected by sensitive analytical methods in tiny amounts in a number of foods and in man and animals over widely scattered parts of the earth.

This would be a worrisome situation if there were any evidence that DDT in trace amounts had any adverse effect on the health of people and animals, whether wild or domestic. But we have no evidence of any adverse effects whatsoever. Such evidence has been searched for in many carefully planned studies. The search will continue and will be intensified.

In the meantime, a worldwide shift away from DDT is being made, chiefly because of the growing resistance that some species have developed to it.

Some who oppose the use of insecticides say they would not try to eliminate them entirely but would rely on limited applications of certain insecticides, mainly on insect-killing substances in some plants. This approach would not even begin to answer the problems we have in the control of injurious insects.

I do believe, however, that every branch of science can derive benefit from questioning, doubts, and criticism, regardless of the premises on which they are based. We must weigh and measure arguments, observations, and pertinent phenomena in order to arrive at a true and balanced viewpoint. That is every scientist's goal.

The wide use of insecticides has come about in comparatively recent times as man found ways to protect crops from the insect pests that the very act of cultivation provided with ideal conditions in which to multiply.

An instance: The Colorado potato beetle in 1850 was an unknown insect feeding on wild potatoes and similar plants in the Rocky Mountain region. The settler who brought with him and planted and cultivated the potato innocently supplied the beetle with an abundance of food and the means to multiply enormously. Beetles slowly spread. By 1874 they had reached the east coast. Against potato beetles and other pests, chemicals are more effective than any other methods yet developed and available.

As TO THE TRACES of insecticides that remain on plants and elsewhere for a time after they have been applied: Here we have a mixture of real and fancied problems.

The whole matter of residues, not a new one, has become bigger, somewhat alarming, and perhaps confusing to many. These residues are exceedingly small and are measured in parts per million or even in parts per billion.

The Department of Agriculture has a responsibility to consumers, who cannot see or measure residues or even be aware of their presence and must take for granted that milk, good-looking vegetables, fruit, meat, and other foods are safe and wholesome. Without surveillance and careful control, some of the pesticides that persist conceivably could endanger the public health.

Those in the Federal and the State Governments who are charged with their regulation have adopted the basic principle that certain pesticide residues in selected foodstuffs may be allowed in amounts demonstrated to be no higher than those resulting from good agricultural practice, provided that the final amount of residue in the food is not greater than that accepted as safe for long-term consumption by man.

In establishing legal tolerances of residues, the Food and Drug Admin-

istration uses at least a hundredfold factor of safety. Canada and many European countries have a similar policy.

WE MUST MAKE a distinction between residues of, say, DDT—which has been studied by toxicologists and pharmacologists, especially in public health laboratories, since about 1942 and about which much is known—and residues of other chlorinated hydrocarbons, such as endrin, for example, which is far more toxic and for which no legal tolerance is permitted in any food or feed.

We cannot simply lump together the chlorinated hydrocarbons and think of them as behaving all alike. Each is a different organic compound with markedly different biological properties and must be separately evaluated.

As for organophosphorous insecticides (malathion, for example)—they generally present few residue problems because they disappear rather quickly and do not accumulate, as do chlorinated insecticides in fatty or other tissues of laboratory animals when fed daily dosages higher than are ever actually encountered in practice as residues.

Problems of residues generally will be solved by changing the ways in which insecticides are used and shifting from those that tend to persist and accumulate to those that do not.

People sometimes confuse residue problems and misuse in the application of insecticides and consequent illnesses or deaths from gross exposures.

Accidental poisonings, which are more likely to occur with some of the more acutely toxic organophosphorous insecticides, can be prevented by reading and following the directions on containers and taking the prescribed precautions.

The effects of insecticides on wildlife sometimes have been adverse and surely should not be belittled or ignored. Sometimes large-scale spraying operations have harmed wildlife. Bees and other beneficial insects have been killed. These matters, of utmost concern, are being corrected by shifting to more precise applications of safer insecticides, as was done in a program to eradicate the fire ant in the Southern States.

We lack evidence that detrimental effects on wildlife are widespread generally in its various environments.

A special problem involves a series of organisms in a food chain, particularly among wildlife. One widely quoted account concerns some elm trees in the Midwest that were sprayed heavily to control the bark beetle vector of Dutch elm disease. Earthworms, which can tolerate fairly large dosages of DDT, picked up the insecticide from the soil and stored it in their body tissues. Robins arriving in the spring ate the earthworms and died.

Another illustration is the use of a larvicide in Clear Lake in California to control an exceedingly pestiferous gnat. A low dosage of TDE (a close relative of DDT) of only 1 part in 60 million parts of water controlled the gnat. But the insecticide was concentrated slowly and to an amazing degree by a chain of different organisms in the lake and finally accumulated in the fish. The fish were then eaten by birds, especially western grebes, which died.

Our growing knowledge will help us foresee and avoid such unfortunate happenings. The problem at Clear Lake has been solved by shifting to a non-residue-forming organophosphorous insecticide, which is applied precisely to accomplish the task.

It appears that the immediate solution to many residue problems will lie in shifting away wherever feasible from the insecticides that tend to build up and accumulate to those that do not. Newer insecticides on which scientists were working in 1964 were mostly the latter kind.

RESISTANCE of insects to insecticides is a mounting problem throughout the world.

Dr. A. W. A. Brown, of the University of Western Ontario, an authority on insect resistance, pointed out that a warning appeared as long ago as 1908 that the selective action of insecticides (mostly simple inorganic compounds in those days) could lead to insect families that would consist of resistant strains. The first evidence of it was in strains of the San José scale insect that developed resistance to lime-sulfur.

Later, three species of scale insects in California became resistant to hydrogen cyanide. The codling moth, peach twig borer, and two species of cattle ticks developed resistance to arsenicals. Other species developed resistance to tartar emetic, cryolite, selenium, and rotenone.

Between 1908 and 1945, however, only 13 species of insects or ticks had developed resistance.

Now the situation is different. The total number of resistant strains has risen to what Dr. Brown calls the "appalling figure" of 137 species.

In this later period, houseflies have become resistant to DDT, BHC, chlordane, and dieldrin. Resistance of insects of importance in public health involves 72 species—58 to dieldrin, 36 to DDT, and 9 to organophosphorous insecticides.

Among agricultural insects, 65 species of plant-feeding arthropods have developed resistant strains—19 to DDT, 16 to dieldrin, and 20 to organophosphorous chemicals.

This problem calls for the utmost resourcefulness and good planning of research if we are to keep ahead of it. It has no single answer.

We can meet some parts of it by shifting to other types of insecticides. A shift from a chlorinated hydrocarbon to an organophosphorous- or carbamate-type insecticide may solve some residue problems. But that is not enough.

Cross-resistance between insecticides is more the rule than the exception. The problem is severe in agriculture. The boll weevil, for example, showed a pronounced resistance to chlorinated hydrocarbons; 80 percent of the total cotton acreage and more than 95 percent of all cotton producers in the United States were affected.

And not only the grower. Also affected is the pesticide chemical industry. Because it may cost 500 thousand to 3 million dollars to develop a pesticide, the chemical industries may well question the desirability of perfecting a new chemical that may not be sold very long because insects may become immune to it.

Therefore other ways to control insects must be explored to the utmost. Some success has attended this work. While we know little about the causes of resistance, we are learning something about it and someday we may learn how to combat it.

ANOTHER APPROACH is to try to eradicate the injurious species before the resistant strains are selected out and become dominant. It is not easy generally to eradicate them with insecticides, but it can be done in certain instances.

In the Mediterranean fruit fly invasion of Florida in 1956, entomologists used an insecticide to kill the fruit flies and a specific insect attractant to tell the operators of spray equipment where and when and how much to spray to stamp out the infestation.

Another insect eradication program was achieved without the use of an insecticide. I mean the highly successful sterile-male campaign against the screw-worm, a serious pest of livestock, in the Southeastern States, Texas, and the Southwest. We are eradicating a species without killing it at all.

We rear insects in laboratories at the rate of 125 million screw-worm flies a week. They are sterilized by a measured dosage of gamma irradiation from a cobalt 60 source and then released according to plan from airplanes.

The sterilized males compete with the native males for the females in the natural population. This is a bold and imaginative scheme of turning the sex drive and enormous reproductive capacity of a destructive insect against itself.

Here are no problems of killing wildlife or beneficial insects or of residues or of selecting out resistant strains. The females lay their eggs normally, but the eggs never hatch. Without killing a single insect, the population of the pest is pushed down and down until it finally disappears.

I am sure this method will get more attention in future years for other insect species and pests that reproduce sexually.

Another possibility is to control and eradicate pests with chemosterilants.

A chemosterilant—the name is a coined one—is a chemical that causes sexual sterility in an insect. The chemical may perform a task that would not be feasible by the irradiation and release method. As examples, neither the boll weevil nor the Mexican fruit fly can take 5 thousand or 10 thousand roentgens of gamma irradiation and come out feeling fit and eager to mate. A chemosterilant is not rough on the insect and can perform its task simply and cheaply.

Chemosterilants were in the research stage in 1964. They do function. We have tested their potentialities with suitable baits.

Experiments designed to test the feasibility of eradication of houseflies with chemosterilants were carried on three islands in the Caribbean. A similar field experiment in an isolated mango grove in Mexico revealed the power of the method in controlling the destructive Mexican fruit fly with a chemosterilant.

Results are promising, but we have much to learn about developing safe procedures before practical recommendations for their use can be developed.

Investigations of the possibilities of chemosterilants in eradicating the tsetse fly from Africa were begun under a joint research program of the Department of Agriculture and the Agricultural Research Council of Central Africa.

Emphasis has been placed on the discovery and use of materials that attract insects. A number have been found by mass screening hundreds of chemicals to find any attractant, even a weak one. Related compounds are then synthesized to obtain a more potent attractant. An attractant found in this way was used in the eradication of the Mediterranean fruit fly in 1956. Thousands of traps containing the attractant were maintained at strategic locations in Florida during the campaign.

When the medfly invader turned up again early in 1962, the infestation was quickly stamped out with a minimum use of insecticide at an estimated saving of 9 million dollars over the previous campaign, which did not have the benefit of the early warning system of attractants.

Powerful attractants are available for the melon fly and for the oriental fruit fly.

Scientists have given much attention to sex attractants ever since the structure of the gypsy moth sex attractant was determined and synthesized. A synthetic homolog of this attractant, called gyplure, is available in quantity, and its possible use for control or eradication has been investigated.

Many insects, especially among the Lepidoptera, possess sex lures, which enable the male to find the female for mating and reproduction. A sex attractant has been found in the pink bollworm, southern armyworm, tobacco hornworm, and the European corn borer.

When the pure compound is isolated, the chemical structure is determined, and synthesis has been accomplished, we then seek the best way to use this powerful material that Nature provided for reproduction—to turn this extraordinary force against the insect. This goal may be achieved by male annihilation of the harmful species or by coupling a chemosterilant with a sex attractant.

THE DEVELOPMENT of insect-resistant crop varieties has sometimes been used,

but this is necessarily a long and tedious process.

An instance is the wheat stem sawfly. The development of wheats that resist the sawfly permits the profitable growing of wheat on some 2 million acres in Canada and on more than 600 thousand acres in the North Central States.

Varieties of wheat bred for resistance to the hessian fly have been grown on 4.5 million acres in 26 States.

Breeding field crops for disease resistance has had many successes, but these triumphs are not widely heralded. While the examples in which parasites and predators have been used to achieve pest control are numerous, it is evident that not enough support has been given the work in the past, and it seems certain that it will receive far more exploration in the future.

Other biological control methods, such as the use of specific pathogens for insects and other pests, are being developed.

So, to sum up, we are planning and testing new approaches to insect control and eradication keyed to basic findings in biology and chemistry. If we were not on the move, our progress would surely be canceled out by the dynamic forces of Nature.

STANLEY A. HALL *became Chief, Pesticide Chemicals Research Branch, the Department of Agriculture, in 1956. He is a graduate of Columbia University and Polytechnic Institute of Brooklyn. He joined the Naval Stores Research Division of the former Bureau of Agricultural and Industrial Chemistry in 1939. In 1943 he transferred to Bureau of Entomology and Plant Quarantine to pursue research on insecticides, including work on an analytical method for DDT, identification of isomers, and synthesis of analogs. Later he took charge of a synthesis program primarily to find better insect repellants for the Armed Forces. That effort culminated in the discovery of the repellent deet, now widely used. He has specialized in organic phosphorus chemistry and later the synthesis of insect attractants.*

Grain, a Basic Food

by KENNETH L. MURRAY

SEVENTY PERCENT of the harvested acreage of the whole world—1.6 billion acres—is used to grow grain. That is more than one-half acre and one-third of a ton of grain for each person in the world.

Grain is a basic food and always has been. Grain provides directly roughly half the calories of the world's 3 billion people. A large portion of the other 50 percent comes indirectly from grain—the grain that has been converted into meat, milk, eggs, and other animal products.

Many countries have been expanding their production, which averaged approximately 650 million tons in 1949–1953 and more than 900 million tons in recent years. The greatest increases are in corn, rice, and wheat. Barley and sorghum are of lesser importance, but their production also has increased rapidly.

Oats and rye are declining in importance—oats because there are fewer horses and rye because less of it is used for bread in Europe.

The giants in grain production are the United States, the Soviet Union, and China, which together grow more than two-fifths of the grain.

The United States produces about 170 million tons of grain each year—almost 1 ton for each inhabitant. Our production far surpasses our domestic needs. A large share, about 1 ton of every 5 tons produced, is exported. Our abundant grain supplies have become important in our trade relations with other countries. They are a source of foreign exchange earnings and one of our "foods for peace."

MAN'S USE of grain as a food dates from the earliest civilizations. The grains are believed to have been among the first crops cultivated. Historians generally cite Asia as the area where the primitive wheats, barley, rye, and rice originated. Corn may have originated in Mexico or Central America and sorghum in tropical Africa. Oats have been traced to a European origin.

Wheat and barley may have been grown in the Mediterranean region as long ago as the late Bronze Age. Barley was being used then as an animal feed. People at first ate grain hulls and all. Later they began to remove the hulls.

The first food from wheat was in the form of boiled porridge. Later, wheat was used to make an unleavened flatbread, for which the kernels are ground or cracked, water is added, and the dough is baked on an open fire or fried. Flatbread is still popular in parts of Asia, Africa, and Europe. Corn, barley, and sometimes wheat and other grains generally are used to make flatbread. Unlike wheat and rye, barley and corn cannot be used for dough that is to be leavened, or raised.

The first raised-bread loaves may have been made by the Egyptians as early as 2600 B.C. Yeast generally is used as the agent to raise bread. Gases produced by the yeast and retained in the dough cause the loaf to raise. Only wheat and rye flours have the ability to retain these gases, but rye is inferior in leavening properties.

The book, *Breads, White and Brown*, by R. A. McCance and E. M. Widdowson, points out that "the Greeks and the Romans seemed to have recognized, as we do today, a hard wheat and a soft wheat with different baking properties and to have sown wheat in both autumn and spring."

All the grains we grow in the United States, except corn, were brought here by the early settlers. Corn was grown by the Indians, who taught the settlers how to cultivate it. At the time of the first census in 1839, corn production was almost 10 million tons. It has always been our leading grain.

Wheat was first grown in the United States in 1602 in Massachusetts on Elizabeth Island. Slightly more than 2 million tons of wheat were produced in the United States in 1839. The leading wheat States then were Ohio, Pennsylvania, and New York.

While wheat, barley, rye, corn, and other grains were developing in the Western Hemisphere, the Far Eastern civilizations were cultivating mainly rice and growing less of the other grains. Rice was grown in China 5 thousand years or so ago, but we do not know in which country rice was first grown. Rice has been a basic food in most of Asia for centuries.

In the United States, rice was successfully planted the first time about 1685 in the Carolinas. For some 100 years after that date, rice production in the United States was confined to the swampy regions of the Carolinas and Georgia. During the 19th century, other States began planting rice, and by 1889 Louisiana became the Nation's leading rice producer. Farmers in Texas, Arkansas, California, and Mississippi began to grow rice.

Production of rice requires relatively high temperatures during the growing season, an abundant supply of water (which can be supplied through irrigation), level and well-drained land, and soil that can hold water. Those conditions exist in the rice-bowl region of Asia, which includes Thailand, Indochina, and Burma. Irrigation is needed for rice in the United States.

MANKIND HAS DEVELOPED and improved many types of grains and has put them to numerous uses. With this evolutionary process has come a general classification of grains according to their greatest usefulness.

We can make three broad groupings: Grain for direct consumption (in flour or in whole-kernel form); grain for livestock and poultry feed; and grain for industrial uses, such as the production of starch and alcohol. Wheat and rice are mostly in the first group.

Corn, barley, oats, sorghum, and millet are used mainly for feed. Of the relatively small amount of grain utilized in industrial processes, barley and corn are used most commonly.

THOUSANDS of varieties of wheat are grown throughout the world, but they all fall into one of two classifications—hard or soft.

Soft wheats usually are grown in places of relatively abundant rainfall.

Both soft red and soft white wheats are grown in the United States. Most of the soft red wheat is produced in Illinois, Indiana, Ohio, Missouri, and Pennsylvania, where rainfall averages about 40 inches a year.

The soft white wheat produced in the United States is grown mainly in Washington, Oregon, and Idaho.

Precipitation in those States averages below that in the soft red Wheat Belt, but the rainfall is more evenly distributed. The bulk of the wheat produced in western Europe and in Australia consists of soft varieties.

The soft wheats are used for bread, cookies, crackers, pastries, rolls, cake mixes, and other items. Soft-wheat flour, however, is not well suited to the manufacture of packaged bread as we know it in the United States, because bread made of soft wheat has a short shelf life—it would be stale before it could be delivered to the supermarket or doorstep. Places that grow soft wheat, such as western Europe, therefore import hard wheat to blend with domestic soft wheats for flour to be used to make bread that will keep.

French bread, which many people like, is made almost solely from the domestic soft wheat, but it must be eaten soon after it is made. Paris has countless breadshops, and French families buy bread for each meal—not for a week.

In the countries that comprise the European Economic Community, a sizable amount of soft wheat, about 20 percent of production, is fed to livestock and poultry; the proportion is highest when the harvest season is wet and too much moisture causes wheat to sprout.

Hard wheat makes up the bulk of the wheat production in the United States, Canada, Argentina, and parts of western Asia and northern Africa. Wheat produced in the Soviet Union is generally considered hard.

Our main producers of hard wheat are Kansas, North Dakota, Montana, Nebraska, Washington, South Dakota, Minnesota, and Oklahoma, whose rainfall is considerably below that in the soft wheat States.

Hard wheat is used primarily for making bread. An exception is durum wheat, a variety of hard wheat used for making macaroni, spaghetti, and noodles. Durum wheat is grown in the United States, Canada, Spain, northern Africa and the Middle East, the Soviet Union, and Italy. A small amount is grown in France. The production of durum wheat in the United States is concentrated in North Dakota and South Dakota.

RICE VARIETIES number in the thousands. All fit into one of three groups—long-grain, medium-grain, and short-grain rice.

Long-grain rice, which has a kernel length about four or five times the width, is preferred by many consumers. It is clear and translucent; short-grain rice has a chalky look. Long-grain kernels tend to stick together much less than the short-grain varieties. Long-grain rice requires the longest growing season, needs more irrigation, and generally yields less than the others.

Milling long-grain rice is more expensive, and more grains break. It sells for more therefore than the short- and medium-grain sorts.

Medium-grain rice is somewhat less

desirable to most consumers, but it generally is preferred over short-grain rice and it costs less to produce and market than the long-grain varieties and therefore is the principal type grown in the United States.

Short-grain rice is the chalkiest variety and has the poorest separating qualities during cooking.

Because long-grain rice requires a lengthy growing season, it must be grown in semitropical and tropical climates. Production in southeastern Asia is principally long grain. Aromatic long-grain rice is grown in India and Pakistan; nonaromatic rice is grown in the United States. Short-grain rice is grown in Japan and other parts of northern Asia.

Rice milling differs from the milling of other grains in that a flour is not produced. The inedible hulls are merely removed. The rice remains in whole kernels; the kernels are not pulverized, as they are when wheat is milled.

There are different degrees of milling. If just the inedible hulls are removed, brown rice results—the kernel plus all the edible layers of bran. Rice in this form is most nutritious. Removal of the bran and polishing are further steps. Polished rice is preferred in many markets, including the United States.

THE COARSE GRAINS—all cereals except wheat and rice—are used mainly for animal feed and industrial purposes. Direct human consumption of coarse grains is relatively small. Rye is still a major food grain in central Europe, especially Germany and Poland, but its use for bread is declining. Corn is used for food extensively in Latin America, Africa, and eastern Europe.

Corn, the primary coarse grain, has three principal types: Dent, flint, and flour corn.

Dent corn, both yellow and white in color, forms the bulk of American and Mexican production. It mainly is used for feed, but some dent corn is used to make starch, alcohol, and other industrial products. Byproducts from the manufacture of starch from corn include corn sirup and corn oil. White dent corn is preferred for the production of starch. Some corn is milled in the United States to be eaten as meal, hominy, and grits.

Flint corn is grown principally in Latin America, Europe, and Asia. A small amount is grown in northern parts of the United States. Flint corn grown in Argentina has a higher content of carotene than the yellow dent corn grown in the United States. It produces a yellow fat in poultry and beef, and therefore enjoys a preference in some markets.

Flour corn is grown mainly in Latin America and in South Africa. Small amounts of flour corn are produced in drier sections of the United States.

White, blue, and variegated are the most common colors in flour corn. Its kernel is relatively soft and well suited to the manufacture of starch.

Two less common groups of corn are popcorn and sweet corn. Both are grown mainly in the United States and are little known elsewhere. Few Europeans share (or know about) our liking for corn-on-the-cob.

Barley is predominantly a feed grain, but a relatively large share goes into industrial uses. Barley is important in making malt, which is used principally in brewing beer and making alcohol and sirups. A small amount of barley is milled for food; this type is called pot or pearl barley.

Most of the oats harvested in the world is fed to livestock, especially horses and poultry. Some is used for food. Rolled oats, or oatmeal, is made generally by passing the oats between rollers.

Grain sorghums are a feed grain in the United States, but they are important as food in Africa and parts of India.

As TO overall trends in grain consumption in the world, some factors are easily identified.

In countries with relatively high and

rising personal incomes, people eat less and less grain and more and more meat. In countries whose per capita incomes are low, diets tend to be made up mostly of cereal foods.

Feed grain is fed mainly to hogs and poultry. Beef and dairy cattle in the United States are commonly fed grain, but not in most other countries. In western Europe, for instance, cattle are mostly dual purpose (meat and milk) and are sustained on grazing rather than grain.

WHEAT, rice, and corn rank as the world's chief grains, measured in terms of production. Wheat has the largest acreage, but its yields are relatively low. Wheat and rice output has been approximately equal during the past few years; together they account for about half the world's production of grain. Corn is third; it accounts for about 20 percent. Barley, millet and sorghum, oats, and rye follow and form roughly 30 percent of world total.

THE WORLD PRODUCTION of wheat has averaged about 225 million tons. Wheat is grown in almost all countries, but in only 10 countries does average production exceed 5 million tons a year. They are the Soviet Union, the United States, China, Canada, France, India, Italy, Turkey, Australia, and Argentina.

Methods of production vary greatly. Planting, cultivation, and harvesting in mainland China, for example, still is principally handwork, as it was centuries ago. In the United States, Canada, Australia, and Argentina, those processes are highly mechanized.

The Soviet Union, the leading producer, has averaged about 50 million tons in recent years, although yields there are lower than in any of the other nine countries. The average in Russia is 12 bushels an acre. Production in the Soviet Union increased 54 percent between 1950–1954 and 1955–1959, but has stabilized since then, primarily because fewer acres have been planted to wheat. The new lands in

Siberia seem to have reached a peak in harvested grain acreage.

The total wheat production in the United States averaged about 33 million tons a year in the early sixties—a 10-percent increase over 1950–1954. The acreage needed to produce this grain has declined as a result of Government acreage allotments, but the yields have increased more than enough to offset the reduction in acreage. Wheat yields in the United States averaged 25 bushels an acre in the sixties, compared to 22 bushels in the early fifties.

Production in Canada has been relatively stable since 1950, but in 1961 a crop failure lowered production to 7.7 million tons, about half the average. Yields in Canada have not shown a tendency to increase, but seem to have stabilized at about 21 bushels an acre.

Production in France, the fifth largest grower, has risen sharply without any increase in acreage. A record crop of 14 million tons in 1962 was harvested in France; the average yield was 45 bushels an acre. Yields in some parts of northern France reached 90 bushels an acre; operations there are largely mechanized, and fertilizer is applied heavily. Also, optimum conditions prevailed during planting, growing, and harvesting.

India, Italy, and Turkey grow much wheat but generally not enough to meet their own needs. The Soviet Union, the United States, Canada, and France generally export large quantities of wheat. The Soviet Union has been a wheat exporter, but untoward weather conditions necessitated large imports in 1963–1964.

Australia and Argentina, where the wheat crop averages 7 million tons and 5 million tons, respectively, also produce more than enough for domestic needs and generally export some.

The highest wheat yields in the world are obtained in Europe. Average yields in the Netherlands reached 60 bushels an acre in 1960–1963. They were about 55 bushels in the United Kingdom. Belgium, Germany, and in

Ireland have had an average close to 50 bushels.

In western Europe as a whole, the average yields have been as high as 34 bushels an acre—compared to 24 bushels in eastern Europe, 14 in Asia, 11 in Africa, 16 in South America, and 18 in Oceania.

Among the factors that lead to variations in yields from country to country are the intensity of production and growing conditions. In countries in western Europe, wheat is grown intensively, fertilizer application is high, and farms are relatively small. In the United States and Canada, fertilizer generally is used more sparingly, and wheatfields seem endless. Growing conditions dictate the types grown and strongly influence yields. Soft winter wheats, for example, are adaptable to sections of relatively high moisture and rather mild winters.

Hard spring wheats cannot be grown in high-moisture areas and do not have the benefit of a start in the fall.

THE MAIN COARSE grains are corn, barley, oats, sorghum, and rye. World production of corn averages 190 million tons; barley, 80 million tons; oats, 50; and rye, 33.

The United States grows about half of the world's corn. Production was 70 million tons in 1950–1954 and 95 million tons in 1960–1962. This large rise in output has come although the acreage in corn was reduced. The average yield in the United States in 1950–1954 was 39 bushels an acre and 60 bushels in later years—the highest in the world. The use of hybrid corn seed has been a prime factor behind this large increase in yields.

Average yields in other major corn-producing countries have been: Brazil, 22 bushels an acre; Mexico, 14; Republic of South Africa, 21; Yugoslavia, 34; Argentina, 30; Rumania, 25; India, 15; Italy, 46; Hungary, 37. Average yields worldwide are about 30 bushels an acre.

The Soviet Union has ranked as the world's second largest producer of corn. Production there has increased from about 5 million tons in the early fifties to almost 11 million tons.

The output of Brazil, the third corn producer, equals about 10 percent of the United States production, but has gone up from about 6 million tons in the early fifties to about 10 million tons in the sixties.

Mexico, the Republic of South Africa, Yugoslavia, Argentina, and Rumania harvest about 5 million tons a year each. All of them usually export corn.

Of the leading corn producers, only the United States planted hybrid seed almost exclusively in 1964.

BARLEY is second in importance among the coarse grains. The Soviet Union leads in production, and the United States is second.

Barley commonly is planted in the spring. The effect of a severe winter on fall-sown crops sometimes determines how many acres are planted to barley. In France in 1956–1957, for example, much of the winter wheat crop was winterkilled, and the fields were resown to barley in the spring.

The Soviet Union in 1962 harvested 15 million tons of barley—double the average in the early fifties. The increase was due primarily to an extension of barley acreage. Yields rose only slightly.

France, West Germany, and Denmark also increased their production of barley. A reduction in the planted acreage in the United States has been offset by higher yields.

Yields in Denmark have surpassed an average of 70 bushels an acre. The American average has been about 32 bushels; the Soviet Union's, about 18 bushels. The world average is about 25 bushels.

OATS is the only major grain whose production has dropped in recent years. The United States' volume, about 15 million tons, has fallen off by almost 5 million tons since the early fifties. In Canada it has fluctuated but reached a high level of more than 7 million tons in 1962. Production in the Soviet Union declined from 12 million tons in the early fifties to 6 million tons in 1962.

Average yields of oats approximate 43 bushels an acre in the United States, 40 in Canada, 22 in the Soviet Union, and 37 worldwide.

Acreage under rye has been reduced, but yields have increased enough to offset the reduction. Europe produces about half of the world's rye crop. Poland, the largest producer, averages 8 million tons a year—one-fourth of the world total.

Grain sorghums, although still junior to corn and barley, have had a great upsurge among growers in the United States, which has become the world's largest producer. American production has tripled since the early fifties and has averaged about 13 million tons in later years. India is a large producer—about 10 million to 12 million tons. Grain sorghums are popular also in Argentina and the Sudan.

RICE is to the Asian countries what wheat is to the Western World. It is a staple in the diet from Pakistan to Japan.

China and India, the most populous countries, are leading producers of rice. The Food and Agriculture Organization estimated that China produces about 80 million tons a year. Production in India has averaged slightly more than 50 million tons. China and India thus grow more than half the world's rice, which is set at 200 million tons a year. India and China, however, export little or no rice; in fact, India imports about 500 thousand tons annually.

Rice is grown in China and India much as it has been for hundreds of years. Labor is cheap, and planting, cultivating, and harvesting are done by hand.

Japan, Pakistan, and Indonesia each produces 14 million to 16 million tons of rice a year. Each, however, has had to import rice to meet domestic needs.

The rice bowl of the world includes Burma, Thailand, and South Vietnam, an area well suited to growing rice. Production in each has been 5 million to 8 million tons, but that meets domestic needs and leaves some for export. The average family farm in the rice bowl grows rice on 15 acres and markets about two-thirds of its output.

Brazil, the United States, and the United Arab Republic also grow rice. Production in Brazil is partly mechanized, but hand labor is used for harvesting and some cultivating. The United States is relatively unimportant in the total world production but has led in introducing new technology. We have developed laborsaving machines, higher yielding varieties, more profitable methods of fertilization, more effective irrigation practices, and advanced marketing techniques. Production in the United States is relatively stable at about 2.5 million tons, about 1 percent of the world total.

Grain is the most important farm commodity in world commerce. Global exports of grain have approximated one-sixth of the total value of world agricultural exports.

Total world grain exports have ranged between 60 million and 80 million tons. Of that, wheat has accounted for almost 60 percent; barley, about 10 percent; corn, 17 percent; and rice, 9.

Grain is a good deal less perishable than most other food commodities in international trade. The less-developed countries whose food distribution systems are not fully efficient have found it less difficult to handle imports of grain than goods harder to store.

The United States is the leading grain exporter. American exports of wheat and flour have been about 40 percent of the world's total exports of those commodities. Our share in the international trade of corn is even higher—slightly more than 50 percent of the total world exports. We account for more than 75 percent of the world total sorghum exports and 30 percent of the world's barley exports. In total, the United States exports 30 million to 35 million tons of grain annually—the production of one in every five acres.

About 70 percent of United States wheat exports (about 14 million tons) are delivered to countries under Government programs. The main receivers of this wheat have been India, Pakistan, Brazil, Turkey, and the United Arab Republic. The remaining 30 percent of our wheat exports not under Government programs are commercially sold, mainly to countries of the European Economic Community, the United Kingdom, and Japan.

United States exports of feed grains are mainly for commercial markets. The major outlets are the United Kingdom, the European Economic Community, and Japan. Canada is an important market for corn, the major feed grain we export.

Canada is the second largest grain exporter; her shipments have averaged 9 million tons of wheat and more than 1 million tons of barley.

Canadian exports of wheat are in direct competition with United States exports, especially in the important western European markets, which require hard wheat for blending with domestic soft wheats. Exports of wheat to China and the Soviet Union have become important to the Canadians.

Canadian exports of barley have been about 18 percent of the world total. The major markets for Canadian barley are in western Europe. Canada also exports grain under a Government program, but the volume is small.

Australian exports of wheat have averaged more than 5 million tons since 1960. The main markets have been China, India, Japan, the United Kingdom, other western European countries, and the Soviet Union.

Australian wheat is called filler wheat and (unlike the hard wheats exported by Canada and the United States) is not suited for blending with soft wheat to improve quality of flour. Australia also exports about 1 million tons of coarse grains.

Argentina follows Australia in volume of grain exports. Both corn and wheat shipments average somewhat more than 2 million tons a year. Argentina's principal wheat markets are Brazil and western Europe. Argentine corn goes mainly to Europe, especially Italy. The Italian market shows a preference for the high carotene content of the Argentine flint corn. Argentina also exports relatively small amounts of sorghums and oats.

The Soviet Union, which has been a regular wheat exporter, had to import large amounts of wheat from Canada, Australia, and the United States in 1963–1964 because of small crops in 1963. Major markets for Soviet wheat have been Poland, Czechoslovakia, East Germany, and some western European countries.

France has become an important exporter of wheat, barley, and corn. French markets include its European Economic Community partners, northern Africa, eastern Europe, the United Kingdom, and China.

The Republic of South Africa has become a leading corn exporter, notably to the European Economic Community, the United Kingdom, and Japan. South African corn exports are principally white flint, which enjoys a preference in starch manufacture.

Burma and Thailand are the world's leading rice exporters. World rice exports have averaged about 6.5 million tons a year, or less than one-fifth of wheat exports. Burmese rice exports have been consistently above 1.5 million tons. Thailand's exports have ranged between 1.1 and 1.6 million tons.

The United States is third in rice exports, averaging about 900 thousand tons. Other regular rice exporters are Cambodia, the United Arab Republic, and Italy. The major importers of rice are in the Far East and western Europe.

KENNETH L. MURRAY *joined the Department of Agriculture in 1958. He is an agricultural economist in the Grain and Feed Division, Foreign Agricultural Service.*

Fruit of the Earth

by STANLEY MEHR

MOST OF OUR many kinds of fruit originated in China and southwestern Asia—not far from where the Garden of Eden is supposed to have been. The original stocks have changed considerably over the centuries and have traveled far from their birthplace.

Fruit is grown nearly everywhere now, but commercial production has developed the most in Europe, North America, and below the Tropic of Capricorn.

Nearly all fruit once was grown in backyards, farmyards, and in small orchards or vineyards or berry patches and eaten locally. Less and less of our fruit now comes from home or farm gardens and general farms.

To grow and pack acceptable fruit nowadays that will satisfy the consumer requires specialization.

Insects and diseases have to be combated. Pollination, fertilization, cultivation, irrigation, frost protection, pruning, thinning, selection and grafting of varieties, grading, storage, and marketing must be carried on properly. Machines, special buildings, and money are needed. If the fruitgrower is to make out financially, his enterprise must be large enough to employ modern techniques efficiently.

Plant scientists strive to perfect varieties that have excellent flavor, but shipping and keeping quality is vital when so many of us are far from the place where the fruit was grown: We expect to have fruit long after the harvest season. We like to have lemons all year and apples in May, even if they were harvested in September.

A shifting of acreage to regions best suited to fruit has been pronounced, particularly for deciduous fruit, like apples, pears, peaches, apricots, and prunes.

In the United States, the world's largest producer of apples, this trend is an old story. Apple production even before the Second World War was concentrated on the west coast, particularly in Washington, and in New York, New England, the Appalachian region, and Michigan. The concentration of pear growing on the west coast has been even more striking.

The same thing has been happening all over the world. In France, as an example, heavy plantings of pears have been made in the Rhone Valley. The Bolzano-Merano, Emilia-Romagna, and Po Valley sections of Italy have become important suppliers of apples and pears. In Australia, the States of Victoria, New South Wales, and South Australia (particularly in apricots) more and more dominate in the production of clingstone peaches, pears, and apricots, as Tasmania does in apple orchards.

In the Republic of South Africa, the southwestern districts of Cape Province account for an overwhelming percentage of the country's deciduous fruit, including grapes. The Argentine apple and pear crops come mainly from the big Rio Negro Valley and Mendoza Province. In apricot production in the United States, the world's leading producing country, California is dominant, as it is for clingstone peaches, grapes, plums, and prunes, among others.

As to citrus, however, crops such as oranges found their most suitable locations many years ago and have shifted little from their original sites. California has yielded first place to Florida as producer of oranges; groves in California have been subdivided for housing, and Florida has benefited from the development of frozen concentrated juice.

Ecuador, once a minor producer of bananas, has become the leader.

Production has risen sharply in Costa Rica, Guatemala, Honduras, and Panama, but has declined sharply in Mexico and Nicaragua. Trends are divergent in the Caribbean Islands—up in the Dominican Republic, Guadeloupe, Martinique, and the Windward Islands but down in Jamaica.

The acreage in pineapples has shifted little, although fairly sizable new plantings have developed in Africa—particularly in the Republic of South Africa—and Australia.

JUST AS remarkable as the shifting of acreage the world over has been the almost universal increase in production of nearly every kind of fruit that is of commercial significance because of expanded plantings and improved yields. In fact, the increase in production has been larger than consumption in places, and marketing difficulties have been cropping up.

A factor that may encourage greater consumption is the move toward better grades and standards.

Relatively few shippers before the war consistently packed fruit for export that met any reasonably high standards of quality. A few governments insisted on uniform grades and minimum standards for fruit going into export, although the United States enacted an Apple and Pear Export Act in 1933 that provided for mandatory minimum export standards.

Now many foreign exporters use improved grade standards and pack their produce in efficient, attractive containers.

A number of countries require that their exports meet minimum standards and be graded according to government specifications. Importers and consumers thus are assured of the quality and grade.

The European Common Market has shown interest in having only fruit graded as to quality and condition sold in the six countries—Belgium, France, Italy, Luxembourg, the Netherlands, and West Germany. Beginning in August 1962, only fruit of so-called Quality II or better could move from one member country to another or could come in from an outside country. The regulation applied to apples, pears, apricots, peaches, plums, sweet oranges, tangerines (mandarins and clementines), lemons, table grapes, cherries, and strawberries in 1964.

FRUIT bulks large in world trade.

West Germany, the leading importer, bought fruit and fruit products valued at 598 million dollars in 1962.

The United Kingdom ranked second with imports valued at 546 million dollars; France was third (299 million); and the United States was fourth (203 million).

Italy had exports valued at 346 million dollars and the United States 302 million dollars. Spain exported 211 million dollars of fruit and fruit products. The Republic of South Africa exported fruit worth 97 million dollars; Australia, 68 million; Greece, 52 million; and Ecuador, 41 million.

Canada imported fruit worth 174 million dollars; exports amounted to 19 million dollars.

As large as international fruit trade is, it would be still larger were it not for restrictions against imports imposed by a number of countries.

The restrictions are imposed mainly for two reasons—shortage of foreign exchange or protection of the marketings of domestic producers or of the producers in associated oversea territories from import competition.

The restrictions may take various forms, such as outright embargo of imports, imposition of quotas, admittance only during certain seasons, minimum price requirements, grade or packaging standards, or limiting entry to selected varieties.

APPLES are grown in the temperate-climate countries. They can withstand cold weather and hot summers but are not productive in places where winters are warm.

According to Dr. John R. Magness, of the Agricultural Research Service, an authority on the origin of plants, the species of apple from which our present varieties originated probably started in southeastern Asia, somewhere between the Caspian Sea and the Black Sea.

The largest producer, the United States, averages 2.81 million short tons of dessert and cooking apples annually of a world total of 12.9 million. (The production statistics I cite do not include the Soviet Union and some countries where production is negligible.)

When cider apples—the varieties suitable only for cider—are taken into account, France is the world's largest producer of apples, with 3.0 million tons. French production of cider apples, 2.5 million tons, dwarfs that of any other country. The famed cider apple trees of Normandy are being removed, however, and dessert varieties are being planted in other parts of France. For dessert and cooking apples alone, Italy is second to United States with 1.6 million tons. West Germany is third with 1.5 million tons.

Other major producers are Japan (0.9 million), United Kingdom (0.6 million), France (0.5 million), Argentina (0.4 million), and Canada (0.3 million).

The world's largest exporter is Italy, with an annual average of 0.5 million tons. World exports in the same period (1956–1959) averaged 1.3 million tons. Italy's exports, therefore, accounted for three-eighths of all table apples in international trade.

Other principal exporters, and their exports in short tons, are Argentina (0.1 million), Australia (0.1 million), mainland China (0.08 million), the Netherlands (0.08 million), the United States (0.07 million), Canada (0.05 million), and Hungary (0.04 million).

Australia depends on exports as an outlet for nearly 40 percent of its apple crop. Italy, Argentina, the Netherlands, and China export about 25 to 30 percent of their crops. Hungary exports more than 20 percent of its crop; Canada, about 15 percent. The United States exports less than 3 percent of its crop.

West Germany leads the world as a market for the exporting countries—it imports an average of 400 thousand tons annually. The United Kingdom is second with 200 thousand tons a year; the Soviet Union is third with 100 thousand tons. Other important importers are France (50 thousand), Switzerland (50 thousand), Sweden (40 thousand), East Germany (30 thousand), and Brazil (30 thousand).

The varieties are legion. The main variety in the Western Hemisphere is the Delicious and its red forms in the United States, Argentina, and Chile. The McIntosh is first in Canada and next most important in United States. The Winesap, Jonathan, Rome Beauty, Golden Delicious, York Imperial, and Northern Spy also are leaders in the Western Hemisphere.

Sturmer Pippin, Jonathan, Granny Smith, and Delicious predominate in Australia. Others include Democrat and Cox's Orange Pippin. In New Zealand, too, these are generally the main varieties. In South Africa, Red Delicious of various types, Golden Delicious, Winter Pearmain, and the Dunn's Seedling are the leaders.

Cox's Orange Pippin is the leading dessert apple and Bramley's Seedling is the main cooking apple in the United Kingdom.

Cox's Orange Pippin, Ingrid Marie, Jonathan, Belle de Boscoop, and Gravenstein lead in Scandinavia.

Belle de Boscoop, Jonathan, Golden Delicious, and Cox's Orange Pippin are favorites in the Netherlands. Plantings of Golden Delicious have been made in Scandinavia and on the Continent, notably in France. Golden Delicious has been growing greatly in popularity in western Europe. Other major varieties on the Continent include Abbondanza (number one in

Italy), Reinette du Canada, Reinette de France, Reine des Reinette, Delicious, Rosa del Calfora, Transparent, James Grieve, and Finkenwerder.

ORANGES grow under widely varying conditions as long as there is not too much frost. A temperature of 25° F. causes some injury; temperatures below 20° injure or kill the trees.

The United States produces 4.5 million short tons of a world total of 12.6 million. Spain is second with 1.2 million; Japan is third, 1.0 million; and Italy is fourth, 0.8 million. Tangerines are included in those figures.

Other major producers are Brazil, Mexico, Argentina, Israel, Morocco, Algeria, and the Republic of South Africa. The United Arab Republic, Greece, Turkey, Cyprus, Lebanon, and the West Indies also produce a good deal. India and China grow many oranges but are not included in the above world total because usable statistics were unobtainable.

In international trade there are just two seasons of the year for oranges— summer and winter. Summer means May to November. In many Northern Hemisphere countries during these "summer" months, Valencia oranges from California are sold in competition with Washington Navels and Valencias from South Africa and the Bahianinha (little navel orange) and Pera from Brazil. All of these are the nonblood oranges; that is, oranges that do not have red coloring of the flesh. While the Southern Hemisphere oranges are new-season fruit, the California Valencias have been "tree stored" for summer marketing.

The characteristics of summer oranges from different origins are not necessarily similar. Brazil's oranges are of tropical quality, rather similar to Florida's, but South African fruit is of rich color similar to that of oranges of California or the Mediterranean.

Since the Washington Navel and Valencia varieties are so important in the world's orange production, some description of them is in order.

The former is a seedless or nearly seedless orange of medium to large size and a slightly oval shape. The peel is usually thick, with a very smooth external texture. The fruit is particularly good for eating out of hand, since the segments can be separated from each other intact. Under favorable conditions the navel is of excellent quality and sells as a fancy fruit. The "navel"—on one end of the fruit— is not always conspicuous.

The Valencia is a thin-peeled variety, late maturing, of medium to large size. It has few seeds. The flesh has a fine, tender texture, and the variety is well known for its abundant juice of excellent flavor.

In western Europe, the leading import market for oranges, summer oranges account for 15 percent of the year's imports and winter oranges for 85 percent.

The "winter" season runs from November to July. This overlaps a little with the summer season because South Africa or California may have begun to ship summer oranges while the Mediterranean is finishing the winter season with some June shipments. Winter oranges dominate European imports, and they also represent the larger part of consumption in the United States, although not necessarily in the form of fresh fruit; 90 percent of the year's orange juice is produced during the winter.

All United States oranges are nonbloods. The most important varieties are the Washington Navel and Valencia in California. In Florida the most important are the early Hamlin and Parson Brown, the midseason Pineapple, and the Valencia—the main variety for both fresh fruit and juice. The Hamlin is rather small and slightly oval. It has a smooth, fine-textured skin. It is usually seedless, although one to five seeds may occur in occasional fruits. The Pineapple is usually round and thick-skinned and possesses a few seeds, usually 8 to 15. Its juice is abundant and of rich flavor.

Many varieties not known commer-

cially in the United States are produced during the winter season in
other countries.

Washington Navels account for 25
percent and seedless nonbloods 13 percent of the Spanish harvest. The latter
include the Salustiana, which is earlier
than the Navel and the Cadenera.
Both are fine fruits. Late-season Spanish oranges, harvested March to June,
round out the nonbloods and account
for 12 percent of the Spanish crop.
The Verna is the most important late
orange. Some Valencias are also
grown. Blood oranges as a group comprise 39 percent of Spanish production
and are mostly Doble Fina, a fine,
oval-shaped variety.

North Africa produces highly colored
table oranges similar to Spain's. Navels
are important in Morocco and Algeria.
Also important in Algeria are an oval
nonblood called Maltese and an oval
semiblood called Portuguese. A considerable acreage of Valencias is in
Morocco.

Nearly all of the oranges grown in
Italy are the blood type. Moro, Ta-
rocco, and Sanguinello are outstanding. The peel is highly colored, and the
juice has a dark pigment. A glass of
orange juice in Italy may be as red as
wine. Some Italian varieties have characteristics of navels.

Israel, an important source of winter oranges, produces mostly a large,
nearly seedless table orange, the Shamouti. The well-known Jaffa is a trade
name for the Shamouti. Israel also
produces Valencias for late-season sale.

Oranges cannot be classified seasonally the world over, for somewhere in
the world the early navel and the late
Valencia are harvested every month of
the year.

The international trade in oranges
averages more than 2.6 million tons
annually.

Spain, the leading exporter, ships
nearly 700 thousand tons a year on the
average. United States and Israel are
in second place with 300 thousand
tons, followed by Morocco, Italy, Algeria, South Africa, and Brazil. The
main importing countries are France
and Germany, 500 thousand tons; the
United Kingdom, 400 thousand; Canada, 200 thousand; and the Netherlands, 150 thousand. The Soviet Union
imported 90 thousand tons each year
in 1956–1959.

PEARS follow apples among the tree
fruits in importance.

Approximately 4.4 million tons of
table pears and 0.6 million tons of
cider pears are produced annually.
France accounts for most of the world's
cider pears.

The United States and mainland
China (with more than 0.7 million tons
each) are the leaders in growing pears.
Italy is third, with more than 0.5 million tons, followed by West Germany
(0.4 million), Japan (0.2 million), and
France (0.2 million). These figures are
averages. Actually, Italian, French,
and German production has been expanding, and the most recent harvests
are much larger than those averages.
The Netherlands, Argentina, Turkey,
Australia, South Africa, and other European countries also grow substantial
quantities.

About 300 thousand tons of table
pears move every year in export
channels, although only a few countries
export pears. Italy dominates the
export trade in pears as well as in
apples. Other exporters are Argentina,
the Netherlands, the United States,
the Republic of South Africa, Australia, Belgium, and Japan.

Many pears move in international
trade in cans. From the 1961 crop, the
equivalent of about 88 thousand tons
of fresh pears were exported, of a world
production of canned pears equivalent
to more than 375 thousand tons of the
fresh fruit.

The leading varieties of pears are
Bartlett (known as Williams or Bon
Chretien abroad), Passe Crassane,
Kaiser, Dr. Jules Guyot, and Confer-
ence in Europe; Bartlett and Pack-
ham's Triumph in Australia, South
Africa, and Argentina; Kieffer, Bart-
lett, and D'Anjou in Canada; and

Bartlett, D'Anjou, Bosc, Comice, and Nelis in the United States.

BANANAS grow everywhere in the Tropics—in front yards, jungles, small commercial plots, plantations.

Plantains, also known as cooking bananas and as *Musa paradisiaca* and *Musa fehi*, are a first cousin of the banana that we are all familiar with, *Musa sapientum*. Plantains, though, remain starchy when ripe and are not palatable except when cooked. They are of great importance in tropical America and Africa and are considered an excellent food.

Because many countries do not distinguish between bananas and plantains in their statistics, it is difficult to say how many bananas are produced. A guess is 35 million tons (inclusive of some plantains), which is greater than the combined production of apples and pears (exclusive of cider fruits), plums, peaches, cherries, and apricots.

Bananas grow best in hot, humid regions, where temperatures do not fall below 55° and seldom rise above 105° and rainfall is abundant throughout the year. Irrigation is necessary where rainfall is light during certain periods of the year.

The banana, a nonwoody plant, is related to the canna lily and the orchid. The "trunk" of the banana plant consists of overlapping leaf sheaths. Pulling the plant apart is much like taking apart a stalk of celery. It is easily blown over by heavy winds, especially when mature and bearing fruit, as it is topheavy at that time. In Central America, millions of the plants are blown down during "blowdowns," with great loss of fruit. Bananas take a short time to come into bearing. The first fruit from new plantings is ready to harvest 10 to 13 months after planting.

The chief variety in world trade is the Gros Michel, although numerous varieties are cultivated. The fruit is large and ships well. Cultivation of Cavendish-type varieties has been ex-

panding because they resist fusarium wilt (Panama disease). The susceptibility of the Cavendish to bruising in transit is less of a problem now that more and more bananas are packed in boxes at the plantation and move from plantation to retailer in them.

Seven Latin-American countries—Ecuador, Honduras, Costa Rica, Panama, Brazil, Colombia, and Guatemala—and the Canary Islands export nearly three-fourths of the bananas that move in world trade.

Ecuador alone accounts for one-fourth of the world's exports. Before the war, Ecuador's exports amounted to 2 percent of the total. Several factors have contributed to the great increase. The coastal lowlands of Ecuador have a hot, humid climate, fertile soil, and an abundant rainfall during 4 or 5 months of the year. High winds are rare, and the risk of blowdowns is less. Sigatoka disease was little known before 1956–1957, and Panama disease is less serious than in older producing countries.

GRAPEFRUIT is the second most important citrus fruit in terms of quantity. The quantity, however, is much smaller than that of oranges, and grapefruit are a less popular item in international trade than oranges or lemons. Thus, while about one-fifth of the oranges and lemons enter international trade, less than 10 percent of the world's grapefruit are exported.

Actually, grapefruit can be considered an American specialty; the United States produces nearly nine-tenths of the world's crop, consumes about five-sixths of the world's crop, and accounts for nearly half of the world's exports.

The grapefruit may have originated from the pummelo or shaddock, which probably was native to the Malay Archipelago and the East Indies. The pummelo fruit has the color and general appearance of a large, coarse-skinned grapefruit. Its membranes are extremely tough. It very likely reached Europe by the middle of the

12th century and was grown, mainly as a garden curiosity, under the name "Adam's apple." Seed of the pummelo are said to have been left in Barbados by a Captain Shaddock, master of an East Indian ship. The grapefruit probably developed in the West Indies as a mutation from the pummelo.

The grapefruit as such was first described in 1750 growing in Barbados.

The name "grapefruit" may have arisen from a belief that its flavor was like that of a grape or from the fact that the fruit is frequently borne in clusters.

Most grapefruit is harvested November to June, but some is harvested during the summer in California, South Africa, and Argentina.

Marsh Seedless is the leading variety. Red Blush is grown in Texas. Some red and pink grapefruit are also raised in Florida. The seeded Duncan variety is used in Florida for canned grapefruit sections, but other countries use the Marsh variety for canning.

The United States ships more than 80 thousand tons annually. Israel ships about 50 thousand tons. The Caribbean area, South Africa, north Africa, and Cyprus also export some grapefruit. Exports of canned grapefruit are minor.

LEMONS, in terms of volume production, are the third most important citrus crop, although they are more widely grown and are much more important in international trade than grapefruit. For the world as a whole, about 1 box of lemons is produced for every 10 of oranges.

The lemon (*Citrus limon*) and lime (*Citrus aurantifolia*) are related. Their native home may have been the warm, humid district east of the Himalayas, in northern Burma, and in eastern India. The Arabs established the lemon and lime in the Middle East, whence they probably were brought to Europe by the Crusaders. Columbus brought lemons and limes, as well as oranges, to the New World.

The lemon that most of us are familiar with is the "acid" lemon. The lemon grown in the warmer, more humid regions is "acidless" and relatively bland and is of no significance in international trade. Actually, the lime is the "acid" citrus of humid regions, such as Central America and the Caribbean, but it is produced in smaller volume than the lemon.

The United States raises more lemons than any other country and is the second largest exporter. Italy is second in production and the leading exporter. Other producing countries are Argentina, Spain, Greece, Turkey, the United Arab Republic, Chile, Lebanon, Israel, and Cyprus.

California and Sicily grow most of the United States and Italian lemons. A Mediterranean or California-type climate is best suited to growing acid lemons. The Eureka is the main variety in California.

In Sicily the Femminello, Monachello, and Interdanato are the chief varieties. Italians, though, seldom speak of varieties, but rather in terms of blooms. Thus, the usual expressions "Primofiore," "Limoni," and "Verdelli" refer not to varieties but to time of bloom and the season of harvest. Primofiore means "first flower" and the crop is harvested from September to the end of November. Limoni, harvested from December to June, are the main crop and are also known as winter lemons. The Verdelli, meaning green, are summer lemons, an important crop, and are usually green.

Spain is the third most important source of export lemons, and also grows, near Murcia, a lemon known as Primofiori—in this case, the name of an early variety rather than a bloom. The major variety in Spain is the Verna or Berna. This is the same name as for the Spanish late orange. It is a large, thick-skinned fruit that is tree stored for summer harvest and has a preferred market in Germany.

Western Europe and the United States use about the same quantity of lemons, and between them consume most of the world's lemons.

Germany is the leading importer, followed by France, the United Kingdom, and the Soviet Union. Most lemons are used as fresh fruit. They are also a source of essential oil (from the peel) for flavoring. They may be processed for their juice.

PEACHES, *Prunus persica*, may have originated in China.

International trade in peaches has soared, as production and exports have soared in Italy and France.

Italian and French shippers believe that consumption of peaches will expand a great deal in Germany, the United Kingdom, and northern Europe when the prices are lower and supplies are available over a longer season.

There were 36.7 million peach trees in Italy in 1961 and 18 million in 1950; production in 1961, 1962, and 1963 averaged more than 1.1 million tons; the average 10 years earlier was 400 thousand tons.

French growers foresee crops of more than 500 thousand tons; the average has been less than 200 thousand. In 1962, Italy produced about twice as many peaches as all the other European countries together.

Large as the Italian production is, it is overshadowed by that of the United States, which raised 60 percent more peaches than Italy in 1962. United States exports of fresh peaches, however, are small compared with Italy's, but the United States exports a large amount of peaches in cans.

The Freestone varieties of peaches are those that we eat fresh; some are canned; a few are dried. Clingstone peaches are admirably suited for canning; hardly any are eaten fresh. About 65 percent of United States production is Freestone, and 35 percent is Clingstone.

European peaches are almost entirely Freestone, aside from a few in Spain. Australia, the Republic of South Africa, Japan, and Argentina, producers and exporters of canned peaches, too—though of much smaller volume than the United States—also grow Clingstones and Freestones.

The world trade in fresh peaches amounted to 331 thousand tons in 1961. Of this, Italy shipped 260 thousand tons—nearly 80 percent. Greece was second with 29 thousand tons, and the United States was third with 17 thousand tons. West Germany was the main import market, taking 206 thousand tons. Switzerland, the United Kingdom, and Canada each imported about 20 thousand tons.

At the same time, world trade in canned peaches was equivalent to 225 thousand short tons of fresh fruit, of which the United States supplied the fresh fruit equivalent of 123 thousand tons. South Africa shipped out canned peaches equivalent to 39 thousand tons, fresh. The United Kingdom is the world's largest importer of canned peaches, and West Germany is next.

PLUMS, APRICOTS, AND CHERRIES are of much less importance in world commerce than the tree fruits I have mentioned. The fresh-fruit trade in the three combined is about half of that of peaches or pears.

World production of plums, cherries, and apricots has averaged 3.5 million, 1.3 million, and 0.9 million short tons, respectively.

The leading producing areas of plums (including prunes) are eastern and central Europe and the United States. Yugoslavia, Rumania, Germany, and the United States are the world's largest plum producers. Czechoslovakia, France, the United Kingdom, Italy, and Hungary are also important producers. Many others grow plums.

A good many of the prune-type plums are dehydrated or sun dried and are possibly the best known form of the prune, the dried prune.

Of a world production of 3.5 million tons of fresh plums (and prunes), 650 thousand tons have been used to make dried prunes; well over one-third of these, the equivalent of 250 thousand tons of fresh fruit, or 80 thousand tons of dried prunes were exported.

The United States is the giant in the production and exportation of dried prunes—entirely a California product, except for a minor tonnage from Oregon. Yugoslavia is the next largest producer and exporter. French production of dried prunes has been rising rapidly because of new plantings in the Garonne Valley. Plum jam is a popular product. In central and southeastern Europe, large quantities of prunes are used to make brandy.

Cherries are grown in volume in many countries, but not many fresh cherries are exported. The perishability of the fruit and the difficulty of packing it for long-distance transportation limit the foreign trade in cherries.

The United States generally has the largest cherry crop, but if we were to relate cherry production to size of the country, a number of European countries would rank higher than United States as cherry producers. West Germany, Italy, France, Yugoslavia, and Switzerland, among others, would be ahead of the United States on that basis. Japan, famed for the flowering cherry, ranks far below most European countries in the fruiting cherry.

There is some exportation—mainly from the United States—of canned cherries, but it is a relatively minor item. There is also some international trade in jam, glacé cherries, and cherries in brine. France and Italy are the main producers, respectively, of the last two items. Brined cherries are made into maraschino or glacé cherries. West Germany is the leading importer of fresh cherries.

The name "apricot" stems from a Latin word that means "early ripe." Because it blooms early in the spring, apricot blossoms usually are killed by frosts in the Eastern States.

The fruit tends to crack badly and decay in warm rainy weather and so is difficult to grow in tropical regions. As a result, the raising of apricots in the United States is confined to the Far West, mainly California, and in Europe mainly to places with Mediterranean climates.

Favorable locations are also in northern Africa, Asia Minor, China, the Republic of South Africa, Australia, and Argentina. As a result, the production of apricots is smaller than of any of the fruits I have discussed and averages somewhat less than 900 thousand tons for the whole world.

Spain, France, Italy, and Yugoslavia, in that order, are the chief European producers. The United States, though, is the world's largest producer. Canada, Hungary, Czechoslovakia, Austria, and Switzerland also produce some apricots.

International trade is limited. The production (because of weather) and trade fluctuate sharply from year to year, but on the average about 50 thousand tons a year of the fresh fruit enter international trade. Spain, Hungary, and Italy do most of the exporting. West Germany, Switzerland, and France do most of the importing.

An even greater tonnage, equivalent to more than 50 thousand tons of fresh fruit, is exported as canned fruit. About 15 thousand tons of dried apricots, made from approximately 100 thousand tons of fresh fruit, also move annually in international trade.

Iran dominates in the production and exportation of dried apricots. Sharply declining United States production of dried apricots has not been offset by rising foreign output.

WORLD PRODUCTION of grapes, according to some estimates, has been averaging about 41 million short tons annually. Grape production exceeds that of all the deciduous tree fruits.

Most of the grapes are for wine—usually 70 to 80 percent of the world's crop. About 8 percent of the crop consists of table grapes; that is, varieties grown for fresh consumption, but some of these are also made into wine. Some grapes that are classified as wine or raisin varieties are eaten fresh.

About 6 percent of the world crop is dried into raisins. Grapes are also crushed and consumed in the form of unfermented juice. Some grapes are also made into jelly. In the Middle East they are used as sugar; the grapes are crushed and most of the juice boiled off leaving a sirup of high viscosity, which serves as a sweetener for much of the farm population. A few grapes are canned, mostly for fruit cocktail.

Like the banana, the grape dates from prehistoric times. The Old World or European grape, *Vitis vinifera*, has been cultivated so long that its exact place of origin cannot be determined.

Seeds of grapes have been found in the oldest tombs of Egypt. The Egyptians probably grew grapes and made wine 6 thousand years ago. The oldest Hebrew, Greek, and Roman writings refer to grapes and winemaking. Apparently the vinifera grape originated in the region of the Caspian and Black Seas. The Vikings apparently found wild grapes so abundant in North America that they called North America Vineland.

Today's American varieties derive from the native wild grapes; in the South, the Muscadine varieties, from the species, *V. rotundifolia*, and in the North, varieties as the Concord and Niagara from *V. labrusca*.

Many varieties of Europe, which produces nearly 80 percent of the world's grapes, are mostly grown on roots partly or wholly of American stock. The reason is a root louse, phylloxera, which was native to eastern America and was accidentally taken to Europe over a century ago.

Since some American grapes are resistant to this sucking insect, the introduction of American rootstocks saved the European grapegrower from the American insect. Greater frost resistance in Old World grapes is also obtained by crossings made with American varieties.

In California, Old World varieties are grown on American rootstocks in soils where phylloxera is a problem. The most famous wines are made from Old World grapes.

More grapes are produced in Italy than in any other country of the world. France is the next largest producer. Although the production of dessert varieties has been increasing, the bulk of the grapes in those two countries is grown for wine. The production of grapes there has averaged 10.4 million and 7.1 million tons, respectively. Spain is third with 3.4 million tons, mainly for wine.

The United States is next with nearly 3 million tons (2.7 million in California), but in the United States wine grapes do not predominate. In fact, only about one-fifth of American grapes are of the wine type.

Raisin varieties account for well over half of the United States crop, but only about half of them are made into raisins. The rest are used for wine or eaten fresh. This diversified usage in the United States is particularly characteristic of the Thompson Seedless, the variety that we know so well as the light-green, sweet grape of the supermarkets in late summer. It also is much used in making dessert wine.

The Thompson Seedless had its beginning in Turkey, where it is known as the Sultanina. It is widely grown in Australia and South Africa.

Other major grape producers are Turkey, Algeria, Argentina, the Soviet Union, Portugal, Greece, Rumania, and Yugoslavia.

Foreign trade in grape products is much greater than the trade in fresh grapes if we convert world exports of wine and of raisins to their equivalent in fresh grapes.

Thus the grapes needed to make the 670 million gallons of wine exported annually would total about 4.5 million tons. The grapes from which the 360 thousand tons of world raisin exports are made would amount to about 1.5 million tons.

Exports of fresh grapes for table use average 510 thousand tons annually, a poor third to the 4.5 million and 1.5 million tons of grapes that go into wine and raisin exports, respectively. The figures for raisins include the so-called dried currant or Black Corinth of Greece—a dried vine fruit that has

136 THE YEARBOOK OF AGRICULTURE 1964

been made in Greece for more than 500 years from a small, usually seedless, reddish-black grape.

Algeria has been the world's largest exporter of wine, exporting an average of 362 million gallons annually—more than half the world exports. Most of this wine has gone to France. Far behind Algeria in volume of exports are Spain, Portugal, and France; each ships approximately 50 million gallons yearly. Then come Italy, Morocco, Tunisia, Yugoslavia, Hungary, Greece, Rumania, South Africa, Cyprus, Australia, and West Germany.

France accounts for 450 million gallons of imports a year on the average. Large as France's own production is—about 1.25 billion gallons per year—her imports are equivalent to more than one-third of her vintage. West Germany is the next largest importer. The United States ranks seventh among the wine importers, with an average of 9 million gallons, which has been moving up.

The main table-grape exporting country is Italy. Well behind are the United States and Bulgaria. Spain is next, and well behind Spain are South Africa, France, Hungary, and Greece. West Germany is the biggest importer. Canada and the United Kingdom also import substantial quantities.

There are innumerable varieties of dessert grapes. To mention a few: Regina in Italy; Chasselas and Gros Vert in France; Rosetti and Ohanes (also known as Almeria) in Spain; Rosaki in Greece; and Muscat de Hambourg, Muscat d'Alexandrie, Alphonse Lavalle, Dattier, Ideal, Cardinal, and Emperor in various places in Europe. The Thompson Seedless is number one in the United States for table use. The production of table grapes generally has been increasing.

Only a few countries produce and export sizable tonnages of raisins. In order, they are the United States, Greece, Turkey, Australia, and Iran. Smaller tonnages are produced in Spain, the Republic of Cyprus, South Africa, Afghanistan, and Argentina.

In the term "raisins," we include all dried vine fruits: Thompson Seedless (sultaninas), sultanas (a close relative of the Thompson and important in Turkey, Greece, and Iran), dried currants, muscats, rosakis, and others.

Greece leads the world as an exporter of dried vine fruit, followed by Australia, Turkey, the United States, and Iran.

THE PINEAPPLE (*Ananas comosus*), a native of South America, is one of the most widely grown tropical fruits. It can generally be grown between 25° north and south of the Equator. It is second only to the banana among fruits grown in the Tropics.

A pineapple harvested fully ripe is soft, sweet, and juicy. Its sugar content can increase 100 percent in the last stage of ripening on the plant.

Fully ripe pineapples cannot be shipped very far, so the fresh pineapple we buy in the Temperate Zone was harvested before full maturity and is relatively hard and tart (though still a treat to us who know no better). Canned pineapple, prized the world over as a dessert, is a cooked fruit.

World production of pineapples is substantially greater than the combined production of grapefruit, lemons, cherries, and apricots. An average world crop in 1951–1955 amounted to 1.7 million tons; in 1957–1961 it had risen to 2.3 million tons.

Hawaii produces nearly half of the world's crop. Brazil, the second largest producer, raises one-fourth as much as Hawaii. Mexico, Malaya, and Taiwan rank third, fourth, and fifth. Malaya and Taiwan have made spectacular gains in production. The Philippines, Cuba, South Africa, and Australia also are heavy producers.

Exports of fresh pineapple average about 85 thousand tons annually. Cuba used to be the leading exporter, but its shipments have declined sharply.

Mexico and Brazil became the largest exporters. Exports from the Azores, a traditional source of fresh pineapple for Europe, amount to 2,500 tons annually—a small fraction of the volume shipped by Mexico or Brazil. Hawaii exports hardly any fresh pineapple.

Exports of pineapple in cans is more important than trade in the fresh fruit. Approximately 400 thousand tons of the fresh fruit are processed into the canned pineapple that enters international trade channels.

As a canner of pineapple, Hawaii outranks other countries. Hawaiian-canned pineapple accounts for more than half of the world's pack. Malaya, South Africa, Taiwan, Australia, Mexico, and Cuba are the other main canners. Hawaii accounts for one-fifth of the world's exports, but Malaya, the Philippines, South Africa, and Taiwan are not far behind Hawaii in the quantities they export.

The United Kingdom, West Germany, and the United States are the big importers. Other substantial importers of canned pineapple are Canada, Japan, France, Sweden, and the Netherlands.

ESTIMATES OF CONSUMPTION of fruit in 12 countries—the United States, Australia, Canada, and nine European countries—have been published by the Commonwealth Economic Committee in London.

The consumption figures are in terms of fresh fruit—processed fruit having been converted to a fresh-fruit basis.

Of the 12 countries for which the committee estimated consumption, Switzerland has had the highest consumption—236 pounds per capita in the 3 years, 1959–1961. The United States usually has been second, with 196 pounds.

Sweden and Canada generally have been third and fourth, about 180 to 190 pounds per capita. West German consumption has been rising rapidly, and in 1959–1961 attained an average of 193 pounds. Swedish and Canadian consumption has also been rising.

The higher the level of consumption, the less is the tendency to increase. Thus, the United States and Switzerland show no gain; Sweden and Canada show slight gains; but countries with a lower base, such as Germany, France, Italy, and Spain, have shown marked gains.

British consumption is lowest of the 12 countries. Australian consumption has been steadily increasing. Dutch consumption has also been increasing to a level of 144 pounds as a 3-year average. Only Belgium, of the 12 countries, has experienced a substantial decline.

Considerable fluctuations in consumption from one year to another are common and are, of course, attributable to variations in the yield because of weather or other conditions, such as insects or plant diseases. Adjustments in the import or export volume often offset only partly the variations in the domestic supply.

Though per capita consumption of dried fruits has been declining, the consumption of other processed fruits, such as canned and frozen, and particularly juices, has been increasing.

Data compiled by the Organization for Economic Cooperation and Development in Paris for 19 countries (mostly European) show that consumption of fresh fruit has expanded in 14 countries, declined in 4, and did not change in 1.

The committee estimated that more than 11 million tons of fresh fruit were used for juice in 1961, "though the conversions involve a wide margin of error." This tonnage includes the fruits used in the making of citrus, pineapple, grape, apple, pear, prune, peach, apricot, passion fruit, berry, currant, and other juices.

The United States dominates world production and consumption of fruit juices, although it is not possible to be too precise in citing the United States percentage of the total.

Probably more than four-fifths of the world's production and two-thirds of the world's exports are accounted for by United States fruit juices. Citrus juices, of course, the most important juices in the United States, average 550 million gallons of a United States total of 770 million. More than 80 percent of the Florida orange crop is processed, and two-thirds of the crop is used for frozen concentrate. Pineapple juice is next most important in the United States. Grape juice is third.

Other producing countries, far behind the United States in volume, are West Germany, Switzerland, Italy, and France. Apple, pear, and grape juices are important in those countries. Citrus juices, especially lemon juice, are important in Italy. Production of juices from deciduous and citrus fruits are expected to continue to increase in many countries.

Countries that export juices include Italy, France, the Philippines, the Republic of South Africa, Israel, Trinidad, Spain, Jamaica, and Algeria. Canada, West Germany, and the United Kingdom lead in imports.

It appears that fruit consumption per person will continue to expand in most countries and that total fruit consumption will expand even more since population is increasing.

Although consumption of fresh fruit has been increasing, probably the same tendency will develop in other countries as in the United States—namely, a shift by consumers to processed fruits, particularly canned fruits and juices and frozen fruits and juices.

Both trends—greater consumption of fruit and a shifting toward consumption of fruit in processed form—would mean an increase in international trade.

STANLEY MEHR *has been with the Fruit and Vegetable Division of the Foreign Agricultural Service since 1954. Upon receiving his master's degree from the University of Wisconsin in 1941, he joined the Soil Conservation Service and subsequently worked in the Bureau of Agricultural Economics and Office of Foreign Agricultural Relations. He concluded his wartime military service as an agriculturist with military government in Austria. Mr. Mehr has made a number of surveys abroad of fruit production and marketing.*

Growing and Using Vegetables

by A. CLINTON COOK

ENOUGH VEGETABLES, including roots, tubers, and melons, are grown to supply an average of 300 pounds for each of the world's 3 billion persons. That would be a total annual harvest of more than 400 million metric tons for food. Besides, starchy root crops, such as potatoes, sweetpotatoes, and cassava, are used in the manufacture of alcohol and starch and are fed to livestock.

Vegetables are nutritious and can supply a large part of one's daily vitamin requirements. A 5-ounce tomato provides one-half the amount of vitamin C and about one-third the vitamin A an adult needs daily.

An acre of tomatoes at a yield of 40 metric tons would supply 700 persons with a medium-sized tomato each day for a year. A yield of 20 metric tons of potatoes would furnish one-half pound daily for a year to 240 persons. (A metric ton is 2,204.6 pounds.) Additional small servings of green and yellow vegetables complete the vitamin requirements. Thus a relatively small acreage of vegetables, reasonably well grown, can provide healthful foods to large numbers.

We eat various parts of vegetable plants—the leaves of cabbage; parts of the flowers of cauliflower and broccoli; the fleshy portion of the roots of carrots, beets, cassava, and sweetpotatoes; and the fruits of tomatoes, peppers, squash, and melons. Tomatoes normally are eaten when they are ripe, but most peppers and squash are harvested before the seeds mature.

Some leafy vegetables, like kale, spinach, mustard, and nonheading lettuce, sometimes are harvested a few leaves at a time.

Most vegetables are consumed fresh, but they can be stored fresh for a few weeks or canned, frozen, or dehydrated and kept for a year or more. In the United States, where fresh and processed vegetables are abundant all year, 50 percent of the vegetables (excluding potatoes) are consumed fresh, 41 percent are canned, and 9 percent are frozen.

About one-third of the food potatoes are processed as chips, dehydrated, and frozen french fries. Much less of the crop elsewhere is processed.

THE CHIEF FACTORS that determine the places and amounts of production are soil, climate, land tenure, marketing facilities, transportation, and government policies.

Nearly all countries can grow a variety of vegetables at various locations at one season or another. Vegetables can grow in a range of climates and soils, but for each kind some conditions are better than others.

Sweetpotatoes and yams are tropical crops but can be grown in temperate regions. Potatoes are best adapted to cooler Temperate Zones but can be grown in tropical regions in winter and at higher elevations in spring. The cabbage family prefers the cooler climates but species are grown extensively in the Tropics. Tomatoes are widely grown but will not set fruit under extreme heat and will not grow where seasons are short and cold. Other vegetables likewise have a wide tolerance, which reflects somewhat growers' skills and the development of strains that fit local conditions.

Vegetables have a wider span of harvest dates than most crops. Cabbage can be cut at 2 pounds or 5 pounds or more. Potatoes can be dug in 60 days or in 100 or more. Sweetpotatoes and yams in tropical places can be dug in 4 months or in 2 years.

Harvest at various stages extends the marketing season, but early harvest of most kinds reduces yields per acre. Such reductions can be offset partly by multiple cropping—planting more than one crop on the same plot of ground during a year.

Since vegetables under the best cultural practices can produce high yields on an acre, growers tend to use intensive methods. Many are grown under irrigation or in humid areas with supplemental irrigation. Growers tend to use large inputs of fertilizer and organic matter when available. Intensification extends to glasshouse culture in cold climates. This system is generally limited to places near large cities and to high-value crops, such as tomatoes, lettuce, and cucumbers.

Hydroponic culture, in which vegetables are grown in a water solution with added plant nutrients, has been tried in a number of places. Under carefully controlled research conditions, yields have been high, but nearly all commercial ventures have failed.

Storage and facilities for preserving them have a major bearing on the tonnage of a crop that is grown in a district. Cabbage, carrots, and beets can be stored for a few months. Potatoes and onions can be held in good condition 6 to 9 months. Canning and freezing will preserve good vegetables a year or more.

Indians in mountain valleys of South America for centuries have used freeze-drying to preserve potatoes. A commercial adaptation of the method has been developed for a number of items. Sun drying also is used. Several kinds of vegetables and potatoes are dehydrated under controlled conditions.

Potatoes, onions, garlic, and soup bases make up the largest volume of commercially dehydrated vegetables.

In countries where transportation is limited, production is concentrated near population centers, but such districts are not necessarily the most efficient in production or (if they are outside the Tropics) suitable for a year-round supply of vegetables.

The use of mountain valleys or other favored districts in less-developed countries for summer vegetables often is restricted because of lack of transportation. Production in the United States and Canada was limited to counties near cities until railways and highways were developed.

Today in the United States and Canada competition is keen among a number of vegetable-growing areas, and production continues to shift to those that can produce crops of high quality more efficiently and deliver them to markets at lowest cost. ·Some growers have several thousands of acres, and some operate in more than one district.

This trend to a larger production was accelerated by the demand of supermarket buyers for uniformity of grade, size, and packaging and the demand of food processors for raw stock suitable for manufacture of standardized products by machines.

The world's marketing practices range from primitive, open-air markets to chains of air-conditioned supermarkets of the United States, Canada, and Europe. In supermarkets, leafy, salad-type vegetables can be kept several days in good condition in display cases where temperature and humidity are controlled. In the direct sun of a sidewalk market in a hot climate, they may last mere minutes.

Mass distributors demand uniformity in quality, but local gardeners sell their produce as harvested with little or no grading and often in any available used container. Under primitive marketing methods, a producer usually must sell to consumers within a day or two of harvest, while an efficient system permits a transportation and selling time of 10 to 15 days for highly perishable products and 20 to 30 days for those somewhat less so. Production in developed areas thus can be located at great distances from consuming centers.

Trade barriers may influence the production and consumption of vegetables. High duties, import taxes, quotas, and embargoes tend to cause scarcities and high prices within a country. Local growers are expected to produce sufficient quantities to satisfy demand. Often they cannot do so in all seasons; at times, quality is poor and prices are high; and restrictive measures might be continued well beyond the normal storage life of commodities. Such restrictive measures tend to increase cost to consumers, reduce consumption, and discourage shifts to improved methods and to crops best adapted to an area.

THE AMERICAS gave the world several vegetables that now lead in tonnage produced. Potatoes and tomatoes originated in the mountain valleys of South America; sweetpotatoes, squash, sweet peppers in tropical America; and sweet corn and snap beans in North America.

The United States produces more than 10 million tons each of vegetables for fresh market and potatoes. In tonnage, the leaders are potatoes, lettuce, watermelons, onions, tomatoes, and cabbage. Vegetables for processing amount to almost 10 million tons a year; tomatoes, sweet corn, peas, green beans, and cucumbers for pickles are the five leaders. Tomatoes represent more than one-half the tonnage; sweet corn, almost one-fifth.

United States vegetable and potato production is concentrated in a few relatively small areas. California produces 37 percent of the United States vegetables for processing and 32 percent of fresh. Five States—California, Florida, Texas, Arizona, and New York—produce 67 percent of the tonnage of vegetables and melons for fresh market. Idaho, Maine, California, New York, and North Dakota grow 55 percent of the potatoes. California, Wisconsin, New York, Ohio, and Illinois grow 61 percent of processed vegetables.

California and Arizona grow 70 percent of our cantaloups. Florida, Texas, and Georgia grow more than half the watermelons. California, New Jersey, Ohio, and Indiana grow 80 percent of the tomatoes for processing. California, New Jersey, and Washington produce 90 percent of asparagus for fresh and processed use. Much of the mushrooms are grown in Pennsylvania.

THE VEGETABLE season begins with early harvesting of fall, winter, and early spring vegetables and potatoes in Florida, the Lower Rio Grande Valley of Texas, southern California, and Arizona. Production moves northward and ends with late harvest in fall.

Growers strive to improve their competitive position by improving yields, cutting costs of production, and improving grading and handling.Winter-vegetable growers may spread risks from weather hazards by planting in more than one place in the United States or in Mexico and the Caribbean Islands.

Yields per acre have trended sharply upward since 1940—some 100 to 300 percent—because of improvements in cultural practices, improved varieties or hybrids, and a concentration of acreage in districts where yields are well above average.

High costs and shortages of labor have caused United States growers to increase the mechanization of production, harvesting, and handling.

A group of wheatgrowers in Washington and Oregon discovered that garden peas for freezing were well adapted to their district. They modified wheat machinery for peas and ended up with a self-propelled combine for harvesting and shelling the peas as the machine moves through the field. Thus only shelled peas are hauled to the freezer. Much of the lettuce is packed in the field, and half a carload may be unloaded at one time by a giant forklift truck at a vacuum cooler.

Several rows of celery in Florida are harvested at the same time by workers and placed on a moving belt, which carries it through a giant, self-propelled field packing plant, where the celery is washed, trimmed, graded, and packed in shipping containers. It is then hauled to a hydrocooling plant for quick removal of field heat and loaded in rail cars or motortrucks.

A machine to harvest tomatoes for processing has been designed, but its success depends on the development of a low-growing tomato plant on which nearly all fruit ripens at the same time.

Many tomatoes for fresh market are trained on stakes or trellises, an expensive method but one in which yields of marketable tomatoes are three or four times higher than when the plants are close to the ground. Yields may be 30 to 40 tons an acre—even 52 tons in California.

Major improvements in highway and rail facilities in Mexico have meant sizable increases in production of vegetables. A large tonnage of winter and spring vegetables and melons are grown mainly for export to the United States and Canada. About half the tonnage is concentrated in the Culiacan Valley in Sinaloa. The leaders are tomatoes, cantaloups, and watermelons; smaller quantities of onions, garlic, sweet peppers, peas, cucumbers, squash, snap beans, and eggplant are exported.

More than half the tomatoes in 1963 were staked and harvested as vine ripened—as they start turning pink. The vine-ripened tomatoes are precooled to 50° F. and shipped by refrigerated motortruck. The green tomatoes are shipped in ventilated rail cars. Cantaloups are harvested vine ripe and are top iced or refrigerated.

Mexico limits imports of fresh and processed vegetables. Local supplies are adequate most of the year.

Canadian production, limited to summer and fall vegetables because of climate, is concentrated in the Maritime Provinces, Ontario, and British Columbia. Seasonal surpluses occur, but there is a shortage of fresh vegetables in winter and spring.

Since no nontariff barriers exist between the United States and Canada, growers on both sides of the border consider the two countries as one market. Growers in Ontario may be shipping fresh carrots and lettuce to eastern United States markets while western Canada will be importing the same items from the Western States. Canada imports early potatoes from the States and exports seed and table potatoes during the winter.

WESTERN EUROPE and countries of northern Africa bordering the Mediterranean form a production and marketing area. Patterns of production and marketing are like those of North America.

Production begins with winter and spring vegetables in the Mediterranean countries. Since northern Europe has the world's greatest concentration of heated and unheated glasshouses and coldframes, imports of winter vegetables are supplemented by glasshouse crops. The varieties consumed in western Europe are similar to those of North America, but many more are eaten in fresh form.

Consumption of potatoes per capita in Europe is about double that of the United States but has been declining. Production is high, but in some countries—for instance, West Germany—only a third is used for food. Many potatoes are used for livestock feed and for industrial products—starch, glucose, and alcohol. Yellow-fleshed potatoes are preferred in some countries for food.

Northern European countries export seed potatoes to the Mediterranean countries and import new potatoes from them in winter and spring. Trade in potatoes is extensive among these countries in winter and spring, but few potatoes are exported from or imported into the European area.

Onions are grown in all western countries of Europe, but climatic conditions limit production in the Scandinavian countries, the United Kingdom, and Ireland. The four principal exporting countries are the United Arab Republic, Spain, Italy, and the Netherlands. The United Arab Republic, the world's largest exporter, sends most of her crop to northern Europe in spring, and the fall crop is consumed locally. Spain exports the mild-type Valencia or sweet Spanish types, including some new hybrids. Italy grows many red-skinned onions. The Netherlands is a leading supplier of yellow globe onions.

Field-grown tomatoes are produced in northern Africa, the Canary Islands, Spain, Italy, and southern France for local consumption and export in winter and spring. These supplies are supplemented with the glasshouse crops in northern Europe. Processing of tomatoes in Italy, Portugal, Spain, and France has been developing rapidly. Whole tomatoes, paste, and puree are canned.

Cabbages, broccoli, cauliflower, and brussels sprouts are grown extensively in all countries. The largest production is in northern Europe. Cabbages are stored in pits or in common storage or preserved in the form of kraut.

Carrots, parsnips, beets, and rutabagas are widely grown. Many are stored in the ground and harvested as needed. Others are stored in pits for marketing in fall and winter.

The Pharaohs of Egypt 3 thousand years ago monopolized the consumption of mushrooms and considered them much too good for common people. Sometime before 1700, British gardeners had learned to grow them in hothouses. French gardeners later learned the secret of growing mushrooms in caves and cellars around Paris. Paris now is the center of production of fresh and canned mushrooms in western Europe. France exports and uses domestically a high volume of canned mushrooms.

THE NETHERLANDS horticultural industry, the most intensive in the world, developed when the population reached a fairly high level of prosperity.

During 1850–1930, a period of rapid

economic development in western Europe, the Dutch decided on a course of free trade and of specialization in the vegetable crops best suited to their area. In the twenties, an increase in the number of growers led to an even more intensive culture and a rapid expansion of glasshouses. This development was stopped by the agricultural crisis of the thirties, when several importing countries imposed restrictions that adversely affected the market outlets and depressed prices of Dutch horticultural crops. Then the Netherlands took a number of measures to restrict the area of certain crops and established minimum prices and relief programs for growers.

Regulations since that time have been expanded and increased. The Commodity Board licenses growers, and the applicant must demonstrate sufficient skill and capital to operate a holding. The board also fixes the area planted to certain crops, specifies the quality and packages for export, and operates a Minimum Price Fund, which is a means of price stabilization.

Each grower signs a contract to sell all his produce through one local auction company for one year. The auction furnishes returnable containers for local sales, but export vegetables are packed in nonreturnable containers. The Dutch use a unique electrically controlled auction clock. The hand of the clock starts at a high price. When a buyer touches a button at his desk, the clock stops. His assigned number is flashed, and he has purchased the lot of produce offered at the price shown on the clock. This is a rapid method of selling produce.

All persons interested may attend a horticultural school for training in growing, marketing, inspection, and related fields. Qualified students can attend classes at university level for 5 to 7 years.

There are more than a thousand agricultural credit banks in the Netherlands. Growers who cannot qualify for loans from them may secure credit for certain improvements from the Agricultural Security Fund or from the Provincial Horticultural Security Fund.

The government provides research, an advisory group for technical and economic problems, and an inspection service. The government and quasi-government regulations are intended to promote the efficiency of production and marketing and to expand markets by offering high-quality produce to consumers at competitive prices.

The Dutch have a land area about double that of New Jersey, on which they produce more than 1 million tons of vegetables and 4 million tons of potatoes annually.

There are 125 thousand acres of vegetables in open culture and almost 11 thousand acres under glass in the Netherlands. About 69 percent of the glasshouses are heated. The Dutch report production of 22 different vegetables, but tomatoes, onions, cabbage, and cucumbers make up 50 percent of the total. Only 17 percent are processed, compared to 50 percent in the United States.

The Dutch have 25 percent of the world's vegetable glasshouse area.

The maximum number of successive crops in a year under glass is four, but most growers plant two to three.

The annual value of glasshouse vegetables and fruit is 90 million dollars; tomatoes, cucumbers, and lettuce account for 80 to 85 percent of the total. Tomatoes in heated glasshouses may yield as high as 60 tons to an acre, but the Dutch average 40 tons. Yields would probably be higher if there were more sunlight during the growing season.

EASTERN EUROPE, including the Soviet Union, has encountered many problems in producing and marketing vegetable crops.

A survey in Russia in 1961 showed that 65 percent of the potato and 45 percent of the vegetable production was grown on private plots.

Cabbage follows potatoes in importance. It is marketed fresh and from storage. Carrots, beets, turnips, and rutabagas are grown extensively, especially in the northern districts. In the south—the Ukraine, Caucasus, and central Asia—cantaloups, honeydews, watermelons, and peppers are grown for local use and for shipment to northern markets.

The Balkans grow tomatoes, onions, garlic, and many other crops. Poland grows a fall crop of yellow globe onions for export both east and west.

Many wild types of mushrooms are gathered in northern Russia. They are used fresh and sun dried. Dried mushrooms are chiefly used for soups.

A number of vegetables appear to have originated in the land area of the eastern Mediterranean east to the Pacific Ocean. Onions, muskmelons (including cantaloups and Persian melons), eggplant, celery, asparagus, cabbage, carrots, and radishes came from this area.

Excellent cantaloups, Persian melons, and similar types can be grown in several locations in Iran and areas having like climatic conditions and soils. These melons prefer hot, arid climates, with cool nights and an abundant supply of irrigation water.

THE FAR EAST contains more than half of the world's people, with a per capita agricultural land area of half an acre. Thus vegetables are grown on garden plots of far less than an acre. Inadequate transportation tends to concentrate commercial production to districts near cities.

Little or no research is available to growers in many of these countries. Relatively small amounts of chemical fertilizers, insecticides, and fungicides are used, except in Japan and Taiwan. Growers use animal and human waste, ashes, and other materials that can be composted to improve the soils.

Sweetpotatoes, cassava, and potatoes are important, particularly in the countries with a warm climate. Other vegetables are grown intensively with five to eight crops a year on the same plot of ground. This system requires irrigation, careful timing in planting various crops, and the use of transplants for some.

Some areas will grow a crop of staked cucumbers, tomatoes, pole beans, lettuce, cabbage, chinese-type cabbage, onions, peppers, or eggplant in the dry season and a crop of paddy rice in the wet season.

In mainland China, vegetable production declined sharply when the peasants' system of multiple cropping was disrupted. This was partly corrected in 1961 when many people were allowed to cultivate a private garden plot.

In Hong Kong, a commercial vegetable farm for a family is one-third acre. Because Hong Kong is a free trade area, growers concentrate on vegetables that have a short growing season and for which they have a transportation advantage. Vegetables such as lettuce, chinese cabbage, rape, mustard, tomatoes, sweet corn, and cabbage are the principal crops grown. Carrots, potatoes, beets, celery, and turnips are imported.

A Hong Kong grower usually places all of the available waste material and chemical fertilizer in a cistern or pool. The liquid is then hand drawn and carried in pails to the vegetable plants.

Growers deliver produce to the road, where it is picked up by a truck and hauled to one of several wholesale markets. In some other southeastern Asian countries, the produce is transported one or two baskets at a time by a person in a boat, bus, or taxi. A third or more of the sale price is needed to pay the transportation for a distance of 10 to 20 miles.

AFRICA is a land of contrasts, divergent societies, nomadic desert tribes, primitive jungle tribes, and highly developed civilizations in the north and south. The people of the central areas depend on wild plants, cassava, yams, sweetpotatoes, and watermelons. A small volume of other vegetables may be grown near a few of the larger cities for local sales.

The Republic of South Africa has an extensive commercial vegetable industry, which was developed by Europeans. The supply of potatoes and other fresh and processed vegetables is good; nearly all are grown for domestic use.

People on the deserts produce and eat few vegetables.

SOUTH AMERICAN climate ranges from the northern tropical areas to the cool climates of southern Argentina and Chile. Many of the tropical areas have districts at high elevations that can grow a wide variety of vegetables. Often the better locations for vegetable culture cannot be used because of a lack of roads and transportation.

Potatoes, cabbage, tomatoes, and corn are widely grown. Brazil is the only country that prefers yellow-fleshed potatoes, varieties of European origin. The corn consumed fresh is early harvested field corn.

Much of the Indian population uses vegetables for seasoning soups and stews. Onions, garlic, tomatoes, peas, and beans are popular for this purpose.

Many of the vegetable growers in Argentina are of Italian descent. They grow varieties of vegetables brought over from the homeland, such as cherry or pear-shaped tomatoes, broadbeans, zucchini squash, leeks, artichokes, leaf lettuce, and watercress. Cabbage follows potatoes in tonnage produced.

Japanese gardeners near São Paulo, Brazil, supply vegetables for the city. Their farms are small and intensively cropped. Growers formed a cooperative that furnishes tractors for occasional deep plowing; purchases production supplies, such as seeds, fertilizer, and spray materials; and markets the crops. Aside from tractor plowing, nearly all seeding and cultivating is done by hand. Vegetables are hauled to market by truck. Because of the elevation and moderate climate, vegetables are harvested all year in this district.

Nearly all vegetables in the South American countries are grown for domestic consumption, but Chile exports large quantities of onions and garlic to North America and Europe and many honeydew melons to North America.

Processing in South America is generally limited to relatively small processors. The principal products are chili sauces, catsup, peppers, artichoke hearts, and baby foods.

Argentina, Venezuela, and Colombia lead in commercial processing. A few vegetables are sun dried for home use.

Vegetable production could be expanded by making effective use of coastal plains and districts at higher elevations. Until the transportation system and marketing facilities are improved, however, low-income families will continue to use vegetables for seasoning rather than as a basic part of their diet.

THE WORLD's potential vegetable production is enormous. Under ideal cultural practices, yields per acre are high.

As more vegetables become available, people tend to eat less cassava, sweetpotatoes, and potatoes, in that order.

Cassava is consumed as a vegetable through necessity rather than by choice. Processing increases as the economy of a country improves.

While there is a great need in many countries of the world to expand production of vegetables, particularly the green and yellow vegetables and tomatoes, this will not happen until the economy of the country improves. Increased production requires roads, fertilizers, chemicals, farm equipment, specialized transportation equipment, and facilities for storing and marketing the crops.

A. CLINTON COOK *became Chief, Foreign Marketing Branch, Fruit and Vegetable Division, of Foreign Agricultural Service in 1962. He joined the Department in 1934. He holds degrees from Texas Tech and Michigan State Universities.*

Meat Production and Trade

by DWIGHT R. BISHOP

THE NUMBER OF MEAT animals and the production of meat reflect the prosperity of a country, consumers' incomes, increases in population and living standards, favorable prices, and industrial growth, all of which started to rise at the end of the Second World War.

The world production of meat reached a record 112 billion pounds in 1963 and was about 3 percent larger than the 109 billion pounds produced in 1962 and 38 percent above the 1951–1955 average.

The rise in the production of meat since 1951 more than equaled the rise in population, and meat consumption per capita went up in most countries.

A 4-percent gain in 1962 was the largest on record and was about twice that of population growth.

Other factors also influenced the production and consumption of meat.

Most of the major livestock- and meat-producing countries improved range management, production techniques, and feeding practices.

Examples are the planting of improved grasses and distribution of fertilizer by airplanes in the steep terrain of New Zealand, the construction of tanks for storing water in the arid parts of Australia, the shift from crop production to livestock husbandry in the Southeastern States, and a much higher carrying capacity

obtained by planting alfalfa pastures in the fertile Pampa of Argentina.

Most countries have developed or enlarged programs of research for improving breeds, eradicating livestock diseases, and promoting the sale of meat products in world trade.

Substantial progress has been made in the United States in improving breeds of beef cattle to obtain a more uniform carcass with less waste and with breeds of hogs to yield more lean meat and less fat.

A more uniform lamb carcass has been developed in New Zealand by crossing Southdown rams with ewes of the Romney breed.

The Santa Gertrudis and Brangus have been developed from crosses between Indian and English breeds to obtain an animal that produces meat efficiently in hot climates.

The eradication or control of diseases has lowered livestock mortality.

An example is the extensive and costly eradication program conducted against foot-and-mouth disease in Mexico. The disease broke out in 1946 and was brought under complete control in 1955 at a cost of more than 130 million dollars to the United States Government and a great economic loss to Mexican stockmen.

Slaughterhouses and freezing and processing facilities have been constructed or modernized in Australia, New Zealand, Africa, Central America, South America, the Soviet Union, Yugoslavia, Poland, and elsewhere.

More efficient design and layout of slaughterhouses and their location in the main producing areas have lowered marketing costs in the United States. A greater use of trucks for transporting livestock in other meat-producing countries has reduced loss in weight between farm and slaughterhouse.

THE GREATEST differences in diets in less-developed countries and the more developed regions lie in the use of livestock products.

Poverty has been mainly responsible. The demand for livestock products has risen sharply once incomes began to rise. Estimates based on the expected growth of population and incomes suggest that the demand for meat may grow about 5 percent a year in the less-developed countries.

In general, the number of livestock in relation to the human population was not significantly lower in less developed than in more developed regions, but the small production of livestock products was the result of low productivity per animal.

The output of meat per head of the cattle population in Europe, for example, was estimated to be about 10 times greater than in the Far East and 7 times greater than in Africa. Increased supplies of livestock products in those regions would depend less on increasing the number of animals and more on raising the output per animal.

The difference in productivity was due mainly to bad management, primitive breeding practices, and failure to prevent or control diseases and parasites that lower production.

There were more than a billion cattle in the world in 1964. Since 1950 their numbers have increased about 1.5 percent annually—19 percent above the 1951–1955 average. The main reason was the high prices for beef because of strong consumer demand.

A large proportion of the cattle were unproductive, however, or at a low level of productivity.

The more productive were in the more developed regions of North America, Europe, and Oceania, where the demand for beef and per capita consumption were high.

Asia, despite a cattle and buffalo population of 400 million head, was a meat-deficient area. Cattle numbers during 1959–1964 increased rapidly in those countries because of a rising standard of living, notably in Japan and Taiwan, but in some Asian countries religious objections to the consumption of beef exist.

The cattle in Africa mostly were of poor quality. Cattle in 4 million square miles of Africa are prey to the tsetse fly, which spreads protozoan parasites and prevents the successful raising of cattle.

India had the world's largest cattle population, estimated at 235 million in 1964, but since religious policies prohibited their slaughter, people derived little nutritional benefit from them. The United States ranked second, with 104 million. The Soviet Union was third, with 87 million.

The number of hogs in the world rose in 1963 to 496 million head, 1 percent over 1962 and 43 percent above the 1951–1955 average. Steadily increasing production in all geographical areas since 1956 was the result of a growing population, adequate supplies of feed, and favorable prices. The largest increases were in the Soviet Union, South America, and western Europe.

Sheep numbered 991 million head in 1963, about 18 percent above the average for 1951–1955. Some sheep were produced in almost every country, but 15 countries had three-fourths of the world total.

Australia (160 million head), Russia (140 million), New Zealand (50 million), and Argentina (47 million) had 40 percent of the total in 1963.

Sheep were the main form of livestock in the Near East, where vegetation generally is too sparse for cattle and little pork is eaten. Sheep and goats provide the chief source of meat in large areas of Africa.

In the Sahara and surrounding arid parts of northern Africa, several million people depend on nomadic pastoralism for meat and other livestock products. Sheep, goats, and camels are the only kinds of livestock that are adaptable there, and they must be moved often to new areas in search of pasture.

ABOUT HALF of the world's meat supply in 1963 consisted of beef, 41 percent of pork, and 8 percent of lamb, mutton, and goatmeat. The remaining 1 percent was horsemeat. This proportion has remained about the same for more than a decade.

The United States and the Soviet

148 THE YEARBOOK OF AGRICULTURE 1964

Union accounted for 40 percent of the world's meat production. The United States produced twice as much as the Soviet Union and accounted for more than one-fourth of the world supply.

Ten countries in 1963 accounted for about three-fourths of the world's production of 112 billion pounds of meat. The United States led with 31 billion pounds; next was the Soviet Union, with 15 billion. West Germany, France, and Argentina all produced more than 5 billion pounds. The other five—Brazil, the United Kingdom, Australia, Poland, and Italy—ranged from almost 3 billion to more than 4 billion pounds of meat.

Estimates for mainland China are not included in my figures, although China probably was the world's third largest producer. It is estimated that China had 120 million head of hogs in 1963 and a relatively high slaughter rate, but the average slaughter weight undoubtedly was low. Hogs, which can utilize byproducts and waste materials, are the main livestock in China.

Beef output in 1962 totaled 54.7 billion pounds. The United States, the leading producer, accounted for 16.3 billion. The Soviet Union was second, with 5.5 billion; Argentina, third, with 4.7 billion; and France, fourth, with 3.6 billion. The four countries accounted for 55 percent of the world's beef output.

The world output of pork was 44.2 billion pounds in 1962, an increase of 2.5 billion pounds over 1961 and a 35-percent increase within a decade. The United States produced 11.8 billion pounds; Russia, 6.9 billion; West Germany, 3.9 billion; and France, 2.3 billion. The four accounted for about three-fourths of the supply of pork.

The world output of lamb, mutton, and goatmeat in 1962 was 8.7 billion pounds. The 1951–1955 average was 6.3 billion. The Soviet Union produced 2.2 billion pounds. Australia was second, with 1.3 billion. The United States and New Zealand each produced about 800 million pounds.

Horsemeat has dwindled in im-portance. The 1963 output of about 1 billion pounds was 1 percent of meat production in the world. As the use of tractor-powered farm machinery continues to increase, the numbers of horses and the production of horsemeat should decline further.

THE UNITED STATES consumes more meat than any other country—32 billion pounds in 1963. Consumers in the United States ate 33 percent of the world's supply of beef and veal, 28 percent of the pork, and 11 percent of the lamb, mutton, and goatmeat. On a per capita basis, however, the United States consumption of 167 pounds in 1963 was exceeded by New Zealand (233 pounds), Australia (215), Uruguay (213), and Argentina (198 pounds).

The Australians and New Zealanders were the largest consumers of lamb and mutton—99 pounds per person in 1963. Argentina, the major beef consumer, had a per capita consumption of 168 pounds in 1963.

Per capita consumption of meat in Asia was low. It amounted to only 10 pounds in Japan in 1963. Per capita consumption in Russia averaged 65 pounds and was lower than in all countries of western Europe, except Greece, Italy, Portugal, and Spain. In all South American countries except Argentina and Uruguay, per capita consumption was less than 80 pounds.

WORLD TRADE in meat has increased 50 percent since 1953. Many countries had some volume of trade, but relatively few handled the bulk of the commerce. New Zealand, Denmark, Argentina, and Australia accounted for about 60 percent of the world's meat exports in 1963.

The United Kingdom and the United States together imported three-fourths of the world's meat shipments. The United Kingdom alone accounted for more than half of the total.

The United States and the United Kingdom received almost three-fourths of the total beef imports in 1963. The United Kingdom was the market for 70 percent of the pork and more than three-fourths of the lamb and mutton in world trade.

Australian exports were largely beef; 74 percent was marketed in the United States and 17 percent in the United Kingdom in 1962. The proportion going to the United States market has increased sharply since 1958. The 1962 shipments were approximately double those of the previous year.

Beef and veal made up about 85 percent of Argentina's meat exports in 1962. More than half was received by the United Kingdom and most of the remainder by countries of the European Common Market.

Because of United States quarantine regulations that forbid imports of fresh or frozen meat from countries where foot-and-mouth disease is prevalent, Argentine exports to the United States were limited to the cooked or canned products.

New Zealand's meat exports consisted predominantly of lamb and mutton, almost 90 percent of which was sold to the United Kingdom. A substantial amount of beef went to the United States.

The United Kingdom has long been the major importer of meat. Of the 2,650 million pounds received in 1962, 937 million consisted of pork, more than two-thirds of it supplied by Denmark; 789 million consisted of lamb and mutton, more than four-fifths of which was supplied by New Zealand; 733 million consisted of beef, more than half of which was supplied by Argentina.

The United States was the second largest meat importer and the leading beef importer in 1962. Of the 1,253 million pounds of meat received, 971 million consisted of beef, of which Australia and New Zealand supplied two-thirds. Most of the remainder consisted of pork products, largely canned hams from Denmark, the Netherlands, and Poland.

Most of the meat imports into the European Common Market consisted of beef supplied largely by Argentina and variety meats mostly from the United States.

THE AMERICAN livestock industry produces meat almost exclusively for American consumption.

Foreign producers generally have been unable to compete with domestic producers in the production of meat of uniformly high quality that Americans require. Foreign producers, however, have been able to market in the United States a sizable amount of boneless beef and mutton, used for manufacturing, and specialty products, principally canned hams.

The United States has been the only country in which significant numbers of beef cattle were fed grain in order to produce a higher grade of beef than would be obtained from fattening on grass pastures.

Consumption of beef has increased as population and incomes have risen.

The demand for beef has been rising steadily. Annual per capita consumption of beef in the United States has gone from 55 pounds in 1938 to 93 pounds in 1963. A growing proportion of this beef comes from grain-fed cattle. The number of fed cattle produced has increased from 30 percent of total cattle marketed to more than 60 percent since 1935. The cattle-feeding industry has been expanding rapidly. Many new commercial lots have been built, and existing feedlots have expanded capacity.

Beef production has become an attractive enterprise for United States farmers. Beef cattle use roughages that would otherwise be wasted. They require a minimum of labor compared to other agricultural enterprises. Feed prices have been favorable compared with prices of fed cattle. Emphasis on soil conservation has increased the acreage and quality of forages.

These encouraging factors have led to rapid changes in the cattle industry. There have been shifts in production areas of fed cattle.

The States in the Corn Belt have been dropping their share of total output. In 1963, 67 percent of the cattle on feed were in the Corn Belt; 83 percent were fed there in 1930. Most of the shift has been to the West. More than five times as many cattle were on feed in the Western States in 1963 as in 1935. Washington had 16 times the number on feed in the early thirties; California, 12 times as many; and Arizona, 8 times.

Indications are that the South, which in 1963 had a relatively small output of fed cattle, is becoming more interested in this industry. In the Mississippi Delta, the Tennessee Valley, and along the Atlantic coast, improved transportation and favorable prices for midwestern grain has encouraged local fattening of cattle.

The number of cattle and calves on farms has moved up steadily since 1958 and reached a record of 104 million head on January 1, 1963. Even more important is that those kept for beef production totaled 75 million head, a rise of 16 million head, or 26 percent over the 59 million head on farms as of January 1, 1958.

Individual demand for pork has been falling. Per capita consumption of pork declined from 68 pounds in 1947 to 64 pounds in 1963. Nevertheless, because of population increase, pork production in the United States has been increasing and in 1963 was a record 12 billion pounds, compared to 11.4 billion in 1961 and an average of 10.8 billion in 1951–1955.

The demand for lamb in the United States appears to have declined steadily. The average annual decrease in demand since 1947 has been larger than the increases caused by the effects of increases in income and population. Production of lamb and mutton in 1963—710 million pounds— was the lowest since 1958. The number of sheep on farms in 1963 was the smallest since 1950.

Imports of meat into the United States in 1962 reached a record level of 1.8 billion pounds, carcass weight.

Imports of beef in 1962 increased to an alltime high of 1.5 billion pounds, equivalent to nearly 9 percent of United States production. Of the beef imports, 86 percent was frozen, boneless beef, used primarily for manufacturing; another 9 percent was canned beef, a product which is not made to any extent in the United States. Little bone-in or chilled beef, the product that would compete directly with American production, was imported.

Boneless beef is produced largely from overaged cows and bulls. The meat is too tough for use as beefsteaks and roasts and would generally be equivalent to the American Canner and Cutter grade—the lowest grade in USDA grading standards. The bone is removed from practically all of this type of beef entering international trade. It is then packed in cartons and frozen. Meat thus packaged and processed can be shipped and handled more efficiently and economically than in the whole or half carcass form. It can be packed more closely in the holds of ships, and there is a saving in freight costs because the weight of the bones is eliminated.

Boneless beef usually is ground in a meat chopper. It can then be sold as hamburger or blended with other types of meat and processed into frankfurters and other sausage.

Imports of boneless beef supplied lower grade processing meat, which during 1958–1963 was not produced domestically in sufficient quantity to meet a strong demand. Low-grade cows, which provided most of the processing meat, made up less than 10 percent of domestic cattle slaughter in the United States.

Australia and New Zealand supplied three-fourths of the fresh or frozen beef imports in 1963. Ireland and Mexico also were important exporters of boneless beef to the United States. Argentina was the main source of canned beef.

Imports of mutton reached a record 65 million pounds, product weight, in

1962. Imported mutton, all of it from Australia and New Zealand, was used largely in frankfurters and other manufactured products and thus did not compete directly with American lamb. Imports of lamb were relatively small, compared with domestic production. Imports in 1962 were equivalent to less than 2 percent of United States lamb production.

Most of the pork imported into the United States was in the form of canned hams from Denmark, Poland, and the Netherlands. Considered a specialty item, imported hams have usually sold at prices higher than American hams.

The United States has produced a surplus of variety meats, principally livers, kidneys, and tongues. Our exports of variety meats have been increasing steadily, and in 1962 they amounted to 125 million pounds.

The Common Market countries, a leading outlet for variety meats in 1963, bought about two-thirds of total shipments. The United Kingdom imported most of the remainder.

ARGENTINA, a large country, extends across 33 degrees of latitude and covers 1.1 million square miles. About 80 percent of the cattle, 85 percent of the hogs, and half of the sheep were concentrated in the Pampa, a region of about 150 million acres, or 21 percent of the land area of Argentina.

The Pampa, a level plain, extends in a rough semicircle from Buenos Aires to a radius of about 300 miles. Its fertile soil supports luxuriant, improved pastures, usually of alfalfa, and produces most of Argentina's small grain and corn. The mild climate and well-distributed rainfall make the area an ideal cattle country. Green forage is available yearlong. Rail and highway networks have been highly developed. The country's major centers of consumption, industry, and commerce are in this region.

Patagonia, a rolling, semiarid region, is covered with scrub trees and coarse grass. Winters are harsh. Only hardy types of livestock have proved adaptable. This has been primarily a sheep grazing area, where about one-third of Argentina's sheep, but relatively few cattle, are raised.

North of the Pampa is Mesopotamia—the land between the rivers. This subtropical area has heavy rainfall, gently rolling terrain, and outcroppings of rock. The soils are less fertile than those of the Pampa. Most animals have been raised on unimproved pastures of relatively low productivity. As transportation facilities have not been highly developed, producers must drive livestock considerable distances to loading points. Ticks and tick fever were widespread in this zone. Cattle have been fairly heavily concentrated here; sheep are raised extensively in one part.

To the west of Mesopotamia lies the Chaco, an arid, semitropical expanse of scrubland extending up into Paraguay. This section suffers from periodic droughts and excessive soil salinity. Much of it is almost completely barren, although a fairly large population of cattle was scattered over most of the region. Ticks have been prevalent here also.

Although conditions vary widely from one part of the country to the other, livestock operations have tended to be relatively large. According to the census of 1960 in the Pampa, there were 122 properties, each containing cattle herds of more than 10 thousand head. Approximately 40 percent of the cattle were in herds of more than a thousand. Most of the livestock producers in the Pampa stocked substantial numbers of sheep on their properties in addition to cattle.

In Patagonia, landholdings and herds were large. Livestock operations in Mesopotamia and the Chaco as a rule were somewhat larger than in the Pampa.

Only in exceptional cases has pastureland been used fully. While most ranches were fenced and cross-fenced, the subdivisions were usually much larger than those in the United States.

Full utilization of forage was difficult. Clipping or other mechanical or chemical control of weeds was seldom practiced. Weeds in pastures reduced the stand of grass and lowered the livestock carrying capacity.

The Pampa has a great potential for pasture improvement. Progressive ranchers have been using airplanes for seeding improved grasses and applying herbicides. Many producers replaced old fences and further subdivided pastures. Forage yields on grazing areas in the Pampa that have been carefully and scientifically managed have been among the highest on record.

The Argentine cattle and beef industry has been based on the productive pastures of the Pampa. Steers and heifers were put on special fattening pastures soon after weaning and kept there for about 12 months until ready for market. Alfalfa pastures have been the foundation of this system, although many animals were pastured on rye or other small grains during the winter. Fattening in feedlots, common in the United States, has not been practiced.

Although calf and lamb crops on some ranches were comparable to those in the United States, the average for the country probably did not exceed 60 percent. Disease also took a severe toll of newborn calves.

Disease and deficient nutrition were the two primary factors in this low level of production. Both factors have been recognized by progressive Argentine breeders as serious problems, and considerable research has been conducted.

Argentina has been the world's largest exporter of meat during most years since 1950. Approximately one-fourth of Argentina's meat production has been exported. Exports of livestock and meat products accounted for more than half of the value of all exports in 1962.

Argentine meat production totaled 5.4 billion pounds in 1962, slightly higher than the previous year, and 20 percent above the 1951–1955 average, but a billion pounds below the record 6.4 billion pounds produced in 1958. Beef accounted for 88 percent of the total meat production in 1962, lamb and mutton for 7 percent, and pork for 5 percent.

About 85 percent of Argentina's meat exports were beef. Mutton and lamb made up most of the remainder. About three-fourths of the beef was exported chilled or frozen, and most of the rest as canned beef. The United Kingdom bought about half of the chilled and frozen beef. The Common Market countries received most of the remainder. The United Kingdom was also the major market for lamb and variety meat exports. The United States and the United Kingdom together received about three-fourths of the canned beef.

NEW ZEALAND was a close second to Argentina as an exporter of meat and in some recent years shipped a larger quantity than that country. Meat and other livestock products earned more than 90 percent of New Zealand's foreign exchange in 1963.

Meat production, which had been increasing steadily, was estimated at an alltime high of about 1.7 billion pounds for 1963, compared to a 1951–1955 average of 1.3 billion pounds. About 38 percent of the meat production consisted of lamb, 33 percent of beef and veal, 23 percent of mutton, and 6 percent of pork.

New Zealand has 50 million sheep and has specialized in the production of fat lambs for export. About 95 percent of the lamb production was shipped abroad—more than 90 percent to the United Kingdom. More than 60 percent of the total meat production was exported—about three-fourths to the United Kingdom. Less than 40 percent was required for domestic use, although per capita consumption averaged among the highest in the world.

New Zealand was the second largest supplier of boneless, manufacturing-type beef to the United States, furnishing about one-fourth of total imports in 1963. About 60 percent of New Zealand's total beef and veal shipments were to the United States.

The United States bought only limited quantities of New Zealand mutton because it generally had more fat than was wanted.

New Zealand has sold large quantities of mutton to Japan and other Asian countries since 1960, but the United Kingdom was still the market for more than one-half the exports.

Sheep numbers and production of lambs have increased steadily, but there is a considerable potential for further expansion. Beef cattle usually are run with sheep. Their numbers, in 1963 at an alltime peak, have increased gradually, a trend that should continue as long as there is a good export market for boneless beef in the United States.

The production of sheep, lambs, and wool has been New Zealand's chief industry, and the economy of New Zealand has centered around it.

About 40 million acres of New Zealand's total area of 66 million were used for pasture in 1963, most of it for sheep.

Sheep were widely distributed over both the North and South Islands, but some of the high country in the South Island, covered with sparse native grasses and tussok, carried only one sheep to 10 acres. In extensive areas of the country, improved pastures carried six ewes or more to the acre.

More than 90 percent of the lambs exported in 1963 had been sired by Southdown rams crossed with ewes of the Romney breed. The type of sheep produced and production practices in New Zealand are uniform, although the country spans more than a thousand miles. The fat lamb industry was based on marketing a milkfed lamb, averaging 30–35 pounds, carcass weight, at 4 to 8 months.

The lambing percentage for the country was relatively high. It had not been below 94.3 since 1953, and during the spring of 1958 (September–December) was more than 100 percent.

About 85 percent of the beef cattle were in the North Island. The number of farms keeping cattle in conjunction with sheep has increased since 1953. Some cattle have been kept in areas where land was being cleared. Close grazing by cattle was one means of clearing bracken from new land.

Nearly all of New Zealand is well adapted to beef cattle. More cattle would be produced if this operation were more profitable in comparison with dairying and sheep production. Beef cattle require more preserved winter feed than sheep. The provision of suitable watering places in the pastures is also a problem.

New Zealand's considerable potential for increased production is largely in improvements on existing farms, such as the additional use of fertilizers, clearing of brush, and better husbandry. It will also be influenced by development of new land through clearing and irrigation.

SHEEP NUMBERS in Australia increased by 37 percent and cattle numbers by 23 percent between 1950 and 1964. A further increase is likely, particularly if meat and wool prices continue relatively high.

Australia has had a larger sheep population than any other country. Sheep numbers for 1963 were estimated at 160 million head—nearly five times the United States total. It had 19 million head of cattle, compared with 104 million in the United States.

Australian meat production reached an alltime high of 3.4 billion pounds in 1962, of which beef and veal accounted for 53 percent, mutton for 26 percent, lamb for 14 percent, and pork for 7 percent of the total.

Australia has exported approximately one-fourth of its meat. At one time nearly all of this went to the United Kingdom, but the proportion has gradually declined since the Second World War, and by 1962 the United Kingdom accounted for only 20 percent of the total meat trade.

Shipments to the United States reached the highest level in 1962 and were more than double the year before. Boneless, manufacturing-type beef was the major export and in 1963 accounted for three-fourths of the total meat shipments to the United States. Mutton made up most of the remainder. Beef shipments to the United States reached a record level of 445 million pounds, product weight, in 1962.

The United States has offered a more attractive market for Australian beef than the United Kingdom. Canner and cutter cows, which supply the manufacturing beef sold to the United States, have been bringing about the same price per pound as the better grades of steers slaughtered for the United Kingdom.

Although conditions vary widely from one part of Australia to another, livestock properties generally have been large. In the more developed southeastern part of Australia, they ranged up to 5 thousand acres. Holdings of fewer than 700 acres in many sections are regarded as too small for successful operation. In central Queensland, holdings of 20 thousand acres are common. In northern and western Queensland, properties often exceed 250 thousand acres.

In Northern Territory and in the Kimberley region of western Australia, a number of cattle stations had 5 thousand square miles, or more than 3 million acres. The carrying capacity of this area has been as low as six head to the square mile because of a long dry season. Attempts to operate units of less than 1 thousand square miles frequently have been unsuccessful. Many of the properties were held by large corporations.

In New South Wales and Victoria, the common practice has been to run cattle and sheep together on the same pastures. As the carrying capacity was increased through the use of fertilizers and seeding with clover and improved grasses, the prevalent practice was to increase the number of cattle while maintaining the same number of sheep. A considerable number of dairy farmers were disposing of milk cows in 1963 and shifting to beef cattle.

Practically all of the cattle have been fattened on pastures. There were a few small feedlot operations on an experimental basis in 1963, but it was the general opinion that the price of grain relative to the price of cattle was too high to make grain feeding economical. Furthermore, there was no market in Australia for highly finished beef.

In the southeastern parts of the country and in the parts of western Australia where rainfall is adequate, a rapid and extensive development of improved pastures has occurred. The area in improved pastures in 1963 was more than three times that devoted to crops. To a limited extent, utilization of dry native grasses was increased by spraying with molasses and the feeding of urea.

Cyclical droughts and irregular rainfall have limited the number of livestock that could be raised in most parts of Australia. The long dry season north of the Tropic of Cancer has been a limiting factor, for the stocking rate was determined by the number of head which can be carried through the dry period.

Rabbits, once a serious pest, have been reduced greatly in numbers, but in some regions measures to curtail rabbits have been costly.

Sheep were not raised in the coastal and northern part of Queensland, Northern Territory, and the Kimberley region of western Australia because of the prevalence of spear grass, whose sharp points penetrate the skin of sheep, and the sheep-killing dingos (wild dogs).

Although production of meat in Australia expanded about 50 percent in 1954–1963, there remained a large potential for similar or even greater expansion in the future. Production could be further increased by enlarging grazing areas, clearing brushland, and constructing roads, which would permit cattle raised in remote areas to be transported to market.

Although livestock were raised throughout the United Kingdom, not enough meat has been produced for the country's requirements. Thus in 1963 about 30 percent of the beef, 60 percent of the mutton and lamb, and 33 percent of the pork requirements were supplied by imports, even though meat production had increased by 40 percent over the 1951–1955 average.

Meat imports in 1962 totaled 2.7 billion pounds, product weight, 35 percent above the 1951–1955 average. Beef made up 30 percent of the imports, pork 38 percent, and lamb and mutton 32 percent.

Relatively few countries supplied the bulk of the imports. Argentina furnished 55 percent of the beef, Denmark 69 percent of the pork, and New Zealand 83 percent of the lamb and mutton in 1962.

ALTHOUGH Common Market countries were 95 percent self-sufficient in meat production in 1963, they were the third most important importer of meat. Most of the imports consisted of beef, of which Argentina supplied about two-thirds, and variety meats, of which the United States supplied more than one-half.

The combined meat production of the six countries—West Germany, France, Italy, the Netherlands, Belgium, and Luxembourg—totaled about 18 billion pounds in 1963, exceeding that of any country except America.

In the Community as a whole, the trend of production kept pace with that of consumption, so that the degree of self-sufficiency over the decade ending with 1963 changed little.

DWIGHT R. BISHOP *joined the Livestock Division of Foreign Agricultural Service in 1959. He has traveled extensively through most of the major livestock producing countries and has prepared a number of publications about them. Previously he was stationed in Brazil, Cuba, and the Congo as agricultural attaché.*

Milk and Dairy Products

by DAVID R. STROBEL and SAMUEL L. CROCKETT

MILK HAS COME to the modern world from the cradle of civilization as a basic element of nutrition.

Milk was regarded as Nature's most nearly perfect food long before we had the modern science of nutrition. Scientific analysis has made known the nutritional elements that make milk and its products effective components of the human diet.

Most of the milk for human food comes from domestic cattle. Cows produce 90 to 95 percent of the total supply, and goats, sheep, deer, buffalo, camels, donkeys, mares, and yaks the remainder. The world milk production therefore usually means cow's milk.

That does not mean that milk from animals other than cows is not important. Much of it is produced in areas where cow's milk is not available. Milk cows thrive and produce best in the Temperate Zones and may survive only with difficulty in some climates where other milk-producing animals are quite at home.

THE CHIEF producing regions are Europe, North America, and Oceania. The major producers in Europe are France, West Germany, the United Kingdom, Italy, the Netherlands, Denmark, and the Soviet Union. In North America, the United States and Canada have about 95 percent of the total output. Production in Oceania is about equally divided between Australia and New Zealand.

The industry and governments in some countries have had problems of milk surpluses from time to time, but estimated world production (exclusive of mainland China) of milk of all types in 1963 was 735 billion pounds. That was not enough milk to provide each person in the world with a pint a day.

Milk production in western Europe, North America, and Oceania—which have about 20 percent of the world's population—account for about 55 percent of total world production. The developing countries, mainly in Latin America, Africa, the Near East, and the Far East, with more than 60 percent of world's population, produced about 20 percent of the world's milk.

A large part of total milk production (about 45 percent of annual output in the United States and Canada) is used in fresh fluid form. The rest is used mainly for butter, cheese, canned milk, and dried milk.

Consumption of fluid milk in North America is considerably higher than in other heavy producing areas, where distribution facilities have not yet been so highly developed. A rough approximation of milk utilization in 16 of the principal dairying countries, other than the United States and Canada, is that about 30 percent is consumed as fluid milk, 40 percent as butter, 15 percent as cheese, and 2 percent as canned and dried whole milk. The rest goes for miscellaneous uses.

CHEESE is made wherever animals are milked. A part of the milk supply in excess of that needed for fluid use nearly always is used for cheese. Most cheese is made from cow's milk, but smaller amounts are made from the milk of goats, sheep, camels, reindeer, and other animals.

Cheese is nutritious and palatable and contains most of the protein and usually most of the fat, as well as essential minerals, vitamins, and other nutrients of milk.

According to legend, cheese was first made accidentally by an Arabian merchant. Preparing for a long journey across the desert, he put some milk into a pouch made of a sheep's stomach. The rennet in the lining of the pouch and the heat of the sun caused the milk to separate into curd and whey. At nightfall, he discovered that the whey satisfied his thirst and the cheese—curd—satisfied his hunger.

Cheese may have been used as a food more than 4 thousand years ago.

It was made in many parts of the Roman Empire, and the Romans taught Anglo-Saxons to make cheese. Monks in European monasteries did much to perfect the art of cheesemaking. Italy was a cheesemaking center in the 10th century. Cheese was included in the ship's supplies when the Pilgrims sailed for America.

Cheesemaking was largely a farm industry until the middle of the 19th century. The first cheese factory in the United States was built in 1851 in Oneida County in New York. For a long time it remained a center of the cheese industry. Cheesemaking in the leading cheese-producing countries has become largely a factory industry. Only small amounts are made on farms, largely for home use.

Procedures for making cheese differ as to types and places, but all require care and skill.

Lucius L. Van Slyke and Walter V. Price in a book, *Cheese*, published in 1949, stressed that cheesemakers must be able to think and act quickly in controlling variations in the process caused by climatic, biological, and chemical conditions. They prepared a manufacturing record sheet for cheese processors that listed many essentials for achieving success, such as condition (appearance, odor, taste, temperature, acidity) of milk, the kind of starter used, and ripeness of milk when rennet is added.

While the methods employed in the making of different cheeses vary widely, two sets of processes are involved—production of a coagulum and the curing, or ripening, processes. The beginning process requires a starter of a material containing large numbers of lactic acid organisms. It is added to milk or cream to cause lactic fermentation. A natural starter is prepared in the home or local factory. A commercial starter is prepared under the supervision of bacteriologists and sold to cheesemakers. They are called cultures or pure cultures.

Natural cheese is made directly from milk. Much cheese is consumed as process cheese. The natural cheese or cheeses are mixed with curd, nonfat dry milk, whey solids, or other milk products and combined by processing to produce process cheese. Natural cheeses include brick, Camembert, Cheddar, cottage, cream, Edam, Gouda, Limburger, Neufchatel, Parmesan, Provolone, Romano, Roquefort, Swiss, Trappist, and whey cheese (Mysost and Ricotta). No two are made by exactly the same method.

Cheese Varieties, Handbook No. 54 of the Department of Agriculture, describes more than 400 cheeses.

Many are named for the community in which they are made or for a landmark of the community. For that reason, many cheeses with different local names are basically the same.

Scientific study has given us a better understanding of the bacteriology and chemistry of cheesemaking and has made it possible to control more precisely every step of manufacture to obtain a uniform product.

BUTTER is produced and consumed most extensively in temperate climates. In terms of volume and commercial significance, it is the main manufactured dairy product.

Butter has a long recorded history of usage. In 2000 B.C., the people of India used butter. The Hindus probably were the first to use a twirling churn.

At the beginning of the 20th century, most farmers in the United States and elsewhere had their own churns and made butter for family use and perhaps for sale to the general store or the peddler who made periodic stops at the farm to buy butter and eggs.

Only about 3 percent of total butter production in the United States and Canada now is made on farms. A similar trend has taken place in other dairying countries.

A form of butter known as ghee is made by heating butterfat in an open vat to remove the water. The concentrated product is then filtered and slowly cooled to a granular consistency. Ghee, or a similar product, is made in India, the United Arab Republic, Pakistan, and other Asian and African countries and is used mostly in cooking.

NONFAT DRY MILK is produced in connection with the manufacture of butter. Its volume in some parts of the United States was substantial in the early thirties. At the time of the Second World War its production expanded sharply as the American dairy industry was called on to supply more food for the United States and other countries. From about 250 million pounds before the war, output rose to 650 million pounds in 1946. Extensive use of skim milk powder helped reestablish better nutritional levels in many countries.

Continued heavy postwar demand for relief feeding and changes in the butter production pattern pushed output even higher—to 2.2 billion pounds in 1963. Production of nonfat dry milk expanded also in other countries, but the expansion was not accompanied by an equally impressive growth of a commercial world demand. The United States, therefore, began to donate nonfat dry milk for use by international and charitable organizations overseas. Shipments under the Food for Peace program in 1963 reached approximately 750 million pounds and went to some 80 countries and territories.

An example of the place of nonfat dry milk in programs to improve nutrition is the school lunch program in Japan. The Government of Japan has imported more than 100 million pounds of nonfat dry milk annually, and Japanese nutritionists say milk has been a factor in the general increase in the average weight and height of Japanese children.

Canned milk is produced in most dairying countries, but output of evaporated and condensed milk on a large scale is concentrated in a few countries, principally the United States, the Netherlands, West Germany, and the United Kingdom. Those countries accounted for more than 75 percent of the total output of canned milk in 1963. Output in the United States has trended down since 1955, but in the Netherlands, West Germany, and in France it has made moderate gains.

WORLD TRADE in dairy products consists mainly of the movement of special manufactured items from a few leading suppliers to a limited number of markets.

In order of economic importance, the chief dairy products in world trade are butter, cheese, dried milk (nonfat and dry whole milk), and canned whole milk. Others are ice cream mixes and infant and dietetic foods.

About three-fourths of the butter in international trade is shipped to the United Kingdom. Normally most of it, about 1 billion pounds annually, is supplied by New Zealand, Denmark, Australia, and the Netherlands.

Before 1961, the United Kingdom maintained a free market for dairy products and from time to time imported sizable amounts from France, Ireland, Argentina, Poland, Sweden, Hungary, and Bulgaria. Any country with a surplus of butter could ship to the United Kingdom and dispose of it at some price. Because of the postwar upward trend in butter production and the heavy surplus situation that developed in 1960–1961, the Board of Trade of the United Kingdom announced a quota system that limited imports of butter from all traditional suppliers to specified quantities. Nontraditional suppliers were excluded; no quotas were authorized for them.

Italy and West Germany are the only other sizable importers of butter. Their imports are mainly seasonal and subject to control.

It seems likely that most of world trade in butter will continue to be controlled by a quota or licensing system for some time.

The principal markets for cheese have been the United Kingdom, West Germany, the United States, Italy, and Belgium. The Netherlands generally has been the largest exporter.

New Zealand, Denmark, France, Switzerland, and Italy have been next. Many types or classes of cheese enter commerce, but most of the trade is in Cheddar.

Trade in canned milk is mainly between the Netherlands and the Far East, the Philippines, Hong Kong, Thailand, and Malaysia. Africa also is an important market. About two-thirds of the canned milk in world trade comes from the Netherlands. Other sizable exporters are the United States, the United Kingdom, and France.

Trade in nonfat dry milk is carried on mainly by the United States, New Zealand, and Australia. Most of the shipments from the three go to the United Kingdom, Mexico, the Philippines, western European countries, Japan, and India.

Trade in such products as dry whole milk, anhydrous milk fat, dry ice cream mix, and milk-base infant and dietetic foods has been less important. More and more of the dry ice cream mixes have been shipped, but the importance of dry whole milk to the dairy industry has been declining.

Advances in dairy technology have made it possible to place milk and milk products in the diets of many persons at reasonable cost, but inadequate transportation and physical barriers make it impracticable to distribute milk in some regions unless it is canned or otherwise preserved.

A development of recent years has made it possible to provide a dependable supply of fluid milk far from the cow. This process and product are described in a publication, *Recombined Milk*, issued by the Foreign Agricultural Service in 1955.

The nonfat dry milk is reconstituted with water, anhydrous milk fat is added, and the mixture is processed through standard dairy equipment. The nonfat solids, milk fat, and water are combined in proportions to obtain the desired whole milk with a butterfat content of 2.5, 3, or 4 percent.

Once recombined, the milk can be distributed in fluid form or used to make ice cream, cottage cheese, white cheese, yogurt, and other products.

A publication, *How To Use Recombined Milk Ingredients in Manufacturing Dairy Products*, was issued by Foreign Agricultural Service in 1957.

Because milk in its natural state varies in its content of fat and solids-notfat and these important composition factors can be changed by manufacturing procedures, it is essential that there be minimum standards of composition as well as regulations that control the sanitary production and manufacture.

THE UNITED STATES has been a leader in the formulation of sanitary rules and regulations and in the formulation of composition standards. The Milk Ordinance and Code (1953 Recommendations of the Public Health Service) for the production of milk issued by the United States Public Health Service has served as a guide to many other countries. The American pure food laws, minimum composition standards for dairy products, and testing procedures are widely recognized.

Recognizing the need for minimum standards for milk and milk products, the Food and Agriculture Organization undertook the development of such standards for voluntary acceptance by producing countries over the world. More than 50 member countries of the Food and Agriculture Organization have accepted the FAO Code of Principles for Milk and Milk Products and Associated Standards. *Milk Hygiene*, published in 1962, covered many phases of sanitation in the production, processing, and distribution of milk.

IN NEARLY ALL countries, milk has some special national importance. In some countries, usually the more developed ones, there have been problems associated with surpluses and their disposal. In less-developed countries, the problem is more apt to be one of formulating a pricing policy that will encourage greater output and hold prices stable. No entirely satisfactory solution was apparent in 1964.

The dairy industry provides a large share of total farm income in some countries. In a few, exports of dairy products have been leading earners of foreign exchange. Government measures to assist producers have varied. A common scheme has been to support prices in a way that assures producers adequate returns. This has been done oftenest by making direct purchases of dairy products to support the price of milk to producers. Another method utilizes deficiency payments to make up the difference between free market prices and the guaranteed price to the producers.

Many countries have believed it necessary to maintain production at a level high enough to assure minimum supplies in the event of an international crisis.

Japan is an example of a country that has been developing a high-price-structure dairy industry to increase production. The numbers of the dairy cattle in Japan increased from 751 million in 1959 to 974 million in 1962. Japanese producers in recent years have received a higher price than United States producers for milk used for manufacturing purposes. Consumers in Japan, whose per capita income equaled about 430 dollars in 1963, paid as much or more for dairy products than American consumers.

Japan has laws to control imports of dairy products. Domestic butter retails at 66 to 72 cents a pound. (New Zealand consistently exports and sells its butter on the United Kingdom market for about 30 to 40 cents a pound.) Despite high retail prices, per capita consumption of dairy products in Japan has been growing 12 to 14 percent a year.

Domestic market protection at guaranteed levels exists in nearly all countries. In developed countries, such protection tends to hold production at maximum levels and increase exportable supplies.

In developing countries, price supports geared to high-cost production tend to inhibit increased per capita use of milk and dairy products. In many countries, the supply available for domestic consumption to a considerable degree is limited to short supplies of high-priced domestic products by discouraging or virtually precluding imports of lower priced dairy products from world market sources.

World production of milk and dairy products will probably continue to increase. While per capita consumption of certain products will go up in many countries, such gains in total are not expected to keep pace with increases in production.

A gap may continue for some time between world production and effective demand for dairy products. In the developing countries, where there are deficits of milk and dairy products to provide adequate nutrition, milk production has been growing. The rate of increase has not kept pace with population growth, however, and there continues to be less milk available on a per capita basis. In Latin America, the rise in milk production is said to have matched population growth, but the overall consumption remains low in most countries.

Milk production probably will continue to increase in the countries with advanced dairy industries. Consumption of milk and milk products in these countries is at a high level, and further expansion of the market has only limited possibilities.

Continued gains in production may result in larger surpluses of dairy prod-

ucts on the world market. Because of national policies both in surplus (exporting) countries and deficit (importing) countries, market expansion on a purely commercial basis is not expected to develop fast enough to absorb total available supply. Sizable supplies of milk and milk products therefore probably will continue to move under government programs to the enormous potential markets in the developing countries.

From the standpoint of world nutritional needs, total milk production is not excessive, but from the standpoint of effective demand, there is excess production. This situation necessitates a constant review by the advanced dairy countries of national policies concerning efficiency of production and world prices for dairy products.

In the developing countries, where efforts are being made to attain higher production of food products of all kinds, careful consideration should be given to the adoption of policies designed to take full advantage of world supplies of low-priced milk and milk products to improve nutritional levels.

DAVID R. STROBEL *in 1962 became assistant agricultural attaché in Japan in charge of the agricultural office, the United States Trade Center in Tokyo. He previously was Deputy Director, Dairy and Poultry Division, Foreign Agricultural Service; marketing specialist and branch chief in the Dairy and Poultry Division; and technologist in the Production and Marketing Administration and the Agricultural Marketing Service with a major responsibility in the formulation of dairy product standards.*

SAMUEL L. CROCKETT *joined the Dairy and Poultry Division, Foreign Agricultural Service, in 1957. He was appointed Chief of Commodity Analysis Branch in February 1962. He was an agricultural economist in International Cooperation Administration assigned to Managua, Nicaragua, in 1955–1957. Previously he was employed in the Department of State, the Production and Marketing Administration, and the Bureau of Agricultural Economics.*

Fisheries

of the World

by SIDNEY SHAPIRO

THE AMOUNTS of protein the world gets from its fisheries always have been large and are getting larger.

The global catch was 20 million metric tons in 1950 and nearly 45 million in 1962. It may reach 70 million by 1980.

Some experts on marine resources believe that about 90 percent of the ocean's productivity is unused and that utilization eventually can be increased at least fivefold without endangering aquatic stocks. If so, the world's oceans could produce 200 million tons annually with sound management and conservation. Opportunities exist also for increased fresh-water production.

The developing countries, mainly in Asia, Africa, and Latin America, have begun to establish modern fishing industries, because fish and shellfish are primary resources that can be utilized with less capital investment than most other forms of industrial development require. Besides supplying local populations with high-quality protein, such fishery products as frozen tuna and shrimp, canned sardines and tuna, and fish meal and oil earn foreign exchange.

The developed countries also are eager to enlarge their fisheries. Some have extended their fishing to distant waters and foreign coasts. Competition thus has increased, and so have inter-national problems and a need for international cooperation to solve the present and future problems of the development, management, and conservation of aquatic resources.

The global fishery catch is utilized in two main ways—as food for direct human use and by reduction into meal and oil for industrial purposes. Between 1957 and 1962, the amount of fish landed for direct food use increased from 26.1 million metric tons to 31.8 million at an average annual rate of about 4 percent. The amount of fish (excluding offal) sent to the reduction plants increased from 4 million tons to 11.9 million, at an average yearly rate of 25 percent. The major contributor to the increase has been Peru, which increased its production of fishmeal from 64,500 tons to 1,111,400 tons (product weight) between 1957 and 1962. (A metric ton is 2,204.6 pounds avoirdupois; it is the unit used in this chapter.)

AQUATIC animals (excluding whales) supply an estimated one-third of the world production of all types of animals. (Milk and eggs are not included in the comparison since they are the products of land animals.) About 115 million tons of water and land animals were produced in 1961. Of that big amount, aquatic animals contributed about 41 million tons (live weight) and land animals about 74 million tons (mainly carcass weight).

The production of aquatic animals rose 37.7 percent between 1956 and 1961; production of land animals rose 19.9 percent. Fishery products were the largest single category in the world's supply of flesh protein in 1961. The take of 40.6 million tons of aquatic animals in 1961 exceeded production of each of the chief classes of land animals—29.1 million tons of beef and veal, 28.1 million tons of pork, 7.5 million tons of chicken, and 5.7 million tons of mutton and lamb.

These data indicate the magnitude of the supply of each type of flesh protein and must be used with caution.

They are incomplete and are not comparable precisely because of the different weights in which they are recorded. Furthermore, subsistence fishing produces a large but uncounted catch, notably in undeveloped regions.

Fisheries (including those for seaweed but not for whales) shortly after the Second World War recovered their prewar catch level of about 21 million tons in 1938. During the midfifties the global catch rose at a sustained annual rate of about 5 percent and reached 32.5 million tons in 1958. Since then, the annual increase has been faster, about 8.5 percent. The catch reached 44.7 million tons in 1962.

About 90 percent of the total fishery catch comes from the oceans, seas, and tributary waters. The rest is caught in rivers, lakes, or other bodies of fresh water or are cultivated in natural or artificial impoundments. The marine catch in 1962 was 40 million tons; fresh-water production was 4.7 million tons. Statistics from the Food and Agriculture Organization show an increase for the fresh-water fisheries of about 26 percent between 1957 and 1962, compared to 46 percent for the marine fisheries.

About 70 percent of the world's fresh-water production has come from Asia, mainly from the highly developed pond-culture industries of such countries as mainland China and Indonesia. China's fresh-water production was reported as 2 million tons in 1959, or 44 percent of the world's production of 4.6 million.

Possibilities exist to expand the fresh-water fisheries in many places by systematic breeding and artificial cultivation, although climate and other conditions cause considerable variation in production. Average annual yields of about 900 to 1,800 pounds per acre of pond have been attained in China, Indonesia, and the Congo, and maximum yields have been as high as 8 thousand pounds an acre. Average annual yields have been between 180 and 360 pounds an acre in Europe.

Cultivation of fish and shellfish has also been conducted successfully in brackish ponds, especially in Asia. Average annual yields range between 130 and 900 pounds an acre.

Cultivation in wet ricefields, submerged 3 to 8 months of the year, shows promise. Yields have averaged 90 to 130 pounds an acre. Maximum yields have been as high as 1,800 pounds an acre in Japan. One estimate is that 250 million acres of ricefields are available for such cultivation. An annual potential yield of 5 million tons of fish thus is possible, even if yields are based on a modest 45 pounds an acre.

THE WORLD'S MARINE fisheries have been dominated by the developed countries of the North Temperate and Arctic Zones. This pattern has been changing, largely because of the rapid increase in fishery production in Peru. Between 1957 and 1962, tropical areas increased their share of the world's marine catch from 21 to 33 percent; South Temperate and Antarctic Zones increased theirs from 5 to 6 percent. North Temperate and Arctic Zones showed a decline from 74 to 61 percent during this period.

The marine fisheries take a wide assortment of demersal (or bottom) fishes from the ocean floor and pelagic (or surface-swimming) fishes from the upper layers. Certain species in each of these major categories may be taken from intermediate layers of the ocean in certain seasons and localities.

More than 20 thousand species of fish exist in the oceans, rivers, lakes, and other bodies of water, but only a small number are taken in significant commercial quantities.

Fishing effort has been directed so far primarily toward species easily available to present fishing craft and gear or species highly prized in world markets.

Examples of the former are the herring, sardines, anchovies, and similar schooling fishes that for decades have supported major fisheries in the Northern Hemisphere and have become attractive to countries of the Southern Hemisphere.

Highly prized are such species as salmon, tuna, halibut, and shrimp, which have been the goal of too concentrated a fishing effort in some places and the source of problems of overfishing and declining yields.

Herring, menhaden, sardines, anchovies, and many related clupeoids accounted for 33 percent of the world's fishery catch in 1962. Such products as salted or smoked herring, canned sardines, and brine-cured anchovies are traditional in world markets.

Some of those species also are used in the fish-reduction industry to manufacture meal and oil. In this way, Norway, Canada, and Iceland use a part of their herring catches, and Morocco and the Republic of South Africa use part of their sardine catches.

Some clupeoids—for example, the menhaden off the United States Atlantic and gulf coasts and the anchovy off Peru and northern Chile—are used entirely for reduction.

The world catch of clupeoids increased from 7.3 million tons in 1957 to 14.7 million in 1962, largely because of their greater use for reduction.

The next most important group is the cod, haddock, hake, and related species. These bottomfishes contributed 5.5 million tons (or 12.3 percent) to the world's catch in 1962.

A famous member of the group, the Atlantic cod, has long been dry salted to provide a staple food in Portugal, France, and Spain, and is exported by Norway, Canada, and others to Latin American countries. The cod and related species have been taken mainly with trawls from the fishing banks of the vast Continental Shelves of North Temperate and Arctic areas. This group is also known to exist in quantity off Chile and Argentina. Hake has become abundant in the Chilean catch.

The jacks, mullets, sea basses, perches, croakers, and related species are recognized as a single group for statistical purposes. The 4.3 million tons taken in 1962 made them the third largest category in the world catch.

Next in importance were the tunas, mackerels, and related species (2.4 million tons); flounders, halibuts, and soles (1.2 million tons); salmons, trouts, and smelts (550 thousand tons); and sharks, rays, and such (370 thousand tons). Unsorted and unidentified marine fishes accounted for 6.8 million tons.

Shellfish abound primarily on the ocean bottom. This group includes such mollusks as oysters, clams, abalone, scallops, squid, cuttlefish, and octopus, and such crustaceans as shrimp, lobsters, and crabs. Each of the types comprises a large number of important species. About 2.5 million tons of mollusks and 960 thousand tons of crustaceans were taken in 1962.

The world's fisheries also produce lesser amounts (180 thousand tons in 1962) of a large number of miscellaneous aquatic animals. In Oriental countries, the produce of the seas is utilized more fully than in western countries, where mostly selected species are brought to market.

Sea urchins and sea cucumbers are among the more highly prized miscellaneous aquatic animals. Bullfrogs, snails, turtles, and the like are also listed as miscellaneous edible aquatic animals. Among the miscellaneous nonedible species are the sponges and shells, the best known of which enter commerce as mother-of-pearl.

Edible seaweeds find their greatest use in the Orient. Agar and alginates are extracted from nonedible seaweeds. Japan, the largest producer of aquatic plants, accounted for 502 thousand tons of the world production of 660 thousand tons in 1962.

As to methods of capture, the world's fisheries are in a transition from simple hunting to more orderly and efficient harvesting with instruments that search out the fish, shellfish, and the other aquatic animals.

Most of the world's fishermen still use small craft propelled by sail and oar and can be considered hunters who catch the fish indiscriminately or fortuitously. Their combined catch is only a small fraction of the world's total. These fishermen operate mostly in shallow coastal and inshore waters of tropical countries and average a yearly catch of about a ton. Their fishing gear is of an almost infinite variety but primitive in construction and difficult to operate with the rapidity needed to make large catches.

Bilateral and multilateral technical assistance programs have made a good start on upgrading the efficiency and maneuverability of small fishing craft by installing small inboard or outboard motors.

One of the most successful of a number of such projects has been conducted in Ceylon by the Food and Agriculture Organization with the support of a large manufacturer of motors. With British aid, the efficiency of the Hong Kong fishing fleet was upgraded in a short period when semidiesel engines were installed in unwieldy fishing junks.

Most of the world's fishery catch is taken by fishermen who average 100 tons or more per man each year.

These fishermen use four principal types of gear—trawls, gill nets, seines, and lines, each type constructed in a multitude of designs and sizes.

For net webbing and lines, synthetic fibers have become popular, as they are strong and do not rot.

With such gear and with larger, more powerfully motorized vessels, many high-seas fishermen have been able to extend operations into waters on the slope off the Continental Shelf to depths of nearly 2 thousand feet. Some of them have progressed from the hunting to the systematic searching stage.

Modern fishing craft carry advanced echo-sounding and echo-ranging gear. Trawlers use echo sounders to locate schools of fish on the ocean floor. When used in midwater trawling, they pinpoint the exact depth of fish that are in intermediate water layers; the trawls then can be adjusted to the proper depth for catching the fish. This method, yet to be fully developed commercially, has promise of tapping hitherto unutilized or underutilized resources.

Helicopters are used to locate schools of fish on the surface and also (with echo sounders) on the ocean floor.

Progress has been made in a still more advanced stage of capture, that of attracting or guiding fish to an area where they are available to fishing gear.

Electrical attraction as an aid in purse seining or in trawling or in pumping fish directly aboard the vessel has some distinct possibilities, although this is still in an expensive experimental stage. A major difficulty is that the high conductivity of salt water requires great power output.

Simpler guiding devices also show promise. One developed by the United States Bureau of Commercial Fisheries has demonstrated that a curtain of air bubbles will guide small herring, known as Maine sardines, into shallow bays, where they can be caught with purse seines.

Another development is that the building of vessels of larger and larger tonnage has enabled fishermen to extend their operations to high seas thousands of miles from home port. Distant-water fishing has been done for centuries but under difficult conditions for preserving the fish. Western Europeans have fished on the Grand Banks off Newfoundland since the 16th century. The British, Germans, French, Belgians, and others have trawled on the Continental Shelf off Iceland, Greenland, and Spitsbergen, along the Norwegian coast, and in the Barents Sea. The range of the vessels and their length of stay on the fishing grounds were limited, however, because the fish could be brought back preserved only in ice.

Today's higher powered, longer range vessels have better facilities for preserving catches, and also in larger amounts.

Large freezer-trawlers, with stern chutes for handling and bringing aboard huge trawl nets, can catch, fillet, and freeze the fish and bring them to market in excellent condition.

More than 20 countries have vessels with some type of equipment for processing fish at sea. The British pioneered in this field in 1950. The Soviet Union has more than 100 stern freezer-trawlers, averaging about 3 thousand gross tons. United States fishermen had no vessels of that size and type in 1964.

A further advance in integrated fishing on the high seas has been the factory ship fleets of the Japanese and the Soviets. These floating bases consist of small catcher vessels, refrigerated carriers, tankers, supply ships, tugs, and factory ships for processing catches by freezing, curing, canning, or reduction to meal and oil.

Japan has been the leader in fishing for as long as records have been kept. Before the Second World War, Japan sent trawlers into the North Pacific and Indo-Pacific regions and its tuna long-liners into the Southwest Pacific. It conducted distant high-seas fisheries in the Pacific with large fleets of tuna mother ships and salmon and crab factory ships.

After 1952, Japan resumed activities on an even larger scale. Today many of its vessels, individually or in integrated fleets, fish all major oceans. Japanese tuna long-liners up to a thousand gross tons now range as far as the Indian Ocean and the tropical South Atlantic. Fleets of salmon factory ships work in the North Pacific, crab fleets in the Sea of Okhotsk and the eastern Bering Sea, and meal and oil reduction factory fleets in the Bering Sea. A Japanese trawler began fishing in the northwestern part of the Atlantic in 1962.

The Soviet Union had no distant high-seas fisheries until the late fifties, when it began to build large numbers of stern trawlers and fleets of modern factory ships. Besides its 100 stern trawlers, the Soviets had about 15 factory ships, each of 15 thousand to 20 thousand gross tons, in 1963.

Off North America, Soviet freezer-trawlers and factory ship fleets fish on the Grand Banks off Newfoundland and Georges Bank off the New England coast, in the eastern Bering Sea, and in the Gulf of Alaska. The Soviets also operated in the Caribbean and the Gulf of Mexico out of Cuban ports in 1964.

Other Soviet vessels have begun to explore and operate in waters off the west coast of Africa and in the Indian Ocean. Vessels of more than 300 horsepower comprised only 6 percent of the Soviet fishing fleet in 1960 but took 76 percent of the Soviet catch.

THE UPWARD SURGE in world fishery production has been taking place at different rates in different regions.

South America, Asia, Africa, and the Soviet Union have been in the forefront in higher catches. Between 1950 and 1962, fishery catches increased 1,547 percent in South America, 149 percent in Africa, 130 percent in Asia, and 122 percent in the Soviet Union.

The countries of North America and Europe have been leaders in introducing technological developments for better utilization of catches, but increases in fishery production have been less spectacular. Fishery catches in North America increased only 16 percent between 1950 and 1962. The increase in Europe has been 38 percent.

Asia, the largest producer of fishery products, accounted for a catch of 17.5 million tons in 1962—39 percent of the world's total and an increase of 3.9 million tons over the 13.6 million tons caught in 1957. Japan had a catch of 6.9 million tons in 1962—more than double its catch in 1950. Mainland China, India, Indonesia, the Philippines, South Korea, Pakistan, Taiwan, and Thailand also increased their catches.

I have no reliable data on mainland China's production, but its fisheries are said to be large and next to those of Japan and Peru in world production. An estimate is that production was 2.9 million tons in 1948 and about 5 million tons in 1961. China has extensive pond-culture fisheries for carp and allied species. The coastal waters of the Yellow, East China, and South China Seas have large stocks of fish, which can be caught by motorized junks. China has not developed its offshore fisheries and has not built modern vessels.

South America has progressed notably in fishing. Its catch rose from 1.2 million tons in 1957 to 8.1 millions tons in 1962. Peru was second to Japan in world fishery production in 1962.

Chile and Ecuador have increased their production through national development programs and with the aid of technical assistance from the Food and Agriculture Organization and the United Nations Special Fund. Brazil and Argentina have considered similar plans.

The increase in South American fishery production has been mainly in anchovy for the Peruvian fishmeal industry. Chile has started to utilize the same resource off its northern coast, also for production of fishmeal.

The shrimp fisheries of Ecuador, Colombia, Venezuela, and British Guiana have begun to develop, mainly for export to the United States.

Fisheries in Africa have always had an important place in the economies of many countries but on something of a subsistence level. The fishery catch was 2 million tons in 1957—mainly from Angola, the Republic of South Africa, South-West Africa, and Morocco. An increase to 2.6 million tons in 1962 was due mainly to continued expansion of the fish-reduction industry in South Africa and South-West Africa, increased Moroccan production, and the beginning of modern fishing industries in many of the developing countries, especially in western Africa. The fishing industries of the eastern coast of Africa have been somewhat primitive.

The full potential of the fisheries of Africa has yet to be realized. The developing countries have been giving first priority to the modernization of their fishing industries. Plans have been made in many localities for large offshore operations for tuna and other species. Many countries recognize that their inland waters can be used to good advantage in producing fishery products for domestic use and export.

European fisheries have been among the most productive in the world and have used modern techniques to catch and market fish. Scandinavia, West Germany, the Low Countries, the United Kingdom, France, Portugal, Spain, and Iceland always have had good market outlets. Accordingly, their fishing industries, which have concentrated mainly on cod and allied species, flatfishes, and herring, have been substantial.

The concentration has meant, however, that the catches in European waters have not increased very much; sometimes signs of overfishing are evident, especially for bottomfishes in the North Sea. European catches have fluctuated slightly between 7.7 million tons in 1957 and 8.4 million tons in 1962.

Mediterranean countries—such as Italy, Yugoslavia, and Greece—have contributed little to the European catch. Mediterranean waters are not very productive because of the scarcity of plankton, and large fishing industries are not expected to develop there.

Fisheries in North America have been dominated by the industries in the United States and Canada. Mexican and Central American fisheries were almost entirely undeveloped until recently. Mexico during the fifties developed a large shrimp fishery, which accounted for one-third of its total production of about 219 thousand tons in 1962. Central American countries, such as El Salvador and Panama, have also increased production of shrimp, primarily for export to the United States. North American catches have fluctuated between 4 million tons in 1957 and 4.4 million tons in 1962.

United States and Canadian fisheries can be considered mostly as in a static stage. There have been indications, however, of technological advancement which could spark a renewal of growth. Both countries have introduced many improved techniques for catching, processing, and distributing fishery products, but competition from fisheries overseas has hurt domestic producers, especially on the United States market.

THE WORLD's catches have been used in five main ways—fresh, frozen, cured, canned, or reduced to meal and oil.

In the first four are fishery products destined for use as human food. Meal is used for animal feeds. Oil has food and nonfood uses.

Fish are highly perishable, and until we had better freezing and canning methods, use in the fresh form was restricted mainly to coastal areas near fishing grounds. Consequently, for many centuries a large part of the world catch had to be preserved by curing methods such as drying, salting, smoking, or a combination of them or by fermentation.

Suitable techniques made it possible to produce canned fishery products in sizable quantities early in the 20th century. A beginning was made during the twenties in the use of freezing. The trend since the Second World War has been to the greater use of canned and frozen fish, although fresh and cured products still are consumed in the largest quantities.

Since the midfifties, a striking change in utilization has been the increase in the amounts used for meal and oil.

Consumers bought about 16 million tons (36 percent of the world catch) of fresh fish in 1962, compared to 13.5 million tons in 1957. This increase can be attributed to more widespread use of ice and to investment in larger, faster mechanized vessels, a trend which has made more fish available for sale in the fresh, iced state. Concomitant improvements in transport, distribution, and sales have also contributed.

About 7.3 million tons of fish were cured in 1957 and 7.6 million tons in 1962. In Japan, India, Norway, Iceland, and other countries, especially those in developing areas, curing is a traditional and effective way of utilizing a large part of the catch.

Canada, Norway, and Iceland have been the leading exporters of cured fish. The use of cured products has been declining in North America and in most European countries, but in some countries the trend is upward. The demand for dried fish has been increasing in Latin America and tropical Africa. Soviet and Polish consumption of smoked fish is up.

Fermented fishery products, such as South Vietnam's nouc-mam and Burma's nga-pi, have their greatest use in the Orient, a use that can be expected to expand.

About 9 percent of the world catch was canned in 1962. Canning is done in many countries, but its use has been slow in advancing, except in the United States, Japan, and the Soviet Union. Tuna and salmon are most used in canning in the United States and Japan. The Russians can pike, pike perch, bream, eel, and whitefish, largely to feed people in remote nonfarming areas. Sardines and herring are canned in many places, notably in Portugal, Spain, Norway, the United States, West Germany, France, Japan, Morocco, and South Africa. About 2.9 million tons of all species were canned in 1957 and 4.0 million in 1962.

Freezing accounted for about 4.2 million tons of fish in 1962, compared with 2.4 million tons in 1957. The Soviet Union leads in the total amount frozen. Its far-ranging vessels freeze fish in bulk for delivery to home ports, where it is thawed and reprocessed. Japan freezes about one-fourth of its catch. The United States, Iceland, Canada, Norway, the United Kingdom, and Denmark also freeze sizable portions of their catches. Freezing has become a practical means of preserving catches made by the growing fleet of high-seas vessels.

Freezing methods have had their greatest use in countries whose populations have reached a high standard of living. Freezing requires costly investment in the equipment necessary to bring frozen fish from the fishing grounds to the consumer.

The greater use of fish for industrial purposes has accelerated. About 13 percent of the world's fishery catch of 31.1 million tons in 1957 and 27 percent of the catch of 44.7 million tons in 1962 were reduced to meal and oil.

Fishmeal is a vital secondary element in the food supply for people. It is used primarily as an ingredient in mixed feed for poultry and swine.

The fish oils are used as a component in paints, lubricants, and plastic foams, but so far most of the fish oil has been made into margarine. Oil has begun to be used as an energy supplement in animal feeds.

Great emphasis has been put on the development of fish products of better quality and more kinds for domestic use and export. Of potential importance is preserving fish and shellfish by the freeze-drying method, which scientists in the United States and Great Britain have worked on for a number of years.

Freeze drying permits the removal of about five-sixths of the original weight of the fish. The product can be stored in plastic wrappings a long time at ambient temperatures. Freeze-dried shrimp have appeared in some markets, but the high cost of processing equipment has restricted the wide use of the method.

Another promising product is fish protein concentrate. Several countries, including the United States, and international organizations have given increasing recognition to the importance of concentrates in improving the diets of people in countries where animal protein deficiency is prevalent.

Commercially feasible methods of manufacturing the concentrates cheaply need to be devised and consumer markets developed. Then, many fishes now reduced mainly to fishmeal could be utilized more effectively as animal protein supplements for human diets made up largely of vegetables and cereals. Also, species not now utilized could be the raw material for concentrates.

Off the United States coasts, for example, large stocks of hake, mackerel pike, and certain herringlike fishes are almost completely unutilized. Very likely United States production could be doubled if such species were caught up to the limit of their maximum sustainable yields.

INTERNATIONAL TRADE in fishery products is large. Based on data for 127 countries, fishery exports in 1961 totaled 4.3 million tons (product weight), valued at more than 1.2 billion dollars. The combined total catch of these countries was 35.7 million tons. The live-weight equivalent of the exported products was 11.8 million tons. The total international trade was 33 percent of the original catch taken.

The most valuable products entering international trade were fresh, frozen, or canned fish and shellfish, but in quantity the principal exports were fishmeal, fish solubles, and similar ingredients for use in animal feeds.

Fishery products traded internationally for human consumption are mainly high-priced products (destined mostly for the United States, Canada, and northwestern Europe) and low-priced products for special markets in Latin America, Africa, and Asia.

Norway, a leading exporter of fishery products, for example, prepares large amounts of salted, dried cod, which go mainly to South America and Central America. Norway also prepares high-quality canned sardines, primarily for the lucrative United States and European markets.

South Africa has built a large industry based on canned sardines, which are exported mainly to southeastern Asia.

Japan's tuna freezing and canning

industries formerly relied solely on United States markets, but Japan has been successful in expanding the market in western Europe and in Canada.

Exports of dried, salted, and smoked fish have declined since 1945. Formerly dried or salted herring, salted dried cod, unsalted dried cod (stock fish), and dried or salted sardines and anchovies were shipped from countries in western Europe and from Iceland and Canada to many parts of the world, but chiefly to eastern Europe, Portugal, Spain, and Latin America. Some of the importing countries have turned to other types of products or are trying to attain self-sufficiency. To compensate for the decline in markets for cured products, exporters have begun to look to the development of the fish-freezing industry.

Japan, the largest exporter in value of fishery products, exported 415 thousand tons (product weight), valued at 188 million dollars, in 1961. More than one-half was in canned products, such as tuna for the United States and western Europe, and sardines and saury for low-priced markets in southeastern Asia. Next in importance were frozen tuna, salmon, and swordfish.

Norway, Denmark, Iceland, Canada, and the Netherlands have been among the longtime leading exporters. Many other countries have entered the export trade since 1945. The South African fishing industry relies heavily on its export business in fishmeal, oil, and canned sardines. Peru, the largest exporter of fishmeal, shipped almost 1 million tons in 1962, mainly to European markets and the United States. Morocco has built a sizable fishing industry based on sardine canning and fishmeal and oil.

The United States is the largest importer of fishery products. Our imports have increased tenfold in dollar value almost steadily since 1936. We imported edible and industrial fishery products with a foreign export value of 475 million dollars from more than 100 countries in 1962. The increase can be attributed mainly to a growing popula-

tion, lower import duties, improved methods of preservation, and foreign demand for dollar exchange. The principal imports have been fresh and frozen groundfish (cod, haddock, hake, pollock, and cusk), ocean perch, tuna, shrimp, and northern and spiny lobsters; canned tuna and sardines; and fishmeal.

Other principal importers of fishery products have been the United Kingdom, West Germany, France, Belgium, Italy, and the Netherlands.

United States fishery exports are negligible, compared with imports. The United States ranked 12th in 1962 among the countries that exported fishery products. Our exports that year were valued at 36 million dollars. Fish oils were the principal fishery product exported. Canned salmon, mackerel, sardines (not in oil), shrimp, and squid were the other leading exports. Tariff and nontariff barriers to trade, imposed particularly by foreign countries until 1959, have impeded full development of the United States export trade in fishery products.

The changes being brought about by the formation of the European Economic Community may have important significance for international trade in fishery products. The six member countries in 1961 imported fishery products valued at 343 million dollars, or 25 percent of the world total, and exported fishery products valued at 100 million dollars, or 8 percent of the world total.

The United States fishing industry's trade with the six countries in 1963 involved mainly exports of fish oils; they enter the EEC free of duty. Normal trade patterns in other fishery products, however, may be altered by the new level of common external duties and by special arrangements by which member countries propose to support their fishing industries. The averaging of duties could result in declining imports of certain fishery products. For example, Germany's original duty of 10 percent and Benelux's free rate on the imports of fish fillets may be raised eventually to 18 percent. This may force such supplying countries as Norway and Iceland to expand their trade in other markets, possibly in the United States.

It is hard to evaluate the changes being made by the Common Market with respect to the fisheries. If tariff changes alone were being considered, one might predict that the end result could adversely affect many countries, including the United States. But other factors such as subsidy measures, marketing aid programs, and probable changes in the buying habits brought about by a higher standard of living in the Common Market countries may be more important factors.

It is well to note the tremendous increase in canned tuna consumption and the increasing demand for frozen fish fillets, sticks, and portions in the Common Market countries and in other countries of northern Europe. The use of fishmeal in mixed feeds also is increasing because of expanding production of poultry (especially broilers), swine, and cattle. Thus a higher standard of living in these European countries in the end may benefit the world's fisheries through increased consumption of fishery products.

THE UNITED STATES has traditionally been one of the major producers of fishery products. Landings have remained at a high level but have not surged ahead as have the catches of other countries.

Before the war and until 1956, the United States ranked second to Japan in size of catch. American fisheries dropped to third place in 1957, behind the expanding fisheries of mainland China. At that time, the fisheries of Peru and the Soviet Union began to boom, and in 1960 both countries forged ahead, placing the United States fifth among the fishing nations.

United States fishery landings increased from 2.6 million tons (live weight) in 1950 to 3 million tons in 1956. Since then, the catch has tended to level off, fluctuating between 2.7 million tons in 1957 and 2.9 million tons in 1962.

Such increase as has taken place has been in the landings for industrial purposes, principally of menhaden for meal and oil. The fish sent to the United States reduction plants rose from 601 thousand tons in 1950 to 1.1 million tons in 1962, an increase of 83 percent. At the same time, the amount of fish and shellfish caught for human food has been declining. This amount rose to a peak of 2 million tons in 1950 but thereafter declined almost steadily to 1.8 million tons in 1962.

American fishermen have access to many species of fish and shellfish, but their operations have been highly selective.

For food fish, they go for fish that have high market value or wide consumer acceptance. Salmon, shrimp, tuna, oysters, crabs, northern lobster, flounders, clams, scallops, haddock, and Pacific halibut (in order of decreasing value) in 1961 accounted for 73 percent of the total value of the United States catch, but only 43.5 percent of the quantity (live weight) caught.

For industrial use, fishermen have concentrated on species available in enormous quantities in inshore and nearby coastal waters. The principal industrial fish, the menhaden, accounted for 35.8 percent of the total amount of the catch but returned only 7 percent of the total value.

The United States fisheries are predominantly marine and conducted in or near coastal and inshore waters. About 66 thousand tons—2.3 percent of total landings in 1961—came from the fresh waters of the Great Lakes and the Mississippi Basin. Marine landings were nearly 2.9 million metric tons. Of that amount, about 216 thousand tons were taken on the high seas off foreign coasts.

United States fishermen from California fish for tuna, mainly yellowfin tuna and skipjack, off the western coasts of Central America and South America as far as northern Chile.

Part of the shrimp catch (about 20 percent in 1961) was taken off the eastern coast of Mexico, principally from the Campeche Banks off Yucatan. The third distant-water fishery of any significance has been for the bottomfishes off the eastern and the western coasts of Canada. The Atlantic species have been principally ocean perch and haddock, the Pacific species, cod and flounders.

The United States is a much larger consumer of fishery products than its production indicates. Nevertheless, per capita consumption has changed little since 1930. It has been at or near the 10.5 pounds (edible weight) recorded for 1962, even though there has been a declining trend in landings for direct food use.

The total consumption has remained steady because an increasing part of the United States supply has been provided by imports. About 23.4 percent of the United States supply of edible fishery products was of foreign origin in 1950; this share rose to 45.1 percent in 1962.

Imports of industrial fishery products—mainly fishmeal, fish solubles, and sperm oil—have followed a similar trend. About 28.6 percent of our supply in 1950 and 48.6 percent in 1962 were of foreign origin.

United States customs duties on fishery products were established under the Tariff Act of 1930. On practically all fishery products, however, duties have since been reduced by 50 percent or more under the authority of the Trade Agreements Act (enacted in 1934 and since extended), through reciprocal tariff reductions negotiated bilaterally, and through the General Agreement on Tariffs and Trade.

United States duties collected in 1936 on imported fishery products amounted to 15.6 percent of the value of all fishery imports, free and dutiable. The average ad valorem equivalent since has followed a downward trend to 4.3 percent in 1961.

Certain products, including frozen tuna, shrimp, and lobster, enter the United States free of duty. The effective trade agreement rate for imports of whole fish is generally one-half cent a pound; fillets are generally about 1.5 to 2.5 cents a pound. On canned fish products, duties generally range from about 6 to 35 percent ad valorem. Tariff quotas are applied on groundfish fillets and canned tuna in brine. Imports of groundfish fillets up to 28.6 million pounds in 1962 were subject to a duty of 1.88 cents a pound; imports in excess (without limit) were dutiable at 2.5 cents a pound. Canned tuna in brine in 1962 was subject to a duty of 12.5 percent up to a quantity of 59 million pounds, and imports larger than that were subject to a duty of 25 percent.

Competition from imported fishery products at times has seriously affected segments of the American fishing industry. United States markets have been unable to absorb sudden large influxes of imports. Prices have dropped at the ex-vessel level, inventories have built up, and United States catches have declined.

Examples are the New England groundfish industry, the tuna fisheries of California, the shrimp fisheries of the gulf and South Atlantic coasts, and the fishmeal and oil industry. The groundfish industry is still strongly affected by increasing imports. Conditions in the other industries have stabilized somewhat because domestic markets have enlarged sufficiently to absorb increased imports, fishermen have introduced more efficient methods of operation, or our catches have declined and been replaced by imports.

The United States had a relatively large, efficient fishing fleet after the war. Subsequently the industry was adversely affected by competition of imports and a cost-price squeeze. Repairs and replacements in the fishing fleet have been below the minimum necessary to maintain it at efficient operating capability. United States fishermen are unable to take advantage of lower construction costs for fishing vessels abroad, since the law requires that vessels operating in the United States fisheries must be constructed domestically. Important parts of the fleet have deteriorated since 1950; the fleets of other countries have expanded and have been modernized.

The United States fishing fleet consisted of about 77,600 units in 1961. Most, about 60,200, were motorboats of less than 5 net tons and about 5,400 were nonmotorized. The bulk of the United States catch was taken by nearly 12 thousand vessels of 5 net tons and over; the total gross tonnage of these vessels was 400,935, and their average tonnage was 33.5, a low figure by comparison with similar vessel categories (5 tons or more) of other leading fishing nations. Only four American fishing vessels were over 500 gross tons in 1961. The largest was slightly over 700 tons.

The age of the United States fleet also does not compare favorably with that of other fleets. About one-half of the United States vessels were built before 1946. The New England otter trawl fleet exemplifies effects of foreign competition. Few New England otter trawlers have been built in recent years. The oldest of the large trawlers operating in 1961 was built in 1928, and one-half of them were built before 1940. No large trawler was built between 1953 and 1962.

The United States fishing industry does not receive governmental subsidies comparable to those provided for other segments of the economy or to those provided by many countries to their fishing fleets.

A Fisheries Loan Fund has been in operation since 1956. This revolving fund, with a capital in 1964 of 13 million dollars, can only be used for financing or refinancing operations, maintenance, replacement, repair, and equipment of fishing gear and vessels. The construction of new vessels is not authorized unless they are replacements. Interest is 5 percent for a maximum period of 10 years.

The Fishing Vessel Mortgage Insurance Program, introduced in 1961, provides Government insurance for privately financed mortgages. Little use has been made of the program because many banks are unwilling to make loans at 6 percent, the maximum interest rate allowable; are unfamiliar with admiralty law; and have other outlets for their funds. The high cost of vessel construction in the United States, compared with foreign costs, also has impeded the program.

Some assistance was given (beginning in 1961) to vessels that had been determined to be injured by imports. A subsidy was granted to compensate partly for difference in building costs in the United States. The authority expired in June 1963, and less than 1 million dollars was involved in grants under the program.

BECAUSE MUCH of the world's fishing is done on the high seas outside territorial waters, international complications arise as to resource conservation and management, territorial and fishery limits, and competition.

The United States is party to nine international fishery conventions. All of them were in force in 1964, except the Shrimp Convention between the United States and Cuba. The conventions have been effective in rehabilitating fish stocks that have been depleted through overfishing and in taking action to prevent depletion.

In the northwestern part of the Atlantic, the United States and 12 other countries are parties to the International Convention for the Northwest Atlantic Fisheries that entered into force July 3, 1950.

A commission has been established to deal with problems of protecting the fishery resources of the Grand Banks and the Continental Shelf of the Northwest Atlantic. The commission has regulatory powers. Cooperative investigations are conducted by the member countries, principally with regard to reduced abundance and possible depletion of species.

The commission is proving effective in programing research and collecting and exchanging information.

Research on cod and haddock stocks have indicated that their maximum sustained yield can be attained by regulating the mesh size of the trawls used by fishing vessels. Mesh regulations have been adopted for the area covered by the convention, and evidence has accumulated to show that they are effective in producing increased yields of haddock and cod.

In the Pacific, the United States is party to five international conventions—the Interim Convention on Conservation of North Pacific Fur Seals, the International North Pacific Fisheries Convention, the International Pacific Halibut Convention, the International Pacific Salmon Convention, and the Inter-American Tropical Tuna Convention. All have specific conservation objectives and responsibilities for managing resources.

During the 19th century, pelagic (or high-seas) sealing had decimated the main herds that breed in the summer on the Pribilof Islands and then migrate south along the Pacific coast of North America; a part of the herd also moves into the western Pacific to waters off Japan.

A fur seal convention was signed in 1911 by the United States, Great Britain (for Canada), Japan, and Russia. It was terminated in 1941. An Interim Convention on Conservation of North Pacific Fur Seals was signed by the United States, Canada, Japan, and the Soviet Union and entered into force in October 1957. Representatives of those governments in 1963 signed a protocol that would extend the convention with some modification for 6 years. The protocol must be ratified by each of the signatory governments before it becomes effective. The United States Senate ratified the protocol on January 30, 1964.

The Pribilof herds of fur seals have increased since 1911 from an estimated low of 200 thousand animals to about 1.5 million. As a result of the increase in fur seal herds, the annual harvest has been about 60 thousand to 80 thousand animals.

Japan, Canada, and the United States are parties to the International Convention for the High Seas Fisheries of the North Pacific Ocean, which came into force in June 1953.

That convention established the International North Pacific Fisheries Commission to deal with the conservation of fish stocks in the North Pacific and adjacent seas. The principal species dealt with have been salmon, halibut, and herring.

The convention established a new principle, known as abstention, which provided that member countries abstain from fishing species where it can be shown that one or more of the other countries are fully utilizing such stocks and have them under study and under scientific management. Under this abstention principle, the Japanese agreed not to fish North American halibut and herring stocks, and salmon stocks east of a provisional line established at 175° W. longitude. Certain stocks of herring were removed from the abstention list in 1959.

Difficulties have been encountered with salmon. The provisional abstention line was established at 175° W. longitude until research by the contracting parties could determine more firmly the line of separation between salmon stocks of North American and Asiatic origin. Investigation since has indicated that salmon of North American origin spend a part of their life cycle in waters west of the abstention line, and have been taken by Japanese fishermen. Efforts by the United States to move the abstention line farther west have failed.

In May 1963, Bering Sea halibut was removed from the abstention list on the basis that the United States and Canada were not fully utilizing this species in that area. Halibut in eastern Pacific waters south of the Aleutian Islands remained on the list.

The original North Pacific Convention was to continue in force for 10 years and thereafter, until one year from the date on which a contracting party gives notice of intention to terminate, whereupon the convention would be terminated for all parties. No such notice has been given. In early 1963, however, Japan notified the other parties of its desire to revise the convention, principally to eliminate the abstention principle. Meetings were held in Washington and Tokyo in 1963, but agreement was not reached, and a new meeting of the contracting parties was set for 1964.

The United States tuna fisheries in the eastern Pacific began early in the 20th century and grew rapidly. Among the tunas taken are yellowfin tuna and skipjack, which are caught off the coasts of Latin America as far south as northern Chile. Persons concerned with these fisheries foresaw the need for eventual regulation because of the intensity of fishing. A Convention for the Establishment of an Inter-American Tropical Tuna Commission entered into force in March 1950 between the United States and Costa Rica. Since then, Panama, Ecuador, and Mexico have adhered to it. Colombia has taken steps for similar action.

The tuna commission has authority to gather information useful in determining and maintaining maximum sustained catches of yellowfin tuna and skipjack. It has undertaken investigations for that purpose and has recommended that regulations be instituted to limit the catch of yellowfin tuna. The United States Congress adopted legislation authorizing the Secretary of the Interior to promulgate regulations to carry out the commission's recommendations. The legislation, however, requires that regulations cannot be applied to United States fishermen before a date agreed upon for the application of regulations to all fishermen who harvest the resource. The commission considers that no need exists at present for regulating skipjack fishing.

The International Pacific Halibut Convention between Canada and the United States entered into force in 1924 and was modified in 1931, 1937, and 1953. Soon after the end of the 19th century, the catch of Pacific halibut dropped to a low level and remained so until the thirties because of excessive fishing. Since then, through the efforts of the commission established to study and to maintain the maximum sustained yield of halibut by proper management, the catch has risen and has been restored to about 70 million pounds annually. The commission is now faced with problems brought about by extension of Japanese and Soviet Union fishing operations into the eastern Bering Sea and the Gulf of Alaska.

The International Pacific Salmon Convention between Canada and the United States entered into force in 1937. A commission was established to determine ways of restoring the runs of Fraser River sockeye salmon. The original convention was amended in 1957 to include pink salmon. This convention has been effective in restoring the annual run of sockeye salmon from fewer than 2 million fish to more than 15 million—almost the same as in earlier days.

The Convention on Great Lakes Fisheries between the United States and Canada became effective in 1955. The Great Lakes Fishery Commission was established in 1956. It has dealt with the decline of some of the Great Lakes fisheries and the serious damage to some of them by the sea lamprey.

Scientists of the two countries have developed the electric barrier that prevents the adult lamprey from ascending spawning streams tributary to the Great Lakes. A more successful effort to control the lamprey involves the use of poisons to kill the larvae in the tributary streams.

The commission also has the duties of developing research programs and making recommendations for regulations to be enforced by the participating countries. The commission does not have regulatory powers; they are retained by the signatories.

The only worldwide fishery treaty to which the United States is a party is the International Convention for the Regulation of Whaling of 1948.

It provides for a commission that recommends research programs, reviews scientific findings, sets whaling seasons, fixes whaling areas, and limits the number of whales that can be killed. Seventeen countries were party to the convention in 1964.

Annual meetings of the International Whaling Commission are held primarily to establish quotas for each whaling season. The efforts of the commission have been unsuccessful in preventing depletion of the Antarctic whaling stocks, principally because of the conflicting economic interests of certain member countries and the difficulty of bringing the quotas down to limits that will permit the stocks of whales to recover to their maximum sustainable yields.

AID PROGRAMS in fisheries have been a part of United States economic assistance to developing countries. Fishery advisers on missions have helped plan and execute programs for the development of the fishery resources in Liberia, Peru, Indonesia, Pakistan, Korea, India, and other countries. Technicians have assisted in training citizens of other countries in fishery skills. Persons from nearly every developing country have been trained in fishery biology, fish culture, and fishery technology at United States universities and Government agencies.

Resource surveys have also been a part of American aid programs. An example is the Gulf of Guinea Trawling Survey, conducted under the Commission for Technical Cooperation South of the Sahara (CCTA). Its funds—about 600 thousand dollars—were supplied largely by the Agency for International Development.

The United States aid program also has included development loans to foreign fishing industries. A number of loans have been made for the purchase of fishing vessels and shore equipment, such as processing machinery. Regardless of the method of financing, a criterion for extending loans has been that the end products derived from the aid program should not compete with American fishery products.

The United States is also a strong supporter of multilateral development programs in fisheries. The United Nations and its specialized agencies have had considerable influence on the growth of fishing industries, especially in the developing regions. The chief organization in this respect—the Fisheries Division of the Food and Agriculture Organization—has been a focal point in assisting countries in assessing and developing their marine and fresh-water fisheries.

The Fisheries Division has given high priority to a program for the development and utilization of new fishery products, especially fish protein concentrates. Another program supplies technical information to member governments on promoting optimum utilization of the aquatic resources.

The Food and Agriculture Organization has sponsored and conducted international meetings on the biology of the sardines and tunas, fish in nutrition, fishmeal, the economic effects of fishery regulations, fishing gear, and fishing boats. These meetings have brought together leading experts, and their recommendations have guided the Fisheries Division in planning its activities. Meetings have been planned on such subjects as fisheries oceanography, fish processing technology and marketing, fresh-water fish culture, business decisions in fishery industries, and fishery administration.

The Fisheries Division is the executing agency for United Nations Special Fund fishery projects in Ecuador, Peru, Nigeria, India, Chile, and the Caribbean. Several other countries have submitted requests for similar projects. The fund projects are programed for 4 or 5 years. The aim is to determine whether investment possibilities exist in the fishing industry of a developing country.

Short-term projects—mostly in product development, gear development, and training—have been conducted by the Food and Agriculture Organization with the support of the Expanded Program of Technical Assistance of the United Nations.

Among such projects are a survey and recommendations for the development of the inland fisheries in Guatemala; the implementation of recommendations of previous surveys of the development potentials in the inland fisheries of El Salvador; a survey of the crawfish resources of Eastern Aden Protectorate; a survey to determine methods of building fishing boats on Lake Chad; an assessment of the potential for fishery development in Lake Tanganyika; and the holding in Quezon City, the Philippines, of a regional training center on the technology of processing fish.

Among the councils or commissions established by the Food and Agriculture Organization are five regional bodies—the Indo-Pacific Fisheries Council, General Fisheries Council for the Mediterranean, Regional Fisheries Commission for Western Africa, European Inland Fisheries Advisory Commission, and Southwest Atlantic Fisheries Advisory Commission. The Food and Agriculture Organization provides administrative facilities for those bodies, but they draw their membership from the countries of a specific area. The councils and commissions have been concerned primarily with national and regional development programs in fisheries. Scientific information is exchanged on aquatic resources. The United States is a treaty member of the Indo-Pacific Fisheries Council and has observer status in the other organizations.

Soon after the Organization for Economic Cooperation and Development came into force in September 1961, with the United States as a full member, a fisheries committee was established to consider fishery programs, exchange information, and sponsor consultation on the fishery problems.

Efforts have been made to standardize sanitary regulations, quality standards, statistical coverage, and the like and to remove excessive governmental assistance, trade restrictions, and other obstacles to the marketing of fish.

Another type of international organization is devoted to the exchange of biological and other scientific information and to the coordination of research. One such is the International Council for the Exploration of the Sea. It began in 1902. The United States is not a member because its fisheries are not conducted in the area it covers.

RESEARCH on oceanic food resources and their relation to sea currents, the chemical and physical characteristics of sea water, and meteorological conditions generally has not progressed so rapidly as some other fields.

The United States has taken a leading part in cooperative efforts to enlarge our knowledge of the living resources of the sea. Comprehensive, worldwide research programs of sea exploration are being conducted by many nations under the guidance of the Intergovernmental Oceanographic Commission of United Nations Educational, Scientific, and Cultural Organization and with support and collaboration of the Food and Agriculture Organization. The commission, established in 1960, has sponsored programs such as the International Indian Ocean Expedition and the International Cooperative Investigations of the Tropical Atlantic.

Of vital concern to all fishing nations are the subjects of territorial seas and of fishery limits, or the right of any government to control the sea and its resources within specified boundaries off its coasts.

The United States was a participant at the First Law of the Sea Conference, sponsored by the United Nations in Geneva in 1958, and also at the Second Law of the Sea Conference in Geneva in 1960.

Four conventions dealing with the international laws of the sea were drawn up at the conferences: Convention on the Territorial Sea and Contiguous Zone; Convention on High Seas; Convention on Fishing and Conservation of the Living Resources of the High Seas; and Convention on the Continental Shelf.

The conventions require ratification by 22 nations in order to become binding in full force upon the contracting parties. The United States has ratified all four conventions. The Conventions on the Continental Shelf and Territorial Sea and Contiguous Zone have been ratified by 21 nations and require one more ratification. The Convention on High Seas entered into force in September 1962.

Agreement was not reached at either conference on fishery limits and the breadth of the territorial seas. These questions remain controversial; various countries claim territorial seas and fishery limits ranging from 3 to 200 miles. The United States officially recognizes a 3-mile limit for territorial seas and fishery jurisdiction. Many countries, however, have abandoned the 3-mile limit. Iceland, for example, claims a 12-mile fishery limit. Norway claims a 4-mile territorial sea and a 12-mile fishery limit. The Soviet Union claims 12 miles for both territorial waters and fisheries. Canada in May 1964 extended its fishery limit from 3 to 12 miles. Chile, Ecuador, and Peru claim a fishery limit of 200 miles.

SIDNEY SHAPIRO *has had 25 years' experience in fisheries, mainly in the international field. In 1957 he was appointed Chief, Branch of Foreign Fisheries, Bureau of Commercial Fisheries, the Department of the Interior. He has served on United States delegations to international fishery meetings and to conferences of the Food and Agriculture Organization. He was a marine biologist with the Bureau's Hawaiian staff and the Fisheries Division of the Occupation Forces in Japan. He is a graduate of Cornell University, Columbia University, and the University of Michigan.*

712–224°—64——13

Sugar and Other Sweeteners

by JOHN C. SCHOLL and
LESLIE C. HURT

SUGAR, which we get from sugarcane and sugarbeets, is a major carbohydrate food.

Sugarcane is native to New Guinea and was found there sometime before 8000 B.C. It later spread to India, China, and other areas.

Columbus introduced sugarcane into Santo Domingo (Dominican Republic) on his second voyage in 1494. It spread from there to Cuba and to other West Indian, Central American, and South American areas. The production of sugar from cane became a major industry by 1600 in tropical America.

A German chemist, Andreas Marggraf, proved in 1747 that the sugar in beets and the sugar in cane are identical. A half century later, efforts were made to capitalize on the discovery. The King of Prussia became interested in developing an industry to obtain sugar from beets and financed the first beet sugar factory in 1802.

A few years later Napoleon also saw possibilities in sugarbeets. Beet sugar made at a small factory at Passy provided energy for his armies at a time when a naval blockade had cut off French supplies of cane sugar. He decreed that 79 thousand acres be planted to beets and that six experimental stations be established to help farmers and landowners. The beet used then was the Silesian beetroot, from which modern strains of sugarbeets have developed.

Many small beet sugar factories were built in France, but after Waterloo, in 1815, prices collapsed as large volumes of cane sugar came in from the Indies. A year later only one sugar mill remained in operation. Laws aimed at equalizing competition with the Indies brought a recovery in France.

THE FIRST ATTEMPT to establish sugarbeets in the United States was made by James Ronaldson of Philadelphia in 1830. He was instrumental in establishing the Beet Sugar Society of Philadelphia. Sugarbeets were first grown in the United States in 1838 at Northampton, Mass., and White Pigeon, Mich. Neither venture was successful, although the Massachusetts factory operated until 1841. Fifteen beet sugar factories built between 1838 and 1879 in Maine, Massachusetts, Delaware, Michigan, Illinois, Wisconsin, Utah, and California failed, mostly because of a lack of technical knowledge.

The first successful operation in the United States is credited to E. H. Dyer, whose plant, built in 1870 at Alvarado, Calif., was well established by 1879. The industry then spread to other States. By the turn of the century 30 factories were operating in 11 States. Some 60 factories were operating in the United States in 1963.

SUGARCANE, a tropical plant, is a perennial grass of the genus *Saccharum*. The commonest species is *Saccharum officinarum* (the noble cane). The cane stalk grows from the plant cane, or ratoon, each year. New plantings must be made every 2 or 3 years in Louisiana, 5 to 8 years in Cuba, and slightly less often in a few other parts of the world.

Cane customarily is harvested once a year, except newly planted cane and cane in irrigated areas, such as Hawaii, where it is harvested at intervals of about 18 months. Successive plantings are arranged so that only a part of the total crop is planted each year. Planting is usually done by setting out a section of cane stalk, from which a new plant sprouts.

Sugarcane for the production of sirup was first successfully grown in the United States by Jesuits about 1751. Some years later sugar was produced from cane in Louisiana. The plantation system became highly developed around New Orleans. The Spanish-American War dealt sugar a setback in Cuba, and a few years later the mosaic disease seriously affected the industry in Louisiana. Men at experiment stations found ways to control mosaic, and the industry was revived.

Sugarcane needs well-prepared and well-drained soils. The land should be flat, broken to a depth of 6 to 8 inches, and disked into rows 4 to 5 feet apart. Planting usually is done in the United States in late summer and early fall. Fall-planted cane should be covered with 7 to 9 inches of soil to protect it from cold.

In the spring the soil is removed to within 2 to 3 inches of the seedcane. Several shallow cultivations are needed throughout the season to control weeds and provide good growing conditions. Fertilizer should be applied when the cane is 8 to 12 inches high, followed by shallow cultivation. Flame cultivation often is used to destroy young weeds. Chemical weedkillers have been fairly successful.

Sugarcane is harvested in Louisiana as late in the season as feasible to allow the maximum accumulation of sucrose.

In hand harvesting, still practiced in some countries, leaves are stripped, the tops are removed, and the stalks are cut at ground level. Cutting is done with a cane knife or machete. The stalks are cut close to the ground, because the juice from the lower internodes contains more sugar than the middle and top. Cane is milled soon after harvesting.

In Hawaii, Louisiana, and Australia, mechanical harvesters are used widely. Machines for use in many other countries have been developed.

SUGARBEETS are produced in temperate climates. Europe, the Soviet Union, and the United States are the major producers.

Sugarbeets grow on a wide variety of soils at elevations from below sea level up to 7 thousand feet. Beets are relatively tolerant of alkali soils. They improve soil conditions for following crops as their roots extend 6 to 7 feet in the ground. Crop rotations that include beets are beneficial to the soil. Byproducts—tops, pulp, and molasses—are fed to cattle and sheep.

Sugarbeets are cultivated between the plants and between the row. The sugarbeet crop is planted each year.

Thinning of young plants used to be laborious, for many seedlings grow from one seed, but a new type of seed, the monogerm, produces a single plant and saves work of thinning.

The harvesting of sugarbeets in the major producing regions is done mostly by machines. The old way was to loosen the beets with a tractor-drawn beet lifter, pull them by hand, slice off the crown and leaves, and pile them for scooping into a wagon or truck. Machines now handle all steps in one operation. Harvest in most sections lasts about 3 months.

THE FIRST STEP IN MAKING cane sugar is to extract juice by crushing cane between a series of rollers. The juice is strained to remove solid pieces. Clarification, the next process, is the removal of nonsucrose impurities mainly by heat and lime. Most of the juice is then evaporated. The bagasse, or crushed cane waste, usually is used for fuel to operate the mill.

Crystallization occurs when enough water is evaporated from the juice to force the sugar out of solution. The sugary sirup or molasses is then placed in centrifugal machines, where the crystals are separated by centrifugal force. Sugar produced in this way is known as centrifugal sugar.

The centrifugal machine is a perforated drum, which revolves at high velocity on a vertical axle. The drum,

or basket, revolves within an iron casing, which catches the molasses that is spun off. The unwashed sugar remaining in the basket is known as raw sugar. Standard raw sugar is 96 percent sucrose. Most sugar for world trade contains 97 percent or more of sucrose. International trade in sugar generally is in this form, because most importing countries prefer to use their own refineries for refining sugar.

Refining removes practically all the remaining impurities in the raw sugar in the following general steps: Removing the film of molasses from the raw sugar crystals; a repetition of the clarification process that is carried on in making raw sugar; passing sugar liquor through bone char or other types of charcoal to remove color and other impurities; crystallization, to form crystals of sucrose in the juice; separation of sugar crystals from the mother liquor by means of centrifugal machines; removal of remaining moisture by heat.

PROCESSING SUGARBEETS into sugar is somewhat different. The beets are washed at the factory and cut with revolving knives into thin strips, which are known as cossettes, or chips. The cossettes are soaked in hot water in a continuous diffusion process. The products of this process are raw juice and beet pulp.

The raw juice contains numerous nonsugar substances, some of which are precipitated or coagulated in the next stage, clarification, and later removed by filtration. Carbon dioxide gas and lime are used in the precipitation stage. The juice is passed through filter presses, and the lime is filtered out with the coagulated nonsugar substances. At this stage the thin juice is run through evaporators to remove most of the water.

Crystallization is then accomplished by boiling the thick juice in vacuum pans. Sugar crystals are formed by seeding the liquid with a small amount of pulverized sugar. The crystals, when of proper size, are separated from the sirup in a high-speed centrifugal machine. The product is refined sugar. The beet pulp from the first operation usually is dried or stored in wet form and fed to livestock.

DISEASES constantly threaten sugarcane. Some varieties resist disease.

The commoner virus diseases are mosaic, which is transmitted by aphids and is marked by streaks of light-green, chlorophyll-deficient tissue, and ratoon stunting disease, which may be transmitted by cutting knives.

Treatment of plant cane with hot air or hot water helps to control the ratoon stunting disease. Red-rot, a fungus disease, reduces germination; severe infection before harvest reduces the sugar content and lowers the yield.

A number of insect pests attack sugarcane. The most serious, particularly in young sugarcane, in the United States is the sugarcane borer. Others are the gray sugarcane mealybug, corn leaf aphid, sugarcane beetles, wireworms, and a cornstalk borer.

Several diseases are common in sugarbeets. Cercospora leaf spot is caused by a fungus and leads to loss of root weight and lowering of sugar content.

The use of disease-resistant varieties and crop rotations provide the most effective control of leaf spot.

Black root, sometimes called damping off, is especially severe in humid areas. Seed treatment checks the seed-borne fungus and protects the young plant from the fungi in the soil. Crop rotation is also beneficial.

Yellows disease was first discovered in the United States in 1951. It is one of the worst, for it reduces yields and sugar content. Control measures used for the yellows disease are spraying to control vectors, destruction of sources of infection, selection of planting dates to avoid infection, and the use of re-sistant varieties.

Several species of insects may feed on the foliage or roots of sugarbeets, especially in the humid sections. Among them are armyworms, aphids, flea beetles, the webworms, grasshoppers, white grubs, wireworms, and the spinach leaf miner.

SUGAR is of great economic importance. It is a major item of diet in most countries of the world.

The Department of Agriculture prepares sugar production estimates for all producing countries. Sugar is being made somewhere over the world all through the year. In general, most sugarbeets are harvested in the fall and early winter and a large part of the cane in the winter and early spring (Northern Hemisphere seasons).

About 42 percent of the world's centrifugal sugar was produced from beets in 1963. The rest came from cane.

Production of centrifugal sugar reached a peak of 60.1 million short tons in 1960–1961. It meant a substantial additional buildup in the already large world stocks and encouraged many countries, notably in western Europe, to cut production.

Two successive smaller crops followed. Production in Cuba dropped from 7.5 million tons in 1960–1961 to 4 million in 1963–1964. Western Europe had two rather small crops following the bumper 1960–1961 outturn because of a reduction in acreage and, in 1962–1963, bad weather.

The decline in production brought a tightening of free world supplies in late 1962 and in 1963 and sharp increases in world prices. Most of the reduced Cuban crop was committed to the Sino-Soviet bloc.

THE GOVERNMENT of nearly every sugar-producing country controls to some degree the production, refining, and marketing of sugar.

Most producing countries generally require the payment of a minimum price to growers of sugarcane and sugarbeets, and importing countries commonly impose tariffs or other import controls to protect their producers.

Exporting countries often impose export taxes or other means of raising government revenue from the industry. Price pooling to distribute the impact of the different prices in different markets also is common.

Several importing countries have comprehensive trading systems involving preferential arrangements with sugar-exporting countries with which they have strong political ties.

World gross exports of sugar, after remaining fairly stable at 16 to 18 million short tons for a number of years, increased to about 21 million in 1961 and 1962. Many of the importing countries, including those in the European Economic Community, are trying to become more nearly self-sufficient in sugar.

The United States is by far the largest importer of sugar—about two-fifths of its total sugar consumption is imported. Consumption totaled about 9.7 million tons, raw value, in 1963.

About 95 percent of the United States imports of sugar were supplied by Cuba and the Philippines before 1960. Legislation since 1960 has increased to 25 the number of countries assigned quotas—that is, specific quantities for shipment to the United States. Legislation in 1962 established a global quota, representing the quota reserved for Cuba. In 1963 this amounted to about 1.7 million tons.

About two-thirds of the world's sugar exports move under special or preferential marketing arrangements of one kind or another.

Noteworthy is the Commonwealth Sugar Agreement, which represents a long-term undertaking of the United Kingdom to buy specified quantities of sugar from countries with which it has historical ties. Under this plan, the United Kingdom contracts to buy fixed quantities of sugar from supplying countries at prices that are negotiated annually.

Some other European countries have types of preferential arrangements with their former territories. A number of countries engage in long-term contracting arrangements. Most of the sugar shipped by Cuba to the Sino-Soviet bloc has moved under barter arrangements. Sugar moving under preferential arrangements tends to be insulated from other world supplies.

International sugar prices are highly volatile.

The world sugar trade moving under nonpreferential terms amounts to about 12 percent of the total world production and is sometimes referred to as the residual world sugar trade. This is the sugar with which the International Sugar Agreement has been most concerned.

World consumption of sugar was somewhat above production in 1962 and 1963. It had been increasing at the rate of about 2 million tons a year, but the rate of increase was slowed in some countries in 1962, 1963, and 1964 because of high prices.

Consumption is not affected very much by higher prices in industrialized countries. In some low-income countries, especially those that tend to consume less domestically and export more to increase foreign exchange earnings, however, higher prices reduce consumption.

Increases in consumption depend largely on the available supplies and prices. A key element in the future level of world consumption may be the extent to which the Sino-Soviet countries increase consumption.

The annual per capita consumption in the United States has remained constant at approximately 103 pounds (raw value) for a number of years. Approximately two-thirds of our total consumption is through industrial uses. The rest is used in households and institutions.

Sugar is the dominant sweetener in food industries in the United States, but they have been using increasingly larger quantities of corn sweeteners (sirup and dextrose) and noncaloric sweeteners (saccharin and sucaryl).

The amount of corn sirup, a glucose product manufactured from cornstarch, delivered to American food processors increased from 423 thousand tons (dry basis) in 1952 to 705 thousand tons in 1961. Deliveries of sugar to industrial food processors over the same period increased from 3.2 million tons to 4.6 million tons of refined sugar. While the tonnage figures for sugar are larger, the rate of increase for corn sirup exceeded that for sugar by a wide margin. The use of dextrose, another derivative of cornstarch, has also been increasing but at a slower rate.

The fastest increase in the use of corn sirup has been in the canning and dairy industries, where it is used to blend with sugar for certain products. Relative prices influence the extent to which other sweeteners are used in place of sugar. Also, blends of sweeteners enhance the quality sought in some confectionery products, principally hard candies and ice cream.

Saccharin and sucaryl add no calories to manufactured products. Often the market for such products is largely separate from that for products sweetened with sugar—that is, they are purchased mostly by persons, who for reasons of health cannot use products sweetened with sugar.

In other instances, notably soft drinks, noncaloric sweeteners appear to be competing directly with sugar. Trade sources indicate that the uses of noncaloric sweeteners in soft drinks increased from a few hundred cases in 1950 to about 25 million cases in 1961. They were used to sweeten about 1.6 percent of the total output of soft drinks in the United States in 1961.

HONEY competes with sugar in certain uses. It is made by honey bees that gather nectar from flowers and carry it to their hives. The bees store the honey in combs of hexagonal wax cells for their later food needs.

The nectar is a watery solution containing primarily levulose and dextrose, some sucrose, and small amounts of mineral salts, coloring matter, aromatic bodies, and other ingredients. Much of the water in the nectar is evaporated at the hive.

Honey bees belong to the order of insects called Hymenoptera. They are the only insects that gather nectar

in such a way as to make it available to man in commercial quantities. In beekeeping, people merely make it possible for the bees to store more honey than they need for themselves. The surplus is removed for human use.

The Egyptians and the East Indians were familiar with bee husbandry 4 thousand years ago. People probably brought honey bees to Europe and thence to the New World. Honey bees were first imported into the United States during the 17th century.

Honey production in 15 countries, which account for a major part of the world production, was estimated at 570 million pounds in 1962. The United States, West Germany, Argentina, Mexico, Australia, Canada, and France are leading producers. The United States exports and imports honey. Argentina and Mexico are large exporters. West Germany is the largest importer.

The number of colonies of bees in the United States was estimated at 5.5 million in 1963. Production of honey in 1963 was 299.0 million pounds, an average yield per colony of 54.0 pounds. The total farm value of the honey was about 50 million dollars.

American honey is sold as extracted honey or as some form of comb honey. Extracted honey is the liquid taken from the combs. Extracted honey for commercial sale normally is processed and blended to produce a uniform color, flavor, and density, which are prime attributes of quality or grade.

Grades for extracted and comb honey have been established by the Department of Agriculture. Grade A (or Fancy) is the top quality associated with types of extracted honey in consumer-size containers. Grade B (or Choice) is of a slightly lower quality. Most of the honey of commercial beekeepers, as well as that of many smaller producers, is sold to brokers or packers.

MOLASSES is a byproduct in the production of sugar from sugarcane and sugarbeets. The common name for the product from sugarcane is blackstrap molasses. Producers in the beet industry call their product beet molasses. Both are usually referred to as "industrial molasses." They are used principally in livestock feed and in the production of such industrial products as citric acid and yeast.

Before the Second World War, industrial molasses was used mainly in the production of ethyl alcohol. In recent years ethyl alcohol has been produced from petroleum gases at lower costs than from molasses. In some countries, however, molasses is used in the production of alcohol.

Hydrol, a byproduct of the corn wet milling industry, and citrus molasses, a byproduct of orange and grapefruit juice production, compete with other industrial molasses, particularly for livestock feed.

Mills processing sugarcane sometimes produce a type of molasses designated as edible molasses. Only a part of the sugar normally recoverable from the cane is used in producing sugar. The remainder is left in the molasses.

Edible molasses competes with cane sirup, sorghum sirup, and maple sirup. Some of it is blended with maple sirup and sold in that form. Cane and sorghum sirups are produced from the juice of the cane or sorghum; no sugar is extracted from the juice.

The production of cane and sorghum sirup in the United States has declined markedly. With improved economic conditions, people apparently prefer to purchase more of their sweetener in the form of sugar rather than sirup.

The United States is the world's largest importer of industrial molasses. The ratio of molasses to sugar production varies considerably among countries and from year to year. Weather conditions affect the sucrose content of both sugarcane and sugarbeets. Beets or cane with high sucrose content yield a lower ratio of molasses to sugar than when the sucrose content is low.

In some countries, particularly those with only a small production of sugar, molasses is discarded as waste material or used locally, as the expense of storing and transporting may exceed its value.

The output of molasses declined in 1963, and prices increased. Future production of molasses will depend primarily on the output of sugar.

MAPLE SUGAR probably was the first sweetener produced in North America. Early settlers found Indian tribes making such sugar. The Algonquin Indians called it "sinzibuckwud"—"drawn from the wood."

Maple sirup and sugar are produced in Canada and the United States from the sap drawn from maple trees, mainly the rock maple (*Acer saccharum*).

Production in early days was a fairly simple operation. An ax was used to gash the tree trunk and the sap caught in troughs hewed from logs. The liquid was then carried in wooden pails to central boiling points and reduced to sirup or sugar in kettles. Refinements and improvements have been made in those methods.

Late in the winter, operators bore holes in the trunks of trees and insert metal spouts for the sap to flow through. Buckets usually are hung on the spouts to gather the sap. The buckets are emptied into larger containers, which are taken to the sugarhouse, where the sap is boiled down to the desired consistency before being poured into cans or drums for marketing. Some of the larger producers now gather the sap by a system of plastic tubing with trunklines running directly to the sugarhouse.

The best time for tapping the trees is said to be during a period of cold, crisp nights when temperatures are near 20° F. and daytime thawing temperatures are in the 40's. A moderate snow cover is also considered beneficial during the tapping season.

The yield of sap varies with the size and age of the tree. Weather prevailing during the winter and early spring largely determines the length of the tapping season.

The sirup is made by simple evaporation of the sap. Maple sugar is produced by further cooking the sirup. About 8 pounds of maple sugar are obtained from a gallon of sirup, which weighs about 11 pounds.

Maple trees used for sugar grow best at altitudes of 600 feet and above. A stand of trees old enough to be tapped and grouped close enough together for economical collection of sap is a sugar bush. Often a bush is a one-family operation.

Most Canadian production is in the Province of Quebec. Canada in 1962 produced 3.5 million United States gallons of maple sirup and 781 thousand pounds of maple sugar. Canada exports much of its maple products to the United States.

The United States production of maple sirup has steadily declined since 1940. The output of maple sugar has declined to such a low level that the Department of Agriculture no longer issues production estimates. The estimated production of maple sirup, including the sirup equivalent of sugar, in the United States in 1962 was 1.45 million gallons, compared with 1.52 million gallons in 1961.

Despite the general decline in production, the maple sugar industry is still a vital part of the economy of hundreds of communities from Maine westward into Minnesota and south to Indiana and West Virginia. The maple season comes when most other farm activities are slowest. The total farm value of the maple sirup produced in the United States amounted to 6.8 million and 7.3 million dollars in 1962 and 1961.

JOHN C. SCHOLL *was named Director of the Sugar and Tropical Products Division, Foreign Agricultural Service, in 1962, a short time after receiving the Department's 30-year Length of Service award.*

LESLIE C. HURT *began his government career with the Federal Crop Insurance Corporation of the Department of Agriculture in 1941. He joined the Foreign Agricultural Service in 1956.*

What's Behind

the Coffee Break

by LESLIE C. HURT and
JOHN C. SCHOLL

COFFEE is the seed of cultivated varieties of *Coffea arabica, C. liberica,* and *C. robusta.* Green, raw, unroasted coffee is the bean freed from all but a small portion of its hard coating. Roasted coffee is cleaned green coffee that roasting has made brown and aromatic.

Coffee has been used in turn as a food, a wine, a medicine, and a beverage. Its use as a beverage dates from the 13th century. The coffee plant is a native of Abyssinia and probably of Arabia. It grows in the Tropics.

Toward the end of the 9th century, an Arabian physician wrote about the properties and uses of coffee. The legendary discovery of coffee is attributed to an Arabian goatherd named Kaldi 15 centuries ago. Kaldi, it is said, found his animals dancing after eating fruits and tips of certain bushes. He tasted them and was so stimulated that he cavorted with his goats in the Arabian hills. A monk from the sanctuarial spaces below, where later grew up the city of Mecca, came by and talked with the herdboy. The monk tried the fruit, seeds and all, and found them invigorating. The use of coffee became a fad in Mecca.

Some persons believe coffee was cultivated first in Yemen about A.D. 575 and shortly thereafter was grown in Abyssinia and Arabia.

Coffee reached Europe about 1500

and was brought to Italy by Venetian traders in 1615. Invading Turks carried it into Vienna. Holland had already begun a worldwide trade in coffee from their colonies in Java. The Dutch presented a seedling from one of their Java trees to Louis XIV in 1714, and he had it planted under glass in the Jardin des Plantes in Paris. Eight years later a seedling from this tree was carried by Captain Gabriel de Clieux to the French West Indian island of Martinique. This was the source of all coffee plants in the New World, as seedlings were carried throughout the West Indies and the Guiana colonies.

Although jealously guarded in the Guianas, coffee found its way to Brazil in 1728. The story is that Juan de Palheta, a Brazilian emissary, obtained an illicit coffee seedling in a bouquet given him by the wife of the Governor of French Guiana.

COFFEEHOUSES were introduced to colonial America in the 1680's. Around 1700 coffee and tea were for only the well-to-do. Tea gained in popularity faster than coffee, but tea was boycotted after the Stamp Act of 1765 and the tea tax of 1767. After the Boston Tea Party in 1773, coffee became more popular.

By 1882 the United States was importing 3 million bags of coffee a year, and Europe was importing 7 million bags. Imports in the United States had gone up to 13.8 million bags by 1939, compared with 11.5 million in Europe. After the Second World War, the United States became the largest consumer of coffee and has imported more than half of the coffee in world trade.

Arabica and Robusta are the main species. Arabica accounts for about 80 percent of the world's coffee. Most of the remainder is Robusta. Almost all coffee in Latin America is Arabica. Four-fifths of the coffee grown in Africa is Robusta. Some of each is produced in Asia and Oceania.

Arabica is of two general kinds—"Brazils" and "milds." It is high in acidity and has considerable body. Robusta is more flat. Most coffee the American housewife buys is a blend of two or more coffees.

The coffee plant is an evergreen shrub. It grows 14 to 20 feet high if it is not pruned. Pruning increases the yields. Coffee often is grown under shade but does not have to be. Brazil and Kenya grow practically all of their coffee without shade. Higher yields and more intensive cultivation often characterize the nonshade, or sun grown, coffee. Robusta often is grown in the lowlands, but altitudes of 2 thousand up to 6 thousand feet are better for Arabica.

The Liberica and Excelsa (often classified with Liberica) coffees also are of economic importance. They are exported from western Africa to use as a filler. The Liberian has large beans, grows up to 40 feet tall, and flourishes in the hotter, lower elevations in tropical regions. *Coffea excelsa* grows into a large tree, but the beans are about the size of the Arabica coffee. The Excelsa was discovered near Lake Chad. The Liberian is indigenous to a region near Monrovia, Liberia. The liquoring qualities of the two normally are not high, and they account for a small part of world trade.

COFFEE is grown in tropical areas on a wide range of soils. It does well in friable topsoils over fairly heavy subsoil. Arabica grows very well on rather recent volcanic deposits. Coffee requires soils that have good aeration, some acidity, a good supply of potassium, and humus.

The lateritic soils of the Tropics often are planted to coffee, especially in Brazil. Such soils are rich in nitrogen and humus when first cultivated, but are poor in lime, potash, and phosphate. They therefore are soon exhausted if they are not fertilized. To provide some humus, the ground under the trees sometimes is kept covered with crop vegetation.

Weather has a bearing on the quality and quantity of production. Heavy rains during the normal flowering season have a particularly adverse effect, as they stimulate growth rather than flowering.

Arabica is produced generally in areas of a yearly rainfall of 75 inches. Robusta grows well where the average rainfall is even higher. Moisture requirements for coffee are about intermediate when compared with other tropical crops. The Arabica can withstand prolonged dry periods. More rainfall is needed generally in warm regions, where the soil is thin and lacking in humus and the shade covering is sparse.

The general practice in preparing new land for coffee is to fell and burn vegetation and let the ashes provide some potassium and phosphoric acid.

The trees begin bearing when they are 3 to 5 years old. One may see flowers and fruits in all stages of development, as there may be two or more flushes of blossoms in a year.

Cold winds and hot sunlight are injurious to coffee.

If cultural practices are good, the trees will bear for 20 or 30 years. Trees may yield one-half pound to 8 pounds each year. Two pounds of green coffee is considered a good yield.

COFFEE IS GROWN in various ways.

Seeds may be planted, or seedlings may be transplanted from nursery beds planted a year earlier. The trees are in rows about 8 to 15 feet apart on the square. The average is about 450 trees to the acre. Other trees, for shade, may be spaced 30 or 40 feet apart.

Plantations vary in size. In Cameroon, the holdings may have 50 to 100 trees. Native holdings on the slope of Kilimanjaro in Tanganyika may be three or four times that large. Family farms in Costa Rica and Colombia range from 5 acres to 30. Some plantations in Angola and Brazil cover several thousand acres.

White, fragrant flowers appear when the trees are about 3 years old. The fruit (commonly called cherries) ripens about 6 or 7 months after flowering.

It is green, then yellow, and finally purplish-crimson.

Harvest begins in some countries in May; in others, as late as November, according to climate and altitude. In Brazil, the harvesting season is May to September; in Mexico and Venezuela, from November through March; in Guatemala, from October through April. In Uganda there are two crops; one ripens in March and the other in September. Ethiopia also harvests in two seasons—from October through March and from May through June.

Generally the fruit is picked by hand, but in some countries the cherries are allowed to ripen and fall to the ground.

A good picker can pick 200 to 250 pounds of cherries a day—about 40 or 50 pounds of green coffee.

COFFEE IS PREPARED FOR MARKET in two ways.

What we call the wet or washed method includes fermentation and pulping in water, drying in the sun or by artificial means, and cleaning by machine. The outlay for plant, power, and machinery is considerable. The berries are pumped into tanks of water. The green berries, sticks, and leaves float to the top and are skimmed off. Settling troughs catch stones and sand. The berries then go into a pulping machine, where the pulp or outer skin is removed, after which they become identified as beans.

The next step is to run the beans into fermentation tanks. This is the most important step, for it determines the final color and quality of the beans. The fermented beans are washed in washing tanks or by mechanical washers. Then the beans (still in the parchment or the hull stage) are spread out to dry for 4 to 8 days, or even longer, although machines can dry them in 24 to 30 hours.

The other, the dry method, requires little outlay for machinery or equipment. The berries are dried in the sun and then cleaned by hand or machines.

The final step in preparation for market is hulling, or peeling. Hulling, sometimes at the farm and sometimes at the port of shipment, is done by a machine that rubs the beans between a revolving inner cylinder and an outer covering of wire. After hulling, the coffee is cleaned and graded by a machine that drives off dust, shells, and foreign material. Machines then grade for size by sieves, or the coffee may be handpicked to remove undesirable beans.

COFFEE sometimes thrives in the semi-wild state and some is harvested from the wild, but normally it requires regular cultivation. It is susceptible to attack by insects and a number of diseases that are caused by fungi, viruses, and bacteria.

Coffee rust has been devastating in some regions. After Ceylon had been growing coffee for several hundred years, rust forced abandonment, and tea planters replaced coffee planters. When Ceylon was a big coffee producer, England was one of the best buyers and consumed about as much coffee as tea. With the shift to tea production in Ceylon, England shifted to tea drinking and now consumes more tea than coffee.

Another of the leaf diseases is known in Latin America as Ojo de gallo or gotera, and in the Orient and Africa as the American leaf spot. The disease defoliates the plant. It has been severe enough in regions of Brazil, Colombia, Costa Rica, Guatemala, and Mexico to cause abandonment of production. Brown eyespot, a common leaf disease, can attack the fruit, seedbeds, and nurseries. Serious attacks have occurred in Central America, Colombia, and Africa. Leaf deterioration may also be caused by weak spot, or chronic leafdrop.

COFFEE is subject to anthracnose, or infectious dieback, which causes a blackening of leaves, fruits, and stems. Antestia and thrips are dangerous in regions where temperatures are some-times too high, no shade is provided, and rainfall is sporadic. They are fairly easy to control, but mealybugs and scales, although not so prevalent, are harder to get rid of. Borer beetles, the most feared of all pests, cause damage to coffee everywhere. Stem borers exist in every country, and there is no direct method of control. Good cultivation can be helpful in preventing damage. The Antestia bug is a major pest of Arabica coffee, but does not bother the Robusta.

THE VALUE of world exports of coffee amounts to about 2 billion dollars a year. It is a leader in world trade. For a time in the fifties it was second in value to petroleum and petroleum products of all commodities in international trade. Total world exports were at a level of slightly over 30 million bags (each 132.276 pounds) in 1950 and 49 million by 1963. Most of the coffee is exported as green coffee.

Eight countries in Latin America and Africa—Brazil, Colombia, Costa Rica, El Salvador, Guatemala, Haiti, Ethiopia, and the Ivory Coast—generally receive more than half of their total export earnings from coffee. Many countries depend heavily on exports of coffee to provide revenue for their governments.

The trade is big business; a drop of a cent a pound in export prices means a decline of about 65 million dollars a year in exchange earnings of the exporting countries in Africa, Asia, and Latin America.

Some that have relied heavily on coffee have been trying to move from a one-crop economy by diversification programs. Going out of coffee, a tree crop, and moving into other agricultural production often poses problems.

THE FRUIT of the coffee tree has uses other than to make the beverage. Coffee may be used in candy and the extracted caffeine may be used in soft drinks. Coffee pulp has been used as fertilizer and at times it has been used for cattle feed.

Research work is being continued to find additional uses for byproducts. Attempts have been made to produce synthetic coffee, but only about one-third of the 100 or more components that make the taste and aroma of coffee have been identified.

The world consumed about 62 million bags of coffee in 1963. On a per capita basis, the leading coffee drinkers are in the Scandinavian countries. The United States is near the top. The per capita consumption of coffee on a green coffee basis in this country in 1962 amounted to almost 16 pounds—the equivalent of about 3 cups a day for each American over 10 years of age.

The coffee break came into its own in the United States in the forties. It is one reason why Americans account for 40 percent of the world consumption of coffee.

Increases in coffee consumption have been noteworthy, particularly in western Europe. Consumption in Japan was negligible in 1952 but rose to 250 thousand bags in 1962. Italy, Canada, Western Germany, and the United Kingdom also are getting to like coffee more. Rising incomes and growing population were factors.

The producing countries generally have a fairly low per capita consumption. Most of them have been trying to encourage their people to use more of it.

Coffee prices fluctuate a lot. Santos 4's, a basic grade of Brazils, for instance, sold spot New York at 6.75 cents a pound in August 1940, 88 cents in April 1954, and 33 cents in April 1963. Prices of green coffee in early 1963 were at the lowest levels since 1949 but were increasing in late 1963. They reached a peak in 1954, when frost damaged the crop in Brazil. The high prices encouraged plantings; a few years later a surplus cut prices; the lower prices boosted consumption. But the larger volume of exports did not compensate for the decline in prices, and the world export value of coffee declined later.

SURPLUSES began building up following the high prices of 1954, and carryovers increased. By the end of the 1962–1963 crop year, they had reached a level of almost 75 million bags, the equivalent of about 15 months of usual world consumption. The bulk of the surplus stocks have been held in Brazil. Sizable stocks accumulated in Colombia, Angola, and the Ivory Coast.

Many consuming countries impose duties, internal taxes, and other marketing charges on coffee. Reducing them would raise consumption. In early 1964, the European Common Market countries lowered their common external tariff on coffee from the originally announced 16 percent to 9.6 percent ad valorem. Import of green coffee into the United States is on a duty-free basis.

Major exporting countries also impose export taxes, a major source of revenue for many of them. Such taxes mean higher prices to consumers in importing countries.

The United States imports slightly more than half of the coffee entering world trade. The European Economic Community accounts for about 20 percent of total world imports. Other western European countries account for 10 percent; eastern Europe and the Soviet Union, about 2 percent.

The United States in 1963 imported coffee from Brazil, 39 percent; Colombia, 17; Mexico and Central America, 14; other Latin American countries, 7; Africa and Asia, 23.

The European Economic Community has been taking more than half of its imports from Latin America and about one-third from Africa.

Under good conditions, coffee will keep well in storage. Storage is costly, however, and precautions must be taken against deterioration. The United States generally keeps about a 2 months' supply of green coffee in stock. Imports therefore are distributed fairly well throughout the year.

Latin America produces almost three-fourths of the world's coffee.

Brazil continues to be the largest producer, but Africa has had a three-fold expansion since 1950. The leading African producer (in some years Angola and sometimes Ivory Coast) ranks third behind Brazil and Colombia. About 25 countries in Africa produce coffee, and earnings from coffee are of considerable importance to more than half of them.

The bulk of African production is Robusta, which is used extensively in the manufacture of soluble coffee. It may be used also as a blend in regular coffee, and then it may compete with Brazilian coffees. Preferential treatment sometimes is given to African producers in the form of guaranteed quantitative imports and subsidies.

About 10 percent of the world's coffee was used to prepare soluble coffee in 1963. The United States processes about 18 percent of its coffee into this form. European countries have been slower to accept the product, but a large part of consumption in the United Kingdom is soluble. On a green equivalent basis, more cups of coffee can be obtained from soluble than from roasted coffee. Many plants have been built in producing countries so as to increase exports as well as domestic consumption. The Soviet Union had one soluble-coffee plant in 1964, and Poland had two. Little soluble coffee was made before 1945.

Soluble coffee is made by a percolation process after blending, roasting, and grinding. After a fixed interval, the water is driven off by a special process. The grounds are removed; they may be burned to provide heat for the percolation. The remainder is the soluble coffee. Nothing is added to it. The weight of soluble coffee may be one-fourth the weight of regular coffee. Soluble coffee therefore is much less costly to ship. Other savings can be made in handling costs. Convenience in preparation is a reason for using soluble coffee, but some of the flavor may be lost in processing it.

From some coffees most of the caffeine has been removed. Caffeine, an alkaloidal substance, appears as long, white, silky needles when it is isolated in the pure form. Removal of the caffeine takes away a good deal of the stimulant. Arabica coffee often contains less than 1.5 percent of caffeine. The Robustas usually contain more than 2 percent. A cup of coffee may contain about 1.5 grains of caffeine; a cup of tea contains less than 1 grain.

The upward trend in coffee consumption has often lagged behind production. This difference was so acute that Brazil burned as locomotive fuel or otherwise destroyed 78 million bags between 1931 and 1944. By 1957 it had again become apparent that world surpluses would be mounting for the next several years. This led to a series of annual Producer Coffee Agreements and finally to the International Coffee Agreement, negotiated at the United Nations Negotiating Conference in 1962.

COFFEE in the cup, then, has a background of much social, political, and economic significance. Few agricultural commodities are so widely grown or universally consumed. The world value and renown of coffee assure that this pleasant drink will have an important place for years to come. The coffee break has become an institution, although few of us think of the intriguing steps from the picking of coffee berries from trees in faraway lands to the final product—the cups of coffee.

LESLIE C. HURT *holds degrees from Virginia Polytechnic Institute and Maryland University. He began his Government career with the Federal Crop Insurance Corporation in 1941. He joined Foreign Agricultural Service in 1956.*

JOHN C. SCHOLL *was named Director of the Sugar and Tropical Products Division, Foreign Agricultural Service, in 1962. His previous experience included an assignment as agricultural attaché in Central America and work with the Department's Crop and Livestock Reporting Service. He is a graduate of North Carolina State College.*

Tea the World Over

by WILLIAM C. BOWSER, JR., and
ARTHUR G. KEVORKIAN

TEA is considered the national drink in most of the major tea-producing countries of Asia and in many countries of the Middle East. The United Kingdom, the world's largest importer of tea, and the Commonwealth countries consume much tea. Tea is drunk in much of continental Europe and the United States, Latin America, and Africa.

Production is concentrated principally in Asia, where it is grown on more than 2 million acres. Africa, second in production, has less than one-tenth of the Asian acreage.

The two main types of tea are designated as black (or fermented) tea and green (or unfermented) tea. Only black tea is of major importance in world trade; India, Ceylon, and Pakistan supply most of it. The demand for green tea is mostly in the countries that produce it, such as Japan, mainland China, and Taiwan. Only a few countries, like Morocco and Afghanistan, import green tea in quantity.

For centuries tea was almost exclusively a Chinese commodity. China had the world's largest supply and trade. Tea was first introduced into Europe by the Dutch, but it did not become popular in Europe until late in the 18th century. Early in the 19th century an indigenous tea was discovered in the Assam region of India, and production prospered in the British Empire and the Netherlands Indies. By 1900, the British and the Dutch dominated exports from their expanding plantations.

Total world exports of tea have continued to increase and were valued at about 650 million dollars in 1963.

Thus it was among the top 10 most important agricultural commodities in international trade. Tea is vital to the economies of many developing countries in Asia and Africa, where it provides a livelihood for millions of people and is an important source of government revenue.

Compared with people of the United Kingdom, who average six or seven cups of tea a day, Americans seem rather indifferent consumers. Yet imports of the United States, the second largest importer, in 1963 reached a total of 126 million pounds, valued at 58.2 million dollars. The United States has been importing more tea over the years, but the gains have been less than the gain in population.

Our per capita consumption was highest in 1897 at 1.56 pounds. Increasing use of coffee and other beverages caused a steady decline, and consumption was 0.55 pound in 1945. Tea bags and iced tea have improved the competitive position of tea among beverages. Since 1956, annual per capita consumption in the United States has remained relatively stable at about 0.6 pound.

The Americans' consumption of tea might well be at a higher level were it not for the duty the English levied in 1767 on tea brought into the Colonies. The Boston Tea Party in 1773, similar occurrences throughout the Colonies, and the practice of substituting herbs and roots for tea in many households probably had a continuing effect on the tea-drinking habits of the people of this country in the years that followed.

TEA is the dried leaf of an evergreen shrub, Camellia sinensis. Its three primary chemical constituents are the caffeine, tannins, and essential oils. The caffeine content, about 3 percent, provides the stimulating effect of the drink. Tannin supplies the strength or body, and the essential oils the flavor and aroma. Other solid matter in the tea leaf are protein bodies, gummy matter, and sugars.

The origin of tea as a beverage is said to go back some 4 thousand years, but its true beginning is lost in time. One popular Chinese myth places the introduction of tea drinking in the region of Emperor Shen Nung about 2737 B.C. Leaves from a nearby plant fell into a steaming pot while water was boiling. The fragrance and aroma were caught by the Emperor, who, on sipping the "tea," relished its taste and stimulating effect. Early Chinese and Japanese monks and Buddhist priests valued the plant as a medicinal shrub, and Europeans drank tea for its "curative" properties.

The first authentic mention of tea appeared in a biography of a Chinese official who died in A.D. 273. Tea was first alluded to in Japanese literature in A.D. 593, and was first cultivated in that country in A.D. 805. The first handbook of tea, however, was by the Chinese about A.D. 780. The cultivation of tea and its use was spread throughout China and Japan by Buddhist priests in an effort to combat intemperance.

THE TEA PLANT grows naturally 15 to 20 feet high. In general appearance and form of leaf it resembles our crapemyrtle. White flowers, much like apple blossoms, cover the plants. The seeds, three to a fruit, are like hazelnuts in size and shape.

Propagation is usually by seeds. The seeds are placed in nursery beds in rows about 6 inches apart and remain there 9 to 12 months. Then the young plants are transplanted to the tea gardens or estates. The young plants usually are set about 3 to 6 feet apart. The average density is about 3 thousand plants to the acre.

In order to provide the maximum number of leaves he can reach easily, the tea planter keeps his bushes pruned to a height of 3 to 5 feet. He cuts the young plant back to within a few inches of the ground early in its growth. The result is a main stem and side branches similar to the clipped privet hedges in the United States.

The bushes are ready for plucking by the end of the third year, but they do not reach full bearing stage until about the 10th year.

Properly-cared-for bushes yield well for 25 to 50 years. During the season, a good bush will have a number of flushes, or new leaf growth, and yield up to a quarter pound of leaves.

The tea plant will grow in tropical and subtropical areas from sea level up to 6 thousand feet. In the more temperate zones, however, it must be kept to relatively low elevations to prevent killing by frosts.

Most of the world's commercially produced tea is grown within latitudes 42° North and 33° South. The tea production in India has been most successful in the Assam Valley region, where rainfall varies from moderate to high during the monsoons, the temperature is moderate, drying winds are at a minimum, and the humidity is high.

Soil types where tea is grown vary in regions and within countries. Alluvial, sedentary, volcanic, and other types of soils, which usually are deep, friable, well drained, and acid, are suitable for tea growing. The usual tropical red, friable clays normally constitute the preferable tea-growing area of the major producing countries.

THE QUALITY of tea varies at different seasons. The leaves are plucked throughout the year in southern India, Ceylon, Java, and Sumatra. Northern India teas, the China greens, and Japanese and Taiwan teas are seasonal in nature. In all producing areas, however, certain picking months and flushes produce the finest teas.

On the average, a tea plant produces a full set of leaves, or flush, every 40 days. Some planters, however, do not wait for a fully mature flush, and plucking may be done every 7 to 15 days during the season.

Harvesting in most countries is done mostly by women and children, who toss the leaves into baskets slung at their sides or hung on their backs. For the finest teas, only the small unopened bud and the first two leaves are taken. An experienced tea picker using both hands may pluck 30 to 60 pounds of leaves a day, depending on the fineness of the plucking. Ordinarily it takes about 4 pounds of leaves to make a pound of manufactured tea.

DISEASES AND PESTS inflict varying damage to the tea plant. The most devastating is blister blight, which has spread to all tea-growing regions of Asia. This pathological disorder is caused by a fungus, *Exobasidium vexans*, which attacks young leaves and distorts the host tissue and gives the leaf a blistered, enlarged appearance.

The principal tea root disease of Indonesia, Ceylon, and India is the red root disease, caused by *Poria hypolateritia.*

The worst root disease in the African tea sections is root splitting. The culprit is another fungus that is almost omnipresent wherever forest trees or orchard crops are planted. The causal organism is *Armillaria mellea,* which also causes considerable trouble in rubber plantations.

The red spider mite (*Metatetranychus bioculatus*) is particularly serious in northeastern India.

Crickets, beetles, stem borers, caterpillars, grubs, and thrips also do varying degrees of damage.

Research is being conducted constantly to prevent and control diseases and pests of tea plants. Insecticides and fungicides and modern spraying and dusting equipment have been moderately successful. Because the use of chemicals may entail hazards, emphasis is placed on the use of resistant varieties or the use of other biological control methods to limit losses.

THE PROCESSING of black tea has five steps—withering, rolling, roll breaking, oxidation or fermentation, and drying or firing.

The withering phase, which reduces moisture content of the leaf and makes it soft and pliable, is done by sun drying or the use of artificial heat. The newly plucked leaves, spread on bamboo trays, are placed in the sun for a specified period. Indoors, the withering is done by forcing heated air over the leaves until the proper moisture content is reached.

After withering, the still green leaves are passed through the rollers, where the leaf cells are broken and the juices that give the flavor to the tea are liberated. The juices, however, remain on the leaf. Upon exposure to the air, the first important chemical changes take place. Oxidation begins, and the essential oils begin to develop.

The tea leaves emerge from the rollers in twisted lumps, which are broken up by passing over coarse-mesh sieves, or roll breakers.

Oxidation is completed in the fermenting room. The leaves are usually spread on cement or tiled floors and exposed to a cool, damp atmosphere. Here fermentation continues, and the leaves turn to the more familiar coppery color.

The objective of the final processing step is to prevent further fermentation and to dry the leaf evenly. Firing is done in pans or baskets or in automatic drying machines. Careful regulation of the air temperature is essential in the firing process to assure a quality tea.

The tea leaves are now ready for brewing, but they must be sorted into grades for sale.

The two basic grades are leaf and broken grades. For some commodities—but not tea—the term "broken" signifies lower quality. Leaf grades are simply larger than the broken grades. Broken grades constitute roughly 80 percent of the total production and make a stronger and darker tea than the leaf grades. Consumers in many countries, including the United States, prefer the broken grades. Leaf grades are favored in continental Europe and South America. Usually the smaller sized teas bring a higher price. Americans frequently associate "orange pekoe" (pronounced *peck-o*) with quality, but orange pekoe denotes merely a size and style of tea leaf.

Black teas from India, Ceylon, and Indonesia are generally graded by leaf size as follows: Broken Orange Pekoe, Orange Pekoe, Broken Pekoe, Pekoe, Pekoe Souchong, Souchong, Fannings, and Dust. Fannings are generally preferred in the Near East markets. Dust is the grade most widely sold in India for domestic consumption.

THE MARKETING of tea is much the same in some aspects as the marketing of tobacco in the United States—that is, most tea is sold at auction. Major auction centers are Calcutta and Cochin in India, Colombo in Ceylon, Chittagong in Pakistan, and Djakarta in Indonesia.

Many countries ship much of their tea to London or Amsterdam to be sold on consignment. The United States, however, buys most of its tea in the countries where it is grown, although a little comes to us from London and Amsterdam.

Tea usually is packed in plywood chests, lined with aluminum foil, to maintain its quality during marketing and transport. The quantity of tea in each chest varies according to size and type of leaf, but an average net weight is about 100 pounds.

Before an auction, samples are taken from holes bored in each chest to allow examination by the buyers. A buyer ships the tea to fill a standing order or sends samples of his purchases to the major importers for their approval.

Hundreds of American firms are wholesalers of packaged tea. Most of them buy their tea from the importer. A comparatively few firms with national distribution, however, handle the bulk of the tea sold in this country.

When tea arrives at the principal United States ports of entry for tea, it must await approval by inspectors of the Food and Drug Administration. The object of the inspection is to assure that tea brought into the United States meets the standards of purity, quality, and fitness for consumption prescribed under the Federal Food, Drug, and Cosmetic Act and the Tea Importation Act of the United States.

Tea approved for entry into the United States is blended and packaged, in tea bags or loose, before it moves to the retailer. Many companies blend up to 20 varieties to achieve their own blend. Expert tea tasters determine the formula for a company's blend.

Approximately 80 percent of the tea sold in the United States is consumed in homes; the remainder, in restaurants and institutions. Tea bags and iced tea are peculiarities of the United States market. Of total United States tea sales in 1961, an estimated 35 percent was used for iced tea and 65 percent for hot tea. Instant tea has become a factor in the retail market in recent years, accounting for more than 6 percent of United States sales in 1961.

China was the world's largest producer of tea before the Second World War. Since then, China's relative position has declined. India, with about one-third of world output, has become the leading producer.

More than 90 percent of the world's tea is produced in Asia. Africa produces most of the rest. Production in South America has increased, but its output in 1963 was only 1 percent of the world crop.

World production in 1963 was estimated at 2,270 million pounds, slightly above the record 1962 outturn, and 19 percent above the 1955–1959 average. The principal Asian producers in 1963 were India (760 million pounds), Ceylon (490 million), mainland China (340 million), Japan (179 million), Indonesia (84 million), Soviet Union (88 million), Pakistan (55 million), and Taiwan (45 million).

The largest African producers in 1963 were Kenya, the Federation of

Rhodesia and Nyasaland, and Mozambique. In South America, Argentina produced about 60 percent of the total 1963 outturn. Brazil and Peru produced fairly large crops.

Approximately one-half of the world's tea crop is exported. Nearly three-fourths of the 1962 world exports originated in India and Ceylon. Other Asiatic countries accounted for about 15 percent; Africa, 9 percent; and South America, 1 percent.

Leading exporters in 1962 were India, 466 million pounds; Ceylon, 452 million; Indonesia, 72 million; Kenya, 30 million; Federation of Rhodesia and Nyasaland, 28 million; Taiwan, 27 million; Mozambique, 20 million; Japan, 19 million; and Argentina, 14 million pounds. Exports from China in 1962 may have been 65 million pounds.

The United Kingdom has taken well over 40 percent of the world's exported tea. The United Kingdom imported 563 million pounds in 1963, chiefly from India and Ceylon.

The United States imported 126 million pounds in 1963. About 40 percent came from Ceylon. Other important sources were India, Indonesia, eastern Africa, and Taiwan.

The Netherlands, West Germany, and France are among the leading European importers. Australia, Canada, and New Zealand are large consumers, and per capita consumption is almost as large in Ireland as in the United Kingdom.

Consumption has been increasing in many of the Near East and northern African countries. The United Arab Republic, Morocco, Iraq, Iran, Sudan, Turkey, Algeria, and Tunisia have been importing increasingly larger amounts.

The most notable percentage increase in the consumption of tea, however, has taken place in the producing countries themselves. Domestic consumption in India increased from about 70 million pounds in prewar years to more than 300 million pounds in 1962.

In 1957–1962, world tea has been in a fairly well balanced supply-demand position. Tea prices were relatively stable during the period. During the latter part of this period and in 1963, there was growing concern among producing countries that accelerated trends in tea production might result in significant excesses of production over demand in future years. Not only were the older producing areas increasing production; the newer areas were also expanding to increase foreign exchange earnings from exports.

In most of the Asian countries, tea plantations are being rejuvenated by replacing older trees with higher yielding varieties. The use of fertilizers, fungicides, and insecticides are being encouraged to increase yields per unit area. In the meantime, African production and trade is on the upward trend, as is that of South America. Asia remained the major tea producer and exporter, but its proportionate share of world production is being reduced by the emergence of new producing areas.

UNTIL RECENTLY the United States was one of the few important consuming countries which imposed no import duty on tea. In 1963, steps were taken by the United Kingdom and the European Economic Community for the removal of import duties on bulk tea. Such action should result in some decline in retail price and moderate increases in consumption in those areas. Declines in internal taxes and charges of one kind or another in many major consuming countries similarly would increase consumption somewhat.

WILLIAM C. BOWSER, JR., *joined the staff of the Foreign Agricultural Service in 1951. He obtained a bachelor's degree in agricultural economics from The Pennsylvania State University and a master's degree from the University of Maryland.*

ARTHUR G. KEVORKIAN *is Chief of the Special Studies Branch, Sugar and Tropical Products Division of Foreign Agricultural Service.*

Pepper, Vanilla, and Other Spices

by ARTHUR G. KEVORKIAN

WE USE SPICES to make food taste better, preserve some foods, and make perfumes and ointments.

What we think of as true spices are aromatic substances that come mainly from tropical plants. They include allspice, cassia, cinnamon, clove, ginger, mace, nutmeg, pepper, tumeric, and vanilla.

Other seasonings include aromatic seeds, such as anise, celery, dill, and poppyseed. Culinary herbs, another group of seasonings, are derived mostly from leaves of plants, such as bay, chervil, parsley, mints, and sage. Condiments usually are mixed seasonings, such as catsup, curry powder, and prepared mustard.

Here we consider only true spices, which are important in our meat-packing, bakery, canning, and pickling industries and which come from the stems, fruits, and roots of plants of a number of botanical families all over the tropical world.

PEPPER (*Piper nigrum*), the most important of all spices in terms of usage and value in world trade, is the dried fruit of a climbing vine. It has innumerable uses in flavoring food and preserving meat. It is native to Asia, notably the Malabar Coast of India and the Malayan region. It is produced in only a few tropical countries. India and Indonesia account for about two-thirds of the world output.

Most of the remainder is grown in Sarawak, Ceylon, Brazil, Cambodia, and the Malagasy Republic.

Most of it is grown on small plots of land and gardens. It requires a well-distributed rainfall of about 100 inches a year and rich soil. It flourishes best at lower elevations, usually under 1,500 feet.

Propagation is usually by cuttings. Some shade is desirable for the young vines, but little is required for the mature plant. Hardwood posts or trees are used to provide support. The vine usually bears at 3 or 4 years and gives the most returns when it is 6 to 8 years old. The average yield is 3 to 5 pounds of dry pepper per vine.

In harvest, the berries are broken off the vine before they are fully ripe. If white pepper is desired, the berries are allowed to mature further—black pepper and white pepper are obtained from the same plant, depending on maturity and the method of processing.

The reddish peppercorns are spread on mats to dry in the sun. They shrivel, and the hulls become black. They are then cleaned and bagged for export. Grinding and packaging usually are done by importers.

For white pepper, the more mature berries are placed in bags or other containers and soaked in running water for several days to facilitate the removal of the outer coating. The ripened seeds are then dried, cleaned, and bagged. About 3.6 pounds of black pepper are obtained from 10 pounds of peppercorns. If they are processed into white pepper, the yield is about 2.4 pounds. Ground black pepper contains both light and dark particles, as the entire berry is used in it.

Indonesia once was the largest producer, but India has become the main grower. About 95 percent of the output in India is in the State of Kerala.

Indonesia's output, less than one-half of prewar levels, is concentrated in southern Sumatra and the nearby islands of Bangka and Belitung.

The United States, the largest consumer of pepper, imports all of its annual requirements of 35–40 million pounds.

Other major importing countries are the Soviet Union, the United Kingdom, West Germany, and France. About one-third of India's crop is used locally. Nearly all of Ceylon's output goes for domestic consumption.

Pepper is a highly speculative commodity. It can be stored or withheld from the market for several years without loss of quality. Because major producing areas are localized and the world output is relatively small (150–175 million pounds), trade in pepper is sensitive to cornering operations. Singapore merchants handle about a third of the pepper entering commerce.

Pepper has been subject to wide fluctuations in production and price. When prices are high, growers increase acreage and apply additional fertilizer to existing vines, thus causing an oversupply and lower prices. When prices are low, growers neglect their pepper gardens and may withhold stocks from the market. The results are high prices and short supplies. Average annual prices were 10 cents a pound in 1945, 169 cents in 1951, 36 cents in 1962, and 33 cents in 1963.

The consumer demand for pepper is relatively inelastic, as its price usually is a small item in the family budget. The demand for pepper actually has declined since 1945, probably because of the greater use of precooked foods and new food processing methods.

VANILLA (*Vanilla planifolia*), the fruits or beans of a climbing orchid, is native to southeastern Mexico and Central America.

About two-thirds of the world's vanilla crop is grown on islands off the southeastern coast of Africa—the Malagasy Republic, Comores, Réunion, and the Seychelles. The Malagasy Republic accounts for more than one-half of output. That is less than 10 percent of the countries' total exports, but (as is true of pepper) it is vitally important as the only cash crop of many small growers in the northern part of the Malagasy Republic. Tahiti and Mexico supply much of the remaining world supply.

World trade usually amounts to about 2 million pounds annually, of which the United States consumes about two-thirds.

Vanilla requires a tropical climate, partial shade, ample rainfall, a dry season, and rich, well-drained soil. An altitude of about 1 thousand feet is desirable. Propagation is from cuttings. The plant usually comes into bearing in the third year and remains commercially valuable for 7 years. The vines are usually spaced 5 to 8 feet apart in rows 10 feet apart. The climbing plants, usually on trees, are kept to a height of 4 to 6 feet. Yields average about one-fourth pound of cured beans per plant. Four pounds of green beans yield a pound of cured product.

Since less than 1 percent of the flowers produce beans under natural conditions, hand pollination is necessary in commercial operations. It must be done daily because each flower remains open for only a day or so. Usually not more than three flowers on each raceme are pollinated. Overpollination weakens the vine, makes it highly susceptible to disease, and may reduce the size of the beans.

Most of the vanilla of commerce belongs to the species *Vanilla planifolia*, but significant quantities of the *V. tahitensis* and *V. pompona* are grown. *V. tahitensis*, grown chiefly in Tahiti, brings a lower price because its strong heliotrope aroma makes it more suitable for perfume than a flavoring material. *V. pompona* is cultivated mostly in the West Indies. *V. planifolia* is cultivated chiefly in the Malagasy Republic and the other southeastern African islands and in Mexico.

The vanilla of African origin is known commercially as Bourbon vanilla and usually brings a lower price than the Mexican beans. Many species of vanilla grow wild, but they lack the desired aromatic properties.

The vanilla beans are harvested 4 or

6 months after hand pollination. The beans are picked just when the apex, or blossom end, begins to turn yellow, in order to obtain the highest aroma and quality during curing. If the pods are allowed to become too ripe, a splitting occurs at the blossom end, and the beans bring a lower market price. If beans are harvested before the blossom end yellow stage, the cured beans are also inferior.

The traditional curing process has three steps: Heating or freezing the beans, the killing phase; sweating the beans in the sun during the day and rolling them in woolen blankets at night; and conditioning, which is conducted in tin-lined boxes at room temperature until the characteristic vanilla fragrance is obtained.

Research on the enzymic action in vanilla beans during the curing process done at the Department of Agriculture's experiment station at Mayaguez in Puerto Rico led to the development of a new curing process on a pilot-plant basis. Curing can be done indoors in thermostatically controlled ovens, and the elimination of much hand labor increases curing capacity and cuts costs and time.

The cured beans should be of a uniform dark color and flexible. Beans of a moisture content of 20 to 25 percent are less likely to become moldy during storage and shipment. After curing, the beans are graded according to length, color, and flexibility; tied in bundles of 50 to 70 beans; and packed in tins or tin-lined boxes.

Vanilla is ordinarily used in the form of an extract; 13.35 ounces of beans with a moisture content of not more than 25 percent make a gallon of extract. The extract is made by cutting the vanilla beans into small pieces, which are placed in a solution of not less than 35 percent ethyl alcohol and heated in a percolator. Dextrose, sucrose, or glycerine may be added at the end of the extraction process to prevent precipitation and to preserve the flavor and aroma.

Vanilla is used for flavoring ice cream, chocolate, beverages, as well as sweets and in the manufacture of soap and perfume.

Sharp fluctuations in prices of vanilla beans have kept consumption down and have encouraged the use of synthetic products. Vanillin, the most widely used synthetic, is produced from waste sulfite liquor of papermills, coal tar extracts, and from eugenol, obtained from clove oil. Its price has remained at or near 3 dollars a pound; the prices of vanilla beans have fluctuated between 5 and 16 dollars a pound. Vanillin lacks the oleoresins that impart flavor to the vanilla extract.

The Flavoring Extract Manufacturing Association of the United States has participated in a cooperative project with the Department of Agriculture in Puerto Rico. The aim is to improve cultural practices and to solve problems of disease.

THE CLOVE TREE (*Caryophyllus aromaticus*) is native to the Molucca Islands, or "Spice Islands," which now are a part of Indonesia. Its name comes from the French "clou," meaning nail, which describes the unopened flower-buds used as the spice. Zanzibar (including Pemba) is the largest producer of cloves. Most of the remainder of world production comes from the Malagasy Republic and Indonesia.

We usually think of cloves only as a spice to decorate and flavor foods, but as much as two-thirds of the world's supply of cloves is ground and mixed with tobacco in cigarettes. Indonesia consumes more cloves than the rest of the world combined, mainly in the manufacture of cigarettes. Other major consumers are the United States and India.

The clove tree requires a tropical climate, with a well-distributed annual rainfall of 90 to 100 inches and a well-drained soil. The clove tree usually does not thrive far from the sea. An altitude of a few hundred feet above sea level is desirable.

The trees are usually planted about 30 feet apart. They begin to bear in the seventh or eighth year and may continue in production for more than 100 years. They normally grow to 30 or 40 feet and produce an average of 7 to 10 pounds of spice. Production varies from year to year because the trees have an off-year alternating with a good bearing year.

The unopened or immature flower-buds are the spice of commerce. They are handpicked from the trees and spread on mats in the sun for about a week. Sometimes artificial heat is used in the curing. The greenish buds become reddish-brown or black and lose half of their original weight.

Whole cloves are used in pickling and preserving, as a garnish for hams and salads and in catsup. Ground cloves are used in baked goods, vegetables, desserts, and in some brands of cigarettes.

Clove oil, obtained in a distillation of buds and stems, is used in pharmaceutical preparations, as a flavoring in candy and gum, and in the manufacture of perfume. Eugenol, a constituent of clove oil, is used as a basic material from which synthetic vanilla extract (vanillin) is manufactured. Other uses of eugenol are in the manufacture of perfumes and soap. The use of clove oil or powdered cloves in moth repellants has been studied.

CINNAMON AND CASSIA were known in commerce in Biblical times. *Cinnamonum zelanicum* is the true cinnamon of commerce. *C. cassia*, a related species, has characteristics and uses similar to cinnamon.

The aromatic oils in the bark of these tropical trees determine their commercial importance. They are grown commercially in Asia from southern India and Ceylon to mainland China.

Cassia is considered to be inferior to cinnamon, but is often used as a substitute. The United States processors prefer cassia because of its aromatic qualities and perhaps because it is less expensive than the true cinnamon.

Ceylon and the Seychelles Islands account for the bulk of world produc-

tion. Mexico, the United Kingdom, Japan, the United States, West Germany, and the Netherlands are major consumers.

The spice is used for flavoring bread, cakes and pastries, beverages, candy, drugs, and cosmetic products and for scenting soap and perfumery. Oil of cinnamon is used in medicines.

The cinnamon tree requires a tropical climate; a rich, sandy loam soil; and 85 to 100 inches of annual rainfall. The tree is grown as a low, bushy shrub, usually not over 8 to 10 feet tall, although it may reach the height of 30 to 40 feet in the wild state. Propagation is usually from seed. The first crop can be expected in about 2 to 3 years. Maximum returns are obtained when the trees are about 10 years old. Yields average 150 to 200 pounds an acre.

Harvesting of cinnamon consists of cutting the many-branched, bushy shoots twice a year. The bark is peeled off by hand, scraped, and dried in the sun. Upon drying, the bark rolls into quills. Scraps from peeling and scraping are called chips and featherings and are used to make cinnamon oil through a distillation process. The leaves and roots are also a source of an inferior oil of low value.

C. cassia, or Chinese cinnamon, is also the dried inner bark of an evergreen tree, which attains a greater height than the true cinnamon. This tree has been grown in southern China for centuries. Mainland China, Indonesia, and South Vietnam are major producers.

Cassia trees are allowed to grow for several years before harvesting. Cassia can be grown in areas where cinnamon would not thrive.

The harvesting of cassia includes cutting the branches or the tree, loosening the bark, and stripping and scraping the grayish outer bark. The pieces are then dried in the sun. The resultant quills are tied in bundles and packaged for export. Yields may average about 1,500 pounds of quills an acre.

Cassia oil is obtained by the distillation of the bark and leaves and from the dried, unripe fruits. The cassia buds, or fruit, contain the same essential oil as the bark and resemble cloves.

NUTMEG AND MACE are derived from one evergreen tree (*Myristica fragrans*). Its seed is the nutmeg of commerce. A thin membrane (the aril) around the seed is known as mace. Mace and nutmeg taste somewhat the same.

Indonesia is the largest producer and exporter. Most of the rest comes from the West Indies, mainly Grenada. Ceylon also exports some nutmeg and mace.

Grenada's nutmeg industry was crippled as a result of a hurricane in 1955. Nutmeg and mace prices doubled and tripled as a result of the reduction in supplies. The immediate effect of the damage was eased somewhat as the Grenada Co-Operative Nutmeg Association had sizable stocks on hand.

The nutmeg tree is grown from seed. Male and female flowers are produced on separate trees, and the sexes cannot be identified until they flower 6 or 8 years after planting. To insure an ample number of female trees, which are the only source of fruit, two seedlings are planted a short distance apart. Later all male trees, except one for the pollination of every 10 or 12 female trees, are cut down. Some growers plant only one tree at the proper spacing and bud or graft the extra male trees with female scions.

The nutmeg tree requires a tropical climate. The trees begin to bear after 6 to 8 years and continue in production for more than 50 years. They may attain the height of 30 to 40 feet. The maximum yields of several thousand seeds are obtained when the tree is 15 to 20 years old.

Harvesting the nutmeg usually continues throughout the year. The heavily laden limbs usually are arched with the fruit, which is about the size and shape of an apricot. The ripe, fleshy portion splits open, disclosing the scarlet aril (mace) and the glossy, dark-brown seed.

Some of the nuts fall to the ground, but most remain on the tree. They are usually gathered by raising a long pole, to which a basket and prongs are attached. The average yield per acre is about 1,500 pounds of green or about 720 pounds of processed nutmeg. A 30-year-old tree may yield 3 thousand to 4 thousand nuts. The yield of green mace per acre is about 150 pounds, which yield 35 pounds of dried mace.

The seeds are sun dried until the kernel rattles freely in the shell. The shell is broken, and the nutmeg is removed and ground. The fleshy aril is removed before the drying.

Nutmeg is used in flavoring foods, sauces, and beverages. Nutmeg oil is used in pharmaceutical preparations, confections, condiments, and perfumes, cosmetics, and soaps. Mace oil has similar chemical and therapeutic properties as the oil of nutmeg.

GINGER (*Zingiber officinale*), the root or rhizome of a tuberous, perennial plant, is native to southeastern Asia. The palmate roots are commonly called hands.

India and Taiwan, the largest producers, supply more than three-fourths of the ginger in commerce. Nigeria, Sierra Leone, and Jamaica account for most of the remainder. The United States and the United Kingdom are the major importers.

There are many varieties or types of ginger. Jamaican ginger, which is usually much larger than the Indian, or Cochin, is preferred for making ginger ale, fancy baking, and medicinal purposes. Sierra Leone ginger is used mainly in ginger cookies, gingerbread, and cakes. The Jamaican variety commands a premium price on the world market, and Indian ginger brings a price considerably below that of the Jamaican variety. Ratoon ginger consists of the old roots that are left in the field and dug out at a later time. This type is in great demand in the United States market because of its low cost.

Ginger is cultivated mostly in small home gardens. It needs a hot, moist, tropical climate and partial shade. Since the plants are gross feeders, they require a rich, loamy soil or heavy fertilization. Ginger is grown from sea level to approximately 3 thousand feet.

Propagation is by divisions of the rhizomes, which are usually planted in rows 12 to 18 inches apart. The plant reaches a height of about 3 feet.

Yields average 1 thousand to 2 thousand pounds an acre. The rhizomes are dug, washed, and dried in the sun.

Peeled ginger is prepared by placing the roots in scalding water and then removing the skin with a knife. Preserved ginger is peeled and boiled in a sugar solution. Ginger is usually exported in the form of dried rhizomes and made into extract or ground into powder in consuming countries.

TODAY SPICES ARE OF comparatively minor importance in world agricultural production and trade, but in the few exporting countries, mainly in the Far East and Africa, spices are a major source of foreign exchange earnings. Cloves, for example, comprise about 80 percent of the total value of Zanzibar's domestic exports, furnishing the government approximately one-third of its revenue from all sources.

Spices are of importance to importing countries because the entire population depends on one spice or another to flavor food. The United States' imports of the eight spices in 1959–1963 had an average value of 31.5 million dollars. That is a small fraction of the value of all our imports but a large factor in the production of millions of dollars' worth of processed products, in which spices are essential ingredients.

ARTHUR G. KEVORKIAN, *an economist in the Foreign Agricultural Service, is Chief of the Special Studies Branch of Sugar and Tropical Products Division. He has degrees from the University of Rhode Island and Harvard University. He worked for the Department of Agriculture in Latin America for many years.*

Cocoa and Chocolate

by ARTHUR G. KEVORKIAN and REX E. T. DULL

COCOA is a newcomer among foods and beverages, although Central Americans enjoyed it long before the discovery of the New World. Commercial production of cocoa beans was small until only a half century ago, but has expanded from about 200 million pounds in 1900 to more than 2.2 billion pounds, valued at 500 million dollars, in 1963.

Cocoa beans are seeds of the cacao tree, *Theobroma cacao.* They grow in pods along the trunk and the older branches. The cacao tree, a tropical plant, can be cultivated successfully only in a narrow belt 20° north to 20° south of the Equator.

The cacao tree is native to tropical America. The Indians of Central America and South America grew cacao for many years before the discovery of America. The Aztecs, Toltecs, Mayans, and Incas had various uses for cocoa beans. A favorite was a drink made from the beans, corn, spices, and water. A similar beverage, pinolillo, is still popular in Nicaragua.

Columbus saw cocoa beans but regarded them only as a curiosity.

Cortez, another explorer, found the Aztec Indians of Mexico using them to make a bitter but rather delightful draught. The addition of sugar, vanilla, and cinnamon made this exotic drink more pleasing to the European tastes, but cocoa was so expensive that only the wealthy could afford it.

Cocoa was consumed only as a beverage until a process of making "eating chocolate" was discovered in the 19th century. A Dutchman, C. T. van Houten, in search of a way to improve the palatability of cocoa, which was rich and somewhat indigestible, devised a way to remove part of the fat—cocoa butter—from the bean. He developed "chocolate powder," which made a more digestible drink, by removing most of the fat contents of the beans. The next step was to mix cocoa butter, cocoa, and sugar to make "eating chocolate."

A Swiss manufacturer, D. Peter, later devised a means of adding milk to cocoa to make the milk chocolate we know. Cocoa then became popular throughout Europe, and production was expanded in tropical areas.

The importance of cocoa in the confectionery industry can be noted in the large variety of candies, cakes, cookies, ice cream, and beverages that contain cocoa and chocolate. Chocolate tastes good and has a high nutritional value.

Cocoa was considered a strategic commodity in wartime because of its nutritional value. Candy bars and the K-rations of the Armed Forces included chocolate to sustain energy when other foods were not available.

Spain guarded its secret of cocoa for many years, but in time the monopoly was broken, and the Dutch, Portuguese, British, French, Belgians, and Germans established plantations in their oversea territories.

Plantings were made in the western African islands of São Tome and Fernando Po in the 17th century. Cultivation spread into other areas in Africa.

At the beginning of the 20th century, Latin American countries, mainly Ecuador, Brazil, Trinidad and Tobago, and Venezuela, were producing nearly four-fifths of the world output of cocoa beans. But as Africa was relatively free of cacao diseases, mainly witches' broom, and

offered lower production costs, Africa became the major supplier after the First World War.

The expanding industry suffered a setback during the Second World War because of the lack of shipping and the loss of the European market immediately after the war. Production soon gathered momentum, and new plantings were made. During the fifties, cacao acreage was expanded, and more emphasis placed on the control of diseases and pests, especially in western Africa.

MOST OF THE WORLD's cocoa is produced in a few countries. Ghana accounts for more than one-third of it. Next are Nigeria, Brazil, the Ivory Coast, Cameroon, Ecuador, and the Dominican Republic. These seven countries produced more than four-fifths of the 1962–1963 world harvest. Most of the remainder was grown in Togo, New Guinea, Venezuela, Colombia, Mexico, Costa Rica, the West Indies, and the islands of Fernando Po and São Tome off the coast of Africa.

Of the many varieties of cacao tree, three are commercially important.

The Criollo produces a "fine" or "flavor" cocoa. The Forastero yields a "base" or "ordinary" grade. The Trinitario is a cross between the Criollo and Forastero.

The Criollo has plump, round, white-to-pale violet seeds. The pods are 6 or 8 inches long and about half as wide. The fruit wall is fairly soft and easily split. The surface of the fruit wall has 10 furrows; the ridges between them are rather warty and irregular.

The Forastero is classified on the basis of fruit form into four basic types: Angoleta, Cundeamor, Amelonado, and Calabacillo. The first two have deep ridges and are rather warty. The others have shallow ridges and are less warty. Because the shapes of the fruit vary, another classification divides the Forastero complex of varieties into the Amazonian Forasteros (which represent the four types we mentioned) and the Trinitarios, a type, originally found in eastern Venezuela, that is said to be hybrids of the South American Criollos and Amazonian Forasteros.

The shifting of the center of production from Latin America to Africa has brought about a sharp reduction in the Criollo flavor cocoas and the predominance of the Forastero variety. The latter variety was preferred for new plantings, as it was hardier and had greater yields than the Criollo. Flavor cocoas now constitute less than 10 percent of world production.

The cacao tree needs temperatures between 65° and 95° F. The tree flourishes best at altitudes of less than a thousand feet, although most plantings in Ceylon are at about 1,500 feet. In the Cauca Valley of Colombia, cacao is grown at elevations of more than 2 thousand feet.

Rainfall may vary from 50 to 80 inches, usually with a distinct rainy and dry season. In regions of long dry seasons, clay soils that retain water well and have ample humus are desirable. The level of the water table also is important. High rainfall and a high water table may be detrimental.

The Criollo types have a somewhat upright growth and can be planted close together. The Forastero types are more spreading and require wider spacing. Plantings can be closer spaced on sandy soils than in rich alluvial soils, where growth is more vigorous.

In many countries, cacao is grown under shade to reduce the amount of direct sunlight. Sometimes windbreaks are needed for protection. When seedlings are transplanted from a nursery, they are usually grown under temporary shade crops, such as bananas, plantains, and cassava, which provide shelter as well as cash returns while the cacao is developing. Permanent shade is provided by planting leguminous trees, whose long taproots will not interfere with the cacao. In some countries, notably in western Africa, few shade trees are utilized, although in some districts cacao is planted as an intercrop with the Hevea rubber tree.

The cacao tree usually begins to bear in about 3 to 5 years and continues in production for nearly 50 years. A mature tree may reach a height of 12 to 18 feet.

The pods usually contain 30 to 40 beans each.

In the Republic of Ghana, Federal Republic of Nigeria, and Republic of Ivory Coast, cocoa usually is grown on small native farms in groves of only a few acres. Spacing is unusually close, and shade trees seldom are used. The older trees, which comprise the major portion of the plantings, were planted 30 or 36 inches apart. Those trees produced only 10 or 12 pods each; plantings with shade and a spacing of 10 to 12 feet yielded 50 to 80 pods in Cameroon and 70 to 85 in Fernando Po.

Cacao is usually grown in Latin America on large plantations. Varieties and hybrids are mixed. The trees are shaded and generally are of the more vigorous type. Normally they are spaced 8 to 15 feet apart.

New plantings in both hemispheres were derived from vegetatively propagated clones or selected seed from trees obtained in the Amazon region of South America.

The late Dr. F. J. Pound, an eminent cacao technologist who worked in the Department of Agriculture in Trinidad, traversed the Amazon area of Brazil, Colombia, and Ecuador in search of disease-resistant cacao. From the clonal nursery that was established on the basis of his collections, healthier, more productive trees were developed through selection and hybridization.

In the western African cacao areas, these Amazonian types have been planted at intervals of 4 feet. Such crowding could result in moisture conditions conducive to serious losses due to pod-rot disease. Officials in Nigeria, for example, have recommended that farmers thin the trees after several years of production when overcrowding is obvious.

Cacao has to be harvested by hand. The mature pods usually are cut from the trees with a machete or with a hook. Pods must be removed carefully from the trees, lest the flower cushions and immature pods are injured. The pods are then gathered into heaps and opened. The extracted seeds or beans are taken to some central place for fermentation.

In the Ivory Coast and other parts of Africa, the first step in fermentation is to put the sticky seeds in containers and cover them with leaves for several days. The beans and their coatings are stirred from time to time until the right degree of fermentation has taken place. Then the beans are placed on platforms and allowed to dry in the sun. Grading and sacking follow, and the cocoa is transported to collecting centers for sale. On the plantations of Fernando Po, fermentation is accomplished under shelter. A mass of beans is shifted from one fermentation box to another every day in order to have a uniform fermented product.

The time of fermentation varies as to the country, climate, and potential market. For example, Spain prefers slightly fermented beans; the plantations of Fernando Po therefore use a 3-day fermenting period. Drying is also accomplished under shelter at the plantations of this island. Large platforms are artificially heated, and automatic stirrers travel back and forth every 5 minutes. Drying usually takes 2 days.

Fermenting boxes and artificial heat are also used in the Western Hemisphere, but a large part of the beans in South and Central America are fermented on raised platforms or on wooden trays and sun dried. The beans are covered at night and before rains.

Many diseases and pests may attack the roots, stems, leaves, flowering cushions, and pods of cacao trees, but only a few of them are of economic significance. Without adequate control measures for these, there would be a scarcity of cocoa and its products.

The black or brown pod-rot disease, caused by the fungus *Phytophthora palmivora*, is present in all cacao districts and is worst in wet and humid areas. In 1962–1963, it caused losses of less than 10 percent in the drier areas of Africa but up to 100 percent in parts of Cameroon.

Considerable losses are caused by *Monilia roreri*, another pod-rot fungus that is related to the brown rot of peaches in the United States. The disease first appeared in Ecuador in the early 1900's and has spread to parts of Colombia, Venezuela, and Panama.

The witches' broom disease of cacao, caused by the fungus *Marasmius perniciosus*, spread from Surinam to Trinidad and Tobago and all the cacao areas of South America, except Brazil. In 1964 it was not known to exist in the other islands of the Caribbean, Central America, Mexico, or the Eastern Hemisphere.

The Imperial College of Agriculture and the Department of Agriculture in the island of Trinidad pioneered in investigations on the disease. Dr. Pound traveled extensively over the Amazon Basin in search of resistant wild cacao trees. In the upper reaches of the Amazon region he found trees that appeared to have some resistance. These were tested, and clonal material with considerable resistance was found. Resistant trees were sent to growers and research workers elsewhere.

Scientists of the United States Department of Agriculture and the Agency for International Development have worked cooperatively with Ecuadorans to perfect strains resistant to witches' broom under Ecuadoran conditions. The resistant strains that were developed have been used for replantings in Ecuador.

The swollen shoot disease has been troublesome in Ghana and nearby countries. It is caused by a virus that has many strains, a number of which can kill a tree. It is transmitted by mealybugs, which can carry it to a healthy tree a few hours after they feed on an infected tree.

Control measures developed by the Ghana Cocoa Research Institute at Tafo consist of cutting out diseased and exposed trees and replanting. Millions of trees have been eliminated in Ghana in attempts to control the disease—a costly operation that caused considerable discontent among growers, even though they received compensation for lost trees and had government assistance in replanting. Amazonian hybrids have given signs of having some tolerance to the swollen shoot disease. Swollen shoot disease is not known to exist in the Western Hemisphere.

Cushion gall disease, which affects the floral cushions of the cacao tree, is prevalent in Central America and is known to occur in most of Africa and South America. Research as to its causal agency, life history, dissemination, and control has been concentrated at the Inter-American Cacao Center at Turrialba, Costa Rica.

The major insect pests of the cacao tree are capsids, which have been especially devastating in western Africa. Their eggs are usually placed in the bark near the feeding punctures and are hard to reach by spraying. The staff of the Ghana Cocoa Research Institute and several teams of specialists have done work on control measures. Their success will affect the size of future crops in Ghana and elsewhere in Africa.

Research on cocoa has been mainly concentrated in three areas. By the turn of the century cocoa production in the Western Hemisphere was threatened by the witches' broom disease. The Imperial College of Agriculture in Trinidad consequently placed its major emphasis on identifying the causal agency, testing chemical sprays to control the malady, and determining the existence of resistance in the various species and varieties available. It is logical that the basic investigation of this disease was conducted in Trinidad, since it only occurs in parts of South America and the island of Trinidad.

Investigations at the Ghana Cocoa Research Institute and the station in Nigeria have been made part of government-sponsored agricultural research activities. The work has centered on swollen shoot disease and the capsid bug, since only these problems are known to exist, and cause serious reduction in cocoa production in western Africa.

The Inter-American Cacao Center was established at Turrialba, Costa Rica, in 1947 as a cooperative venture of United States manufacturers of cocoa and chocolate products and the Inter-American Institute of Agricultural Sciences. Investigations there are concentrated on black or brown podrot and cushion gall diseases.

As COCOA is primarily a cash crop, almost all of it is exported as beans or semiprocessed products—cocoa butter, chocolate, and cocoa powder. In a few countries, such as Peru and Colombia, the entire crop is used at home.

Cocoa exports account for almost two-thirds of export earnings of Ghana and nearly one-quarter of the earnings in Nigeria, Ivory Coast, and Federal Republic of Cameroon.

In most of the producing countries in western Africa, cocoa is marketed through government-controlled marketing boards. In Ghana, for example, the board fixes seasonal prices to be paid to producers, determines purchase arrangements, issues licenses to buyers, and maintains arrangements for purchasing, shipping, and selling.

THE MARKETING boards offer some protection to the growers from the fluctuations in cocoa prices. When world prices remain above a fixed level, the surplus is deposited in the board's reserves; a subsidy is paid when prices fall below a fixed level. The reserves of the boards may be used for research, training farmers in improved practices, and buying new seedlings, spray machines, and insecticides and fertilizers.

Nearly all of the world's production

of cocoa is consumed in Temperate Zone countries. Most of the crop is processed and consumed in the United States and western Europe. The United States usually takes about one-third of the total world imports. The value of United States imports of cocoa beans and semiprocessed cocoa products is about 170 million dollars to 200 million annually. The annual per capita consumption in the United States usually is 3.5 to 4 pounds.

Any appreciable change in world supplies has an immediate effect on prices and sometimes on governments. Manufacturers have been quick to shift to cheaper cocoa-butter substitutes and extenders when prices were exceptionally high. Others have reduced the size of their chocolate bars and thinned the chocolate coatings.

EFFORTS HAVE been made through the Food and Agriculture Organization of the United Nations to develop an international arrangement to provide stability for supplies and prices.

A Cocoa Producers Alliance was formed in 1962 by the five leading cocoa-producing countries, which account for about three-quarters of the world output. Among its activities have been the exchange of statistics and other information, conferences on problems of production and marketing, and efforts to encourage greater consumption.

Tariffs and taxes in many countries make chocolate a luxury. The United States has no duty or quantitative restrictions on the importation of cocoa beans and has small tariffs on imports of semiprocessed products.

The production and consumption of cocoa could be increased if prices were stabilized at a level that would be fair for producers and would allow more consumers to buy it.

ARTHUR G. KEVORKIAN and REX E. T. DULL are economists in the Sugar and Tropical Products Division of the Foreign Agricultural Service in the Department of Agriculture.

Production, Trade, and Use of Tobacco

by HUGH C. KIGER,
FRANKLIN S. EVERTS, and
EDWARD J. EISENACH

TOBACCO, *Nicotiana tabacum*, from humble beginnings in the Americas has become a crop of economic importance and is grown in nearly every country.

Most producing countries grow more than one type of tobacco and supplement their own production by imports of other types required by the domestic industry. Some countries are nearly self-sufficient in tobacco. Others produce a surplus and export large quantities. A few countries in western Europe grow no tobacco on a commercial scale and purchase from other countries the kinds of leaf they require.

From the grower to the ultimate consumer, because it is such a good producer of revenue, tobacco is under the surveillance of governments around the world.

We can group tobaccos into eight categories—flue-cured, burley, other light air-cured (including Maryland), light sun-cured (excluding oriental and semioriental), oriental and semioriental, dark air-cured (including cigar), dark sun-cured, and fire-cured—on the basis of characteristics due to genetics or breeding, the influence of soil and climate, and the method of curing.

A great increase in cigarette smoking since 1920 raised the demand for the kinds of tobacco suitable for cigarette manufacture, principally flue-cured, light air-cured, and oriental. Production of flue-cured tobacco, which totaled about 300 million pounds in 1913, rose more than tenfold to well over 3 billion pounds in 1963. Other light types of leaf, particularly burley and oriental, have also gone up in importance. Because of the lessened importance of smoking tobacco, cigars, chewing tobacco, and snuff, the dark tobaccos used primarily in their manufacture dropped in relative importance.

CURING is important in leaf production. During most of the period since Columbus learned about tobacco, air-curing, a natural process, was by far the predominant method. The Indians learned that leaf hung to dry near campfires where it would be impregnated with smoke could be kept longer. During the past century, the flue-curing process was developed in the United States and has spread because of a demand for this kind of leaf in making light types of cigarettes.

Changes in the relative importance of curing methods reflect the changing pattern of the uses of the leaf.

Flue-cured tobacco has a thin leaf, lemon to red in color. It is cured by heat from a firebox, which is circulated through flues throughout a barn of special construction. It usually requires 4 or 5 days to cure a barnful. Flue-cured is used primarily in cigarettes. It often is used exclusively in the so-called straight Virginia cigarette or mixed with other light leaf in blended cigarettes.

Flue-cured tobacco is produced in some 50 countries—from tropical areas to such northerly regions as Poland and Canada, and in the Southern Hemisphere in Argentina, the Republic of South Africa, and Australia. The United States always has been the major producer of this kind of tobacco.

Since 1935, world production increased from less than 1.3 billion pounds to about 3.2 billion in 1963. The United States once accounted for more than two-thirds of the world crop; in 1963, the figure was 41 percent. Big gains in flue-cured production have been reported, especially in Southern Rhodesia, Zambia, India, Canada, Brazil, and mainland China. Others are Japan, Australia, Argentina, Venezuela, Italy, Poland, Indonesia, and the Republic of Korea. Flue-cured in 1963 accounted for 35 percent of total world production, compared to 20 percent in 1935–1939.

Burley leaf is rather thin. It usually is yellowish tan, but variations depend on the position of the leaf on the stalk. Burley tobacco is wilted in the sun. It is moved into the curing barn, where it remains for several months, while the leaves undergo the yellowing and browning stages. Burley is used primarily for blending with other tobaccos in cigarettes. The heavier, darker leaves usually are used for smoking tobaccos.

The United States accounted for more than 90 percent of the world total in 1935–1939 and 80 percent in 1963. About 40 countries produced burley tobacco in 1963—double the number in 1950. Important producers include Spain, Italy, Japan, Mexico, Venezuela, Southern Rhodesia, Zambia, Malawi, and Canada. Greece rapidly stepped up its crop of burley for export in the early sixties. The growing interest in expanding production in many countries is indicative of the growing popularity around the world of American-type blended cigarettes, in which burley is an ingredient.

Other light air-cured tobacco includes Maryland-type tobacco and native varieties. Most other light air-cured looks like burley. Curing methods are much the same. Maryland is used primarily in cigarettes, but considerable amounts go into pipe mixtures, chewing tobacco, and cigars. Major producers, aside from United States, whose production of Maryland is substantial, include Italy, Nigeria, the Malagasy Republic, and the Republic of South Africa.

Light sun-cured leaf includes a number of types of native or native-improved tobacco, named after the practice of curing it in the sun. Sometimes it is left to cure almost completely in the sun, but often it is placed under cover as soon as it is yellowed. Light sun-cured leaf is used for both cigarettes and pipe mixtures.

Major producers of light sun-cured include mainland China, Japan, India, Mexico, South Korea, Pakistan, and Paraguay. World production of this kind of leaf remains relatively stable. The United States does not produce light sun-cured leaf.

Oriental leaf has small leaves, spaced far apart on the stalk. It is cured in the sun. Some may be air-cured. It is known for its aromatic qualities. Semioriental is cured by the same method as oriental, although the leaves are somewhat larger because of crossing with other varieties. Both oriental and semioriental varieties are used largely in cigarettes—sometimes alone and sometimes in a mixture of other light cigarette types.

World production of oriental and semioriental varieties was about twice as large in 1963 as in 1935–1939. The main producers include Turkey, Greece, Bulgaria, and the Soviet Union. Substantial amounts are grown in Yugoslavia, Italy, Syria, and Lebanon. Other producers of oriental leaf include Hungary, Poland, Cyprus, Iran, and Iraq.

Oriental tobacco, next to flue-cured in world trade, accounts for about one-fifth of the total. The United States alone imported about 130 million pounds annually for blending with domestic leaf for cigarettes in the early sixties.

Dark air-cured tobacco, including types used for cigars, is less important in world production than formerly. It is grown to some extent in practically every tobacco-producing country. It includes many different varieties that have a high content of nicotine. The uses of dark air-cured include every form of smoking. Cigar types of dark air-cured are quite important in international trade. Other types are used in dark cigarettes in South American

countries and in several countries in western Europe.

Major producers of dark air-cured leaf include the Soviet Union, with its substantial crop of Makhorka; Brazil, with the Bahia cigar types and native twist tobacco; France; Indonesia; the Philippines; Pakistan; the United States; Colombia; and China.

Dark sun-cured tobacco is cured completely in the sun and, like dark air-cured, is used to some extent in all forms of tobacco products. Most dark sun-cured leaf is grown in Asia, the Caribbean area, and (to a lesser extent) Africa. Major producing countries include India, mainland China, Burma, Pakistan, Thailand, and Cuba. A little dark sun-cured leaf is grown in the United States.

Fire-cured leaf is dark in color, rich in gum, and has a pronounced smoky odor. It is cured over open fires at a moderate temperature and is subjected to a maximum amount of smoke. Fire-cured leaf is used chiefly for the manufacture of snuff, specialty cigars, smoking tobacco, and dark cigarettes in a few countries.

Fire-cured tobacco used to be one of the major kinds of leaf, but its relative position in world production and trade has declined considerably. The United States remains the world's leading producer and exporter. Other significant producers are Malawi, Southern Rhodesia, Italy, and Poland. Less important are Argentina, Mozambique, Uganda, Tanganyika, Ceylon, and Pakistan.

THE WORLD HARVEST of tobacco in 1963, 9.2 billion pounds, was a record—6 percent above the 1962 crop and 18 percent larger than the annual average for 1950–1954.

Flue-cured production in 1963, at 3.2 billion pounds, was about the same as that for 1962. Smaller 1963 harvests of flue-cured tobacco in the United States and in Southern Rhodesia just about offset increases in Brazil, Italy, India, and Bulgaria. The United States crop of flue-cured in 1963, 1.4

billion pounds, was 3 percent smaller than the 1962 harvest because of a cut in acreage allotments. The crop of flue-cured in Malawi, Zambia, and Southern Rhodesia, 199 million pounds, was 16 percent below the record of 237 million produced in 1961, because of unfavorable weather. Canada harvested a crop of 188 million pounds—equal to 1962 production—despite a sharp cutback in acreage. India, another major flue-cured producer, harvested a crop a little above that of the previous year. The Japanese crop reached about 190 million pounds in 1962 and 1963. There were increases in Brazil, Italy, and Bulgaria.

World production of burley tobacco totaled a record 885 million pounds in 1963—5 percent above 1962, and 28 percent above the 1950–1954 average. Larger harvests were recorded in 1963 in practically all countries. Nearly all countries had record burley crops in 1963. Exceptions were Italy and West Germany. The United States crop of burley in 1963 was a record 710 million pounds.

World production of oriental tobacco also totaled a record of nearly 1.3 billion pounds in 1963. This was one-fifth larger than the 1962 harvest. If blue mold had not reduced the harvest in a number of Near and Middle Eastern countries, the final outturn might have been at least a third larger than in 1962. All oriental producing countries, except Bulgaria, Cyprus, Israel, and Syria, harvested larger crops in 1963. Significant increases were reported for Greece, Turkey, Yugoslavia, and the Soviet Union. Yugoslavia's harvest was a near record, and Greece achieved a record crop of 257 million pounds.

Crops of dark air-cured tobacco (including cigar leaf) totaled 1.9 billion pounds in 1963—up from 1.7 billion the previous year. Larger harvests of dark air-cured in Brazil, Paraguay, Colombia, and the Dominican Republic partially reflect anticipation of a larger market in the United States for cigar filler tobaccos.

ALTHOUGH THE GREATER portion of tobacco production of the world is consumed in the producing countries, a considerable amount, about one-fifth in recent years, enters international trade, either in the form of leaf or products to supplement deficient supplies in some countries or to provide total requirements in others.

International trade in tobacco products amounts to less than 10 percent of total free-world exports of leaf tobacco. Much is manufactured locally because of the protectionist policies of governments favoring their own manufacturers, growers, and laborers. Only the United States and the United Kingdom have relatively important exports of cigarettes and other tobacco products.

Free-world exports of leaf tobacco amounted to 1.7 billion pounds in 1963, compared with 1.1 billion in 1935–1939. That was an increase of 60 percent, in contrast to the 38-percent rise in world production of leaf tobacco. This development reflects the rapid rise in consumption in western Europe, which needed proportionately larger imports than could be acquired from domestic production to equate the rising leaf requirements of manufacturers.

The principal free-world exporters of flue-cured tobacco include the United States, the former Federation of Rhodesia and Nyasaland, India, and Canada. Other exporters include Italy, Brazil, Japan, Thailand, the Republic of South Africa, Pakistan, and mainland China. Bulgaria also ships some flue-cured tobaccos to the other Soviet-bloc countries.

The United States is the largest exporter of burley, but such countries as Greece, Mexico, Italy, and Japan have increased their export shipments. Practically all of the Maryland-type tobaccos entering foreign trade come from the United States, the Malagasy Republic, and Italy. Turkey, Greece, and Yugoslavia are the principal free-world exporters of oriental tobaccos.

Changes or shifts in consumer demand for the different kinds of products have an effect on trade. Many times, shifts in manufacturing, other than consumer demand, are mostly due to the fluctuations in domestic supplies or foreign availabilities, rising prices of leaf supplies, and changes in internal taxes.

Fixed retail prices, in conjunction with rising internal taxes, often hampers selective buying of quality grades when raw leaf prices are advancing, thus causing a modification in a present blend or the complete elimination of a brand from the market. Import trade restrictions in many nonmonopoly countries also affect the different kinds, types, and blends of tobacco products. These usually consist of high import duties, along with variable or preferential rates on leaf tobacco and internal variable excise rates, which tax products made of imported leaf at a higher rate than products made from domestic leaf.

The introduction of filter-tipped brands in the fifties has also brought about some changes in world cigarette leaf trade. Filter-tipped production permits the use of lower qualities or grades of cigarette leaf tobaccos, requires less leaf to manufacture a given number, and increases the number of cigarettes smoked daily by consumers. Also, the use of the filter and the various flavorings as new techniques in production has definitely facilitated the greater use of the medium and lower grades of cigarette tobaccos and fosters the possibility of even further substitution among different kinds or types of cigarette tobaccos.

The introduction of specialized machines, which utilize stems, midribs, small leaf particles, and such and transform them into homogenized sheet or microflake filler, has cut the costs of raw materials and increased the volume of finished products from a smaller amount of raw leaf.

Before the war, quality leaf was essential in the manufacture of specific types of cigarettes. Cigarette leaf was assessed and priced according to the special characteristics of quality—a suitable rate of burn, low nicotine content, desirable flavor and aroma, and chemical composition.

There is no world price or standardized grades for tobacco entering world trade. Each of the many types and varieties has its own grade designations, which are marketed at different prices, usually according to supply and demand. Also, the price varies for the same type and variety according to the area or district of growth.

The difference in climate and soil conditions in an area or district gives the special quality characteristics to the leaf. The export price may reflect the interplay of free market forces, modified in various ways or forms by efforts of governments to support growers' incomes, retain high foreign exchange earnings, and reduce unemployment in rural areas.

Trade barriers tend to limit imports and direct trade toward specific suppliers. The barriers take the form of high import duties, import licenses, foreign exchange regulations, bilateral agreements, mixing regulations, guaranteed purchase arrangements, and preferential duties.

TOBACCO is used in one form or another in all parts of the world. Smokers are numerous in every country.

Cigarette smoking is the most popular form of tobacco consumption, but there have been some marked changes in the preferred method of smoking in recent years. Only about one-third of the tobacco consumed in 1935 was in the form of cigarettes. It was estimated that more than three-fourths of world consumption of tobacco in 1963 was in the form of cigarettes.

The most important cigarette blends in the world are American, English, oriental, dark, and Maryland. Climate, income of consumers, and the availability of leaf influence the type of blend produced. Many countries influence the type of blends by monopoly control, tariff policy, price policy, and various trade restrictions.

The American-blend cigarette is the most popular in the world. As produced in the United States, it consists of about 55 percent flue-cured, 35 percent burley, 1 or 2 percent Maryland, and 8 or 9 percent oriental leaf. Casing, such as sugar and flavorings, help standardize the taste. Tobaccos used in this blend are normally aged 2 to 3 years before use. In most other countries the ratio of flue-cured to burley is usually higher than in the American blend.

The English blend, second in popularity, normally contains only flue-cured leaf, which is packaged fairly dry. A high-quality leaf with a good, bright color is used to produce it.

Dark blends in most countries are made primarily from dark domestic tobaccos. This blending varies widely from one region to another because of the wide differences in the dark types of tobacco available. Government policies in many countries are designed to encourage the consumption of domestic-grown dark tobaccos. Flavors and spices are sometimes added to dark blends. Important consuming countries for dark cigarettes are Spain, Cuba, France, Colombia, Indonesia, and Brazil, all of which produce dark types of tobacco.

Blends made solely from oriental leaf are smoked mostly in the Balkan countries and Middle East. Oriental tobaccos are used extensively in other parts of the world in American and modified oriental blends. Leading consumers of oriental blends are Greece, Turkey, Yugoslavia, Iraq, Iran, and Syria. Modified oriental blends, which use oriental tobacco as a filler, are popular in West Germany, Austria, and Italy.

The Maryland blend, made from a light, air-cured tobacco of the same name, comprises about one-half of the cigarette sales in Switzerland. Sizable amounts of this blend are sold in France.

About 10 percent of the world's tobacco is smoked in pipes. Pipe smokers in most countries have a wide choice in blends—some mild, some strong, and some heavily sauced.

Chewing tobacco is available as sauced leaf scrap, natural leaf twists, and heavily sauced plugs. Chewing tobaccos are usually heavy grades of leaf.

Snuff could be considered a variation of chewing. It consists of a dry, fine powder, which is used for dipping and tucking under the lower lip.

The principal producers of chewing tobaccos and snuff include the United States, Sweden, India, Algeria, South Africa, West Germany, France, Norway, Denmark, Italy, and the Dominican Republic. These products account for about 5 percent of the consumption of tobacco.

Cigars and cigarillos account for about 4 percent of world tobacco consumption. They are of many types, flavors, blends, shapes, and sizes. The principal producers include the United States, West Germany, the Netherlands, Denmark, Colombia, Indonesia, Belgium, Switzerland, India, Italy, Cuba, and Canada.

Other specialty tobacco products include water pipe tobacco, tombac, kerf, and hookah. They are produced primarily in the Middle East, southern Asia, and southeastern Asia.

World cigarette output increased from an average of 1,616 billion pieces during 1951–1955 to about 2,388 billion in 1962.

Americans older than 15 years smoked an average of 3,985 cigarettes in 1961. In some other countries: Canada, 2,960; Australia, 2,760; the Netherlands, 1,840; the United Kingdom, 2,835; Belgium, 1,655; India, 150.

In 1962 cigarette output in North America and Central America was about 630 billion pieces, representing about 26 percent of the total world output. The United States accounted for about 85 percent of the production in North America and Central America and 22 percent of world production.

Production of cigarettes in South America in 1962 totaled 127 billion pieces. The largest producers were Brazil, Argentina, and Colombia, whose output accounted for 83.5 percent of the total output for the area.

Cigarette production in Western Europe in 1962 was 460 billion pieces. The largest producers in Europe were the United Kingdom, Italy, West Germany, and France. The English-type cigarette predominates in the United Kingdom; however, in the rest of western Europe large quantities of the American blend, the modified oriental blend, and dark blends are produced.

Production of cigarettes in Africa in 1962 was 68.1 billion pieces. The United Arab Republic and South Africa were the major producers in this area.

Cigarette output in Asia in 1962 totaled 682 billion pieces. The major Asian producers were mainland China, Japan, Indonesia, and India. Most of the cigarettes were made from native leaf; however, American-type cigarettes were gaining in popularity. Production of cigarettes in Oceania totaled 22.7 billion pieces in 1962.

The production of filter-tipped cigarettes has been increasing. In 1955 they accounted for about 10 percent of the output; they accounted for about one-third of the world output in 1962.

Higher retail prices, the smaller quantity of leaf required, and publicity linking smoking to health problems caused a sizable shift to filter cigarettes.

HUGH C. KIGER *became Director of the Tobacco Division of the Foreign Agricultural Service in 1961. Previously he was Chief of the Foreign Marketing Branch of that Division. He joined the Department of Agriculture in 1949.*

FRANKLIN S. EVERTS *became Chief, Commodity Analysis Branch, Tobacco Division, Foreign Agricultural Service, in 1956. He joined the Department in 1942.*

EDWARD J. EISENACH, *a supervisory agricultural economist in the Tobacco Division of Foreign Agricultural Service, joined the Department in 1952.*

Forests and Forest Products

by ALBERT A. DOWNS

FORESTS once covered about half the land area of the earth. They were absent or rare only in ice-capped polar regions, barren mountains, deserts, and dry grasslands.

People over the centuries have cleared forests for farming and have overcut and overgrazed and burned forests, so that now about one-third of the earth's land surface is in forest or is classified as forest land.

A long period of extensive and indiscriminate clearing and abuse is nearing its end, and people are beginning to conserve the forests.

Many governments recognize the value of forests in furnishing timber for industry and the home, a refuge for wildlife, and recreation for people; in regulating streamflow; and in checking soil erosion.

Abuses by the uninformed, however, outweigh proper uses in some countries. In Iraq, for example, some public and private planting programs, preceded sometimes by expensive work to control erosion, have been offset by overgrazing, shifting cultivation, frequent fires, and destructive cutting by Kurdish tribes in remote mountain forests.

Of the total of 11 billion acres of forest lands that remain in the world, one-third is unlikely to be commercially valuable, at least in the near future, because adverse climate or soil conditions make the stands too open or too scrubby. Another third is commercially valuable and in use. The remaining third is potentially commercial but may not be in use or is inaccessible.

The forests are fairly well distributed regionally. Although Europe, except the European part of the Soviet Union, has less forest than other physically larger regions, it is 30 percent forested—better than Africa (25 percent) or Asia (19 percent). The two most densely populated areas, Asia (without Asiatic Soviet Union) and Europe, however, have a per capita forest area of only 0.8 acre, compared with 17 acres in South America and 13.6 acres in the Soviet Union.

Slightly more than half the world's forest area is deemed accessible by existing waterways, roads, railways, or other transportation. Nearly all forests in Europe are accessible and in use, but other regions have large tracts of inaccessible forest, particularly the Amazon Basin and the northern parts of the Soviet Union and North America north of Mexico.

The accessible forests not in use are not necessarily a ready reserve from which rising timber requirements will be met in the future. Generally, these forests are not in use because they grow on poorer sites, are less well stocked, or are stocked with less desirable species than those in use. Often they are noncommercial. Stands of scrubby alpine birch in Norway and the sparsely wooded savannas in Tanganyika and the Republic of the Sudan, for example, produce little but fuelwood.

Much of the inaccessible forest in the North Temperate Zone is also noncommercial, especially in places where climate limits growth, as in northern Canada and the Soviet Union, in high mountains, and in dry areas. Inaccessible areas in the Tropics are likely to contain good timber stands, as in the Amazon Basin, the Andes, middle Africa, and southeastern Asia.

Most forests—especially the inaccessible and the less desirable accessible forests—are publicly owned. More than three-fourths of the accessible forests are owned by the state or public entities.

Private ownership of accessible forests is most marked in Europe (55 percent), in South America (45 percent), and in North America (43 percent). Nearly all forests are publicly owned in the Communist countries. There is a tendency toward public ownership of forest land in less-developed regions.

CONIFERS OCCUPY a little more than one-third of the world's forest area; broadleaf species, slightly less than two-thirds. Conifers occur mostly north of the Tropic of Cancer.

On an area basis, 98 percent of the coniferous forests, composed mainly of pines, spruces, firs, and larches, is in the Northern Hemisphere. Conifers in the Southern Hemisphere, mainly araucarias, podocarps, and dammarpines or kauris, generally are mixed with broadleaf species and are not abundant. An exception is a fairly large area of an araucaria, known as Paraná pine in the trade, which occurs in fairly pure stands in southern Brazil and has been heavily exploited.

Plantings of the useful conifers have been made in the Southern Hemisphere. Conifers have been the mainstay of large-scale wood industries for generations, because they are adaptable for many purposes, notably construction, packaging, and pulp and paper. Oddly enough, the most widely planted conifer, Monterey pine, is an import from the United States, where it occurs in a restricted area along the coast of central California and is not utilized extensively. Monterey pine has been planted in New Zealand, Australia, Chile, and South Africa.

Despite the predominance of broadleaf species, somewhat more than half of the forest area in use is coniferous, nearly all in the Soviet Union, North America, and Europe. The use of broadleaf forests is geographically more evenly distributed, but more than two-fifths of the broadleaf area in use is the temperate broadleaf forests of North America, the Soviet Union, and Europe.

Vast tracts of tropical broadleaf forests in Latin America (including Mexico and Central America), Asia, and Africa are not in use, because of inaccessibility and the bewildering number of species.

Unlike temperate forests, tropical forests are generally a mixture of a great many species with a low volume per acre of any one species. In the mahogany-bearing part of the Amazon rain forest, the number of merchantable mahogany trees probably is less than one to the acre.

Indonesia has at least 4 thousand species of native trees that reach saw log size. Indonesian foresters estimate that about 400 will become commercially important because of useful wood properties or abundance. Only a few of these species are now known in foreign markets, and not many more are used domestically, because the properties and proper use of most of these timbers are unknown or because steady supplies cannot be guaranteed.

THE VOLUME of growing stock in forests in use is estimated at 5.5 trillion cubic feet—two-thirds coniferous and one-third broadleaf. Volumes of growing stock in North America, Europe, and the Soviet Union have been estimated at 4.1 trillion cubic feet.

The volume in all forests is probably twice that of forests in use. Because a large part of the forests not in use is in the Tropics, the proportion of volume in broadleaf species is large.

Gross annual growth is estimated at 1.8 percent of the growing stock, equal to about 100 billion cubic feet. The drain on forests in use (removals, waste in the forest, and losses from fire, insects, disease, shifting cultivation, and transportation, especially in rafting and in floating) has probably been less than the gross growth since 1955.

There appears to be no wood shortage for the world at present consumption rates, but the uneven distribution of forests, lack of conifers locally, current quality and species requirements, high transportation costs, and waste in the woods and at processing plants produce timber shortages in places.

The Soviet Union, Europe, and North America, with less than one-third of the world's population, have two-thirds of all forests, have nine-tenths of the coniferous area in use, and account for two-thirds of all removals. This roundwood volume includes more than four-fifths of the world's output of industrial wood.

Timber removed from the world's forests totaled about 62 billion cubic feet in 1960—37 percent saw and veneer logs; 15 percent pulpwood and pit props; 6 percent other industrial wood, such as poles, posts, and piling; and 42 percent fuel and charcoal wood.

Wood for fuel accounted for nearly three-fourths of removals in the less-developed regions—Africa, Latin America, and Asia-Pacific—but less than one-fourth in North America, Europe, and the Soviet Union. Although a little more than half of all removals is coniferous, three-fourths of the industrial wood is coniferous and four-fifths of the fuelwood is broadleaf.

Coniferous forests generally are utilized more completely and efficiently than broadleaf ones. Greater usable volumes per acre in coniferous forests—because of the prevalence of pure stands and the economic usability of small trees and logs—favor mechanization in logging and close utilization.

Rather low usable volumes per acre in broadleaf forests, particularly in the Tropics—because of the mixture of species of widely varying wood properties, utility, and marketability—favor low-investment animal logging and wasteful utilization. Logging in broadleaf stands in Latin America and Asia is primitive and expensive in many places, and only choice logs of desirable species may be brought out. Other logs are left to rot in the woods. Sometimes the best logs, such as butt logs, are also left, because they are too big to handle manually.

Major processed forest products are lumber, plywood, fiberboard, and particle board—panels made from scrap wood. The order cited corresponds to the order in which those industries developed in the course of time. It also corresponds to the present order of importance, as measured by roundwood consumed, value of output, or direct employment afforded.

The sawmilling industry employs two-thirds of the forest industries labor force, uses about two-thirds of the industrial roundwood, and furnishes nearly half of the gross output value of all forest industries. The pulp and paper industry employs one-fourth of the forest industries labor force and uses about one-fourth of the industrial roundwood, but it furnishes more than two-fifths of the gross output value.

Capital invested by the pulp and paper industry is three to four times that of the sawmilling industry. Plants tend to be larger and more mechanized, and they yield a much higher gross value per unit of raw material used. Compared with these two giants, the wood-based panel industries—plywood, fiberboard, and particle board—are comparatively minor.

World lumber output in 1960 was estimated at 140 billion board feet, four-fifths of it coniferous. Because the wood of conifers can be readily sawn and planed and is strong in relation to its weight, it is preferred for many purposes. The Soviet Union, Europe, and North America produced most of the coniferous lumber and two-thirds of the broadleaf lumber. Temperate broadleaf species, such as oak, maple, birch, and black walnut, are well known.

They are used mainly in furniture, flooring, and a great variety of other high-value wood products.

Tropical woods vary greatly in physical properties. Balsa, mainly from Ecuador, is lighter and softer than cork. Local species of ironwood are extremely heavy and so hard that they turn nails.

United States imports of lumber or logs of tropical broadleaf species consist mainly of specialty woods.

They include fine woods, whose ornamental grain and desirable physical properties make them suitable for furniture and cabinetwork. Among them are true mahogany from Latin America, African mahogany, and some Philippine dipterocarps.

We also import some others whose unusual properties make them outstanding for other uses. They include lignumvitae from Central America, one of the hardest and heaviest of woods. It has the unique property of being self-lubricating. It is especially good for bearings under water, and is widely used for bearing or bushing blocks lining the stern tubes of propeller shafts of ships. Lignumvitae wears better than metal and needs no lubrication in such uses.

Teak from southeastern Asia is one of the outstanding woods of the world. Its strength, durability, and dimensional stability under varying moisture conditions make it ideal for many uses, particularly in shipbuilding.

WORLD OUTPUT was 70 million short tons of pulp and 82 million tons of paper in 1960. North America and Europe accounted for more than four-fifths of the production.

Somewhat less than a third of the pulp was mechanical woodpulp, mainly for newsprint and fiberboards. Nearly two-thirds was chemical and semichemical woodpulp used chiefly in papers other than newsprint and for paperboard and synthetic materials, such as rayon, plastics, and films. About 6 percent of the pulp came from nonwood sources—straw, bamboo, bagasse, and grasses, such as esparto in Spain and northern Africa and sabai in India.

About 90 percent of the woodpulp is made from the long-fibered conifers, but the use of broadleaf pulp has been increasing, usually mixed with coniferous pulp.

Paper production was 19 percent

newsprint; 18 percent printing and writing paper; 30 percent other paper, including tissues, wrapping paper, cigarette paper, and wallpaper; and 33 percent paperboard, largely for corrugated containers, cardboard boxes, and food containers.

More than half of the world's plywood output (544 million cubic feet in 1960) is produced in North America, largely from the conifer Douglas-fir. It is destined for construction and general utility purposes.

Most of the plywood produced in the rest of the world is broadleaf and destined for furniture, cabinetwork, or paneling. Broadleaf plywood in Europe and the United States is faced with choice domestic species, such as black walnut and birch, or ornamental woods from tropical Latin America and Africa, such as mahogany and okoume.

Japan, a major producer and exporter of broadleaf plywood, operates largely on lauan veneer logs imported from the Philippines.

The plywood category includes other products, such as blockboard, battenboard, and cellular wood panels. Blockboard and battenboard consist of a thick core composed of blocks, laths, or battens glued together and surfaced with veneer. In cellular wood panels, the core consists of battens or laths spaced one from the other either parallel or in lattice form.

Fiberboard production in North America and Europe accounted for four-fifths of the world output (4.7 million short tons) in 1960. This was three-fifths hardboard (compressed) and two-fifths insulation board (noncompressed). North America makes more insulation board than hardboard, but the reverse is true for other regions.

Two million tons of particle board were produced in 1960, two-thirds in Europe. This board is a sheet material manufactured from small pieces of wood (chips, flakes, or shavings) agglomerated by an organic binder and heat and pressure. The major uses

of particle boards so far have been core stock for plywood, flooring, facing for concrete forms, and paneling.

NONWOOD FOREST products include a multitude of items collected for industrial and home use, medicine, and food. Some products are important only locally, but many enter international trade. The United States imported in 1962 crude or slightly processed nonwood forest products valued at more than 100 million dollars.

Bamboos are an essential of existence in parts of eastern Asia. Complete houses are built solely of bamboo and without nails. Other uses include fencing, weapons, furniture, clothes, paper pulp, bridges, road surfacing, baskets, mats, domestic utensils, containers, tool handles, farm implements, binding material, fishing equipment, fuel, and food. With some exceptions, especially Ecuador, bamboos have not been extensively utilized in the Western Hemisphere. Bamboos are giant perennial grasses. Some species grow more than 100 feet in height and up to a foot in diameter. Like other grasses, the culms, or stems, attain total height and diameter in one growing season.

Cork, the dead outer bark of the cork oak native to the Mediterranean region, was used extensively by the ancient Greeks. Cork is stripped from the trunks periodically. If the operation is carefully done with no injury to the live inner bark, the trees are not harmed and continue to produce.

Many gums, resins, and latexes are obtained by tapping or wounding the live inner bark or the live sapwood. Gums are commoner in trees of drier regions and are used in adhesives, paints, candies, and medicines, and in the printing and finishing of textiles and the sizing of paper. Gum arabic, gum tragacanth, and karaya gum are the most important and better known gums.

Resins include a host of substances, such as copals, dammars, lacquer, turpentines, balsams, and elemis, which have many uses, particularly in the paint and varnish industry. The turpentine industry in the southern pine region of the United States is the world's largest producer of turpentine and rosin. The flow of pine resin is often increased by spraying the chip or wound with sulfuric acid.

Guttapercha and chicle are best known among the many latexes tapped from wild trees. One of the important uses of guttapercha is in the construction of submarine cables, and no suitable substitute has been found. Guttapercha is a poor conductor of electricity. It is resistant to salt water and pliable and yet has the right amount of rigidity. Chicle is the basis of the chewing gum industry.

The production of some products, such as some tannins, drugs, and essential oils, involves destruction of the tree.

Tannin extracts are prepared from the whole bark of many species, especially wattles and mangroves, and from the wood of quebracho trees in Argentina and Paraguay. Tannin also comes from the fruits of myrobalan trees in southeastern Asia and dividivi and tara trees in tropical America and the acorn cups of the valonia oak of Asia Minor.

Quinine, valuable in the treatment of malaria, originally was extracted from the whole bark of cinchona trees, native to the Andes of northern South America. Most quinine now comes from large cinchona plantations in the Far East, particularly Java.

Curare, the arrow poison of some South American Indians, is extracted from the bark, roots, and woody stems of certain lianas. Various alkaloids found in curare are used in medicine. The demand for the fragrant sandalwood and sandalwood oil, an essential oil, has been so great that sandalwood has been nearly exterminated in many parts of the East.

Palms furnish fibers for brushes, cordage, hats and mats, and baskets; fatty oils expressed from the nuts; and important waxes scraped from the leaves. Carnauba wax, chiefly from northeastern Brazil, is valuable, because it is hard and has a high melting point.

Rattans, stems of climbing palms which may attain a length of 200 feet or more, are used for furniture, ship fenders, and canes and in plaiting or coarse weaving of many articles. Rattans occur in many tropical rain forests, but the most pliable and best quality whole and split rattan comes from southeastern Asia.

Some nuts, such as brazil nuts, pistachio nuts, and chestnuts, still come mainly from wild trees.

The preferred beverage of millions of South Americans is maté brewed from the leaves of Paraguay tea, a tree of the highlands of Paraguay and southern Brazil.

INTERNATIONAL TRADE in wood and wood products is large, mainly because forests in use are unevenly distributed in relation to population density and forest industries are concentrated in North America and Europe.

Densely populated Europe is a heavy net importer of roundwood, processed wood, and woodpulp, but a major exporter of paper and paper products. Although the Soviet Union and North America are net exporters of wood, their different degrees of industrialization is reflected in the kind of exports—the Soviet Union exports mainly lumber and roundwood and North America, which is a net importer of roundwood, exports woodpulp, paper, and processed wood.

The less-developed regions tend to be net exporters of roundwood and net importers of manufactured wood products, particularly paper.

Because of the need for a variety of products and because the flow of raw materials in (for processing) and out (after processing), the two highly industrialized areas, North America and Europe, account for about four-fifths of international trade in wood.

The United States in 1960 was the world's largest producer, importer, and consumer of industrial wood products on a value basis. As an exporter, it ranked behind Canada, Sweden, and Finland.

Per capita consumption of wood is highest in North America. The industrialized areas, North America, Europe, and the Soviet Union use much more industrial roundwood per person than fuelwood, but the reverse is true in the less-developed regions, Latin America, Africa, and Asia-Pacific.

The consumption of industrial wood products varies tremendously from country to country, depending chiefly on the degree of industrialization. In some less-developed countries, nearly all the wood used goes into fuelwood. Per capita consumption of industrial wood in the United States thus is more than 300 times that of Ethiopia, but fuelwood consumption in Ethiopia is 6 times that of the United States.

Some forest-rich countries like Finland, the Soviet Union, Sweden, and Norway use lumber as lavishly as the United States and Canada, but none comes close to North America in the use of plywood and paper. North American per capita consumption of paper is 3 times that of Europe, 12 times that of the Soviet Union, and 50 times that of Africa.

TRENDS in world production since 1955 indicate that outputs of all wood products except fuelwood will probably increase in the next decade.

The output of lumber has not kept pace with the rise in general industrial output or with the increase in population. As a result, per capita consumption has been decreasing.

The pulp, paper, fiberboard, and particle board industries, unlike the sawmilling industry, are able to operate on small-size timber and frequently on less valuable species. Furthermore, they are to an increasing extent utilizing wood residues from sawmills and veneer and plywood plants and even residues from forest operations. The percentage increase in outputs of these products has been double or more of that of lumber.

The particle board industry, able to operate on the cheapest raw material and almost unknown in 1950, has grown rapidly; output in 1960 was four times that of 1955.

The plywood industry has also grown rapidly. The output in 1960 was 2.5 times that of 1950. Although large, good logs are needed for at least the face veneer, plywood has several advantages over lumber. It does not split, warps little, and can be made in large, easily used panels.

Lumber is being displaced by wood-panel products as well as by masonry, metals, and plastics in construction, furniture, and other end products and by paperboard in packaging.

Although man, in the near future, will probably clear some land suitable for agriculture, such deforestation will tend to be balanced by the reforestation of denuded forest land near population centers to avoid the expense of opening up inaccessible areas and of the high transportation costs. Tropical forests contain huge supplies of wood, but increasing use of these areas will be slow because of problems of accessibility, utilization, and marketing. The increasing demand for wood products will probably quicken the current trend of better and more intensive management of forests now in use and greater utilization of what was formerly considered unavoidable waste in the woods and at the processing plants.

The man in the street (as well as governments) is becoming more conscious of the multiple uses of forests—wood, water, forage, recreation, wildlife, and protection from floods and soil erosion. As this understanding grows, forests, a renewable resource, will be more wisely managed for the benefit of all people.

ALBERT A. DOWNS, *a research forester in the Forest Service, became Chief of the Foreign Forestry Resources Branch in 1958. Before 1950 he did research in timber improvement, forest management, and tree genetics. He received his undergraduate training at The Pennsylvania State University. He died April 2, 1964.*

Fibers Are Universal

by HORACE G. PORTER

ALL PEOPLE, except maybe a few primitive tribesmen, use fibers. Nearly all countries produce one or more fibers.

Fibers and manufactured products containing fibers enter the international trade of practically all countries.

Thousands of plants and animals give us fibers. Most of them are unused.

Many are used on an essentially noncommercial basis and only in the neighborhoods where they grow. Only a few-score natural fibers are articles of commerce; they are as basic in our lives as food and shelter.

Most natural fibers—cotton, silk, wool, linen, sisal, and many more—have been in use for hundreds or thousands of years for clothing, coverings, cords, and countless other useful items.

Manmade fibers—rayon, nylon, Dacron, and so on—are new. Their commercial production was small until the twenties. Work to develop them in latter part of the 19th century apparently was aimed at producing commercially profitable substitutes for silk and chiefly involved ways of handling cellulose—the woody part of trees and other plants—in the form of continuous filaments. Some countries wanted to lessen their dependence on imported textile fibers; rayon staple fibers were developed and placed in large-scale production.

The results achieved with cellulosic fibers and the lure of financial reward believed awaiting anyone who could produce at a reasonable cost any fiber with desirable characteristics led many firms and individuals to join the laboratory searches for new fibers. Their successes have been phenomenal.

But the direct and indirect search for substitutes for natural fibers has gone much further than the development of manmade fibers.

We have seen how cotton cement bags first lost out to paper bags; the paper bags have now lost ground to bulk handling. On American farms, the shifting from the grain binder to the combine has reduced the use of binder twine in grain harvesting. In American homes, paper towels and napkins, plastic place mats, and automatic dishwashers have cut the use of cloth towels and napkins.

FIBERS perform so many services that we tend not to notice some of them.

We may forget that fibers are used in our paper money; cigarette papers; pillows, mattresses, and box springs; upholstered furniture and slipcovers; artists' paintings; window blinds and shades; carpets and carpet pads; electrical cords; umbrellas; shades and felt bases for lamps; hairnets; bandages; ironing board pads and covers; shoes; brushes; tea bags; twine, cord, and rope; bookbinding; door mats; flags and pennants; stuffed animals and other toys; fire, garden, radiator, and vacuum cleaner hoses; belts for automobiles and appliances; automobile interiors and tires; laundry bags; luggage; typewriter ribbons; projection screens; awnings; furniture; the backing of linoleum and wallpapers; tents, packs, and other camping equipment; boats and fishing equipment; and fine writing papers.

An upholstered chair is an illustration of the ways several fibers—each with its own characteristics—are combined to serve mankind. Such a chair may contain webbing of jute from Pakistan or India; twine made from Italian hemp to tie the springs; linen thread (to sew upholstery) that may be made of French flax that was retted and scutched in Belgium and spun in some other country; padding that may consist of some combination of Spanish moss, cotton linters, animal hair, sisal or flax tow, coconut or palm fibers, or foam rubber; and an upholstery fabric of cotton, linen, mohair, silk, manmade fibers, or some blend of fibers.

No attempt is made here to compete with recognized textile or general dictionaries concerning matters of definition or to compete with such works as *Matthew's Textile Fibers*, which devotes nearly 1,300 pages to the subject of textile fibers and on which this and the following chapters on fibers have drawn rather heavily.

It is adequate for our purpose to think of a fiber as the raw material out of which yarns, cords, ropes, cloth, felt, brushes, and the like are made. Generally speaking, they can be spun into yarns and knitted or woven, twisted into ropes, matted into padding, or cut and fashioned into brushes and whisks, although some (such as kapok) are too weak to be spun and are used largely as stuffing materials.

Fibers vary in physical and chemical characteristics and their uses. People therefore have classified fibers in various ways at one time or another.

One is to divide them on the basis of origin—whether they are natural or manmade; whether the natural fibers are of vegetable, animal, or mineral origin; and whether the manmade fibers are of a cellulose, silica, or a chemical origin.

Fibers customarily spun and woven into fabrics often are referred to as apparel fibers. Others, such as abaca or sisal, are known as cordage fibers or as industrial fibers.

Such a system of classification by use can accommodate some of the major fibers, but it is not all-inclusive, and it tends to imply an understatement of the versatility of many fibers.

The discussion of the families of fibers in the next chapters follows the classification by origin. Natural fibers are subdivided into those of vegetable and those of animal origin, and each is further broken down according to systems that are explained as the need arises.

THE FAMILIES of fibers of vegetable origin have a greater volume than the total of fibers of animal, manmade, and mineral origins.

Cotton and jute are the leaders, but many other vegetable fibers—each with its own characteristics—serve mankind.

Some vegetable fibers, such as cotton, kapok, and milkweed, are hair fibers that are produced in the seed pod of the plant. Others, like jute, flax, hemp, and ramie, are stem fibers; the fibers lie between the outer bark and the woody central cylinder of the stem. Generally the seed and stem fibers are in the group of soft fibers, as contrasted with the hard fibers, like sisal, henequen, and abaca, which generally are characterized as leaf fibers.

Asbestos, a mineral fiber, was formed under intense heat and pressure. Commercially important deposits exist throughout the world, but the largest volume is mined in Canada, Southern Rhodesia, the Republic of South Africa, and the Soviet Union. The main deposits in the United States are in Arizona and Vermont.

Of the six types of asbestos of commercial importance, one, chrysotile, is used in textile processing. About 65 percent of the world's supply of this type is mined in Quebec.

Asbestos will not burn; it remains stable under high heat. It is used to manufacture safety clothing and for industrial uses where heat resistance is essential. Asbestos fibers one-quarter to three-quarters inch long are used for spinning into yarns. Because the fibers are so short, pure asbestos yarns are weak unless asbestos is blended with cotton or manmade fibers.

HORACE G. PORTER *is Chief, Foreign Competition Branch, Cotton Division, Foreign Agricultural Service.*

Cotton, King

of Fibers

by VERNON L. HARNESS and
HORACE G. PORTER

THE ORIGIN of cotton is lost in the darkness of unrecorded time, but there is strong evidence that man's use of cotton—this king of fibers—was well developed at least 5 thousand years ago. Despite the deep inroads that competitive fibers and other materials have made in many of its traditional uses, cotton still serves more people in more ways than ever before.

Bits of cotton fabric and string dating from 3000 B.C. were found in 1929 in Pakistan. Even at that early date, the art of dyeing fabric was practiced. Today the manufacture of cotton cloth continues to dominate the utilization of cotton. Estimates are that the total number of uses to which cotton in its various forms has been put exceeds a thousand. The list grows constantly.

Cotton is man's servant universally because of its adaptability to many uses and its inexpensiveness and because it can be grown around the world and converted into useful items on highly standardized equipment.

The fiber can be woven into cloth one-fourth inch thick or so sheer and delicate as to have been referred to as "webs of woven wind."

A pound of cotton can be spun so coarse that it would extend not more than a few hundred yards, or so fine that it would reach from Washington to New York. Cotton cloth can be woven so tightly as to be waterproof. Chemical processes can make it resistant to flame, oil, rot, mildew, heat, and scorch. Modern cotton fabrics can be truly wash and wear. Cotton yarn and fabric can also be processed in such a manner as to retain considerable give or stretch.

COTTON is the name applied to the elongated epidermal cell of the seedcoat of certain species of the genus *Gossypium*.

Most countries produce cotton as an annual crop, and most commercial varieties are capable of producing a good crop in a single crop season. In places where the plant is not killed by frost, however, the cotton plant will live for some years and will develop into a small shrub. Some cotton produces on a satisfactory commercial scale as many as 3 years in Peru. Some cotton is replanted only every 7 years in northeastern Brazil.

Cotton is native to many regions of the world. There are a number of species of cotton. Some have 13 pairs of chromosomes, and others have 26 pairs. Only a few species, however, are of broad economic significance.

G. hirsutum, one of the tetraploid species with 26 pairs of chromosomes in the germ plasm, may have had its center of origin in southern Mexico and Central America. The cultivated varieties of American Upland cotton arose from this parental stock. Such Upland varieties now comprise about seven-eighths of the cotton produced in the world.

G. barbadense, another tetraploid species with 26 pairs of chromosomes, is believed to have originated in western South America. It is the parental stock of other cultivated varieties. This group includes the so-called Egyptian-type cottons of the United Arab Republic (Egypt), Republic of the Sudan, Peru, the United States, the Soviet Union, and a few other countries.

The third and fourth major groups of cultivated cottons, the so-called Asiatic types, are annual-type cottons that have as their parent stock the diploid species with 13 pairs of chromosomes, *G. arboreum* and *G. herbaceum*, which were native to ancient India. These Egyptian and Asiatic types account for the remaining one-eighth of the cotton produced in the world. The Egyptian types are considerably more important from a quantity standpoint than the Asiatic types.

Each of these broad types contains considerable dispersion with respect to staple length; the Egyptian type accounts for nearly all the extra-long staple cotton, or that having a staple length of 1.375 inches or longer. Most of the remaining Egyptian-type cotton is only a little shorter.

The Asiatic-type cottons tend to be the shortest. Much of it is shorter than three-fourths inch. Upland-type cottons account for the large volume of medium staples, although they partly overlap both the Egyptian-type and Asiatic-type cottons.

COTTON has been grown in the United States since early colonial times. Before 1793, when Eli Whitney invented the cotton gin, the lint had to be removed from the seed by hand, and the cotton was used largely at home.

Production was only 6 thousand bales the year before the gin was invented, 100 thousand bales in 1801, 5 million in 1878, 10 million in 1897, 15 million in 1911, and 19 million bales in 1937.

Exports first exceeded 100 thousand bales in 1806 and 1 million in 1837. They exceeded 5 million bales for the first time in 1890, and in 1911 and 1926 exceeded 11 million bales.

Consumption in the United States was about 100 thousand bales in 1820, 1 million bales in 1870, 5 million in 1908, and more than 11 million during the Second World War.

During the 5 crop years 1958–1962, the United States produced annually about 13.9 million bales, exported 5 million, and used 8.7 million bales. These quantities represent 30, 31, and 19 percent, respectively, of world total

levels—far in front of any other country.

The consumption of cotton in the United States has been holding up well in many end uses but has slipped badly in some. In fact, aggregate consumption of cotton for men's, women's, and children's clothing and for household items has been trending upward. Industrial usage has been declining.

The National Cotton Council of America has estimated that nearly 11 million American workers and their families depend on cotton for much of their livelihood. Another 11 million have livelihoods connected more remotely to cotton.

Cotton is grown on one-third of the farms in the Cotton Belt and accounts for more than one-third of cash receipts on those farms. Cotton brings in one-half to three-fourths of the cash farm receipts in some States.

World cotton production in 1963 climbed to 49.6 million bales—the equivalent of 24 trillion pounds. That is 3 percent larger than the record crop a year earlier and 5.9 million bales larger than the 1955–1959 average.

The area devoted to cotton in 1963 rose to about 80 million acres, and yields were at the exceptionally high average of about 296 pounds an acre. The high yields were attributable to generally favorable crop conditions in nearly all producing countries.

Production outside the United States seems likely to increase, for almost all producing countries have programs to maintain or increase output. Production incentives include direct encouragements (such as guaranteed prices, direct subsidies, and below-cost fertilizers and insecticides) and more indirect methods, like government-sponsored research and breeding services, free or low-cost development of irrigation, and marketing services.

All or most of the increase in production may occur outside the United States.

Government cotton programs in the United States have been designed to protect the income of producers at the same time that a major effort is being made by means of production controls to improve the world balance of supply and demand.

Indeed, the 1963 cotton crop in the United States of 15.5 million bales was actually below this country's production just a few decades ago. In 1926, for example, the record cotton crop was just short of 18 million bales.

In line with the efforts of the United States to restrict cotton production, acreage has been curtailed—14.2 million acres were harvested in 1963, compared with 44.6 million in 1926. A sharply rising trend in yields, however, has offset much of the drop in acreage.

For example, before 1940, average yields of lint seldom exceeded 200 pounds an acre; the average in 1963 was 524 pounds an acre.

COTTON is produced commercially in more than 75 countries. The crop is grown as far north as the 42d parallel in the Soviet Union (about as far north as Chicago) to as far south as the northern part of Argentina and southern Australia.

Cotton is grown in many different soils and under widely varying degrees of climate and technology, but all producing areas have a common characteristic—hot summers.

Twelve countries had cotton production in 1963–1964 that exceeded 640 thousand bales. They—the United States, the Soviet Union, mainland China, India, Mexico, Brazil, the United Arab Republic, Pakistan, Turkey, the Sudan, the Syrian Arab Republic, and Peru—accounted for 89 percent of total world production. The other producing countries together produced approximately 5.7 million bales.

Only the United States, the Soviet Union, and mainland China produce as much as 5.0 million bales of cotton per year. An indication of the competitive strength of the smaller producers is that their total production in 1963–1964 was more than double the corresponding level during 1950–1954,

while the total for the 12 larger producers increased only 19 percent.

IN SOME SECTIONS of the United States and in several other countries, the latest scientific achievements are applied to the cultivation of cotton.

The land is carefully broken with the latest equipment. High-quality seed of the best variety is planted. Weeds are controlled by preemergence chemical treatment, fire, oil, or other modern cultivation methods. Insects are suppressed. Irrigation is carried out where necessary and possible. When harvesttime arrives, mechanical equipment does the work of many men.

In some countries, however, techniques have advanced little in recent generations. Seed of poor quality may be dropped at random—sometimes intermixed with other crops—in soil scarcely scratched with a stick. The plant may be allowed to grow semiwild with little attempt to control weeds and insects. In some regions, a hoe with a short handle still is used. Finally, the small plot may be harvested by hand and carried to market in a bundle on the head. Most of the work in many places is done by women and children.

Wide variations exist in the sizes of cotton operations in many countries, including the United States, but not in others, such as Uganda, where most cottongrowers have only small patches, often less than an acre. Some farmers grow little else and thus rely on their cotton crop to produce all of their income with which they buy most of their food. Others give first attention to producing enough food for their needs and only devote extra land and effort to producing some cotton as a cash crop.

THE CULTURE of cotton in the United States normally follows such steps as the following.

The residue from the previous crop or the winter cover crop is plowed under, and the seedbed is leveled or ridged into rows. Fertilizer is frequently placed under the row.

A mechanical planter then opens a small furrow in the row, drops and covers the seed, and packs the earth. The amount of seed planted per acre is determined by many factors, including germination rate, seed type, soil, rainfall, type of planting pattern used, and later cultural practices. If the seed has not been planted at the proper rate, the young plants are thinned to the right number.

Much of the effort spent on the crop between planting and harvest goes into the control of grass and weeds.

One or more hoeings by hand may be necessary in connection with the use of mechanical cultivators, which loosen the soil and uproot weeds.

Other methods to control weeds make use of flame and chemicals. Several nozzles, two per row, mounted near the ground shoot out a continuous flame, which sears the young grass and weeds and leaves the tougher cotton plant undamaged.

Because flame cultivation cannot be used until the cotton is several inches high and able to withstand heat, however, the farmer must be prepared to use hand methods or other mechanical or chemical methods or all to combat grass and weeds.

One way is to apply a preemergence chemical in a band over the seedbed at the time of planting. The young cotton plant is not harmed by the chemical, but the germination of grass and weed seeds is delayed.

A postemergence chemical may be used; a band of chemical is sprayed on each side of the young cotton plant to kill grass and weeds. Care must be taken, for too much of this chemical will kill the cotton also.

Major insect enemies of cotton in the United States include the boll weevil, thrips, cotton leafworm, cotton bollworm, cotton fleahopper, lygus bug, cotton aphid, spider mite, and pink bollworm. The farmer's choice of insecticides depends on weather conditions, degree of infestation, and the method of application—whether by tractor equipment or by plane.

The cotton plant blossoms about 3 weeks after the square, or bud, appears. The blossom, which at first is creamy white or yellow, then pink, and finally red, falls after a few days and leaves the tiny ovary on the plant.

The ovary develops into a pod, known as a cotton boll. Fibers inside of the boll grow out from each seed and expand the boll until it is mature. The mature, unopened boll is about an inch in diameter and an inch and a half long.

Usually 45 to 65 days after blooming, the cotton boll bursts open like a clean, white powder puff. The fibers are called lint.

HARVEST may be by hand or mechanical equipment.

Hand methods generally are used in the eastern part of this country. Mechanical harvesting is used more in the central and western part.

In hand harvesting, the cotton may be picked from the bur, or the entire bur (the stalk part of the boll) may be pulled or snapped from the plant.

There are two types of mechanical harvesters. One picks the seed cotton. The other pulls the bur. The picker consists essentially of vertical drums equipped with revolving, barbed, or roughened wire spindles, to which the cotton adheres while it is pulled from the open boll. The stripper pulls the entire boll off the plant with rollers or mechanical fingers.

Since cotton is grown on both sides of the Equator in the Tropics as well as Temperate Zones, it is actually planted, and similarly harvested, over a large part of the year. Most cotton is produced in the Northern Hemisphere, however, and the peak harvesttime in the United States is also the main harvesttime for a substantial share of the world crop. World cotton statistics therefore are based on a marketing year starting August 1.

The harvested cotton is transported to a gin, where the lint is separated from the seed. A saw gin is used mainly for American Upland and

Asiatic cottons. Most extra-long staple cotton is ginned with a roller gin. Roller ginning is slower and more expensive than the saw gin but causes less damage to long fibers.

A typical saw gin has several stands, each of which has a series of circular saws mounted on a horizontal shaft. The saws reach between steel ribs, and as seed cotton is fed into the stand and comes within reach of the revolving saws, the lint is pulled from the seed and carried into a separate compartment, where the lint is removed from the saws by brushes or air suction. The lint is conveyed to the press, where it is baled. Most gins are equipped to remove excessive moisture, trash, burs, and foreign matter from the cotton.

The ginned lint is pressed into bales of about 500 pounds gross weight. The bales are covered with jute cloth held firmly in place by steel straps. Each bale is given an identifying number. The raw cotton is then ready for storage, shipment to domestic mills, or further compressing for export.

The identity of each bale is retained as it moves in trade. The owner who places a bale in a warehouse gets a receipt for the particular bale and not a receipt that is exchangeable for just any bale of the same weight and quality.

The practice in the United States is for the farmer to have his seed cotton ginned, and he, in turn, is the owner of the bale of cotton until such time as he disposes of it. Some foreign countries follow this practice, but in others it is customary for farmers to sell their cotton as seed cotton.

Cotton fibers vary greatly in physical characteristics. Because the individual fiber is the unit that determines spinning values—and there are 100 million or more fibers in each pound—a uniform method of describing the specific properties within each bale is necessary.

Factors like length, strength, fineness, and maturity are governed largely by the variety of the seed planted, weather, and farming practices. Characteristics such as color, leaf, and ginning preparation are affected largely by weather after the boll opens and by harvesting and ginning.

To measure its quality, a sample of fiber is taken from each bale after it is ginned. The sample is then classed according to grade and staple length, which materially affect the ultimate utility and market value of each bale.

COTTON TEXTILE manufacturing is divided generally into three operations—preparation; spinning, which results in yarn; and weaving, or knitting, which results in fabric.

Preparation consists of opening and blending cotton from several bales. Blending is important for there must be a maximum uniformity of fibers if a uniform quality product is to be obtained. Machines remove some impurities and foreign matter and form the lint into rolls, called laps, which are 40 to 45 inches wide.

The laps, which resemble huge rolls of absorbent cotton, are fed into carding machines, where the process of straightening or paralleling the fibers is begun. The fiber leaves the carding machines in a sliver, a round strand about the size of one's thumb. The sliver then passes through drawing equipment, where the straightening process is continued. The cotton is then formed into drawing slivers.

Either of two processes may follow—a breaker drawing or a finisher drawing. After drawing, the cotton passes through a roving frame. The fiber is slightly twisted and drawn into strands.

An alternative is to produce combed yarn, whereby slivers are carried through combing operations before roving. This removes more short fibers and impurities. Combed cotton generally is used in finer cotton textile products than the cotton that is only carded.

The roving strand finally is fed into a spinning frame, where it is drawn out and twisted into yarn of specific sizes and wound onto bobbins.

At this point, consideration must be given as to whether the yarn is to be used for lengthwise or crosswise yarns in a fabric. Lengthwise yarn, called warp, requires more twist than crosswise, or filling, or weft yarn, which undergoes less strain in weaving. Sometimes two or more yarns may be twisted together to form yarn of a given ply. For example, two yarns twisted together become two-ply.

Basic weaving principles have changed little through the years. It consists of simply interlacing the warp and filling yarns through each other at right angles.

Weaving is done on a loom, which has two or more harnesses for separating the warp yarns in such a way for the passage of the shuttle that the desired weaving pattern will result. These motions occur at high speeds. At a speed at which the shuttle makes 180 trips a minute, only 12 minutes are needed to weave a yard of fabric that requires 60 trips to make an inch.

After weaving and inspection, the cloth is ready to be bleached, dyed, printed, or otherwise finished before it is made up into one of the thousands of cotton products people use.

Cotton yarn is processed into several types of end products other than woven fabrics. Some yarn is used in knit goods, hosiery, underwear, sweaters, and so on. Softer yarns are used for this type of processing, by which the yarns are interlooped rather than interlaced. Knit goods generally have more stretch than woven goods.

Cotton yarn is also processed into thread by means of a high degree of twisting, which adds a great deal of strength. Further strength is imparted by plying the highly twisted yarns.

Cotton twine, sash cords, and such are made by still other processing techniques from the basic yarn made in the spinning stage. Some cotton is used in the unspun form for such products as surgical cotton.

WORLD TRADE in raw cotton may be expected to resume its long-term uptrend, after slipping to about 15.5 million bales in 1961 and 1962 from

the record of 17.7 million in 1959–1960.

Striking changes have been taking place in the sources of the world's supplies of cotton, however. Even though world consumption should rise considerably, the increase in world trade may not keep pace because of the likelihood that many producers of raw cotton will use more of their product at home.

The United States exports more cotton than any other country and accounts for about one-third of the world total. On the basis of their 1950–1954 average exports, the other nations among the top 10 exporters were the United Arab Republic, the Soviet Union, Mexico, Pakistan, Brazil, British East Africa, the Sudan, Peru, and Turkey. These countries accounted for 86 percent of total world exports of 12.5 million bales, but the total for the smaller exporters, although only 14 percent of the world total, was greater than any individual country other than the United States.

In 1961–1962, the world total of cotton moving in international trade was 15.5 million bales, or 25 percent above the 1950–1954 average level. The group of larger exporters expanded exports during this period by 16 percent, and the increase was distributed among 8 of the 10 countries. During the same period, the smaller countries expanded exports by 81 percent and raised their share of world trade from 14 percent in the earlier period to 20 percent in 1961–1962.

Exports from the cotton-producing countries are competing for markets among the changing group of net importing countries. The old traditional cotton textile producing and exporting countries are being pressed by a growing number of newly developing textile industries, especially in the Far East, the Middle East, southern Europe, and Africa. Some of these countries fill a large share of their raw cotton needs from domestic production.

Spain, once a large importer of raw cotton, has become self-sufficient in most qualities and has begun exporting small amounts of raw cotton. Spain has developed sizable exports of cotton textiles since 1950.

Japan continues as the world's largest importer of raw cotton—she often takes one-third of our cotton exports.

Other large, long-established buyers of raw cotton include France, West Germany, Italy, and the United Kingdom, where imports in 1963 were near the lowest level in this century. Hong Kong, Taiwan, and the Philippines have built up their textile industries rapidly and have stepped up imports of raw cotton.

The patterns in cotton textile trade also are shifting. No longer does the United Kingdom ship huge quantities of textiles to members of the Commonwealth and elsewhere. New exporters are arising.

As a natural sequence to the upsurge in textile production in foreign cotton-producing countries, exports of textiles represent an alluring chance to gain additional foreign exchange, provide employment, and, in some instances, a chance to save foreign exchange by using the homegrown product.

Prime examples of countries that export much domestically produced cotton in the form of textiles are the United Arab Republic, Pakistan, India, and Spain. They also export raw cotton.

The textile industries of Hong Kong, Korea, Taiwan, and the Philippines have expanded, even though they are largely or entirely dependent on imported raw materials.

The decade of the fifties was dynamic in various respects. This was true of the production of raw cotton and the export availabilities of various countries. It also was true of cotton textile manufacturing and in the sources and destinations of cotton textiles moving in international trade. Developments in these various areas have placed heavy burdens of adjustment upon the

raw cotton and cotton textile industries of many countries.

The Long-Term International Cotton Textile Arrangement was negotiated in 1962 by the major cotton textile exporting and importing countries.

The major objectives of the understanding, which was negotiated under the general auspices of the General Agreement on Tariffs and Trade, were to maintain an orderly access to markets where imports were not subject to restrictions at the time the international arrangement was negotiated, to obtain increased access to markets where restrictions did exist, and to secure from exporting countries, when and where necessary, restraint in their export of cotton textiles to avoid market disruption in import markets.

Competition is sharpening between cotton and manmade fibers. The world has consumed larger quantities of textile fibers in nearly every year during the past decade. However, though it is still by far the world's most important textile fiber, consumption of cotton has not kept pace with the rise in the use of all fibers.

Total consumption of apparel fibers will likely continue to expand in the world as levels of living and populations rise. Output of manmade fibers as well as cotton will expand, and keen competition for the consumer's favor will continue.

VERNON L. HARNESS *joined the Foreign Competition Branch, Cotton Division, Foreign Agricultural Service, in 1963. He has worked in the Commodity Analysis Branch of the Cotton Division and the Department of Agricultural Economics at Auburn University.*

HORACE G. PORTER *became Chief, Foreign Competition Branch, Cotton Division, Foreign Agricultural Service, in 1957. Previously he worked on cotton and other fibers with the European Headquarters of the Marshall plan in Paris and with the Bureau of Agricultural Economics of the Department of Agriculture.*

Bast, the Textile Fibers

by CECILLE M. PROTZMAN

BAST, OR STEM, fibers are soft, pliable, and fine. Some of them are known to have been used in Europe and Egypt 5 thousand years ago.

The principal bast fibers, known as textile fibers, are in two general groups. Some, such as flax, ramie, and hemp, mainly are spun into yarn and woven into fabrics for clothing, household, and special industrial uses. The other group—jute, kenaf, sunn—mostly is woven into coarser fabrics for bagging and protective coverings.

Most bast fibers, however, are also used in threads, twines, and cordage, and each has important uses other than the principal ones. Each is used often with various other fibers or substituted for them.

Most bast fibers are in dicotyledonous plants that grow from seed and thrive in climates ranging from temperate to tropical.

The fiber lies between the outer bark and the woody central cylinder and gives the stem strength and flexibility. It is usually obtained by pulling the plants from the ground or cutting them near the base.

Some process of natural retting (or rotting) or chemical process is used to weaken the gums and connective substance that hold the parts of the plant stem together. This usually precedes but sometimes follows actual separation of the fiber. The fiber is separated, scraped, washed, straightened, and dried. It is then baled for marketing.

JUTE (*Corchorus capsularis* and *C. olitorius*), of the Tiliaceae family of plants, is a soft, lustrous, textile fiber, ranging from grayish white to almost red and obtained from the stems of cultivated plants.

It is an ancient fiber, but it entered the commercial world later than most of the other most commonly used vegetable fibers. Jute fiber now is the most widely used of the long vegetable fibers and is second only to cotton among all the natural plant fibers.

The jute plant may have originated in the Mediterranean area, but early records of the Bengal area of India-Pakistan mention it as a well-established plant there as early as 800 B.C. India and Pakistan produce the bulk of the current world supply.

An English firm made the first yarn spun by machine in 1820. Firms in Dundee, Scotland, began experiments with jute on their established flax machinery in 1832. Whale oil was introduced soon afterward as a softening agent for the fiber. These developments started the industry on a long period of prosperity. The use of jute increased when new processes were discovered for bleaching and waterproofing it and mixing it with any of many other fibers for special purposes.

By 1855 jute had replaced flax on most of the spindles in Dundee, which became the world center for the import and manufacture of jute.

Calcutta, India, erected its first jute mill and introduced power looms in the 1850's. The Indian industry soon replaced Dundee as the jute manufacturing center. Thus India, almost the only producer of jute fiber, became an exporter mainly of manufactured goods rather than of the raw fiber.

World production of jute reached a peak of 5,545 million pounds in 1961 and was 4,855 million pounds in 1963. The peak was 27 percent more than the average annual crop in the preceding 5 years and 61 percent more than the average in 1935–1939. Demand for jute continues to increase, even though competition has been strong from other fibers, materials, and methods of handling products.

Pakistan and India accounted for 96 percent of the world crop in 1963, when Pakistan produced 2,400 million pounds of jute and India produced 2,240 million pounds. Brazil ranked third, with 106 million pounds.

The leading jute-growing area was in the eastern part of India, especially in the hot, humid, valley lands of the Bramaputra and Ganges River Basins. The jute mills have been centered in Calcutta, a port city.

When Pakistan and India were separated in 1947, at least two-thirds of the jute-growing area was in Pakistan, and all the mills were in India. Trade was negotiated between the two countries, and a new trend began in the industry. India encouraged an increase in production of raw fiber to supply its mills and thus save foreign exchange on imports. Pakistan built mills to manufacture its raw jute and reap the benefit of increased value of its exports.

Indian production of raw jute increased 113 percent from the 1947–1951 average to the 1961 level of production. Production in Pakistan increased 25 percent during the same period, but Pakistan sales of manufactured jute goods, which began in 1951, grew to a value of 21 million dollars a year by 1960.

Brazil began growing jute in commercial quantities in the Amazon Valley in 1937 and ranked third in 1963.

The fiber is 6 to 10 feet long, smooth, and pliable. It takes dyes readily. It is adaptable to machine manufacture. Bags and coverings of jute cloth are strong and resist tear in shipping. Wherever bulky, strong fabrics and twines are required, jute is almost universally accepted because of its relatively low unit price, although it is not so strong as flax or many other soft fibers. It deteriorates rapidly, especially when exposed to moisture.

Jute is used mainly for items that support or protect other goods—burlaps, sacking, bagging, other protective coverings, backings, support webbings, twines, and felts.

A growing use is in backing cloth for carpets, linoleum, and oilcloth and alone or mixed with other fibers in the manufacture of carpets, rugs, matting, tapestries, curtains, upholstery, and novelty fabrics for dresses, coats, and trimmings.

The oldest use of all, cordage, still exists in twines, small cordage, binding thread for carpets, rugs, certain types of shoes, and core material for various cables. The coarse butt ends of the fibers are manufactured into cheap sacking, cotton bale covering, and pulp for paper.

Jute plants are herbaceous. Their slender stems grow 5 to 15 feet tall. Branches at the top bear bright, green leaves, small yellow flowers, and distinctive seed pods. They grow best in a hot, moist climate.

Several varieties are grown to some extent in many countries, but the rich alluvial soils of the river deltas and other conditions in northeastern India and East Pakistan lend themselves best to extensive production. The low cost of labor in that area allows the crop to be processed and marketed at a price that discourages competition from fiber of other countries.

Jute is a small-farm crop centered in rice-growing areas. The two crops compete for land in proportion to the ratio of their prices. Jute occupies only 5 percent of the total cropland in East Pakistan but is the most valuable cash crop. A total of 94 percent of the jute in East Pakistan is on farms of 1 to 25 acres; 44 percent of all the farms raise some jute along with other crops.

About 2 million acres of jute are grown in each of the two main producing countries, India and Pakistan. About 85 thousand acres are grown in Brazil.

Cultivation methods are rather primitive in most Far Eastern countries. Most of the work is done by hand.

The fields are plowed and harrowed, often with crude, oxen-drawn implements, and the clods are broken up with mallets. Seeds usually are broadcast, although sowing in rows has become accepted as a better method. The crop is thinned and weeded several times by hand.

The grower sells his small lot of jute to the local collector, who is usually a moneylender as well as middleman for the crop. He grades it and collects it into large bundles of about 80 pounds and sells it to the next middleman. After further grading and sales, it is finally baled into loose kutcha bales of about 300 pounds each, for domestic consumption, or in pressed pucca bales of 400 pounds each, principally for export.

India, with more than half of the jute looms of the world, consumes its own large crop of fiber and is the largest manufacturer and exporter of jute goods. Jute manufactures are the country's largest earner of foreign exchange and represent 22 percent of the total of all exports.

The value of exports of jute manufactures was 319 million dollars in 1962–1963. Pakistan exports the major part of its jute as fiber. Brazil manufactures practically all of its jute for domestic use.

The Indian jute industry has been organized and controlled to a large extent for many years, but the growers and laborers had little organizational activity until recent years. Mills belonging to the Indian Jute Mills Association have 94 percent of the looms of India.

India had a virtual monopoly on jute for many years, and through the association had considerable influence in stabilizing prices of jute by sealing a designated percentage of looms on the basis of changes in the relationship of supply and demand for jute goods. Since the separation of India and Pakistan, however, the mill organization has lost some of its effectiveness on world prices. The association, alone and in cooperation with government agencies, engages in quota buying, controlling mill stock by designating how many months' supplies must be bought ahead, and fixing prices.

The Indian Central Jute Committee and Jute Buffer Stock Agency work in cooperation with the Indian Jute Mills Association. The Jute Buffer Stock Agency buys surplus stocks at a set price when supply exceeds demand and prices fall below a set level. The East India Jute and Hessian Exchange has power to regulate futures markets.

Modernization of Indian mills became necessary to compete with the new mills of Pakistan and the modern mills of Europe. Modernization, begun in 1955, has meant the replacement of many old spindles and looms. Indian manufactures of jute goods reached 1,074,000 tons, or 51 percent of the world total of 2,107,000 tons in 1959–1960. Consumption of raw jute by domestic mills that year was 1,243,000 tons, or 45 percent of the estimated world consumption.

Pakistan supplies almost all the jute used in mill consumption of nonproducing countries, and its exports have been increasing. Jute has accounted for more than half of the country's foreign exchange in some years.

The Government of East Bengal controlled jute acreage as a means of stabilizing prices during 1940–1960, and since then has advised farmers as to the advisable acreage to plant.

Most phases of jute cultivation and marketing in Pakistan are controlled somewhat by government ordinances and the Pakistan Central Jute Committee. The Pakistan Industrial Development Corporation has been instrumental in setting up new mills in Pakistan and, through special trade agreements, in some neighboring countries to use raw jute from Pakistan. In the first 10 years of industrialization, Pakistan acquired 14 mills with more than 8 thousand looms, and its consumption increased to 800 million pounds of raw jute fiber. The Second 5-Year Plan had a target of 12 thousand looms by 1965.

Exports of jute and manufactures from East Pakistan and India reach all major countries of the world either for domestic use or as containers or wrappings for imported commodities.

Pakistan, the principal exporter of jute fiber, shipped 65 percent of its 1,734 million pounds of jute exports in 1962 to European countries, with 320 million pounds going to the United Kingdom, 203 million to Belgium, 146 million to France, 112 million to West Germany, and quantities of 85 million or less to each of the other European countries.

Only 101 million pounds were shipped to the United States, but small amounts went also to many of the other countries of the Americas, Asia, Africa, and Oceania. However, most countries with large agricultural trade, or with an industrial economy, import large quantities of manufactured jute goods.

The United States imports most of its jute needs in the form of manufactured or semimanufactured goods.

The popularity of jute in most countries rests largely on its relative initial cheapness. When it is priced on a level with other industrial fibers, it loses its market to the stronger or more readily available fiber, to paper, or to the other methods of handling products, and the consumer often does not return to using jute.

Jute has had strong competition from cotton or paper in bags for such commodities as fertilizers, cement, and flour and in tying twines; from plastics and other manmade materials in bags for vegetables, and in tarpaulins or covers for such items as machinery, loads of commodities, and commodities in bulk. The bulk handling of many commodities, such as the grains, agricultural lime, commercial fertilizers, mineral ores, and coal, has made large inroads in that part of the market for jute.

KENAF (*Hibiscus cannabinus*) and roselle (*H. sabdariffa*, var. *altissima*), similar jutelike bast fibers, are known also as mesta, Deccan hemp, Ambari hemp, Bimlipatam jute, and Bombay hemp.

Together they are the chief competitor of jute and are adaptable to a wider variety of growing conditions, but they rarely compete with the best grades of jute because they are somewhat coarser.

Kenaf and roselle, or mesta, are grown extensively in India, where they are used along with jute in the hessian and bagging mills, and to varying extents in many other Asian, African, and American countries of the warm zone.

There are two kinds of roselle plants—one is grown for fiber and one for fruit.

World production of kenaf and roselle is hard to estimate because many countries do not report the amounts they produce. Production in India was reported at 640 million pounds in 1963. In Thailand it was 551 million pounds. It probably reached 535 to 540 million pounds by 1959 in mainland China.

Producing countries use nearly all their crop of fiber in domestic manufacture of bags, burlaps, and other coarse fabrics for protective coverings. The use of kenaf and roselle has been increasing, and many countries have experimented with the fiber, especially in years when the jute prices were exceptionally high.

FLAX (*Linum usitatissimum*) is the first and most valuable of the long vegetable fibers to be spun and woven into cloth.

It is the long, soft, fine, and lustrous textile fiber that some believe was woven into the fine linens of the Pharaohs of Egypt 4 thousand years ago. Old Biblical records refer to it as a symbol of purity.

Some gossamer linens discovered in ancient tombs are far finer than any linen available in the modern world. Linen was used by the prehistoric Lake Dwellers of Switzerland.

The Egyptian art of weaving flax yarn into linen spread slowly to India, where many of the castes wore linen before they began to wear cotton. It was carried to various parts of Europe, Turkey, and the Western Hemisphere. It came to the United States with the early colonists.

Flax was one of the two leading vegetable fibers during the Middle Ages. Hemp was the other. The spinning of flax and the weaving of linen have long been associated with feminine graces of noble women and humbler women, much of whose time was spent at the task in order to supply household fabrics and clothing for their families.

The widespread use of linen for household fabrics for so long gave us our misleading names of "bed linens" and "table linens" for articles made of cotton, ramie, rayon, and other manmade fibers, and even silk, but rarely of linen anymore, except in some flax-producing countries.

Flax lost its priority among textile fibers to cotton after invention of the cotton gin. Jute further displaced flax by being economical in coarse wrapping materials. Manmade fibers now compete seriously in materials for clothing and trimmings.

Flax, because of its length, strength, and beauty, has many uses. It is made into cloth—the finest and sheerest of handkerchief linen, ducks and drills, material for suits and dresses, bedding, napery, curtains, upholstery, drapery, cushion covers, wall coverings, hand towels, and decorative articles.

Flax threads are strong and are used for sewing threads, button threads, fish and seine lines, shoe threads, harness and sacking twines, and upholstery twines. Other uses are in parachute harness webbing, uppers for women's shoes, paddings, and linings.

Large acreages are now grown for seed, and seed-flax straw is used in fine paper, such as cigarette paper.

World production of flax fiber, other than the Chinese output, was estimated at 1,357 million pounds in 1962.

Flax will grow in many temperate regions, but the Soviet Union, the largest producer, is averaging 907 million pounds a year. Poland, Belgium, France, and the Netherlands, with 56 to 103 million pounds each, have been important producers for many years.

Belgium has been noted for a thousand years for the high quality of its retted fiber because of the peculiarly favorable characteristics of the water of the River Lys, which is used for retting the flax straw.

Canada produced flax fiber from 1940 to about 1955 and shipped much upholstery tow to the United States, Australia, and New Zealand. The northwestern United States and other countries produced fiber during the Second World War but later abandoned it as unprofitable in peacetime.

The flax plant for fiber is tall, slender, and branched at the top. Some varieties of flax are grown especially for fiber, some especially for seed, and some for either seed or fiber. Close planting is best for fiber production, because it discourages branching and causes the stem to grow longer and smoother and thus produce a longer fiber.

The flax fiber is obtained from the stem in somewhat the same manner as jute but with some important differences. Often stalks are pulled by hand, even though pulling machines began to be used about 1940. After rippling to remove the seeds, flax retting may be by any of several methods; namely, tank retting (usually with controlled temperature of the water), stream retting in sluggish running water, or dew retting on the grass. The first method is the commonest. All the processes require experience, skill, and judgment.

The flax straw must be dried after retting, and the fiber is separated by machines. The stalks may be dried in drying rooms or by air drying on the grass, either spread or sitting up in loose shocks until dry.

The dry stalks are put through breaking and scutching machines first to break and crush the woody parts of the stems that have been loosened by dissolving of the connecting gummy substance during retting, and then to scutch or scrape away these nonfiber parts called shives. Combing (or hackling) is necessary on the long (line) fiber before it can be spun into yarn.

The short fibers that are broken in the scutching process are kept separate and are known as scutching tow. Hackling or machine tow, sometimes called flax noils, is short fiber resulting from further combing and manufacturing processes and is cleaner and finer than scutching tow.

Tows are used in coarse fabrics, rope, and sometimes for upholstery stuffing. The long fiber is known as scutched flax, or line, and is sorted according to length and bundled and baled for shipment. Sometimes flax is scutched without retting, and the dried green fiber is made into straps or coarse cloth. It is coarser and stiffer than the retted fiber.

The Netherlands and France export much flax straw to Belgium for its specialized retting and import some of the scutched fiber in return, but France has been encouraging domestic processing of the straw.

Northern Ireland and the Irish Republic once had 260 thousand acres in flax but had only about 200 acres each in 1961. The famous Irish linens are now manufactured almost entirely from imported flax—much of it from Belgium. The United Kingdom, however, imports some flax fiber from the Netherlands, France, and the Soviet Union.

All the large producers of fiber flax export both fiber and tow in some form, and most of them manufacture flax goods, also for export. Both fiber and goods are imported by many countries.

The use of flax has declined because of the increase in production of cheaper natural fibers, especially cotton, and the manufacture of manmade fibers. The advance in fiber finishes to make cotton wrinkle resistant or waterproof and to change the characteristics of various fibers has furnished cheaper fabrics with many of the characteristics of linen. The trend among countries toward self-sufficiency in domestic fibers also has reduced the demand.

HEMP (*Cannabis sativa*) is nearly as old as flax and is nearer like flax than any of the other vegetable fibers. It is native to central Asia, and has been cultivated for thousands of years.

A Chinese emperor of the 28th century B.C. taught his people to cultivate for fiber a plant of two forms called ma. China still produces ma, its name for hemp.

This bast fiber is 40 to 80 inches long, lustrous, and pliable. It is stronger than flax but less fine. It may be creamy white or gray and sometimes brown. It suffers less damage from heat, moisture, and friction than any other soft fiber, except flax. Although it resembles flax, it is more adapted to cordage, and flax is better for clothing and fine linens.

Hemp was the first important cordage fiber. The name "hemp" is sometimes erroneously and confusingly applied to other fibers that are used for cordage. Consequently, we find the name applied to various agaves, sansevierias, Fourcroyas, yuccas, Sidas, and others, but never to flax, the fiber it most nearly resembles.

If a prefixed name is not used, such as in "sisal hemp," "New Zealand hemp," or "bowstring hemp," and only the term "hemp" is used, statistics can become hopelessly confused. Even with the qualifying name, such as in "Swedish hemp" or in "Cuban hemp," there can be considerable misunderstanding, because many fibers that carry the false name of "hemp" are hard fibers and are quite different from the soft true hemp.

Hemp grows throughout the Temperate Zones wherever the climate is warm and rainfall moderate. Unlike many other fibers, it has names in nearly every language. It is known as canamo in Spanish, canhamo in Portuguese, chanvre in French, canapa in Italian, hanf in German, hennup in Dutch, and kenevir in Turkish.

Hemp is still mainly a cordage fiber, but its specific uses have changed with changing conditions. It was once about the only cordage fiber of the civilized world and was the chief fiber for marine cordage until abaca came into use in the 19th century.

Sisal also began soon afterward to take over the duties of hemp in larger ropes, fishing lines, yacht cordage, marlines, rigging, and carpets. Other soft fibers came into use for homespuns and the so-called "linen" crash, which was formerly made of hemp rather than linen. The modern "hemp" ropes are almost never made of hemp or even a soft fiber, but of abaca, sisal, henequen, or possibly some other hard fiber.

Present uses of hemp are in small, usually tarred, ropes up to 1 inch in diameter, nets, canvas, warp of carpeting material, a substitute for flax in some yarn sizes, cores for wire cables, and many kinds of twines for tying, seines, sacking, mattresses, upholstery, hats, alpargata (sandal) soles, bookbinding, and lashings.

The tow, or short fibers, goes into oakum, packing for pumps and calking for boats. It has competition in these uses from tow of hard fibers such as sisal and coir and from other soft fibers such as sunn. Short fibers are also spun into yarns, and machine waste is used as stuffing for upholstered goods.

The hemp plant also yields an oilseed. Various parts of the plant yield narcotic drugs, the major one being marihuana, derived from the flower.

The cordage industry was one of the first and largest industries in the colonial United States because of the large use of ropes in sailing vessels. A cordage factory was set up in Boston in 1642 with hemp as the raw material. Cordage factories are still an important industry in New England. Much of the work was hand done until the first quarter of the 19th

century, when machines were invented for practically every process of combing and twisting the fiber into yarn, laying the strands, and winding the finished rope on large spools.

Abaca and other fibers have now largely replaced hemp in this country, however, and the crop is no longer grown for fiber in the United States.

Hemp was native to central Asia and has long been cultivated in Persia (now Iran), China, and India for both the fiber and a drug, and in many other warm countries principally for the fiber. Many countries prohibit or severely restrict cultivation of the plant because of the strong narcotic substances.

The Soviet Union, which ranks first in production, manufacture, and consumption, produces about 250 million pounds of scutched hemp fiber out of a world total of about 625 million pounds, and consumes most of it domestically. Yugoslavia, Turkey, and Italy also produce large quantities. Italian hemp is considered to be best in quality.

The chief exporting countries are Yugoslavia, with an average of 90 million pounds, the Soviet Union, and Italy. West Germany and the United Kingdom are the chief importing countries.

The hemp plant grows 6 to 8 feet tall. It is dioecious—male and female flowers are on separate plants. It, like flax, can be grown for either seed or fiber. It is planted in early spring.

Harvest for fiber comes in most countries about 4 months after planting, or when the staminate flowers begin to open and shed pollen.

Cutting is done by hand in some places, but reapers, or hemp harvesters, have become common.

The straw must be processed. The fiber is used without hackling or combing for coarse yarns, but mills hackle some of it to obtain finer, better, and more expensive yarns. These specially separated yarns are as fine as the coarser grades of flax and can be mixed with other fibers in fabrics for clothing.

The processed long, or line, fiber comprises about two-thirds of the total output. The rest is short-fibered tow.

SUNN or San "hemp" (*Crotalaria juncea*), also called San Pat, Indian hemp, Madras hemp, or Bombay hemp, is a soft fiber that grows abundantly in India and parts of Ceylon.

It has been used in southeastern Asia since prehistoric times as a cordage fiber and is used in the United Kingdom especially for paper but also in mixture with other fibers for ropes, cables, twines, and nets.

The chief use in the United States since 1940 has been in the manufacture of cigarette papers and other tissue papers, because of the high cellulose and low ash content.

Sunn can substitute for jute or true hemp. It is also made into carpets and fishing nets. Sunn makes cattle fodder.

Indian cultivation of sunn in 1962 included 482 thousand acres for fiber, 169 thousand acres for green manure, and 135 thousand acres for fodder—altogether, a total of 786 thousand acres. Fiber production was 172 million pounds.

Production fell in the second quarter of this century because of a big drop in exports to the United Kingdom, where other fibers were replacing sunn in cordage manufacture.

Sunn requires moderate rainfall and a light and moderately deep soil. Cultivation, harvesting, and processing methods for sunn are the same as for jute. The processed fiber is soft, ranging in color from gray to brown.

India is the chief exporter as well as producer of sunn fiber. Exports in 1962 amounted to 18 million pounds, worth 1.7 million dollars. Of this quantity, 46 percent was to the United Kingdom and 39 percent to other European countries. The remaining 15 percent went to the United States, Canada, Japan, and other countries.

RAMIE, Rhea, or China grass (*Boehmeria nivea*), of the Urticaceae or nettle family, yields a lustrous, white, silky, textile fiber. It has been known since ancient times.

The white ramie was first recognized in fabrics exported from China to England as China grass cloth. This species is also common in Taiwan and India. The green ramie (*B. nivea*, var. *tenacissima*), often called rhea, is a more tropical and less hardy plant that grows mostly in Malaya, Africa, Mexico, and the East Indies. The white ramie fiber is finer but not so bright as the rhea.

The distinguishing names by color stem from the different colors of the undersides of leaves of the two species, but the fibers are similar.

Because the degummed ramie fiber has favorable characteristics, many attempts have been made to process it economically by machine.

Ramie is soft, lustrous, silky, nearly as fine as flax, and stronger than other natural textile fibers. It has excellent bleaching qualities and elasticity. It is resistant to rot in dampness and water. It can be processed to resemble wool or cotton.

The fibers are difficult to separate from the stem and from each other, however, and they are not obtained by water retting, like jute, flax, or hemp. Final degumming of the decorticated ribbons is usually a chemical process.

Ramie fiber is manufactured mostly into fabrics in mixture with cotton, wool, silk, manmade fiber, or other fiber and into napery and specialties.

Its possibilities are many. In China, where it is prepared almost entirely by hand as a home industry, it is made into grass cloth and other fabrics and yarns for clothing, mosquito nets, and fish nets. The Japanese make it into seine twines, mosquito nets, shirting, suiting, and manmade fibers, such as rayon. The uses in Germany range from shoe threads to tapestries, trimmings, and various woven fabrics.

Gas mantles once required large quantities of ramie. Ramie has also been used in banknote paper, cigarette paper, fish lines, and nets.

The ramie plant, native to the

Orient, grows well in any hot, moist climate whose soil is rich, damp, and well drained. Commercial production is in China, the East Indies, Japan, Taiwan, India, and the Philippines. Small-scale or experimental production has spread to many countries.

The plant differs from most bast fiber plants in that it is a perennial and lasts 6 or 7 years. New stalks grow up as old ones are cut. A mature plant is 3 to 6 feet tall and has numerous straight stalks bearing heart-shaped leaves. Propagation is usually by root-stocks.

Establishment of a good stand requires about 2 years. Stalks are cut several times during the first 2 years to induce more branches. Then harvest for fiber begins. Cuttings several times a year can continue during the life of the plant. Harvest continues in China from late May until frost each year.

Ramie plants are subject to a variety of hazards, including early or late frost, high winds, excess moisture or drought, lack of fertilizer or cultivation, root rot, insects, and diseases.

The chief deterrent to expanded cultivation was the difficulty in obtaining the cleaned fiber by economic mechanical means without damaging it in the process. The fibers are arranged in bundles that extend the full length of the stalk, and they are held together with gums that must be subjected to a chemical degumming process.

The fiber at this stage dries harsh, wiry, and difficult to separate, so a final treatment with a special emulsion is added during drying to leave the fiber soft, pliable, strong, and gleamingly white.

Most of the commercial production of ramie is in southern China, and about half of the production is exported. The Philippines and other Asian countries also produce commercial quantities.

Japan, the principal importer, sometimes imports the ribbons for processing and manufacture and then exports the finished goods back to the country of origin as well as to other countries.

MALVACEOUS FIBERS are obtained from the stems of many species of the hibiscus, sida, and other groups of plants. Most resemble jute in appearance, performance, and the methods of cultivation and preparation. Kenaf and roselle (discussed previously) are the most generally known.

Urena probably is second in importance. Other fibers are most commonly used in their countries of origin.

Urena lobata, a plant of the Malvaceous family, is indigenous to China but is grown in exportable quantities in the Congo and has been carried to the Western Hemisphere, where in tropical areas it has developed into a native weed.

It is known by many names, and is the Congo jute in Africa and in the export trade from the Congo, paka in the Malagasy Republic, cadillo or cadilla in Venezuela, bolo-bolo in western Africa, grand mahot cousin in Martinique, and Caesar weed in Florida and some other parts of the Americas. Also it is the cadillo, guizazo, or malva blanca of Cuba, and the guaxima vermelha, carrapicho, or aramina (little wire) of Brazil.

Urena lobata grows wild in most of the countries where the fiber is collected and prepared as a cordage fiber or jute substitute.

The Republic of the Congo and Brazil produce the fiber in commercial quantities, but the former is the only exporter.

Brazil has had large-scale production from both wild and cultivated plants since 1900. Output was 29 million pounds in 1961, and peak production was 44 million pounds in 1956. Most of it is manufactured into coffee bags.

Congo (Léopoldville) produces 25 to 30 million pounds a year of *Urena lobata* and punga (*Cephalonema polyondrum*), a similar fiber, and exports 4 to 6 million pounds of urena and 2 to 3 million pounds of punga.

Urena is grown and retted as jute is. The fiber is 3 to 8 feet long. It is used locally in producing countries in cordage, bags, packing materials, sail-cloth, and handmade twines. Importing countries (mostly Belgium, West Germany, and Angola) use it as they do jute.

Many other malvaceous fibers are used to a limited extent, especially in the countries where they are produced. They are generally most suited to cordage or bagging and coarse cloth. I name a few.

Common okra (*Hibiscus esculentus*) of India is used in crude twines and cordage. Indian mallow or Chinese jute (*Abutilon avicennae*) of China is white, glossy, and strong but has little economic value. Mexican Indians use the highly durable fiber from *Abutilon incanum* for hammocks, ropes, and nets. Indian hemp (*Apocynum cannabinum*) is a native fiber of the United States which resembles flax and was used by the Indians for all purposes, but has not been exploited commercially. The Brazilian native pacopaco (*Pseudabutilon spicatum*) is cultivated as a substitute for jute. Rama fibers (*Hibiscus lunarifolius* and *Urena sinuata*) of western Africa are jutelike fibers used domestically.

Sida fibers, also of the Malvaceous family, are used in many countries instead of jute. *Sida acute* is a Mexican fiber harvested from both wild and cultivated plants. It is light colored, even, and slightly harsh to the feel and has good tensile strength. The *Sida rhombifolia* is a good fiber common in most tropical countries. The *Sida tiliaefolia* is an excellent fiber cultivated in China. Other sida fibers are used in Brazil, the Philippines, Canary Islands, West Indies, parts of India, and in northern Vietnam and Laos.

Nettle fibers are malvaceous fibers, which include many besides ramie or China grass, but most of the others are derived from stinging nettles. The great nettle (*Urtica dioica*) is a perennial and yields the most fiber, but the fiber is of considerable thickness. It was used in "nesseltuch" or nettle cloth especially in Germany and France before cotton was introduced into Europe, and has been used some since during periods of cotton shortage. The small nettle (*Urtica urena*) is a smaller fiber that somewhat resembles flax.

Nettle fibers have been produced since ancient times in Germany, the Soviet Union, Hawaii, and Sweden. They were used in Italy and France during the Middle Ages. Nettle goods were a part of the trade of Germany, Sweden, and Picardy early in the 19th century, but cotton crowded out nettle fibers, except for some local use and a few specific uses.

The fibers are obtained by retting and scraping or decorticating by machines, such as are used for ramie.

TREE FIBERS include the paper mulberry fiber, an unusual bast fiber, which is extracted from the inner bark of a small tree *Broussonetia papyrifera*. The South Sea Islanders make a fabric known variously as tapa, kapa, or masi from it without first spinning or weaving it. After the fiber has been extracted and cleaned, it is laid evenly in several layers while still wet and allowed to dry overnight. They adhere in one piece when dry. This piece of webbing is laid on a smooth plank and beaten with a wooden tool until it spreads and mats together into cloth as thin as muslin or thick like leather, according to the desire of the worker. Pieces can be joined in the same manner so as to make large pieces of this characteristic cloth. The fabric can be bleached white or dyed or printed.

The same type of fiber is used in Japan, where it is cut in strips, twisted into yarn, and used with a warp of hemp or silk to make cloth. The Japanese also use it in papermaking.

CECILLE M. PROTZMAN, *an agricultural economist in the Sugar and Tropical Products Division, has been with the Foreign Agricultural Service since 1934. She has served since 1942 as a fiber specialist working with the world's vegetable fibers other than cotton. She received a Certificate of Merit Award in 1960 for her work in these fibers.*

Structural, or Leaf, Fibers

by CECILLE M. PROTZMAN

STRUCTURAL, or leaf, fibers (mostly known as hard fibers) include principally the cordage and brush fibers.

As a class, they are long, coarse, harsh, and strong.

Some (such as sisal, henequen, abaca, and some istles) are most suitable for twisting into coarse twines and cordage. They also are used extensively in floor coverings and locally in bags. Others (such as piassava, some istles, and magueys) are bulky, stiff, and suitable for brushes. A few are fine and soft (such as pineapple fiber) and are used locally in fabrics.

But all hard fibers have the same general characteristics of growth and methods for obtaining the fibers. Many of them originated in the Americas. The henequen of Yucatan was probably the earliest vegetable fiber used in the Western Hemisphere.

Hard fibers form the veins that carry water and food within the plant and furnish strength and support for the leaves and leaf stems of certain perennial plants.

They usually are obtained by a process of mechanically crushing the green leaves and scraping away the pulpy and other nonfibrous material.

Most of them grow best in tropical climates and are reproduced by vegetative propagation. A few are grown from seed. Harvest for many of them is a continuous process in a large field or plantation, as only the mature leaves or stalks are harvested and new growth continues from the same rootstock for some years.

Common names of fibers are often confusing, as one fiber may be known by different names in different countries. Indeed, the same name may be applied to several different fibers. *Phormium tenax*, for example, is known also by the common names of "New Zealand flax" or the "New Zealand hemp." Conversely, the name "hemp" is applied frequently to abaca, henequen, and sisal, as well as the true hemp (a soft fiber), with only the identifying country of origin as a clue to the type of fiber indicated. Pita and maguey are commonly used to designate several different fibers of Latin American origin.

Sisal and abaca are invaluable for their use in cordage. They were designated as strategic fibers during the Second World War and are stockpiled in countries of large consumption. The United Nations Committee on Commodity Problems endorsed in 1962 a Study Group for Hard Fibers (principally sisal, abaca, and henequen) to collect and exchange statistics and other information among all important producing and consuming countries in the hard fibers market.

SISAL (*Agave sisalana*) is most important of the hard fibers and is the principal cordage fiber.

It is used principally for manufacture into cables, ropes, binder and baler twines, and other tying twines for farms and industry. In some countries it also is used in bags for handling and storing agricultural, mineral, and industrial commodities. Sisal floor coverings and padding for upholstery also represent significant uses of sisal.

The manifold minor uses include novelty products and such items as pulp for papermaking, which uses mostly short fibers, tow, and waste fiber. Sisal is not the preferred fiber for ropes exposed to salt water, despite its durability in other uses.

Sisal originated in Central America and the Yucatan Peninsula, where Indians were using it along with henequen when the Spaniards discovered Mexico in 1509. It was named from the old seaport town of Sisal, Yucatan, from which most of the exports were shipped after the fiber entered commerce in 1839. Plants were taken to the Florida Peninsula about 1836 and from there to many other countries. They reached Tanganyika in 1893, and before 1939 that country had become the largest producer of sisal.

World sisal production was 1,445 million pounds in 1963, an increase of 185 percent over the 1934–1938 average of 507 million pounds.

The producers in 1963 were Tanganyika, 476 million pounds, or 33 percent of the world total; Brazil, 424 million pounds, or 29 percent; Angola, Kenya, Mozambique, and other African countries, with a combined total of 443 million pounds, or 31 percent; and Haiti, Taiwan, Indonesia, and Venezuela, with most of the remaining 7 percent.

Indonesia had ranked second, next to Tanganyika, in world production before 1940, and its fiber was of the highest quality, but wartime destruction and neglect followed by the breakdown of the plantation system of sisal production were factors in the decline of fiber output from 214 million pounds in 1941 to 9.2 million pounds in 1963.

Sisal is a tropical plant of the Amaryllis family. Each well-developed plant usually produces at least 200 long, stiff, fleshy, dark-green leaves, which grow in a rosette from the central bud at the base of the plant.

Older leaves are about 3 to 6 feet long, 4 to 6 inches wide, and nearly 1 inch thick at the center and thicker at the base. Each has a sharp, terminal spine nearly an inch long.

The plant requires temperatures above the frost level, moderate humidity, and annual rainfall of 30 to 70 inches. It is often grown in poor, dry, rocky soil, but grows faster and more luxuriantly in rich, well-drained, limestone soil.

Successful commercial production of sisal fiber requires a central cleaning machine within easy distance of the fields, plentiful water for washing the fiber, a place for waste disposal, sufficient labor supply, and means of transportation to market.

The growth habit of sisal lends itself most economically to large plantations of at least 2,500 acres and plantings of 1 thousand up to 2 thousand plants to the acre, according to the soil and climate.

Only the more mature, lower leaves are harvested at a time, but plants usually continue to produce new leaves for 10 or 15 years, according to local conditions, including the 6 or 7 years of peak production.

Leaves are harvested periodically as long as growth is economically sufficient. A pole, or flower spike, develops as the plant becomes older. It grows to a height of 15 to 20 feet and bears flowers and the bulbils or buds from which new plants are grown. After poling, the plant dies and is replaced.

Laborers cut the mature leaves from the plant with a heavy, curved, knife-type implement, remove the terminal spines, and tie the leaves in bundles that weigh about 90 pounds.

The bundles are hauled to the decorticating plant, where the fiber is extracted by machine, preferably within 48 hours after cutting. Workers lay the leaves parallel to each other and crosswise on a conveyor belt, which feeds them through revolving, corrugated crusher rollers to soften the leaf mass. Then in a cleaning process, during which the leaves are clamped firmly, revolving drums with beater blades scrape away the broken and softened epidermis and pulp surrounding the fiber, while water is sprayed over it to wash away the waste.

Leaves are sorted according to length and freedom from damage before being fed into the decorticator, and the fiber is graded as it comes from the machine and further sorted with each handling. The clean, wet, greenish fiber from the decorticator is hung over lines to dry and bleach in the sun. The dried fiber is creamy white and ready for brushing and baling according to grade. It runs about 3 to 4 percent of the green-leaf weight.

Sisal is graded principally according to length, color, and cleanliness. Each country's fiber differs somewhat in quality for a specified grade. Consequently the purchasers buy not only according to grade but also according to origin.

Major producing countries have organizations of producers or exporters, or both, for handling and marketing the sisal and promoting the general welfare of the industry. Some major producing countries have organizations for hiring laborers and setting terms of contract between producers and laborers. Labor unions began to organize in British East Africa soon after 1950. Workers often have their families with them. The large plantations provide living quarters and facilities for community life and entertainment, such as schools, churches, and recreation centers.

The chief producing countries are also the chief exporting countries. Exports range from more than half to nearly all of the crop, according to the country.

Tanganyika has ranked first in both production and export of sisal. The fiber is the major commodity in the country's cash economy and is its most valuable export. The United Kingdom is the major buyer. The United States, Japan, Belgium, and the Netherlands are next. These five countries take two-thirds of Tanganyika's sisal exports.

Brazil, second in production, exported four-fifths of its 1962 crop, and shipped it principally to the United States and to the Netherlands, West Germany, and elsewhere in Europe.

Kenya sisal goes mostly to the United Kingdom, West Germany, Japan, Belgium, the United States, and other European and Asian countries. Angola ships more than a third of its sisal to Portugal and sizable amounts to Spain, the United States, and other European countries. Mozambique sends a third to the United States. The Malagasy Republic sends two-thirds of its sisal to France.

The exporting countries export their crop mainly as raw fiber, with 15 percent of the total destined for the United Kingdom in 1961, 55 percent to other European countries, 13 percent to the United States, and most of the other 17 percent to Asian countries and Australia. Products manufactured in industrial countries from imported sisal fiber are not only for domestic use but also for export to all parts of the world.

The price of sisal generally is determined more by fluctuation in demand than by fluctuation in production. The length of time between planting and the first harvest and the long producing period make sisal production fairly resistant to sudden large changes in production. Sudden demands for ropes for military emergencies or for twines to handle unusual grain crops, for example, may deplete stocks and force prices to levels that encourage the use of substitutes. This happened when prices reached an alltime peak average of 29.7 cents (for British East African No. 1, landed New York) in 1951, compared with a prewar average of 5.1 cents a pound in 1935–1938 and a postwar low of 9.4 cents in 1957. The level was 18.9 cents through the last 4 months of 1963.

Hecogenin is derived from sisal juice after dry decortication of fiber and is valuable in the partial synthesis of cortisone.

HENEQUEN (*Agave fourcroydes*) is second to sisal as a cordage fiber.

Its principal use is in binder and baler twines, but it can be substituted for sisal quite satisfactorily in many types of cordage up to about 1 inch in diameter. It is also softened, spun, and woven into sacking, other coarse cloth, floor coverings, and novelty items. It is somewhat longer and coarser than sisal, but sisal has a greater average tensile strength.

Henequen originated in Mexico, where it has been used since prehistoric times and where more than 90 percent of the world total is now produced. Considerable confusion in names derives from lack of recognition in its early history of the difference between henequen and sisal. Sisal was the one that spread to the Eastern Hemisphere; henequen became the main hard fiber of Mexico and Cuba, but henequen is often erroneously called Mexican sisal or Cuban sisal.

World production of henequen was 330 million pounds in 1963—slightly less than the peak of 375 million pounds in 1960 and 34 percent more than the annual average of 247 million pounds during the prewar years.

Mexico has maintained its early position as principal producer, and the bulk of its henequen is grown in the dry, limestone soils of the Yucatan Peninsula. Mexican production was 340 million pounds (92 percent of the world total) in 1962. Cuba was second with an estimated 22 million pounds.

Henequen plants look much like sisal, except that the color is more nearly bluish-gray. The leaves have sharp, slightly hooked prickles along both edges and, like sisal, a dark terminal spine about an inch long. As with sisal, a leaf-scarred trunk develops as the lower leaves are cut in successive harvests and new leaves develop in the center. Leaves yield about 4 percent in fiber.

The large-plantation system, with all facilities for growing and processing the fiber and for care of the laborers, is the traditional system in the commercial henequen regions of Mexico, but a change began to develop about the middle of the 20th century. In the following 10 years, the Government took steps to restrict the acreage of large plantations and set up organizations to finance and establish workers on small, individual farms or on parts of larger, communal-type areas. Mexico has been purchasing decorticating plants from plantation owners and building new plants for the use of small and large producers.

The methods of cultivating, harvesting, extracting of fiber, and marketing of the baled product are essentially the same for henequen as for sisal. Henequen plants tend to grow a little slower and live a little longer than sisal plants. They may live for 20 to 25 years, but the useful life is barely more than half that time.

Henequen withstands a dry climate better than most plants, but prolonged drought adversely affects quantity and quality of production. The land in many of the Yucatan fields is so dry and stony that it is necessary to make planting holes with a pick and prop the young plants up with stones until they become well rooted. Weeding must be done by hand in such fields.

The first cutting is usually in the sixth or seventh year, as in Mexico, or the fourth year, as in Cuba, largely according to the amount of rainfall. Cutting continues at intervals of about 6 months for the next 10 to 12 years.

Dried fiber is 2 to 5 feet long and is reddish yellow to nearly white. Length, color, and cleanliness determine the grades. The standard bale is about 400 pounds, but the weights vary among processing plants.

The henequen industry—production, manufacture, and export—is the chief factor in the economy of the Yucatan Peninsula. Yucatan factories consumed about 80 percent of the domestic henequen fiber in 1962. Increased demand for cordage to handle unusually large grain and other crops meant a 7-percent increase in mill consumption of fiber in 1961. Another 3-percent increase in 1962 raised consumption to 266 million pounds. The cordage factories of Yucatan were consolidated into one corporation in 1961.

Mexico exports 88 to 90 percent of its henequen products. The United States receives 95 to 98 percent of Mexican exports of raw fiber and about 90 percent of the exported manufactured products. Baler twine is by far the largest item. The balance of raw fiber is shipped principally to Japan and Europe, but the other manufactured goods go chiefly to Central America and South America.

Henequen prices are normally a little below those of sisal. Grade A Mexican henequen, landed New York, was 11.4 cents a pound at the beginning of 1963. Its postwar peak was the annual average of 24.5 cents in 1951.

ABACA (*Musa textilis*), of the banana family, provides the strongest and best of the cordage fibers. It is one of the few hard fiber plants that is not native to the Western Hemisphere.

Spanish and Portuguese explorers of the 16th and 17th centuries found Filipino natives wearing clothing made of abaca fiber. In modern times it is considered primarily as a cordage fiber, and it is the preferred vegetable fiber for the best grades of commercial ropes and cables and for marine cordage because of its resistance to salt water and small amount of swelling when wet. Some of the finer fibers are woven into cloth. Large quantities are made into pulp for strong, high-quality paper and specialty items, tea bags, and mimeograph mats.

Abaca is indigenous to the Philippines, where more than 95 percent of it is grown.

The fiber is often called by the trade name, Manila hemp, even though it is not a hemp and very little is grown as far north as Manila. It received the unrepresentative common name from Europeans who found it in the market of Manila when they first went to the Philippines in 1697.

True hemp had been the recognized cordage fiber before that time. It was understandable that the newly found fiber that was so suitable for cordage should be called hemp and differentiated from the familiar true hemp by using the name of the port city— Manila—where it was first discovered.

It soon became recognized in England as an important fiber for good cordage. Production spread to Indonesia, North Borneo, Malaya, and smaller islands of the Pacific, but met with little continuing success outside the Philippines and Indonesia.

Most early attempts to grow it in the Americas were unsuccessful. It was introduced into Central America in 1925 through efforts of the United States Department of Agriculture and the United Fruit Co. These experimental plantings were developed into a source of emergency supply to the United States while Philippine supplies were cut off during the Second World War. The plantations were abandoned later for economic reasons.

World production of abaca was 260 million pounds in 1963. This represented 13 percent of the combined production of sisal, henequen, and abaca, the three principal cordage fibers. Peak production of abaca was 428 million pounds in 1935. Peak production in postwar years was 318 million pounds in 1951.

Philippine production was 416 million pounds in 1935. Wartime damage to Philippine plantations in 1941-1945, the removal of Japanese producers, and some migration of the native population who were not familiar with abaca cultivation from other parts of the islands to the abaca regions during the war and in early postwar years all worked together to reduce production. Also, infestation by mosaic disease and the rising cost of production continued to keep abaca from regaining its prewar eminence. Philippine production in 1963 totaled only 247 million pounds.

The principal fiber obtained from the abaca leaf is 7 to 14 feet long. The fiber from the outer leaf sheaths of the stems is strong, coarse, and brownish in color. Fiber from inside leaf sheaths is finer and white, but has lower strength.

Some of the best Philippine fiber is combed, carefully drawn out in single fibers, and knotted to make a long, continuous strand, called knotted abaca. This is woven by hand into a cloth, called sinamay, that is used for clothing in the Philippines.

Abaca of good quality can be grown most economically as a plantation crop in a consistently warm, humid climate with well-drained, fertile soil.

A mature abaca plant resembles a banana plant and consists of 10 to 30 stalks growing in a cluster. Each stalk grows to a height of 10 to 20 feet.

Its leaves, about 12 inches wide and 3 to 6 feet long, extend from long, sheathlike stems that grow out of a central base and overlap to form a false trunk 6 to 15 inches in diameter. The broad, green leaves appear to grow from the top of this false trunk, although the leaf sheaths form it.

Harvest begins about 2 years after the suckers are set out. The entire trunk of the tallest stalks is cut down for fiber. Shorter stalks are left to continue growing.

After a field is established, it can be harvested two or three times a year for 10 to 15 years. A trunk weighs 35 up to 120 pounds, but only 2 to 3 percent of its weight is usually recovered as fiber.

The worker separates the leaf sheaths from each other and with his knife pulls off the outside layer of the leaf in tuxies, or ribbons, that are 2 to 3 inches wide and the length of the leaf. This is done in the field.

All pulp is scraped away in a stripping shed. The fiber is extracted from the tuxies by pulling them under knifelike scrapers, operated by hand or by crude or semiautomatic machines.

The work is heavy, and a laborer using the hand method can handle only about 500 strips a day and obtains about 25 pounds of clean fiber. The fiber is dried on long lines in the sun.

A few plantations use large machines, like sisal decorticators, which can extract up to 1 thousand pounds an hour and recover a larger portion of fiber. The decorticated fiber, classed as deco, lacks sheen, but is becoming acceptable in the trade as equivalent to hand-cleaned fiber. Deco fiber is dried in automatic dryers.

All fiber for export is graded under government supervision and pressed into bales that may weigh about 279 pounds. The domestic industry of the Philippines uses mostly loose bales of noninspected, or unbaled, fiber, which was 14 percent of the crop in 1962.

Cleaned abaca fiber is mostly cream colored, glossy, stiff, and tenacious. It is 3 to 14 feet long. All the fibers grow in the outer layer of the leaf sheaths, but those near the margins are shorter. Those from leaf sheaths near the outside are stiffer and darker colored.

The basis for standard grading of Philippine fiber was set up with help from the United States Department of Agriculture and became effective in 1915. Abaca is classified into many grades. It is designated according to the island where it was grown, and fiber of each origin is classified as to degree of cleanliness, color, uniformity, and strength.

Exports of Philippine abaca fiber fell from an annual average of 370 million pounds in 1935–1939 to 208 million pounds in 1962. It goes principally to the United States (29 percent in 1962), Japan (26 percent), the United Kingdom (15 percent), and the other European countries (19 percent).

The Philippines produced 35 million pounds of unbaled or noninspected fiber in 1962 for domestic manufacture into cordage, and factories also used 2.5 million pounds of inspected fiber. A large share of the cordage was exported, and it was shipped chiefly to the United States, other North American and South American countries, and Asia.

Abaca ordinarily commands a better price than other cordage fibers because of its superior strength, appearance, and stability in salt water. Abaca (Davao I) was being quoted in the New York market at 23.2 cents a pound in 1962 when Mexican henequen (grade A) was selling at 9.4 cents and British East African sisal (No. 1) at 12.7 cents.

The three principal cordage fibers—abaca, sisal, and henequen—each has its own normal place in use preferences. Abaca (the highest priced) is used in cordage of the best quality.

Henequen (priced the lowest) is used in ropes of lesser value and twines.

Sisal is used for the great range of cordage of various grades and sizes in between.

The lower grades of abaca and the better grades of sisal, however, are readily interchanged in most rope uses and are often thus substituted when any change of supply or price relationship may warrant. Likewise, lower grades of sisal and better grades of henequen may be interchanged.

Cotton, jute, hemp, and paper twines compete with the cordage fibers.

Lesser known native fibers compete in every category of use when price relationship, ready availability, or government policies of self-sufficiency favor the substitution. Wire and steel straps and steel cables have gained importance in such fields as binding bales and reinforcing packages.

Nylon entered the cordage field about 1940 and polypropylene somewhat later. They seem established in certain uses where their higher initial price is justified by their properties, such as endurance and light weight.

THE ISTLE FIBERS include principally certain fibers of the Amaryllis and Lily families.

They are used in bags of various kinds, other protective coverings, brushes (especially scrubbing brushes), wrapping twines, small ropes, novelty items, and many twine and fabric items for use about the home or farm.

Mexican Indians have long used the istle plants for food, clothing, beverage, and means of livelihood.

Istle (pronounced *issel*) is the anglicized name for "ixtle," the name used in Mexico, where most of the world supply originates. Some istles receive their common or trade names from place names of the region where they are found in greatest abundance. But common names are not applied consistently and often overlap.

The most important istles are lechuguilla, Jaumave, and palma. Lechuguilla (*Agave lophantha* var. *poselgaeri*, formerly known as *Agave lecheguilla*) belongs to the Amaryllis family and is the most important istle. It is known also in trade channels as Tula istle or Tampico fiber, but the latter designation includes also zamandoque (*Hesperaloe funifera*) and some other similar fibers of the same region.

The plant of lechuguilla istle resembles a small sisal but does not form a trunk. It grows wild on the arid, limestone mesas of northern Mexico, and in parts of southern Mexico, but the fiber of commerce is obtained from the northern growths. Lechuguilla grows best at 3 thousand to 6 thousand feet, where the climate is temperate.

Lechuguilla istle fiber, in general, is the coarsest and stiffest of the commercial agaves and is especially suited to use in scrubbing brushes, but the grades range from fine and soft to hard and stiff. It is round, tapered, creamy to green in color, and 7 to 20 inches long.

The tallador, or gatherer of istle, gathers cogollos (central stalks) about once a year after the plants are 6 to 10 years old. The cogollo is composed of 6 to 15 new, tender leaves wrapped closely together in an elongated ball, and the fibers are extracted from them. The leaves are up to 20 inches long and somewhat less than 2 inches wide.

The worker uses a stick with an attached iron ring to hook over the cogollo and pull it off. He can gather 65 to 90 pounds a week, from which he can extract 6 to 8 percent as fiber. He obtains the fiber by scraping the leaves with a heavy knife against a block of wood. He takes the results of his week's work to a central collection station, where fiber is collected, bought, sorted, graded according to length and color, and pressed into bales of about 110 pounds. Both collecting and marketing of istle is controlled by government through cooperative societies.

The tallador uses some of the istle he collects to make his rope basket to carry the cogollos and also ropes to tether cattle, bags for many purposes, rugs for his hut, saddle blankets, and brushes for his family's use. He receives barely a living from his sale of fiber, and the work is difficult and the living hard in the hot, semiarid regions of the istles. Consequently, less istle is collected in years when rainfall favors other crops.

Mexico produces 25 to 30 million pounds of commercial lechuguilla istle annually and uses about 15 to 20 percent of it in domestic manufacture of cordage. The other 80 to 85 percent is exported—principally to the United States, the Netherlands, and other European countries.

The short fibers are curled by twisting before being baled and used in upholstery and pads for under carpets and car mats. Exported brush fiber is sold almost entirely on order; each lot is cut, dyed, and bunched according to the buyer's specifications.

Lechuguilla has to compete with palm or palm-type fibers for use in stiff brushes, but it has greater competition from nylon and other manmade fibers.

Jaumave istle (*Agave heterocantha*), formerly known as *Agave funkiana*, of the Amaryllis family, is third in commercial importance among the istles, but the fiber is superior in quality and brings the highest price.

Production, though small, is entirely for export, mostly to the United States, where it is used in high-quality brushes.

The plants grow only in the semiarid, limestone soil on the sides of mountains in Tamaulipas, Mexico. They differ from lechuguilla in that the leaves are straighter and longer.

MAURITIUS FIBER or Mauritius hemp (*Furcraea gigantea* or *Furcraea foetida*) is a member of the Amaryllis family.

It is another hard fiber for cordage and bags that has a common misnomer. It is quite different from the true hemp and is not native to Mauritius, where it was introduced about 1790. It is used for sugar bags in Mauritius

and ranks next to the sugar industry in importance to the island.

It originated in eastern Brazil, where it is known as piteria; from there it spread to Mauritius, St. Helena, Madagascar, Australia, the West Indies, southern Asia, and Africa.

The fiber is known in Mauritius and in the trade as aloe fiber, although it only slightly resembles the true aloe of Africa. Production of Mauritius and similar fibers is relatively small—only 2 million or 3 million pounds annually—but is important to each producing country as a source of fiber for domestic use in cordage, bags, and various other local uses.

SOME LEAF, or structural, fibers have many characteristics of stem fibers and are relatively pliable. These include phormium, caroa, banana, and pineapple fibers and the sansevierias, or bowstring hemps.

Phormium (*Phormium tenax*), from the *harakeke* lily plant of the Lily family, is often known as New Zealand flax or New Zealand hemp because of its softness, even though it is a leaf fiber and differs considerably from both flax and hemp, which are stem fibers.

Captain Cook, when he visited New Zealand in the late 1700's, found the New Zealanders using the leaves for making their baskets and the fiber for clothing and cordage. They used phormium as the first article of barter with the Europeans.

Cultivation spread from New Zealand to St. Helena, Chile, the Azores, and Argentina. Phormium is the only commercial hard fiber found outside the Tropics. Attempts to introduce it into western Europe, some African and other South American countries, and California have met with small success commercially.

Production has been fairly steady since 1957 in the main producing countries. All of the New Zealand production of 9 million pounds and most of Argentina's 9 to 10 million pounds are consumed domestically. The crop of 2 million pounds in St. Helena is exported.

New Zealand began to export phormium in the 19th century, mostly to the United States, Australia, and the United Kingdom. Competition from sisal caused exports to decline to negligible quantities during the next half century.

The fiber is tan or creamy white, soft, quite flexible, and lustrous. It is stronger than henequen but not so strong as sisal. At 4 to 8 feet it is next in length to abaca.

Its use is restricted because it deteriorates rapidly in color and strength when wet.

Fiber is obtained from wild and cultivated plants, but the latter yield the finer fiber.

The principal use of phormium in New Zealand is for manufacture into bags and wool packs, but in other countries it is used chiefly for rope and binder twine, alone or mixed with sisal or abaca. Some is made into floor coverings. It has stiff competition in the world market from other natural fibers, especially sisal.

The African or Guinea bowstring (*Sansevieria metalaea* or *guineensis*) is probably best known of the sansevierias. The common house plant, Spanish bayonet, is one of this group.

Fibers of this group are soft, long, strong, fine, and silky white, but somewhat brittle, and are used especially in cordage, fish nets, native bowstrings, mats, and coarse cloth.

All species grow in Africa, southeastern Asia, and Latin America, mostly where the climate is warm and moist and the soil is sweet.

Extraction of fiber is similar to that for sisal, and is from leaves of either wild or cultivated stands. Production is relatively small, and use is insignificant beyond the areas of origin.

Caroa (*Neoglaziovia variegata*, Mez. *Bromeliaceae*) has long been used in Brazil, where it grows wild on millions of acres in the hot, dry, northeastern section of the country. Only a small part is harvested.

Caroa leaves are thorny and are 3 feet or more in length. They are cut from the wild plants by hand with stout knives and tied into bundles of 90 to 110 pounds for transport by burro to the nearest processing station.

The fiber is similar to pineapple fiber, long, silky, white or light tan, finer than sisal or abaca, and stronger but somewhat harsher than jute.

It is manufactured into cordage, threads, nets, fish lines, and bags, or mixed with other fibers for use in cloth. It is a satisfactory source of pulp for manufacture into lightweight paper for airmail or cigarette papers. Large quantities are used in bags for coffee and other Brazilian commodities, especially when jute prices are relatively high, but its tendency to deteriorate hampers more widespread use.

Production was 8.6 million pounds in 1961. Peak production averaged about 25 million pounds during the war years, when jute was hard to obtain. Brazil now grows its own jute and is dependent on neither imported jute nor domestic caroa for bags, but the population of the caroa region continues to use the local product and export some fiber and manufactures.

Pineapple fiber (*Ananas comosus*) is obtained from leaves of the plant that produces the pineapple fruit. The plant is indigenous to Brazil and Paraguay, but it has spread to many other parts of the tropical world, including the Philippines, Hawaii, Indonesia, Puerto Rico, and Cuba.

The fiber is not produced in significant quantities for export.

Banana fibers can be obtained from several varieties of the banana or plantain plants. Unlike their relative, abaca, most of them lack sufficient strength for satisfactory commercial use in competition with other fibers. Their use is quite limited.

CECILLE M. PROTZMAN *is an agricultural economist in the Sugar and Tropical Products Division, Foreign Agricultural Service. She holds a bachelor's degree from Kansas State University.*

Other Vegetable Fibers

by CECILLE M. PROTZMAN

OTHER VEGETABLE fibers include leaf and stem fibers and also such widely different types as kapok, from inside seed pods; coir or coconut fiber, from the husk or shell of the coconut; broomroot fiber, from the roots; redwood bark fiber, from the bark of trees; Spanish moss, or vegetable horsehair, and luffas, or vegetable sponges, which are the whole fibrous framework of the plants or their fruits.

Sometimes a whole part of a plant is used as a fiber, such as the broomcorn whisks or strips of the leaves of the toquilla. Some are used worldwide. Others are of interest because of their special uses.

KAPOK (*Ceiba pentandra*), of the Bombaceae family, is best known of the tree fibers and follows cotton as the most valuable of the seed fibers.

It is a short fiber, averaging about three-fourths inch long. It is silky, lustrous, fluffy, weak, yellowish in color, and light in weight.

Kapok has considerable buoyancy, springiness, and resilience. It is well adapted to use in stuffing and padding, but does not lend itself well to spinning because of its smoothness and weakness.

It formerly was used extensively in lifejackets, marine padding, furniture upholstery, cushions, and mattresses, but it has been replaced in importing countries to some extent by manmade foam products and glass fibers. Many producing countries, however, still use kapok or similar fibers for mattresses, padding, and stuffing.

Kapok trees grow to 30 or 40 feet or even to 100 feet and are among the largest in the tropical forests. They are found from sea level to nearly 4 thousand feet and can withstand extremes of rain and drought. Their origin was in Mexico and Central America, but they now grow principally in Indonesia, Thailand, elsewhere in southern Asia, and tropical Africa.

The principal producing countries grow kapok trees along the roadways or set out in plantations at about 144 trees to the acre, but much of the commercial crop of the world is harvested from wild forest trees. The quantity collected depends on demand and price.

Trees bear seed pods after the third year and produce the best crops after the sixth year. Trees may live 100 years. The pods mature about 10 months after the blossoms fall. They are 4 to 8 inches long and about a third as thick as they are long. The outer shell is soft enough to be crushed by hand.

The fiber grows mostly along the membrane surrounding each of the five groups of seeds within the pod. Men use long bamboo sticks with a hook at the end to gather the pods and often have to climb high into the tall trees to reach them.

Women and children usually beat out the seeds with sticks or separate the fiber with a simple machine. The fiber is pressed into bales of about 80 pounds for shipment. Java kapok from Indonesia is considered to be best in quality.

World exports of kapok reached 61 million pounds in 1961. Thailand, Indonesia, and Cambodia are the main exporting countries. About one-half of the world exports is to the United States, the Netherlands, Malaya, and Japan. Most of the remainder goes to the European countries, Australia, and New Zealand.

A similar kapok fiber is obtained from the Indian kapok tree (*Bombax malabarica*), which is smaller than the tree of Java but bears more fiber. This kapok is more brownish than the other and less resilient.

Other flosses of a kapok type and known variously as tree cotton, vegetable wool, ceiba cotton, silk cotton, paina, pochote, and samohu are obtained from other trees of the Bombaceae family, which grow throughout the Tropics of the Eastern and Western Hemispheres.

Ecuador is the most important producer of the Western Hemisphere. Many tropical countries collect kapok for domestic use, but only a few produce sizable amounts for export.

PALM and palm-type fibers are a special group of hard fibers obtained from leaves or leaf stems.

They differ from other hard fibers in many characteristics of fiber, growth development, and method of processing. Most of them are coarse and stiff and are classed as brush fibers.

Many palm trees yield fiber, but only a few are of commercial importance. These are principally the coir, crin vegetal, the piassavas, palmyra, kitul, and palmetto.

Coir (*Cocos nucifera*) is obtained from the hard, fibrous husk of the kernel of the coconut.

The coconut palm grows in most of the coastal regions of the Tropics, but only a few varieties yield suitable fiber. Few countries produce it on a commercial basis.

It is used for cordage, matting, rugs, doormats, brushes, brooms, bags (especially for tea leaves), insulation, and soundproofing. The fibers resist rot.

The coir fiber industry is centered in Ceylon and along the Malabar Coast of southwestern India. World output is estimated at 450 million pounds annually. Indian production is estimated at 290 million pounds of fiber annually, from which 1.5 to 3.5 million pounds are exported as fiber and the rest is spun into about 270 million pounds of yarn. Exports account for 100 million pounds of this yarn a year. Germany, the Netherlands, the United Kingdom, and Italy are India's best customers for coir and coir products.

Ceylon exported 130 million pounds of mattress fiber and 40 million pounds of bristle fiber, 900 thousand pounds of yarn, and 67 thousand pounds of bags, mats, and mattings in 1962.

The United Kingdom and the Commonwealth countries, Japan, Germany, and other European countries received most of both the fiber and manufactures.

Coconut palms usually are 60 to 70 feet tall and have no branches. The man who gathers the nuts must climb the trees with the aid of a rope looped around his ankles. He cuts one cluster of nuts at a time and lets them fall to the ground. Before the fiber can be extracted, the husks are removed from the coconuts by thrusting the nut against a stationary metal spike. A man can husk about 2 thousand nuts in 8 hours.

The best fiber is from husks retted in brackish backwaters. The retted husks are beaten and torn apart—or decorticated—by hand or by a crushing breaker and spiked drum machine.

Three types of fiber are produced from the coconuts. The longer and stronger of the decorticated fibers are cleaned, hackled, made into hanks, and pressure baled for shipment. These are bristle fibers and are used mostly in Europe. They are graded according to color and length and are manufactured mainly into brushes. The yield of fiber is about 225 pounds of bristle fiber and 450 pounds of mattress fiber from 2 thousand husks of good quality.

The torn and broken fibers discarded from the decorticating process are sifted again and baled as mattress fiber for use in stuffing and padding.

Coir yarn, the third type, is spun from the finer grades of fiber and is manufactured into ropes, mats, and a coarse cloth. Yarn production is a cottage industry. Most of it is in India.

Fibers that compete with coir for various uses are manmade fibers, other palm-type fibers, and other hard rope fibers. Coir is meeting its competition, however, and exports of coir and coir products from Ceylon more than doubled from 1938 to 1959. Exports from India increased 83 percent.

Crin vegetal (*Chamaerops humilis*) is fiber from the base of the leaf stem of a dwarf fan-palm that grows abundantly in the northern African countries of Algeria, Morocco, and Tunisia and some parts of southern Europe.

It often is called vegetable horsehair or vegetable curled hair because of its resemblance to the animal product and its curly nature after it has been prepared for market.

Exports of crin vegetal are principally from Morocco to Germany, France, and other European countries. Morocco exported an annual average of 204 million pounds in 1958–1962, despite competition from manmade materials and other fibers.

PIASSAVA or bass fibers (also spelled piassaba or piacaba) are mostly long, coarse, resilient, tough, dark, and water resistant.

They are used mostly in coarse, heavy-duty brushes and brooms, whisks, cordage, mats, baskets, hats, tying twines, and novelties.

Piassava is obtained from the leaf stems or sheaths of many kinds of palms. Each is used extensively in the region where it is grown. Some of the fibers are exported in sizable quantities.

Bahia piassava, or the Bahia fiber (*Attalea funifera*), is used mostly for brushes for sweeping streets. The finer ends of the fibers go into house brooms and scrub brushes. Natives use the finer fibers for cordage, twine, baskets, hats, and tying materials. The trees grow wild and abundantly in the swampy, sandy soils of Bahia in Brazil and north into Venezuela. They grow 30 to 35 feet tall. Their feathery leaves of 10 to 17 feet grow from the ground in a cluster.

Para piassava, or the monkey bass (*Leopoldinia piassaba*), also of Brazil, is used commercially in strong brushes, such as those for grooming horses, but is fashioned into ropes, baskets, and twines for local use. It is too brittle and permeable to compete successfully in the heavy-duty brush market, and production is relatively small. The trees grow wild in the sandy soil along the tributaries of the Amazon River above Manaus and along the Orinoco River in Venezuela.

Piassava ranks as a poor second to cotton in the Brazilian production of vegetable fibers. Output was 38 million pounds in 1961, compared with 16 million pounds in 1951, but exports remained fairly constant at 7 to 8 million pounds during the 10-year period. About half of the exports were to the United Kingdom and Portugal, and a fourth to West Germany and Belgium. The United States, the Netherlands, Denmark, and Spain took most of the remainder.

The West African piassava, or African bass fiber (*Raphia vinifera*), is obtained from the wine-palm that grows abundantly in the valleys along the Atlantic coast of western Africa. The name also includes fiber of the *Raphia hookeri* of the Ivory Coast, which grows abundantly but is not used for fiber export.

This brush-and-broom fiber was first introduced to European markets from Liberia in 1890, but also Sierra Leone, Nigeria, and the neighboring countries became important exporters. It is obtained in the same manner as other piassavas. It is brownish red to deep brown in color, 3 to 4 feet long, stiff, and wiry. It is graded according to the port of shipment because the fiber from each region has certain distinguishing characteristics.

The Calabar, or flexible bass, is the coarsest and heaviest of the African piassavas and makes the best quality brooms. Mixed with Bahia, it is used in railroad track brooms and rotary street sweepers.

Sherbro from Sierra Leone is tough,

lighter in weight than Calabar, rougher, and less flexible. Prime Sherbro is shipped from the same port but is smoother and darker than Sherbro, has a wide range from fine to very coarse, and is used in brushes.

Madagascar piassava (*Dictyosperma fibrosa*) is a rich, brown fiber, 18 to 24 inches long, finer and more flexible than Brazilian piassava. It entered the European market in 1890, but exports have remained comparatively small. It is used in sweeping brooms and for special purposes.

Palmyra fiber (*Borassus flabellifera*) is a bristle fiber extracted from the leaf stalks of a tall, fan-leafed palm indigenous to Ceylon and the eastern coasts of India, Burma, and Africa. It is known as bassine after it has been graded according to size, dyed, dressed, and cut to specified lengths. It is processed in the same way as most other palm-type fibers. It is brown, 9 to 24 inches long, strong, and wiry. It is used mostly for ropes, twines, and baskets. India exports about 5 million pounds annually.

Kitul (*Caryota urens*) is finer, softer, and more pliable than piassava and palmyra. It is dark brown or black, 7 to 28 inches long, strong, elastic, tough, glossy, and somewhat like horsehair. It is obtained from the kitul, jaggery, or Toddy palm, which grows in the hotter parts of India, Ceylon, Indonesia, and the Malay Peninsula. Asians make it into fish lines, nets, and mats, but the export trade is for large cables, ship hawsers for ocean vessels, scrubbing brushes, horse brushes, and some other similar brushes. People in Ceylon use it in ropes to tether elephants. It is more expensive than other fibers used for these purposes.

PALMETTO FIBER (*Sabal palmetto*) is from the cabbage palm, which has a central bud somewhat like a cabbage head. It grows wild in the Bahamas, Bermuda, Cuba, Mexico, and the coastal areas from the Carolinas to Florida. Palmetto fiber and broomcorn are the only commercial brush fibers produced in the United States. Processing consists of softening the boots, or leaf sheaths, by boiling and crushing before scraping, then hackling and oiling the fiber. The fiber is 8 to 30 inches long, a reddish brown, durable, elastic, and resistant to water. It makes excellent clothes brushes, scrubbing brushes, and horse brushes, and is used in ropes and mats.

Toquilla (*Carludovica palmata*) is a palm-type plant. The fiber is called the Panama hat fiber, or jipijapa, which denotes one of the districts in Ecuador where hatmaking is centered.

The fan-shaped leaves are about 3 feet in diameter and deeply divided. The stems, 3 to 10 feet long, grow from the ground in a cluster without a trunk. Toquilla grows throughout the coastal regions of Central America and northwestern South America. It is especially abundant in Ecuador and Colombia, where the hats are made from wild as well as from cultivated plants.

The misnomer, "Panama" hat, originated from the fact that California gold-rush prospectors who returned by way of Panama bought the Ecuadoran-made hats there and gave them the name. They normally were exported through the port city of Panama.

Preparation of the fiber differs from that of most palm-type fibers. The unfurled leaves are gathered, stripped of the coarse veins, and treated with boiling water. The leaves are then separated into strips with a fingernail or a comblike instrument. As the strips dry slowly, they roll into fine, cylindrical strands, which are bleached in sulfur smoke, washed, and used mostly by the hatmakers. Some palm fiber hats are called Panama hats, but the fiber in them is flat and heavier than the toquilla.

Hatmaking is a cottage or home industry. Each hat is made with a specific design in the center of the crown to indicate the locality of the maker. The hat is formed by working outward from this design. The straw is kept damp while being worked. The finest hats often are made in early morning, late evening, or in rainy weather in order to insure better and more even manipulation, and require 3 to 6 months for completion. The worker weaves about 4 hours a day.

Very little toquilla straw is exported, but the hats have been exported almost from the time Francisco Delgado of Ecuador made the first one about 1630. They reached the United States about the middle of the 19th century, but at that time it seemed more profitable for Ecuador to export straw than hats. In 1941–1945, however, exports of 3.2 million hats (representing roughly 1.6 million pounds of straw) ranked second only to rice in Ecuadoran export value.

Peak exports of 4.9 million hats in 1946 were followed by a decline to 800 thousand hats in 1962 and represented less than 0.5 percent of total exports. About two-thirds of them were shipped to Italy, Paraguay, the United States, and Cuba.

TREE-BEARD or Spanish moss (*Tillandsia usneoides*) is a fibrous, mossy plant that grows on trees as an epiphyte in humid or swampy regions along the Atlantic and gulf coasts from southern Virginia to Texas and in Mexico. It is collected from the limbs of trees or from the ground after it has been blown down by strong winds and is piled into heaps and soaked for curing. Afterward, it is taken to a moss gin for removal of the outer scaly layer, packed into bales, and sold for stuffing of furniture, cushions, and mattresses. It is a curly, black, resilient fiber that resembles horsehair except that it is branched. It is one of the best substitutes for the hair. Relatively small amounts are produced, and it is in competition with manmade paddings and some of the hard fibers.

The broomroot, or raiz de zacaton (*Epicampes macroura*), known also as rice root, is a coarse bunchgrass that grows especially in Mexico. The plant is pried out of the ground, and the outer coating scraped off of the tough, crinkly roots. They are treated with sulfur fumes, graded, and sold for brushes and brooms. Mexico exported 5.4 million pounds of broomroot in 1962, 74 percent to the United States.

Broomcorn fiber (*Sorghum vulgare* or *Holcus sorghum*) is the brush or whisk of panicles of seedheads of these sorghums, which are grown in temperate climates, such as in the United States and Italy, and used for house brooms and whisk brushes. The panicles are cut when at least 15 inches long and while green, to prevent brittleness and coarseness, and are then dried in the shade and sorted for market.

MILKWEED BAST FIBER is obtained principally from the swamp milkweed (*Asclepias incarnata*). The fiber somewhat resembles flax. Small quantities are produced, but western Europe has shown interest in it a long time.

Milkweed floss is obtained mostly from several species of the common milkweed (*Asclepias syriaca*). It was used extensively in the United States during the Second World War as a substitute for kapok.

Luffas or loofas (*Luffa aegyptiaca*) are gourds. They are fibrous and, after being retted and cleaned of pulp, are used intact as oil filters, strainers, and household sponges. Japan is the principal exporter.

Smaller varieties of luffas are grown in other parts of the Orient and in Mexico, Central America, and Caribbean countries. Japan in 1951 exported 4 million of these vegetable sponges—3 million to the United States—but competition from manmade sponges reduced the trade in the vegetable product to a negligible quantity. They are used extensively, however, in the countries of production.

CECILLE M. PROTZMAN *has served since 1942 as a fiber specialist working with the world's vegetable fibers other than cotton. She joined the Foreign Agricultural Service in 1934.*

Wool and Other Animal Fibers

by HORACE G. PORTER and
BERNICE M. HORNBECK

ANIMAL FIBERS are the hair, wool, feathers, fur, or filaments from sheep, goats, camels, horses, cattle, llamas, birds, fur-bearing animals, and silkworms.

Let us consider silk first.

A legend is that in China in 2640 B.C. the Empress Si-Ling Chi noticed a beautiful cocoon in her garden and accidentally dropped it into a basin of warm water. She caught the loose end of the filament that made up the cocoon and unwound the long, lustrous strand. She was eager to create a fabric of the lovely fiber and prevailed on the Emperor to let her try. She is said to have developed the methods of reeling, spinning, and weaving silk that form the basis for the techniques used today.

Growing silkworms and producing silk were a Chinese monopoly for many centuries. Death was the penalty for trying to steal the secret. Silk fabrics are thought to have reached Europe about 75 B.C., when a Roman general brought some home from China. By A.D. 126, a "silk road" nearly 6 thousand miles long was opened to enable the transport of silk from China. At the end of the camel-train path was Damascus, the marketplace where East and West met. Silk cloth was in great demand in Greece and Rome.

By A.D. 300, the Japanese had learned about sericulture. Presumably it was introduced into India in the fourth century under the romantic circumstances of a marriage between Chinese and Indian royal families.

At the request of Byzantine Emperor Justinian in A.D. 552, two monks made the perilous journey and risked smuggling silkworm eggs out of China in the hollow of their bamboo canes, and so the secret finally left Asia.

Constantinople remained the center of Western silk culture for more than 600 years, although raw silk was also produced in Sicily, southern Spain, northern Africa, and Greece.

As a result of military victories in the early 13th century, Venetians obtained some silk districts in Greece. By the 14th century, the knowledge of sericulture reached England, but despite determined efforts it was not particularly successful. Nor was it successful in the British colonies in the Western Hemisphere.

There are three main, distinct species of silkworms—Japanese, Chinese, and European. Hybrids have been developed by crossing different combinations of the three.

The production of silk for textile purposes involves two operations: Sericulture, or the raising of the silkworms, and the processing of the silk filament from their cocoons.

The commercially cultivated silkworm species (which is actually a caterpillar—not a worm) is the *Bombyx mori*. The moths are made to lay their eggs on sheets of paper and, if they are to be for breeding, in cells.

The eggs are kept cool and dry until spring, when mulberry trees have their leaves, on which the larvae feed. Then the eggs are hatched in an incubator or in the sun.

Villages of China and Japan have community incubators, but the larger silk farmers have their own facilities.

Larvae are one-eighth to one-fourth inch long and about as thick as a hair when they emerge from the eggs. During the 5 weeks to 2 months that the larvae eat, they grow about 70 times their original size, change skin

4 times, and consume several thousand times their own weight in mulberry leaves—perhaps 200 pounds to produce a pound of silk.

In their early stages, silkworms must be fed five times during the day and twice a night. At full growth the silkworm may be 2 to 3.5 inches long.

During this period, silk glands along each side of the caterpillar's body are filling with sticky fluid. When the larvae is full grown, it ceases to eat and begins swinging its head about. Then the silkworm farmer provides a cell for each in a framework, which becomes the support for the cocoon.

Fluid issues from two spinnerets at the front of the silkworm's head, forms into one strand, and is spun about the larvae in figure-8 patterns. At the end of this process, the silkworm is about half of the weight that it was at the beginning.

A few carefully selected cocoons are permitted to mature into moths that are later to lay the eggs. Moths develop from cocoons in 2 to 3 weeks. Moths have no mouth and cannot eat and live only a few days. They mate, and the female lays about 500 eggs.

Except for those selected to mature for breeding, the life of the silkworm is ended in the chrysalis stage by steam, boiling water, or dry heat. Cocoons are graded as to quality.

The next step is reeling, which usually is done by machinery at filatures, or reeling factories.

The cocoons are prepared for reeling by the removal of an outer layer of floss by brushing after boiling in a tank. The equipment includes a reeling basin, a thread guide, a device for crossing the threads, and a reel, a hexagonal drum of laths on which the silk filaments are gathered. In the reeling operation, a number of cocoons are placed in warm water, which softens the gum that binds the tiny threads together.

The ends on several cocoons are assembled, passed through a fine eye of glass, porcelain, or polished metal, fastened to the reel, and so unwound

from the cocoons onto the reels. The number of filaments brought together depends on the fineness of the raw silk thread desired.

There may be 300 to 1,600 yards of reelable filament on each cocoon. They are so fine that a pound of thread made of three to five filaments together would reach a thousand miles.

The amount of reelable silk and its quality depend on the care with which the operations are conducted, the variety of silkworm, and the region in which it is grown.

The technology of silk production (except the reeling process) has changed little over the centuries. In the beginning, reeling always was done by hand.

Once the silk is removed from the cocoons, the remainder of the processing at the filature consists of cleaning, drying, and preparation into skeins for shipment to textile centers of the world. The product of the reeling process is called by several names— raw silk, silk yarn, silk thread, grege.

An average batch of fresh cocoons weighing 1 thousand pounds will yield about 360 pounds of dried cocoons and 137 pounds of filament, which includes raw silk and silk waste.

Something less than 10 percent of Japan's cocoon crop consists of double cocoons, which produce dupion silk, one cocoon produced by two larvae. It is difficult to reel, although it produces a slubby yarn much in demand for novelty fabrics.

The only other major type of silk produced commercially is the wild, uncultivated silk known as tussah. It comes from worms that feed on the leaves of oak, castor, cherry, and uncultivated mulberry. The filament is flat, hairy, and several times thicker than silk from the *Bombyx mori*.

Several types of other wild silks are found in Japan, India, Asia, and in America and parts of Africa, but they are not of commercial significance.

Attempts have been made to commercialize production of spider silk. It has been found to be not practical for textile uses, but is used for cross-lines for optical instruments.

Sea silk, sometimes called pinna silk or fish wool, is obtained from certain types of mollusks and is used in Italy and France for making braids.

Another silk product of commercial importance is silk waste, which is produced in the rearing of worms, the reeling of raw silk thread, and the process of converting raw silk into yarn, thread, and fabric. Silk waste may be 3.5 to 6.5 inches long and is used for spun yarns. Lengths below 3.5 inches are called noils, and are used mainly to mix with wool.

Raw silk sometimes is used for weaving without further twisting, but it is generally advanced by throwing, which consists of several operations: Cleaning, first twisting (also known as spinning), doubling (the twisting of two or more threads together), and the second twisting.

The first and second twistings are in opposite directions, and the number of turns per inch is determined by the use to which the silk yarn is to be put.

The several basic types of silk yarn are singles, tram, organzine, crepe, and grenadine.

The harder the twist, the better the quality of silk required. The throwing process adds greatly to the strength of the silk filaments and reduces the raveling of the yarn.

About 73 million pounds of raw silk were produced throughout the world in 1962. Japan produced about 60 percent, or about 44 million pounds. Mainland China, also a large producer, accounts for more than 20 percent of the world's total production. Other major producing countries are the Soviet Union, India, Italy, Korea, and Turkey.

Japan is also the largest domestic consumer and the largest exporter of raw silk and silk products. About one-fourth of the raw silk produced in Japan is exported in the form of raw silk. In 1962, exports from the silk markets of Yokohama and Kobe totaled 10 million pounds of raw silk,

800 thousand pounds of thrown silk, and about 7 million pounds of silk fabrics and other goods.

Japan also exports silk cocoons, silk waste, spun silk yarns (yarns made of short silk fibers, usually waste) and other types of made-up goods. It has been estimated that about 25 percent of the raw silk that is processed in Japan eventually moves into international trade channels.

Japan's export trade in raw silk, silk fabrics, and silk products of other kinds was valued at more than 100 million dollars in 1962, about one-half of which was raw silk. Other large producers of raw silk also ship to export markets.

The United States is the largest import market for raw silk, silk yarn, fabrics, and made-up goods. Other leading silk-importing countries are Italy, France, Switzerland, West Germany, and Great Britain. Several of these countries, particularly France and Switzerland, export large quantities of made-up silk goods.

Raw silk for the American market is put up in standard skeins, which are about 58 inches in circumference and weigh 2.4 ounces. About 30 skeins are formed into compact bundles called books. About 30 books are combined to make a bale of 130 to 135 pounds.

Silk is extremely strong, quite elastic, and smooth and lustrous. Its major end use is in apparel and homefurnishings, but it also has some industrial applications. Hosiery was once an important use for silk in the United States, but this market has been virtually taken over by nylon.

Silk is one of the most valuable textile fibers and in 1963 sold in the American market at prices above 5 dollars a pound for the standard grade and size. At such prices, it is a luxury fiber in some countries.

WOOL is widely produced. Sheep are raised in at least 80 countries. In 1963, there were about 991 million sheep in the world.

Fifteen countries each had 20 million

THE YEARBOOK OF AGRICULTURE 1964

or more head and accounted for nearly three-fourths of the estimated world total. Australia and the Soviet Union, with 160 and 140 million, respectively, account for nearly one-third of the world total. Argentina, the Republic of South Africa, India, mainland China, and New Zealand each has roughly 40 million to 50 million sheep. The United States, Brazil, Uruguay, Spain, the United Kingdom, Ethiopia, Iran, and Turkey have about 20 million to 30 million.

The five principal wool-exporting countries are Australia, New Zealand, Argentina, South Africa, and Uruguay. They account for 32 percent of the world sheep numbers and about 80 percent of the wool in world trade.

The domesticated sheep appear to have been related to the urial and moufflon types of wild sheep. Early domesticated sheep were hair covered, and the wool was merely a short, downlike covering next to the skin.

The Phoenicians are believed to have introduced sheep into Spain hundreds of years before the Christian Era. With the passage of time, finer wool types were brought to Spain from various countries surrounding the Mediterranean, and between A.D. 1400 and 1700 these various bloodlines were fused into the famous Spanish Merino sheep, from which most of the fine-wool sheep in the world today trace their ancestry.

For many years, Spain would not permit the export of Merino sheep, but breeding stock found its way into a number of countries in the latter half of the 1700's.

Variations in climate and breeding objectives in different countries have caused differences in fineness of wool and fleece weight within strains of Merinos.

Since the Middle Ages, the Spanish sheep industry has had keen rivalry from that of Great Britain. The British climate was not suitable for Merinos, but Merinos were crossed with native stock, and a number of breeds have emerged there.

The wool of breeds that produce long, coarse wool is known commercially as carpet wool. Carpet wool breeds include the fat-tailed sheep that are common in the Middle East and occur elsewhere, karakul sheep, and various breeds of mountain sheep.

Economics and climate determine which breeds are grown where. For example, in most of western Europe and the Eastern States, feed tends to be abundant and good. Cities are close, and the demand for lamb and mutton generally is good. Market conditions and competitive forces that affect the use of land there dictate that sheep production be rather intensive and mainly for meat; wool is secondary.

Breeds or crosses are favored that produce a good carcass, as farmers usually get four to six times as much return from the lambs for market as from the sale of wool.

In dry rangelands, where sheep have to feed on a large area, the more profitable operation often is wool production. Merino sheep predominate in such regions, although Merino crosses are not uncommon where it is feasible to also produce feeder lambs. In such cases, the Merino ewes will produce a good crop of fine-grade wool, and their crossbred lambs produce a good carcass.

Most wool produced in the world is shorn—that is, clipped from the live animal. Wool, known as pulled wool, also is obtained from the pelts or hides of dead sheep. Wool is generally sheared annually in the late spring or early summer, but it is quite common in Texas and California to shear twice a year.

In its natural state, a bale of raw wool contains considerable grease and foreign matter, which is removed by scouring. Relatively high scoured yields are had in places where the fleece remains fairly free of foreign matter. The scoured yield may be only half as high in areas where much sand and dirt become embedded in the fleece.

Most wool moves in trade as fleece

wool in the grease despite its extra weight. The practice arises partly out of the wide range in quality both between fleeces and within a fleece; besides, many users prefer to sort their wool into batches for various uses before it is scoured. Some wool also moves as scoured wool and some as pulled wool. Normally only the very dirty wool would be scoured before it is exported, but some low-value lots also may be scoured before being exported.

The United Kingdom, the United States, Japan, France, Italy, West Germany, and Belgium imported about 2.6 billion pounds of wool in 1961 and 1962 and accounted for more than 80 percent of total world trade. Each of them produces some wool but has to import wool.

The United Kingdom imported 626 million pounds in 1962; Japan, 472 million; France, 388 million; the United States, 363 million; Italy, 310 million; Belgium, 242 million; and West Germany, 223 million.

The Soviet Union has been a large net importer of wool, despite a marked increase in numbers of sheep and wool production per sheep. The Soviet Union imported about 121 million pounds in 1961.

The quality of wool depends on breeding, locality, care in handling, and other factors. Designations of quality are based primarily on fineness but also on length of fiber.

The British have major subdivisions based on fineness for merino, fine crossbred, medium crossbred, and coarse crossbred. They are further subdivided by numbers that are at least loosely related to the fineness of the worsted yarn into which they can be spun.

The numbers are based on the number of hanks of worsted yarn 560 yards in length that can be produced from a pound of the scoured wool. The numbers range from 100's or more down to 20's—the higher the number, the better the quality of wool. Thus, the merino wools cover the range 60's and finer; the fine crossbreds, from 56's to

60's; medium crossbreds, from 50's to 56's; and the coarse crossbreds from 36's to 48's.

United States wool grades are fine (counts of 64 and finer); half-blood (58's to 62's); three-eighths blood (56's); quarter blood (48's and 50's); low quarter blood (46's); common (44's); braid (36's to 40's).

The terms refer only to the fineness or the diameter of the wool fiber. Other terms are used to describe length. For example, the finer wool—64's and finer—is normally separated into three length groupings that are commonly accepted by the trade—strictly combing, which has a length of more than 2.5 inches; French combing, which ranges from 1.5 to 2.5 inches; and clothing or carding wool, which is less than 1.5 inches in length. In the coarser grades, only two length groupings are customary—combing and clothing.

THE GOAT FAMILY supplies several important textile fibers—mohair, cashmere, and common goat hair.

Mohair is the main specialty hair fiber used by the textile industry. It is the long, strong, lustrous hair of the Angora goat, which originated in Turkey. For many years Turkey supplied the world's needs for mohair. The growth of the textile industry in the early 19th century created demands that Turkey could not supply. Herds of Angora goats were established in South Africa and the United States before the middle of the 19th century.

Annual world production of mohair has been 50 million to 60 million pounds in recent years. The United States, the largest producer, accounts for about 45 percent of the world production. Turkey accounts for about one-third. Most of the remainder is produced in the Republic of South Africa. Basutoland, ranking fourth, accounts for about 2 percent of world production.

Within the United States, Texas accounts for 97 percent of all production of mohair. The remainder is produced in Arizona, New Mexico, California, Oregon, Utah, and Missouri.

The United Kingdom has become the largest user of mohair. In the United States, the use of mohair in automobile and furniture upholstery fabrics and certain other items has declined, and more has gone into woolen and worsted clothing fabrics and knitting yarns.

Among other large users of mohair are Japan, Italy, France, and the Netherlands.

Because the United States has raised production and lowered the consumption of mohair, increasing amounts have been exported.

Most mohair is produced on ranges where goats have access to plants they can browse and graze.

There has been a steady gain in average clip per goat from about 4 pounds in the thirties to about 6.5 pounds in the sixties.

In the United States and the Republic of South Africa, it is customary for Angora goats to be clipped twice a year. The length of fiber then is 4 to 6 inches for a half year's growth. If it is clipped only once a year, the length is 8 to 12 inches.

Because of the fineness of kid mohair, each of the first three shearings of young goats is marketed separately from those of adult goats.

Cashmere, a luxurious animal hair, is obtained from the cashmere goat, which originated in Tibet and is now produced mainly in the northwestern provinces of mainland China.

The cashmere goat is smaller than the Angora goat and is covered with straight, coarse, long hairs, about 1.5 to 5 inches long, under which is a fine undercoat, or downlike wool. The undercoat is valued especially.

The undercoat and some of the outercoat are shed through molting each spring. For several weeks through the shedding season, each goat is combed regularly.

At the time of combing, much of the long hair is removed from the down and the two are marketed separately.

Nevertheless, varying amounts of coarse hair are still mixed with the high-value wool or downlike cashmere when it is marketed. The yield of the mixture per animal has been estimated at not more than one-half pound per animal.

Common goat hair is used seldom in worsted or woolen goods but sometimes in place of kemp in fabrics to be used in ladies' wear.

THE CAMEL FAMILY includes true camels and the various members of the llama family. Each produces distinctive hair that is valued in the textile industry.

The camel hair moving in international trade and used in the wool textile industry of the United States and other industrialized countries is grown chiefly in Mongolia, Chinese Turkistan, and the northwestern provinces of mainland China. It comes mainly from the Bactrian-type camel, which has two humps and is native to those northern areas. Some comes from the dromedary, or one-hump, camel, which may be native to southwestern Asia.

In the spring as warmer weather arrives, instead of being sheared or plucked as with other fleece-bearing animals, the camel hair begins to form matted strands and tufts. They are gathered as they fall off the animal's head, sides, neck, and legs. Most camel hair is shed in the spring but some is shed throughout the year. One camel may yield about 5.3 pounds of hair a year.

Each caravan usually is followed by a trailer, who gathers the tufts and places them in baskets, which are strapped to the last camel in the caravan. The contents of the baskets are sold at the first opportunity, and the camel hair may change hands several times before reaching a shipping point, where it is sorted and graded for export.

The camel has an outer coat of coarse, tough, and wiry hair, which can be as long as 15 inches. The under layer is a soft, woollike down of fine fibers 1 to 5 inches long. The two types are normally separated by processing through combing machines. Most camel hair is used undyed in overcoat fabrics. Some is used to make soft brushes used by artists.

The llama family comprises four distinct and two hybrid species that grow in the mountains of South America.

The llama and alpaca have been domesticated for probably 1,200 years. The guanaco and vicuña are wild. The hybrids are the huarizo (progeny of a llama father and alpaca mother) and the paco-llama, or misti (the offspring of the reverse cross).

Except for the guanaco, which exists chiefly in Patagonia and the rocky islands south of the Strait of Magellan, the members of the llama family are principally in the high Andes of southern Ecuador, Peru, Bolivia, and northwestern Argentina.

The llama, mainly a beast of burden, has a thick, coarse coat. Its fleece is valuable as fur, and its hair is a mixture of fine hair and kemp.

The alpaca is more important to the textile industry. Its hair normally is 8 to 16 inches long but may grow to 30 inches if it is not sheared. Its fleece is fine and strong. The alpaca normally shears 4 to 7 pounds every 2 years.

The fleeces of the huarizo and misti are less fine and valuable than those of the alpaca.

The vicuña, the smallest member of the llama family, produces the finest and rarest woollike fiber. It is wild in Peru at elevations to 16,500 feet. The vicuña fleece averages about a pound. Only a few thousand pounds are obtained in a year.

THE HAIR COVERING of fur-bearing animals has been used in textiles since ancient times.

Chinchillas were used by early natives of South America to make a soft fabric. In Europe, the hair covering of hares and rabbits has been mixed with other fibers for years.

Textiles utilize the fur fiber of hares, rabbits, muskrats, nutria, beavers, fox, wolf, mink, skunk, and many others.

Brush fibers—bristle and hair—are obtained from the tails or bodies of various animals. Bristle from hogs is used mostly in stiff paint, hair, and clothes brushes. Brush-quality hair is taken from the tails of squirrels, kolinsky (a mink found in the Far East), fitch (from Europe and the Far East), skunk, and civet, and is used for artists' and optical brushes. Hair from all parts of the badger is used.

Down sometimes is mixed with other fibers for textiles. Goose down is best. Duck down and the finer feathers of the ostrich, chicken, and turkey also are used. Down also is used as a stuffing material. Feathers are too coarse and resilient for easy spinning and weaving, but the finer ones are used in bedding.

Fur-bearing animals have two types of hair coverings. The relatively long, spikelike guard hairs are the animal's raincoat. The short, soft inner hairs keep the animal warm. The soft fibers grow silkier and finer in the fall. In spring, these inner hairs are molted, and the longer guard hairs become more prominent.

Garments are made from some pelts. The hair from scraps of such pelts and most rabbit pelts become felt for hats. The guard hair, which is not used in making felt, is sold for spinning. The fur fiber also is blended with nearly all other apparel textile fibers, to which it imparts a soft hand, or feel.

HORACE G. PORTER *has served with the European Headquarters of the Marshall plan and with the Bureau of Agricultural Economics of the Department. He became chief of the Foreign Competition Branch, Cotton Division, Foreign Agricultural Service, in 1957.*

BERNICE M. HORNBECK *worked in other branches of Government in the fields of textiles and international trade before joining the Foreign Agricultural Service in 1956. She holds a bachelor's degree from the University of California at Los Angeles.*

Fibers Made by Man

by BERNICE M. HORNBECK

MANMADE fibers—which people call synthetics and sometimes miracle fibers—are the infants of the family of textile fibers, but in terms of volume and variety they are well established.

Manmade fibers are important from a consumer's standpoint because of the great variety of their characteristics. They are important from an economic viewpoint because of the competition they afford natural fibers.

The basis of the industry was the work of several Europeans. Count Hilaire de Chardonnet went beyond the work of others by concentrating upon a commercial process for manufacturing rayon.

The development of the first artificial fiber was based upon the use of cellulose, mostly from cotton linters and woodpulp. After de Chardonnet's product was exhibited at the Paris Exposition in 1889, a number of factories using several different processes were built in Europe. The first successful plant for the manufacture of rayon by the viscose process in the United States opened in 1910.

All of the early types of manmade fibers were produced in filament form, simulating raw silk, and were called artificial silk. In the late twenties, rayon was chopped into short lengths and used on the cotton and wool spinning systems. These short fibers are known as staple.

Production of rayon expanded in the twenties, and by the midthirties the level of production in Germany, Italy, and Japan brought manmade fibers into keen competition with cotton and wool.

The governments of those countries fostered the rapid expansion at that time in order to lessen their dependence on imported raw materials—mainly cotton and wool.

Manmade staple fiber sometimes is spun alone, but often it is blended with other manmade or natural fibers in spinning.

Manmade fibers offer intense competition to natural fibers. They also compete with one another. This is perhaps best illustrated by the use of various fibers in automobile tires in the United States. Originally, cotton had this entire market. Cotton lost the market to high-tenacity rayon, and more recently, nylon has offered intense competition to high-tenacity rayon.

Manmade fibers are of two major types—cellulosics, which are based on the use of cellulose found in plant life, and noncellulosics, which are manufactured from chemical raw materials.

There are some manmade fibers that are not generally included in either the cellulosic or noncellulosic groupings. Among them are glass fiber, the most important, and various protein fibers.

Cellulosic fibers also are of two basic types, called rayon and acetate in the United States. Within these two major groups are a number of variations, each with its own distinct attributes. Viscose rayon in appropriate sizes can be given either cottonlike or woollike characteristics. Newer modified types of viscose rayon have overcome some of the weaknesses of regular rayon. Both types of viscose rayon are used alone or in blends.

Cuprammonium is a rayon made by different processing methods from the viscose type. It is fine, lustrous, and supple, and it is used oftenest for women's sheer apparel fabrics.

Acetate fibers are made from cellulose mixed with chemicals to form cellulose acetate. It does not resemble cotton. It is less absorptive, but it is pliable and supple. Acetate fibers are used for curtains and draperies and some types of clothing.

Noncellulosics are produced by large chemical companies by complex manufacturing processes. The first of commercial importance was nylon, a polyamide type. Research was started by the Du Pont laboratories in 1926, and commercial production of nylon started in 1938.

Polyamide fibers are synthesized from the basic chemicals found in coal, oil, water, corncobs, oats and rice hulls, bran, gas, and petroleum.

The nylon fibers are strong, smooth, elastic, and nonabsorbent. Nylon is used alone or in blends with natural fibers. The versatility of nylon is indicated by its application to a wide spectrum of apparel, household, and industrial uses.

Some very fine nylon fibers are used for women's hosiery. Stronger and stiffer nylon is used for cordage, tires, and bristles for brushes.

Many other commercially feasible types of noncellulosic fibers have been developed, which are known by a profusion of trade names. In the United States, there are Dacron, Fortrel, Vycron, and Kodel of the polyester types; Creslan, Acrilan, Zefran, and Orlon of the acrylic types; and several other generic types for which the trade names are not so well known.

Polyester fibers are made from chemicals derived from coal, air, water, and petroleum. They are resilient and nonabsorbent. They may be set to shape by the application of heat and hence are suitable for "permanent" pleats and creases in apparel. Polyester fibers may be spun alone or in blends with cotton, wool, or other manmade fibers.

Acrylic fibers are made from the elements found in coal, air, water, petroleum, and limestone. Their outstanding characteristics are their bulking power, or fluffiness, and light weight, which result in both warmth and resiliency of the finished products.

Acrylics have made inroads into markets once held by wool, such as sweaters and blankets, but acrylics are also used in cottonlike products. They also are blended with both cotton and wool.

The polyvinyl fibers are made from materials manufactured out of salt water and petroleum. There are several varieties of polyvinyl fibers. One is polypropylene. They do not absorb moisture and retain their size and shape even when exposed to changes of the weather. The early types were made in heavy filaments that were used in tapes for outdoor furniture, auto seatcovers, and such. Finer filaments and staple are now produced. Polypropylene staple, which is relatively inexpensive to manufacture, has been blended with wool for clothing, but technical difficulties may limit its use largely to industrial applications.

Protein fibers are made by processing meal from corn, soybeans, and peanuts. They are usually blended with other fibers, to which they impart their high moisture absorbency and softness.

Textile fibers also are made from glass. Their special characteristics are fineness, high tensile strength, and incombustibility. Glass fiber has many applications in electric insulation and other industrial uses. It has also gained wide acceptance for decorating fabrics and wallpaper.

The basic manufacturing process for both cellulosic and noncellulosic types, as well as glass, is the preparation of a solution from cellulose, synthesized chemicals, regenerated protein, or glass.

The solution is forced through fine holes in a spinneret and solidified in air or in a solution. The spinneret somewhat resembles a shower head. In manufacturing a continuous filament yarn, the spinneret contains the number and size of holes that match the number and diameter of filaments desired in the particular yarn.

In the manufacture of staple fiber, on the other hand, a spinneret may contain thousands of holes of the desired diameter. After coagulation, the filaments are chopped into predetermined lengths, generally 1.5 to 3 inches (for use on cotton spinning systems) or 2 to 7 inches (for use on the woolen and worsted spinning systems). Staple fiber is packaged into bales.

MANMADE FIBERS are produced in all industrialized countries.

World production of manmade fibers in 1963 totaled about 9.9 billion pounds, a new record high. This represents a gain of about 10 percent over production in 1962, which also was a record.

Production of rayon and acetate, totaling about 6.7 billion pounds, was 6 percent above the previous high of 6.3 billion pounds in 1962. The production of filament yarn increased to 2.7 billion pounds, a gain of 1.5 percent over 1962, while staple increased to 4 billion pounds, a gain of 10 percent over 1962.

Noncellulosic manmade fiber production reached 2.9 billion pounds in 1963. This new record was 20 percent above the 1962 level, which was also a record. Of the 1963 production, filament yarn accounted for 1.7 billion pounds, and noncellulosic staple and tow production accounted for 1.2 billion pounds. These represent gains over 1962 of 18 percent and 22 percent.

The United States accounted for 27 percent of the world total production of all manmade fibers in 1964. Its share of cellulosic fiber production was 20 percent; cellulosic filament yarn accounted for 27 percent of the world total and staple fiber and tow 15 percent. The United States accounts for 41 percent of total noncellulosic production. The United States' share of noncellulosic filament yarn is 45 percent and of staple fiber and tow 35 percent.

Japan ranks second to the United States as a producer of manmade fibers, accounting for 15 percent of the world total; West Germany ranks third with 9 percent; the United Kingdom and the Soviet Union rank fourth and fifth, respectively, with 7 percent of world production each, and Italy ranks sixth with 6 percent. In the aggregate, these six countries account for 71 percent of all manmade fiber production, 66 percent of all rayon and acetate, 84 percent of all noncellulosic production, and 88 percent of all glass fibers.

Although total world capacity for the production of cellulosic fibers is relatively stable, world capacity for the production of noncellulosic fibers continues to expand rapidly.

With the exception of India and Japan, most of the countries where expansion of cellulosic production facilities has occurred in recent years have not been large producers of manmade textile fibers. On the other hand, the expansion of noncellulosic capacity has continued largely in countries with well-developed industrial economies—in western European countries, Japan, and the United States.

Many of the major producers have become large exporters. Western European countries export in fiber form about 30 percent of their rayon staple production, more than 25 percent of their rayon filament production, and about 5 percent of their noncellulosic production. The bulk of their exports are to destinations outside of western Europe.

The United States exports about 5 percent and Japan only about 10 percent of their total manmade fibers as fiber, although about one-third of Japan's total rayon production is exported in the form of fabrics, mainly to markets in southeastern Asia and in Africa.

BERNICE M. HORNBECK *has been with the Cotton Division of the Foreign Agricultural Service since 1956. She has made a number of studies on interfiber competition and international trade in cotton textiles.*

The Evolution of Competitive Markets

by HARRY C. TRELOGAN

FARM GOODS in the United States move from producer to user in a system that grew from a series of preceding systems and continues to grow and change as new technologies, products, and practices are subjected to the tests of competition.

Market arrangements represent modifications of earlier patterns adjusted to modern conditions. Marketing institutions are often perplexing in the absence of knowledge of their antecedents. Complexity, arising from growth of an economy that employs more and more specialized methods, obscures fundamental relationships that are evident in elemental forms.

When we trace developments from the past to the present, therefore, we and traders overseas can understand better the domestic distributive system from which our foreign trade stems and the problems and possibilities of developing countries.

BEFORE THE American Revolution, political, military, and trade policies of European powers determined the distributive and productive patterns of our country. The policies and patterns have been superseded, but they influenced profoundly the structure on which our marketing rests.

In the same way, the recent and current policies of a country in its onetime possessions and colonies very

261

likely will influence for a long time their marketing structures.

Spanish influence following the discovery of America developed slowly. The Capilla de San Marcos in St. Augustine, Fla., founded in 1565, is a vestige of the earliest trading era. This fortification protected and succored treasure ships riding astride the Gulf Stream as they passed through the Bahama channel, where they were vulnerable to pirate attack on their way from Mexico and South America.

Spanish policies of exploitation of accumulated riches and native labor met with little success in Florida, with its infertile soil, paucity of minerals, and relatively uncultured and inhospitable inhabitants. Maintenance of forts and surrounding settlements to prevent French and English intrusion was a drain on the Spanish treasury. A self-sustaining economy could not be established. The dollar as a unit of currency is a reminder of Spanish influence on United States commerce.

English colonial policies designed to foster mutually profitable trade left more durable imprints. Fort Ticonderoga, built in 1765 at what now appears to be an obscure point between two lakes in northern New York, symbolizes the penetration of trade routes into the interior. It protected canoes carrying provisions across Lake Champlain and Lake George on their way to inland trading posts to supply trappers, hunters, and frontier farmers. The French, who settled farther north, vied with the British for military control to advance imperial and commercial ambitions.

The British emerged triumphant after a century of struggle. Their colonial policies soon ran into conflict with the colonists, but their cultural, political, legal, financial, and commercial institutions remained as a heritage from which our distributive system has evolved. Their joint-stock companies were forerunners of the modern corporations that characterize the capitalistic business enterprises of our distributive system.

British policy, unlike the Spanish policy, recognized that all participants must benefit if trade is to be sustained. Nevertheless, dissatisfaction with the assessment of costs and distribution of benefits imposed on the American colonists by the English Crown led the Colonies to rebel.

Independence opened the way to arrange new terms of external and internal trade.

External trade was influenced by efforts to expand agricultural exports as a means for obtaining exchange and credit for industrial development and to protect infant industries by discouraging imports.

Internally, each colony assumed independent control of its monetary system and trade policy, but agreed in the Articles of Confederation to submit to Federal direction only in military matters. The articles were drafted shortly after Adam Smith published *The Wealth of Nations*, which advocated laissez faire and warned that the government that governed least governed best.

Trade among the Colonies was disrupted as local interests sought protection from competition from other colonies. It soon became plain that such a system would so weaken the economic strength that joint military protection would be ineffective. A Constitutional Convention, convened in 1787, took significant action, which determined the course of the American distributive system.

The commerce clause ranks high among the provisions of the Constitution that favor the free flow of goods between States and national economic growth. The grant of power to the Congress to regulate interstate commerce did not completely negate State control, which has been persistently proposed and tried ever since. But the Supreme Court has delimited State control sufficiently to regard the United States as a market entity with relatively unfettered opportunity for distribution within it.

The breadth and scope of this market and its single monetary system helped create a mass-production factory system. Before that phenomenon matured, however, other developments, particularly in transportation, led to successive distributive systems, each of which had a part in molding the present system.

DISTRIBUTION CENTERS were established first at eastern ports.

Boston, New York, Philadelphia, Baltimore and Savannah and New Orleans became gateways through which exports of grain, tobacco, and fibers were shipped in exchange for equipment, clothing, and supplies, mainly from Europe and the Indies.

As agriculture spread westward, trade routes generally followed the waterways, which were interconnected by trails, roads, turnpikes, and canals.

The major ports harbored domestic manufacturing and consuming centers and wholesale receiving and distributive markets.

Secondary markets became established inland at the confluences of rivers, lakes, canals, and roads. Goods moved through Hartford, Albany, Buffalo, Pittsburgh, Cincinnati, Louisville, Atlanta, and St. Louis to and from port cities.

This geographic pattern of distribution that evolved when agricultural products moved in raw and bulk forms has endured to a substantial degree. Investments made in warehouses, elevators, stockyards, and other handling facilities augmented natural water transport advantages in keeping trading centers fixed unless or until lower cost alternatives appeared. Barges moving bulk grain down the Illinois and Mississippi or up the Cumberland and Ohio Rivers represent a carryover from the water transport era.

Except for products destined for other countries or originating in other countries, assembly and distribution were mostly localized and decentralized. Grain moved in bulk on wagons to water. Livestock was driven or taken in boats to abattoirs. Fresh prod-

uce was sold in municipal markets. Farmers carried supplies back home from market towns. Village retailers accepted home-produced eggs, butter, cheese, and preserves from nearby farms, in exchange for coffee, sugar, molasses, tools, and clothing. Peddlers carried sundries to outlying farms.

As urbanization developed in the United States, the Industrial Revolution, pioneered shortly before in England, caused processing and fabricating activities to be transferred slowly out of homes and off farms into factories, but rural distribution methods changed relatively little until the 20th century.

RAIL TRANSPORTATION brought a modification of marketing. Railroad lines that stabbed out from the port cities brought new farm areas within reach of markets and expanded the territory for profitable distribution of manufactured goods. Domestic industries were placed in better position to compete with oversea sources.

Dependable and economical overland freight transportation was particularly advantageous to areas having limited access to water routes. Such inland distribution centers as St. Louis, Omaha, Minneapolis, and Memphis became important as distributive centers. Some, including Chicago and Atlanta, surpassed previously predominant port cities, especially those that depended on intercoastal shipping.

Major seaboard ports maintained their importance because of export and import trade, augmented by domestic distribution to adjacent populous areas. Growth of trade with other parts of the world, aided by rail transport, brought new ports, such as San Francisco and Seattle, into prominence. Although domestic trade assumed a paramount position that persists to this day, these ports still vie for international trade.

Centralized assembly and distribution were oriented about markets at rail terminals on routes from producing to consuming areas. Supplies moved into the terminals from country elevators, gins, creameries, and stockyards, which bought goods from farmers near the rail shipping points. The local assembler endeavored to ship produce in carlots. At the terminal, wholesale receivers stored and sorted the stocks to fill orders from exporters and distributors in metropolitan consuming areas. For the domestic trade, wholesale receivers forwarded carlots to jobbers, who broke the shipments down to supply smaller quantities to retailers.

The flow of goods back to rural areas came from importers or domestic industrial plants to wholesalers in the terminals, who distributed to wholesalers and jobbers in subterminals. They in turn delivered the goods to retailers. Mail-order houses shipped goods directly from terminals to consumers by parcel post, mail, and express, carried mostly by railroads.

Canners, millers, seed crushers, creameries, and textile factories located their plants at or near terminal markets. There they could choose raw materials best suited for their purposes and convert them into less bulky, less perishable products for less costly distribution to consumer markets.

Thus Chicago, the greatest rail terminal of them all, in the words of Carl Sandburg, became "hog butcher for the world." Boston, in the middle of the New England textile industry, became the dominant wool market and received the raw wool from home and abroad. Minneapolis and Buffalo became leading milling centers, thanks to their location at strategic points in the flow of grain across the Nation and the ocean.

Railroad rate schedules were devised to facilitate centralized storage and processing. Shipments originating at country points were given stopover privileges at the terminals and advantageous through rates to their final destination in raw or processed form.

Specialized facilities were adapted to the needs of giant terminal markets. Huge grain elevators, stockyards, and packinghouses were more obvious but no more effective contributors to the

system than organized commodity exchanges, banking houses, and insurance firms whose services were tailored to the requirements of the trade.

These institutions retain their influence in seaboard markets handling shipments abroad. Rates for rail and water transportation and handling facilities often determine which seaport is patronized.

Mechanical refrigeration exemplified technological innovations that altered the times and places for the performance of marketing services so as to favor centralized distribution. It eliminated the cumbersome, expensive harvesting, holding, and shipping of natural ice. It permitted eggs, formerly held from summer to winter in farm icehouses, to be stored in massive refrigerated warehouses at terminal markets. It reduced the need for daily slaughter in abattoirs near butcher shops in every community. Upon its adaptation to railroad freight cars, it enabled packers to ship dressed meat instead of cattle from Chicago to the eastern markets. It broadened the distribution of fresh fruits and vegetables, thereby leading to more concentrated production areas supplying ever-widening markets over longer seasons.

Advertising was another adjunct in the growth of centralized processors and distributors. It was used to stimulate demand for branded products easily identified by housewives in numerous consumer markets that could be supplied from a single rail terminal point.

CONCENTRATIONS OF POWER and control accompanied concentrations of stocks of commodities and volumes of business in the hands of corporate managements operating in the central markets.

A few processors, handlers, or bankers could exercise great influence in determining, if not dictating, the terms of trade implemented through prices paid and charged, rates and fees fixed, and trading conditions and methods maintained.

Centralized marketing consequently was not universally accepted by farmers and consumers as an unmixed blessing, even though efficiencies and conveniences were derived from it.

As activities at terminals grew more specialized, these markets drew farther apart from assembly and retail, so that some misunderstandings enveloped them in the eyes of farmers and consumers who depended on them.

Because the public had a great stake in the food and farm products handled through the centralized distributive system, the Federal Government was called upon to draft rules that would supplement State and local regulations.

The commerce clause of the Constitution provided legal foundation for many of the rules, but new legislation extended the range beyond earlier concepts. Laws were enacted dealing with public health and safety (food and drug, meat inspection, and public carrier safety laws); economic protection (railroad rate, antitrust, and Commodity Exchange Acts); and public information (crop and livestock estimates and market news).

Laws and marketing services subject to voluntary acceptance contributed to an environment in which trading could be conducted with confidence. Such an environment was essential to a distribution system in which trading took place between distant markets and between huge impersonal corporate firms and small dealers. Because individual farmers and country assemblers usually had to rely on brokers, commissionmen, and auctioneers to handle their transactions in terminal markets, the integrity and responsibility of these agents had to be defined and enforced.

The encouragement of farmer cooperatives was another approach toward alleviating inequities of trade. Through cooperatives, farmers were able to manage some marketing services themselves, and to pool their sales to achieve more effective bargaining power in negotiations with buyers in central markets.

THE MOTOR AGE brought revolutionary changes.

One of the first impacts was on roads, always considered primarily a responsibility of local government. Earlier, the responsibility often was turned over to private companies, which usually were financed by the sale of stock, with the intention of recovering investment from tolls. A tendency was general for privately operated roads, ferries, and bridges to be taken over by governmental agencies to provide free public use.

Roads built with Federal funds were few and for military purposes. An exception was the National Road, built to encourage settlement of the Northwest Territory and to provide a way for settlers to get their products to eastern markets.

Concepts of responsibility for roads began to change in 1893, when the Congress established a Federal office to consult and advise States on their road programs.

Invention of automotive vehicles brought demands for improved roads and streets that overwhelmed local tax sources. Consequently, the Congress enacted legislation in 1916 for sustained assistance to States in support of primary roads. Sufficient coordination was achieved by 1921 to initiate a system of highway identification and maintenance that led to the development of an integrated system of interstate highways. Motortrucks began to compete with railways for interurban freight movements in small lots.

Federal assistance was granted to farm-to-market roads beginning in 1932. These secondary roads effectively extended the distribution system to every town and hamlet and to most farms. Only a short haul to a railroad siding or a highway confronted most producers and local shippers and receivers.

The number, size, and performance of trucks have increased tremendously, along with the capacity of highways. The main impediment to over-the-road transport has been variable State regulations and licensing applied to the vehicles, which interfere with trucks and trailers crossing State lines. With additional Federal support of substantial proportions for straightening, leveling, and enlarging highways, with greater uniformity in State regulation of traffic, and with still further advances in truck and trailer equipment, motor transport has been challenging the railroads for more and for longer distance freight movement.

DIRECT MARKETING began to develop because terminal markets were slow to accommodate the trucks that brought shipments to them. Unloading equipment for railcars had to be altered or duplicated. Narrow city streets became congested. Valuable land was required for parking space and service facilities. Some processors found it easier to locate plants in rural areas closer to sources of supplies. Meatpackers with plants near producing areas could compete successfully with the large terminal market packers. Farmers could truck hogs and cattle to them directly from the farm. The trucks were easily unloaded, no selling agents had to be paid, and net returns compared favorably with those received elsewhere.

Dressed meat shipped from country plants directly to points of consumption bypassed terminal markets, often reaching the destination faster and cheaper. Such direct marketing of hogs made inroads on the previous system, beginning in the thirties. Rising costs of labor and land and taxes in the big terminal cities caused decentralized marketing to spread to other commodities, as trucks broadened the areas from which plants could draw supplies directly from farmers.

THE RETAIL end of the distributive system was also undergoing changes.

The corner grocery and general store supplied from independent wholesale houses typified food retailing in town and country until chainstores began to change the pattern in the early 1900's.

Cash-and-carry stores, under central management and supplied largely from company-owned trucks and warehouses, offered urban consumers fewer services and lower prices. When the stores introduced self-service for the customers some 25 years later, their competitive position was augmented.

The supermarket, a large, compartmentalized store offering wider selections of groceries, meats, and produce at still lower prices, was conceived during the depression of the thirties. It attracted mass sales at a location easily reached by automobile. Home facilities, such as electric refrigerators, increased the ability of housewives to hold food for their families and engage in once-a-week shopping.

Chainstore companies eschewed supermarkets until the success of these independently operated competitors forced them to reconsider some 10 years later. After the chains began consolidating their small stores into supermarkets, a concerted effort was exerted to adapt a greater share of the store business to self-service. Meat and fresh produce departments were the last to adopt consumer packaging sufficiently to dispense with clerks at each counter.

The bargaining power of buyers for supermarkets, enhanced by the large volumes handled, is used to achieve objectives of the firm. Each company tries to stock products and provide services that will attract patronage within the competitive area served by its stores. The effort is made to display products in demand by consumers that will sell fast enough at sufficient profit to bear a share of the store operating expenses proportionate to the allotted shelf space.

Food processors often advertise their products to assure favorable reception by stores as well as customers. But supermarkets do not rely entirely on purchases of processor-branded products if the quality, margins, or prices are not satisfactory. Some establish their own processing plants to package products for sale exclusively within their stores. Some contract with processors to pack products according to their specifications for distribution under their own labels. Some send buyers to assembly markets in concentrated producing areas to bid at auction or to negotiate private sales of fresh produce prepared and packed to meet their inspection requirement. Some purchase products on Federal grades, especially when the output of more than one packer is required to supply the amount needed. Some engage in farm production when adequate supplies of the quality of products wanted are not available through normal market channels.

These arrangements permit delivery from the packing plant directly to the local chainstore warehouse thousands of miles away and, where volume is sufficient, even directly by truck to the retail store.

Intricate scheduling of purchase and delivery is sometimes done to enable supermarkets to place advertisements for fresh produce in large city newspapers on Wednesday or Thursday, stating the quality and price of products that will be available in their stores over the next weekend.

AGRICULTURAL ADJUSTMENTS accompanied changes in the distributive system.

Farmers found markets for their production to fulfill the needs of a rapidly growing industrial nation and to provide exports needed by a debtor country until the end of the First World War. Difficulties in disposing of farm output, encountered by the now creditor nation in the twenties and thirties, were not resolved fully with attempts to expand domestic consumption or to curtail production.

A reversal of foreign trade policies, set in motion in 1933, enabled the United States to take the initiative in getting countries to lower trade barriers, but the trend toward international trade freedom alleviated the problem of farm surpluses only slightly before war again brought shortages.

Expansion of farm output for the Second World War was attained despite a decline in farm labor through improved mechanization and cultural practices. The greater capacity to produce, together with subsiding exports following the war, led to resumption of relative abundance. Distributors contended more for customers than for suppliers of farm products. They exercised greater discrimination in their purchases and became more exacting in their demands for products that could be handled efficiently and be used to curry favor of customers. The processing, packaging, handling, and advertising methods they employed required more uniformly high-quality products. Farmers were faced with the necessity of submitting to these demands and of reducing costs.

The response of farmers was to introduce technological innovations involving greater capital equipment investments conducive to larger scale, more highly specialized farm production.

The adjustments made farmers dependent upon the marketing system for additional services.

Functions formerly performed on farms were transferred to the market agents. Mechanically harvested cotton called for more cleaning at the gins than handpicked cotton. Mechanically dug potatoes required more careful handling at storage and packinghouses. Combined wheat had to be conditioned at the elevators. Commercial enterprises were formed to sell mixed feeds and inorganic fertilizers and provide crop dusting and artificial insemination services.

Advances in farming and distribution were mutually interdependent and had to be closely synchronized.

This dovetailing proved to be extremely difficult to arrange between independently managed farms and firms.

The answer that emerged was called vertical integration; that is, the bringing together of successive production processes under unified management, in distinction from horizontal integration, or a centralized management of companies performing the same functions, such as chainstores.

Either by acquiring ownership of farms, or more often by contractual relationships with the farmers, market agents use integrated methods to direct and control farm production to fit their processing and merchandising programs.

Broiler chicken production is an example of a highly integrated industry. In the large, specialized producing areas, market agents, that is, feed dealers, hatcherymen, or poultry processors, contract with farm producers to raise most of the chicks. The contractors provide the chicks plus the feed and the vaccines, which are administered in accordance with directions given to the farmers. Decisions on where to sell and when and for how much to sell are made by the market agents, who assume most of the investment and risk costs.

Efficiencies achieved with these integrated methods enable the dealers to ship frozen ready-to-cook broilers in consumer packages directly to oversea markets to compete successfully with locally dressed fresh poultry.

PRICE STABILITY, long sought by agriculture, is promoted by the Federal Government through a number of approaches. Early steps were designed to help the established distributive system cope with problems that limited its ability to avoid excessive seasonal price fluctuations. For instance, the Federal Reserve Bank system was designed in part to facilitate the flow of funds to agricultural areas for purchase of crop harvests.

Efforts to reduce year-to-year fluctuations included loans to foreign governments for the purchase of farm products and loans to farmer cooperatives to promote orderly marketing through the carryover of stocks from large crop years.

Government intervention became more direct in the thirties, when price-support loans were made to farmers with the option of either redeeming the loans or of delivering the commodities to a Government agency within specified time periods. Responsibility for storage and disposition of the stocks fell to the agency when title was transferred. The Government, in effect, became a third outlet for staple commodities, auxiliary to the privately operated domestic market and the export market.

The Government has also acquired an auxiliary relationship for storage and distribution. Private distributors occasionally purchase from the Government to replenish seasonally depleted stocks, but the bulk of surplus commodities are given to domestic agencies for relief or school lunch feeding, or are sold or donated to needy foreign countries. The storage is sometimes accomplished with Government-owned facilities, but more often through contractual arrangements with privately owned firms.

Strenuous efforts are made to encourage foreign trade, but also to minimize Government involvement in handling the sales and deliveries by subsidizing or otherwise helping private business to make export sales before the products get into Government ownership. A high proportion of exports receive either direct or indirect Government assistance under a wide range of programs.

ARRANGEMENTS FOR EXPORTING agricultural products from the United States may be considered as an addendum to the domestic system.

Few products are produced with an export destination in mind. Major exceptions include such staple commodities as cotton, wheat, and tobacco.

For most products, the foreign market serves as a residual outlet that can be enlarged when crops are abundant. Thereby they serve as a price-stabilizing force.

Exports are diverted from domestic trade channels when it becomes apparent that a foreign market outlet is advantageous. The diversion may occur at any of several stages of marketing, but the tendency is to export products in raw and bulk forms. They leave the distributive system before processing and packaging and entry into wholesaling and retailing operations that are essentially oriented to domestic distribution. They tend to move from central markets to shipside on rail, barge, or truck facilities.

Recent technological innovations have been altering this general pattern. Since the opening of the St. Lawrence Seaway in 1958, extensive grain shipments originate from Great Lakes ports instead of seaboard ports, thus reducing time and costs to reach European markets. Tank car and pipeline movements of vegetable oils and other liquids also reduce costs of shipment from inland points to shipside. Airfreight is being used to ship highly perishable fresh produce, such as strawberries, to luxury markets abroad. More precise environmental controls in ship holds permit fresh fruit shipments overseas. Processing and packaging advances are enabling more dealers to emulate the broiler shippers in penetrating foreign markets with prepared end products in consumer units. Presumably the same techniques offer opportunities for reciprocal trade to enter American markets.

With international arrangements for freedom of commerce, the world may be regarded as a potential market entity with quite as much validity as were the early American States.

The American experience suggests that open competition offers higher standards of living wherever it may be allowed to flourish.

HARRY C. TRELOGAN *became Administrator, Statistical Reporting Service, in 1961. Previously he was Assistant Administrator, Agricultural Marketing Service, and Assistant Administrator, Agricultural Research Administration, in which positions he directed the marketing research programs in the Department. He has served the Department of Agriculture since 1938 in a variety of responsibilities.*

Changes in Market Structure

by HAROLD F. BREIMYER

THE SYSTEM for marketing and distributing farm products in every country is large, complex, and important. It is expected to do many things and do them well. It is called on to function with a roller-bearing efficiency, clockwork regularity, and thermostatic dependability. It is a basically self-regulating system, an early automation that long predated the electronic computer and photoelectric cell.

In the United States the marketing system assembles the products of more than 3 million farms. It transports, stores, and processes them. It exchanges ownership and arrives at price at each step along the way. It delivers the final products to consumers—135 million tons of foodstuffs each year, worth more than 60 billion dollars, and nonfoods worth several billions.

A function as vast and vital as the marketing of farm products can only be carried out by an orderly system of processes, techniques, and organizations. Marketing never can be done satisfactorily by haphazard methods and irresponsible agents. Even the most primitive market economy has a semblance of organization.

To the system of organization by which the marketing of farm products of any country is conducted, we apply a broader term, the structure of the market, which includes transportation, warehousing, grading services, and other facilities and services. It is more than that; in marketing, the whole is more than the sum of its parts. The marketing system is an interdependent system, and market structure is concerned with the manner in which that interdependence is achieved.

The marketing system has a dual obligation. It must move and transform products physically. It also must provide for exchange of ownership and thereby arrive at price.

In a freely competitive economy, price is the primary regulatory device.

By it, services are called forth and supplies are apportioned. Price also determines the rewards to producers and the cost to consumers.

The marketing of farm products is carried on principally by private trading, but invariably it uses some services of government. They are ordinarily designed not to replace private trading so much as to supplement it or to make it work better.

The market structure therefore includes not only facilities and services but also the practices, customs, laws, and private and governmental regulatory services—all the institutions by which marketing is converted from a disorderly melee to a highly organized and efficient procedure that repeats itself day after day, week after week, year after year.

Market structure has national and international significance because there is universal concern for it, it differs so much among nations, and it is subject to dynamic changes.

Although all countries face comparable tasks of devising a marketing system that meets tests of efficiency, fairness, and orderliness, by no means are they equally successful in attaining it.

The contrast in men's weapons, ranging from lance to atomic missile, is no sharper than in his farm markets. In parts of Africa, cassava may be sold directly to consumers in raw form and seasonal supply. Likewise, cereal grains in Central America. In the United States and in western Europe, highly processed foods are available in spotless, refrigerated showcases the year around.

A country's success in improving its marketing seems to be related closely to the stage of development of its economy. The more developed countries generally have intricate systems for marketing the products of their farms. Less-advanced nations can show only cruder systems.

The correlation is not one of chance. J. C. Abbott, of the Food and Agriculture Organization of the United Nations, pegs an adequate system of markets high on the list of conditions essential to the development of agricultural economies. Often it is underrated; direct aids to production, such as putting more capital equipment on farms, often get priority.

FORCES OF CHANGE in the structure of the market may be generated consciously or they may be incidental to other events. That is, countries striving for development may make the improvement of their markets a specific goal, as Argentina has sponsored a replacement of its costly, wasteful bag handling of grain by bulk handling.

Elsewhere, changes may be initiated from other parts of the economy, as some of the trends in marketing in England reflect demands made by the new retail supermarkets, which differ from the small shops that did all retailing in the past.

Change can be overglorified, too. Not everything that is new is better. Often an improvement in one spot in the marketing system creates or accentuates a problem in another. Some new nations have successfully promoted new foreign markets for their products, only to lose them through failure to standardize quality in the products shipped.

Current trends in the United States are an example. Through mass handling and advance contracting for supplies, some large distributors are attaining efficiencies in cost and performance. In doing so, they often circumvent the competitive trading that has been the protection of producers, market firms, and consumers.

The process of change, valuable as it often can be, by no means justifies a less critical attitude toward the structure and operations of the marketing system.

Wherever an economic progress is sought, attention will be paid to the marketing of farm products and to efficiency so that there can be economy in cost and use of resources. It will extend to the exchange side of marketing, because a sound system of pricing is necessary to insure equity and fairness and so insure that producers receive enough return to encourage them to produce. Often in backward regions, so little of the final sale value of farm products gets back to the farmer that he has slight incentive to try to increase his production or the quality of his output.

SEVERAL FEATURES of farm products make their marketing so complex and the attainment of a good marketing system so difficult.

First, in all countries outside the Soviet bloc, farm products are produced in small quantities on widely scattered farms. In places where agriculture is self-sufficient rather than commercial, and most markets are local, that is no big handicap. But during the industrial growth most countries aspire to, people collect themselves in cities. To feed them, foodstuffs must be assembled from wide areas and transported far.

Second, most farm products, both crops and livestock, are produced seasonally. But consumers must be supplied with food the year around, and they resist too much seasonal change in their diets.

Seasonal marketing means also that farmers get their income only a few times during the year and that prices at the seasonal harvest are depressed below their average the rest of the year. If farmers are not well financed, they are in danger of being exploited by lenders who advance funds in anticipation of harvest and are defenseless against the low prices at harvest.

As a third feature, some time elapses between the planning of production and the marketing of products. In this respect, agriculture differs from industry, in which current production often can be adjusted according to current rate of sales. Misjudgments farmers may make in estimating their market can lead to instability.

Farm products, once produced, must be sold, regardless of the wisdom of the original decision to produce them. Nor can any new decision as to production in the future have much influence on the prices that can be obtained for them in their sale. In other words, neither their own production history nor concurrent production plans becomes an element in bargaining for sale of farm products.

Fourth, many farm products are perishable. Perishability adds to expense in handling. It also is an important factor in the pricemaking part of marketing. Anyone who holds products that are perishable finds himself in a disadvantaged position in negotiating for a satisfactory price for them.

Fifth, it is difficult to control the quality of farm products and the exact timing of their marketing. As products of nature, they possess a certain variability and unpredictability in their readiness for market that is sharply in contrast with the products of industry. It is hard to standardize the products of the farm, and they become "ripe," "fat," or otherwise ready for market pretty much at their own pace.

This feature of farm products is increasingly in conflict with the demands of the market. Especially in the larger industrial nations that have highly formalized marketing systems, marketing firms beg for a steady flow of supplies of reliable quality. They do so for two reasons: Consumers with high incomes insist on dependable quality, and the handlers and processors themselves want to take advantage of the economy of mass handling, for which regular supplies of fairly uniform quality are essential.

A sixth attribute is that the individual farmers who produce and sell have only little bargaining strength. Farms typically are comparatively small economic enterprises. Farmers have neither the specialized skill in marketing nor the financial capacity to exercise much bargaining power. They are handicapped by the seasonal bunching of supply, perishability of product, and the other features I mentioned.

Farmers are especially conscious of their inferior bargaining power because they customarily sell to firms that are larger and have greater power. Nevertheless, differences in marketpower are found throughout the marketing system. The place where most power rests varies by commodity and by country.

In the United States early in this century, power often centered in processing. Several processors of farm products became targets of trust-busting, which was the Government effort to influence market structure in those days. More recently, power concentration has tended to move forward, to the retailing of food.

Wherever foodstuffs and other farm commodities are traded under less than perfectly competitive conditions—that is, where there are not many buyers and sellers in close touch—an uneven balance of marketpower is likely to be found.

Finally, farm products are characterized by the remoteness of their producers from the ultimate consumers. This distance—this separation—puts a heavy strain on the marketing system if demands of consumers are to be the source of directional signals in production. Consumers' wishes, transmitted through the pricing system of the market, will reach the producer only if the market is a good communication medium.

Ironically, the long line of communication and the chance that it may be faulty are most apparent in the more developed nations. In simple agricultural economies, farmers sell most of their produce directly to local consumers. In larger industrial countries, the farmer never sees the final consumer, who is distant by many miles and several steps in the marketing-and-distribution sequence.

Data on relative values paid by consumers and received by farmers emphasize the wide gulf between the two. In the United States in 1964, original producers received less than 40 cents of each dollar the consumer spent for food. When nonfoods, such as cotton, wool, and tobacco, are included, the farmer's share was less than 30 cents.

THE FORM the marketing system takes at various times and places can usually be explained by the several characteristics of farm products, by the state of technology, and by the goals that are sought in a good system.

In medieval times, a high proportion of farm products was sold at local markets or fairs. If many sellers and many buyers came together there on announced trading days—and if the sovereign's announced rules of trading were observed—a reasonably good market emerged. The method of trading gained wide acceptance. Even scholars of the day took note of it, and from it they derived their theories of how impersonal forces of supply and demand can interact to the common good.

A big weakness remained, however. It was the lack of close touch between the several local markets. One market therefore could labor under oversupply. Another could suffer a shortage.

Development of a network of transport proved the key to good regional and national marketing systems. Late in the 19th century and early in this one, railroads became the big common carrier of farm products. Ribbons of rail lines reached out radially from each center, and trunklines linked the centers. It was the era of great terminal markets for farm products. The system was especially prevalent in Canada, the United States, western Europe, and parts of South America. Farm products were collected and sold in open-market trading at the great rail centers. Usually sale took place by some form of auction.

At those central markets, many buyers met many sellers, some of whom were commissioned agents of the original producers. Therein were the "ideal" conditions of medieval fairs replicated, giant size.

Moreover, the entire system that was built around central markets was comparatively simple, straightforward, and orderly. It was a system of a well-defined marketing sequence. The successive stages came to be called strata, like layers of rock seen in geologic cross section. The farmer sold his produce at the local market. Much of it went to a central assembly market. It may have been directed next to a processor. At the other end of distribution, it likely passed through wholesalers to retailers to consumers.

It may not have been the most efficient market system, but it was visible and understandable. It conformed to the democratic value of being easily accessible to everyone.

Furthermore, that system lent itself well to the marketing services that were developed to make it work better. Some of the services were performed privately, but others became the responsibility of government—in most countries they were divided or carried on jointly between provincial and central governments.

Market information perhaps underpins all market services. In the United States and all modern countries, elaborate statistical reporting services publish data on supplies and prices of farm products in daily trading—the familiar market news reports that may go out by radio or television almost as fast as trading occurs. Those services also collect and disseminate information on acreages, yields, average prices, and other subjects. Sometimes statisticians project economic trends into the future, in order to help farmers and

market firms to make their production and marketing plans for years ahead.

Less-advanced places may lack elaborate facilities but not originality.

In India and Pakistan, for example, blackboards and loudspeakers at the entrance to local markets are a way to inform farmers and traders. The market committee at Montgomery in West Pakistan was even more ingenious. It sent a messenger on bicycle to schools in the district to leave slips on which the current wholesale prices were written. The headmaster gave the slips to the pupils, who took them home to their farmer parents.

Grading of farm products—their classification into uniform categories of quality—has come to be a mark of an up-to-date marketing system. If, as I noted, it is impossible to produce farm products to exact specification, the next best course is to sort them into classes after they are produced.

Many large processors and distributors have their own systems for grading, but most reliance is usually placed on government grading, which normally is standard nationwide and is conducted impartially.

Oftener than not, grading is voluntary. Some countries, however, are sufficiently concerned about preserving a good national reputation in their export markets that they make grading and inspection mandatory.

Grading occasionally is made compulsory for domestic markets. Seattle, Wash., is known for its law calling for federally graded beef. In Calcutta, all ghee brought into the city must have been graded under the Agmark system.

Inspection of farm products for quality carries grading one step forward. Grading merely sorts, but inspection is done in order to reject any unacceptable lots or specimens. Some inspection is for the purpose of protecting consumers against unsanitary or contaminated products. Examples are compulsory inspection of meat and poultry for sanitation and wholesomeness, which is now commonplace in many countries.

Regulation of market practices has been a guardian of the interests of buyers and sellers for many years.

Markets are regulated in order to make them more freely competitive or to protect the public interest in the absence of adequate competition.

Farmers particularly have wanted regulatory action. As farmers enter marketing with little individual bargaining power, they have been highly sensitive to the degree of competition exhibited among their buyers.

By setting rules of trading and by guarding against monopoly, regulatory agencies can help to assure that the market for farm products is at least reasonably competitive.

Where there are built-in monopoly conditions, the regulatory agency can take protective measures.

The public livestock markets in the United States are regulated under the Packers and Stockyards Act. The agricultural markets of India are similarly subject to that country's Agricultural Produce Act.

Markets in many other countries operate under similar authority.

Closely related are overall anti-monopoly policies, which relate to marketers, processors, and retailers of farm products as well as to all other corporate business. The best known legislation in the United States to that purpose is the Sherman and Clayton Antitrust Acts.

Another kind of regulation is aimed at preventing any trader from cornering the market in wheat or corn or other product, either in spot or future trading. In the United States, this is carried out under the Commodity Exchange Authority.

Market research, although a less direct service to marketing, is no less significant than others. Research is applicable to nearly all phases of the marketing of farm products. It can be designed to search out better ways of meeting the dual goals of marketing, those of high physical efficiency and of equity in the system of exchange.

All these market services relate to the improvement of the system by which farm products are marketed.

Their meaning is the same in all countries. Just as the fundamental function of marketing is everywhere the same, so do the actions and services undertaken to facilitate it fall into the same broad categories.

Furthermore, the drive toward better marketing is worldwide. It is part of the restless pursuit of economic advancement, of a better life for all.

In less-developed regions, the initial need may be for the simplest facilities, like roads and storage pits or barns.

Often the most pressing requirement is to break away from established customs. Producers in many parts of the world are virtually forced to use traditional trading channels. They may be indebted to traders, local customs may be binding, or laws may be compelling. In some Italian cities, food must be sold wholesale on the local market. In some Latin American towns, only meat from slaughterhouses inside the city can be sold. Elsewhere, products may be permitted to cross city boundaries but must pay a toll. Often the collection of the tolls is awarded to private persons by auction, a system that invites extortion.

The means of solving such problems usually are not hard to discover. The experience of advanced countries usually can be drawn on as a guide to policy. Action is needed.

In the more developed nations, the United States not the least among them, the challenges to marketing are of a different sort. They may not be more difficult, when measured against resources. They are more likely to be novel. Therefore, unlike the problems of less-advanced areas, they must be dealt with without the advantage of prior experience or precedent.

CHALLENGES to marketing in those countries come from two sources.

One is pressure from without, from both consumers and producers, that marketing do a better job.

Consumers are becoming more insistent, not less so, that foods and other farm products reach them in beautifully prepared form, uniform quality, freedom from adulteration or infection, and round-the-calendar regularity.

Farmers are more impatient than before with fluctuating and undependable incomes. Their attitude partly reflects the trend toward a more commercial agriculture, with its greater cash expenditures that must be met. But it is due also to their sharing in a general desire for stability and security.

This urge toward more constancy in economic affairs seems to be extremely pervasive, making few distinctions among lands, peoples, or classes.

The other challenge to the traditional market structure of independent firms that buy and sell at successive market stages is in the system itself.

It is sometimes technological in nature, but often it arises also in a search for marketpower. Some of the changes taking place in marketing do not bear on competitiveness, but others clearly are in the direction of reducing the traditional competitiveness wherein many buyers meet many sellers in close communication.

A few changes have been toward eliminating market exchange entirely, replacing it with the contractual or ownership relations known as vertical integration.

In one of the earlier changes, the fairly orderly system built around central markets was upset by the arrival of paved highways and the motortruck. They brought a decentralization of some markets. At about the same time, direct trading began to increase. In it, processors or retailers buy products directly from producers, bypassing local assembly markets, wholesalers, or other market stages.

Neither decentralized nor direct trading is necessarily a poorer marketing system, especially with the telegraph and telephone at hand for instant communication. But they do interfere with providing many of the auxiliary services that were designed for central markets.

Another change has been an increase in concentration among market firms. A small number of firms dominate the processing of several farm products. The greatest growth in concentration, however, has been in retailing, in which corporate chains and voluntary and cooperative organizations have gained a size and influence not known a generation ago.

Increase in size of market firms sometimes is grounded in the economy of mass handling. Often, though, we can attribute a continued increase in size to competitive advantages of size alone. Whatever its origin, great size poses a problem of its exercise of unwarranted marketpower.

THE DEMAND for better marketing and the challenges to traditional market structure keep the marketing system in a state of flux.

Over the years, and today, a significant development has been growth of cooperative marketing. Although privately initiated, cooperation has had the blessing and help of government. The twenties were the period of brightest faith and fastest growth in farmer cooperatives in America.

Various kinds of cooperation have been utilized even more in some foreign countries than in America.

For example, Denmark through its cooperatives exercises broad controls over the production and marketing of hogs, including the control of breeds, quality, prices, and export trade.

Other Scandinavian countries are noted for the extent to which they employ cooperatives in the marketing of livestock.

La Coopérative Fédérée de Québec is a highly centralized and integrated cooperative organization that markets 30 percent of all livestock produced in the Province, 20 percent of poultry and eggs, and a third of all dairy products; it sells 30 percent of grain and feed bought, 20 percent of farm machinery, and one-third of the fertilizer and pesticides.

A Provincial law in Ontario sets up

a system of telegraphic auction selling of hogs that requires no personal inspection of the animals. The system is aided by a Dominion rule calling for carcass grading of all hogs and paying a premium for the higher grades.

Cooperatives frequently have been successful in the Orient, although they must sometimes be organized along clan lines. Japan, Taiwan, Thailand, and other Eastern nations have had many successful experiences with cooperatives. In Thailand, for instance, 114 rice marketing societies had a membership of 67 thousand in 1958.

Cooperative marketing for export is fairly common among exporting countries. Any export trading monopoly that is granted ordinarily is under the direction of the central government.

In the United Kingdom, consumer cooperatives handle about 20 percent of the food trade.

Still another form of cooperation, but one that is hardly conventional, is cooperative or group bargaining. This is group negotiation, as distinguished from any pooling or cooperative associations that take title to the product. Groups organized for the purpose are often called bargaining associations.

Several States have enacted laws facilitating the organizing of associations of farmers for the purpose of joint negotiation with buyers of their products. Often the products are crops for processing, such as fruit or vegetables for canning, that are produced and sold on contract. It is almost essential that the price of those crops be arrived at before harvest, and the bargaining association is a means by which producers attempt to present a common front in negotiation.

It is too soon to pass a lasting judgment as to the success of efforts at voluntary group bargaining. The practice is significant chiefly as an effort by farmers to resolve their dilemma wherein a competitive exchange market is not possible and they otherwise would lack bargaining power in arriving at negotiated prices.

THE SEARCH for a solution to problems of marketing farm products has led often into market programs sponsored or conducted by a central government.

Those programs are of two broad categories. One is the enforced marketing by a single agency, with or without floor prices. The second is government effort to add to demand.

Single-agency marketing often is directed by producer marketing boards. Their characteristic feature is that they provide in some manner for participation by all producers of a commodity in a specified area.

Producer marketing boards may be called quasi-governmental, for (whatever their administrative relationship with the government) they act under governmental authority and usually government supervision.

One of the more modest versions of this broad class of programs is the market orders and agreements of the United States. These have been applied to the marketing of fluid milk, several kinds of fruit, vegetables, and tree nuts, and a few specialty crops.

Seldom do they control the total supply of the product as such, but many of them regulate quality of products shipped as well as the rate and allocation of marketings throughout the season.

Federal market agreements were first authorized in the Agricultural Adjustment Act of 1933. In 1964, 83 milk orders and 45 agreements and orders for fruits and vegetables were in force.

Several States have similar provisions, sometimes of broader scope than the Federal ones, including provisions for bargaining associations of producers. Market agreements and orders are a marketing device of much meaning to market structure.

Some producer marketing boards exercise strict control over the marketing of a product, either by taking title to the entire supply or by regulation via some system of certificates.

For more than 25 years, all the grain of western Canada that moves across

Provincial boundaries or into export has been controlled by the Canadian Wheat Board. The Board came into being largely by virtue of Canada's large export trade in wheat. It not only directs exports; it has the benefit of a separate government authority that sets floor prices.

Producer marketing boards in various countries utilize several different measures to assist their producers. Diversion of a part of the supply to a secondary domestic market is common.

Another two-price program is to divert part of the supply to a lower priced foreign market, thereby holding prices at home above the export price.

The United States Government establishes floor prices for several crops, milk to be processed, and wool. (For wool and sugar, direct payments may supplement market prices.) The Canadian Government and a number of other governments have similar programs. Floor prices may lift and stabilize prices in general, and they protect against a farmer's having to accept depressed prices at harvesttime. Somewhat less common is the United States program of discretionary Government buying, under the so-called section 32, of commodities that are in temporary oversupply.

Government efforts to supplement or strengthen demand for food and other farm products are of more recent origin and more limited application. They are nonetheless significant. India calls for selling some bread and food grains at low prices through fair-price shops. Iran similarly required wholesalers of wheat to sell some at a concessionary low price. The United States has inaugurated a pilot Food Stamp program to achieve the same objective of stretching the food dollar of families with low incomes.

The Plentiful Foods program of the United States Department of Agriculture is an informational service that directs attention to foods that are in plentiful supply. To be sure, private promotion of foods is enormous. In addition to conventional advertising, a number of producer and trade groups engage in joint promotion of their products. Often they step up their efforts when surplus occurs or impends.

A PROFOUND change in market structure during the late fifties and early sixties was the trend toward replacing market exchange with various contractual and ownership arrangements, known by the term, vertical integration. It has been most prominent in the United States but is not absent elsewhere. If the experience in the United States proves to be only a forerunner, it will become a major feature of marketing in many countries.

Vertical integration can take many forms, but their common quality is that the supplies used in farm production, or the products produced, are not bought and sold in market exchange. Instead, they are negotiated for, and the terms arrived at are usually binding for a period of time.

Vertical integration is important of itself, but it has special meaning to market structure because it typifies efforts to graft the modern industrial techniques of mass handling, mass processing, and mass merchandising upon the production and marketing of farm products. It proclaims bright promise of technical efficiency.

To the critical observer, however, it also raises sober questions about its relation to competitiveness in markets.

Vertical integration may add to concentration at any market sector, putting trading in even fewer hands; but its greater significance lies in its enveloping the successive steps in the marketing sequence and putting them under one single management. As another consequence, when vertical integration reaches to the farm, as it does in many broiler contracts, it may change the management status of farmers from entrepreneurial to contractual status.

Isolated instances of vertical integration naturally have little bearing on market structure, but its widespread adoption can have a great deal.

As the most radical of all departures from traditional competitive markets, it wholly removes the opportunity for buying and selling on open markets and presents a new dimension in market regulation. Regulation has related chiefly to structure or practices in markets defined horizontally—that is, in markets performing the functions of only one stage in the sequence.

An example of such regulation is an antitrust action in the United States to block a national dairy firm from acquiring other similar firms. On one of the few early occasions when vertical integration threatened, a packers' consent decree restrained meatpackers from integrating backward into operation of stockyards or forward into retailing of meats. A market firm that holds power in its own sector may be able to extend that power greatly by reaching forward or backward. Unquestionably, the historical attitude as to market structure has been unfriendly to large vertical combinations.

Vertical integration, like any new entrant on the marketing scene, does not become a question of yea or nay, of unqualified approval or absolute disapproval. It may serve as a lens to reveal flaws in the existing marketing system, including inadequacies of market services.

For example, it may show that the higher degree of precision and exactness now called for is not being met by present market news and standardization and grading. If so, a signal flare should go up, insisting on updating of those services.

But again, as is true for anything new, ways must be found to take fullest advantages of the strengths of vertical integration and to minimize its weaknesses. In some instances, regulatory restraints may be necessary. Several of the traditional market services may find it necessary to adapt further to new market structure. If interests of farmers are threatened by monolithic vertical firms, the two possible courses of action are to break up or regulate those firms, and to help farmers to organize into a common front of their own. Much wisdom will be required to make the best choice in each instance.

Whatever policy action as to vertical integration may eventually be chosen in the United States and elsewhere, the message comes through loud and clear.

The structure of the market for farm products is more than a mere listing of the several physical functions, such as assembly, transport, and processing, that are carried out. It includes an understanding of the manner in which those functions, together with the processes of pricemaking in exchange as aided by the various auxiliary services, are combined into an interlocking mechanism.

The structure of any market is viewed and judged according to how well it adapts to the several characteristic features of the farm products with which it begins, and accomplishes the ends of fairness, equity, efficiency, and overall orderliness it is expected to serve.

Moreover, the setting is dynamic. Market structure must be flexible and capable of incorporating new technologies available to it and of accommodating new demands made upon it. And yet it must have the gyroscopic ability to continue to fulfill at all times, and despite all interruptions, the central purpose and mission with which it is charged.

HAROLD F. BREIMYER *became staff economist in the Office of the Administrator, Agricultural Marketing Service, in 1961. For 2 years he was staff economist for the Council of Economic Advisers in the Executive Office of the President. He interrupted his assignment in Agricultural Marketing Service during the school year 1963–1964 to be visiting professor of agricultural economics at the University of Illinois. Mr. Breimyer's earlier career was in price analysis and marketing of livestock, and he drew on his United States and oversea experiences for some of the information and illustrations presented in this chapter.*

Supermarkets Around the World

by R. W. HOECKER

THE FOOD SUPERMARKET was exclusively American until the midfifties. Since then, the apparently simple idea of offering for sale many items on a self-service basis in one store has been adopted in many countries.

Our interest in it here is not that it is American or big or widespread, however. Rather, we view it as a force in helping to develop the food distribution system in developing countries and in regions where it has become established as the best export outlet for American grown and processed food products. The successful adaptation of the supermarket to foreign economies may succeed in raising their living standards and furnish more markets for American farm products.

Low-cost mass distribution requires a dependable supply of good items, adequately packaged, transported, and advertised, and a highly organized marketing system that starts at the production level and ends in the consumer's home.

Supermarkets increased their share of the United States food sales from about 40 percent in 1950 to more than 70 percent in 1964. The average supermarket stocks about 7 thousand items. Today's "discount house" may carry more than 20 thousand items—more than half of them nonfood goods.

Nearly 90 percent of the total food sales in the United States are made by corporate chains or independents affiliated with groups of wholesalers or cooperative retailer associations of retailers. Both types of organizations usually make use of highly coordinated marketing systems from the producer to the retail store.

A corporate chain is defined as an operator with 11 or more retail stores. Many independent foodstore operators have now affiliated with wholesale suppliers. This step has enabled many of them to equal or surpass the corporate chainstore in prices and scale of operation. As a result, lower priced food is available to consumers.

About one-half of the 28 thousand supermarkets (annual sales of more than 500 thousand dollars) in the United States are operated by corporate chains. About one-half are operated by affiliated retailers.

The proportion of the total sales of food made through corporate chains increased from 31 percent in 1931 to 40 percent in 1962. The proportion made through affiliated independents increased from 29 percent to 49.

Many wholesalers have become complete supply centers. Instead of separately owned and specialized meat, produce, or grocery wholesalers, one firm handles nearly all of the retailers' needs. Relatively few large retail outlets, whose wholesalers supply all their merchandise, have replaced the large number who got their goods from many wholesalers.

THE PATTERN of food distribution in industrialized countries, as in Europe and Australia, has followed the one in the United States.

The growth of self-service in several countries has been especially fast since 1956. West Germany, which had no self-service stores in 1948, had 1,380 in 1956, and 30,680 in 1962. Great Britain had 130 self-service stores in 1948, about 3 thousand in 1956, and 10 thousand in 1962.

Supermarkets in Europe are stores with a minimum size of 4 thousand square feet and sell a full range of food.

The first supermarkets appeared in Europe in the midfifties. There were 206 in Italy in 1962, 140 in France, 400 in Germany, and 900 in Great Britain. The number increased rapidly during the early sixties because the prerequisites for expansion existed in many places.

Potential customers of European supermarkets have a high standard of living; good transportation, so they can transport home relatively large quantities from a distance; refrigeration in the home, so that perishables can be stored; and a desire for a wide range of food items, many of which are ready prepared.

The European supermarket operator has fairly accessible large and regular supplies of standard-type products; items packaged in uniform containers; good transportation; effective advertising; and a fairly well organized distribution system. A high level of employment has created an effective demand. Progress in marketing and food distribution is making possible mass distribution.

Suppliers who recognize the product requirements of the supermarket are likely to find a ready demand for their output.

THE INDUSTRY takes on characteristics of the countries in which it develops.

In 1961, for example, 72 percent of the self-service retail outlets in the Netherlands were owned by independent retailers, 23 percent by chains and department stores, and 5 percent by consumer cooperatives.

The corresponding percentages for Great Britain were: Independent retailers, 21 percent; chains and department stores, 36 percent; and consumer cooperatives, 43 percent.

The voluntary groups and the consumer cooperatives are much more active in Europe and Australia than in the United States. The pattern of food distribution in Australia and New Zealand has paralleled closely the pattern in Great Britain.

Since the midfifties, the European distribution industry has been taking the American system and adapting it to its own situation. This period was nearly complete in 1964, and the distributors began to develop distinctly European characteristics. Centralized packaging of meat for retail, for example, was just beginning in the United States, but in Germany almost 40 percent of the meat retailed in packages was packaged at a central place. The one-way flow of ideas became a two-way flow.

RETAIL FOOD DISTRIBUTION outside North America, Europe, and Australia usually has been done through many little shops with small capital investments, limited stock, high margins, and personal selling. Thousands of pushcart operators, on-foot peddlers, also sell food, and small agricultural producers retail all or part of their production. Most consumers buy on a hand-to-mouth basis: People may buy one egg, one cigarette, or one razor blade at a time because they have little money, no place to store food at home, and no good way to transport large amounts of anything. Habit is another reason.

The American-type supermarket does exist in many of the less-developed countries, but it serves only a small part of the population. Usually it is in the capital or a large city and serves American and European nationals and the nation's wealthy class. Most of the nonperishable packaged food and nonfoods may be imported; perishable products are produced in the country.

A big problem is to develop and maintain reliable supplies of perishable and nonperishable goods. Another is the gap between few high-income customers and the many low-income consumers. The number of supermarkets in a country has been said to be an index of the size of its middle class.

The number of supermarkets has been growing in such Latin American cities as Mexico City, San Juan, São Paulo, Rio de Janeiro, Lima, and

Bogotá. The countries have been developing their own sources of supply, a packaging industry, and an integrated marketing structure. As the demand for more and better food grows, because of the growth of a middle class of good incomes, refrigeration, and transportation, we expect further growth of supermarkets. Many people, however, will continue to buy their few staple items at small grocery stores and their perishable foods from open-air markets, without refrigeration or grading and with much waste.

Methods of food distribution in Japan, the Philippines, and India in many respects resemble those in Latin America. The essential differences appear to reflect principally the per capita income of the countries.

The Philippines has a number of supermarkets and a well-integrated food distribution system. India has lower per capita incomes and has no significant number of American-type supermarkets. The Japanese in 1962 had 383 supermarkets, of which 194 sold mostly food and 189 had most of their sales in nonfood items.

It is possible that modern food distribution, as symbolized by the supermarket, will expand in the less-developed countries, but it may be a long time before the bulk of the food is distributed through anything but the small retail stalls.

In Africa, limited diets and low incomes may delay any large expansion in the number and size of supermarkets.

Nairobi, in Kenya, for example, in 1964 had one large supermarket and six small self-service stores, the only self-service stores in Kenya. Nairobi is a tourist center, and many foreign representatives are stationed there. More than 90 percent of the customers of self-service stores are of European extraction.

Kampala, the capital of Uganda, had one small American-type supermarket and two small self-service stores in 1964—the only ones of their kind in Uganda. Dar es Salaam, the capital of Tanganyika, had one large supermarket.

Most of the wholesaling in the developing countries is performed by small operators and is characterized by many handlings. Often the wholesaler's main function is to extend credit. Some of the primary wholesalers offer storage and transportation.

The spread between producers and consumers often is wide. The large number of middlemen, poor transportation, and the great amount of waste conduce to high costs. Products may cost five or six times as much in the city markets as the producer received for the product. In some places where the supermarket has replaced the traditional store, the margins have dropped substantially. For example, operators of two self-service stores in Nairobi reported they reduced their margins from about 30 percent before self-service to about 15 percent. Retail prices for perishables are usually lower than in the United States, because the perishables are locally obtained; prices for nonperishables are higher, because most nonperishables are imported.

THUS THE SUPERMARKET is not a stranger to any part of the world. Poverty limits its spread.

Much can be done to improve distribution practices throughout the world so that people may get food at lower cost and of better quality. Some of the needs are: The development of grades and standards; uniformity of weights and measures; availability of low-cost credit; storage and refrigeration facilities; improved transportation and better sanitation; packaging machinery and materials; improved handling practices; and training in the fundamentals of wholesaling and retailing.

R. W. HOECKER *became Chief, Wholesaling and Retailing Research Branch, Agricultural Marketing Service, in 1950. During 1948 and 1949 he was professor and head of the Marketing Division, University of Maryland.*

Regulating Trade Amid Changes

by CLARENCE H. GIRARD

COUNTLESS regulatory laws of the Federal Government, the States, and thousands of localities influence trade and commerce among the States and with other countries. The laws reflect efforts to protect health and safety, maintain orderly marketing, and preserve free competition in this rapidly changing economic world.

The United States Department of Agriculture administers a wide variety of regulatory laws. Each is specialized in design because of the infinite variations that exist in agriculture and in the marketing of agricultural commodities and products.

Many of the statutes administered by the Department are so-called standardization and inspection laws. Some are permissive and others are mandatory. They provide for establishing official standards of description and require official inspection under certain conditions. Their purpose is to eliminate the confusion that had developed in the use of variant terms to describe quality and condition of farm commodities. They establish uniform standards that are adapted to long-distance transactions and to distribution nationally or internationally.

The first was the Cotton Futures Act of 1916. It levies a tax of 2 cents a pound for each contract for future delivery made on any exchange, board of trade, or similar institution. The tax need not be paid when cotton delivered in settlement of futures contracts conforms to official standards promulgated by the Secretary of Agriculture and when such cotton has been classed and certified by him.

This authority was not applicable to spot transactions. Accordingly, in 1923 the Cotton Standards Act was passed. It also provides authority to establish official standards and makes it unlawful to describe cotton by grade in any transaction in interstate or foreign commerce unless the description conforms to the official standards. The act does not prohibit sales on the basis of individual samples, nor does it require official classification of all cotton traded in interstate or foreign commerce.

The United States Grain Standards Act (1916) authorizes the Secretary of Agriculture to establish official standards for grain and requires the use of the official standards whenever grain is sold by grade. It does not prohibit the sale of grain by sample or by type, or under any name, description, or designation that is not false or misleading as long as it does not include in whole or in part the terms of the official standards. The act goes further than the Cotton Standards Act and requires that grain shipped, delivered, offered, or consigned for sale by grade shall be inspected by an inspector authorized by the Secretary to inspect grain, provided the grain moves from or to a place where an official inspector is located.

These are examples of programs that provide for both permissive and mandatory official inspection. For many other commodities, such as fruit, vegetables, and dairy, meat, and poultry products, official inspection for grade or quality mostly is on a permissive basis. Official inspection for wholesomeness and adulteration is required of meat and poultry in interstate commerce, however.

The Tobacco Inspection Act (1935) deals with official inspection on a somewhat different basis. About 90 percent of the tobacco marketed by producers is sold at public auctions. Because the grading of tobacco requires a degree of skill most farmers do not possess, they were largely at the mercy of buyers as to information on the quality of tobacco they offered.

Under the Tobacco Inspection Act, the determination whether tobacco is to be inspected is left up to the tobacco growers. The act requires that before inspection of tobacco shall be mandatory at a designated market, two-thirds of the producers voting in a referendum must approve mandatory inspection. After the market has been approved and designated, no tobacco can be offered for sale there unless it has been inspected and certified by authorized representatives of the Secretary according to standards established under the act.

Other laws specify official inspection and authorize minimum standards of quality and the specifications for containers.

The shipment of apples, pears, grapes, and plums to any foreign destination is prohibited unless the shipments are accompanied with a certificate showing that the fruit is of a Federal or State grade that meets the minimum quality established by the Secretary for shipment in export.

The Standard Containers Acts of 1916 and 1928 provide specifications for standard barrels for fruit, vegetables, and some other agricultural products, and standard baskets, round stave baskets, hampers, splint baskets, and some other containers. Containers that do not conform cannot be transported in interstate commerce.

Another group of laws is intended primarily to prevent unfair practices. Notable among them are the Packers and Stockyards Act, the Commodity Exchange Act, the Perishable Agricultural Commodities Act, the United States Warehouse Act, and the Federal Seed Act.

The Packers and Stockyards Act (1921) is one of the early major entries of the Federal Government into the regulation of trade practices. It makes it unlawful for meatpackers and live-poultry dealers and handlers to engage in unjust discrimination or deceptive practices; apportion supplies among packers if doing so tends to restrain commerce or create a monopoly; manipulate or control prices; or conspire to apportion territories, purchases, or sales.

The act authorizes the Secretary of Agriculture to regulate the rates, charges, and practices at stockyards in interstate commerce. A person engaged in buying or selling livestock as a commission agent or dealer at any posted stockyard or in interstate commerce must register and furnish bond. Accurate weighing of livestock is required. Consigned livestock must be sold under competitive conditions. Commission firms and livestock auctions must account fully and correctly to their principals. Persons subject to the act must not engage in unfair, deceptive, or discriminatory practices.

Cease-and-desist orders may be issued against violators, reparation orders are authorized, and registrations may be suspended.

FUTURES trading has developed into a vital part of our marketing system.

Future contracts are standardized contracts—with respect to the purchase and sale of a commodity to be delivered in a specified month—in which the terms, except price, are fixed by the exchanges.

The seller, or "short" in the present-day futures contracts, agrees to deliver in a specified month a definite quantity of a commodity. The purchaser, or "long," agrees to accept and pay for the commodity when it is delivered. If, for example, a May wheat futures contract is executed in February, the short has agreed that he will deliver 5 thousand bushels of wheat on any business day in May. The corresponding long has agreed that when the wheat is delivered he will accept and pay for the wheat. The price is determined either by the short accepting a bid to buy at a certain price or the long accepting an offer to sell at a certain price. After the purchase and sale on the exchange have been executed, a portion of the contract price (referred to as the initial margin) is deposited by each party with the clearinghouse of the exchange, which substitutes itself as the seller to the buyer and the buyer to the seller.

A short who delivers the cash (actual) commodity on his futures contract has consummated the contract, and his position in the futures market is thereby liquidated; he is no longer in the market.

The long who accepts and pays for the commodity has also consummated his contract, thereby liquidating his position in the market.

In practice, however, actual delivery of the commodity seldom occurs. About 99 percent of the contracts are offset on the exchange by making an opposite futures transaction; that is, the short in the example becomes the purchaser of a May wheat futures contract, and the long becomes a seller of a May wheat futures contract. So they liquidate their positions. The contractual provisions for delivery nonetheless are a necessary factor in establishing and maintaining the relationship between futures prices and the prices of the cash commodities.

In general, the principal terms of a futures contract provide for a standard unit of trading—for example, 5 thousand bushels of wheat; any one of a number of grades of the commodity to be deliverable in fulfillment of the contract at premiums or discounts from a basic grade; the commodity to be deliverable only from an approved storage facility; the commodity to be graded and weighed by licensed inspectors; the commodity to be deliverable only during a specified month; and the seller to have the option as to the grade delivered and the day of the month on which delivery is made.

The commodity exchanges provide a continuous market to the buyers and sellers of agricultural commodities.

The Supreme Court has stated: "The sales on the Chicago Board of Trade are just as indispensable to the continuity of the flow of wheat from the West to the mills and distributing points of the East and Europe, as are the Chicago sales of cattle to the flow of stock toward the feeding places and slaughter and packing houses of the East."

Trading in futures also provides a pricing basis for commodities sold throughout the country and serves as a hedging facility that permits merchants and manufacturers to transfer the risk of price changes to speculators.

The first attempt to regulate futures trading was the Future Trading Act in 1921, which was declared unconstitutional as an improper use of the taxing power. Shortly thereafter the Congress enacted the Grain Futures Act, which was similar to the Future Trading Act, but based on the commerce clause of the Constitution.

The Grain Futures Act was substantially amended in 1936 and renamed the Commodity Exchange Act. The primary purpose of the act is "to insure fair practice and honest dealing on the commodity exchanges and provide a measure of control over those forms of speculative activity which too often demoralize the markets to the injury of producers and consumers and the exchanges themselves."

The act regulates futures trading in cotton, rice, mill feeds, butter, eggs, white potatoes, wheat, corn, oats, barley, rye, flaxseed, grain sorghums, wool tops, fats and oils, cotton, cottonseed, cottonseed meal, peanuts, soybeans, soybean meal, and wool. It prohibits manipulations or attempts to manipulate the price of these commodities. Corners or attempts to corner are also prohibited.

The act provides that the Secretary of Agriculture, the Commodity Exchange Commission, and the respective exchanges or boards of trade can regulate futures trading.

The Secretary of Agriculture, among other things, licenses boards of trade, future commission merchants, and floor brokers; suspends or revokes licenses of future commission merchants or floor brokers; suspends the trading privileges of persons who violate the act; and issues rules and regulations.

The Commodity Exchange Commission is a commission consisting of the Secretary of Agriculture, as chairman; the Secretary of Commerce; and the Attorney General. The Commission fixes trading limits, suspends or revokes the licenses of boards of trade, reviews refusal by the Secretary to license a board of trade, determines whether a board of trade may exclude a producer cooperative from membership or trading privileges, and issues cease-and-desist orders against boards of trade.

The act recognizes the right of the exchanges to issue rules and regulations and to enforce their requirements. It leaves the exchanges virtually free to admit members and select officers, to discipline offenders, and expel members; determine delivery months and contract terms; fix limits of fluctuation in prices, margin requirements, and brokerage fees and commissions; and exercise other prerogatives.

THE PERISHABLE Agricultural Commodities Act is designed to suppress unfair and fraudulent practices and promote more orderly marketing of fresh or frozen fruit and vegetables, including cherries packed in brine.

The act makes it unlawful for any commission merchant, dealer, or broker handling fresh or frozen fruit and vegetables to engage in interstate commerce in such commodities without a license from the Secretary of Agriculture.

The act prohibits such unfair practices as rejection without reasonable cause; failure to deliver without reasonable cause; making false or misleading statements and making incorrect accountings on consignments; failure to pay promptly for commodities purchased or received on consignment; misrepresenting the grade, qual-ity, or State or country of origin; and altering Federal inspection certificates.

The act authorizes the issuance of reparation orders for damages resulting from violations of the act. Disciplinary proceedings leading to the suspension or revocation of licenses are also authorized.

THE UNITED STATES Warehouse Act authorizes the Secretary of Agriculture to license and bond public warehousemen storing agricultural products; license weighers, graders, and samplers of such products; and supervise the operations of those licensed to assure compliance with the act.

The primary objectives of the act are to provide protection for producers and others who store their property in federally licensed warehouses; facilitate the credit required to maintain large stocks of stored products and to assist in their marketing; and to set and maintain a standard for sound warehouse operation.

Licensing under the act is optional with warehousemen, but after a warehouseman has elected to become licensed he is subject to severe penalties for violation of the act and the regulations. To be eligible for licensing, he must have a facility suitable for storing the commodities to be handled, minimum financial assets, ability to obtain a bond, and willingness to conform to the regulations.

A licensed warehouseman is prohibited from mingling fungible goods of different grades. He is also prohibited from making any unreasonable, discriminatory, or exorbitant charge for services rendered. He is required, in the absence of some lawful excuse, to deliver without unnecessary delay the agricultural products stored in the warehouse upon appropriate demand by the depositor or receipt holder. He must also maintain in his warehouse products of the quantity and grade called for in all receipts he issues.

The Federal Seed Act requires the labeling of agricultural and vegetable seed shipped in interstate commerce.

The label must show such information as the kind of seed, the percentage of weed seeds, and the percentage of germination. Before they enter into the commerce of the United States, all imports of seed must be inspected and meet the requirements of the act.

Various farm products are also subject to a number of acts that provide minimum standards to protect public health, curtail misrepresentation, and require informative labeling. The foremost of these is the Food, Drug, and Cosmetic Act.

Another set of minimum standards is administered under the Poultry Products Inspection Act, the Federal Meat Inspection Act, and the Imported Meat Act. Federal inspection is required. Meat that is diseased or fails to meet sanitation requirements is condemned. The labeling of such products must be informative. Misrepresentation is prohibited.

These acts raise standards of safety. Because of labeling requirements, they also improve the consumer's effectiveness as the final arbiter in free markets.

MANY OF THE regulatory statutes I mentioned merely enumerate certain prohibited acts or require for the most part minimum but compulsory implementation by Government officials. The Agricultural Marketing Agreement Act of 1937 is different in this respect. It is enabling legislation, which imposes no regulation or obligation. Instead, it authorizes regulation only when justified by the evidence at a public hearing. Even then, such regulations cannot be made effective unless they receive the requisite approval of affected producers.

The principal purpose of the Agricultural Marketing Agreement Act is "to establish and maintain such orderly marketing conditions for agricultural commodities . . . as will establish, as prices to farmers, parity prices" and protect the interest of the consumers.

With respect to milk: Whenever the Secretary finds that the parity price is not reasonable in view of feed prices and supplies and other economic conditions that affect market supplies and demand for milk in the marketing area under consideration, he is authorized to fix minimum prices to producers, which will reflect such factors, insure a sufficient quantity of pure and wholesome milk, and be in the public interest.

The act authorizes the Secretary to enter into marketing agreements with processors, producers, associations of producers, and others engaged in the handling of any agricultural commodity or the product thereof.

On the other hand, the issuance of marketing orders is limited to the commodities specified in the act.

Among them are milk, fruit, tree nuts, vegetables, hops, honey bees, turkeys, tobacco, and certain other commodities. Excluded are honey, cotton, rice, wheat, feed grains, sugarcane, sugarbeets, wool, mohair, livestock, soybeans, cottonseed, flaxseed, poultry (except turkeys), and eggs.

The provisions applicable to the regulation of milk are quite different from those applicable to the other commodities.

Marketing orders for fruit, vegetables, and specialty crops do not fix prices. Instead, these marketing orders may provide, among other things, for the regulation of shipments by grade, size, or volume; the allotments of quotas among handlers or producers; and the establishment of reserve or surplus pools.

Marketing orders that regulate grade, size, maturity, or quality provide that each shipment of the commodity or product subject to regulation must be inspected before shipment by the Federal-State Inspection Service. Also, whenever a marketing order regulates the grade, size, quality, or maturity of tomatoes, avocados, mangoes, limes, grapefruit, green peppers, white potatoes, cucumbers, oranges, onions, walnuts, dates, or eggplant, the importation of any such commodity is prohibited, unless it complies with the grade, size, quality, and maturity provisions of such order or comparable restrictions.

Milk marketing orders may provide for the classification of milk in accordance with its use and fix or provide a method for fixing the minimum prices for each such use classification that handlers shall pay for milk purchased from producers or associations of producers. Such minimum prices must be uniform, subject only to adjustments for volume, market, production, grade, quality, or delivery locations.

The marketing orders for milk provide for marketwide pools or individual handler pools. Under a marketwide pool, the producers and associations of producers throughout one milkshed receive a uniform price for milk delivered to all handlers, subject only to the adjustments authorized by statute. Under an individual handler pool, the producers and associations of producers delivering milk to the same handler receive a uniform price for all milk thus delivered by them. It likewise is subject to specified adjustments.

THE BASIC antitrust laws—the Sherman Act, the Clayton Act, and the Federal Trade Commission Act—also exert a substantial regulatory influence on the marketing of agricultural products in domestic and foreign commerce. These laws prescribe the rules of free competition.

The heart of our national economic policy long has been a belief in the value of competition. It arises out of our belief that free competition promotes economic growth and political and social freedom, and that it yields the best allocation of natural resources, the lowest prices, the highest quality, and the greatest material progress.

Free competition does not mean a license to compete as one pleases. Unfair, deceptive, exclusionary, restrictive, oppressive, and monopolistic practices destroy competition, restrain trade, and create monopoly.

The underlying rationale of the antitrust laws is to eliminate these private restraints upon United States and foreign trade and to prevent one firm or a group of firms from monopolizing such trade. The laws seek to preserve competition on the theory that the public interest is best protected from the evils of monopoly and price control by its maintenance.

The Sherman Act of 1890 was the first of the antitrust laws. Section 1 makes unlawful every contract, combination in the form of trust or otherwise, or conspiracy in restraint of trade or commerce among the several States or with foreign nations. Section 2 provides that: "Every person who shall monopolize, or attempt to monopolize, or combine or conspire with any other person or persons, to monopolize any part of the trade or commerce among the several States, or with foreign nations, shall be deemed guilty of a misdemeanor, and, on conviction thereof, shall be punished by fine not exceeding fifty thousand dollars, or by imprisonment not exceeding one year, or by both said punishments, in the discretion of the court."

The Clayton Act (1914) was based on the assumption that the broad provisions of the Sherman Act were inadequate and that more specific rules against incipient monopoly and restraints of trade were required.

The act contains a number of provisions outlawing specific practices. Section 2, frequently referred to as the Robinson-Patman Act, forbids price discrimination that may lessen competition substantially, injure competition, or tend to create a monopoly. It also forbids the payment of brokerage fees to buyers as well as furnishing services to customers or making payments to them except on proportionately equal terms.

Section 3 of the Clayton Act contains a provision against exclusive dealing contracts or tying arrangements, whereby a customer agrees not to purchase the goods of the seller's competitors, if such arrangement may lessen competition substantially or tend to create a monopoly.

Section 7, also known as the Celler-Kefauver or the Antimerger Act, forbids the acquisition of shares or assets of other corporations if such acquisition may substantially lessen competition or create a monopoly.

Section 8 makes it unlawful for anyone to be a director in two or more competing corporations, any one of which has the net worth of 1 million dollars or more.

The Federal Trade Commission Act, also enacted in 1914, established the Federal Trade Commission and described its functions. Section 5 declared that "unfair methods of competition" and "unfair or deceptive acts" are unlawful.

Under the Sherman Act and certain provisions of the Clayton Act, the Department of Justice may obtain injunctions ordering companies to follow certain practices or to desist from others. If these injunctions are not obeyed, fines and imprisonment may be ordered by a court.

Under the Clayton and Federal Trade Commission Acts, the Federal Trade Commission is authorized to issue cease-and-desist orders. Violations of such orders after they are final are punished by civil penalties.

Exemptions from the application of the antitrust laws are provided by a number of statutes.

The Capper-Volstead Act of 1922 authorized farmers to join together in cooperative associations and to have common marketing agents. If the Secretary of Agriculture finds that prices are "unduly enhanced" by virtue of monopoly powers exercised by such an association, however, he can order the association to cease monopolizing or restraining trade.

The Agricultural Marketing Agreement Act of 1937 permits the Secretary of Agriculture to enter into marketing agreements with producers, processors, and handlers of agricultural commodities. Such arrangements are exempt from the antitrust laws.

The Fisherman's Collective Marketing Act of 1934 exempts associations of fishermen from the antitrust laws. The Secretary of the Interior, however, may issue cease-and-desist orders if he finds that the action of any association has "unduly enhanced" prices.

Other exemptions are provided for certain types of organizations of small business, associations of marine insurance companies, lessees of Federal oil and coal lands, labor unions, and participants under interstate compacts.

The same antitrust statutes that prohibit restraints and monopolization of domestic commerce also apply to commerce with foreign nations.

Section 1 of the Sherman Act provides that "every contract, combination or conspiracy in restraint of trade or commerce . . . with foreign nations . . ." is illegal. Section 2 makes it a crime "to monopolize, or attempt to monopolize, or combine or conspire with any person or persons, to monopolize any part of the trade or commerce . . . with foreign nations."

The Wilson Tariff Act reinforced the Sherman Act by making it applicable to the importation of goods.

The Clayton Act also applies expressly to United States foreign commerce. Sections 2 (a), (b), and (f) of the Clayton Act (forbidding price discrimination) and section 3 (prohibiting tie-in and exclusive dealing arrangements where there is the required anticompetitive effect) apply only where the goods are for use, consumption, or resale within the United States. Accordingly, these provisions are not applicable to exports. However, sections 2 (c), (d), and (e) of the Clayton Act, which concern discriminations in brokerage allowances, advertising allowances, and services in connection with sale, are not so limited by the statute.

Section 7 of the Clayton Act affects mergers between corporations engaged in commerce (defined to include foreign commerce) "where in any line of commerce in any section of the country, the effect . . . may be substantially to lessen competition, or tend to create a monopoly."

The Federal Trade Commission Act also applies to foreign commerce. Under its section 5, "unfair methods of competition and unfair or deceptive acts in commerce" have been held to include actions that also violate the Sherman Act.

Activities that take place outside the United States are only subject to the United States antitrust laws if there is a substantial effect upon the foreign commerce of the United States. For example, price fixing solely within a foreign country and only affecting the internal commerce of that country does not fall within the prohibitions of the United States antitrust laws unless it is part of some larger conspiracy. An agreement relating exclusively to trade between two foreign countries does not violate our antitrust laws.

There is a generally recognized exception to the antitrust laws with respect to acts of a sovereign government within its own jurisdiction. This exception has also extended to private parties who are required by a foreign government or by foreign law to do certain things within that country. The fact that a person engages in a restraint of United States foreign trade because of pressure from foreign business interests or with the acquiescence of a foreign government, however, is not a defense against a charge of antitrust violation.

Restraints under the Sherman Act are to be tested by the "rule of reason," which means only restraints that unreasonably restrain interstate or foreign trade are violations of the antitrust laws. Some restraints have been held by the courts to be unreasonable in and of themselves, or unreasonable per se. These offenses include arrangements by competitors to fix prices, divide markets, and control or limit production or output. Also included in this category are boycotts or patent-tying clauses.

The rule of reason has a limited application to enterprises that occupy a dominant or monopolistic position within their particular industries. A firm is guilty of monopolization if it has the power to fix prices or exclude competitors, combined with an intent to use that power.

Most international arrangements violating the United States antitrust laws have involved an arrangement among competitors to allocate territories or to fix or stabilize prices. Such agreements may also involve a limitation of production and restrictions upon patents or industrial activity.

The Webb-Pomerene Act permits exporters to form export associations "for the sole purpose of engaging in export trade and actually engaged solely in export trade." The act provides, however, that such an association or its acts or agreements must not be in restraint of trade within the United States or in restraint of the export trade of any domestic competitor. Furthermore, the association must not do any act or make any agreement which "artificially or intentionally enhances or depresses prices" within the United States. Such an association is required to register with the Federal Trade Commission and furnish reports to it.

The exemptions provided in the Webb-Pomerene Act do not bestow upon associations the right to combine with foreign associations and companies for the purpose of dividing world markets, assigning international quotas, and fixing prices in certain territories. Such activities are not sanctioned by the Webb-Pomerene Act, since they are not legitimate activities "in the course of export trade." Associations also may not stabilize domestic prices by removing surplus products of its members from the domestic market in order to control the selling price in this country.

In general, a Webb-Pomerene Act association may act as the export sales agent of its members, arrange transportation for the goods of the members, agree upon prices and terms of trade for sale of the members' goods, and arrange for distribution of the goods abroad.

AMERICAN BUSINESSMEN sometimes have complained that they have suffered disadvantages abroad by virtue of the differences between foreign antitrust laws and our own, which follow them abroad insofar as conduct affecting our foreign commerce is involved.

They have therefore urged relaxation of our own antitrust laws, as they apply to American business abroad, so that practices permitted under foreign laws will be permitted under ours. In addition, the mere fact of having to deal with two sets of laws—or more, when they do business in more than one country—has been called an excessive burden.

In later years, however, there has been considerable movement abroad in the direction of historical American thinking about competition. This has been particularly true in Europe, notably in the antitrust rules adopted by the Coal and Steel Communities and the Common Market. Important differences nevertheless remain between foreign and our views and activities with respect to restrictive agreements and monopoly.

We are, however, seeking through various means to promote healthy competition throughout the world in the belief that this serves the purposes of economic growth, expanding international trade, and political freedom.

The Foreign Assistance Act of 1961 declares it to be the policy of the United States "to foster private initiative and competition" and "to discourage monopolistic practices." The Trade Expansion Act of 1962 authorizes the President to withhold or withdraw tariff concessions for "tolerance of international cartels . . . unjustifiedly restricting United States commerce."

Since the Second World War, the United States Government has had clauses relating to restrictive business practices included in a number of our friendship, commerce, and navigation treaties. These clauses normally provide for consultation when one party feels its trade is suffering harmful effects from practices of private or public commercial enterprises of the other party that restrain competition, limit access to markets, or foster monopolistic control. Under these clauses, each party agrees to take such measures as it deems appropriate to eliminate problems it causes to the other.

The Government also seeks to make sure that its lending and credit policy does not strengthen or extend business practices restraining competition, limiting access to markets, or fostering monopolistic control.

A relaxation of our own antitrust principles is not the answer to our international trade problems. If we are to have healthy competition, we must strive to eliminate existing private practices that hamper trade and try to prevent the erection of new private barriers to substitute for governmental barriers that we hope will be taken down.

Although we are limited in the extraterritorial antitrust protection we can give to American business in foreign countries, we have a number of laws that protect domestic commerce from unfair and monopolistic practices and restraints in connection with imports.

The Tariff Act of 1930 has provisions against "unfair methods of competition and unfair acts in the importation of articles—the tendency of which is to destroy or substantially injure an industry, efficiently and economically operated . . . or to restrain or monopolize trade and commerce in the United States."

The Revenue Act of 1916 authorizes the President to declare a retaliatory embargo against goods from countries that unfairly prohibit the importation of United States products. The act also provides against the "dumping" of foreign products in the United States. The act makes it unlawful to import articles at prices that are substantially less than the prices in the principal markets in the producing country, plus the costs of importing, if there is an intent to injure a domestic industry or to restrain domestic trade.

An important challenge facing government today is the adjustment of trade practice regulations rapidly enough to satisfy contemporary needs in an era accelerating change.

Forcing difficult, and at times painful, adjustments upon agriculture, industry, and commerce are factors of cold war, growth of population, mass migrations, urbanization, expanding markets, technological progress, automation, electronics, new products, novel production methods, distribution innovations, accelerated obsolescence, and others like them.

Adjustments that arise from improved efficiencies due to technological progress are necessary. But dynamic change also offers opportunities to the unscrupulous. Regulatory policies that are not kept current can become a drag on economic progress, but in making changes we must be attentive to new regulatory needs. Otherwise, economic freedom may be eroded by spurious claims of efficiency.

Decisions in the field of trade practices have never been easy. They will become increasingly difficult. Fortunately, most of the antitrust and regulatory laws are couched in sufficiently broad language to provide the flexibility necessary for an adaptation to changing conditions.

Thus the burden is on the various regulatory agencies to accommodate the laws they administer to contemporary needs. This will require substantially improved methods of economic investigation and analysis and the more refined use of such economic indicators as changes in market structures, the behavior or conduct of the participants in a market, and the performance of the market.

Clarence H. Girard *became Deputy Administrator for Regulatory Programs, Agricultural Marketing Service, in 1962. Previously he was Director of the Packers and Stockyards Division of Agricultural Marketing Service, Department Hearing Examiner, and Chief of the Marketing Division, Office of General Counsel.*

Maintaining Quality of Farm Crops

by CALVIN GOLUMBIC

The produce of one out of every 8 acres of fruit and vegetables is lost through waste and spoilage en route from the farm gate to consumer.

Even in an early stage of this journey, from shipping point to terminal market, losses of fresh produce average 1 to 5 percent. In retail stores the value of produce may diminish by 3 to 7 percent. Losses of similar magnitude can occur in the cereal grains and field crops from attack by fungi, insects, and rodents.

On a worldwide basis, this could amount to 55 million tons of grain alone—enough to feed a daily ration of about 1.5 pounds to 250 million people for a year.

Preventing waste, spoilage, and damage must begin at the time of harvest. The farmer's harvester must be properly designed and adjusted, or irreparable damage will be done to the quality of a crop. Bruising of produce and cracking of seedcoats of grain will provide entrance for decay and disease organisms. Contamination of bolls in mechanical picking of cotton can destroy the spinning quality of the fiber.

The maturity of most crops and the moisture content of some are equally of concern at harvesttime. For example, the choice of a picking date for a fruit depends on whether it will be held in storage for a short or long period, has good eating quality, can properly ripen in storage, and is to be transported to a nearby or distant market.

So important is maturity at harvest that mandatory maturity standards have been established. Florida citrus can be harvested only when the sugar-acid ratio of the juice has reached a specified level. California avocados must reach a specified oil content before harvest. The picking of apples in Washington begins only when indicated by a maturity committee set up by the State horticultural society.

The moisture content of a cereal crop or oilseed at harvest is of great moment. Unless the moisture level has diminished during the ripening on the plant to the so-called critical moisture content, it will be vulnerable to attack by fungi and insects that can induce heating and spoilage of the grain or seed. The critical moisture level is the moisture content of the seed when it is in equilibrium with an atmospheric relative humidity of 75 percent. For cereal grains, it falls in the range of 13.5 to 14.5 percent but is lower for oilseeds. Exact safe moisture levels have been determined for the principal cereal grains and seeds.

IN ANIMALS the preslaughter treatment, as well as the method of slaughter, is important, both from the aspects of quality and humane treatment.

Subjecting the animal to undue stress before slaughter can cause injuries, physiological disturbances, and such defects as dark-cutting beef or pale, soft, watery pork.

The mandatory procedures of the Packers and Stockyards Act of the United States does much to reduce the incidence of stress conditions in bringing meat animals to market.

Poultry is particularly subject to such downgrading defects as bruises, hemorrhages, and broken bones as a result of poor handling practices on the farm and during shipping, unloading, and shackling at the processing plant. Breast blisters, another common defect, show up in freshly slaughtered carcasses and may be caused by the rubbing of the skin covering the keel bone on some hard substances, such as packed litter or coop slats. These lesions must be trimmed, and trimmed carcasses are downgraded. Lowered incidence of these quality losses can result from a few commonsense precautions, such as catching birds at night, using less crowded coops, unloading coops with roller tracks, and shackling birds close together to induce calmness.

Immobilizing poultry in coops by exposure to carbon dioxide may be a feasible method to eliminate the injuries caused by removing live, fluttering birds through small coop openings. Electric stunning before slaughter is used by processors of turkeys to eliminate struggling by the large birds and to facilitate removal of feathers. It has replaced debraining for these purposes in the United States, but not in other countries.

Slaughter methods for meat animals in the United States are specified by the Humane Slaughter Act of 1958.

All methods except ritual slaughter require the use of approved mechanical, electrical, or chemical means of rendering animals unconscious quickly before dispatching them. These procedures also reduce struggling and consequent injury to carcasses.

The use of carbon dioxide to anesthetize hogs is the only approved chemical means of immobilization.

This treatment eliminates diffuse bleeding into the muscles. Hogs are conveyed through a trough of carbon dioxide and are immobilized in 20 seconds. The rate of killing in this method exceeds 500 an hour. Following slaughter, each carcass is dressed and divided in a continuous mechanized operation that reduces the time it takes the carcasses to reach the chilling rooms.

Carbon dioxide immobilization of hogs is employed in about 10 percent of the total slaughter in the United States. Electrical stunning is used in the remainder. In the Netherlands and Denmark some use is made of carbon dioxide immobilization, but generally electrical stunning is preferred both for hogs and cattle. England uses both electrical and mechanical methods for cattle.

Improvements in slaughtering procedures for poultry are needed to prevent such occurrences as the misbleed, the condition in which birds exhibit red or pink breasts and wing tips because of accumulation of blood in them. Blood coagulation and bruises also occur on the neck as a result of the common slaughter method of manually cutting across one side of the neck to sever blood vessels.

ONCE THE CROP is harvested or the animal is slaughtered, a number of procedures must go into effect if original quality is to be protected.

For the most perishable crops, the application of protective measures is a race against time. The field heat of the fruit or vegetable must be removed promptly, and steps must be taken to minimize attack by decay organisms and insects and to prevent other quality losses. For animal products, the body heat must be dissipated as soon after slaughter as possible. There is less urgency with the cereal grains and other field crops, but only if their moisture content is safe for storage.

Preparation for storage is the first postharvest protective measure that is taken with all farm crops. All the stages of marketing, including assembly at shipping points, transportation to terminal markets, and holding in bins, warehouses, or supermarkets, may be viewed as periods of storage. It is in this span from farm to supermarket or processing plant that most losses and spoilage occur.

There is no uniformity in the manner of preparing farm products for market in different parts of the world. In Europe, for example, slaughter methods for meat animals, evisceration, and chilling of fresh meat parallel in a general way the methods used in the United States, but wider variations exist in processing of poultry. The system of scalding, wet picking, and warm evisceration developed in the United States has been adopted widely in England and has been introduced in Denmark, Italy, Israel, and Australia.

Broilers are mainly ice packed in the United States, but the practice in other countries is to freeze the produce and deliver it frozen to the retail trade. In France and the Netherlands, wet scalding and picking followed by removal of viscera to give a "French dressed" product is a common practice. Dry plucking is still practiced in Greece. In Austria, one-half the poultry is sold by farmers to consumers.

The extensive application of washing, hydrocooling, and vacuum cooling procedures in preparing vegetables and some fruit for market is almost unique to the United States. Other countries rely to a far greater extent on careful hand picking, sorting, and packing, usually in one- or two-layer containers to reduce the amount of mechanical bruising and injury to fruit than does the United States, where automated mechanical handling methods must be used to compensate for higher labor costs. The use of water dumping and other means is being introduced into these mechanical methods to reduce bruising injury.

In the United States, washing and chilling (precooling) are generally the first protective procedures to be applied to perishable produce and animal products in preparing them for market. Chilling slows down the normal ripening and aging of fruit and vegetables. The growth of decay and spoilage organisms diminishes. Insect activity also is reduced sharply. Deteriorative chemical and enzymatic changes, such as rancidity in pork, loss of color in beef, thinning of egg white, and loss of sugar in sweet corn, diminish by one-half or more for each drop of 18° F.

Cold air, ice water, ice slush, crushed ice, and mechanical refrigeration are all used for precooling or chilling, depending on the commodity. Meat carcasses are chilled by cold air, but immersion in ice slush is the method of choice for cooling poultry after warm evisceration.

Milk is cooled on the farm in bulk tanks by direct contact with mechanical refrigeration coils or circulating ice water. Fresh produce may be cooled by any one of these means, depending on the characteristics of the particular fruit or vegetable.

Vacuum cooling is a type of cooling in which evaporation of moisture from the product takes place in a sealed chamber under reduced pressure. This method is suitable only for leafy vegetables and other produce that have a high surface-to-volume ratio. Almost all lettuce is now vacuum cooled. Celery, sweet corn, cauliflower, and artichokes are vacuum cooled less commonly.

Efficient continuous processes for cooling eviscerated poultry carcasses in ice water and ice slush have been developed. As many as 6 thousand birds an hour may be processed with mechanical cooling in a modern plant.

Hydrocooling is a corresponding method for fruit and vegetables.

Peaches, carrots, corn, asparagus, celery, and cantaloups are cooled in this manner. With corn, supplementary top icing in the refrigerator car or truck is needed to keep the husks fresh.

Chlorine in washes and dips containing 50 to 100 parts per million of chlorine is used widely as a sanitizing agent in the wash water during washing and hydrocooling of fresh produce. Sodium orthophenyl phenate is used to control decay in citrus, apples, pears, and sweetpotatoes.

Diphenyl-impregnated pads, box liners, and cartons are employed in the United States, Europe, Israel, and Africa to control green and blue molds and stem-end rot in shipment of citrus. Diphenylamine and ethoxyquin are used in the United States to control the physiological disorder of scald for apples going into storage.

Chloroisopropylcarbamate (C–IPC) and maleic hydrazide are used in the United States for retarding development of sprouting in stored potatoes.

In Great Britain and on the continent, nonyl alcohol serves a similar purpose.

Sulfur dioxide fumigation of table grapes is standard practice in the United States and other producing countries for controlling decay and retaining fresh color of the stems.

A high standard of sanitation during processing is the best safeguard against the spoilage of poultry and meat. The effect is to reduce bacterial loads on the surfaces.

A good sanitation program in a poultry plant would include careful washing of the premises and equipment at least twice a day, complete spray washing of dressed and eviscerated poultry, rapid and efficient removal of feathers and offal, copious overflow of water from scald tanks, and frequent washing of workers' hands.

An inplant chlorination program (10 to 20 parts per million of residual chlorine in all wash water) also helps reduce the low microbial load on processed poultry.

The antibiotic chlortetracycline at 10 parts per million in chill water can extend shelf life of poultry from 2 to 3 days to 1 to 3 weeks. The commercial use of this antibiotic is permitted, but it finds little application. It is no substitute for proper sanitation; resistant strains of bacteria develop, and growth of yeast and molds is stimulated.

Internal contents of freshly laid eggs usually are sterile, but contaminating organisms are present on the shell, particularly with moist, dirty eggs. Improper methods of handling and storage facilitate penetration of the spoilage bacteria, mostly of the *Pseudomonas* and *Proteus* species.

Eggs should be gathered two or three times a day, and held at temperatures of 50° to 60° F. and a relative humidity of about 70 percent. If they are to be placed in cold storage, the usual conditions are 31° to 33° and relative humidity of 80 to 85 percent.

Candling is universally used to sort eggs for internal quality (albumen thickness) and to detect defects, such as blood and meat spots. The mechanics of this operation have been speeded up in many countries by the use of multiple candling units. In the United States, research has been started on the development of a completely automated photoelectric system without human observers.

A common practice in this country and others is to clean shell eggs on the farm or in the packing plant. Cleaning may be dry or wet. Drycleaning uses an abrasive, such as emery paper, and is primarily for slightly soiled eggs.

Wet cleaning, or washing, of dirty eggs can be done by hand or by mechanical in-line washers in the plant.

Regardless of method, certain precautions must be followed rigorously; otherwise, more, rather than less, microbial spoilage will ensue. The eggs should be washed soon after laying with iron-free water, which is of proper temperature and contains a reliable detergent sanitizer, and air dried.

HEAT TREATMENTS are used also to preserve quality. They must be controlled precisely in order to maintain freshness and not give a heat-sterilized or "canned" product.

Pasteurization of milk is such a protective treatment. It eliminates all the pathogenic bacteria and improves keeping quality. Shell pasteurization (thermostabilization) of eggs, in which eggs are put in hot water at 145° for 3 minutes, reduces bacterial spoilage in cold storage of eggs.

The hot-water treatment appears promising in reducing the decay in peaches and cranberries. The fruit is dipped into water at 120°–130° for a brief exposure. The temperature and exposure period must be accurately controlled. The treatment apparently reaches and destroys decay organisms that cannot be eliminated by surface antiseptic washes.

The prime requisite in preparing cereal grains for storage is establishing a safe moisture content, which drops as seeds approach maturity. Grains and oilseeds are harvested more and more at a high content of moisture and then dried artificially in various forced-heated or unheated air systems.

Seeds, like other plant material, are living, respiring organisms. Their respiration continues after harvest but at a very low rate unless their moisture level is high.

An increase in moisture content above a certain critical value sets off a series of destructive events. The respiratory rate goes up, and the seed starts to germinate. Micro-organisms, chiefly the fungi, are always present on the surface and within the seedcoats of grain. They begin rapid growth under these conditions, nourished by the grain endosperm and embryo. Unchecked, these respiratory activities lead to heating and other types of damage to the grain. Insects also may contribute to the total respiration and heating.

Artificial drying is a way to maintain the quality of corn. It is necessary when corn is harvested and shelled in the field by picker-shellers, which harvest and shell corn at moisture contents of 25 to 28 percent. About one-half the 1963 corn crop in the Midwest was dried mechanically.

Mechanical drying introduces a number of problems if the interactions of the variables of drying temperature, airflow rates, and the moisture level at harvest are not controlled. Milling quality may be impaired. The kernel becomes friable and is easily shattered during handling and transit. Foreign buyers complain that the shipments they receive are of a lower grade than that shown in the export certificate. The wet miller cannot separate the protein and starch of the kernel completely or efficiently. Finally, damage may be so extensive that nutritive value of the grain may be impaired. Damage from mechanical drying usually cannot be detected by present methods of grading. A rapid test to indicate this kind of damage is needed.

The quality of farmers' stock peanuts is influenced by the manner of curing or drying after harvest. As with corn, the requirements of mechanized harvesting have made artificial drying of peanuts necessary and practical. Such drying provides a means of control over the curing environment that has never been possible with the stackpole method of curing.

Artificial drying can produce peanuts of high quality, but it can also cause off-flavor and a poor milling quality. The variables causing these difficulties are not completely understood, but research has been started to identify and control them. We have no objective means of detecting this kind of damage except by the difficult procedure of flavor testing.

Drying of seed cotton before ginning has been an accepted practice for many years. Trash and other plant debris in the harvested product are hard to remove otherwise.

Mechanical harvesting, which accounted for about 80 percent of cotton harvested in 1963, gives a product with a higher content of trash than handpicking. Lint cleaners have been introduced as a supplementary means of removing the trash.

Problems of quality maintenance have arisen. Unless the drying stage is controlled carefully, fibers are damaged in ginning. Damaged fiber can have a disastrous effect on the operation of a spinning plant. Ends down per thousand hours, the usual measure of spinning performance, greatly increases. The production rate drops. Processing costs go up.

Yet so subtle are the deteriorative changes in the fiber that the present-day fiber tests and other methods of analysis cannot detect them. An increase in numbers of short fibers seems to be associated with this quality problem, but the only certain means of detection is by spinning tests.

Moisture must be controlled in preparing tobacco for storage because the moisture content required for proper handling of tobacco is higher than that considered safe for storage. The tobacco must contain enough moisture to prevent shattering of the leaves, but it must also be dry enough to minimize molding during the short period it is on the warehouse floor. After auction, it is redried as a rule to a moisture content of 10 percent before it goes into hogsheads for aging.

CLEANING GRAIN and seeds is an important procedure in storage.

Dockage and other foreign matter, weed seeds, and other contaminants tend to have higher moisture content than the grain bulk. The way is thus open for development of foci of insect and fungal infestation. Dockage may have a great influence on the attractiveness of the grain to some insects and on the number of progeny that will develop. Seeds used for planting must be as free from unwanted and noxious seeds as possible.

Grain is cleaned after harvest, but artificial drying and aeration, the other main quality-control procedures, are used much less outside the United States. Some aeration and drying of grain is done in the Soviet Union. Some elevators in West Germany are equipped for aeration. Australia has introduced aeration in wheat storages.

In a few Asian countries, there is limited artificial drying of rice, but most producing countries depend on sun drying. All rice grown in the Southern States is artificially dried.

GRADING AND INSPECTION is an essential step in preparing a farm crop for market.

As soon after the crop leaves the farm as feasible, it should be inspected and graded. This may be at a shipping or assembly point, packing shed, or processing plant.

Even if growing conditions and cultural practices are ideal, the element of biological variation is always present. It becomes necessary then to grade the crop as to quality and sort the good from the bad. It is still true that one rotten apple will ruin the barrel.

Mechanical and electronic equipment is available to help in this sorting operation. Electronic sorters for dry seeds, like beans, peas, rice, and peanuts, are used for eliminating discolored and damaged seeds. An adaptation of this principle is used to sort wet products, such as soaked beans, olives, and diced carrots.

An advanced sorting system permits two workers to inspect and pack 7,200 eggs an hour. Eggs on a moving conveyor are inspected for dirty or cracked shell; moved to an electronic detector, which ejects eggs containing blood spots; automatically classed as to weight; and alined with small ends down. Finally, vacuum-transfer units place them six at a time in cartons.

Quality evaluation is a process that requires judgment and decision by trained inspectors. The number of mechanical and electronic aids available to them for increasing their efficiency and accuracy grows yearly.

An example is the grading system for farmers' stock peanuts that the Department of Agriculture developed and adopted in 1962. The inspector has mechanical equipment for sampling, subdividing, sizing, shelling, counting, cleaning, and splitting the sample he evaluates.

A new system of grading tomatoes for color and waste received its final test in 1962. Its key elements are a novel grading table and an electronic tomato colorimeter.

Under development by the Department in 1964 was an automatic recording system for quickly issuing grade certificates in cotton-classing offices and preparing classing information for data-processing systems.

Almost all farm products moving in interstate commerce are graded and inspected according to quality standards developed by the Department. New standards are set up almost every year. There are more than 120 wholesale grades for fruits and vegetables alone. Inspection and grading are authorized by various Federal statutes, including the Grain Standards Act, Federal Seed Act, Poultry Products Inspection Act, Meat Inspection Act, and the Research and Marketing Act.

Inspection and grading may be performed at a shipping point, packing shed, terminal market, or processing plant. Inspection of fruit and vegetables at the shipping point is conducted as a cooperative Federal-State service. At terminal markets it may be Federal or Federal-State. Grading and inspection of grain is done by inspectors licensed by the Department but employed by States or grain exchanges at the major markets. The inspectors are under Federal supervision. Federal inspection of poultry and meat for wholesomeness is mandatory for meat that moves across State lines.

Quality, condition, damage, and foreign matter are the principal attributes that the inspector evaluates and measures. The additional factor of moisture content is highly important in grain and oilseeds. By these means the obviously unfit, defective, deteriorated, contaminated, and decayed products are downgraded.

In theory, the remainder can be sorted into categories that will maintain quality for a particular use. Only the most sophisticated grading systems are approaching this refinement. Nevertheless, effective grading and inspection, coupled with a pricing system that rewards the farmer for good practices, is one of the best means of upgrading quality of crops.

In countries where grading systems do not exist, crops are likely to be sold on a weight or volume basis, and the farmer has no incentive to produce a better product.

Plants and packinghouses under Federal inspection get a close scrutiny for sanitation and cleanliness. Performance and sanitary requirements for processing equipment are specified. The preparation of meat and poultry products is supervised to assure their cleanliness and wholesomeness. These regulations assist greatly in reducing contamination of meat by psychrophilic bacteria, the major spoilage organisms of animal products.

The introduction of new processing techniques and equipment is mandatory when research shows they improve sanitation and help maintain quality. Research applications of this kind are the requirement for use of drainage lines to prevent excessive moisture pickup during chilling of eviscerated poultry and prohibition of the scalding operation until the bird ceases to breathe. The latter requirement prevents absorption of fecal bacteria and detergents into the air sacs of the bird.

INSPECTION AND GRADING practices differ widely among countries.

Most countries in western Europe pasteurize milk as is done in the United States, but in Switzerland the milk is delivered raw and the consumer boils it in the home. Sterilized milk is used in parts of England and some other European countries. Great Britain, Denmark, and the Netherlands test their milk for keeping quality, a test that is not used in the United States. The Netherlands uses protein content as well as fat in determining price of milk. In Europe, unlike the United States, no distinction is made between manufacturing-grade milk and milk intended for fluid consumption.

Routine meat inspection, including ante mortem and post mortem inspection and disposal of unfit meat, in most countries resembles that in the United States.

Inspection of eviscerated poultry for wholesomeness, however, varies from mandatory post mortem bird-by-bird inspection, as in the United States, to bird-by-bird inspection only for an exported product, to no inspection at all. Grading of poultry also is practiced less in other countries than in the United States. There is not this difference in grading of eggs, but the relative weight given to quality factors and the differences between grades of eggs differ markedly.

Maturity and marbling are important factors of quality in meat grading in the United States. Canada pays no attention to marbling and downgrades on the basis of excess fat, but excess fat is not a factor in United States grades.

In Europe, where generally leaner and more mature cattle are handled, the maturity factor is less important.

Superficial similarities in grades for fruit and vegetables among countries disappear upon examination of the quality factors and tolerances.

Working parties of the Economic Commission for Europe (ECE) have made progress in developing uniform standards for fruit and vegetables (18 in 1963), but difficulties arise with other perishable commodities, probably because of the wider divergent concepts of quality for these products.

The Organization for Economic Cooperation and Development (OECD), which includes the United States and Canada among its 21 member countries, has set about the task of refining the standards of the ECE.

The Common Market (EEC) has adopted 21 standards based in part on the findings of the two other organizations (ECE and OECD). The Codex Alimentarius Commission of the United Nations has also begun to influence the development of uniform standards.

No country employs as many quality factors in its standards for grain as does the United States. The systems in Australia, Argentina, and the Republic of South Africa are on a fair average quality (FAQ) basis determined anew each year. Essentially this is selling on a sample basis rather than by grade. Canadian standards exhibit characteristics of both American and FAQ systems. A step in the direction of uniformity has been taken by the Common Market, which has proposed a set of uniform grain standards.

Cotton from many countries is also sold on a sample or type basis. The United States system of grade and staple, however, is used for trading in American cotton.

PACKAGING foodstuffs in plastic films and other materials increases their sanitary quality by reducing contamination by organisms.

Proper designs of package can lower the amount of bruising, scuffing, and damage to fresh produce. Slowing up moisture loss prevents wilting.

The design of a package for fruit and vegetables must provide for means of ventilation; otherwise, their normal respiration will be changed to an anaerobic respiration, or fermentation, with consequent development of off-odors and off-flavors. Ventilation is provided by small perforations or incomplete closures in the plastic bags.

Despite these openings in the film, good moisture retention is still possible because the perforated area is small compared to the total surface of package. Topped carrots, for example, lose 29 percent in weight in 6 days at 70° and 50–55 percent relative humidity, but only 4 percent when packaged.

Because they contain only remnants of the respiratory enzymes present in the living animal, meat and poultry meat can be tightly sealed in plastic films. A good packaging material for poultry should be impermeable to oxygen and carbon dioxide, moisture-vapor proof, and nonabsorbing for blood, water, oil, or grease.

Films for fresh red meat should be permeable rather than impermeable to atmospheric oxygen, which is needed to maintain the desirable red color. Cellophane, polyethylene, polyvinylidene chloride, and rubber hydrochloride are the commonly used packaging materials for poultry and meat.

Dry foodstuffs, such as rice, beans, and peas, are protected from many kinds of insects by the use of paper packaging, transparent films, and laminated foils. Good mechanical construction and closure can prevent 75 percent of the infestation. Complete protection is gained by impregnating the exterior with an insecticide. Synergized pyrethrum is used in this way in packaging flour.

The produce goes into storage after cleaning, precooling, sorting, grading, and packaging, which may take place in a refrigerated truck or railroad car en route to market or in a warehouse or supermarket shelf until it reaches the consumer.

Temperatures in the range of 32° to 34° and relative humidities of 85–90 percent are suitable for storage of fresh meats, poultry, milk, and many kinds of vegetables and fruit. Fruit and vegetables of tropical origin usually have higher requirements in storage.

High humidity is needed to prevent excessive loss of moisture, but higher levels than that recommended would promote rapid growth of molds.

Inadequate air circulation also can produce a mold problem through formation of pockets of air with excessive humidity.

Weight loss of eggs under the recommended conditions may be less than 1 percent a month, but at room temperature and relative humidity of 60 percent, the weight loss could be as high as 7 percent.

Grain is stored safely under a wide range of temperature conditions, but a temperature of 50° is considered nearly ideal. Agricultural seeds are packaged in a variety of ways from paper packets to large bins. Expensive seeds may be stored in hermetically sealed cans to retain viability. Bulk storage using upright and flat structures is the method of choice for holding large volumes.

Maintenance of the safe moisture level becomes a problem in bulk storage of the grain. Moisture migration, which may occur as a result of seasonal changes in temperature, can lead to moisture buildup in limited areas of the storage and the development of a heating area, or hot spot. This is a self-propagating and sometimes an almost explosive event. Increasing amounts of metabolic water are produced from the increased activity of fungi and insects and set off a rapidly enlarging cone of biological activity, which penetrates the bulk.

Aeration systems have been developed to counteract the unfavorable distribution of moisture in bulk storage and to provide for additional cooling and drying of the grain mass. In the past, grain was turned periodically to maintain its quality. Now, instead of moving the grain through air, the practice is to move air through the grain. Circulation of air at proper conditions of temperature and humidity can prevent or minimize the buildup of moisture.

Automatic controls prevent the aeration system from operating when the humidity is too high. Aeration is particularly suitable to use in flat structures where it is impractical to turn the grain. The system can be used also to distribute fumigants efficiently throughout the bulk. By eliminating an extra step in handling, aeration saves wear and tear on the grain and thus reduces damage.

When the grain is destined for shipment domestically or abroad, malathion sprays are applied as protective treatments against insect infestation as the grain is loaded into the conveyance. Properly used, malathion has no effect on the odor or flavor of bread made from treated wheat, nor is germination impaired. The treatment is not permanent, however, and repeated applications are limited since a point is reached where the insecticide residue would exceed the permitted tolerance.

Holding some seeds in semiarid regions can lower quality. An increase in hard-seededness of clover, alfalfa, soybeans, and some varieties of beans may result on storage in a dry atmosphere. This condition is undesirable in most crop species because the percentage of seeds that produce plants within a given time is reduced. Under such climatic conditions, the seedcoat of cottonseed may shatter and introduce such difficulties in processing that a prior moisture-tempering treatment may be necessary.

Dormancy of seeds in storage is an unpredictable condition. The problem is greater some years than others and worse when seed is grown under some environmental conditions than others.

Dormancy lingers longer in some seed lots than others. Farmers who plant dormant seeds cannot expect a stand of plants within the usual time.

Dormancy in cereals frequently can be overcome by drying.

Hermetic storage of grain—that is, storage in airtight structures—is an age-old means of preserving grain. Storage in underground pits has been used throughout the Middle East and central Mediterranean regions for much more than 2 thousand years. Pit storage is common in Egypt and India.

In Argentina, partly underground structures have been designed that are economical and would be suitable for use in developing countries. Rectangular pits are scooped out of the ground. The walls and floor of the pit are lined with masonry and then waterproofed with asphalt. Finally, a tight moisture and airtight cover is mounted over the heaped mass of grain. The resulting structure resembles a swimming pool with a ramp on each end to facilitate filling and emptying.

In hermetically sealed structures, the respiration of molds, insects, and the grain itself consumes the oxygen in the spaces of the grain mass and increases the level of carbon dioxide. When the oxygen level reaches a critical value that coincides with the buildup of carbon dioxide, insects and molds become inactive or die, and respiration of grain becomes minimal. Insect mortality becomes 100 percent when the oxygen level drops to 2 percent, a level that can be reached in a few days if the moisture in stored grain is high. Even when stored at moisture levels of 23–24 percent, wheat remains bright and free flowing with no visible mold over a long period of storage, but off-odors and taste typical of fermentation develop and make the grain usable only for animal feed. At 18–19 percent moisture, these objectionable changes are much less evident and are absent in grain of 12–14 percent moisture.

Gastight structures also are used in cold storage of apples. The oxygen consumption here is mainly through the respiration of the fruit. The level of carbon dioxide is controlled by absorbers in order to prevent smothering and damaging the fruit. Generators are available that burn most of the oxygen out of the atmosphere in the storage.

Such controlled-atmosphere storage is widely employed in the Pacific Northwest and to some extent in England, Denmark, and Germany.

Enclosing the fruit in plastic films of the right permeability is another way to provide storage in carbon dioxide modified atmospheres. Carbon dioxide accumulates from the respiration of the fruit. Polyethylene box liners are used in this way for pears, Golden Delicious apples, and sweet cherries.

Carbon dioxide can also prolong the refrigerated storage life of meat, poultry, and eggs. Concentrations up to 25 percent are effective in extending shelf life of poultry. Concentrations of 10 percent are used in chilled-beef shipments from Australia to England that last 6 weeks. Carbon dioxide from bacterial respiration builds up in the commonly used overwrapped tray package for poultry and meat and has the beneficial effect of slowing down further bacterial growth.

Both low (2.5 percent) and high (60 percent) concentrations of carbon dioxide are used in cold storage of eggs. Storage humidities of 90–95 percent can be used for gas storage of eggs if the carbon dioxide level is very high (60 percent). The use of these humidities is possible because of the inhibitory effect on molds and certain bacteria of high carbon dioxide concentrations. These high levels, however, induce a more rapid liquefaction of the thick white.

A type of storage in use in California for protecting stored alfalfa meal from deterioration by molds and insects involves the use of a gas generator for producing an inert atmosphere in large steel bins. Natural gas burned in the generator produces an atmosphere composed mainly of nitrogen (83–86 percent) and small amounts of carbon dioxide, carbon monoxide, hydrogen, and oxygen. One cubic foot of inert atmosphere protects 2 tons of pelleted alfalfa in a silo containing 1,300 tons.

THE BASIC PRINCIPLES of food preservation—drying, curing, and refrigeration—are the same today as they were 100 years ago, even though their application has been greatly refined.

Preservation of foodstuffs by irradiation may be a major development. Its use commercially was encouraged by a decision in 1963 by the Food and Drug Administration to permit unrestricted public consumption in the United States of fresh bacon radiosterilized by cobalt 60. Clearance for several additional foods, among them chicken, ham, and white potatoes, seemed likely in 1964.

The adverse effects of high radiation doses, specifically the changes in appearance, taste, texture, and nutritive value, can be minimized by keeping radiation doses to the 4.5 megarad (million rads) level. The rad, a measure of absorbed energy, equals 100 ergs of absorbed energy per gram of irradiated material.

In a lower energy range, about 200 thousand to 300 thousand rads, radiation has given promising results as an adjunct to refrigeration in increasing the market life of some fruit and vegetables, particularly those such as strawberries, citrus fruits, and peaches, where present practices do not provide sufficient protection. Research going on in 1964 suggests that such pasteurization doses may be beneficial in prolonging the shelf life of ice-packed poultry.

Light doses of 8 thousand rads prevent sprouting of stored potatoes. Potatoes protected in this way are approved for use in Canada and the Soviet Union. Doses in the range of 10 thousand rads sterilize insect pests of stored grain. By interrupting their life cycle, control may be possible.

The Food and Drug Administration took cognizance of this development in 1963 and approved the use of wheat and wheat products treated with gamma radiation for insect control. Scientists of the Department of Agriculture and the Atomic Energy Commission began to explore techniques and evaluating equipment that could make radiopasteurization an economical method to maintain the quality of grain.

QUALITY is an evanescent attribute. It can never be regenerated or improved beyond the initial quality of an individual fruit or vegetable or animal carcass.

It is true, however, that a few commodities benefit from a period of aging or conditioning to bring out one or more desirable quality traits. Aging of beef, veal, and lamb in cold storage to improve tenderness is an example.

Aging is also beneficial in developing tenderness in poultry meat. It begins during the chilling of the carcass after evisceration. Holding overnight (12–16 hours) in ice water before freezing is recommended for turkeys. For broilers, the elapsed time in chilling and transit to market is enough for tenderization.

Freshly harvested wheat is believed to make a "green flour." New-crop wheat therefore gradually is blended into the old crop over a period of several months.

Rice reaches optimum quality after storage for about 10 months.

Sweetpotatoes need to be cured for 6 to 8 days at 85° before subsequent storage at 55°.

Pears need to be harvested when they are mature but before they have softened appreciably. Ripening or softening must be done after harvest.

Cotton lint spins better after storage for several months. The textile mill never changes over immediately to the new crop.

The origin of these quality changes must reside in the chemical and enzymatic reactions of the constituents of the foodstuff and fiber, but little is known about their specific nature.

The origin of many undesirable quality changes and defects or means of preventing them also is unknown. A number of problems await solution: Bone darkening of broilers, appearing as a brown to black discoloration of the bones and adjacent muscles after cooking; breakdown of thick white of eggs; storage off-flavor of eggs; kernel breakage of rice; yellowing or loss of color of many commodities in storage, including rice, beans, cotton fiber, meat, and vegetables; dormancy of seeds; rind breakdown of citrus fruits; and russet spotting of lettuce.

It is possible that some of these difficulties arise through an interaction between a postharvest treatment with an undiscernible compositional change initiated by preharvest conditions.

Thus the age, maturity, breed, feed regime, and preslaughter activity may be involved in the success or failure of aging to tenderize meat.

In other instances, it is a matter of simply having no control for postharvest decays clearly of field origin, such as stem-end rot of citrus fruit, Botrytis neck rot of onions, leak of potatoes, Botrytis rot of grapes, bullseye rot of apples and pears, several rots of strawberries, and most rots of cranberries.

Many kinds of fruit and vegetables are susceptible to chilling injury because they cannot withstand low temperatures. Holding them at higher temperature speeds up aging and decay.

Thus even in so advanced a marketing system as exists in the United States, there are many opportunities for improvement in preserving the quality and nutrition of the Nation's food supply.

Research that combines the talents of the biological and physical scientists and engineers has been responsible for much of our progress. It can pave the way for the development of new principles of handling and preserving food.

CALVIN GOLUMBIC *joined the Department of Agriculture in 1953, serving first in the Utilization Research Service and later as Chief, Field Crops and Animal Products Branch, Agricultural Marketing Service. He is a graduate of The Pennsylvania State University and holds advanced degrees in biochemistry from Rutgers University.*

The Storage of Farm Crops

by A. LLOYD RYALL

A PART OF EACH season's crop must be stored to assure orderly marketing, a stable price, and uniform supply.

Most of the products of agriculture can be stored in fresh or in processed forms. Whether those supplies not needed immediately after harvest are stored depends on facilities and knowledge of specific requirements.

Dry storage, which is essentially the same as that devised by primitive man, is widely used for relatively stable commodities which require, for normal storage periods, no more than protection from sun and storm.

Except in the humid Tropics and the frigid Arctic, such facilities are satisfactory for heat-processed foods in sealed containers for most of the plant and animal fibers, and, if protection from insects is provided, for many seeds and cereal products. About the only requirements are a floor, walls, and a tight roof.

The need for forced air movement to prevent the accumulation of moisture, spontaneous heating, and microbiological spoilage in commodities like grain led to the development of structures with airtight walls. Modern grain bins or silos commonly are built of reinforced concrete. Outside air is drawn in through ducts or openings and forced upward or downward through the commodity. This type of construction also facilitates fumigation to control insects and rodents. Such storages are not insulated. Generally, no attempt is made to modify the environment with forced ventilation beyond the prevention of harmful increases in the temperature and moisture in the commodity.

This basic storage method is modified further by changes in building design and refinement of the ventilation system. Instead of the tall, slender bin or silo-type structure, which is desirable for flow-type commodities, such as cereals and other seeds, the need now is for a single-story, ground-level warehouse adapted to mechanized handling and "aircooled" storage of such commodities as fresh potatoes and onions, squash, carrots, and sweetpotatoes and sometimes apples. Since control of temperature and humidity is needed, the walls and ceiling must be insulated. An effective vapor barrier is placed on the warm side of the wall. There must also be provision for thermostatically controlled ventilation with outside air and for circulation of air within the structure.

This type of facility is used extensively in temperate regions that produce large crops of fall potatoes and onions. The best conditions for potatoes (38° to 40° F. and 85 to 90 percent relative humidity) usually are possible by mid-November with normal seasonal temperatures. Cooling of the tubers from September harvest is gradual, because night air temperatures are not low enough during the early fall for rapid cooling. Often some moisture must be added to the air, by means of atomizing nozzles, to maintain desirable humidity during the cooling and storage period.

Aboveground buildings are now favored over the older earthbank or below-grade, air-cooled storages in which temperature control by ventilation is more difficult to attain because of the input of ground heat during most of the storage season. Aboveground storages usually are of frame or cinderblock construction. They should have at least 2 inches of rock wool or equivalent in the walls and somewhat heavier insulation in the ceiling.

Equipment is available to control the intake of outside air thermostatically and mix it automatically with the recirculating air. In this way commodity temperature can be maintained in the optimum range without hazard of freezing or sacrifice of airflow through the stored commodity. A constant air flow rate of 0.8 cubic foot a minute per 100 pounds of stored potatoes has been recommended. That is enough to maintain uniform temperatures throughout the piles or stacks without causing an excessive loss of moisture from the potatoes.

Sweetpotatoes are stored in facilities like those used for potatoes and onions, but the storage requirements and the climate in the storage areas differ.

Most of our sweetpotatoes are produced in the Southeastern and Southern States, where the fall and winter weather is milder than in the sections where fall white potatoes and onions are grown. The best holding temperatures for sweetpotatoes are 55° to 60° F. In well-built, insulated storages, these temperatures can be maintained with controlled ventilation, but some heat is necessary in severe weather.

Curing of the roots (85° and 90 percent relative humidity for 8 to 10 days) to heal skinned areas, cuts, and broken ends is highly desirable before storage. The better sweetpotato storages are equipped to heat and humidify the entire storage area or special curing rooms during this prestorage period. Sustained storage at temperatures below 50° causes chilling injury to all sweetpotatoes. Some particularly sensitive varieties are injured by only a few days of exposure to temperatures of 50° or below.

COMMODITIES that require rapid cooling and sustained low temperature for successful storage are not adapted to holding in even the best air-cooled storages. One more refinement must be added to the storage facility—heat must be removed rapidly and con-

sistently. Cooling usually is done by mechanical refrigeration, although refrigeration may be supplied by ice or bottled compressed gases for limited applications.

The principle of mechanical refrigeration has not changed since its original application in 1834 by the inventor Jacob Perkins. Substantial developments and improvements have been made in equipment.

Ammonia, among the first refrigerants used, retains first rank for large industrial units, but some of the halide compounds, notably Freon 12 and 22, have replaced ammonia in small mechanical units and are displacing ammonia in the larger installations.

Refrigeration is produced mechanically by the evaporation of a compressed gas in a closed system. Heat is required to change any compound from the liquid to the vapor state. When this heat is taken from a space or commodity to be cooled, refrigeration is being applied.

The basic equipment for mechanical refrigeration consists of a compressor, condenser, expansion valve, and evaporator. The pressure of the refrigerant, in the gas phase, is increased by passage through the compressor. Heat is produced by this compression so that the hot, compressed gas now moves through a condenser, where heat is removed by the circulation of water or forced air over the coils in which the refrigerant is confined.

After most of the refrigerant is converted into the liquid form in the condenser, it is piped to the place where cooling is required. There the liquid refrigerant is released through a small orifice, usually an expansion valve. Expansion permits the refrigerant to return to the vapor state in the evaporator coils, during which process it absorbs heat from the surface of the coil. The cold coils then provide the refrigerating surface for removing heat from the space or commodity.

Refinements of this basic process include thermostats for the control of compressor operation and release of compressed refrigerant into the evaporators. Temperature of the evaporator also can be controlled by the use of a solenoid valve to regulate suction pressure on the return side of its coil.

The distribution of the refrigerating medium is as important as the source of refrigeration. Distribution is best accomplished in precooling or storage rooms by forced air circulation. The earliest mechanically refrigerated storages generally had the evaporating coils on room ceilings or sidewalls and depended on natural convection currents, created by temperature differential, to provide air circulation. A few of the older commercial plants retain the system, but forced air movement is generally used to distribute air rapidly and uniformly.

Some refrigerated storages have centrally located blower units, which move air over the refrigerating surface and then through ducts to the individual rooms. Return air ducts, usually on opposite walls, permit the air to recirculate through the central system. A more modern installation includes expansion coil units in the individual rooms with fans to move air over dry-coil or brine-spray units and through the room. Many are relatively small blower-coil units, arranged in rows or banks and suspended from the ceiling.

PRECOOLING ROOMS for rapid cooling of perishable fresh foods and blast tunnels or chambers for quick-frozen foods require greater refrigeration capacity and more air volume than rooms designed for the storage of either product.

Abundant expansion coil surface is needed for rapid heat absorption. Air velocities of 1 thousand to 2 thousand linear feet a minute at the face of the containers are commonly used for quick freezing, and air volumes of 400 to 500 cubic feet a minute per ton of product for fresh produce. Heat transfer from the product to the coils is greatly accelerated in such facilities. Rapid freezing or cooling is important to retain quality of the product.

Frozen foods must be held at temperatures below the freezing point of the commodity. Sustained temperatures of zero or below are essential for maintenance of quality. Higher temperatures at any point during storage or distribution adversely affect quality; deterioration is related directly to the time at higher temperatures. Frozen food storages are now commonly maintained at or below −5°.

Optimum holding temperature for most kinds of deciduous tree fruit is 31°. Most tropical and subtropical fruit, such as lemons, limes, grapefruit, and avocados, must be stored above 50° to avoid chilling injury.

Optimum temperature for leafy vegetables, such as lettuce, endive, celery, and others, is 32°, but tomatoes, bell peppers, cucumbers, and certain varieties of squash must be held at higher temperatures.

Tree nuts store well at 32°, but for prolonged holding subfreezing temperatures are desirable.

Temperatures in the range of 30° to 35° are generally recommended for the limited holding of fresh and mild-cured meat and for fish, eggs, cheese, and butter. For long storage, butter, meat, fish, and eggs are generally held at 0° or below.

MOST FRESH FOODS are subject to loss of moisture during storage. The extent depends on the nature and area of the surface of the product, the storage container, air velocity at the product surface, and the difference in vapor pressure between the product and the storage air.

Relative humidity (the percentage of saturation of air with water vapor at a given temperature) of the storage air and the difference in temperature between the commodity and the room air are the main factors in vapor pressure differential.

If relative humidity is high and the difference in temperature is small, the vapor pressure differential will be small, and loss of moisture from the commodity will be minimum. Accordingly, for most refrigerated products, maintenance of a high relative humidity in the storage room is desirable. Some exceptions are dried fruit, nuts, dry onions, vegetable seeds, hops, and some cured meats.

THE CONSTRUCTION of refrigerated warehouses varies according to climate and the availability of materials.

Reinforced concrete and cinder blocks are widely used.

Prefabricated insulated panels for storage construction now are manufactured by several companies. They are generally sandwiches of three-fourths-inch plywood with an insulating core of fibrous, or cellular, glass or an expandable plastic insulator. Their exterior surface may be faced with aluminum, stainless steel, or vitreous porcelain enamel on steel.

The panels are usually 4 feet wide and are available in lengths to 24 feet. They include vapor seals and built-in locking devices for fastening and sealing the individual panels.

The panels are free standing and load bearing. Thicknesses vary according to use—8 to 10 inches of insulation for freezer use and 4 to 6 for conventional coolers.

Cork has been the standard with which insulating materials are compared, but it is being displaced in storage construction by fibrous, or cellular, mineral products and foamed plastics, such as polystyrene and polyurethane. The thermal properties of these materials are quite similar, but other factors that should be considered are structural properties and resistance to moisture, rot, fire, insects, and rodents.

The prevention of the movement of moisture from the warm side into insulated walls or ceilings is essential to the successful maintenance of refrigerated storages. It can be accomplished by the use of an approved barrier on the warm side of the insulation.

Vapor barriers may be of a structural (rigid metal), membrane (metal foil or plastic film), or coating (hot or solvent mastics) type, depending on cost and specific requirements. Any of these basic types provide satisfactory vapor seals when all joints are properly overlapped and sealed.

A modification of refrigerated storage involves control of the composition of the atmosphere besides the usual control of temperature and humidity.

Most of the controlled-atmosphere storages are essentially hermetically sealed rooms with conventional insulation, vapor seals, refrigeration, and air circulation. The distinguishing feature is the gastight seal on the inner surface of the room and on any doors or inspection ports. The sealing material may be light galvanized sheet iron, laminated metal foil and plastic sheets, plastic coated plywood, or asphalt emulsions applied over fiberglass mesh.

A tight seal is imperative for rooms in which the atmosphere is modified by the respiratory activity of the fruit (its use of oxygen and evolution of carbon dioxide). At best, several weeks are required to bring the oxygen down to the desired level, while the concentration of carbon dioxide is controlled by a suitable absorber. If the room is not gastight, optimum atmospheres are never attained.

A SYSTEM OF CONTROLLING atmospheres by continuous flow of tempered and modified combustion gases has entered limited commercial use. Hermetically sealed rooms are not necessary for this system, but for economical operation the rooms must be reasonably tight.

Advantages claimed over the older system are less expensive facilities, faster modification of atmosphere, and the possibility of opening and recharging rooms during storage.

Controlled-atmosphere storage was used commercially only for apples and pears in 1964. It is particularly advantageous for varieties like McIntosh, Jonathan, and Newtown, which may be injured by storage at 31°, the standard temperature for most varieties. The combination of low oxygen (1 to 3 percent) and controlled carbon dioxide (0 to 8 percent) with temperatures of 36° to 40°, depending on variety, permits long storage of the sensitive varieties.

Substantial tonnages of Delicious, Golden Delicious, and Rome Beauty apples are stored in controlled-atmosphere storages at 31°. The marketing season thus is lengthened a month or two beyond that possible by the control of temperature alone.

Hermetically sealed storage for grain does not involve temperature control.

Research in England and France has shown that grain with a moisture content above 18 percent will rapidly modify the atmosphere within a sealed bin. Oxygen is used, and carbon dioxide is produced by the micro-organisms and insects in the grain and by the limited respiration of the grain itself. Within a few days, the oxygen is exhausted, and carbon dioxide has accumulated to 14 to 16 percent. In this atmosphere, insects, fungi, and bacteria die or become dormant. The respiratory activity of high-moisture grain, however, may pass from the aerobic to the anaerobic phase; undesirable flavors and odors may then develop in the grain.

The chief application of hermetically sealed storage has been for grain that has been combine harvested at high moisture content (up to 30 percent) and is to be used for animal feed. If it is held in conventional storage, it would have to be dried to avoid losses from fungal decay and insect infestation. In hermetically sealed storage, fungi and insects are controlled by depletion of oxygen and accumulation of carbon dioxide. The value for feed is not affected by the extreme atmosphere modification caused by anaerobic respiration. In fact, some feeding tests have shown better animal gains on wet grain stored in hermetically sealed bins than on dry grain from conventional storage. High-moisture grain stored in this way is not suitable for flour or other food products because of off-flavors. Neither is it usable for seed, because of a loss of viability.

Some interest has been shown in the use of hermetically sealed storage for low-moisture (14 to 16 percent) grain for food. Atmosphere modification is slow and usually is quite limited with such grain, but spoilage by micro-organisms is not a problem. If the grain is disinfested before storage, damage by insects can be kept low. The grain does not gain moisture in a sealed storage, reinfestation by insects is prevented, and rodents are excluded.

WASTAGE during storage is being reduced, but it remains a serious economic loss.

In the United States, storage losses from spoilage and insect damage in wheat, oats, barley, rye, and rice in 1954 amounted to the harvest of more than 5 million acres—6.9 percent of the total United States production that year.

If we applied the information we have, we could reduce greatly the wastage of the more stable commodities, such as cereal grains and products, oilseeds, and dehydrated foods.

Losses in more perishable items—fresh fruit, vegetables, dairy products, eggs, and meat—could be much reduced by a more judicious use of refrigeration and sanitation.

Much of the loss that occurs during and after storage is caused by fungi, bacteria, insects, mites, and rodents. Refrigeration designed to meet the needs of the more perishable commodities will prevent most of the wastage from decay and insects.

Chemical treatments, like fumigants and dip or spray solutions, are used sometimes to reduce fungal or bacterial spoilage of refrigerated products, such as fruit, vegetables, and poultry.

Among the materials approved and used for specific purposes are sulfur dioxide for fresh grapes and dried fruit; nitrogen trichloride for citrus fruit, tomatoes, and cantaloups; ethylene oxide for high-moisture dried fruit and spices; chlorine in wash or hydrocooling water for reduction of surface inoculum on fruit and vegetables; sodium orthophenylphenate as a dip treatment for citrus fruit, sweetpotatoes, and peaches; and an antibiotic, chlortetracycline, for dressed poultry.

Approved chemical treatments with fumigants or sprays also are used to reduce insect infestation and prevent reinfestation in commodities held in nonrefrigerated storage.

Other factors, such as tightness of bins or warehouses, a thorough cleaning of premises before use, suitable containers, and periodic inspections of the commodity, are essential to good management and can substantially reduce the need for chemicals.

Supplementary treatments for grains may be applied as a spray as the grain goes into storage (premium grade malathion or synergized pyrethrum), or as a fumigant within 6 weeks of harvest. The fumigants may be methyl bromide, cyanide, or mixtures of other volatile insecticides. The exact treatment depends entirely on the facilities and the specific problem.

Light traps are commonly used to detect the beginning of insect infestation in tobacco warehouses. When insects are detected, space sprays with synergized pyrethrum or dichlorvos (2,2-dichlorovinyl dimethyl phosphate) are effective. If infestation becomes established, stronger measures, such as fumigation with cyanide or methyl bromide, become necessary.

Packaged food—dried milk, cereal products, and dried fruit—usually are protected adequately by careful sanitation of the storage space and surrounding area and a residual coating of approved insecticide on walls and floor.

Insect-resistant packaging, improved package seals, and the use of repellants or insecticides on the outer layer of multiwall containers may be effective sometimes.

A problem peculiar to the storage of cheese is mite infestation. Even under the refrigerated storage conditions recommended for Cheddar cheese (30° to 34°), mites can cause serious damage. The first essential in their control is a rigorous sanitation schedule. If infestations develop, methyl bromide can be used as a fumigant.

Wastage in stored products occasionally occurs also from spontaneous heating, freezing, failure of containers, or accidental contamination. All can be avoided in well-designed, well-managed, and well-operated facilities.

Other storage disorders that sometimes develop in fresh fruit and vegetables are classed as the physiological diseases. They occur as a result of malfunction of the living cells or tissues—sometimes from exposure to incompatible temperatures or atmospheres. Sometimes they are related to immaturity or overmaturity at harvest, and sometimes injury results from toxins produced within the tissues themselves. Common examples are scald and internal browning in apples, core breakdown in pears, pitting in grapefruit, and black spot in potatoes.

Most of the predisposing factors for the disorders are known. The physiological and biochemical changes responsible are under study in the laboratories of many countries. As understanding of the basic changes increases, further gains will be possible in control.

Anywhere in the world where a storage facility is needed, the fundamentals of design and operating equipment are almost the same. The environmental requirements of the commodity to be stored are identical, and the information needed to operate the facility has been developed.

If and when adequate facilities are available in every country and the needed information is disseminated, the quality of food, feed, and fiber will be better, and the nutrition of people will be improved greatly without one more acre of land or one more bushel of production.

A. LLOYD RYALL *became Chief of the Horticultural Crops Branch in the Agricultural Marketing Service in 1960. He has conducted and administered research on commodity handling, transportation, and storage for more than 35 years in Washington, Texas, California, and Maryland.*

Processing

and Preservation

by ROBERT L. OLSON and
CLYDE L. RASMUSSEN

IF WE COULD NOT PRESERVE food in some stable form, people would forever be forced to live right where the food is produced, and there would be no agricultural trade.

Canning, freezing, dehydrating, refining, extracting, and salting all make foods stable and transportable. Even such fresh foods as fruit, vegetables, and meat can be shipped great distances because they are preserved by refrigeration. Meat is shipped from Australia to England, oranges from California to Germany, and apples from South Africa to Sweden.

A major part of the food in world export has only simple or primary preservation—for example, natural sun drying of cereals and preliminary separation of sugar and extraction of vegetable oils without final refinement.

At destination, those products require further processing. This practice lowers the cost of food in international trade; labor and other resources of the importing nation are used in the final processing.

New products and processes, however, have contributed greatly to the growth in trade and will be even more important in the future.

Processed food—canned, frozen, and dried fruit, frozen poultry, dairy products, and many more—are an important part of the annual commercial agricultural exports, worth 4 billion dollars in 1964, of the United States. The high quality of processed food from the United States places them on the preferred lists of many people.

The retention of markets for processed food will depend to a big extent on the ability of American processors to improve quality further, reduce costs, and develop new products for a growing market for luxury products that may accompany economic improvement in western Europe.

The long-range existence of markets for preserved foods is by no means assured, however.

Agricultural self-sufficiency is a declared policy of the European Economic Community and other countries whose resources permit it. The technologies of production and processing of foods are largely transmissible, and cost advantages that may exist in their application anywhere can be counterbalanced by protective tariffs. An example is a severalfold increase in tariff on frozen poultry in 1963 that severely reduced United States shipments to the Common Market countries.

The continuation of United States commercial export markets must fit into the pattern of a growing self-sufficiency in other countries.

Oilseeds, feed concentrates for livestock, and strong wheats for bread do not seem likely to be abundantly produced in Europe, but resources there are well adapted to the production of other commodities. Markets for such crops may well increase and help counterbalance the reduction in markets for canned fruit, softer wheats, and animal products, especially frozen poultry.

Many American food processors have established European bases for their operations to preserve hard-won markets for their brand-named products. Japan and the United Kingdom have been an expanding market for American food because the growth of population and resources of land and climate limit the possibility of agricultural self-sufficiency.

Special Government programs provided export markets for about 2 billion dollars' worth of agricultural goods in 1964, primarily wheat, rice and cereal products, vegetable oil, and dried milk. An improvement in the economic status of the developing countries, the recipients of the exports, may transform those markets eventually into commercial markets. If so, it follows that they also will develop a demand for processed food.

The use of processed food is greatest in countries that are most fully developed economically. For example, more than 90 percent of the food consumed in the United States is transported to markets away from the farm and processed, preserved, or packaged in some way before it is consumed. Even though factory wages, transportation rates, and other costs of manufacturing and distributing have increased, retail prices of food have remained relatively stable, thanks to the strides made in mechanization and the application of research to all aspects of growing and processing.

We spent less than one-fifth of our disposable income for food in 1964; it was one-fourth in 1950. A point even more startling is that only one-seventh of our disposable income today would be used for food if we ate diets identical to those of a generation ago and processed in the same manner. The reason for that is that we have many new foods and convenient ways to prepare them.

IN THE GENERAL division of the world between regions that have abundant food and those that do not, the former have well-developed food-processing technologies and also a high level of specialization in food production.

Processing for convenience has become perhaps more important than for preservation alone.

The less-developed regions generally have primitive processing facilities at best and are forced to a large degree to live where the food is produced.

Processing generally is only to keep food for consumption in the off seasons.

People are plentifully supplied with the perishable commodities (such as fruit and vegetables) only during harvest seasons.

Neither the production nor the preservation of food in those regions has achieved the efficiency of modern technology that is necessary to sustain the material wealth of urbanized civilization. The preservation of food in small factories yields expensive luxuries for the wealthy, in contrast to the mass-produced, low-cost foods for all classes in the urbanized countries. Processing tends to be minor and simple. The bulk of the food supply is made up of a few basic items.

THE LESS-DEVELOPED nations are expected to follow the patterns of food-processing advancement of the past two centuries in other parts of the world. Such an advancement will not be easy.

At the United Nations Conference on the Application of Science and Technology for the Benefit of the Less Developed Areas in Geneva in 1963, some of the difficulties were outlined in the *Summary of Proceedings on Agriculture.*

It stated: "A lack of knowledge of good food habits and of satisfactory domestic preservation, processing, and storage of foodstuffs is the rule rather than the exception in less developed countries. Trained professional and auxiliary staff, with a sound scientific and practical knowledge of nutrition, working in the fields of health, agriculture, education, home economics, and social sciences is often lacking. The importance of the interministerial cooperation and action, which is necessary to plan and to execute programs for improving levels of nutrition, is frequently not understood. . . . Much fundamental and applied research remains to be done in order to determine how traditional domestic and village level methods of food processing, which are suited to the local environment and tastes, can be developed on a commercial scale. . . .

"The application of food technology not only helps to conserve and to make foods readily available to the people, but, by rendering them easier to prepare in the home, saves valuable time, and provides other indirect but important benefits; for instance, conservation of local fuel supplies, which is often a critical factor in the selection of foodstuffs."

Among the foods that merit special attention in the developing countries are those rich in protein and suitable for the prevention and treatment of protein- and calorie-deficiency diseases. Such processed concentrates would provide protein to supplement the limited supplies of milk available and to overcome shortages of the traditional protein-short diets.

Protein-rich concentrates can be made from grains, legumes, and leaf meal, any one of which is usually available in most agricultural areas, and from fish.

But even before a developing country can use its food supplies in the production of concentrates, agricultural production and efficiency must expand beyond present levels. Until that occurs, the extraction of protein concentrates probably will occur in surplus-producing countries for shipment to other countries.

FOODS ARE PRESERVED so they may be eaten at some other place or at some other time.

Foods are processed to make them more convenient for the consumer to use and to make them into a form that is different from the starting material.

Preservation and processing, however, are so closely related that they can hardly be considered separately. What is done to preserve an item may also include processing, and vice versa. Heat sterilization by canning, for example, preserves foods, but it also makes them more convenient for future use.

Food processing today ranges from the natural processing of foods to preservation by radiation, design of foods for space flights, and synthesis of food products.

But, as J. G. Thieme, of the Food and Agriculture Organization, said at the United Nations Conference on the Application of Science and Technology for the Benefit of the Less Developed Areas, "The processing of agricultural produce in rural industries is often a 'neglected child' in the framework of development of technical assistance to the less developed areas."

His was one of only a few presentations at that meeting that acknowledged food processing as an aspect of the application of science and technology for the benefit of the less-developed areas.

Yet, even when the savannas of Africa and South America are cultivated and when the deserts of the Near East and Asia are irrigated, the cereals, fruit, vegetables, and animal products that may be produced there cannot be utilized efficiently unless they are preserved so they can be eaten far from their place of origin and long after their harvest or slaughter.

WE DISCUSS now several methods of preservation.

Natural sun drying has always been a major method. Seeds and nuts do not spoil because they have been dried to moisture concentrations low enough that microbial life cannot go on.

From ancient times, many kinds of fruit and vegetables have been gathered and spread in the sun for the same reason—to reduce their moisture concentration so they would not spoil. So also have fish and meat products been sun dried.

Sun drying is slow, except in arid areas, and many kinds of fruit and most meats and fish are sliced thin to speed drying. Where climate is not ideal for sun drying because of high humidity or precipitation, man has invented dehydration equipment to dry his foods artificially.

It is convenient here to distinguish between the foods that are naturally preserved (for instance, cereal grains and nuts) and those that are preserved by man's devising (dried fruit and vegetables, eggs, and dairy products).

Now milk and eggs are dried to powder form in spray driers, the liquid being atomized and sprayed into a hot-air stream for almost instant drying.

Tunnel and truck dehydrators with hot air delivered by fans are used extensively to dehydrate certain types of vegetables and fruit.

Modern dehydrators also include those in which wet food is placed on a belt and conveyed through equipment with temperature, humidity, and air-flow carefully controlled in order to dry the products with minimum adverse change in color, flavor, or other qualities.

Some products can be reduced to small size and then blown through ducts by hot air, which both dries and conveys the product to the collecting station.

Highly complicated vacuum equipment is used to dry food products at temperatures well below room temperature even at freezing temperatures so as to reduce adverse quality changes and produce products as near as possible to the original foods.

All of these methods depend, just as does the sun drying of seeds and nuts, on a reduction of the moisture content to prevent food from spoiling.

ANCIENT MAN learned by chance that food could be preserved by certain chemicals long before his concepts of Nature allowed him to consider the existence of separate chemical compounds. Meat hung in smoke eventually took up enough of the smoke chemicals to preserve it from microbial spoilage.

Salt deposits and tidal basins were the source of another preservative chemical for man's foods. With a high salt concentration in foods, microbial growth cannot be supported.

Later, in the light of refined knowledge, benzoates, sorbic acid and its salts, and microbially produced antibiotics were found to prevent spoilage even when only a very small amount of the chemical was added.

Another type of chemical preservative has been developed. An example is the prevention of rancidity, or fat oxidation—a chemical deterioration of food—by adding antioxidant compounds.

Exclusion of oxygen by vacuum pack or by surrounding the food with a liquid material is yet another way to prevent oxidative deterioration.

In still another use of chemicals, sulfur dioxide, the principal active ingredient in the fumes of burning sulfur, is a preservative. In high concentration, sulfur dioxide will prevent microbial growth. For this purpose, sulfur candles have been burned in wine barrels and casks to sweeten them, and sulfur dioxide is added to wine musts to prevent growth of wild yeast and other microbes.

Dehydrated fruit and vegetables sprayed by or dipped in a solution of sulfur dioxide can be protected against normal chemical deterioration during storage and loss of nutrients, color, and flavor.

A special type of preservation by chemicals results from the temporary growth of desirable micro-organisms in food to produce products that develop desired qualities and components, which, in high enough concentration, preserve the food for later use.

An example is fermentation to make wine, sauerkraut, and pickles. Similarly, acidophilus and lactic bacteria form acid to curdle the protein in milk as the first step of cheese manufacture. These and other micro-organisms are then involved in curing milk curd to produce the large number of specialized cheeses known throughout the world.

Acetic acid bacteria are used to further ferment yeast-originated alcohol into acetic acid during the production of vinegar. In all these instances, some product of the microbial fermentation is eventually produced in sufficient concentration to prevent growth of undesirable organisms, and indeed, in concentration enough to curtail the growth of the producing micro-organism itself. Another major use of yeast fermentation is in making bread.

FOOD can be preserved by keeping it so cold that spoilage organisms cannot grow.

Winter climate has been a major source of refrigeration. The deep ground and cold water springs or wells lose their heat in winter and never reach peak summer temperature. Pond and lake ice have been collected and stored in sawdust and insulated structures for summertime use.

In later years, heat removal by evaporation of water has been used extensively, and is still a major source of refrigeration in the cooling towers of processing plants.

Most recently, the controlled evaporation, expansion, and compression of refrigerants has become the basis for the mechanical refrigeration systems that preserve foods by keeping them cool or frozen.

Spoilage micro-organisms can be destroyed by heat. Heat sterilization of foods in containers that do not allow reinfection with spoilage organisms is one of the few preservation methods discovered by modern man, but it has become an important one.

The pasteurization procedures used for milk and other beverages make it possible to control the degree of contamination with micro-organisms and cause the destruction of certain disease-causing organisms.

Cooking and baking food imparts a high degree of preservation to many products by reducing chance contamination. Recontamination of heat preserved or pasteurized foods can cause food to spoil. Heat-sterilized foods are preserved only as they may be protected from recontamination.

Heat is also used to control certain chemical changes that are not related to spoilage micro-organisms. For example, when vegetables are preserved by freezing or dehydrating, they are first blanched (scalded) with boiling water

or steam to destroy the biochemical compounds that cause certain flavor and color deteriorations in the preserved foods.

Some important foods are preserved by separating them in pure forms that will not spoil.

Sugar is obtained from sugarbeets and sugarcane. From sliced beets, sugar is diffused with hot water. Cane is crushed between rollers. The diffusate or the pressed juice is purified by chemical reactions and filtration and concentrated by boiling. Pure sugar is crystallized by cooling the supersaturated concentrate and separated by centrifugal filters from the remaining molasses. Partly refined sugar concentrate from cane is often exported for final refinement in the consuming country.

Vegetable and essential oils are also separated from seeds and other parts of plants in a pure form that is useful in food and industrial products. Oil from seeds of cotton, soybeans, peanuts, or other plants is recovered by pressing or by solvent extraction and clarified and purified by filtration, tempering, and so forth.

Essential oils are generally steam distilled from seeds, pods, stems, leaves, wood chips, blossoms, and so on. They are purified and stabilized by various treatments in a form useful to the consumers and preserved so they can be shipped.

ROBERT L. OLSON *was appointed an Assistant Director of the Western Utilization Research and Development Division in 1963. Previously he was in charge of vegetable processing investigations and served in various research functions. Before joining the staff of the laboratory in 1948, he was a research associate at the University of California Experiment Station.*

CLYDE L. RASMUSSEN *joined the Product and Process Evaluation Staff of Agricultural Research Service in 1961 as an industrial specialist, stationed in Albany, Calif. Previously he was in charge of industrial analysis investigations of the Western Regional Research Laboratory.*

Background of Trade

by CHARLES A. GIBBONS

INTERNATIONAL TRADE in agricultural products is ancient (Jacob sent his sons to Egypt to buy grain during a drought in Palestine) but was small until recent times.

A thousand years ago a local shortage of food more likely meant migration, starvation, or a raid on a richer community than an exchange of other goods for food. Explorers during the 16th century sought sea routes to bring Asian spices to Europe, and Europe had some commerce in wool, flax, wine, beeswax, and foodstuffs, but all that was nothing compared to the surge that came when the Industrial Revolution began to build up populations who needed to import food and were able to supply other goods in exchange. At first the needed food was to be had in Europe, and little trading was done in agricultural raw materials. American farm exports in the early 1700's, mostly tobacco, were less valuable than the products of the forests and the sea.

More agricultural products move in international trade now than at any time in the past, but the agricultural share in total world trade is only a fraction of what it was a century ago.

The 19th century was a golden age for agricultural trade, made so by several events. The invention of the steam engine and its application to manufacturing, mining, and transportation lowered the cost of manufactured goods in the industrial cities of Europe. The invention of the cotton gin, reaper, steel plow, and other machines and the development of railroads reduced the cost of farm products in many parts of the world.

Improved sailing ships and later steamships cut the cost of shipping so much that by 1900 freight on a long ton of wheat to Liverpool cost only about 2 dollars more from Chicago than from Yorkshire.

These inventions laid the technological base for the exchange of European manufactured goods for food and raw materials from other countries. After the Louisiana Purchase in this country, the wars of independence in South America, and the settlement of the Napoleonic Wars in Europe, the political climate was generally favorable to commerce and the emigration of people to farm newly opened lands.

INTERNATIONAL TRADE depends on the existence of a large enough difference in prices between the place of origin and the place of consumption to pay the cost of transporting the goods and to reward traders for their services and risks.

Furthermore, the traders must know that the difference exists. Of unusual importance therefore were the reduction in time and cost of communication achieved through the telegraph (1844), the transatlantic cable (1866), and the beginning of a regular flow of statistical information about production and prices.

International trade is better documented statistically than any other aspect of international economics.

Most governments print more pages of statistics about foreign trade than about any other field of statistics. The only significant economic statistics for some territories are the accounts of foreign trade.

This field of statistics is so well developed because the figures have many uses and because the methods of getting them may be simple. No more is needed than to make a continuous count of goods that cross the frontiers, record quantities and values, classify the commodities, and add figures.

Difficulties of administration arise, however, from the nature of the transactions across the frontiers, the laws and regulations of the customs administration, and the compromises necessary to meet the conflicting needs of different classes of users of the statistics.

Each of the older countries developed some accounts of its foreign trade as a means of informing the different agencies of government, business, and finance. Each, therefore, considered as "foreign" trade the transactions so defined by its customs laws and regulations, and it tabulated the valuations recorded for customs purposes, which often were much less than the real values. Classifications of statistics by commodities, if used at all, were simple and devised to meet national needs.

When the upsurge of international commerce in the 19th century led to demands for more information, to be used for new purposes as well as old, the national accounts of international trade became more detailed, especially after punched-card machinery began to be used. The need for greater international comparability in trade statistics was so obvious by 1913 that a conference in Brussels approved a list of 186 headings, in 5 broad classes, and 29 governments (not including the United States) signed an international convention providing for annual publication of their foreign trade statistics according to this scheme. More elaborate schemes were proposed by the League of Nations, and after the Second World War the United Nations developed the Standard International Trade Classification (SITC), which was adopted widely after 1951.

The original SITC was not compatible with the most-used classification of commodities that had been developed for customs administration, the Brussels Tariff Nomenclature (BTN). When the European Economic Community adopted the BTN as its common commodity classification for tariff purposes, most other countries in western Europe did likewise. The SITC therefore was revised in 1960 to make it compatible with the BTN, and the Bureau of the Census, beginning with the monthly statistics for January of 1963, has tabulated the foreign trade of the United States according to the three-digit positions of the revised SITC.

At least 96 percent of the free world trade was covered in 1962 by the SITC or the BTN, which can be converted to the SITC. This rapid progress toward standardization in commodity classification does not, however, remove all the difficulties in tabulating and using trade statistics.

One remaining difficulty is the differences among countries in the definition of foreign trade—more precisely, the transactions that are to be included in the statistics of foreign trade. The differences are hard to eradicate because they are rooted in differing national needs and the historical accidents of differing administrations of customs and statistics.

For example, the United Kingdom and many countries formerly under British administration use the general system of trade, and the United States uses the special system.

The general trade system records as imports all goods entering the country, and as exports or reexports all goods leaving the country. Reexports may also be called exports of foreign merchandise.

The special trade system considers as imports only the foreign goods that have been cleared through customs, and includes in exports domestic goods shipped out plus foreign goods shipped out after having been cleared previously through customs.

These latter often are called nationalized goods to distinguish them from national or domestic goods. When there is no import duty, goods may be imported into a country and cleared through customs rather than be entered in transit, since nationalizing the goods gives the owner more opportunities for sales than the transit procedures allow.

As an example, coffee and bananas are imported into the United States and later shipped to other countries. They are recorded in United States exports as exports of foreign merchandise. When there is an import duty, goods are not likely to be cleared through customs but will be entered for direct transit or for warehousing in bond under customs control.

Direct transit relates to goods passing through a country for purposes of transportation only. It is important on the continent of Europe, where most countries use the special system of trade, but it also is used in the United States for the transit of Mexican cotton, for example. Goods put in a bonded customs warehouse and later sent abroad are recorded as indirect transit trade by countries using the special trade system, but as imports and reexports by countries using the general system.

The use of the general trade system leads to some double counting.

An example is rubber that moves from Indonesia to the United States via Singapore and England. It may be counted three times: An export from Indonesia, an import into Singapore and a reexport thence, an import into the United Kingdom and a reexport thence, and finally an import into the United States.

Because special imports do not include goods entered into bonded storage warehouses and subsequently shipped out of the country—while general imports do include such a flow of goods—many analysts wish to adjust general imports to the special basis by subtracting reexports. The remainder is called retained imports. It is only approximately equivalent to special imports, however, because of differences in the timing of imports. For a period as short as a month, reexports may easily exceed general imports. The result is negative retained imports, while special imports can never be negative. Furthermore, even if retained imports are not negative, the qualities of the imports and the reexports during a month may be so different as to result in absurdly high or low values per unit of retained imports.

No INTERNATIONAL AGREEMENT has been reached on a definition of agricultural trade, probably because different agencies and individuals have sharply divergent notions about what should be included.

Certainly the present United States definition contains several anomalies that would be hard to defend on an international basis. For example: A live silver fox is agricultural, but a skin of a silver fox is nonagricultural; a live kangaroo is nonagricultural, but a kangaroo skin is agricultural.

In this discussion, agricultural trade for other countries is defined as including approximately—but only approximately—the same commodities as for the United States. Forest products and fish are excluded (as in the United States definition), but fishmeal is included along with meat meal; fish and whale oils are included along with animal fats; distilled liquor is included along with beer, wine, and nonalcoholic beverages; and furskins are included along with hides.

I exclude essential oils, casein, gluten, and starch, because they are too hard to separate from chemicals in the classifications of most countries. Application of the definitions used for other countries would raise the figure for the United States by 1.6 percent.

The decline in relative importance of agricultural products in world trade is due partly to the decline in prices of most agricultural products relative to nonagricultural products since 1913, but mostly to the great increase in the volume of trade in petroleum, minerals, and manufactured goods.

Statistics on the estimated value of world exports of individual SITC commodities have been published by FAO for the years 1957 through 1961, along with continental, regional, and world totals (in metric tons) for im-

ports and exports of nearly all significant agricultural commodities. These are more detailed and comprehensive than the statistics published by anyone else, but unfortunately they cannot be up to date.

In value, the seven main commodities in 1961, each with exports valued at 1 billion dollars or more, were (in millions of dollars): Wheat, 2,655; raw cotton, 2,335; raw and refined sugar, 2,176; coffee, 1,841; wool, 1,741; natural rubber, 1,432; and raw tobacco, 1,100.

Wheat is also the leading commodity in weight. The world trade in each of the following commodities in 1961 exceeded 3 million metric tons (the international unit of weight—2,204.6 pounds avoirdupois) in millions of metric tons: Wheat, 40.5; raw and refined sugar, 20.4; corn, 13.8; barley, 7.3; rice, 6.1; oilseed cake and meal, 5.2; wheat flour, 4.5; bananas, 4.0; and cotton, 3.7.

Noteworthy shifts in the commodity composition of agricultural trade occurred in the quarter century between 1934–1938 and 1961. Trade in silk dropped five-sixths as the Second World War accelerated an already existing tendency to use substitutes.

Area and production of rice in Asia failed to keep pace with population, and trade in rice fell about one-third.

Exports of flaxseed, cottonseed, peanuts, castor beans, and palm kernels all fell, while trade in their oils went up, the chief reason being the encouragement in the producing countries of the crushing industry. Contrary to this trend, exports of copra increased, and those of coconut oil fell, largely as a consequence of war damage in the Philippines.

The declines in trade were exceptional. Most agricultural commodities participated in the general increase in international trade during the past quarter century. Trade in wheat, already large, nearly tripled. Exports of other small grains and of sugar doubled. Trade in powdered milk rose 20 times. Exports of canned milk doubled. Fresh meat, canned meat, cheese, sugar, coffee, cocoa beans, lard, soybeans, tobacco, sisal, and vegetable oils all gained in trade faster than the world population.

On the other hand, cured meat, eggs, corn, tea, wine, cotton, wool, flax, and oilseed cake all gained in total trade but lost per capita.

Big shifts in the geographic pattern of trade also occurred. During this quarter century, the volume of trade in agricultural products increased by about one-half, a bit faster than the rise in world population and agricultural output but only a fraction of the increase in nonagricultural trade.

As real incomes rise, the demand in every country for imported foods and agricultural raw materials also rises. It is not surprising, therefore, that all regions increased the overall quantity of agricultural products imported.

All regions also increased their agricultural exports, but in this analysis they are divided into four groups according to the relation between changes in exports, imports, and their population:

Those that increased their exports faster than their imports: North America (the United States and Canada) and western Europe.

Those with exports increasing faster than their population but not so fast as imports: Oceania, non-Arab Africa, and the Soviet bloc.

Net exporting regions whose exports failed to keep pace with population and imports: Latin America and northern Africa.

Regions which are now net importers because their exports failed to keep pace with population and imports: Asia (the Far East and western Asia).

Only the United States, Canada, and western Europe fall in the first group, which may be described as having superior agricultural trade performance during the period under review, even though western Europe is a net importer.

The physical volume of the United States exports nearly tripled between 1934–1938 and 1961. The rise was unusually large partly because the 1934–1938 period was one of droughts and depressed exports. On the other hand, the latter part of this quarter century was not a period of all-out efforts at increasing production and exports, as the period of the Second World War had been. Especially noteworthy was the great postwar boom in exports of soybeans and products, in recent years the greatest dollar earner of all agricultural exports.

While the volume of United States agricultural exports was nearly tripling, the volume of imports rose only one-fifth. Bigger imports of coffee, meat, animals, wool, tobacco, cocoa beans, and bananas more than offset decreases in silk, oilseeds and oils, grains, and hard fibers.

Canada's agricultural exports more than doubled in this quarter century, while imports rose only about 75 percent. Exports were about 4 percent of the world total in 1963, compared to 3 percent before the war. Imports were about 3 percent of the world total.

Agriculture recovered from its wartime disruptions faster in western Europe than in eastern Europe, the Soviet Union, or the Far East, a reflection of greater skill in formation of agricultural policy and administration as well as in farming. This region is the greatest market for agricultural products, but its share of world imports has fallen from about 60 percent before the war to about 50 percent. At the same time, agricultural exports have increased, largely to Europe.

Of the second group of regions—those that increased their per capita exports and increased their imports even faster—Oceania and non-Arab Africa depend largely on agricultural products for their export earnings. They can be considered successful in the development of agricultural trade in this quarter century. The Soviet bloc, on the other hand, is industrialized and need not rely on exports of farm products, as it can pay for its net imports of agricultural products with the products of industry.

What is now the Soviet bloc—Russia and eastern Europe—was the breadbasket of Europe before 1914. In 1909–1913, the annual exports of grain averaged 16 million metric tons, more than half the net imports of western Europe at that time, or more than the exports of North America, Latin America, and Australia put together. By 1934–1938, net exports of grain were less than one-third as large as before the First World War. Net exports of sugar, another important item, fell more than 60 percent.

From the reduced levels of 1934–1938, net exports of grain fell to zero sometime during the statistical blackout between 1939 and 1955. When reasonably complete statistics became available again, the Soviet bloc was a net importer of grain. It had also changed from a net export to a net import position for tobacco and in 1960 became a net importer of sugar.

Two other regions increased their exports per capita in this quarter century: Oceania and non-Arab Africa. The former has a high-technology agriculture similar to that in North America but subject to greater uncertainties of rainfall.

Before the Second World War, Oceania had great export surpluses of wool, meat, dairy products, cereals, sugar, fruit, copra, and animal fats. Net imports of agricultural commodities were few: Tea, tobacco, rubber, flaxseed and linseed oil, rice, cocoa beans, cotton, other vegetable fibers, and several edible vegetable oils. Twenty-five years later, rice had disappeared from the list, cotton and cocoa beans had risen in rank, and flaxseed and linseed oil had fallen.

Although Oceania had a high rate of population growth (in large part because of immigration), it also had a high rate of capital formation and considerable unexploited land. Both the area harvested and yields per acre rose, and the efficiency of livestock production and marketing was increased.

In this analysis, the six Arabic-speaking countries of northern Africa (Algeria, the United Arab Republic, Libya, Morocco, Sudan, and Tunisia) are discussed separately from the rest of Africa.

Non-Arab Africa is an important exporter of coffee, cocoa beans, peanuts, cotton, tobacco, oil palm products, sisal, and rubber. All these are cultivated for export; local consumption is negligible for all commodities named except peanuts and palm products, but even for them more than half the output in the region is exported.

Non-Arabic Africa is also a net exporter, though on a small scale, of bananas, tea, and sugar.

Alongside this sector producing for export is a larger sector growing subsistence crops—corn, sorghum, cassava, yams, plantains, and numerous other vegetables and fruit. Only in a few instances has this native subsistence sector produced any surplus for export.

Even in the climatically more suitable parts of the continent, production of subsistence crops by modern technology has been started only in the past few years. Investment funds are available for promoting the output of export crops but generally are not available (except through governments) for promoting other crops.

The vast herds of cattle in Africa contribute little to trade. Non-Arabic Africa has about one-half as many cattle as Latin America, but the value of net exports of their products is less than one-twentieth as great.

THE THIRD GROUP of regions consists of net exporters that are falling behind in the race with population and imports. They are Latin America and northern Africa. The volume of exports of the former is about six times as large as the volume of the six Arab countries in Africa.

Latin America was the second-ranking exporting region before the Second World War, a position it also held in 1961, but its share of the world exports fell from 23 percent to 18 during the quarter century. Exports of wheat from Argentina have fluctuated greatly, but the trend has been downward since the early thirties.

Meanwhile, imports of wheat and flour into tropical countries of Latin America have been mounting, and the region has become a large net importer of wheat. Exports of feed grains, meat, oilseeds and oils, and animal fats also fell. For all those commodities, Argentina is the chief exporter in Latin America, and the poor export performance of Latin America is due chiefly to Argentina's failure to maintain her preeminent position.

The tropical Latin American countries expanded output and exports of sugar, coffee, cotton, bananas, tobacco, and sisal nearly as fast as the population grew. By comparison with the Far East, this was a good performance, but it does not compare as favorably with the expansion of exports from non-Arabic Africa, which climatically is somewhat similar.

THE FOURTH GROUP of regions includes the Far East and western Asia (Afghanistan westward). Together they constitute all the continent of Asia south of the Soviet Union.

Western Asia is often separately considered in analysis because its climate, crops, and culture are more like those of northern Africa than like those of monsoon Asia. The total population of western Asia is perhaps 95 million, and only about half of the inhabitants live in countries that depend primarily on agricultural exports.

For the region as a whole, petroleum is the big export commodity. Agricultural exports amount to only 2 percent of the world total; cotton, tobacco, and a variety of fruit and vegetables are the chief commodities. Cereals account for nearly half the imports, although the region was a net exporter of cereals before the war.

The Far East was the leading exporter in 1934–1938 of agricultural products. It led the world in exports of rubber, tea, silk, rice, jute, peanuts, soybeans, palm products, and several minor commodities.

Wartime destruction, postwar instability, and the growth of domestic requirements have reduced net exports of all the products just named except rubber and tea. The overall volume of agricultural exports dropped one-fourth in a quarter century, while population grew about one-half, and import needs grew even more.

The most spectacular rise was in wheat and flour, from net imports of 16 million bushels in 1934–1938 to about 450 million bushels in 1962. Before the war, the Far East had export surpluses of sugar, soybeans and oil, corn, barley, cottonseed and oil, lard, potatoes, and sorghum. In 1961, the region was a net importer of all those products as well as wheat. Imports of grains, cotton, wool, tallow, and oilseeds and oils (except palm products) into the Far East in 1962 were exceeded only by those into western Europe.

The basic reason for the shift from being a big net exporter to being a substantial net importer is the scarcity of cropland and of capital in relation to a poor but growing population. The area of grain harvested rose only about one-fourth since 1936, while the population increased nearly one-half. The total of land cultivated has been increasing but not nearly so fast as the needs for food, feed, and fibers. Much land remains uncultivated because of lack of capital for developing it.

At the same time, yields on the cultivated land in most countries of the Far East could be raised if more capital were used for irrigation, drainage, fertilizers, and machinery.

CHARLES A. GIBBONS *joined the Economic Research Service as a statistician in the Regional Analysis Division in 1962. Previously he worked as a statistician for the Food and Agriculture Organization in Washington, Cairo, Addis Ababa, and Rome. He was editor of the FAO Trade Yearbook from 1956 to 1962.*

Monetary Problems and Trade

by WARRICK E. ELROD, Jr.

THE LIMITED availability of foreign exchange has been the chief deterrent to the expansion of agricultural exports to the developing countries of Asia, Africa, the Near and Far East, southeastern Asia, and Latin America.

To conserve their limited supplies of foreign exchange, they may impose exchange controls (including quotas on the use of currency, multiple exchange rates, or other restrictive mechanisms); make bilateral trade agreements; and impose special administrative controls, such as advance deposits, against some or all imports.

Monetary problems have not determined the amount of agricultural trade among advanced nations. Major barriers to agricultural trade in those countries have been the desire of the governments to protect their own agriculture and the insensitivity of demand for agricultural products in response to any changes in prices and incomes.

Consumers' tastes in the developing countries may vary from region to region, but there generally has been an increase in demand for agricultural imports from the United States and other exporters as incomes have risen.

In many instances, foreign traders, if allowed to choose, would have spent more of their scarce foreign exchange for products from the United States if their governments had not implemented trade policies that resulted in the purchase of other or similar products from other suppliers.

Despite deficits in the United States balance of payments, underdeveloped countries have had a short supply of dollars and have sought to conserve their supplies.

They have also held small supplies of other convertible currencies, except in some instances in which a former colonial power with a convertible currency has made provision for the newly independent country or the country has had favorable earning capacity.

CURRENCY TIES with a former mother country can determine the direction of trade, both agricultural and industrial. The ties may lead to patterns of agricultural trade that are less advantageous to the importing country and a less efficient allocation of resources in both the supplying and receiving country.

Shortage of foreign exchange can affect agricultural trade in another way. Developing countries have tended to utilize their foreign exchange to import the capital goods that they believed — probably rightly — would advance economic development, which they almost always have associated with industrialization.

If the tendency operates without limits, however, the results can be adverse. Argentina, for example, neglected its agricultural sector to the extent that it failed to provide the 93–96 percent of export receipts it once did. The receipts could have financed the industrial development of the country. Argentina's external financial difficulties arose out of the imbalance of its economic development and the impairment of its foreign agricultural trade.

Yet developing governments invariably have sought to encourage the import of capital goods, such as machinery, hoping to keep to a minimum their imports of food, luxuries, and consumables, except when social or political reasons dictate otherwise.

Governments usually have tried to avoid increasing the number of discriminatory quota restrictions or exceptionally high tariffs against agricultural imports as being inconsistent with the objectives of the International Monetary Fund and the General Agreement on Tariffs and Trade. They have used restrictive practices—exchange controls, bilateral trade agreements, and selective advance deposit requirements on imports—however. All or any combination of those mechanisms may be used because a country suffers from a shortage of convertible foreign exchange.

MANY COUNTRIES have simply limited the amount of foreign exchange that they have made available for the importation of selected items. That is the easiest and most direct way to limit imports of any type to a given amount.

Many countries have utilized multiple exchange rates to limit such imports. Under a multiple exchange rate system, a country sets varying rates of exchange between its own currency and foreign currencies, depending on the classes of imports. For needed industrial imports, a rate may be set, making the price of the industrial goods in the foreign currency cheap in terms of the currency of the importer.

The rate for luxuries may be set to raise the price of such imports in terms of the importing country's currency. As authorities may change the rates at any time, multiple-rate systems interject an element of instability into international trade.

It is desirable that countries adopt a unified rate for their currencies. Progress is being made. About a dozen countries continued to have multiple-exchange rates in 1964. Five of them were in Latin America—Chile, Brazil, Colombia, Ecuador, and Venezuela. Multiple-currency practices existed, however, in other countries where unofficial or illegal rates prevailed.

There has been no evidence that the multiple-exchange rate systems have greatly hindered agricultural trade.

Generally direct controls, such as import quotas or highly protective tariffs, have been used by countries seeking to discourage agricultural imports.

Authorities in some countries have placed limits on the amounts of the local currency that can be converted into foreign currencies.

In the French franc zone of Africa, for instance, it has been possible to convert CFA (Communauté Financière Africaine) francs into French francs. But there has been a limit on the amounts that the African countries could convert into other foreign currencies. The result has been that imports that might have been sought elsewhere were taken from France.

All countries in the CFA zone, except the Republic of Ivory Coast, which was a net earner of foreign exchange, have fixed quotas for converting into foreign currencies. Should they seek more than their allotted amounts, they may or may not be permitted to purchase additional amounts from the French Equalization Fund.

These special arrangements have directed, between the former African colonies and France, agricultural trade, which may have moved into other areas. Obviously, to the extent that the 13 republics in the CFA zone in 1964 could more easily obtain French francs than dollars or other convertible currencies would they be influenced in taking agricultural and industrial products from France rather than from other countries.

Similarly, the east African monetary system—which includes Uganda, the Republic of Tanganyika, Kenya, and Zanzibar—functions as an extension of the British monetary system, with the result that the trade of the area has been directed within the sterling area.

A country may institute bilateral trade agreements to offset unfavorable trade balances with certain other countries or to obtain more advantageous terms of trade. Any country may be short of the exchange of those trading partners with whom the country incurs deficits in the payments accounts.

The number of bilateral agreements among the free nations has been progressively reduced. Such agreements do continue, even though they distort trade patterns and in the long run may prove harmful to the country entering into such agreements. There may be short-run benefits, such as establishing fixed outlets for a given quantity of exports, or opening markets for new products.

Bilateral agreements generally have provided for offsetting quantities of imports and exports between the two partners and thus have reduced their mutual needs for foreign exchange in settling their international accounts.

These agreements have been popular in Latin America, but Colombia, Ecuador, and Uruguay have terminated several such agreements; Uruguay ended three with Iron Curtain countries whose currencies were not acceptable internationally.

Ceylon, Afghanistan, and other Near East and African countries had bilateral agreements in 1964. Bilateral agreements have represented the normal method of carrying on trade among Soviet satellites.

GOVERNMENTS may require importers to make advance deposits when the importers apply for letters of credit to import certain goods.

Such requirements have worked a hardship on importers and may have dampened the incentive to import.

Advance deposits have tied up funds for unnecessarily long periods in capital-scarce economies. The depositor received no interest during the period his funds were held.

This has been a problem in Korea and in the Philippines also. Until the exchange reforms of 1962 in the Philippines, certain classes of goods ("nonessential consumer goods") required advance deposits of as much as 200 percent.

Importers in Taiwan had to make advance deposits equal to the tariff to be charged on the import of certain raw materials. If the finished product were later reexported, the tariff was refunded. This tying up of moneys may have been a hardship where short-term interest rates were 12 or 15 percent or higher, and this has been a major factor in several important private trade negotiations with Taiwan importers. Deposit requirements may be imposed selectively to restrict import of specific commodities, or they may be applied across the board as a means of reducing internal inflationary pressures.

Quantitative restrictions on imports and on transfers of capital often have been instituted by Latin American governments to meet adverse short-term capital movements and other balance-of-payment problems that severely limit the availability of foreign exchange.

An example is Chile, whose inability to increase exports and to control inflation has led her to impose many import restrictions, including surcharges and advance deposits.

Argentina introduced advance deposit requirements in 1962 and abolished them by the end of the year.

In Brazil, the period of retention of deposits was 5 months, and the use of these requirements covered payments for invisibles (travel, transportation, tourist receipts) as well as payments for most merchandise imports.

Some countries, among them Nicaragua and Surinam, were able to reduce advance deposit requirements and to eliminate some other deposit restrictions. Peru has avoided import restrictions by increasing exports, primarily cotton, and added around 18 million dollars to her reserves over the 2-year period 1962-1963.

SOME COUNTRIES have experienced balance-of-payment difficulties because they attempted to support an overvalued exchange rate which tended to discourage exports and encourage imports.

Maintenance of the overvalued exchange rate required the use of foreign exchange reserves or external assistance to provide such reserves, but this practice was adopted in the belief that confidence in the currency would be maintained and in time the overvalued rate justified.

An exchange reform in Colombia, which was initiated as part of a new stabilization program in 1962, resulted in the loss of valuable reserves when the authorities tried to support the overvalued currency rate. Such practices often have been continued even after a temporary crisis has abated.

Although the use of import and payments restrictions or depletion of foreign exchange reserves through questionable remedies may be necessary, other methods, such as compensatory financing—that is, provision of financial aid to countries suffering losses in their export receipts—or some other forms of international aid have been more appropriate when a country faced serious balance-of-payment difficulties.

Whether a developing country restricts agricultural trade by exchange controls or specific tariffs, bilateral agreements, and by import deposit requirements (or multiple exchange rates), it seems likely that the country will still use the total foreign exchange it considers to be available in a given period as its import needs are usually so large. The industrial component of imports will simply be greater.

The developing countries have had difficulty earning needed foreign exchange wherever there has been a decline in prices of their commodity exports. These countries often have been heavily dependent upon one or two commodities for the major portion of their foreign exchange.

A decline in export prices relative to prices for capital goods imports has meant a deterioration in the terms of trade—that is, in real terms, the volume of exports necessary to requite a given volume of imports, a higher volume of exports being necessary when export prices have fallen.

This persistent deterioration in the terms of trade for the developing countries, which reduces their import potential, has accounted in part for their tendency to industrialize and to diversify exports.

During the fifties, the ratio of prices of primary products to the prices of manufactured products in Latin America declined by more than 20 percent. The volume of exports of all the less-developed countries increased by 52 percent, but the importing power of exports increased by only 44 percent. The gap would have been larger, except that the less-developed countries have also had to import large quantities of primary commodities.

As the sixties have progressed, commodity prices have begun to strengthen modestly, and this has been of some assistance to developing countries. The strengthening in prices has been selective and in some cases began only in late 1963 and 1964.

The improvement in the prices of tropical commodities, such as cane sugar, cacao, coffee, and jute, has been significant when compared with levels before the Second World War but less impressive when compared with exceptional peaks in the postwar period.

Little evidence exists of any general long-term depression of prices of the agricultural exports of the tropical underdeveloped countries. There has been only a very slow postwar growth in the volume of these exports, however, their rate of growth being only about one-third that of such exports as grains, oilseeds, and meats. This slow growth may arise from the relatively slow population growth rate in the developed countries. Many tropical export commodities have experienced extreme fluctuations in export unit value; the variation, above or below the trend line, in prices for coffee, cocoa, and rubber has been nearly three times the variability in the export prices of wheat and soybeans. Unit values of bananas, tea, and sugar, however, varied about the same as unit values for wheat and soybeans. Thus the problem of wide swings in export earnings in developing countries is in large part related to the type of agricultural commodities produced.

ANOTHER MONETARY PROBLEM in almost all the less-developed countries is an unsatisfactory rate of inflow of private long-term capital. The result is that less foreign exchange has become available for imports. Unfavorable climates for investment have deterred such inflows.

The deficit on goods and services was reduced in 1962 by about 300 million dollars in Latin America, but a reduced inflow of capital and an increased outflow of capital caused an overall deficit in the area's balance of payments of 800 million dollars. Curtailed inflows have reduced the amount of new foreign exchange available; outflows have reduced available reserves severely and forced the imposition of restrictions on imports to reduce the pressure on reserves.

Interest rates in the developing countries have been high, by relative or absolute standards, as a result of a demand for funds far in excess of the supply of funds. High commercial interest rates have been prevalent as lenders have sought protection against the sharply depreciating value of the currency.

An annual rate of inflation of 50 percent in Brazil obviously would mean an annual rate of interest of more than that magnitude on money lent for the same period of time if the lender is to protect himself against depreciation of the currency. Rising prices may warrant acceptance of high interest rates, but it is highly unlikely that agricultural trade will be financed to any significant extent by borrowed funds.

Banks throughout the Near East and Far East, being confined to a narrow supply of funds, cannot meet the demand for all loans. Interest rates have been 12 to 15 percent. In countries whose governments have set upper limits on interest rates, the banks have rationed the supply by other means.

Many banks have required large collateral, sometimes as high as 50 to 100 percent of the amount of the loan. Funds available for financing agricultural trade consequently have been limited and costly, even when immediate sale of the commodities insured rapid repayment of a loan.

Conditions vary from country to country. In some countries, the central banking authorities have kept maximum interest rates at reasonable levels.

Iraq is one. In 1959, the Central Bank reduced the allowable maximum on commercial loans from 7 percent to 5.5 percent. The entire rate structure was reduced, the going rate of interest actually declining to below the allowable maximum.

In Israel and Turkey, rates rose to about 20 percent during years of inflation, and the real rate of return to the lender often approached zero as currency depreciation accelerated.

Thus no general level of interest rates has prevailed. The levels can vary among countries and within a country, depending on the time periods. Funds have been available for financing commercial transactions in agricultural commodities, but they have been costly and usually have resulted in a much higher price to the consumer.

High interest rates have presented serious problems in agricultural communities, since the rate has led to a shift of available funds from the agricultural sector of the economy to the commercial, where, profits being higher, the higher cost of the funds can be covered. Unless governments compensate for this deficiency by subsidy or low-cost loans to agriculture, development in the farm sector is impeded.

WARRICK E. ELROD, JR., *was named Chief of the International Monetary Branch, Economic Research Service, in 1962. He formerly was an economist in the Division of International Finance of the Board of Governors of the Federal Reserve System, and for 10 years before that a Foreign Service officer with duty in Europe and the Department of State.*

Economic Growth
and Trade

by ARTHUR B. MACKIE and
KENNETH L. BACHMAN

PROSPEROUS NATIONS trade much more than less prosperous countries. Each community in a backward country tends to be self-sufficient, and trade lags, even among regions. Each step up in development steps up domestic and international trade. Thus the actual and potential level of trade among countries depends on the level of their economic development.

Growth in trade usually means more imports of agricultural and industrial products. Economic growth gives consumers more purchasing power and appetites for foods not widely grown in their country. Diversity of consumption leads to increased trade.

Postwar economic growth in Japan and western Europe, for example, has made them good customers for our farm products. We can expect those countries, which have highly developed agricultural and industrial sectors, to buy even more from us as they achieve still higher levels of incomes.

Rapid economic growth in Japan since the Second World War has expanded imports of all goods and services from all countries from 990 million dollars in 1938 to 4.8 billion dollars in 1961, or 3.8 times. Her imports from the United States increased 6.2 times—from 240 million dollars to 1.7 billion. Our agricultural exports to Japan increased from 44 million dollars in 1938

to 518 million in 1961–1962, or about 11 times. On a per capita basis, the value of Japanese agricultural imports from the United States increased from 63 cents to 5.48 dollars.

Trade with less-developed countries also has increased since the Second World War. How rapidly their markets will continue to expand depends on how rapidly they can achieve economic growth and increase export earnings.

Income is a major factor in world trade. There is much more trade between industrialized countries than between nonindustrialized countries, or between industrialized and nonindustrialized countries.

A comparison of income, exports, and imports for developed and less-developed countries in 1959–1960 illustrates the importance of the stage of economic development on the actual level of trade.

The developed countries, with an annual average income of 655 dollars per capita, exported 125 dollars' worth and imported 127 dollars' worth of all goods and services in 1959–1960. The less-developed countries, whose average annual income was 110 dollars per capita, averaged about 20 dollars' worth of exports and imports then.

The value of agricultural exports was 32 dollars—only 25 percent—of total exports for the developed countries and 11 dollars, or 55 percent, for the less-developed countries. The developed countries imported about 48 dollars per capita of agricultural products. The less-developed countries averaged about 5 dollars' worth of agricultural imports per capita.

Income, exports, and imports per capita of all products were six times larger for the developed countries (excluding the United States) than they were for less-developed countries in 1959–1960. Agricultural exports were only three times larger, but agricultural imports were about nine times larger in the developed countries than they were for the less developed.

Those comparisons emphasize the

importance of agricultural exports in the total trade of less-developed countries whose agricultural exports in 1959–1960 were more than half their exports. Agricultural exports were only about one-fourth of all exports in the developed countries.

The high dependency of the less-developed countries on agricultural exports is indicated by the relatively high level of exports per capita at this low level of income. The relatively low level of agricultural imports per capita reflects the greater use of their foreign exchange earnings for capital imports needed to finance industrial and general economic development. These data suggest that especially in low-income countries agricultural imports would be increased with higher levels of income and economic development.

As a general rule, the countries that have developed most rapidly since 1938–1940 have increased their imports of agricultural products most rapidly—that is, the rate at which agricultural imports have been expanded has been closely related to the growth in income.

Although incomes increased more in the developed than in less-developed countries from 1938–1940 to 1959–1960, total agricultural imports increased more in the less-developed countries. The faster increase in agricultural imports in the less-developed countries was due to food-aid shipments, primarily from America.

If only commercial imports are considered, agricultural imports increased most rapidly in the developed countries as a result of a more rapid growth in income. In both groups of countries, however, agricultural imports (excluding noncommercial shipments) increased about 12 percent for each 10 percent increase in per capita incomes from 1938–1940 to 1959–1960.

Patterns of food consumption have changed with economic development in many countries. Rising consumer incomes in many countries in the postwar period have enabled individuals to improve their diets and to demand more of what they could not previously afford. These changes are the result of higher incomes and a more diversified demand for food—a demand that must be satisfied with imports if a country's resources do not allow for enough flexibility in production to meet it.

The effect of higher incomes in the developed countries has been to open up new and enlarged markets for feed grains and high-protein feeds needed for larger numbers of livestock.

While economic growth in the developed countries has brought a greater demand for animal protein, the effect in others has been to increase total food consumption, especially wheat.

In rapidly developing countries, like Japan and Italy, the process of substituting wheat for other foods has raised wheat imports and the importance of wheat in the United States agricultural exports. In Japan, the substitution of wheat for rice has converted Japan into a major wheat importer since 1950, and the higher incomes also have increased the consumption and demand for meat and meat products.

In India, a country with an average income per capita of less than 100 dollars, the per capita consumption of wheat increased from 51 pounds a year in 1938–1939 to 61 pounds a year in 1959–1960. The consumption of rice, jowar, barley, maize, bojra, and other food grains generally has declined. India has experienced moderate economic growth and increased imports of agricultural products in the postwar years.

Economic growth and trade are complementary.

The relationship was mentioned in 1850 by Richard Hakluyt, an English historian and geographer, who told English merchants:

"If you find any island or maine land populous, and the same people hath need of cloth, then you are to advise what commodities they have to purchase the same withal. If they be poore, then you are to consider the soile and how by any possibilities the same may be made to enrich them, that hereafter they may have something to purchase the cloth withal."

Mercantilists in the 17th and 18th centuries emphasized the importance of expanding exports as a means for increasing national wealth through favorable balances of trade. Imports were thought to be bad and therefore were discouraged. The idea of mutually helpful trade eluded them.

Not until the 19th century was the beneficial relationship of both exports and imports emphasized. Even then, though, the doctrines of trade and development placed more emphasis on exports and the role of trade as an engine of growth that transmitted economic growth from the industrial center, England and western Europe, to newly settled lands overseas.

Although world economic conditions are greatly different from those of a century ago, the complementary relationship between trade and development still exists in the sixties.

Today, however, the importance of both exports and imports is emphasized as being essential for expansion of world trade and economic growth. Exports are still important. They provide the necessary foreign exchange to pay for imports. Imports are necessary to the growth process in less-developed countries. Capital and imports of capital goods are needed to finance economic growth, and imports of food are needed to meet the rapidly rising demand created by the growth process.

An example: Failure by developing countries to import food to fill the demands created by rising incomes can seriously affect a developing economy. Food prices are likely to rise sharply, and because food is the principal expenditure of consumers, there is a strong pressure of increasing wages in nonfarm industries. Rising wage rates soon lead to a cost-price inflation spiral and so reduce the rate of economic growth. Thus the changing nature of the demand for and supply of food associated with economic growth also affects the level and nature of actual and potential trade among countries.

The nature of supply and demand for food is related to the stage of economic growth. In countries well below the takeoff stage in economic development, growth in per capita incomes and agricultural production is slow, and production of food increases slowly because of the lack of capital, low educational levels, and a slow adoption of improved technologies.

Increases in the total demand for food are primarily a function of population growth. But since population growth is often rapid, food requirements increase faster than food supplies. Then the demand for food imports increases, and if the increased demand is not met through increased trade, inflation occurs and slows down the rate of economic growth.

On the other hand, countries experiencing a rapid rate of growth in per capita incomes and agricultural production are faced with an ever-increasing demand for food—a demand that outpaces the domestic supply. Food imports in consequence must continue to go up rapidly, either as trade or aid to keep the growth process going. Rapidly rising incomes per capita increase the total demand for food more rapidly than the supply of food. Once the takeoff of economic development is passed, the gap between food supplies and demand tends to widen with rapid and sustained economic growth. The effect then is to increase the demand for food and, thus, agricultural trade.

A STUDY made by the Department of Agriculture in 1963 to forecast world food demands in 1980 provides useful insights as to the prospective increases in food demands and the increases in domestic production and food aid that may be needed. Underdeveloped countries were divided into two groups—those with medium to rapid rates of economic growth and those with slow rates of economic growth.

Because of the high-income elasticity

of the demand for food in value terms in the less-developed countries, food demands may expand rapidly.

By 1980, potential food deficits will increase to a dollar value of 21 billion in the rapidly developing countries and to 4.5 billion dollars for the slow-growth countries—an increase of tenfold and nearly fourfold, respectively.

Population and national income were assumed to increase at the 1953–1960 rates of 2.2 and 5.3 percent, respectively, in the rapidly developing countries. In the slow-growth countries, population was projected at the 1953–1960 rate (2.4 percent), but it was assumed that the growth in income might be raised to the modest level of 3.9 percent a year.

In the rapidly developing countries, food production was projected to increase substantially to an annual rate of 3.3 percent, and in the slow-growth countries to an annual rate of 3 percent.

A large part of this expected food deficit would involve the meeting of demands of consumers for better foods, rather than simply an increase in calories consumed. It is a real deficit, however, in that if their demands are not met, the rate of economic growth assumed is not likely to be met.

The projected rates of growth seem likely to increase greatly the food deficits under the assumptions used with respect to rates of population and production growth. A part no doubt can be met by commercial imports.

Perhaps some further increase in food production in these countries would be possible, particularly if they give greater emphasis to agriculture and the technical assistance programs of developed countries are stepped up.

Besides, the extent of the deficits suggest a major role for food-aid programs in the future growth of the developing countries. Increased food-aid contributions by the developed countries will be needed to meet the increased demands associated with economic growth.

But one thing appears rather certain from postwar experience: Foreign economic growth will have a major influence on market potentials for United States agricultural products. Of course, United States exports also will be influenced by changes in demand for and production of agricultural products in importing countries, supplies made available for export by competing foreign countries, and the ability of the United States to supply agricultural products for export.

If the trends in postwar trade and development continue and real growth rates in income and imports achieved by the developed countries prevail for the next two decades, the total value of all United States exports would more than double. The value of agricultural exports would almost double.

American exports of all commodities to the less-developed countries would also double, but our agricultural exports to those countries may triple.

It appears likely that agricultural imports of the developed countries will account for a declining proportion of total imports. Most of the developed countries are experiencing rapid improvement in agricultural technology and production. Moreover, the proportion of income spent for food likely will drop as personal incomes rise.

But in the case of the less-developed countries, it is quite likely that imports of agricultural products will increase as rapidly as income. These countries are experiencing rapid growth of population and find it difficult to expand their agricultural production quickly.

ARTHUR B. MACKIE *joined the Development and Trade Analysis Division of the Economic Research Service as an international agricultural economist in charge of trade and development studies in 1961.*

KENNETH L. BACHMAN *became Director of the Development and Trade Analysis Division of the Economic Research Service in 1961. Previously he was assistant to the Deputy Administrator of the Agricultural Marketing Service; Assistant Director of Farm Economics Research Division; and Head of the Production, Income, and Costs Section of Farm Economics Research.*

Trading by Governments

by RICHARD H. ROBERTS

GOVERNMENTS do the foreign buying and selling of many farm products. They take ownership of exported or imported goods and so engage in state trading. The trading is not necessarily done by government agencies, but it must be for them. Sooner or later they furnish the money invested in the commodities.

The government need not itself perform the trading operations. It may use private firms as agents to do the buying or selling. In passing the goods through government accounts, the government can exercise full control as owner. It thereby can inject terms or conditions not applied by private business.

Nations take differing attitudes toward state trading, particularly in agricultural commodities. Much of their uncertainty comes from shifts to state trading in wartime, efforts to develop more trade with Communist countries, business and political pressures to gain more trading advantages, and attempts to minimize the costs of supporting the incomes of their own farmers.

The universal pressures to provide special advantages for farmers contribute to the tendency to have government agencies do their foreign marketing, whether purchases or sales.

Governments try to manipulate the terms of exports and imports to assist in bearing the costs. In this way, government actions beget more government in business. To handle exports and imports, governments give authority and funds to commodity boards and put them into the business of foreign trading.

Commodities that have a standard form and quality in international trade usually are the chief types traded by government agencies and dominate the types governments sell through export sales monopolies.

Wheat and butter are examples. When exporting countries use their government trading to maintain high standards, the reputation for quality aids in building and maintaining the market. The buyers of the standard commodities in the importing countries usually are private traders, who consider it an advantage to deal with government selling agencies that have a reputation for dependability as to standards of quality.

Importing follows a different course. Oil materials and tobacco exemplify the differences that may exist in standards of quality. They may be exported by private firms, but the import purchases may be carried out by government monopolies for several reasons. Tobacco in some countries is a direct source of government revenues, and government handling facilitates collections. Oilseeds and other sources of oils are handled through government largely to aid internal farm price supports or maintain stable supplies.

In most wool exports, countries let prices follow free market conditions to reflect its differences in form and standards of quality. The same countries traditionally use government agencies to export their standard commodities and only in war emergencies do they shift their exports of wool and the pricing suddenly and wholly to government sales operations.

State trading was a matter of concern in the drafting of the Havana Charter immediately after the Second World War to establish an international trade organization. The plan was not adopted, but the main expressions became article XVII of the General Agreement on Tariffs and Trade (GATT). Among its other rules for foreign trading is a requirement that state trading operations must be reported. Apparently it was assumed that foreign trade enterprises of governments are set up to exercise discriminatory treatment and secure special advantages. The provisions prescribed nondiscriminatory treatment and specified that purchases and sales be in accord with commercial considerations and give adequate opportunity for competition.

GOVERNMENTS answer differently the questions about their state trading.

The experts have not arrived at uniform interpretations, and variations in form, results, and effects on competitors are many.

Japan has been reporting to the GATT that licensing controls of operations actually performed by private importing companies consist of state trading. The United States has stated that export operations of the Commodity Credit Corporation did not come in the reporting category. Denmark has reported that no state trading prevailed in food and agricultural products. The Netherlands has reported it had none. Sweden has reported none except for tobacco and authority over sugar. The egg export and import association of Sweden has regulated the internal market, with variable levies on imports of feedstuffs to pay subsidies to producers, but the commodity marketing boards had lost their foreign trade monopoly positions in 1956.

The Organization for European Economic Cooperation attempted to separate trade from government enterprises, financial accounts, and other operations. Exporting countries are reluctant, however, to complain about such matters. Furthermore, the guilt of an offender could not be decided unless it was admitted because the member governments had to reach unanimous agreement on any decision.

Attempts to devise rules that monopolies must invite public tenders also were fruitless. The Organization for Economic Cooperation and Development, the successor, has turned attention more to the terms and conditions under which trading is permitted, whether private or state.

THE GROWTH of nontariff trade barriers has affected private trading, particularly imports into the European Economic Community. The new barriers have given the six Common Market countries increased problems in the relation between state and private trading, particularly in the farm products.

In drafting the 1957 Treaty of Rome to set up the Common Market, the countries adopted a requirement that state monopolies end discrimination on conditions of supply and the marketing of goods. Employment and the living standards of producers, however, were to be given equivalent weight in these decisions. A special provision permitted Italy to trade in wheat until July 1, 1963, when imports were put under control of the variable levy system plus an extra 20 dollars a ton on imported wheat of high quality.

In discussions of trading principles, people have mentioned particularly the expansion of trade with countries of the Soviet bloc. A big point has been Soviet enticements to developing countries to commit themselves to bilateral agreements. The aid that is offered has proved to be cheap credit and barter to the advantage of the Communists.

The discussions of nontariff barriers bring out, further, that "gentlemen's agreements" flourish with monopolies, semigovernmental agencies, and the special trading authorities. These informal understandings shut off trade in varying degrees among nations, particularly by excluding competitive forces and redirecting trade to less competitive suppliers.

The GATT, regional groups, and a

United Nations Trade and Development Conference have considered these problems and the trading needs of developing countries. A revision of principles and rules for state trading has become an issue. A desire to trade more with the Communist nations adds difficulties in reconciling with private market trading principles. In promoting growth in developing countries, conflicts with the goal of nondiscriminatory trade also arise. Only when trade is based on relative efficiency in production and marketing can it take full advantage of consumers' free choices in price and quality.

A DESIRE to buy goods from special sources is typical of state trading.

Some noncommercial influences frequently are brought to bear when a government performs a commercial function. State trading may be used as the means of allocating short foreign exchange funds to buy imports. Political objectives therefore may be sought in the commercial operations. Negotiation of terms, rather than free and open bidding, furthers political aims without making it necessary for a government to disclose reasons or motives.

One example is the French Société Interprofessionelle des Oleagineaux Fluides Alimentaires. Exercising government powers, SIOFA has bought or authorized others to buy the country's entire imports of edible vegetable oils and oilseeds. French producers of oilseeds thereby have been protected against market competition of other countries. The agency has given preferential treatment to oilseed imports from areas that do their trading in French francs.

The agency has broad authority in its operating methods. It has furnished little information to anyone outside the agency about its procedures in buying and importing. It has been free to change its operations without prior notice, unhampered by any fear that details of its precedents are known outside.

In determining the amounts of oils and oilseeds to be imported and the countries from which to buy, the agency has given preferential treatment to peanuts from Africa over soybeans from the United States, although the soybeans yield a higher quality and amount of meal. Peanut oil has been given an artificial preference for about two-thirds of the total imports of oils and oilseeds. Otherwise, cottonseed and soybean oils could be substituted in most of the products.

To support the prices of most agricultural products, France has intervened directly in foreign trade. For cereals, sugar, dairy products, and vegetable oilseeds, state trading has been the rule. Some other products have been released from these operations, in amounts that vary according to the exporting country.

The French Government in 1960 merged various commodity funds and the mutual guarantee and production adjustment fund into Forma, which conducts extensive internal buying and storage operations, subsidizes exports, and controls imports. It is financed mainly by the government. Amounts needed to support the internal milk market and subsidize exports have increased over several years.

France has always been a high-priced market for meat, but new trading operations have enabled her to continue domestic prices at about double those in many other countries and to remove surpluses by exporting some meat to Spain and Portugal at prices as low as one-third the French internal prices.

METHODS of administering state trading embrace many techniques.

West Germany has required that importers of cereals, feed, sugar, milk, and livestock offer the commodities to its import offices. With the option of accepting or refusing the offers, the offices may arrange for sales on the home market and reserve the right of taking over the imports and retailing them.

In Austria, a government monopoly imports raw and manufactured tobacco, has sole authority to decide on purchases, and conducts its operations on a commercial basis without discrimination as to sources of supply. State trading in grains began in 1960, when some other European countries were releasing some of their imported farm products from state trading.

Ireland has made a government grain importers' group solely responsible for imports of wheat, barley, corn, and flour. The group has resold to distributors and millers at prices fixed to maintain a balance between home production and imports. Stable and uniform prices have been maintained to help livestock farmers and provide authorized profit margins for millers. Any losses have been covered by the government. The state monopolies also have been handling butter, sugar, potatoes, oils, and oilseeds.

The Federal Wheat Administration in Switzerland has operated within the Department of Finance and Customs. Centralized imports have been considered essential to control prices of bread and protect the milling industry. The legal basis was included in an addition to the Federal Constitution and was adopted by popular vote in 1952. For feedstuffs and grains, a cooperative company of firms engaged in international trade formed a syndicate and was given a legal import monopoly. The company has controlled prices and quantities of imports to prevent gluts in the market and avoid the overproduction of milk, dairy products, meat, and animal fats. A butter supply center has held a monopoly of butter imports as a government controlled cooperative of firms and organizations in the wholesale trade. The center, rather than its members, has bought butter from foreign suppliers for retail distribution. Fats and seed potatoes also have been state traded.

Finland has a state monopoly of food grains, but a pooling of imports of sugar, corn, bran, oilseed meal, and vegetable oils is voluntary. Coopera-

tives have engaged in processing and marketing, and importers have been shareholders; thus the benefits of bulk purchases have been achieved.

Poland has reported that 34 foreign trade enterprises operate within a system of state monopoly and that state trading has been the only foreign trade operation because state monopoly in foreign trade has always been a basic feature of the socialized economy, as in the Soviet bloc generally. Polcoop and Rolimpex were listed as exporters and importers of fertilizers, foodstuffs, and other agricultural products.

Yugoslavia has also followed a similar Communist pattern.

JAPAN HAS distinguished between food control and government monopoly as separate categories. Rice, barley, and wheat have been covered under food control to assure adequate supplies at reasonable prices and to effect stability of the national economy. A food management law of 1942 provided the authority to control prices and marketing of the three items. The food agency has issued permits to private traders, who are required to sell imports to it. No long-term contracts have been concluded, but overall bilateral agreements (as with Australia) have sometimes been used.

The Japan Monopoly Corporation has handled tobacco to obtain revenue and salt to secure a stable supply. Its operations have included monopoly of imports, production, manufacture, and any exports of manufactured tobacco. Salt has not been exported because of comparatively high costs.

Canada has reported that its Wheat Board monopoly of wheat, oats, and barley is its only state trading enterprise. It has covered only designated western areas where the exportable surpluses are produced. The Board has not owned or operated facilities of any kind for storage and handling, but has directed the movement in domestic and export markets through the private trade.

Sales to mainland China and to the

Soviet Union in 1963 by the Canadian and Australian Wheat Boards have taken most of their surpluses. The credit terms given the Chinese and other Communist importers have not been offered to traditional non-Communist customers. This distinction between customers is quite the reverse of United States terms under Public Law 480 as between types of governments. Sales of wheat by Canada in 1963 carried Canadian commitments to take substantial quantities of Chinese goods, especially cotton textiles, in lieu of payments entirely in dollar exchange.

The Commodity Credit Corporation, carrying out United States operations as part of the Department of Agriculture, has protected itself with United States or foreign bank guarantees, which resulted in extra costs to the borrower. On the other hand, the Canadian Wheat Board's higher interest charges were offset largely by the Canadian Government's furnishing the guarantee to the effect that the Board would be paid by the foreign buyer.

Although the Commodity Credit Corporation charged interest rates as high as those the United States Treasury paid in borrowing from private banks, the higher interest rates in Canada tended to be offset by the Canadian Government's assumption of credit risk, a function kept in the private sphere by the United States.

Nearly all of Canada's other exports and imports have been privately traded, but the government offered considerable assistance to the traders.

MANY OF THE developing countries in Africa have given monopoly power over imports or exports of individual commodities to cooperatives, marketing boards, or other agents of the state.

In some, this has facilitated continuation of trade relationships with former mother countries and receipt of aid from them. In others, the establishment of new state monopolies has been part of the step to break away to bilateral relationships with other countries that offer aid, such as Russia.

The Republic of South Africa has continued operations in effect when the Union was a part of the British Commonwealth. A number of commodity boards control trade, especially in support of farmers' cooperatives. Wool has continued to be freely marketed through private auctions, but a government board has bought wool to support prices. Other commodities depend on the country's import or export position. Each board has conducted or controlled the trade in the interest of the producers and the internal economy. The imports have been directed to countries giving the most favorable terms, including returns from barter and export sales.

Australia and New Zealand have offered their butter, cheese, and dried milk at different prices in importing countries. Most of their dairy products have moved to the United Kingdom. The United Kingdom imposed quotas to keep out subsidized sales from nearby countries that became exporters in 1960 or later. Since then, the Commonwealth exporters have enjoyed special protection in the large United Kingdom market. The small quantities they have marketed at higher prices in small importing markets have resulted in problems of consultation, when United States firms obtained limited exportable supplies from Commodity Credit Corporation and offered them at foreign market price levels.

The United Kingdom shifted out of wartime state trading and has kept most of its markets open to competitively priced, unsubsidized imports from all sources. Direct subsidies were paid farmers, and goods were bought from Communist countries. Preferential tariff rates for some commodities have favored Commonwealth countries. Pressures from these countries against subsidized butter from other countries that were not previously exporters of butter led to the quota restrictions in favor of the Commonwealth shippers. Old ties have led to understandings that have achieved advantages of state trading without most of its troubles—at least, competitors have received that impression from the demand among large Commonwealth companies for Rhodesian tobacco.

The ties with large United Kingdom grain importers, flour millers, and co-operatives have facilitated bulk forward sales at fixed prices by state trading monopolies of exporting countries. When the Canadian Wheat Board completed its 1963 bulk sales to Russia at a fixed forward price below levels prevailing earlier in the year, market levels again started rising. The Board offered the Japanese importing monopoly a year's supply at the cheaper price. The small number of large firms in the United Kingdom was able to obtain a similar year's commitment with private bank credit and coordinated contracting based on informal understandings.

Argentina's I.A.P.I. was a well-known state trading agency under the Perón regime. Its announced objectives were to obtain the most advantageous possible terms on the country's imports and exports. After the Second World War, its high prices for exports of flaxseed to the United States led American officials to fix a high price-support level and set high production goals to reduce dependence on imports. The United States has since been a substantial exporter of flaxseed. After many years of selling agricultural commodities and food products and importing many supplies and manufactured goods, the agency was abolished when the administration changed. Trade shifted largely to private firms, and rigid controls of foreign exchange were relaxed.

Brazil's imports of wheat are conducted by the government. Thus the way was open for various purchases from the United States and also for bilateral agreements with the Soviet Union to obtain wheat, chiefly for coffee. Up to 500 thousand tons of wheat a year have been obtained from the Soviet Union. In earlier years, Brazil had signed 3-year commitments with Argentina for 1 million tons annually and with Uruguay for 300 thousand tons. The exportable supplies of these two countries fell off, however, and Brazil was not able to fill the quantities held open in Public Law 480 agreements with the United States. Brazil obtained large quantities for cruzeiros under Public Law 480 and filled United States usual marketing requirements largely by barter of manganese for deposit into Commodity Credit Corporation's supplemental stockpile.

Government agencies in Mexico deal in agricultural imports, but private trading is done in nonagricultural imports and in nearly all exports.

India has had differences over her domestic and international state trading. Problems of supplies and prices of food, especially rice and wheat, led to strong pressures to have the state take over internal supplies. Private dealers have continued to operate internally and to trade without price fixing but with the benefit of other controls. Transportation across the 14 state lines has been restricted. The national food ministry has made large purchases in the United States and has made delivery to the regional food directors in India. The imports have moved to consumers and millers without differentials in transportation rates in the regions. The lower priced imports have held down the market prices of domestic supplies. Whenever prices have sagged too much, importations have been reduced, and state agencies have started purchases to support domestic prices.

To trade with Soviet countries, India set up the separate State Trading Corporation. Soviet aid thus could be had while the flow of individual items of import and export were controlled.

In Burma, operations of the State Agricultural Marketing Board in the early fifties brought about problems in connection with exports of rice. The board held large quantities for better prices, but storage was inadequate and deterioration was extensive. Barter agreements were negotiated with Communist countries, but several were unsatisfactory and were allowed to expire ahead of schedule. The Soviet Union resold part of the rice to India, which normally is a Burmese market. The rice was unsatisfactory when it was received, and a drop in prices added to the difficulties. Some of the bartered items were unusable. The Burmese refused to accept Soviet textiles equal to 10 million dollars.

Indonesia does heavy state trading but contrasts with methods of other "socialist" nations. Its export commodities—tea, coffee, copra, rubber, and tin—are traded freely in the markets throughout the world. As a result, Indonesia would lose good profits when demand is strong if her commodity exports were tied up in bilateral contracts. Furthermore, in a weak market period, Sino-Soviet trade would not be offered as a temporary opportunity. Thus the maintenance of openings in world markets for the best prices has kept her from entering long-term governmental agreements.

EXPORTERS, officials, and others encounter a thorny question when they talk about shifting from private to state trading: How can one do business with state trading countries without being outtraded?

When private firms compete among themselves, the national monopolies they do business with apparently have some advantages.

A national monopoly that represents all the producers of a country can shade the price or other terms without risk of financial insolubility. Private firms that trade internationally, however, may handle the monopoly's commodities plus goods from market-economy nations. The firms compete for supplies and outlets. The producers in the nongovernment trading nations have to depend on what the market will bid, plus any subsidies they obtain.

Quality competition among exporting countries has provided a particular problem. The state trading monopoly can offer top quality consistently, but private firms may barely meet certain government grades and standards. The state monopoly may even raise the qualities delivered; the competing trade firms may mix in some parts from lower grades to reduce their costs. In making a mixture of grades, they may barely keep the delivered lots above minimum standards.

In the development of Public Law 480, the question was often raised: What would the private trade contribute? Why would it not be more efficient to use state trading for all surplus disposals?

The legislative decision was to require the use of private trade channels to the maximum extent practicable.

The competition of private owners brings greater efficiencies, especially over the long run. The flexibilities in marketing forced by the new investor insure against perpetuation of outmoded techniques. Duplication of domestic private channels or setting up parallel services was avoided. Also, the freezing of services within commission fees and government assumption of all risks were prevented in adopting full use of the private trade.

THE COMMODITY CREDIT CORPORATION, a part of the United States Department of Agriculture, has virtually full state trading authority, but it does not claim exclusive monopoly power.

The United States Government generally avoids using the authority fully under most circumstances. The authorizations for sales passed by the Board of Directors require everything to move through private firms, and any government-to-government transactions have to be considered separately as specific proposals to the Board. Few of these proposals are presented, and they are mostly for special low prices for cash dollar sales restricted to particular uses, such as lunches for schoolchildren.

The private firms are not generally employed merely as agents. They usually have full breadth of operation in pricing and other terms and conditions of sale, considerably beyond the margin of fixed fees or commissions for mere contracted services. The firms can take a profit or loss for themselves. They are expected to exercise full ownership and responsibility as traders, and their latitude of trading is much wider than under state trading conditions.

They have to take broad financial risks on making final deliveries under their contracts. Government decisions change many trading conditions. Sales of wheat by private firms to Russia and European-bloc countries have been affected by requirements to use American vessels and set high export payment rates by accepting offers on durum wheat, which was in exceptional oversupply.

MANY other concessional terms are available under separate United States authorities. Most of these have some aspects of state trading but not wholly and are not considered a basis for reporting under this heading to the GATT. Most of them are surplus disposals and are reported to the GATT fully under that heading, as well as to FAO, notably the Consultative Subcommittee on Surplus Disposal, which has been meeting in Washington monthly since early 1954.

The concessional terms furnished by Government authority make it necessary to have government-to-government consultations with other exporting countries. The other countries insist on these consultations, fearing that the United States may use its financial power to offer terms which might take their markets. They are anxious to be able to report to their own people that they have had a look in advance at the special terms and that the United States is not doing anything unfair.

The United States is committed in the GATT, like other member countries, not to take an unfair share of the export market. However, the United States has never insisted on prior consultations from others in all of their state trading transactions, export subsidies, or bilateral barters. The United States could meet others' terms once they were known to have been used, at least unless its opposition in principle against going the whole way to state trading should interfere in a particular case with its desire to be fully competitive.

The United States has used grants, donations, barters, sales for foreign currencies, foreign aid financing, credit sales, reduced prices, and other special terms to move surplus products. The only government-to-government transactions have been commodity grants, a few instances of special pricing for special uses, and some sugar exchanges over a short period.

Negotiation of terms on a government-to-government basis has been an essential characteristic of the large volumes moved under foreign currency sales, some of the barters, and the longer term dollar credit sales. The individual sales under these programs, however, have been made within publicly announced terms by private owners to foreign purchasers. The buyers have often been state trading import agencies, but the United States sellers have been private firms.

The private trade agreements under title IV of Public Law 480 will raise new questions in the area of state trading as they do in the areas of consultations between governments over terms and conditions.

The Consultative Subcommittee on Surplus Disposal of the Food and Agriculture Organization is more concerned over terms of trade between countries than mechanics through which terms are reached, except for one point: If concessional terms are substantial, consultations are essential with exporting countries.

The subcommittee is moving its chief attention from the changing attitudes toward surplus disposals into the gray area of transactions where there is difficulty in distinguishing between true commercial terms and concessional terms. At the urging of the United States, the analyses of actual cases of commodity transactions are not confined to surplus disposals. Instead, the case studies include other concessional terms given through such techniques as bilateral agreements and state trading.

A heightened interest in trade questions is stemming from the use of subsidies and state trading enterprises.

The growing issue of trade between market economy and state trading countries is considered one of the major unresolved problems in the international trade field. This issue is sharpened by the efforts to rationalize markets for agricultural products with new proposals for market sharing through international commodity arrangements.

THE GREATER FACILITY of state trading mechanisms to accommodate with changing situations heightens their attraction to many who are faced with new conflicts. The contrast of expanding supplies from the wealthier countries and less per capita in the developing countries emphasizes the market sharing problem. As a result, there is an increasing need for extensive international negotiation on these mechanics and terms of trade. This may bring a basic revision of GATT article XVII, which deals with state trading enterprises.

RICHARD H. ROBERTS *joined the Department of Agriculture in 1937. He supervised several livestock and wool programs and import and export programs of the Foreign Agricultural Service. A native of Iowa and the holder of three degrees from the State University of Iowa, he held a research fellowship in the Brookings Institution before he joined the former Agricultural Adjustment Administration in 1937. He was appointed Deputy Assistant Administrator for Export Programs, Foreign Agricultural Service, in 1954.*

East-West Agricultural Trade

by THEODORA MILLS

FOREIGN TRADE is a government monopoly in the Communist countries.

It is programed by government economic plans and usually is fitted into bilateral agreements negotiated or renegotiated annually.

The currencies of the Eastern countries are not convertible, not even with one another, so that trade between pairs of countries must balance. Imbalances must be settled in some convertible currency or gold or through the extension of credit.

The inconvertibility of bloc currencies also puts a premium on desired Western industrial goods and raw materials, like natural rubber, not to be found in the bloc, since these must be paid for in hard currencies—dollars, pounds, sterling, or others.

The prices at which international trade takes place are negotiated by the trade organizations of the bloc governments from the base point of average free world prices. The resulting prices remain separated from other government-fixed prices in all of the Eastern countries.

Thus the regulatory effect that foreign competition in trade may have on demand and supply in the Eastern countries is bypassed, and the problem of determining levels of productivity is made difficult.

A political motive always is present in state trading. This does not mean that political justification always or necessarily precludes economic justification. The program of bloc aid to developing countries, for example, is largely motivated by political considerations, but the program includes economic advantages to the bloc as well.

EAST AND WEST are geographic terms that I use here in their political sense.

East includes the two Communist giants, the Soviet Union and mainland China, and their respective satellites, Mongolia, Poland, East Germany, Hungary, Czechoslovakia, Rumania, and Bulgaria for the Soviet Union, and Albania, North Korea, and North Vietnam for China.

Cuba should be included in the East, but as Cuba joined the East at the end of the period (1955–1962) for which data on agricultural trade were available for analysis, I leave Cuban trade in the free world category and merely footnote data for 1961 and 1962.

Yugoslavia, an independent Communist country, and all other countries are placed in the West.

The East-West subdivision of the world leaves on each side of the dividing line industrially developed countries and developing countries and mixtures of small and giant countries.

Because of the peculiarities that size and degree of development can exert on the foreign trade of countries, the trade of the developed and developing countries has been tabulated separately in order to show these effects, although it was not possible to do so for the seven East European-bloc countries, which include industrial East Germany and Czechoslovakia with such developing countries as Bulgaria, Rumania, and Albania.

Data for the Soviet Union and mainland China can be obtained separately. Agricultural trade data for certain industrial Western countries were compiled separately for 1959, 1960, 1961, and 1962.

These countries included the six of the European Economic Community (EEC or Common Market), the seven of the European Free Trade Association (EFTA), and Canada, Australia, Japan, and the United States. All these countries together have been designated as the industrial West. The remaining countries that trade with the Sino-Soviet bloc have been called developing countries.

Agricultural commodities for analytical purposes have been grouped into foods and feeds and inedible commodities, such as fibers, tobacco, and other things.

The foods have been subdivided into grain and six general categories: Fats, oils, and oilseeds, including butter and margarine; livestock and the livestock products for food; fruit and vegetables; sugar and its preparations; coffee; and all other food and feed. Soybeans have been listed separately among the free world imports because of the unique position they occupy in the trade with mainland China. Synthetic rubber, probably in very small amounts, has been mixed in with the natural rubber exported by the free world to the bloc, and no effort was made to exclude tobacco manufactures from raw tobacco. These unavoidable complications may have led to a somewhat too generous definition of agricultural trade.

East-West agricultural trade has been summarized in value terms because the commodity breakdown included only a few items for which volume figures might have been obtained. The values have been taken from the official trade data of the various free world countries and have been converted to dollars at the official exchange rates.

AGRICULTURAL COMMODITY EXPORTS during the 8 years 1955–1962 averaged 1.5 billion dollars a year, or 40.2 percent of total free world exports to the Sino-Soviet bloc. Agricultural imports from the Sino-Soviet bloc averaged 1 billion dollars annually, or 28.4 percent of total free world imports from the bloc.

Many deviations from these average

proportions of agricultural to total trade appear when agricultural trade is broken down into commodity groups and the countries of East and West are broken down into smaller groups.

The free world agricultural exports to the Sino-Soviet bloc over the years 1955–1962 were composed on the average of 17.7 percent cotton, 15.6 percent rubber, 13.6 percent grains, and 12 percent wool.

Sugar and its products and the category "other" inedibles came next in value with the three categories, fats, oils and oilseeds, other food and feed, and fruit and vegetables, each close to 5 percent. Livestock and livestock products for food and tobacco and its products were less than 4 percent.

Agricultural exports showed an increase of 78 percent from 1955 to 1960 and 123 percent from 1955 to 1962, but only 88 percent if Cuban sugar is omitted from the 1962 trade.

The commodity composition of the free world exports to the three major subdivisions of the Sino-Soviet bloc reflected the different requirements of these areas. Raw rubber accounted for 24 percent on the average of free world agricultural exports to the Soviet Union. Sugar and cotton were each in excess of 15 percent, and wool, 10 percent. All other commodity groups were around or under 5 percent. The developing countries have been the principal sources of supply of these commodities partly because some of them have special growing requirements.

EXPORTS OF GRAIN to the Soviet Union have fluctuated with the size of the Soviet crop but, until 1963, they were small.

The maximum export of wheat and wheat flour in any year was in 1956, and it came to only 24 million dollars, a trifle as compared to the Canadian sale in September of 1963, which amounted to about 500 million dollars.

Exports of fats, oils, and oilseeds to the Soviet Union have fluctuated, with a drop in 1962. An unusually large increase in 1961 probably was an attempt to obtain from the free world substitutes for the soybeans and similar commodities that were virtually unobtainable in 1961 from mainland China. The Soviet Union obtained no oilseeds from mainland China in 1962, but apparently did not seek supplies in unusual quantities from the free world.

A great increase in sugar exports during 1960–1962 illustrated an economic response to a political situation. Cuban sugar exports to the Soviet Union rose tremendously in 1960, nearly tripled the next year, reaching a peak of 293.7 million dollars, and fell off to 186.0 million dollars in 1962 with a decline in Cuban sugar production. These increases were so great that they distorted the pattern of agricultural exports to the Soviet Union.

Total agricultural exports of the free world (including Cuba) rose from 226 million dollars in 1955 to 457 million in 1958, and then hit 813 million dollars in 1961 and 725 million dollars in 1962.

An upward trend in fruit and vegetables and coffee over the years suggests (unless the rise was due solely to a rise in prices) that the Soviet Union has considered it desirable to purchase increasing amounts of these commodities, most of which come from developing countries.

Free world exports of rubber, cotton, and tobacco, although small in 1955, increased sharply in 1956 and 1957. Rubber exports continued to rise until 1962. Tobacco exports rose steeply in 1962, most likely reflecting temporary difficulties with supplies from bloc countries.

Exports of livestock and products for food were the only commodities showing a definite decline, which began in 1958, but was sharply reversed in 1962, when a record 32.0 million dollars' worth were exported.

The commodity composition of free world exports to the countries of Eastern Europe was not strongly dominated by any one commodity, although on the average cotton accounted for 19.2 percent of these exports and the next largest groups, grain and wool, accounted for 14 and 13 percent, respectively.

Miscellaneous other inedible products averaged nearly 12 percent of agricultural exports.

Proportionately, coffee, sugar, and rice were the smallest categories. Rubber averaged 6.4 percent of agricultural exports. The relative uniformity of the commodity pattern, the modest proportion of subtropical crops, and particularly the nearness of the industrial countries of the West explained why as much as 40 percent of the agricultural commodities came from those countries, even though the developing countries accounted for the remaining larger share.

FLUCTUATIONS IN THE trade pattern during the course of the 8 years were less pronounced for agricultural exports to the European-bloc countries than for trade with other bloc areas. The maximum increase in all agricultural exports to Eastern Europe took place between 1955 and 1962 and amounted to 48.5 percent, while exports of all commodities doubled.

Despite the increase in Cuban exports of sugar in 1961 and 1962, the value of all agricultural exports was not significantly affected. Fluctuations in the value of other commodity groups outweighed the increase in sugar. Wheat exports ranged from a mere 20 million dollars in 1958 to more than 88 million dollars in 1960. The value of cotton exports doubled between 1955 and 1960 and then declined. Livestock products and other foods and feeds fluctuated considerably, rising to peaks in 1962.

Agricultural exports from the free world to mainland China amounted to 36 percent of the value of total exports before 1961. In 1961 and 1962, they accounted for 76 percent of total exports, largely because of the Chinese need for grain.

Exports of grain, principally wheat,

to China in 1961 and 1962 were just over 300 million dollars each year, or more than total agricultural exports in previous years.

There also were phenomenally large exports of sugar from Cuba, 91 million dollars' worth in 1961 and 82.6 million in 1962.

The average commodity distribution for the 8 years reflected the change in the trade pattern in 1961 and 1962. Because of the large exports of grains, primarily wheat, in these later years, grains accounted for 28.4 percent of the total value of agricultural exports to China. Rubber exports, which declined after the peak year of 1959, accounted for 23.3 percent of agricultural exports. The commodities following in importance—cotton, 17 percent, and wool, 14 percent—also showed increases followed by declines in 1961 and 1962. Cuban sugar exports, however, rose phenomenally in 1961 and dropped slightly in 1962, bringing the average value to 11 percent of total agricultural exports.

The developing countries were the larger suppliers of agricultural exports to China until 1961, when grain from the industrial countries dominated. This trade pattern has continued and may well continue.

The free world agricultural imports from the Sino-Soviet bloc during 1955–1962 averaged 24.6 percent livestock and livestock products for food and 21.8 percent grain. Fats, oils, and oilseeds totaled 10.4 percent; soybeans alone averaged 3.8 percent. Fruit and vegetables followed closely.

Tobacco and its manufactures, the least valuable import, accounted for 1.3 percent of the average. Total agricultural imports increased 59 percent from 1955 to 1962, and slightly more from 1955 to 1960. The rate of increase of agricultural imports was much less than for exports. The same was true for total imports as compared with total exports, although both total imports and total exports increased more rapidly than agricultural imports and exports.

REGONAL PECULIARITIES stood out when free world agricultural imports from the Soviet Union were considered separately. Grain dominated; 47.8 percent of the agricultural imports was grain. Wheat accounted for just over one-third of the average value of all agricultural imports. Cotton accounted for 18 percent; other food and feed for 13 percent; and sugar and its preparations for 9 percent of average agricultural imports from the Soviet Union.

The industrial countries of the West during 1959–1962 obtained 67 percent of the agricultural imports from the Soviet Union. The developing countries took the rest. Furthermore, the total imports of the industrial countries from the Soviet Union included a larger share of agricultural commodities than did the imports into developing countries.

These facts suggest that the Soviet Union attached even greater importance to its Western industrial markets than it did to its markets in developing countries.

Fluctuations from year to year in the size of the West's agricultural imports from the Soviet Union were particularly pronounced for grain. They reflected the size and availability of grain crops in the Soviet Union and the demand for grain in the Western countries.

Western imports of grain from the Soviet Union were valued at only 50 million dollars in 1955 but reached 100 million dollars and more in other years, averaging 110 million dollars for the 8 years. In terms of value, 1961 was the record year for grain; 1959 was the record year for wheat alone.

Free world imports of cotton declined steadily until 1958, rose sharply in 1959 and 1960, and then dropped, chiefly because the Common Market countries imported less. The earlier downturn was a result of a prolonged drop in imports by the United Kingdom. It was followed by a sharp rise in 1959.

Total agricultural imports from the Soviet Union nearly doubled in value from 1955 to 1960 and remained about the same in 1961 and 1962, when total imports of all kinds continued their more rapid increase.

The commodity composition of free world imports from the European-bloc countries was quite different from the bloc as a whole and from the Soviet Union, reflecting as it did the more intensive as well as diversified agriculture of Poland, Hungary, and Bulgaria.

Livestock and products for food accounted on the average for 43 percent of the agricultural imports from Eastern Europe.

Despite this concentration of imports, a number of other commodity groups reached sizable proportions of the total. Grain, chiefly coarse grain (barley, oats, corn, and millet), sugar, and fruit and vegetables each totaled more than 10 percent of the total value. Textile fibers were small-scale imports. Tobacco and its manufactures accounted for 2 percent, but showed a steady if slow rise with a spurt in 1962 despite the difficulties experienced with blue mold in the crop in 1960 and 1961.

Fluctuations in the size of agricultural imports from Eastern Europe during the 8 years have not been noticeable, with the exception of the erratic behavior of sugar and coarse grain.

Free world imports of sugar declined through 1957, then shot up to a high level for 3 years, and spurted again in 1961 and 1962. The strong demand for feed grain in Western European markets in 1960–1962 invited the sharp rise in free world imports of them, despite the probability that the bloc as a whole, and even the actual exporting countries, could have fed the grain to their own livestock more economically.

Industrial Western countries, most of them Eastern Europe's neighbors, imported more than 80 percent of all the agricultural commodities imported by the free world from Eastern Europe.

The United States has also imported

annually about 30 million dollars' worth of agricultural commodities, mainly from Poland. To Poland we export much larger amounts of grain under the Public Law 480 program.

Total agricultural imports of the free world countries from Eastern Europe more than doubled in value from 1955 to 1962. Total imports, agricultural and nonagricultural, did not double in value during these years.

FREE WORLD IMPORTS from mainland China were composed largely of agricultural commodities, especially in 1955. The proportion dropped when China's agricultural difficulties began. The trade decline started with rice in 1960, but the real drop in agricultural trade did not come until 1961, and it was nowhere near as severe as the drop in Sino-Soviet trade that began in 1960. A slight increase in agricultural imports from mainland China was noticeable in 1962.

The commodity composition of agricultural imports from mainland China showed uniformity. Livestock and products for food topped the list with 17.6 percent. All kinds of grains came next, with 15.5 percent, mostly rice. Fruit and vegetables were 13 percent. Soybeans accounted for 10.9 percent of the average value of agricultural imports, and other fats, oils, and oilseeds, for 9.2 percent.

The miscellaneous category in the inedible products averaged nearly 14 percent. Textiles other than cotton (mainly silk) and the category of other food and feed were each nearly 9 percent of the total.

The drop in imports from mainland China in 1961 and 1962 reduced the value of imports of all food and feed from a little more than 300 million dollars, a level maintained for 4 out of the preceding 6 years, to 170 to 200 million dollars. The much less important inedible agricultural commodities fell modestly. Imports of silk actually increased in value in 1961.

THE DETAILS of free world exports and

imports can be summarized by balancing the values of one against the other.

Free world exports of agricultural commodities to the Soviet Union exceeded the value of such imports by an annual average of 260 million dollars. Exports were greater than imports for every commodity category except grain, the major export crop of the Soviet Union.

In some instances, such as rubber and coffee, there were only free world exports. In others, such as cotton, wool, sugar, tobacco, fats and oils, and livestock products, the trade went both ways.

Actually, the free world began as a net importer of Soviet cotton in 1955 and 1956 before becoming a net cotton exporter to the Soviet Union. The Soviet demand for Egyptian cotton, coupled with the Egyptian need to maintain exports to the Soviet Union to pay for Soviet loans, may explain much of this shift in the cotton trade of the Soviet Union.

The large accumulation of total agricultural export excesses over imports came mainly during 1960–1962 and will diminish with the transferal of Cuba to the bloc, since this will switch the sugar trade from exports to imports.

The poor Soviet grain harvest in 1963, resulting in huge Western exports of wheat to the Soviet Union, meant net agricultural exports in 1963 and 1964 despite the inclusion of Cuba in the bloc.

FREE WORLD agricultural exports to the countries of Eastern Europe have exceeded imports by large amounts every year. The maximum excess of exports over imports was 360 million dollars in 1957. The minimum of 177 million dollars was in 1962.

The free world was a net exporter to Eastern Europe of most agricultural commodities except livestock and livestock products for food and other commodities in certain years. The inedible commodities, especially cotton, were the largest agricultural net exports to

Eastern Europe, and the balance for grain was obtained from large export surpluses of wheat and rice, because the free world was a net importer of coarse grain from Eastern Europe.

The free world exports of fats, oils, and oilseeds were not far in excess of the amounts of these commodities imported from Eastern Europe. The West was a net importer every year of Eastern European livestock and products for food and at an increasing rate until 1962. Also, in the later years of the period, the free world was a net importer of fruit and vegetables, a trend that Bulgaria has fostered.

The free world was a net importer of all foods and feeds from mainland China from 1955 through 1960, and a net exporter of rubber and fibers, except silk. For agricultural commodities as a whole, the free world has been an annual net importer for never less than 145 million dollars from 1955 through 1960. The free world was a large net exporter of agricultural commodities to mainland China in 1961 and 1962.

The switch in 1961–1962 to an agricultural net export position was due not only to the tremendous exports of grain by a few Western countries but also to the sharp decline in imports of foods and feeds from China.

THE ANALYSIS so far has concentrated on commodity breakdowns and the subdivisions of the Sino-Soviet bloc, rather than the peculiarities of agricultural trade between the bloc and the major Western countries. Tabulations of agricultural trade between the Sino-Soviet bloc and the industrial countries have been distorted from the mean by including the atypical years 1961 and 1962.

This distortion is important with respect to the peculiar situation in the sugar trade, but the deviation in Chinese trade with the West may continue for a few years, thus describing a trade trend, not a trade freak.

The Common Market countries have been net agricultural importers from the Sino-Soviet bloc by amounts fluctuating around 300 million dollars.

Net imports from the Soviet Union averaged annually a little less than 80 million dollars; that is less than from either the European- or Asian-bloc countries, with the exception of the Asian bloc in 1961 and 1962.

Net imports from the Asian bloc fell in 1961 to 25 million dollars, a quarter of their former level, and virtually disappeared in 1962.

COUNTRIES OF THE European Free Trade Association also were net agricultural importers from the Sino-Soviet bloc by amounts averaging 250 million dollars. Net imports increased each year from the Soviet Union and especially from the European bloc until 1962 when there was a decline. Net imports from the Asian bloc rose in 1960 and were half this amount in 1961–1962.

Canada and Australia already were net exporters of agricultural commodities to the Sino-Soviet bloc in 1959 and 1960 before agricultural difficulties in China required tremendous grain purchases from these Western countries. The range of agricultural commodities they exported to the Sino-Soviet bloc was limited and concentrated mainly on grain and wool.

Japan, despite—or maybe because of—its nearness to the Sino-Soviet bloc, has traded little with it for many years, although the size of this trade rose sharply in later years.

Japan has exported few agricultural items to the bloc and has imported cotton, grain, legumes, feedstuffs, oilseeds, and other commodities. Agricultural imports from the Soviet Union increased tremendously in 1960 and fell off in 1961 and again in 1962, but the rise in imports from Eastern Europe continued through 1961. Imports from China remained quite stable until 1962 when they doubled, reaching 30 million dollars.

UNITED STATES AGRICULTURAL exports to the East have been less than 100 million dollars in a peak year. Imports have been much smaller.

Exports to the Asian bloc have been embargoed, and imports licensed by the United States since about 1950 and exports to the Soviet Union and Eastern Europe have been controlled by license requirements since mid-1954.

A less restrictive policy has been pursued with respect to Poland since 1957, when Public Law 480 agreements were initiated. It is not surprising, therefore, to find that United States agricultural trade with Poland accounted for 87 percent of agricultural exports to the Sino-Soviet bloc in the 4 years 1959–1962 and 77 percent of agricultural imports from the bloc.

Our agricultural exports to the bloc have averaged 98 million dollars. They were low in 1959 and high in 1960, but close to the average in 1961 and 1962. Imports from the bloc have remained close to the average of 39 million dollars each year.

Grain largely dominated United States exports in 1960, accounting for 74 percent of the total agricultural exports to the Sino-Soviet bloc, but it accounted for less than 50 percent in the other years. The proportion of grain in 1961 was less than 40 percent, because exports to the Soviet Union, which did not include grain, were unusually large. Virtually all of the grain exports have gone to Poland under Public Law 480.

Exports of cotton, the next largest item, averaged about 17 million dollars but varied in its proportion to the total. The cotton was sent to Poland. An important category, especially in 1961, was the other inedibles, chiefly hides, inedible crude soybean oil, and tallow. Tallow, exported principally to the Soviet Union, was the largest of these in 1961 and 1962.

The major import from the bloc has been canned meat, which comes almost entirely from Poland. Other commodities, largely limited to inedibles, have included hides and skins, bristles, feathers, and a relatively large amount of cashmere from Outer Mongolia.

Countries of the West, even those that are agriculturally self-sufficient, tend to concentrate their exports on commodities in which they are relatively more efficient producers and import goods in which they are relatively less efficient producers. Their trade is multilateral as contrasted with bilateral. This means that trade between any two Western countries is not restricted to an even balance between exports and imports. Trading this way is facilitated by currency convertibility.

THE BLOC countries do not trade in this way. For them, foreign trade is a government monopoly and is responsive, therefore, to political policy. Their trade is on a bilateral, rather than a multilateral, basis. Their currencies are not convertible. The ability to maneuver politically thus is put before economic efficiency.

Agricultural trade in the East, which has not increased as much as nonagricultural trade, has been hampered by the low priority given to the agricultural sector of the economy by the state. The government plans for agricultural production usually have been grandiose, but these plans often have not been met.

Furthermore, efforts of agricultural producers to meet these plans have been hampered by weather and the various difficulties and inertia that accompany collectivized agriculture. As a result, agricultural foreign trade often has included exports that could ill be spared and imports that were long postponed.

The future course, like the past practice, of East-West agricultural trade will depend not only upon economic, but also upon political, factors and factors of weather.

THEODORA MILLS *became an analyst in the East European Branch of the Regional Analysis Division in 1961. Previously she was in a similar position in the Department of State. She served 2 years with our Embassy in Moscow during 1949–1950. She is a graduate of the University of Chicago.*

Cooperatives in World Trade

by JOHN H. HECKMAN

AGRICULTURAL COOPERATIVES are relative newcomers in domestic and world trade, but they are important and their influence is growing.

Some local associations were organized more than 100 years ago. They joined the regional cooperatives, and their services expanded during the economic advances since the thirties.

Their greatest participation in foreign and domestic trade is in Europe and North America. They bulk large in the trade of the Orient and Latin America, and they have taken hold in Africa.

The pioneers of Rochdale in England are credited with sparking the successful consumer movement in the 1840's, but local farmer cooperatives were forming in many countries wholly independent of the pioneers.

One group may have had motives different from those of another group, but all had a common motive—to improve the farmer's economic position. Activities varied, but they were chiefly those of obtaining supplies to better advantage, assembling or processing for better marketing, or improving practices. The general aim was to obtain goods and services at cost.

That motive prevailed in most countries. The beginnings, too, were with local groups, who succeeded or failed according to their own initiative and ability. As rural people are traditionally conservative, so, in general, have been their cooperatives.

Farmers in New England sought a market for dairy products. Several cooperatives were organized before 1860 for selling butter and cheese. Soon the number was more than 400. They began to purchase farm production supplies later.

Farmers in the Middle West organized cooperative grain elevators in the fifties to strengthen their position in marketing grain. Livestock marketing associations, including an auction in Illinois, were organized. Buying clubs were formed to obtain farm supplies.

The early organizations did not have the benefit of cooperative laws. They had to be organized under the general corporation laws. The first cooperative law was adopted in Michigan in 1865.

FARMERS in other countries also felt a need for mutual economic assistance.

Dairy farmers in the Jura Mountains in Switzerland were among the first to organize formal cooperatives to improve marketing methods during the early 1800's. The small herdsmen formalized into cooperatives the community associations for making butter and cheese that began in the 13th century.

The need of small farmers in Germany for credit in the 1840's gave rise to a system of cooperatives that had a far-reaching influence in many countries. Concerned with the inability of the small farmers to obtain credit at livable rates, Friedrich Wilhelm Raiffeisen, a German financier and philanthropist, developed the unlimited liability association scheme that still bears the name.

The Raiffeisen Credit Society Plan caught the attention of the hard-pressed Danish farmers. The shift from grain production to dairying required more cash. It was hard to get, and they thought the moneylenders took advantage of them. In 1851 they formed the first credit cooperative. It was followed in 1863 by the first dairy cooperative and in 1866 by the first purchasing association.

The farmers of Sweden, keeping pace with their Danish neighbors, organized the first farm supply cooperative in 1849. It grew out of the county agricultural society. Its major activity was importing seed, breeding stock, and machinery. Cooperative creameries and bacon processing plants came along in the 1880's.

Norwegian farmers were responding to the need for credit at the same time. A law in 1851 authorized the setting up of cooperative credit societies. The first dairy cooperative followed in 1855. The need for farm supplies led to the first purchasing cooperative in the early 1880's.

English farmers trailed their urban cooperative counterparts by 24 years in establishing their first cooperative. They profited from their early experiences and developed leadership. The first association was organized in 1868 to provide unadulterated feeds and fertilizers. The first society to spring from strictly agricultural leadership came 2 years later. Its purpose was the same.

The need for reliable farm supplies prompted the farmers of the Netherlands to set up their first cooperative in 1876. Its purpose was to provide fertilizer, feeds, and other supplies

Cooperatives in other countries of Europe developed along similar patterns. By the beginning of the century, local cooperatives had been formed in nearly all countries, and federations were being established.

THE RAIFFEISEN PLAN had an effect on the early cooperatives in Latin America. Immigrants after the Franco-Prussian War brought the idea with them. The first societies were formed in Brazil early in the present century. These cooperatives and those organized until about 1920 were set up by the rural people. Soon after that, governments became prominent in cooperative programs.

Agricultural cooperatives in the Ori-ent generally came later than in the United States and Europe. Governments had a more positive role in their formation.

In India, the need for adapted credit under livable conditions inspired the first cooperative societies. The first cooperative act and resulting societies were in 1904. A study team sent to Germany a few years later brought back details of the Raiffeisen pattern. The early programs were sponsored by the government.

Agricultural cooperatives in Japan date from the 19th century. They performed many services of marketing, providing farm supplies, processing, and credit. They were sponsored and closely directed by the government.

GOVERNMENTS have had varying roles in the development of cooperatives.

In Europe, especially in the central and northern parts, governments have been neutral regarding agricultural cooperatives. They consider cooperatives a part of the economic system and can stand or fall by themselves.

In some countries, however, notably in Switzerland and Scandinavia, cooperative segments are such high proportions of certain agricultural activities that they are commissioned by governments to implement government programs. Examples are price supports and export controls.

Government relations with cooperatives have been much more positive in the Orient, Latin America, and Africa than in other areas. In view of the urgency for progress and the dearth of rural leadership, this role is justified if the government role is guiding, sustaining, developing, and temporary and not usurping and permanent.

Early farmer cooperatives in the United States received sympathetic and friendly assistance from National and State Governments. Official policy endorsement came later, but the extension services, National and State departments of markets, and land-grant colleges gave educational assistance in developing cooperatives.

Agricultural cooperatives in the United States maintained a steady growth into the forties. Since then, expansion has been more rapid. Development has been by both expanding the organization structure and by adding services. Cooperatives have formed federations of local and special federations among the federations. Expansion also has been achieved by the addition of new services. Larger units and more services have meant a smaller number of cooperatives.

EARLY, SYMPATHETIC ASSISTANCE by Government agencies in the United States began to be supplemented by enabling laws in the twenties.

Six major laws are enabling and assisting and not regulating.

The Capper-Volstead Act in 1922 clarified the rights of cooperatives in relation to the antitrust laws.

The Cooperative Marketing Act of 1926 formalized earlier assistance of the United States Department of Agriculture into a policy "to promote the knowledge of cooperatives and cooperative practices." This act and the ensuing programs have become known internationally as a pattern for nonregulatory government assistance.

The Federal Farm Loan Act of 1916 provided for long-term farm loans.

The Farm Credit Act of 1933 provided for short and intermediate production credit to farmers and authorized the banks for cooperatives.

The Federal Credit Union Act of 1934 authorized the organization of Federal credit unions and assistance in their development.

The Rural Electrification Act of 1936 strengthened the Executive order of the President that in 1935 created the Rural Electrification Administration, which makes loans to rural electric and telephone cooperatives.

These laws and the Executive order laid the foundation for the development of the so-called service types of cooperatives and the stabilization and expansion of cooperatives already in operation. The ones already operating were chiefly for marketing farm products and purchasing farm supplies.

COOPERATIVES have made striking adjustments to serve the expanding needs of their members and keep pace with changing economic conditions. The greatest adjustments have been made by the marketing and farm supply cooperatives. The changes involve numbers, size, and scope.

There were about 9 thousand marketing and supply cooperatives in the country in 1964—about one-fifth fewer than in 1930. Improved roads, trucks, and other means of transportation and the expanding economy encouraged mergers. The number of members in 1964 was more than that of a generation earlier. The point is especially significant from the standpoint of servicing the farmers, as there were a little more than half as many American farmers in 1964 as in 1930. At that time, fewer than one-half of the farmers belonged to a marketing or a purchasing cooperative; now, a farmer very likely belongs to a marketing and a purchasing cooperative and to one or more service cooperatives—almost a fourfold increase in coverage.

Farm supply cooperatives, because of mechanization and the greater use of fertilizers and the other requisites, expanded faster than did marketing cooperatives. For example, about 90 percent of the combined business was done by the marketing group in 1930; the proportion was less than 80 percent in 1964.

The added services I mentioned have applied to both marketing and purchasing cooperatives. These have changed the conventional pattern of local associations with single services, which formed federations to extend their activities. The development resulted in regional marketing or purchasing federations.

Most of the conventional marketing or purchasing federations have expanded to include the services of the other. Many local cooperatives organized to provide farm supplies therefore have added marketing services. To support them, the federations have developed marketing and even processing services. In like manner the marketing cooperatives have added farm supplies.

Frequently the original name of the cooperative, which designates its first service, is retained. For example, a cooperative with "consumer" in its name is now deep in marketing farm products, including processing for marketing. Another with a single commodity marketing title has added a complete supply department and also commodity after commodity to its marketing services, including a completely integrated broiler program from the hatching egg to the processed bird. The farmer cooperatives of the United States have gone further than those of any other country in the integration of functions.

Cooperatives necessarily have become larger to provide the increased volume of needed services and to fit into the generally expanding economy. Thus they are sometimes classed with big business. While the total volume is naturally large, few individual cooperatives are large comparatively.

Three cooperatives were classed in 1963 among the 500 leading manufacturers in the United States, and they are not near the top. One of them, Land O' Lakes Creameries, Inc., Minneapolis, Minn., is a dairy cooperative. Cooperative Grange League Federation, Inc. (GLF), Ithaca, N.Y., began primarily as a supplier of feeds. Consumer Cooperative Association (CCA), Kansas City, Mo., was organized to provide petroleum products.

THE PROPORTION of various goods or services handled by agricultural cooperatives varies among commodities and services. The estimated value of the total marketing and supply services provided by cooperatives approximated 30 percent of the value of the total agricultural production of farmers in 1964.

Cooperatives have long had an important part in the distribution of milk and the processing of dairy products. The latest summarized material is for 1957, when dairy cooperatives performed one or more functions in the marketing of almost 60 percent of the whole milk delivered to plants and dealers. The cooperatives processed almost 75 percent of the total production of dry skim milk, 70 percent of the dry buttermilk, almost 60 percent of the creamery butter, 23 percent of the Cheddar cheese, and 14 percent of the condensed milk.

Cooperatives handle about 90 percent of the lemons, 85 percent of the cranberries, 70 percent of the almonds, more than 50 percent of the fresh oranges, and 15 percent or less of the vegetables.

Cooperatives store or market an estimated 40 percent of the grain. They handle 50 percent of the rice in the major rice-growing States and 40 percent for the United States as a whole.

Other commodities handled in substantial proportions by agricultural cooperatives are wool, about 20 percent; livestock, 13 percent; turkeys, 17 percent; and eggs, 10 percent. They also handle about 20 percent of the lint cotton and the cottonseed that are crushed at mills.

PRACTICALLY ALL FARMERS in the United States are members of a purchasing association that handles farm production supplies. To obtain special supplies, some farmers belong to more than one purchasing association.

Farmers obtain through their cooperatives about 15 percent of all their supplies and equipment. Among the higher proportions handled by cooperatives are fertilizers and petroleum, 23 percent each; seed and insecticides, 19 percent each; and feed, 18 percent.

It is estimated that farmers' mutual fire insurance companies handle more than 50 percent of the farmers' business. In like manner, rural electric cooperatives serve about 50 percent of all farms. Cooperative or mutual irrigation companies supply water for about 25 percent of the irrigated land. In cooperative credit, banks for cooperatives supply about 60 percent of the credit to agricultural cooperatives; Federal land banks, about 20 percent of the land mortgage credit; and production credit associations, about 15 percent of the short and intermediate credit used by farmers.

AGRICULTURAL COOPERATIVES in other countries generally have expanded vertically, like American cooperatives.

There has been less tendency, however, for the marketing federations to add purchasing services, or vice versa. Exceptions to this general pattern are the Consorzi Agrari of Italy and the Boerenbond Belge of Belgium. Both were organized to provide multiple services and continue to do so.

The cooperatives of Japan exemplify the integrated services. A village multipurpose cooperative serves the farmers of the community. Generally it has credit, marketing, and farm supply departments. It also operates a consumer store. The various departments of the village cooperative are serviced by specialized state federations, which in turn are federated nationally.

The agricultural cooperatives of other countries handle substantial proportions of the total volume of certain commodities in their countries. In some, the proportions are higher than they are in the United States. In fact, as I mentioned, in some European countries, cooperatives handle such a high proportion of the total volume of certain commodities that they have been given the responsibility of administering government programs that involve those commodities.

It is estimated that the cooperatives of France handle about 80 percent of the grain, 45 percent of the fertilizers, 42 percent of the commercial dairy products, 23 percent of the wine and feedstuff, 20 percent of the fruit and vegetables, and 15 percent of the sugarbeets.

In Sweden, the cooperatives handle about 80 percent of all agricultural products, 65 percent of the fertilizer and feeds, and 60 percent of the cereal grains. The national dairy cooperative, SMR, handles the entire wholesale trade in milk, cream, and butter.

In Norway, the cooperatives market about 55 percent of the farm products sold. They supply about 60 percent of the feed concentrates and 45 percent of the commercial fertilizer used. They handle about 72 percent of the dairy production, 75 percent of the meat, 60 percent of the meat animals, 70 percent of the eggs, and 45 percent of the garden products.

In Denmark, cooperatives handle about 91 percent of the dairy products, 53 percent of the feed, 45 percent of dressed poultry and seeds, 40 percent of the fertilizers, and 37 percent of the cattle sales.

In Finland, the cooperatives handle 98 percent of the milk received by dairies and 90 percent of the meat processed at slaughterhouses.

The cooperatives of Australia and New Zealand handle about 85 percent and those of the Netherlands about 70 percent of the dairy products of their respective countries.

The cooperatives in Canada handle about 60 percent, those in Australia about 50 percent, and the ones in Germany 37 percent of the grain.

AGRICULTURAL COOPERATIVES in the United States turned to foreign markets as their programs expanded. Some began in the twenties. Others began during the depression years. Cooperatives marketing cotton and citrus and dried fruit were among the pioneers.

I give some examples.

STAPLE COTTON COOPERATIVE ASSOCIATION, Greenwood, Miss., began exporting cotton soon after its organization in 1921. Its export program, a supplement to its domestic program, accounts for about 15 percent of total volume. Major outlets are in western Europe. Sales also are made in Japan, India, Australia, and other Far Eastern countries.

Cotton Producers' Association, Atlanta, Ga., is an example of horizontal integration in its foreign and domestic programs. Organized to market cotton, its program has expanded to include farm supplies, storage, more cotton services, and the marketing of livestock, poultry, and nuts. The poultry program is integrated from hatching eggs to broilers processed for retail selling. It operates export programs for cotton, poultry, peanuts, and pecans.

The fact that the per capita income of its members was 72 dollars a year spurred the association to action, and it began exporting cotton in 1933. The program has continued and expanded. Exports approximate 150 thousand bales each year. Distribution is wide and includes practically all countries of Europe, the Middle and Far East, and some in Africa. Sales are made by salaried officers and through brokers.

The integrated broiler program soon led to the exportation of poultry. Cotton Producers' Association is the largest United States exporter of broilers—about 20 percent of the total. The volume has expanded to approximately 35 million pounds a year, which is about 25 percent of total volume of the association. Approximately three-fourths of its shipments are to western Europe; about two-thirds of them to Common Market countries. Other important receiving areas are Asia and Africa.

Calcot, Ltd., Bakersfield, Calif., began in 1927 as a local cotton marketing cooperative. It has expanded to cover the cotton districts of California and Arizona. Its services include receiving, warehousing, and compressing.

The distance of its location from domestic markets encouraged exporting, which began in 1948. Sales are made in 9 Asian countries, in 13 countries of Europe, and in the Middle East and Africa. Indeed, the sales cover the cotton importing world. An average of about 40 percent of its 800-thousand-bale volume is exported.

Texas Cotton Growers Cooperative Association, Dallas, Tex., organized in 1940, exports about 20 percent of its volume of about 150 thousand bales. Its sales follow the general cotton foreign trade pattern of western Europe and the Far East.

The Plains Cotton Cooperative Association, Lubbock, Tex., began exporting cotton in 1957. About 20 percent of its total volume is exported. The cotton produced by its members is in heavy export demand, and it is estimated that an additional 45 percent of its total production is sold in foreign markets. It has outlets in 22 countries, mostly in western Europe and the Orient. It maintains sales offices in Japan and Korea.

FRUIT COOPERATIVES began exporting in the thirties. Associations handling citrus and dried fruit were among the first. Those marketing apples, pears, grapes, and nuts soon followed. The exports of processed citrus have become important lately.

On an ocean trip, I had an experience that proved to me how much people like fruit from our cooperatives. Earlier, the tables had been decked with mangoes, papayas, bananas, and oriental melons, all popular and delicious. The ship stopped at Hong Kong. A cargo of fruit from the west coast had just arrived there. The first evening out, the fruit served was California oranges and Northwestern apples, both of cooperatives' brands. The international set common to ship dining rooms acclaimed the fruit from the West.

Sunkist Growers, Inc., Los Angeles, is the pioneer cooperative in exporting citrus. It is also the largest citrus marketing federation in the country. It has more than 10 thousand member growers in California and Arizona.

Expanding production and the depression prompted Sunkist to enter foreign markets. Now Sunkist is a well-known brand around the world. The sales program was supplemented by advertisements in foreign papers and posters. The trade development program is supported by material prepared in 12 languages.

Sunkist exported about 7 million cartons of fruit in 1963, about a half million more than in 1962. The leading commodity is lemons, followed by Valencia and navel oranges and grapefruit. The foreign sales program is correlated with domestic sales by exporting the most plentiful sizes.

Pure Gold, Inc., Redlands, Calif., exports about a million cartons of citrus a year. Major commodities are oranges, lemons, and grapefruit. That is about 20 percent of total sales.

Major markets are western Europe and England, and about 10 percent is sold in the Far East.

Florida Citrus Exchange, Tampa, has been an exporter of citrus for a long time. Its program was strengthened by the organization of an export or international division in the fifties. The cooperative exports about 650 thousand boxes a year, not counting fruit shipped to Canada. The shipments account for about 6 percent of the volume. Major foreign outlets have included Germany, France, and the Netherlands.

Plymouth Citrus Products Cooperative, Plymouth, Fla., exports large amounts of single-strength citrus juices and frozen concentrates. About 1 million cases of plain juices, blends, sections, and salads are sold outside the United States. More than one-half is sold in Canada; most of the remainder goes to Germany, France, and Switzerland.

Sunsweet Growers', Inc., San Jose, Calif., exports about one-fourth of its dried prunes, apricots, peaches, and pears. About 90 percent of the fruit goes to Europe; 3 percent each to Asia, South America, and North America; and the remainder to South Pacific. Sales are made in practically all the major markets of Europe and the Far East.

Sun-Maid Raisin Growers of California, Fresno, was one of the early exporters among United States cooperatives. The brand name is well known in all raisin-importing countries. Sun-Maid maintains sales offices overseas and also sells abroad through brokers.

California Almond Growers' Exchange, Sacramento, handles about 70 percent of the almonds produced in California, about 15 percent of which is exported. The quantity, however, varies widely according to the domestic crop. Sales are made in 54 countries. The greatest volume goes to Europe, Canada, Japan, and Australia.

Diamond Walnut Growers, Inc., Stockton, Calif., exports about 2 percent of its volume. Canada is the greatest receiver. Some sales are made in Europe and South America.

Apple Growers' Association, Hood River, Oreg., and its merged predecessors cover the span of the Hood River apple industry. The association began exporting many years ago, and it sells a higher proportion in foreign markets than any other deciduous fruit cooperative. Approximately 35 percent of its apples and 20 percent of its pears are sold in foreign markets. The United Kingdom is the largest individual receiver; heavy shipments go to most countries of western Europe. Sales are also made to many markets of the Orient, Latin America, and Canada. The export outlets are especially valuable, as the greatest demand is for sizes that are not particularly popular in the United States.

Blue Ribbon Growers, Yakima, Wash., organized in 1902, has grown up with the fruit industry of the Yakima Valley. Pears and apples are their major export items, normally being about 20 and 6 percent, respectively. The United Kingdom, Sweden, Finland, and Canada are the chief importing countries.

Wenatchee-Okanogan Cooperative Federation, Wenatchee, Wash., was set up in 1922. It is a federation serving local associations in the Wenatchee-Okanogan area. Wenoka has been exporting apples and pears for many years. Normally the exports account for about 2.5 percent of total volume. Sales follow the common export pattern of apples and pears; most go to the United Kingdom and Scandinavia.

The California Fruit Exchange, Sacramento, began its foreign trade program during the depression under a tree near Visalia. The sales manager and a member were discussing ways to improve the market. The idea of foreign outlets sounded good; it was tried; and the exchange is still in it. Winter pears and Emperor grapes are the leaders, although a number of fruits are exported, including apples. In addition to balancing the sales program, the export business is important, as many growers of special varieties depend almost wholly on the export market.

The United Kingdom is the heaviest receiver. Shipments go also to Scandinavia and other European markets. Hong Kong, Singapore, New Zealand, and India are among the markets. Some shipments are made also to Latin America.

Skookum Packers' Association, Inc., Wenatchee, Wash., has exported apples and pears for many years. In 1962 about 14 percent of their pears and 8 percent of their apples were exported to Great Britain, Europe, the Far East, the Caribbean, and South America.

A NUMBER OF DAIRY products are exported by cooperatives. Well over half the total volume is powdered nonfat milk.

Land O' Lakes Creameries, Inc., Minneapolis, Minn., the largest cooperative merchandising federation for dairy products, began exporting before the Second World War. Their greatest expansion, however, has been since 1946. Foreign sales now approximate 8 percent of the total trade. Distribution includes the Far East, Latin America, and Europe. Three-fourths of the volume is powdered skim milk, followed by butter, butter oil, and powdered whole milk. Sales are made directly and through brokers.

Maryland and Virginia Milk Producers' Association, Laurel, Md., sells primarily fluid milk. It has a manufacturing division to divert excess supplies from the fluid milk market. The division entered foreign markets in 1959 and in 1964 exported about 15 percent of its production. More than 60 percent of the volume exported is skim milk powder.

The Dairymen's League Cooperative Association, New York, illustrates the rising importance to cooperatives of foreign outlets for nonfat dry milk and dry whole milk. Its manufacturing division began exporting these products in 1962. Now foreign markets take about one-third of its total dry milk. Major outlets are in the European, Mediterranean, and Caribbean regions.

O-At-Ka Milk Products Cooperative, Inc., Batavia, N.Y., is one of the newest as well as one of the largest producers of evaporated milk in the Nation. It began manufacturing evaporated milk in 1962, and by the end of the year had sold nearly 4.5 million pounds. A substantial volume went to markets in Germany, France, England, and the Congo. A contract between O-At-Ka and the Government of India called for a shipment of about 260 thousand cases of evaporated milk.

GRAIN AND OILSEEDS are relatively new items exported by cooperatives.

Producers Export Company, New York, is owned by 22 of the 30 regional grain cooperatives of the country. Organized in September 1958, it opened for business October 15, and sold a full cargo of grain sorghum 2 days later. The company has the use of port elevators in Baltimore, Toledo, Chicago, Kalama, Wash., and Houston. The one in Baltimore is operated by the company. The others are made available by regional members.

This port service and the 220-million-bushel terminal and subterminal capacity at 131 locations put the company in position to service all outlets.

The major sales area is western Europe, but the Far East, especially Japan, the Near East, and Africa also are important outlets. Sales are made through representatives in the various markets.

Major trade items are wheat, corn, soybeans, and grain sorghum. The company goes beyond the transfer of commodities and titles in its foreign marketing. Six of its members have laboratories and bakeries, at which blends of various grain types for required bakery mixtures are determined, a work that is helpful to consumer cooperatives that operate bakeries. One is the Consumer Cooperative Wholesale Society of England. The society purchases special types of wheat to mix with the native grain.

Mid-States Terminals, Inc., Toledo, Ohio, organized in 1959 by five regional cooperatives in Ohio, Indiana, and Michigan, is a member of Producers Export and operates a port elevator. The volume of Mid-States for the year ending June 30, 1960, was 7 percent of the Toledo port, 9 percent in 1961, 17 percent in 1962, and 20.2 percent in 1963.

Some members of Producers Export Co. independently have developed foreign outlets for special products. These are chiefly vegetable oil and meal and some beans.

Arkansas Grain Corp., Stuttgart, a member of the company, has exported soybeans, crude and refined soybean oil, and meal since 1958. Major sales areas are western Europe and Mexico.

The cooperative devised a solution to its problem of disposing of surplus rice hulls and the problem of European dairymen of making the correct mixture from meal concentrate. The solution is in using the surplus hulls with the meal to prepare mixtures that contain specified proportions of protein.

Michigan Elevator Exchange, Lansing, exports approximately 10 percent of its grain and beans. Grain is handled through the Producers Export Co. and beans by the exchange. Major outlets for beans are in Europe and sales are made through brokers.

Two processing plants, members of the Grain Terminal Association, Minneapolis, export vegetable oils and meals. Honeymead Products Co., Mankato, Minn., organized in 1960, a large soybean processing plant, exports soybean oil and meal, mainly to western Europe. The Minnesota Linseed Oil Co. of Minneapolis exports linseed oil and meal, chiefly to Europe.

Organization of Soy-Cot Sales, Inc., Chicago, reflects the rising importance of cooperatives in foreign trade and the introduction of new commodities. It was set up in 1962 and began operations on the 1963 crop. Eleven cooperative cottonseed processors in the Mississippi Delta, Texas, Oklahoma, and Arizona, and eight cooperative soybean processors in the Midwest are members. The aim is to market the products of its members; primary emphasis is on exports.

Ranchers Cotton Oil, Fresno, Calif., began selling linters in Japan in 1952. Germany was added a year later. In 1960 Japan became a customer for refined cottonseed salad oil. The export business accounts for about 16 percent of total sales.

Rice Growers' Association, Sacramento, Calif., sells about 75 thousand tons of brown and milled rice for export. Sales for export account for about 30 percent of its volume of milled rice. Major outlets are in the Orient and Canada.

The Arkansas Rice Growers Cooperative Association, Stuttgart, formerly exported rice to Cuba. Outlets have been established in South Africa, Nigeria, and Ghana. Sales are made through brokers. About 40 percent of the volume is exported.

Inland Empire Pea Growers Association, Spokane, Wash., exports more than 60 percent of its volume. All of one variety, Marrowfat, is exported; more than 90 percent of the Whole Green variety is sold abroad. These export varieties round out the total production program of growers. England and West Germany are the largest receivers. Substantial amounts go to Canada, France, and other European countries. Sales are made to exporters for resale in Latin America.

Sioux Honey Association, Sioux City, Iowa, began exporting honey in 1952. Major outlets are in Germany, Belgium, and France. Export sales have been made as a part of general sales, but business and trade opportunities increased to the extent that an export division was established.

EXPORTS BY POULTRY cooperatives reflect a great increase in broiler production. Some eggs are exported, but they are negligible compared to broilers and turkeys.

Rockingham Poultry Marketing Cooperative, Inc., Broadway, Va., entered the foreign markets with broilers and turkeys in the early fifties. Their first sales to Europe have been extended to include Africa and Asia. Of the export volume of about 10 million pounds, about 80 percent is still to European markets. Some of its first customers were consumer cooperatives. Foreign sales have accounted for about 12 percent of total volume.

North American Poultry Cooperative Association, New York, is a marketing federation owned by poultry cooperatives in the Northeast, South, and Midwest. Its primary function is to market eggs in New York City. Some eggs are exported. The expansion of the broiler production, though, put them in the export business, and more than 2 million pounds a year are sold in European markets. These sales represent about 30 percent of their total broiler volume.

Norbest Turkey Growers' Association, Salt Lake City, Utah, a federation of 13 associations, is a substantial exporter of dressed turkeys. Foreign shipments total about 4 million pounds a year and approximate 3 percent of total volume. Slightly more than half is sold in Europe, about one-fourth in Canada, and the rest in Asia and South America.

THE TWO-WAY PROCESS of foreign trade involves both exports and imports. Most of the early trading was exporting by the marketing cooperatives. The purchasing cooperatives, however, entered the field with substantial imports of farm supplies. Some have begun to export supplies.

Its widespread program of providing supplies to the many members in the Northeastern States prompted the Cooperative Grange League Federation Exchange, Inc., in 1920 to seek some foreign sources. Such imports have expanded greatly. As the quantity of products manufactured by GLF increased, beginning in 1948, some supplies were exported. Since then, GLF has had an expanding two-way international trade program. Much of its trading in foreign countries is cooperative to cooperative. Major cooperatives involved are those in Canada, the Netherlands, England, and Costa Rica.

The first products imported by GLF were grass, clover, and feed-grain seeds. Twelve types are now imported.

GLF expanded its foreign buying in 1948 to include twine; 40 percent of its supplies now come from Mexico and Europe. Later additions were wire, nails, fertilizers, fishmeal, burlap, molasses, and sunflower seed. The proportion of products imported range from small amounts to 100 percent, in the case of sunflower seed and some fertilizers. About 75 percent of the wire and nails are imported.

GLF began exporting canned beans in 1948. This added a source of income to its members, as 95 percent of one variety of canned beans is exported. Other commodities include dairy and poultry feed, processed grain, and dog and fish food.

GLF's foreign trade area covers much of the world. Major areas are Europe and Canada, but important sales and purchases are made in the Near East, Far East, South America, Central America, the Caribbean, and Africa.

GLF and Eastern States Farmers' Exchange announced their merger and new name, Agway, effective July 1, 1964. Headquarters are Syracuse, N.Y.

United Cooperatives, Inc., Alliance, Ohio, a federation of large farm supply cooperatives, began importing certain farm supplies in the early fifties. The first items were binder and bailer twine, followed by wire and nails. The annual volume approximates 25 thousand tons of wire and 415 thousand bales of twine. The wire and nails are chiefly imported from West Germany and Belgium; smaller amounts come from the Netherlands and Japan. Major sources of twine are Canada, Mexico, and Denmark. Small amounts are bought from Africa, Portugal, and Haiti. The Danish trade is cooperative to cooperative, as purchases are made through the Danish Cooperative Wholesale Society.

National Cooperatives, Inc., Albert Lea, Minn., primarily provides general farm supplies and dairy equipment to its members, which are chiefly large regional United States supply cooperatives. It began to export milking machines and accessories to Canada in 1944. The trade area has expanded to include Europe, South Africa, the Caribbean, Central America, and the Near East. It exports about 12 percent of its milking machines and related equipment. The commodities exported have also expanded to include pumps, appliances, tires, and batteries. National sells as much as possible through the cooperatives of the importing countries. Business is done with the cooperatives of Canada, Puerto Rico, and the Netherlands.

Western Farmers Association, Seattle, has expanded its early poultry and egg marketing activities to a comprehensive, combined program. It exports some seeds, mainly to England and South America, but imports are the more important part of its international business. Wire and twine are obtained through United Cooperatives, of which it is a member, but a number of commodities are imported directly. About 75 percent of the fishmeal it uses is imported from Canada and Peru. About 90 percent of its urea,

ammonium nitrate, phosphate, and sulfate for fertilizers is imported. White clover seed are imported from New Zealand.

Eastern States Farmers' Exchange, West Springfield, Mass., a new member of the cooperative export family, shipped broiler feed and lay feed to Lebanon in 1963.

The International Cooperative Petroleum Association, New York, is a federation of cooperatives in many countries who use fuel oils and lubricating oils and greases. It began operation in 1950 and has done substantial business with member cooperatives in nine countries in western Europe, in Egypt, India, Pakistan, and Ceylon.

THE FOREIGN TRADE programs of agricultural cooperatives in other countries have followed the same general pattern of relative importance as their domestic programs. Some cooperatives in western Europe do more foreign business proportionally than any in the United States. Foreign trading is being done to an increasing extent by cooperatives in the Orient, Latin America, and Africa.

Canadian cooperatives carry on extensive two-way trade with United States customers. Feed grains, soybeans and meal, clover and grass seeds, honey, citrus fruit and juices, dried fruit, and nuts are purchased in the United States. In reverse, the cooperatives of Canada sell a wide variety of grass and clover seed, potatoes, honey, and fishmeal in the United States. Nonfat milk powder is a major item exported by Canadian cooperatives.

Agricultural cooperatives of the Netherlands are prominent in both exporting and importing. They export approximately 60 percent of the butter, 50 percent of the cheese and condensed milk, 30 percent of the potatoes and eggs, and 25 percent of the grains and feeds. They also handle 50 percent of the imported grain.

Cooperatives in Denmark export 90 percent of the bacon, 65 percent of the butter, and 36 percent of the eggs.

Swedish agricultural cooperatives handle the exports of all dairy products except dried and condensed milk, 60 percent of the eggs, and most of the hay.

Cooperatives of Norway handle 100 percent of meat and butter, 92 percent of the furs, 90 percent of the cheese, 65 percent of the wool, and 50 percent of the hides that are exported.

Cooperatives in Finland handle 100 percent of the butter and about 98 percent of the milk powder, 96 percent of the cheese, 90 percent of the meat, 75 percent of the eggs, and 50 percent of the furs exported from their country. They also handle the major part of the seasonal imports of meat and cheese.

In the Orient, the agricultural cooperatives of some countries engage in international trade.

Cooperatives in Japan export fresh and processed fruit, canned mushrooms, fishmeal, and vitamin oils.

The newly organized National Cooperative Marketing Federation in India has developed export and import programs.

Cooperatives in Latin America and Africa in international trade include some in Uruguay, wool and wheat; Mexico, fish; Brazil, fruit, sugar, and wine; Argentina, cotton, fruit, wheat, vegetable oils, beef, and leather; Tunisia, wine; and Kenya, dairy products and peanuts.

The cooperatives in several countries of Africa assemble and prepare products for handling by central marketing boards. Among these are Republic of the Congo (Léopoldville) and Tanganyika, coffee; Zambia and Southern Rhodesia, tobacco; Ghana, cocoa and rubber; and Nigeria, cocoa, palm oil and kernels, and rubber.

THE PAST CENTURY has seen great development in the agricultural cooperatives of the world. They have traveled far from the struggling locals formed in the United States, and Europe and later in the Orient, Latin America, and Africa. During the journey they have developed into substantial factors in the economies of their own countries and of others abroad.

The cooperatives of several countries of Europe handle more than half of the exports of certain commodities from their countries. In the United States, cooperatives are heavy exporters of cotton, fruit, nuts, dairy products, grain, beans, oilseeds, and poultry. These shipments relieve the pressure on domestic markets and supply outlets for products for which there is limited demand in this country.

The foreign trade of United States cooperatives also includes imports. Farm supply associations are importing wire, nails, fertilizer, seed, twine, burlap, and fishmeal.

This two-way foreign trade enables the cooperatives of the United States and other countries to balance supplies with demand more adequately and obtain supplies at the most favorable rates. The improved market outlets and lower costs of supplies benefit both producers and consumers of the world.

JOHN H. HECKMAN *has spent most of his professional life working with agricultural cooperatives. He began as county agent and later was extension marketing specialist in Arkansas. In the Farmer Cooperative Service, Department of Agriculture, he did research and service work with fruit and vegetable cooperatives and made market surveys and conducted and directed research and service programs in membership relations and prepared numerous educational and teaching aids. On detail to the Foreign Agricultural Service, he made studies of cooperatives as outlets for United States agricultural products in western Europe, Japan, and Canada and prepared a series of publications on them and on the agricultural cooperatives of western Europe.*

Representing the Agency for International Development, he served as cooperative member education adviser to the All India Cooperative Union, New Delhi, assisting the union in developing a cooperative education program, a training program for leaders, developing training and educational material in the organization and operation of a national training center.

Our Agricultural Trade Policies

by RAYMOND A. IOANES

THE UNITED STATES has become a leader in sponsoring liberal trade in farm products. We have dismantled barriers to imports of many foreign-produced commodities that compete with our own production. At the same time we have obtained increased access to foreign dollar markets for our own agricultural commodities.

We have gained much in terms of dollars from following liberal, orderly, trade-expansive policies.

In 1944–1953, for instance, our commercial exports of food and fibers totaled 17.3 billion dollars. Our competitive imports amounted to 15 billion dollars. In 1954–1963, our farm exports were as high as 28.3 billion dollars, and our imports of competitive farm products had a value of 19.4 billion dollars.

OUR POLICIES OF LIBERAL trade in agricultural products have roots deep in history. We shifted in 1921, however, to a policy of protectionism. We raised agricultural tariffs sharply several times, in keeping with a trend toward more restrictions on all imports.

The change was triggered by sharp breaks in agricultural prices, which began in 1920. Prices farmers received had reached a peak of 236 percent of the 1910–1914 level. By June of 1921, the price index had fallen to 112 percent of the 1910–1914 average.

Agricultural prices stayed at depressed levels throughout the twenties.

The country groped for farm relief measures. One was increased duties. The reasoning was: American farmers are getting ruinous prices; if we keep out foreign-produced commodities, we will ease the pressure on prices and they should rise—or at least not go any lower.

Special measures to increase exports instead of curtailing imports might have been successful, but the die had been cast. Tariffs were increased by the Emergency Tariff Act of 1921; more by the Tariff Act of 1922, the Fordney-McCumber Act; and still more by the Tariff Act of 1930, the Smoot-Hawley Tariff Act.

Many observers were alarmed at the swing to protectionism. B. H. Hibbard, an economist at the University of Wisconsin, said in 1933:

"We have used our tariff acts to break down friendly relationships a century old, e.g., with our best customer, Canada. The crowning act of salvation of the country through the increase in tariff rates came in 1930 with the passage of the Smoot-Hawley Act. The most learned of the Senators when asked, during debate on this bill, whether or not there might be danger of retaliation against the provisions of the pending measure, replied, 'That is an old cry. It will be time enough to be afraid of retaliation after it happens.' It has happened. The battlements of the European fortresses make our tariff embankments look like the work of schoolboys on a holiday afternoon."

In 1931–1934, when the Smoot-Hawley Act was in effect, our agricultural exports dropped to an average of about 800 million dollars, as compared with shipments worth 1.8 billion dollars in the preceding 4 years.

THE RECIPROCAL TRADE Agreements Act of 1934—an amendment to the Tariff Act of 1930—authorized the negotiation of trade agreements between the United States and individual countries, and concessions, chiefly in the form of reductions in our import duties on foreign products, to the extent of 50 percent below those then in effect.

The United States moved promptly to use its new authority. By the end of 1934, the average equivalent ad valorem duty rate on dutiable farm products had been reduced to 55 percent—considerably below the average of 85 percent in effect in 1932.

The General Agreement on Tariffs and Trade, which became effective in 1948, accelerated the trend toward freer trade in farm products. The GATT set up trade rules for many industrialized countries and made it possible for the United States to use the authority of the Reciprocal Trade Agreements Act to reduce tariffs at general negotiating sessions, instead of on a piecemeal basis with individual countries.

Thus in 1948 the United States reduced the average equivalent ad valorem duty rate on farm products to 18 percent. By 1962, when the Reciprocal Trade Agreements Act was replaced by the Trade Expansion Act, the average duty rate had been cut to about 11 percent.

If the agricultural products given duty-free treatment are included, the overall duty rate on farm products in 1962 averaged 6 percent. Although general price inflation has accentuated the rate of decrease on dutiable farm products—about 75 percent of which are subject to specific duties—the actual reduction has been substantial.

The United States has not been able to go all the way back to the liberal trade of the period before the First World War. A number of Government programs to bolster farmers' incomes have been necessary. Substantial imports of some products, which would adversely affect programs established for them, are restricted under section 22 of the Agricultural Adjustment Act, as amended—among them, in 1964, wheat and wheat flour, cotton, peanuts, and certain dairy products.

Sugar imports are regulated under the Sugar Act of 1948, as amended.

Only 26 percent of United States agricultural production, however, is covered by nontariff restrictions—a far smaller proportion than in any other major country.

BECAUSE WE ARE liberal traders ourselves, it is United States trade policy to seek for our farm products the same liberal access to foreign markets that foreign-produced commodities have in the United States market.

Our first point of attack in our efforts to gain access to markets is on tariffs.

The Trade Expansion Act of 1962 is an expression of our intention to attack high duties boldly. We are hopeful that flexible provisions of the act will lead to mutually advantageous trade concessions. The act authorizes tariff cuts up to 50 percent on most imported goods, industrial and agricultural, in exchange for concessions that foreign countries give us. We can cut tariffs to zero on some commodities in return for similar cuts abroad. The act also strengthens the hand of the United States in dealing with nontariff restrictions put on American products by foreign countries.

The United States proposes to use the Trade Expansion Act to negotiate agricultural and industrial tariffs and trade restrictions as a single package in the GATT negotiations. The United States will not conclude tariff negotiations unless access is provided for agricultural exports comparable to those provided for industrial shipments.

Industrialized countries, though financially able to buy from us, have been reluctant to throw their doors open wide to such United States products as wheat, wheat flour, rice, poultry, and others we are eager to sell.

Some governments unquestionably would like to exclude agriculture completely from tariff-cutting negotiations. Other governments would include agriculture but under rules that would give little or no promise of trade liberalization.

Foreign officials, notably those of Western Europe, tell us that they must reserve domestic markets for their own producers because of certain economic and political dilemmas.

They say, for example, that their relatively inefficient agricultures must be restructured—a process that would be hampered by strong competition from imported farm products.

They say that their farmers, who have not shared fully in the prosperity that nonfarmers enjoy, are therefore deserving of special protection.

They say that their farmers, who make up a substantial percentage of the voting population, will not permit any substantial increase in imports of competing farm products.

To make sure that imported farm products will not offer competition to industrial consumers, most foreign governments protect their farmers in nontariff barriers, and they—not tariffs—constitute our biggest access problem. Nontariff barriers can completely deny market access for our poultry, wheat, wheat flour, or canned orange juice even if duty rates on them were set at reasonable levels.

Many kinds of nontariff devices are in use. They include the variable import levy, minimum import or gate prices, quantitative restrictions, conditional imports, mixing regulations, state trading and monopolies, import surcharges, import discriminations, and preferential treatment.

Whatever their form, economic trade barriers can insulate the producers of a country from price competition as effectively as if literal walls were erected at the frontiers.

Because of the special problems introduced by nontariff trade barriers, it is United States policy to work for market sharing when effective tariff cuts cannot be made.

Market sharing is a special arrangement that would give the United States or any exporting nation continued access to markets in countries or customs unions that protect their agricultures with nontariff barriers.

The market-sharing principle would not guarantee access to any exporter.

It would offer the opportunity of access.

For example, if exporters have been supplying 15 percent of a country's annual consumption of a product in a representative period, exporters may ask that country not to limit imports below that percentage during the period covered by the agreement. The various exporting countries would compete among themselves for the available share of the market.

Market-sharing arrangements should provide an opportunity for exporting countries to compete for larger trade volumes in future years because market demand for many products is growing.

If the market-sharing arrangement involves a percentage share of the market, the growth factor is included automatically. If the arrangement is based on a fixed volume of trade, definite provision for growth would need to be incorporated.

The market could be shared in any one of several ways. Sharing could be based on quantitative assurances, ceilings on variable import levies, restrictions on the use of minimum prices, ceilings on internal price supports and deficiency payments, or a combination of these.

Much would depend on the commodity involved and the participants. For many products, the agreements would not need to be complicated or elaborate.

Fairly complicated arrangements, however, may be required for some products. A start has been made in working out rather formal commodity arrangements for cereals, meal, and dairy products.

International commodity agreements, like those in effect for wheat, sugar, and coffee, are more formalized intergovernmental understandings, which could be used to improve market access. The considerable time required to negotiate such agreements, however, plus difficulties of administering them, limit their extensive use.

It is United States policy to press for moderate internal pricing of farm commodities by importing countries.

High internal prices in importing countries encourage uneconomic production. When high prices are protected by high trade walls, comparative advantage cannot function, with generally adverse effects for both importing and exporting countries.

Uneconomic production works hardships on the nonagricultural sectors of importing countries. Higher prices for food and clothing reduce the real incomes of industrial workers and lead eventually to demands for higher wages. High wages, in turn, increase manufacturing costs, which impair the competitive position of the country's manufactured goods in the world's market.

Uneconomic agricultural production in importing countries also damages America's agricultural trade, of course. As the protected, price-supported production of importing countries rises, they need to import less and less of our food and fiber.

Other countries occasionally look askance at our farm programs. The United States is eager to talk over the entire spectrum of agriculture—import restrictions, export payments, price supports, supply management, and related operations—with officials of other countries.

Out of free interchanges of ideas may come understanding and reciprocal modification of internal agricultural policies and fewer restrictions on trade.

As it is, we have had considerable success in gaining access to foreign markets for our farm products. The agricultural exports we sold for dollars rose from an average annual value of 800 million dollars in 1930–1933, when the Smoot-Hawley Tariff Act was in effect, to an average of 3.4 billion dollars in 1960–1962, under the Reciprocal Trade Agreements Act. Even if allowance is made for an inflation in prices, the gain was more than 50 percent.

But an access to foreign markets is somewhat like a businessman's license to operate. Access, like the license, is an essential first step, but it does not in itself guarantee a substantial volume of sales.

IT HAS BECOME United States policy, therefore, to back up access to markets with activities to develop markets.

At one time our role in agricultural exports markets was passive. We waited for foreign customers to knock on the door. We came to the conclusion in the midfifties that we had to play an active role in export markets.

We have been pursuing that policy vigorously.

We have become eager salesmen, actively promoting United States farm products in some 50 countries by means of market development with trade groups, exhibits of our farm products overseas, trade centers, visits of foreign businessmen and other groups to the United States, demonstrations, seminars, publications, radio and television programs, point-of-sale promotion, and advertising in newspapers.

IT IS United States policy to price export commodities at levels that will meet the competition of the foreign producers.

Other things being equal, customers will always buy the lowest priced product. Competitive pricing, therefore, is necessary. Our efficient production assures our competitive position on many farm commodities.

When United States internal prices are above world levels, however, as is the case with wheat, cotton, and a few other products, we must make export payments to hold a fair share—and no more than a fair share—of the world market.

IT IS United States policy to pay increasing attention to preferences of foreign buyers.

The customer may not always be right, but generally he thinks he is

right. To sell to him, we must understand his point of view and adapt our practices to it as far as we can.

We are learning more and more, through research and experience, about customers' tastes and habits—about foreign legal requirements with respect to weights and measures, packaging, dyes, bleaches, grades and standards, and quality control.

Many of our competitors, from long experience in the export market, know what buyers want. We, too, can produce and deliver the kind of products our foreign customers want, and that is what we must do.

IT IS United States policy to stimulate export sales for dollars through the use of short- and long-term credit.

Credit helps us make dollar sales to countries that are not yet ready to buy for cash but hope sometime to become cash buyers.

Short-term credit—up to 3 years— is extended on foreign commercial sales of products owned by the Commodity Credit Corporation and on tobacco under CCC price-support loan.

Long-term credit, authorized by Public Law 480, title IV, may be extended up to 20 years on sales of United States farm products to foreign governments and to individuals, commercial firms, agricultural cooperatives, or other organizations of the United States or friendly foreign countries.

Both short- and long-term credit programs provide for repayment of principal and interest in dollars.

IT IS United States policy to seek orderly agricultural trade.

The United States does not throw large quantities of food and fiber on world markets, because such an action would disrupt foreign agricultural prices and lead to other economic dislocations.

The United States, for the same reasons, opposes unduly heavy or uneven imports of farm products.

Our efforts to promote orderly trade begin with the production phase. We seek, as the first step in market regulation, to prevent the production of supplies that may be a burden to us and to world commerce.

Unlike some other countries, we have placed on our farmers a big part of the market regulation load by asking them to cooperate in programs to control production.

The record shows that we have acted responsibly in the agricultural production area. Our efforts to keep farm output in line with domestic and export needs are unparalleled.

That we have not succeeded entirely is due more to our enormous agricultural capability than to our intentions. We reduced total cropland harvested by more than 50 million acres between 1953 and 1963. Much of the reduction came in important export crops. For example, during that period we cut wheat acreage 33 percent; rice, 18 percent; tobacco, 28 percent; and cotton, 42 percent. Some of the reduction in acreage, however, was offset by high acreage yields.

We have matched responsible production policies with equally responsible stockpiling practices.

We have maintained in the United States, at great expense, great stocks of food and fiber. Early in 1964, the Commodity Credit Corporation had in storage almost 950 million bushels of wheat, 825 million bushels of corn, about 5.6 million bales of cotton, and substantial quantities of other agricultural products.

The total inventory had a cost value to the United States of 4.8 billion dollars. The storage cost alone amounted to 1 million dollars a day.

Our restraint in keeping surplus products off world markets has helped to maintain stable world prices. Our stocks have been available at all times to meet critical world needs.

During the Second World War we shipped large amounts of agricultural products to our Allies. We dug deeply into our supplies in 1946 and 1947 to meet urgent food requirements of Europe and Asia.

Our food and fiber were available when the Korean war greatly stimulated world demand, when the Suez crisis developed in 1957, and when unfavorable weather in eastern and western Europe in 1963 severely cut harvest of wheat and other grains.

The United States feels, however, that the burden of supply adjustment should be borne by all free countries.

Orderly trade does not depend solely on production and distribution policies of the United States. Other exporting countries contribute to the overall volume of commodities moving in international trade. Importing countries also add to the volume. United States farmers often are puzzled at being asked to curtail their production when they see other exporting countries taking no steps to check output or even employing extraordinary measures to expand production.

In other ways we have respected our responsibilities to our partners.

The United States has been particularly careful that shipments under Public Law 480 have not disturbed commercial markets. We emphasize the movement of Food for Peace to the less-developed countries, which are not large cash customers for farm products. We make sure that our agreements under Public Law 480 take into account usual commercial purchases from the United States, usual commercial purchases from other free world sources, or a combination of these commercial movements.

We regularly consult with free world competitor countries when we develop the programs. We also participate in the work of the FAO Consultative Sub-Committee on Surplus Disposal, organized "to insure that the disposal of surpluses is made without harmful interference with normal patterns of production and international trade."

We set export payments at rates no higher than are needed to help us meet world prices for cotton, wheat, and rice, but not to undercut world prices on these products.

From the standpoint of our own in-

364 THE YEARBOOK OF AGRICULTURE 1964

terests, the export payment rates must be set carefully. For example, if the export payment rates on United States cotton are set at levels that do not assure normal United States cotton marketings, other producing countries step up their production and take part of our fair share of the market.

Consultation among major exporting countries with respect to prices on commercial exports is highly desirable. Price wars always are disturbing, whether they involve the occasional price cutting of gasoline service stations in United States communities or the price cutting by countries exporting farm products.

Price cutting may give a country a temporarily increased share of the world market, but it can lead to disturbing retaliation which can mean market instability and uncertainty.

The United States desires that importing also be orderly. Orderly importing depends to a considerable extent on the trade policies of other countries.

Heavy imports of beef by the United States in 1963 underscored the need for orderly importing. The 1963 beef imports, estimated at a record 1.8 billion pounds, represented more than 10 percent of American production. Imports increased because United States prices were attractive; the United States duty of 3 cents a pound was low, and there were no other import restrictions; and other beef-importing countries, notably the United Kingdom and countries of the European Economic Community, were restricting their imports.

The United States became the target for much of the beef exported by Australia, New Zealand, Ireland, Mexico, Argentina, and other countries. We could not, of course, remain the only country in the world accepting beef imports on an unlimited basis.

Talks began in 1964 with representatives of the beef-exporting countries to work out arrangements that would permit sharing of the United States beef market on a fair and equitable basis and yet avoid undue disturbance in the long-run to our cattle and meat industries.

OUR TRADE POLICIES must never become static. They must be adapted rapidly to changing world economic and political conditions.

Two examples in one year showed us that we are able to meet developments by rapid adaptation.

The French veto in 1963 of the British bid to enter the Common Market introduced a new set of trade variables and a reappraisal of our trade policies as they involve the United Kingdom, the Common Market, and other importers of our farm products.

Short grain crops in the Soviet-bloc countries in 1963 led to a decision by the United States to sell to the Soviet Union and other eastern European countries such price-supported United States products as wheat, feed grains, and cotton.

Longer range policies must be adapted to the trends that we now see developing.

The importance of agriculture in the fabric of world economic relations has not been diminished by science and technology. Actually, agriculture has become a more powerful force as less-developed countries grow economically, as the tendency toward international division of labor becomes more pronounced, as populations increase, and as those populations strive for an improved standard of living.

In the kind of world that is taking shape, restrictive trade will be an anachronism. Nations have no choice, therefore; they must lower their restrictive barriers. Only through liberal trade can the good things of our civilization be made available to all.

RAYMOND A. IOANES *became Administrator of the Foreign Agricultural Service in 1962. Previously he was Deputy Administrator for 6 years. He joined the Department of Agriculture in 1940. His work since 1949 has concerned many aspects of agricultural trade policies.*

Our Agricultural Exports

by ROBERT L. TONTZ and
   DEWAIN H. RAHE

AGRICULTURAL EXPORTS account for about 15 percent of the farm marketings of United States farmers. The export market absorbs the production from one out of every five acres on which a harvested crop is grown.

The foreign market is of major importance as an outlet for many products, particularly those in greatest abundance. It takes half of the wheat American farmers grow and a fourth of their sales of cotton and feed grains.

Exports as a percentage of yearly production in fiscal year 1963 equaled more than half of the rice crop, about two-fifths of the soybeans, including oil, and inedible tallow, one-fourth of the tobacco, and one-fifth of the output of cottonseed oils and lard.

The United States, the world's leading exporter of agricultural products, accounts for one-sixth of the world's total.

Many Americans employed in related industries, like financing, storing, shipping, and trading of agricultural commodities, contribute materially to moving this large volume of farm products abroad. An example of that contribution is that about one-fourth of the cost of a bushel of wheat to the oversea customer is the cost of freight and loading.

Exports of farm products aid in maintaining the well-being of the United States economy. Many dollars come back to the United States from our sales of farm products to other countries, and thereby compensate partly for the outflow of dollars for economic, technical, philanthropic, and military aid.

In fiscal 1963, exports over imports of United States farm products contributed a favorable agricultural trade balance of more than 1 billion dollars. Otherwise, the balance-of-payment deficit would have been 30 percent greater than the 3.3 billion dollars actually incurred.

Farm exports have been running well ahead of farm imports since the midfifties, largely because of the rapid expansion of exports to new record highs. Exports during the 7 years that ended June 30, 1963, averaged 4.6 billion dollars annually and exceeded their previous 7-year average by almost 40 percent.

On the other hand, American agricultural imports for the 7 years to June 30, 1963, of 3.9 billion dollars annually were 8 percent less than for the previous years.

The achievement of the peak export levels came through the development of export programs by people in agriculture, trade, and Government and increased purchasing power in other countries, partly through the stimulus of our generous economic aid.

The implementation in 1955 of the Agricultural Trade Development and Assistance Act—Public Law 480—also was designed to expand our agricultural exports. This act supplemented exports under Government programs, principally under the Mutual Security Act (Public Law 665) and was designed mainly to enable developing countries to buy our goods.

Of the 5.1 billion dollars' worth of farm products sent abroad in 1963, commercial sales for dollars totaled 3.6 billion dollars, or 70 percent of the total. The value of dollar sales rose 58 million dollars over the previous fiscal year and set an alltime record.

The sales for dollars, by which and

through which the bulk of United States farm products is distributed, are given top priority in helping expand exports.

The leading commodities sold for dollars included cotton, wheat and flour, tobacco, soybeans, corn, and also fresh, frozen, and canned fruit and juices. Most dollar sales were made to Canada, Japan, the United Kingdom, West Germany, and the Netherlands.

Exports to friendly but dollar-short countries under Government-financed programs—Public Law 480, the Agricultural Trade Development and Assistance Act of 1954, and Public Law 87–195, the Act for International Development—totaled 1.5 billion dollars, or 30 percent of our total agricultural exports.

Leading commodities among the Government-program exports were wheat and flour, cotton, vegetable oils, corn, rice, and dairy products.

Principal countries taking exports under Government programs were the economically developing countries, among them India, the United Arab Republic, Turkey, Yugoslavia, and Brazil.

The special Government export programs use four major approaches: Foreign currency sales, famine relief and donations, barter, and long-term credit.

Sales for foreign currency represent by far the largest of the special export programs. These sales enable friendly countries that are short of dollars to buy with their own currencies the commodities that we have in large supply.

Much of the foreign currency that is received in payment is loaned back to the purchasing country for use in its development programs. In 1963, title I of Public Law 480 accounted for 21 percent of the total United States agricultural exports.

Grants of food to friendly countries from Commodity Credit Corporation stocks for emergency assistance and the promotion of economic development in newly developed areas are authorized under title II of Public Law 480. Title III makes food supplies available for distribution abroad through voluntary agencies and international organizations.

Although these two kinds of programs in 1963 accounted for only 7 percent of the total farm exports, their usefulness is much greater than the statistics may indicate. These are special-purpose programs, designed to meet the particular needs or emergency circumstances or to feed people not reached by the commercial marketing system.

The barter program also under title III of Public Law 480 and other legislation enable the United States to exchange surplus agricultural commodities for strategic and other materials less expensive to store and less subject to deterioration than farm products. Exports under barter represented a small share of United States agricultural exports in 1963, equaling 1 percent of the United States total.

A relatively new feature in the special export programs is title IV of Public Law 480, which authorizes sales of commodities for dollars at moderate rates of interest, with up to 20 years to make payments. This program has been underway since the last quarter of 1961.

A new credit plan to encourage foreign countries to increase purchases of United States farm products was inaugurated in July 1963. The plan, previously restricted to foreign government agencies, was broadened to provide credit also to private firms to finance sales of American commodities.

WHILE PROGRESS has been made in increasing exports under Government programs, just as for commercial sales for dollars, limitations exist that make expansion difficult.

Underdeveloped countries, the principal recipient of United States Government-program shipments, often lack transportation, storage, and handling facilities to distribute imported food to their needy people. It is a major problem for the exporter and importer alike.

Work is going ahead so that over time the lack of physical facilities will become less and less a factor. In many countries and in large parts of other countries, there are no relief or welfare organizations of the type required to donate food through noncommercial channels. In many areas, customary eating habits are such as to keep people from making use of the foods that the United States has in greatest supply.

Then, too, the role of the United States in the export market is so large that it must be watched carefully so that it will not disrupt the world market. United States programs must not only protect the commercial market for the United States and allied countries; they must also help, rather than hinder, the agricultural development of the less prosperous countries.

One example of market development activity undertaken by the United States which applies both to commercial sales and Government-program exports is the export payment assistance program. This form of assistance is necessary because the selling of agricultural commodities in the world market is a highly competitive business.

About three-fourths of foreign agricultural products entering world trade compete directly with United States agricultural exports. The abundant production of American farms enables the United States to offer a wide range of agricultural products on the world market. But domestic prices in some instances are higher than prices of competing foreign products, especially for certain price-supported commodities. Then the Government may assist both commercial sales for dollars and sales under Government-financed export programs (Public Laws 480 and 87–195) by means of export payments in cash or in kind or by the sale of Government-owned stocks below domestic market prices. Export payment assistance since 1958 has consisted largely of payments in cash and in kind.

When an export payment program is in effect for an agricultural commodity, all exports of the commodity, except donations, generally are eligible for export payments (or differentials equivalent to export payments).

Export payment assistance was provided for 1,694 million dollars of the 5,084 million dollars of United States agricultural exports in 1962–1963.

Exports outside of Government programs (commercial sales for dollars) that benefited from export payment assistance equaled 721 million dollars, while exports under specified Government-financed programs that received assistance totaled 973 million dollars.

Total export payment assistance on United States agricultural exports in 1962–1963 equaled 628 million dollars, which is excluded from the total value of agricultural exports.

Although a number of farm commodities benefited from export payment assistance in the year ended June 30, 1963, two major surplus commodities—wheat (including flour) and cotton—were the principal commodities assisted.

Exports of these two, assisted by export payments, totaled 1,483 million dollars and made up 88 percent of the 1,694 million dollars of exports receiving export payment assistance.

The export payment rate for wheat (including flour) was 67 cents a bushel and for cotton, 8.5 cents a pound.

Other commodities benefiting from export payment assistance were rice, nonfat dry milk, butter, butter oil, cheese, tobacco, and peanuts.

OF THE PROGRAMS designed to build agricultural exports, a basic one is trade liberalization. Export markets cannot be maintained or expanded in countries that deny or limit access for United States products.

Our trade policy is based on the proposition that the way to build world trade is to conduct it on a multilateral, nondiscriminatory basis, at moderate levels of fixed tariffs, and so thereby give consumers ready access to products from the most efficient producers.

To that end, the United States has joined with some 60 other similarly minded nations in the General Agreement on Tariffs and Trade (GATT). These nations account for about 80 percent of the world's international trade.

The United States also is working through other formal diplomatic representations, meetings, and contacts to gain fair competitive access to foreign markets for American farm products.

The Trade Expansion Act of 1962 provides increased authorities—not contained in the Reciprocal Trade Agreements Act of 1934—for the President to grant broad tariff concessions and, if necessary, to retaliate against unfair treatment by removal of concessions to our trading partners abroad.

The act permits the President to negotiate reductions of up to 50 percent on duties that were in effect July 1, 1962. Tariffs may be eliminated on items on which the duty is 5 percent or less. A special provision affecting the European Economic Community allows us to cut tariffs to zero on industrial products on which the United States and the Common Market jointly account for at least 80 percent of the aggregate world export value.

In an agreement with the Common Market for tariff reductions, the President is also given authority to reduce tariffs to zero on any agricultural product on which it is determined that such action would help to maintain or expand United States exports of the same product.

The emergence of trade blocs, such as the European Economic Community (EEC), the European Free Trade Association (EFTA), the Latin American Free Trade Area (LAFTA), and the Central American Common Market (CACM) of the free world, along with the Russian-led Council for Mutual Economic Assistance (Comecon) of the Communist world, represent the beginning of a significant grouping of

what are for the most part our traditional foreign customers.

These trade groups, particularly those of western Europe, are among the principal customers for United States farm products. Overall, the free world trade blocs took approximately 2 billion dollars, or 40 percent of total United States agricultural exports, in 1963. The Soviet bloc took little.

The European Economic Community is the No. 1 market in the world for United States farm exports. In 1963, the United States shipped about 1.1 billion dollars' worth of farm products to the six members of the European Economic Community out of total farm product exports to all areas of the world amounting to 5.1 billion dollars. Exports to them equaled 21 percent of all United States farm product exports and about 30 percent of United States exports of farm products sold for dollars in 1963. Exports to Greece, an associate of the European Economic Community, were mainly shipments under Government programs and were relatively small, equaling only 2 percent of total United States agricultural exports to the European Economic Community.

Of major trade significance in the European Economic Community's Common Agricultural Policy is its system of variable import levies. The variable import levies are designed to offset the difference between world prices of commodities and the desired price in the Common Market. This system promotes a policy of protection, self-sufficiency, and price equalization in the Common Market countries. Wheat, including flour and feed grains, accounted for about 90 percent of the 1961–1962 value of the United States commodities on which the EEC imposed variable levies on July 30, 1962. In addition to wheat, variable import levies also have been placed on imports of poultry and eggs and certain other products from third countries.

The United States also is a major importer of products from the Common Market. We imported 2.4 billion dollars' worth of commodities from the Common Market in 1963, but had a net balance of 1.1 billion dollars.

Agricultural shipments to the six members and Greece totaled 1.1 billion dollars in 1963 and were more than four times the value of agricultural imports from these countries. The value of agricultural imports from the Common Market was less than 300 million dollars yearly since 1958. Many of the imported products were specialty items.

In the first year of the 7 years in which the Common Market is to develop fully, United States agricultural exports to the EEC under the variable levy system declined 10 percent, following imposition of the levies on July 30, 1962. Exports of commodities affected most by the variable import levies were broilers and fryers and wheat flour.

Exports of broilers and fryers, the most important meat products shipped to the European Economic Community, declined 70 percent in 1962–1963 from a year earlier.

The variable import levy for wheat flour nearly eliminated United States flour from the Netherlands market, hitherto an important dollar outlet. Most shipments of wheat flour in 1962–1963 reflected Public Law 480 title II and title III flour for Italy's school lunch program and other projects.

Exports of wheat declined 63 percent in 1962–1963 from a year earlier, mainly because of record EEC production. Also, it should be noted, Italy imported an unusually large quantity of United States wheat in 1961–1962 because of its poor crop.

Exports of feed grains dropped only 4 percent, compared with a year earlier. The rapid expansion of the livestock industry in the Common Market area has been the main reason for the continued large exports of feed grains to the EEC.

Exports of commodities not subject to the variable levy system were about the same in August–July 1962–1963 as a year earlier. Sharp increases in exports of fruit, vegetables, soybeans, protein meal, and rye offset declines in cotton, tallow, pork, rice, tobacco, and edible vegetable oils.

Exports of cotton fell 45 percent from a year earlier, mainly because of a 2-million-bale rise in cotton production in the foreign free world and some decline in the use of cotton in Common Market countries.

Soybean exports increased 10 percent in response to further increases in demand for protein meal in the Common Market livestock industry. Exports of protein meal also were larger.

Tobacco exports declined 10 percent mainly because of substantial stockpiling of United States leaf before the increase in duties for tobacco when the Common Agricultural Policy became effective on July 30, 1962. In addition, the United States has encountered increased competition in the European Economic Community market from other producers—especially Southern Rhodesia, Zambia, and Malawi. Other export declines were in lard and tallow, pork, variety meats, rice, and oils.

THE OUTLOOK for United States agricultural exports is favorable for a continued expansion.

Overall projections of our agricultural exports to all market areas, which take into consideration population increases, economic growth rates, technological changes, historical trends, and related factors, show that United States farm exports for 1968 will be at a level nearly 20 percent above the level of 5.1 billion dollars in 1962.

Projected exports would account for more than half of the United States output of food grains; around a third of the cotton, soybeans, and vegetable oils; and substantial quantities of feed grains, tobacco, and other goods.

ROBERT L. TONTZ *is Chief of the Trade Statistics and Analysis Branch, Development and Trade Analysis Division, Economic Research Service, Washington, D.C.*

DEWAIN H. RAHE *is Agricultural Economist in the same Branch.*

Our Agricultural Imports

by ALEX D. ANGELIDIS

THE UNITED STATES is the second largest importer of agricultural products. The United Kingdom is first.

We imported 3.9 billion dollars' worth of agricultural products in 1962.

At their peak in 1952, during the Korean war, the imports totaled 5.2 billion dollars.

Our agricultural exports were worth 5 billion dollars, and we were the largest exporter.

Agricultural commodities consist of nonmarine food products and other products of agriculture (such as raw hides and skins, fats and oils, and wine) that have not passed through complex processes of manufacture.

Agricultural imports accounted for one-fourth of United States imports of all commodities (16.2 billion dollars) in 1962. Imports of agricultural products were equivalent to 11 percent of domestic cash receipts from farm marketings—35.9 billion dollars. (Exports were equivalent to 14 percent.)

About 55 percent of agricultural imports were partly competitive with United States products. The rest, 45 percent, were chiefly coffee, rubber, cocoa beans, carpet wool, bananas, tea, spices, and silk, none of which, except bananas and coffee in Hawaii, the United States produces in commercial volume.

Only the most ardent protectionists advocate doing away with the com-plementary imports. Not only are they not produced in commercial volume; they can be produced only at such high unit costs that retail prices would be prohibitively high. Americans want them and will pay reasonable prices for them. They are, in fact, considered so essential to a high standard of living that nearly all are allowed to enter the country free of duty.

There is less agreement among United States producers on the national policy toward the supplementary, or partly competitive, commodities, although they are becoming less important relative to exports.

Supplementary imports were equivalent to two-fifths of agricultural exports in 1962, compared with three-fifths in 1950–1954 and four-fifths in 1935–1939. These imports are equivalent to the production on 20 million acres in the United States. (The figure for exports was 63 million.)

Supplementary imports are not so competitive as they may appear to be. United States commercial exports of farm products sold for dollars (that is, not Food for Peace shipments) came to 3.5 billion dollars, whereas our imports of competitive agricultural products came to 2.1 billion dollars, a plus export balance of 1.4 billion dollars. These competitive imports were equivalent to 6 percent of cash receipts from farm marketings.

Imports pay for exports. American purchases from abroad are paid for in dollars, which enable other countries to buy American products. Because of our willingness to import foreign products, we have been able to obtain from other countries increasingly liberal treatment of our exports.

American farmers carry out their production operations with less protection from competitive imports than do farmers of practically all other countries. Average import duties are relatively low for our agricultural imports. About half of agricultural imports— including nearly all of the complementary commodities—in 1962 were free of duty.

For the dutiable commodities—mostly supplementary—the ad valorem equivalent of all duties averaged 11 percent, compared with 88 percent in 1932. For all agricultural imports—both free and dutiable—the ad valorem equivalent averaged 6 percent in 1962.

The United States has steadily been reducing its tariff rates on agricultural imports for 30 years, beginning with the Reciprocal Trade Agreements Act in the thirties. The average duty imposed on United States agricultural imports is lower than that imposed on United States nonagricultural imports. Further reductions are in prospect under the Trade Expansion Act of 1962.

THE UNITED STATES imports agricultural commodities from more than 125 countries, but more than half comes from 10—Brazil, Mexico, the Philippines, Colombia, Australia, Canada, Dominican Republic, New Zealand, Malaysia, and Argentina.

Many suppliers are newly developing countries, whose predominantly one-crop agricultural economies depend heavily on their sales in the American market.

Legislative authority exists to regulate imports of agricultural commodities under specific conditions. For example, whenever imports interfere materially with the marketing quota, price support, or other programs conducted by the Department of Agriculture, the law provides for regulation of such imports under section 22 of the Agricultural Adjustment Act, as amended.

Commodities controlled under section 22 are wheat and wheat products; cotton, certain cotton waste, and cotton produced in any stage preceding spinning into yarn (picker lap); certain manufactured dairy products; and peanuts.

Sugar imports are regulated by quotas under the Sugar Act of 1948, as amended, to provide a stable market for domestic sugar. Amendments in 1962 gave a larger share of the United States market to domestic producers. Agricultural imports must meet United States requirements as to health, sanitation, and quarantine.

In order to satisfy the concern that imports of some dairy products might increase to much higher levels, the supplying countries in October 1963 declared their intention to restrict voluntarily shipments of Colby cheese, Junex, and frozen cream to the United States. Junex is a butterfat-sugar product containing not more than 44 percent butterfat.

Likewise, agreements were signed in February 1964 between the United States and Australia, New Zealand, and Ireland to limit shipments of beef, veal, and mutton to the United States through 1966.

SUPPLEMENTARY IMPORTS include sugar, meat, oilbearing materials and oils, apparel wool, cattle, tobacco, fruit, vegetables, hides and skins, grain and feeds, dairy products, and cotton.

The United States in 1962 imported some 4.6 million tons (509 million dollars) of cane and beet sugar, about half of domestic consumption and almost a fifth of the amount imported by all countries.

Three-fourths of the import tonnage came from the Philippines, the Dominican Republic, Peru, Mexico, and Brazil. Foreign cane sugar producers can deliver sugar more cheaply than we can produce beet sugar ourselves. The Sugar Act of 1948, as amended, stabilizes the domestic market by limiting imports and controlling domestic production. Fees are levied on imports to bring foreign prices up to the domestic level.

Product weight of all the red meat and poultry imported in 1962 was 1.3 billion pounds (466 million dollars).

More than 800 million pounds consisted of boneless beef needed to satisfy demand for frankfurters, prepared hamburgers, and luncheon meats. When farmers hold back old cows, prices for low-grade beef rise and encourage such imports from Australia,

New Zealand, and Ireland. The duty on this beef is 3 cents a pound.

Imports of canned cooked hams and shoulders, which come from Denmark, the Netherlands, and Poland, are high priced and satisfy a special demand, which continues to exist even though consumers may choose cheaper United States hams.

The American appetite is also satisfied in part by canned beef from Argentina and refrigerated pork from Canada.

Altogether, red meat imports accounted for 6 percent of United States consumption of meat in 1962.

Imports of oilbearing materials and vegetable oils amounted to 151 million dollars in 1962 (half of them copra and coconut oil). They accounted for 9 percent of the vegetable oil used in the United States and included copra from the Philippines, castor beans from Ecuador, castor oil from Brazil, tung oil from Argentina, olive oil from Spain and Italy, palm oil from Indonesia and the Congo, and palm kernel oil from the Congo. Some imported oils have special characteristics for various industrial uses in the United States. Coconut oil is used chiefly to make soap and to prepare bakery products.

The apparel—clothing—wool imports amounted to 191 million pounds (120 million dollars). Most of it came from Australia, South Africa, Uruguay, and New Zealand. Imports made up about two-fifths of United States consumption; they were about half in 1950.

The National Wool Act of 1954 supported prices to encourage domestic production. The output has been rising slightly, but smaller use of wool and greater use of synthetic fibers have done more than the act to reduce dependence on imports. High production costs have priced wool out of the apparel market, and the trend toward lighter weight clothing has been felt in the wool industry.

Import duties on raw wool are 11 cents to 27.75 cents a pound, according to kind and quality.

Imports of cattle, mainly in the 200-700-pound weight class, totaled 1.2 million head (110 million dollars), not including breeding animals. Imports have been high because drought conditions in Canada and Mexico forced shipments to the United States market at attractive prices. Cheap United States feeds also encouraged stocker and feeder movements into our feedlots for finishing. Imports of cattle were equivalent to about 4 percent of United States slaughter.

Imports of cattle in specified weight classes are subject to duties of 1.5 and 2.5 cents a pound. In some instances, after imports exceed certain stated amounts in a given year, the 1.5 cents duty advances to 2.5 cents a pound.

The United States imported 164 million pounds of tobacco (101 million dollars) in 1962, principally oriental cigarette leaf from Turkey and Greece to blend with domestic leaf to satisfy the varied preferences of American smokers. Oriental varieties are not produced in the United States or not in large enough volume to meet domestic demand. The equivalent of two cigarettes in each pack is foreign tobacco. Practically all imports of cigarette leaf had a duty of 12.75 cents a pound.

The United States imports many kinds of fruit and fruit preparations. The largest single import is olives from Spain, followed by canned pineapples from Taiwan. The bulk of the 88 million dollars' worth of imports in 1962, however, came from Canada and Mexico and consisted mostly of specialty items supplementing our production in winter and early spring, when our production is not plentiful. Altogether, imports amounted to about 6 percent of cash receipts from fruit marketings in 1962.

Imports are dutiable, but for some items the rate is reduced during seasons when United States production is low.

Imports of vegetables and preparations were worth 83 million dollars in 1962. The array included fresh tomatoes from Mexico; canned tomatoes and tomato sauce and paste from Italy; and tapioca, tapioca flour, and cassava from Thailand. Other items included carrots, cucumbers, garlic, mushrooms, onions, peppers, potatoes, turnips, and rutabagas. About half of the vegetable imports comes in winter and spring, principally from Mexico.

Imports amounted to 4 percent of cash receipts from vegetable marketings in 1962. Duty rates are lowered during stated periods each year to encourage imports when our output is low.

Imports of hides and skins amounted to 63 million dollars, principally sheep and lamb skins, goat and kid skins, and kip skins, which are not produced in sufficient volume in the United States. The United States produces chiefly cattle hides and maintains a thriving export business, because they are plentiful and inexpensive.

Except for hides and skins of cattle of the bovine species, imports of hides and skins are free of duty.

Imports of grain and feeds cost 58 million dollars in 1962. Grain—three-fourths of the total—included wheat (principally feed wheat), barley, barley malt, corn, oats, and broken rice. Feeds included processed items like bran, shorts, byproduct feeds, malt sprouts and brewers grain, cottonseed oilcake and meal, and dog food.

Grain—about 1 percent of cash receipts from grain marketings—comes mostly from Canada. Imports of Canadian barley malt help make up deficiencies in the United States supply of high-grade malting barley. Exports of grain to Canada for use there are many times the imports from that country.

Considerable amounts of grain are imported into Puerto Rico, which purchases most of its grains from nearby Latin American producers because of lower transportation costs.

Imports of wheat and wheat products are regulated by section 22 import quotas. Import duties on the principal grains range from 4 cents a bushel for oats to 25 cents for corn.

Imports of dairy products, totaling 54 million dollars in 1962, consisted chiefly of cheese and casein. Imports included foreign specialty cheeses like Swiss; Blue-mold from Denmark; Edam and Gouda from the Netherlands; Pecorino, Provolone, and Provolette from Italy; and Roquefort from France. Certain products are controlled by section 22 import quotas.

American producers are making inroads on imports as they improve and design their products to satisfy American consumers. Imported cheese made up 5 percent of United States consumption in 1962. Casein is imported mainly from Argentina, Canada, Australia, and New Zealand. Cheese imports are dutiable at 12 percent to 25 percent ad valorem.

Imports of cotton and cotton linters amounted to 30 million dollars, mainly long staple for use in shirts and other fabrics that require long-staple fiber. Except for short, harsh, Asiatic cotton, imports are regulated by section 22 quotas.

Long-staple imports (1⅛ inches and longer) are limited to 95 thousand bales on an August 1–July 30 year. Imports of upland type (less than 1⅛ inches) are limited to 30 thousand bales on a September 19–September 18 year. Imports, amounting to about 1 percent of United States consumption, come mainly from United Arab Republic, Peru, and Mexico.

The import duty on long-staple cotton is 3.5 cents a pound; extra-long-staple (1¹¹⁄₁₆ inches or more), 1.75 cents a pound. Short-staple cotton (under 1⅛ inches) and cotton linter imports are free of duty.

COMPLEMENTARY IMPORTS include coffee, rubber, cocoa beans, carpet wool, bananas, and tea.

Imports of coffee, the chief complementary commodity, amounted to 3.2 billion pounds in 1962 (990 million dollars)—three-fourths from Latin America, mainly Brazil and Colombia. The United States buys about half of the world's imports of green coffee beans. Per capita United States consumption was approximately 16 pounds in 1964.

Imports of crude natural rubber totaled 944 million pounds (228 million dollars). Practically all came from Asia, especially Malaya, Indonesia, Thailand, and Singapore. Some came from Liberia.

Synthetic rubber has limited the imports of the natural product, and natural rubber accounted for only about one-fourth of total rubber used in the United States in 1962, compared with nearly two-fifths in the early fifties. The United States buys about one-sixth of world exports.

Imports of cocoa beans totaled 639 million pounds (131 million dollars). Seventy percent came from three countries—Ghana, the Republic of Ivory Coast, and Nigeria.

The United States buys about one-third of the world's bean imports. The United States also imports prepared chocolate and cocoa from the Netherlands, the Dominican Republic, and Switzerland.

Imports of carpet wool amounted to 181 million pounds, actual weight (89 million dollars). Most came from Argentina, New Zealand, and Pakistan. The fiber in carpet wool is shorter and coarser than that in apparel wool. Because of a greater use of manmade fibers, wool accounts for about half of the surface fiber content of carpets.

Bananas come mainly from Ecuador, Honduras, Costa Rica, and Panama. Imports totaled 77 million dollars in 1962, nearly one-half of the world's exports.

Imports of tea were 130 million pounds (60 million dollars), mostly from India, Ceylon, and Indonesia.

ALEX D. ANGELIDIS *became International Economist in the Trade Statistics and Analysis Branch, Development and Trade Analysis Division, Economic Research Service, in 1961. Previously, he was employed in the Foreign Agricultural Service and Office of Foreign Agricultural Relations, Department of Agriculture, and Bureau of the Census, Department of Commerce.*

Controls of Imports

by TERRENCE W. McCABE

THE UNITED STATES and most other countries have exercised control of imports to keep out animal and plant pests and diseases, weeds, and adulterated foodstuffs and to achieve other aims.

The first prohibition of imports of cattle was enacted in 1865. The authority, delegated to the Secretary of the Treasury, was seldom used. An epidemic of a contagious bovine pleuropneumonia of foreign origin in the United States in the 1880's led to the adoption by the Congress in 1884 of the first Federal animal quarantine law and granted the necessary authority to the Secretary of Agriculture.

The Federal Plant Quarantine Act of 1912 was the basis of the protective system against the entry of plant pests from abroad. The Federal Plant Pest Act of 1947 strengthened the system.

The Agricultural Research Service of the Department of Agriculture is responsible for the quarantine work. About a hundred persons—veterinarians and trained nonprofessional inspectors—have been engaged in the animal quarantine work. About 400 inspectors are required to administer the plant quarantine. The solicited cooperation of American travelers overseas has been of great help to them.

To KEEP OUT foreign pests and diseases, the Department of Agriculture has long required a permit to import most kinds of animals, nursery stock, most kinds of fruit and vegetables and other plant products, animals for fairs and zoos, materials or plant pests for research and museums, animal biologicals for veterinary and medical use or research, and foreign soil for research or any other use.

Weed control is exercised under the Federal Seed Act of 1939, as amended. The Bureau of Customs assists the Department of Agriculture in the administration of the act by collecting samples of each seed importation.

Investigations and activities of the former Bureau of Chemistry of the Department of Agriculture brought to light a flood of adulterated and fraudulent foodstuffs and led to the enactment of the Food and Drug Act of 1906. Enforcement of the act was vested in the Bureau of Chemistry until the Food, Drug, and Insecticide Administration was established in 1927 as a separate unit in the Department. It was redesignated the Food and Drug Administration in 1930 and was transferred in 1940 to the Federal Security Agency, which in 1953 became the Department of Health, Education, and Welfare.

A more inclusive act, the Federal Food, Drug, and Cosmetic Act, was enacted in 1938. One of its purposes was to prevent the importation of adulterated, misbranded, poisonous, and deleterious foods. Section 801 required that the Bureau of Customs of the Treasury Department submit to the Food and Drug Administration samples of foods that were being imported or offered for importation. The Tea Importation Act also is administered by the Food and Drug Administration.

The importation of fluid milk and cream was regulated in the Federal Import Milk Act. This act, administered by the Food and Drug Administration, required that imported milk and cream must come from healthy cows that have had a physical examination each year, have passed a tuberculin test applied by a duly authorized official veterinarian of the United States, and the milk must have been processed under sanitary conditions in dairy farm and plant. The Food and Drug Administration may not issue import permits under this act unless all these conditions have been fulfilled.

ALL COUNTRIES maintain varying degrees of controls of imports through quotas, import licensing, import fees, or surtaxes. The nontariff control of agricultural imports in the United States was authorized by section 22 of the Agricultural Adjustment Act, as amended.

The collapse of farm prices in the United States in the postwar period of 1920–1921 brought a continuing demand for Government legislation for relief and assistance to agriculture. Import restrictions were proposed in legislation on equalization fees and export debenture plans. The bills were not enacted, but in 1921 the Congress passed the Emergency Tariff Act of 1921 to "make the tariff effective for agriculture" by increasing considerably the duties on agricultural items in the Underwood tariff.

In the meantime, the Congress was writing the Fordney-McCumber tariff bill, which became law in 1922 and incorporated general increases in agricultural duties.

Hearings were begun in the spring of 1929 on the Smoot-Hawley Tariff Act. Originally, additional protection was sought only for agriculture, which had not shared in the prosperity of the late twenties. Since the Smoot-Hawley tariff schedule approved in 1930 carried many specific duties, as distinguished from ad valorem, the fall in prices after 1930 was a leverage factor for further controls on agricultural imports.

FARM PRICES reached new lows in 1933, and the Congress quickly passed the Agricultural Adjustment Act. The act sought to raise agricultural prices and to increase farm purchasing power through control of acreage, voluntary marketing agreements, and the licensing of processors and handlers in order to eliminate unfair trade practices and charges, levy such processor's taxes, and use such taxes in appropriate funds for the expansion of markets and the removal of agricultural surpluses.

There was no specific mention of import controls in the Agricultural Adjustment Act, but the broad powers granted to the Secretary of Agriculture did allow him to exercise some authority on imports. One method was through the imposition of the compensatory taxes on imported articles that were processed or manufactured wholly or in chief value from a commodity on which a domestic processing tax was in effect. The purpose of the tax was to maintain the previously competitive relationship between domestic and imported articles. The import compensation tax receipts of 540 thousand dollars in 1933 were less than 1 percent of the total of the processing taxes collected.

The Secretary of Agriculture could also control imports through the broad powers granted him in making marketing agreements. During the first 2 years of the act, however, provisions for import control were included in only one agreement. Drawn up at the time of the repeal of the Volstead Act, it provided for the institution of import quotas on wine and liquors at the average annual level during the 5 years before the First World War. The quotas were found to be unnecessary, however.

The sugar program authorized by the Jones-Costigan Act of 1934 was the first adjustment program applied to a product that was heavily imported. The act provided a framework for setting up a system of quotas for both domestic areas and foreign countries. Quota provisions under later sugar laws were not much different from those established by the Secretary of Agriculture under the Jones-Costigan Act.

Acreage reduction was augmented by severe drought conditions in 1934, and large drops occurred in crops in 1934–1935, particularly feed and cereal grains. Their prices rose to the top of the high tariff wall and stimulated large increases in imports.

The Congress recognized that some import control feature would be required, because, as noted by the House Committee on Agriculture in Report No. 1241 of June 15, 1935, "Efforts to restore agricultural prices in this country will not be wholly successful if competitive foreign imported articles are allowed to take the domestic market away from the domestic products."

THE FIRST LEGISLATION for the general regulation of agricultural imports was enacted as section 22 of the amended Agricultural Adjustment Act of 1935. It has been amended several times and was revised in its entirety by section 3 of the Agricultural Act of 1948 and again by section 3 of the Agricultural Act of 1950. It was further amended by sections 8(b) and 104 of the Trade Agreement Extension Acts of 1951 and 1953, respectively. These amendments stipulated that no trade agreement or other international agreement entered into by the United States may be applied in a manner inconsistent with the requirements of section 22 and provided for emergency procedures.

The amended section 22 directed the Secretary of Agriculture to advise the President whenever he has reason to believe that any article or articles are being imported under such conditions and in such amounts so as to render or tend to render ineffective or materially interfere with any price support or other program, relating to agricultural commodities, undertaken by the Department of Agriculture, or to reduce substantially the amount of any product processed in the United States from any agricultural commodity or product thereof with respect to which any such program or operation is being undertaken.

If the President agrees there is a reason for such belief, he directs the Tariff Commission to conduct an investigation, including a public hearing, and to submit a report to him of its findings and recommendations. The President is authorized, on the basis of such findings, to impose quotas or such fees in addition to the basic duty as he shall determine necessary.

The additional fees may not exceed 50 percent ad valorem and the quotas proclaimed may not be less than 50 percent of the quantity imported during a previous representative period, as determined by the President. Furthermore, the President may designate the affected article or articles by physical qualities, value, use, or upon such other basis as he shall determine.

Whenever the Secretary of Agriculture reports to the President that a condition exists requiring emergency treatment, the President may take action without awaiting the report of the Tariff Commission. Any such action by the President shall continue in effect pending the report and recommendations of the Tariff Commission and action thereon by the President.

The first action under section 22 was taken on July 26, 1939, when the President requested a review of the material interference of cotton imports with the domestic cotton program.

Presidential Proclamation No. 2351 of September 5, 1939, contained the acceptance by the President of the recommendation of the Tariff Commission for the establishment of an annual quota to be allocated by country of origin, of 14,516,882 pounds for imports of cotton having a staple length of less than 1⅛ inches (other than harsh or rough cotton of less than three-fourths inch in staple length and chiefly used in the manufacture of blankets and blanketing, and other than linters); of 45,656,420 pounds for imports of cotton having a staple length of 1⅛ inches to, but not including, 1¹¹⁄₁₆ inches; and of 5,482,509 pounds for imports of cotton card strips made from cotton having a staple length of less than 1³⁄₁₆ inches, comber waste, lap waste, sliver waste, and roving waste, whether or not manufactured or advanced in value.

Quotas on wheat and wheat flour were established by Presidential Proclamation No. 2489 of May 8, 1941. The proclamation established country quotas totaling 800 thousand bushels on imports of wheat and 4 million pounds of wheat flour, semolina, and other wheat products.

DURING the Second World War, the matter of import controls became a part of the solution to the larger problem of the supply and allocation of food and fiber among the Allies. With wartime food and fiber shortages, the controls were not to protect domestic production, but rather to assist in the planning of maximum use of limited Allied shipping.

Under the authority of the Second War Powers Act, the import controls were maintained, through War Food Order No. 63, during the Second World War and the early postwar period for a large number of agricultural commodities.

Authority for import controls was later extended under Public Law 155 until July 1, 1950. It was further extended through June 30, 1951, by Public Law 590. With the expiration of Public Law 590, import controls on agricultural products were continued by Defense Food Order No. 3, issued on June 29, 1951, under the authority of section 104 of the Defense Production Act of 1950.

Except for supplementary action that modified the cotton quotas, only one action was instituted under section 22 while Food Orders No. 63 and 3 were in effect. This action on edible tree nuts, under Presidential Proclamation 2955 of December 10, 1951, established a fee of 10 cents a pound (but not more than 50 percent ad valorem) on imports of shelled and blanched almonds in excess of 4.5 million pounds.

With the imminent expiration of section 104 of the Defense Production Act, the President accepted the Tariff Commission's report of June 8, 1953, and issued Presidential Proclamation

No. 3019, effective July 1, 1953. The proclamation transferred import controls in effect immediately before that date under section 104, except for butter oil, which had not been offered for entry since 1942, to section 22 authority.

Country quotas on an annual basis were instituted under the order for butter, 707 thousand pounds; dried whole milk, 7 thousand pounds; dried buttermilk, 496 thousand pounds; dried cream, 500 pounds; dried skimmed milk, 1,807,000 pounds; malted milk and compounds or mixtures of or substitutes for milk or cream (the aggregate quantity), 6 thousand pounds; Cheddar cheese, and cheese and substitutes for cheese containing or processed from Cheddar cheese (the aggregate quantity), 2,780,000 pounds; Edam and Gouda cheese (aggregate quantity), 4,600,200 pounds; Blue-mold (except Stilton) cheese, and cheese and substitutes for cheese containing, or processed from, Blue-mold cheese (aggregate quantity), 4,167,000 pounds; and Italian-type cheese made from cow's milk, in original loaves, 9,200,100 pounds.

A global quota was placed on peanuts of 1,709,000 pounds, shelled basis, annually and a fee of 25 percent ad valorem was added to imports of peanut oil in excess of 80 million pounds annually. Flaxseed and linseed oil imports had levied against them a 50-percent ad valorem fee.

Twenty-five primary investigations had been conducted by the Tariff Commission under section 22 by 1964. Besides the quotas on cotton, wheat, tree nuts, certain dairy products, flaxseed and linseed oil, and peanut oil, section 22 quotas or fees have been placed and subsequently removed on shelled filberts, tung nuts, tung oil, rye, rye flour and meal, hulled or unhulled barley, hulled or unhulled oats, and unhulled ground oats.

SEVERAL section 22 import controls were in effect in 1964.

They were: Those placed on cotton and cotton products on September 5, 1939, with the modification that the country quota on long-staple cotton was modified to a global quota basis. The quotas on harsh or rough cotton less than three-fourths inch and card strips made from cotton of 1 3/16 inches or more in length have been removed;

the quotas on wheat and wheat flour established May 1941, except ex-quota importations of certified or registered seed wheat and wheat and wheat flour for experimental purposes in small quantities made without clearance and in larger quantities with the written approval of the Secretary of Agriculture or his representative;

the quotas on specified dairy products established on July 1, 1953, except that the quota on Edam and Gouda cheese was raised to 9,200,400 pounds, Italian-type cow's milk cheese to 11,500,100 pounds, and Blue-mold cheese 5,016,999 pounds annually. Further global imports of 1.2 million pounds of butter oil are now allowed annually, but all other articles, except those under quota (containing 45 percent or more butterfat), are embargoed;

and the control on peanuts, whether shelled or unshelled, of July 1, 1953.

OTHER INSTRUMENTS may be used.

Section 7 of the Trade Agreement Extension Act of 1951, replaced by section 351 of the Trade Expansion Act of 1962, provided for the readjustment of a negotiated duty or an imposition of a fee at no more than 50 percent ad valorem where no duty exists where it is found that items entered under the lowered negotiated duty are presumably causing injury to agriculture or industry.

The Trade Expansion Act also provided under section 252 for the establishment of import restrictions whenever unjustifiable foreign import restrictions impair the value of tariff commitments made to the United States, oppress the commerce of the United States, or prevent the expansion of trade on a mutually advantageous basis.

The Agricultural Act of 1956 provided in section 204 for import limitation on agricultural products through negotiation with exporting countries. The President was given authority in a 1962 amendment to control imports from countries which were not parties to any agreements.

The Tariff Act of 1930 itself provided under section 337 for the exclusion from entry whenever the existence of an unfair trade practice has been established. Section 303 of the Tariff Act provided for the levying of countervailing duties when it has been found that any subsidy has been granted directly or indirectly upon the manufacture or production or export of an article being imported.

The Antidumping Act of 1921, as amended, provided for the levying of antidumping duties whenever it has been determined by the Tariff Commission that the class or kind of foreign merchandise is being or likely to be sold in the United States at less than its fair value.

In October 1963, a form of import control was provided through voluntary limitation by Australia, Ireland, and New Zealand on their exports to the United States of certain nonquota dairy products in 1964. The products, the imports of which were limited, were Colby cheese, fluid cream, and Junex, a 44-percent butterfat and 56-percent sugar product. In acknowledging these arrangements, the Secretary of Agriculture noted that if imports from all sources substantially exceeded the shipments of these three major suppliers, the United States would have to proceed to section 22 action.

This 1963 arrangement was the model later used in 1964 to control imports of meat products.

TERRENCE W. McCABE *became Chief of the Foreign Agricultural Service's Import Branch, which is concerned with the control of imports of agricultural products, in 1962. His career with the Department of Agriculture began in 1937, when he joined the Crop Reporting Service.*

The Trade Expansion Act

by IRWIN R. HEDGES

THE TRADE EXPANSION Act of 1962 gave the President authority to enter into trade agreements until June 30, 1967—a period of 5 years.

The heart of the act was section 201, which granted the President the authority to reduce the rate of duties existing on July 1, 1962, by not more than 50 percent. Based on 1961 imports, the value of agricultural imports subject to the 50-percent rule was about 1 billion dollars.

Under certain conditions, the President was authorized to go beyond a 50-percent reduction and eliminate duties entirely.

Section 202 gave him authority to do so on any article for which the duty existing on July 1, 1962, was 5 percent or less. Based on the value of agricultural imports for 1961, goods worth about 309 million dollars, or 651 million dollars including certain forest and naval stores, were imported at a duty of 5 percent or less.

Section 211 pertained to any article in which the United States and the European Economic Community together accounted for 80 percent or more of the free world exports. Agricultural products were specifically excluded from this provision, however.

In the trade agreements with the European Economic Community on agricultural items, the President under section 212 was given authority to eliminate the duty if he determined that such action would tend to maintain or expand United States exports of like items.

Under section 213, duties could be eliminated entirely on tropical, agricultural, and forestry commodities if more than half of the world production was between 20° north latitude and 20° south latitude, if they were not produced in the United States in significant quantities, and if the European Economic Community made a commitment on a substantially nondiscriminatory basis with respect to import treatment of the commodity that was likely to assure access to its markets comparable to our market.

The value of United States imports in 1961 of products subject to this provision amounted to 167 million dollars.

With the exception of the tropical, agricultural, and forestry products provision, in general, all tariff concessions granted had to be staged in five annual installments.

Section 225 provided for the reservation of certain items from negotiations: Those included in proclamations under the national security provision; those included in proclamations under the escape clause provision and in cases under the escape clause provision where the Tariff Commission by majority vote found injury or threat of injury from imports; and those included in the proclamation of the President's authority to negotiate international agreements limiting the exports from foreign countries and our imports.

Section 252 of the act was also of special interest to agricultural trade. It directed the President to do everything feasible within his power to obtain the removal of unjustifiable foreign import restrictions that impair the value of tariff commitments made to the United States, oppress the commerce of the United States or prevent the expansion of mutually beneficial trade; to refrain from negotiating further concessions in order to obtain the reduction or elimination

of such restrictions; and to the extent deemed necessary impose duties or other import restrictions on the imports from any country that imposed such unjustifiable restrictions against United States agricultural products.

The act did not change basically the procedure required before the President can enter into a trade agreement.

The act called for the President to publish a list of items that were being considered for tariff reductions. The list had to specify the pertinent statutory authority if more than a 50-percent reduction were offered.

Under the act, the Tariff Commission was required to make a study of and hold public hearings on the items appearing on the list. The Commission was required to make findings known to the President as to the probable effects of the proposed offers on the domestic producers.

The President was required to seek advice from the various departments of the Government with respect to the proposed trade agreement. The act also required the President to have public hearings by an agency or interagency committee concerning any proposed trade agreements.

The act provided for the appointment by the President of a Special Representative for Trade Negotiations to exercise direction over the negotiations and other activities authorized under the act. In effect, this created an officer, reporting directly to the President at Cabinet level, to be in charge of the negotiations. Formerly this function was assigned to the Department of State.

THE ACT was the most important piece of trade legislation since the passage of the original Reciprocal Trade Agreements Act of 1934.

That act, passed in 1934, threw back the tide of protectionism that reached its high water mark with the passage of the Smoot-Hawley Tariff Act of 1930 and committed the United States to a policy of trade liberalization. Under the authorities of the original Reciprocal Trade Agreements Act and successive amendments, United States tariffs were significantly reduced.

The principle of most-favored-nation treatment provided for in this act has been incorporated in all agreements negotiated under the General Agreement on Tariffs and Trade. This principle requires that any tariff reduction negotiated bilaterally with any one country automatically is extended to all other friendly countries. In practice, it has multiplied manyfold the benefits of the tariff reductions that have been negotiated.

Since 1947 the United States negotiations, utilizing the authorities of the Reciprocal Trade Agreements Act, have been carried out within the framework of the General Agreement on Tariffs and Trade (GATT), an international organization established to work out rules of international trade and to police trade agreements.

The fifth round of tariff negotiations conducted under the auspices of the GATT, which was concluded in March 1962, was primarily with the European Economic Community (EEC). The purpose was to substitute the tariff bindings, which the six individual member countries of the EEC had with other countries, for one common external tariff (CXT) on imports from all non-EEC countries.

In the course of the negotiations, the European Economic Community offered to make a general across-the-board cut of 20 percent in individual tariffs in exchange for a similar cut by other countries.

The United States, under its legislation, could negotiate only on an item-by-item basis and hence could not accept this offer. It was partly in response to this situation that President Kennedy sought and obtained from the Congress the broad tariff-cutting authorities contained in the Trade Expansion Act of 1962.

The Congress, in enacting the Trade Expansion Act of 1962, and the executive branch of the Government subsequently made it clear that the negotiations had to include trade in agricultural products. In part, this reflected a feeling that the GATT negotiations in the past had not adequately dealt with agricultural trade.

The GATT negotiations before 1964 for the most part had focused on reductions in barriers maintained at the frontiers and hence had largely been concerned with tariffs. In agriculture, tariffs maintained against imports were frequently not the most significant factor restricting trade. Virtually all major trading nations had domestic farm programs that interfered with the free movement of goods internationally.

These programs were basically the agricultural counterpart of minimum wage laws, social security, labor legislation, postal and transport subsidies, and a host of other types of special-interest legislation. In addition, agricultural programs were frequently inspired by reasons of national security and the desire for social and political reasons to maintain a strong and independent farm population.

For whatever reasons they had developed, the existence of national agricultural programs seriously compromised the willingness of most nations to negotiate agricultural trade liberalization. By one means or another, ways had been devised to exempt from the rules of the GATT measures considered essential for the carrying out of national agricultural policies.

The United States was no exception, although it had followed a relatively liberal policy toward competing agricultural imports. Most competitive imports entered the United States over moderate fixed duties and no other barriers.

The United States did seek and obtain from the GATT a waiver of section 22 of the Agricultural Adjustment Act of 1933. This section directs the Secretary of Agriculture to recommend to the President the establishment of quotas on imports if he has reason to believe that imports are interfering or threaten to interfere with the operation of domestic price support or production control programs. The waiver granted the United States simply provides GATT authorization in advance for invoking section 22 whenever required.

IN ACTUAL PRACTICE, the United States has received little advantage from its special waiver.

Article XI of the GATT permits any GATT member to impose restrictions on imports when necessary to the enforcement of governmental measures restricting domestic production or marketing of the like article. Only imports of cotton, wheat, peanuts, and certain dairy products were subject to section 22 restrictions in 1964. Of these, only dairy products were not subject to production and marketing restrictions and hence very likely could not be justified under article XI.

In practice, also, it has been customary for the GATT to approve members' requests to impose import restrictions under special circumstances such as to make effective domestic price-support programs.

Throughout Western Europe following the Second World War, agricultural protectionism gained ascendancy as an aftermath of the food shortages and privations suffered during the war. The United Kingdom, by means of a deficiency-payments program that guaranteed her farmers returns far above prices of competing imports, substantially increased domestic production at the expense of imports. She decreased the proportion imports represent of total consumption from 1939–1940 to 1961 as follows: Wheat from 77 percent to 62 percent; feed grain from 59 percent to 40 percent; meat from 52 percent to 36 percent.

The emerging Common Agricultural Policy (CAP) of the EEC loomed as the greatest obstacle to progress in liberalizing agricultural trade. In the last round of GATT negotiations, the European Economic Community refused to offer fixed tariff bindings on most agricultural imports that competed with its own domestic produc-

tion. The products affected included wheat, feed grain, rice, poultry, meats, and dairy products. Instead, it was announced that these products would be subjected to a system of variable levies and minimum import prices to be set later.

The variable levy system of the EEC, like the British system of deficiency payments, guaranteed its own producers an opportunity to supply the domestic market up to 100 percent of its requirements. The levy was simply the difference between the offering price on imports at the frontier and the domestic support or target price.

If prices at which imports were offered fell, the variable levy increased; the more efficient exporter could not improve his access to the EEC market by lowering his prices. This was in marked contrast to the situation in which a fixed duty was the sole or main protection against imports.

When fixed duties are the form of protection used, the efficient exporter can freely compete with domestic producers in supplying the market after paying the import duty.

THE POSTWAR TREND toward greater agricultural protectionism must be halted and reversed if we are to have more liberal international trade rules for agricultural products.

The negotiations that take place under the Trade Expansion Act, to have significance for trade in agricultural products, will have to deal with features of domestic agricultural policies, such as variable levies, deficiency payments, and price supports, that affect international prices and the quantity of products that move in world trade.

That would represent a new approach to trade negotiations, as was pointed out by Sicco Mansholt, Vice President of the Commission of the EEC at the GATT Ministers Meeting in Geneva in May 1963.

National agricultural policies, he said, are decisive for world trade, and the negotiations must deal with the critical elements of those policies.

Dr. Mansholt made it clear that in his judgment all participants, both importing and exporting nations, must be willing to include critical elements of domestic agricultural policies in the negotiations. The United States indicated it was willing to do so on a reciprocal basis.

The attitude of other industrialized countries toward the inclusion of critical elements of domestic agricultural policies in the negotiations will be crucial.

The European Economic Community, the United Kingdom, Canada, and Japan account for nearly 75 percent of United States commercial exports. If the other countries of western Europe are included, the percentage rises to almost 85 percent.

In industrialized countries, it is a fact that agricultural production under the influence of technology and scientific advancement is tending to increase more rapidly than consumption.

Where farm returns are maintained at artificially high levels, this is dramatically so—as indicated in the statistics on imports and production for the United Kingdom I cited. Japan is perhaps an exception, since her agricultural resources are meager in relation to her population and economy. Japanese demand for agricultural raw materials, and hence imports, may continue to increase.

We already have a very favorable trade in agricultural products with Canada. This is not expected to change significantly. The agricultural phase of the negotiations under the new Trade Expansion Act will focus on western Europe. Primarily that means the European Economic Community and the United Kingdom. In each instance, positive results will depend on the extent to which limits can be negotiated on the trade restrictive effects of domestic policies. With respect to the United Kingdom, that would involve limitations on the British system of deficiency payments; with respect to the European Economic Community, it would involve limita-

tions on the trade restrictive effects of variable levies and minimum import prices.

Under the variable levy system of the European Economic Community, the most crucial element of interest to exporting nations is the level of internal prices, since the variable levy is simply the difference between prices of imported goods at the frontier and the level of prices maintained on the domestic market. The higher domestic price levels, the higher the variable levies on imports, assuming no change in world prices. Efforts to negotiate maximums in variable levies, to be meaningful to exporting nations, must therefore focus on internal prices.

Under the CAP regulations of the EEC, the level of grain prices is crucial. Not only are grains the most significant commodity group, from a trade standpoint; the level of grain prices likewise affects directly the prices of all meats, dairy and poultry products, and hence the import levies on these products as well. This results from the fact that the largest single element in the levies on livestock and poultry products is likely to be a feed equalization fee, representing the difference in cost between EEC domestic and world prices of the quantity of feed required to produce a unit of livestock or poultry products. This is the procedure that has been adopted for the poultry regulation, and the same principle likely will be applied to the meat and dairy regulations.

Recognizing the difficulties inherent in negotiating rules of trade in major agricultural commodities and the inadequacy of conventional tariff bindings as a mechanism for this purpose, the GATT ministers at their meeting in May 1963 directed that special groups be established for the cereals, meats, and dairy products so as to develop international commodity arrangements for these products.

The United States first took the position that to the maximum extent possible agricultural products should be subject to the across-the-board linear reduction formula adopted. The Trade Expansion Act permits the United States to negotiate reductions in tariffs up to 50 percent, and the policy is to use this authority to the maximum. The United States has indicated a willingness, however, to cooperate in working out the rules of trade for cereals, meats, and dairy products in special groups.

The success of these groups in executing their task may well influence the outcome of the entire negotiations under the Trade Expansion Act.

The United States has said that it cannot conclude another round of trade negotiations unless its major agricultural commodities moving into export markets are included in a meaningful way.

Countries that depend heavily on agricultural products for their export earnings, such as Australia, New Zealand, Argentina, and Canada, likewise would have difficulty in participating in a general round of tariff negotiations, unless they were assured improved outlets for their agricultural exports.

As a minimum, the United States and other agricultural exporting nations will be seeking maintenance of access to major commercial markets comparable to that which existed in a recent representative period of years. If this is not attainable, it is difficult to see how the hopes for an era of more liberal and expanding international trade generated by the passage of the Trade Expansion Act can be realized.

With imagination and ingenuity, it should be possible to reconcile the legitimate objectives of national agricultural policies with the equally desirable objectives of freer trade. The United States intends to use the powers the Congress has provided under the Trade Expansion Act of 1962 to that end.

IRWIN R. HEDGES *is agricultural trade specialist in the Office of the Special Representative for Trade Negotiations, Executive Office of the President.*

The Requirements of Buyers

by JAMES O. HOWARD

WHETHER THEY are selling corn to consumers in England, cotton to spinners in Japan, or soybean oil to processors in Spain, American exporters must know the requirements of their customers. What works in the United States may not work in London, Hong Kong, or Accra. In some markets, it may be a matter of education. In others, it may be necessary to change the product.

The American food production and processing industry starts out with certain advantages in selling overseas. It is among the world's largest and has many years of experience in meeting the various needs of American consumers. Our well-developed canning industry has some excellent controls for flavor, color, sanitation, uniformity of pack, and packaging. Our system for marketing bulk commodities enables us to move products like grain and cotton over long distances at far less cost than most competing countries. Our large stocks, variety of types, and dependable sources of supply give us an important advantage over many countries. Our sanitary regulations and standards enhance the export of our agricultural products. Our market research, market testing, and market promotion have been watched with considerable interest overseas.

With all these advantages, one may well wonder that there should be any problems. But there are. Even with agricultural exports of 5 billion dollars and more a year, five-sixths of our agricultural market is still here at home. Much of the thinking in the trade thus is pointed toward the domestic market. Some firms have been unwilling to take on the additional problems of selling overseas. Others have looked at foreign markets as a place to sell the supplies they could not market in the United States.

Domestic buyers, being closer to the production areas and better informed about them, sometimes acquire the choicest qualities and leave to foreign buyers the less desirable ones, although in some of the more specialized exporting countries the best often is reserved for export and the balance is retained for consumption at home.

Part of this lack of proper respect for the needs of foreign customers is the result of the food shortages of the Second World War and the years that followed, when an American exporter could easily sell almost anything.

After the Korean conflict, our competition from some other countries has grown measurably keener each year.

The United States agricultural industry has been adjusting itself to this realization. The program to develop foreign markets for agricultural products is part of that reaction.

A NECESSARY PRELIMINARY step for exporters of agricultural products is to develop a marketing plan.

A food processor thinking of entering the foreign market may employ a firm to take over the entire job.

Another establishment may want to handle its own exporting. It would need to become familiar with the needs of its potential customers before making any marketing plans. It would need to know where to start and how to proceed in that market. Only after an exporter has become familiar with all the problems and possible avenues of approach will he be ready to engage in a full-fledged selling operation.

After determining the market, re-

search—a thorough investigation—will show what changes to make in the product and its merchandising.

The importance of such research was emphasized in an article by Albert Stridsberg in Advertising Age. He stated that the rate of failures of new products of United States companies in Europe is high and includes little-known companies as well as substantial numbers of our largest advertisers.

Even a small country may have diverse marketing situations. It is not enough to test only the major market in a foreign country. Belgium, for example, is not just one market. It has three distinct areas: Flanders, the Brussels-Antwerp metropolitan axis, and the Walloon sections of southern Belgium.

TASTES, HABITS, AND PREJUDICES in food and clothing differ from country to country.

Consumers in Thailand, for example, favor highly spiced foods and, like consumers everywhere, generally are suspicious of foods they do not know. Orange must not be used on a package because the color is associated with the saffron robes of Buddhist priests. White stands for mourning in some countries, as black does in this country. In others, purple is reserved for royalty.

Customs and tastes may be deep rooted. For example, the Boston market prefers and gets eggs with brown shells. People in New York City insist on white eggs. Italians prefer a yellow-pigmented chicken, believing that the yellow denotes fat and a more healthful product. Consumers in the Netherlands prefer a white-fleshed bird. The color of the poultry is due largely to the feed the birds get. Flint corn, such as that from Argentina, produces a yellower bird than does dent corn from the United States.

United States exporters of feed grain meet the Italians' preference for yellow-pigmented birds in several ways. They encourage Italians to use dehydrated alfalfa meal in mixed feeds to give an extra yellow to the birds.

American poultry breeders have begun to breed birds that tend to have more yellow pigment regardless of the feeds. At the same time, Italian consumers are advised that white-pigmented birds are as healthy as the yellow ones. For the Netherlands and some other European countries, United States poultry breeders have been attempting to breed white-fleshed birds.

I give another example: Right after the Second World War, the United States sent an emergency relief shipment of rice to a country in the Far East. It was a glutinous rice, a type that normally is unacceptable to the people of that country. They were hungry and ate the rice, but the experience has been remembered and has made it more difficult for American rice to move to that country. Similarly, Germans during the war ate a meat substitute made of soybeans. The product was nourishing, but was so alien to German tastes that it left a prejudice in the German mind against anything made of soybeans.

LABELING REQUIREMENTS and weights and measures also differ.

Pounds and pints mean little to people who think in terms of kilograms and liters. Continental Europe, much of Latin America, and several countries in Asia, including Japan, use the metric system.

England and Commonwealth countries use measures different from ours, although the names are the same. The English bushel is 3 percent larger than ours, and their gallon is 20 percent larger.

The Japanese insist that only the metric system be used. American exporters therefore have to print a special label or overprint the unit measurements in the metric system.

Some countries require that the label show the date canned goods were packed. In the United States, the date is stamped into the can.

Our laws permit the marking of the country of origin any place on the package as long as it is legible. France insists that it be embossed on the end of the can. That means additional expense and a separate group of cans.

In the Philippines, a private brand name has to be secondary to that of NAMARCO, the National Marketing Corporation in the Philippines.

Some of the differences are a matter of custom. American housewives measure dry ingredients and want recipes stated in tablespoons and cups. Many countries want the measures expressed in terms of dry ingredients, but insist that the recipes on the package be in terms of weights.

Brand names may mean different things in the different countries. One brand name, when translated into another language, turned out to be a vulgar word. One promoter used the flags of the world on its emblem and found that the products could not get into certain Arab countries, since the flag of Israel was included.

PACKAGING, package size, and adaptation to climate are important. As one voice of experience put it, "One of the tremendous mistakes being made is the assumption that because your package has been successful here it will be successful overseas."

Crackers and cookies packed in the typical American paper envelopes and pasteboard boxes would soon become soggy in the high humidity of the Tropics. Once I saw crackers being vacuum sealed in tin boxes in the Philippines. The cost of the packaging was probably several times more than the value of the crackers, but the additional expense was considered necessary in that country.

The exporter of canned food faces such packaging questions as size and fill of containers and damage to cans. In one country, 22 sizes of cans of fruit were being imported from several competing countries. Some of the sizes varied little from those common in that country. Some varied a great deal. Pity the poor foreign consumer who tries to shop and compare values, particularly if the volume of the contents is stated in many different ways!

Dented cans are a problem for importers. In a Department of Agriculture study, *Fresh Fruits on the London Market*, by H. L. Harrington, the author concluded: "The matter of dents came up almost every time canned foods were discussed. The survey team was shown numerous piles of dented cans which were discarded and other lots which were for sale at salvage prices. . . . It was suggested repeatedly that the use of lighter gauge steel in can-making was the principal cause. Others blamed poor case or can design. . . . One consoling factor was that [cans from] the United States compared favorably with other countries."

Some years ago the United States was losing a valuable market for high-quality eggs in Venezuela. Breakage was a special problem, and the eggs were not arriving in the condition required. Men from industry and the Government designed a special export container, which solved the breakage problem. Although the market later was lost when Venezuela began to produce its own eggs, the same type of containers has been used to ship eggs from the United States to the Congo.

American exporters are trying to cut down breakage and bruises to food packaged in fiber containers by reducing the number of times the containers are handled. The piggyback refrigerated trailer system, designed for domestic truck and train combination hauls, is being used between ship and truck. Citrus fruit has been loaded into such trailers in Lakeland, Fla., trucked to Jacksonville, shipped by boat to the west coast of France, and trucked across Europe to the warehouse of a grocery chain in Switzerland. Poultry is moved in the same way to Caribbean markets. Tropical fruit is shipped in the refrigerated trailers on the return.

The sizes of packages and products must be considered carefully. Our cake mixes make bigger cakes than consumers in some countries want. Many of our choice turkeys are too large for European ovens. An Italian importer of American poultry found that our broilers were not selling well. On investigation he discovered the reason: The birds weighed more than 2.5 pounds. The Italian restaurants served poultry in half-chicken or quarter-chicken portions. Since the Italian Government did not permit them to raise the price of their meals, they needed fully matured birds of about 2 pounds that could produce some profit.

FOOD HEALTH LAWS of foreign countries create problems. They differ from country to country.

Since the war, interest overseas in legislation as to pure food has increased, especially in the use of additives to food and feed and preharvest and postharvest chemical treatments. West Germany and other Common Market countries have adopted a number of laws pertaining to food. When foreign laws differ from those of the United States, the American exporter has a problem.

Some examples of the effect of regulations on trade:

Fresh citrus fruit, treated with decay-inhibiting chemicals and waxes that are acceptable in the United States, must be labeled at retail in Germany to indicate that the peel should not be eaten. The requirement tends to create an unfavorable reaction to the fruit, but actually the consumer's health is not endangered. German scientists generally admit this, but efforts to change the law have been slow.

Citrus Red No. 2, a harmless dye approved by the United States Food and Drug Administration, has not been approved for use in any European country except Sweden. Early Florida oranges therefore are not admitted in most of western Europe. The dye is used on the skin of certain Florida oranges that do not have the bright orange color many consumers expect.

France promulgated a directive barring imports of poultry from countries that use certain growth factors in the feed, apparently in the belief that the chemicals make the poultry unfit for human consumption.

West Germany and several other countries prohibit the use of bleaching, maturing, and oxidizing agents in the milling of flour. The substances are required in the United States to obtain the proper baking qualities. Hard winter wheat, of which the United States is a major supplier, requires this treatment more than hard spring wheat. Our hard winter wheat therefore is at a competitive disadvantage in some countries.

The European Economic Community, which takes more than 30 percent of the total dollar exports of United States agricultural items, has undertaken to unify food regulations of member countries. The major areas of work are food additives, wine, meat and meat preparations, eggs, and various types of seeds. United States exporters are anxious to see EEC regulations written that are not in conflict with United States regulations and will not put United States firms at a competitive disadvantage in EEC.

UNIVERSALLY ACCEPTED international standards would eliminate many of the difficulties caused by conflicting food laws and regulations.

Some help in that end may come from a joint program of food standards of the Food and Agriculture Organization and the World Health Organization, with which the United States is actively cooperating. These organizations have set up a Food Code Commission (Codex Alimentarius Commission), whose purpose is to simplify and harmonize food standards.

The Commission has established committees of experts to coordinate and supplement the work of other bodies in this field. Draft standards developed in this way and approved by the governments are published in a consolidated international code. The ambitious project covers a large number of food products, many types of processing for which standards must be developed, and such diverse subjects as food additives, pesticides and residues, and labeling.

The United States Department of Agriculture meanwhile has taken steps to inform European scientists about our food laws. Several food scientists recommended by the National Academy of Sciences and similar bodies went to Europe in 1963 to discuss the problems with their foreign counterparts. A scientist of the Department is stationed in Europe to carry on this exchange of information on a continuing basis. European scientists visit the United States to consult with our scientists and see our inspection operations. Technical information on these subjects is sent regularly to technical and popular publications. American trade groups, which are cooperating with the Department in the development of oversea markets, have participated in these activities.

THE NEED for a common language of price quotations must be faced when a United States firm begins export selling. It finds that the foreign buyer normally does not pay with dollars, but with his own currency, and wants the price quoted in that currency.

Some American merchants prefer to quote in United States units rather than foreign measures. Others quote prices at the United States port, rather than adding the shipping and insurance and telling the importer what the goods will cost in his own country. Shippers who are serious about the export business generally make adjustments in these matters, however.

For bulk commodities and some processed foods there must be a grade, a basis for judging the quality of the merchandise. There are physical samples of some grades, like cotton, but most are only written descriptions. A foreign buyer who handles a wide range of our products may regard the nomenclature of our grades as a jungle.

The Agricultural Marketing Service of the Department of Agriculture has developed 365 grade standards for farm products. Some States have their own grades. The Federal grades are applied by Federal and licensed Federal-State inspectors, who issue Federal or Federal-State certificates, which are used in varying degrees.

Because of the wide variety of agricultural commodities for which grades have been developed and the variations in usage of grade terms in trading, it has not been feasible to establish uniform grade terminology. Thus, "U.S. No. 1" will be the top grade for one commodity and the second grade for another. The nomenclature runs through such terms as U.S. Grade A, Prime, 90 score, Middling, Fancy, Colossal, and Class I Flue Cured.

About 150 grades pertain to fresh fruit and vegetables, and an equal number to processed fruit and vegetables. No foreign importer deals with more than a small percentage of the commodities involved in these grades, but the problem still is complex.

Standards and related questions on quality of deliveries are being studied by the Department of Agriculture and trade associations.

United States standards are compared with foreign standards, tables of equivalents are prepared, and samples that accompany shipments to oversea destinations are examined periodically to determine whether any changes have occurred during transit under varying physical conditions.

The Food Code Commission is working on uniform standards. A number of Americans are members of its technical groups. The Organization for Economic Cooperation and Development has begun to coordinate its efforts to develop uniform grades with those of the Commission.

FOR GRAIN EXPORTS, United States Government standards are especially important, because practically all sales are made "U.S. Certificates Final"— that is, if the seller furnishes a Department of Agriculture certificate showing that the grade is for the quality specified in the contract, the buyer must accept it.

The United States standards for grades of wheat have been tightened as a means of increasing dollar sales of American wheat in oversea markets.

New standards, which became effective June 1, 1964, are based on smaller ranges of tolerance for grades. That means less dirt, foreign matter, and dockage in American wheat than in earlier years. Previous standards had too great a tolerance within grades to provide a reliable basis for judging soundness or cleanliness.

Foreign buyers attach considerable importance to the physical characteristics and grade tolerances for wheat, but they also want information on the baking quality and other performance qualities. A test for protein content was established some years ago on an optional or permissive basis for wheat exports. It is used to some extent to measure the quantity of protein, but because it does not allow for the wide variation in the quality of protein, a second test—the sedimentation test— was added in 1961 to measure this factor. Although less precise than some tests used in the domestic trade, it is quick and inexpensive and is being accepted as a useful measure.

Beginning with the 1962 crop, the sedimentation test was made part of the Government loan program. Farmers are thus paid partly on the basis of the baking quality of their wheat.

The Commodity Credit Corporation in 1963 launched an experimental program whereby 6 million bushels of wheat of known sedimentation and protein were segregated for sales to the trade.

In the program, the Commodity Credit Corporation took the risk of any deterioration of these factors in storage and stood ready to make the necessary guarantees when the wheat was loaded aboard ship. Officials have expressed the hope that the system, known as Identity Preserved (I.P.), would open new markets for the types of quality wheat the United States can supply.

QUALITY OF THE PRODUCT is an important and widely debated aspect of agricultural exporting.

Most American exporters guard jealously the reputation of their products in foreign markets. A study of canned and dried fruit in the London market by Department workers disclosed that our canned fruit was so highly regarded in that market before the war that it was used by British buyers as type samples of what they wanted from other countries.

Exporters agree generally that selling low-quality products abroad without clearly representing them for what they are is bad.

Speaking of the period immediately after the war, a specialist in European marketing noted that the "dumping" of substantial quantities of poor processed foods in Europe probably set back the introduction of modern convenience foods by 10 years.

The debate hinges around what to do with a product which is healthful but which some consider to be of low quality—wheat with a high percentage of broken kernels, dressed chicken with a wing missing, or the off-color apple, for instance.

The problem is acute in grain, of which we produce many varieties in many places of different climates and soil conditions. That and our system of grain handling give us many qualities.

An experienced American exporter of grain said: "We have qualities to fit every need and every pocketbook. Never make the mistake of being an apologist for United States quality or let anyone persuade you to talk about quality without talking about price, for they are inseparable."

There are others in the United States who believe that we should not allow low-quality products to be exported. They point to a country like Denmark, which has strict controls of quality on most exports of food. The word "Denmark" is displayed on labels along with the brand name. Their advertising slogan is: "It's good. It's from Denmark." Denmark also has done much to standardize its exports. Danish

poultry and ham are exported under a common brand. Other countries permit only one or two grades to enter foreign markets.

Such controls among our competitors frequently are exercised through governmental or quasi-governmental boards, which have power to regulate and promote exports. They have some advantages over private United States trade. Denmark has nine government boards for such commodities as butter, cheese, bacon, and poultry. Australia has seven.

The Deciduous Fruit Board of South Africa goes a step further. It selects a few British importers to handle all their exports of fruit to the United Kingdom. The importers agree to use resources of their own to promote the use of South African fruit.

The United States has had some experiences in mandatory export quality control. Special export grade requirements have been set up for apples, pears, and Emperor grapes under two specific Federal laws. The regulations prohibit exports of these fruits (with minor exceptions) that do not meet a specified grade. Emperor grapes must have a specified degree of ripeness. For apples and pears, factors of condition are not mandatory but have been written into "Condition Standards for Export," which may be specified in contracts by buyers.

As to products that receive further processing abroad, such as cotton, soybeans, and grain, the problems differ from consumer products, such as frozen poultry, canned goods, and fresh fruit. For most commodities, however, competition in quality has been increasing in foreign markets.

Selling abroad, then, is more complex than selling at home. In some aspects, notably food health laws, the complexity has been increasing.

On the other hand, American exporters have advantages in research, merchandising, quality control, and mass production and distribution developed in the domestic and foreign market.

IN DEPICTING the complexities of foreign marketing, I have described more complex situations than those of a firm that is interested in only one or two foreign markets. That firm may be able to solve all the exporting problems itself. When many markets are involved, however, and the problems seem beyond the scope of the exporting firm, help may be needed.

Combination export managers may be willing to take over the whole job. They handle a variety of products (hence the term "combination") and one or more of them may be represented in most port towns. They vary in size. A large one working in the Pacific area, for example, may have offices in a number of port cities of the countries being served and may work with importers in other cities.

Such a firm would study the products of a client and perhaps suggest a contract to undertake research in certain areas. Test selling may follow. If results are favorable, they may sign a contract with the exporter to become his foreign sales representative. Their charge is a percentage of the gross sales—perhaps 10 to 15 percent of gross sales, or more if they render unusual services, such as the hiring of extra employees to specialize in the firm's products and the development of advertising campaigns.

The United States Departments of Commerce and Agriculture have a wealth of materials for exporters—general background studies, lists of importers, and descriptions of import regulations. Steamship lines and American banks operating overseas have collected similar information and are willing to discuss export problems with customers. They handle details of shipping and international banking.

Overseas, American embassies, with their agricultural and commercial attachés, and representatives of American banks and shipping companies offer help with information and contacts. There are importers in most countries who may be interested in representing United States firms.

AT A WHITE HOUSE CONFERENCE on Export Expansion in 1963, a goal was set of bringing 10 thousand additional firms into the export business.

It is to be expected that most of the firms that respond will turn much of the work over to others. All, though, should approach the possibility of oversea trade with the intention of finding out what the foreign consumer wants and meeting or changing those wants.

If he runs into problems on which governmental help is needed, he should seek that help. For example, if Japanese buyers want soybeans for food products that have a low oil content and beans for oil with a high oil content, both needs should possibly be reflected in the breeding programs of our experiment stations.

If there are alternative systems of farm income supports and one system gives more opportunity to meeting foreign price competition than the other, perhaps this can be given more consideration in determining policy for the products that depend on exports.

It may be that research stations should be working on other aspects of foreign marketing, such as the processing and packaging of exports.

Even the setting of domestic freight rates is important, as was shown when reduced freight rates for wheat moving to the west coast enabled the United States to compete on more favorable terms with Canadian wheat in the Japanese market.

There are many problems in international trade, but they are not insurmountable. Many exporters already have found the answers, and success is possible for others who are ready to meet the needs of foreign buyers.

JAMES O. HOWARD *became Director of the Trade Projects Division of the Foreign Agricultural Service in 1958. He has particular responsibility for assisting in the coordinating of special programs to stimulate American agricultural exports. The programs are carried out in cooperation with 44 agricultural and trade groups. He joined the Department of Agriculture in 1939.*

Cooperative

Programs

by DAVID L. HUME

THAT EXPORTS of agricultural products
are a fourth of the value of all exports
of the United States is largely the
result of several programs that create,
maintain, and expand our market.

Most foreign programs in a broad
sense influence in some measure the
building of foreign markets for United
States agricultural products: Programs
for economic development, defense
assistance, banking and credit, donations of surplus foods and other commodities, educational exchange and
research, and other foreign activities.

Directly related to increasing agricultural exports are the programs of
the Department of Agriculture for
barter, sales based on the extension of
both short-term and long-term credit,
price assistance, and international
trade fairs and centers and exhibitions.

Most directly and specifically designed for building export markets for
American agricultural goods are the
foreign market development programs
of the Foreign Agricultural Service. In
them, individual projects are operated
for the purpose of developing and
maintaining commercial export markets for specific commodities.

The projects are carried out under
the authority and impetus of the Agricultural Trade Development and Assistance Act of 1954—Public Law 480.
Section 104(a) of the law provides for
the use of foreign currencies "to help

develop new markets for United States
agricultural commodities on a mutually benefiting basis."

Among other things, Public Law 480
(title I) provides for the sale of surplus
United States agricultural commodities for shipment to and consumption
in selected friendly countries.

Factors considered in qualifying
countries for title I sales are as follows:
The participating country's needs,
economic status, and foreign exchange
position; effect on dollar sales and
other export programs; effect on export markets of other supplying countries; the relationship of the program
to foreign aid programs and overall
foreign policies of the United States.
Title I sales are made by American
firms to foreign buyers—sometimes a
foreign government and sometimes a
commercial importer.

At the completion of a properly consummated sale under title I of Public
Law 480, the United States exporter
receives United States dollars from the
United States Government in payment
for the goods sold. In turn, the United
States Government receives as its compensation an equivalent amount in the
currency of the country to which the
surplus agricultural commodities are
shipped.

Foreign currencies paid to the
United States under the law are deposited to a United States account in
the foreign country, thus becoming
United States property. The law requires that 5 percent of the foreign
currencies generated under title I be
set aside for market development uses
and that 2 percent be authorized for
conversion to currencies other than
those of the country to which the goods
have been sold.

Foreign currencies, through conversion, therefore are used to support
market development in countries where
there is no Public Law 480 program as
well as in countries where there is one.

There are 20 specific uses to which
foreign currency may be put. One of
these is for "104(a) market development," to which I referred.

The major part of the market development program is the part that is carried out in cooperation with a number of trade organizations, which represent United States agricultural producers, processors, and distributors. They contribute United States money, personnel, supervision, and program management and experience.

The Foreign Agricultural Service contributes foreign money and supports the market development program otherwise in many ways. Marketing specialists are available to work with industry organizations. Trade statistics are furnished. The agricultural attachés may be program advisers and channels between the program and American embassies.

The trade organization sometimes is referred to as a cooperator and the program itself as a cooperative program.

I GIVE an example of the steps in which 104(a) foreign currencies may be used to develop markets.

Assume that the producers and processors of agricultural Commodity X, organized in a trade organization, see an opportunity to increase exports through promotional activities. The following outline depicts a typical sequence of steps that may be taken by the Commodity X group to set up a cooperative program.

The group confers with commodity specialists of the Foreign Agricultural Service. They jointly conclude, on the basis of facts at hand, that a cooperative foreign market development program could reasonably be expected to increase commercial exports of Commodity X.

A survey team is organized. It comprises qualified members of the Commodity X industry and Commodity X marketing specialists of the Foreign Agricultural Service. The team travels to the countries selected as targets for increasing foreign sales of Commodity X, conferring, as appropriate, with United States agricultural attachés; foreign government officials; importers, processors, distributors, retailers, and others familiar with the markets for Commodity X in the particular foreign country. A report is made of findings.

Assume that the survey team has now determined and reported the scope of the existing market for Commodity X in the selected countries; the existing United States share in this market; the nature and importance of the competition both from local producers and other importers; the kind and influence of import tariffs and the types of barriers to trade, if any; and a great many other factors, upon which it has based the conclusion that a permanent increase in United States exports can be effected by properly oriented and planned promotion.

At this point, the Commodity X trade group and the Foreign Agricultural Service decide to engage in a cooperative program. This decision is formalized by a program agreement signed by both parties. It becomes the basic document pursuant to which the Service and the Commodity X cooperator enter into specific projects.

The survey team may have recommended promotion activities in as many as five or six countries; specific promotion activities would then be authorized by a project for each country.

For ease of administration, one project may authorize the same promotion activities for a group of selected countries, but promotional activities in any given country are authorized only after they have been approved in a formal project.

Assume that FAS and the cooperator decide to write a project authorizing the various types of promotional activities. Projects are in the nature of contracts in that they are signed by both parties (the Service and the cooperator).

They specify, among other things, the period the activity is to cover; limit the total amount and rate of expenditure for the money authorized; show a breakdown of the money to be provided by the Service and the cooperator; and specify reporting requirements.

The project defines the activities the cooperator may engage in.

They may include:

Public relations, designed to improve the acceptance for market development of a new commodity by foreign importers, wholesalers, retailers, and consumers.

Educational affairs, including conferences, seminars, and commodity classing and grading, which are aimed at increasing sales through the diffusion of knowledge about the commodity.

The point of sale, such as designing, printing, and distributing placards, banners, handbills, and similar items, usually for posting at retail counters.

Mobile exhibits, designed for mobility in bringing a sales message to a number of different markets. These may combine the techniques of education, point of sale, public relations, and other types of promotion. Mobile exhibits have visited many countries and hundreds of cities that otherwise would have been inaccessible to other promotion activities.

Demonstrations, in which technicians show how to prepare or use United States agricultural commodities. This technique is particularly effective at trade fairs, where large crowds congregate in short spans of time.

Advertising, designed to increase the United States share of the total market and frequently to promote foreign brands of goods consisting entirely or largely of United States farm products.

Contests or devices, designed to attract interest in a commodity and thereby increase sales through such devices as writing slogans, answering relatively simple questions, or submitting a coupon, which usually requests a free sample of the item.

Free samples may be distributed to target groups, such as schoolchildren or housewives, with the idea that a taste or test will stimulate a desire to buy the item for consumption on a repeating basis.

Special promotions, an acceleration of a number of promotional activities, pointed toward a big increase in sales for a particular holiday or season. Special promotions also include foreign tours by "queens" in American-made textiles; by winners of cooking contests; and other activities.

Surveys and evaluations, designed to assess existing programs so that promotion emphasis is directed toward the kind of activities potentially most fruitful and to find new areas of demand.

Visits by foreigners to the United States. These are designed to increase sales by introducing actual and potential foreign buyers to United States commodities in United States settings, and by bringing them into contact with various sellers. Leading opinionmakers, such as government officials, representatives of trade associations and chambers of commerce, and scientists, are invited to the United States to observe our marketing systems and production and processing.

Visits by United States representatives to foreign countries may be planned to increase agricultural exports by broadening the interest in foreign marketing among United States businessmen themselves; widening the lists of potential foreign customers of exporters; bringing to bear on potential customers the special sales impact that only the "man with the order book" can make.

The visits to America by foreigners and by Americans to foreign countries are among the most important of all market-development activities. It is difficult to assess the value in terms of dollars and cents of a two-way relationship, which develops on an increasingly friendly, and even personal, basis, between United States sellers and foreign buyers, but it is a key in successful market development.

Motion pictures and visual aids are used to inform foreign buyers in a number of different ways concerning a commodity, a group of commodities, or an industry. This technique also is used to raise the level of interest in foreign trade among United States sellers.

Next, a cooperator is expected to develop an overall marketing plan by which the promotional activities considered effective in a particular country are organized into a program.

Such a plan is formulated for each commodity and country. It takes into account the findings of the survey previously referred to and is based on the coordinated judgment of the cooperator, commodity specialists, and the agricultural attachés as to what the objectives should be and how they can be achieved.

The plan sets forth in detail the promotion program needed to fulfill specific marketing objectives, such as:

Increasing the United States share of the market for Commodity X from, say, 20 percent to 25 percent in a given country, or

slowing down the average rate of loss of the market by the United States in a given country for Commodity X from, say, 20 percent a year to 10 percent, or

introducing Commodity X on a relatively broad scale for purposes of testing the mass marketing for the commodity in a country where consumers have little knowledge of or familiarity with it, or

servicing the potential market in a given country that greatly needs Commodity X but cannot afford to import it as a usual commercial item. In so doing, the United States may expect to be a principal supplier when economic conditions permit commercial imports, or

maintaining the United States position in free markets for Commodity X by assuring the United States share in the future growth of such markets.

THE MARKETING PLAN indicates the actual activities authorized by the project and relates these activities to the fulfillment of its objectives.

Marketing plans are changed and amended on a trial-and-error basis, or as changing conditions dictate.

Finally comes the execution of the plan.

The cooperator now begins to engage in the activities, as indicated by the marketing plan, that appear likeliest to effect the desired objectives.

He obtains the support and assistance of marketing groups and institutions in the foreign country.

He may engage the services of public relations and advertising firms to assist in carrying out special promotions.

He establishes appropriate working relationships with local trade organizations; with governmental or quasigovernmental commodity boards; and with importers, processors, wholesalers, distributors, and retailers.

It is at this point in the execution of the plan that the pooled resources of foreign currency—provided under Public Law 480; United States dollars provided by the industry cooperator; and funds provided by the foreign industry—and the coordinated effort of all FAS and industry management functions come into focus in the form of a development program.

The plan calls for annual reports of activities by the cooperator and semiannual fiscal reports. The cooperative work is audited by independent auditing firms, Government agencies, and the cooperator himself.

Periodically, the agricultural attaché and his staff evaluate the activities and consult with the cooperator and otherwise engage in exchanges of information with him.

When the project has run its term, it is given a final evaluation. The results are assessed in terms of how successfully it has met the objectives.

The leadership for carrying out the development programs is provided by a coordinated relationship among four groups: The United States commodity group or trade organization; the commodity division of the Foreign Agricultural Service; the oversea office or representative of the United States commodity group; and the United States agricultural attaché in the country where the program is operated.

Since the foreign market development program began in 1955, the Foreign Agricultural Service has engaged in cooperative promotion with

44 industry organizations and groups, which have carried out more than 750 market projects in 67 countries.

Aggregate resources committed to foreign market development by these industry organizations and groups since the inception of the program—over and above the foreign currency resources they have received through the Service—reached an equivalent of more than 25 million dollars in 1964.

Trade cooperators have established 58 offices outside the United States and have more than 300 employees who work on market development.

The commodity divisions of the Foreign Agricultural Service are the basic organizational units in the Department of Agriculture through which cooperative foreign market development programs are operated. There are seven: Cotton; Dairy and Poultry; Fats and Oils; Fruit and Vegetable; Grain and Feed; Livestock and Meat Products; and Tobacco.

The Trade Projects Division provides the direct administrative support for the entire program. It works with all commodity divisions in obtaining the preparation and approval of program agreements and projects, budget and fiscal affairs, and other service-type activities.

The Trade Projects Division also operates the market development evaluation program and supports foreign market development in a number of ways by operating activities that do not lend themselves to a commodity-by-commodity approach.

The agricultural attaché is the principal Government official working outside the United States in foreign agricultural market development. He participates in the creation and approval of projects for the country in which he is located. He is a key official in approving the transfer of foreign currency from the account of the Government to the cooperator. He coordinates the foreign market development programs with the policies of the United States Ambassador in the country to which he is accredited.

He evaluates the value of the programs and reports on them.

The total authorization for the program in 1963 from all sources was about 22.7 million dollars. That is less than one-half of 1 percent of the total value—5 billion dollars—of all agricultural exports in 1963.

It is interesting to note that percentages relating to advertising by manufacturers for selected industries in the United States are indicated to be: For drugs and cosmetics, 15.4 percent; automobiles, 1.3; food, 4.3; soap and cleaners, 12.1 percent; and tobacco, 4.6 percent.

WORLD TRADE in agricultural products in 1962 has been estimated at a total value of 30.1 billion dollars (based on 1957–1959 prices). Although we have no estimate of the proportion of this trade that can be attributed to market development and promotion, we know that the friendly competitors of the United States have been engaged in extensive and varied activities to develop and expand foreign markets for their agricultural products.

I give brief reports on some of them.

Australia has participated in 40 major international fairs in more than 20 countries in Asia, Europe, New Zealand, and North America since 1949. Since 1954, she has sent overseas 12 major trade missions; 3 trade ships; and 4 trade survey missions. She issues several trade promotion periodicals, one of which is printed in Spanish, Arabic, Japanese, German, French, and English. It is estimated that the Australian Government provides in the order of 10 million dollars (United States equivalent) annually for foreign promotion of agricultural products.

Denmark carries out foreign promotion activities through market analyses, fairs and exhibitions, oversea offices, and commodity-by-commodity promotion. The total program has cost the equivalent of more than 10 million dollars annually and is supported by farmers and the Danish Government.

Activities are carried on in West

COOPERATIVE PROGRAMS   397

Germany, the United Kingdom, the United States, Thailand, Syria, Greece, Kuwait, Japan, and other countries. Denmark makes extensive use of direct advertising and in-store promotions. For example, during 1962 and 1963, Denmark employed 170 specialists to promote Danish foods at retail stores in the United Kingdom.

In the Netherlands, promotion and research are carried out essentially by six products boards—poultry and eggs, dairy products, flower and ornamental products, fruit and vegetables, potatoes, and seeds. The Ministry of Agriculture does not itself conduct promotional campaigns. Through such activities as providing information services and coordinating agricultural exhibits, however, it complements the work of the boards. Funds for promotion are provided by the government and by the products boards through levies assessed against sales transactions. The Netherlands Dairy Products Board in 1959, for example, budgeted the equivalent of about 3.8 million dollars for all promotion and research for dairy products alone.

The principal export promotion programs of New Zealand are carried on by producers' boards with substantial cooperation from the government and its trade commissioners overseas. The main exports of New Zealand are meat, dairy products, and wool. Promotion efforts are centered on them. The meat board in 1962 carried out activities in Canada, the United States, Japan, Pacific Islands, Malaya, and Singapore. It is estimated New Zealand annually invests more than 10 million dollars in trade promotion.

ALTHOUGH the foreign market development program was in its 10th year in 1964, it was still considered to be a relatively new effort.

Interesting examples can be cited of the fruitage of the program for practically every agricultural commodity that has been involved.

I quote some examples from reports received by commodity divisions.

"Cash markets for soybean oil in Iran have been successfully developed. During 1962, the soybean oil cooperator sent several soybean oil processing technicians to Iran to provide vegetable oil processors with United States technical know-how on refining and hydrogenating soybean oil. As a result of this training, Iranian technicians have greatly improved their ability to handle soybean oil and the major vegetable oil processors have started buying oil for dollars. Most of the soybean oil is now being used in shortening, but, since the country's refining capacity is in excess of their hydrogenation capacity, marketing of a liquid soybean oil is needed. The soybean oil cooperator has been successful in obtaining an agreement from one of the country's largest plants to put liquid soybean oil on the market. Success of these promotion efforts is shown by United States exports of soybean oil to Iran, which rose from 2.2 million pounds in 1960–1961 to 27 million pounds in 1961–1962 and during the 1962–1963 period, October–March, exports have nearly reached the level of the entire previous marketing year.

"One of the major objectives of the cotton market development program has been to stimulate greater expenditures on cotton promotion by interested groups overseas. A significant achievement in this direction came about during 1963 in the largest export market for United States cotton. Japan's cotton spinners began a new domestic cotton promotion campaign in February. The All Japan Cotton Spinners Association (AJCSA) has allocated the equivalent of 830 thousand dollars annually for the new 'self-help' program. This is more than twice the amount provided for promotion under the existing program carried out by AJCSA in cooperation with the United States cotton cooperator and the Foreign Agricultural Service. Counting the new program, the Japanese industry is investing more than 1 million dollars in 1963 to promote the development of new and expanded uses of cotton in Japan. This is more than five times the amount of FAS funds being spent in Japan on cotton promotion.

"In 1959, prior to leather promotion in Japan, cattle and hide prices on the west coast and in the intermountain area of the United States were about 15 percent below high market prices in the eastern half of the United States. This price disadvantage reflected the eastern location of a majority of our tanneries and the limited outlets and extra freight costs for western hides accordingly. Now in 1963 hide prices in the West are equal to or command a premium over those in the rest of the United States, and cattle prices in the western area have increased by a dollar and a half up to 3 dollars per head. United States hide sales to Japan increased from 12 million dollars in 1959 to over 27 million dollars in 1962.

"The first substantial sale of United States frozen poultry to western Europe moved under Public Law 480 in 1956.

"It consisted of approximately 1.5 million dollars' worth of chickens, turkeys, and included also a few ducks. At the same time the cooperative FAS/poultry industry market development program was activated in this area. After the initial introductory sale under Public Law 480, and with the inception of the market development program, United States frozen poultry products commenced to move commercially into the West German market. By 1962, the commercial demand for United States frozen poultry had spread to other western European countries. Within a period of 6 years, aided by the cooperative market development program, sales of frozen poultry to the western European area were returning in excess of 50 million dollars annually to the United States."

DAVID L. HUME *became Assistant Administrator for Export Programs of the Foreign Agricultural Service in 1962. He is a native of South Dakota and has worked in the fields of agriculture and food in both industry and Government for over 25 years.*

Bartering Farm Products

by ROBERT O. LINK

THE BARTER SYSTEM is a device used by the Department of Agriculture to help build foreign markets for farm products.

The name "barter" is derived from the statutory authority for the program, but it may be misleading by implying that what is involved is a direct exchange of United States commodities with another country for products of that country.

Our barters are contractual agreements by United States business firms to accept and export to restricted destinations commodities owned by the Commodity Credit Corporation.

In exchange, the barter contractor (or a supplier who has agreed to accept payment from the barter contractor instead of directly from the Government) provides the United States Government with specified materials, goods, or services.

Barter transactions may be bilateral and come close to the traditional concept of barter, as when a strategic material from India is accepted by the Commodity Credit Corporation in exchange for wheat or cotton to be exported to India.

On the other hand, they may be open end—that is, they may consist of separate purchase and sale transactions with no direct tie-in between countries receiving our agricultural products and the country supplying the materials or services. Of course, to the Government they are still "barters" in the sense that an agricultural commodity in Government inventory is traded for another asset.

The barter program began when we were still actively procuring from abroad many strategic materials for stockpiling in wartime.

The notion of barter at that time was to use our agricultural surpluses to pay for needed strategic materials instead of spending dollars for them.

About 493 million dollars' worth of strategic materials were acquired through barter against unfilled strategic stockpile objectives during the early years of the program. Largely because of the defense need for the materials that were being acquired, no restrictions were imposed then on the countries to which bartered agricultural commodities could be exported.

As the need for strategic materials diminished, it became clear that additional trades of agricultural commodities for such materials were desirable only if we could be reasonably satisfied that the agricultural exports under barter would be additional to export sales for dollars.

That principle was recognized in amendments that the Congress enacted to the legislation authorizing barter transactions and has resulted in the establishment of commodity-country export classifications designed to channel barter exports into new markets and markets where the United States has not been able to maintain a fair share of the import potential.

A later development in the barter program was a shift in emphasis away from barters for strategic materials toward more transactions in which our agricultural products can be used to pay for goods and services which Government agencies, especially the Department of Defense and the Agency for International Development, would otherwise buy abroad for dollars.

The major reason for the shift was the need to take every reasonable measure that provided an opportunity for improving the critical United States balance-of-payment position.

SOME EXAMPLES of the way barter has been used to build foreign markets for agricultural products are: Development of a market in Japan for United States grain sorghums; restoration of a substantial share of the Japanese corn market for the United States, pending freight and pricing adjustments to permit our corn to compete on a cash basis in the Japanese market; arresting the decline in the United States share of the tobacco market in the United Kingdom; bolstering cotton sales to major markets for American cotton in a period when our cotton exports were sagging; and preservation of a market for wheat in Peru at a time of declining foreign exchange reserves in that country.

Through December 31, 1963, barter had accounted for agricultural exports worth roughly 1.75 billion dollars.

The barter program has been a controversial matter.

Some have said it has displaced cash sales that would otherwise have been made.

Others have contended that it has displaced exports of friendly foreign countries through unfair competition.

Administrators of the program therefore must steer a careful course. They must give due regard to the effect the transactions may have on United States foreign policy, balance of payments, and dollar sales. They must also consider the interests of other members of the International Wheat Agreement and other international commodity agreements to which the United States is a party.

Barter provides a way to meet the spot problems that develop in agricultural export markets. It is an incentive to private traders to open new markets.

ROBERT O. LINK *joined the Department of Agriculture in 1933. His career in the Department included work in fiscal, information, and administration offices and in the barter program.*

Sales Programs

for Dollars

by CHARLES E. RAEDER

THE DEPARTMENT OF AGRICULTURE for
some years has been striving diligently
to expand and facilitate exports of agricultural commodities for dollars and
has developed programs to that end.

Recognizing the need of foreign importers for credit facilities, the Commodity Credit Corporation (CCC), an
entity within the Department, developed in 1956 an export credit sales program to extend deferred payments for
CCC-owned commodities to United
States exporters, who in turn could
accommodate foreign importers by an
extension of credit.

Under authority of its charter act,
sales of its commodities and tobacco
under loan to it may be made under
the export credit sales program on a
deferred-payment basis for periods up
to 3 years.

Interest is charged at a rate it an-
nounces each month and runs from
the time of delivery of the commodities
to the United States exporter until the
end of the deferred-payment period.

All sales under the program are
made to United States exporters.

In applying for credit, the exporter is
required to state the extent to which he
will pass on the credit to foreign
buyers.

From the beginning of the program
on March 30, 1956, to September
of 1963, sales of surplus agricultural
commodities through this program

amounted to about 206 million dollars.

Title IV of the Agricultural Trade
Development and Assistance Act (Public Law 480), approved September 21,
1959, authorized the President of the
United States to enter into agreements
with governments of friendly nations
under which the United States undertakes to provide for delivery annually
of quantities of surplus agricultural
commodities for periods not to exceed
10 years, if those commodities are in
surplus at the time of delivery.

This legislation provided for repayment in dollars, with interest at a rate
not in excess of the cost of the funds to
the United States Treasury. Repayment may be made in approximately
equal annual amounts over periods of
not more than 20 years from the date
of the last delivery of commodities
in each calendar year.

In the 2 years since the first agreement was entered into in August 1961
through July 1963, title IV agreements have been made with 14 countries. They involved a total of 133 million dollars (estimated export market
value, excluding ocean transportation
costs) of United States surplus agricultural commodities.

All but approximately 4 million dollars of the total was composed of price-
supported commodities of Commodity
Credit Corporation. About one-tenth
of the value of commodities exported
under the title IV program through
July 1963 came out of its stocks.

In amending title IV of the Agricultural Trade Development and Assistance Act, the Congress in 1962
broadened the legislative authority of
this title by providing that long-term
supply and dollar credit sales agreements may be entered into with United
States and foreign private trade, as
well as with friendly governments.

The legislative purpose of the amendment, which authorized the Secretary
of Agriculture to enter into agreements
with the private trade, is to stimulate
and increase the sale of surplus agricultural commodities for dollars
through long-term supply agreements

and through the extension of credit that will increase dollar exports of surplus agricultural commodities, develop foreign markets for our farm commodities, and assist in the development of their economies.

The program provides the private trade a greater role in expanding dollar exports of surplus agricultural commodities and in developing future commercial export markets.

The emphasis is on the use of the credit extended in connection with the sale of surplus products to finance food processing and distribution and other supporting facilities and services essential to efficient and economical marketing of commodities.

Payment periods, up to 20 years, are set on the basis of the particular project or purpose for which the credit is to be utilized. Interest rates are based on the cost of funds to the Treasury for comparable maturities.

ALTHOUGH the legislation provided that commodities may be supplied over periods up to 10 years, as a general policy, supply periods are limited to 3 years.

Eligible commodities include those under price supports of Commodity Credit Corporation and other surplus commodities eligible for export financing under Public Law 480.

Emphasis is placed on programing commodities in most burdensome supply. The agreements require that cash dollar exports be safeguarded and assurances that sales thereunder will not unduly disrupt world prices of agricultural commodities or normal patterns of trade.

Title IV of Public Law 480 is intended basically to be used in countries that can undertake long-term dollar obligations.

A principle in the merchandising of any product is that the sales price must be competitive.

Certain American products influenced by our price-support programs are domestically priced above world market prices of comparable type and quality and therefore must receive the benefit of an export allowance. To enable them to compete in world trade, the Department has devised export allowance techniques, termed payment-in-kind programs.

Until May 12, 1958, Commodity Credit Corporation sold most of its commodities for export on competitive bid. Since then, it has developed payment-in-kind programs for corn (May 12, 1958); barley, oats, grain sorghums, and rye (July 1, 1958); rice (December 15, 1958); and nonfat dry milk (June 27, 1962); butter and butterfat (November 1, 1963).

The payment-in-kind program for wheat and wheat flour went into effect September 4, 1956; cotton (May 5, 1958); and its products (August 1, 1956).

These programs were designed to encourage exports from commercial supplies instead of from CCC inventories, thus placing the merchandising functions in private trade.

Certificates at the applicable export allowance rates redeemable in commodities from CCC stocks are issued to United States exporters upon proof of export of commodities obtained mainly from private stocks. The wheat flour and cotton textile export allowances are paid in cash.

Exporters thus move commodities from the farm into export through commercial trade channels rather than through the CCC.

Export allowance rates determined by the Department reflect the amounts necessary to make these commodities competitive in foreign markets with crops produced in other countries.

The rates are kept under constant review so as not to exceed the gap between higher domestic prices and lower prices of the crops of competing nations.

Other than through redemption of payment-in-kind certificates and sales applicable to the CCC export credit program, barter program, and unusual circumstances as specifically authorized, CCC sales for export only of commodities (except cotton) covered by payment-in-kind programs are generally no longer made. CCC sales of these commodities for export only have been reduced markedly.

This was expected, and the shift from CCC export sales to payment-in-kind programs is viewed as largely offsetting since the latter reduce CCC acquisitions from the larger amounts the Corporation would have acquired if these programs had not been inaugurated.

The cotton payment-in-kind program differs from the one for grains, as exports of cotton may include cotton that had previously been purchased for unrestricted use from the Corporation or redeemed through farmers from its loan program either for cash or by using its certificates earned by export of cotton at a predetermined export payment rate.

The export payment rate for the market year 1962–1963 and for the marketing year beginning October 1, 1963, was 8.5 cents a pound, but was subject to change without prior notice.

Although the major commodities in CCC inventory in 1963 were covered by payment-in-kind programs, CCC sold for export a number of commodities on either a fixed or competitive bid price.

Those commodities included peanuts, soybeans, flaxseed, honey, rosin, turpentine, and dry edible beans. The prices at which the commodities were sold reflected the world price. Commodities so acquired from the Corporation generally must be exported and cannot be sold in the domestic market without penalty.

A program of long standing, authorized in section 32 of Public Law 320, as amended, was approved August 24, 1935. This act appropriates an amount equal to 30 percent of gross customs receipts for each calendar year for use to the succeeding fiscal year to encourage the exportation and domestic consumption of agricultural commodities and for other purposes.

Section 205 of the Agricultural Act of 1956 authorized the appropriation for each fiscal year beginning with the fiscal year ending June 30, 1957, of 500 million dollars to enable the Secretary of Agriculture to carry out the provisions of section 32, subject to all provisions of law relating to the expenditure of funds appropriated by such section, except that up to 50 percent of the 500 million dollars may be devoted during any fiscal year to any one agricultural commodity or the products thereof.

Since January 1, 1950, a carryover of up to 300 million dollars of unexpended funds has been authorized. The Agricultural Act of 1949 directed that section 32 funds be used principally for perishable nonbasic commodities other than those designated to receive mandatory support under the 1949 act.

Export programs under section 32 are announced after the Secretary of Agriculture finds that a surplus exists.

Export allowances are paid to commercial exporters following the export of privately owned commodities pursuant to programs announced by the Secretary. Only a small part of the available section 32 funds has been used for export allowances in recent years. Section 32 funds were being utilized in 1964 to encourage the export of tobacco of certain crops.

Under the authority of the Commodity Credit Corporation charter and specific case-by-case approval by its board of directors, sales of its stocks are made directly to foreign governments or quasi-governmental organizations for certain restricted uses, such as school lunch feeding program or other public institutional programs.

These sales are made at concessional prices but do return dollars to the United States Treasury and at the same time introduce American products into the diets of schoolchildren and others.

CHARLES E. RAEDER *became Assistant General Sales Manager, Foreign Agricultural Service, in 1961, with responsibility for grain export sales and pricing programs.*

The Trade Fairs Program

by KENNETH K. KROGH

DISPLAYS at international trade fairs, food fairs, and similar events abroad are one of the means the Department of Agriculture uses to develop broader foreign markets for American agricultural products.

The exhibits, designed to acquaint potential customers with the availability, quality, and uses of our commodities, give millions of persons throughout the world their first opportunity to see, taste, and feel the products.

Responsibility for the program is assigned to the International Trade Fairs Division of the Foreign Agricultural Service. The Division works closely with the commodity divisions of the Service and the agricultural attachés.

In organizing its trade promotion exhibits at trade fairs, the Foreign Agricultural Service works with other Government agencies, chiefly the Department of Commerce and the United States Information Agency, and with private agricultural trade groups. In general, the industries concerned provide exhibit ideas, technicians, display materials, and sometimes commodities for sampling or sale.

The Service organizes and manages the exhibits; arranges for their design, construction, and operation; and provides travel expenses of industry technicians and commodity specialists participating in the joint efforts.

The Service also organizes and arranges for special trade promotion activities in connection with the exhibits. Costs are met through the use of foreign currencies accruing to the Government under Public Law 480.

Between 1955 and 1964, 135 agricultural trade promotion exhibits were sponsored in 32 countries. The total attendance at international trade fairs and other special events approximated 51 million. The displays ranged from small portable exhibits to a large exhibition in Amsterdam in November 1963, which covered some 165 thousand square feet.

The exhibition in Amsterdam, known as the United States Food and Agricultural Exhibition and Symposium for Western Europe, was the largest undertaking of its kind sponsored by the Department.

Included in it were a large special exhibits area to tell the story of United States agriculture, food quality, and the advantages of two-way trade; a complete American-type, self-service store with a full range of commodities on display and for sale to visitors; a commercial booth area where American firms sold, took orders, demonstrated, and promoted their products; a theater featuring an original film; a large cookout and barbecue patio; a leather and cotton fashion show; a kiddie kitchen; a "food in space" exhibit, with the capsule used by Walter Schirra in orbiting the earth; and other special displays and demonstrations.

A 5-day European-American symposium on agricultural trade in Amsterdam brought together leaders from agriculture, industry, the food trade, labor, consumers, universities, and governments in Europe and the United States for a people-to-people conference on food and trade policies.

Among the European cities and countries where fairs have been held since 1955 are London, Paris, Cologne, Munich, Rome, Vienna, Madrid, Brussels, Amsterdam, Stockholm, Copenhagen, Poznan, Zagreb, and Athens. In Asia, fairs were held in Tokyo, Osaka, Djakarta, New Delhi, Karachi,

Bombay, and Colombo. Sites in the Middle East were Tel Aviv and Cairo; in Africa, Lagos and Accra; in Australia, Sydney; and in Latin America, Lima, Bogotá, Valencia, and São Paulo.

The commodities displayed, distributed in sample form, or sold at the exhibits included the feed grains and meals, lard and meat products, citrus fruit and juices, dried fruit, canned fruit and vegetables, dry peas and beans, honey, walnuts, beverage bases and concentrates, tobacco, cotton fabrics, recombined milk, ice cream, wheat and wheat products, soybeans, cheese, poultry, and many other processed and frozen foods.

How EFFECTIVE are the trade fairs in developing oversea markets for farm commodities?

Trade fairs bring together larger concentrations of buyers and sellers at one place and one time than are to be found on any other occasion.

Trade fairs abroad are an important economic institution. A large share of all the business transactions that take place in many countries is transacted at trade fairs.

It is traditional in many countries that any seller seriously interested in a market will appear in the trade fair for that market. Buyers thus expect to find all of their alternative purchase possibilities at a trade fair.

Trade fairs provide unique focal points of activity around which broad market development programs for farm products can be organized.

Individual commodity groups make their most important sales contacts of the year at trade fairs and schedule their followup calls for the periods immediately following the fairs. American trade groups thus schedule oversea trips for their representatives to coincide with major trade fairs.

United States products exert greater sales impact when a number of them are exhibited collectively in a major exhibit than when they are shown separately. The exhibits thus are organized and designed by the Department of Agriculture for maximum effectiveness through consultation with private trade groups.

The Department operates the exhibits, but representatives of private trade groups man them, present their commodities, and carry out various market promotion activities.

Newspapers, trade papers, radio, and television cover trade fairs and provide space for information on American products.

Trade fairs provide a means of promoting the sale of commodities that are relatively small in the United States market but which have potentially large sales possibilities abroad. The United States rice trade credits participation in oversea trade fairs with boosting its European exports manyfold since the midfifties. Honey and other processed foods, although not major commodities in the United States, are highly desirable items in many markets abroad.

Exhibits at trade fairs provide opportunities for organizing promotional teamwork between various products that complement each other and gain greater sales possibilities through cooperative promotion. Thus demonstrations of fried chicken at trade fairs include rice, and rice demonstrations include chicken gravy.

Participation in international trade fair exhibits is one of the best means by which beginners in oversea market promotion gain experience in foreign marketing and become acquainted with oversea markets.

The trade fairs program thus has served as a training ground for the new trade groups participating in the overall market development program and for the new members of the more established organizations.

Test-sales activities carried out through the device of operational self-service markets instituted and managed as a part of an overall exhibit activity form a practical and inexpensive way to test oversea markets for a wide variety of processed foods.

As in all market promotion, the trade fairs program adapts itself to changing conditions as well as to the circumstances of the country or region in which the exhibition is held.

The fundamental objective, however, remains as it was in the beginning: To help establish a favorable image of United States food and agriculture products in the minds of foreign buyers and consumers, thereby expanding the demands for them.

In the formative years of the overall market development program, food and agriculture exhibits in international trade fairs provided trade development groups with a quick means of gaining experience in active oversea market promotion.

Now that private trade development groups have become better established, the emphasis has been changing somewhat. While retaining interest in the traditional type of fair, the Department is giving increasing attention to special promotion programs of a multicommodity nature and to established trade center activities in London, Tokyo, and elsewhere.

A larger proportion of the resources of the promotional exhibit program is also being directed toward large solotype exhibits. Such an exhibit can accommodate the full range of agricultural interests desiring to exhibit abroad as well as addressing itself to a large economic entity, such as the European Common Market, rather than to one specific country.

The full scale of trade fair activity, consequently, includes agricultural exhibits at the traditional type of international trade fairs, large solo-type exhibitions, trade centers at which exhibitions and collateral promotions take place, and portable exhibits.

Kenneth K. Krogh was named Deputy Assistant Administrator of Export Programs for the Foreign Agricultural Service in 1963. He was formerly Director of the International Trade Fairs Division, a position he held from the inception of the Trade Fairs Program in 1955 through 1962.

Our Agricultural Attachés

by DOUGLAS M. CRAWFORD

Ninety-one Americans with farm backgrounds represent American agriculture in more than 100 countries as reporters of worldwide developments of importance to our trade, as the spearheads of efforts to widen markets for our products, and as representatives of the Secretary of Agriculture.

The attachés report on agricultural conditions in every major agricultural producing nation. They forward a constant flow of basic data on production, prices, exports, and special situations to Washington. Some cover only the country in which they are stationed. Some cover a region. Nearly all countries, except mainland China and some Iron Curtain countries, are visited by the attachés. When direct contact is impossible, as with China, they follow developments from indirect sources.

In 40 countries, one attaché is stationed. Eleven have an attaché and an assistant. In such larger posts and important producing, supplying, or buying countries as Mexico, Brazil, France, the Netherlands, Germany, Italy, and India, each staff consists of three Americans. In the two ranking dollar markets, Japan and England, four officers are posted; the fourth officer devotes all his time to activities connected with a trade center, an undertaking to encourage trade that the Department of Agriculture and the Department of Commerce jointly sponsor.

The attaché is a direct representative of the Secretary of Agriculture, but his function overseas is not an independent operation. He is assigned to a United States Embassy or consulate, whose overall responsible official is the American Ambassador or the ranking officer of the Department of State. The Ambassador is the personal representative of the President and therefore has prime responsibility for carrying out the foreign policy and program aims of the United States.

Many of the attachés' activities pertain to the preparation of evaluation reports on agricultural developments, problems, and trade matters. Material on them is sent directly to Washington for reproduction and distribution to the United States trade by the Foreign Agricultural Service. In other matters that are more closely related to United States policy and objectives, the agricultural officer coordinates his activities directly with other members of the Embassy staff and, as required, the principal officers of the mission.

In his oversea career, an attaché may participate in a wide range of activities and events pertaining to agricultural matters. Most of his time is devoted to reporting, market development, and representation.

Since 1919, when the first attachés were sent overseas, the single function that has remained the most consistent and has continued to expand is reporting. All of the worldwide reporting activities are based upon a master schedule that is developed in Washington. Central coordination is necessary so that all current developments that affect a given commodity are assembled and written and sent to Washington at fixed dates.

For example, all changes overseas on the production of wheat are sent to the home office on a specified date so that full, worldwide analysis can be carried out at one time. Reports on cotton, feed grains, tobacco, fats and oils, and fruits are scheduled to arrive when data are most needed. Less frequent reports are required for some of the minor commodities. The total number of scheduled required reports assigned to agricultural attaché offices was 1,700 in July 1964.

The schedule of required reports is the heart of the global factfinding and analysis system. Attachés submit many more unscheduled reports each year— as many as 4,800 altogether. Most of them concern spot analysis, changed prospects of crop production, weather damage, insect infestation, new tariff decisions, major policy changes, and similar occurrences.

Specifically, the effects of a continued drought, say in Argentina, Australia, or Canada, must be followed continuously and closely. The severity of dry weather bears directly on the amount of grain and livestock products that are available for export and therefore may mean a different competitive situation for the United States. Likewise, a blowdown of bananas in one country in Central America could affect the availability of bananas in the United States.

Most of the reports are sent by fast mail, but sometimes urgently needed figures, such as a late crop estimate to complete an analysis, are sent by cable.

An international telex communication operation between Washington and several posts quickly transmits grain prices and market news. It is possible to have market prices from Hamburg, Rotterdam, and Tokyo available in Washington within a few hours. A differential of 6 hours between European and United States time permits the transmission and receipt of closing hour information in Washington by early afternoon.

ATTACHÉS FOLLOW no set pattern in gathering basic material needed for a report.

The availability of reliable data varies. In some countries, which long ago developed agricultural and statistical services, much of the needed data can be obtained from government sources. In other countries, whose statistical services are incomplete, information may be scanty or lacking or subject to evaluation, and therefore cross-checking is not possible.

Depending upon the commodity on which information is desired, the attaché interviews businessmen, importers, exporters, processing organizations, shipping lines, and other sources. Even when reasonably complete material is available, there is always need to travel and observe the crop or livestock condition in the field or factory or processing plant.

Rarely is any crop concentrated in one locality. Usually an attaché has to visit numerous scattered plantings to ascertain the actual conditions and approximate volume of output. At first it may be difficult to arrive at a fair basis for an estimate, but the job becomes easier as the attaché is able to make more frequent visual comparisons of the same crop over a wider area. Despite problems of language, poor roads, and lack of reliable previous data, the attaché usually can make a reasonable forecast.

Data on international trade can be obtained even if official figures are late or not published. Information can be derived from shipping manifests, officials of steamship conferences that haul international cargo, and export associations, such as those for coffee and sugar.

Once received in Washington, reports are processed immediately and sent to the appropriate individuals or commodity or trade division. The reports are analyzed, and a summary appears as an individual release, part of a regional or worldwide digest, or in a regular publication, such as Foreign Agriculture, a timely, informative weekly magazine prepared in the Foreign Agricultural Service. Certain commodity reports are distributed directly to the trade.

Cotton reports, as prepared by the attachés, are available to interested persons and firms through the Agricultural Stabilization and Conservation Service and the Agricultural Marketing Service in New Orleans and Galveston. Grain reports move directly to users in Kansas City and Chicago. The whole reporting activity is a service function to the United States public.

This reporting activity gives the United States as complete, current knowledge of world agriculture as any in existence for conducting private and Government trade programs.

IN ANOTHER MAJOR responsibility, market development, the attaché is associated with individuals and groups in a strong market-promotion effort that involves more than 40 agricultural and trade groups working in association with the Foreign Agricultural Service. These trade cooperators represent nearly all United States commodities that move to foreign markets. Mostly they are nonprofit, national organizations.

As the permanent agricultural representative abroad, the attaché is in frequent contact with the oversea representatives of American commodity associations. He consults with them in annual work plans and special projects. When cooperators begin operations in a new country, the attachés help them establish contacts with government officials and the trade.

An example is the effort to enlarge our exports of American rice to South Africa. The exports in 1959 amounted to 5 thousand tons, of a total 34 thousand tons the Republic of South Africa imported. The United States share rose to 41 thousand tons, or 40 percent of total arrivals, by 1962. The United States Rice Export Association, working with the attaché, launched a successful promotional program. Prospects of an even larger share of this market led the association to establish a rice marketing center in Johannesburg.

IN THE INTERNATIONAL trade fairs program, the resident attaché collaborates with staff members sent from Washington to carry out the activity. From the planning stage to the time of the opening of a fair, many questions and problems arise which can best be settled with help from foreign government officials already known by the attaché. His role becomes one of an expediter—a most helpful one because of prior residence and firsthand knowledge of the agricultural and other conditions within the country.

A member of the attaché's staff is assigned to London and Tokyo to supervise operations of trade centers, which are conducted in partnership with the Department of Commerce. Display areas of the centers are available to the Department of Agriculture for a particular type of exhibition. For example, in a feed grain show held in Tokyo during May 1963, both American and Japanese producers and traders were represented. In addition to the regular displays, charts, and samples, a symposium was conducted to explain better and more efficient ways of utilizing imported feedstuffs, the value of balanced rations in livestock feeding, and efficiency in meat production.

IN NUMEROUS OTHER ways, an attaché can inform prospective buyers about American products and livestock. Many foreign nationals visit our oversea offices and call to ask such questions as, "Where can I buy vegetable seeds from the United States?" and "Because of humid conditions, will the seeds have to be packed in a particular way?" The attaché, from reference sources, can furnish the prospective buyer with the names of several suppliers.

The attaché may be asked to suggest an itinerary for an Argentine milk producer who wants to inspect herds of dairy cattle in the United States. An importer in Guatemala tells the attaché he wants to import certain varieties of United States apples for sale during the Christmas holidays. He asks for prices and suppliers and time and condition of delivery. The attaché may not have a ready answer, but a cable to Washington will give him the necessary information.

A THIRD MAJOR PHASE of the attaché's work is representation—in its broadest sense the utilization of every opportunity to explain American agricultural policies, programs, and trading practices. Since the attaché is an employee of the United States Department of Agriculture, he functions as the key oversea representative of the Secretary of Agriculture.

As a member of the Embassy staff, the attaché may be called on to explain many different problems and developments that affect the United States in dealing with foreign people. In essence, the attaché has to convey the American farm story to others in its largest sense.

This representation is in two categories: One is the function the attaché can carry out by himself. The second embraces broader responsibilities, which can best be carried out in cooperation with the mission staff and the Ambassador. In either, support and advice and consultation come from Washington and also go to Washington. The attaché is not a free agent.

As any person on foreign assignment may expect, questions are asked relating to all sorts of agricultural situations in the United States. Most of them concern the attaché's daily business. In Manila, a sugar exporter may ask about the quota import system. An importer representing an American firm will ask help in obtaining a license to bring in a commodity that is unnecessarily protected.

Representation at this level tends to run in two directions. One concerns what we do in America. The other is a request to remove undue foreign import restrictions that hinder the normal flow of trade.

In the larger, more complicated issues that affect trade and the imposition of undue and unfair restrictions, there is need to seek additional assistance and support.

At times, issues can be resolved by telling the story to a larger audience through the aid of the United States

Information Agency. As trade matters become increasingly more involved, the Ambassador and other members of the Embassy lend a hand.

Finally, if a whole regional trading community becomes involved in unresolved questions, other agencies, the Congress, and at times the President of the United States become spokesmen of American policy.

As more integrated and multilateral trade systems come into being, continued joint endeavors will be required to liberalize trading practices.

THE ATTACHÉS have a hand in a multitude of other tasks.

Some examples:

Selection of the site for the International Institute of Agriculture, which was finally located at Turrialba, Costa Rica, after surveys were carried out in Mexico, Guatemala, and elsewhere in the Western Hemisphere;

the handling of Hevea budwood for wartime rubber plantings in Mexico;

functioning as official buyers for copra in the Philippines in the immediate postwar era;

joining other Department workers in a survey of the amount of sugar stock available in Java in the late forties;

a review of possible damage claims to agricultural crops in Lebanon following the landing of United States Marines in 1958;

working out details for International Farm Youth Exchange programs between the United States and foreign countries;

helping an agricultural school obtain disease-resistant tomato seeds for trial plantings;

determining the disease that killed chickens in a flock maintained by an official of a foreign ministry of agriculture.

EVER SINCE the formation in 1930 of the predecessor bureau of the Foreign Agricultural Service, which employs and supervises the attachés abroad, the type and role of personnel stationed overseas have changed.

Many of the attachés in the thirties were from the crop estimating service of the Department. Others had a more technical agricultural background. A few were agricultural economists.

Activities in 1930 were concentrated primarily in London, Berlin, Marseilles, and Belgrade. There was representation also in Shanghai, Buenos Aires, Pretoria, and Sydney. Depression and lower appropriations led to the closing of the posts in Australia and South Africa. Assistants in Marseilles, Belgrade, and Buenos Aires returned to the United States.

Work in the thirties dealt mainly with commodities. The emphasis was placed on competition and demand studies. Individual posts made commodity reports of regions. For example, all information on wheat was sent to Berlin by the European-based attachés, and the man in Berlin prepared a master report for Washington. London compiled all European data on fresh fruit and tobacco. Paris was responsible for dried fruit and nuts.

A well-established market news system on imports of fresh fruit into Europe was a development of the thirties. Every Thursday a special cable was sent to fruitgrowers in the Western States outlining market conditions in the principal markets. When surpluses and depressed prices occurred in one outlet, ships afloat could be diverted for unloading in ports having more promise of sale.

Two major events in June 1939 reshaped the activities of the domestic and foreign parts of the Foreign Agricultural Service. The Foreign Agricultural Service was renamed the Office of Foreign Agricultural Relations, and the nine attachés on oversea rolls were transferred to the Foreign Service of the Department of State, along with representatives of the Department of Commerce. This latter step was taken in the belief that the United States should have only one Foreign Service—the single point of direction and authority in foreign affairs would be the Department of State. Other Federal departments would participate in a combined Foreign Service.

With international tensions mounting and the approach of the Second World War, trade promotion had less meaning than previously. Although the agricultural attaché's function was different from that of the commercial attaché, and more concerned with commodity than country coverage, in the interest of a combined service, the agricultural officers were moved to the unified Foreign Service.

The functions of attachés were altered accordingly. Continuous information was still needed, but instead of being concerned primarily with market outlets and competition, the job was to find the location of exportable supplies of foodstuffs. Efforts of attachés were closely linked with temporary Government agencies whose representatives assisted foreign governments to produce various types of crops needed in the war.

I give some examples of the activities of the attachés in Mexico in wartime. The Board of Economic Warfare had on its rolls several rubber experts who had to leave Malaya and the Netherlands Indies. They had technical knowledge of how rubber should be produced but were unaccustomed to Government procurement programs. To help unify the effort, the agricultural attaché was asked to lead this part of a wartime rubber project.

Ships were in use elsewhere, but bananas could be moved from Mexico to the United States by rail, and many inquiries about supplies and prices were received from United States buyers. Supplies of castor beans were located in Oaxaca. Quantities of a wild oilseed, cacahuanache, the source of a drying oil, were sought out in Chiapas. Help was given to start the commercial production of pyrethrum, an insecticide base, which was difficult to move from Kenya in east Africa because of wartime ship sinkings. While not engaged directly in purchase operations, the attachés helped select grades and locate sources of agricultural materials.

AT THE END of the war, the agricultural attaché's role changed again.

Food supplies were still short of requirements, and a great deal of attention was paid to reporting the progress of recovery in the major European agricultural producing areas.

Attachés in a number of countries participated in efforts of the United Nations Relief and Rehabilitation Administration and in agricultural projects carried out under the Marshall plan.

OFFICES OVERSEAS expanded. Full-fledged attaché operations were started in many of the Latin American countries. Brazil in the late forties had the largest number of personnel assigned; an attaché office was in Rio de Janeiro, and supporting staffs were at the consulates of Porto Alegre, São Paulo, Belem, and for a time at Manaus.

Expansion continued until 1951, when 78 representatives carried out the foreign agricultural work.

By 1950, after an association of 11 years with the Department of State, some congressional spokesmen and others began to question the desirability of continuing the existing arrangement. The principal issue involved differences between a "one voice" concept of a unified oversea service and how the Secretary of Agriculture should exercise his responsibility in carrying out functions directly related to policies and programs of his Department.

After a number of discussions, a joint statement was released in February 1951, in which Charles F. Brannan, Secretary of Agriculture, and Acting Secretary of State James E. Webb agreed to cooperate more closely in the general field of foreign agricultural relations.

The agreement provided for more voice in drawing up the annual budget, faster communications, direct correspondence to and from agricultural attachés by the Secretary of Agriculture, the selection and promotion policies relating to attachés, and wider use of information sent by attachés.

The Agriculture Committee of the House of Representatives took an active interest in the activities of attachés. Foreign inspection trips were undertaken by committee members. An interim report on findings in March 1951 stressed the need for a closer contact between the Secretary of Agriculture and his representatives overseas.

Expressions about the desirability of returning the attachés to the Department of Agriculture continued. The first step was the re-creation of the Foreign Agricultural Service in March 1953. One year later, hearings were conducted by the Congress on the desirability of having the agricultural attachés directly responsible to the Foreign Agricultural Service and the Secretary of Agriculture.

The approval, on July 10, 1954, of the Agricultural Trade Development and Assistance Act, better known as Public Law 480, was another step in the process of reuniting attachés with the home organization.

Finally, in the Agricultural Act of 1954, jurisdiction over the attachés was shifted from the Department of State back to the Department of Agriculture. In a statement made at the time of the signing of the act, the President said the move was made "in order to sharpen the effort to find new world markets for our agricultural products."

Of the 55 agricultural officers who were serving with the Department of State at the time of the passage of Public Law 690, 39 transferred to the Department of Agriculture. After a careful analysis of the agricultural intelligence and marketing needs, it was determined that the number of posts should be increased from 40 to 58. For the first time, improved coverage was provided for Africa, and eight new posts were established in the Near East and Asia. A few additional officers were assigned to Latin America and Europe.

In the recruitment of new personnel for overseas, primary stress was placed upon backgrounds in agricultural economics and marketing. At the same time, a junior professional program was established to bring into the Foreign Agricultural Service young graduates of the land-grant colleges for training and service overseas. A program of language training was begun. By 1956, staffing was completed for the oversea operation, and the new attaché service was a functioning entity.

In serving the United States overseas, the family of the attaché becomes involved in many ways with his official life. On numerous occasions, his wife will be with him during representational functions. Many times she will have direct responsibility when women visitors arrive at the post. She participates in the women's activities of an Embassy and the welfare and charity programs that are a part of Embassy life. In carrying out a number of activities, the home of the attaché is an extension of his office.

Agricultural attachés are employed directly by the Foreign Agricultural Service and have general service ratings established under the regulations of the Civil Service Commission. Young professional employees are not sent directly to foreign posts; they spend several years in Washington working and learning about the home organization. By the time they are assigned overseas, they have reached at least a GS-9 grade and more likely GS-11. The salary scale for those grades in 1964 was 7,030 to 10,650 dollars a year.

These younger professional employees are about 30 years old when they have their first foreign assignments. They have strong educational backgrounds in agricultural economics or agricultural marketing. If they are to be sent to posts where foreign languages are required, arrangements are made for intensive training, usually in Spanish, French, or German, before they go overseas.

The attaché is granted home leave in the United States after the completion of a 2-year tour of duty. Home leave provides an opportunity to the attaché to become reacquainted with various facets of American agriculture and also a chance to talk over things at first-hand with his colleagues in Washington. While there is no set number of years an attaché will be on duty overseas, he generally returns to the United States for service after spending two or three tours of duty abroad. Assignments in Washington generally are for 2 or 3 years.

One of the important supports an attaché receives at his post is the assistance given him by the local national employees on his staff. There is a tendency to think of the attaché activity as being exclusively one operated solely by American personnel. This is to overlook the great and continuous contribution made by both professional and other foreign employees. No office can carry out all its purposes without the valuable services these foreign nationals render.

Working for the Foreign Agricultural Service are some 150 foreign nationals. Several have been educated in the United States. A few hold higher degrees from our land-grant institutions. As collectors of basic data in foreign government offices, report writers, interpreters, and translators, they make invaluable contributions. They also provide continuity between one attaché and his predecessor.

MANY OF THE foreign employees remain for long periods with oversea operations. Since a number are very well trained, there are other opportunities which open for them. Two have joined the foreign agricultural service of their own country. One represents Switzerland in Brussels on European Common Market agricultural developments. Another was appointed agricultural attaché for Denmark in Ottawa. Several have joined the ministries of agriculture of their own countries and hold important positions as agricultural economists and department heads and with crop reporting services. Others are now working for one or more of the 40 market cooperator groups, working hand in hand with the Foreign Agricultural Service on the expansion of export trade.

The diverse nature of the work brings the attaché into contact with all sections of the United States mission, particularly the economic section because of many parallel and complementary interests in trade and other matters; the political section, for some of his actions involve matters of policy and public relations; and the United States Information Agency. Administrative details abroad relating to the operation of attaché offices are handled by the appropriate State Department personnel.

SEVERAL OTHER agencies of the Federal Government send employees overseas on a permanent basis.

The Department of Commerce, the Department of Labor, and the Department of the Interior participate in oversea programs as part of the State Department Foreign Service. Others, such as the Department of the Treasury, maintain an independent oversea staff of attachés directly responsible to the home department.

The Foreign Service included 149 commercial officers in 1963. They were stationed at 94 posts in 68 countries. They serve particularly the needs and requirements of the Department of Commerce. In addition to this group, which is primarily concerned with trade promotion, the Department of State maintains a worldwide corps of more than 300 economic officers.

The Department of the Interior is represented abroad by 17 minerals attachés and reporting officers, 6 petroleum attachés, and 4 fisheries attachés. They mostly are assigned on a regional basis, so that there is coverage of major areas of the world.

The Department of Labor has 73 attachés and reporting officers in 61

Embassies. Some are Foreign Service officers. A number come from the Department of Labor, and others have been selected from the trade union movement in the United States.

The Treasury Department has about 15 officers serving as financial advisers or attachés in 9 of the key posts. The Department of State has 21 scientific officer positions.

AT LEAST 25 countries have agricultural representation in various parts of the world.

Probably more agricultural counselors and attachés are on duty in Washington, D.C., than in any other major capital. They represent Argentina, Australia, Belgium, Canada, Denmark, El Salvador, France, Germany, Great Britain, Hungary, Ireland, Italy, Japan, United Arab Republic, Mexico, the Netherlands, the Republic of South Africa, Spain, and the Soviet Union.

Their work varies according to the agricultural conditions of the countries they represent. Ministries of agriculture in other countries tend to be primarily technical institutions and to have less to do with economic affairs than the United States Department of Agriculture. A number of countries handle details of importing through food purchase missions rather than through representatives of the ministry of agriculture.

The attachés of some countries perform double functions. For example, the agriculture representatives of the Netherlands in Washington and elsewhere directly participate in programs to establish the Dutch agricultural colonies or work out the means of having individual citizens of the Netherlands emigrate to new countries. Many foreign attachés have to collect data on improvements in crop and livestock production. Others arrange for university and other advanced training for foreign students in landgrant institutions.

Such countries as Denmark and Canada have been represented continuously since the early part of this century.

An increase in the number of foreign attachés or agricultural counselors in Washington has occurred since 1950. Some countries, such as Germany, have an agricultural secretary and a forestry secretary. The United Kingdom designates its Washington representative in the agricultural field as agricultural and food attaché. The Italian agricultural officer has the title, Director of Food and Agriculture of the Italian Technical Delegation.

MANY OTHER foreign capitals have a well-established agricultural representation.

In Rome, for example, there are attachés who serve their countries on trade and technical matters and are liaison officers with the Food and Agriculture Organization of the United Nations.

Several of the attachés assigned to Buenos Aires have direct responsibility in the acquiring of food supplies for their countries. Great Britain has veterinary officers on the attaché staff who work with Argentine officials in meat inspection prior to shipment.

A number of agricultural attachés are assigned to missions connected with the European Common Market in Brussels. Various European countries have assigned agricultural representatives to the Organization for Economic Cooperation and Development in Paris.

MOST OF THE foreign representatives are assigned to embassies from the home ministry of agriculture. The assignments are carried out in various ways. For example, the representative from Great Britain usually serves one term of 3 years abroad. Thereafter he returns to the home ministry for domestic duty. The agricultural attachés of Denmark tend to spend an entire career in one foreign capital. Some attachés serve as agricultural officers in a system of trade commissioners. Others are members of the regular diplomatic service of foreign countries.

It is customary for agricultural attachés assigned to foreign capitals to gather for informal meetings and luncheons. All of the attachés in Buenos Aires, including the American representative, meet once a month to discuss agricultural problems and developments of mutual interest. A similar type of informal association is carried out in London, Bonn, and Paris.

In Washington, the Department of Agriculture arranges for bimonthly luncheons with the foreign attachés and other diplomatic representatives. Employees of the Department address the gathering and talk about their various activities at home and abroad. Fifty or more foreign agricultural and diplomatic officers attend the meetings.

SEVERAL DEVELOPMENTS may affect the work of American agricultural attachés.

An agricultural attaché was assigned to the United States mission in Brussels to observe activities of the European Common Market as they relate to United States agricultural trade.

An officer was assigned to the United States mission to the European office of the United Nations and Other International Organizations in Geneva. The assignment is associated with the developments and decisions of the General Agreement on Tariffs and Trade.

Other regional arrangements for trade are coming into being in Central America, Latin America, Malaysia, and Africa. Their trading arrangements have a direct bearing on usual third-country importers and exporters of agricultural commodities.

As formal operating councils and commissions are created and a need arises to assign agricultural representation to the United States mission accredited to the particular community, new types of assignments of attachés may be needed.

Several studies have been made of the functions and responsibilities of American representatives overseas. One was made by the Committee on Foreign Affairs Personnel, headed by Christian A. Herter. The committee proposed three parallel services, consisting of the State Department, the United States Information Agency, and the Agency for International Development, to perform and carry out the oversea tasks. It suggested that the attachés of Foreign Agricultural Service be reunited with a single Foreign Service.

Another development that may have a bearing on the work of our agricultural attachés is the International Agricultural Development Service, whose function is to coordinate the technical assistance programs of the United States Department of Agriculture in line with provisions of the Act for International Development of 1961. If a larger number of departmental technical personnel is involved in oversea assignments, the agricultural attaché may well become a member of the foreign-country group associated with the programs. The attaché would continue to be the personal representative of the Secretary and continue to devote major attention to policies and trade programs.

Because of the growing complexity of trade in agricultural products, rising regionalism, reorganizations in government departments, greater interest in the conduct of foreign affairs, and the establishment of several independent countries, the position and responsibilities of the American agricultural attaché no doubt will likewise grow and become more complex. His effectiveness and accomplishment, though, will continue.

DOUGLAS M. CRAWFORD *became Assistant Administrator for Agricultural Attachés, Foreign Agricultural Service, in August 1961. Previously he served as agricultural attaché in Argentina, Guatemala, the Philippines, and Mexico and as special representative of the Production and Marketing Administration in Indonesia. He took his college work at Stanford, the University of California, and the National University of Mexico.*

Getting and Using Statistics

by CLARENCE M. PURVES

To OPERATE their farms successfully, farmers must know the conditions of future demand for their products, the prices they may expect before deciding the crops to grow, and the supplies available to decide the best time to market their produce.

Some farmers need only local facts to determine what to produce. Others may need much more information.

The continued improvement in transportation, the increasing commercialization of production, and the widening of competition for markets continually intensify the need for information on production, utilization, trade, and prices.

So also a government needs facts about the agriculture of its country if it is to see to it that people have enough food and other farm products.

Governments also need information about the agriculture of other countries to help their producers find foreign markets for their commodities and determine which products to produce domestically and which to import. Higher efficiency of agriculture has magnified competition in world markets. The prices of products have ebbed. Prices for the items used in agricultural production have gone up. To aid producers in meeting these conflicting trends, governments need statistics to study the past and look into the future.

A primary objective of the United States Department of Agriculture when it was established in 1862 was to collect, arrange, and publish statistical and other useful information on agriculture. Its first crop estimates were published in 1863. Its regular monthly reports on crop conditions and annual reports on acreage, average yield, and production of important crops and on the numbers of livestock on farms became one of its major functions.

Its statistical reports gained a worldwide reputation for value to producers and traders. When David Lubin conceived the idea of a world statistical service, his aim was to provide estimates on world agricultural activities as similar as possible to those being provided for the United States by its Department of Agriculture.

DAVID LUBIN was a merchant from Sacramento, Calif., who tried his hand at farming. After several failures, he became convinced that farmers needed more information about developments in different regions to aid them in deciding what to produce and to judge whether traders were paying them fair prices for their products.

To provide this information, he proposed the creation of a World Chamber of Agriculture. He attempted to interest the heads of various governments in his idea. Finally in 1905 he impressed the King of Italy sufficiently that he called an International Conference of Nations to consider the establishment of an International Institute of Agriculture.

Representatives to the Conference agreed that such an institution would be of value to agriculture, and a treaty was signed in 1905. Ratification of the treaty, arrangements for quarters, and the organization of a permanent committee to administer the Institute were completed by 1908.

The Institute began as soon as possible to fulfill one of its major responsibilities—to collect, compile, and disseminate worldwide information on acreage sown, crop conditions and yields, and production of farm products. It believed such information would help stabilize world prices and benefit producers and consumers.

It soon learned, however, that it was not easy to collect statistics. Only a few countries had facilities for collecting statistics on current crop conditions and production. Definitions of area and production and ways of reporting crop conditions were not uniform. Units of measurement varied. Different languages were used. Some countries reported sown acreages; others, harvested acreages; and some, total production. Others reported only the production for sale or export. Some reported crop conditions as a percentage of normal; others, as "very good," "good," "passable," and "poor" or in numbers from 1 to 6 to show conditions from poor to excellent.

When the Institute began to publish its statistics in 1910, it was able to report inadequately on only seven commodities. The first reports on the wheat crop covered less than one-third of the world's production.

The Institute found that its limited budget made it impossible to set up a system for collecting statistics and that it must depend on information furnished by its member governments. Production estimates in many countries were not available for a year or more after the harvest. Some countries sent the Institute any figures they had handy.

The Institute decided its greatest service would be to help its members improve their statistical services and to work out more uniform definitions of crop conditions, area, and production and the numbers of livestock on farms.

In its first few years, the Institute engaged primarily in bringing together and summarizing such statistics as were available, determining crop years for world summaries, and standardizing their publications, but it was unable to carry out fully the hopes of its founders of providing current and complete statistics.

Differences of opinion among the permanent committee as to policies, lack of funds, the failure of several members to pay their dues, and the beginning of the First World War demoralized the organization, and the collection of statistics was sharply reduced.

But the urgencies of war, a spiraling of prices in the early postwar years, and the subsequent collapse in agricultural prices showed the need for more and better statistics on production and trade. More countries were willing to support the Institute, and reports on agricultural production and trade were available for more countries and on more commodities.

The 1921 Yearbook of the Institute brought together statistics on wartime production. Data on land use by countries were published in 1923 for the first time.

Thereafter annual reports contained the statistics by countries on total area and population; land use; agricultural area, yield, and production of crops (25 crops in 1923); numbers of livestock; imports and exports of agricultural products; stocks of grains in major exporting countries; prices of leading agricultural commodities in world markets; and ocean freight rates and exchange rates.

Shortly after the First World War, the Institute began publishing monthly reports on crop conditions in major agricultural countries, but they were largely descriptive, rather than quantitative, estimates.

The Institute was urged during the twenties to accompany the statistical summaries with an analysis of their economic significance on the world supply and demand conditions for farm products. It issued its first agricultural situation report in 1930. It described by countries the production situation and the potential market for farm products, government measures for farm relief, action taken by voluntary organizations in the interest of producers, and the economic situation and its relation to world agriculture.

Since one of the first essentials of a crop reporting system is a periodic census of agriculture to provide a benchmark from which to measure annual changes, the Institute began planning for a worldwide agricultural census to be taken about 1930.

In making arrangements to conduct the census, representatives of the Institute visited every cooperating country and instructed them in the problems of census taking, tabulation, and analysis. Special emphasis was placed on making the enumeration as complete as possible, avoiding duplication due to multiple cropping or multiple ownership, training enumerators on methods of making estimates from incomplete data, and adjusting estimates for interplanted crops.

Fewer than one-third of the countries of the world had ever taken an agricultural census before 1930, but 63 countries participated in 1930.

Several of the countries found the problems of obtaining a complete enumeration more difficult than had been anticipated, and the problems of tabulating and preparing the data for publication in some countries was so great that only part of the data collected was analyzed and published.

The census, however, did add greatly to the statistical knowledge available on world agriculture and was instrumental in increasing the interest in agricultural statistics and pointing out the value of statistics in assessing the significance of agricultural resources.

During the Second World War, the activities of the Institute were again sharply curtailed. Agricultural production and trade in a large part of the world were disrupted. Food supplies of nearly all of the allied countries were pooled and allocated among nations to provide adequate food for the fighting forces and to ration supplies among the civilian populations as equitably as possible. This endeavor emphasized the glaring inequities in living standards between groups and countries and an alliance was formed to fight hunger, disease, inequality, and illiteracy.

712–224°—64——28

In an international conference in 1943 in Hot Springs, Va., 44 countries took steps to offset hunger by producing more food and providing markets to absorb it. An interim committee was set up to draft a constitution for an International Food and Agricultural Organization. In 1945, the constitution was adopted, and the Food and Agriculture Organization of the United Nations became the international forum for world agriculture.

STATISTICAL PROGRAMS and publications of the International Institute of Agriculture were taken over and expanded by FAO. From its beginning, FAO realized that reliable and adequate statistical information was indispensable to all concerned in planning and promoting agricultural development, in improving the distribution of food and other products, and in raising the general standard of living.

FAO took the lead in organizing the program for the 1950 world agricultural census and giving assistance to member countries in carrying out its program. Experts were sent to various countries to assist their governments in setting up statistical organizations and in improving their methods of collection, analysis, and presentation of agricultural facts. This assistance to foreign governments has been continued. Even more aid was given to member countries to conduct and tabulate the 1960 census.

FAO has been able to expand its statistical coverage of world production and trade in agricultural products through its larger membership. By 1964, 112 countries had joined FAO as full, or associate, members, and all major agricultural countries were members, except the Soviet Union and mainland China.

Each member is requested to report its production and trade of agricultural products. Attention has been given to providing statistical instructions to member countries and in standardizing reports on production and trade.

The regular statistical reports of FAO

now include yearbooks on production and on trade and a monthly bulletin on agricultural economics and statistics. The contents of the yearbooks are an elaboration of those published by the International Institute and contain data for nearly every agricultural commodity in international commerce.

When reports from member countries are unusually late, FAO uses private sources or includes unpublished estimates in its continental or world totals in order to make them comparable with earlier years.

In most cases, FAO does not adjust the production and trade reports of member countries for incompleteness or other inaccuracies in the estimates, but rather depends upon improving its statistics through working with the member countries and helping them to improve their estimates.

Another limitation of the FAO statistical yearbooks, as a source for agricultural statistics, is their delay in publication. Because of the mass of data involved and frequent delays in reports from member countries, estimates on production for a given harvest are not available in yearbooks until 1 to 2 years after the actual harvest. The lag in publication of trade data is about as great. The monthly bulletin of agricultural economics and statistics is the major referent for updating statistical data. This publication presents the latest data on production and trade for the major agricultural products and monthly prices in major world markets for the preceding 12 months.

One of the first research projects conducted by FAO after its organization was to prepare food balances for as many countries as possible. These were based upon data from many sources and contained many unsupported guesses. They indicated the source of supplies and the utilization of food products and provided a basis for appraising the completeness and reliability of statistics for different countries. Although they were incomplete for many countries, they were an important source of information for the Freedom From Hunger campaign of the Food and Agriculture Organization. Research in food balances has been continued.

Training centers have been set up in Latin America, Africa, Asia, and Europe to assist governments in their statistical problems. These training centers have enabled FAO to provide closer supervision of technical statistical programs in each area, to meet the needs of training for statisticians, and to service the various regional statistical bodies and meetings of experts. Assistance in conducting sample surveys and agricultural censuses have been an important part of the work of these regional offices.

The annual reports of FAO on the state of food and agriculture have become important in presenting analyses of world and regional production, consumption, stocks, trade, and price changes of agricultural products and for summarizing special statistical research projects.

Index numbers are prepared to measure the world's total agricultural production, as well as food, and are shown by regions. These index numbers have been useful in comparing the trends in production in different areas of the world and for measuring the relationship between the increases in food production and the growth in population.

Index numbers also are presented for the major individual countries in each region, thus facilitating further comparison. These data provide a background for the accompanying analysis of the world agricultural situation outlining major problems existing in agricultural production and distribution and the steps taken by individual countries and international organizations in an effort to solve them.

Many of the smaller and lesser developed countries with limited statistical services depend largely on the Food and Agriculture Organization for their statistics on world agriculture. Most of the larger exporters and importers of agricultural products, however, have built up their own system for collecting world agricultural statistics and have adapted their sources to meet their own requirements.

THE UNITED STATES Department of Agriculture began collecting and compiling statistics on foreign agricultural production, trade, and prices in 1921 with the establishment of the Bureau of Agricultural Economics. The statistics were needed to provide exporters with current information on possible export markets and on supplies likely to be available from competing countries.

It also collected statistics on some important imported commodities, such as wool, sugar, and tropical products, to provide information on available supplies, and to aid the Government in making policy decisions on tariffs and other international trade problems.

The Department collects information on foreign agricultural production and trade from many sources. At first it made widespread use of foreign publications and trade sources in foreign markets, but it soon found that it would have to set up a corps of trained representatives in foreign countries if it were to bring together dependable and timely information.

These representatives—agricultural attachés—could observe crop conditions abroad, talk with representatives of foreign governments and importers to determine demand conditions, and report promptly to the Department for general release. Only a few agricultural attachés were sent at first to larger exporting and importing countries. The information obtained by them proved to be so useful to exporters and Government departments that their number has been increased.

In countries not covered by the service, periodic reports are received through the Current Economic Reporting Program of the Foreign Service, Department of State. Through this system, current agricultural statistics are obtained for every country in the world except those not recognized by the United States.

Most of the world summaries are published in the Department of Agriculture's annual release, *Agricultural Statistics*. The 1963 issue contained 114 tables on world livestock numbers and world production and trade of the major agricultural products.

Supervision of the program introduced in 1954 to export agricultural products in exchange for local currencies under Public Law 480 and other relief and economic development programs has greatly increased the need for current information on agricultural production and trade activities in underdeveloped countries.

An accurate measure of the food supply situation is necessary to determine the amount of food imports needed to carry out effectively their economic development programs.

Public Law 480 requires that the commodities received under these programs shall be utilized within the country receiving them and that they be in addition to the usual imports of the country. To check compliance accurately requires current statistics on production and trade.

Another advantage of a worldwide network of agricultural attachés, in addition to timeliness of data, is their ability to appraise the reliability of official estimates and recommend adjustments where they feel the official estimates of a country may be low because of incompleteness in reporting or to an unusual method of estimating production. Some countries are also known to overestimate production for political or economic reasons. When estimates are known to be too low or too high, the Foreign Agricultural Service adjusts them to be in line with the estimates for other countries.

THE REGIONAL ANALYSIS Division of the Economic Research Service of the Department analyzes the statistics collected in regular commodity reports on commercial crops and brings together any data available on crops grown primarily for local consumption.

It prepares index numbers and food

420 THE YEARBOOK OF AGRICULTURE 1964

balances by countries for use in determining trends in agricultural development. These are used to show levels of food consumption by countries in the administration of Agency for International Development programs and in the analysis of probable foreign demand for United States agricultural products.

Economic Research Service, in cooperation with Foreign Agricultural Service, also issues an annual Outlook Situation report about midway in the fiscal year. It projects production for the year and analyzes market conditions, country by country. Their index numbers and food balances, based largely on the foreign statistics collected by Foreign Agricultural Service, provide an important background for appraising the outlook for exports summarized in the Agricultural Situation report.

The two agencies also conduct long-term supply-and-demand projections by countries to determine the trends of such factors as changes in population, economic development, per capita income, and agricultural programs that are likely to affect the long-term supply-and-demand situation for agricultural products in those countries.

The studies are done under contract with colleges and research institutes within the countries under study and are financed by foreign currencies that become available for market development under Public Law 480.

COLLECTING agricultural statistics is not easy in any country. The extensive area covered by agricultural activities and the variations of soil, climate, and topography increase the dispersion in any facts collected and may lead to errors unless a large sample is taken. To avoid these errors, most countries prefer a complete periodic counting.

Several personal and social factors also make the collection of statistics difficult. Few farmers have records or accurate measurement of the acres planted or amounts produced. Livestock range over wide areas, often in community flocks. Their products are sold in small amounts and in many forms. Some farmers can only guess. Many hesitate to tell their true output because they are suspicious of the use that will be made of the data. Illiteracy, ignorance, a lack of interest, and superstitions are other factors. The expense and time involved limits the amount of data many countries can collect.

STATISTICIANS have been working for years on ways to overcome these handicaps, to obtain true objective estimates with only random errors.

Sampling is a widely used technique in collecting data. A sample of a small number of observations properly chosen at random tends to have the characteristics of the universe from which it is taken. Some error exists, of course, and facts can be determined only approximately. Sampling restricts precise information for small areas, but it cuts the cost, reduces the time of tabulation and analysis, and often makes possible the obtaining of information when a complete enumeration is impossible.

The United States, a pioneer in statistical sampling, has used it to measure intercensal year-to-year changes in crop production and livestock numbers. The high level of literacy of its farmers and the fact that the area planted to each crop by each farmer generally is fairly accurately known have been major factors in the success of the Department's crop reporting system.

By continual research in sampling techniques and ways of measuring bias and by checking against periodic censuses, the errors in estimates have been reduced greatly, but there are still occasional changes in conditions that result in significant errors in sample data based upon opinions.

The success of the United States with sampling agricultural activities has induced some other countries to try it. The Food and Agriculture Organization has advocated it through publications and instructions and has assisted several countries in the use of sampling in taking censuses as well as in making annual estimates.

Two general types of sampling are followed. One is to choose representative areas and study thoroughly the agriculture of each area. A total for the country or region studied is obtained by multiplying the totals of the sampled areas by their inverse relationship to the total of area they represent.

The second is to choose a sample of holdings, study them thoroughly, and multiply their tally by inverse ratio to the total number of holdings in the universe.

The first does not provide reliable information on the characteristics of the holdings, such as size of farm and tenure. The second is more subject to underenumeration because of fragmentation and the amount of urban holdings.

Neither provides accurate estimates for minor civil areas, but both can give fairly reliable estimates for a universe if the size of the sample is adjusted to the precision required and ways can be found to overcome the personal and social bias of the persons enumerated.

This second problem—bias—has proved to be the more difficult to solve. Publicizing the uses and needs of accurate data, assuring the informants that their answers will be kept confidential and used only in totals and averages, and helping the informant determine correct answers all help to improve reporting, but they cannot overcome the natural conservativeness of most farmers and their lack of accurate records.

Experiments have been made with taking strictly objective samples of areas and yields. It is possible to make precise acreage estimates from aerial photographs of agricultural areas. Cultivated land, native pasture, woodland, and so on are easy to identify.

Many crops, like corn, soybeans, cotton, and tobacco, also are distinguished easily. Recent technical developments indicate it may soon be possible to identify separately areas in wheat, oats, and other grains.

In the aerial sampling, enumerators are given photographs of definite segments that delineate the boundaries of each field. Then by personal enumeration they obtain a record of the name and acreage of the crop in each field and check it against the aerial measurements. From these samples, an estimate for the universe—the total area surveyed—is made by increasing the acreage in the sample to equal that in the universe. If the sample is 1 percent of the total area, the results would be multiplied by 100.

After the first survey of acreage has been verified, future enumerated changes in the identical sample can be used to estimate total changes from year to year. This method, restricted to small, compact areas, gives lower sampling errors than random sampling and is well adapted for measuring things fixed to a specific area, such as numbers of farms, crop acreages, and storage facilities.

Variation in yields, which usually are the cause of greatest fluctuations in production, have traditionally been based on the judgment of farmers and therefore have been subject to bias and errors of judgment. Through research and development, methods have been found to use sample data for estimating yields per acre by weighing, measuring, or counting growth factors on small measured plots and relating them to final yields.

OBJECTIVE surveys of yield based upon sampling involve three stages.

First, a sample of fields is chosen, located at random for each crop. The samples for defined areas are chosen in proportion to the acreage of the crop in each area—thus providing a self-weighted sample.

Secondly, plots to be measured within each sample field are located by random numbers, so that all areas of a chosen field have an equal probability of selection.

Thirdly, the enumerator marks off an area of uniform size and makes prescribed observations of growth factors that are later compared with measured yields. These relationships can be used in future years for forecasting yields through observing growth factors before harvest. Such surveys take time and must be done accurately by highly trained observers, but a relatively small sample so obtained is a valuable check on data obtained by other methods and provides information on the quality of the crop, such as protein content or weight per bushel, in addition to yield measurement. While objective yield surveys have been used in only a few countries, their use is expanding.

The Food and Agriculture Organization has devoted much of its resources to conducting training centers, preparing statistical instructions in census taking, and sampling and gathering data on crop yields.

It has helped countries conduct sample censuses and set up crop reporting systems and standardize units of reporting area and production.

It has also cooperated with the United Nations in working out standard statistical classifications for recording trade, measuring the value of trade, and grouping commodities.

Finally, it has given some scholarships to students specializing in statistical methods and in the solution of statistical problems, helped countries prepare their census data for electric data processing, and arranged for a few countries to have their data tabulated in processing centers.

United States aid programs also have helped several countries to set up crop estimating systems and train their workers in statistics. A large number of promising students from foreign countries have been sent to the United States to attend colleges and to receive training in crop estimating and other types of statistical collection and analysis. Nearly 300 foreign visitors from 59 different countries have been trained in agricultural statistics since 1942.

Several other countries have also given training courses for students from countries lacking college facilities. While many of these students take up positions in industry and trade rather than government after returning to their home countries, they are adding to the statistical knowledge and to the use and appreciation of statistics in their countries.

International commodity groups also help countries to improve their statistics and make them more comparable and to acquaint them in the methods of analyzing production and marketing problems.

WHILE STATISTICS for many countries are still little more than guesses, rapid strides have been made in bringing together data on world agriculture so that farmers and governments everywhere can now get information on supplies and market conditions for their products and for alternative products, providing them a sounder basis for their decisions.

More and more countries that were hesitant about publishing their facts on their agriculture now make them available, and the number of countries that change their statistics for political purposes or in the hope of getting a better price for their products is steadily diminishing.

While David Lubin's goal of making accurate and current statistics available on world production, trade outlets, and prices for all major agricultural products is still far from achievement, it now appears possible. Their need no longer is questioned.

CLARENCE M. PURVES *joined the Department of Agriculture in 1925 as an agricultural economist in the former Bureau of Agricultural Economics. Since 1943 he has served in various capacities in the Foreign Agricultural Service and in 1958 was named Director of Statistics and Assistant to the Administrator. He acts as coordinator of statistics with other Government agencies and as consultant on statistical presentation and compilation.*

International Organizations

by RALPH W. PHILLIPS

GOVERNMENTS everywhere have formed many organizations in this century to deal with international problems, including those of agriculture. Some, like the League of Nations and the International Institute of Agriculture, have passed from the scene and have been replaced by others.

It would be idle to pretend that the many organizations that now exist reflect a new and strongly developed sense of community among nations. Why, then, have they been brought into being? What purposes do they serve for their member nations? How do they achieve these purposes? Do they contribute enough to the solution of the complex problems of a modern world to justify their continuation? Without them, how could the present and ever-increasing needs for intercourse among nations be met?

The first question can be answered best in relation to man's history, for the emergence of these organizations as important mechanisms for the conduct of international affairs is but a modern expression of a trend that is as old as man himself.

Man can store up and use knowledge. Each generation adds to the store. Each new generation has at its disposal all the knowledge that has been acquired and passed on by those that have gone before. A generation does not live out its life instinctively

423

according to a pattern followed by the generations before it; it adds something new and develops a pattern of its own. Life therefore grows ever more complex, more highly organized.

When man first emerged long ago as *Homo habilis*, a being with the intelligence to fashion and use tools, his pattern of life was simple. It changed little from generation to generation.

Over the long period of prehistory, bits were added—tools, clothes, better shelters, fire, some knowledge of the stars, the lever. Even so, progress was slow, compared with the rate achieved after organized agriculture began, and slow, indeed, compared with the rate at which knowledge has been accumulating during the 20th century.

In order to cope with the application of his increasing store of knowledge, man has had to develop increasingly complex organizational arrangements at the community, provincial, and national levels, and, in relatively recent times, at the international level. Agriculture has shared fully in this trend and has been a major contributor to it.

Organized agriculture had its beginnings only about 10 thousand years ago in the development of cereal agriculture on the flanks of the Near East mountain ranges. If all man's existence could be telescoped into a single year, the time during which cereal agriculture has been practiced would occupy only about 2 days.

The practice of growing cereals provided the basis for the formation of the Near Eastern village-farming communities, which, in turn, provided the social and economic conditions wherein the meat-producing animals were domesticated.

As organized agriculture spread over the world, as cities developed and farmers grew food for city dwellers as well as themselves, as sailing ships and then modern vessels moved around the world, and airplanes speeded the movements of people and products among nations, the need for mechanisms for consultation among countries arose and increased.

This need was accentuated by the rapid development of knowledge of agricultural science and technology during the past 50 years and by the surplus production of some products in some countries resulting from the application of that knowledge. International organizations emerged in response to the need for better mechanisms for consultation among nations about agriculture and the many other affairs of people.

AGRICULTURAL SCIENTISTS began to organize for the international exchange of information only about a century ago. For example, the first International Veterinary Congress was held in Hamburg, Germany, in 1863, and this group has met at regular intervals ever since. At about the same time, the problems of sugar producers resulted in the signing in 1864 of what was perhaps the first intergovernmental commodity agreement.

Many nongovernmental groups that were interested in various phases of agriculture had begun to meet on an international basis before 1900, particularly in Europe.

The International Commission on Agriculture was formed in 1889. It was the result of efforts by private individuals and groups in Europe who felt the need for organization to offset the inherent weaknesses of the industry and to deal with common problems of agriculture on a worldwide basis. They were stimulated to form it largely by the severe agricultural depression of the 1880's and 1890's. It was probably the first formal international group established to deal with the general interests of agriculture.

The first international intergovernmental body formed to deal with the general problems of agriculture also had its roots in that depression. It was the International Institute of Agriculture (IIA), with headquarters in Rome. It owed its existence almost entirely to the vision and energies of David Lubin, an American, who had seen the misery among farmers during the depression and set out to try to help farmers through some international mechanism.

The IIA convened international meetings in many fields, assembled and published statistics on world agriculture, organized the first world census of agriculture in 1930, and issued many technical publications.

Its work was brought nearly to a standstill by the Second World War. Then, following the establishment of the Food and Agriculture Organization of the United Nations in 1945, the IIA was dissolved, and its assets were absorbed by FAO. Thus, within the first half of the 20th century, the first international intergovernmental agricultural organization had been set up and had lived out a useful existence and had been replaced by an organization with broader duties.

Although international agricultural organizations are new, governments have set up a considerable number that deal directly with agriculture or with some matters related to agriculture.

These organizations fall into four broad categories: Those that deal with agricultural problems as a whole; those that deal with trade in agricultural products; those that are concerned with overall economic problems and consequently with agriculture as a part of the total economy; and scientific and technical organizations whose activities touch upon agriculture.

Two INTERGOVERNMENTAL organizations deal with agricultural problems as a whole and are limited to work in this field.

One is the Food and Agriculture Organization of the United Nations (FAO), is international in scope.

The other, the Inter-American Institute of Agricultural Sciences (IAIAS), is an arm of the Organization of American States and is regional in scope.

FAO was established in October 1945 and grew out of a conference held in Hot Springs, Va., in May and June of 1943. Its headquarters are in Rome. It had 106 member nations and 6 associate member nations at the close of the Twelfth Session of the FAO Conference in December 1963.

FAO deals with a broad sweep of agricultural problems, including human nutrition, the use of land and water, production and protection of plants, production and health of animals, fisheries, forestry, rural institutions and services, the use of atomic energy in agriculture, agricultural commodities, analysis of agricultural economic problems, and world statistics.

IAIAS was created in accord with a resolution of the Eighth American Scientific Congress in Washington in 1940, following a recommendation of the Governing Board of the Pan American Union. The convention under which it was formed did not enter into force until November 30, 1944.

Its objectives are to encourage and advance the development of the agricultural sciences in the American Republics through research, teaching, and extension. For many years its activities were centered at Turrialba, Costa Rica, where attention was given primarily to research and the training of graduate students. Some training and other technical assistance activities were carried out in member countries, and the Institute cooperated with FAO in a number of inter-American meetings on technical problems.

In recent years, the IAIAS has been undergoing a reorganization. The main training and research center remains at Turrialba, but administrative headquarters have been established in San José, Costa Rica, and subregional institutes have been developed at La Molina, Lima, Peru, for agricultural engineering and at La Estanzuela, Uruguay, for work in Temperate Zone grassland and animal husbandry.

ORGANIZATIONS that deal with problems of trade in agricultural products are the International Wheat Council, the International Sugar Council, the International Coffee Organization, the International Olive Oil Council, the International Cotton Advisory

Committee, the International Wool Study Group, and the International Seed Testing Association.

The first four administer international marketing agreements. The others deal with problems related to trade, but they are not directly involved in trade itself.

The General Agreement on Tariffs and Trade also must be considered in this group, even though its functions extend much beyond agricultural commodities that move in international trade. In addition, a number of regional bodies, including the European Economic Community, are concerned with trade.

The International Wheat Council was established in April 1942 to administer the first International Wheat Agreement. It replaced the International Wheat Advisory Committee, which had been set up in 1933. Its headquarters are in London.

The International Sugar Council was established to administer the International Sugar Agreement that first came into force in September 1937. Its seat is London.

The first International Coffee Agreement was signed in September 1962, and came into provisional force in July 1963. The headquarters of the International Coffee Organization, which administers it, are in London.

There is also an International Olive Oil Agreement, operated by an International Olive Oil Council, with headquarters in Madrid. The United States is a member of the three commodity groups I mentioned but not of this agreement.

The International Cotton Advisory Committee, established in September 1939, assembles and analyzes data on world cotton production, consumption, trade stocks, and prices; observes developments in the world cotton market; and suggests measures considered suitable and practicable for the achievement of better international collaboration. Its headquarters are in Washington.

The International Wool Study Group provides information regarding the supply-and-demand position and probable trends. It gives attention to measures designed to stimulate world consumption of wool and to problems that arise in world trade in wool. Headquarters are in London. Its first meeting was held in 1947.

The International Seed Testing Association is concerned with the adoption of uniform methods of testing and with uniform terminology that, in turn, facilitate trade in seeds. It sponsors comparative testing and research to improve techniques and holds congresses for an exchange of information. The headquarters are in Copenhagen. It came into existence in 1924 as an outgrowth of the European Seed Testing Association, which was formed in 1921.

The General Agreement on Tariffs and Trade (GATT) came into force on January 1, 1948. It grew out of proposals by the United States for a multilateral approach to the solution of international trade problems—high tariffs, quota restrictions, and other artificial barriers, which had grown up almost everywhere during the economic depression years of the thirties and which became even more widespread after the Second World War.

The agreement was intended as an interim arrangement under which negotiations could be conducted, pending the formation of an International Trade Organization (ITO). Even though a charter for ITO was completed in March 1948, however, that organization has not come into existence, and GATT has provided an umbrella for the conduct of tariff and trade negotiations. Its basic objectives are to promote cooperation in international trade, to reduce tariffs, and to eliminate other government-imposed barriers to international trade.

Descriptions of organizations I have mentioned and of regional trade agreements are given at greater length in other chapters. One regional organization, which gives primary attention to trade and related matters, the European Economic Community (EEC), also is treated in another chapter because of its particular importance to the United States economy. I describe it briefly, as an example of a regional organization, to round out the picture of organizations dealing with trade.

EEC was established by France, the Federal Republic of Germany, Italy, Belgium, the Netherlands, and Luxembourg in 1957. It has headquarters in Brussels. It is often referred to as the Common Market. Its primary objective is the taking down of trade walls so that, eventually, commerce within the combined area may be carried on freely, much as it is among the States of the United States. Although the member countries of EEC are highly industrialized, agriculture is also of major concern to the Community. United States' interest in the EEC stems both from its overall concern with the economic strength of the free world and from the fact that trade with these countries is a major factor in United States imports and exports.

A NUMBER of organizations deal with the broad problems of international politics, economic development, and finance and at the same time touch on agriculture. These include the United Nations (U.N.), the International Bank for Reconstruction and Development (IBRD), International Monetary Fund (IMF), International Finance Corporation (IFC), International Development Association (IDA), the Organization for Economic Cooperation and Development (OECD), the Organization of American States (OAS), the Caribbean Organization, and the South Pacific Commission.

The United Nations, in addition to its major concern with international political problems, gives much attention to economic problems and economic development. This is done primarily through two arms, the Expanded Program of Technical Assistance (EPTA) and the United Nations Special Fund, both of which include large segments devoted to agriculture, and also through the United Nations Children's Fund (UNICEF).

Some things also are done under the United Nations' regular program. For example, the World Food Program is a joint FAO and United Nations effort to test, for an experimental period of 3 years, the use of agricultural surpluses through multilateral channels for economic development. Also, through its Commission on International Commodity Trade (CICT), the United Nations gives continuing attention to commodity problems.

Although the review of agricultural commodity problems is a matter for the FAO Council's Committee on Commodity Problems, the CICT does take agricultural aspects of trade into account in its overall reviews.

In addition, through the Economic Commission for Africa (ECA), the Economic Commission for Asia and the Far East (ECAFE), the Economic Commission for Europe (ECE), and the Economic Commission for Latin America (ECLA), the United Nations gives overall attention to the economic problems of those regions, including economic problems of agriculture.

FAO and the United Nations cooperate in the agricultural economic work of these Commissions.

The Expanded Program of Technical Assistance (EPTA) was authorized by the United Nations General Assembly in 1949 and began operations in July 1950. The United Nations and most of the other organizations in the United Nations family participate by giving technical assistance to the less-developed countries.

Moneys paid into the central fund on a voluntary basis by member countries of any of the participating organizations are divided among the organizations in accord with the amounts of assistance requested in their respective fields by recipient countries. The participating organizations coordinate their activities through a Technical Assistance Board in which each organization has a seat.

The assistance is given through the sending of experts, provision of fellowships, holding of training and development centers, often on a regional basis, and supplying limited amounts of specialized equipment needed to facilitate projects upon which experts are tendering advice. FAO, as the primary organization in the agricultural field, carries out about one-quarter of the EPTA-financed work.

The United Nations Special Fund was authorized by the United Nations General Assembly in October 1958 to provide systematic and sustained assistance in fields essential to the integrated technical, economic, and social development of the less-developed countries. Like EPTA, its funds are contributed to a central fund by governments, on a voluntary basis, and in turn most of these funds are expended through the various organizations in the United Nations family. Unlike EPTA, the work is developed on a project-by-project basis, rather than on the basis of country programs consisting of numbers of projects, and the average project is substantially larger than those under EPTA. Late in 1963, more than 100 million dollars had been assigned by the Special Fund to FAO for the execution of agricultural projects.

The United Nations Children's Fund retains the initials, UNICEF, from its earlier name, United Nations International Children's Emergency Fund.

UNICEF was established by the United Nations General Assembly in December 1946. Its funds, like those of EPTA and the Special Fund, are contributed by governments on a voluntary basis.

Among its many activities, considerable support is given to projects aimed at improving the nutrition of children and pregnant and nursing women. It also gives support to projects aimed at providing better food supplies—milk production and conservation projects, for example—and at better utilization of protein supplies, particularly from plant sources.

The International Bank for Recon-struction and Development, popularly known as the World Bank, was founded in July 1944 and began operations in December 1945. It lends funds or guarantees loans for reconstruction of industry and development of economic facilities. It also provides some assistance to countries by sending missions to advise on investment and development problems. Its activities, which range over the whole of economic development, include loans in support of agricultural projects and industries that serve agriculture.

The International Monetary Fund was developed as a companion of IBRD. Both were formed at the Bretton Woods (New Hampshire) Conference in July 1944, and both began operations in December 1945. Before becoming a member of IBRD, a government must be a member of IMF.

The IMF promotes monetary cooperation and expansion of international trade by providing procedures for orderly adjustment of foreign exchange rates, by consultation on major changes in exchange practices before they are put into effect, and by promoting common efforts among its members to remove restrictions on exchange transactions. Its actions contribute to stabilization of currencies, economic development, and the encouragement of international trade. Hence, as an important segment of the overall economy, agriculture benefits from the activities of IMF.

The International Finance Corporation (IFC), like the IMF, is linked closely with the IBRD. It is a separate legal entity, however, and its funds are separate from those of the IBRD. The IFC was established in July 1956. Its purpose is to encourage the growth of private enterprise in its member countries, and particularly in less-developed areas, by providing (in association with private investors) risk capital for the establishment, improvement, and expansion of productive private enterprises when other sources of funds at reasonable terms are not available.

The International Development Association (IDA) is associated with IBRD but is not a part of it. IDA helps to finance development projects that have been carefully selected and prepared, but it provides capital to less-developed countries on more liberal terms and over a wider range of projects than does IBRD.

The Organization for Economic Co-operation and Development evolved from the Organization for European Economic Cooperation. OEEC was formed in April 1948 as the European counterpart of the United States agency established to administer the Marshall plan. It was transformed into OECD in September of 1961, with altered terms of reference and expanded membership, including the United States, Canada, and Japan.

The basic aims of the new organization, OECD, are to achieve the highest sustainable economic growth in member countries while maintaining financial stability and thus to contribute to the development of the world economy, to contribute to sound economic expansion in both member and non-member countries, and to contribute to the expansion of world trade on a multilateral, nondiscriminatory basis in accord with international obligations. Its areas of work include coordination of economic policy, aid to developing countries, and trade and payments. Attention is given to agriculture, industry and energy, science, technology and education, manpower and social affairs, and nuclear energy.

THE ORGANIZATION of American States dates from April 1948, but its origins trace back to 1826, when Simón Bolívar called the Congress of Panama in an attempt to organize an American league of states. Although the treaty signed by the participants was ratified by only one country, and so never came into effect, the Congress of Panama established a precedent for several congresses that followed during the 19th century.

Thus, over the 138 years since the Congress of Panama, the OAS has gradually emerged as a cohesive, coordinating force in the Western Hemisphere. The main agricultural arm of OAS is the Inter-American Institute of Agricultural Sciences.

Another regional body in the Western Hemisphere is the Caribbean Organization. It was formed originally as the Caribbean Commission in October 1946 and was then composed of the Governments of France, the Netherlands, the United Kingdom, and the United States. Before that, however, there had been an Anglo-American Caribbean Commission, consisting of the United Kingdom and the United States, which had existed from March 1942. Both the earlier bodies were set up as intergovernmental advisory and consultative bodies on economic and social matters of concern to the member governments and their non-self-governing territories in the Caribbean.

With the emergence of a number of newly independent countries in the Caribbean, the Commission was transformed into the Caribbean Organization in September 1961. Of the original members, only France remained in the new Organization. The United States participates as an observer, but the Commonwealth of Puerto Rico and the Virgin Islands of the United States are members. The Caribbean Organization, a consultative and advisory body, concerns itself with social, cultural, agricultural, and economic matters of common interest to its members.

The United States has an active part in the South Pacific Commission. It is composed of governments of countries having territories in the region, and came into being in July 1948. Its purpose is to assist those governments in promoting the economic and social advancement of non-self-governing territories of the South Pacific region. It is an advisory and consultative body. Agriculture occupies an important place in the work of the Commission.

There are other regional bodies in the world that deal to some degree with agricultural problems within the context of broader terms of reference, but the ones I described are of most immediate interest to the United States and are examples of the kinds of approaches governments make to problems of coordination and to the development of common action on matters of regional concern.

THE FINAL GROUP of international intergovernmental organizations with which this chapter is concerned are those that deal with scientific, technical, and other matters related in part to agriculture.

The International Maritime Consultative Organization (IMCO) came into existence in March of 1958. Its headquarters are in London. Its purposes are to encourage the highest standards of maritime safety and efficiency of navigation and to provide for intergovernmental cooperation aimed at removal of discriminatory action and unnecessary restrictions on international shipping, and to provide for intergovernmental exchange of information. Since large quantities of agricultural products move between countries on ships, its work has a direct bearing on agricultural trade.

The International Atomic Energy Agency (IAEA), with headquarters in Vienna, came into existence in July 1957. It deals with basic problems in the use of atomic energy for peaceful purposes, including agricultural aspects. In this latter area, IAEA and the Food and Agriculture Organization cooperate, since FAO has a responsibility for atomic energy as an agricultural research tool and in other agricultural applications.

The International Civil Aviation Organization, with headquarters in Montreal, came into being in April 1947, although a provisional organization functioned from December 1944. It works to improve all aspects of civil aviation and to insure its safe and orderly growth throughout the world. Thus it contributes to the development of agricultural as well as other civil uses of aircraft.

The International Labor Organiza-

tion was established in April 1919 as an autonomous body associated with the League of Nations. Following the dissolution of the League, its constitution was amended to its present form in October 1946. ILO headquarters are in Geneva. It is a tripartite organization; that is, delegations from member countries to meetings of its governing body include representatives of government, management, and labor. It is concerned with many aspects of labor, including agricultural labor and labor in industries that process agricultural products or otherwise serve agriculture.

The World Meteorological Organization (WMO) was formed in March 1950, with headquarters in Geneva. It is a successor to the International Meteorological Organization, which, from 1878, had been coordinating weather-reporting activities of its members. WMO's objectives are to coordinate, standardize, and improve world meteorological services and to encourage efficient exchange of information among countries. It furthers the application of meteorology to aviation, shipping, agriculture, and other fields.

The World Health Organization (WHO), like WMO, has its headquarters in Geneva. An interim commission began work in July 1946, and WHO formally came into existence in September 1948. It is concerned with all aspects of human health. Many of its programs, such as that for malaria control and eradication, are of particular benefit to those who live in rural areas. Also, in cooperation with FAO, WHO is concerned with human protein requirements, with diseases—the zoonoses—that affect both animals and man, with hazards to human health arising from the use of pesticides, and with standards for food products.

The United Nations Educational, Scientific, and Cultural Organization was formed in November 1946 to contribute to peace and security by promoting collaboration among its member nations through education, science, and culture. Sound basic education and training in the sciences, as well as strong overall scientific research programs, are essential to provide the climate in which agricultural training and research can develop effectively and in which a modern agriculture can emerge and flourish. Thus, UNESCO's basic programs help to provide the foundation upon which agricultural improvement is built.

Also, in some areas, UNESCO cooperates with FAO on matters of direct concern to agriculture, such as the basic problems of arid zones, including alkaline soils, and ecological problems that affect agriculture.

The Pan American Health Organization (PAHO) began in 1902 with the first of a long series of conferences on sanitation and the formation of a permanent International Sanitary Bureau. In 1920, the name was changed to Pan American Sanitary Bureau, and in 1924 the organization was formalized under a convention. PAHO was formed in 1947, with the Bureau as its Secretariat. It is located in Washington. In addition to its own concern with the health needs of the Americas, it also serves as the regional office of WHO for the Western Hemisphere and, by agreement with OAS, it serves as a specialized organization of OAS.

Another regional body is the Inter-American Statistical Institute (IASI), which was created in 1940, with headquarters at the Pan American Union in Washington. Its parent organization was the nongovernmental International Statistical Institute, founded in 1885, in The Hague. In July 1950, the IASI agreed to become an integral part of the OAS system, and its Secretary General also serves as director of the Pan American Union's Department of Statistics. It is charged with promoting progress in statistical work in the Western Hemisphere.

Before leaving this general description—which is only a broad survey of the intergovernmental organizations that have emerged since 1900 and some of their functions—of international organizations dealing with agriculture, we should note the interrelationships among organizations in the United Nations family, since these relations are not generally understood.

Each of the organizations in this family is an independent body, with its own constitution, its own governing body, its own membership (which differs from organization to organization), and its own budget, which is fixed by representatives of governments in the respective governing bodies, and to which member governments contribute in accord with agreed scales of contributions.

Thus the United Nations in December 1963 comprised 113 member countries, and the General Assembly is its main organ and governing body. FAO comprised 106 member countries and 6 associate member countries, and the FAO Conference is its governing body. Most of the organizations that deal with specialized fields have entered into agreements with the United Nations whereby they also have functions as specialized agencies. (The International Atomic Energy Agency is an exception.)

The General Assembly or the United Nations Economic and Social Council may request a specialized agency to carry out a particular task, but the decision as to what it does rests with its governing body.

Each organization therefore is able to move forward in its own field, coordinating its actions with those of other organizations where this is desirable and feasible, but without being hampered by roadblocks that may prevent or slow down progress in another organization.

WE COME NOW to the final questions.

Do these organizations contribute enough to the solution of the complex problems of a modern world to justify their continuation?

Without them, how could the present and ever-increasing needs for intercourse among nations be met?

These are essentially rhetorical questions. If real needs had not been felt,

governments would not have undertaken the considerable effort and expense required to set up the international and regional intergovernmental
organizations. Nor would scientists
and other groups have taken the
trouble to organize themselves into
the many nongovernmental organizations through which they maintain
contacts across national boundaries.

The many and diverse problems with
which these organizations deal cannot
be expected to disappear. Some will be
solved, but as they are, others may
appear.

As I said at the beginning, it is in
the nature of human relationships to
grow more complex. As man increases
in number, as his level of knowledge
rises (at a rate entirely unprecedented
in man's history), and as contacts
among peoples and nations increase,
the need for consultations, for exchange of information and ideas, and
for reaching agreement on common
and cooperative courses of action
certainly will increase.

All the organizations that now exist
will not persist in the forms they had
in 1964. Some will no doubt disappear
entirely and be replaced by others.

But international organizations as
such seem certain to continue. If it
should be decided tomorrow, for
example, that all the organizations
in the United Nations family should
be abolished forthwith, the governments of the nations would have to
begin at once the task of developing
new mechanisms for consultation on
these many fronts. So the basic problem is not whether to have intergovernmental and nongovernmental international organizations but, rather,
how to make such organizations serve
their intended purposes effectively
and efficiently.

It is not easy to achieve efficiency
at the international conference table.
Each country has its own problems, its
own history and way of thought, its
own interests to protect. When more
than 100 countries meet to discuss
problems of world agriculture in an

FAO Conference, it is hardly to be
expected that they will agree on all.

A common mistake in evaluating the
work of an international intergovernmental organization is to overlook
both its form and its function and to
regard it as a building and a staff.
For example, the United Nations is an
organization of governments whose
territories spread over the entire
world. The headquarters building in
New York houses its Secretariat
and provides meeting places for the
representatives of its member governments—but it is the governments that
constitute the organization.

It is so with FAO and with each of
the other organizations. FAO has its
headquarters building in Rome, where
the central staff is housed and where
the FAO Conference and many other
intergovernmental meetings are held.

But the member governments are
FAO.

Only when we recognize this basic
fact can we evaluate the work of any
intergovernmental body.

These bodies are set up by governments to serve governments. They provide the forums in which governments
debate and decide issues, the stages
upon which government representatives act out international plays.

Efficient, competent staffs can do
much to facilitate debates, to guide
participants toward decisions, and to
organize international activities, but
in the final analysis, governments take
the decisions leading to common actions by countries or to the authorization of actions by the staffs on behalf
of governments.

The province of an international
wheat agreement is determined by
the governments who sign it. A major
difference on an agricultural trade
matter cannot be resolved in the
GATT until the views of opposing
governments can be reconciled. Common action against a locust attack
cannot be organized by FAO unless
the governments in the affected region
give their agreement and support. An
international or regional maize or rice

breeding program is ineffective without active government participation.

This is not the place for a detailed analysis of the degree to which each of the international organizations has achieved its objectives, whether they relate wholly or partly to agriculture.

Governments have been prepared to move faster and further in some areas than in others. It is easier to achieve common understanding and to promote cooperative action in some fields than in others. The whole concept of approaching common problems through international organizations is still quite new.

In intergovernmental organizations, experience had to be gained, both by those who staffed the secretariats and by those who represented their governments. It is still not easy to find men for posts in international organizations who are equipped in training and in experience.

So the international intergovernmental organizations have had to gain experience as they grew, to feel their way along uncharted trails before they could move forward with speed and precision.

Methods of work and areas of emphasis have been modified as they developed in order to meet changing needs, and to increase the effectiveness of international activities.

This period of growth and of learning how to conduct the affairs of nations efficiently and effectively through intergovernmental organizations is still with us—the learning process will no doubt require several decades.

The international nongovernmental organizations that serve agriculture have done much to facilitate the exchange of information and ideas and to promote international understanding of agriculture and agricultural science.

But they, too, are encountering problems in serving their members most effectively. For example, the international congress has been one of the useful types of activities sponsored by many of these groups. Yet, with easier travel; generally good economic conditions; great increases in the numbers of scientific, technical, and economic workers; and equally great increases in the outflow of new knowledge; the traditional congress for the presentation of papers has grown oversized and relatively less effective. So new methods of organizing such congresses are being thought out and tested.

IN CONCLUSION, we come back to the point, made at the beginning, that many international intergovernmental organizations have been formed during the 20th century. Through these organizations, governments tackle a wide variety of agricultural problems and problems that affect agriculture.

As relations among countries grow more complex, the role of intergovernmental organizations seems certain to increase in importance.

Since these organizations are the instruments of governments, it follows that it is a major concern of governments that the organizations direct their attention to the key problems of world agriculture and their other fields of endeavor and that they are made to function as efficient and effective instruments of policies shaped by the member governments for the overall benefit of member countries and their peoples.

RALPH W. PHILLIPS *is Director, International Organizations Staff, Office of the Assistant Secretary for International Affairs, the United States Department of Agriculture. He was formerly Deputy Director of Agriculture in the Food and Agriculture Organization of the United Nations, and in earlier positions he was in charge of animal genetics research in the Department of Agriculture, head of the Department of Animal Husbandry at Utah State University, and a member of the staffs at the Universities of Massachusetts and Missouri. He is the author of many papers on animal genetics, physiology of reproduction, and international agriculture, and was the founding editor of the* Journal of Animal Science.

FAO of the United Nations

by RALPH W. PHILLIPS and
KENNETH A. HAINES

FAO, THE FOOD AND AGRICULTURE Organization of the United Nations, is the major international agricultural organization.

Food and agriculture, as used in the name, cover the broad fields of agriculture, fisheries, forestry, and nutrition and the economic, statistical, and institutional matters related to those fields.

Within those fields, it is the task of FAO to assist its member governments in the development of their programs and projects aimed at improving agricultural production, processing, and distribution.

FAO may be regarded as an international extension service, with the governments as the recipients of its services. In turn, the rural peoples and consumers generally benefit as information and the advantages of the improved services become available.

The comparison to an extension service does not mean that FAO is concerned only with the applications of knowledge. It is concerned also with the development of research.

It is concerned as well with the establishment and strengthening of the organizational structures for research, extension, training of leaders, and other government services to agriculture, as well as with the effective administration of these services.

Further, FAO is concerned with the economic and social structure wherein the results of research may be applied with maximum benefit to all rural populations and consumers.

However, FAO is not the doer of research, the conductor of extension services, the extender of credit, and so on. Its task is to assist countries in doing these things or in improving their internal structures for service to agriculture and their ways of rendering that service.

The task is large and diverse. Its diversity is mostly a reflection of the differing stages of development of the member countries. Because of widely differing stages of development, countries differ in the kinds of services they may need from an international organization.

A country that has already experienced the agricultural revolution of the past several decades and whose economic levels and individual incomes are generally high may be in a situation different from that of a country in which the average farm contains only a few acres, where much farmwork is still done by hand, and where the annual income is under 100 dollars per person.

In a complex world situation where developed countries are able to move ahead rapidly because of economic resources and trained personnel while less-developed countries move forward at only a slightly accelerated pace in their development programs, the gap between developed and less-developed countries tends to widen rather than to become narrower.

FAO has the task of serving all its members, from the least developed to the most highly developed country.

The less-developed countries are generally more interested in technical improvements in agriculture that may be put to use to help production keep pace with population increases and with economic problems relating to export crops upon which they depend for foreign exchange.

On the other hand, the developed

countries are generally more interested in the exchange of statistical and technical information, in problems relating to the disposal of agricultural surpluses and the use of such surpluses for economic development, in the overall problems of international trade, and in the degree to which an international organization may be used for channeling technical assistance to less-developed countries, as compared with bilateral channels.

These are only examples of differences in needs and approaches, but they illustrate why the program of FAO has so evolved that much of the regular program of the Organization consists of activities that are of benefit to all member countries, while the field programs are designed to meet the needs of the less-developed countries for technical assistance.

IT HAD ITS BEGINNINGS in a 44-nation Conference on Food and Agriculture at Hot Springs, Va., in May and early June of 1943.

That Conference, which was convened by President Franklin D. Roosevelt, set up an interim commission with headquarters in Washington.

The Commission functioned until the Organization was formally brought into existence at the first session of the FAO Conference in Quebec in October 1945.

At the beginning of the Quebec Conference on October 16, 1945, representatives of 34 nations signed the constitution. By the close of that Conference, 8 other governments had been admitted to membership, bringing the total to 42.

In adhering to the constitution, these nations indicated their determination to take separate and collective action to raise levels of nutrition and standards of living of their peoples, to secure improvements in the efficiency of production and distribution of food and other agricultural products, to better the conditions of rural populations, and by these means to contribute toward an expanding world economy.

Since the Quebec Conference, membership in FAO has grown from 42 to 106 member nations in 1963.

Provision has been made in the constitution for associate membership by territories that do not handle their own foreign affairs. There were six associate members in December 1963. They may participate in FAO activities but have no vote.

The scope of FAO's work is reflected rather fully in the internal structure of the Organization's headquarters staff.

FAO is headed by a Director General. He is elected by the FAO Conference and is assisted by a Deputy General and by five Assistant Director Generals, who head the Technical Department, the Department of Economic and Social Affairs, the Department of Public Relations and Legal Affairs, the Department of Administration and Finance, and the Program and Budgetary Service.

The Technical Department is made up of six divisions dealing with animal production and health, land and water development, plant production and protection, fisheries, forestry and forest products, and nutrition, and an Atomic Energy Branch, which deals with the use of atomic energy in agriculture.

The Department of Economic and Social Affairs contains four divisions, which deal with commodities, economic analysis, statistics, and with rural institutions and services.

The Department of Public Relations and Legal Affairs has two major services, which deal with public information and with publications. It also contains a large library; a Legislative Research Branch, which attempts to keep abreast of agricultural legislative developments around the world; and offices that deal with protocol and with the operation of conferences.

The Department of Administration and Finance contains two divisions that deal with personnel and management and with finance.

The Program and Budgetary Service is a part of the Office of the Director General. It contains three divisions.

The Program Formulation and Budget Division carries out the functions its name implies, in cooperation with other departments.

The Program Liaison Division maintains contacts with other international organizations, and with FAO's regional offices in Bangkok (for Asia and the Far East), in Accra (for Africa), in Cairo (for the Near East), in Santiago (for Latin America), in Geneva (for Europe), in Washington, D.C. (for North America), and with subregional offices in some of these FAO regions.

The third, the Division of Technical Assistance Co-ordination, coordinates activities financed under the Expanded Program of Technical Assistance and the United Nations Special Fund, as well as technical assistance under funds from other sources, including the Freedom From Hunger campaign. The work of the division includes the coordination of fellowship and training center activities.

Besides the five major organizational segments described, there is at FAO headquarters a group that deals with the World Food Program, a 3-year experimental effort to test the using of surplus foods in economic development. It is headed by an Executive Director, who is responsible to the Director General of FAO and the Secretary General of the United Nations.

THE FAO STAFF does not constitute the organization.

Rather, the staff is the Secretariat of an organization composed of governments, which manage FAO affairs through the FAO Conference and a series of subsidiary bodies.

The Conference holds regular sessions biennially. Special sessions may be convened to deal with emergency and special problems.

Each member government may be represented in each session of the Conference by one delegate and so has one vote. The delegate may be assisted by as many alternates, associates, and advisers as the member government wishes.

The functions of the Conference include acting on applications for membership in FAO, reviewing and approving the program of work and fixing the level of the budget for the coming biennium, setting the scale of contributions, making decisions on constitutional and administrative matters, reviewing the state of food and agriculture, discussing any special topics it may include in its agenda, appointing the Director General when that post is to become vacant, electing members of the 27-member-government Council, and appointing an independent chairman of the Council.

Other examples of the kinds of action taken by the Conference were the determination that the permanent headquarters of the Organization should be in Rome and the decision that FAO should participate in programs financed from sources other than the regular budget.

In addition to plenary sessions, in which major actions are taken, each Conference session normally breaks into three commissions, one dealing with government policies and problems in relation to food and agriculture, one with the activities and budget of the Organization, and one with constitutional and administrative matters.

THE FAO COUNCIL is composed of 27 member governments that are elected by the Conference. These members are elected for 3-year terms, and terms are so staggered that one-third of the memberships expire each year.

The Council is the second level of authority in the governing structure and is the policy-determining body between Conference sessions. It holds at least one full-scale session each year and brief sessions just before and after regular sessions of the Conference.

Much of the Council's work is based on preparatory work by committees, particularly the four standing committees—the Program Committee, Finance Committee, Committee on Constitutional and Legal Matters, and Committee on Commodity Problems.

Two ad hoc committees were set up by the Council and organs of other organizations to deal with special problems. One, the FAO/UNICEF Joint Policy Committee, is composed of 10 countries, 5 appointed by the FAO Council and 5 by the Executive Board of the United Nations Children's Fund. The other, the Intergovernmental Committee on the World Food Program, is composed of 24 countries, 12 appointed by the FAO Council and 12 by the United Nations Economic and Social Council.

The Committee on Commodity Problems performs much of its work through subcommittees or working groups—a consultative subcommittee on surplus disposal, a consultative subcommittee on the economic aspects of rice, a cocoa study group, a group on grains, a group on coconut and coconut products, and a group on citrus fruit.

THE ACTIVITIES of FAO are designed to provide its member countries with opportunities for intercountry consultation and with information, advice, and technical assistance. Various approaches or methods are used to achieve these ends. These methods are used either singly or in combination, depending on the nature of the problem or the task to be done.

International and regional forums are provided for the discussion of scientific, technical, and economic problems. Overall problems of food and agriculture are discussed in Conference and Council sessions and in regional conferences held biennially in most of the FAO regions.

In more limited subject-matter areas, periodic discussions take place; for example, in regional fishery and forestry committees and councils, the Committee on Commodity Problems and its subgroups, the International Rice Commission, and many meetings organized on an ad hoc basis to consider scientific, technical, and economic matters.

Such forums provide for the exchange of information and ideas in all of the fields covered by FAO and often lead to a coordinated action for the solution of common problems.

Considerable emphasis was placed on missions in FAO's early years. Missions were sent to Greece, Poland, Thailand, Nicaragua, and other countries to assist governments in the development of overall agricultural improvement programs or in some limited segment.

With the establishment of the Expanded Program of Technical Assistance and the United Nations Special Fund, resources became available to FAO for substantial assistance to governments on a project-by-project basis. The mission approach then fell into disuse. It is again being brought into use, however, particularly in assisting governments in planning development.

Much of FAO's direct assistance to governments is in the form of technical assistance under the Expanded Program of Technical Assistance (EPTA) and the United Nations Special Fund (UNSF).

Another major source of funds for work in certain fields has been the United Nations Children's Fund (UNICEF). These are the most important of the field programs we mentioned earlier.

Under EPTA- and UNICEF-supported projects, experts have been sent to countries for a few months to several years to advise and assist in many projects. As of July 1, 1963, FAO had 489 such experts in the field. Many fellowships have been provided for training outside the recipients' countries. Training and development centers, usually of a few months' duration, have been held in many fields.

In connection with these activities, limited amounts of technical equipment and literature have been supplied to facilitate the work of experts and for use in training centers. On the training side, experts serving in countries are also expected to impart training to national workers responsible for carrying on the projects upon which advice is being given.

Under UNSF, assistance is organized on a project-by-project basis, and each such project is substantially larger, on the average, than the units of assistance rendered under EPTA.

Once a project is approved and assigned to FAO as the executing agency, FAO employs the team of international workers required, obtains the supplies and equipment that are to come from outside the country, and works with the group supplied by the recipient government in carrying out the project. Late in 1963, more than 100 million dollars had been assigned to FAO by UNSF for the conduct of 128 projects.

Assistance to countries through the World Food Program for the use of surpluses in economic development also represents a type of technical assistance rendered through FAO, jointly with the United Nations.

As a part of its regular program, FAO assists governments in planning agricultural development by sending out advisory teams in agreement with governments that request such help.

Also, as part of its regular program, FAO awards about 12 research fellowships each year. Recipients may be from developed or less-developed countries and are expected to carry out research on problems related to FAO's program of work. These are called André Mayer Fellowships, after the French physiologist who was active in FAO Conference and Council affairs in earlier years.

FAO prepares and publishes many documents that contain statistical, scientific, technical, and economic information for the use of member countries. These publications include yearbooks of production and trade statistics; technical and scientific publications in many phases of agriculture, economics, fisheries, forestry, and nutrition; reports of missions and experts serving on technical assistance projects; reports on training centers and technical and economic meetings; and reports on sessions of the FAO Conference and Council.

Documents are published in the three official languages—English, French, and Spanish.

Under its constitution, FAO has provision for the organization of continuing bodies, which are mechanisms for consultation among countries and for cooperative action in specific subject-matter areas where this is deemed desirable.

Regional committees and commissions on fisheries, forestry, and rice have already been mentioned. Others, for example, deal with foot-and-mouth disease, locust control, improvement of statistics, and pesticide residues. FAO also has developed an International Plant Protection Convention, which provides a general umbrella under which plant quarantine and related activities may be facilitated by regional groups and national services.

FAO has begun to develop, jointly with WHO, a new field of work aimed at the establishment of internationally recognized standards for food products, and for this purpose a Codex Alimentarius Commission has been created.

FAO staff members maintain contacts with agricultural leaders in various countries through visits, contacts during international and regional meetings, and correspondence. By these means, the flow of information and ideas in both directions between government officials and the staff is facilitated.

The various methods of work employed by FAO provide for a great deal of flexibility in carrying out its functions and responsibilities to member governments under its constitution.

FAO activities are financed from a number of sources.

The regular program is financed by contributions from all the member countries. Both the total amount and the proportion to be paid by each government are fixed by the FAO Conference.

Funds for the Expanded Program of Technical Assistance are contributed on a voluntary basis by countries that are members of any one of the organizations in the United Nations family.

Funds, in the currencies of the contributing countries, go into a central pool, the use of which is coordinated by a Technical Assistance Board, in which each participating organization has a seat.

The amount going to each organization for carrying out technical assistance is determined by the portion of requests received from governments and approved in the fields of the respective organizations.

Moneys for the United Nations Special Fund, like those for EPTA, are contributed on a voluntary basis by member countries of organizations in the United Nations family. The Managing Director of the Special Fund receives requests for projects from countries. Once a project is approved, funds for its operation are turned over to the organization that has been designated to execute the project. Thus FAO receives funds for the execution of agricultural projects.

The United Nations Children's Fund (UNICEF) also receives its funds from governments on a voluntary basis. For projects in which FAO and UNICEF are cooperating in rendering assistance to governments, UNICEF supplies funds to FAO for the employment of field personnel, for fellowships, and for the operation of training centers; UNICEF provides material assistance directly to governments.

Contributions to the World Food Program, whether in the form of funds, commodities, or services such as shipping, are also on a voluntary basis.

FAO also carries out a number of activities under fund-in-trust arrangements. Such funds come from various sources. A government of a less-developed country may wish assistance that it cannot obtain from established outside sources, and it may therefore provide FAO with funds to hire professional staff and to cover such other expenses as are necessary to carry out the work. By this device, a government can obtain professional

services that it could not secure under its own civil service regulations.

A private organization or a government may make a contribution to carry out some special project; for example, under the Freedom From Hunger campaign, wherein FAO undertakes to execute the project. In such cases, FAO manages the projects and, in addition to actual project costs, makes a suitable charge to cover the overhead costs.

Earlier in FAO history, technical assistance was rendered to nine countries under such a fund-in-trust arrangement with moneys transferred from the former United Nations Relief and Rehabilitation Administration (UNRRA). The work of the Codex Alimentarius Commission has been carried on with funds contributed from outside sources.

Thus FAO cooperates closely with several arms of the United Nations— EPTA, UNSF, and UNICEF—and with the United Nations itself on the World Food Program.

FAO and the United Nations also collaborate in other fields: Industrial development, a field wherein FAO has primary responsibility for small rural industries; water resources, wherein the United Nations maintains a Water Resources Development Center, while FAO is concerned with agricultural uses of water; land tenure, a field in which FAO has primary responsibility but the United Nations has an interest in the overall economic and social aspects.

In the United Nations regional economic commissions—ECE, ECAFE, ECA, and ECLA—the economic work related to agriculture is carried out together by FAO and the United Nations.

FAO also cooperates with other organizations, including WHO, IAEA, ILO, WMO, UNESCO, and the GATT.

FAO and the World Health Organization have mutual interests in the zoonoses (diseases that affect both man and animals), in protein deficiencies that affect human health, in pesticides that may be harmful to man, and in work on food standards under the jointly sponsored Codex Alimentarius Commission.

The International Atomic Energy Agency is concerned with the basic, overall problems of peaceful uses of atomic energy, while FAO is concerned with applications in agriculture, including use of isotopes in plant, animal, and soil research; preservation of foodstuffs by radiation; and protection of farm animals, crops, and rural families from possible ill effects of radiation. Hence, the two organizations coordinate their related activities.

The International Labor Organization is concerned with labor problems, including those of farm labor. ILO also has concerned itself with improvement of indigenous populations, such as the Andean Indians, who practice subsistence agriculture, and with the development of cooperatives. FAO and ILO have collaborated in all these fields.

The World Meteorological Organization engages in work on the development and improvement of meteorological services around the world and with the applications of these services in all fields of activity including agriculture. In view of the major importance of accurate weather forecasting to agriculture, FAO and WMO have mutual interests.

The United Nations Educational, Scientific, and Cultural Organization is concerned with basic scientific matters and with education, both of which touch on agriculture. FAO is concerned with specialized training of agricultural leaders and carries out a special program in Africa.

FAO is concerned also with the problems of soils in arid zones, particularly alkaline soils, and with problems of soil classification and mapping. In both areas of work, UNESCO has some interest in the applications of science to the solution of problems. Also, there is some collaboration in the fisheries field because of the interrelations between FAO's fisheries work and the activities of UNESCO's Office of Oceanography and the Intergovernmental Oceanographic Commission.

In relation to the General Agreement on Tariffs and Trade, FAO consults and compiles information on commodity problems in connection with the work of the FAO Council's Committee on Commodity Problems and its several subsidiary groups. The GATT, on the other hand, is concerned with actual negotiations aimed at reduction of tariffs and other barriers to international trade. Even so, the areas of work lead to definite overlappings of interest that require close consultation.

Mention should be made of another kind of interrelationship. In some cases, such as with cocoa and olive oil, consultations sponsored by FAO have contributed to the development of proposals for commodity agreements. When one of them develops to the stage of negotiating an international commodity agreement, however, the United Nations convenes the negotiating conference, and that conference may set up a council to administer an agreement.

One other example of interorganizational cooperation is that between FAO and the Inter-American Institute of Agricultural Sciences. FAO and the IAIAS have collaborated in various activities relating to animal production, agricultural extension, and agricultural education. A United Nations Special Fund project has been developed to strengthen the work of the Institute, and FAO is the executing agency for this project.

Other examples of interorganizational cooperation and collaboration could be cited, but these should be sufficient to show that, while FAO is the major international agricultural organization, it has a network of interrelations with other organizations in and outside the United Nations family.

POLITICAL, ECONOMIC, and social conditions in today's world are in a state of change. As the environment in which an international organization changes, the organization also must change.

FAO has undergone its share of changes as it has grown from small beginnings in 1945. To a considerable extent, the changes reflect the emergence of many newly independent nations and economic recovery after the Second World War.

Membership has grown from 42 members to 106 member countries and 6 associate members. Funds available annually to FAO have increased perhaps twelvefold—a precise figure is not possible, because some funds are not allocated on an annual basis.

THE BASIC objectives of FAO have not changed, but there have been substantial changes in emphasis and growing attention to technical assistance for less-developed countries.

During its first 5 years, activities were carried out almost entirely under the regular budget, and most activities were designed to benefit member countries as a whole. Some regular funds were used for sending missions to a few countries, and technical assistance was rendered to nine countries under a fund transferred from UNRRA. An International Emergency Food Council (later named "Committee") was set up for the voluntary rationing among countries of certain agricultural products and supplies that were then scarce. The idea of a "world food board" and of an "international commodity clearinghouse" was considered and discarded, although the discussions contributed to the establishment of the FAO Council, and keeping under review the state of food and agriculture was made one of its functions.

The period from 1951 to 1958 may be regarded as the second phase in FAO's development. The first 5 years of this phase were marked by rapid expansion, particularly in field activities. There was some expansion of field activities through projects supported by UNICEF. At the same time, there

was a gradual increase in the regular program. Under both the regular and technical assistance programs, there was an increasing tendency to use regional approaches to problems and to encourage intergovernmental consultation through technical and economic meetings and development centers. The last 3 years of this phase were marked by some overall growth but in general represented a period of leveling off.

The upward spiral of FAO's field activities was renewed in 1959, following initiation of the United Nations Special Fund in October 1958. There also was a substantial increase in the regular budget for the 1960–1961 biennium and a considerably larger increase for 1962–1963. Too, there was a rapid increase in the UNICEF-supported aid to nutrition and related fields of work. The Freedom From Hunger campaign was developed, and various projects were undertaken under this banner with support from funds in trust. This upward swing in the overall level of activities has continued. In 1961 the World Food Program, for the use of food through international channels for economic development, was authorized for a 3-year experimental period.

As a result of these changes, a much larger portion of the total funds available to FAO may be channeled into activities for the benefit of the less-developed countries than in earlier years, and conversely, substantially less of the work is of direct benefit to the member countries as a whole.

THIS POINT is underlined by the fact that a little more than one-fifth of the member countries that may be regarded as developed contribute more than 87 percent of the regular budget, and these developed countries contribute an even larger share of the budgets for the various technical assistance activities.

The rapid upswing in field activities also has had a substantial impact on the regular program, since increasingly large proportions of the time of the headquarters staff have had to be devoted to the managing and servicing of field activities. Much of the regular budget is, in fact, being used in support of field programs, for which the financing from other sources covers only a portion of the costs.

IT CAN BE ARGUED that the developed countries benefit in the long run from improved economic and social conditions in the world as a whole and that therefore they benefit indirectly from the large portion of the Organization's activities that directly benefit the less-developed countries. That is true.

At the same time, there is an important question of balance, if the continued active interest of all member countries in the affairs of FAO is to be assured and FAO is to make a maximum contribution toward the objectives set out in the preamble of its constitution, wherein the nations accepting the constitution expressed their determination to promote the common welfare by furthering separate and collective action through FAO for the purposes of: Raising levels of nutrition and standards of living of the peoples under their respective jurisdictions; securing improvements in the efficiency of the production and distribution of all food and agricultural products; bettering the condition of rural populations; and thus contributing toward an expanding world economy.

In effect, the pendulum has swung from one extreme where in the beginning FAO had few resources for field activities to the other extreme where the bulk of its resources, including a substantial portion of the time of staff financed under the regular budget, are being used for this purpose. Perhaps, in due time, better balance will be achieved, and the pendulum will come to rest somewhere near the center.

This in no way depreciates FAO's important and useful role as a multi-lateral instrument for technical assistance. It does, however, emphasize the role of FAO as a world forum for intergovernmental consultation and collaboration on many fronts, a role that is certain to become more important as pressures on the land increase and as man must find ways leading to ever-increasing efficiency in agricultural production if the needs of existing and expanding populations are to be met.

In the broad context of world affairs, it should be recognized that the time has passed when ministries and departments of foreign affairs can carry the full load of foreign relations for their countries. The agricultural scientists, economists, and the policymakers are playing an increasingly important role in international affairs. This does not mean that foreign ministries have a lesser role. As problems on the foreign affairs front grow more complex, the size of the task increases. It has already increased to the point where support is needed on many fronts, including that of food and agriculture and their place in the overall economic, social, and political problems of the world.

FAO is one of the avenues through which the countries, with the active participation of their agricultural leaders, scientists, and economists, can make progress in the solution of these problems.

RALPH W. PHILLIPS *is Director, International Organizations Staff, Office of the Assistant Secretary for International Affairs.*

KENNETH A. HAINES *is Assistant Director, Foreign Research and Technical Programs Division, Agricultural Research Service. He joined the Department of Agriculture in 1933 as an entomologist in the former Bureau of Entomology and Plant Quarantine. In 1954 he undertook program appraisal work in the Office of Administrator of ARS. His work since 1959 has dealt primarily with international organizations and with technical assistance.*

The Inter-American System

by CHARLES R. DAVENPORT

THE ORGANIZATION of American States has evolved as the inter-American system and mechanism for the Alliance for Progress program for the development of the Western Hemisphere.

The system and the Alliance are the product of nearly a century and a half of cooperative development, from the dream of Simón Bolívar to the vision of Juscelino Kubitschek, former President of Brazil.

Simón Bolívar, the great Latin American liberator, convened the Congress of Panama in 1826 to organize an American league of states with the primary purpose of a mutual defense against Spain or possibly against other foreign powers.

Bolívar hoped that this league would lead to unification of the American countries into a single nation. All were invited, but several, including the United States, did not participate.

After considerable delay, two United States delegates were appointed, but one died before reaching Panama and the other did not leave until after the Congress adjourned.

The Congress produced a treaty concerned with common defense and related measures, which never became effective. Its real importance was that it marked the beginnings of the inter-American system.

Seven congresses followed with increasingly important results. They led to the First International Conference of American States in Washington in 1889–1890. It marked a second major step in the development of the inter-American system through the creation of the International Union of American Republics and a Commercial Bureau of American Republics.

Nine more conferences followed. The last in 1954 engendered the present inter-American system.

In this series, the Ninth International Conference of American States in Bogotá, Colombia, in 1948 represented the third major step in the development of this system. It produced the charter of the Organization of American States, which established the Organization of American States (OAS), largely as we know it today, with a new and permanent juridical structure.

Except for Canada and the newly independent countries of Jamaica and Trinidad and Tobago, all nations of the Western Hemisphere belong to the OAS. The Government of Cuba was excluded from participation in OAS activities in 1962, however.

OVERALL POLICY and policy guidance of OAS is provided by three groups: The Inter-American Conference, the meeting of consultation of Ministers of Foreign Affairs, and specialized conferences.

The Conference is the supreme organ of the OAS and normally meets every 5 years to decide general action and policy.

The meeting of consultation bridges the periods between conferences by serving when convened as the organ of consultation to consider urgent problems. It is also to provide a policy guidance for the Advisory Defense Committee as the charter calls for.

Special conferences meet periodically to consider technical matters or related problems of the semiautonomous specialized organizations or permanent agencies and special agencies and commissions.

Specialized organizations are the

Inter-American Institute of Agricultural Sciences (IAIAS) at San José, Costa Rica; the Pan American Health Organization (PAHO) with its executive organ, the Secretariat of the Pan American Sanitary Bureau, Washington; the Inter-American Commission of Women (IACW), Washington; the Inter-American Children's Institute (IACI), Montevideo, Uruguay; the Pan American Institute of Geography and History (PAIGH), Mexico City; and the Inter-American Indian Institute (IAII), Mexico City.

Special agencies and commissions, located in Washington, are the Inter-American Commission on Human Rights (IACHR); the Inter-American Defense Board (IADB); the Inter-American Nuclear Energy Commission (IANEC); the Inter-American Peace Committee (IAPC); the Inter-American Statistical Institute (IASI); and the Special Consultative Committee on Security (SCCS).

The Council of the Organization (COAS), the permanent representative body, is in Washington. It is the day-to-day operating arm of the OAS, works closely with the specialized organizations and special agencies and commissions, and provides policy guidance to the organs of the Council and the Pan American Union (PAU). It can also constitute itself as the provisional organ of consultation.

The organs of the Council are the Inter-American Economic and Social Council (IA–ECOSOC), Washington; the Inter-American Council of Jurists with its Inter-American Juridical Committee, Rio de Janeiro; and the Inter-American Cultural Council, with its Council for Cultural Action, Mexico City.

The Pan American Union is the permanent and central organ and general secretariat of the OAS. It has departments and offices concerned with public information, statistics, technical cooperation, secretariat services, public services, and financial, economic, social, and legal affairs.

The PAU, in addition to assisting member states, has sponsored technical assistance projects in Argentina, Brazil, Chile, Colombia, and Venezuela.

Special and specialized conferences within the framework of the OAS and its predecessors and related events have forged the latest development in the inter-American system and the OAS.

After correspondence with President Eisenhower and with other chiefs of state of the American Republics in 1958, President Kubitschek of Brazil proposed "Operación Pan Americana" for development.

The proposal was followed by the organization of the Inter-American Development Bank (IDB) in 1959, the Act of Bogotá in 1960, and the Alliance for Progress under the Charter of Punta del Este in 1961.

The IDB is a specialized regional institution to which all OAS members, except Cuba, belong. The Bank uses its ordinary capital resources, authorized at 1 billion dollars, for regular loan operations. It also administers, with some assistance from the United States Agency for International Development and the OAS, the Social Progress Trust Fund of 500 million dollars for special development projects not in regular loan operations.

The Act of Bogotá was adopted by all OAS members, Cuba excluded. The act provided for strengthening the OAS and recommended ways and means of accomplishing economic and social development.

President Kennedy first proposed the Alliance for Progress in his inaugural address of January 20, 1961. He put this proposal into more concrete form on March 13, 1961, when he called for a 10-year program for the Americas and requested a special meeting of the Inter-American Economic and Social Council to consider means of achieving the program.

A meeting of the Council at the ministerial level took place in Punta del Este August 5–17, 1961. There the Alliance for Progress was forged. It has been entered into by 20 of the 24 American countries.

Nonparticipating nations of the Western Hemisphere are Cuba, who abstained from joining, Canada, and the since independent states of Jamaica and Trinidad and Tobago.

The Alliance marked the fourth and boldest step in the inter-American cooperation.

ALLIANCE OBJECTIVES are contained in the several measures adopted at Punta del Este, which included a declaration to the peoples of America, the Charter of Punta del Este, and several appended resolutions.

In the declaration, the American Republics agreed to establish an Alliance for Progress: "A vast effort to bring a better life to all peoples of the Continent." The declaration recognized the principles of democracy and individual dignity and outlined 12 broad social and economic goals.

The United States, for its part, pledged to supply financial and technical cooperation, including a major part of the minimum of 20 billion dollars estimated as external needs over the next 10 years.

External needs of 2 billion dollars a year are expected to be met approximately as follows: 1.1 billion dollars in United States public funds and 900 million dollars in roughly equal amounts by United States private capital, private capital from Western Europe and Japan, and funds from international organizations.

Such international organizations include the World Bank, the International Finance Corporation, the International Development Association, and the United Nations Special Fund.

As the initial step, the United States pledged to make available more than 1 billion dollars for the 12 months beginning March 13, 1961.

The countries of Latin America agreed to devote a steadily increasing share of their own resources and to make the reforms necessary to achieve Alliance goals. Latin American countries themselves are expected to provide a minimum of 8 billion dollars a year. Their contribution is also to include the formulation of a national development program by each.

The charter established the Alliance for Progress within the concept of President Kubitschek's Operation Pan America. The charter consisted of a preamble and four titles—objectives, economic and social development, economic integration of Latin America, and basic export commodities.

GOALS to be achieved in the sixties were based on the declaration and listed as 12 objectives in title I.

Two were aimed at an economic growth: To attain income levels sufficient to assure self-sustaining development and to narrow the gap in relation to more industrialized nations, with target growth rates of not less than 2.5 percent per capita per year; and to achieve a more equitable distribution of income while assuring a higher proportion of the national product for investment.

Three objectives are related to economic development: To lessen dependence on primary exports and capital imports and to achieve export stability; to accelerate rational industrialization, with special attention to capital industries; and to increase productivity and to improve marketing of agricultural products. One basic objective is to encourage comprehensive agrarian reform programs to eliminate extremely large and extremely small holdings.

Other objectives are improved education and the elimination of adult illiteracy by 1970; increased life expectancy and improved public health; accelerated construction of low-cost housing and provision of public services; stabilized prices; Latin American economic integration; and cooperative programs to prevent harmful fluctuations in primary export earnings.

Title II, Economic and Social Development, prescribed guidelines for basic development requirements, national development programs, immediate and short-term measures, external assistance to support national development programs, and Alliance organization and procedures. The need is recognized for technical assistance from the Organization of American States, the Economic Commission for Latin America, the Inter-American Development Bank, and United Nations specialized agencies.

Title II provided also for a panel of nine experts attached to the Inter-American Economic and Social Council to give assistance to member countries as requested.

The assistance is in the form of help with country programs by an ad hoc committee appointed by the Secretary General of the OAS, composed of no more than three panel experts and an equal number of other experts. Committee comments, with country consent, are to be made available to guide external financing priorities and decisions. Finally, the Inter-American Economic and Social Council is required to make an annual report of progress and recommendations to OAS.

Title III, Economic Integration of Latin America, dealt with this goal in some detail and provided that countries still under colonial domination should be invited to participate in the Alliance as they achieve their independence.

Title IV, Basic Export Commodities, included national measures and international cooperation activities designed to expand trade in such commodities, increase foreign exchange from exports, reduce cyclical or seasonal price fluctuations, and improve the terms of trade of such commodities.

Sixteen resolutions appended to the charter enlarged on certain aspects of Alliance provisions or their execution.

Three resolutions dealt with special education, public health, and taxation programs. The establishment of Alliance task forces for programing was recommended. Four studies were called for.

Seven resolutions were concerned with Latin American primary exports, singling out coffee, meat, and wool.

Finally, guidelines were established for preparation of the annual Alliance progress and recommendations report by the Economic and Social Council in connection with annual meetings of the Council.

The charter also recognized a role for regional integration. This recognition specifically included the Latin American Free Trade Association (LAFTA) and the Central American Free Trade Area (CAFTA). The basic objective of both LAFTA and CAFTA is to accelerate economic development, though mechanics differ.

LAFTA members in early 1964 included Argentina, Brazil, Chile, Colombia, Ecuador, Mexico, Paraguay, Peru, and Uruguay. Bolivia and Venezuela have maintained an active interest. CAFTA members are Costa Rica, El Salvador, Guatemala, Honduras, and Nicaragua. Panama has participated in CAFTA meetings.

THE ALLIANCE CHALLENGE has been likened to that of the 1948 Marshall plan for Europe. That is true in part, but it is also an oversimplification. Alliance problems are more complex.

In the Marshall plan, capital was the primary need as a catalyst for the reconstruction and modernization of an already developed industrial society. The Alliance, however, concerns an underdeveloped complex of nations and calls for a successful assault upon a whole range of closely interrelated social and economic problems.

Basic economic and social problems of the Latin American countries are similar, but the order and intensity of the problems vary considerably from country to country.

Latin America has an area more than twice that of the United States. Its population, estimated at 207 million in 1960, is growing at the rate of almost 3 percent a year and is expected to reach 270 million by 1970.

Social problems are many. They range from average illiteracy rates of

THE INTER-AMERICAN SYSTEM 447

40 percent to a land tenure system under which, it is estimated, less than 5 percent of the population owns more than 90 percent of land in farms, and under which much of the remaining land is plagued by fragmentation.

On the economic side also, problems are severe. National income averages about 250 dollars per capita a year. Inflation and fiscal insolvency are almost chronic. Balanced foreign trade is difficult because of a heavy dependence on primary commodity exports.

Agricultural production has been barely keeping pace with growth of population. Sizable numbers of people are receiving diets inadequate in terms of minimum nutritional standards.

Public health is a problem. The incidence of human and animal disease is high. The rudimentary elements, such as safe drinking water and preventive medicine, are lacking.

These are the difficulties that the American countries, under the Alliance, are committed to resolve in the present decade.

ALLIANCE PROGRESS is impressive in terms of its recent beginning and the nature of problems faced.

Task forces have been formed to assist panel committees and country groups in the evaluation and formulation of program proposals. The Inter-American Committee on Agricultural Development, formed by joint agreement between the OAS, FAO, the Economic Commission for Latin America, and the Inter-American Institute of Agricultural Sciences, has been operational since October 1961 and has participated in reviews of country development plans and fulfilled many advisory assignments.

The establishment of six special committees with nine members each was approved during the first annual meeting of the Inter-American Economic and Social Council in October 1962. The committees have to do with planning and project formulation; agricultural development plus agrarian reform; fiscal and financial policies and administration; industrial development and financing of the private sector; education and training; and health, better housing, and community development.

The Latin American countries have taken important internal actions. Leaders in government, business, and education throughout Latin America have supported Alliance objectives. At the same time, the people, from factory workers to campesinos, are coming to appreciate and support the principles of self-help and dedication that are inherent in the Alliance and which are based on the realization that external assistance alone cannot solve the problem.

EIGHT COUNTRIES have presented development plans to the panel of experts—Colombia, Chile, Bolivia, Ecuador, Venezuela, Mexico, Honduras, and Panama. The panel has evaluated and commented on plans submitted by Bolivia, Chile, Colombia, Mexico, and Venezuela. Evaluation by the panel has been formally accepted by Bolivia, Chile, Colombia, and Venezuela.

Tax reforms or related measures have been started in 13 countries— Argentina, Bolivia, Brazil, Chile, Colombia, Costa Rica, the Dominican Republic, Guatemala, El Salvador, Mexico, Panama, Peru, and Venezuela. Reforms are being considered in most other member countries.

Land reform has made progress or has been instituted in Bolivia, Chile, Colombia, Costa Rica, the Dominican Republic, Guatemala, Honduras, Mexico, Nicaragua, Venezuela, Panama, Paraguay, and Peru. Agricultural production has also increased along with land reform programs in Bolivia and Mexico, although both instituted their programs long before the Alliance got underway.

Considerable progress has been made under LAFTA and CAFTA, with internal trade liberalization generally ahead of schedule.

Overall political stability has generally been maintained comparatively

448

THE YEARBOOK OF AGRICULTURE 1964

well for the area in spite of problems in several countries.

External assistance made available from United States public funds has met the set goals. Other external assistance probably has lagged. Internal financing by the countries themselves has shown many increasing trends; tax reforms are expected to assist further. Project results are less apparent, however.

In spite of the progress made, the impact on the bulk of the population has been small. Little general improvement has been made in per capita income and its distribution, per capita agricultural production and food consumption, literacy, inflation and fiscal solvency, and the heavy dependence on primary exports.

The race with population and the immensity of problems faced make quick results difficult in those fields. It is in this critical area that progress is urgently needed for success of the Alliance, the development of human resources and improving the lot of the common man. Most of the task lies ahead.

THE UNITED STATES STAKE in the Alliance is a heavy one and involves a complex of financial, economic, and political factors.

Our cost of financial assistance to support the Alliance is large, particularly when added to our farflung economic and military assistance commitments to other parts of the world. The United States provided a total of 2,128.3 million dollars in public funds to the Alliance in the first 2-year period, from March 31, 1961, through February 28, 1963. This assistance was at a rate of almost three times the average annual rate to Latin America in the previous 10 years.

Such obligations and loan authorizations provided under several programs were as follows (in millions of dollars): Agency for International Development grants and loans, 841.0; Export-Import loans, 532.3; Social Progress Trust Fund loans, 336.9;

Food for Peace programs, 401.4; and Peace Corps, 16.7. The total was 431.0 million dollars for grants and 1,697.3 million for loans. Success of the Alliance should reduce the need for assistance on this large scale.

United States trade with Latin America is important. In 1963, our exports totaled 3,537 million dollars and imports totaled 4,021 million dollars. Of this, agricultural exports totaled 500 million dollars, or approximately 15 percent of the total to Latin America, and imports were estimated at 1,800 million dollars, or 45 percent.

Agricultural trade with Latin America was almost 10 percent of our world exports and about 45 percent of our world imports of agricultural products.

Our principal agricultural exports to Latin America were wheat and wheat products, dairy products, oils and oilseeds, vegetables and preparations, fruit and preparations, and tobacco.

The main imports were coffee, sugar, livestock and meat products, bananas, wool, and cocoa. Such imports of coffee, sugar, and bananas were greater than supplies of these commodities from all other sources.

Success in attaining Alliance goals as a requisite for the maintenance or increase of United States exports to Latin America therefore is of basic importance to the long-run economic well-being of the United States.

Most important of all, the Alliance is a positive program of cooperative development. As such, it pits the United States—and the other Alliance members—against dangerous political extremes.

The Alliance is an unparalleled effort based upon the principles of democracy and free enterprise to develop the Latin American nations through peaceful revolution within the framework of the inter-American system.

CHARLES R. DAVENPORT *became Chief of the Western Hemisphere Branch of the Regional Analysis Division, Economic Research Service, in 1961.*

OECD and OEEC

by WILLIAM G. FINN

THE ORGANIZATION for Economic Co-operation and Development began its official existence on September 30, 1961, when it took the place of the Organization for European Economic Cooperation (OEEC), which had been operating in a similar sphere for nearly 15 years.

The OEEC originally was established to assist in administering economic aid under the Marshall plan. Its aim was to foster maximum European cooperation toward recovery after the Second World War.

The success of those undertakings and a growing awareness of interdependence among the western-oriented nations caused many OEEC activities to be continued, even after European recovery was well on the way.

Furthermore, the fact that changed world relationships caused policies of one country to influence economic conditions in other countries emphasized the need for more effective arrangements to promote cooperation among likeminded nations.

The new organization, OECD, besides having a broader name, differs from its predecessor in two important respects: The aims and tasks were redefined and brought up to date; the United States and Canada became full participating members instead of associated countries.

With those changes, OECD had a

membership of Western countries second to none: Austria, Belgium, Canada, Denmark, France, the Federal Republic of Germany, Greece, Iceland, Ireland, Italy, Luxembourg, the Netherlands, Norway, Portugal, Spain, Sweden, Switzerland, Turkey, the United Kingdom, and the United States.

On July 26, 1963, the Council of the OECD extended to Japan an invitation to accede formally to the convention of the Organization and to arrange for unlimited participation in its activities. Japan accepted in 1964.

A special status was provided for Yugoslavia and Finland. In some instances, full participating membership is accorded with regard to certain activities and functions; in others, the relationship is that of observer.

The OECD convention states that its aim shall be to promote policies designed:

To achieve the highest sustainable economic growth and employment and a rising standard of living in member countries, while maintaining financial stability, and thus to contribute to the development of the world economy;

to contribute to sound economic expansion in member countries as well as in nonmember countries in the process of economic development; and

to contribute to the expansion of world trade on a multilateral, nondiscriminatory basis in accordance with international obligations.

ACTION TOWARD multilateral efforts to aid underdeveloped countries opened a new chapter in the history of Western cooperation.

The decisionmaking body of OECD, the Council, comprises representatives of all member countries. Under its direction, various governmental and secretariat bodies operate to perform the authorized functions. A staff of about 1,100 persons is headed by the Secretary General. Headquarters of OECD are in Paris.

In the 20-odd subject fields with which OECD is concerned, such as economic affairs, development assistance, trade, agriculture, and fisheries, specialized committees are constituted to deal with the matters defined. Every committee meets at least once a year.

The Committee for Agriculture may be convened at the ministerial level whenever subjects to be dealt with are of a nature to merit such consideration.

Then the respective Ministers of Agriculture and Secretaries of Agriculture of the member countries are invited. At other times, meetings of the Committee for Agriculture are held at the official level. A separate fisheries committee handles all of the matters pertaining to fisheries.

The directorate for agriculture has four functional divisions—agricultural policies, agricultural markets, technical action, and fisheries. It has a professional staff of 30 persons.

Throughout the life of OECD and OEEC, the agriculture and food staff has considered a number of complex problems—a reflection of the place food and agriculture occupy in a healthy and thriving economy.

IN APPRAISING the work done by the successive organizations and in suggesting possibilities, I have considered the activities in three periods.

The period from 1948 to 1955 was characterized by the launching of the Marshall plan, establishing and developing the OEEC structure and functions, and stimulating individual country actions toward recovery.

The success of those undertakings has been acclaimed. A less-known fact pertaining to European agriculture is that areawide production in that sector was restored much more rapidly after the Second World War than it was after the First World War. This no doubt reflected in part the more advanced state of scientific and technical knowledge relating to agriculture. But perhaps to a greater extent it reflected a fuller use of new and proved techniques for communicating practical information to farm people.

Initially there was a tendency for agricultural recovery efforts made in the different countries to be carried on independently. In its time, however, OEEC has done much to get members to seek harmony in their agricultural programs.

The member countries and the United States formally agreed in 1953 on the establishment of a European Productivity Agency (EPA), to be incorporated into the framework of OEEC. Provision was made for a separate budget and for flexible operating procedures. The aim was to induce a sufficient modernization of methods in business and agriculture so that trade and commerce throughout the Atlantic community would become freer, more competitive, and truly multilateral, rather than narrowly protectionist.

Types of EPA projects pertaining to agriculture that were carried out during this period included: Demonstrations of methods for the most effective training of agricultural advisers; facilitating speedier intercountry exchanges of information on the newest methods of agricultural production and marketing; improving the timeliness, comparability, and accuracy of agricultural statistics of each country; developing the use of improved grades and standards for perishable farm produce; developing the use of methods for safeguarding the purity and dependability of agricultural seed; developing the use of international standards for testing farm equipment; and encouraging intercountry exchanges on peaceful uses of nuclear energy in agriculture.

Under the aegis of EPA, hundreds of agricultural experts from countries in Europe made study visits to the United States, and many American professional workers carried out special assignments in Europe. The exchanges fostered greater understanding among officials and led to a better comprehension of mutual problems.

BY THE BEGINNING of the second period, 1955 to 1961, the capacity of agriculture to produce had been restored to prewar levels more or less everywhere in the OEEC area. In fact, the question of finding adequate markets had become a key problem for several leading farm commodities, despite persistent and intensive efforts that the OEEC had made to induce widespread liberalization of trade.

At that time, the structure of OEEC was modified by creating within its framework a Ministerial Committee for Agriculture and Food. Tasks to be performed were also modified.

It seemed only natural to members that OEEC's newly established directorate for agriculture should be charged to make comprehensive analyses of the policies for agriculture carried on in the countries of Europe and North America. Until that time, the attention of OEEC in this respect had been focused mainly on problems that had grown out of the various agricultural policies rather than on the actual substance of the policies or on the underlying factors that influenced them to be adopted.

As it turned out, significant aspects of this new undertaking were to be projected through several subsequent years of the Organization's activity. At each phase, close and continuing cooperation was required between OEEC staff and policymaking officials in every government.

Of even greater significance was the fact that this process likewise gave the opportunity for objective, purposeful, face-to-face exchanges of viewpoints among the country policymakers.

Five OEEC documents entitled, "Agricultural Policies in Europe and North America," report on this work.

In the fifth report, issued in 1961, observations were made on policy developments since 1955. It was concluded that individual country policies tend to consist of varying combinations of aims, such as those that pertain to income and price support, orientation of production, trade in agricultural commodities, farm population, and structural improvements in farming.

One chapter of the 1961 report reviewed changes that governments had made regarding methods used for the implementation of agricultural policies. Some countries had begun to emphasize longer term solutions, such as rural development and improving structural conditions in agriculture, but many still were relying mainly on short-term solutions, such as price supports. The use of the government subsidies to foster agricultural exports had become increasingly prevalent.

In carrying on the agricultural policy work and assembling the large amount of factual information contained in the reports, OEEC was no doubt trying initially to establish its own capacity for understanding country-by-country differences of agricultural policy and for reconciling conflicts of policy. But because information of this kind had never before been put together in organized form, the work had great usefulness elsewhere.

The OEEC program of work for agriculture during this period did not actively deal with the limitations on trade resulting from various types of quantitative restrictions imposed by governments. One justification frequently offered for this weakness was the chronic problem of balance-of-payment deficits, because many currencies had for so long remained inconvertible. But, when it finally became feasible to establish the free convertibility of European currencies, as eventually it did, any further use of such measures assumed a different significance—they became direct national protectionism, maintained for its own sake.

When providing for the transition from OEEC operations to those of the Organization for Economic Cooperation and Development—which occurred in 1960–1961—many important questions had to be resolved. To facilitate this work, a preparatory committee was established.

Besides agreeing on the objectives and the structure to be recommended for this new Organization, it seemed equally necessary for the preparatory committee to decide on functions and institutions proposed for discontinuance. In this respect, it was found, for example, that most duties formerly charged to the EPA had already been accomplished and that orderly liquidation of that agency would be justified. It also was concluded that some of the determinations formally enacted by OEEC would not be appropriate in the context of OECD.

By thus terminating old and outdated links and directing attention toward future development, virtually every feature of the Organization's structure was improved.

AFTER OECD came into existence, its agriculture directorate fostered the continuation of mutually beneficial work in agricultural policy, agricultural markets, and technical action. Reports on the results of such work are circulated regularly to governments of the member countries.

The OECD Committee for Agriculture held three meetings at the Ministerial level by early 1964. The Secretary of Agriculture of the United States, Orville L. Freeman, participated in all of the meetings.

During the 1962 meeting, Secretary Freeman reminded OECD member nations of the opportunities that exist for using food aid to speed up and strengthen economic growth in underdeveloped countries. With regard to policies affecting international trade in agricultural commodities, he expressed concern over some of the regressive tendencies that were beginning to appear, particularly in policies adopted by the European Economic Community.

In consequence of the deliberations at the 1962 meeting, a comprehensive resolution pertaining to the Organization's work pertaining to agriculture was developed. This resolution was endorsed unanimously by the Ministerial Committee for Agriculture. It subsequently was given full approval by the OECD Council.

Its section relating specifically to trade reads:

"That Member countries and groupings of Member countries should adapt their agricultural policies in the light of international trade responsibilities as well as domestic considerations, and that solutions to domestic agricultural problems should not be adopted which would jeopardize the development of traditional markets of efficient producers.

"[The Council] recommends to the governments of Member countries to formulate, either by themselves or as groupings of countries, their agricultural policies in the light of international trade responsibilities as well as domestic considerations, adopting solutions to domestic agricultural problems which do not jeopardize trade in agricultural products."

It is not possible so soon to foresee what effect such a resolution, or indeed the work of OECD as a whole, may have on the opportunities for expanding world trade in agricultural commodities.

SOME BASES FOR OPTIMISM, however, do exist: The Organization has been conceived soundly and launched objectively; a healthy thread of free-enterprise agriculture extends uniformly through its membership; and the aggregate volume of international trade in agricultural commodities creditable to the OECD community is considerably larger than that of all other parts of the world.

WILLIAM G. FINN *was in the Foreign Service of the United States from 1949 to 1961 and for 5 years served as Director of the Food and Agriculture Division, United States Mission to the OEEC. He served in the Department of Agriculture for 20 years. He was Assistant Administrator, Agricultural Adjustment Administration; a member of the Administrator's staff, Production and Marketing Administration; and adviser to the Graduate School. He was a member of the staff of the University of Kentucky for 6 years.*

Regional

Economic Groups

by PATRICK J. MURPHY

COUNTRIES join economic communities with two ideas and in three ways.

The slogans, "trade or fade" and "in unity there is strength," express their belief that joint action can solve problems in the common interest.

Their regional economic integration may take the form of a free trade area, customs union, and common market.

A free trade area comprises two or more customs territories in which tariffs are eliminated on products that originate in their territories. Each member maintains its own tariff schedules on imports from nonmembers.

A customs union is a free trade area with a common external tariff against imports from outside countries.

A common market is a customs union that allows the free movement of resources, capital, and labor among the members.

Many such attempts at economic unity have bogged down and have given rise to another lineup. Some groups in existence no doubt will undergo some changes before they attain the stability they need to meet the social and economic challenges of a more competitive world.

From fragmented colonial Africa, 29 independent states emerged. They have teamed up in many overlapping groupings based on a common language, traditional ties, complementary economies, or common goals.

They have signed hundreds of agreements, which new arrangements have quickly rendered ineffective. A stabilizing factor in these growing pains has been the orientation of a country or group toward its onetime mother or master.

Africa in 1964 was in another formative stage of continentwide economic regrouping, and five important economic communities were in varying stages of operation—the African and Malagasy Union (UAM), the East African Common Services Organization (EACSO), the Equatorial Customs Union (UDE), the West African Customs Union (WACU), and the Organization of African Unity.

THE AFRICAN and Malagasy Union was founded in 1961 with 12 members: Federal Republic of Cameroon, Central African Republic, Republic of Chad, Republic of Congo (Brazzaville), Republic of Dahomey, Gabon Republic, Republic of Ivory Coast, Malagasy Republic, Islamic Republic of Mauritania, Republic of Niger, Republic of Senegal, and Republic of Upper Volta.

They have been known as the Brazzaville Twelve, and all are associate members of the European Economic Community and have, or have applied for, memberships in the General Agreement on Tariffs and Trade.

They share a common heritage of French influence, political association, and currency. They have depended heavily on France for financial, technical, and military assistance.

The economic functions of UAM cover three major areas: Economic and social development; foreign commerce, including tariff problems, possibility of enlarging the free trade zone, and development of a common market; and fiscal and monetary affairs. A uniform customs code has been planned as a first step toward a common market.

The UAM under able and dynamic leadership has initiated constructive work in all the planned economic fields. Its headquarters site is Cotonou, Dahomey.

THE EAST AFRICAN Common Services Organization succeeded the East African High Commission.

Its members in 1964 were Kenya, Uganda, and Tanganyika. Zanzibar was a partial participant. The EACSO made the transition from colonial authority to independent leadership without undue change in its character.

Its functions are economic and include the administration of customs and excise duties, statistics, industrial coordination, communications, and mail services.

Goods and capital pass freely among the members, and they have a common currency. Commercial policy usually is coordinated. An EACSO mission began conversations with the European Economic Community on a trading arrangement and set a precedent as a negotiating agent for the three members.

EACSO has been termed a key to economic stability and development of eastern Africa.

THE EQUATORIAL Customs Union (UDE) was established in 1959 by the Central African Republic, Chad, Congo (Brazzaville), and Gabon.

Cameroon has become a member.

The countries are contiguous; have similar languages, cultures, and products; and form a single currency area. They are members of the Central Bank of the States of Equatorial Africa and Cameroon.

The UDE countries maintain a common external tariff on imports from third countries, except for a preferential arrangement with the EEC. Supplementary taxes applied to such imports vary little among the members. Goods, capital, and services move freely within the UDE.

Besides administering the customs union, the UDE engages in efforts to harmonize investments and technical projects, fiscal regulations, and economic structures.

It is among the most active of the Af-

rican regional groupings, and its union should be beneficial in developing the economies of the members.

THE WEST AFRICAN Customs Union of the franc-zone countries of Dahomey, Ivory Coast, Republic of Mali, Mauritania, Niger, Senegal, and Upper Volta came into being through the signing of a convention in 1959.

It is in effect a limited free trade area, and its intention is to keep together the markets of the West Africans under the same former colonial regime. Its trade and economic institutions remain closely oriented toward France, as in colonial days.

The convention stated the intention to become a complete customs union, but that has been modified somewhat.

Some taxes on imports vary considerably among the members and unilateral changes in tariff policy apparently have been made without notice or consultation among the member states.

No quota or licensing restrictions have been imposed on goods traded within the West African Customs Union nor are natural products subjected to duties or taxes in intraunion trade. Generally, there is coordination of common customs and duties on imports from third countries.

THE CHARTER of the Organization of African Unity was drawn up on May 23, 1963, at a conference of Independent African States in Addis Ababa.

It was signed by 30 African nations and was hailed as the most comprehensive cooperative effort ever made by African countries.

It was the first attempt of diverse peoples of different cultures, religions, stations, languages, and races, from the Mediterranean to the Mozambique Channel, from the Gulf of Aden to Walvis Bay, to join efforts to seek their common goals.

During the 4-day conference, delegates adopted resolutions in a number of social, cultural, and economic fields. The charter called for the complete decolonization of the continent.

One of the resolutions was to send delegations to speak in behalf of all African nations before the International Court of Justice, the United Nations Security Council, and other international bodies.

It declared the continent to be a nuclear-free zone and called for cessation of thermonuclear bomb testing and disarmament by the Great Powers, particularly the United States and the Soviet Union. It outlined cultural, educational, health, and nutritional programs.

As to economic cooperation, the principal resolutions proposed to establish free trade throughout all Africa; formulate a common external tariff; coordinate transportation and communications; establish a monetary, fiscal clearing, and payments facility; harmonize existing and future development plans; and negotiate in concert with international trade bodies.

The conference took note of grave problems in Africa—a shortage of water in some places, lack of transportation, conflicts between new governmental structures and tribal customs, low levels in education and labor productivity, shortage of technicians, the dominance of one-crop economies, and a scarcity of investment capital.

Much of the world shared the hopes of the leaders at Addis Ababa that their nations and peoples could coordinate their efforts from the paper stage of the charter to the practical realities of the modern world.

THE GOVERNMENTS of Argentina, Brazil, Chile, Mexico, Paraguay, Peru, and Uruguay on February 18, 1960, signed the Montevideo Treaty creating the Latin American Free Trade Association (LAFTA).

The treaty provided for the gradual elimination of restrictions on trade among the signatory nations, reductions on a selective-product basis, and negotiations to lower tariffs on the basis of "reciprocity of concessions" among the members.

To effect full tariff elimination on intra-area trade, two separate lists were set for negotiation.

The first was a national list, to be drawn up annually, of concessions (at least 8 percent) granted on a bilateral basis among individual members and renegotiated every 3 years.

The second, or common, list is to comprise items that each member has put on its national list the preceding 3 years. It will then be applied to all members on a 25-percent reduction basis the first 3 years, 50 percent the second 3 years, 75 percent after 9 years, and 100 percent after 12 years.

In effect, the bilateral concessions negotiated every year become multilateral concessions every 3 years, and the reduction of intra-area trade duties to zero will be complete after 12 years.

Concessions on products on the national list may be withdrawn at any time. Once an item has been added to the common list, however, the concession is considered irrevocable. The treaty of Montevideo has a number of clauses by which the members can withhold numerous items from negotiation and some clauses that may result in preferences within the free trade area and for third countries.

The members of LAFTA conducted negotiations on tariff reductions in 1961 and 1962. The United Nations Economic Commission for Latin America (ECLA) estimated that the total value of concessions granted exceeded the target level of 8 percent annually. The concessions were mainly on products that were traditionally traded among member countries before the Montevideo Treaty and not on competitive products.

Negotiations on the third round of bilateral concessions began in Montevideo on October 1, 1963, and lasted until the end of that year. The annual target level of an 8-percent reduction in tariffs was reportedly attained. The negotiations on the first common list were postponed until 1964.

Each LAFTA country will retain its own individual tariff schedule on imports from third countries.

Other objectives of the Montevideo Treaty include: The industrial development of the area on a regional basis, the maximum utilization of all area production factors, and the adoption of other measures leading to the progressive integration of the economies of the member countries.

The members look to the trade liberalization program of the Montevideo Treaty to encourage the establishment of new industries and bring about a more fruitful utilization of domestic resources.

The development of wider markets among the LAFTA countries is expected to attract new investment and to reduce the costs of existing enterprises through facilitating mass production and distribution.

THE GENERAL TREATY of Economic Integration was signed in 1960 by El Salvador, Guatemala, Honduras, and Nicaragua and became effective in June 1961. Costa Rica applied for membership shortly after the General Treaty was signed and became a full and equal member in 1963.

The treaty incorporates some earlier agreements and forms the basis of the Central American Common Market. The treaty called for completely free internal trade by 1966 and a common external tariff on imports from third countries.

Ninety-five percent of all goods originating in the four countries already moved freely in 1964.

Trade among the five countries, primarily in agricultural commodities, had increased more than 300 percent by 1962 over the 1955–1958 level. A common external tariff was instituted by the Agreement on Equalization of Import Charges. The agreement and its protocols have been incorporated in the General Treaty. Thus, within 2 years, the movement toward Central American integration evolved from a free trade area into a partial customs union.

A Central American Bank for Economic Integration was provided for in the General Treaty but was established by a separate charter. It has an authorized capital of 16 million dollars. Since 1960 it has issued more than 20 loans totaling approximately 6 million dollars. Its purpose is to provide capital for regional industrial development.

The Central American Clearing House was established in 1961. In 1962 it handled about 60 percent of the total intraregional transactions. A common currency has the Central American peso as the unit of account. The headquarters of the bank and clearing house are in Tegucigalpa, Honduras.

The United States has loaned or granted 8 million dollars to the bank to help finance regional projects.

The Agency for International Development has given assistance for economic and social development.

The Central American Common Market looks optimistically to the future and has undertaken procedures to meet full common market conditions. A regional agreement on equalization of tax incentives for industrial development was promulgated to provide uniform treatment for investors interested in the region.

Other cooperative efforts were instituted to integrate transportation, communication, financial, and customs facilities.

The Central Americans have stated an intention to welcome neighbor countries into association or membership, to follow policies that will attract private foreign investments, and to expand third-country trade opportunities.

UPON RATIFICATION of a convention signed in Stockholm, the European Free Trade Association went into effect on May 3, 1960.

The signatories are the so-called Outer Seven of Europe. (Members of the European Economic Community are the so-called Inner Six.) The members are Austria, Denmark, Norway, Portugal, Sweden, Switzerland, and the United Kingdom.

The convention provided for a free trade area among the members by abolishing tariffs and other trade barriers on industrial products between the member states in 10 years or less.

The convention limited the application of free trade to industrial products, although limited arrangements for agricultural products and fish were concluded in May 1963.

EFTA was originally designed as a counter to the European Economic Community. Each member country remains free to decide its own external tariff and commercial policy.

Britain took the leadership in the formation of EFTA. Within EFTA, Britain retains her tariff arrangements with the Commonwealth whereby she grants preferences to imports from Commonwealth countries in exchange for corresponding preferences for her own exports to them.

As long as national tariffs differ, exporters from third countries may send their goods to the member countries with the lowest tariff schedules for transshipment to high-tariff member countries. But rules written into the convention define the origin of goods traded in EFTA and make it difficult to ship products to a high-tariff country by sending them first to a low-tariff country.

The absence of a common external tariff (CXT) of the seven members against outside countries has restrained economic, social, and financial economic integration regionally.

No provisions were made for common facilities for customs procedures, trading laws, communications, transportation, or a uniform monetary unit.

The level of industrial tariffs on internal EFTA trade has been reduced 50 percent below that of July 1, 1960, when EFTA began operating. On July 31, 1961, Finland, which had a form of associate membership, agreed to an additional 10 percent cut in her tariffs on imports from members.

Under EFTA, the external trade of the member countries has generally kept pace with the world expansion, but the rate of increase in intra-area trade has doubled.

The ministerial council of EFTA met in Lisbon in 1963 and decided to establish a final timetable for dismantling tariffs on industrial products. They agreed that these tariffs should be eliminated by December 31, 1966. The next reduction of 10 percent was set for the end of 1963.

The council decided also to schedule a West European fisheries conference and to establish an economic development committee, which would attempt to lay the basis for free movement of investment capital within the area.

As stated by the convention, EFTA's objectives are to promote a sustained expansion of economic activity, full employment, increased productivity, financial stability, and higher living standards; secure fair competition in trade among member states; and to contribute to the harmonious development and expansion of world trade and to the progressive removal of barriers to it.

There are special convention provisions that will minimize the disruption of some national industries that are expected to occur as a result of complete removal of their previous high-tariff protection.

THE ASSOCIATION of Southeast Asia (ASA) was launched in April 1962, when the ministers of Malaya, the Philippines, and Thailand met in the Cameron highlands of Malaya and agreed to a limited association to attack common problems and to promote cultural and social exchange. By such association, the members planned to work toward self-sufficiency.

During 1963, Malaya merged with North Borneo, Sarawak, and Singapore to form Malaysia. ASA has taken only tentative steps, mostly in the form of discussions, toward the attainment of the association's original goals.

PATRICK J. MURPHY *joined the Trade Policy Division of the Foreign Agricultural Service as an international economist in 1963. Previously he was a program funds analyst in that agency.*

The European Economic Community

by JOHN E. MONTEL

THE EUROPEAN ECONOMIC COMMUNITY brought France, Italy, Germany, Belgium, the Netherlands, and Luxembourg together in an outstanding manifestation of cooperation among nations.

It was born of war—wars that spelled the end of European dominance of world affairs; brought joint occupation of a major European country by four countries; required massive aid from the United States in the form of food, clothing, technical assistance, and funds for rehabilitating peaceful industries; left a sense of frustration throughout Europe; and engendered finally a new and unique spirit of cooperation in Western Europe.

THE ENCOURAGEMENT of that spirit was supplied initially not so much by Europeans themselves as by the United States through the Marshall plan, which offered to help a ravaged Europe by channeling assistance through an organization of European countries rather than to individual countries.

Thus the Marshall plan provided the impetus for 16 countries—Austria, Belgium, Denmark, France, Greece, Iceland, Ireland, Italy, Luxembourg, the Netherlands, Norway, Portugal, Sweden, Switzerland, Turkey, and the United Kingdom—to create an Organization for European Economic Cooperation in April of 1948. It was the first effort at a cooperative or community effort to solve postwar economic and other difficulties.

OEEC helped to expand trade among its signatory nations and urged them to liberalize their exchange. OEEC in 1950 encouraged its member states to form the European Payments Union, which was an instrument in reestablishing multilateral convertibility of exchange and thus facilitated payments in transactions. Again, trade expanded. OEEC in 1961 became the Organization for European Cooperation and Development, of which the United States and Canada became members.

The germ of the customs union feature of the Common Market had existed in the Belgium-Luxembourg Economic Union. Yet the BLEU Treaty, which was signed on July 25, 1921, and became effective on May 1, 1922, provided for no supranational authority or organizational structure that could have required the sacrificing of part of the national sovereignty of the two countries. For its success, it depended on the cooperation of the two governments and on respect for the provisions of the treaty. It was instrumental in abolishing duties and other restrictions on trade between the two countries and provided for a single currency.

The success of BLEU encouraged talks during the early forties with the Netherlands, which had had a traditional trade relationship with Belgium and Luxembourg. Discussions among their governments-in-exile during the German occupation led to the signing of a convention on September 5, 1944, that created the Benelux Customs Union.

The examples of BLEU and BENELUX encouraged France and Italy, which have similar agricultures and manufactures, to begin discussions for the eventual formation of a Franco-Italian customs union, popularly referred to at the time as FRANCITA. Discussions culminated in the signing of the Treaty of Paris in 1949, but

FRANCITA was stillborn almost from the start. The industries of one country feared competition from the other. The labor unions of France had visions of mass immigrations of Italian workers. The parliaments of the two countries never ratified the treaty.

Numerous other attempts to write recipes for combining nations with one another or with already established groups of nations were abortive—for example, FRANCITA with BENELUX (FINEBEL) and the Scandinavian countries and the United Kingdom (UNISCAN) on the one hand with Greece and Turkey on the other.

Meanwhile, in an attempt to further political union, especially for mutual assistance and defense, the BENELUX countries and Great Britain and France had signed the Brussels Pact of March 17, 1948.

Almost immediately thereafter, other European countries (except the Federal Republic of Germany) and the United States and Canada, encouraged by the success of the OEEC in economic cooperation and impelled by the threat of war, began negotiations to form a North Atlantic Treaty Organization (NATO) for collective defense and the maintenance of peace. NATO enlarged the 1948 Brussels Pact and became a reality in 1949.

The refusal of the French Parliament to ratify the European Defense Community Treaty in 1954 led to the signing on October 23, 1954, of the Paris Accords, which amended NATO to include Germany as a member and officially terminated the Allied occupation of Germany. It also amended the Brussels Pact to include Germany and Italy, which thereafter became known as the West European Union (WEU). Its members later tried to expand their collaboration in economic, cultural, and social matters.

But even before the revision of the Brussels Pact, and in the wake of the failures I described, European leaders had become aware of the impracticability of denying Germany a part in the postwar development of Europe.

In the summer of 1950, therefore, the French Foreign Minister, Robert Schuman, invited Germany to join France in a common market for coal and steel, two vital industries in war. The basic aim was political, but it was also an invitation to participate in a valuable experiment in economic integration.

Germany accepted M. Schuman's bid, and an eminent French parliamentarian, Jean Monnet, drew up plans. Italy and BENELUX also wished to join, and the treaty establishing the European Coal and Steel Community was signed on April 18, 1951, by the six countries. It entered into force on July 25, 1952, and was the first full-strength precursor of the European Economic Community.

ECSC was the first expression of a European policy that favored a European federal government because, as distinct from the other two customs unions, it empowered a supranational executive organ, the High Authority, to govern its functioning and to make decisions that are binding on its members. Although the sacrifice of national sovereignty was particularly objectionable to the French and modifications had to be made to accommodate them, ECSC nevertheless survived.

The emergence of the ECSC under the tutelage of M. Monnet was a meaningful formative stage in the development of the EEC. It could almost be called a pilot project because it gave the six governments badly needed experience with a supranational governmental body and gave training to persons who later assumed important positions in EEC. The Common Assembly of ECSC later became the European Parliament. It lay the groundwork for the functioning of the Court of Justice as the first really supranational court.

The ECSC opened up Europe's steel market to all producers and so created a common market in steel. Its performance in coal, however, has left much to be desired, because of a technological crisis in the coal industry. (One aspect of that is that United States producers have been able to place a ton of coal in the German port of Hamburg at less than it costs Germans to mine it.)

The birth of ECSC, the concurrent outbreak of war in Korea, and the presence of Russian troops only 200 miles away from the French city of Strasbourg encouraged another step forward in European cooperation, the ill-starred European Defense Community. Paradoxically, this French proposal to pool the armies of the "Six" also contained a provision for a European supranational political authority. The treaty was signed on May 27, 1952, and was ratified by five of the six signatory nations. The French Chamber of Deputies, however, rejected it on the basis that it would have meant too great a sacrifice of French national sovereignty. Once again, the other five learned that nations forming a community must have all interests and goals in common.

The French veto of EDC stilled for a while any new attempts at cooperation, and Europe entered a period of reflection. The drive for development of a community spirit soon reasserted itself, however, and the Six of ECSC agreed to meet at Messina in June of 1955 to decide what measures could be taken for further integrating their economies.

BENELUX proposed at Messina that there be established ". . . a united Europe by the development of common institutions, the progressive fusion of national economies, by creating a common market. . . ." The proposal marked the conception of full economic union and laid the basis for a truly common market. A committee was asked to draft two treaties for the creation of a European Economic Community (EEC) and a European Atomic Energy Community (EURATOM). Both were adopted on May 30, 1956, at a meeting in Venice. They were signed in Rome on March 25, 1957, and entered into force on January 1, 1958, the date that marks the beginning of EEC.

The core of the Rome Treaty that established the European Economic Community, popularly known as the Common Market, is the creation of a customs union through a gradual and scheduled elimination of tariff barriers between its signatory members and the gradual putting into force of a single customs tariff against all goods imported from nonmember countries.

It envisaged, however, not only an area where goods eventually will move freely, but also an area where labor can shift at will from one country to another and where no barriers stop movements of capital or enterprise. As a parallel to the customs union, the Rome Treaty envisaged also the development of a common agricultural policy. This, with its customs union, has become a major foreign trade preoccupation of United States agriculture because it could be used to encourage uneconomic increases in farm production and to restrict trade with nonmember countries.

THE BASIC OBJECTIVE of the Rome Treaty is in article 2. It states that the Community will aim at encouraging "harmonious development of economic activities, a continuous and balanced expansion, an increased stability, an accelerated rising of the standard of living and closer relations between its Member States." The treaty states that this objective shall be attained by the "establishment of a Common Market and by the progressive harmonization of the economic policies of the Member States."

A tremendous objective. The six member states knew that its achievement would not be a short-term matter, especially in the light of the numerous disheartening failures in which they all had participated. Article 8 of the treaty therefore provided for a 12-year transition period beginning January 1, 1958, and divided into three 4-year stages, each one of which comprised a plan for the accomplishment of a part of the over-all objective.

Article 3 of the treaty gave a detailed plan of action:

Elimination of duties and quantitative restrictions on trade between member states;

Establishment of a Common External Tariff (CXT) and a common trade policy with third countries and the elimination of barriers to the circulation of people, services, and capital among the member states;

Creation of a Common Agricultural Policy (CAP);

Creation of a Common Transportation Policy;

Establishment of an arrangement to insure undistorted competition in the Common Market;

Application of procedures to allow the coordination of economic policies of the member states and to correct disequilibriums in their balances of payments;

Harmonization of national laws when necessary for the functioning of the Common Market;

Creation of a European Social Fund for improving the conditions of workers and their standard of living;

Creation of a European Investment Bank for facilitating economic development with a new source of capital;

Association of the oversea territories and states for expanding their trade and for communally developing them socially and economically.

In keeping with its federal structure, the treaty established several organs or institutions of its "government" for carrying out the plan of action, with checks and balances similar to those in the Constitution of the United States.

THE COUNCIL of Ministers makes most of the Community's decisions and insures coordination of the general economic policies of the member states. Its decisions are binding on the member states, but it can act only upon proposals by the Commission. Each member state is represented on the Council by one of its cabinet members.

During the first and second stages, most Council decisions must be made by unanimous vote. From the beginning of the third stage on January 1, 1966, important policy matters can be decided by a qualified majority of 12 of 17 votes. Votes are weighted among member states as follows: Four each for France, Germany, and Italy; two each for Belgium and the Netherlands; and one for Luxembourg. This distribution of weighted votes requires any two of the three large member states that may want to force their viewpoint on a third to have the support at least of Belgium and the Netherlands.

THE EEC COMMISSION is responsible for insuring application of the provisions of the treaty and serves as its guardian. It makes recommendations or proposals to the Council and carries out its decisions.

For implementing the Council's decisions and certain tasks set forth in the treaty, it has the right to make its own decisions by simple majority.

The Commission has nine members who, unlike members of the Council, do not represent governments of member states. They act for the well-being of the Community in complete independence of their own governments. The nine members of the Commission are appointed by unanimous decision of the six governments for 4-year terms, which are renewable. No more than two commissioners may be nationals of the same country.

The president and vice president of the Commission are appointed by the member governments from among the nine members for 2-year terms, which are renewable.

THE EUROPEAN PARLIAMENT, the legislative branch of EEC, has functions like those of the Congress of the United States. The 142 members—36 each from France, Germany, and Italy; 14 each from Belgium and the Netherlands; and 6 from Luxembourg—are selected by their governments from the national parliaments of the six member states. The EEC treaty provides that the parliament propose machinery for direct election of its members throughout the Community.

The parliament exercises control over the Commission and, by a two-thirds vote of censure, can compel the Commission to resign in a body. It also gives its advisory opinion, or appraisal, of proposals made by the Commission to the Council through the use of its special committees, of which the committee on agriculture is one.

The Court of Justice, the judiciary branch, has seven judge-members, assisted by two court advocates, who are appointed unanimously for 6-year terms by the Council. The Court insures that Council and Commission actions are consonant with the provisions of the treaty. It annuls those that it finds not to be consistent. Its judgments are binding on private individuals, private companies, national governments, the Council, and the Commission. Its functions make it comparable to the Supreme Court of the United States.

THE IDEA of a European organization of agricultural markets was first broached by representatives of French and German agriculture at the Fourth General Assembly of the International Federation of Agricultural Producers in Saltsjöbaden, Sweden.

They signed a declaration on June 7, 1950, in favor of a common agricultural market between their two countries. Soon after, the Consultative Assembly of the Council of Europe, the decisionmaking institution of the OEEC, recommended that a conference be held to create specialized European agricultural institutions in which several countries would be able to participate.

The idea caught fire. Similar proposals were made by the ministers of agriculture of France and the Netherlands, but many divergent views on the form and objectives of such an organization were voiced. At several meetings and conferences, attempts were made to resolve the differences. The OEEC Ministerial Committee of Food and Agriculture, which was created on January 14, 1955, to organize agricultural markets within the framework of OEEC, also considered them. Not until the Messina Conference of the six ECSC countries in 1955, however, was the idea of a truly common market ultimately elaborated into the Rome Treaty.

The decision to include agriculture in the concept of a common market was made only after long hours of heated debate, in which the farm interests of all member states of OEEC strove to have their special problems given particular attention.

For instance, the European Confederation of Agriculture said: "The problems posed in the trade sector and for European cooperation, as well as for the functions of the OEEC, put into jeopardy the vital interests of agriculture, of its place in the national economies of countries of Europe, and of its place in all of Europe."

The Council of Europe voted in October of 1954 to include agriculture in a common market. That decision facilitated the drafting and approval of the Rome Treaty that created the EEC.

ARTICLE 38 of the treaty states that the Common Market includes agriculture and trade in agricultural products—products of the soil, of animal husbandry, and of fisheries and their byproducts from primary processing.

It states further that the functioning and development of the Common Market for agricultural products must accompany the establishment of a common agricultural policy.

Article 39 specified five objectives of the CAP to be attained by January 1, 1970: To increase agricultural productivity through technological progress by insuring rational development of agricultural production as well as optimum use of the factors of production, particularly labor; to insure an equitable standard of living for the farm population, particularly by raising the incomes of farmworkers; to stabilize markets; to guarantee supplies; and to insure reasonable prices.

In attaining the objectives, paragraph 2 of the same article states that due account shall be taken of "(a) the particular character of agricultural activities arising from the social structure of agriculture and from structural and natural disparities between the various agricultural regions; (b) the need to make the appropriate adjustments gradually; and (c) the fact that in member states agriculture constitutes a sector which is closely linked with the economy as a whole."

Article 43 of the Rome Treaty provided for the convening of a conference of member states immediately after its entry into force in order to establish guidelines for eventual proposals by the Commission for developing a Common Agricultural Policy.

The conference, which has become known as the Stresa Conference of July 3–12, 1958, was notably successful for having overridden national secular interests in agriculture in the drafting of these guidelines although it did not resolve the problems that stem from them.

The United States was particularly interested in the principle, recognized by the Six, that a balance must be found between the Community's agricultural production and agricultural imports from third countries, on the one hand, and market outlets in the Community and in third countries, on the other.

This principle is found in chapter III, paragraph 2 of the final resolution of the conference. It states that: "The implementation of the Treaty must lead naturally to a progressive development of trade within the Community; it will also have to take into account at the same time the necessity of maintaining trade and Treaty, political and economic ties with third countries. . . ."

The first proposals for developing a CAP were made by the Commission in December 1959 in the form of draft regulations for grain, poultry, eggs, fruit, vegetables, pork, wine, sugar, dairy products, and beef. They were revised in 1960.

The specific measures for arriving at a CAP in each commodity area are based on the following objectives, as stated in the treaty: Common marketing policies for all products, a common foreign trade policy to replace existing national trade policies, controls and regulatory devices by one system of variable import levies and minimum import prices, and a policy for the modernization and improvement of the structure of agriculture.

The Commission's proposed regulations were approved by the Council on January 14, 1962, only for the first six of the products, and they became effective on July 30, 1962.

In general, the regulations for imports of grains, pork, poultry, and eggs from countries outside the EEC (third countries) provide for a control over imports by means of variable levies, which, in fact, prevent price competition by lower cost producers outside the Community.

Regulations as to fruit and vegetables control imports primarily by tariffs and the application of quality standards and minimum import prices set in relation to market prices in EEC member states. Its specific control features are more complicated. The wine regulation controls imports by quotas.

The regulation on grain applies to all grain except rice and has special provisions for durum wheat. No hard wheat is produced in the EEC. It established a variable import levy on imports of grain coming from another member state and from third countries and plans for eventual abolishment of all other trade-restrictive measures, such as quotas, mixing regulations, skimming charges, fees, and special taxes, on grain. This had been largely done in 1964.

The complex tools for supporting and protecting EEC grain producers and for constructing a common grain policy are a target price and the intervention price, a threshold price, a variable levy, rules for export, import and export licenses, and safeguards.

THE TARGET PRICE, in a sense a reference or guide price, is the heart of the CAP grain price structure because all other grain prices are a function of it. It is the price that is fixed each year before planting time at the wholesale level in the center of the most deficit area in each country. Target prices have been set by each member state, but a single target price for the most deficit area in the Community is to be established by the end of the transition period, when a single, or common, market is formed.

THE INTERVENTION PRICE is the one at which actual support purchases will be made of grain offered to agencies of the governments of the member states. The intervention price, to be set at 5 to 10 percent below the target price, guarantees farmers a minimum price for their grain.

The relationship of the intervention price to the target price does not prevent regional differences in market prices. Grain that is accumulated by intervention agencies may be sold in domestic markets at the target price level or may be exported. Wheat and rye that are denaturized (dyed or otherwise treated to make it unfit for food) may be sold for feed in the domestic market at intervention prices.

THE THRESHOLD PRICE is really a minimum import price. It is the target price less freight and marketing costs from a specified port of entry to the principal deficit area. In addition to meeting a threshold price, third countries are handicapped by a lump sum, or preference payment, of at present 1.10 dollars per metric ton, and a price adjustment based on quality. A common quality standard to which the quality of imported grain is compared for calculating price adjustments has been established.

A LEVY may be charged by each member state on intra-Community trade until the end of the transition period and on imports from third countries.

On January 1, 1970, all member states must charge the same levy on third-country imports, and none will be charged on grain moving from one member state to another. The levy on intra-Community trade is equal to the difference between the threshold price in the importing country and the market price in the exporting country.

The levy on imports of grain from third countries is fixed daily in an amount equal to the difference between the threshold price and the lowest offer price on the world market, c.i.f. European ports.

The lowest world market offer price is chosen for a single, comparable quality. The levy on a given grain therefore applies to all qualities of that grain regardless of its origin. In defense of its system, the Commission has maintained that the levy system exposes the Community to unlimited competition from third-country grain suppliers as soon as the world market price reaches or exceeds the target price. The world market price for grains, however, has consistently remained far below average internal EEC prices.

Since the target price becomes the threshold price when it is adjusted for costs to the border, it is in reality a minimum import price, which may be set at a high level to avoid competition from third-country grain. Thus EEC grain could always have preference.

In general terms, then, United States grain shipped to Germany is charged a levy equal to the difference between the world market price and the German internal price, plus 1.10 dollars per metric ton to give preference to intra-EEC trade. French grain shipments to Germany, on the other hand, are charged a levy equal to the difference between French and German internal prices.

Export subsidies are permitted by

the regulations for sales to third countries and (under certain conditions) to member states. The treaty gives the Community the right to resort to other aids to exports "to the extent that they are used on the world market."

IMPORT AND EXPORT licenses for intra-Community and third-country trade may be issued by the member states themselves. Import licenses normally are granted freely, and are valid for only 3 months. Importers must pay the levy in effect on the day of importation, but they are permitted to prefix the levy against payment of a premium. It is in effect a control system that attempts to regulate imports of grain to conform to an annual grain-supply program.

SAFEGUARD MEASURES are also called "escape clauses" because they permit member states to circumvent the provisions against quantitative restrictions by taking steps believed necessary, including the total suspension of imports, if their markets become "subjected to, or threaten to become subjected to, serious disturbances."

Such steps are subject to review by the Commission, which can sustain, change, or annul them. If a member does not agree with the Commission decision on its safeguard action, it may appeal to the Council, which can overrule the Commission by a qualified majority of 12 out of 17 votes.

When imports from other member states are restricted by escape-clause action, imports from third countries are to be restricted in the same way. Some escape-clause actions that could be taken are quantitative restrictions on imports; suspension of import licenses; and additional charges on imports of processed grain products when their offer price does not correspond to the world market price of the unprocessed grain plus processing costs.

The protection offered to poultry is much more complicated because the member states do not want to engage

in support purchases and therefore did not establish target or intervention prices as in grains. They wanted to combine the protection of fixed tariffs with a mechanism that would compensate for differences in feed costs between importing and exporting countries. They also wanted protection against imports at below normal prices. The result is a complex variable levy on imports of poultry from third countries, which is composed of three elements plus a so-called gate-price levy.

The variable levy affords triple protection to member states. It eliminates the advantage of lower priced feed grains on the world market compared to higher priced ones in the importing member state. It charges a duty which is to be reduced to zero by 1970. And, thirdly, it charges a preference payment, 3 percent for 1963–1964, which will be increased annually to 7 percent by 1970.

One member state may charge a levy on another that eliminates differences in feed grain costs between them and that charges a duty equal to the one in effect between them in 1962 before the CAP was approved.

A minimum import price, called gate price, is intended to prevent disturbances on member states' markets that may result from poultry imports from third countries at "abnormal prices." The gate price is adjusted quarterly by the Commission. Changes in it must be approved unanimously by the Council until the end of the second stage and thereafter by a majority vote. It is calculated on the basis of world feed grain prices and a feed grain conversion factor, which is to be "typical for exporting third countries."

If offer prices are below the gate price, the levy is to be increased by the difference between them. The gate price provisions do not apply to third countries that guarantee that their poultry will not be offered at prices below the gate price.

Poultry exports to member states and

to third countries may be subsidized.

The CAP regulations for eggs and pork in general are similar to the poultry regulation, except that the fixed or duty element of the intra-Community levy is calculated at 5 percent for eggs and according to a formula for pork.

The CAP regulations for fruit and vegetables apply as well to their processed products. They provide for import tariffs and for trade controls through the gradual imposition of quality standards on imports from member states and from third countries as well as by a minimum import price feature. Quality standards have been established for only a limited number of fresh products in which the United States has a major trade interest—primarily apples, pears, lemons, and oranges. The regulations prohibit imports of products that do not meet the quality standards.

In the event that markets of member states are disturbed or threaten to become disturbed by imports from third countries below a reference price, such imports may be suspended, or an import fee may be levied on them equal to the difference between the import price and the reference price. This also is largely a minimum import price provision. It is calculated on the basis of an average of the lowest farmers' auction market prices during a certain base period for a standard quality of the product.

The CAP regulation on wines contains no provisions regarding imports and exports other than the following import quotas:

Germany: 920 thousand hectoliters of table wines, of which 30 percent is quality wines. Wines for must are fixed at a quota of 460 thousand hectoliters. (One hectoliter equals about 25.6 gallons.) Italy: 300 thousand hectoliters. France: 300 thousand hectoliters. The regulation defines the wine regions of Germany, Italy, and Luxembourg and, in the case of France, respects its system of controlled origin-names ("appellation d'origine controlee"). Among its most significant features are the provision for an annual wine cadaster and an annual inventory of wine stocks on hand. The first cadaster was to be completed in December 1964.

UNIFYING the economies of the Six, as provided for by the treaty, implies many adjustments in many sectors.

Those of most concern to United States agriculture affect trade in agricultural products. They concern us because our agricultural exports to the Common Market are almost 35 percent of our dollar farm sales to the world and because their total value almost equals the United States balance-of-payment deficit.

The treaty states in article 12 that member states may not establish new duties on trade among themselves after January 1, 1958, and they may not increase existing ones. It is possible also to eliminate these duties in three 4-year stages during a 12-year transition period or less.

A progressive alinement or equalization of the national tariffs on third-country imports has been taking place concurrently, so that by the end of the transition period there will exist a single, or Common External Tariff, to be applied to such imports. The CXT in most cases is the arithmetical average of the tariffs of the six member states for a given product.

The method for scheduled reductions in their individual national tariffs on intra-Community trade is specified in article 14. On January 1, 1959, the duties in effect as of the base date, January 1, 1957, were cut by 10 percent. Eighteen months from that date another 10 percent cut was scheduled, followed by a third cut at the end of the fourth year of the treaty on December 31, 1961. This was to have completed the scheduled reduction of 30 percent for stage 1.

The Council of Ministers decided, however, to accelerate the timetable for the first stage, and an additional cut on industrial products of 10 percent was made on December 31, 1960, thus eliminating the barriers to trade in such products among the Six on that date by a total of 40 percent.

The second stage provided for additional cuts on July 1, 1963, December 31, 1964, and December 31, 1965. In a further attempt to speed up the elimination of tariffs on trade with EEC, the Council decided on another reduction on industrial products. It took effect July 1, 1962. They also abolished quota restrictions on industrial goods that could have waited until 1970.

According to the schedule, the first 10-percent cut in stage 2 was to occur on July 1, 1963, but the EEC made the cut on July 1, 1962.

The treaty states that adjustments in the internal tariffs of the Six that remain for stage 3 shall be scheduled by decision of the Council acting on a proposal by the Commission. By December 31, 1969, the end of that stage, all tariffs on trade between member states will have been abolished.

The Rome Treaty also provided that member states' tariffs on imports from third countries would be replaced with a Common External Tariff by the end of the transition period. The schedule of alinements of national tariffs toward a CXT provided for a 30-percent adjustment on January 1, 1962, of the base rates that existed on January 1, 1957, and another 30-percent adjustment on January 1, 1966.

In an effort to hasten the movement toward full economic union, the members decided to accelerate adjustments of their national tariffs toward a CXT. On January 1, 1959, when the first reduction in internal tariffs took place, it was decided to extend the reduction to third countries, except if such a reduction would result in a lower tariff than the CXT.

On that date, therefore, the high tariff moved down by 10 percent of the base duty to 18 percent. Two years later, a year ahead of schedule, the first scheduled step of 30 percent toward tariff alinement on the CXT for industrial products was taken. But as part of its accelerated effort, the EEC offered the contracting parties of the General Agreement on Tariffs and Trade (GATT) to make this 30-percent adjustment on the basis of the CXT of 15 percent reduced by 20 percent—that is, to 12 percent. The high tariff thus moved down by 30 percent of the difference between 12 and 20 percent to 17.6 percent. Concurrently, the low tariff moved up by 30 percent of the difference between 10 and 12 percent to 10.6 percent.

The second alinement of 30 percent took place 30 months ahead of schedule. At that time, even in cases where the proffered 20-percent cut in the CXT by 60 percent of the difference between 12 and 20 percent was not negotiated in GATT, the high tariff was reduced to 15.2 percent, and the low tariff was increased by the same amount to 11.2 percent in a continued alinement toward the reduced CXT.

The next step presumably would wipe out the remaining 40 percent of the adjustment of national tariffs toward the 12-percent CXT, provided the reduction will have been negotiated in GATT. However, the method for making this final move was not laid down in the Rome Treaty.

AN IMPORTANT POLICY decision before the Community was to determine target price levels for farm products by 1970 and the steps needed to arrive at them.

Called harmonization of prices, the process eventually must be applied to all farm products. But harmonization of grain prices is the most significant, because their prices determine or influence the prices of most other farm products, and also because grain is widely produced in the EEC. Operation of the CAP variable levy system for poultry, pork, and eggs depends largely on a calculation of the amount and cost of grains that are utilized for their production.

The EEC estimated that about 45 percent of the Community's total agricultural area is planted to grain. The largest single source of farm income is from grain, including the value of that converted to livestock and poultry. The ultimate form of a CAP and of a farm income policy then depends on the influence that a common grain price level will have on agricultural production in general.

The highest target price (on the 1963–1964 average) for wheat among the Six is 3.24 dollars a bushel in Germany. The lowest is 2.70 dollars a bushel in France.

The declared EEC grain policy is that target prices for feed grain and wheat eventually will be set close enough in the price harmonization process so that feed grain may be substituted for wheat by the farmer when he seeds or by the livestock and poultry producers when they feed.

France has relatively the most important role in the framework of a Community grain policy because of her comparatively low grain prices, because she produces more than 45 percent of all EEC wheat and 40 percent of all EEC coarse grains, and because (depending on the magnitude of the price incentive) French farmers could put about 4 million acres of other land into grain. Increases in grain consumption by livestock and technological improvement in production are expected to result in further expansion of production.

The United States is concerned that political pressures in the governments of the Six, particularly in Germany, may result in setting the common grain prices substantially above present French and Dutch levels—that is, at an average of the present French and German prices and possibly even higher. That would further encourage uneconomic production of grain, even though soft wheat were in surplus.

The Community has a better opportunity to employ its excess of agricultural labor to produce livestock and livestock products than grain. Its officials know this, but strong political pressures by farm organizations have made it uncertain that they will be able to withstand the political expe-

diency of uneconomically high grain prices.

An ultimate high-price level for grain, which is protected by the variable levy system, would encourage substantial increases in grain production, particularly in France. In such an event, the United States and other efficient producers of grain would be excluded from the EEC market to the extent that production of wheat and feed grain increases in the Community. The stake of the United States in this market is substantial. It supplied about 30 percent of the Community's wheat imports and 45 percent of its feed grain imports in 1959–1960 and 1961–1962.

Another result of higher priced grain would be higher prices of livestock products to consumers and perhaps a consequent decline in sales of United States grain to the Community.

The high level of technology in American agriculture has made it one of the world's most efficient producers of many commodities. American farmers can compete favorably on the world's farm markets. But the fact that this efficiency makes it possible to land United States barley in Hamburg, Germany, at 1.40 dollars a bushel (about 1 dollar below the German price level) is to no avail as long as the variable levy eliminates such price competition.

Throughout the transition period— that is, until 1970—the variable levy system guarantees grain producers of each of the six member states priority access to their own country market for all grain they produce. By 1970, they all will be guaranteed absolute priority access to the entire Community market.

The lump-sum, or preference, payment of 1.10 dollars a metric ton on imported grain gives Community grain producers a small, additional margin of preference.

The net result of the functioning of the grain regulation therefore would be to continue third-country suppliers, such as the United States, in a more or less permanent position of residual supplier. The amount of wheat and coarse grain they will be able to sell to the Common Market will depend on its increases in grain production and the influence of the ultimate grain target price level on production.

What the United States needs, then, is some form of assurance from the EEC that its traditional grain markets will not arbitrarily be taken away by an economically unsound price policy.

Exports of United States poultry to Germany before the CAP regulations were subject to a moderate fixed duty charged as a percentage of the value of the shipment.

But they were subject also to exchange and quota restrictions at the same time. Before the CAP regulations, Germany gradually relaxed and then liberalized her quota restrictions on poultry imports. The regulations completely eliminated the latter, but they also introduced the new, enormously complicated protective features I have described and instituted a minimum import, or gate price, which was set by the Council at an arbitrarily high level.

Managed in this way, the system has prevented United States poultry from competing with EEC poultry, maintained consumer poultry prices at a high level, and retarded increases in poultry consumption. The net effect was an abrupt decline in sales of United States poultry to Germany. Our share of the German poultry import market declined from about 40 percent near the end of 1962 to about 10 percent at the end of February 1963, when the supplemental levy was raised to 30 pfennig a kilo, or 3.4 cents a pound.

The United States therefore formally asked the EEC Commission in June 1963 to enter into negotiations under terms of an agreement negotiated in the U.S.–EEC–GATT negotiations of 1961–1962. The Council of Ministers met twice thereafter, and on July 29, 1963, could agree only to direct the Commission to begin exploratory discussions with the United States with a view to determining solutions that would be acceptable.

The prospect of additional unproductive discussions after almost a year of talks prompted the United States to resort to compensatory withdrawals of concessions it had made in GATT in an attempt to redress the trade balance.

The United States also was a large supplier of poultry parts to Germany. Whereas the usual price relationships between whole slaughtered birds and poultry parts is 3 to 1, the levy and the gate price on the latter at first reflected a price relationship of 7.5 to 1, or an ad valorem duty protection of 75 percent.

Strong representations by the United States resulted in a reduction to 60 percent. The protection remained disproportionately high, however, and efforts were continued to correct this wrong relationship and make it reflect the true price relationship.

The EEC's pork regulation was first implemented only with respect to live hogs and carcass pork and established the import levy and gate price systems for all pork. The regulation dealing with pork parts, in which specialty meats are included, was approved in June 1963. Of all pork products, the United States is chiefly concerned with specialty meats, because its exports of frozen pork livers to Europe are a sizable trade item.

The regulation on pork parts provides that it will respect the guaranteed maximum duty of the GATT on pork livers. The United States has expected that the GATT binding will be respected and that the total charges, including any supplementary charge that is applied to imports from the United States to make up the difference between the offer price and the gate price, will be kept within the GATT maximum of 20 percent.

As to regulations on fruit and vegetables, concern has been felt over the minimum import price, called the reference price.

It provides for an additional charge or the suspension of imports when they are offered at prices below the reference price. Moreover, the regulations provide that quota restrictions on trade among the Six in these products will be eliminated gradually, but it does not set up a schedule for liberalization of trade with third countries.

A GATT agreement requires the elimination of quota restrictions imposed by member states against United States horticultural products, but France, Germany, Italy, and Belgium have maintained restrictions on many of them. Therefore, the United States thus far has taken action against France, Germany, and Italy under the terms of GATT to obtain compensation for the loss in trade.

Finally, the regulations speak of quality standards, not all of which had been established in 1964. Article 9 of the basic fruit and vegetable regulation provided for their liberalization according to a schedule for three quality classes not later than December 31, 1965. Since a condition of entry into the EEC fruit market is the meeting of quality standards, the United States has insisted that equivalent standards be applied to its products.

The only rice producers in the Community are Italy and (to a lesser extent) France. Both grow mostly round or medium-grain, soft varieties. Consumers in northern Europe prefer long-grain, hard varieties, which form the bulk of American exports to the Community. The United States is concerned that the levy system of 1964 may give priority access to Italian and French rice in those markets. The American trade would suffer thereby.

The suggestions for a final draft of the regulation regarding vegetable oils and oilseeds was approved by the Council in December 1963. The United States has a GATT binding that permits oilseeds to enter the EEC free of duty. The duty on crude vegetable oils is bound at 10 percent ad valorem. Since crushing adds only about 10 percent to the value of the oilseeds, which are imported duty free, the 10 percent duty provides, in fact, a 100-percent protection for the processing costs.

A threatened butter surplus in the Community caused dairy producers to press for taxes on margarine and the products used in its manufacture in order to encourage consumption of butter. The tax of 14 pfennig a kilo (1.59 cents a pound) was approved by the Council in December 1963. The United States fears that such action would impair the commitments obtained in GATT negotiations.

Oil cake and meal entered the Community in 1963 on the basis of a duty-free GATT binding.

No regulation for tobacco had been proposed in 1963. The problem lay in a determination of duty levels on cigarettes and unmanufactured tobacco and in a shift from a fixed to an ad valorem duty in the progress toward a CXT.

Because practically no cotton is grown in the EEC, the member states plan no policy of protection against imports. American cotton sales to the EEC have continued to rise since the Rome Treaty was signed.

THE SIX Common Market countries have a highly advanced agriculture. Their total area is only 0.9 percent of the world's land surface but contains 2 percent of its agricultural area.

Six percent of the world's population and 2.7 percent of the world's population that depends wholly on the land for a livelihood live in the Six. EEC produces about 87 percent of its total food requirements.

The fact that France, the largest agricultural producer of the Six and the one with the greatest production potential, is at the threshold of an agricultural technological revolution like the one the United States has been experiencing heightens the significance of Common Market agriculture to United States agricultural trade.

There is an average of 2.5 acres of

exploitable agricultural land for every person in the world. The average is about 1.2 acres in the Community. A general trait of Community agriculture is its high concentration of farm population, intense cultivation, and a high average yield.

About 3.5 million farms supply the United States with its food and forage. The Community counts about 6.8 million farms larger than about 2.5 acres in size. United States crop and grass land covers 1,001 million acres, 5½ times larger than the Community's 194 million acres. But about 7 million persons in the United States work these lands, whereas the Community needs 15.1 million to work its lands.

This great population burden on the Community's land and the fragmentation of its farmland are the reasons why the Rome Treaty attached such great importance to the improvement of the agricultural structure and the best utilization of farm labor.

Farm mechanization in the EEC has burgeoned since the end of the Second World War. More than 200 thousand farm tractors have been added to the machinery pool each year since 1955. Germany, said to be the most highly mechanized member state, had slightly more than 37 tractors for each thousand acres in 1963. (The proportion in the United States was lower because its extensive range and grazing lands need fewer tractors.)

Since 1960, relatively more capital has been spent on other types of farm machinery, especially harvest machinery. Variations in this trend are due to fluctuations in the size of the farm labor pool, farm income, the size and intensity of production on farms, sales price and purchase terms of farm machinery, and other factors.

Expenditures per acre for farm machinery have been highest in Germany and lowest in Italy. Luxembourg, Belgium, France, and the Netherlands fall in between in that descending order. The increase in expenditures on farm mechanization (except in Italy) has been at a greater relative rate than the increase in the gross value for farm sales. Concurrently, the numbers of farmworkers have declined.

Increases in applications of chemical fertilizers have kept pace with the general advance in agricultural technology. Compared to 1950–1951, in 1959–1960 (the latest year for which data are available) 73 percent more nitrogen, 61 percent more phosphate, and 57 percent more potassium fertilizers were added to the soil.

The rise in the use of fertilizer has been particularly marked in Italy and France, partly because of their comparatively low levels of use during the early postwar period. Belgium and Luxembourg, both with a history of high yields from intensely cultivated land, had the smallest increase, because applications there have been traditionally high.

The Commission has estimated an average increase in consumption of nitrogen of 37 percent in 1964 over 1958; of phosphate, 24 percent; and potassium, 28 percent. The average figures hide even more spectacular increases, however. France is expected to double her applications of nitrogen and almost double her applications of the other two elements. Italy is expected to increase consumption of potassium by 57 percent. Germany will increase use of nitrogen by 38 percent, phosphate 32 percent, and potassium 25 percent.

THE GROSS VALUE of farm production in the Community in 1963 was set at somewhat more than 18 billion dollars—60 percent in livestock and livestock products and 40 percent in crops. That is equal to slightly more than 92 dollars per acre of crop and grass land compared to 41 dollars in the United States, where large tracts of range and grass land account for the less intensive agriculture.

Each farm laborer contributes only about 1,192 dollars to the gross agricultural product of the Community, substantially less than the 5,857 dollars per farm laborer in the United States (on the basis of realized gross farm income).

The Commission has recognized that differences exist in the production potentials of the various regions. Furthermore, a slow growth rate of employment in some industrial areas tends to deprive farm labor of an alternate source of employment and so complicates the problem of surplus farm labor in EEC.

Growth of income in more highly developed areas has reached the point where the elasticity of demand for food products has diminished measurably. In lesser developed areas, where one can expect the elasticity to be greater, the rate of growth of income has been low. The rate of economic growth in the Community in general has been far more marked in industrial than in rural sections.

But industrial production and incomes in general have continued to grow since the birth of the Community and there has been a concurrent rise in demand for more and better food in the industrial areas where this has occurred. This is the most favorable factor in attempting to improve the structure of farming.

Italy and Germany are the EEC countries that will have to undergo the most far-reaching structural changes in their agriculture.

Italy in particular has a large number of small farmers. Their inefficiency and comparatively low incomes, particularly in southern Italy, Sicily, and Sardinia, leave them almost on the fringe of Italy's economic mainstream.

The German Government's policy of protection through heavy subsidies and high duties on imports of competitive, although badly needed, farm products keeps thousands of small, inefficient German farmers on the land.

They have great political strength because of their numbers. Nevertheless, it is estimated that more than 40 percent of them have left the land and that more than 300 thousand farms have disappeared since 1950. Some of the farms were absorbed by larger ones,

but many went out of production. Some German farm economists estimate that 400 thousand farms will have disappeared before 1970.

Now, as to the outlook.

I noted earlier that an important element in the determination of the CAP is the price of wheat and coarse grain.

The first step toward adjustment or harmonization of the grain prices failed to be taken in April 1963, as specified in the CAP grain regulations, chiefly because of political resistance in Germany to a reduction in prices.

(The regulations require that Council decisions on the grain price be unanimous during the second stage of the transition period. Thereafter, beginning on January 1, 1966, decisions can be made by a qualified majority; that is, by 12 of a total of 17 votes.)

In June 1963, the Council reached agreement on several adjustments in feed grain prices, some of which were related to changes in quality standards. Neither the German high prices nor the French low prices for wheat were affected, however. Those for barley, rye, and corn changed slightly.

In July 1963, Germany suggested that it would be willing to consider lower grain prices if German farmers would be compensated by some form of direct payment. Some observers took the proposal as foreshadowing a satisfactory decision as to an eventual target price level for grains significantly below the price of the German level. If so, it could have removed the chief obstacle in the path toward a CAP.

With an eye, no doubt, to political factors, the EEC Commission submitted a price proposal to the Council of Ministers in November 1963. This proposal would have established a common wheat target price for 1964–1965 season roughly midway between the French and German levels. That would result in a common wheat price of about 2.90 dollars a bushel.

With an awareness of the tendency

toward surplus production of soft wheat, the November proposal would have fixed the target prices for barley and corn, the main feed grains, at levels close enough to the wheat price to encourage their production in place of wheat. However, a decision on the November price proposal was indefinitely postponed by the EEC Council in March 1964.

If no progress is made during the second stage, the United States is concerned that the Commission may raise its sights to a price level above the midway point because of pressure politics in Germany and because of continuation of an upward trend in grain prices throughout the EEC.

The effect of an eventual price level on grain production is of great concern to the United States and to the Community because an increase in prices implies larger supplies and a restraint on consumption.

In expressing concern over the grain price issue, Sicco Mansholt, the Commission vice president in charge of agriculture, said in an address to the International Grain Trade Conference in Hamburg in 1962: "Our price and production policy must be aimed at avoiding any extension of the area under grain in the Community. This means that the optimum grain prices must not exceed a level at which French land reserves would be mobilized on a large scale."

Despite such assurances, the EEC Commission favors a common EEC grain price level which would, in the opinion of many experts, lead to reduced import needs.

There have been a number of projection studies concerning the EEC's future grain import requirements. The EEC Commission itself has estimated that with no increase in grain prices and no increase in acreage devoted to grain, Community net imports of grain by 1970 would be only maintained at the current average of 10 million metric tons. But it is feared that this grain price and acreage situation will not develop.

In a study prepared for the United States Department of Agriculture, Elmer W. Learn projected EEC grain net imports at only 5.8 million metric tons if the common grain price is set at the average of French and German prices.

A rise in incomes will tend to increase discrimination in quality, and an increase in the demand for harder, higher quality wheat, especially spring wheat, can be expected. Europe does not produce hard wheat, but the United States will have to compete more effectively with Canada for this market.

The chief European feed grain is barley, and its production can be expanded sharply through higher yields and increased acreage. Barley can be substituted for soft wheat, and some land in grass or fallow can be seeded to it.

But corn and sorghums, practically interchangeable in feed rations, are the main components of most mixed feeds in Europe. Although there are natural limitations on the production of corn and sorghum in Europe, import requirements for them could be curtailed by expanded barley supplies. This would be particularly injurious to the United States, which is by far the largest supplier of corn and sorghum to the Community.

Development of the European market for United States poultry has made available better and cheaper poultry to consumers. Per capita consumption of poultry meat is estimated to have risen from about 9.0 pounds in 1958 to about 12.8 pounds in 1962. The Commission expects that consumption will increase 116 percent by 1970.

The United States' share of the EEC poultry import market (principally Germany) rose to a high of about 40 percent by the end of 1962. But improved technology in the Community and the export of private American capital and skill to the EEC have been significant factors in the increase of European poultry production.

The Commission has estimated that

more than a million tons of grain are imported annually into the EEC in the form of eggs, poultry, and pork. Since EEC agriculture is a more efficient producer of livestock and poultry than of grain, Community farmers in the future may be able to supply more of its requirements of poultry.

Increasing hog production is no more of a technological problem to European farmers than increasing poultry production was, and it is generally accepted that the Community is practically self-sufficient in pork meat. However, import demand may continue for frozen pork and poultry livers in order to keep processing industries supplied with the raw material for sausages and patés.

An increase in the supply of domestic pork livers that may accompany a rise in hog production can only partially offset import requirements, and it is expected that the United States' share of this market may remain unchanged through the transition period.

Germany and the Netherlands particularly have tried to adapt American feedlot techniques to their conditions. In the Netherlands, the meat is even called the local equivalent of baby beef. The biggest obstacle to further development is the intensity of agriculture in Europe, the high cost of farmland, and the need for a rapid turnover in livestock for immediate needs for cash income. Furthermore, the large number of small farms and government subsidies favor the creation of dairy surpluses. These are the factors that, in turn, have traditionally favored development of the veal market. Nevertheless, the demand for beef has been increasing steadily, and the Commission expects that in 1970 it will be 50 percent greater than in 1958.

Although the United States as a net importer of beef may not be directly affected by that increase, a growing demand for beef and an increase in beef production in the EEC may give rise to more pressure on the United States by countries that traditionally have exported their beef to the EEC.

Production of beef and veal is related closely to the dairy situation because the source of beef is dual- or triple-purpose animals; that is, animals that are raised for milk and meat or milk, meat, and work.

EEC—notably the Netherlands, Belgium, and Luxembourg—has begun to have a problem of butter surplus, and the Commission has estimated an increase of only about 25 percent in 1970 (compared to 1958) in the consumption of butter. It has been estimated therefore that stocks of butter may be about 400 thousand metric tons by 1970. In sum, a determined effort to build up the number of beef cattle may worsen the surplus problem unless special measures are taken.

THE OUTLOOK FOR EDIBLE oils pressed from vegetable seeds is somewhat more complicated because of its interrelationship with butter, imported oils and oilseeds, domestic animal fats, and the livestock mixed-feed industry.

The Commission has estimated that the consumption of edible fats and oils, including butter, may increase by not more than about 17 percent during 1958–1970. But internal pressures have been mounting steadily to keep this increase for Community producers— those who grow rapeseed and olives and those who raise cows.

Moreover, the European Development Fund agreement that was initialed in 1963 with 18 African Associated Overseas Countries and became effective early in 1964 will provide for production subsidies at least for the 1964–1965 marketing year for peanuts and for peanut oil to help them compete in the European market.

Thus imports of soybean oil may encounter stiff competition for the expected small increase in consumption.

However, increases in the production of hogs, cattle, and poultry imply a substantial increase in demand for high-energy protein concentrates.

Sales of American soybean meal have increased markedly since 1960. Sales of soybeans also have increased,

THE EUROPEAN ECONOMIC COMMUNITY

but to a lesser degree. This trend can be expected to continue—at least through the transitional period.

The consumption of deciduous fruit is expected to rise, but it is not likely that much of the increase will be supplied with imported fresh fruit, partly because of duties, continued national quotas, and even embargoes—restrictions that are effective trade protection devices.

But the most telling factors are the large areas in the Community that have been planted to new fruit, chiefly apples and pears, that soon will come into heavy bearing. A substantial increase in consumption of canned fruits is expected, and the United States may supply a significant share of it.

Imports of oranges and lemons may increase to supply part of the growing demand for them. Significant supplies of both originate in Mediterranean countries.

THE WILL to cooperate politically is basic to progress toward a Common Agricultural Policy, and the eventual emergence of the European Economic Community as a single political entity is pertinent to any discussion of the CAP. Political will is the lubricant for the CAP machinery, although it is conceivable that special regional interests can slow it down.

A lack of political harmony, such as that shown by France's veto on January 14, 1963, of the United Kingdom's entry into the EEC, created serious problems that considerably slowed progress toward a CAP.

For example, it was not until the following April that the member states could agree to another meeting of the Council of Ministers. Since then, France's approach to important agricultural questions has appeared to be designed in defense of her January 14 decision and in defense of other overriding political considerations.

Indeed, it would not be an exaggeration to say that the atmosphere of acrimony that resulted from France's action on that fateful day in a sense has carried over to the Council's deliberations in subsequent sessions in that the driving motivation of treaty objectives now seems to be only vaguely present.

That is why a working program for 1963 still had not been agreed upon by June of that year, a first step in harmonization of grain target prices had not been taken by early 1964, and the pending rice, beef, dairy products, and fats and oils regulations had not been approved by the Council until the end of 1963.

By the end of July 1963, the atmosphere had improved considerably, and action had been taken on several important matters. The levy system on pork meat and products was approved. The Treaty of Association with African States was signed. The atmosphere for negotiations of agricultural duties in the Kennedy Round of the Trade Expansion Act negotiations had cleared somewhat.

In my description of the short-lived EDC, I explained that a community of nations is formed to attain commonly accepted goals. In order that such a community survive, common agreement is needed that its survival by and of itself necessarily takes precedence over the attainment of goals. Lack of conviction on this point saps its strength, impairs its efficiency in resolving problems, and imperils its survival.

This was essentially the problem before the EEC in 1964, for the unilateral actions of one of its members have cast doubts on the existence of a unanimous will to survive. It is as much of a concern to the Six as it is to the United States, for as the EEC and its CAP go, so United States foreign agricultural trade policy must respond.

JOHN E. MONTEL *is agricultural attaché of the United States Mission to the European Economic Community in Brussels, Belgium. Previously he was agricultural attaché in Guatemala, Honduras, El Salvador, British Honduras, and Ecuador and assistant agricultural attaché in Venezuela, the Dominican Republic, and Haiti.*

General Agreement on Tariffs and Trade

by A. RICHARD DeFELICE

THE GENERAL AGREEMENT on Tariffs and Trade (GATT) is an international multilateral trade agreement entered into by the United States and all its major trading partners.

There were 62 full-member countries in 1964. Several countries participate under special or temporary arrangements. They include almost all trading nations of the free world.

It is the most comprehensive agreement ever concluded to promote international cooperation in trade policies and reduce barriers to international trade. It is the principal instrument for such cooperation in the free world. The United States uses it as a major vehicle for developing its trade relations with other countries.

The United States entered the agreement under authority of the Trade Agreements Act, which was first enacted in 1934, when an intense economic depression gripped the world.

The domestic economic and international trade policies of countries after the First World War aggravated the situation. They tried to recover from destruction, chaos, and bitterness by setting up controls on foreign commercial relations. They raised tariffs and applied quotas to restrict imports. They made preferential trading arrangements, and encountered retaliation by countries that claimed the arrangements hurt them. The complicated system of restrictive devices that developed endangered international trade and economic health of all nations.

The Congress enacted the Trade Agreements Act for the declared purpose of expanding foreign markets for American products and strengthening our economy. The President was given authority to enter into trade agreements with foreign governments for the reduction of tariffs and other trade restrictions on a reciprocal basis.

The United States accordingly negotiated agreements with other governments. In each agreement, the United States obtained reductions in duties applied against specified American goods in the market of the foreign country. In return, the United States made similar reductions in its duties on products of particular interest to the other country.

The agreement also provided rules and limitations on the use of other trade devices that could impair the value of the tariff concessions. It was necessary, for example, to provide that import quotas and discriminating internal taxes would not be used to nullify or impair what had been given as a tariff concession.

Thus the agreements contained specific commitments on the level of duties and general provisions as to such matters as quotas and internal taxes. As experience with the negotiation and operation of these bilateral trade agreements grew, succeeding agreements became broader in scope and more complex.

Up until the Second World War, the United States negotiated bilateral trade agreements with 29 countries. They helped stabilize relations and reduce the level of trade barriers.

Much remained to be done, however, to get effective agreement among trading nations to reduce obstacles to trade. Bilateral agreements seemed to have reached their maximum effectiveness for this purpose. Their limitations were recognized.

One was that they did not induce a

country to give up or modify an undesirable trade practice—for example, import quotas. Some countries felt the need to maintain an extensive quota system merely to be in a position to counter against another nation applying quotas against it. It was possible to obtain a country's agreement to remove a few specific products from the quota system, but no country was willing to commit itself to any great limitation on the use of quotas unless its main trading partners were likewise committed to similar undertakings.

Also, in bilateral agreements, countries tended to hold back tariff concessions lest other countries not party to the agreement would obtain benefits without giving any equivalent.

In those circumstances, the United States, near the end of the Second World War, initiated a series of meetings among the leading trading nations of the free world to develop a multilateral agreement to apply to international trade. A charter for an International Trade Organization (ITO) was completed in Havana in 1948.

The charter covered many details of economic affairs and international trade. It contained rules to govern the trade practices of member governments that directly affected their economic policies. The charter therefore was submitted for acceptance by governments at a later date.

Meanwhile, members of the conference agreed to begin negotiations to lower tariffs and other restrictions. The negotiations took place at Geneva in 1947 at the same time the ITO Charter was being considered.

The results of the negotiations were embodied in a multilateral trade agreement, the General Agreement on Tariffs and Trade, or the GATT. It was signed on October 30, 1947, and came into force on January 1, 1948. Twenty-three countries initially accepted it. What was initiated as an interim arrangement pending the adoption of the ITO Charter now remains an international agreement for the conduct of trade.

The contracting parties to the GATT on January 1, 1964, were: Australia, Austria, Belgium, Brazil, Union of Burma, Federal Republic of Cameroon, Canada, Central African Republic, Ceylon, Chad, Chile, Republic of Congo (Brazzaville), Cuba, Cyprus, Czechoslovakia, Dahomey, Denmark, Dominican Republic, Finland, France, Gabon, the Federal Republic of Germany, Republic of Ghana, Greece, Republic of Haiti, India, Indonesia, Israel, Italy, Republic of Ivory Coast, Jamaica, Japan, Kuwait, Luxembourg, Malagasy Republic, Malawi, Malaysia, Islamic Republic of Mauritania, Kingdom of the Netherlands, New Zealand, Nicaragua, Republic of Niger, Federation of Nigeria, Norway, Pakistan, Peru, Portugal, Republic of Senegal, Sierra Leone, Republic of South Africa, Southern Rhodesia, Spain, Sweden, Tanganyika, Trinidad and Tobago, Turkey, Uganda, the United Kingdom, the United States, Republic of Upper Volta, Uruguay, and Zambia.

Five countries acceded provisionally—Argentina, Switzerland, Republic of Tunisia, the United Arab Republic, and Yugoslavia.

Countries that participated in the work of the Contracting Parties under special arrangements were the Kingdom of Cambodia and Poland.

Countries to whose territories the GATT has been applied since 1948 and which, as independent states, maintained a de facto application of the GATT pending final decisions as to their future commercial policy were: Democratic and Popular Republic of Algeria, Kingdom of Burundi, Republic of the Congo (Léopoldville), Republic of Mali, the Republic of Rwanda, and Republic of Togo.

The Contracting Parties in November 1954 undertook an examination of the agreement in the light of the experience of the previous years. After more than 4 months of negotiations, they reaffirmed the basic objectives and obligations and revised certain of the trade rules to make them more effective and better adapted to meet future needs of the trading partners. (The term "contracting parties," when it is used herein without initial capitals, refers to member countries acting individually; when it is used with initial capitals—Contracting Parties—it refers to the member countries acting as a group.)

During the review, the organization provisions of the GATT were renegotiated for inclusion in a separate agreement to establish an Organization for Trade Cooperation (OTC), which would be a permanent organization whose principal function would be to administer the GATT. Several countries accepted the separate agreement, but it cannot become effective until it is accepted by more of the principal trading nations, including the United States.

THE GATT is a comprehensive and complicated agreement, but its technical provisions rest on three basic principles.

The first is nondiscrimination by each participating country in its trade with the others. In commercial policy, this is customarily referred to as "most-favored-nation treatment," or MFN treatment. Each contracting party in the GATT agrees to give all other contracting parties any trade advantage, favor, privilege, or immunity it grants to any other country, whether or not the other country is a member, subject to certain limited and expressed exceptions.

The second is that customs tariffs shall be the only means for affording protection to domestic industries. Import quotas are prohibited. Import quotas may be permissible or authorized for other purposes, to safeguard a country's balance of payments, for example, but their use for such must conform to defined conditions.

The third basic principle is to afford an international forum for discussing and settling mutual problems of international trade.

The fundamental principles are encompassed in a series of rules and provisions. The agreement is formally structured in 3 parts and 35 articles.

Part I deals with tariffs and preferences; part II, with nontariff barriers; and part III, with procedural and other matters.

The most-favored-nation obligation is imposed by article I. Certain exceptions are specified. The most important at the beginning applied to preferential arrangements between the United States and Cuba and the Philippines and between countries of the British Commonwealth existing in 1947. Preferential treatment then permitted is not to be increased in the future. Another exception permits countries applying any import restrictions for balance-of-payment reasons or for development of an underdeveloped economy to discriminate temporarily under specified conditions. This deviation was practiced in several countries.

New regional arrangements have brought into focus another and more lasting exception to the MFN principle. Article XXIV recognizes the integration of national economies into a customs union or free trade area as a means of furthering the objectives.

Under certain conditions, a customs union or a free trade area is exempt from the most-favored-nation obligation. These conditions are designed to assure that tariffs and other barriers to trade within the area are reduced and eliminated and that more restrictive barriers to trade would not be thereby created.

The purpose is to prevent the creation of preferential arrangements that would further restrict trade between the regional unit and the rest of the trading world.

SEVERAL TREATIES and conventions establishing the following regional arrangements have been examined by the Contracting Parties in accordance with the provisions of the GATT.

They are the European Economic Community (Belgium, Luxembourg, the Netherlands, the Federal Republic of Germany, France, and Italy) whose members are contracting parties to the GATT; European Free Trade Association (Austria, Denmark, Norway, Portugal, Sweden, Switzerland, the United Kingdom, and Finland, an associate member, all of whom are contracting parties to the GATT); and the Latin American Free Trade Association (Brazil, Chile, Peru, Uruguay—all members of the GATT—Argentina, Mexico, Paraguay, Colombia, and Ecuador).

Subsequently it was decided that some legal and practical issues called for further discussion and review.

Accordingly, procedures were established to provide for such further review by the Contracting Parties.

The tariff concessions agreed to at any conference to negotiate tariffs are listed in schedules, which are annexed to the agreement and become a part of it by the terms of article II.

Each contracting party has a separate schedule, in which the specific product identification and the rate of duty are set forth. A country is obligated not to charge a higher rate of duty than that specified in its schedule for that product. This obligation, however, does not prevent a country from imposing internal revenue taxes on imports at the same rates as those applied to a similar domestic product; any antidumping or countervailing duties; and fees or other charges for services, such as for documentation, that are reasonable for the services rendered.

AN IMPORTANT goal of the GATT is to reduce tariffs.

Because customs duties and other charges on imports often hinder trade, the Contracting Parties have made a major effort to reduce tariffs as a way to expand it.

Conferences are convened from time to time to negotiate about tariffs. The extent of participation is determined largely by the scope of a country's trading interests. The United States engages in the broadest negotiation.

Six major conferences have been convened by the Contracting Parties—in 1947 in Geneva; 1949, Annecy, France; 1951, Torquay, England; 1956, 1960–1961, 1964, Geneva.

The conferences have resulted in tariff reductions or commitments against tariff increases that affect more than 60 thousand items in world commerce.

It is estimated that tariffs have been lowered on products accounting for about half of world trade and that about 75 percent of American agricultural exports are to the GATT countries. More than half of these exports were subject to negotiated duties.

When the General Agreement on Tariffs and Trade was signed in 1947, it was agreed that the tariff concessions negotiated at that time would become effective on January 1, 1948, and remain in effect until the end of 1950.

At the end of that time, a contracting party could modify or withdraw any concession by negotiation and agreement with the country with which the concession was initially negotiated.

When modifying or withdrawing a concession, a country should seek to replace it with an equivalent concession, but if no agreement was reached on the substituted concession, the other country could withdraw substantially equivalent concessions.

There was the possibility therefore that extensive renegotiations under article XXVIII could result in a substantial reduction in the wide range of concessions previously negotiated. To forestall this possibility, the effective period for the schedule of concessions was extended from time to time by the Contracting Parties.

In its review of the GATT in 1954–1955, the Contracting Parties adopted a rule that effects an automatic extension of the firm period of the schedules for successive periods of 3 years. Adjustments in individual tariff rates may be negotiated during an open season of several months before the beginning of the new term.

Suitable opportunities are likewise

given for individual adjustment of tariff rates during the firm period when unforeseen developments make them necessary and the Contracting Parties approve.

Member countries concerned with renegotiations under this provision must seek agreement that will maintain the level of concessions covered by it. If they cannot agree, the country wishing to withdraw the concessions may do so. The other country or countries concerned may then withdraw from its schedule of tariffs substantially equivalent concessions negotiated with the country that modifies its concessions.

Article XIX contains an escape clause. It provides that if unforeseen circumstances and a concession lead to increases in imports that cause or threaten serious injury to domestic producers, a contracting party may withdraw or modify the concession long enough to prevent or remedy the injury. Other countries adversely affected may suspend equivalent tariff concessions or obligations unless the country invoking the escape clause makes compensatory concessions.

Part II covers trade barriers other than tariffs.

It has provisions for the treatment of internal taxes—foreign goods must be given equal treatment as domestic products—customs formalities and valuation, marks of origin, antidumping, countervailing duties, subsidies, state trading, quotas, complaints, and general exceptions to the basic rules.

A basic principle is a general prohibition on the use of quantitative restrictions or quotas on imports, which hamper trade because they establish an absolute barrier that cannot be overcome by prices or demand.

The widespread use of quotas between the wars reduced trade to the detriment of many countries, including the United States. The prohibition on the use of quotas, except in specific circumstances, prevents their use to nullify or impair tariff concessions negotiated in the GATT.

The main exception permits a country that has difficulties in balance of payments to impose import restrictions to safeguard its balance and monetary reserves. In special circumstances, the restrictions may be applied in a discriminatory fashion. The import restrictions must not exceed those necessary to accomplish the purpose of fulfilling the purpose authorized. Contracting parties applying these restrictions must progressively relax them as conditions improve and must eliminate them when they are no longer needed.

Various safeguards protect the interest of exporting countries whose trade is affected by these import restrictions. Unless specifically authorized, the permitted quantitative restrictions must be nondiscriminatory. Restrictions must avoid unnecessary damage to the commercial or economic interests of other contracting parties.

Provision also is made for the importation of minimum commercial quantities in order to maintain regular trade channels and to comply with patent and trademark requirements. The import restrictions of a contracting party are reviewed regularly.

A country that imposes new restrictions or intensifies old ones must consult with the Contracting Parties. Any country that considers that another is applying import restrictions inconsistent with the provisions of the GATT may bring the matter up before the Contracting Parties and seek redress for the damage to its trade.

During the exceptional postwar years, many countries invoked the balance-of-payment privilege to impose import restrictions. Consultations kept them under repeated review, discrimination was reduced, and the restrictions were relaxed or eliminated whenever conditions improved.

The widespread use of quantitative restrictions for balance-of-payment reasons could no longer be justified after 1959, when major trading countries took action regarding the convertibility of their currencies. Progress was made thereafter in dismantling the restrictions.

Faster progress was made in the industrial sector than in the agricultural sector. As a consequence, countries that no longer justified their action on balance-of-payment grounds continued to apply restrictions on imports of agricultural products, contrary to the provisions of the GATT.

Certain other exceptions to the general rule are stated in article XI. They include export restrictions imposed because of a short supply of food or other essential commodity; import and export restrictions imposed in connection with grading or marketing standards; and import restrictions on agricultural or fisheries products if the restrictions are necessary to the enforcement of domestic measures that restrict the domestic marketing or production of the like product or for the removal of temporary surpluses.

THE EFFECTIVENESS of the GATT in promoting trade among nations rests on its aims to reduce tariffs and eliminate quotas and other obstacles to trade.

Another major contribution has been its consultations.

The Contracting Parties generally meet in regular session once a year at their headquarters in Geneva. They have met twice a year to afford prompt consideration of trade problems.

A Council of Representatives was established in 1960 to handle routine details and certain urgent matters. The Council meets whenever business is to be transacted. At the regular sessions of the Contracting Parties, discussions center on trade problems and are aimed at reaching agreement on principles, trade policies, and practices of mutual benefit.

The meetings are the occasion also for settling any disputes that may arise. A formal basis for consultations and for considering the complaints has been established. Each member agrees that it will give sympathetic consideration and afford adequate opportunity

for consultation to any representation made by another contracting party. If a satisfactory solution is not reached, the Contracting Parties may ask that the matter be brought up for general consideration.

The first step is for the complaining country to consult with the country concerned. If no satisfactory adjustment is approved in a reasonable time, a complaint may be lodged with the Contracting Parties. The Contracting Parties then must promptly investigate the matter and make recommendations or rule on the dispute. In exceptional circumstances, the ruling may authorize the complaining country to suspend the application to the offending country of such concessions or obligations under the agreement as are determined to be appropriate. In any such case, the contracting party against which the ruling is made may withdraw from the GATT.

The differences usually are adjusted through bilateral consultations. In instances when the complaints have been submitted to the Contracting Parties, panels of conciliation have been appointed to make an investigation and to submit a report with recommendations for decision to the Contracting Parties. A panel of conciliation is established for each complaint and comprises experts from countries that have no direct interest in the matter.

These procedures have been successful. This international forum for the frank discussion of mutual problems has proved to be an effective way to develop good will and cooperation among nations in resolving problems of trade relations. Although originally intended as a stopgap, the GATT is the only instrument that provides a set of rules for international trade and the machinery to carry them out.

A. RICHARD DeFELICE *is Assistant Administrator for International Trade, Foreign Agricultural Service. Before joining the Foreign Agricultural Service in 1954, he worked in the Office of the General Counsel of the Department of Agriculture.*

Preferential Trade Agreements

by ROBERT L. GASTINEAU

As LONG AS competition exists in international trade, political and economic conditions will prevail that seem to justify the seeking of competitive advantage through preferential trade.

Internationally accepted rules of trade policy recognize the existence of historic arrangements that give preference to one country over another. But traders know also that the rules, based on the most-favored-nation principle, carefully limit and define the establishment of new preferences. Trade liberalization through tariff reduction and a narrowing of preferential margins therefore has been a fashion of the postwar era. Equality of treatment is the goal. A high level of economic activity supports the trend.

THE POSTWAR CODE of conduct for trade in the free world is summarized in the General Agreement on Tariffs and Trade (GATT). Negotiated in 1947, the document reflects conditions that existed at that time. It also follows a pattern familiar in law; that is, the statement of a general rule is followed by exceptions.

First of all, postwar hopes for an expanding trade in a peaceful world of united nations are seen in the statement of GATT principles and ideals. Freer, multilateral, nondiscriminatory trade is the broad, general objective—an objective that is consistent with only those preferential trade arrangements that contribute to expanding trade.

Exceptions to the general rule grew out of a need to recognize the pressing problems caused by wartime dislocations and disruptions of commerce among industrialized nations. Closely related were political changes and an emerging call for a higher standard of living in a growing list of newly independent countries.

In both circumstances, balance-of-payment difficulties were an important influence in (and sometimes an excuse for) shaping patterns of trade that often were discriminatory in nature. Furthermore, many onetime colonies did not wish to surrender preferential trade ties with mother countries.

Finally, it was necessary to honor trade and tariff commitments made before the Second World War if governments were to join in efforts to effect an orderly expansion of trade.

Examples are the preferential trade agreements between the United States and Cuba and between the United States and the Philippines, the British Commonwealth system of tariff preferences, and similar arrangements in the French Union. All such previously existing arrangements had to be recognized. At the same time, it was agreed that existing margins of preference were not to be increased. As a matter of fact, substantial progress has been made since 1947 in reducing and eliminating these discriminatory practices.

As the name implies, preferential agreements provide for trade among two or more trading partners on terms more favorable than those extended generally. Such arrangements, formal and informal, vary widely. Some are enduring. Some are temporary. In all, however, is an element of discrimination, which the GATT seeks to eliminate or reduce as one means of progress toward its objective. Only to the extent that such arrangements do contribute to expanded trade are they considered to be acceptable.

Some forms of preferential trade agreements are mentioned in article I of the GATT. It is a statement of the most-favored-nation principle and a cornerstone of the agreement. It is a key provision, relating to nondiscriminatory trade, whereby "any advantage, favour, privilege, or immunity granted by any contracting party to any product originating in or destined for any other country shall be accorded immediately and unconditionally to the like product originating in or destined for the territories of all other contracting parties. . . ."

THE PREFERENTIAL tariff system of the British Commonwealth goes back far.

With the exception of a period dating roughly from 1860 to 1920, when foodstuffs and raw materials were granted free entry into England, various forms of special treatment for products traded between the mother country and colonies were accepted as part of the colonial system.

As it exists today, the system stems largely from the so-called Ottawa Agreements, which were negotiated at the British Imperial Economic Conference at Ottawa in 1932.

Significant reductions in margins of preference have been made in subsequent bilateral agreements, however, as well as in several postwar rounds of tariff negotiations under the GATT program of encouraging nondiscriminatory trade.

Except for the European Economic Community (EEC) as a unit, the United Kingdom is the world's largest importer of agricultural products. Britain's agricultural and trade policy has aimed at supporting domestic agriculture first and Commonwealth agriculture second.

Consistent with that policy, tariffs have been imposed to protect many farm products imported from Commonwealth sources. The usual protective rate has been about 10 percent, but it has varied with the commodity. Several important commodities, such as wheat, corn, cotton, and wool, have been duty free. In general, however, the preferential tariff system of the Com-

monwealth had much less significance in 1964 than in 1932.

Like the GATT, the Ottawa Agreements reflect the conditions under which they were negotiated. They must be set against a backdrop of worldwide depression. They were part of a spreading protectionist spirit that reached a high water mark in the States with the Tariff Act of 1930.

Even though the conference recorded a conviction that world trade would be stimulated and increased by the agreements, they were essentially restrictive. It is generally agreed also that a considerable diversion of trade from outside sources to the Commonwealth resulted from them.

That the Commonwealth preferential tariff system has lost much of its significance over the years is seen in Britain's willingness to discuss a transfer of preferences from the Commonwealth to the EEC during negotiations in 1962 for British membership in the Community. I mentioned that the system has been modified considerably by progressive tariff reductions since 1932. I foresee more. But if Britain had accepted the common external tariff of the EEC, as reportedly she was prepared to do in the 1962 negotiations, the Commonwealth preferential system would have been phased out over an appropriate transition period. A French veto in January 1963 of Britain's application to join EEC left this question unanswered.

TERRITORIES of the French Union for which preferences were in force were listed in Annex B of the GATT as follows: France, French Equatorial Africa (Treaty Basin of the Congo and other territories), French West Africa, Cameroon under French Mandate, French Somali Coast and dependencies, French Establishments in India, French Establishments in Oceania, the French Establishments in the Condominium of the New Hebrides, Guadeloupe and dependencies, French Guiana, Indo-China, Madagascar and dependencies, Morocco (French zone),

Martinique, New Caledonia and dependencies, Réunion, Saint-Pierre and Miquelon, Togo under French Mandate, and Tunisia.

The list has been altered by political and geographic changes since the GATT was negotiated in 1947; nevertheless, preferential arrangements existed in 1964 among many of them.

A further complication in the changing relationships is the development of the EEC and its Association of Oversea Territories. Of 25 oversea territories originally associated in 1958 with the Community, 19 had gained their political independence during the first 5 years of the Community's development. While the area affected was still indefinite, in 1964, however, the idea of preferential treatment prevailed, although with reduced margins of protection.

A similar situation exists with Benelux and its territories, listed in Annex C of the GATT as including the Economic Union of Belgium and Luxembourg, Belgian Congo, Ruanda-Urundi, the Netherlands, New Guinea, Surinam, the Netherlands Antilles, and the Republic of Indonesia.

These areas also are being assimilated and replaced by the evolving European Common Market. As customs unions, Benelux and the EEC constitute a special form of preferential arrangement.

PREFERENTIAL TRADE agreements of the United States have been with Cuba and the Philippines. Like the other exceptions, both predate the GATT. Adherence by the United States to the most-favored-nation principle also predates the GATT.

Nondiscrimination in trade relations has been a general policy of the United States since the founding of the Republic. Deviations from this position have been few. Even the limited exceptions represented by the Cuban and Philippine agreements were losing their significance in 1964.

Guaranteed preferences have been accorded by the United States and Cuba on each other's goods since the Treaty of Commercial Reciprocity of 1902. This arrangement was continued by the 1934 Reciprocal Trade Agreement. The preamble to the latter agreement records the mutual desire, as a matter of continuing policy, to strengthen ". . . the traditional bonds of friendship and commerce between their respective countries by maintaining as a basis for their commercial relations the granting of reciprocal preferential treatment. . . ."

The foregoing agreements were suspended pursuant to the Exclusive Supplementary (to the GATT) Agreement of 1947, negotiated when both countries became parties to the GATT. According to its provisions, preferential treatment is set forth in part II of the GATT schedules of both.

Under the supplementary agreement and subsequent modifications, United States tariff duties were reduced on sugar, molasses, tobacco, and other products imported from Cuba. In turn, Cuban duties were reduced on wheat flour and fresh and canned vegetables, among others, and the duty on lard was guaranteed against increase. It was further agreed that Cuba should permit a low duty on a minimum tariff quota of 330 million pounds of milled rice. Provision also was made for a supplemental deficit quota at low-duty rates, if required.

Early in 1962 a general embargo was imposed by the United States on imports from Cuba and exports to Cuba. Regardless of developments in the ultimate disposal of preferential arrangements, it seems to me that little or no basis exists under the Castro government for preferential treatment based on "traditional bonds of friendship and commerce." The elimination of preferences, moreover, would be consistent with the GATT objective of furthering nondiscriminatory trade. Such action would also be consistent with the multilateral trade goals of the Trade Expansion Act of 1962.

On the other hand, for different reasons, steps were taken in 1946 and again in 1955 to phase out our preferential trade arrangements with the Philippines. The islands, which were ceded by Spain to the United States in 1898, gained almost complete autonomy in 1935 and became fully independent on July 4, 1946.

At that time, an agreement was negotiated with the Philippines, under authority of the Philippine Trade Act of 1946, that provided for a duty-free exchange of goods between the United States and the Philippines during the period to July 1954.

The agreement provided also for a gradual adjustment of rates from duty-free to full-duty status during the period 1954–1973. The duty-free period was extended in 1954 to December 31, 1955.

In September 1955, the 1946 agreement was revised further by altering somewhat the schedule of adjustments in rates from duty-free to full-duty status. The revised agreement provided, however, for an end to preferential treatment of trade, on both sides, by January 1, 1974.

Thus the United States is gradually eliminating its few remaining preferential trade ties. The major remaining exceptions to the most-favored-nation principle, as provided in the Trade Expansion Act of 1962, relate to trade with any country or area dominated or controlled by communism. They are not exceptions in the sense that preferential agreements governing commercial trade relations are here considered. Indeed, viewed in this light, the GATT itself is a preferential trade agreement of sorts.

THE REMAINING preferential arrangements mentioned in article I of the general agreement relate to certain neighboring areas in Latin America and in the Middle East.

They may seem to be historical, but they have some significance as furnishing a basis for preferences that could be put into force if the circumstances warranted.

An agreement between Chile, on the one hand, and Argentina, Bolivia, and Peru, on the other hand, remained in effect in 1963. Chile, Argentina, and Peru are, however, members of the Latin American Free Trade Association (LAFTA). And as the elimination of duties between members of LAFTA is negotiated, the limited exception to article I presumably will be superseded by wider application of GATT provisions relating to free trade areas.

Bolivia was not a member of LAFTA in 1963, and its preferential agreement with Chile was still in effect.

In the Middle East, the preferences I mentioned involved the Lebano-Syrian customs union, on the one hand, and Transjordan-Palestine, on the other. Since the GATT became effective, however, substantial political and geographic changes have overtaken this arrangement.

Aside from the GATT's recognition of certain preferential trade agreements as exceptions to the most-favored-nation principle in article I, other forms of preferential treatment are recognized later in the agreement.

Article XIV, for example, contains provisions for applying quantitative restrictions, imposed for balance-of-payment reasons, in a discriminatory (or preferential) fashion. Such arrangements are, however, considered to be of a temporary nature. They also are limited to those having equivalent effect to certain restrictions on payments and transfers for current international transactions under specified articles of agreement of the International Monetary Fund.

The foregoing exceptions were most significant during the immediate postwar period of widespread balance-of-payment difficulties. Discriminatory treatment of trade for this reason has largely disappeared, along with acute balance-of-payment problems, in most industrialized countries.

Exceptions to the rule of nondiscrimination, in the case of less-developed countries, are covered in article XVIII of the GATT. Criteria established for such contracting parties relate to the necessity ". . . to safeguard its external financial position and to ensure a level of reserves adequate for the implementation of its programme of economic development. . . ." Discrimination here may relate to categories of goods, such as luxury items, as well as to source.

The remaining forms of preferential trade are covered in article XXIV of the GATT. Aside from territorial application and frontier traffic, these are customs unions and free trade areas. One element common to all is that of preferential treatment of trade between member states of integrated areas.

Contracting parties to the general agreement recognize two important points in the development of customs unions and free trade areas: That it is desirable to extend freedom of trade through a closer integration of economies and that the purpose of integration should be to facilitate trade between the constituent territories and not to hinder the trade of others.

Accordingly, the provisions of GATT do not prevent the formation of a customs union or of a free trade area if two provisions are met:

First, with respect to a customs union, the duties and other regulations of commerce imposed at the institution of the customs union shall not on the whole be higher or more restrictive than the corresponding duties and other regulations of commerce applicable in the constituent territories prior to the formation of such union (substantially similar requirements exist with respect to free trade areas).

Second, a plan and schedule is included for the formation of the customs union or free trade area within a reasonable period.

ROBERT L. GASTINEAU, *Director, Trade Policy Division, Foreign Agricultural Service, began his career in the Department of Agriculture in the Colorado field office of the Crop Reporting Service in 1935. Since that time he has served as Secretary of the Crop Reporting Board in Washington and in several major assignments at home and abroad.*

Commodity Agreements

by JOHN C. SCHOLL

AN INTERNATIONAL commodity agreement is an undertaking by a group of countries to stabilize trade, supplies, and prices of a commodity for the benefit of participating countries.

A major effort to develop such agreements was made in the early thirties, when the production and consumption of raw materials were badly out of balance. Several were developed, with varying success, mostly between producing countries. Special attention was given coffee, rubber, sugar, tea, and wheat.

Since then, the growing complexity of trade has strengthened interest in them. Under the auspices of the General Agreement on Tariffs and Trade, a study of the feasibility of a world grain arrangement was initiated by a Cereals Group in 1963, and other groups began similar studies for meat and dairy products.

THE UNITED STATES favors international discussions and concerted efforts to find solutions to commodity problems. It participated in postwar agreements involving sugar and wheat and in 1962 took the initiative in developing an international coffee agreement.

Since 1962, the United States has indicated that it is prepared to consider international commodity agreements for a number of additional products— products not already covered by agreements—under appropriate conditions.

The conditions include a prior understanding as to the objectives and purposes of the agreement and firm arrangements for assuring the flow of trade.

THE THREE BASIC types of commodity agreements are the quota agreement, the buffer stock system, and the multilateral contract.

The quota agreement allocates export quotas to exporting countries and endeavors to maintain prices within an agreed price range by adjusting the quotas to changing market demands. The sugar and coffee agreements are basically of this type.

Countries accounting for the bulk of exports should be members of a quota agreement. Otherwise, it may be undermined by nonparticipating exporters who try to get the benefits of the agreement without sharing any of the burdens. Both the coffee and sugar agreements contain provisions under which member importing countries agree to limit imports from nonmember exporting countries. Under this system, exporting countries are generally obligated to take measures to adjust production to the needs of the market.

The buffer stock system endeavors to hold prices within a specified range through the operation of a buffer stock organization, which sells when prices reach the ceiling and buys when they decline to the floor. Its success depends largely on the resources and operating capacity of the buffer stock organization, which in some instances may make discretionary purchases or sales even though prices are within the price range.

The tin agreement is an example. It can adjust the price range and use export quotas in conjunction with the buffer stock system.

No formal international buffer stock agreements involving agricultural commodities were in effect in 1963.

The multilateral contract is essentially a contract between exporting countries and importing countries to sell or buy, if required, defined quantities or percentages of purchases of the commodity at prices no higher, on the one hand, or lower, on the other hand, than laid down in the agreement. The wheat agreements of 1949, 1953, and 1956 represent one example of this type of agreement, and the 1959 and 1962 agreements represent another.

Agreements often contain elements of more than one type. Export quotas, for example, have been introduced into the tin agreement to supplement the buffer stock operations.

One feature of the three types relates to prices.

The quota agreement is sometimes referred to as a hard agreement because it aims to establish prices by controlling the supplies entering the market.

The buffer stock is considered neither hard nor soft in that prices are not directly affected until they fall or rise to levels requiring the buffer stock organization to buy or sell.

The multilateral contract is considered softer than the other types, as prices are affected only by the agreement of importing and exporting countries to buy or sell within the price range of the agreement.

COMMODITY AGREEMENTS have followed guidelines set by the Havana Charter, developed in 1947–1948 by the United Nations Economic and Social Council in Havana.

The meeting, attended by delegations from more than 50 countries, was aimed at expanding world trade and employment.

Chapter VI of the charter established much of the framework for commodity agreements subsequently developed.

The Havana Charter set forth some objectives for international commodity agreements:

To prevent or alleviate serious economic difficulties that may arise when adjustments between production and consumption cannot be effected by normal market forces alone as rapidly as circumstances warrant;

To provide a framework for measures whose purpose is an economic adjustment designed to promote the expansion of consumption or a shift of resources and manpower out of overexpanded industries into new and productive occupations;

To prevent pronounced fluctuations in the price of a primary commodity so as to achieve stability and a reasonable return to producers;

To maintain and develop the natural resources of the world and protect them from unnecessary exhaustion;

To provide for the expansion of production of a primary commodity to the benefit of both consumers and producers; and

To assure the equitable distribution of a primary commodity in short supply.

The Havana Charter also suggested that agreements should come into force when a burdensome surplus of a primary commodity has developed or is expected to develop that would cause serious hardship to producers, among whom are small producers who account for a substantial portion of the total output.

It also states that a legitimate objective of commodity agreements should be to minimize unemployment.

Its other important provisions were that agreements should be designed so as to assure the availability of supplies adequate to meet demand and consumption; provide equality of voting between importing and exporting countries; result in supplies coming from the most economic sources; and require participating countries to undertake programs of internal economic adjustment necessary to assure progress toward solution of the commodity problem involved.

THE INTERNATIONAL COMMODITY agreements take time to negotiate.

The reason is the nature and understandable differences in views between importing and exporting countries. It may sometimes be desirable or necessary to agree on interim arrangements to take care of a commodity problem until the agreement can be negotiated.

Importing countries generally have reservations about supporting agreements to raise prices of imported commodities. They may do so, however, if broad national interests of exporting countries would benefit from such agreements and if agreements endeavor to assure stable supplies at acceptable prices with adequate protection of importers' interests should prices approach unacceptable high levels.

Exporting countries do not always strongly support agreements, either. Low-cost producers often prefer to take their chances in markets free of restraints, whereas high-cost producers generally are better able to survive under protection afforded by commodity agreements.

Negotiation of prices is a major hurdle. Importers generally favor prices that exporters consider too low, and vice versa. Industrialized importing countries, however, do recognize the desirability of stabilizing prices of primary products that are essential in the economies of developing countries.

Differences develop among exporters themselves. High-cost producers prefer higher prices. Low-cost producers do not. High-cost producers want tighter quotas than low-cost competitors. Importing countries have fewer obligations under commodity agreements than exporters, but the ones they do have may be vital to the success of an agreement.

One has to balance favorable and unfavorable elements in considering an agreement.

Some favorable ones are that it gives opportunities for discussion and ways to gather statistical and economic material. Countries can do more when they work together than when they work alone. A method of stabilizing prices of commodities important to the economic planning of producing countries is provided. A better balanced supply-demand relationship and more efficient marketing programs are possible for producing countries. Supply-management programs should provide a better balanced and more diversified agricultural economy.

On the unfavorable side: Commodity agreements introduce certain restraints and rigidities in trade and tend to freeze existing production and trade patterns, rather than permit marketing forces to operate freely. They take time. They are difficult and costly to negotiate and operate. They may give nonmembers, particularly smaller producers, an advantage. They may force compromises among producers and consumers, high-cost and low-cost producers, and others that could cause serious conflicts with internal policies and programs of members.

SEVERAL GROUPS have been established to study problems of trade.

One, for example, the International Coffee Study Group, was established in 1958, with headquarters in Washington. It helped to develop the present International Coffee Agreement.

Many study groups are under the auspices of the Food and Agriculture Organization, which has established standards for them.

In essence, the criteria specify that the commodity must be faced with difficulties that can be studied usefully in international consultation. A reasonable number of FAO countries should benefit from the work of the group and should participate. The commodity must rank high in the trade and foreign exchange earnings or expenditures of the countries. Efforts of the study group should be directed to the promotion of short-term stability and longer term equilibrium of the commodity and improve economic information. The group should try to improve the marketing structure by establishing international grades and standards and assessing production and consumption trends and national policies and programs. It should establish that existing operating and administrative methods and facilities are inadequate to solve the problem.

The United States has participated in the work of the FAO Cocoa Study Group since its formation in 1956. The group developed a draft for a cocoa agreement that was presented to a United Nations Negotiating Conference in 1963. This draft was the outgrowth of several years of discussions and studies of the world cocoa situation and reviews and revisions of several draft proposals by the study group and its executive committee. The decision to call a negotiating conference was made at the meeting of the study group in Trinidad in March of 1963. This conference was held in Geneva in the fall of 1963 but failed to negotiate an agreement largely because of the wide differences between producing and consuming countries over prices.

Extraordinarily high prices led to large increases in cocoa production in western Africa during the late fifties and early sixties. The low prices that followed encouraged producers to seek an agreement. But prices increased somewhat during the middle and latter parts of 1963.

The Draft Cocoa Agreement submitted to the Negotiating Conference, like the coffee agreement, included a supply-management provision and a commitment by importing countries to work toward the elimination of import duties, which prevent a faster rate of increase in consumption than would otherwise occur.

This is in line with the United States policy of urging the freest possible trade in tropical products.

The draft also provided that importing countries limit imports from nonmember exporters. It contained special provisions for handling excess stocks accumulating during the lifetime of the agreement. In this way it contained one of the elements of the buffer stock system. One provision was designed to hold prices within an agreed range, and special treatment was provided for small producers and producers of flavor cocoa.

OTHER INTERNATIONAL conferences study commodity problems.

The International Cotton Advisory Committee (ICAC) is an example.

The United States convened an international cotton conference in 1939 to try to get a sounder relationship between world supplies and demand for cotton. An advisory committee was formed to meet periodically in Washington. After the war, talks resumed, and all exporting and importing members of the United Nations and the FAO were invited to join.

The 40 members in 1963 account for about 96 percent of the cotton production, 93 percent of consumption, and 81 percent of the imports of cotton, excluding those of mainland China.

The functions of the ICAC are to observe developments affecting cotton, collect and disseminate statistics relating to cotton, and suggest suitable measures for maintaining and developing a sound world cotton economy.

ICAC for many years has published data on cotton and supplementary data on textiles and manmade fibers. It has placed considerable emphasis on world supply and demand. It has given attention to research on the production of cotton, physical standards and scientific tests for measuring quality, extra long and short staples, prospective trends in consumption, and government regulations.

The ICAC at various times has considered whether a need exists for an international cotton agreement and what its terms might be.

Several types of agreements have been considered—whether a multilateral contract, international trade quotas, a buffer stock system, or various combinations of arrangements.

A number of arrangements take on some aspects of agreements, even though falling short of being formal commodity agreements.

The Textile Arrangement, which deals with the problems of international trade in cotton textiles, is an example.

Beginning about 1956, international trade in cotton textiles began to expand significantly. Since the late fifties, changes in trading patterns worried importing and exporting countries. The domestic textile industries of the United States and other countries were threatened by an expanding volume of imports at low prices. Encouraged by large and lucrative orders, countries relatively new to the production and export of textiles enlarged their production without taking a longer view at the problems they posed for traditional exporters.

The United States in 1961 proposed multilateral consideration of the varied and complex problems under the auspices of the General Agreement on Tariffs and Trade. The negotiations led to a Short-Term Cotton Textile Arrangement, effective for the year beginning October 1, 1961.

A Long-Term Cotton Textile Arrangement became effective October 1, 1962. It provides for the expansion of exports, especially by the relaxation of restrictions in some major markets so as to avoid disruptive effects in importing and exporting countries. Importing countries can request limitations on textiles that are being imported in such volume as to have serious effects on the domestic industry.

In view of the rapid growth and high level of cotton textile imports into the United States since 1955, the United States Government has requested restraint on a number of categories of textile products from several exporting countries. Similar action has been taken by Canada, West Germany, and Norway. Other western European countries have dealt with their textile import problems outside the arrangement.

SUGAR, a highly regulated commodity, has been subject to international agreements of one kind or another for a long time.

The Chadbourne Agreement was developed after the First World War. A typical producers' cartel, it limited production and exports. It failed when nonmember and new producing countries expanded production.

A new agreement negotiated in 1937 included most major producers and a few importers. It provided export quotas and limited stocks in exporting countries to a specified percentage of their exports. It had no specific provisions as to prices. It became inoperative with the outbreak of war.

After the war, a 5-year agreement was negotiated and became effective in 1954. It tried to hold prices within an agreed range by adjusting quotas. Another agreement in 1958 also was a quota arrangement to run through 1963.

The Sugar Council, the operating arm of the 1958 agreement, established an executive committee of representatives of seven importing and seven exporting countries. The United States has 245 of the thousand Council votes assigned importing countries. Exporting countries also have a thousand votes.

The general aims of the 1958 agreement, like the 1953 agreement, were to assure supplies to importing countries and markets for sugar to exporting countries at equitable and stable prices; facilitate steady increases in the consumption of sugar and corresponding increases in the supply of sugar; assist in maintaining purchasing power in world markets of producing countries, especially countries that depend largely on the production or export of sugar by providing adequate returns to producers and making it possible to maintain fair labor conditions and wages; and to further international cooperation in connection with world sugar problems.

The agreement aimed to keep prices within an agreed range by adjusting export quotas. It established basic export quotas for 3 years and provided for a conference in 1961 to negotiate quotas for the final 2 years of the agreement. The 1961 conference failed to agree on quotas—mostly because agreement could not be reached for a Cuban quota—and thus the quota (and price) provision of the agreement became inoperative January 1, 1962.

The price provision provided that if prices fell below 3.25 cents a pound, the quotas in effect would be automatically reduced 2.5 percent and the Council would meet in 7 days to decide about further reductions.

If no decision was reached, a further additional reduction of 2.5 percent would be made. In no event were reductions below 90 percent of basic quotas to be made as long as the price was above 3.15 cents. If the price fell lower than that, reductions could be made to 80 percent of the basic quota.

As prices increased from those levels, quotas also were to be increased. When prices advanced to 3.75 cents, the Council would meet in 7 days to consider increasing quotas. If the Council took no action, quotas in effect were to be increased 2.5 percent. If the price exceeded 4 cents, all quotas were to be removed until the price fell below 3.9 cents. Quotas were then to be reduced again as prices declined.

Under the postwar sugar agreements, importing countries have had no import quotas but have agreed to limit imports from nonmember exporters as a group. The agreements have endeavored to cover only about a third of the world sugar exports, because two-thirds move under preferential arrangements, such as United States imports under assigned foreign country quotas and imports by the United Kingdom at negotiated prices under the Commonwealth Sugar Agreement. This sugar trade is excluded from quota provisions of the sugar agreement.

The postwar sugar agreements have been fairly successful, although the quota-adjusting machinery proved inadequate to prevent sharp increases in prices during the Korea and Suez periods. Nor did it prevent a break through the minimum in January of 1962.

Because the 1958 agreement was to expire December 31, 1963, the Sugar Council met in London in April 1963 to decide whether to request a United Nations Negotiating Conference later in 1963 to negotiate a new agreement.

An international sugar conference under the auspices of the United Nations was held in London in July 1963. A new protocol was drafted to extend the 1958 agreement through 1965 under the same terms as those prevailing in 1963. Thus the organizational and administrative machinery of the 1958 agreement, including the statistical services, was maintained.

THE FIRST International Wheat Agreement was prompted by a serious decline in wheat prices, the accumulation of stocks in exporting countries, and the adoption of certain protectionist measures in importing countries. It was developed in 1933 but ended in 1935.

Postwar wheat conferences were held in 1945, 1946, 1947, and 1948. An agreement was developed in 1948 but never became operative. Another wheat conference in January 1949 in Washington developed an agreement substantially the same as the 1948 plan. It was ratified by 38 countries and became effective August 1, 1949, for 4 years. Successive agreements of 3 years each were negotiated and became effective in 1953, 1956, 1959, and 1962. The United States has been a member of each.

Price ranges (in dollars per bushel) in each of the four postwar agreements were: 1949 agreement, minimum 1.50, declining to 1.20, and maximum 1.80; 1953 agreement, 1.55 to 2.05; 1956 agreement, 1.50 to 2.00; 1959 agreement, 1.50 to 1.90; 1962 agreement, 1.625 to 2.025.

The basic minimum and maximum prices in these agreements have been in terms of No. 1 Manitoba Northern Wheat, in bulk in store, Fort William/Port Arthur, Canada.

Formulas are provided to determine equivalents of the basic minimum and maximum prices for other points of origin and for all classes, grades, and qualities of wheat in world trade other than No. 1, Manitoba Northern, the basic wheat.

Postwar wheat agreements have been multilateral contracts. In the 1949, 1953, and 1956 agreements, the obligation of importing countries was to buy the guaranteed quantities only if and when prices were at the minimum. The obligation of exporting countries was to furnish, if requested, their guaranteed quantities only if and when prices were at the maximum. Under this system, there is no interference with the market as long as prices fluctuate within the price range.

Under the 1959 and 1962 agreements, importers are obligated to buy a specified percentage of total commercial purchases from member exporters. They also are obligated to pay the price range for any purchases from member exporters in addition to their committed percentage. Exporters are obligated to furnish, if requested by importers, a historical annual average quantity if prices go to the maximum, before prices may go higher. The general objectives of the 1962 agreement are like those of the sugar agreement.

Under the 1962 agreement, the minimum percentages of total commercial purchases that individual importing countries pledge to purchase from member exporting countries are published in annex A of the agreement. Importers are relieved of this obligation when prices reach the maximum.

The weighted average of all importing countries' percentage obligations equals 81 percent of their historical total commercial imports. The quantities that exporters must furnish before prices exceed the maximum are computed on the basis of moving averages of commercial purchases during a recent series of years.

At the end of 1963, the exporters' primary obligation under the wheat agreements had not come into force since 1953, as prevailing world prices were below the maximum in the agreement.

The 1962 agreement is administered by the Wheat Council, whose headquarters are in London. In the Council, the United States has 290 of the thousand votes assigned to exporters. The United States is represented on the executive committee, the advisory committee on price equivalent, and all major subcommittees or working parties. Most of the exporting and importing countries are members.

COFFEE has been the subject of numerous international studies.

Surpluses and low prices and scarcity and high prices have been the pattern since 1902, when accumulated world stocks, mostly Brazilian, caused prices to plummet.

Efforts to develop control programs date from the turn of the century. Since Brazil produced the bulk of the world coffee in the early part of the century, most of the efforts were concentrated there. They were primarily valorization schemes, under which coffee was purchased at a floor price and held off the market until prices increased. This was a kind of buffer stock plan. The efforts were partly successful in preventing collapses in coffee prices, except in 1930, when surpluses placed such a strain on the plan that it collapsed.

During the period of the Second World War, the Inter-American Coffee Agreement was developed between Latin American exporters and the United States. Exporters were assigned quotas for the United States and other importing countries. It worked well as a wartime measure.

Since then, large new plantings occurred following coffee shortages and high prices in the early fifties. Surpluses and low prices followed. As surpluses continued to mount, 1-year producer agreements were developed as holding operations, or efforts to bring about some degree of price stability and orderly marketings while working toward a long-term agreement.

The first of the annual producer agreements was developed for the 1957–1958 season among Brazil, Colombia, El Salvador, Guatemala, Mexico, Costa Rica, and Nicaragua. Brazil agreed to reserve a quantity of coffee equivalent to 20 percent of its exports. Other countries were to withhold the equivalent of 10 percent to prevent sharp price declines.

In June 1958, an International Coffee Study Group was formed, with headquarters in Washington. Through its efforts, an agreement was developed for the 1958–1959 crop. Fifteen Latin American countries participated. It, too, aimed to stabilize prices through a retention method—that is, the retaining of agreed quantities of coffee from export channels by the countries.

A new coffee agreement was developed for the 1959–1960 season. African producers formally participated for the first time. It was a quota agreement, but one provision permitted countries with exportable crops under 2 million bags to adjust quotas if their production reached a specified level.

The agreement was extended with minor modifications for the 1960–1961 year. There were 28 members. It was again extended for 1961–1962, and ultimately extended until it was replaced by a long-term agreement.

The series of producer agreements that began in 1957–1958, and included most major exporting countries by 1962–1963, provided a setting for the current agreement. The producer agreements, however, were only partly successful in bringing about orderly marketings and preventing drastic declines in prices. Export prices in 1962 and the early part of 1963 were at the lowest level since 1949, but prices advanced significantly later in 1963 and in 1964 as frosts and droughts in Brazil significantly reduced production in that country. The producer agreements generally did not maintain realistic quotas. In negotiating the current agreement, it was recognized that the development and implementation of more realistic export quotas were necessary to achieve the objectives of the agreement.

The current International Coffee Agreement was negotiated at a United Nations Conference in July–August 1962. The first meeting of the Coffee Council was in London in 1963.

The agreement became operative at the beginning of the 1963–1964 coffee season on October 1, 1963. It is a quota agreement. Representatives from 58 countries took part in its development. It was the climax of several years of efforts to develop a long-term, producer-consumer agreement.

The United States had a major part in negotiating the agreement in line with one of the objectives developed at the Inter-American Economic and Social Council meeting in 1961.

World coffee exports amounted to about 2 billion dollars in 1963. The United States took half of it. Every 1-cent change in coffee export prices results in a corresponding change of about 65 million dollars a year in exchange earnings of exporting countries.

The agreement extends through September 30, 1967. For marketing purposes, the coffee year is considered to run from October 1 to September 30. Exporting and importing countries are members. There are no specific price ranges, but quotas may be adjusted when price changes warrant. Any country may withdraw on 90 days' notice.

The International Coffee Organization was established to administer the provisions of the agreement and to supervise its operation. The seat of the organization is in London. The organization functions through the International Coffee Council, its executive board, executive director, and staff. The executive director is the chief administrative officer. The United States has 400 of the thousand Council votes of importing countries. Exporters also have 1 thousand votes.

Exporting countries have basic export quotas, which may be periodically reviewed and adjusted by the Council when circumstances warrant. Export quotas were increased in early 1964 after a substantial increase in prices.

Exporting countries undertake to adjust production of coffee while the agreement remains in force to the amount needed for domestic consumption, exports, and reasonable stocks.

They also agree to place into force a policy for reducing stocks when they are on a high level.

Exporting members agree to refrain from engaging in direct and individual linked barter transactions involving the sale of coffee in traditional markets.

Importing members are obligated to restrict imports from nonmembers to a specified level if they account for more than 5 percent of world exports. They also agree to require certificates of origin from exporting members for all coffee imports to help implement the quota provisions. They and exporting members agree to provide such statistical information as the council may require.

No DOUBT increasing emphasis will be given in the future to alternative types of commodity arrangements and agreements as a way to attack problems of both short-term fluctuations and long-term instabilities in prices of primary products.

At the Punta del Este meeting in August 1961, the United States declared its intention "to find a rapid and lasting solution to the grave problems created by the excessive price fluctuations in the basic exports of Latin American countries on which their prosperity so heavily depends."

In any consideration of future arrangements and agreements, major emphasis will be given to the problem of market access. In this day and age, nations have the responsibility of going as far as possible in opening markets to each other. Much has been learned from experience. This approach will be given intensive study for a number of our agricultural commodities in the future.

JOHN C. SCHOLL *was named Director of the Sugar and Tropical Products Division, Foreign Agricultural Service, in 1962.*

FOREIGN ASSISTANCE
PROGRAMS

INTERNATIONAL
FINANCIAL SERVICES

PUBLIC PROGRAMS
TO SHARE FOOD

SHARING OUR
KNOWLEDGE

PRIVATE FOUNDATIONS
AND ORGANIZATIONS

Foreign Assistance Programs

by D. A. FITZGERALD

SINCE THE END of the Second World War—and during it—programs of assistance have been a major component of United States relations with the rest of the world. We called them lend-lease during the war and foreign aid since then.

The help the United States gave its Allies during the war reflected a conviction that the integrity of its democratic institutions and the freedom of its people were at stake. The assistance for relief and rehabilitation just after the war largely reflected traditional American humanitarian concern for the hungry and the suffering.

The substantial and continuing assistance programs since then, however, represent a break with the traditional American peacetime policy of avoiding foreign entanglements. But today's world has broken sharply with the past. In the main, considerations of what was believed to be in the vital national interest, in the context of this new and infinitely complex world, have dictated the scope and content of postwar United States foreign aid.

Most, but not all, Americans have supported this program in principle, although opinions have differed on its magnitude, distribution, character, and immediate purpose.

From July 1, 1945—roughly the end of the war—to June 30, 1963, gross United States foreign assistance, ac-

495

cording to official statistics, amounted to 104 billion dollars. That is a large sum in absolute terms, but it represents only a small part of this country's total gross national product. During the immediate postwar years, that percentage ran slightly over 2; in the 5 years that ended June 30, 1963, it was slightly more than 1 percent.

Our assistance usually is divided into two major categories. One is called military assistance. The other is economic assistance.

For the 18 years to June 30, 1963, the portion called military assistance amounted to a little more than 32 billion dollars—30 percent of the total. Economic assistance amounted to nearly 72 billion dollars, or about 70 percent. Of the latter, however, nearly 40 percent has been provided through loans so that grant economic assistance during this period amounted to 45 billion dollars—still a large amount but less than half the gross total of 104 billion dollars. Because gross foreign assistance sometimes is confused with grant economic assistance, the magnitude of the latter may be exaggerated.

Gross foreign assistance during 18 postwar years had a moderate upward trend, although there were sharp yearly variations. The low period for economic assistance was 1952–1956, when military assistance was largest.

Postwar United States foreign assistance may be divided into four periods.

DURING THE FIRST—the immediate postwar period (fiscal years 1946–1948)—United States economic assistance consisted of a variety of short-term programs designed to deal with immediate problems. Longer term problems of international economic growth and financial stability would be dealt with by new institutions whose establishment had been strongly supported by the United States—the International Bank for Reconstruction and Development and the International Monetary Fund.

Economic assistance, aside from a capital loan of 3.75 billion dollars to Great Britain in 1947, was concentrated largely on relief and rehabilitation. Contributions to the United Nations Relief and Rehabilitation Administration were 2.8 billion dollars. Appropriations to the Department of Defense for Government and Relief in Occupied Areas, primarily Germany and Japan, accounted for another 2.5 billion dollars. The Export-Import Bank made loans of nearly 2 billion dollars, primarily to Europe, and a billion dollars' worth of surplus property was sold on credit.

During this period, United States economic assistance totaled 14 billion dollars, of which Europe received 10 billion dollars.

Economic assistance to the Far East—an area extending from Burma to Korea—amounted to 2 billion dollars, of which Japan received one-half. In the Near East and southern Asia—an area extending from Greece to India—the former was the only substantial recipient.

Assistance to Latin America was modest—the continuation of the small technical assistance program started during the war, a few surplus property credits, and less than 200 million dollars of Export-Import Bank loans.

Assistance to Africa was negligible.

Regional activities accounted for about 1 billion dollars, of which the largest single item was a contribution of more than 600 million dollars to the capital of the International Bank for Reconstruction and Development.

TWO YEARS before the start of the second period—the European recovery period (1949–1951)—it became clear that the ad hoc measures of the immediate postwar years would be inadequate to enable western Europe to overcome the effects of the war.

After substantial initial improvement, both industrial and agricultural production began to level off at 80 to 90 percent of that of the immediate prewar years, primarily because of a shortage of foreign exchange to purchase replacement parts, new equipment and raw materials and fuel. Rationing was widespread. Communist influence was mounting.

General George C. Marshall, who was then Secretary of State, on June 5, 1947, in a commencement address at Harvard University outlined the critical economic situation in Europe; stressed the adverse consequences of this situation for the United States and the world generally; emphasized that it was for the Europeans themselves to take the initiative in developing a program for dealing with the crisis; and indicated that the United States was prepared to support such a program to the extent that it was practicable to do so.

Western Europe responded affirmatively to the Secretary's initiative. The Soviet Union participated in the initial European discussions but almost immediately withdrew and caused Poland and Czechoslovakia to withdraw. Thereafter, the Russians described the Marshall plan as an instrument for world domination by American imperialism.

Total United States economic assistance during the 3-year European recovery period amounted to nearly 17.5 billion dollars, of which western Europe (including Greece and Turkey) received nearly 13 billion dollars, or 75 percent.

Economic assistance to the Far East amounted to 3 billion dollars, of which Japan received more than a billion; the Philippines, about one-half billion dollars under the rehabilitation program that the United States undertook for that country; and Korea and Taiwan, about 1 billion dollars each.

Economic assistance to the Near East and southern Asia (other than Greece and Turkey) during this period amounted to about 350 million dollars, of which India received more than one-half, primarily as a 190-million-dollar wheat loan in 1951.

United States assistance to Latin America amounted to nearly 600 million dollars, consisting primarily of

Export-Import Bank loans totaling 500 million dollars.

Direct assistance to Africa continued to be negligible.

THE THIRD PERIOD—the period of military support (1952–1956)—was dominated by defense considerations. Direct military assistance accounted for more than 50 percent of all United States foreign assistance.

In the first 5 years after the war, military assistance amounted to less than a billion dollars and was provided to Turkey, Greece, and China. The victory of the Allies, it had been assumed, had assured the peace of the world for the indefinite future.

The United States and the Allies (except the Soviet Union) rapidly dismantled their war machines. But a Communist-inspired civil war persisted in Greece, and the territorial integrity of Turkey was threatened. Civil war continued in China, which the Chinese Communists took over in 1949. A blockade of Berlin by the Soviet Union began in 1948 and lasted for almost a year before the successful Allied airlift forced its discontinuance. The Communists invaded South Korea in June 1950.

Prospects for a lasting peace faded, and emphasis began shifting from postwar economic rehabilitation and recovery to building up a defensive military strength.

Military assistance reached a peak of more than 4 billion dollars—nearly two-thirds of all foreign assistance—in the fiscal year 1953 and declined gradually thereafter. It ranged from 1.5 billion dollars to 2 billion from 1959 through 1963.

Half of all military assistance has been furnished to the European countries who were members of the North Atlantic Treaty Organization, including Greece and Turkey—most of it during the 5-year military support period.

Military assistance to the Far East also reached its peak during that period but continued at almost the same level. For the entire postwar period through 1963, military assistance to the Far East constituted 25 percent of all military assistance.

Military assistance to Latin America was first provided in 1952, although through 1963 it had been small and directed primarily to the support of military forces needed for the purpose of internal security.

Military assistance for the first time was extended to India in 1963, when Communist Chinese forces invaded that country.

From the inception of military assistance through June 30, 1963, the United States has provided, among other things, about 7,500 military planes, 16 thousand tanks, 1,100 maritime vessels, and 25 thousand missiles under the Military Assistance Program. It has also given technical training in the United States to more than 175 thousand members of the armed forces of the countries to which military assistance had been provided.

It has been asserted that the rapidly growing NATO countries should have borne a larger share of the cost of the free world's defense burden; that United States military assistance to some countries supported larger and more costly defense establishments than their military missions required; that military forces in some countries were incapable of being welded into an effective fighting force; that some countries were using or threatening to use military equipment the United States furnished them against other free world neighbors; that military assistance was being provided solely or largely for doubtful foreign policy reasons.

But United States military assistance has contributed significantly to the defensive strength of the free world and thus served vital United States interests. In western Europe, it was accompanied by and in part induced a doubling between 1951 and 1962 of the defense expenditures of our NATO Allies. In the Far East, it was of great importance in helping maintain the national integrity of South Korea, Taiwan, and South Vietnam.

Economic assistance during the 5-year military support period averaged about 2.5 billion dollars a year. Much of it was labeled defense support and was directed primarily to less-developed free world countries that also were supporting large defensive forces.

During the period, economic assistance to western Europe (other than for Spain and Yugoslavia) declined from its early dominant position to relative insignificance. The emphasis shifted to the Far East, where, because of war and threats of war, more than one-third of all United States economic assistance went.

Economic assistance to the Near East and southern Asia (particularly India and Pakistan) accounted for 13 percent of all United States bilateral assistance. Assistance to Latin America also increased—to 10 percent of the total, primarily because of expansion in the volume of loans made by the Export-Import Bank.

DURING THE FOURTH PERIOD—the 7 years after 1956—yearly economic assistance more than doubled, amounting in all to about 28 billion dollars. The relative importance of military assistance declined.

Economic assistance, which was only half again as large as military assistance in 1957, was three times as large in 1963. The geographic distribution of the assistance spread farther, and the geographic emphasis again shifted.

By the end of the period, the Near East and southern Asia were receiving more than one-third of all economic assistance, and Latin America was receiving 20 percent. Assistance to Africa increased from 1 percent in fiscal 1957 to 10 percent in 1963. The increase in Latin America reflected the emphasis given in the Alliance for Progress program initiated in 1961. The increase in Africa reflected the rapid pace of the independence movement from the midfifties on.

By 1963, 87 political units (that is, independent countries or dependent territories), 33 of them in Africa, were receiving some bilateral economic assistance from the United States.

Major changes also occurred in the relative importance of the various legislative authorities from which foreign economic assistance flowed. In the immediate postwar years, a series of legislative actions were taken. Beginning with the European Recovery Program and through the military support period, foreign assistance flowed largely from successive enactments on European Recovery and subsequently Mutual Security.

From 1957 onward, funds under the Mutual Security Act (and its successor, the Foreign Assistance Act) have constituted only about one-half of all United States bilateral economic assistance. The other half has been contributed in part by sharply expanded activities of the Export-Import Bank in making development loans, which averaged 600 million dollars a year from 1957 through 1963, and from economic assistance in the form of agricultural commodities provided under the authority of the Agricultural Trade Development and Assistance Act.

During the 7 years after 1957, assistance provided in the form of agricultural commodities had a market value of more than a billion dollars a year.

THE AGRICULTURAL TRADE Development and Assistance Act of 1954 became law on July 10, 1954. It has been extended by amendment several times, most recently to December 21, 1964.

Public Law 480, as the act generally is called, originally contained three titles.

The first authorized the sale of surplus agricultural commodities for the local currencies of foreign (buying) countries.

The second authorized grants of surplus agricultural commodities for famine relief and other emergencies.

The third continued the authority of the Agricultural Adjustment Act of 1949 for the Department of Agriculture to donate surplus agricultural commodities to nonprofit voluntary agencies for use in the assistance of needy persons overseas and authorized it to barter surplus agricultural commodities for strategic materials and materials, goods, or equipment required in connection with programs of economic and military assistance.

A fourth title, subsequently added, authorized the Department of Agriculture to sell surplus agricultural commodities with payment in dollars over a period not to exceed 20 years.

The legislation at the time it was enacted was conceived primarily as a means of alleviating the increasing agricultural surpluses in the hands of the Commodity Credit Corporation.

It was argued that exports of agricultural products could be increased substantially if they were sold for local currency and that the proceeds from such sales could be used generally in lieu of dollars to develop new markets for United States agricultural commodities; purchase strategic materials and secure military equipment, materials, and facilities; finance the purchases of goods and services for other friendly countries; and pay United States obligations abroad.

All such uses of the sales proceeds were authorized in the original act.

The act also authorized grants and loans of these local currency receipts to promote multilateral trade and economic development. Through June 30, 1963, about 6 billion dollars' worth of local currency sales proceeds have been earmarked for economic development, one-third in the form of grants and the rest in the form of loans.

Another development during this period was the increasing proportion of all economic assistance provided on some sort of a repayment rather than a grant basis. Ever since the beginning of the Foreign Assistance Program after the close of the war, some portion of all assistance has been on a loan basis.

More than half of the immediate

postwar assistance and about 15 percent of the assistance during the period of European recovery were in the form of loans.

The proportion of assistance in the form of loans began to increase again with the passage of Public Law 480 and was further accelerated by the establishment in fiscal 1958 of a development loan fund as a semiautonomous component of United States foreign assistance activities.

All in all, some 27 billion dollars, more than one-third of all United States bilateral economic assistance of the United States since the end of the war, have been on a loan basis, of which just under 25 percent is repayable in local currency and the balance in dollars. Interest payments, principal repayments, and prepayments on these loans probably exceeded 10 billion dollars by June 30, 1963.

The portion of the United States bilateral assistance provided in the form of loans has been highest in Latin America (nearly 75 percent) and lowest in the Far East (about 15 percent).

Loans in the other regions have ranged from 36 to 45 percent of all assistance. Somewhat less than half the loans made in the Near East and southern Asia are repayable in dollars; 92 percent of the loans to European countries are thus repayable.

Although the proportion of United States economic assistance provided as loans increased from about 5 percent in 1954 to about 55 percent in 1963, this should not be taken as indication of a dramatic improvement in the repayment capacity of the borrowers. Per capita income for many of the less-developed regions has averaged less than 125 dollars a year—as compared to about 2,500 dollars for the United States.

Moreover, incomes in most of the less-developed regions have been growing relatively slowly. The growth of population, level of literacy, experience of the leadership, traditions, and natural resources all have a bearing on the rate of economic and social progress.

Thus the reasonableness of repayment prospects—and, in some instances, even the desirability of repayment—must be suspect.

As I NOTED, United States economic assistance in 1957–1963 was directed primarily to the less-developed areas and increased about 75 percent during the period.

American assistance to those countries constituted about 55 percent to 50 percent of the help they got from all external sources. The other major sources were Western Europe and Japan, which contributed about 40 percent; international agencies, which contributed some 4 to 6 percent; and the Sino-Soviet countries, whose contribution increased from practically nothing at the beginning of the period to about 5 percent in 1963.

Net economic assistance to the less-developed countries from all sources totaled about 4 billion dollars in 1957 and amounted to about 7 billion dollars in 1963.

The number of sources and the variety of terms often are confusing to recipient countries and are not without problems of competition and duplication among the donors. Some useful progress has been made in coordinating assistance through the Development Assistance Committee of the Organization for Economic Cooperation and Development.

THE ACTUAL PROVISION of economic assistance has ranged from the assignment of an expert for a few weeks to the construction and initial operation of a large modern industrial facility; from the delivery of a United States Treasury check to arranging for the flow and financing of hundreds of commodities.

Three general types may be noted.

The first, nonproject assistance, the provision of commodities and services, is effective and economical in situations in which the receiving country can convert a large proportion of available goods into new additions to productive facilities and in which high priority is given to meeting the internal market demand growing out of inadequate domestic production.

By far the largest part of all United States bilateral economic assistance since the war has been nonproject assistance, although the proportion has been declining. Initial emphasis in nonproject assistance is on real resources and their transfer. Nonproject assistance typically excludes designated capital projects, although all the components—cement, structural steel, machinery, and equipment—could be obtained as nonproject assistance.

Expenditures for nonproject assistance under authority of the European Recovery Act and its successor acts totaled about 21 billion dollars through June 30, 1963. About 40 percent consisted of raw materials and semifinished products—nonferrous metals, steel products, chemicals, pulp and paper, lumber, cotton, tobacco. Some of the products went into capital facilities, but most of them were processed into capital goods or consumption goods. Another 13 percent of all nonproject expenditures has been for fuel, used mostly to turn the wheels of industry.

Food—23 percent—ranked next to raw materials in magnitude of nonproject assistance.

Expenditures for machinery and vehicles—capital goods—were third but have become more important.

Most nonproject assistance enters into the commercial trade of the receiving country. The mechanics are simple. An agreement is reached between the United States and the receiving country regarding the approximate kind and amount of the individual commodities to be imported and paid for by American aid.

The United States issues a series of authorizations to the country confirming the dollar funds it is earmarking to pay for each such commodity or group of commodities and setting forth any special conditions pertaining to the purchase.

The receiving country then authorizes its importers, through the issuance of import licenses or otherwise, to place orders with the suppliers. The supplier ships the commodities ordered to the buyer in the importing country, but sends the bill of lading and other required documentation to a designated United States bank with which the importer has established a letter of credit. The bank pays the supplier and is in turn reimbursed by the United States aid agency.

Transactions thus financed are subject to selective audit by the aid agency and to other regulations designated to protect United States funds from improper disbursement.

All assistance under Public Law 480 is nonproject, and comparable mechanics are used for all of these transactions.

Nonproject assistance almost invariably generates local currency with a value approximately equivalent to the dollar cost, since the commodities obtained thereunder generally move through commercial channels. The importer is required to pay to his government the local currency equivalent of the dollar cost. A small part of this local currency is reserved for use by the United States, but most is used by the country concerned, upon approval by the United States, for a wide range of internal purposes.

These local currencies, it should be noted, do not represent an additional resource available to the country—the commodities that generated them represented the additional resource—but rather a potential claim on the resources available within the country.

As such, they may be important in influencing the utilization of such resources. Depending on the priorities, the local currencies may be used to cause a larger proportion of the country's available resources to flow into defensive strength or economic development or social progress and into public education, transportation, irrigation, agricultural expansion, industrial growth, or electric power.

From the beginning of the European Recovery Program through June 30, 1963, local currencies generated or to be generated from United States economic assistance programs totaled the equivalent of some 24 billion dollars, of which about 22 billion has been or will be used by the countries in which they were generated.

The balance of 2 billion dollars has been used or is available for use by the United States in lieu of or in addition to dollar expenditures. To the extent that the United States uses them in lieu of dollar expenditures, this represents a reduction in net United States assistance.

The largest single use, 6 billion dollars, has been for support of military establishments. About 10 percent each has been used in agriculture, including drainage and irrigation, in industry, and also in transportation and communications.

THE SECOND GENERAL TYPE of assistance — project assistance — includes capital projects and technical assistance projects.

The capital project form typically is used for large and expensive physical facilities, such as major roads, steel mills, and powerplants.

Usually the United States assistance covers all the foreign exchange costs and sometimes all or part of the local currency cost of the project and is approved only after a complete analysis is made of its technical and economic soundness. Generally the use of American supervising engineers and construction contractors is required.

Most development loan funds and most Export-Import Bank funds financing long-term development (that is, loans for 5 years and longer) are made available as project financing.

Both, however, from time to time make funds available for nonproject purposes.

Throughout the postwar period, the proportion of all assistance provided in project form has been increasing. The proportion, less than 5 percent in 1949,

increased to nearly 20 percent in 1955 and to about 50 percent in 1963.

TECHNICAL ASSISTANCE projects are also known as point 4 projects, from the fourth point in President Truman's inaugural address of 1949.

Capital projects are concerned primarily with physical resources. Technical assistance projects are concerned primarily with human resources.

Technical assistance is designed to help overcome the single most important factor limiting the growth of less-developed countries—the lack of adequately trained manpower.

The provision of organized technical assistance by the United States started during the war. The Institute of Inter-American Affairs was established in 1942 to work with Latin American Republics on technical programs in education, health, and agriculture. The activities were expanded after the war, first by the Institute as an autonomous body and later as a part of the Technical Cooperation Administration, which was established in 1950 to administer the provisions of the Act for International Development, which the Congress enacted in response to President Truman's fourth point.

Some technical assistance was carried out in the European Recovery Program, but it was relatively minor. In most of the countries participating in the European Recovery Program, inadequately trained human resources were not the limiting factor in economic recovery and growth that it is in developing countries.

The Technical Cooperation Administration, including the Institute for Inter-American Affairs and the Mutual Security Agency, were consolidated into the Foreign Operations Administration in 1954.

TECHNICAL ASSISTANCE has a number of facets.

American (or other) experts are assigned to work and help countries to increase the technical competence of their nationals in almost all fields of specialization and to improve the local institutions operating in these fields.

Additional training in the United States (or in other countries) is provided for nationals of the countries. Some demonstration equipment and supplies are furnished for training.

In the Foreign Assistance Act passed the first year of the Kennedy administration, technical assistance (point 4) activities were provided for under development grants, which also could be used to finance capital facilities needed to expand national programs of education and training.

Nearly 4,500 American citizens employed by the Agency for International Development (AID) in 1962 were point 4 technicians and experts. Most of them were stationed overseas. The entire American staff of AID numbered fewer than 7,500. AID also employed about 5 thousand foreign nationals, primarily in custodial and clerical positions.

Besides the technicians hired directly by the foreign assistance agency were 1,500 Americans who worked overseas for private organizations and firms that had contracts with the Agency for International Development.

Some were employees of firms that were building capital facilities financed by foreign assistance. Others were professors in the 65 American universities that had 107 contracts with AID to help universities in 37 countries. Technical assistance through such contracts increased during 1953–1963.

During that decade, about 72 thousand foreign nationals have been given training outside their home countries under United States economic assistance programs. Of these, some 58 thousand received at least some training in the United States. The rest received training in other countries, primarily western Europe and Japan. Of those receiving at least some training in the United States, about 2,500 were sponsored and supervised by the universities that had contracts with AID.

Training ranges all the way from brief inspection tours of a few weeks to several years of academic study. About half the participants have taken formal courses of instruction in American educational institutions, frequently with some on-the-job training. The others had some on-the-job training in Government and industry or observation tours, plus special instruction courses or lectures.

Many of the participants had attended or graduated from institutes of higher learning in their home countries, but many had only a high school education. In the United States they studied or observed industry and mining, food and agriculture, education, labor, public administration, transportation, health, public safety, community development, and housing.

About a third of the participants came from the Far East, notably Japan. Participants from Latin American countries were about 25 percent of all arrivals in the United States. The Near East and Europe accounted for about 30 percent. The number of participants from Europe has been declining; the number from the Near East and southern Asia doubled during the decade. The number from Africa increased more than tenfold.

While technical assistance activities engaged most of the agency's employees and were responsible for a major part of its work, they absorbed only a small proportion of all foreign assistance costs. Less than 5 percent of all foreign assistance in the early fifties was attributable to point 4 activities; in 1961 it was about 7.5 percent. The proportion went up to nearly 15 percent in 1962–1963.

Like any new activity in an uncharted, expanding field, technical assistance has had its problems and failures, and there is room for improvement, but its aggregate contributions have been significant.

THE THIRD GENERAL TYPE of assistance consists in the provision of cash.

A country is tendered a check in dollars. In some instances, there are no specific provisions or limitations as to its subsequent use.

In others, a deposit in a special account of local currency having an equivalent value is required.

A third type of cash transaction involves agreement by the aid-receiving country to spend the dollars thus received in the United States (or alternatively not in certain countries). It may or may not require the deposit of an equivalent amount of local currency in the special account. It may or may not require detailed United States approval of expenditures from such special account.

While for some purposes the differences in the various types of cash transactions are significant, the central fact is that in this type of assistance the first link in the chain is a financial transfer and not, initially, a transfer of resources, as is the case with project and nonproject assistance.

Assistance in the form of cash has represented a minor but slowly increasing component of United States economic assistance. In 1962 it amounted to nearly 500 million dollars, nearly 20 percent of all economic assistance that year.

Assistance in the form of cash almost always has been undertaken as an emergency measure, usually to buttress a government or in return for some concession, such as rights to a military base.

The emergency may have been a shortage of local currency in the hands of the government with which to maintain normal government services. Assistance for this purpose has come to be known as budget support.

Generally, cash grants are made only for a short period until the emergency that required them had been ameliorated or longer term arrangements made.

FUNDS for foreign economic assistance undertaken by the United States can be provided only by the Congress directly by appropriations and indirectly by congressional authoriza-

tion to borrow from the Federal Treasury or to reuse specified interest receipts and principal repayments.

The preparation and submission by the executive branch of requests to the Congress for authority and funds, consideration of the requests by the Congress, and subsequent actions by the executive branch to allocate and obligate the funds actually made available usually we call programing.

For various reasons, including the custom of the Congress to appropriate funds for obligation only in a single year, this process is an annual one.

Each programing cycle begins about 15 months before the fiscal year itself and sometimes is not completed until several years after the end of such fiscal year. Thus at any given moment, different stages of several annual programs will be active.

The programing is complicated by the requirements of the various legislative authorities under which foreign aid may be provided.

The Congress has always kept a tight reign on direct authorizations and appropriations for foreign assistance.

During the immediate postwar and early recovery years, the authorizations and appropriations for various emergency assistance programs and proposals were separately authorized and appropriated.

Beginning with the passage of the Mutual Security Act in 1952, authorizations and appropriations for the basic foreign assistance program were consolidated, originally with separate subappropriations for military and economic assistance by geographic regions, although there was authority to transfer limited amounts of funds from one subappropriation to another.

Beginning in 1955, authorizations and appropriations were reorganized, and global appropriations were made for various categories of assistance (that is, military assistance, defense support, technical cooperation, and so on).

Beginning with 1958, further flexibility was afforded the executive branch by virtue of the establishment of a contingency fund within the general foreign assistance legislation. The fund could be used without regard to almost all the other requirements of the legislation or could be shifted to any one of the other appropriation accounts at the discretion of the President.

The Foreign Assistance Act of 1961, which succeeded the Mutual Security Act of the previous administration, continued global appropriations by functional activities, such as military assistance, development grants (previously technical assistance), supporting assistance (a combination of the previous defense support and special assistance), development loan fund, and some minor accounts.

IN CONTRAST TO mutual security (now foreign assistance) legislation, that under which the Export-Import Bank operates is much more general. The Bank, an independent agency established by an act of Congress in 1934 and administered by a board of directors, of which the Secretary of State is a member, is authorized to borrow funds from the Federal Treasury and obtains almost all of its funds from this source. Its aggregate lending authority was 7 billion dollars in 1964.

Funds of the Export-Import Bank generally are not programed in any formal sense and are made available to any applicant whose requests otherwise meet the requirements of the basic legislation and of the Export-Import Bank. From time to time, the Ex-Im Bank has made loans that meet the basic requirements of the basic legislation and also contribute directly to the accomplishment of some foreign policy objective.

Foreign assistance provided under the authority of the Agricultural Trade Development and Assistance Act is financed in the first instance by the Commodity Credit Corporation from funds it borrows from Treasury. Subsequently, the Congress appropriates funds to reimburse the Commodity Credit Corporation for any losses incurred in such activities.

Foreign assistance provided in the form of surplus commodities under the authority of Public Law 480 also is not formally programed. Occasionally, when the existing monetary ceiling (which has been raised periodically since the act was first passed in 1954) was being approached, some priorities had to be established, but generally the other criteria of the legislation— those requiring precautions to safeguard usual marketings of the United States and insure that sales under this act would not unduly disrupt world prices of agricultural commodities or normal patterns of commercial trade— were controlling.

Thus systematic programing has been undertaken primarily for foreign assistance authorized by the Foreign Assistance Act of 1961 and preceding legislation. At each stage in the process, however, assumptions were made as to the possible magnitude and character of foreign assistance available from the Export Bank and under Public Law 480 and allowed for in programing aid under the basic aid legislation.

Many considerations must be taken into account in developing programs of assistance. Even for the most underdeveloped country, foreign assistance constitutes only a small fraction— perhaps 5 percent or even less—of the annual national income of the country. It rarely exceeds 25 percent of the annual investment in the country and frequently is considerably less.

Thus effective management of a country's own resources is of crucial importance. This is not an easy task under the best of circumstances and often requires the making of decisions and the taking of actions which will be unpopular and therefore difficult for an unsophisticated and perhaps insecure government to take.

Effective mobilization of internal resources requires that the government obtain sufficient revenue adequately to carry forward the activities and investments that can be undertaken only by the government—provisions for law and order, education, health services, transportation, and communications.

It requires also that the government encourage, induce, or, if necessary, require constructive use of other resources. Moreover, such mobilization needs to be undertaken with reasonable regard to human equities and social justice: Are taxes assessed with reasonable regard to capacity to pay and are they collected with reasonable efficiency and impartiality? Is the governmental fiscal and monetary management such as to build up confidence in the integrity of the currency, thus (among other things) encouraging saving and investment?

Efficient utilization of resources requires at least the establishment and periodic revision of broad but measurable key targets or goals, some means of setting priorities and of allocating resources to them, and some means of measuring progress.

Here, too, the cold rationale of economic priorities must be tempered by the warmth of social justice. The benefits of economic growth should not inure to the privileged few but be broadly spread among all classes.

Country programing and programing of United States assistance are intimately related but are not identical. The programing of assistance in the interests of economic development is facilitated if a country has begun its own economic and social planning.

The absence of a country program may be due to a variety of causes, but almost invariably one major reason is the lack of trained personnel. The United States and most other countries that provide substantial assistance to less-developed countries are prepared to respond favorably to requests for technical assistance in this field.

In the absence of a country program (and a mere shopping list of the things a country would like to have is not a program), the United States has found it useful to develop at least a broad outline of one as a guide in programing its assistance.

UNITED STATES AGRICULTURE benefits from and contributes to United States foreign assistance programs.

American farmers, along with all other Americans, benefit from the increasing number of countries that have been able to maintain or achieve political and economic independence and standards of individual freedom and justice, which are compatible with, and frequently parallel to, those of the United States.

American farmers and other Americans benefit from the increased economic strength of the free world and particularly from the economic growth of countries that have been helped along the road by United States foreign assistance. This growth has expanded the market for exports, including agricultural goods.

United States farmers have benefited from exports of their products financed directly from foreign assistance funds. Since the end of the war, foreign assistance programs have financed the export of some 20 billion dollars' worth of United States agricultural commodities.

Agricultural exports constituted as much as 50 percent of all foreign assistance during the immediate postwar years, including the first year. These exports went largely to help feed the people of western Europe and Japan. As production recovered from war and as other more normal sources of food supply became available, food exports from the United States financed by foreign assistance funds declined, while exports of industrial raw materials, machinery, and equipment increased.

At least half of the assistance provided under Public Law 480 appears likely to have resulted in higher levels of consumption than would otherwise have been the case, and somewhat less than half was translated into increased capital investment and development.

In most countries that have received bilateral assistance from the United States, and certainly all the developing countries, the major proportion of its annual production is from agriculture, and an even larger proportion of the population lives on the land.

As a consequence, economic growth is possible only if there is growth in the agricultural sector; growth to help feed an expanding population; growth to help feed an even more rapidly expanding community of nonagricultural consumers; growth to help provide a market for the production of the rest of the economy.

THE CONTRIBUTION OF AGRICULTURE to this growth has been a major component of United States foreign assistance programs. Since the end of the war, hundreds of American agricultural technicians have worked overseas to help improve the productive efficiency of agriculture. They have been specialists in agricultural production, extension, research, marketing, and agricultural credit.

Similarly, all elements of the United States agricultural community—the Department of Agriculture, the land-grant colleges, the extension services, agricultural industries, the farmers themselves—have helped to provide training to thousands of agriculturalists from other countries.

The policy has been to concentrate assistance in agricultural enterprises whose output went largely, if not exclusively, to improving domestic consumption levels and to avoid direct support of enterprises in which world production was already in excess of world demand.

THERE IS A TENDENCY, I believe, to assume that the immediate purpose of all United States economic and technical assistance is to stimulate and help support economic and social development on the assumption that economic development in itself will result in the emergence of a community of free, peace-loving nations, democratically oriented, with interests and attitudes compatible with ours.

The assumption is not necessarily valid. History shows a number of instances in which economic growth is associated with strong international aggressiveness. What can surely be said, however, is that economic growth is a necessary precondition or concomitant to such emergence, and in its absence probabilities are enormously increased that there will be, sooner or later, a violent swing to the radical right or radical left that would be incompatible with our interests.

Also rather widespread is the assumption that foreign economic assistance and economic development are synonymous—that all economic assistance is provided for the purpose of stimulating (and should result in) an economic development.

In fact, the immediate purpose of economic assistance frequently has not been economic development per se.

In some instances, it has been made available for the immediate purpose of helping to support military establishments larger than the country could support with its own resources.

In others, the immediate purpose was to deal with what has come to be called short-term foreign political exigencies—providing budget support for a friendly faltering government or to meet a balance-of-payment crisis, or even as a concrete manifestation of our support for a friendly country which was being subjected to pressure from countries whose international policies and attitudes were considered inimicable to the United States.

Historians a generation from now will be able to make a much more accurate appraisal of the real contributions of the United States post-war foreign assistance. Nevertheless, it seems clear that such assistance has contributed mightily to the ultimate objective, United States security.

The ad hoc measures of the immediate postwar years dealt effectively with certain pressing problems of the day—the hunger and disease that followed in the wake of the war, the millions of refugees, the urgent need for food and raw materials. The overwhelming consensus is that the European Recovery Program was an outstanding success—witness the booming economies of western Europe.

The evidence for the military support period seems nearly as convincing. For example, it seemed certain that a number of countries, including Greece, South Korea, and Taiwan, could not possibly have maintained their national independence without United States military and economic assistance.

The evidence of the years during which United States foreign assistance has been directed largely to the less-developed countries is not yet in. Economic and social and political development being a slow process at best, even a decade of experience affords a wholly inadequate basis for final judgment, but even here the preliminary evidence, on the whole, is affirmative.

Economic growth in a substantial number of countries has been accelerated. A few of them have reached the point where their future growth can be based on their own resources plus recourse to normal sources of external capital—the international lending agencies and the international capital markets of the world.

Day-to-day administration of foreign assistance programs has been adequate at least and, in many instances, outstanding. There is, however, always room for improvement. Immediate objectives need to be more clearly defined, and, in my opinion, ultimate interests will be better promoted if foreign economic assistance is concentrated more on long-time economic development and less on short-time political exigencies.

D. A. FitzGerald *joined the Brookings Institution in 1962 as a member of the senior staff to make a study of foreign aid. Previously he was Deputy Director for Operations, International Cooperation Administration. From 1946 to 1948 he served as Secretary General of the postwar International Emergency Food Council on loan from the Department of Agriculture, where he held various posts beginning in 1935.*

International Financial Services

by WARRICK E. ELROD, JR.

SINCE THE END of the Second World War, a number of financial services have been expanded to help countries overcome difficulties in their balance of payments, encourage stability in international trade, and accelerate economic development.

The methods of aiding countries to achieve those goals have included the establishment of programs that permitted the United States to distribute surplus agricultural commodities in a way that, in effect, has provided development capital to developing countries. Also included are international and regional banking institutions that have provided loans for a wide variety of projects and programs whose interest rates and maturities have varied widely.

The capstone of the international financial system is the International Monetary Fund (IMF), to which 103 nations have subscribed more than 15 billion dollars, approximately one-quarter of which is in gold.

PUBLIC LAW 480 is of particular interest. Its title I authorizes the United States to sell surplus agricultural commodities against payment in local currencies. Its title IV permits the United States to provide long-term credit for dollar purchases of the surplus commodities to governments or the private trade. In addition, the

United States provides agricultural surpluses for famine relief and related programs (title II) and for nonprofit voluntary agencies and intergovernmental organizations as well as for barter contracts (title III). Titles II and III have little to do with financial servicing of the recipients; titles I and IV do, in effect, offer a type of financial service.

Forty-three percent of the local currency receipts under title I by 1964 had been lent for long terms to the recipient countries to help them finance their economic development as mutually agreed between the country and the United States.

An additional amount (33 percent) had been allocated to grants, common defense projects, and Cooley loans, which provide local capital for private United States firms or their affiliates for development in the countries.

The remainder (24 percent) of the currency receipts had been reserved for United States uses, mainly to defray various diplomatic and military expenses.

Since the beginning of Public Law 480 in 1954 through December 31, 1963, the equivalent of slightly more than 9.5 billion dollars in foreign currencies (at export market value) had been generated in 47 countries. More than 2 billion dollars had been generated in India and more than 1 billion dollars in Pakistan. In 1963, local currency uses totaled 1.22 billion dollars, of which 746 million dollars were allocated for economic development loans to foreign governments. Another 211 million dollars went for United States uses.

Title IV agreements reached a cumulative value of 176 million dollars (at export market value) between 1961 and December 31, 1963.

United States agricultural exports under all titles (I–IV) of Public Law 480 had accounted for 28 percent of total United States agricultural exports during the first 9 years of the operations under the law.

Of the total amount of local curren-cies available from title I agreements, more than 4 billion dollars as of 1964 were made available for loans in almost all fields of economic and social activity: Food and agriculture, industry and mining, transportation, health and sanitation, education, and community development. An additional 2 billion dollars were provided as grants to promote economic development and trade in the recipient countries.

THE EFFECT of United States agricultural commodity assistance in recipient countries may be deflationary, inflationary, or neutral, depending on the means of marshaling and expending the funds required in financing economic development and the time periods involved.

A title I sales program is likely to be the most beneficial to the economic development of the recipient country and to the payments position of the United States in countries that purchase surplus agricultural commodities and where United States Government expenditures are relatively small, earnings of convertible exchange are expected to be meager, and payment for agricultural commodities with local currency can be made without adverse effects on the domestic monetary system.

If United States Government expenditures in the recipient country are of such magnitude as to provide the recipient country with a net dollar gain after deferred payment for the commodities, it becomes advisable from the point of view of the country to enter into a sales agreement under title IV.

In countries where the United States Government has an exceptionally large military and economic assistance commitment, foreign currencies acquired through the sale of surplus agricultural commodities under title I can be utilized almost immediately in financing part of these operations. This utilization of foreign currency without the need to purchase with dollars is beneficial to the United States balance of payments.

Under a title IV program, the annual repayment of dollars may be so small as to be less beneficial to the United States balance of payments than foreign currency acquired through a title I program. A large downpayment and shorter repayment schedules may permit title IV agreements to give greater short-run benefit to the United States balance of payments, but such terms are not likely to be accepted by recipient countries, and title I most likely will continue to be of greater benefit to the United States when its needs for local currencies are substantial.

THE AGENCY FOR INTERNATIONAL DEVELOPMENT (AID) has responsibility for carrying out nonmilitary United States foreign assistance programs and for general direction of all assistance programs under the Foreign Assistance Act of 1961.

AID was created on November 4, 1961, as an agency within the Department of State. It combined the previous International Cooperation Administration and the Development Loan Fund.

The programs AID administers are in four major categories: Development grants and long-term dollar loans (including those financed through title I of Public Law 480); investment guarantees under which private investors are offered protection against loss from specified political actions by foreign governments and partial protection from all risks; investment surveys; and Public Law 480.

AID administers the loans and grants of local currency generated by title I of Public Law 480. AID also administers title II, and directs United States contributions to the Alliance for Progress and to other international organizations.

From 1945 through 1962, AID and its predecessor agencies had committed 33.57 billion dollars for economic assistance. Of this total, 4 percent—

1.44 billion dollars—was devoted to agriculture; that is, economic assistance that directly aided the agriculture of the recipient country.

THE INTERNATIONAL BANK for Reconstruction and Development—the World Bank—was founded, along with the International Monetary Fund, at the Economic Conference held at Bretton Woods in July 1944 and began operations in June 1946.

Its purpose is to assist in the reconstruction and development of the economies of its member countries by facilitating the investment of capital for productive purposes.

Within a few years after the Bank came into operation, the reconstruction part of its activities was completed, and the Bank now is concerned mostly with the capital needs of developing countries. The Bank had 102 members, with subscriptions totaling more than 21 billion dollars, in 1964.

The resources available for lending by the Bank are derived from paid-in capital subscriptions by members, funds borrowed by the Bank in private financial markets, repayment of loans, and other sources.

The Bank makes long-term loans for specific projects directly to member governments and to public or private entities in the member countries. In the cases of loans made other than to the government itself, a guarantee by the government is required. The Bank's interest rate at the end of 1963 was 5.5 percent.

At the end of 1963, the Bank had made 371 loans totaling 7.6 billion dollars in 70 countries or territories. At the beginning, the Bank's authorized capital was 10 billion dollars, but in 1959 it was increased to 21 billion dollars. The United States Government has furnished nearly 31 percent of that amount.

As of December 31, 1963, the Bank had made more than 40 loans, totaling about 220 million dollars, for agricultural purposes. The loans were used for general agricultural development, irrigation and land reclamation projects, construction of storage facilities, forestry projects, the purchase and improvement of livestock, and farm mechanization. In addition, there were 21 multipurpose loans, equaling 314.1 million dollars, of which some part has been used to develop agriculture.

THE INTERNATIONAL DEVELOPMENT ASSOCIATION (IDA) began operations in November 1960. As of December 31, 1963, there were 90 members, with subscriptions totaling just under 1 billion dollars in various currencies. It is an affiliate of the World Bank, but it is an independent legal entity with financial resources separate from those of the Bank. IDA makes credits available on terms less burdensome than conventional loans to a country's balance of payments.

As of June 30, 1963, IDA had made 47 development credits amounting to the equivalent of 490 million dollars. Of these, 12 were agricultural credits aggregating 117 million dollars. Because the initial resources of convertible funds available to IDA had been committed fully by 1964, additional resources totaling 750 million dollars in freely usable funds were obtained early in 1964 from 17 governments whose currencies are freely convertible.

THE INTERNATIONAL FINANCE CORPORATION (IFC), a lesser known affiliate of the World Bank, is an investment institution established by the member governments to assist in the economic development of the less-developed members.

Investments are made in "productive private enterprise." They are not guaranteed by governments, and the rates of interest are higher than those of the World Bank.

IFC provides financing through subscriptions to capital stock, through a combination of stock subscriptions and loans, or through loans with equity or other special features.

The IFC makes its investments in association with private investors but does not compete with private capital.

Its participation has been limited to less than 50 percent of the capital cost of an enterprise, and investments usually have been moderate, averaging slightly more than 1.25 million dollars by 1964. The IFC aids development banks with equity investments, loans, and technical aid.

Its investments have been primarily in industrial enterprises; it does not invest in public utilities, real estate development, or in land reclamation.

The IFC membership at the end of 1963 was made up of 75 countries, which provided the 100 million dollars of authorized capital. Membership is open to all governments that are members of the World Bank.

THE INTER-AMERICAN DEVELOPMENT BANK grew out of the meeting in 1958 of the Committee of Twenty-one, composed of representatives of Latin America and the United States, one of whose task groups developed the idea of such a bank. The Punta del Este Conference, almost 3 years later, led to the establishment of the Bank.

Another task group developed the first proposals for a solution to the problem of serious imbalances in trade and payments. The proposals sought to offset volatile changes in export earnings from primary products that often adversely affect the terms of trade of the developing countries.

The proposals ultimately led to the IMF arrangement for compensatory financing of such losses in export receipts, an arrangement permitting a nation to draw a special tranche of 25 percent of its IMF quota.

The Inter-American Development Bank was established to finance Latin American economic development and to provide technical assistance in the preparation of development plans and projects. The agreement establishing the Bank entered into effect on December 30, 1959, and the first loan was approved on February 3, 1961.

All member countries of the Organization of American States are members of the Bank. The largest contributor to it, the United States, has provided 40 percent of capital resources.

Not only may the Bank lend to Latin American governments; it has authority also to make direct loans to private enterprise without requiring a guarantee from the government involved.

It is also responsible for promoting investments of public capital for the purpose of economic development and for encouraging private investment in developing projects.

The Bank's lending volume, including loans under the Social Progress Trust Fund, totaled 800,219,000 dollars on December 31, 1963. This volume represented approximately 40 percent of the total cost of the projects that the Bank was helping to finance. Loans for agricultural development constituted about 20 percent of the entire lending volume.

The loan operations of the Bank are conducted through three separate "windows."

One "window" is for ordinary capital resources. Under the terms of the agreement establishing the Bank, the subscribed ordinary capital resources amounted to 813 million dollars. Of this sum, slightly less than half was paid-in capital. The balance was callable capital. The callable capital in effect has constituted a guarantee for the securities that the Bank has issued.

In 1962, the Bank sold nearly 100 million dollars in bonds in financial markets in order to increase its ordinary capital resources. Total lending volume reached 328.4 million dollars at the end of 1963; 18 percent of it assisted agricultural ventures, such as citrus fruit processing, livestock improvement, and irrigation.

Loans from the fund for special operations, the second "window," have been extended on terms and conditions appropriate for dealing with special circumstances arising in specific countries or with respect to specific projects. In the operations of the fund, the financial liability of the Bank has been limited to the resources and reserves of the fund, and its financial resources have been separate from ordinary capital resources. The fund's lending volume was 104.2 million dollars by the end of 1963. Agricultural development projects and technical assistance accounted for approximately 45 percent of the total.

The third "window" is the Social Progress Trust Fund. At the Bogotá Conference in 1960, the United States declared its intention to establish a special Inter-American Fund for Social Development and proposed that the Inter-American Development Bank administer the fund. In June 1961, 394 million dollars were assigned by the United States to the Social Progress Trust Fund, as part of a 500-million-dollar program under the Alliance for Progress.

As administrator of the trust fund, the Bank has granted loans for projects or programs in four fields: Land settlement and improved land use, housing for low-income groups, community water supply and sanitation facilities, and advanced education and training. The first category accounted for 18 percent of the trust fund's lending volume of 367.6 million dollars on December 31, 1963.

In the field of technical assistance, the role of the Bank has grown in importance, particularly through professional training in connection with development banks, agricultural credit, and land reform. The value of technical assistance in 1963 reached 14 million dollars.

THE INTERNATIONAL MONETARY FUND, like the World Bank, was the creation of the Bretton Woods Conference of 1944.

From an original membership of 32 countries, the Fund has grown until in 1964 its 103 members provided through their subscriptions more than 15 billion dollars of currency resources, upon which members may draw in amounts equal to 200 percent of their respective quotas. An additional drawing right, established in mid-1963, the so-called compensatory financing drawing, in effect increased this percentage to 225.

Members may draw upon the Fund's reserves to meet their foreign exchange obligations during periods of deficits in their balance of payments.

Use of the Fund's resources has been linked to reduced exchange restrictions and discrimination and to establishment of convertibility of currencies.

Each Fund member has undertaken to establish and maintain an agreed par value (in terms of the dollar and thus of gold) for its currency, to contain fluctuations in the exchange rate of its currency within three-fourths of 1 percent either side of the established par, and to consult the Fund on any change of as much as 10 percent in the initial par value.

The Fund has been also a major forum for the consideration of foreign exchange problems of its members. If a member has needed to draw upon the Fund, the Fund has considered the request in the light of the member's fiscal and monetary policies, and the consistency of its operations with Fund principles.

Drawings are made in tranches, a tranche being 25 percent of the respective member's quota. Drawings on successively higher tranches are subject to increasingly less easy approval and more stringent conditions. Only the so-called gold tranche and the special compensatory financing tranche are almost automatic. If successive drawings bring a member's total drawings near 100 percent of its quota, a member will likely be required to accept a stabilization program on which the member and the Fund agree.

A drawing is a foreign exchange transaction. The member who makes the drawing pays the Fund an amount of its own currency equivalent, at the par value agreed with the Fund, to the amount of currency it wishes to draw. The member is expected to "repurchase" its own currency from the Fund within 3 to 5 years, with a payment

of gold or dollars or some other currency acceptable to the Fund.

A member may use the currencies which it draws in a flexible way to relieve its payments difficulties. The Fund's assets are not, however, intended to be used to finance a large or continuing outflow of capital or for programs of economic development.

In serious foreign exchange crises, the Fund has represented the single largest source of quickly available credit. Members may establish standby arrangements, such arrangements permitting members to draw upon what are in effect lines of credit.

The Fund's operations were modest during the first 10 years of its existence, but following the Suez crisis of 1956, a rapid increase in the use of its resources occurred. In one year, beginning in December 1956, the Fund's transactions increased by the equivalent of 1 billion dollars. As a result of the demands upon the Fund, its resources were increased from 9.2 billion dollars in 1958 to 14.4 billion dollars at the end of 1960.

Early in 1963 the Fund created a facility designed to broaden its balance-of-payment support of member countries, particularly those exporting the primary products, which have experienced temporary declines in their export earnings arising out of circumstances beyond their control.

In the past, the Fund has financed deficits resulting from declines in export earnings, and member countries have made frequent drawings for such a purpose.

The compensatory financing facility, which normally does not exceed 25 percent of a member's quota, is available to members, provided that the Fund is satisfied that the earnings deficit is of a short-term character largely beyond the member country's control and also that the member country will cooperate with the Fund in an effort to find, where required, appropriate solutions to its balance-of-payment difficulties.

The provision of such financing

permits the drawing member to maintain its imports and continue its economic development. At the same time, the level of worldwide trade is maintained as the drawing country continues to import capital goods which it would likely have to forego or finance at the cost of increased external indebtedness if compensatory financing were not available.

In June 1963, Brazil made the first "compensatory financing" drawing upon the Fund for an amount of 60 million dollars. The United Arab Republic made a drawing of 16 million dollars in October 1963. Thus automatic compensatory drawing rights additional to normal Fund facilities have been made available as a further aid to developing countries. An idea first offered in 1958 has become reality.

ALL IN ALL, then, I think that recurring discussions in international financial circles concerning the reformation of the world's monetary structure to improve the mechanisms to achieve the three goals I mentioned at the beginning and decisions to analyze proposals for reformation taken at annual meetings of the International Monetary Fund and the International Bank for Reconstruction and Development should not obscure the commendable strides toward the coordination, expansion, and improvement of international financial services.

Those three goals are:

First, to help countries overcome difficulties in balance of payments.

Second, to encourage stability in international trade.

Third, to hasten economic development.

WARRICK E. ELROD, JR., *became Chief of the International Monetary Branch of the Economic Research Service in 1962. He formerly was an economist in the Division of International Finance of the Board of Governors of the Federal Reserve System and for 10 years before that a Foreign Service officer with duty in Europe and the Department of State.*

Public Programs

To Share Food

by HARRY W. HENDERSON

A SOBERING DILEMMA of our time is hunger in some countries and a surplus of food in others. It will not be solved soon.

Shortages of proteins, fats, and calories in many countries trace to low levels of food production—a result, in turn, of insufficient land, unfavorable climate, inadequate agricultural inputs, and a lack of technical skills; to rapid rates of population growths which keep per capita food supplies low; and to a lack of money or goods to exchange for substantial quantities of commercially imported food.

Sharp contrasts between food-deficit and food-surplus countries are cause for concern. The strength of the free world depends on the political stability and economic vitality of each free world member. The less-developed countries have gained political independence or are in the process of gaining it. They feel that independence should bring rapidly improved health, education, housing, and diets. Above all, they desire to improve their substandard diets. Unless they are able to raise their nutritional levels substantially—through their own efforts or through assistance—political unrest and unsatisfactory rates of economic growth could well result.

The United States has adopted the policy that urgent needs of the less-developed countries for food must be met with prompt aid until they can produce their own supplies or buy them commercially.

The primary aim is to combat hunger. A byproduct is a strengthening of our economy by building future markets and furthering foreign policy.

OUR SHIPMENTS of food had an export value of 12.8 billion dollars in 1955–1963—equivalent to about 33 percent of total agricultural exports over the period. The food went to more than 130 countries and territories, whose population was 1.7 billion.

In 9 years of operations, we shipped mainly to less-developed countries about 2.9 billion bushels of wheat as wheat and flour—a volume equal to two and one-half average United States wheat harvests. We shipped 90 million bags of milled rice, equivalent to two crops. We shipped 930 million bushels of feed grains, 6.4 billion pounds of fats and oils, 4.8 billion pounds of nonfat dry milk, and a number of other commodities.

Our food-sharing operations go under the overall name of "Food for Peace." The bulk of the food shipped under this program during 1955–1963—10.7 billion dollars' worth—represents exports under Public Law 480, the Agricultural Trade Development and Assistance Act of 1954. About 2.1 billion dollars' worth was moved, mainly in earlier years of the program, under the Act for International Development and the Mutual Security Acts.

Each of the four titles of Public Law 480 authorizes a distinct type of operation.

One allows us to sell our surplus farm products to less-developed countries and accept payment in foreign currencies, instead of dollars. We have sold 6.7 billion dollars' worth of farm products at export value under this authority. The largest recipients have been India, Pakistan, Yugoslavia, Spain, Poland, Turkey, Brazil, Korea, and Indonesia.

Another title authorizes food aid for disaster relief—such as is needed after earthquakes, droughts, and floods—and in other assistance measures, such as use of food in economic development, refugee relief, and child feeding programs. These donations amounted to about 1 billion dollars in 1955–1963.

Donations of farm products may be made to American voluntary agencies and international organizations that carry on foreign relief activities among schools, people in various types of institutions, family groups, and refugees. About 1.4 billion dollars' worth of foods have been used to combat hunger under this title.

We have shipped 75 million dollars' worth of commodities under title IV, which authorizes long-term supply arrangements and credit up to 20 years to individuals, commercial firms, agricultural cooperatives, or other organizations of the United States operating abroad as well as to friendly foreign countries.

OUR FOOD generally performs its vital role unostentatiously.

United States food purchased by a country with its own currency or obtained through donations or barter or acquired under long-term supply and credit arrangements is handled within the country in much the same way as though it had been purchased with dollars. Once it is received by the importing country, it generally is sold by the government to the commercial food industry for distribution through normal trade channels.

The routine way in which our food is handled does not diminish in the slightest the importance of its role in adding to supplies already available.

The United States has contributed to the feeding of 40 million children in school lunch programs in some 90 countries, largely through the efforts of American voluntary agencies and the Agency for International Development.

Foreign countries also have established school lunch programs of their own. Among the benefits to the less-

developed countries are greatly reduced pupil absenteeism, improved
pupil health, and stepped-up rates of
learning.

The United States functions somewhat like an international rescue squad
in supplying food aid to countries hit
by disasters.

In 1963, for example, we rushed food
to Yugoslavia when thousands of
people were left homeless by earthquakes. We sent Food for Peace commodities by airplane to Haiti, Martinique, and other Caribbean countries within hours after Hurricane
Flora struck in September 1963.

We sent food to the Republic of the
Congo when prolonged internal conflict resulted in malnutrition and high
infant mortality. We sent feed grains
to Costa Rica when volcanic eruptions
destroyed grazing land.

OUR FOOD is promoting economic
growth.

The United States is lending or
granting back to needy foreign countries a substantial part of the local
currencies generated when we sell
them farm products under Public Law
480. The funds are used for irrigation,
reclamation, and reforestation projects; improvement of railroads, highways, and bridges; and construction
of power facilities, hospitals, and
schools.

The food also promotes economic
growth by helping to control inflation
of food prices. Food prices usually rise
when employment on development
projects creates purchasing power,
which in turn lifts the demand for
food. As food prices rise in response
to demand, workers insist that their
wages be increased. That means that
fewer public funds are available for
development projects. The inflationary
spiral is checked to some extent when
United States food is imported in
amounts large enough to keep pace
with increased demand.

We add to United States farmers'
incomes when we ship about 1.5 billion
dollars' worth of products annually to
needy foreign countries. Our Food for
Peace exports are tending to strengthen
farmers' incomes indirectly by reducing supply pressures on domestic prices.
Food for Peace is stimulating business
for railroads, seaports, shipping lines,
and other enterprises related to agriculture and so is creating jobs for many
American workers.

Food for Peace is helping to reduce
some Government outlays. When we
ship our food and fiber abroad, we cut
storage costs. Also, we use some of the
foreign currencies generated by Public
Law 480 sales abroad to pay some of
our oversea bills. In 1963, we used the
equivalent of 250 million dollars in foreign currencies to pay bills for military
activities, Embassy supplies and services, education exchange programs,
and market development operations.

Food for Peace, in promoting economic growth, is creating new markets
for our farm products. In several countries in which our food has been an
important component of economic aid,
our dollar sales have increased.

Spain, which once obtained large
quantities of United States farm products under Public Law 480, in 1963
had become a market for 128 million
dollars' worth of our farm products.
Spain is now the largest cash buyer of
United States soybean oil.

Israel, which also has been a big
recipient of our Public Law 480 commodities, is becoming a cash purchaser.
Greece and Taiwan have been increasing their cash purchases.

Food for Peace is helping us increase
the sale of American farm products all
over the world. More than 40 producers and trade groups have joined
with the United States Government
in carrying on jointly financed market
development activities in some 50
countries. The Government's share of
program costs is financed largely with
foreign currencies received from farm
product sales under Public Law 480.
These funds are used by the Government and cooperating groups to exhibit
United States farm products at international trade fairs and other events.

We are strengthening with our food the will and the capacity of free world peoples to stay free.

Communist propagandists have charged that Food for Peace is a "surplus disposal" program. This accusation fails to recognize that we have shared scarce supplies as well as surpluses. On several occasions, especially at the end of two major wars, we shared our food with the hungry even when we ourselves were getting close to the bottom of the food barrel and had to conserve food so as to make it available for relief use abroad.

We are giving uncommitted countries an opportunity to compare the relative efficiencies of free and regimented agricultures. We are showing predominantly agricultural countries that farmers living under a free democratic system can outproduce collectivized farmworkers fivefold.

THE QUESTION is asked, "Why don't we ship all of our surplus food to the hungry people overseas instead of limiting Food for Peace exports to about 1.5 billion dollars' worth a year?"

Part of the answer is that we are shipping as much as the importing countries are able to take—or want to take. The limitations are largely on the taking side, not the giving side.

Part of the answer is that Food for Peace exports, like all agricultural exports, must be handled in an orderly, responsible manner. Otherwise, there would be waste and undue disruption of markets in both the exporting and receiving countries.

Many underdeveloped countries lack the transportation, storage, and distribution facilities needed to reach hungry people with imported foods. Also nonexistent in many countries are organizations, such as our church groups and civic clubs, willing or able to handle large-scale distribution. It is said that in some less-developed countries it is easier to sell food than to give it away, because commercial distribution systems exist, and large-scale noncommercial channels do not exist.

Age-old dietary habits are a limiting factor. In some countries people are not eager to use some of the foods the United States has in greatest abundance. People who have always eaten rice do not readily turn to corn or sorghum grain or even wheat. Often they must be taught how to prepare foods unfamiliar to them.

We must safeguard the commercial trade of the United States and of nations friendly to us. Nothing is gained by giving food to a nation that can afford to pay for it. We want to furnish supplies that are in addition to what would normally move through commercial trade channels. If Food for Peace merely replaces commercial sales that would otherwise be made, it is not fulfilling its proper function.

We must also be careful not to disturb other countries' agricultural economies unduly. Agriculture is the leading occupation in most of the less-developed countries—and their farmers, like ours, must market their crops at fair prices. If Food for Peace supplies cause any material weakening of agricultural prices, farmers protest to their governments. Even in countries where populations have too little to eat, political pressure helps to regulate the volume of food, donated or bought, that may be imported.

THE LESS-DEVELOPED countries want our food aid when it is necessary, but they want to stand on their own feet as much as possible. More than food, they want technical assistance that will enable them to produce more of their own food, and that has been offered them.

The United States has been gratified to see other free world countries join in the task of providing food aid. Canada and Australia, for example, are making food available to countries in southeastern Asia. France has given substantial assistance, including food assistance, to some countries in Africa.

The United States feels that no one

nation, no matter how powerful, by itself can win the war against hunger. The United States has strongly supported the World Food Program, administered jointly by the Food and Agriculture Organization and the United Nations, which makes it possible to supplement food aid with a multilateral approach as well as the bilateral efforts being carried on by the United States and other countries.

The World Food Program, relatively small in terms of total international efforts, calls for contributions of a hundred million dollars in the form of commodities, services, and cash over a 3-year period. The United States has pledged 50 million dollars under authority of title II of Public Law 480, of which 40 million dollars represents commodities. Some 60 other countries have pledged assistance. Though relatively small, the program gives all nations an opportunity to take part in the food aid effort.

The imbalance of food supplies will continue—perhaps even be accentuated by more rapid gains in technology and production rates in the industrialized nations than in the less-developed countries. As long as the sharp contrasts between the food-surplus and the food-deficit countries exist, food aid programs will be needed. This should not disturb us.

Food aid for needy countries will have cumulative effects. Improved diets for children and adolescents now will mean stronger bodies later on. The economic growth that food is promoting now will furnish the basis for further growth.

HARRY W. HENDERSON *in 1962 became Assistant Director, International Programs, Foreign Market Information Division, Foreign Agricultural Service. He joined the Department of Agriculture in 1934 as junior agricultural economist, Crop Reporting Board, and has served in the former Agricultural Marketing Service, War Food Administration, Production and Marketing Administration, and Agricultural Stabilization and Conservation Service.*

Sharing Our Knowledge

by CANNON C. HEARNE,
WILLIAM E. HARVEY, and
ANDREW J. NICHOLS

JAPAN, to encourage migration to the island of Hokkaido, decided in the 1870's to establish a new agricultural college at Sapporo.

Word had reached Japan about the success of the land-grant colleges in the United States, and an American, William Smith Clark, then president of the Massachusetts Agricultural College (now a part of the University of Massachusetts), was invited to become first president of the new college.

He declined the position but agreed to head a mission of three to help get the institution started. He was acting president of Sapporo Agricultural College for 8 months and established a liberal school of applied science.

At the school the Japanese have learned and used methods of agriculture and extension to the extent that Hokkaido now produces an excess of food for shipment to other parts of Japan after taking care of the needs of the island population, which has increased in 82 years from 50 thousand to 5 million.

From it have come two crops of importance to the United States. William Penn Brooks, the fourth of 15 Massachusetts professors to be assigned to Sapporo Agricultural College, brought soybeans and Japanese millet back with him upon his return in 1889.

Dr. Clark left with the students in the Sapporo Agricultural College (which has become a part of the University of Hokkaido) a slogan that is now a byword in Japan, for every child learns about William Smith Clark in the fifth grade. His admonition, "Boys Be Ambitious," has inspired every generation of students.

His work in Hokkaido is an example of international training by American technicians and scientists. He received his doctor's degree from the University of Gottingen in Germany—an illustration of the goal of many Americans to study abroad.

The influence of Dr. Clark and others from the United States has continued with growing appreciation on the part of the Japanese. In 4 recent years, 835 came to this country for training. Their expenses have been borne by the Japanese Government since 1962; previously, the Agency for International Development and predecessor agencies paid the costs.

THEIR WORK in the United States was part of a share-our-knowledge policy in which the United States and other countries have welcomed individuals for study and training from abroad in the belief that the knowledge gained through exchanges of people is vital to a country's economic and social development, which can be made only as fast and as far as the capabilities of leaders and rural people permit.

Training thus is a part of the programs of technical cooperation of many countries to help other peoples develop resources and improve their living.

One hundred eighteen American agricultural colleges in 1964 had agreements with foreign institutions or governments for international technical assistance, which included training. In 1962, the 12 member countries of the Development Assistance Committee of the Organization for Economic Cooperation and Development received for training and study 135 thousand students and trainees from developing countries. The equivalent of about 325

million dollars was expended for technicians and for grants to students from other countries.

Grants for 60 thousand more students and trainees were provided in 1962 by other countries. The Soviet Union and other Sino-Soviet-bloc countries provided for 12 thousand; Egypt, 2 thousand; and Israel, 1,621.

The Organization of American States has provided a large number of fellowships for study and training in other countries. Other international organizations also have available fellowships or other assistance for training in agrarian reform, forestry, home economics, agricultural development and planning, veterinary services, tropical agriculture and agricultural engineering, statistics, and general agriculture.

VOLUNTARY and nonprofit organizations, including religious groups, have encouraged international training in agriculture and home economics for a long time. Most of their work is carried on in other countries, but a number make it possible for foreign nationals to study in the United States through individual fellowships.

Awards are made through representatives of the agencies in the national's home country and are based on tests and interviews to determine ability and suitability.

Representatives of these nongovernment agencies have shared their experiences with Government officials who are in charge of the public training programs. The Department of Agriculture, Agricultural Missions, Inc., and the National Council of Churches of Christ in the United States have conducted 9-day courses for new agricultural missionaries and as a refresher training for experienced workers.

THE FIRST OFFICIAL step of the United States to promote the international exchange of persons for technical assistance was taken in Buenos Aires in 1936 at a meeting of the Buenos Aires Cultural Convention, which adopted a resolution that called for a multilateral exchange of students and teachers.

The Congress in 1938 created an Interdepartmental Committee on Scientific and Cultural Cooperation. The act authorized Federal departments to grant fellowships to citizens of the American Republics to study and train in countries of their choice.

The Department of Agriculture and the Department of State established cooperative agricultural stations or missions in a number of Latin American countries. The main aim was to increase the production of strategic and complementary crops of particular value in wartime. American technicians were located at the missions, but a lack of trained national technicians hampered the conduct of the programs, and technicians were sent to the United States for training.

The Department of Agriculture supervised their study programs, which provided for work in the agencies of the Department and in land-grant colleges. Generally the technicians were men who held key positions and had had professional training.

The training proved to be useful.

The enactment in 1948 and 1949 of the Public Laws 402, 472, and 535 expanded international training in the United States to people from other countries. Foreign agricultural leaders, officials, and technicians at once began to embrace the opportunity offered them. In 1951, 1,064 persons participated in programs of the Federal Government; the Department of Agriculture made arrangements for 416.

In engaging in this activity, the Department drew on the resources in the land-grant institutions, which had volunteered their services in a letter to President Truman.

The objectives of the training programs are to equip the participant to make a significant contribution to the agricultural and rural life programs in his home country; help him transmit improved ideas, skills, and knowledge to others; give him an understanding of the people, culture, attitudes, and values of the United States; and help Americans gain an understanding of the participant's country, people, culture, attitudes, and values.

The Department, the land-grant institutions, and other cooperators engage in the foreign training effort as a contribution to the foreign policy of the United States and as an activity related to American membership in international organizations.

The establishment of the arrangements in the Department and with the members of the Association of State Universities and Land-Grant Colleges came about through the Department's long history of cooperative work in teaching, research, and extension.

The association at its annual meeting in 1950 ratified several recommendations to the Department and to its members regarding cooperative arrangements for foreign nationals.

The recommendations were that the Department handle through a single office (with a corresponding office in each land-grant institution) all matters relating to the cooperative training of foreign visitors.

MINISTERS OF AGRICULTURE and other high agricultural officials travel continuously to the United States to learn how the American agricultural industry has put science to work. About 1,200 of these individuals come to the United States each year for training related to the cooperative programs in the various countries where the Agency for International Development has missions.

Other hundreds of visitors, professors, teachers, and representatives of industry come each year for consultation, observation, or training—2,980 from 117 different countries in 1963.

Programs were carried out between 1956 and 1964 for 13,453 participants sponsored by the Agency for International Development and its predecessor agencies, the Food and Agriculture Organization and other specialized agencies of the United Nations, and other United States and international departments and agencies.

In addition, assistance has been given to 7,498 individuals not sponsored by the United States Government. They have been heads of state, cabinet ministers, professors, scientists, and businessmen.

Through an agreement between the United States and the Soviet Union, 20 programs have been carried out for 123 Russian agricultural officials and technicians. The programs have emphasized the exchange of knowledge among individuals of comparable training and responsibilities in the United States and the Soviet Union.

DEVELOPING and carrying out training, consultation, observation, and study programs for visitors from other countries is a cooperative process.

It involves the visitor; the sponsoring agency of the United States or foreign government, institution, foundation, organization, or other nongovernmental agency; the agencies of the Department of Agriculture; the agricultural and home economics colleges and universities; agricultural businesses, industrial firms, and organizations; farm families; educational and cultural organizations; and others.

The Department of Agriculture has a professional training staff for foreign participants and visitors as a part of the International Agricultural Development Service.

Specialists with experience in agricultural teaching and training work with technical representatives of the Department and cooperating institutions to plan, conduct, and evaluate training, observation, consultation, and study programs in the many phases of agriculture, forestry, home economics, and related sciences.

This staff is in daily contact with specially appointed foreign training persons in each of the member institutions of the Association of State Universities and Land-Grant Colleges; hundreds of private institutions and firms; farm and other organizations;

cooperatives; other governmental departments and agencies; and farm and rural families.

Through this cooperative network, the entire agricultural knowledge and competence of the United States is available for training opportunities and experience.

The training includes academic enrollment, special courses, on-the-job experience, consultation, and visits. Emphasis is placed on achieving the objectives of the United States agency, the international organizations to which the United States belongs, and other sponsors for the training.

The essential elements for successful training for international visitors include factors of human relationships; the participant's grasp or perception of the training to be achieved; available facilities in the right place; competent teachers; active involvement of the participant; wise use of training materials, aids, and resources; and a close relationship of training to the needs of the participant and to his opportunity to use the training.

All of these are taken into consideration by the staff in the sponsoring agencies and in the Department and cooperating institutions. Objectives, clearly stated by the sponsor and understood by participant and trainers, guide training arrangements and conduct of the program.

Several features are included in the process.

Members of committees that plan the programs of foreign visitors have wide knowledge of the rural economy and educational institutions of the United States. Specialists and technicians from every part of the Department, other Government agencies, private groups, and commercial firms are asked to be members of the committees.

Outlines for available training in agriculture and related fields are prepared annually and are sent to possible sponsors. The outlines help the visitor plan his training, help officials select participants, and guide the sponsor and the participant in what can be expected in the United States.

Proposed programs are prepared for review. They provide opportunities for approval or suggested improvements by sponsors, participants, and training cooperators. Suggestions are obtained from overseas and from United States cooperators before the participant embarks on training that may prove inapplicable.

The preparation of final programs takes into consideration suggestions obtained through the use of proposed programs and are the official guides for the participant and trainers. Each segment of the training is related to each other segment to avoid repetition or gaps in subject matter. Changes in emphasis within program segments are possible, but major changes require approval of the sponsors.

Evaluation occurs during training and just before participants return to home countries. Time to confer with program specialists, program planning committee members, and the sponsor's technical advisers provides an opportunity to learn the participant's reaction to the training experience. Special evaluation interviews are conducted under the guidance of trained evaluation specialists.

Programs are adjusted to fit the needs and understanding of visitors. Farm families, commercial firms and businesses, organizations, and cooperatives furnish opportunities for training participants to see and take part in the operation of American agriculture. For example, programs carried out in 1963 involved the cooperation of 399 private firms and organizations, such as chemical and timber companies, farmer cooperatives, the trade associations, and farm organizations.

International sharing of knowledge has been going on since the beginning of history. The newest (and to many the most exciting) form of sharing is the Peace Corps. At the request of the governments of 40 host countries, one-fifth of the Peace Corps volunteers have been working in agricul-

tural programs—in soil conservation, land reclamation, animal husbandry, irrigation, forestry, agronomy, horticulture, dairy husbandry, poultry, vocational agriculture, agricultural engineering, and home economics.

Other volunteers engage in scores of useful activities.

The Congress established the Peace Corps on September 22, 1961. Its objectives are to promote world peace and friendship by making available to interested countries Americans who will help the people of those countries meet their needs for trained manpower, to help promote a better understanding of the American people on the part of the people served, and to help promote a better understanding among Americans of other peoples. Peace Corps volunteers come from the cities, villages, and farms of all States, Puerto Rico, the Virgin Islands, and Guam. The typical volunteer is unmarried and is about 25 years old, but many married couples serve together overseas. Some volunteers are as young as 18, the minimum age, and several are more than 60. Among them are students, men and women who leave their careers for a time, and retired persons.

Volunteers receive a living allowance while overseas to cover food, clothing, housing, medical care, and incidental expenses. Each accrues 75 dollars a month for a total separation allowance of 1,800 dollars. The Peace Corps term of service is about 24 months.

CANNON C. HEARNE, *Director, Foreign Training Division, International Agricultural Development Service, has been a farm manager, county agent, and professor of extension education.*

WILLIAM E. HARVEY *has worked since 1951 as program specialist and Assistant Director, Foreign Training Division. After graduation from Virginia Polytechnic Institute, he was a county agent for 10 years.*

ANDREW J. NICHOLS *is Regional Coordinator for Latin America, International Agricultural Development Service.*

Private Foundations and Organizations

by A. H. MOSEMAN and F. F. HILL

PRIVATE FOUNDATIONS, organizations, and church groups have been pioneers in technical and charitable endeavors in all parts of the world. They have fed the starving, rehabilitated impoverished people and communities, and rekindled many a hope.

They work with substantial flexibility when and where needs arise. Their liberty of choice and action is a keystone in a bridge between American agriculture and the rest of the world. Unlike government agencies, they are free to work with an individual or a nation. They may support research in great centers of learning; they can just as easily encourage the application of the findings of research in one farmer's field or in one far-off village. They can create and accept opportunity to help.

The private organizations generally are concerned with the creation of ideas and the giving of things.

The foundations, such as the Ford Foundation, the Rockefeller Foundation, and the W. K. Kellogg Foundation, tend to pay most attention to research and education, including the extension of knowledge. Private organizations, such as CARE, buttress long-term development by direct aid.

The functions sometimes overlap. Sometimes they depend on each other for mutual success.

Basic in their planning and work is the realization that methods and knowledge cannot be transferred intact to some regions from countries that have applied modern science and technology to their agricultural industries. Agricultural development therefore is slower and more difficult than industrial development. That is a lesson specialists in technical cooperation have had to learn.

To build a new steel mill abroad is much the same as building a new mill at home, but that does not hold true for the transfer of farming materials and practices. An improved American variety of wheat will not necessarily grow well in Colombia. A fertilizing technique that works and a midwestern farmer can afford may not work or be economic in Thailand. Application of basic principles has to be modified in each instance. We have to devise combinations of new agricultural practices for each new environment.

To compound the problem, we still are lacking in some important areas of knowledge. Much less research has been done, for example, on farming in the Tropics than in the Temperate Zones. For the application of existing knowledge and the creation of new knowledge, a structure of research stations should be built up in the less-developed countries. For that, large numbers of people must be trained to staff the institutions.

The size of the task can be gaged from American experience. It has been estimated that in 40 years in this country about 350 thousand agricultural students have been graduated—the equivalent of about 1 graduate for every 10 farms. The heavy investment in trained people and in research and education facilities has figured largely in the growth of American agriculture during this century.

The developing countries may not immediately need this level of trained manpower, but realistic goals must be set and reached.

Agricultural scientists have learned to modify a number of production-inhibiting factors at the same time. This simultaneous attention to problems of crop production has led to the development of research centers where teams of scientists trained in different disciplines work to combat the hazards that cut crop or livestock yields.

AN EXAMPLE of this type of multi-science laboratory is the International Rice Research Institute, Los Baños, the Philippines. The decision to set it up stemmed from a fundamental need: Although half the world depends on rice as a daily food, there is almost never enough of it.

The reasons why rice crops are not bigger were charted for several years by staff members of the Ford and Rockefeller Foundations. The surveys indicated that answers could be found for most of the many problems.

The two foundations decided in 1959 jointly to establish a research and training center in the rice bowl of southeastern Asia. The Government of the Philippines cooperated by supplying land for laboratories, housing, and experimental fields next to the College of Agriculture of the University of the Philippines.

Since then, the Ford Foundation has invested more than 7 million dollars in its buildings and equipment. The Rockefeller Foundation has provided operating expenses of around 500 thousand dollars annually, plus the services of eight members of its own staff.

Enduring relief of the chronic rice shortage in the Tropics and subtropics will not be gained until existing knowledge can be successfully adapted to new and unfamiliar conditions of climate, soil, and social organization.

The paths that must be explored include the breeding and selection of improved varieties of rice suited for growing in southeastern Asia, the control of diseases and pests, improved knowledge about the management of submerged soils, and a number of economic and engineering factors about which little is known.

Since many parts of the overall problem are linked, solutions have to be sought through a complete inter-disciplinary approach. This is no novelty in the United States, especially in the research of the Department of Agriculture and at the land-grant colleges and universities, but it has not been applied widely to agricultural problems abroad. How to apply this method under differing conditions is one of the lessons the Rockefeller Foundation learned in earlier crop-improvement work in Latin America and India.

The presence of a number of specialists at a research center makes possible the development of effective inservice training programs for the nationals of one or more countries to accelerate the move toward self-sufficiency.

In planning the rice research project, the two foundations sought a location near a strong college of agriculture.

The 45 students from many Asian countries who trained in 1963 at the Los Baños center saw broader agricultural horizons through their association with the College of Agriculture. The college also benefits from the participation of the institute's skilled scientists in its teaching programs.

Interplay between an old and new institution may go even further. Thus the Ford and Rockefeller Foundations and Cornell University made plans to strengthen the College of Agriculture at Los Baños. A 5-year plan for overall development of the college was drawn up by the University of the Philippines. The two foundations, the World Bank, and the Agency for International Development collaborated.

As a first step, the Ford and Rockefeller Foundations and Cornell furnished the services of American professional staff, fellowships for college staff members in the United States, and materials and other support for research and development. Students of both institutions are permitted to complete part of their work and take their degree at Los Baños or Cornell.

This joint endeavor reflects the ability of private groups to respond promptly to a new opportunity.

Planning and development of the International Rice Research Institute and the subsequent support to the College of Agriculture at Los Baños are examples of one kind of volunteer technical assistance. But there are about 200 private agencies in America that give regular, substantial help toward agricultural development overseas. Their methods vary, and while this chapter cannot be inclusive, we can discuss a cross section of the larger and more representative groups.

THE ROCKEFELLER FOUNDATION began its development work in the agricultural sciences in 1924, when it gave its first fellowship for training nationals of other countries.

The aim has always been to help train people who, on return to their home countries, will give direction and leadership in research and education. To that end, the foundation usually makes awards only to persons who have a post or are guaranteed one in a research or educational institution in their respective countries.

This is one facet of development work in which private groups have an advantage over government organizations: The Rockefeller Foundation, for example, can select its trainees in the light of its own judgment and standards.

A total of 1,291 fellowships had been awarded up to 1964 in the agricultural sciences to persons from 62 countries. Current investment is at the rate of about 1.5 million dollars.

In 1963, that sum supported 300 scientists, from 24 countries, at 39 institutions in the United States and abroad.

This program will continue to get strong support from the foundation because, in the long view, the advancing countries will progress only when their own specialists are able to apply scientific principles to the solution of indigenous problems.

The Rockefeller Foundation has become increasingly active in using its own staff to spur development abroad.

The present pattern dates from 1943, when a cooperative effort was set up with the Government of Mexico to boost production of basic food crops.

The beginning was modest. A few scientists were assigned to guide research on improvement of crop varieties and methods of farming. From that small beginning has grown an operating program in which 50 foundation specialists have been sent to Mexico, Colombia, Chile, India, the Philippines, and Nigeria.

In each country, the first aim is to seek the factors that hold back the production of major foods. In Mexico, the attack has been focused on the production of corn, wheat, potatoes, and beans, nutrition, and the diseases of animals and poultry.

Colombia's major food crops—corn, wheat, and potatoes—have been studied. The range of climate from tropic to temperate and a corresponding range of topography make Colombia an ideal place in which to study animal physiology.

Activities in Chile are especially concerned with improving wheat and forage crops.

The agricultural program in India, begun in 1956, was the first in which both education and research were linked from the beginning. Research on improvement of corn and sorghum was designed to encourage participation by the Central and State Governments and thus make the best use of India's research resources.

The Postgraduate School of the Indian Agricultural Research Institute, established in 1958, was designed to furnish a model for other agricultural colleges and universities that were being planned by the Government of India and the Indian states.

The operating program has achieved measurable results in a few years. Mexico, a wheat importer 20 years ago, was self-sufficient in 1964. Average wheat production has risen from 11.5 bushels an acre in 1943 to 33.0 bushels in 1963. Total production has climbed from 300 thousand tons to 2 million tons. Mexico has also become self-sufficient in corn. The Food and Agriculture Organization estimated that Mexican food production grew 7 percent annually in the decade ended in 1959.

The cooperative program in Colombia was set up in 1950. It is estimated that improved corn hybrids and varieties make up 95 percent of the acreage planted to corn in the Cauca Valley. Nearly all of the country's wheat comes from varieties developed since 1950. The animal industry of the country is forging ahead, thanks to better nutrition and management practices and through control of pests and diseases.

In Chile, the spring wheat acreage is planted almost entirely to the improved varieties, Orofén and Chifén, bred and selected in the cooperative program. The country has had to import up to half of its animal products, but domestic production should increase substantially through wider use of improved clovers and other forages. New experiment station facilities at Santiago and Temuco were ready for use in 1964.

Experience gained in Latin America and the materials developed there were of value in planning the cooperative program in India. After only 5 years of work, four adapted corn hybrids were produced in India. Some of them yielded up to 150 percent more than the common commercial varieties. The hybrids were suited to varied growing conditions, from those of the Gangetic Plain to the Deccan Plateau and in the hill country. Three more hybrids were released in 1963, including one suited to starch manufacture. New hybrid sorghums, using Kafir 60 as a base parent, were due for release and commercial planting in 1964.

The foundation's most important contribution to Indian agriculture probably has been through creation of the Postgraduate School. About 400 students were enrolled in 1964, of whom 180 were studying for doctor-

ates. The others were pursuing the degree of master of science. In its first 6 years to December 1963, the school granted 77 doctor's and 305 master's degrees.

Wherever in the world the foundation has an operating unit, a training program is set up. Students get inservice training by working on research projects guided by the foundation staff.

In the Mexican and Colombian cooperative schemes and increasingly in Chile and India, research leadership positions are being filled by trained, competent nationals, many of whom have received their training with foundation aid.

The foundation also makes grants for research and teaching. These vary in size from modest travel grants, to permit scientists to broaden their experience, and to the massive support that sometimes is needed for the hard core of institution building. Fundamental research also is supported.

A typical grant is the one made to the Institute of Genetics, Misima, Japan, for research into the genetics and evolution of cultivated rice. A few grants have been made in the United States and Europe, where outstanding scientists are working on the frontiers of knowledge.

At the North Carolina State College of Agriculture and Engineering, for example, an investigation of quantitative genetics has been supported to the extent of 125 thousand dollars, plus (since 1951) 11 thousand dollars for related genetic studies.

The University of Nebraska has received 80 thousand dollars for studies in corn genetics.

A grant of 13 thousand dollars was made to the Institute of Genetics, Catholic University, Milan, Italy, for research on the inheritance of special characteristics in corn.

These kinds of basic studies are supported to further progress in the practical aspects of research in crop improvement.

Although it mounts its own fellowship and scholarship programs, the foundation also has made grants for training by other agencies.

The University of Hawaii was given 100 thousand dollars to help students from Asia and Pacific Basin countries to attend its College of Agriculture.

A similar grant enabled students from several tropical countries to attend the College of Agriculture of the University of the Philippines.

Scientists from the Middle East who are working on wheat and barley improvement are given inservice training in Mexico through a grant of 150 thousand dollars to FAO. From 1960 to late 1963, some 24 trainees from 12 countries had been helped.

Many education and research centers have been aided by institutional development grants. The improvement and establishment of experiment stations in Chile, undertaken by the Ministry of Agriculture, has been supported to the extent of 400 thousand dollars. In Mexico, the research and education center at Chapingo has been further developed by an appropriation of 1.3 million dollars. Grants totaling 822 thousand dollars have been made to the Agrarian University in Peru, an institution that North Carolina State College has helped through a cooperative program underwritten by the Agency for International Development.

The cooperative program in India is trying to coordinate the support of Federal and State Governments, and so the maize and sorghum improvement schemes are built around the experiment stations of the new agricultural universities of the states.

To support those institutions and to hasten their growth, grants have been made in the amount of 65 thousand dollars to the West Bengal College of Agriculture; 135 thousand dollars to the Coimbatore Agricultural College and Research Institute; 240 thousand dollars to the Uttar Pradesh Agricultural University; and 320 thousand dollars to the Punjab Agricultural University.

Most of this money has been spent on developing the experiment stations. American land-grant colleges, through contracts supported by the Agency for International Development, have furnished guidance for the education and extension activities in the new agricultural universities.

To enlarge the Mexican center at Chapingo, the Rockefeller Foundation has joined forces with the Ford Foundation, the Agency for International Development, and the Inter-American Development Bank to assist the Government of Mexico in establishing a national institution that will furnish coordinated leadership in research, education, and extension.

The Rockefeller Foundation up to 1964 had invested 66 million dollars in agricultural development—25 million dollars for operating programs, 11.3 million dollars for scholarships and fellowships, and 29.7 million dollars for the grants-in-aid to research and education.

THE FORD FOUNDATION's work in agriculture abroad has been mostly in three categories: The creation and development of schools and colleges; research and planning to raise production and levels of nutrition; and pilot projects and education-demonstration programs at the village level, with accent on rural self-help.

Ford's work in India since 1952 has contained most of these elements. The foundation was asked to help build extension training into Indian agricultural colleges at the start of the government's first 5-year plan. The Allahabad Agricultural Institute already had begun extension work when a Ford grant in 1952 helped establish a fully fledged extension department to specialize in village work. Later grants were made to build similar departments at eight other colleges.

The Government of India has used them as models in its plan of attaching an extension department to every agricultural college. The need for practical training is great, since few Indian students have had farm experience.

To help meet immediate needs, Ford has contributed 12 million dollars to India's community development program. We think it is the most ambitious national program of rural development ever undertaken by any country. Its aim is to raise the living standards of the 375 million Indian villagers.

The country is divided into blocks of about 100 villages, each totaling about 65 thousand inhabitants. Each block is supervised by a development officer, with a yearly budget for loans and grants to aid local self-help projects. The officer is helped by specialists in agriculture, animal husbandry, public health, social education, cooperatives, small industries, and in village self-government.

The backbone of each block lies in 10 village-level workers, each of whom covers about 10 villages. Their task is to persuade the villagers, both individually and as communities, to undertake self-help projects and then to arrange the technical guidance that is needed. Each village-level worker is given 2 years of training, half of it in agriculture.

The foundation began its help in 1951 with a grant of 1.2 million dollars. This underwrote 15 pilot centers of 100 villages each to devise and test education and demonstration methods and 5 centers to train village-level workers.

Since then, about half the grants have gone to a nationwide network of training centers and other training work. Instruction ranges from the village level up to block development officers and their staffs.

Other large grants have been made for an evaluation of the program, strengthening of agricultural extension and information services, university scholarships for outstanding workers, and a national center for the study of community development.

These first two Indian programs are thus concerned with education at the professional level and education and extension at the subprofessional level on a massive scale.

The third program is a combination of extension and direct aid. The aim is to produce an immediate increase in food supplies.

The intensive agricultural district program grew out of a survey in 1959 by American specialists, led by Dr. Sherman E. Johnson, of the Department of Agriculture. This team was recruited by the foundation at India's request.

Its prognosis was that a national food crisis would occur by 1966 unless emergency measures were applied to almost every part of the agricultural complex. As a model for an intensive nationwide drive, the government began a program in 1961 to boost food production in seven districts by 50 percent in 5 years.

More have since been added, until each of India's 15 states now is represented. Each district is the size of several average American counties.

Farmers join the program voluntarily. It is designed to demonstrate the application of several essential measures—adequate and timely supplies of fertilizer, pesticides, improved seeds, farm tools, and other production aids; cooperative farm credit to buy these supplies; storage, drainage, and other public works; education and assistance in farm management; and individual farm planning.

In the crop season beginning late in 1962, about one-fourth of all farmers (about 260 thousand) in the first seven districts took part. Production plans were drawn up for more than 1.2 million acres. About 96 thousand additional farmers, with more than 500 thousand acres, began to take part in the districts.

In the first crop season (1961–1962), the yields showed a significant response to the use of better methods. In the Shahabad district, the demonstration plots gave yields of rice that were 84 percent higher than on the control plots, 100 to 150 percent more for wheat, 78 to 200 percent more for potatoes, and 106 percent more for grain.

The Ford Foundation has appropriated a substantial sum to assist the program over a 5-year period. The funds have been used mainly for four purposes: Transportation of personnel, soil testing, and seed-treatment equipment in the first seven districts; imports of chemical fertilizers and insecticides for sale to farmers; the services of foreign advisers; and the training of Indian specialists.

Grants also have been made for special work that supports the program. The Allahabad Agricultural Institute has created a center where better farm implements are being developed for commercial manufacture. The Uttar Pradesh Agricultural University has set up a training and research program in farm management to apply the lessons learned in the demonstration districts.

The Ford Foundation, in cooperation with Michigan State University, has helped establish two academies for village development, one in East Pakistan at Comilla and one in West Pakistan at Peshawar. These are meant to give Pakistani civil servants the knowledge and skills needed to carry out rural development projects.

Comilla Academy completed a pilot trial of agricultural cooperatives, and a grant was made to enable the expansion of the cooperative plan to include 240 villages. The main purpose of the cooperatives is to obtain modern farm equipment and lease it to smallholders.

In many countries a great need exists for training large numbers of agricultural students as fast as possible to a subprofessional level. Otherwise, the agricultural services of underdeveloped countries may have to be staffed by persons who have had a high school education or less, plus 1 or 2 years of specialized training.

To help meet this kind of demand, the Ford Foundation assisted the Government of Burma to plan and create the State Agricultural Institute at Pyinmana in 1954.

Grants were used mainly to provide advisers and specialists in the agricultural sciences, equipment and material, and fellowships to give advanced training abroad to prospective Burmese faculty members.

By 1962, the institute had a Burmese staff of a principal and 15 lecturers, all of whom had been given some training abroad. Eleven more posts were filled in 1962 and 1963. Seventy students have been admitted each year from about 500 qualified applicants. About 415 students had completed a 2-year junior college course in agriculture in 1962. About one-fourth of them were employed as teachers. Most of the rest took posts in the Agricultural and Rural Development Corporation, mainly in extension work.

PROBLEMS OF FARM planning and cooperative credit were treated in a Burmese pilot project. In common with the farmers throughout most of southeastern Asia, the Burmese smallholder is often hampered by lack of credit and capital.

As an experiment in farm planning, the Ford Foundation made grants to the Burmese Government and International Development Services to set up a 75-member project in the village of Mweyoegyi. Individual farm plans were prepared for each member. Crop-production loans were made.

It was the first time in Burma that the amount of credit given a farmer was related to his production costs and to his ability to repay. Traditionally, credit was based on a fixed figure per acre for a specific crop and usually was too small to meet the farmer's needs. The trial was extended to another village. At its conclusion, it had shown considerable promise of increasing production and of being applicable to other Asian countries.

The Ford Foundation and International Development Services demonstrated that though farmers could not afford to own farm equipment individually, they could profit by the cooperative use of five or six tractors for the timely preparation and cultivation of sun-baked soils that were too hard to be worked with animal power.

Two important results from both schemes were the growth of self-confidence among farmers and the realization by government officers that these farmers accomplished more by using good judgment than by trying to follow manuals of instruction.

Since its first grants were made in 1951, the foundation's agriculture program has emphasized the creation or strengthening of the kinds of institutions that underdeveloped countries need for their advancing agriculture.

THE INSTITUTE of Land Reclamation and Development in the United Arab Republic is an example of a new body that was created to meet particular needs. The needs arise from the decision to build the High Dam at Aswan, which in turn arose from a critical shortage of farmland.

About 2 million acres are to be brought under irrigation—the equivalent of almost two-thirds the cultivated acreage before the dam was started. A further 2 million acres in use in 1964 must be improved if production is to keep step with population.

The Ford Foundation made a grant to the University of Alexandria in 1960 to help establish an institute to provide a 2-year postgraduate course in the reclamation and development of land, including desert and salt lands. The course gives intensive training in the scientific, engineering, economic, and social aspects of reclamation and settlement. The entering class in 1963 comprised 60 students. Fellowships made possible the training of a staff to replace the advisers who gave instruction in the first years.

Besides these examples of the several levels on which the Ford Foundation operates its development work, the foundation provides consultants to furnish a variety of services.

They include assistance in national economic planning; developing long-term plans for agricultural colleges, research, and also extension groups; strengthening governmental services concerned with agriculture; and appraising proposals for pilot and experimental projects.

The total of Ford Foundation grants for agricultural and village development abroad between 1952 and 1964 was 39.6 million dollars, or about 17.8 percent of the total spent in the Overseas Development Program.

GRANTS made under other parts of the program also had a connection with agriculture. For example, a grant to provide the services of an agricultural economist to assist in the development of a national economic plan would ordinarily be classified under the heading of economic planning, although his services presumably would affect the resources made available for agricultural development.

A regional breakdown of grants shows that 83.6 percent of the dollar total was invested in southern and southeastern Asia; 13.6 percent in Africa and the Middle East; and 1.3 percent in Latin America and the Caribbean. One and one-half percent was invested in interregional projects.

It should be kept in mind that the first grants in southern and southeastern Asia and the Middle East were made in 1952; the first in Africa south of the Sahara was made in 1958; and the first grants in Latin America and the Caribbean were made in 1959.

THE W. K. KELLOGG FOUNDATION established a Division of Agriculture in 1953. Its grants, which reached more than 8 million dollars in 1964, have been made within the United States and to some countries in Europe and Latin America. It concentrates on the application of knowledge, rather than its creation, and gives aid mainly to experimental or pioneering programs.

A good deal of the foundation's effort in Latin America has been toward the general improvement of nutritional levels.

The Institute of Nutrition of Central

PRIVATE FOUNDATIONS AND ORGANIZATIONS 531

America and Panama was formed in 1949, and since then Kellogg has supported many of its activities, such as analysis of indigenous foods, improvement of the native diet to overcome protein deficiency and goiter, and educational programs in the fundamentals of good nutrition.

The foundation also has aided the Institutes of Nutrition of Mexico and Ecuador and nutrition programs in the Medical School of the University of Valle, Colombia, and the School of Health of the University of São Paulo, Brazil.

The two Colleges of Agriculture of the University of Colombia, at Medellín and Palmira, have been helped to expand their general programs and to set up a Commission on Higher Education in Agriculture, which has charted the course for further development of agricultural institutions in Colombia.

A WIDESPREAD DISTRIBUTION through Latin America of teaching aids was made possible by a grant to the Inter-American Institute of Agricultural Sciences, Costa Rica.

The Kellogg fellowship program in Western Europe is designed to help develop the leadership needed for expanding the resident instruction, research, extension, and service programs. Some 460 fellows have been brought to the United States for advanced study.

An example of the kind of experimental activity that Kellogg supports is the International Institute for Land Reclamation and Improvement, which has headquarters in the Netherlands and serves as a worldwide information agency.

Another example of the Kellogg Foundation's preference for applied-knowledge programs is the support given the Federation of Smallholders' Associations of Jutland, Denmark, to improve their extension work.

In Norway, aid has been granted for the establishment of a Department of Rural Sociology, an Institute of Agricultural Engineering, and a program

of field experiments and demonstrations throughout the country.

In the United Kingdom and Ireland, the accent has been on training programs for rural youth and the preparation of urban youth for farming careers.

THE THREE FOUNDATIONS we have discussed are fairly typical. They all share some interests, but each has an area or areas it has made especially its own.

Rockefeller's work in cooperative research for improvement of crops and livestock production is one such area.

Ford's multifront pilot projects are another.

Kellogg's bent toward extension work is yet a third.

Other approaches are possible, and some of them can indeed be undertaken most effectively by the private groups.

One such approach is that of the Council on Economic and Cultural Affairs, which concerns itself almost entirely with one geographic area, Asia.

THE COUNCIL on Economic and Cultural Affairs was set up in 1953 with the support of John D. Rockefeller 3d and the Rockefeller Brothers Fund. In November 1963 it was reincorporated as the Agricultural Development Council, Inc. In later years the council also has been aided by the Ford Foundation.

Its field program in Asia is directed toward providing visiting professors of agricultural economics, rural sociology, and extension education to the colleges of agriculture; granting fellowships for graduate study, mostly within the United States, to younger professors and research workers in Asian institutions; and offering grants for research in their home countries by Asian specialists.

The core of the CECA program is its own permanent staff, six of whom were assigned in 1963 to work in Asia, two in the Philippines, three in Indonesia, and one in Malaya. Each staff member spends one-half to two-thirds of his time in teaching, conducting research, and consulting on other research projects at the institution to which he is attached. The rest of his time is spent in liaison with specialists elsewhere in the country or region, giving such help as is possible and reporting to CECA on the overall program. The council also sent a visiting professor on a 2-year term in Thailand and India.

The council has granted more than 150 fellowships for postgraduate study. The fellows have come from Japan, Korea, Taiwan, the Philippines, Indonesia, Malaya, Thailand, Pakistan, Ceylon, and India. More than half of them were candidates for the doctor's degree. The council keeps in touch with its fellows on their return home. Often its research grants have been for projects begun by former fellows.

The council believes that its best investment is in people rather than institutions.

That belief allows an efficient use of a budget of 800 thousand dollars and reflects the opinion that massive aid over many years will be needed before Asian universities become well established. Such aid is beyond the council's resources, but it helps the professional development of people who will make an immediate, as well as long-term, contribution to the agricultural development of their countries.

CECA launched two new programs in 1963 with the support of the Ford Foundation.

One was a project to encourage research on agricultural development overseas through American universities. It sponsors seminars and workshops on agricultural development, at which American professors formulate new research projects and discuss the results of completed work. Linked with it is a program of research grants of modest size.

The second project brings together what is already known about agricultural development so as to make it available to workers around the world. The project includes the selection of useful books and articles and the commissioning of new articles written in semitechnical style. The cost of the two programs has been set at about 400 thousand dollars a year.

INTERNATIONAL DEVELOPMENT SERVICES, a private agency formed in 1953, concentrates its efforts on the recruitment of technical-assistance teams and the planning and management of programs sponsored by other agencies.

The agencies include private firms, foundations, the United States Government, foreign governments, the United Nations, and other international bodies.

IDS has a field staff of 36 agricultural and rural specialists. Large numbers of technicians and scientists are assigned by local governmental agencies as supporting employees and trainees. The IDS staff works closely with official agencies and sometimes with private agencies. The annual budget is about 800 thousand dollars, most of which comes from the Agency for International Development for contracted programs. The rest comes from public and private sources.

THE COOPERATIVE for American Relief Everywhere was set up in 1945 as a service through which Americans could send food and textile packages to postwar Europe.

By 1963, CARE had delivered 50 million packages, had distributed more than 3 billion pounds of farm surplus in 55 countries, and was launched on the largest annual food program of its history—the distribution of 1.25 billion pounds of commodities to 35 million recipients in 38 countries of Latin America, Africa, Asia, the Middle East, and Europe.

These massive distributions of food have helped fulfill the basic needs of several hundred million persons, but it is recognized that temporary relief provides no long-range solution to low farm production in underdeveloped countries.

CARE accompanies its food program with large shipments of tools and equipment, which it integrates into local self-help programs. CARE does a good deal of planning, but it does not actually administer the programs, and it does not provide technical help for them. CARE acts as the bridge between donor and recipient, and so has encouraged projects as diverse as land reclamation, food preservation, and the organization of cooperatives, which in 1963 alone involved 5.5 million dollars' worth of commodities and materials.

In Korea, for example, CARE has helped hundreds of refugee families to build dikes and reclaim wastelands. A typical project gave to a group of Korean farmers bullocks, unweaned calves, fertilizers, seeds, pigs, and chickens. Within 8 months, 50 more acres were being farmed, so that the farmers could meet their own food needs and sell produce worth 3,800 dollars.

In Ceylon, India, and Vietnam, CARE has provided improved tools. A major new project, in cooperation with an American seed company, allows Americans to send packages of seeds to any country.

A typical CARE scheme in animal husbandry operates in the Philippines, where pork production is being raised through special purchases of purebred swine. Revolving loan funds have been set up in several countries to enable farmers to buy livestock and improve their farms. CARE has given much aid to groups of young farmers, partly because they are more receptive to new methods and new tools.

In supervising the distribution of surplus foods from the United States, CARE tries to make these part of a self-help effort. Thus, a "food for wages" program has been planned in the Philippines. It is a nationwide reforestation and soil conservation program, in which 6,400 young people are to receive 3.5 million pounds of food.

In the Dominican Republic, CARE equipment is used to train forest rangers in firefighting. Well drilling and irrigation machinery have been sent overseas. A Nile River scheme, for example, is expected to double or treble the crops on a tract of 900 acres.

In a number of countries, cooperative groups have been helped because it is thought these can solve many of the credit and marketing problems of marginal farmers.

The apparent paradox of private, direct-aid agencies is that they hope eventually to disappear. CARE's working philosophy is typical: It distributes surplus food in ways which are designed to give farmers a sense of responsibility for their own welfare and reduce their dependence on outside sources.

THE HEIFER PROJECT is another example of a private agency which has found an individual way of helping development abroad.

It began in 1937 to help refugees in Spain under guidance of the Church of the Brethren. In 1944, the project worked closely with the United Nations Relief and Rehabilitation Administration, the Marshall plan, and other groups to replace livestock killed during the war.

At first, dairy cattle were shipped to areas where milk was needed; now all kinds of livestock are sent. The rationale is that these gifts increase, because they reproduce themselves, and that the original recipients can then pass on to other farmers a portion of the gift.

The multiplication factor of these shipments is illustrated by an airlift of 64 thousand chickens to Turkey in 1956. By 1959 more than 2.3 million hatching eggs and 1.4 million chickens had been distributed to farmers throughout Turkey. A national poultry congress met in 1959, and a continuing organization and a poultry journal have been established.

In another project, 40 Brown Swiss bulls and 10 heifers were shipped to Iran in 1953. They were used to develop an artificial insemination project, which involved 89 thousand inseminations in 1958. The crossbred cows that resulted yielded an average of 1,188 liters of milk more per year than native cows. The difference was valued at nearly 104 dollars per cow. For the 20 thousand crossbreds then in production, that meant a net gain of 2 million dollars.

The Heifer Project, which today is a multidenominational effort supported also by several American farm organizations, has shipped livestock and poultry valued at 7 million dollars to 73 countries since 1944.

THE CHURCH WORLD SERVICE is typical of the many private agencies that grew into agricultural development out of postwar relief projects.

CWS is supported by 27 major United States Protestant and Eastern Orthodox churches and operates in 40 countries. It distributes surplus food, but puts its main emphasis on aids to increase farm production.

Its material resources division operates CROP, a program through which American farmers in 28 States donate money, produce, and farm materials.

In Japan, for example, clover seed given through CROP was used by Church World Service to bring into cultivation 50 thousand acres that were unsuited to rice. Nearly 100 thousand farmers, mostly Korean refugees, have been settled in a thriving livestock development.

In Korea, 3 thousand acres have been reclaimed from the Yellow Sea. Laborers' payment was made in surplus food. Comparable basic help is given throughout Asia.

In the Middle East, the Hebron nursery has provided seedlings of fruit, olive, and other trees for sale at cost. In 1963 it supplied 75 thousand olive and fruit trees and 2 million forest seedlings. The gift of a large incubator led to the establishment of a poultry industry. Ancient reservoirs built by the Romans have been restored to allow cultivation of parts of the Arabian deserts.

An ambitious project for reforestation in Algeria contains elements of both short- and long-term aid. American surplus food has been used in part payment of 45 thousand workers employed in a 2-week rotation of 15 thousand men. The aim is to plant 50 million trees to improve water control and prevent erosion.

Similar schemes of demonstration, training, and cooperation have been started in several Latin American countries.

THE WORK of the eight organizations we have discussed is only a part of a great total effort. A full catalog of the work of private agencies in agricultural development abroad would be huge and would not be especially meaningful.

The problems of agriculture in underdeveloped regions are so great and so varied that they cannot be solved by any one organization, or by any one program, no matter how massive.

Because we are dealing with human beings, the problems tend to be as diverse as people. In this fact lies the essential role of the private agency—its ability to tailor its resources precisely to that part of the challenge that it tries to meet—to help impoverished communities, to rekindle hopes.

A. H. MOSEMAN, *Director for Agricultural Sciences of the Rockefeller Foundation since 1960, joined the foundation in 1956. He served in the Department of Agriculture from 1936 to 1956 as an agronomist and Assistant Chief and Chief of the former Bureau of Plant Industry, Soils, and Agricultural Engineering, and Director, Crops Research Division, the Agricultural Research Service.*

F. F. HILL *was appointed vice president of the Ford Foundation in 1955. Previously he was a statistician in the Federal land bank in Springfield, Mass.; professor of agricultural economics and provost at Cornell University; and Director, Center for Advanced Studies in the Behavioral Sciences, Palo Alto, Calif.*

Problems of Soil and Water

by C. A. BOWER and JESSE LUNIN

A CRITICAL NEED exists for research on soil and water in the Tropics and subtropics.

Although the basic growth requirements of plants related to soil and water are essentially the same throughout the world and few soil and water problems are unique to specific regions, problems of water shortage, degradation of quality of water, and salinity tend to be associated with arid climate. Problems of soil acidity and the fixation and leaching of nutrients are associated mainly with a humid climate. The maintenance of soil organic matter and nitrogen is most difficult in hot climates.

THE SUITABILITY of soils for cultivation depends strongly on the readiness with which they absorb and conduct water and air (permeability) and the ease with which they can be tilled (tilth). Supplying the water plants need, controlling drainage and salinity, and preventing erosion by water all require good soil permeability. Poor tilth adversely affects plant growth and makes necessary the use of more power in cultivation.

Because different kinds of minerals predominate in the soils, problems of poor permeability and tilth are most prevalent in dry temperate zones and least prevalent in humid zones.

Permeability and tilth tend to be

535

more favorable in sandy soils than in clayey soils but are determined mainly by the arrangement of soil particles.

High-clay soils, for example, may have excellent permeability and tilth if the particles are aggregated so as to form numerous large pores.

Conversely, the sandy soils may have poor permeability and tilth if their particles are dispersed so as to form small pores.

Soil scientists refer to the arrangement of soil particles as soil structure. Permeable soils that have good tilth have good structure.

A great deal remains to be learned about developing and maintaining good structure and about the nature of the surfaces of soil particles, the interaction of surfaces with water, the forces acting between particles, and the role of various materials in binding particles together.

Applied research has centered about the actions of organic matter, root growth, wetting and drying, and tillage operations in promoting a desirable structure.

Research on these actions must continue, but what is really needed to solve the problem of soil structure is the development of a cheap chemical compound that will bind particles into stable aggregates and be highly resistant to decomposition in the soil. Chemists have developed a number of such compounds, but their cost has prohibited their use except in special problems.

LONG AND INTENSIVE cultivation has depleted soil organic matter and nitrogen—the basic components of soil fertility—in many soils of the world. These components will decline in newly developed areas unless management practices that maintain them at their initial levels are adopted.

Soil organic matter helps maintain good soil structure, increases the capacity of soils to retain certain mineral nutrients, and contributes to the supply of nitrogen, phosphorus, and some of the minor elements.

We lack adequate information concerning the factors that affect the degree to which soil organic matter and nitrogen accumulate and are lost from the soil under various conditions of climate and environment, especially in humid tropical regions where the rates at which organic matter forms and decomposes may be high.

Because of the way in which it originates, soil organic matter has a complex and variable composition. Information is meager on the organic compounds present and the mode of their reaction with other soil constituents, such as clay.

Soil nitrogen is associated with soil organic matter because most of the nitrogen in the soil occurs in organic form. Nitrogen is added to the soil in the form of plant residues, by the fixation of atmospheric nitrogen, and to a limited degree in rainfall. It is lost through crop removal, erosion, leaching, and volatilization. That is the nitrogen cycle. Like organic matter, the rate of its accretion and depletion depends on soil type, the climate, and cropping system.

Research workers are attempting to evaluate more accurately the factors that affect the gains and losses of soil organic matter and nitrogen in order to explain some of the conditions observed in tropical regions. The conversion of nitrate and ammonium forms of nitrogen to gaseous nitrogen and the loss of gaseous nitrogen to the atmosphere are of particular interest because substantial amounts of nitrogen fertilizer are lost in this way.

Studies also have been undertaken to determine the effect of management practices on organic matter and the nitrogen levels. The information could be used to develop agricultural systems that permit the increase of soil organic matter in depleted soils and the maintenance of adequate levels in new land brought into cultivation.

LOSSES of soil and water from farmlands are serious in many countries, especially in humid regions and places where heavy, brief rains occur. Soil erosion greatly lowers soil fertility, raises the sediment burden of streams and rivers, and contributes to the silting up of waterways and storage facilities. As the land is taken out of native vegetation, the amount of runoff, loss of soil, and the dangers of floods all increase. In arid regions, protective measures also must be taken against wind erosion.

Preventive and corrective measures must be developed to meet the needs of the world's many agricultural systems.

Research therefore has been directed toward studies of the basic nature of soil erosion by wind and water, the relative erodibility of different soil types, and the effect of soil management practices on soil and water losses. The aim is to get new or to modify old systems in order to reduce soil and water losses.

Technicians of the Department of Agriculture have developed a way to predict the degree of soil erosion under various agricultural systems. New management practices are being developed that will improve areas already severely eroded.

Research in arid regions is directed toward a more efficient use of available rainfall as well as toward a reduction of soil losses.

LIMING ACID SOILS in temperate regions has been a common practice.

Reports from tropical areas indicate that crops there often do not respond to liming as they do in temperate regions and that a better understanding is needed as to why liming may be beneficial or have no effect or be detrimental on different soils.

Soil acidity has many direct and indirect effects on plant growth. Some acid soils contain toxic concentrations of soluble iron, aluminum, or manganese. Liming alleviates those toxicities. A nutritional deficiency of calcium or magnesium, or both, often is associated with soil acidity. An appropriate liming material corrects this condition.

Soil acidity also may govern to some degree the availability of major elements (such as phosphorus and potassium), the solubility of certain essential minor elements, and the types of soil micro-organisms, including those that fix nitrogen. Liming also may improve the structure of some soils.

We also want to know more about the role of aluminum in soil acidity and the nutritional requirements of plants for calcium and magnesium. All have a bearing on the development of more satisfactory methods of evaluating the amounts of lime soils need.

Because many acid soils in the Tropics do not respond to liming by standards developed for temperate regions, tropical soils must be classified and mapped, and their chemical and mineralogical characteristics must be determined so that the relation between soil acidity and plant responses to liming can be predicted better.

CHLOROSIS, a condition in plants characterized by a deficiency of chlorophyll and a yellow color, is one potential problem on almost one-third of the soils in the world. It usually is caused by a deficiency of iron and is associated generally with soils that naturally contain lime.

Iron deficiency, however, sometimes occurs in acid soils and in soils whose acidity has been reduced by liming. The problem is of economic importance, because the districts affected include many otherwise highly fertile soils and because the possibility of chlorosis restricts the choice of crops to those that are chlorosis-resistant.

Scientists do not understand fully the factors that affect the availability of iron in soils and the uptake of iron by plants. Besides the low content of iron and the presence of lime, bicarbonates in soil or in irrigation water, waterlogging, and poor soil aeration frequently are contributory causes of chlorotic conditions in plants.

Iron deficiency may also be induced in plants by deficiencies of potassium, calcium, and magnesium and by high levels of manganese, copper, zinc, molybdenum, cobalt, nitrogen, and phosphorus. Chlorosis in plants may result from any one or a combination of these conditions.

Investigations of the various causative factors in the soil and in the plant have as their goal the development of diagnostic techniques and remedial measures, such as newer and more effective chelating agents designed to make iron more readily available in both sprays and fertilizer formulations.

Trace elements, which plants need in tiny amounts, can harm plants if they occur in concentrations not greatly exceeding the optimum amounts.

Physiological disturbances of plants may result from inadequate or excessive concentrations of boron, zinc, molybdenum, manganese, and copper. In some instances, plants may not be affected, but animals that eat them may suffer physiological disorders.

An increase in soil acidity causes an increase in the availability of zinc, copper, boron, and manganese. Sometimes liming acid soils will increase plant response to molybdenum.

In some countries, such as Australia and New Zealand, spectacular increases in crop production have been obtained by applications of only a few pounds of trace elements per acre.

The identification of areas where deficiencies of minor elements exist has become a great need. Research in some of the lesser developed countries indicates that potential deficiencies of trace elements may be widespread but are masked by low levels of fertility.

As crop yields in those areas increase, the deficiencies must be corrected. New diagnostic techniques and survey procedures are being developed to facilitate this, and new fertilizer formulations and chelating agents are being developed as corrective measures.

IN PLACES where it is hard to maintain an adequate level of plant nutrients in soils and where fertilizer is greatly needed but is costly and scarce, adequate information has to be provided to permit the most efficient utilization of available fertilizers. Therefore, the most economic rates and methods of application and ways to cut losses due to leaching and irreversible fixation in the soil must be determined.

The efficient use of applied nutrients depends on a correct evaluation of the needs of a given crop on a given soil. Soil-testing procedures have been developed, but they must be correlated with plant response under different soil and environmental conditions if they are to be most effective. This type of information is lacking in many underdeveloped areas.

Serious losses of native and applied nutrients result from excessive leaching of water through soils, especially in the more humid areas. Ways to reduce leaching losses by varying the time, rate, and method of fertilizer application and to determine the proper combination of soil and fertilizer material are being studied. New fertilizer materials are being developed that dissolve slowly and thereby reduce the amount of nutrient subject to leaching at any given time.

Irreversible fixation in forms not available to plants accounts for large losses of mineral nutrients applied to soils. The problem is widespread and is particularly serious in humid tropical soils. Phosphorous fertilizers are fixed as insoluble iron and aluminum phosphates in acid soils and as an insoluble tricalcium phosphate in alkaline soils.

Research workers seek to evaluate various phosphorous mechanisms of fixation. The findings are utilized to develop management practices that will help make the use of phosphorous fertilizer more efficient.

OF THE ESTIMATED 49 million cubic miles of water in the world, about 3.2 million cubic miles, or less than 7 percent, is fresh. With a world population of approximately 3 billion people, the amount of fresh water per person is more than 1,200 million gallons. Only a small fraction of the fresh water is available for man's use, however. About 28 percent occurs as polar ice and glaciers; about 70 percent is underground, mostly at depths that make extraction costly; and 1 percent is in lakes and rivers.

Because the water in lakes and rivers and underground must be recharged for continuous use, the world's total water resource—disregarding the possibility of desalinating sea water—is essentially the annual precipitation, which is small in relation to total fresh water, being approximately 25,500 cubic miles.

South America, which is the most humid continent, receives a mean annual precipitation of 53 inches.

North America, Europe, Asia, and Africa each has a mean annual precipitation of about 25 inches.

In Australia it is 18 inches.

The percentage of precipitation that runs off into rivers is of special significance from the standpoint of water available for irrigation and domestic and municipal uses. This percentage varies from 36 to 39 for North America, South America, Europe, and Asia but is only 23 and 11 for Africa and Australia, respectively.

Estimates of the percentage of annual runoff utilized for domestic, industrial, and agricultural purposes are not available by continents, but for the United States the value was 19 in 1950. It is estimated that the percentage will increase to 36 by 1975 and to nearly 60 by the year 2000.

While annual runoff in world rivers amounts to about 3 million gallons per person, local water shortages are becoming widespread because the distribution of precipitation is not uniform and the cost of transporting water great distances is high.

One means of alleviating water shortages for agriculture is by developing water conservation practices. Considerable amounts of water are lost through evaporation from soil and from water surfaces. Soil scientists constantly are seeking improved tillage and mulching methods for reducing evaporation from soil. The application of plastic films and various chemicals to soil surfaces for evaporation suppression is also under investigation.

A significant advance in reducing evaporation from ponds and reservoirs is the discovery that the application of certain organic compounds to water surfaces in amounts sufficient to form a film one molecular layer thick reduces evaporation up to 30 percent.

Growing plants transpire enormous amounts of water—up to 800 pounds of water per pound of dry matter produced in Temperate Zones. The ratio of water used to dry matter produced may be even higher in tropical zones. It is not surprising, then, that scientists throughout the world are seeking ways to reduce transpiration without affecting growth adversely.

Research in Israel and Australia centers around the application of various chemicals to plant leaves to close partly the stomata, the small openings through which most water leaves the plant. Stomata are also the pathway by which carbon dioxide for photosynthesis enters the plant. A basic research problem is how to manipulate the opening and closing of stomata so as to reduce transpiration without causing a deficiency of carbon dioxide for photosynthesis and growth.

Not all plant growth is beneficial. Weeds and woody growth in stream channels waste water. Research is underway to find better ways to eliminate this undesirable plant growth.

Another water conservation measure under study consists of treating or covering the surface of soil-supporting nonbeneficial vegetation with materials that increase runoff which may be collected for beneficial use elsewhere.

In Arizona, for example, it has been found that surface treatments involving spraying an asphalt emulsion on cleared shrub lands causes nearly complete runoff. In Utah, ground covers and storage bags of artificial rubber have proved practical for supplying water to rangeland livestock.

Reduction of seepage losses from

earthen conveyance channels and more efficient application of water to fields in irrigated areas result in marked savings of water.

Much research is in progress to develop low-cost materials and methods for sealing earthen conveyance channels, including lining them with clay and plastic film and treatment with organic compounds that tend to seal soil surfaces.

Much research has been conducted on more efficient methods for applying irrigation water, but the adoption of improved methods depends on costs and labor. Research on sprinkler irrigation, an effective way to conserve water, is largely concerned with more uniform distribution of water and automation to lessen labor costs.

It is becoming evident that, even with the adoption of stringent water conservation measures, there will be places in the world where shortages of water will occur. Interest is great therefore in the development of low-cost methods for desalinating brackish and sea water.

Intensive research on the subject is in progress at many places in the United States and in other countries.

We know at least six processes for removing salt from water. The cost of some processes, such as distillation, is essentially independent of the salt content of the water, but the cost of other processes, such as electrodialysis, is strongly dependent on salt content. Thus the choice of a process may be different for brackish water than for sea water. Research centers on ways to increase efficiency and lower costs.

Except in special cases, the present cost of desalinated water is too great for use in producing food and fiber. This becomes especially evident when one considers that the present cost of irrigation water is largely for distribution. Industries and municipalities undoubtedly will become users of desalted water before agriculture because they can afford to pay a higher price. But nobody knows how cheap the cost of desalination may eventually

become through research. Enormous nuclear-powered distillation plants producing electricity as a byproduct may yet make desalinated water practical for agriculture.

FROM THE STANDPOINT of meeting world agricultural needs, the problem of removing excess water from soil is perhaps as important as that of water shortages.

Excess water in soil interferes with plant growth, tillage, and harvesting and normally results from a water table that is near the soil surface.

In humid regions and in arid areas where irrigation is practiced, artificial drainage is often essential for high crop yields. Many countries have large areas of waterlogged but potentially good cropland that can be reclaimed by artificial drainage. Artificial drainage is accomplished by constructing ditches, installing tile lines at depths in the soil, or by pumping from wells.

The drainage requirements of soils often are expressed as the permissible depth of the water table beneath the soil surface. In humid regions where the ground water is essentially salt free, the permissible depth is largely determined by that required to obtain adequate soil aeration. On the other hand, the permissible depth in irrigated areas is largely dictated by that required to control soil salinity. Salts in the irrigation water and in the ground water usually increase the drainage requirement.

A minimum allowable water-table depth that will permit adequate leaching and that will prevent concentration of salts in the root zone by upward flow must be established. Thus information on the rate of upward flow in soils of various types as a function of depth to water table is necessary for determining the drainage requirements. Considerable research on this subject has been undertaken.

Great advances in drainage techniques have been made through increased knowledge of the principles governing the flow of water through soils and the application of mathematics to flow problems.

Soil permeability largely determines the required depth and spacing of drains. Good field methods have been developed for determining the permeability of soil beneath the water table, but scientists are still seeking adequate methods for measuring the permeability of soil above the water table.

Another remaining problem, one that complicates the overall evaluation of soil permeability for the installation of drains, is how to take into account differences in the permeability of different soil layers and also differences in vertical and horizontal permeability within layers.

Scientists have found that the flow of electricity in an electric conductor resembles the flow of water in soil. Voltage corresponds to the force causing water movement, electrical resistance corresponds to soil permeability, and amperage corresponds to rate of water flow. Thus electric models of drainage problems can be built and tested, and the results can be interpreted in terms of water flow instead of electric current. Additional research on the application of this technique to practical drainage problems is needed.

The installation of drainage systems, especially tile drains, is costly. Tile is made of fired clay or cement and installed by digging trenches to the desired depth. Conduits of plastics and other materials are also in use or under development.

In some areas, tiling machines dig the trench, lay the tile, and backfill more or less in one operation. In much of the world, though, most tile is laid by hand, sometimes with the aid of simple machines. Drainage would be greatly facilitated by the development of cheaper tiling materials that could be installed by simple machines. In-place casting of concrete has been tried in England.

Research has been started in the United States on the use of perforated plastic mole drain lines, which are installed behind a shoe drawn through the soil at the desired depth.

WHEN RAINFALL is too scant for crops, many countries depend on irrigation, an ancient practice on which several once-flourishing civilizations were based. Their decline has led some persons to question the permanence of irrigation agriculture.

From the standpoint of permanence, the main difference between irrigated and nonirrigated agriculture arises from salinity. Rain is essentially salt free, but water for irrigation may contain several hundred pounds or even several tons of dissolved salt per million gallons. Plants in irrigated fields absorb the water but leave nearly all the salt behind in the soil, where it accumulates and eventually prevents plant growth unless it is leached out.

The accumulation of salt has caused the abandonment of much formerly productive soil and has undoubtedly contributed to the failure of civilizations. We have learned enough about the cause, prevention, and cure of salinity, however, so we can say with some certainty that irrigation agriculture can be permanent.

Irrigation projects usually are on suitable land near rivers. Plants use most of the applied water and return it to the atmosphere through transpiration. Some is lost by evaporation, however, and some leaches through the soil and becomes drainage water. The water that drains from a project contains nearly all the salt initially in the water diverted to the project; when it returns to the river, the salinity of the river increases. Thus the increased use of water for irrigation means that the salt content of many streams in arid regions is growing.

Increases in the salt content of irrigation water make salinity control in soils more complex and difficult. To meet this problem, we have sought more information on soil, water, and crop management for salinity control and better ways to evaluate and use saline waters.

Growing salt-tolerant crops is one way to utilize saline irrigation waters. Plant scientists at the United States Salinity Laboratory are attempting to learn the mechanism of salt injury to plants and the physiological basis of salt tolerance. We hope such information will make possible the development of crop varieties having superior salt tolerance.

The possibility of using brackish waters for supplemental irrigation in humid coastal areas also is being investigated. Here the leaching action of winter rainfall prevents the accumulation of salt in the soil and permits the use of waters having salt concentrations higher than the ones recommended for arid regions.

Some irrigation waters contain a high proportion of sodium, which reacts with the soil and causes it to have poor permeability and tilth.

Procedures are needed for predicting whether soils will accumulate harmful amounts of sodium from irrigation waters. Attempts are being made to improve present procedures for waters containing high amounts of bicarbonate as well as sodium and to develop cheaper and more effective methods for reclaiming soils that have become unproductive by the accumulation of sodium. Such soils have been reclaimed by the application of gypsum or sulfur.

Experiments have indicated that some types of sodium-affected soil can be reclaimed by plowing to depths of 3 or 4 feet. Others can be reclaimed by leaching with otherwise useless saline drainage water progressively diluted with irrigation water of good quality.

C. A. BOWER *became Director of the United States Salinity Laboratory, Riverside, Calif., in 1960. Previously he was in charge of soil chemistry research at the Laboratory and assistant professor of soils at Iowa State University.*

JESSE LUNIN *is Research Investigations Leader in Water Management, Agricultural Research Service, Norfolk, Va.*

Research in Forestry

by ROBERT K. WINTERS

RESEARCH IN FORESTRY has spread from its beginnings in the 19th century in central Europe to the far corners of the world.

Research institutes are of two broad classes. Some are engaged primarily in research on timber growing: Reproducing the forest crop; improving it by application of principles of genetics; protecting it from fire, insects, and disease; thinning and making improvement cuttings; and integrating timber growing with wildlife propagation, the grazing of domestic livestock, and recreation. At some institutes, research in principles of watershed management related to forest and grass cover also is conducted.

Research at other stations is devoted primarily to the utilization of forest products—the technical properties of wood of various species, improved methods of using them in the manufacture of various finished products, ways of increasing the serviceability of wood, and economical ways of integrating the use of the forest for a combination of products requiring various qualities of wood in such a way that the maximum economic return is obtained with a minimum of actual waste of wood.

Research is conducted also at many universities, sometimes in cooperation with experiment stations.

Some research is done by private

concerns in their own laboratories or under contract to improve their processing methods.

Research to develop a diversity of highly modified products from wood has become increasingly important for several reasons.

The development of metal, glass, and other substitutes for wood has made necessary a more precise knowledge of the properties of woods in order to market them for specific purposes. An increase in the importance of paper, paperboard, plywood, plastics, and other highly specialized wood-based products has resulted in research to develop new and more effective processing methods and products. The large volume of low-quality wood that became available when the use of fuelwood declined has stimulated the development of various hardboards and particle boards.

In the developing countries, especially those that have a substantial amount of old-growth timber, research to discover how to utilize the existing stands of timber more effectively is needed. The country's economy usually needs the cash that can be derived from the timber and from the employment required in its harvesting, processing, and marketing. The virgin timber must be removed in order to establish a growing forest. These countries are beginning a cycle of forestry development at a time when the importance of highly processed products like improved plywoods, building board, corrugated boxboard, and high-quality papers is recognized.

For example, the commercial tea crop of East Pakistan, aggregating 35 million to 40 million pounds, once was shipped in birch plywood chests imported from Europe. Research on local species developed processes that made possible their use for this purpose and made a considerable saving in foreign exchange and contributed to an expanded industry.

Research in timber growing in any country ordinarily concerns itself with discovering the best means to propagate the most valuable of the native species.

At the outset, species identification, nomenclature, and identification keys are important. Next, silvical characteristics of the species—that is, ability to grow in shade, seeding habits, and rate of growth—have to be determined.

Silvicultural systems then can be devised to favor the reproduction and propagation of the preferred species. If they happen to be "light demanders," clear cutting is called for. Conversely, shade-enduring species can be reproduced under partially cut stands. Furthermore, practicable means must be developed to protect the forest from insects, diseases, and fire.

As the importance of forest cover in controlling erosion and establishing a satisfactory use of water came to be recognized, research to ascertain the effectiveness of various types of tree and grass vegetation was inaugurated. Similarly, research has been undertaken to determine the effects of shelterbelts on climate and on the soil moisture.

Genetics has received attention. Hybrids having desirable properties, including a much faster rate of growth and resistance to specific diseases, have been developed. Strains of pine are sought that give high yields of resin. The possibilities of genetics research in producing improved tree and wood products are great.

The first research on the utilization of wood emphasized the mechanical and chemical properties of individual species. Tests to determine specific gravity, strength, shock resistance, hardness, durability, fiber characteristics, and other properties were devised and have been applied to the more important commercial species.

As this basic information became available and as technology advanced in the twenties, emphasis shifted to the development of improved processes using wood in one form or another, especially those using low-quality trees, wastewood, or species generally discriminated against commercially.

Examples include the development of the semichemical and cold-soda process for manufacturing paper pulp from hardwoods, the use of waterproof glues in the manufacture of plywood, and the development of house sheathing from wood waste. Research is still directed to the determination of physical and chemical properties of little-known species.

Another general type of research concerns itself with the forestry phase of national planning. It has to do with inventories of forest resources, forecasts of future national requirements of forest products, and the potential forest industrial development in a region. In a broader sense, this economic research includes land use in general—the determination of what proportion and what categories of land had best be devoted to forest growing as against other kinds of use.

FORESTRY RESEARCH institutions are widely distributed but are most numerous in Europe. There are 34 timber-growing institutes and 24 timber-utilization institutes in Europe; 24 and 14 in the Asia-Pacific region; 33 and 10 in North America; 14 and 5 in the Soviet Union; 10 and 5 in Latin America; and 6 and 2 in Africa.

Colonial powers frequently had both a tropical forest-products research institute that tested wood from their colonies and one working on domestic species. For example, the Institute National du Bois in Paris tested the wood of species in France; the Centre Technique Forestier Tropical in Nogent-sur-Marne did the same for wood shipped from French possessions. The Netherlands and Belgium had similar institutes.

Little research on utilization was conducted in the former tropical colonies of those countries. Wood specimens were shipped to Europe for testing. Those colonial silviculturists, however, from the beginning carried out dendrological and silvical research and established timber-growing experiments in the colonies. As the volume of this experimental work increased, timber-growing research institutes were established.

With the passing of authority from colonial to national status, the operation of some of the institutes may be interrupted or discontinued because of a lack of trained research leaders.

In Africa, Latin America, and parts of southeastern Asia, information regarding good practices in timber growing and in utilization is meager. Tropical forestry research therefore is confronted with relatively more problems and has fewer trained researchers to solve them than has research in the north temperate region.

Primary among these problems is the large volume per acre of little-used species alongside commercial species in the virgin forest. Utilization research to find uses for more of the non-commercial volume is vital.

The development of silvicultural systems by which the virgin forest can be managed in such a way that ensuing natural regeneration will be concentrated largely in the more valuable species also is vital.

In parts of Africa and elsewhere, most of these valuable species tend to be "light demanders," and several procedures have been proposed to perpetuate them. Research has not yet demonstrated which of these is best under a given set of conditions or if any is likely to be wholly satisfactory. The country, meanwhile, is likely to be moving ahead on timber-cutting schemes in an effort to develop its industrial base and bring in revenue. Hence the urgency of forestry research in the Tropics.

Progress is likely to be slow, however. In countries with inadequate primary and secondary educational facilities, no professional forestry schools, no senior forestry research leadership, and little research equipment, sound and adequate research programs cannot be expected soon. Some decades will be required to provide research staffs of a size and quality that can supply solutions for the most urgent problems.

Bilateral and multilateral aid programs of the advanced nations have given help with leadership and equipment, but much more needs to be done, especially in the education and training in Europe, North America, and elsewhere of leaders from developing countries. Periodic world forestry congresses have stimulated interest in forestry research. A number of private foundations and public agencies have offered financial support.

Practically all developing countries wish to establish some pulp and paper manufacturing plants. The campaigns against illiteracy require books, and industrial development requires containers for manufactured products. Both of these products require the long, strong fibers obtained most economically from the wood of coniferous trees or (under some conditions) from bamboo to mix in appropriate proportions with the short fibers from nonconifer species or the grasses. Tropical forests, and those of some other parts of the Southern Hemisphere, lack coniferous species and may lack readily accessible supplies of bamboo. Under those conditions, book paper and container board cannot be produced without importing long-fibered pulp.

To attain maximum self-sufficiency, some countries where these conditions prevail have considered the introduction of exotic coniferous species. Research is needed to indicate for each local condition what species is likely to be most satisfactory, the seed source that will give best results in a locality, and the best method of establishing plantations and thinning them at successive ages to give maximum production for reasonable costs.

ARID REGIONS have a different set of problems. They generally have been brought to an almost treeless state through centuries of land abuse.

Modern engineering and irrigation projects are increasing the population in some; that in turn increases the need for accessible forest products for fuel, food, forage, houses, and so on.

Research is needed there to select exotic species that will survive drought, heat, and local insects and diseases and will provide wood of a quality and rate of growth that will promptly meet local needs. Forest nursery and planting techniques must be developed that will provide acceptable survival rates in establishing forest plantations.

Since the Second World War, forestry research has been greatly stimulated by international agencies. The International Union of Forestry Research Organizations has been influential in coordinating and stimulating research, especially in Europe and North America. Its scope has been increased by the addition of working groups in forest products, forestry history, and wildlife and recreation.

The Forestry and Forest Products Division of the Food and Agriculture Organization of the United Nations, which administers forestry projects of the United Nations Special Fund, has helped establish or expand a number of research institutes.

FAO launched the Latin American Forestry Research and Training Institute in Merida, Venezuela, in 1956. Similar institutes were authorized in 1961 in West Pakistan and Sudan, and in 1962 in Peru, Lebanon, and Burma.

Considerable stimulation and coordination also have been provided by the several regional forestry commissions of FAO. As one example, the Latin American Forestry Commission has had an effective Forestry Research Committee. Although Latin America has only a few established forestry institutes, the committee has done much to stimulate wide interest in strengthening research and to systematize and coordinate research.

As professional forestry schools are established in developing countries, faculty-conducted research is likely to pave the way for later establishment of research institutes.

The bilateral aid program of the United States Government—the Agency for International Development—has also stimulated forestry research in developing countries. The Pakistan Forest Research Laboratory at Chittagong, East Pakistan, was established in 1952 under this program. The Forest Products Laboratory of the United States Forest Service in 1963, in cooperation with AID, undertook research in the potential utilization of Latin American woods.

The Public Law 480 program, under which certain funds made available by the sale abroad of United States agricultural surpluses, also finances forestry research. Under this program, important research results published in languages other than English have been translated into English. Under it, research of value to the United States is also being done abroad by local scientists. In Brazil, Uruguay, and Colombia, for example, certain American coniferous species are grown to learn what local insects and diseases are harmful to them and what can be done to control them if they were accidentally to be introduced into the United States.

Improved travel and communication systems and increased emphasis on growing better wood for specific uses no doubt will give additional importance to world forestry research and make it more closely coordinated. International organizations will tend to spread improved techniques and research results more quickly around the world.

In the decades ahead we can expect that the forestry research of any nation will be cross-fertilized and enriched by the research experience of every other nation.

ROBERT K. WINTERS *became Director of Foreign Forestry Services, the Department of Agriculture, in 1961. His previous professional career was devoted almost exclusively to forestry research in the Department. He was a member of the faculty of the School of Natural Resources at the University of Michigan, and in 1952–1954 as forestry adviser in Pakistan, he assisted in developing the plans for the Pakistan Forest Products Research Laboratory.*

World Problems
in Entomology

by PAUL OMAN

A MAJOR NEED in agriculture is to develop appropriate and effective methods to prevent losses caused by insects in the production and storage of food.

We need to discover ways to use effectively the insects that benefit man and to control with the least expenditure of effort and resources those that are harmful. The methods should not harm people and their possessions. They have to be economically feasible.

Research in entomology is concerned with problems that exist today, but a major aim is to meet also the needs of the future. Agriculture is constantly changing. As it changes, new problems arise, particularly in places where new crop plants are being developed to diversify agriculture, as in the United States, and in developing countries where modern methods and different crops are replacing the primitive. Crop plants transferred to new environments encounter a new array of insect pests, and so impose a new set of problems in control.

We have made great progress. We no longer believe that insects can compete successfully with man for food and fiber, except in regions that lack modern agricultural methods. The question is not: "Can harmful insects be controlled?" It is: "How efficiently can it be done?"

Long experience with DDT and other long-lasting organic insecticides has made it clear that they will continue to have great value against certain insects but are not the cure-all that they once seemed to be. Many insects have demonstrated an ability to develop resistance to them. The residues of some long-lasting insecticides limit their usefulness on many food crops.

These circumstances and the fact that widespread use of certain organic insecticides sometimes disturbs natural balances that are favorable to man dictate that much of our attention in research be concerned with other methods, some of which can be combined with the careful use of chemicals. Thus a great deal of effort has been devoted to the study of the life processes of insects.

ONE PROMISING method, originated and developed by scientists in the Department of Agriculture, is the use of sterile insects, especially sterile males, to destroy a natural population by preventing reproduction.

A natural population of a species is overflooded with individuals reared and sterilized before they are released in the places occupied by the pest species. If enough sterile insects are present, the number of matings between fertile individuals will be greatly reduced. As the proportion of sterile to fertile individuals increases, their reproductive rate declines until no fertile eggs are produced.

Insects may be sterilized by exposing them to radioactive materials or treating them with certain chemicals. Gamma rays from a cobalt 60 irradiation unit are used customarily to achieve sterility with radioactive substances.

A number of chemical substances can sterilize insects. They have several advantages over radioactive materials, one of which is that they can be used to sterilize naturally occurring populations of pests and so make it unnecessary to rear, sterilize, and release large numbers of insects, as must be done when irradiation is used.

Regardless of which method may be chosen, a great deal of information must be available—a thorough knowledge of the life cycle and adult behavior, the natural population density, their reproductive capacity, and economical methods of producing enormous numbers of insects for sterilization. The species that is to be attacked must be studied, for its life processes and traits may differ from those of other species and methods of controlling may be different.

We need to know, first, if individual insects can be made sterile without greatly affecting their behavior and viability, particularly their ability to compete with fertile individuals for mates. If sterile individuals will not mate with normal members of the natural population, they have no effect on the reproductive ability.

We also need to know how many times normal females mate during their lifetime. Female screw-worm flies, for example, mate only once, so that in the presence of a preponderance of sterile males, the chances are that a normal female will mate only with a sterile male. Thus, when we know the approximate percentage of sterile and normal flies in a given area, we can calculate the probability of matings between fertile individuals.

Females of other species may mate repeatedly during their lifetime, and the chances of a productive mating thus are increased. Then the proportion of sterile to normal insects may need to be much higher.

We need to know an insect's lifespan in order to schedule the release of sterile insects at appropriate times. We need to know how long normal females live and remain capable of reproduction. The fact that females of some species live longer than males may have some bearing on how often sterile males need to be released. The duration of the immature stages will also influence release schedules. The flight range of a species must be known to determine how far from known infestations releases of the sterile insects should be made.

Methods of rearing insect pests in large numbers is another problem. In order to overflood normal populations with sterile populations, millions of insects may be required.

TSETSE FLIES, vectors of trypanosomiasis in livestock and man, are a major obstacle to the economic development of vast areas of Africa. Trypanosomiasis of domestic animals prevents maintenance of draft animals required to till the soil and transport agricultural materials and commodities.

Although human trypanosomiasis—sleeping sickness—has been brought under relatively good control as a result of intensive efforts during the past few decades, any relaxation of vigilance could result in a recurrence.

Within the tsetse fly belt, an area considerably larger than the United States including Alaska, are 22 different species of tsetse flies (*Glossina*). One or another can live in any type of vegetation from the dense rain forests to dry thorn scrub. These pests and the several species of trypanosomes that occur there are responsible for conditions that make productive cattle raising impossible in more than 4 million square miles of Africa, because stock maintained there will die sooner or later of trypanosomiasis.

Drugs can protect people and domestic livestock from trypanosomiasis, but it is not economically feasible to use drugs on a large scale to protect livestock. Reservoirs of trypanosomes that exist in wild animals can be eliminated by destroying game. It is economically feasible to do so, but the method generally is not considered acceptable because large numbers of animals must be destroyed.

Tsetse flies may be eliminated by starvation through the destruction of game animals or by changing the habitat in which they live. From the standpoint of African game animals, these two methods have the same end result, for game animals are customarily driven out of regions where clearing of brush, the common method of alter-

ing habitats, is undertaken. Both methods thus have objectionable features.

Intensive studies of tsetse flies thus far (1964) have failed to produce acceptable and practical methods for controlling them. The Department of Agriculture in cooperation with the Agency for International Development and the Agricultural Research Council of Central Africa in 1963 began investigations on the feasibility of using the sterility method to control or eradicate tsetse flies. The objectives are to determine whether chemosterilants found to be effective on other insects will sterilize both sexes of at least one of the important tsetse fly species without modifying essential behavior and whether methods can be devised to produce large numbers of tsetse flies for field release after they are sterilized.

LOCUSTS are widespread, and the problems they raise are complex and many sided. The numerous species are able to appear overnight, strip fields, damage whole regions, and vanish to cause similar havoc miles away.

Locusts are the intensely migratory and swarming forms of otherwise stay-at-home species of grasshoppers.

Scientists studying outbreaks of the Old World desert locust (*Schistocerca gregaria*) in Africa estimated that 500 square miles of swarms, made up of 10 billion to 50 billion individuals, invaded Kenya in January 1954. A single swarm may have as many as 10 billion locusts, often with more than 100 million concentrated within a square mile.

The number in Somaliland in August 1957 was estimated at 16 billion. Computed at one-third of a million locusts to the ton, their weight would be 50 thousand tons. Since growing or migrating locusts eat about their own weight in green food each day, the figures give an idea of the damage locusts may do to agriculture.

Outbreaks of locusts begin with subtle changes in the physiology and appearance of individuals of the solitary form of the species. These changes can occur because of crowding when the hopper is developing.

Hatchlings produced by crowded parents differ in size, weight, and color from those produced by the solitary phase of the same species. Their subsequent growth rates, number of molts, and the number of eggs the females produce are all predetermined and vary according to the degree of crowding experienced by the previous maternal generation.

The hatchlings of crowded parents can survive longer without food and water; they are preadapted to the type of environment in which they are most likely to be found.

The Anti-Locust Research Centre in London, an internationally supported research organization, has made many contributions to our knowledge of the life processes and behavior of locusts. Mapping the origin of breeding and movement of the main locust species of Africa and Asia has made it possible to determine the outbreak districts from which plagues of the African migratory locust and the red locust (*Nomadacris septemfasciata*) originate. A close, continuing watch in the districts enables authorities to act quickly to suppress an outbreak before it can develop into a plague.

But the sources of outbreaks of the desert locust and some others are not so clear. Outbreaks of the desert locust apparently may occur at any of many places in the immense desert expanses from Morocco and the Republic of Senegal, in western Africa, to India. Incipient swarms may occur at various times in many areas.

Large swarms may develop from many small swarms and scattered individuals that join as they move from one favorable spot to another. It is necessary, therefore, to detect and destroy swarms before they get beyond control.

Locusts recognize no political boundaries. International cooperation therefore is essential. Countries need to be as much concerned over a swarm that is leaving its territory as one that is entering and recognize that the country from which a swarm arrives is not necessarily the country in which it originated.

LESS OBVIOUS than the damage to crops by the locusts, fruit flies, stalk borers, and similar pests is the loss of crops because of the activities of insects that transmit plant diseases. Most viruses that cause plant disease are transmitted by insects or related arthropods.

These arthropod-borne viruses are among the most important, the most complex, and the most widely distributed agents of plant diseases.

Because the chief vectors of the viruses are aphids, leafhoppers, mealybugs, and the like, with sucking mouthparts, the relationship of the insects to the incidence of disease in plants may be difficult to establish and often is overlooked. Yet such troublesome diseases as rice stunt, beet curly top, maize streak, phony peach, tomato big bud, and many others would not be agricultural problems if it were not for insects.

While losses due to some of the diseases can be lessened by growing varieties of plants that tolerate the viruses, controlling the spread of such diseases to agricultural crops is essentially an entomological problem.

OUTBREAKS of plant diseases caused by arthropod-borne viruses depend on the occurrence in one place of the disease-causing organism, plants that are susceptible to it, and efficient vectors. That an insect can transmit a virus is not sufficient in itself; the insect must move from one host plant to another if it is to transmit a disease.

All insect vectors of plant virus diseases apparently feed on a variety of plants. Among the many factors that lead insects to move from plant to plant are their preferences for certain plants, the range in which the plants grow and their condition, and the insect's life history. Also important are climate and physiological and behavioral factors of the species.

The importance of arthropod-borne plant viruses in world agriculture is not easy to assess because we still know so little about them. Relatively little attention has been given this problem in Eurasia (except Japan) and much of Africa, but it is likely that more careful investigations there will disclose a considerable number of diseases of virus origin.

To solve the known and as yet unknown agricultural problems arising from arthropod-borne plant viruses, we need a much better understanding of the complex process of virus survival and transmission and the reasons why some viruses increase in their arthropod hosts and others do not.

Virus-vector interactions and relationships are still little understood, and studies of the histology and ultrastructure of organs of arthropod vectors are needed to determine if viruses cause changes in their insect hosts. Studies of vector species in relation to the type or types of viruses they transmit will also be helpful.

The problem of control of vectors is sometimes complicated by the behavior of the pests. The beet leafhopper and the aster leafhopper move great distances each year in their dispersal or migratory flights. These insects, like the migratory locusts, can damage crops in regions far away from those in which they breed.

CROP LOSSES due to insect attack may be reduced or avoided by properties of the plants themselves. Resistance of plants to insects may be of three types.

Some varieties may be unacceptable for egg laying, food, or shelter for insects because they may contain some chemical or have a color or texture or appearance that repels insects.

Plants may also have substances or characteristics that are antagonistic to an insect and affect adversely its essential life processes. This type of resistance is termed "antibiosis."

A third type of resistance—tolerance—permits the development of insect populations while plants survive without any great reduction in yield.

Naturally occurring crop plants that resist insects may be discovered more or less accidentally during severe infestations of pests.

By testing the offspring of plants that survive and comparing them with varieties known to be susceptible, we can get general information about the extent and sometimes the nature of the resistance. A full understanding of the nature of plant resistance to insects, however, requires more studies.

The production of new crop varieties, through hybridization and subsequent selection for specific desirable characteristics, customarily requires at least 6 years, usually many more, depending on the time required to mature the plants.

A thorough knowledge of the biology and behavior of an insect in relation to its host plant is fundamental to all attempts at improving or developing resistance to insect attack in crop plants. Work of this sort requires active cooperation by entomologists and plant breeders.

Several varieties of wheat resistant to the hessian fly (*Phytophaga destructor*) have been developed. In different parts of the United States where resistant wheats are widely grown, populations of hessian fly have been reduced drastically, even though some susceptible varieties of wheat were also grown and the climate was favorable.

THE IDEA that research on methods of rearing insect pests may help to control them may seem farfetched, yet such is the case.

For many experimental purposes, entomologists need healthy insects of known age and uniform stock. Without such uniform test material, their results may be erratic and lack meaning. The sterility method of insect control may require the rearing of enormous numbers of a species, usually on an artificial diet. Beneficial insects, such as honey bees, silkworms, and some parasites, predators, and plant pollinators can be used effectively only if we know how to rear them. Thus a great deal of attention has been directed to methods of rearing insects. A part of this problem is an understanding of the nutritional requirements of insects and the relation between diet and behavior.

The diet of an insect may affect profoundly certain of its life processes. In some species of predaceous lady beetles that hibernate as adults, the ovaries mature following hibernation only after the females feed on aphids.

Females of two species of wasps of the genus *Bracon*, both parasitic upon the Mediterranean flour moth (*Anagasta kühniella*), are sterile, and their ovaries become atrophied if they are fed only on a diet of honey. If they are permitted to feed on the body juices of the larvae of their host, which they normally do in Nature, they are fertile, and their ovaries develop normally. However, female wasps fed only on honey live as long, and some of them live twice as long, as those that feed on both honey and flour moth larvae.

In several species of wasps parasitic on the scale insect, *Aonidiella aurantii*, the sex ratio, reproduction, and size and survival of the females as compared with males vary greatly, depending on the food of the scale insect on which they live.

Among plant-feeding insects there is similar evidence of exacting nutritional requirements for growth, development, and reproduction. Some species of fruit flies—such as the cherry fruit fly (*Rhagoletis cingulata*) and the Mediterranean fruit fly—can produce a few eggs if fed only carbohydrates and water. Others, like the oriental fruit fly and the melon fly, require proteins to produce eggs.

The need for different kinds of nutrient materials—proteins, carbohydrates, minerals, and vitamins—varies among species and may change for the different stages of the same species. Certain micro-organisms also must

be present to assure the proper nutrition of some species of insects. These micro-organisms are called symbiotes or symbiotic organisms, because they live with insects in a mutually beneficial relationship. Elaborate and complex arrangements sometimes exist to pass these symbiotes from one generation of the insect to the next.

In order to understand the relationships between diets and physiological functions, a great deal more work needs to be done with different kinds of insects having a wide variety of food habits. Often it may be necessary to develop diets whose chemistry we know exactly.

Artificial diets have been developed for a variety of pests, but despite intensive study by many scientists, much is still to be learned about the precise nutritional requirements of most plant-feeding insects. Plants contain many substances insects do not use as nutrients. The composition of plants may vary with climate, nutrition, day length, and other factors. Plants that are acceptable as food for one developmental stage of an insect may be unsatisfactory for others.

Among many insects, the choice of food plant for the young is made by the adult female when she deposits her eggs. Thus the tobacco hornworm moth (*Protoparce sexta*) prefers tobacco for oviposition. The chemical stimulus in the plant that induces the female to lay eggs is quite distinct from the one that attracts her to the plant. The two acting in sequence result in the young hornworms hatching on their preferred host plant, tobacco.

From the standpoint of world agriculture, there may be no single preferred method of combating a given insect pest. Methods that are economically feasible in a highly mechanized agriculture may be impractical in places where farming is primitive.

In the selection and coordination of methods, therefore, one has to consider the level of economic and technical development of an agricultural community and also the potential benefits and practicability of short- and long-range control methods.

Until these problems are understood and answered, entomological research has not met all its responsibilities to world agriculture.

THE DAMAGE to agricultural crops is more than offset by the help insects give man in crop production.

A growing awareness of the importance of pollination by bees of fruit and vegetables, their role in the production of legume seed, and the value of cross-pollination in many other crops has led to research on the use of insects to pollinate crop plants.

The bee industry's chief contribution to the economy of the United States and probably to other agricultural countries as well is the pollination service it renders. Bee renting is a common practice in places where pollination problems are acute, but most growers pay nothing for the service.

Although honey bees customarily are used as pollinators, because they are "domesticated," most bumble bees and other kinds of wild bees are much more efficient as pollinators of several legumes, such as alfalfa and red clover.

Alfalfa must have bees to trip and cross-pollinate enough flowers to produce a commercial crop of seed. By using domestic bees judiciously, placing seed fields where wild bees abound, and encouraging increase in wild bees by providing suitable nesting areas, farmers can increase seed production.

To do these things, we need to know much more about the habits, ecological preferences, and biologies of useful wild bees. Another possibility is to develop strains of honey bees that are more efficient pollinators.

Still another possibility is to find other wild bees that are efficient pollinators and can be sufficiently "domesticated" to permit manipulation of populations as needed in crop production. More than 50 kinds of bees in Utah visit alfalfa, and perhaps the total number on alfalfa, the world over, may be several hundred.

Two of the useful species of wild bees that are in the United States were accidentally introduced from the Old World, one from Asia, the other from Africa. Several species in southeastern Europe and south-central Russia are known to be highly efficient pollinators of alfalfa. In northern Europe, alfalfa, known there as lucerne, is so frequently visited by a species of solitary bee, *Melitta leporina*, that the bee commonly is called lucerne bee.

We believe that in various countries there are many pollinators specifically adapted to tomatoes, cotton, and other crops. In Peru, a number of kinds of bees favor tomato, a plant unattractive to most bees in the United States.

A systematic search for insects that pollinate plants of importance to agriculture, followed by studies of their behavior and biology, will surely reveal possibilities for improved crop production. Then it will be relatively easy to transfer desirable species from one country to another.

INSECTS ARE USEFUL ALSO in the control of weeds.

Beetles of the genus *Chrysolina* and other insects have controlled St. Johnswort or Klamath weed (*Hypericum perforatum*) that at one time infested 2.3 million acres of rangeland in California. Partial success has been attained in several other parts of the Western States and in Australia.

The use of insects has been completely or partly successful against a number of other weeds, among them *Lantana* in Hawaii, Koster's curse (*Clidemia hirta*) in Fiji, and black sage (*Cordia macrostachya*) in Mauritius.

Studies have been started on a variety of weed-control problems. Among these are gorse (*Ulex europaeus*) in the Western States, Hawaii, Australia, and New Zealand; tansy ragwort (*Senecio jacobaea*) in the United States, Australia, and New Zealand; noogoora bur (*Xanthium strumarium*) in Australia; puncture vine (*Tribulus terrestris*), Scotch broom (*Cytisus scoparius*), and halogeton (*Halogeton glomeratus*) in the

Western States; and alligator weed (*Phylloxeroides alternanthera*) in parts of the Southeastern States.

Investigations that are required in connection with the manipulation of insect populations for control of weeds are concerned primarily with ecological requirements of the insect species and the relationship that exists between it and the weed host. Normally only insects that have a very narrow range of host plants are considered for use in this sort of work. Particular attention must be given to the factors that cause an insect species to be specific in its selection of host plants.

The objective of these studies is to select species of insects that will not harm plants other than the one to be controlled or at least will not harm useful plants. This determination is customarily made by conducting starvation tests, in which populations of the species to be tested are confined on a variety of plants, and their ability to survive and reproduce is assessed.

Because biological control is mostly of a negative nature—that is, it prevents the appearance of damaging numbers of pests, rather than eliminating them after they are present—its significance to agriculture is hard to assess. Only occasionally, such as when the use of insecticidal chemicals has destroyed the natural enemies of certain insects in a given area, do we see positive evidence of the importance of the thousands of species of insects that live at the expense of other insects. As long as this balancing effect between prey and predators or parasites remains undisturbed, we have no way of knowing exactly what retarding pressure one insect or group of insects may exert that prevents a population explosion by a pest species.

The biological control method has involved the movement of parasites and predators from one region to another in which they were to be used. Most strains of parasites are adapted to a relatively narrow range of conditions and may have rather exacting host requirements. Relatively few of the species or strains introduced into new geographic areas therefore become established; of them, still fewer effectively control their pest hosts. That may be due to factors of climate, a difference in timing between host and parasite, lack of suitable alternate hosts, or other complex factors. Yet we have evidence that adaptive races of many parasitic species occur in Nature and hope therefore that improved strains of parasites may be developed.

Very likely the principles of selective breeding that have been used to improve strains of domestic animals and varieties of plants can also be used to develop or improve strains of parasitic insects.

The requirements are determination of the modifications desired, an adequate source of the germ plasm that contains potential for maximum variability, and adequate selection and breeding procedures.

Once desirable strains have been developed, their purity in the field will need to be maintained.

The possibilities of pest resurgence, or secondary outbreaks, are always with us when we use chemicals that are toxic to a range of arthropod species. These problems cannot be ignored.

Selective pesticides, more or less specific to the pest species and relatively harmless to their natural enemies, would be a solution, if they can be developed.

Research on methods of using nonselective insecticides so as to minimize their effect on arthropods other than pests in the environment is likewise needed. The earlier we recognize a potential problem of this sort, the better our chances of dealing with it.

TAXONOMIC ENTOMOLOGY is the arranging or classifying of species of insects in an orderly manner according to their relationships. Until insect species are named, they cannot well be talked about or written about. Until they have been described, they cannot be identified. Identification of a species

554 THE YEARBOOK OF AGRICULTURE 1964

permits us to find whatever information has been accumulated about it. Once a species is classified, we have a basis for making deductions regarding its general biology or behavior.

Work in insect taxonomy has been in progress for nearly 200 years. Some 700 thousand kinds of insects have been named so far.

Yet reliable estimates of the total number of insect species in the world indicate that less than half have been named so far. Of the thousands that have been named, only a relatively small percentage has been described in a satisfactory manner.

To complete this task of describing, naming, and classifying insects, we need more workers, more facilities, new techniques of study, and more efficient methods for organizing, storing, and retrieving the enormous amounts of information we do have.

Even though many agricultural organizations and museums throughout the world maintain insect collections and employ taxonomists, the demand for identifications far exceeds what can be supplied by personnel concerned with this task. For example, each year the insect identification unit of the United States Department of Agriculture makes some 85 thousand to 100 thousand identifications as a service to scientists, farmers, and others. This work may require the analysis of 500 thousand individual insects. Many of the requests for assistance come from foreign countries.

It is to be expected that as new methods and new crops are introduced into developing countries and as agriculture expands into new regions, new or little known insects will appear as crop pests. More and more attention therefore will have to be devoted to the methods and means of identifying insects.

PAUL OMAN *is an entomologist with the Entomology Research Division, Agricultural Research Service, United States Department of Agriculture. He has published numerous papers on insects.*

Cooperation in Crops

by JOHN H. MARTIN

NO CROP is perfect. Every cultivated crop is amenable to improvement by breeding and better cultural practices. All varieties of every crop have certain weaknesses or characteristics that often limit their usefulness. All crop varieties are subject to injury by several insects, diseases, and unfavorable weather and soil conditions.

Average world yields of most crops are only one-tenth to one-half of those attainable when all conditions are favorable. Future world food shortages must be met by better crop production.

Crop yields in many underdeveloped and autocratic countries are now far below the levels that could be obtained by the application of modern crop science. The rapid rise in advanced countries since 1950 in acre yields of some of the major crops demonstrates the possibilities of improvement.

The development of corn and sorghum hybrids adapted to local conditions has increased potential crop yields in the United States and some other countries by 20 to 30 percent. Better cultural practices, such as heavy application of fertilizer and supplemental irrigation, permit thicker planting. These practices and better control of disease, insects, and weeds raise the basic yield level. Then a 25-percent increase in yield resulting from hybrids means more bushels per acre than from mediocre basic yields.

Crop yields may well be doubled by the combined improvements.

Uniform quality may be unimportant for food crops that are processed and consumed on the home farm, but is essential for industrial, market, and export commodities. Subsistence farms often grow mixed, local varieties of crops. Nearby communities may be producing different mixed varieties. These crops can be standardized by collecting, purifying, and testing the local varieties. Pure seed of the better varieties of good quality can then be increased and distributed to growers.

In many countries of Asia and Africa, the collection and evaluation of local grain varieties on a national scale was not even attempted until after the Second World War. In many instances, the general production of the better varieties is scarcely started.

THE GREATEST opportunities in crop research are in breeding, disease control, and mineral nutrition.

The development of disease- and insect-resistant varieties is most urgent. Some diseases, like the rusts and smuts of the cereals, are prevalent wherever grain is grown. Certain soil-infesting fungi that cause plant diseases are damaging most crops throughout the world. The insidious nematodes occur widely. Destructive insects are always present. Pesticides often prevent crop losses from these pests, but the cheapest control comes from the breeding of resistant varieties.

Sometimes resistance to a particular pest or disease can be found in adapted cultivated varieties. Usually, however, the best source of resistance is in exotic varieties or related wild species that are unsuitable for domestic culture.

In such instances, 10 to 20 years of intensive breeding are needed to develop a resistant variety that also is satisfactory to the grower and the consumer.

But resistance to the most important disease does not protect the variety from other losses. Thus, to insure a healthy crop, breeders must incorpo-rate resistance to all of the damaging prevalent diseases. That requires many more years of effort during the initial stages of the project.

Later, when breeders over the world have developed lines that are resistant to several diseases, the hereditary factors may be combined to produce varieties with multiple resistance. This can best be realized by the free interchange of materials and knowledge among the research workers over the world.

Breeding crops for resistance to insects and nematodes will follow a similar pattern and must eventually be combined with disease resistance.

VARIETIES DIFFER in their content of vitamins and proteins and of certain of the amino acids that are essential in human and animal nutrition. The nutritive quality of many food crops could be improved by selection and breeding for those characteristics.

Likewise, many grain, fiber, and oil crops could be improved by breeding for better industrial or processing qualities.

Some examples: New industrial uses have been established in corn by breeding hybrids with an endosperm that is waxy or that is high in amylose content. Fibers can be lengthened, strengthened, or improved in spinning qualities by breeding. Oilseed crops can be improved in oil content, oil composition or protein content, and protein quality.

Fertilizers are used only sparingly for growing the major food crops in underdeveloped countries. Often the leading varieties grown in those places are the ones that have become adapted to soils of low productivity through a process of natural or manual selection. Often their response to heavy applications of fertilizer is limited.

When it is desired to increase crop yields by the use of ample fertilizer, it may be necessary to choose or breed other varieties so as to realize the maximum benefits.

Rice, sorghum, and pearl millet are

among the crops that will require modification to fit higher productivity levels in certain countries.

Improved farming technology, particularly in shifting to mechanized operations, also may make it necessary to breed varieties that are suited to changing methods. The grain sorghum varieties that grow 12 to 15 feet tall in tropical Africa cannot be harvested with a combine. The tall weak-stalked rice varieties grown in much of southeastern Asia often lodge so that they must be harvested by hand.

Grain sorghum, cotton, castor beans, sesame, rice, soybeans, and snap beans are among the crops in which varieties have been bred to meet the requirements for efficient mechanical harvesting and handling in the United States.

BASIC RESEARCH is essential to an understanding of the behavior, adaptation, and hereditary characteristics of each crop.

Extensive scientific facts, accumulated by research workers over the world, have been helpful to workers who are attempting to solve practical problems. Much of the crop improvement in past centuries was accomplished with little scientific knowledge to serve as a guide.

But progress is greatly accelerated if the research worker has sufficient basic information to enable him to formulate practical plans and to predict the probable outcome. The plant breeder may develop quickly a new variety with a desired characteristic when he knows the hereditary behavior of those characters in crosses.

Basic research often points the way to practical improvements. The concept of hybrid corn is an example. G. H. Shull, of the Carnegie Institution of Washington, was studying the genetics of corn characters at Cold Spring Harbor in New York. He was not engaged in the breeding of better corn varieties. It was necessary to inbreed the corn in order to obtain uniform lines for investigation. Inbreeding re-

sulted in small plants with little vigor. When he intercrossed certain of the runty inbred lines, he obtained vigorous and productive hybrid plants.

From this observation, in 1909, he proposed the breeding of corn hybrids to obtain higher yields.

The success of hybrid corn engendered an interest in developing other hybrids. Hybrids of most other crops, however, cannot be produced by a simple operation, such as the detasseling of corn plants to eliminate pollen shedding in the seed-parent rows of the hybrid seed field.

Another corn geneticist, Dr. M. M. Rhoades, reported a cytoplasmic male-sterile character in some of his progenies. This led to a search by others for this character. It since was found in a number of crops. The removal of anthers—the pollen-bearing flower organs—is avoided in producing hybrid seed on cytoplasmic male-sterile plants, because the anthers bear no pollen. Hybrid seed is produced merely by interplanting a pollinator line with a male-sterile seed parent line.

Hybrid onions, hybrid sorghum, hybrid sugarbeets, and hybrid castor beans now are grown on a big scale. Hybrids of wheat and several other crops merely await further developments. Many countries are reaping the benefits from hybrid seed by applying the knowledge obtained by research workers in the United States.

MANY COUNTRIES have established experiment stations to test crops, varieties, and cultural methods. Most have several such stations, and the larger countries have field stations, where the answers to local or national crop problems are sought. The better equipped stations provide laboratory facilities for plant pathologists, chemists, engineers, and entomologists to supplement the research of the crop scientists.

In the United States, research on crops, crop protection, and crop utilization is being conducted by the 50 State agricultural experiment stations at nearly 300 branch stations and laboratories and at perhaps 100 additional experiment fields. The United States Department of Agriculture maintains cooperation at many of these locations and also conducts research with crops at a number of independent locations.

THE INTERNATIONAL CEREAL RUST NURSERIES exemplify the cooperation among research scientists of different nations. This project involves about 150 scientists, who test more than a thousand varieties of wheat, oats, and barley for resistance to rust and other diseases in 176 nurseries at 85 experiment stations in 40 countries.

International research on rust began in 1919, when uniform wheat nurseries were planted at several experiment stations in the United States and Canada. Cooperative research was started with Mexico after 1940 and with several countries in South America in 1950.

The planting of rust nurseries in foreign countries is voluntary, and the cooperation is informal. Correspondence, reports, instructions, and seed shipments are routed directly between the scientific leader in the United States and the scientists overseas.

Each participating country provides seed of any of their lines that appear to be resistant to rust. These then are tested in all cooperating countries.

Copies of the data from all countries are sent to all cooperators. The information from other countries enables a scientist to evaluate his material quickly. Several more years of testing might be required if the tests were limited to his own country. Because natural rust epidemics are erratic, no useful data are obtained in years in which abundant rust is lacking at a particular station.

The international rust nurseries are particularly valuable because varieties of grain can be tested for reaction to the prevalent world races of the fungus organism without the hazard of introducing exotic races into countries where they do not yet occur.

Good will among countries has been fostered by the international rust nursery program. Breeders formerly were reluctant to supply their selected lines to workers in other countries before their release to their own growers, because of the possibility of competitive exploitation. Now they recognize the advantages of an international exchange that permits any country to utilize varieties from any cooperating nation. Seed of several new wheat varieties from other countries has been increased and distributed in a cooperating country after tests in the rust nursery.

THE BASIC FEATURES of the uniform rust nurseries and of other uniform crop nurseries conducted in the United States have been helpful in improving agriculture in many countries.

The United States Department of Agriculture coordinates the uniform testing of many crops. Workers at any interested State experiment station may participate. Many of the State experiment stations conduct the tests on an informal basis without Federal subsidy for the project.

The national potato improvement program involves about 40 States. A free exchange of materials and information speeds up recommendations and releases of new varieties by shortening the testing period. Usually tests continue about 5 years before new materials are recommended or released when the testing is confined to a single State. When tests in surrounding States confirm the local results, sound conclusions may be drawn after 2 or 3 years of testing. Similar progress can be expected from international testing.

SCIENCE RECOGNIZES no political or racial boundaries. Communication among scientists in different countries has gone on for more than a century.

The United States Department of Agriculture has been collecting seed and plant materials from all over the world on an organized basis since about 1890. The world wheat collection maintained by the Crops Research Division numbers some 16 thousand lots. These and other crop collections are available for use in any country where they are needed.

The late Russian scientist, N. I. Vavilov, assembled large world seed collections between 1920 and 1940. Limited numbers of the crop varieties in this collection occasionally are supplied to other countries.

INTERNATIONAL scientific societies conduct meetings at intervals of about 3 years. They are concerned with a specific scientific field, such as botany, genetics, seeds, or horticulture. Plant scientists employed by the Federal or State Governments of the United States frequently travel to other countries to participate in these meetings. These contacts are mutually beneficial in promoting international relations as well as in diffusing knowledge.

It is obvious that research accomplishments often are greatly accelerated when undertaken by teams of scientists with different types of training. Free interchange of information and materials among nations is equally important.

In 1908 the first president of the American Society of Agronomy stated that wheat varieties had been tested for 100 years previously and that new varieties would be undergoing tests 100 years hence. Now, after 55 years more of productive research on wheat, many other achievements still appear to be 100 years in the future. One should not be discouraged by the long task ahead.

JOHN H. MARTIN *retired on July 1, 1963, after working nearly 49 years as research agronomist in the Agricultural Research Service. His research in crops covered many States and several countries in Europe, Asia, and Africa. He is the joint author of two textbooks dealing with crops. He contributed chapters to eight previous Yearbooks of Agriculture.*

Problems in

Human Nutrition

by HAZEL K. STIEBELING and
RUTH M. LEVERTON

MUCH OF OUR PRESENT insight into the functions of nutrients and our nutritional requirements has come from studies of food habits of people who differ in health and physique.

The studies reveal great differences in the amounts of food customarily eaten by persons in different parts of the world and in the proportions of the different kinds of food.

The kinds of food we can put in three broad groups: (1) Seeds of grasses and of leguminous plants; nuts; and the flesh of beast, fishes, and fowl. (2) Starchy roots, tubers, and the fruits; sugars; and the separated fats and oils. (3) Milk, eggs, and the succulent vegetables and fruits.

The groups differ widely in nutritional value, but several similarities exist within each group.

THE SEEDS and cereals, pulses (peas, beans, lentils), nuts, and meat provide much the same assortment of nutrients—proteins, B-vitamins, and minerals, especially iron and phosphorus—as well as calories.

The contribution the cereal products make to the mineral and vitamin content of diets depends largely on the extent to which these nutrients are retained or restored when food is processed. Generally, though, the cereal grains contain less protein, minerals, and vitamins in proportion to their energy value (calories) than the pulses, and the pulses contain less than most products of animal origin.

An example is the differences in protein concentration in several types of food—a man using 3,000 Calories and 70 grams of protein (about 2.5 ounces) per day would be getting 2.33 grams of protein per 100 Calories: Polished rice, 1.85; all-purpose wheat flour, 2.90; degerminated corn grits, 2.40; mature dry beans, 6.56; peanuts, 4.63; low-fat soybean grits, 12.19; milk (3.5 percent fat), 5.39; milk (0.1 percent fat), 10; eggs, 7.91; lean round beef (11 percent fat), 10.25; codfish, 23.84; salmon, 10.37.

Those differences reflect differences in the degree of dilution of the protein with carbohydrate or fat or both.

Not only do milk, eggs, meat, and fish contain more protein per 100 Calories than most of the pulses or cereals. They provide more of the amino acids that the human body must have but cannot make. Proteins of animal origin therefore are said to have high biological value.

Most pulses, however, may supplement cereals in much the same way that animal products can. A comparison of the amount of lysine—one of the amino acids in short supply in cereals—provided in relation to the amount of protein (expressed as milligrams per gram of nitrogen) exemplifies the point: Rice, 235; white wheat flour, 130; corn, 150; quinoa, 414; ragimillet, 190; mature dry beans, 464; lentils, 382; chickpeas, 431; peanuts, 223; soybeans, 395; cottonseed flour, 268; sesame seed, 160; sunflower seed, 200; eggs, 400; milk, 496; beef, 546; fish, 548.

STARCHY FOODS (other than the cereals in the first group), sugars, and fats serve chiefly as sources of food energy. With few exceptions, they are practically devoid of proteins, minerals, and vitamins. They dilute the nutritive value of the total diet when they are used in large amounts.

THE THIRD GROUP—milk, eggs, and the succulent vegetables, and fruit—is often called protective foods, because they contribute nutrients not supplied at all or supplied to only a limited extent by the other two groups. They are the chief contributors of vitamins A and C, riboflavin, and calcium. Milk and eggs also furnish high-quality protein.

To exert a protective influence against deficiency diseases, it is desirable to include as much as 500 Calories per person per day from an assortment of the foods in group 3.

Southeastern Asia, western and central Africa, and countries in the northern and western parts of South America get one-half to more than three-fourths of their calories from foods in group 1—cereals, pulses, and meat.

In addition, western and central Africa get 40 percent of their calories from group 2—the starchy roots and fruits, sugar, fats, and oils. Southeastern, western, and central Africa use only small amounts of the protective foods from group 3.

It follows, then, that deficiencies of vitamin A, ascorbic acid, and riboflavin are observed in some regions and among some populations in all these countries and that calorie-protein deficiencies are prevalent, especially among young children, in western and central Africa.

Vitamin A deficiency is widespread in these low-calorie countries, particularly in Indonesia, mainland China, India, and elsewhere in the Far East, in parts of Latin America; and in the semiarid zones of Africa. It is due to insufficient intakes of green and yellow vegetables, or too little fat to promote utilization of carotene from these foods, milk, butter, eggs, fish-liver oils, and carotene-containing vegetable oils, such as red palm oil. Severe deficiency results in skin disorders, night blindness, and blindness.

Nutritional anemias also are frequent in countries where green leafy vegetables are eaten in only small amounts and where diets are low in meat and eggs. This condition may result from dietary deficiencies of iron, folic acid, and other nutrients associated with intakes of too little good protein.

Calcium intake is limited and often inadequate in parts of the world where diets are low in milk and green leafy vegetables. When low levels of dietary calcium are associated with little exposure to sunlight, there may be high incidence of rickets in children and bony deformities in mothers. These conditions are found in parts of India and Burma, the Near East, and northern Africa.

Other common signs of malnutrition in developing countries are sore lips and sore tongues due to lack of vitamin B_2, or riboflavin. The deficiency results from a high concentration of starchy staple foods and too little meat, milk, eggs, and fresh leafy vegetables.

In any place where diets comprise large amounts of cereal products, the forms used should be lightly milled, whole grain, or enriched with the B-vitamins and minerals. Beriberi, due to the lack of thiamine, virtually disappeared from areas in Indonesia, Taiwan, and India when people began to use undermilled or parboiled rice. The Government of Nigeria, where production of rice has been expanding, has insisted on the use of parboiled and undermilled rice, but the increasing use of machine milling and consumption of highly polished rice in some parts of the Far East has spread beriberi.

A disease, called kwashiorkor in Africa and pluricarencial infantil in Latin America, is common among young children in many sections of Africa, Latin America, the Near East, India, and southeastern Asia. It is due to a deficiency of protein and calories. The growth of afflicted children may cease; mental and physical lethargy, swelling of the soft tissues, fatty deposits in the liver, diarrhea, and skin ulceration, changes in the composition of blood, and greatly decreased resistance to infections may follow.

In places where protein-calorie deficiency is common, the chief low-cost food that is used as a source of calories may be corn, rice, sorghum, tapioca root (manioc, mandioca, or poi), crude sugar, yams, yautias, bananas, potatoes, or millet. All are good food when used in moderation with other food. When they are used to excess, the diet lacks enough good-quality protein, as is supplied by milk, eggs, and meat. Beans or other legumes may furnish some extra protein, but the quality or amount often is too low to permit normal growth or good health.

A nutritional survey in Uganda, where plantains, a starchy staple, are particularly important in the diet, showed an incidence of kwashiorkor ranging from 6 to 11 percent in different groups of young children.

Surveys in southern Nigeria, where yams and cassava are the staple foods, showed an incidence of kwashiorkor among young children of about 5 percent—significantly more than the 2 percent in northern Nigeria, where millets are the staple foods.

A high incidence of kwashiorkor has occurred in the Feshi district of Congo (Léopoldville), where cassava provides more than 80 percent of the total intake of calories. In regions where kwashiorkor is severe, the death rate among children from weaning time to 5 years may be 10 to 30 times above the rate when protein is adequate.

The reported occurrence of protein-calorie malnutrition refers to cases with well-defined clinical signs. Less serious cases are much commoner. It has been said that most people in central Africa have suffered from the disease at some time in their childhood, often with permanent aftereffects. An increasing use of pulses, as in India and Pakistan, and of milk and other animal products, as in Japan and Taiwan, is helping to reduce the incidence of protein malnutrition.

Poor sanitation and inadequate medical care contribute greatly to the kwashiorkor problem, but the primary impairment of health results from protein deficiency coincident with less breast milk for babies.

School feeding programs cannot meet the need because the greatest damage is done in preschool years. Half of the children may die before reaching school age. Those who survive grow slowly and seldom fully recover from early stunting.

Because it is hard in many regions to raise the production of foods that are rich in animal protein, minerals, and vitamins, attention has been given to increasing the use of pulses and oilseed cake, which contain amino acids that can supplement those from cereals.

The development, testing, and promotion of protein-rich products for children has been successful in Latin America, Africa, and India.

The product first introduced in Guatemala by the Institute of Nutrition in Central America and Panama and called Incaparina (formula 9) consists of 38 percent cottonseed flour, 29 percent grain sorghum, 29 percent cornmeal, 3 percent torula yeast, 1 percent calcium carbonate, and 3,500 international units per pound of a stable form of vitamin A. The formula provides a combination of plant foods that yields protein of high biological value and also contains minerals and vitamins needed to supplement the customary diets.

An uncooked form of Incaparina is used as a cereal gruel and in tortillas, soup, and similar products. A precooked, more stable and soluble form, formula 9–A, is used as a beverage or atole. Various modifications have been tested for use in other areas where cultural and farm practices are different. Formula 9–T is an uncooked product in which the corn and sorghum are replaced by 58 percent wheat flour. Formula 9–R contains 58 percent rice flour instead of corn and sorghum.

Cottonseed flour is used in the basic formula because it contains more of certain essential amino acids than corn, sorghum, rice, and wheat flour and thus can supplement them. Soy flour or sesame flour also is used.

Sunflower seed offers promise in some regions. Peanut flour, which is not quite as satisfactory, has been introduced in Africa and India.

Other protein products that contain fish flour, skim milk powder, or crude casein have been introduced in Latin America and Africa. Promising new forms of fish and soy products have been developed in Japan.

MOST OF THE PROBLEMS we have discussed so far are the results of diets that are poor in quality.

Undernourishment also is a problem, for an estimated 400 million people are undernourished in the sense that calories, rather than proteins, minerals, and vitamins, are the first limiting factor of their diet.

Some of them are dying of starvation. Others can do less work. The mental and physical development of children is retarded. Chronic undernutrition, especially during the period of growth, probably accounts in part for the slight build and short stature of people in some countries.

Research with domestic animals has shown that gain in height is reduced when diets are deficient in calories. Any gain in height occurs at the expense of gain in width of skeleton and the normal development of soft tissues. For many people, a chronic state of undernourishment and malnourishment has been the usual state for generations. We are beginning to realize the so-called national characteristics of size and build may actually be the characteristics of people needing more food and better food.

Overall food supplies for the Near East, Africa, and Latin America are estimated to be about equal to requirements. Those for the Far East fall short of the requirements by about 10 percent. Those for Europe, North America, and Oceania are sufficient to meet their average needs and exceed them by about 20 percent.

The sufficiency of estimated food supplies to meet requirements for food should be interpreted with care.

For example, the apparent self-sufficiency of calorie supplies in the Near East as a region is due to the somewhat higher level of supplies in Turkey, the United Arab Republic, Syria, Lebanon, and Israel. These countries account for half of the population in the region. The supplies of other countries in the same region—Iran, Iraq, Saudi Arabia, and Jordan—amount only to about 2,200 Calories per person per day.

The same observation applies to the Far East where, for example, Japan and Taiwan are relatively much better fed than other countries in the region.

Variation in the food supplies of different social-economic classes of the population within one country is larger in the developing countries.

It is believed that regions containing more than half of the world's population have enough food supplies at the retail level (not the actual intake) to furnish an average of fewer than 2,250 Calories per person per day. That is not sufficient for a population to be well fed. From the distribution of food by economic groups within countries, it has been estimated that at least 20 percent of the population in the Far East and probably 10 to 15 percent of all of the people in the world are undernourished.

Life expectation is less in countries where food balance sheets show per capita Calorie values under 2,200 per day and where the ratio of weight to height at every age tends to be less than in countries where food supplies are abundant. But in these situations, diets are generally inferior not only in calories but also in protein, minerals, vitamins, singly or in combination.

FOOD SUPPLIES furnishing an average of more than 2,750 Calories per person per day are available to less than one-third of the world's population. Some persons in these high-advantaged situations, including the few well-to-do in the poor countries, encounter nutrition problems also—the problems of too much food, of not choosing wisely

from abundance. They overeat in relation to the amount of muscular work which they do and run greater than average risks of coronary heart disease, cerebral strokes, diabetes, general atherosclerosis, hypertension, cancer, and liver and kidney ailments.

High-calorie regions, such as Western Europe, North America, and Oceania, tend to derive up to 1 thousand Calories or more a person a day from foods of group 2—those important chiefly for carbohydrates or fat and which, with few exceptions, are practically devoid of proteins, minerals, and vitamins. But, in contrast to western and central Africa, this high consumption of such foods is accompanied by a relatively high consumption—more than 500 Calories—of succulent vegetables and fruits, milk, eggs, and large quantities of muscle meats and fish. In consequence, deficiencies of protein, vitamins A and C, riboflavin, niacin, or calcium rarely occur.

Some nutritional diseases of man and animals appear to be rather independent of the kind and amount of food consumed or the economic prosperity of the population.

Environmental factors are involved, such as the iodine content of air, water, and food in relation to goiter, and the fluorine content of water in relation to the incidence of dental caries. Endemic goiter is a nutritional deficiency disease found in areas where the soil and drinking water are low in iodine.

QUESTIONS as to nutritional requirements for good growth, high work output, and longevity and factors affecting them are of great urgency.

What rate of growth is best? What is optimal body composition at different stages of the life cycle to promote good health and longevity? How much physical work is necessary to maintain muscle tone and to enable one to eat enough to meet protein, mineral, and vitamin needs as well as those for calories? What are the dependable food sources of these nutrients?

Research on the composition of food is essential in appraising customary diets and in planning the production of food for improved nutrition. The importance of regional studies of the nutritive values of local foods is highlighted by such findings as the difference in lysine content of proteins within classes of food.

There now are available compilations of the nutritive values of foods commonly used in Latin America and the Far East as well as for countries in Europe and North America. Most of these tables should be expanded to include a larger number of essential nutrients and the effects of commercial and household processing on the values of foods as they are eaten.

The task of learning the values of native foods as customarily prepared is a large one in all the developing countries. Such research has been undertaken in India, the Philippines, Japan, and some countries of Latin America and Africa.

We know that ascorbic acid prevents scurvy; thiamine, beriberi; niacin, pellagra; and vitamin D, rickets. But even where considerable advances have been made, there still is incomplete understanding. It is known, for example, that shortages of vitamin A can lead to xerophthalmia and blindness, but it is not known why this occurs in some places where there is an ample dietary supply of carotene, the precursor of vitamin A.

Studies have been started to determine whether the low content of fat, characteristic of such diets, is a factor, and if so, how much fat and of what kinds are needed to correct the trouble.

Anemias that result from simple iron deficiency have long been recognized, but in the United Arab Republic where dietary iron is ample, a zinc deficiency has been identified as a causative factor in anemias.

Clinical surveys of the health of population groups are used to point out specific troubles in specific areas and in specific individuals. While useful for the detection of frank disease, the purely clinical approach is unreliable for the evaluation of mild degrees of deficiency.

But clinical signs that are examined in conjunction with food intake and laboratory findings are meaningful in diagnosis of nutritional disorders that are less severe than those that result in obvious diseases such as beriberi or pellagra. Laboratory techniques are available for measuring the concentration of nutrients or their metabolic products in body fluids and for evaluating enzyme systems that depend on specific nutrients for optimal activity. The interpretation of the findings, however, requires more study.

We need more information of the kind we can derive from chemical and biological assays of the nutritive value of foods as consumed and information derived from controlled metabolic studies of the relationship between different levels of nutrient intake and nutritional well-being of the population groups.

Research is needed and some has been undertaken to determine the relative importance of nutrition and other factors in the cause or prevention of diseases still of uncertain etiology. Among such diseases are atherosclerosis, diabetes, sprue, bladderstone, and celiac disease.

Coronary heart disease is associated with obesity as well as with elevated serum cholesterol levels and hypertension. Obesity can be treated with diet. Elevated cholesterol levels can sometimes be brought under control by lower intakes of fat, together with some shift from highly saturated dietary fats to polyunsaturated oils. But other dietary factors are known also to be involved, such as the amounts and kinds of protein and of carbohydrate and the balance among several different vitamins and minerals.

Furthermore, research must clarify the relative importance of diet, physical activity, and heredity in preventing or controlling this disease. This is a problem of great importance, and much attention is being given it.

Study also must be made of the interrelationships between nutrition and susceptibility to illness and mortality from tuberculosis, measles, and other specific infections.

If people the world over are to benefit from research and understanding of the principles of nutrition, the results must be interpreted to answer the practical problems faced by family food managers, consumers, teachers, physicians, and public leaders and Government agencies that formulate national and international food programs. Many different combinations of foods can meet the nutritional requirements of normal, healthy persons.

Research also is needed to lead to better understanding of why food choices are made and how food habits can be modified. Dependent on such knowledge is success of programs of nutrition education and food distribution, as well as all efforts to influence people to use new or different foods.

Thus, further scientific research is needed to define the zones of intake of essential nutrients that will free people from obvious ill health and will undergird the highest possible level of physical and mental vigor throughout the life cycle and through successive generations.

Research must then translate the information into food practices and dietary patterns which are practical in view of economic, cultural, and agricultural potentialities of populations living in different parts of the world.

HAZEL K. STIEBELING *was Deputy Administrator, Agricultural Research Service, when she retired in 1963. She joined the Department in 1930 and was named in 1942 to supervise the Department's research program in human nutrition and home economics.*

RUTH M. LEVERTON, *Assistant Administrator, Agricultural Research Service, joined the Department of Agriculture in 1957. She has special responsibility for the program in Nutrition and Consumer-Use Research, including human nutrition.*

Problems in

Animal Husbandry

by RALPH E. HODGSON and
NED D. BAYLEY

WE ALL AGREE on the need to improve the diets of people in many countries.

We agree also that sources of animal protein must be expanded in order to accomplish that. While some of this protein food may come from local sources of fish, the larger part must come from farm livestock and poultry.

The problem then is to increase the producing ability of livestock and poultry—of which many countries have large numbers—by creating conditions of feeding and management that permit satisfactory performance and by controlling and eliminating diseases and parasites that cause staggering losses of animals and that contribute to low production.

Through long investigation and experience, we have found that greatest returns from animal production, whether it is milk, beef, swine, sheep and wool, eggs, or poultry meat, come when high animal performance is attained.

WE HAVE FOUND that 10 conditions are needed to achieve successful livestock and poultry enterprises.

The individual farmers should have the interest and ability and potential resources to engage in the enterprise with the prospect of success.

The enterprise should be adapted to the locality, the land, and the climate.

In establishing livestock or poultry enterprises, adequate information should be available to the individual.

Access to a market for the product produced should be assured. The existence of such markets and their availability to the producer have been critical to the incentives for improving the care and breeding of animals.

The livestock and poultry should be adapted to the existing environment. The ability of indigenous animals to reproduce and to produce efficiently and economically should be thoroughly tested and their abilities utilized.

Exogenous types with particularly adapted qualities should be introduced when conditions indicate.

Breeding programs, national, regional, and within herd, should be developed to improve steadily the producing ability of animals. Record-of-performance programs should be developed and applied to measure productivity, to guide management practices, and to identify superior breeding stock. Breeding service by artificial insemination should be developed and employed to use superior germ plasm to improve performance.

An adequate year-round feed supply, based on local farm-produced forage and grain supplemented with concentrate mixes to avoid nutritional deficiencies, is needed.

An effective program of disease and parasite control and eradication should include an adequate, qualified veterinary service. A livestock industry cannot flourish and meet a country's needs for animal foods under conditions of unabated diseases that terminate in death of animals or produce continuous ill health and low production.

An appropriate sanitary service should be available to supervise the production, processing, and marketing of animal products. The development and maintenance of good markets require that the foods be wholesome and produced in clean conditions.

A strong research and development effort is needed to improve husbandry and disease control practices.

An active extension program is required to take the latest research findings from the laboratory to the farmer and aid him in applying this new knowledge to his production problems.

IN REGIONS where livestock enterprises have prospered, research is directed toward making further improvement in an already efficient industry.

For example, research on nutrition and breeding have resulted in a broiler industry that can produce birds of 3.5 pounds for market in 65 days, compared to the 91 days needed before the research findings were applied.

Research investigators have turned their attention to increasing feed efficiency further by studying the interrelationships of minerals, proteins, and other nutrients.

Geneticists also have undertaken to increase feed efficiency by selecting for that trait directly; selection previously emphasized increased rate of growth of the animals or an increase in production of milk, eggs, and wool per animal.

Except for broiler chickens, little progress has been made on improving the efficiency with which animals convert feed to animal products. This problem must be attacked if the livestock industry is to advance as it should. Success in the broiler industry indicates the potential gains to be made with other farm animals.

Studies with all classes of livestock have been started on fat metabolism, deposition of fat in the body, and the secretion of fat in milk. Efforts to produce lean, meat-type hogs through breeding have been successful.

Nutritionists and physiologists are probing the basic phenomena that make hogs different in their use of body fat and its composition. They are looking for means of controlling fat content of the meat by altering rations or by other practices. In beef cattle, dairy cattle, sheep, and poultry, similar problems are being studied.

Animal geneticists are asking themselves if the highly developed breeds and strains of livestock can be improved further. They are studying the possibility that plateaus in breeding may prevent or slow further progress. They are looking for new breeding methods that may be used to remove the plateaus or raise them higher.

To learn the basic principles underlying these problems, researchers have turned to pilot experiments with small laboratory animals, such as mice, and flour beetles and fruit flies. The scientists have been delving deep into the inheritance of biochemical and physiological processes that affect economic factors in the production of meat, eggs, milk, wool, and fur.

Physiologists have put renewed effort into studies on the ability of livestock to withstand stress—hot and cold climates, sudden changes in temperatures, natural resistance to diseases and parasites, and even the stress of high levels of performance.

Losses connected with reproduction remain a serious barrier to greater efficiency. In the United States, the reproductive losses in beef and dairy cattle, sheep, swine, and poultry are estimated to be 1.3 billion dollars each year. Many of these losses are hidden.

Techniques of artificial insemination and procedures in storing semen have been successful with cattle but have been less successful with swine, sheep, and poultry. The preservation of ova and sperm and tissue culture methods of growing animal embryos are research fields of great potential value and deserve greatly increased effort.

With dairy cattle, about 25 percent of the cows are replaced each year, 20 percent of which left herds because of reproductive problems. Reasons for replacement were sterility, calving difficulties, and embryonic mortality.

In poultry, it is common to experience that only 75 percent of the eggs set actually hatch.

Actual lamb production is only 95 lambs per 100 ewes, whereas the potential production is around 170 lambs.

It takes 13 million sows to produce the annual pig crop; under ideal conditions it should take only 9 million.

It is generally true that the reproductive insufficiency in livestock and poultry is even more of a problem in developing countries. Thus, research to improve the reproductive rate of farm animals is a fertile field of inquiry.

PROGRESS has been made in the control and eradication of animal diseases in many countries, but losses from infectious and metabolic disorders remain serious. Specialists have estimated that as much as one-tenth of the animal population in the United States is lost each year from diseases. Losses from all causes due to disease have been estimated to amount to at least 2 billion annually.

In cattle, mastitis is a major, serious, unsolved problem, particularly in the dairy industry. Among other costly diseases that call for more research are vibriosis, anaplasmosis, leptospirosis, leukosis, and chronic respiratory ailments of poultry.

Of all the diseases of domestic animals, those of swine have been most neglected. Hog cholera, atrophic rhinitis, enteritis, and erysipelas are plagues still. Swine flu, virus pneumonia, and pleuropneumonia-like infections demand study.

Control of parasites has always been recognized as critical to successful animal husbandry in the Tropics and subtropics. Its importance has been underestimated in the temperate regions, however, except in regard to a few of the more aggressive species.

Successful research on insect control has made a great contribution to the efficiency—or, indeed, the existence—of livestock production.

Research also is being continued to determine the levels of residues in animal tissues left by insecticidal treatments, how long they persist, and how they may be lessened or avoided.

Advances in areas where the livestock industry is highly developed involve further improvement by way of greater knowledge of the principles of animal biology, but the problems in developing countries require concentration on developing and applying the discoveries already made. Worldwide, foot-and-mouth disease is probably the most prevalent infectious disease of animals. North America and Australia are the only large livestock areas that are free from it. It occurs in all parts of Africa, in most of Asia, and in most of South America.

Rinderpest, which destroys more cattle than any other disease, continues to be widespread in many districts of Africa and Asia. Contagious pleuropneumonia of cattle is still a problem in parts of Africa, Asia, and Australia.

African horse sickness and swine fever are destructive in Africa and have invaded some of the Mediterranean countries of Europe. Anthrax, a deadly killer that the United States is not always able to keep out, exists throughout the world; little is done in many regions to control it.

These and other diseases threaten the developing countries. Their uncontrolled existence in one country threatens livestock industries in all.

LIVESTOCK PRODUCTION cannot be improved if feed supplies are inadequate or unbalanced, as they are apt to be in developing countries because of low crop yields and unregulated numbers of animals.

Soil scientists, agronomists, entomologists, animal husbandmen, and biologists are among the scientists who have undertaken studies that pertain to supplies and use of feed: Analyses of plants to identify the nutrients in them; local sources of protein; the use of fish, seed, and vegetable byproducts for livestock feed; the nature of feed deficiencies; the need for new crops; the possibilities of using low-cost supplements, such as urea; the addition of relatively cheap synthetic vitamins to feeds; and more.

The mineral requirements of livestock have been studied for many years, and supplementation to overcome local deficiencies has been successfully practiced in some countries,

but deficiencies are being discovered in some developing countries. The need there is to identify these and define the type and amount of supplementation. To do that in places that lack good laboratories, simple methods suitable for making field analyses need to be developed.

THE CREATION of progressive livestock industries in developing countries depends on a progressive total agricultural industry that makes the most of the resources available to it to produce crops and animal products in quantity, quality, and variety. Of the resources that go into such enterprises, the human resource—the man and his managerial ability—is by far the most important. He must be supported by a constant flow of new information on production, processing, and marketing.

This information comes to him from several sources—from his own experience, from dealers in agricultural equipment, and from research stations and educational institutions. All this is available to farmers in some countries but not in many developing countries, where a gulf separates the laboratory and the farm.

Therefore one of the first requirements in developing an advanced livestock industry should be the training of technicians who can develop the knowledge the livestock and poultry raisers need and who can help them put the information to work.

RALPH E. HODGSON *became Director, Animal Husbandry Research Division, Agricultural Research Service, in 1957. Previously he was Chief, Dairy Cattle Research Branch, and Assistant Chief, Bureau of Dairy Industry. Dr. Hodgson joined the Bureau of Dairy Industry as an assistant dairy husbandman in 1930.*

NED D. BAYLEY *became Assistant Director, Animal Husbandry Research Division, Agricultural Research Service, in 1961. Previously, he was Investigations Leader in Dairy Cattle Breeding and Management, Dairy Cattle Research Branch, in 1956–1961.*

Research Projects

in Other Lands

by HENRY W. MARSTON

SWEDISH, Dutch, and English scientists have undertaken research to improve methods of processing American cotton.

Technicians in Israel, France, and Italy have begun studies of new uses for American wheat.

Research workers in Uruguay, Poland, Pakistan, and India have embarked on surveys for natural enemies of insects that destroy crops in the United States.

They and many others are part of a program, started in 1958, in which the Department of Agriculture has entered into 519 research agreements in 27 countries.

The research is paid for with foreign currencies generated from the sale of American agricultural commodities under the terms of Public Law 480. The funds cannot be converted into dollars for use in this country.

The agreements are based on the understanding that the results may be expected to benefit United States agricultural processors and producers as well as those of the participating countries, but not to increase the competition our agricultural products may encounter in international markets.

The projects may originate in a foreign country or in the Department of Agriculture.

The technical aspects of the agreements are supervised by the agency of the Department that is responsible for the particular type of research to be undertaken. The screening of potentially useful crop plants, for example, is supervised by the Crops Research Division; the Forest Service oversees research in the biological control of forest insects.

The Foreign Research and Technical Programs Division of the Agricultural Research Service administers the program.

The agreements cover basic and applied research, but major emphasis is on the more fundamental studies. Many of the foreign scientists engaged in the program have made notable contributions to basic information.

Environmental conditions that could be duplicated in the United States only at great expense are taken into account in reaching an agreement on research to be undertaken.

The types of agreements underway in 1964 were in the fields of utilization, farm production, forestry, human nutrition, marketing, and economics.

ONE HUNDRED AND SEVENTY-ONE agreements in 17 countries called for studies to develop new uses for agricultural products or to make the products more attractive to consumers.

The biochemistry of the transmission of flavor constituents from the feed of dairy cattle to their milk is studied in Finland. Knowledge of the chemical changes and biological processes by which undesirable flavor constituents of feed find their way into milk will be valuable in controlling off-flavors of milk.

Studies on the processing of soybean oil to improve its acceptability and to increase the use of our product abroad have been started in several countries. In Spain, the aim is to develop an ion-exchange procedure for removing pro-oxygen from the oil to improve its flavor and stability, a procedure that would permit processing without the necessity of any objectionable additions to the oil.

Sterols have been suspected of being

responsible for off-flavors and odors in soybean oil. Research in Poland was designed to determine their role in producing the undesirable effects.

Investigators in Japan were given the task of studying the desirability of the partial hydrogenation of soybean oil to produce a stable oil with improved properties for use in Japanese foods.

The development of new and improved uses of wheat should increase the sale of this American commodity in other countries.

A study in Israel seeks to ascertain whether new industrial starches can be developed by introducing fluorine into wheat starch and starch products.

The effect of various phosphorous compounds on the solubility of proteins in baking flours is investigated in France.

An attempt is being made in Italy to determine how cereal grains may be used in a fermentation process to produce vitamin B_{13}.

The competitive position of cotton may be improved if new processes are discovered to make cotton fabrics more acceptable or if present processing methods can be improved. The mechanism of the burning of cotton cellulose is under study in England. A full understanding of the mechanism may lead to methods for developing flame-resistant treatments for cotton fabrics.

The effect on cotton fabrics of chemical treatments like dyeing and waterproofing is studied in Sweden.

Research in the Netherlands on the physical and chemical modification of cotton fabrics may make them more useful for specific purposes.

EIGHTY-TWO agreements for research in forestry have been signed in 16 countries.

Of concern to the United States is the possibility of developing better procedures for propagating forest trees to speed up the development of seedlings for reforestation.

Scientists in Chile have undertaken investigations of the use of artificial light to stimulate growth responses in pine cuttings.

An attempt is being made in Israel to develop a technique for propagating pine trees from bundles of pine needles. It would eliminate the need to collect seeds, germinate them, and transplant seedlings in nurseries. Such a technique would help us reproduce rapidly offspring of the best parent trees.

An interesting approach to the protection of forest trees from the damaging effects of insects has been initiated in Finland. An attempt is being made to discover the substances in trees that make them attractive to pests. Such a discovery would permit the establishment of baited traps in accessible stations where the insects could be destroyed.

Surveys in India, Pakistan, and in Spain have been made to locate natural enemies of forest insects of economic importance. The identified natural enemies are screened to determine whether they may be safely introduced into the United States to aid in the biological control of forest pests. Particular attention is given to finding parasites or predators of the gypsy moth, the balsam woolly aphid, and boring insects that attack poplars.

The losses caused by forest fires in the United States have prompted research in Spain to obtain new scientific knowledge of selected mechanisms of combustion and fire propagation that can be applied to the development of new or more effective techniques for the prevention and control of fires.

RESEARCH AGREEMENTS on various aspects of farm production problems number 200 in 20 countries.

Among them are projects dealing with the protection of farm animals and crops of the United States from exotic diseases or pests that may be introduced accidentally. Study of these production hazards in their native habitat offers a means of building up knowledge of their nature and means of transmission to be used in combating them should they reach America.

African swine fever, a devastating disease, has spread from Africa to Europe and thus poses a threat to the swine industry in the United States. A project was undertaken in Spain to develop a rapid, accurate method for diagnosing the disease so that it may be differentiated from hog cholera, which it closely resembles.

Surveys have started in India, Pakistan, Poland, and Uruguay to find parasites, predators, or pathogens of damaging insects now present in the United States. If parasites can be introduced safely into the United States, they should assist in reducing the amount of chemicals now used to protect crop plants from insect damage.

An attempt is being made in the United Arab Republic to induce sterility in male Mediterranean fruit flies. If it can be done efficiently, the release of sterile males will reduce the population of these injurious insects.

The search for economic plants or their wild relatives that are resistant to diseases and insects offers the possibility of introducing new germ plasm into the breeding efforts of American plant breeders. A number of projects have moved forward in this field—including sources of rust and nematode resistance of plants in Poland and Spain; resistance to disease of barley, oats, and related species in Colombia and Israel; and resistance to wheat rusts in the United Arab Republic.

To aid in developing control measures for the fire ant, a serious pest in the Southeast, a research project in Uruguay studies the life history and habits of the fire ant under different climatic conditions to ascertain which native plants attract the ants and the chemical compounds in them that make them attractive. A search is made for parasites, predators, and diseases of the ant that may be helpful in their control.

The enzymatic mechanism whereby carbon dioxide is fixed by the green leaves of a plant is studied by a research institution in India. The transformation of carbon dioxide produces intermediate compounds, which lead to the ultimate formation of starch.

Another Indian institution is investigating the physiology of the reproductive organs of seed plants. If proper conditions of nutrition, light, temperature, and humidity can be developed for inducing growth of unfertilized ovules, plant breeders will have a new, useful technique.

A project in Brazil collects and evaluates tropical and subtropical legumes that might improve pastures in the Southern States.

Screening native plants of other countries to find new oil, fiber, and feed crops for American farmers is done in Colombia, Israel, Pakistan, Spain, Turkey, Uruguay, and Yugoslavia. Samples of collected materials are sent to the Department of Agriculture for chemical analyses and other means of evaluation.

MORE THAN 30 marketing projects in 13 countries were designed to find better ways to maintain the quality of farm products by protecting them from deteriorating influences in marketing channels and to develop objective tests for measuring quality, which are necessary to make marketing procedures more accurate.

The purpose of a study in England was to determine how temperature and the concentration of carbon dioxide and oxygen affect apple respiration in a controlled environment. Information therefrom will assist in developing better storage conditions for apples.

The constituents of rice that influence quality and the development of objective methods for measuring market quality of rice have been studied in Spain. The purpose was to find methods that would minimize individual differences in evaluating the quality of the product being marketed.

The protection of agricultural commodities in storage frequently requires the use of fungicides and insecticides. The useful life of these chemicals and their effects on quality of the product should be known.

Research in Finland has sought to determine the stability of some insecticides and fungicides applied to crops after harvest during the marketing, processing, and preservation stages and their effect on food quality.

The effect of feed fumigated with ethylene dibromide on animals is being studied in Israel.

Mites in grain, cheese, cured meats, spices, and other stored products are difficult to control under most storage conditions. Polish scientists have been engaged to investigate the effect of certain nutritional, environmental, and physical factors on the biology, physiology, and susceptibility to acaricides of mites in stored products.

Information to assist in meeting economic problems of importance to American agriculture is being sought through nine research agreements in four countries.

The comparative advantage of forestry and agriculture under specific types of subarctic environments, such as soil, topography, and climate, with varying cost-price relationships for farm services and products, is studied in Finland. The analysis has potential usefulness in Alaska.

A study in Colombia deals with the rice market structure, costs and margins, and the possibility of improving marketing efficiency. The information developed will be of assistance to the United States in evaluating our trade.

An investigation at one institution in Israel, on the development and biological evaluation of protein-rich mixtures of foods from vegetable sources, has yielded promising results. Since proteins from plant sources are less costly than those of animal origin, the information developed will be of value in supplying the needs for one of the most common inadequacies of diets.

HENRY W. MARSTON *became Assistant Director, Foreign Research and Technical Programs Division, the Agricultural Research Service, in 1959. Previously he was on the staff of the Research Administrator, Agricultural Research Service.*

Expanding the Uses of Farm Products

by GEORGE W. IRVING, JR., and SAMUEL B. DETWILER, JR.

THE NEW OR IMPROVED food and industrial products that research in chemistry and allied sciences have given us are part of the world's riches. The prospects are even greater.

The research is being done more in the United States than elsewhere, undoubtedly because of our plentiful supply of agricultural materials, but other countries are awakening to its need and value.

A well-planned program of utilization research today comprises a calculated blend of fundamental and applied research. One leads into the other. All of it has contributed values to the producers, processors, and consumers of farm products.

In the United States, the utilization research is conducted by the Federal Government, State agricultural experiment stations, colleges and universities, private institutions, and industrial processors of farm products. As concerns problems of national or regional importance, the major stimulus is provided by the Department of Agriculture, primarily through four regional research laboratories, which began operations in 1941, when surplus crops were becoming an increasingly important problem in the agricultural economy.

From the first gleam of an idea, the chemist proceeds methodically to test-tube studies and to large laboratory-scale evaluations before he is ready to collaborate with the engineer in pilot-plant studies. Thereafter, industrial evaluation may be necessary before industry is willing to risk capital in a processing plant. Meanwhile, as the development progresses, attention is given to its economic feasibility. No matter how attractive it is from a technical standpoint, a process cannot succeed if it can be carried out more cheaply with nonagricultural raw materials. Finally, the element of progress in world technology has an unpredictable part. As in any competitive enterprise, last year's achievement in agricultural research may be offset by this year's developments in nonagricultural industries.

WE CITE a few examples of accomplishment to illustrate the types of problems that have to be faced and the ways they were solved.

The Department of Agriculture began a cooperative program with the Armed Forces, pharmaceutical manufacturers, and British scientists in 1941 to develop large-scale production methods for making penicillin. Department scientists made two contributions—a new submerged culture method and a high-yielding mold strain—that made large-volume production of penicillin possible and are considered the foundation of the antibiotics industry.

New and improved processes for dehydrated mashed potatoes have made a market for 12 million bushels of potatoes a year. Potato flakes, a new form of dehydrated mashed potatoes, are produced in at least 10 commercial plants. An improved process for making potato granules—simpler and easier to control than the one in commercial use in 1964—is continuous and involves no recycling. Commercial-scale evaluation was pending in 1964. The retail value of dehydrated mashed potatoes was estimated at 60 million dollars in 1964.

The stability, whole-grain nutritive value, and its adaptability to diverse food customs make bulgur (parboiled wheat) a product that may very well broaden markets for wheat. Research on the processing of wheat into bulgur developed a new, continuous process that operates at atmospheric pressure. Economical in heat and labor requirements and employing conventional, readily available equipment, the process can be set up for any desired scale of production. More than a dozen companies produce bulgur by this process, primarily for export to food deficient countries. In 1964, plant capacity was about 600 million pounds a year.

Scientists in the Department and the oilseed industry perfected linseed oil emulsion paints, a new type of product that is superior in many properties to synthetic resin paints. More than 50 paint manufacturers are making the paints, which they expect will regain lost markets for linseed oil.

The production of oranges in Florida had reached an annual total of 4.5 billion pounds, with prospects of further increases in production but little outlook for increased markets. Department scientists, in cooperation with the Florida Citrus Commission, developed the first basic process for making a frozen-orange-juice concentrate. Success was immediate. The production of about 80 million gallons of concentrate in 1959, representing more than 60 percent of the Florida crop, had a delivered value of nearly 200 million dollars. The cumulative value in 1946–1958 exceeded 1.5 billion dollars at the manufacturers' level. The development, covered by a public service patent, is utilized by all major manufacturers of citrus juice products and has done much to stabilize the income of citrus growers.

Fundamental research by the Department provided a basis for the development of new and improved wash-wear, wrinkle-resistant cotton fabric finishes, which in a recent year accounted for the utilization of about a million bales of cotton. Several different chemicals are being used

EXPANDING THE USES OF FARM PRODUCTS

commercially to impart wrinkle resistance to cotton fabrics, but none of them gives a completely satisfactory product. A new wash-wear treatment, using a chemical known as APO, has good commercial potential.

Foam-mat drying, a process invented by Department engineers, has been applied in the commercial production of tomato powder for military use and for export. More than 50 foods have been successfully dried by this procedure. Its potential economic importance in preserving liquid and pureed foods (fruit juices, juice concentrates, tomato paste, soups, and sauces) is good. Products prepared by foam-mat drying are convenient to use, stable without refrigeration, and economical of weight and space.

Department scientists devised a new method for making wool shrink resistant, which was undergoing commercial evaluation in 1964. Employing the new technique of interfacial polymerization, the treatment results in the formation of an invisible polymeric film firmly attached to the surface of the wool fibers. The reaction occurs rapidly, requires no curing, and does not harshen or weaken the fibers. Wool fabrics treated by this new method retain their original texture and color. The treatment is compatible with processes, developed by Department scientists, for permanent creasing of wool. Wool garments made from fabrics given this new polymeric treatment are shrink resistant, muss resistant, and largely unaffected by laundering and drycleaning. Many kinds of wool materials, including yarn and blankets, as well as fine woven fabrics, can be made shrink resistant by the process.

Methods have been devised for transforming corn sugar, through fermentative procedures, into new gumlike polymers having properties that open up new applications for corn products. One of several polymers produced is a gum called phosphomannan, which is readily soluble in water. Extensive evaluation by more than 30 firms has revealed potential uses in foods, pharmaceuticals, cosmetics, paper, oil-well drilling, and other applications as a thickening, stabilizing, dispersing, and suspending agent.

Vinyl stearate, a chemical prepared from a major component of animal fats, was in commercial production and use in 1964 as a result of research in the Department. Broad uses for polymers of vinyl stearate are being developed in water-base paints, lubricating oil additives, fibers, permanently flexible plastics, waxes (especially of the aerosol spray type), textile and paper coatings, and adhesives. Some of the uses have been commercialized. The total value of the development may exceed 2 million dollars.

In a related development, fats modified by a special epoxidation process possess unique stabilizing properties as plasticizers for vinyl plastics. Epoxidized fats are in use to the extent of 75 million pounds annually—worth approximately 20 million dollars—in garden hose, raincoats, and similar applications.

About 600 million pounds of fats were used in 1960 in poultry feeds and other processed feeds. Cooperative investigations with industrial and other groups showed that practically all grades of animal fats and tallow can be used in feeds, and methods were developed to stabilize the fats and other nutrients of the feeds. The fats have good nutritive value, minimize dustiness, and improve the color of the feeds. In a few years, this new outlet has begun to offset the declining market for animal fats in soapmaking, caused by the inroads of synthetic detergents; the price for animal fats has been stabilized; and continuing expansion is expected for the use of animal fats in mixed feeds. The cumulative value of fats used in feeds was estimated at 165 million dollars in 1964.

The Department's program of chemical screening of uncultivated plants has led to the discovery of seeds containing oils of unusual composition. Of a total of 1,037 seed samples analyzed, representing 655 plant species, 151 were shown to contain unusual types of oil. Four classes of these new oils, with properties different from those now produced domestically, offer promise for industrial applications that are not competitive with present domestic oils.

One particularly promising oilseed crop is *Crambe abyssinica*, which contains more than 50 percent of erucic acid, a potentially important industrial chemical that in 1964 was largely imported. Erucic acid from *Crambe* oil has good possibilities for conversion into new chemicals for production of resins, plastics, fibers, and coatings. Since it apparently can be grown in the principal wheat-growing areas of the Western States and the northern Corn Belt States, *Crambe* is a potential replacement for some of the surplus grains grown there.

The discovery by Department scientists that a chemical known as ethoxyquin can effectively preserve carotene (provitamin A), vitamin E, and the xanthophylls in dehydrated forages has resulted in the establishment of important new markets for dehydrated alfalfa. When this preservative is applied at a rate of about one-half pound per ton and at a cost of not more than a dollar, about three-fourths of the labile nutrients are retained over a storage period of 6 months, as compared to a one-fourth retention for untreated forage stored under the same conditions.

Thus, for example, alfalfa stabilized with ethoxyquin serves as an excellent source of the xanthophylls needed to produce the yellow-skinned poultry so highly desired by consumers in Japan and Europe. Previously, essentially no dehydrated forage was exported; 200 tons (produced on 40 thousand acres) were sold abroad in 1962. This is in addition to domestic uses of the ethoxyquin treatment, which include 90 percent of more than a million tons of dehydrated forage produced annually, and 10 million tons of poultry feed so treated to preserve vitamin E, which is mutually effective with ethoxyquin in preventing the occurrence of crazy

chick disease. A large proportion of the alfalfa that is dehydrated is handled by some 50 firms licensed to use the development under a Department public service patent.

CONSIDERABLE agricultural utilization research is conducted in other countries, although rarely under that specific name. The extent of such research depends on the scientific manpower available, and the direction of emphasis depends on political and economic factors in each country.

Many of the less-developed countries have agricultural deficits, particularly in foodstuffs. Utilization research that is conducted there will tend to emphasize improvements in quality of processed foodstuffs, with particular attention to retention of nutritive value, and to the exploitation of native plants to provide new sources of edible protein, carbohydrates, and fats.

India is an agricultural-deficit country that has a reservoir of scientific manpower. A number of research institutions in India, operating largely under government funds, are working to expand the supply of nutritious food products, particularly from native crops.

Other factors also work to influence the course of utilization research.

Some of it is directed toward the production of products that are imported so as to relieve the outflow of foreign exchange. Some of the processes under study have been examined in the United States and are considered to be technically feasible but uneconomic. In India, where the labor costs for collection of raw materials and processing are relatively cheap, such processes may be feasible from the economic standpoint.

We can offer another generalization about utilization research in India. In new developments, much attention is given to setting up complete processes that can be offered to industrial concerns together with technical advice to put them into operation. In one instance, a government research institution took over a private manufacturing plant that was operating at a loss, installed a new process involving modern technological and management methods, proved that under these conditions the plant could make a profit, and returned it to its owners.

This situation is different from that in the United States, where the large processors of agricultural raw materials are well equipped to take up a new development in its intermediate stages, adapt it to their own needs, and conduct any necessary terminal evaluations before reducing it to industrial practice.

Despite a need for applied research on new processes and products in India, the scientific administrators realize that such research must be predicated on a great deal of fundamental work.

The situation in India has had parallels in such countries as Brazil, Uruguay, and Colombia, which have been deficit countries agriculturally but have scientific and technological resources to grapple with problems of food utilization. Economic and scientific assistance is helping speed the time when research can be applied to getting full value from crops.

WHEN A COUNTRY's agricultural production turns from a condition of deficits to sufficiency and finally to one of abundance, the changes may have a significant influence on its pattern of utilization research. The trend is away from new or improved food uses for farm crops and toward the development of new industrial products from the part of the output that is not needed for food.

In France, for example, systematic action has been taken to set up research programs to find industrial uses for surplus farm products. In other countries of the Common Market, all types of science are well established, and research institutions have been addressing themselves to agricultural utilization problems.

The United Kingdom traditionally has been a net importer of agricultural raw materials and has maintained strong research programs to derive products of maximum value from food and fiber. Several institutions are recognized internationally for their contributions to the chemistry of agricultural products.

Japan is in much the same category. Israel is another example of a net importer that has established strong programs of research on the utilization of agricultural raw materials.

Wars influence the course of utilization research. During the Second World War, the agricultural situation in the United States changed from one of surpluses to one of deficits, and the Department's utilization research program turned from an emphasis on industrial utilization to emphasis on improved food uses for crops. Much of the wartime research was in direct collaboration with the military services, in such fields as the development of better dehydrated foods.

A substantial supplement to the Department's domestic utilization research program was provided by the initiation in 1958 of a program of grants to foreign institutions, using foreign currencies derived from the sale of our agricultural surpluses under Public Law 480. As of January 1964, more than 160 grants had been made to institutions in 18 foreign countries for research on problems of mutual interest concerned with agricultural utilization research. The results have demonstrated how much we have in common with research workers abroad.

GEORGE W. IRVING, JR., *became Deputy Administrator of Agricultural Research Service in 1954. His duties as head of the Department's agricultural utilization research program were expanded in 1963 to include supervision of the nutrition and consumer-use research program.*

SAMUEL B. DETWILER, JR., *in 1958 became an assistant to the Administrator of the Agricultural Research Service, specializing in the development of grants to foreign institutions for utilization research.*

Problems in

Economics

by RAYMOND P. CHRISTENSEN

How TO INCREASE agricultural output and productivity and thereby help achieve national economic growth is a major agricultural economic problem in underdeveloped countries.

In the developed countries, where agricultural productivity already is high, a problem is how to manage rapidly expanding agricultural production capacity in such a way as to improve income of rural people and aid in an economic growth of underdeveloped countries.

In both, important questions concern ways to increase international trade in agricultural products on a mutually beneficial basis.

Agricultural production in developed countries has increased more than total population and has caused downward pressure on prices of farm products and on income of farmers.

During the fifties, for example, total population of the developed countries increased about 0.9 percent a year, but agricultural production per person increased 1.6 percent a year. Food consumption per person went up slightly with higher incomes but not enough to cause total demand for farm products to increase as rapidly as the total supply.

Expansion in agricultural output has resulted from the adoption of new technology and the use of more capital inputs—fertilizers, pesticides, petro-leum products, machines, and other materials from industrial sources. But widespread use of new technology by many farmers has caused total agricultural output to expand more rapidly than market outlets, and prices of farm products and incomes of farmers to decline in the aggregate.

How can farmers contribute to national economic growth and consumer welfare without being penalized for doing so? Gains in economic efficiency of farm production and marketing do not automatically result in higher incomes for farmers. Most developed countries have programs to support agricultural prices and incomes and a pattern of agricultural production better balanced with market outlets. But incomes of farm people still average only about two-thirds as high as those of nonfarm people.

Employment on farms decreased in all developed countries and by as much as 30 percent in several in the fifties. Many farm units, however, remained too small to provide adequate incomes. Farm people face difficult adjustments in shifting to nonfarm jobs. They usually do not have the specialized skills required by industry. Consequently many continue to operate small farms where they receive relatively low incomes.

UNDERDEVELOPED COUNTRIES face difficult problems in achieving the large increase in production of food and other agricultural products required for national economic growth.

Many have had population growth rates of 2 or 3 percent a year. As incomes increase, 50 to 60 percent of the additional income is spent for food.

If, in addition, per capita incomes increase 3 percent a year, total food supplies must increase 4 or 5 percent each year in those countries to keep pace with growth in domestic food demand. Such increases are large compared with those achieved in most developed countries during the early stages of their economic development. Farm output in the United States, for example, has seldom increased more than 2 percent a year.

How to achieve large increases in agricultural output and productivity is a critical problem in underdeveloped countries. If supplies of food do not expand as much as demand for food, price inflation results and plans for industrial development are disrupted. Increased productivity in agriculture is needed to provide a basis for national economic growth.

Agricultural sectors of underdeveloped countries have abundant supplies of unskilled workers. Land and reproducible capital are scarce factors, but management and technical skills for adoption of improved technology are scarcest of all. This is true because more capital and labor applied to land now in cultivation by primitive methods will result in little, if any, increase in output.

Substantial increases in output can be expected if management and technical skills are used with a limited amount of capital to develop improved systems of farming that involve combinations of improved technology.

The efficient use of resources requires getting the most from a relatively fixed area of land, using available management and technical skills with a limited supply of capital allocated to agriculture, and using direct labor as effectively as possible.

How to make economic use of increasing numbers of agricultural workers is another major problem.

The population growth in many underdeveloped countries is 2.5 percent a year, and about 75 percent of the population is agricultural. Nonfarm employment would need to increase about 10 percent a year just to absorb the young people that join the labor force each year in the rural areas and cities. With economic growth, the agricultural population will decline relative to nonagricultural population, but the absolute number of rural people in most of these countries can be expected to increase for some time to come.

Agricultural population typically has increased during the early phases of the industrialization in the developed countries. In Japan, for example, the working population in agriculture, forestry, and fisheries increased during the first 20 years of industrialization, and remained relatively constant for about 15 years before beginning a gradual decline.

Productive work must be found in rural places, either in farm production or in improvement of rural resources, that will result in future expansion of farm production. Full advantage needs to be taken of opportunities for using plentiful labor supplies for improving the land, transportation facilities, and farm buildings.

Although many low-income countries have less arable land per person than the United States, Canada, and other developed countries, limited resources of land need not be a barrier to economic growth. Little correlation exists between income per person and land per person.

Many European countries, for example, have achieved high incomes although they have relatively little land. European countries have been net importers of food. They import only 15 percent of the food they consume, however—a proportion that has been declining with advancing agricultural technology. Most of the additional supplies of food and other farm products required for economic growth of developed countries has been grown at home.

Physical potentials for improving crop yields are large. Cereal yields per acre average less than half as high in underdeveloped countries as in the developed. Wide differences in yields per acre between neighboring farms in low-income countries indicate that doubling or tripling yields on many farms is possible. The high yields in developed countries are only of recent origin in the long sweep of agricultural history. For example, per acre yields of wheat in England and rice in Japan have gone up more in the 50 years just past than they did in the preceding 500 years.

INCREASES IN FOOD PRODUCTION in underdeveloped countries, even though accelerated, are not likely to be large enough to meet requirements for rapid economic growth. Their production of food since 1950 increased about 2.8 percent a year, only slightly more than the rate of population growth.

It should be possible to step up rates of increase in food production to 3 or 3.5 percent a year in a decade, but that still will be short of the annual increase of 4 to 5 percent required in many countries to meet rising demands due to growth in population and income.

Developed countries can foster economic growth of underdeveloped countries by helping them meet their rapidly expanding food requirements. Although food aid programs, such as those under Public Law 480, have helped many countries, advancing agricultural technology and productive capacity in the developed countries will make possible much larger food assistance programs in the future.

Underdeveloped countries will become better trading partners with the developed countries and import more products on a commercial basis when they achieve higher per capita incomes. Foreign trade is closely related to national income and purchasing power.

The underdeveloped countries have much smaller exports and imports on a per capita basis than do the developed countries, but they have as much foreign trade per dollar of income as do the developed countries. In 1959–1960, for example, the value of imports averaged 19 dollars for each 100 dollars of income for both the underdeveloped and the developed countries. Imports of agricultural products averaged 7 dollars per 100 dollars of income for the developed countries and 5 dollars per 100 dollars of income for the underdeveloped.

Underdeveloped countries are potential markets for much larger quantities of products from the United States and other developed countries. How rapidly markets expand in the low-income countries depends upon how rapidly these countries can achieve economic growth and increase their foreign exchange earnings.

ADVANCING AGRICULTURAL productive capacity in developed countries raises questions as to how foreign trade in agricultural products can be arranged on a mutually beneficial basis.

Underdeveloped countries depend heavily upon agricultural exports as sources of foreign exchange for financing imports of capital goods required for industrial as well as agricultural development. Agricultural exports account for half of total exports in the case of underdeveloped countries.

The total agricultural exports of developed countries, however, are about a third larger than those of underdeveloped countries. It is important that export supplies from developed countries do not depress prices of agricultural products in world markets and thereby reduce economic incentives to make full use of opportunities to increase agricultural output and productivity in underdeveloped countries. Underdeveloped countries need expanding markets at stable prices in order to earn the foreign exchange for financing imports of capital goods for economic growth.

Developed countries that have relied on agricultural imports to meet a substantial part of their food requirements in some instances may find it convenient to satisfy a larger part of their domestic requirements from expanding domestic production. If that is done through protectionist policies for domestic agriculture that reduce imports from low-cost producing countries, it interferes with the expansion of agricultural trade and the international specialization in agricultural production required for improving consumer welfare in all countries.

Developed countries that have been on an export basis but dispose of agricultural products at prices below domestic prices also could interfere with desirable trade expansion and efficient use of resources on an international basis. Freer trade, not increased impediments to trade, will contribute to economic growth.

In this connection, international trade agreements and other means of stabilizing world prices and promoting foreign trade in agricultural products merit much more study.

ECONOMIC RESEARCH on these many problems is being conducted by institutions and individuals throughout the world, although it was just getting underway in most developing countries in 1964.

Early economists were concerned with problems of food supply, population growth, land rents and taxation, and agricultural trade. But agricultural economics did not get established as a special field of study in the developed countries until the first two decades of this century.

The first studies were concerned with ways to improve the efficiency of farm production by applying new agricultural technology and by improving the organization and operation of farms, systems of farming, tenure, credit, marketing methods, prices and incomes for farmers, analyses of agricultural outlook, and so on.

The objectives of agricultural economic research changed during the fifties when pressure of increasing supplies depressed prices of farm products. Increased emphasis was placed on research designed to help farmers decide what adjustments they needed to make because of advancing technology and mechanization and changing foreign markets. More attention has been given to long-term projections of supply and demand for agricultural products, the development of rural areas, and foreign trade problems.

Needed now, especially in developing countries, is better economic information describing how agricultural production and marketing are organized and measuring economic conditions and changes.

Such information is a basis for deciding what are the obstacles to improving economic efficiency of agricultural production and marketing and increasing the economic welfare of rural and urban people. It also is a basis for preparing and implementing plans for national development.

Public programs that influence use of resources, production, consumption, savings, capital formation, and income distribution in agriculture and other economic sectors exercise much more control over economic growth in the underdeveloped countries than they do in the developed. Consequently, needs for economic information to provide a basis for national development plans are especially urgent.

Agricultural economists (and scientists) face great challenges in deciding how developing countries can increase agricultural output and productivity and increase contributions of agriculture to national economic growth.

It is known, for example, that knowledge, incentives, and means are required for agricultural development. Research is needed on their application in the developing countries. What levers can be used to move traditional farming towards more modern methods?

In the United States, the development and diffusion of knowledge about technology accounts for about half of the fivefold increase in agricultural production in the past century. The increased use of production inputs, chiefly capital goods, accounts for the other half. Obviously, expenditures for education and research have paid.

Economic incentives associated with family-operated farms have provided powerful stimuli to advances in agricultural output and productivity in Europe, North America, and Japan. But public programs that assure markets for farm products at stable prices have also been necessary to get farmers to make capital investments and try new methods. Also, farm people must be motivated to want higher incomes. It is essential that there be supplies of consumption goods of the kinds rural people want in larger quantities so that they can better satisfy their wants when they increase agricultural production.

In the less-developed countries, farm people cling to traditional farming methods because they feel sure these methods will provide enough food for survival. Many cannot afford to take risks and try new methods because they do not have resources to fall back on if the new methods fail.

ADOPTION OF new technology will require drastic changes and the learning of new skills and management techniques from outside teachers. Even the venturesome will require convincing evidence that substantial benefits will accrue from the change.

Even when benefits from improved farming methods are known and economic incentives have been provided through land and marketing reforms, the means for carrying out the new farming program may be lacking.

In addition to managerial and technical assistance for learning new ways of farming, farm people will need supplies of fertilizers, pesticides, better seeds, tools, and machines. Availability of supplies requires arrangements for importation or manufacture within the country. Many countries may have to give priorities to agricultural supply and processing industries if the food barrier is to be broken sufficiently to facilitate growth.

Because most farmers will not have either cash or credit to buy the necessary supplies, new credit institutions may be needed to supply credit on the basis of farm plans that promise increases in output and incomes. Local storage and marketing facilities will also be needed to handle the expanded production. Many countries therefore will require new marketing systems possibly through the establishment of publicly sponsored cooperatives.

Public work programs for underemployed workers can be organized to provide storage facilities, access roads, and other rural improvements needed to increase farm output and to transport the products to market.

In making plans for national economic growth, countries are faced with problems of how much emphasis to place on agriculture, manufacturing, mining, transportation, and other economic sectors in allocating scarce capital and managerial resources.

Agricultural and industrial development can be complementary as well as competitive. An expanding food supply at relatively low costs contributed to industrial growth in the United States and Europe. But industrial development in these countries helped increase output and productivity in agriculture by making available production-increasing supplies of fertilizer, pesticides, tools, and machines.

Movement of farm people to nonagricultural occupations was essential for expansion of manufacturing, construction, transportation, and service industries, but industrial growth created employment opportunities for rural people not needed in agriculture. It helped make farm mechanization possible and profitable and so contributed to increased productivity of land and labor in agriculture.

The emphasis on agricultural development compared with industrial development will need to vary country by country. Because capital is needed for industry and overhead services, as well as for agriculture, only limited capital from nonfarm sources will be available for the agricultural sector. The allocation between agriculture and other industries, however, should be planned to achieve balanced development, recognizing the importance of increased food output.

RAYMOND P. CHRISTENSEN *became Deputy Director, Development and Trade Analysis Division, Economic Research Service, in 1963. Previously he was Chief of the Economic Development Branch.*

Problems

in Marketing

by WINN F. FINNER

SIZABLE DIFFERENCES exist among countries in the magnitude of the marketing bill, but in all it is big.

Reductions in marketing costs may be reflected largely in lower prices to consumers, but the farmers also may achieve gains through increases in the prices they receive and through larger sales arising because of larger consumer purchases in response to lower retail prices.

The principal possibilities of lowering costs lie in finding ways to perform given marketing jobs more efficiently, in dispensing with certain services, or in changing some of the numerous external conditions that affect costs, such as tariffs, interest rates, and regulations pertaining to marketing firms.

The present costs of marketing may indicate where efficiency investigations can be directed most fruitfully. In the United States, for example, the costs of transportation, including local assembly, account for roughly one-sixth of the total marketing bill. Processing costs represent an additional one-third. Retailing is roughly of the same magnitude or a little higher. The balance goes to cover the costs of wholesaling, storage, and other functions.

Retail and wholesale operations are somewhat less subject to the application of engineering principles than processing is, but they often can be made more efficient through increases in the volume handled by individual establishments, particularly in cities.

A variety of other measures have been successful. In Puerto Rico, marketing specialists found that the retail costs could be lowered by the further expansion of chain retailing, including self-service, centralizing warehousing and docking facilities, outlawing of exclusive agents, and reducing other costs, such as those for advertising, through the consolidation of some of the existing stores.

Some governments have instituted price control in attempts to regulate retail prices, if not costs. Others, such as Mexico, have established mobile stores in an effort to improve the efficiency of retailing as well as food supplies in rural areas.

IMPROVING PROCESSING METHODS is a second way to lower costs of marketing.

Large gaps exist between methods that are known and used in some countries and the methods and facilities employed in some developing countries.

Careful appraisals of new technology must be made before one can determine which parts or kinds can lead to reductions in costs or to a more stable output, because low wage rates and high capital costs may negate the effectiveness of some machines and methods that are successful elsewhere.

A major consideration in improving processing operations concerns the number and size of processing plants. In some countries, markets are not large enough to support a sufficient number of large, efficient establishments to insure keen competition. In fact, the amount of pasteurized milk or canned vegetables or baked bread or other processed items that will be purchased may not be large enough to take the output of even one establishment large enough to employ most cost-reducing equipment and methods.

The choice then may be to continue with industries consisting of many small firms that have high costs and too small an output to export effectively or use much of the new technology; or to limit the number of firms in the industry; or to have government participation in order to consolidate most of the output in one or a few establishments.

A number of governments have elected to undertake or control marketing operations. Here, though, the economic consequences of the alternatives should be made clear.

The extent of the area from which raw materials should be drawn, the location of plants, the types of arrangement with farmers that will help insure sufficient supplies of products to be processed, the advisability of diversifying or specializing the products of a plant, the kinds of equipment to use, and the major markets to be served all require comparisons of costs and incomes if decisions are to be wise.

TRANSPORTATION LACKS often may hinder marketing.

In a number of countries, a significant proportion of all farms are a considerable distance from roads. In Thailand, for example, the average distance from farms to a road passable most of the year is more than 6 miles and from a navigable waterway about 18 miles.

In most Latin American countries, likewise, the absence of year-round roads and other transportation channels has seriously impeded agricultural development of some of the potentially better production areas. In many smaller countries that depend on ocean shipping to reach their markets, such as in much of the West Indies, the choice of crops to be grown is limited by the irregularity of shipping.

Poor transportation facilities raise costs of this service. They also raise other costs. Storage may need to be conducted in small establishments with resulting higher charges. The same is true of processing operations. Poor transportation also may lead to wide price differentials among different sections of a country.

Clearly, the physical construction of new facilities will be the major means of changing this situation.

A program of road expansion in Mexico since 1950, for example, has resulted in substantial increases in grain and fruit production in the regions the roads serve and has contributed generally to development.

Attention is needed in planning such construction, however, so as to serve best the future agricultural potential of the country.

Honduras, for example, requires that in the planning of new highways, the special problems of agriculture be given full consideration. Complicated appraisals may be necessary in order to determine the improvements in transportation that will yield the largest economic returns.

There likewise is a need to find ways to lessen the stultifying effect that high transportation costs can have on the development of new regions and industries. Such ways have been considered in some countries. In the meantime, benefits can be had by the wider use of such simple improvements as pneumatic tires on carts.

MAJOR IMPROVEMENTS can result from the better selection of markets in which products are sold.

A principal shortcoming of the agriculture of many countries is the existence of fairly rigid trading patterns and insufficient response to the changing profitability of alternative markets. In part, these rigidities may develop because of political relationships among governments or because of a community of interest, such as within the British Commonwealth.

They are attributable oftener to a failure to observe trends in prices in various markets or trends in production in competing areas.

The shift in the grain production in the United States from the Northeast to the Midwest and West has a counterpart in many other countries and many products. Some are long-time changes, such as the decline in the importance of the Caribbean area as a source of sugar. Others arise more rapidly.

Some prospective changes in markets are difficult to measure, or their permanence is beset with uncertainty. Nations such as Congo, India, and Nigeria, whose per capita incomes have been low, no doubt will change their habits of food consumption markedly as incomes increase. That will mean shifts to different foods and will open new possibilities for farmers. The timing may be difficult to determine, however.

The use of synthetic rubber illustrates another type of market change—a new type of product is partially replacing an older form. Synthetic rubber rose from about 37 percent of total world consumption in 1952 to almost 50 percent in 1962. This change may partly negate the efforts of some countries that produce natural rubber, such as Malaysia, to improve their incomes by planting higher yielding trees.

The more effective use of storage also may open new possibilities of spreading sales over a longer time.

Investigations by the Food and Agriculture Organization in Central America, for example, established a basis for the construction of storage to enable imports of grain during periods of seasonally low prices and to lessen the seasonal price differentials.

In other instances, prices received by farmers have been strengthened through the construction of cold storage facilities so that the use of a part of the crop could be delayed until prices rose.

Nevertheless, storage costs may be high, particularly if low temperatures need to be maintained or if volumes handled are small. These costs must be compared with the magnitude of price increases during storage or the other gains anticipated before one can determine the wisdom of storage operations and such related handling practices as drying and fumigation.

Another market alternative is the possibility of shifting between the sale of fresh products and processed products. The canning of part of a crop may make greater returns possible.

In Libya, for example, the considerable difficulty imposed on the exportation of fresh oranges because of the diversity of varieties and quality has led to an increase in the volume of fruit processed.

IN MANY COUNTRIES, a grading program for locally produced food products domestically consumed is sketchy or absent. Sometimes there is a solid justification for this.

Most buying and selling involves visual inspection, so that the buyer himself may determine quality. Also, most consumers have such low incomes that they are not prepared to pay for usual quality characteristics, such as color, size, and uniformity. Thus, grading programs and corollary quality-improvement efforts would not be justified by higher prices.

Attempts to expand sales of pasteurized milk in some countries have failed because most local consumers preferred the lower price and reportedly the flavor of boiled raw milk in comparison with pasteurized milk.

Likewise, efforts to establish a grading system for fresh meats have not always been successful because too few consumers are willing to pay higher prices for some portion of the supply.

Nevertheless, inadequate grading programs hamper agricultural development, particularly with respect to the production of products for export and for the small—but usually growing—proportion of the population prepared to pay for quality.

Sudan and a number of other African countries, for example, have benefited from improvements in the grading and standardization of exported hides. But on the other hand, partly because of inadequate grading, farmers in other countries, such as Jamaica, have been unable to compete with imported supplies of fresh vegetables to meet the growing demand of tourists and of higher income groups within the local population.

Marketing research can help establish a grading system that will best reflect buyer preferences in the various markets in which sales are made.

Such elements as the number of grades, the important characteristics to be measured in determining grades, and ways of simplifying the grading system so that it is understandable and workable all need to be determined in light of their probable effects on total income from sales and on the costs of conducting grading and testing programs. Considerable progress also can be made in standardizing the weights and measures used in trading.

A MAJOR DIFFICULTY facing some developing nations is that of wide fluctuations in prices.

Marked changes in prices produce serious problems for producers, particularly for small farmers with narrow financial reserves. They likewise have effects on the governments' revenues. Stable prices even at moderately low levels are likely to encourage greater agricultural development than sharply fluctuating prices.

Efforts have been made to reduce the magnitude of price swings or to moderate their results. International commodity agreements are an example of the former. Stabilization boards or similar organizations are an example of the second.

Much remains to be determined regarding their effectiveness and the ways in which they can be employed most usefully. Questions have been raised, for example, regarding the feasibility of building up large stabilization reserves that may not be returned completely to producers.

Some countries, including Burma, the Soviet Union, Uganda, India, the Republic of Ghana, and Japan, in effect have levied a tax on agriculture through the retention of a portion of sales proceeds or through an export tax in order to obtain funds for other purposes.

In a number of poorer countries, agriculture is the main source of such funds, and historically, agriculture has provided much of the beginning capital for nations such as the United States, now much further developed. Nevertheless, the adverse effects of such reductions in prices received by farmers on agricultural output and improvement may offset the gains.

Careful evaluations are needed to determine the extent to which development capital can be obtained from this source.

Greater attention also needs to be directed to a determination of the conditions necessary for the successful conduct of such stabilization efforts and to the influences of changing market conditions on the effectiveness of various stabilization techniques.

Improvements also can be accomplished in pricing within domestic markets. A principal way to do that is to develop and disseminate accurate information regarding current market supplies and prices and prospective conditions, as indicated by plantings, growing conditions, and changes in other factors likely to influence prices and quantities.

GOVERNMENT has a major role in the marketing in many countries.

Exports of Ethiopian coffee, Australian eggs, Canadian wheat, and Argentine beef, for example, are handled by boards or similar bodies under some degree of government control.

In many other countries, certain domestic or export sales or both are transacted by public or quasi-public bodies, in some instances as a part of long-range plans and in others as a temporary expedient until private firms can take over these functions.

Particularly in the underdeveloped countries, the factors involved in determining the extent to which government conducts trading operations may differ considerably from those in the United States. Only a few individuals in a country may have experience to operate marketing facilities to serve export markets.

The inflow of foreign capital and managerial ability may be hampered by exchange controls and perhaps by political uncertainty, besides the business hazards involved. Again, private traders may command exorbitant interest payments, with the result that government may take a more active part.

The Food and Agriculture Organization, for example, has reported that interest rates paid by farmers to those extending credit and purchasing their output may range from 7 to 10 percent per month in Cambodia and from 25 to 400 percent a year among small farmers in the Philippines. The Nigerian Government established controls for the marketing of cocoa partly because of the view that private buyers paid unduly low prices relative to those at which they sold.

A major need that sometimes can be met by governmental action or sponsorship is to establish a continuity of markets so that at all times farmers will be assured of sales outlets.

In many instances, farmers now encounter difficulty in locating processors or other buyers for products not produced in large volume, for out-of-season production, or for production remotely located.

In other cases, operating markets do not offer price differentials for different grades or services needed by producers. Often the establishment of a continuing market has brought about additional output. A number of governments, such as those of Honduras, Ceylon, and Panama, have accomplished this through the establishment of government buying stations. In other instances, government departments have been assigned purchase functions or private dealers have been commissioned to conduct them.

Government also may insure the provision of other services specifically designed to assist small producers. It may arrange for the frequent purchase of small lots from farmers in order to lessen storage costs and the possibilities of spoilage before sale. Likewise, it may subsidize the extension of private transportation services to remote areas or on a more frequent schedule. It may meet certain costs of ocean shipping during periods when attempts are being made to develop new export markets, as the Canadian Government has done with respect to trade in the Caribbean.

Governmental trading activities frequently may be conducted under major handicaps pertaining to accounting, administrative, and employment procedures and because of failure to make timely adjustments in operating methods.

The fact that government may continue to perform certain functions after a number of private traders are prepared to undertake them may discourage innovation and retard improvements in efficiency. Lengthy delays may develop in resolving routine questions.

The fact is, however, that government conducts some of the commercial trading activity in most countries. In this situation, marketing investigations can provide a distinct service in assessing likely accomplishments, and they can determine the successes and weaknesses of governmental operations which are conducted, the ways in which they may be improved, and situations in which they should be expanded or terminated.

Investigations of this type have been valuable in revamping the activities of several African commodity boards. Research in Western Germany showed that the costs of marketing meat could be reduced about one-fourth if governmental restrictions were removed.

WINN F. FINNER *was appointed to the Staff Economist Group in September 1963. Previously he had been the Deputy Director of the Marketing Economics Division, Economic Research Service, having first joined the staff of that Division in 1947. He was on a special assignment with the Food and Agriculture Organization in 1961 to determine ways by which the agricultural marketing system in Jamaica could be improved. He joined the Department of Agriculture in 1937 after completing his graduate work at the University of Wisconsin.*

591

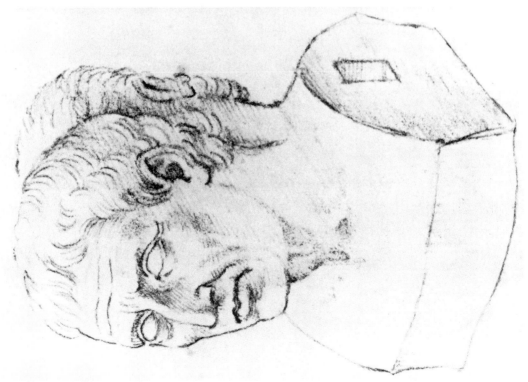

Tafel 151,1–2
Doppelherme Neapel, Mus.Naz. (S. 193); 1 nach Gallaeus

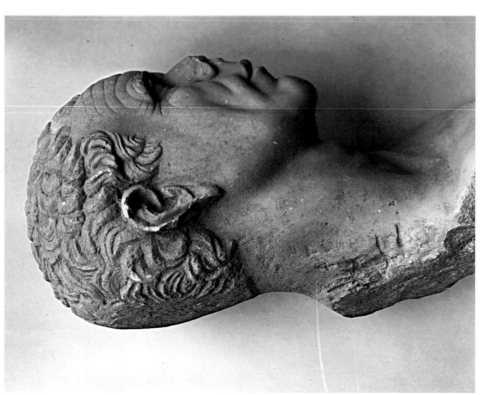

Tafel 152,1–2
Bildnis eines Unbekannten. Delos. Museum (S. 22, 26)

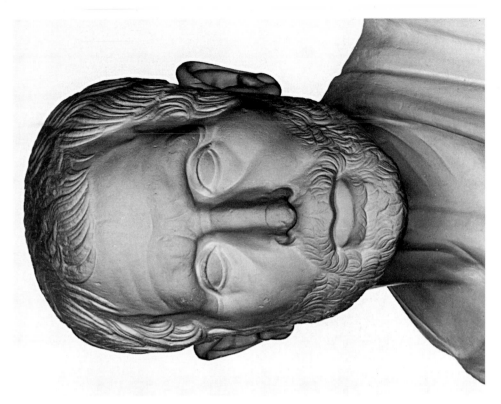

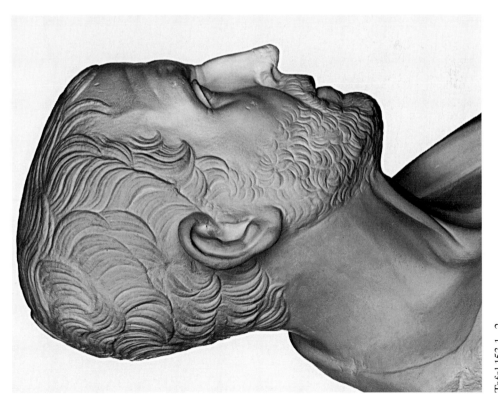

Tafel 153.1–2
Büste des Poseidonius, Neapel, Mus.Naz., Gipsabguß Göttingen (S. 26, 129, 204)

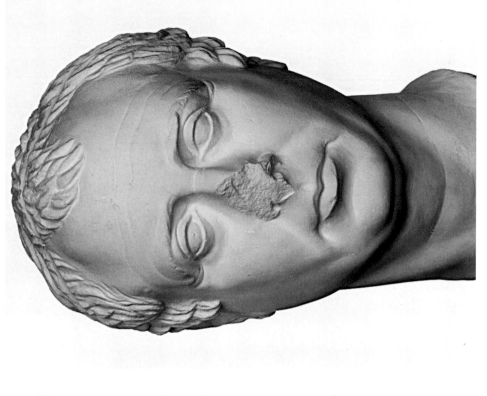

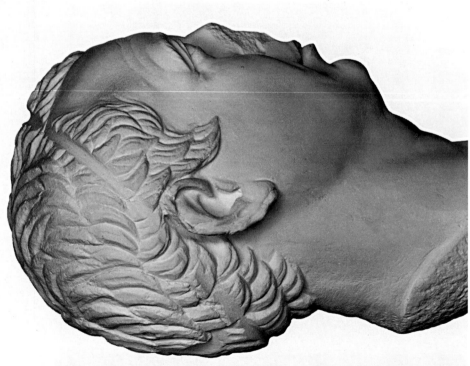

Tafel 154,1–2
Bildnis eines Unbekannten (Diodoros Pasporos?), Pergamon, Museum, Gipsabguß Göttingen (S. 26 Anm. 158)

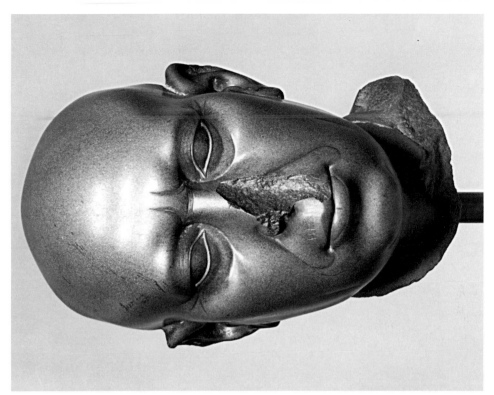

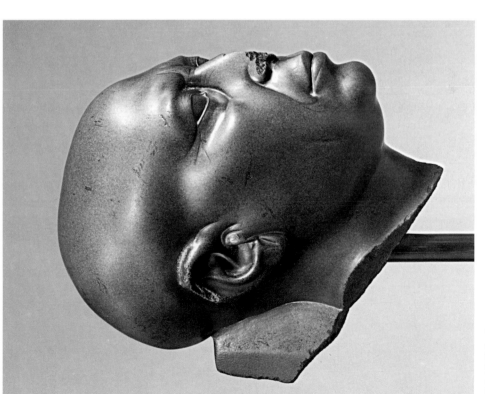

Tafel 155.1–2
Bildnis eines Unbekannten aus grünem Schiefer („Grüner Kopf"), Berlin (West), Ägypt. Museum (S. 27, 294 ff.)

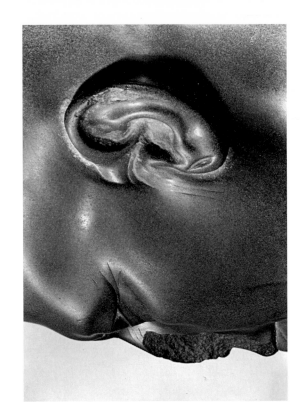

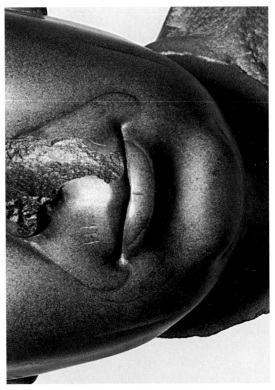

Tafel 156.1–2
wie Tafel 155

Tafel 157,1–2
Bildnis eines Unbekannten, Athen, Nat.Mus. (S. 27)

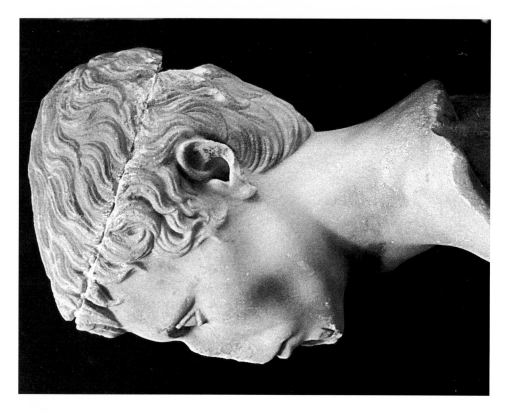

Tafel 158,1–2
Büste eines Unbekannten, Thera, Museum (S. 26)

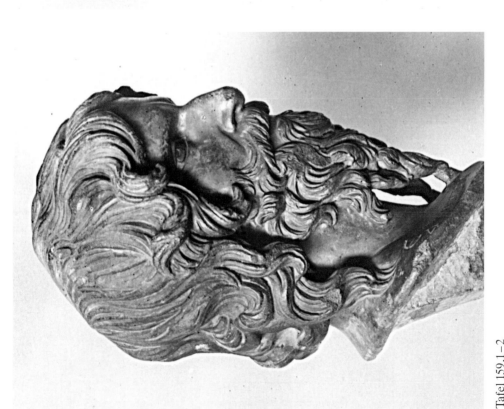

Tafel 159,1–2
Bildnis des sog. Euripides Modena, neuzeitliche Kopie nach einem antiken Vorbild der mittleren Kaiserzeit (?), Modena, Gall. Estense (S. 122)

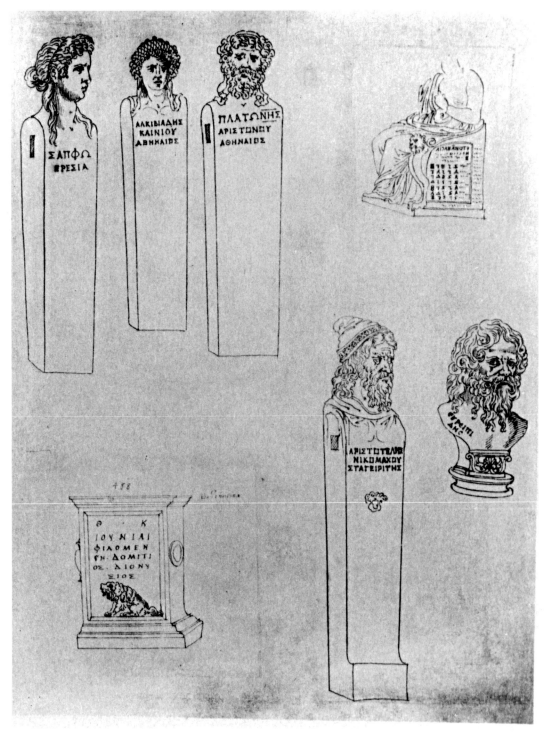

Tafel 160
Codex Vaticanus 3439 fol. 124' des F. Ursinus (S. 125 Anm. 37, 135 Anm. 19, 155)